# Ingeniería de control moderna

# Ingeniería de control moderna

## *Segunda Edición*


**Katsuhiko Ogata**

*University of Minnesota*


**Traducción:**

Bartolomé Alejandro Fabián-Frankel
Profesor titular y Director de Cátedra de Electrónica General / Computación y Cálculo Numérico
Facultad Regional Buenos Aires
Universidad Tecnológica Nacional

**Revisión Técnica**

José Guillermo Aranda Pérez
Ingeniero Electrónico
Universidad La Salle


**PRENTICE-HALL HISPANOAMERICANA, S.A.**
**MEXICO - ENGLEWOOD CLIFFS** - LONDRES - SYDNEY - TORONTO
NUEVA DELHI - TOKIO - SINGAPUR - RIO DE JANEIRO

**EDICION EN ESPAÑOL:**

| | |
|---|---|
| DIRECTOR | Raymundo Cruzado González |
| EDITOR | José Tomás Pérez Bonilla |
| GERENTE DE TRADUCCION | Jorge Bonilla Talavera |
| SUPERVISOR DE TRADUCCION | Joaquín Ramos Santalla |
| GERENTE DE PRODUCCION | Juan Carlos Hernández García |
| SUPERVISOR DE PRODUCCION | Ma. Lourdes Flores Saldívar |

**EDICION EN INGLES:**

Editorial/production supervision: Christina Burghard
Manufacturing buyer: Lori Bulwin

INGENIERIA DE CONTROL MODERNA

---

Traducido de la segunda edición en inglés de:

**MODERN CONTROL ENGINEERING**



Enrique Jacob G. No. 20
Naucalpan de Juárez, Edo. de México.

**ISBN 968-880-234-4**

Miembro de la Cámara Nacional de la Industria Editorial, Reg. Núm. 1524
Original English Language Edition Published by

ISBN 0-13-589128-0

AGO

PROGRAMAS EDUCATIVOS, S.A.
Calz. de Chabacano 65 Local A
Col. Asturias Del. Cuauhtémoc

2000 1994

IMPRESO EN MEXICO / PRINTED IN MEXICO

# Contenido

# Prefacio

Este libro presenta un estudio completo y amplio del análisis y diseño de sistemas de control de tiempo continuo. Su objetivo es servir como texto para un primer curso de sistemas de control. Está escrito a nivel avanzado de estudiantes de ingeniería (eléctrica, mecánica, aeroespacial o química). Se espera que el lector haya seguido cursos introductorios de ecuaciones diferenciales, análisis vectorial-matricial, análisis de circuitos y mecánica.

Esta segunda edición incluye muchos temas nuevos no tratados en la primera. Estos comprenden el procedimiento de ubicación de polos para el diseño de sistemas de control, el diseño de observadores y la simulación computacional, entre otros.

El contenido de este libro está organizado en tres partes. La parte I, que consiste en los primeros cuatro capítulos, trata temas básicos para el análisis de sistemas de control, por métodos tanto convencionales, como de espacio de estado. La parte II, que abarca los cuatro capítulos siguientes, se ocupa del método del lugar de las raíces, de los métodos de respuesta en frecuencia, del diseño de sistemas de control basados en estos métodos, y del análisis de los sistemas de control no lineales mediante la función descriptiva. La parte III, que consta de los dos capítulos finales, presenta el análisis y diseño de sistemas de control por métodos en el espacio de estado.

El esbozo de cada capítulo es como sigue: el capítulo I presenta los conceptos fundamentales de sistemas de control retroalimentados y la fundamentación matemática básica necesaria para la comprensión del libro. El capítulo 2 trata el modelado matemático de componentes y sistemas físicos y desarrolla modelos en función de transferencia y en espacio de estado de esos componentes y sistemas. El capítulo 3 expone diversas acciones de control y pormenoriza sobre controladores neumáticos e hidráulicos. En el capítulo 4 se presenta el análisis de respuesta transtoria, el análisis del error en estado estacionario y la simulación de sistemas de control por computadora.

El capítulo 5 explica el análisis de sistemas de control utilizando el lugar de las raíces. El capítulo 6 trata el análisis de respuesta de frecuencia para sistemas de control. En el capítulo 7 se presentan las técnicas de diseño y compensación por los procedimientos del lugar de las raíces y la respuesta en frecuencia. El capítulo 8 describe el análisis de sistemas de control no lineales por medio de la función descriptiva.

El capítulo 9 plantea los elementos básicos de la teoría de control moderna, incluyendo los conceptos de controlabilidad y observabilidad y el análisis de estabilidad de Liapunov. El capítulo 10 trata del diseño de sistemas de control en base a los procedimientos del espacio de estado. Los temas incluyen las técnicas de diseño a través de la ubicación de los polos, observadores de estado, diseño de servosistemas, sistemas de control de optimización cuadrática, sistemas de control de modelos de referencia, y sistemas de control adaptable. Como para el análisis de espacio de estado se requiere un buen conocimiento del análisis vectorial-matricial, en el apéndice se ofrece un resumen sobre análisis vectorial-matricial, para facilitar la consulta.

Este libro se ha escrito desde el punto de vista del ingeniero, se enfatizan los conceptos básicos que trata y se evita con sumo cuidado una exposición de alto rigor matemático en la presentación de los temas. (Se incluyen demostraciones matemáticas sólo cuando se considera que éstas contribuyen a la comprensión de los temas expuestos. La totalidad de la obra se ha organizado con miras a brindar un desarrollo gradual de la teoría de control.

A lo largo del libro, en puntos estratégicos, se presentan ejemplos seleccionados con esmero de modo que el lector tenga una clara comprensión del tema en discusión. También, al final de cada capítulo y del apéndice, se brindan numerosos problemas resueltos. Como esos problemas son parte integral del texto, se sugiere que el lector los estudie con detenimiento. Asimismo, se incluyen muchos problemas (sin solución) de diverso grado de dificultad, para verificar la capacidad del lector en el aprovechamiento de la teoría presentada.

La mayor parte de los temas de este libro que incluyen problemas resueltos y no resueltos, se ha probado en el salón de clases en cursos de la especialidad de sistemas de control en la Universidad de Minnesota. En los ejemplos y problemas, las magnitudes físicas se presentan en el Sistema Internacional de Unidades (SI), en el Sistema Métrico de Unidades de Ingeniería, o en el Sistema Británico de Unidades de Ingeniería, de modo que el lector pueda trabajar con cualquiera de éstos.

Esta obra puede utilizarse del siguiente modo: si el objetivo del curso es estudiar los temas básicos de sistemas de control, incluyendo un planteo introductorio del espacio de estado, para un curso de cuatro horas en un trimestre (o de tres horas en un semestre), prosiguiendo luego con las partes I y II (con la posible omisión del capítulo 8); o si se quiere en cambio destacar el procedimiento del espacio de estado para el análisis y diseño de sistemas de control, continuando entonces con las partes I y III (con la posible omisión del capítulo 3). Si se cuenta con un curso de cuatro horas durante un semestre, se puede estudiar casi todo el contenido de las partes I, II y III, obviando con flexibilidad sólo ciertos temas. En un curso de cuatro horas durante dos trimestres, puede abarcarse el contenido íntegro del libro. Este también sirve como obra de consulta o manual autodidáctico para ingenieros en ejercicio que deseen estudiar teoría de control.

Deseo expresar mi agradecimiento a muchos ex-alumnos que resolvieron gran cantidad de los problemas que aquí se incluyen así como a aquellos estudiantes que hicieron muchos comentarios constructivos, y a Scott Hanowski y a Tom Berg por mejorar la presentación de ciertos temas del libro. Mi reconocimiento abarca asimismo a los anónimos revisores que ofrecieron valiosas sugerencias durante el proceso de corrección. Doy gracias por último a Tim Bozik, Editor Ejecutivo, por su entusiasmo en publicar esta segunda edición.

*Katsuhiko Ogata*

# PARTE I Análisis básico de sistemas de control mediante métodos convencionales y de espacio de estado

# CAPITULO 1

# Introducción al análisis de sistemas de control

## 1-1 INTRODUCCION

El control automático ha jugado un papel vital en el avance de la ciencia y de la ingeniería. Además de su extrema importancia en vehículos espaciales, sistemas de guía de proyectiles, sistemas de piloto automático de aeronaves, sistemas robóticos y otros, el control automático se ha vuelto parte integral e importante de los procesos industriales y de manufactura modernos. Por ejemplo, el control automático resulta esencial en el control numérico de las máquinas herramienta en las industrias manufactureras. También resulta esencial en operaciones industriales como el control de presión, temperatura, humedad y viscosidad, y flujo en las industrias de transformación.

Como los avances en la teoría y práctica del control automático brindan medios para lograr el funcionamiento óptimo de sistemas dinámicos, mejorar la productividad, liberarse de la monotonía de muchas operaciones manuales rutinarias y repetitivas, y otras ventajas, la mayoría de los ingenieros y científicos deben poseer un buen conocimiento de este campo.

**Revisión histórica.** El primer trabajo significativo en control automático fue el regulador centrífugo de James Watt para el control de la velocidad de una máquina de vapor, en el siglo dieciocho. Otros avances relevantes en las primeras etapas del desarrollo de la teoría de control se deben a Minorsky, Hazen y Nyquist, entre muchos otros. En 1922 Minorsky trabajó en controladores automáticos de dirección en barcos y mostró cómo se podría determinar la estabilidad a partir de las ecuaciones diferenciales que describen el sistema. En 1932, Nyquist desarrolló un procesamiento relativamente simple para determinar la estabilidad de los sistemas de lazo cerrado sobre la base de la respuesta a lazo abierto con excitación sinusoidal en régimen permanente. En 1934 Hazen, quien introdujo el término servomecanismos para los sistemas de control de posición, desarrolló el diseño de servomecanismos repetidores capaces de seguir con exactitud una entrada cambiante.

Durante la década de los años cuarenta, los métodos de respuesta en frecuencia posibilitaron a los ingenieros el diseño de sistemas lineales de control de lazo cerrado que satisfacían los comportamientos requeridos. De fines de los cuarenta a principios de los cincuenta, Evans desarrolló por completo el método del lugar de las raíces.

Los métodos de respuesta en frecuencia y del lugar de las raíces, que son el corazón de la teoría de control clásica, llevan a sistemas que son estables y que satisfacen un conjunto de requerimientos de funcionamiento más o menos arbitrarios. Tales sistemas son, en general, aceptables pero no óptimos en ningún sentido significativo. Desde fines de la década de los cincuenta, el énfasis en problemas de diseño de control se desplazó del diseño de uno de los muchos sistemas que funcionan, al diseño de un sistema óptimo en algún sentido determinado.

Como las plantas modernas con muchas entradas y salidas, se van haciendo más y más complejas, la descripción de un sistema moderno de control requiere una gran cantidad de ecuaciones. La teoría de control clásica, que trata de sistemas con una entrada y una salida, se vuelve absolutamente impotente ante sistemas de múltiples entradas y salidas. Hacia 1960, gracias a la disponibilidad de las computadoras digitales, se hizo posible el análisis de sistemas complejos en el dominio del tiempo; desde entonces se ha desarrollado la teoría de control moderna, basada en el análisis y síntesis en el dominio del tiempo, utilizando variables de estado, con lo que se posibilita afrontar la complejidad creciente de las plantas modernas y los estrictos requisitos de exactitud, peso y costo en aplicaciones militares, espaciales e industriales.

Los desarrollos más recientes en la teoría de control moderna están en el campo del control óptimo de sistemas, tanto determinísticos como estocásticos, así como en sistemas de control complejos con adaptación y aprendizaje. Ahora que las computadoras digitales se han abaratado y reducido en tamaño, éstas pueden utilizarse como parte integral de estos sistemas de control. Las aplicaciones recientes de la teoría de control moderna incluyen sistemas no ingenieriles como los de biología, biomedicina, economía y socioeconomía.

**Definiciones.** La variable *controlada* es la cantidad o condición que se mide y controla. La variable *manipulada* es la cantidad o condición modificada por el controlador, a fin de afectar la variable controlada. Normalmente la variable controlada es la salida del sistema. *Control* significa medir el valor de la variable controlada del sistema, y aplicar al sistema la variable manipulada para corregir o limitar la desviación del valor medido, respecto al valor deseado.

Al estudiar ingeniería de control se deben definir términos adicionales para describir sistemas de control, tales como plantas, perturbaciones, control retroalimentado y sistemas de control retroalimentado. A continuación, se dan las definiciones de estos términos, luego se ofrece una descripción de sistemas de control de lazo cerrado y abierto, y se comparan las ventajas y desventajas de dichos sistemas. Por último, se dan las definiciones de los sistemas de control adaptable y de aprendizaje.

***Plantas.*** Una planta es un equipo, quizá simplemente un juego de piezas de una máquina, funcionando conjuntamente, cuyo objetivo es realizar una operación determinada. En este libro llamaremos *planta* a cualquier objeto físico que deba controlarse (como un horno de calentamiento, un reactor químico o un vehículo espacial).

***Procesos.*** El diccionario *Merriam-Webster* define proceso como una operación o desarrollo natural, caracterizado por una serie de cambios graduales, progresivamente continuos, que se suceden uno a otro de un modo relativamente fijo, y que tienden a un determinado resultado o final; o a una operación voluntaria o artificial progresivamente continua, que consiste en una serie de acciones controladas o movimientos dirigidos sistemáticamente hacia determinado resultado o fin. En este libro se denomina *proceso* a cualquier operación que deba controlarse. Ejemplos de ello son los procesos químicos, económicos o biológicos.

***Sistemas.*** Un sistema es una combinación de componentes que actúan conjuntamente y cumplen determinado objetivo. Un sistema no está limitado a objetivos físicos. El concepto de sistema puede aplicarse a fenómenos dinámicos abstractos, como los que se encuentran en economía. Por tanto, el término *sistema* hay que interpretarlo como referido a sistemas físicos, biológicos, económicos y otros.

***Perturbaciones.*** Una perturbación es una señal que tiende a afectar adversamente el valor de la salida de un sistema. Si la perturbación se genera dentro del sistema, se la denomina *interna*, mientras que una perturbación *externa* se genera fuera del sistema y constituye una entrada.

***Control retroalimentado.*** El control retroalimentado es una operación que, en presencia de perturbaciones, tiende a reducir la diferencia entre la salida de un sistema y alguna entrada de referencia, realizándolo sobre la base de esta diferencia. Aquí sólo se especifican las perturbaciones no previsibles, ya que las predecibles o conocidas, siempre pueden compensarse dentro del sistema.

***Sistemas de control retroalimentado.*** Se denomina *sistema de control retroalimentado* a aquel que tiende a mantener una relación preestablecida entre la salida y alguna entrada de referencia, comparándolas y utilizando la diferencia como medio de control. Por ejemplo un control de temperatura ambiente para una habitación. Midiendo la temperatura efectiva de la habitación y comparándola con la temperatura de referencia (temperatura deseada), el termostato conecta o desconecta los equipos de calefacción o refrigeración, de modo que la habitación se mantiene a una temperatura confortable, independientemente de las condiciones del exterior.

Los sistemas de control retroalimentado no están limitados al campo de la ingeniería, sino que se les puede encontrar en áreas ajenas a la misma. Por ejemplo el organismo humano es análogo a un sistema de control retroalimentado muy avanzado. La temperatura y la presión se mantienen en valores constantes por medio de una retroalimentación fisiológica. De hecho, la retroalimentación cumple una función vital: hace al cuerpo humano relativamente insensible a perturbaciones externas, permitiéndole desenvolverse adecuadamente en un medio ambiente cambiante.

Otro ejemplo es el control de velocidad de un automóvil a través de un operador humano. El conductor decide la velocidad adecuada a la situación, que puede ser la establecida como límite máximo para la ruta o camino en que se desplaza. Esta velocidad actúa como velocidad de referencia. El conductor observa la velocidad que efectivamente lleva, mirando el odómetro. Si viaja muy lentamente, oprime el acelerador y el vehículo aumenta su velocidad. Si la velocidad que lleva es demasiado alta, disminuye la presión sobre el pedal del acelerador, y el vehículo reduce su velocidad. Este es un sistema de control retroalimentado con un operador humano. Este operador humano podría ser remplazado fácilmente por un dispositivo mecánico, eléctrico u otro similar. En vez del conductor observando el odómetro, se puede usar un generador eléctrico que produzca una tensión proporcional a su velocidad. Esta tensión se puede comparar con una tensión de referencia que corresponda a la velocidad deseada. Luego se puede utilizar la diferencia entre ambas tensiones como señal de error para posicionar el acelerador, aumentando o disminuyendo así la velocidad, según se requiera.

***Servosistemas.*** Se llama servosistema (o servomecanismo) a un sistema de control retroalimentado en el que la salida es algún elemento mecánico, sea posición, velocidad o aceleración. Por tanto, los términos servosistema o sistema de control de posición o de velocidad o de aceleración, son sinónimos. Estos servosistemas se utilizan ampliamente en la industria moderna. Por ejemplo, con el uso de servosistemas e instrucción programada se puede lograr la operación totalmente automática de máquinas herramienta. Nótese que a veces se denomina también servosistema a un sistema de control cuya salida debe seguir con exactitud una trayectoria determinada en el espacio (como la posición de una aeronave en el espacio en un sistema de aterrizaje automático). Los ejemplos incluyen el sistema de control de una mano de robot, en que la misma debe seguir una trayectoria determinada en el espacio, al igual que una aeronave en el sistema de control de aterrizaje.

***Sistemas de regulación automática.*** Un sistema de regulación automática es un sistema de control retroalimentado en el que la entrada de referencia o la salida deseada son, o bien constantes o bien varían lentamente en el tiempo, y donde la tarea fundamental consiste en mantener la salida en el valor deseado a pesar de las perturbaciones presentes. Hay muchos ejemplos de sistemas de regulación automática, como el regulador centrífugo de Watt (véanse detalles en la Sección 1-2), la regulación automática de tensión en una planta generadora eléctrica ante variaciones de carga eléctrica, y los controles automáticos de presión y temperatura en un proceso químico.

***Sistemas de control de procesos.*** A un sistema de regulación automático en el que la salida es una variable como temperatura, presión, flujo, nivel de líquido o pH, se le denomina *sistema de control de proceso*. El control de procesos tiene amplia aplicación en la industria. En estos sistemas con frecuencia se usan controles programados, como el de la temperatura de un horno de calentamiento en que la temperatura del mismo se controla según un programa preestablecido. Por ejemplo, el programa preestablecido puede consistir en elevar la temperatura a determinado valor durante un intervalo de tiempo definido, y luego reducir a otra temperatura prefijada también durante un periodo predeterminado. En este control el punto de referencia se ajusta según el cronograma preestablecido. El controlador entonces funciona manteniendo la temperatura del horno cercana al punto de ajuste variable.

***Sistemas de control de lazo cerrado.*** Con frecuencia se llama así a los sistemas de control retroalimentado. En la práctica, se utiliza indistintamente la denominación control retroalimentado o control de lazo cerrado. La señal de error actuante, que es la diferencia entre la señal de entrada y la de retroalimentación (que puede ser la señal de salida o una función de la señal de salida y sus derivadas), entra al controlador para reducir el error y llevar la salida del sistema a un valor deseado. El término lazo cerrado implica siempre el uso de la acción de control retroalimentado para reducir el error del sistema.

***Sistema de control de lazo abierto.*** Los sistemas de control en los que la salida no tiene efecto sobre la acción de control, se denominan *sistemas de control de lazo abierto*. En otras palabras, en un sistema de control de lazo abierto la salida ni se mide ni se retroalimenta para compararla con la entrada. Un ejemplo práctico lo constituye una lavadora de ropa doméstica. El remojo, lavado y enjuague en la lavadora se cumplen por tiempos. La máquina no mide la señal de salida, es decir, la limpieza de la ropa.

En cualquier sistema de control de lazo abierto, no se compara la salida con la entrada de referencia. Por tanto, para cada entrada de referencia corresponde una condición de operación fija. Así, la precisión del sistema depende de la calibración. En presencia de perturbaciones, un sistema de control de lazo abierto no cumple su función asignada. En la práctica el control de lazo abierto sólo se puede utilizar si la relación entre la entrada y la salida es conocida, y si no se presentan perturbaciones tanto internas como externas. Desde luego, tales sistemas no son sistemas de control retroalimentado. Nótese que cualquier sistema de control que funciona sobre una base de tiempos, es un sistema de lazo abierto. Por ejemplo, el control de tráfico con señales accionadas en función de tiempos, es otro caso de control de lazo abierto.

***Sistemas de control de lazo cerrado versus de lazo abierto.*** Una ventaja del sistema de control de lazo cerrado es que el uso de la retroalimentación hace que la respuesta del sistema sea relativamente insensible a perturbaciones externas y a variaciones internas de parámetros del sistema. De este modo, es posible utilizar componentes relativamente imprecisos y económicos, y lograr la exactitud de control requerida en determinada planta, cosa que sería imposible en un control de lazo abierto.

Desde el punto de vista de la estabilidad, en el sistema de control de lazo abierto, ésta es más fácil de lograr, ya que en él la estabilidad no constituye un problema importante. En cambio, en los sistemas de lazo cerrado, la estabilidad sí es un problema importante, por su tendencia a sobrecorregir errores que pueden producir oscilaciones de amplitud constante o variable.

Hay que puntualizar que para sistemas cuyas entradas son conocidas previamente y en los que no hay perturbaciones, es preferible utilizar el control de lazo abierto. Los sistemas de control de lazo cerrado tienen ventajas solamente si se presentan perturbaciones no previsibles y/o variaciones imprevisibles de componentes del sistema. Nótese que la potencia de salida determina parcialmente el costo, peso y tamaño de un sistema de control. La cantidad de componentes utilizados en un sistema de control de lazo cerrado es mayor a la correspondiente a un sistema de control de lazo abierto. Así, entonces, un sistema de control de lazo cerrado es generalmente de mayor costo y potencia. Para reducir la potencia requerida por un sistema, cuando sea posible, es conveniente usar un sistema de lazo abierto. Por lo común resulta menos costosa una combinación adecuada de controles de lazo abierto y cerrado, lográndose un comportamiento general satisfactorio.

***Sistemas de control adaptables.*** Las características dinámicas de la mayoría de los sistemas de control no son constantes por diversas razones, como el deterioro de los componentes al paso del tiempo, o las modificaciones en los parámetros o en el medio ambiente. Aunque en un sistema de control retroalimentado se atenúan los efectos de pequeños cambios en las características dinámicas, si las modificaciones en los parámetros del sistema y en el medio son significativas, un sistema, para ser satisfactorio, ha de tener capacidad de adaptación. Adaptación implica la capacidad de autoajustarse o automodificarse de acuerdo con las modificaciones imprevisibles del medio o estructura. Los sistemas de control que tienen algún grado de capacidad de adaptación (es decir, el sistema de control por sí mismo detecta cambios en los parámetros de planta y realiza los ajustes necesarios en los parámetros del controlador, para mantener un comportamiento óptimo), se denominan *sistemas de control adaptable*.

En un sistema de control adaptable, las características dinámicas deben estar identificadas en todo momento, de manera que los parámetros del controlador pueden ajustarse para mantener un comportamiento óptimo. (De este modo, un sistema de control adaptable es un sistema no estacionario). Este concepto resulta muy atractivo para el diseñador de sistemas, ya que un sistema de control adaptable, además de ajustarse a los cambios ambientales, también lo hace ante errores moderados del proyecto de ingeniería o incertidumbres, y compensa la eventual falla de componentes menores del sistema, aumentando, por tanto, la confiabilidad de todo el sistema.

*Sistemas de control con aprendizaje.* Muchos sistemas de control que aparente mente son de lazo abierto, pueden convertirse en sistemas de lazo cerrado si un operador humano se considera como un controlador, que compara la entrada y la salida y realiza las acciones correctivas basadas en la diferencia resultante o error.

Si se intenta analizar tales sistemas de control de lazo cerrado con intervención humana, se encuentra el difícil problema de plantear ecuaciones que describan el comportamiento del operador humano. En este caso, uno de los muchos factores que lo complican, es la capacidad de aprendizaje del ser humano. A medida que éste va adquiriendo experiencia, mejora como elemento de control, y esto debe tomarse en cuenta al analizar el sistema. Los sistemas de control con capacidad para aprender reciben el nombre de *sistemas de control con aprendizaje*. En la literatura se encuentran avances recientes en aplicaciones de control adaptable y con aprendizaje.

**Clasificación de sistemas de control**. Los sistemas de control pueden clasificarse de diversos modos. A continuación se señalan algunos.

*Sistemas de control lineales versus no lineales.* En rigor, la mayoría de los sistemas físicos no son lineales en varios sentidos. Sin embargo, si la extensión de variaciones de las variables del sistema no es amplia, el sistema puede linealizarse dentro de un rango relativamente estrecho de valores de las variables. Para sistemas lineales, se aplica el principio de superposición. Aquellos sistemas a los que no es aplicable este principio, son los sistemas no lineales. (En el capítulo 2 se dan más detalles sobre sistemas lineales y no lineales).

Obsérvese que en algunos casos se introducen intencionalmente elementos no lineales al sistema de control para optimizar su comportamiento. Por ejemplo, los sistemas de control de tiempo óptimo utilizan sistemas de control de sí-no; muchos sistemas de control de misiles y de aeronaves usan también controles de encendido-apagado.

*Sistemas de control invariante en el tiempo versus control variable en el tiempo.* Un sistema de control invariante en el tiempo (sistema de control con coeficientes constantes) es aquel en el que los parámetros no varían en el tiempo. La respuesta de tal sistema es independiente del tiempo en el que se aplica la entrada. En cambio, un sistema de control variable en el tiempo es aquel en el cual los parámetros varían con el tiempo; su

respuesta depende del tiempo en el que se aplica una entrada
control variable en el tiempo, es el sistema de control de un
la masa disminuye en el tiempo al consumirse combustib

***Sistemas de control de tiempo continuo versus de tie*** de control de tiempo continuo, todas las variables son fu
Un sistema de control de tiempo discreto abarca una o más va
sólo en instantes discretos de tiempo.

***Sistemas de control con una entrada y una salida versus con múltiples e múltiples salidas.*** Un sistema puede tener una entrada y una salida. Por ejemplo, sistema de control de posición, donde hay un comando de entrada (la posición deseada) y una salida controlada (la posición de salida). Se designa a un sistema así como sistema de control con una entrada y una salida. Algunos sistemas pueden tener múltiples entradas y múltiples salidas. Ejemplo de sistema de múltiples entradas y múltiples salidas, puede ser un sistema de control de proceso con dos entradas (entrada de presión y entrada de temperatura) y dos salidas (presión de salida y temperatura de salida).

***Sistemas de control con parámetros concentrados versus con parámetros distribuidos.*** Los sistemas de control que pueden describirse mediante ecuaciones diferenciales ordinarias, son sistemas de control con parámetros concentrados, mientras que los sistemas de control con parámetros distribuidos son aquellos que pueden describirse mediante ecuaciones diferenciales parciales.

***Sistemas de control determinísticos versus estocásticos.*** Un sistema de control es determinístico si la respuesta a la entrada es predecible y repetible. De no serlo, el sistema de control es estocástico.

## 1-2 EJEMPLOS DE SISTEMAS DE CONTROL

En esta sección se presentan varios ejemplos de sistemas de control de lazo cerrado.

**Sistema de control de velocidad.** En el diagrama esquemático de la figura 1-1 aparece el principio básico del regulador de Watt para una máquina. De acuerdo con la diferencia entre la velocidad deseada y la real, se ajusta la cantidad de combustible que ingresa al motor.

La secuencia de pasos se puede describir de la siguiente forma: la velocidad del controlador se ajusta de modo que, a la velocidad deseada, no fluya aceite a presión por ninguno de ambos accesos al cilindro de potencia. Si la velocidad efectiva cae por debajo del valor deseado debido a alguna perturbación, la disminución de fuerza centrífuga de la velocidad del regulador hace que la válvula de control se desplace hacia abajo, aumentando la provisión de combustible, y la velocidad del motor aumenta hasta alcanzar el valor deseado. Por otro lado, si la velocidad del motor sobrepasa el valor deseado, el aumento de fuerza centrífuga en el regulador hace que la válvula de control se desplace hacia arriba. Esto disminuye la provisión de combustible, y la velocidad de la máquina se reduce hasta alcanzar la velocidad deseada.

En este sistema de control de velocidad, la planta (el sistema controlado) es la máquina, y la variable controlada es la velocidad de la máquina. La diferencia entre la ve-

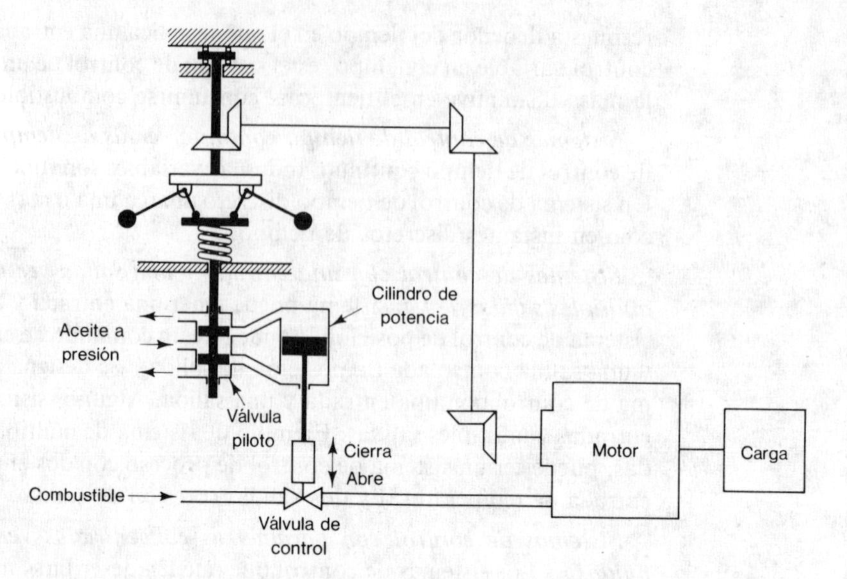


**Figura 1-1**
Sistema de control de velocidad.

locidad deseada y la real es la señal de error. La señal actuante es la señal de control (la cantidad de combustible) a ser aplicada a la planta (motor). La perturbación es la entrada externa que puede alterar la variable controlada. Un cambio inesperado en la carga, es una perturbación.

**Sistema de control de robot.** En la industria se utilizan frecuentemente robots industriales para mejorar la productividad. El robot puede realizar tareas monótonas y complejas sin errores en su operación. El robot puede trabajar en un ambiente intolerable para operadores humanos. Por ejemplo, puede funcionar a temperaturas extremas (tanto altas como bajas) o en un medio de alta o baja presión, bajo el agua o en el espacio. Hay robots especiales para combatir el fuego, para exploración en inmersión o para desplazamiento en el espacio, entre otros.

El robot industrial debe manejar partes mecánicas que tienen formas y pesos particulares. Por tanto, deben poseer al menos un brazo, una articulación y una mano. Deben tener suficiente potencia para realizar la tarea y la capacidad al menos para una movilidad mínima. De hecho, los robots modernos pueden desplazarse libremente dentro del espacio limitado de una fábrica.

El robot industrial debe poseer algunos elementos sensores. En robots de bajo nivel, se instalan interruptores del tipo denominado microswitch a modo de elementos sensores en los brazos. El robot toma contacto primeramente con un objeto, y luego, a través de sus microinterruptores, confirma la existencia de un objeto en el espacio y procede al siguiente paso de tomarlo o asirlo.

En un robot de alto nivel se utilizan medios ópticos (como un sistema de televisión) para explorar el ambiente que rodea a un objeto. Reconoce las imágenes y determina la presencia y orientación del objeto. Se requiere un computador para el procesamiento de señales en el reconocimiento de imágenes (véase figura 1-2). En algunas aplicaciones el robot computarizado reconoce la presencia y orientación de cada parte mecánica mediante el proceso de reconocimiento de imágenes, que consiste en leer los códigos numéricos asociados con las imágenes. El robot recoge la pieza y la desplaza hacia el lugar

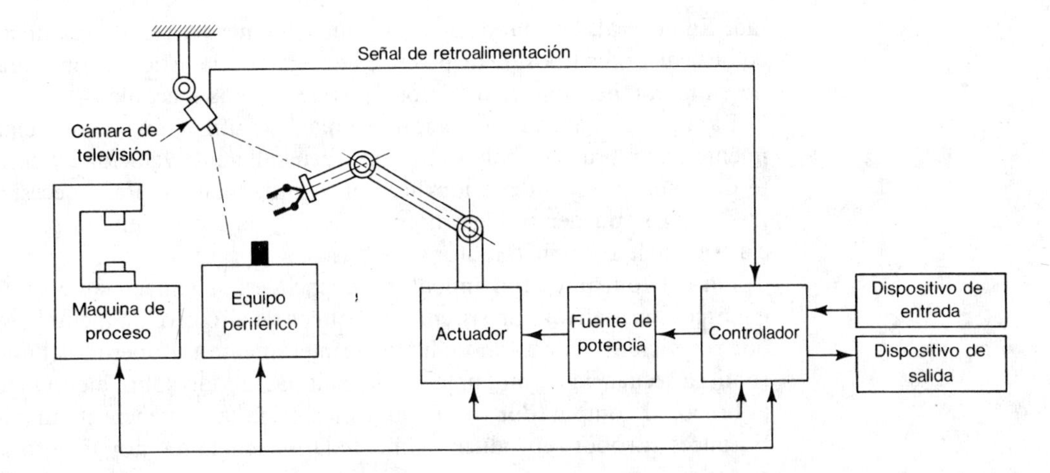


**Figura 1-2**
Robot que utiliza reconocimiento de imágenes.

de montaje, donde ensambla las diversas partes para formar un componente. La función del controlador la realiza un computador digital programado.

**Sistema de control de brazo de robot.** La figura 1-3 muestra el diagrama esquemático de una versión simplificada del sistema de control de un brazo de robot. El diagrama muestra el control de movimiento en línea recta del brazo. El movimiento en línea recta es un movimiento en un solo grado de libertad. El brazo de un robot tiene en realidad 3 grados de libertad (movimiento hacia arriba-abajo, movimiento hacia adelante-atrás y movimiento hacia izquierda-derecha). La articulación o muñeca en el extremo del brazo, tiene también 3 grados de libertad, y la mano 1, que es el agarre o aprehensión (movimiento-de asir). En total, el sistema de brazo de robot tiene 7 grados de libertad. Si el cuerpo del robot debe moverse en un plano se añaden grados de liber-

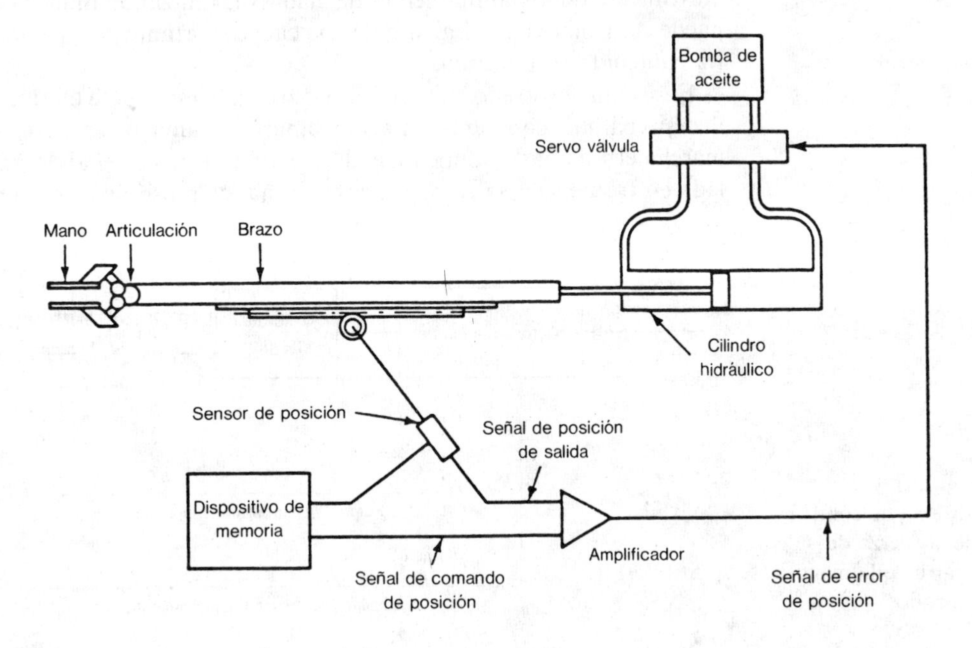


**Figura 1-3**
Sistema de control del brazo de un robot.

tad. En general, las manos de robot pueden tener partes intercambiables: se le pueden colocar distintos tipos de dispositivos de agarre a la articulación, para servir como mano en la aprehensión de distintos tipos de objetos mecánicos.

Para posicionar la articulación y la mano se utiliza un servosistema. Como el movimiento de un brazo de robot requiere frecuentemente velocidad y potencia, como fuente de potencia se usa presión hidráulica o neumática. Para necesidades de potencia medianas, se pueden utilizar motores de cd, y para casos en que se requiere bajo potencia, se puede recurrir a motores de pasos.

Para el control de movimientos secuenciales, se almacenan las señales de comando en discos magnéticos. En sistemas robóticos de alto nivel, a menudo se utiliza el control por repetición. En esta modalidad, primeramente un operador humano ''enseña'' al robot la secuencia de movimiento deseada, actuando sobre algún mecanismo asociado al brazo; el computador en el robot memoriza la secuencia de movimientos deseada. Entonces el robot reproduce fielmente la secuencia de movimientos.

**Sistema de control de la fuerza de agarre de la mano del robot.** En la figura 1-4 se puede ver el diagrama esquemático de un sistema de control de la fuerza de agarre, que utiliza un dispositivo sensor de fuerza y otro de deslizamiento. Si la fuerza de aprehensión es demasiado pequeña, la mano del robot dejará caer el objeto mecánico, y si es demasiado grande, lo puede dañar o aplastar. La mano recoge y levanta el objeto con la fuerza de agarre preajustada. Si hay algún deslizamiento durante el ascenso, será detectado por el dispositivo sensor de deslizamiento, el que enviará una señal de retorno al controlador, el cual a su vez aumentará la fuerza de agarre. De este modo, se puede lograr una fuerza razonable que evite el deslizamiento, pero que no produzca ningún daño al objeto.

**Sistemas de control numérico.** El control numérico es un método de control del movimiento de los componentes de máquinas utilizando números. El control numérico puede controlar el movimiento de una cabeza cortante por medio de información binaria contenida en un disco.

El sistema mostrado en la figura 1-5 opera del siguiente modo: tiene un disco magnético preparado con representación binaria de una pieza deseada P. Para poner en marcha el sistema, se alimenta el disco a un lector. La señal de pulso de entrada modulada en frecuencia, se compara con la señal de pulso de retroalimentación. El contro-

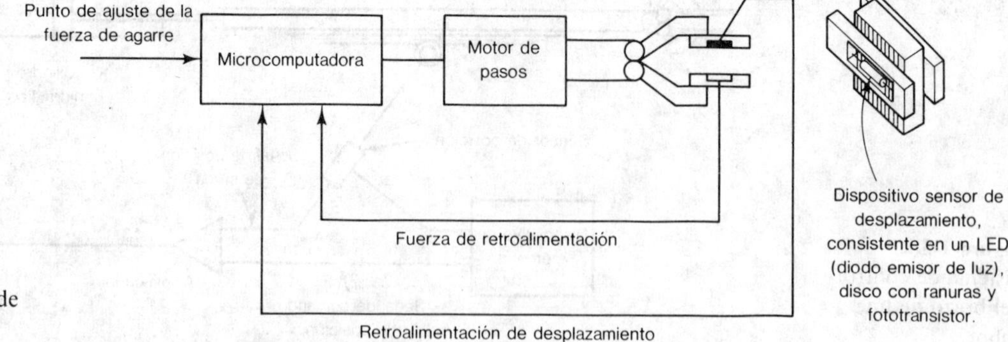


**Figura 1-4** Sistema de control de la fuerza de agarre de la mano de un robot.

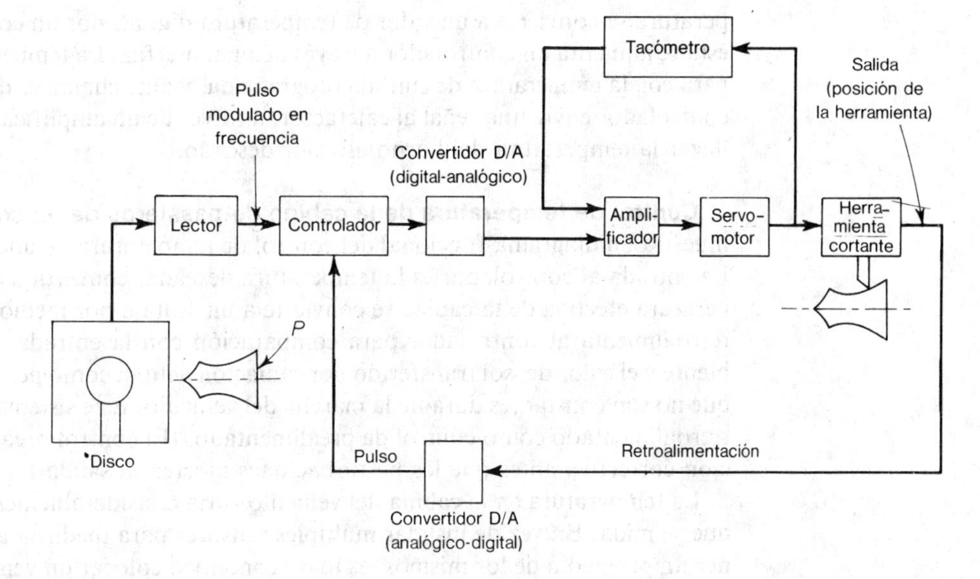


**Figura 1-5**
Control numérico de una máquina.

lador realiza las operaciones matemáticas sobre la diferencia entre ambas señales de pulsos. El convertidor digital a analógico convierte el pulso de salida del controlador en una señal analógica que representa cierta magnitud de voltaje, la que, a su vez, hace rotar al servomotor. La posición de la cabeza cortante es controlada de acuerdo a la entrada al servomotor. El transductor acoplado a la cabeza cortante convierte el movimiento en una señal eléctrica, que a su vez es convertida a una señal de pulso por el convertidor analógico a digital; luego esta señal se compara con la señal de pulso de entrada. Si hay alguna diferencia entre ambas, el controlador envía una señal al servomotor para reducir esa diferencia, como se indicó antes.

El control numérico tiene la ventaja de que permite producir piezas complejas con tolerancias uniformes, a la máxima velocidad de tallado.

**Sistema de control de temperatura.** En la figura 1-6 se puede ver el diagrama esquemático del control de temperatura de un horno eléctrico. La temperatura en el interior del horno se mide con un termómetro, que es un dispositivo analógico. La tem-

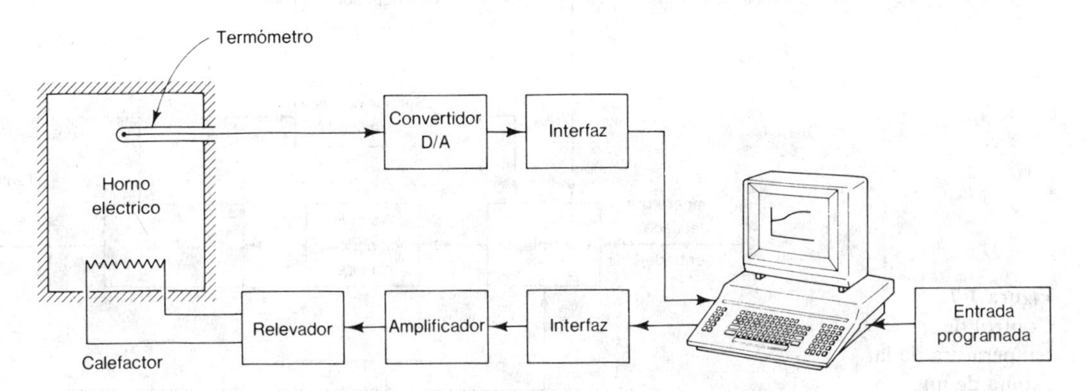


**Figura 1-6** Sistema de control de temperatura.

peratura se convierte a un valor de temperatura digital, por un convertidor A/D y con ésta se alimenta un controlador a través de una interfaz. La temperatura digital se compara con la temperatura de entrada programada, y ante cualquier discrepancia (error), el controlador envía una señal al calefactor, a través de un amplificador y relevador, para llevar la temperatura del horno al valor deseado.

**Control de temperatura de la cabina de pasajeros de un coche.** La figura 1-7 muestra un diagrama funcional del control de temperatura de una cabina de un coche. La entrada al controlador es la temperatura deseada, convertida a un voltaje. La temperatura efectiva de la cabina se convierte a un voltaje por medio de un sensor, y se le retroalimenta al controlador para comparación con la entrada. La temperatura ambiente y el calor del sol transferido por radiación actúan como perturbaciones, debido a que no son constantes durante la marcha del vehículo. Este sistema utiliza tanto control retroalimentado como control de prealimentado. (El control prealimentado brinda acción correctiva antes que las perturbaciones afecten la salida.)

La temperatura en la cabina del vehículo varía considerablemente, según el lugar en que se mida. En vez de instalar múltiples sensores para medir la temperaturas, y obtener un promedio de los mismos, es más económico colocar un ventilador de succión en el sitio donde normalmente los pasajeros sienten la temperatura. Entonces la temperatura del aire del extractor brinda una indicación de la temperatura de la cabina y se le considera como salida del sistema.

El controlador recibe la señal de entrada, la señal de salida y las señales de sensores desde las fuentes de perturbación. A su vez, el controlador envía una señal óptima de control al equipo acondicionador de aire para controlar la cantidad de aire refrigerado, de modo que la temperatura de la cabina sea igual a la temperatura deseada.

**Sistemas de control de tráfico.** Como se indicó en la Sección 1-1, el control de tráfico por medio de señales activadas sobre una base de tiempos, constituye un sistema de control de lazo abierto. Sin embargo, si la cantidad de automotores esperando en cada señal de tráfico en un área congestionada se mide continuamente, y esa información se

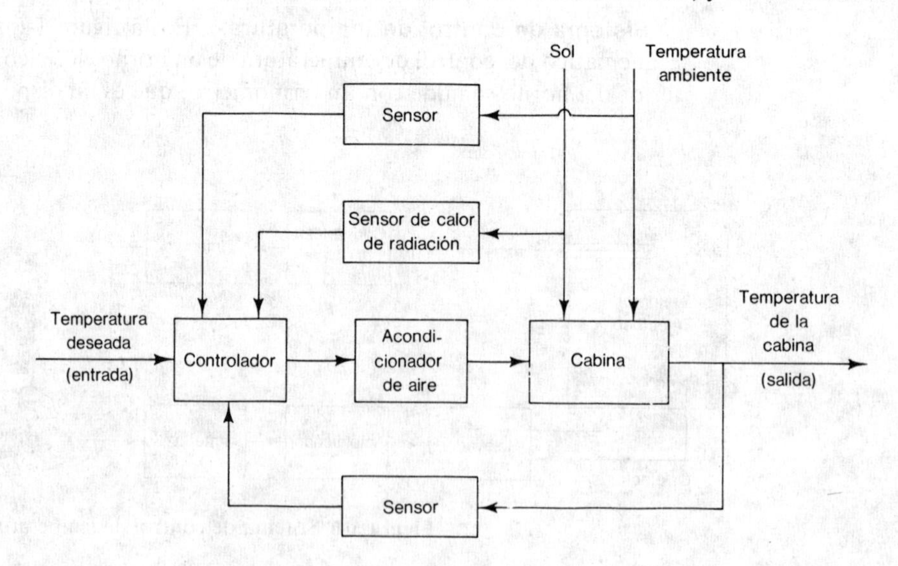


**Figura 1-7** Control de temperatura de la cabina de un automóvil.

lleva a una computadora central que controla tales señales, el sistema se convierte en sistema de lazo cerrado.

El movimiento de tráfico en redes es muy complejo porque la variación en el volumen de tráfico depende mucho de la hora y día de la semana, así como de muchos otros factores. En algunos casos se puede suponer una distribución de Poisson de llegadas a las intersecciones, pero esto no es necesariamente válido para todos los problemas de tráfico. De hecho, minimizar el tiempo medio de espera es un problema de control muy complejo.

**Sistemas biológicos.** Sea el caso de dos especies de bacterias competidoras, cuyas respectivas poblaciones son $x_1$ y $x_2$. Son competidoras en el sentido de que consumen alimentos de la misma fuente. Bajo ciertas condiciones, las poblaciones $x_1$ y $x_2$ varían en el tiempo de acuerdo con

$$\dot{x}_1 = a_{11}x_1 - a_{12}x_1x_2$$

$$\dot{x}_2 = a_{21}x_2 - a_{22}x_1x_2$$

donde $a_{11}$, $a_{12}$, $a_{21}$, y $a_{22}$ son constantes positivas y $x_1$ y $x_2$ son no negativas. Estas ecuaciones se denominan ecuaciones de competencia de Volterra.

Si se suministra cierto componente químico a las especies, las poblaciones varían de acuerdo con las siguientes expresiones

$$\dot{x}_1 = a_{11}x_1 - a_{12}x_1x_2 - b_1u$$

$$\dot{x}_2 = a_{21}x_2 - a_{22}x_1x_2 - b_2u$$

donde $b_1$ y $b_2$ son constantes positivas y $u$ es la entrada de control (en este ejemplo, la cantidad de componente químico). Un problema interesante se produce cuando se requiere minimizar la población $x_2$ en el máximo posible. Este es un ejemplo de sistema biológico al que se puede aplicar la teoría de control.

**Sistemas de control de inventario.** Otro ejemplo de sistemas de control de lazo cerrado, lo constituye la programación industrial del ritmo de producción y nivel de inventario. El nivel del inventario real, que es la salida del sistema, se compara con el nivel de inventario deseado, que puede variar ocasionalmente según el mercado. Si aparece cualquier diferencia entre el nivel de inventario real y el deseado, el ritmo de producción se ajusta de manera que la salida siempre iguale o esté cercana al valor deseado, que se elige para maximizar las utilidades.

**Sistemas empresariales.** Un sistema empresarial puede consistir de varios grupos. Cada tarea asignada a un grupo, representa un elemento dinámico del sistema. Para el funcionamiento correcto de tales sistemas, hay que establecer métodos retroalimentados para el control de los logros de cada grupo. El acoplamiento mutuo entre grupos funcionales debe ser mínimo para reducir atrasos inútiles en el sistema. Cuanto menor sea ese acoplamiento, más suave será el flujo de señales y de materiales.

El sistema empresarial constituye un elemento de sistema de lazo cerrado. Un buen diseño reduce el trabajo de dirección futuro. Nótese que en este sistema las perturbaciones son la falta de personal, la interrupción de las comunicaciones, los errores humanos, etc.

Para una buena dirección es obligatorio establecer un sistema de estimación bien fundamentado, para los datos estadísticos. (Es bien conocido el hecho de que el rendimiento de un sistema como éste se puede mejorar, utilizando el tiempo de adelanto o ''anticipación'').

Para aplicar la teoría de control a fin de mejorar el rendimiento de estos sistemas, hay que representar las características dinámicas de los grupos de componentes en el sistema, mediante un conjunto de ecuaciones relativamente simple.

Aunque es difícil deducir los modelos matemáticos para los diversos grupos, la aplicación de técnicas de optimización a sistemas empresariales mejora significativamente su rendimiento.

## 1-3 LA TRANSFORMADA DE LAPLACE

El método de la transformada de Laplace es un método operacional que puede usarse para resolver ecuaciones diferenciales lineales. Con el uso de la transformada de Laplace muchas funciones sinusoidales, sinusoidales amortiguadas y exponenciales, se pueden convertir en funciones algebraicas de una variable compleja $s$, y remplazar operaciones como la diferenciación y la integración, por operaciones algebraicas en el plano complejo. Por tanto, una ecuación diferencial lineal se puede transformar en una ecuación algebraica en una variable compleja $s$. Si esa ecuación algebraica se resuelve en $s$ para la variable dependiente, se puede hallar la solución de la ecuación diferencial (la transformada inversa de Laplace de la variable dependiente) utilizando una tabla de transformadas de Laplace, o mediante la técnica de expansión en fracciones parciales, que se presenta en la Sección 1-4.

Una ventaja del método de la transformada de Laplace, es que permite utilizar técnicas gráficas para predecir el funcionamiento del sistema sin tener que resolver el sistema de ecuaciones diferenciales. Otra ventaja es que con este método, cuando uno resuelve la ecuación diferencial, se obtienen las componentes del estado transitorio y estacionario de la solución simultáneamente.

**Revisión de variables y funciones complejas.** Antes de presentar la transformada de Laplace, haremos un repaso de variables y funciones complejas. También repasaremos el teorema de Euler, que relaciona a las funciones sinusoidales con las exponenciales.

*Variable compleja.* Un número complejo tiene una parte real y una parte imaginaria, cada una de las cuales es una constante. Si la parte real y/o la imaginaria son variables, el número complejo recibe el nombre de *variable compleja*. En la transformada de Laplace se utiliza la notación $s$ como variable compleja; es decir

$$s = \sigma + j\omega$$

donde $\sigma$ es la parte real y $\omega$ es la imaginaria.

***Función compleja.*** Una función compleja $F(s)$, función de $s$, tiene una parte real y una imaginaria, o

$$F(s) = F_x + jF_y$$

donde $F_x$ y $F_y$ son cantidades reales. La magnitud de $F(s)$ es $\sqrt{F_x^2 + F_y^2}$, y el ángulo $\theta$ de $F(s)$ es $\tan^{-1}(F_y/F_x)$. El ángulo se mide de derecha a izquierda a partir del semieje real positivo. El complejo conjugado de $F(s)$ es $\bar{F}(s) = F_x - jF_y$.

Las funciones complejas que por lo común se encuentran en el análisis de sistemas lineales de control, son funciones univaluadas de $s$ determinadas unívocamente para un valor dado de $s$.

Se dice que una función compleja $G(s)$ es *analítica* en una región, si $G(s)$ y todas sus derivadas existen en esa región. La derivada de una función analítica $G(s)$, se define como

$$\frac{d}{ds}G(s) = \lim_{\Delta s \to 0} \frac{G(s + \Delta s) - G(s)}{\Delta s} = \lim_{\Delta s \to 0} \frac{\Delta G}{\Delta s}$$

Como $\Delta s = \Delta\sigma + j\Delta\omega$, $\Delta s$ puede tender a cero por una infinidad de caminos diferentes. Se puede demostrar, pero aquí no se presenta demostración, que si las derivadas obtenidas por dos caminos determinados, esto es $\Delta s = \Delta\sigma$ y $\Delta s = j\Delta\omega$, son iguales, entonces la derivada es única para cualquier otro camino $\Delta s = \Delta\sigma + j\Delta\omega$ de modo que la derivada existe.

Para un recorrido determinado $\Delta s = \Delta\sigma$ (que significa que el recorrido es paralelo al eje real),

$$\frac{d}{ds}G(s) = \lim_{\Delta\sigma \to 0}\left(\frac{\Delta G_x}{\Delta\sigma} + j\frac{\Delta G_y}{\Delta\sigma}\right) = \frac{\partial G_x}{\partial\sigma} + j\frac{\partial G_y}{\partial\sigma}$$

Para otro recorrido particular $\Delta s = j\,\Delta\omega$ (que significa que el recorrido es paralelo al eje imaginario),

$$\frac{d}{ds}G(s) = \lim_{j\Delta\omega \to 0}\left(\frac{\Delta G_x}{j\Delta\omega} + j\frac{\Delta G_y}{j\Delta\omega}\right) = -j\frac{\partial G_x}{\partial\omega} + \frac{\partial G_y}{\partial\omega}$$

Si estos dos valores de la derivada son iguales

$$\frac{\partial G_x}{\partial\sigma} + j\frac{\partial G_y}{\partial\sigma} = \frac{\partial G_y}{\partial\omega} - j\frac{\partial G_x}{\partial\omega}$$

o si se satisfacen las dos condiciones siguientes

$$\frac{\partial G_x}{\partial\sigma} = \frac{\partial G_y}{\partial\omega} \quad \text{y} \quad \frac{\partial G_y}{\partial\sigma} = -\frac{\partial G_x}{\partial\omega}$$

entonces $dG/(s)/ds$ queda determinada unívocamente. Estas dos condiciones se conocen como condiciones de Cauchy-Riemann. Si se satisfacen estas condiciones, la función $G(s)$ es analítica.

Como ejemplo, sea la función $G(s)$ siguiente:

$$G(s) = \frac{1}{s + 1}$$

Entonces

$$G(\sigma + j\omega) = \frac{1}{\sigma + j\omega + 1} = G_x + jG_y$$

donde

$$G_x = \frac{\sigma + 1}{(\sigma + 1)^2 + \omega^2} \qquad \text{y} \qquad G_y = \frac{-\omega}{(\sigma + 1)^2 + \omega^2}$$

Se puede ver que, excepto en $s = -1$ (es decir $\sigma = -1$, $\omega = 0$), $G(s)$ satisface las condiciones de Cauchy-Riemann:

$$\frac{\partial G_x}{\partial \sigma} = \frac{\partial G_y}{\partial \omega} = \frac{\omega^2 - (\sigma + 1)^2}{[(\sigma + 1)^2 + \omega^2]^2}$$

$$\frac{\partial G_y}{\partial \sigma} = -\frac{\partial G_x}{\partial \omega} = \frac{2\omega(\sigma + 1)}{[(\sigma + 1)^2 + \omega^2]^2}$$

Por tanto, $G(s) = 1/(s + 1)$ es analítica en todo el plano $s$ excepto en $s = -1$. La derivada $dG(s)/ds$, excepto en $s = -1$, resulta ser

$$\frac{d}{ds}G(s) = \frac{\partial G_x}{\partial \sigma} + j\frac{\partial G_y}{\partial \sigma} = \frac{\partial G_y}{\partial \omega} - j\frac{\partial G_x}{\partial \omega}$$

$$= -\frac{1}{(\sigma + j\omega + 1)^2} = -\frac{1}{(s + 1)^2}$$

Nótese que la derivada de una función analítica se puede obtener con sólo diferenciar $G(s)$ respecto a $s$. En este ejemplo,

$$\frac{d}{ds}\left(\frac{1}{s + 1}\right) = -\frac{1}{(s + 1)^2}$$

Los puntos del plano $s$ en los que la función $G(s)$ es analítica, reciben el nombre de puntos *ordinarios*, mientras que los puntos del plano $s$ en los que la función $G(s)$ no es analítica, se denominan puntos *singulares*. Los puntos en los que la función $G(s)$ o sus derivadas tienden a infinito, se denominan *polos*. En el ejemplo previo, $s = -1$ es un punto singular y es polo de la función $G(s)$.

Si $G(s)$ tiende a infinito cuando $s$ tiende a $-p$ y si la función

$$G(s)(s + p)^n \qquad (n = 1, 2, 3, \ldots)$$

tiene un valor finito, no nulo en $s = -p$, el punto $s = -p$ se denomina polo de orden $n$. Si $n = 1$, el polo es llamado polo simple. Si $n = 2, 3, \ldots$, el polo recibe el nombre de polo de segundo orden, de tercer orden, y así sucesivamente. Los puntos en los que la función $G(s)$ iguala a cero, se denominan ceros.

Como ilustración, sea la función compleja

$$G(s) = \frac{K(s + 2)(s + 10)}{s(s + 1)(s + 5)(s + 15)^2}$$

$G(s)$ tiene ceros en $s = -2$, $s = -10$, polos simples en $s = 0$, $s = -1$, $s = -5$ y un polo doble (polo múltiple de orden 2), en $s = -15$. Obsérvese que $G(s)$ se vuelve cero en $s = \infty$. Entonces para valores elevados de $s$

$$G(s) \doteqdot \frac{K}{s^3}$$

$G(s)$ posee un cero triple (cero múltiple de orden 3) ubicado en $s = \infty$. Si se incluyen los puntos en el infinito, $G(s)$ tiene la misma cantidad de polos que de ceros. Para resumir, $G(s)$ tiene cinco ceros ($s = -2$, $s = -10$, $s = \infty$, $s = \infty$, $s = \infty$) y cinco polos ($s = 0$, $s = -1$, $s = -5$, $s = -15$, $s = -15$).

**Teorema de Euler.** Las expansiones en serie de potencias de $\cos\theta$ y $\operatorname{sen}\theta$, respectivamente

$$\cos\theta = 1 - \frac{\theta^2}{2!} + \frac{\theta^4}{4!} - \frac{\theta^6}{6!} + \cdots$$

$$\operatorname{sen}\theta = \theta - \frac{\theta^3}{3!} + \frac{\theta^5}{5!} - \frac{\theta^7}{7!} + \cdots$$

Y entonces

$$\cos\theta + j\operatorname{sen}\theta = 1 + (j\theta) + \frac{(j\theta)^2}{2!} + \frac{(j\theta)^3}{3!} + \frac{(j\theta)^4}{4!} + \cdots$$

Como

$$e^x = 1 + x + \frac{x^2}{2!} + \frac{x^3}{3!} + \cdots$$

se ve que

$$\cos\theta + j\operatorname{sen}\theta = e^{j\theta} \qquad (1\text{–}1)$$

Esto se conoce como el *teorema de Euler.*

Utilizando el teorema de Euler, el seno y el coseno se pueden expresar en términos de una función exponencial. Considerando que $e^{-j\theta}$ es el complejo conjugado de $e^{j\theta}$ y que

$$e^{j\theta} = \cos\theta + j\operatorname{sen}\theta$$

$$e^{-j\theta} = \cos\theta - j\operatorname{sen}\theta$$

encontramos, después de sumar y restar miembro a miembro, ambas ecuaciones

$$\cos\theta = \frac{1}{2}(e^{j\theta} + e^{-j\theta}) \qquad (1\text{–}2)$$

$$\operatorname{sen}\theta = \frac{1}{2j}(e^{j\theta} - e^{-j\theta}) \tag{1–3}$$

**Transformada de Laplace.** Primero se presenta una definición de la transformada de Laplace, y un breve análisis de las condiciones de existencia de la transformada de Laplace, y luego se proporcionan ejemplos para ilustrar la obtención de transformadas de Laplace de varias funciones comunes.

Definimos

$f(t)$ = una función de tiempo $t$ tal que $f(t) = 0$ para $t < 0$

$s$ = una variable compleja

$\mathscr{L}$ = un símbolo operacional que indica que la cantidad a la que precede debe transformarse por la integral de Laplace $\int_0^\infty e^{-st}\,dt$

$F(s)$ = transformada de Laplace de $f(t)$

Entonces la transformada de Laplace de $f(t)$ está dada por

$$\mathscr{L}[f(t)] = F(s) = \int_0^\infty e^{-st}\,dt[f(t)] = \int_0^\infty f(t)e^{-st}\,dt$$

El proceso inverso de hallar la función de tiempo $f(t)$ de la transformada de Laplace $F(s)$ se denomina *transformada inversa de Laplace.* La notación de la transformada inversa de Laplace es $\mathscr{L}^{-1}$. Así

$$\mathscr{L}^{-1}[F(s)] = f(t)$$

**Existencia de la transformada de Laplace.** La transformada de Laplace de una función $f(t)$ existe si la integral de Laplace converge. La integral ha de converger si $f(t)$ es seccionalmente continua en todo intervalo finito dentro del rango $t > 0$ y si es de orden exponencial cuando $t$ tiende a infinito. Se dice que una función $f(t)$ es de orden exponencial, si existe una constante real, positiva $\sigma$ tal que la función

$$e^{-\sigma t}|f(t)|$$

tiende a cero cuando $t$ tiende a infinito. Si el límite de la función $e^{-\sigma t}|f(t)|$ tiende a cero para $\sigma$ mayor que $\sigma_c$ y el límite tiende a infinito para $\sigma$ menor que $\sigma_c$, el valor $\sigma_c$ recibe el nombre de *abcisa de convergencia.*

Para la función $f(t) = Ae^{-\alpha t}$

$$\lim_{t\to\infty} e^{-\sigma t}|Ae^{-\alpha t}|$$

tiende a cero si $\sigma > -\alpha$. La abscisa de convergencia en este caso es $\sigma_c = -\alpha$. La integral $\int_0^\infty f(t)e^{-st}\,dt$ converge solamente si $\sigma$, la parte real de $s$, es mayor que la abscisa de convergencia $\sigma_c$. Así, hay que elegir el operador $s$ como una constante tal que ésta integral converja.

En términos de los polos de la función $F(s)$, la abscisa de convergencia $\sigma_c$ corresponde a la parte real del polo ubicado en posición más alejada hacia la derecha en el plano $s$. Por ejemplo, en la siguiente función $F(s)$,

$$F(s) = \frac{K(s+3)}{(s+1)(s+2)}$$

la abscisa de convergencia $\sigma_c$ es igual a $-1$. Se puede ver que para funciones tales como $t$, sen $\omega t$, y $t$ sen $\omega t$ la abscisa de convergencia es igual a cero. Para funciones como $e^{-ct}$, $te^{-ct}$, $e^{-ct}$ sen $\omega t$, y similares, la abscisa de convergencia es igual a $-c$. Para funciones que aumentan más rápidamente que la función exponencial, sin embargo, es imposible encontrar valores adecuados de la abscisa de convergencia. Por lo tanto, funciones tales como $e^{t^2}$ y $te^{t^2}$ no tienen transformada de Laplace.

Se previene al lector que aunque $e^{t^2}$ (para $0 \leq t \leq \infty$) no tiene transformada de Laplace, la función temporal definida por

$$\begin{aligned} f(t) &= e^{t^2} \quad \text{para } 0 \leq t \leq T < \infty \\ &= 0 \quad \text{para } t < 0, T < t \end{aligned}$$

si tiene transformada de Laplace porque $f(t) = e^{t^2}$ solamente durante un intervalo de tiempo limitado $0 \leq t \leq T$ y no para $0 \leq t \leq \infty$. Una señal así puede generarse físicamente. Adviértase que aquellas señales que pueden generarse físicamente, siempre tienen transformadas de Laplace correspondientes.

Si una función $f(t)$ tiene transformada de Laplace, la transformada de la función $Af(t)$, donde $A$ es una constante, está dada por

$$\mathscr{L}[Af(t)] = A\mathscr{L}[f(t)]$$

Esto es obvio, partiendo de la definición de transformada de Laplace. En forma similar, si las funciones $f_1(t)$ y $f_2(t)$ tienen transformada de Laplace, la transformada de Laplace de la función $f_1(t) + f_2(t)$ está dada por

$$\mathscr{L}[f_1(t) + f_2(t)] = \mathscr{L}[f_1(t)] + \mathscr{L}[f_2(t)]$$

Nuevamente, la prueba de esta relación es evidente a partir de la definición de la transformada de Laplace.

A continuación, se determinan las transformadas de Laplace de algunas funciones habitualmente encontradas.

**Función exponencial.** Sea la función exponencial

$$\begin{aligned} f(t) &= 0 \quad \text{para } t < 0 \\ &= Ae^{-\alpha t} \quad \text{para } t \geq 0 \end{aligned}$$

donde $A$ y $\alpha$ son constantes. La transformada de Laplace de esta función exponencial puede obtenerse como sigue:

$$\mathscr{L}[Ae^{-\alpha t}] = \int_0^\infty Ae^{-\alpha t}e^{-st}\,dt = A\int_0^\infty e^{-(\alpha+s)t}\,dt = \frac{A}{s+\alpha}$$

Como puede verse, la función exponencial produce un polo en el plano complejo.

Al desarrollar la transformada de Laplace de $f(t) = Ae^{-\alpha t}$, se requirió que la parte real de $s$ fuera mayor que $-\alpha$ (la abscisa de convergencia). Inmediatamente surge la duda sobre la validez o no de la transformada de Laplace así obtenida en el rango en el que $\sigma < -\alpha$ en el plano $s$. Para aclarar esta duda, hay que recurrir a la teoría de variable compleja. En la teoría de variable compleja, hay un teorema conocido como teorema de extensión analítica. Este establece que si dos funciones analíticas son iguales para una longitud finita a lo largo de cualquier arco en una región en la que ambas son analíticas, entonces las funciones son iguales en toda la región. El arco de igualdad generalmente es el eje real, o una porción de él. Con este teorema se determina la forma de $F(s)$ por una integración en la que a $s$ se le permite tomar cualquier valor positivo mayor que la abcisa de convergencia. Entonces esta solución resulta válida para cualquier valor complejo de $s$ en el cual $F(s)$ es analítica. Así, aunque se requiere que la parte real de $s$ sea mayor que la abscisa de convergencia para que la integral $\int_0^\infty f(t)e^{-st}$ sea absolutamente convergente, una vez obtenida la transformada de Laplace de $F(s)$, se puede considerar válida en todo el plano $s$, a excepción de los polos de $F(s)$.

**Función escalón.** Sea la función escalón

$$\begin{aligned} f(t) &= 0 \quad \text{para } t < 0 \\ &= A \quad \text{para } t > 0 \end{aligned}$$

donde $A$ es una constante. Obsérvese que se trata de un caso especial de la función exponencial $Ae^{-\alpha t}$, donde $\alpha = 0$. La función escalón queda idenfinida en $t = 0$. Su transformada de Laplace está dada por

$$\mathscr{L}[A] = \int_0^\infty Ae^{-st}\,dt = \frac{A}{s}$$

Al efectuar la integración, se supuso que la parte real de $s$ era mayor que cero (la abscisa de convergencia) y por lo tanto, que $\lim_{t\to\infty} e^{-st}$ era cero. Como se indicó antes, la transformada de Laplace así obtenida, es válida en todo el plano $s$ excepto en el polo $s = 0$.

La función escalón cuya altura es la unidad, recibe el nombre de función *escalón unitario*. La función escalón unitario que se produce en $t = t_0$, se denota a menudo como $u(t - t_0)$ o $1(t - t_0)$. En este libro se utilizará la segunda forma, a menos que se indique lo contrario. La función escalón de altura $A$, también se puede escribir como $f(t) = A1(t)$. La transformada de Laplace de la función escalón unitario, definida como

$$\begin{aligned} 1(t) &= 0 \quad \text{para } t < 0 \\ &= 1 \quad \text{para } t > 0 \end{aligned}$$

es $1/s$, o

$$\mathcal{L}[1(t)] = \frac{1}{s}$$

Físicamente, una función escalón producida en $t = 0$ corresponde a una señal constante aplicada súbitamente al sistema en el instante en que el tiempo $t$ es igual a cero.

**Función rampa.** Sea la función rampa siguiente

$$\begin{aligned} f(t) &= 0 \qquad \text{para } t < 0 \\ &= At \qquad \text{para } t \geq 0 \end{aligned}$$

donde $A$ es una constante. La transformada de Laplace de esta función rampa, resulta dada por

$$\begin{aligned} \mathcal{L}[At] &= \int_0^{\infty} Ate^{-st}\,dt = At\frac{e^{-st}}{-s}\bigg|_0^{\infty} - \int_0^{\infty} \frac{Ae^{-st}}{-s}\,dt \\ &= \frac{A}{s}\int_0^{\infty} e^{-st}\,dt = \frac{A}{s^2} \end{aligned}$$

**Función sinusoidal.** La transformada de Laplace de la función sinusoidal

$$\begin{aligned} f(t) &= 0 \qquad \text{para } t < 0 \\ &= A \operatorname{sen} \omega t \qquad \text{para } t \geq 0 \end{aligned}$$

donde $A$ y $\omega$ son constantes, se obtiene del modo siguiente. Con referencia a la ecuación (1-3), sen $\omega t$ se puede escribir

$$\operatorname{sen} \omega t = \frac{1}{2j}(e^{j\omega t} - e^{-j\omega t})$$

Por lo tanto,

$$\begin{aligned} \mathcal{L}[A \operatorname{sen} \omega t] &= \frac{A}{2j}\int_0^{\infty} (e^{j\omega t} - e^{-j\omega t})e^{-st}\,dt \\ &= \frac{A}{2j}\frac{1}{s - j\omega} - \frac{A}{2j}\frac{1}{s + j\omega} = \frac{A\omega}{s^2 + \omega^2} \end{aligned}$$

En forma similar, la transformada de Laplace de $A$ cos $\omega t$ se puede obtener de la siguiente forma:

$$\mathcal{L}[A \cos \omega t] = \frac{As}{s^2 + \omega^2}$$

**Comentario.** La transformada de cualquier función $f(t)$ transformable de Laplace, se puede obtener fácilmente multiplicando $f(t)$ por $e^{-st}$, e integrando el producto desde $t = 0$ hasta $t = \infty$. Una vez conocido el método para obtener la transformada de Laplace, no es necesario derivar la transformada de Laplace de $f(t)$ cada vez. La tabla 1-1 presenta transformadas de funciones en el tiempo que aparecen frecuentemente en el análisis de sistemas lineales de control.

En la exposición siguiente se presentan las transformadas de Laplace de funciones, así como teoremas sobre la transformada de Laplace, útiles en el estudio de sistemas lineales de control.

**Tabla 1-1** Pares de transformadas de Laplace

| | $f(t)$ | $F(s)$ |
|---|---|---|
| 1 | Impulso unitario $\delta(t)$ | $1$ |
| 2 | Escalón unitario $1(t)$ | $\frac{1}{s}$ |
| 3 | $t$ | $\frac{1}{s^2}$ |
| 4 | $\frac{t^{n-1}}{(n-1)!} \quad (n = 1,2,3, \ldots)$ | $\frac{1}{s^n}$ |
| 5 | $t^n \quad (n = 1,2,3, \ldots)$ | $\frac{n!}{s^{n+1}}$ |
| 6 | $e^{-at}$ | $\frac{1}{s+a}$ |
| 7 | $te^{-at}$ | $\frac{1}{(s+a)^2}$ |
| 8 | $\frac{1}{(n-1)!} t^{n-1} e^{-at} \quad (n = 1,2,3, \ldots)$ | $\frac{1}{(s+a)^n}$ |
| 9 | $t^n e^{-at} \quad (n = 1,2,3, \ldots)$ | $\frac{n!}{(s+a)^{n+1}}$ |
| 10 | sen $\omega t$ | $\frac{\omega}{s^2 + \omega^2}$ |
| 11 | cos $\omega t$ | $\frac{s}{s^2 + \omega^2}$ |
| 12 | sen h $\omega t$ | $\frac{\omega}{s^2 - \omega^2}$ |
| 13 | cosh $\omega t$ | $\frac{s}{s^2 - \omega^2}$ |
| 14 | $\frac{1}{a}(1 - e^{-at})$ | $\frac{1}{s(s+a)}$ |
| 15 | $\frac{1}{b-a}(e^{-at} - e^{-bt})$ | $\frac{1}{(s+a)(s+b)}$ |
| 16 | $\frac{1}{b-a}(be^{-bt} - ae^{-at})$ | $\frac{s}{(s+a)(s+b)}$ |
| 17 | $\frac{1}{ab}\left[1 + \frac{1}{a-b}(be^{-at} - ae^{-bt})\right]$ | $\frac{1}{s(s+a)(s+b)}$ |

**Tabla 1-1** Continuación

| | | |
|---|---|---|
| 18 | $\frac{1}{a^2}(1 - e^{-at} - ate^{-at})$ | $\frac{1}{s(s+a)^2}$ |
| 19 | $\frac{1}{a^2}(at - 1 + e^{-at})$ | $\frac{1}{s^2(s+a)}$ |
| 20 | $e^{-at}\operatorname{sen}\omega t$ | $\frac{\omega}{(s+a)^2+\omega^2}$ |
| 21 | $e^{-at}\cos\omega t$ | $\frac{s+a}{(s+a)^2+\omega^2}$ |
| 22 | $\frac{\omega_n}{\sqrt{1-\zeta^2}}e^{-\zeta\omega_n t}\operatorname{sen}\omega_n\sqrt{1-\zeta^2}\,t$ | $\frac{\omega_n^2}{s^2+2\zeta\omega_n s+\omega_n^2}$ |
| 23 | $-\frac{1}{\sqrt{1-\zeta^2}}e^{-\zeta\omega_n t}\operatorname{sen}(\omega_n\sqrt{1-\zeta^2}\,t - \phi)$ <br> $\phi = \tan^{-1}\frac{\sqrt{1-\zeta^2}}{\zeta}$ | $\frac{s}{s^2+2\zeta\omega_n s+\omega_n^2}$ |
| 24 | $1 - \frac{1}{\sqrt{1-\zeta^2}}e^{-\zeta\omega_n t}\operatorname{sen}(\omega_n\sqrt{1-\zeta^2}\,t + \phi)$ <br> $\phi = \tan^{-1}\frac{\sqrt{1-\zeta^2}}{\zeta}$ | $\frac{\omega_n^2}{s(s^2+2\zeta\omega_n s+\omega_n^2)}$ |
| 25 | $1 - \cos\omega t$ | $\frac{\omega^2}{s(s^2+\omega^2)}$ |
| 26 | $\omega t - \operatorname{sen}\omega t$ | $\frac{\omega^3}{s^2(s^2+\omega^2)}$ |
| 27 | $\operatorname{sen}\omega t - \omega t\cos\omega t$ | $\frac{2\omega^3}{(s^2+\omega^2)^2}$ |
| 28 | $\frac{1}{2\omega}t\operatorname{sen}\omega t$ | $\frac{s}{(s^2+\omega^2)^2}$ |
| 29 | $t\cos\omega t$ | $\frac{s^2-\omega^2}{(s^2+\omega^2)^2}$ |
| 30 | $\frac{1}{\omega_2^2-\omega_1^2}(\cos\omega_1 t - \cos\omega_2 t) \qquad (\omega_1^2 \neq \omega_2^2)$ | $\frac{s}{(s^2+\omega_1^2)(s^2+\omega_2^2)}$ |
| 31 | $\frac{1}{2\omega}(\operatorname{sen}\omega t + \omega t\cos\omega t)$ | $\frac{s^2}{(s^2+\omega^2)^2}$ |

**Traslación de una función.** Se requiere obtener la transformada de Laplace de una función trasladada $f(t-\alpha)1(t-\alpha)$, donde $\alpha \geq 0$. Esta función es cero para $t < \alpha$. Las funciones $f(t)1(t)$ y $f(t-\alpha)1(t-\alpha)$ aparecen en la figura 1-8.

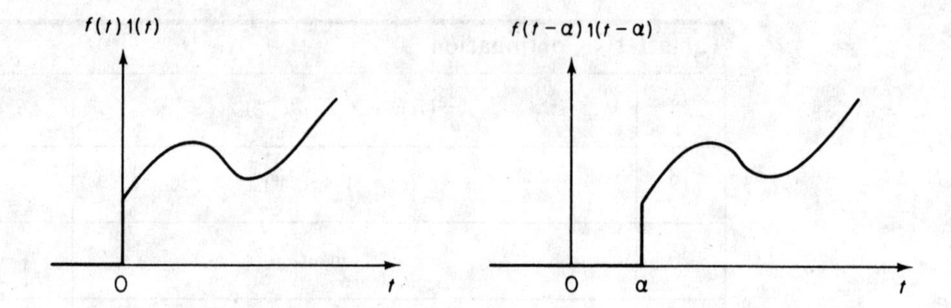


**Figura 1-8**
Función $f(t)1(t)$ y función trasladada

Por definición, la transformada de Laplace de $f(t - \alpha)1(t - \alpha)$ es

$$\mathscr{L}[f(t - \alpha)1(t - \alpha)] = \int_0^\infty f(t - \alpha)1(t - \alpha)e^{-st}\,dt$$

Cambiando la variable independientemente de $t$ a $\tau$, donde $\tau = t - \alpha$, se obtiene

$$\int_0^\infty f(t - \alpha)1(t - \alpha)e^{-st}\,dt = \int_{-\alpha}^\infty f(\tau)1(\tau)e^{-s(\tau + \alpha)}\,d\tau$$

Considerando que $f(\tau)1(\tau) = 0$ para $\tau < 0$, se puede modificar el límite interior de integración de $-\alpha$ a 0. Entonces

$$\begin{aligned}\int_{-\alpha}^\infty f(\tau)1(\tau)e^{-s(\tau+\alpha)}\,d\tau &= \int_0^\infty f(\tau)1(\tau)e^{-s(\tau+\alpha)}\,d\tau \\ &= \int_0^\infty f(\tau)e^{-s\tau}e^{-\alpha s}\,d\tau \\ &= e^{-\alpha s}\int_0^\infty f(\tau)e^{-s\tau}\,d\tau = e^{-\alpha s}F(s)\end{aligned}$$

donde

$$F(s) = \mathscr{L}[f(t)] = \int_0^\infty f(t)e^{-st}\,dt$$

Y entonces

$$\mathscr{L}[f(t - \alpha)1(t - \alpha)] = e^{-\alpha s}F(s), \qquad \alpha \geq 0$$

Esta última ecuación establece que la traslación de la función $f(t)1(t)$ por $\alpha$ (donde $\alpha \geq 0$) corresponde a la multiplicación de la transformada $F(s)$ por $e^{-\alpha s}$.

**Función pulso.** Sea la función pulso siguiente:

$$\begin{aligned} f(t) &= \frac{A}{t_0} \quad \text{para } 0 < t < t_0 \\ &= 0 \quad \text{para } t < 0,\ t_0 < t \end{aligned}$$

donde $A$ y $t_0$ son constantes.

La función pulso se puede considerar como una función escalón de altura $A/t_0$ que comienza al tiempo $t = 0$ y a la que superpone una función escalón negativa de altura $A/t_0$ que comienza al tiempo $t = t_0$; es decir,

$$f(t) = \frac{A}{t_0} 1(t) - \frac{A}{t_0} 1(t - t_0)$$

Entonces se obtiene la transformada de Laplace de $f(t)$ como

$$\begin{aligned}\mathscr{L}[f(t)] &= \mathscr{L}\left[\frac{A}{t_0} 1(t)\right] - \mathscr{L}\left[\frac{A}{t_0} 1(t - t_0)\right] \\ &= \frac{A}{t_0 s} - \frac{A}{t_0 s} e^{-st_0} \\ &= \frac{A}{t_0 s}(1 - e^{-st_0}) \qquad (1\text{–}4)\end{aligned}$$

**Función impulso.** La función impulso es un caso especial limitativo de la función pulso. Sea la función impulso

$$\begin{aligned}f(t) &= \lim_{t_0 \to 0} \frac{A}{t_0} \qquad \text{para } 0 < t < t_0 \\ &= 0 \qquad \text{para } t < 0,\ t_0 < t\end{aligned}$$

Como la altura de la función impulso es $A/t_0$ y la duración es $t_0$, el área cubierta bajo el impulso es igual a $A$. A medida que la duración $t_0$ tiende a cero, la altura $A/t_0$ tiende a infinito, pero el área cubierta por el impulso permanece igual a $A$. Nótese que la magnitud de un impulso viene dada por su área.

Con referencia a la ecuación (1-4), la transformada de Laplace de esta función impulso resulta ser

$$\begin{aligned}\mathscr{L}[f(t)] &= \lim_{t_0 \to 0} \left[\frac{A}{t_0 s}(1 - e^{-st_0})\right] \\ &= \lim_{t_0 \to 0} \frac{\dfrac{d}{dt_0}[A(1 - e^{-st_0})]}{\dfrac{d}{dt_0}(t_0 s)} = \frac{As}{s} = A\end{aligned}$$

Por lo tanto la transformada de Laplace de una función impulso es igual al área bajo el impulso.

La función impulso cuya área es igual a la unidad, recibe el nombre de *función impulso unitario* o *función delta de Dirac*. La función impulso unitario que se produce en el tiempo $t = t_0$ se designa generalmente por $\delta(t - t_0)$. $\delta(t - t_0)$ y satisface las siguientes condiciones:

$$\delta(t - t_0) = 0 \qquad \text{para } t \neq t_0$$

$$\delta(t - t_0) = \infty \qquad \text{para } t = t_0$$

$$\int_{-\infty}^{\infty} \delta(t - t_0)\, dt = 1$$

Es preciso señalar que un impulso que tiene una magnitud infinita y duración cero es una ficción matemática, y no ocurre en sistemas físicos. Sin embargo, si la magnitud del impulso de entrada a un sistema es muy grande, y su duración es muy breve en comparación con las constantes de tiempo del sistema, el pulso de entrada se puede aproximar por una función impulso. Por ejemplo, si a un sistema se aplica una fuerza o par de entrada $f(t)$ de muy corta duración, $0 < t < t_0$, y con magnitud suficientemente grande para que la integral $\int_0^{t_0} f(t)\, dt$ no sea despreciable, esta entrada puede considerarse una entrada impulsiva. (Nótese que cuando se describe la entrada impulsiva, el área o magnitud del impulso es de máxima importancia, pero la forma exacta del mismo es totalmente irrelevante). El impulso de entrada provee energía al sistema en tiempo infinitesimal.

El concepto de función impulsiva resulta muy útil al diferenciar funciones discontinuas. La función impulso unitario $\delta(t - t_0)$ puede considerarse como la derivada de la función escalón unitario $1(t - t_0)$ en el punto de discontinuidad $t = t_0$, o

$$\delta(t - t_0) = \frac{d}{dt} 1(t - t_0)$$

Inversamente, si se integra la función impulso unitario $\delta(t - t_0)$, el resultado es la función escalón unitario $1(t - t_0)$. Con el concepto de la función impulsiva se puede diferenciar una función que contenga discontinuidades, dando impulsos cuyas magnitudes son iguales a las de la discontinuidad correspondiente.

**Multiplicación de $f(t)$ por $e^{-\alpha t}$.** Si la función $f(t)$ es transformable por Laplace, y esa transformada es $F(s)$, la transformada de $e^{-\alpha t}f(t)$ se puede obtener del siguiente modo:

$$\mathscr{L}[e^{-\alpha t}f(t)] = \int_0^{\infty} e^{-\alpha t}f(t)e^{-st}\, dt = F(s + \alpha) \qquad (1\text{–}5)$$

Puede verse que la multiplicación de $f(t)$ por $e^{-\alpha t}$ tiene el efecto de remplazar $s$ por $(s + \alpha)$ en la transformada de Laplace. Inversamente, remplazar $s$ por $(s + \alpha)$ es equivalente a multiplicar $f(t)$ por $e^{-\alpha t}$. (Nótese que $\alpha$ puede ser real o compleja.)

La relación dada por la ecuación (1-5) es útil para hallar la transformada de Laplace en funciones como $e^{-\alpha t}$ sen $\omega t$ y $e^{-\alpha t}$ cos $\omega t$. Por ejemplo, como

$$\mathscr{L}[\text{sen}\,\omega t] = \frac{\omega}{s^2 + \omega^2} = F(s), \qquad \mathscr{L}[\cos \omega] = \frac{s}{s^2 + \omega^2} = G(s)$$

resulta que de la ecuación (1-5), la transformada de Laplace de $e^{-\alpha t}$ sen $\omega t$ y $e^{-\alpha t}$ cos $\omega t$, están dadas respectivamente por

$$\mathscr{L}[e^{-\alpha t}\,\text{sen}\,\omega t] = F(s + \alpha) = \frac{\omega}{(s + \alpha)^2 + \omega^2}$$

$$\mathscr{L}[e^{-\alpha t}\cos \omega t] = G(s + \alpha) = \frac{s + \alpha}{(s + \alpha)^2 + \omega^2}$$

**Cambio de la escala de tiempos.** Al analizar sistemas físicos, en ocasiones resulta conveniente modificar la escala de tiempos o normalizar determinada función del tiempo. El resultado obtenido en términos de tiempo normalizado es útil, porque puede aplicarse directamente a distintos sistemas con ecuaciones matemáticas similares.

Si se cambia $t$ por $t/\alpha$, donde $\alpha$ es una constante positiva, la función $f(t)$ cambia a $f(t/\alpha)$. Si se designa $F(s)$ a la transformada de Laplace de $f(t)$, la transformada de $f(t/\alpha)$ se puede obtener del siguiente modo:

$$\mathscr{L}\left[f\left(\frac{t}{\alpha}\right)\right] = \int_0^\infty f\left(\frac{t}{\alpha}\right) e^{-st}\, dt$$

Haciendo $t/\alpha$ y $\alpha s = s_1$, se obtiene

$$\begin{aligned}\mathscr{L}\left[f\left(\frac{t}{\alpha}\right)\right] &= \int_0^\infty f(t_1) e^{-s_1 t_1}\, d(\alpha t_1)\\ &= \alpha \int_0^\infty f(t_1) e^{-s_1 t_1}\, dt_1\\ &= \alpha F(s_1)\end{aligned}$$

o

$$\mathscr{L}\left[f\left(\frac{t}{\alpha}\right)\right] = \alpha F(\alpha s)$$

Como ejemplo, sea $f(t) = e^{-t}$ y $f(t/5) = e^{-0.2t}$. Se obtiene

$$\mathscr{L}[f(t)] = \mathscr{L}[e^{-t}] = F(s) = \frac{1}{s+1}$$

Por lo tanto

$$\mathscr{L}\left[f\left(\frac{t}{5}\right)\right] = \mathscr{L}[e^{-0.2t}] = 5F(5s) = \frac{5}{5s+1}$$

Este resultado se puede verificar fácilmente tomando la transformada de $e^{-0.2t}$ directamente, como sigue:

$$\mathscr{L}[e^{-0.2t}] = \frac{1}{s+0.2} = \frac{5}{5s+1}$$

**Comentarios sobre el límite inferior de la integral de Laplace.** En algunos casos, $f(t)$ tiene una función impulsiva en $t = 0$. Entonces hay que especificar muy claramente el límite inferior de la integral de Laplace, en el sentido de que si es 0— o 0+, ya que las transformadas de Laplace de $f(t)$ difieren para estos límites inferiores. En caso de ser necesario indicar la distinción entre estos límites inferiores, se utilizan las notaciones siguientes:

$$\mathscr{L}_+[f(t)] = \int_{0+}^\infty f(t) e^{-st}\, dt$$

$$\mathscr{L}_-[f(t)] = \int_{0-}^\infty f(t) e^{-st}\, dt = \mathscr{L}_+[f(t)] + \int_{0-}^{0+} f(t) e^{-st}\, dt$$

Si $f(t)$ comprende una función impulsiva en $t = 0$, entonces

$$\mathcal{L}_+[f(t)] \neq \mathcal{L}_-[f(t)]$$

ya que

$$\int_{0-}^{0+} f(t)e^{-st}\, dt \neq 0$$

para ese caso. Obviamente, si $f(t)$ no posee función impulso en $t = 0$ (es decir, si la función a ser transformada es finita entre $t = 0-$ y $t = 0+$), entonces

$$\mathcal{L}_+[f(t)] = \mathcal{L}_-[f(t)]$$

**Teorema de diferenciación real.** La transformada de Laplace de la derivada de una función $f(t)$ está dada por

$$\mathcal{L}\left[\frac{d}{dt}f(t)\right] = sF(s) - f(0) \tag{1-6}$$

donde $f(0)$ es el valor inicial de $f(t)$ evaluada en $t = 0$.

Para una función $f(t)$ dada, los valores de $f(0+)$ y $f(0-)$ pueden ser iguales o diferentes, como se puede ver en la figura 1-9. La distinción entre $f(0+)$ y $f(0-)$ es importante cuando $f(t)$ tiene una discontinuidad en $t = 0$ porque en ese caso $df(t)/dt$ comprende una función impulsiva en $t = 0$. Si $f(0+) \neq f(0-)$, la ecuación (1-6) debe modificarse a

$$\mathcal{L}_+\left[\frac{d}{dt}f(t)\right] = sF(s) - f(0+)$$

$$\mathcal{L}_-\left[\frac{d}{dt}f(t)\right] = sF(s) - f(0-)$$

Para probar el teorema de diferenciación real, ecuación (1-6), se procede como sigue. Integrando la integral de Laplace por partes, se tiene

$$\int_0^\infty f(t)e^{-st}\, dt = f(t)\frac{e^{-st}}{-s}\bigg|_0^\infty - \int_0^\infty \left[\frac{d}{dt}f(t)\right]\frac{e^{-st}}{-s}\, dt$$

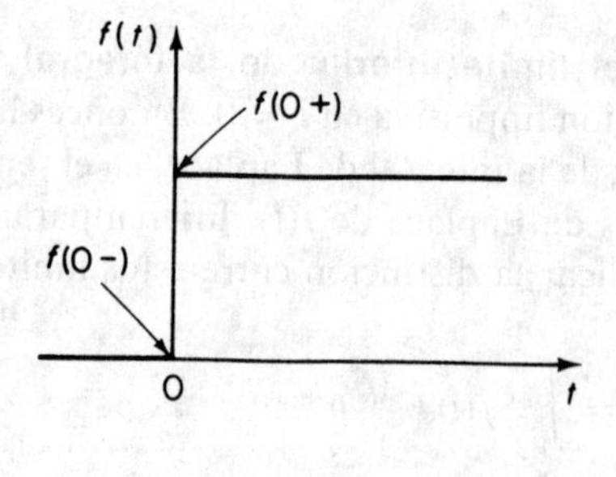


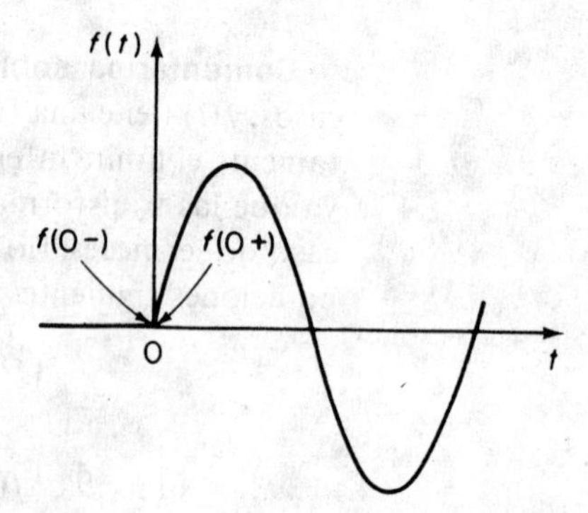


**Figura 1-9** Función escalón y función seno, indicando valores iniciales en $t = 0-$ y $t = 0+$.

Por tanto

$$F(s) = \frac{f(0)}{s} + \frac{1}{s}\mathcal{L}\left[\frac{d}{dt}f(t)\right]$$

De ahí sigue que

$$\mathcal{L}\left[\frac{d}{dt}f(t)\right] = sF(s) - f(0)$$

En forma similar, se obtiene la siguiente relación para la segunda derivada de $f(t)$:

$$\mathcal{L}\left[\frac{d^2}{dt^2}f(t)\right] = s^2F(s) - sf(0) - \dot{f}(0)$$

donde $\dot{f}(0)$ es el valor de $df(t)/dt$ evaluado como $t = 0$. Para deducir esta ecuación, se define

$$\frac{d}{dt}f(t) = g(t)$$

Entonces

$$\begin{aligned}\mathcal{L}\left[\frac{d^2}{dt^2}f(t)\right] &= \mathcal{L}\left[\frac{d}{dt}g(t)\right] = s\mathcal{L}[g(t)] - g(0)\\ &= s\mathcal{L}\left[\frac{d}{dt}f(t)\right] - \dot{f}(0)\\ &= s^2F(s) - sf(0) - \dot{f}(0)\end{aligned}$$

En forma similar, para la $n$-ésima derivada de $f(t)$, se obtiene

$$\mathcal{L}\left[\frac{d^n}{dt^n}f(t)\right] = s^nF(s) - s^{n-1}f(0) - s^{n-2}\dot{f}(0) - \cdots - s\overset{(n-2)}{f}(0) - \overset{(n-1)}{f}(0)$$

donde $f(0), \dot{f}(0), \ldots, \overset{(n-1)}{f}(0)$ representan los valores de $f(t)$, $df(t)/dt, \ldots$, $d^{n-1}f(t)/dt^{n-1}$, respectivamente, evaluadas en $t = 0$. Si es necesario distinguir entre $\mathcal{L}_+$ y $\mathcal{L}_-$, se substituye $t = 0+$ o $t = 0-$ en $f(t), df(t)/dt, \ldots, d^{n-1}f(t)/dt^{n-1}$, según se tome $\mathcal{L}_+$ o $\mathcal{L}_-$.

Nótese que, para que existan transformadas de Laplace de derivadas de $f(t)$, las $d^nf(t)/dt^n$ ($n = 1, 2, 3, \ldots$) deben ser transformables por Laplace.

Nótese también que si todos los valores iniciales de $f(t)$ y sus derivadas son iguales a cero, la transformada de Laplace de la $n$-ésima derivada de $f(t)$ está dada por $s^nF(s)$.

**EJEMPLO 1-1**

Sea la función coseno

$$\begin{aligned} g(t) &= 0 && \text{para } t < 0\\ &= \cos \omega t && \text{para } t \geq 0\end{aligned}$$

La transformada de Laplace se puede obtener directamente de la función coseno como en el caso de la función sinusoidal. Sin embargo, aquí se demostrará el uso del teorema de diferenciación real, derivando la transformada de Laplace de la función coseno, a partir de la transformada de Laplace de la función seno. Si se define

$$f(t) = 0 \quad \text{para } t < 0$$
$$= \text{sen}\,\omega t \quad \text{para } t \geq 0$$

entonces

$$\mathscr{L}[\text{sen}\,\omega t] = F(s) = \frac{\omega}{s^2 + \omega^2}$$

La transformada de Laplace de la función coseno se obtiene como sigue:

$$\mathscr{L}[\cos \omega t] = \mathscr{L}\left[\frac{d}{dt}\left(\frac{1}{\omega}\text{sen}\,\omega t\right)\right] = \frac{1}{\omega}[sF(s) - f(0)]$$

$$= \frac{1}{\omega}\left[\frac{s\omega}{s^2 + \omega^2} - 0\right] = \frac{s}{s^2 + \omega^2}$$

**Teorema del valor final.** El teorema del valor final relaciona el comportamiento en estado estacionario de $f(t)$ con el de $sF(s)$ en la vecindad de $s = 0$. Sin embargo, el teorema se aplica si, y solamente si, existe $\lim_{t\to\infty} f(t)$ [lo que significa que $f(t)$ asume finalmente un valor definido cuando $t \to \infty$]. Si todos los polos de $sF(s)$ quedan en el semiplano izquierdo del plano $s$, existe el $\lim_{t\to\infty} f(t)$. Pero si $sF(s)$ tiene polos sobre el eje imaginario o en el semiplano positivo del plano $s$, $f(t)$ contendrá funciones oscilatoria o exponencialmente creciente en el tiempo, respectivamente, y el $\lim_{t\to\infty} f(t)$ no existirá. En tales casos, no se aplica el teorema del valor final. Por ejemplo, si $f(t)$ es la función sinusoidal seno $\omega t$, $sF(s)$ tiene polos en $s = \pm j\omega$, y no existe $\lim_{t\to\infty} f(t)$. Por lo tanto, este teorema no es aplicable a esta función.

El teorema del valor final puede enunciarse como sigue. Si $f(t)$ y $df(t)/dt$ son transformables por Laplace, si $F(s)$ es la transformada de Laplace de $f(t)$, y si existe $\lim_{t\to\infty} f(t)$, entonces

$$\lim_{t\to\infty} f(t) = \lim_{s\to 0} sF(s)$$

Para probar el teorema, se hace tender $s$ a cero en la ecuación de la transformada de Laplace de la derivada de $f(t)$, o

$$\lim_{s\to 0} \int_0^\infty \left[\frac{d}{dt}f(t)\right] e^{-st}\,dt = \lim_{s\to 0}[sF(s) - f(0)]$$

Como $\lim_{s\to 0} e^{-st} = 1$, se obtiene

$$\int_0^\infty \left[\frac{d}{dt}f(t)\right] dt = f(t)\Big|_0^\infty = f(\infty) - f(0)$$
$$= \lim_{s\to 0} sF(s) - f(0)$$

de lo cual

$$f(\infty) = \lim_{t\to\infty} f(t) = \lim_{s\to 0} sF(s)$$

El teorema del valor final establece que el comportamiento de $f(t)$ en estado estacionario, es igual al de $sF(s)$ en la vecindad de $s = 0$. Así, el valor de $f(t)$ en $t = \infty$ se puede obtener directamente de $F(s)$.

**EJEMPLO 1-2.** Dada

$$\mathscr{L}[f(t)] = F(s) = \frac{1}{s(s+1)}$$

¿Cuánto vale $\lim_{t\to\infty} f(t)$?

Como el polo de $sF(s) = 1/(s+1)$ queda en el semiplano izquierdo de $s$, existe el $\lim_{t\to\infty} f(t)$. Por lo tanto, en este caso si es aplicable el teorema del valor final.

$$\lim_{t\to\infty} f(t) = f(\infty) = \lim_{s\to 0} sF(s) = \lim_{s\to 0} \frac{s}{s(s+1)} = \lim_{s\to 0} \frac{1}{s+1} = 1$$

De hecho, este resultado se puede verificar fácilmente, pues

$$f(t) = 1 - e^{-t} \quad \text{para } t \geq 0$$

**Teorema del valor inicial.** El teorema del valor inicial es la contraparte del teorema del valor final. Utilizando este teorema se puede hallar el valor de $f(t)$ en $t = 0+$ directamente de la transformada de Laplace de $f(t)$. El teorema del valor inicial no da el valor de $f(t)$ exactamente en $t = 0$, sino en un tiempo ligeramente mayor que cero.

El valor inicial puede presentarse como sigue: si $f(t)$ y $df(t)/dt$ son transformadas por Laplace, y si existe el $\lim_{s\to\infty} sF(s)$, entonces

$$f(0+) = \lim_{s\to\infty} sF(s)$$

Para probar este teorema, se utiliza la ecuación para la transformada $\mathscr{L}_+$ de $df(t)/dt$:

$$\mathscr{L}_+\left[\frac{d}{dt}f(t)\right] = sF(s) - f(0+)$$

Durante el intervalo de tiempo $0+ \leq t \leq \infty$, al tender $s$ a infinito, $e$ tiende a cero. (Nótese que para esta condición se debe utilizar $\mathscr{L}_+$ y no $\mathscr{L}_-$). Y

$$\lim_{s\to\infty} \int_{0+}^{\infty} \left[\frac{d}{dt}f(t)\right] e^{-st}\, dt = \lim_{s\to\infty} [sF(s) - f(0+)] = 0$$

o

$$f(0+) = \lim_{s\to\infty} sF(s)$$

Al aplicar el teorema del valor inicial, no se está restringiendo a las ubicaciones de los polos de $sF(s)$. Así el teorema del valor inicial es válido para la función sinusoidal.

Conviene notar que el teorema del valor inicial y el del valor final brindan una adecuada verificación de la solución, ya que permiten predecir el comportamiento del sistema en el dominio del tiempo, sin tener que transformar de nuevo las funciones en $s$ a funciones del tiempo.

**Teorema de integración real.** Si $f(t)$ es de orden exponencial, entonces existe la transformada de $\int f(t)$ y está dada por

$$\mathcal{L}\left[\int f(t)\,dt\right] = \frac{F(s)}{s} + \frac{f^{-1}(0)}{s} \tag{1–7}$$

donde $F(s) = \mathcal{L}[f(t)]$ y $f^{-1}(0) = \int f(t)\,dt$, evaluadas en $t = 0$. Nótese que si $f(t)$ comprende una función impulso en $t = 0$, entonces $f^{-1}(0+) \neq f^{-1}(0-)$. De modo que si $f(t)$ incluye una función impulso en $t = 0$, la ecuación (1-7) se debe modificar como sigue:

$$\mathcal{L}_+\left[\int f(t)\,dt\right] = \frac{F(s)}{s} + \frac{f^{-1}(0+)}{s}$$

$$\mathcal{L}_-\left[\int f(t)\,dt\right] = \frac{F(s)}{s} + \frac{f^{-1}(0-)}{s}$$

El teorema de integración real dado por la ecuación (1-7), se puede probar del modo siguiente. La integración por partes da

$$\begin{aligned}\mathcal{L}\left[\int f(t)\,dt\right] &= \int_0^\infty \left[\int f(t)\,dt\right] e^{-st}\,dt \\ &= \left[\int f(t)\,dt\right]\frac{e^{-st}}{-s}\Bigg|_0^\infty - \int_0^\infty f(t)\frac{e^{-st}}{-s}\,dt \\ &= \frac{1}{s}\int f(t)\,dt\Bigg|_{t=0} + \frac{1}{s}\int_0^\infty f(t)e^{-st}\,dt \\ &= \frac{f^{-1}(0)}{s} + \frac{F(s)}{s}\end{aligned}$$

y el teorema queda probado.

Como vemos, la integración en el dominio del tiempo se convierte en división en el dominio de $s$. Si el valor inicial de la integral es cero, la transformada de Laplace de la integral de $f(t)$ queda dada por $F(s)/s$.

El teorema de integración real dado por la ecuación (1-7) se puede modificar levemente, para afrontar el caso de la integral definida de $f(t)$. Si $f(t)$ es de orden exponencial, la transformada de Laplace de la integral definida $\int_0^t f(t)$ queda dada por

$$\mathcal{L}\left[\int_0^t f(t)\,dt\right] = \frac{F(s)}{s} \tag{1–8}$$

donde $F(s) = \mathcal{L}[f(t)]$. Este teorema también se denomina de integración real. Nótese que si $f(t)$ comprende una función impulsiva al tiempo $t = 0$, entonces $\int_{0+}^t f(t)\,dt \neq \int_{0-}^t f(t)$, y se debe tener en cuenta la siguiente distinción:

$$\mathcal{L}_+\left[\int_{0+}^{t} f(t)\,dt\right] = \frac{\mathcal{L}_+[f(t)]}{s}$$

$$\mathcal{L}_-\left[\int_{0-}^{t} f(t)\,dt\right] = \frac{\mathcal{L}_-[f(t)]}{s}$$

Para probar la ecuación (1-8), nótese primero que

$$\int_0^t f(t)\,dt = \int f(t)\,dt - f^{-1}(0)$$

donde $f^{-1}(0)$ es igual a $\int f(t)\,dt$ evaluada en $t = 0$ y es una constante. De aquí

$$\mathcal{L}\left[\int_0^t f(t)\,dt\right] = \mathcal{L}\left[\int f(t)\,dt\right] - \mathcal{L}[f^{-1}(0)]$$

Notando que $f^{-1}(0)$ es una constante tal que

$$\mathcal{L}[f^{-1}(0)] = \frac{f^{-1}(0)}{s}$$

se obtiene

$$\mathcal{L}\left[\int_0^t f(t)\,dt\right] = \frac{F(s)}{s} + \frac{f^{-1}(0)}{s} - \frac{f^{-1}(0)}{s} = \frac{F(s)}{s}$$

**Teorema de diferenciación compleja.** Si $f(t)$ es transformable por Laplace, entonces, excepto en los polos de $F(s)$,

$$\mathcal{L}[tf(t)] = -\frac{d}{ds}F(s)$$

donde $F(s) = \mathcal{L}[f(t)]$. Esto se denomina teorema de diferenciación compleja. También

$$\mathcal{L}[t^2 f(t)] = \frac{d^2}{ds^2}F(s)$$

En general,

$$\mathcal{L}[t^n f(t)] = (-1)^n \frac{d^n}{ds^n}F(s) \qquad (n = 1,2,3, \ldots)$$

Para probar el teorema de diferenciación compleja, se procede del siguiente modo:

$$\mathcal{L}[tf(t)] = \int_0^\infty tf(t)e^{-st}\,dt = -\int_0^\infty f(t)\frac{d}{ds}(e^{-st})\,dt$$
$$= -\frac{d}{ds}\int_0^\infty f(t)e^{-st}\,dt = -\frac{d}{ds}F(s)$$

De aquí, el teorema. En forma similar, definiendo $f(t) = g(t)$ el resultado es

$$\mathcal{L}[t^2 f(t)] = \mathcal{L}[tg(t)] = -\frac{d}{ds}G(s) = -\frac{d}{ds}\left[-\frac{d}{ds}F(s)\right]$$
$$= (-1)^2\frac{d^2}{ds^2}F(s) = \frac{d^2}{ds^2}F(s)$$

Repitiendo el mismo proceso, se obtiene

$$\mathscr{L}[t^n f(t)] = (-1)^n \frac{d^n}{ds^n} F(s) \qquad (n = 1,2,3, \ldots)$$

**Integral de convolución.** Considere la transformada de Laplace de

$$\int_0^t f_1(t-\tau) f_2(\tau)\, d\tau$$

Esta integral a menudo se expresa como

$$f_1(t)*f_2(t)$$

La operación matemática $f_1(t)*f_2(t)$ se denomina *convolución*. Nótese que si se coloca $t - \tau = \xi$, entonces

$$\int_0^t f_1(t-\tau) f_2(\tau)\, d\tau = -\int_t^0 f_1(\xi) f_2(t-\xi)\, d\xi$$
$$= \int_0^t f_1(\tau) f_2(t-\tau)\, d\tau$$

Por tanto,

$$f_1(t)*f_2(t) = \int_0^t f_1(t-\tau) f_2(\tau)\, d\tau$$
$$= \int_0^t f_1(\tau) f_2(t-\tau)\, d\tau$$
$$= f_2(t)*f_1(t)$$

En la figura 1-10(a) se ven ejemplos de curvas de $f_1(t)$, $f_1(t-\tau)$, y $f_2(\tau)$. La figura 1-10(b) muestra el producto de $f_1(t-\tau)$ y $f_2(\tau)$. La forma de la curva $f_1(t-\tau)\, f_2(\tau)$ depende de $t$.

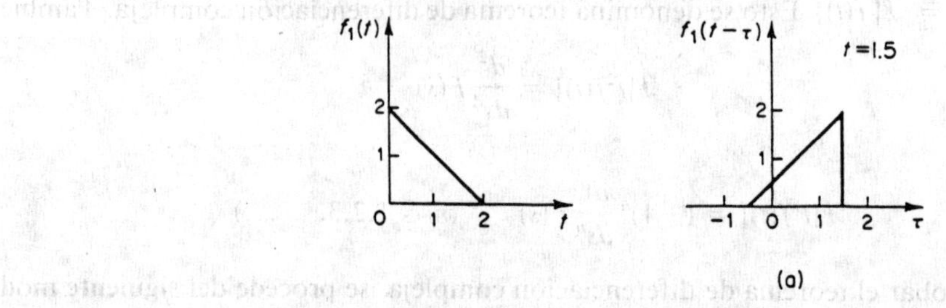
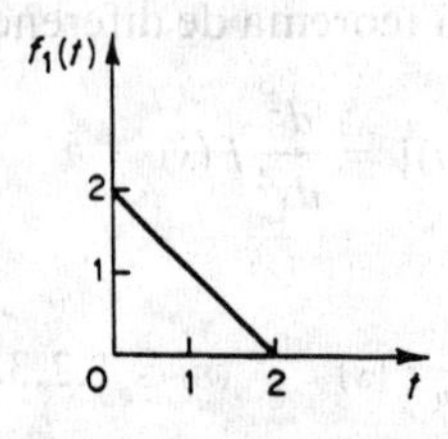


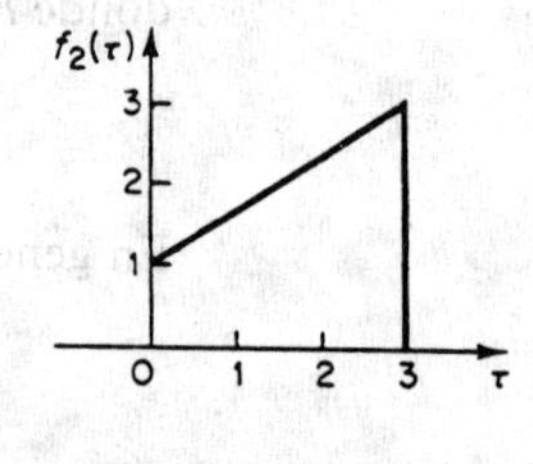

(a)

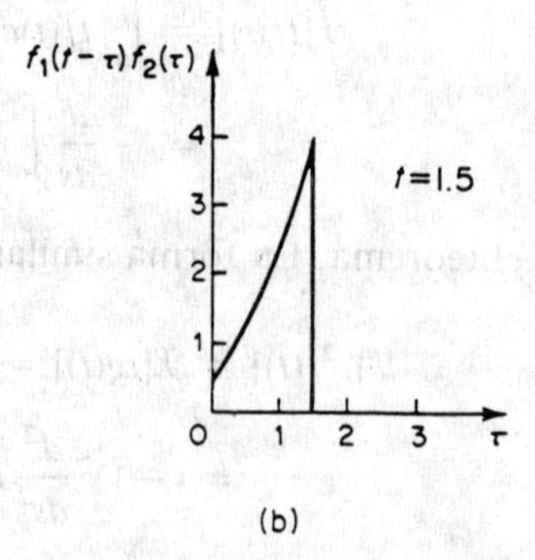

(b)

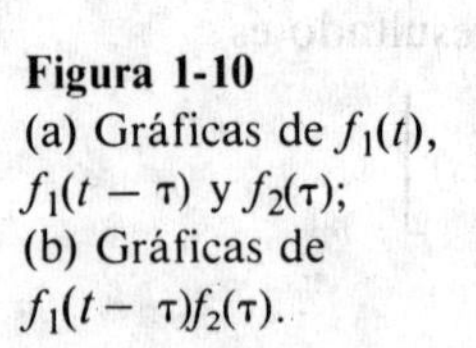
**Figura 1-10**
(a) Gráficas de $f_1(t)$, $f_1(t-\tau)$ y $f_2(\tau)$;
(b) Gráficas de $f_1(t-\tau) f_2(\tau)$.

Si $f_1(t)$ y $f_2(t)$ son continuas por segmentos y de orden exponencial, la transformada de Laplace de

$$\int_0^t f_1(t-\tau)f_2(\tau)\,d\tau$$

puede obtenerse como sigue:

$$\mathscr{L}\left[\int_0^t f_1(t-\tau)f_2(\tau)\,d\tau\right] = F_1(s)F_2(s) \tag{1–9}$$

donde

$$F_1(s) = \int_0^\infty f_1(t)e^{-st}\,dt = \mathscr{L}[f_1(t)]$$

$$F_2(s) = \int_0^\infty f_2(t)e^{-st}\,dt = \mathscr{L}[f_2(t)]$$

Para probar la ecuación (1-9), nótese que $f_1(t-\tau)1(t-\tau) = 0$ para $\tau > t$. Por lo tanto,

$$\int_0^t f_1(t-\tau)f_2(\tau)\,d\tau = \int_0^\infty f_1(t-\tau)1(t-\tau)f_2(\tau)\,d\tau$$

Entonces

$$\begin{aligned}\mathscr{L}\left[\int_0^t f_1(t-\tau)f_2(\tau)\,d\tau\right] &= \mathscr{L}\left[\int_0^\infty f_1(t-\tau)1(t-\tau)f_2(\tau)\,d\tau\right]\\ &= \int_0^\infty e^{-st}\left[\int_0^\infty f_1(t-\tau)1(t-\tau)f_2(\tau)\,d\tau\right]dt\end{aligned}$$

Sustituyendo $t - \tau = \lambda$ en esta última ecuación y modificando el orden de integración, lo que es válido en este caso porque $f_1(t)$ y $f_2(t)$ son transformables de Laplace, se obtiene

$$\begin{aligned}\mathscr{L}\left[\int_0^t f_1(t-\tau)f_2(\tau)\,d\tau\right] &= \int_0^\infty f_1(t-\tau)1(t-\tau)e^{-st}\,dt\int_0^\infty f_2(\tau)d\tau\\ &= \int_0^\infty f_1(\lambda)e^{-s(\lambda+\tau)}\,d\lambda\int_0^\infty f_2(\tau)\,d\tau\\ &= \int_0^\infty f_1(\lambda)e^{-s\lambda}\,d\lambda\int_0^\infty f_2(\tau)e^{-s\tau}\,d\tau\\ &= F_1(s)F_2(s)\end{aligned}$$

Esta última ecuación muestra la transformada de Laplace de la integral de convolución. Inversamente, si la transformada de Laplace de una función está dada por un producto de dos funciones transformadas de Laplace, $F_1(s)F_2(s)$, entonces la función de tiempo correspondiente (la transformada inversa de Laplace) es resultado de la integral de convolución $f_1(t)*f_2(t)$.

**Resumen.** La tabla 1-2 resume las propiedades y teoremas de las transformadas de Laplace. La mayor parte de ellas se han deducido o probado en esta sección.

**Tabla 1-2** Propiedades de las transformadas de Laplace

| | |
|---|---|
| 1 | $\mathscr{L}[Af(t)] = AF(s)$ |
| 2 | $\mathscr{L}[f_1(t) \pm f_2(t)] = F_1(s) \pm F_2(s)$ |
| 3 | $\mathscr{L}_{\pm}\left[\frac{d}{dt}f(t)\right] = sF(s) - f(0\pm)$ |
| 4 | $\mathscr{L}_{\pm}\left[\frac{d^2}{dt^2}f(t)\right] = s^2F(s) - sf(0\pm) - \dot{f}(0\pm)$ |
| 5 | $\mathscr{L}_{\pm}\left[\frac{d^n}{dt^n}f(t)\right] = s^nF(s) - \sum_{k=1}^{n} s^{n-k} \overset{(k-1)}{f}(0\pm)$ <br> donde $\overset{(k-1)}{f}(t) = \frac{d^{k-1}}{dt^{k-1}}f(t)$ |
| 6 | $\mathscr{L}_{\pm}\left[\int f(t)\,dt\right] = \frac{F(s)}{s} + \frac{\left[\int f(t)\,dt\right]_{t=0\pm}}{s}$ |
| 7 | $\mathscr{L}_{\pm}\left[\int\int f(t)\,dt\,dt\right] = \frac{F(s)}{s^2} + \frac{\left[\int f(t)\,dt\right]_{t=0\pm}}{s^2} + \frac{\left[\int\int f(t)\,dt\,dt\right]_{t=0\pm}}{s}$ |
| 8 | $\mathscr{L}_{\pm}\left[\int \cdots \int f(t)(dt)^n\right] = \frac{F(s)}{s^n} + \sum_{k=1}^{n} \frac{1}{s^{n-k+1}}\left[\int \cdots \int f(t)(dt)^k\right]_{t=0\pm}$ |
| 9 | $\mathscr{L}\left[\int_0^t f(t)\,dt\right] = \frac{F(s)}{s}$ |
| 10 | $\int_0^\infty f(t)\,dt = \lim_{s\to 0} F(s) \quad \text{si } \int_0^\infty f(t)\,dt \text{ existe}$ |
| 11 | $\mathscr{L}[e^{-at}f(t)] = F(s+a)$ |
| 12 | $\mathscr{L}[f(t-\alpha)1(t-\alpha)] = e^{-\alpha s}F(s) \qquad \alpha \geq 0$ |
| 13 | $\mathscr{L}[tf(t)] = -\frac{dF(s)}{ds}$ |
| 14 | $\mathscr{L}[t^2f(t)] = \frac{d^2}{ds^2}F(s)$ |
| 15 | $\mathscr{L}[t^nf(t)] = (-1)^n \frac{d^n}{ds^n}F(s) \qquad n = 1,2,3,\ldots$ |

**Tabla 1-2** Continuación

| | |
|---|---|
| 16 | $\mathcal{L}\left[\frac{1}{t}f(t)\right] = \int_s^{\infty} F(s)\,ds$ |
| 17 | $\mathcal{L}\left[f\left(\frac{t}{a}\right)\right] = aF(as)$ |

## 1-4 TRANSFORMACION INVERSA DE LAPLACE

El proceso matemático de pasar de la expresión en variable compleja a la expresión en función del tiempo, se denomina *transformación inversa*. Como notación para la transformación inversa, se utiliza $\mathcal{L}^{-1}$, de modo que

$$\mathcal{L}^{-1}[F(s)] = f(t)$$

Al resolver problemas usando el método de la transformada de Laplace, se enfrenta el problema de cómo hallar $f(t)$ partiendo de $F(s)$. Matemáticamente se obtiene $f(t)$ de $F(s)$, con la siguiente integral de inversión:

$$f(t) = \frac{1}{2\pi j}\int_{c-j\infty}^{c+j\infty} F(s)e^{st}\,ds \qquad (t > 0)$$

donde $c$, la abscisa de convergencia, es una constante real y elegida mayor que las partes reales de todos los puntos singulares de $F(s)$. Así, el camino de integración es paralelo al eje $j\omega$ y está desplazado del mismo una distancia $c$. Este camino de integración está a la derecha de todos los puntos singulares.

Evaluar la integral de inversión parece complicado. Afortunadamente, para hallar $f(t)$ a partir de $F(s)$ hay procedimientos más simples que efectuar esta integración directamente. Un modo conveniente de obtener transformadas inversas de Laplace, es utilizar una tabla de transformadas de Laplace. En este caso, en la tabla la transformada de Laplace debe aparecer en forma inmediatamente reconocible. Frecuentemente la función buscada puede no aparecer en las tablas de transformadas de Laplace de que dispone el ingeniero. Si no se encuentra en la tabla una transformada $F(s)$ determinada, se puede desarrollar en fracciones parciales, y escribir $F(s)$ en términos de funciones simples de $s$, para las cuales se conocen las transformadas inversas de Laplace.

Nótese que estos métodos simples para hallar transformadas inversas de Laplace, se basan en el hecho de que la correspondencia única entre una función del tiempo y su transformada Laplace inversa, se mantiene para cualquier función del tiempo que sea continua.

**Método de expansión en fracciones parciales para hallar transformadas inversas de Laplace.** En problemas de análisis de teoría de control, $F(s)$, la transformada de Laplace de $f(t)$, frecuentemente es de la forma

$$F(s) = \frac{B(s)}{A(s)}$$

donde las $A(s)$ y $B(s)$ son polinomios en $s$, y el grado de $B(s)$ es menor que el de $A(s)$. Si $F(s)$ se descompone en sus componentes,

$$F(s) = F_1(s) + F_2(s) + \cdots + F_n(s)$$

y si las transformadas inversas de Laplace de $F_1(s), F_2(s), \ldots, F_n(s)$ son obtenibles fácilmente, entonces

$$\begin{aligned}\mathscr{L}^{-1}[F(s)] &= \mathscr{L}^{-1}[F_1(s)] + \mathscr{L}^{-1}[F_2(s)] + \cdots + \mathscr{L}^{-1}[F_n(s)] \\ &= f_1(t) + f_2(t) + \cdots + f_n(t)\end{aligned}$$

donde $f_1(t)$, $f_2(t)$, ..., $f_n(t)$ son las transformadas inversas de Laplace de $F_1(s)$, $F_2(s), \ldots, F_n(s)$, respectivamente. La transformada inversa de Laplace así obtenida $F(s)$ es única, excepto posiblemente en puntos donde la función de tiempo es discontinua. Toda vez que la función de tiempo sea continua, las funciones del tiempo $f(t)$ y sus transformadas de Laplace $F(s)$ tienen una correspondencia unívoca.

La ventaja del procedimiento de expansión en fracciones parciales es que los términos individuales de $F(s)$, resultantes de la expansión en forma de fracciones parciales, son funciones muy simples de $s$; en consecuencia, no es necesario recurrir a una tabla de transformadas de Laplace, si se memorizan algunos pares de transformadas de Laplace simples. Conviene señalar, sin embargo, que al aplicar la técnica de expansión en fracciones parciales en búsqueda de la transformada inversa de Laplace de $F(s) = B(s)/A(s)$, deben conocerse previamente las raíces del polinomio denominador $A(s)$. Es decir, este método no se aplica hasta que se ha factorizado el polinomio denominador.

En la expansión de $F(s) = B(s)/A(s)$ en forma de fracciones parciales, es importante que la potencia más elevada de $s$ en $A(s)$ sea mayor que la potencia de $s$ en $B(s)$. Si ese no es el caso, el numerador $B(s)$ debe dividirse entre el denominador $A(s)$ para producir un polinomio en $s$ más un resto (una relación de polinomios en $s$ cuyo numerador sea de grado menor que el del denominador). (Para detalles, véase el Ejemplo 1-4).

**Expansión en fracciones parciales cuando $F(s)$ contiene únicamente polos distintos.** Sea $F(s)$ escrita en su forma factorizada

$$F(s) = \frac{B(s)}{A(s)} = \frac{K(s + z_1)(s + z_2) \cdots (s + z_m)}{(s + p_1)(s + p_2) \cdots (s + p_n)} \qquad (m < n)$$

donde $p_1, p_2, \ldots, p_n$ y $z_1, z_2, \ldots, z_m$ son cantidades reales o complejas, pero para cada complejo $p_i$ o $z_i$ debe aparecer el respectivo conjugado de $p_i$ o $z_i$. Si $F(s)$ contiene solamente polos distintos, puede expandirse en una suma de fracciones parciales simples, es decir:

$$F(s) = \frac{B(s)}{A(s)} = \frac{a_1}{s + p_1} + \frac{a_2}{s + p_2} + \cdots + \frac{a_n}{s + p_n} \tag{1–10}$$

donde $a_k$ ($k = 1, 2, \ldots, n$) son constantes. El coeficiente $a_k$ se denomina *residuo* en el polo de $s = -p_k$. El valor de $a_k$ puede hallarse multiplicando ambos miembros de la ecuación (1-10) por $(s + p_k)$ y haciendo $s = -p_k$, lo que da

$$\left[(s+p_k)\frac{B(s)}{A(s)}\right]_{s=-p_k} = \left[\frac{a_1}{s+p_1}(s+p_k) + \frac{a_2}{s+p_2}(s+p_k) + \cdots + \frac{a_k}{s+p_k}(s+p_k) + \cdots + \frac{a_n}{s+p_n}(s+p_k)\right]_{s=-p_k}$$

$$= a_k$$

Como puede verse, todos los términos expandidos desaparecen, excepto $a_k$. Entonces se halla que el residuo es

$$a_k = \left[(s+p_k)\frac{B(s)}{A(s)}\right]_{s=-p_k} \tag{1–11}$$

Nótese que, como $f(t)$ es una función real del tiempo, si $p_1$ y $p_2$ son complejos conjugados, los residuos de $a_1$ y $a_2$ también son complejos conjugados. Sólo uno de los conjugados, $a_1$ o $a_2$ debe evaluarse, ya que el otro se conoce automáticamente.

Como

$$\mathcal{L}^{-1}\left[\frac{a_k}{s+p_k}\right] = a_k e^{-p_k t}$$

se obtiene $f(t)$ como

$$f(t) = \mathcal{L}^{-1}[F(s)] = a_1 e^{-p_1 t} + a_2 e^{-p_2 t} + \cdots + a_n e^{-p_n t} \qquad (t \geq 0)$$

**EJEMPLO 1-3** Hallar la transformada inversa de Laplace de

$$F(s) = \frac{s+3}{(s+1)(s+2)}$$

La expansión de $F(s)$ en fracciones parciales es

$$F(s) = \frac{s+3}{(s+1)(s+2)} = \frac{a_1}{s+1} + \frac{a_2}{s+2}$$

donde $a_1$ y $a_2$ se determinan utilizando la ecuación (1-11).

$$a_1 = \left[(s+1)\frac{s+3}{(s+1)(s+2)}\right]_{s=-1} = \left[\frac{s+3}{s+2}\right]_{s=-1} = 2$$

$$a_2 = \left[(s+2)\frac{s+3}{(s+1)(s+2)}\right]_{s=-2} = \left[\frac{s+3}{s+1}\right]_{s=-2} = -1$$

Entonces

$$f(t) = \mathcal{L}^{-1}[F(s)]$$

$$= \mathcal{L}^{-1}\left[\frac{2}{s+1}\right] + \mathcal{L}^{-1}\left[\frac{-1}{s+2}\right]$$

$$= 2e^{-t} - e^{-2t} \qquad (t \geq 0)$$

**EJEMPLO 1-4** Obtener la transformada inversa de Laplace de

$$G(s) = \frac{s^3 + 5s^2 + 9s + 7}{(s + 1)(s + 2)}$$

Aquí, como el grado del polinomio numerador es mayor que el del polinomio denominador, el numerador debe dividirse por el denominador

$$G(s) = s + 2 + \frac{s + 3}{(s + 1)(s + 2)}$$

Nótese que la transformada de Laplace de la función impulso unitario $\delta(t)$ es 1 y que la transformada de Laplace de $d\delta(t)/dt$ es $s$. El tercer término del segundo miembro de esta última ecuación es la $F(s)$ del ejemplo 1-3. Entonces se obtiene la transformada inversa de Laplace $G(s)$ del modo siguiente:

$$g(t) = \frac{d}{dt}\delta(t) + 2\delta(t) + 2e^{-t} - e^{-2t} \qquad (t \geq 0-)$$

**EJEMPLO 1-5** Hallar la transformada inversa de Laplace de

$$F(s) = \frac{2s + 12}{s^2 + 2s + 5}$$

Nótese que el polinomio denominador puede factorizarse como

$$s^2 + 2s + 5 = (s + 1 + j2)(s + 1 - j2)$$

Si la función $F(s)$ incluye un par de polos complejos conjugados, es conveniente no expandir $F(s)$ en las fracciones parciales habituales, sino en una suma de una función seno y una función coseno amortiguadas.

Considerando que $s^2 + 2s + 5 = (s + 1)^2 + 2^2$ y colocando las transformadas de Laplace de $e^{-\alpha t}$ sen $\omega t$ y $e^{-\alpha t}$ cos $\omega t$, se reescribe

$$\mathcal{L}[e^{-\alpha t} \operatorname{sen} \omega t] = \frac{\omega}{(s + \alpha)^2 + \omega^2}$$

$$\mathcal{L}[e^{-\alpha t} \cos \omega t] = \frac{s + \alpha}{(s + \alpha)^2 + \omega^2}$$

la función dada $F(s)$ puede reescribirse como una suma de funciones amortiguadas seno y coseno

$$F(s) = \frac{2s + 12}{s^2 + 2s + 5} = \frac{10 + 2(s + 1)}{(s + 1)^2 + 2^2}$$

$$= 5\frac{2}{(s + 1)^2 + 2^2} + 2\frac{s + 1}{(s + 1)^2 + 2^2}$$

De aquí que:

$$f(t) = \mathcal{L}^{-1}[F(s)]$$

$$= 5\mathcal{L}^{-1}\left[\frac{2}{(s + 1)^2 + 2^2}\right] + 2\mathcal{L}^{-1}\left[\frac{s + 1}{(s + 1)^2 + 2^2}\right]$$

$$= 5e^{-t} \operatorname{sen} 2t + 2e^{-t} \cos 2t \qquad (t \geq 0)$$

**Expansión en fracciones parciales cuando $F(s)$ tiene polos múltiples.** En lugar de tratar el caso general, se utiliza un ejemplo para mostrar cómo obtener la expansión de $F(s)$ en fracciones parciales. (Ver también el problema A-1-19).

Sea la siguiente $F(s)$:

$$F(s) = \frac{s^2 + 2s + 3}{(s + 1)^3}$$

La expansión en fracciones parciales de esta $F(s)$ cubre tres términos

$$F(s) = \frac{B(s)}{A(s)} = \frac{b_3}{(s + 1)^3} + \frac{b_2}{(s + 1)^2} + \frac{b_1}{s + 1}$$

donde $b_3$, $b_2$ y $b_1$ se determinan como sigue. Multiplicando ambos miembros de esta última ecuación por $(s + 1)^3$, se tiene

$$(s + 1)^3 \frac{B(s)}{A(s)} = b_3 + b_2(s + 1) + b_1(s + 1)^2 \tag{1–12}$$

Haciendo entonces $s = -1$, la ecuación (1-12) da

$$\left[(s + 1)^3 \frac{B(s)}{A(s)}\right]_{s=-1} = b_3$$

También diferenciando ambos miembros de la ecuación (1-12) con respecto a $s$ se obtiene

$$\frac{d}{ds}\left[(s + 1)^3 \frac{B(s)}{A(s)}\right] = b_2 + 2b_1(s + 1) \tag{1–13}$$

Si se hace $s = -1$ en la ecuación (1-13), entonces

$$\frac{d}{ds}\left[(s + 1)^3 \frac{B(s)}{A(s)}\right]_{s=-1} = b_2$$

Diferenciando ambos miembros de la ecuación (1-13) respecto a $s$, el resultado es

$$\frac{d^2}{ds^2}\left[(s + 1)^3 \frac{B(s)}{A(s)}\right] = 2b_1$$

Del análisis precedente se puede ver que los valores $b_1$, $b_2$ y $b_3$ puede determinarse sistemáticamente del siguiente modo:

$$\begin{aligned} b_3 &= \left[(s + 1)^3 \frac{B(s)}{A(s)}\right]_{s=-1} \\ &= (s^2 + 2s + 3)_{s=-1} \\ &= 2 \end{aligned}$$

$$b_2 = \left\{\frac{d}{ds}\left[(s + 1)^3 \frac{B(s)}{A(s)}\right]\right\}_{s=-1}$$

$$= \left[\frac{d}{ds}(s^2 + 2s + 3)\right]_{s=-1}$$
$$= (2s + 2)_{s=-1}$$
$$= 0$$

$$b_1 = \frac{1}{2!}\left\{\frac{d^2}{ds^2}\left[(s + 1)^3 \frac{B(s)}{A(s)}\right]\right\}_{s=-1}$$
$$= \frac{1}{2!}\left[\frac{d^2}{ds^2}(s^2 + 2s + 3)\right]_{s=-1}$$
$$= \frac{1}{2}(2) = 1$$

Así, se obtiene

$$f(t) = \mathcal{L}^{-1}[F(s)]$$
$$= \mathcal{L}^{-1}\left[\frac{2}{(s + 1)^3}\right] + \mathcal{L}^{-1}\left[\frac{0}{(s + 1)^2}\right] + \mathcal{L}^{-1}\left[\frac{1}{s + 1}\right]$$
$$= t^2 e^{-t} + 0 + e^{-t}$$
$$= (t^2 + 1)e^{-t} \qquad (t \geq 0)$$

## 1-5 RESOLUCION DE ECUACIONES DIFERENCIALES LINEALES INVARIANTES EN EL TIEMPO

En esta sección se utiliza el método de la transformada de Laplace para solucionar ecuaciones diferenciales lineales, invariantes en el tiempo.

El método de la transformada de Laplace brinda la solución completa (la solución particular, más la complementaria) de las ecuaciones diferenciales ordinarias invariantes en el tiempo. Los métodos clásicos para hallar la solución completa de una ecuación diferencial requieren evaluar las constantes de integración a partir de las condiciones iniciales. En el caso de la transformada de Laplace, empero, no es necesario calcular las constantes de integración a partir de las condiciones iniciales, ya que éstas quedan incluidas automáticamente en la transformada de Laplace de la ecuación diferencial.

Si todas las condiciones iniciales son cero, la transformada de Laplace de la ecuación diferencial, se obtiene substituyendo simplemente $d/dt$ por $s$, $d^2/dt^2$ por $s^2$, etc.

Al resolver ecuaciones diferenciales lineales invariantes en el tiempo, por el método de la transformada de Laplace, se deben efectuar dos pasos.

1. Tomando la transformada de Laplace de cada término en la ecuación diferencial dada, convertir la ecuación diferencial en una ecuación algebraica en $s$, y reordenando la ecuación algebraica, obtener la expresión de la transformada de Laplace de la variable dependiente.
2. La solución temporal de la ecuación diferencial se obtiene, hallando la transformada inversa de Laplace de la variable dependiente.

En la exposición siguiente, se recurre a dos ejemplos para demostrar la solución de ecuaciones diferenciales lineales invariantes en el tiempo, usando el método de la transformada de Laplace.

**EJEMPLO 1-6** Hallar la solución $x(t)$ de la ecuación diferencial

$$\ddot{x} + 3\dot{x} + 2x = 0, \qquad x(0) = a, \qquad \dot{x}(0) = b$$

donde $a$ y $b$ son constantes.

Denotando la transformada de Laplace de $x(t)$ por $X(s)$, o sea

$$\mathscr{L}[x(t)] = X(s)$$

se obtiene

$$\mathscr{L}[\dot{x}] = sX(s) - x(0)$$

$$\mathscr{L}[\ddot{x}] = s^2X(s) - sx(0) - \dot{x}(0)$$

Y entonces la ecuación diferencial dada se convierte en

$$[s^2X(s) - sx(0) - \dot{x}(0)] + 3[sX(s) - x(0)] + 2X(s) = 0$$

Sustituyendo las condiciones iniciales en esta última ecuación,

$$[s^2X(s) - as - b] + 3[sX(s) - a] + 2X(s) = 0$$

o

$$(s^2 + 3s + 2)X(s) = as + b + 3a$$

Despejando el valor de $X(s)$, se tiene

$$X(s) = \frac{as + b + 3a}{s^2 + 3s + 2} = \frac{as + b + 3a}{(s + 1)(s + 2)} = \frac{2a + b}{s + 1} - \frac{a + b}{s + 2}$$

La transformada inversa de Laplace de $X(s)$ da

$$\begin{aligned} x(t) &= \mathscr{L}^{-1}[X(s)] = \mathscr{L}^{-1}\left[\frac{2a + b}{s + 1}\right] - \mathscr{L}^{-1}\left[\frac{a + b}{s + 2}\right] \\ &= (2a + b)e^{-t} - (a + b)e^{-2t} \qquad (t \geq 0) \end{aligned}$$

que es la solución de la ecuación diferencial propuesta. Nótese que en la solución aparecen las condiciones iniciales $a$ y $b$. Así, $x(t)$ no tiene constantes indeterminadas.

**EJEMPLO 1-7** Encontrar la solución $x(t)$ de la ecuación diferencial

$$\ddot{x} + 2\dot{x} + 5x = 3, \qquad x(0) = 0, \qquad \dot{x}(0) = 0$$

Considerando que $\mathscr{L}[3] = 3/s$, $x(0) = 0$, y $x(0) = 0$, la transformada de Laplace de la ecuación diferencial es

$$s^2X(s) + 2sX(s) + 5X(s) = \frac{3}{s}$$

Al resolver para despejar $X(s)$, se halla

$$\begin{aligned} X(s) &= \frac{3}{s(s^2 + 2s + 5)} = \frac{3}{5}\frac{1}{s} - \frac{3}{5}\frac{s + 2}{s^2 + 2s + 5} \\ &= \frac{3}{5}\frac{1}{s} - \frac{3}{10}\frac{2}{(s + 1)^2 + 2^2} - \frac{3}{5}\frac{s + 1}{(s + 1)^2 + 2^2} \end{aligned}$$

Por lo tanto, la transformada inversa de Laplace es

$$\begin{aligned} x(t) &= \mathcal{L}^{-1}[X(s)] \\ &= \frac{3}{5}\mathcal{L}^{-1}\left[\frac{1}{s}\right] - \frac{3}{10}\mathcal{L}^{-1}\left[\frac{2}{(s+1)^2+2^2}\right] - \frac{3}{5}\mathcal{L}^{-1}\left[\frac{s+1}{(s+1)^2+2^2}\right] \\ &= \frac{3}{5} - \frac{3}{10}e^{-t}\operatorname{sen} 2t - \frac{3}{5}e^{-t}\cos 2t \qquad (t \geq 0) \end{aligned}$$

que es la solución de la ecuación diferencial dada.

## 1-6 FUNCION DE TRANSFERENCIA

En la teoría de control, se utilizan frecuentemente funciones denominadas *funciones de transferencia*, para caracterizar las relaciones de entrada-salida de componentes o sistemas que pueden describirse por ecuaciones diferenciales lineales, invariantes en el tiempo. Se comienza por definir la función de transferencia y se sigue con la obtención de la función de transferencia de un sistema mecánico. (Se presentan algunos ejemplos adicionales en el Capítulo 2).

**Función de transferencia.** La *función de transferencia* de un sistema de ecuaciones diferenciales lineales invariante en el tiempo, se define como la relación entre la transformada de Laplace de la salida (función respuesta) y la transformada de Laplace de la entrada (función excitación), bajo la suposición de que todas las condiciones iniciales son cero.

Sea el sistema lineal invariante en el tiempo definido por las siguientes ecuaciones diferenciales:

$$a_0 \overset{(n)}{y} + a_1 \overset{(n-1)}{y} + \cdots + a_{n-1}\dot{y} + a_n y$$

$$= b_0 \overset{(m)}{x} + b_1 \overset{(m-1)}{x} + \cdots + b_{m-1}\dot{x} + b_m x \qquad (n \geq m) \tag{1-14}$$

donde $y$ es la salida del sistema y $x$ es la entrada. La función de transferencia de este sistema se obtiene, tomando las transformadas de Laplace de ambos miembros de la ecuación (1-14), bajo la suposición de que todas las condiciones iniciales son cero, o sea

$$\text{Función de transferencia} = G(s) = \left.\frac{\mathcal{L}[\text{salida}]}{\mathcal{L}[\text{entrada}]}\right|_{\text{condiciones iniciales cero}}$$

$$= \frac{Y(s)}{X(s)} = \frac{b_0 s^m + b_1 s^{m-1} + \cdots + b_{m-1}s + b_m}{a_0 s^n + a_1 s^{n-1} + \cdots + a_{n-1}s + a_n}$$

Utilizando este concepto de función de transferencia, se puede representar la dinámica de un sistema por ecuaciones algebraicas en $s$. Si la potencia más alta de $s$ en el denominador de la función transferencia es igual a $n$, se dice que el sistema es de *orden n*.

**Comentarios sobre la función de transferencia.** La aplicación del concepto de función transferencial queda limitada a sistemas de ecuaciones diferenciales lineales, invariantes en el tiempo. No obstante, el procedimiento de función transferencia es de uso extensivo en el análisis y diseño de tales sistemas. A continuación, se listan importantes comentarios sobre la función de transferencia. (Nótese que dentro de la lista se hace referencia a un sistema descrito por una ecuación diferencial lineal, invariante en el tiempo).

1. La función de transferencia de un sistema es un modelo matemático en el sentido de que es un método operacional de expresar la ecuación diferencial que relaciona la variable de salida con la variable de entrada.
2. La función de transferencia es una propiedad de un sistema en sí, independiente de la magnitud y naturaleza de la entrada o función impulsora.
3. La función de transferencia incluye las unidades necesarias para relacionar la entrada con la salida; no obstante, no brinda ninguna información respecto a la estructura física del sistema (Las funciones de transferencia de muchos sistemas físicamente distintos pueden ser idénticas).
4. Si se conoce la función de transferencia de un sistema, se puede estudiar la salida o respuesta para diversas formas de entradas con el objetivo de lograr una comprensión de la naturaleza del sistema.
5. Si se desconoce la función de transferencia de un sistema, se puede establecer experimentalmente introduciendo entradas conocidas y estudiando la respuesta o salida del sistema. Una vez establecida, una función de transferencia brinda una descripción completa de las características dinámicas del sistema, tan definida como su descripción física.

**Sistema mecánico.** Sea el sistema de control de posición de satélite que aparece en la figura 1-11. El diagrama sólo muestra el control del ángulo $\theta$ de guiñada. (En el sistema real hay controles respecto a los tres ejes). Pequeños chorros aplican fuerza de reacción para rotar el cuerpo del satélite a la posición deseada. Los dos chorros situados en forma antisimétrica, indicados como $A$ o $B$ operan por pares. Supóngase que el empuje de cada chorro es $F/2$ y que se aplica el par $T = F\ell$ al sistema. Los chorros actúan durante cierto tiempo, por lo que el par se puede indicar como $T(t)$. El momento de inercia alrededor del eje de rotación en el centro de masa es $J$.

Para obtener la función de transferencia de este sistema, supóngase al par $T(t)$ como la entrada, mientras que el desplazamiento angular $\theta(t)$ del satélite es la salida.

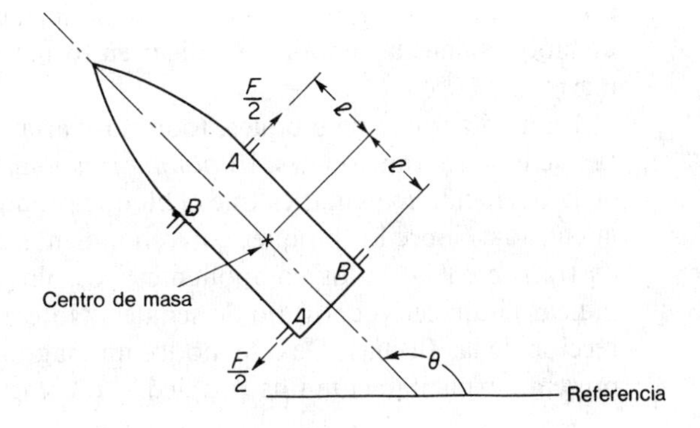


**Figura 1-11**
Diagrama de un control de posición de satélite.

Para determinar la función de transferencia, se procede de acuerdo a los siguientes pasos.

1. Se escribe la ecuación diferencial del sistema.
2. Se toma la transformada de Laplace de la ecuación diferencial, suponiendo que todas las condiciones iniciales son cero.
3. Se toma la relación entre la salida $\Theta(s)$ y la entrada $T(s)$. Esta relación es la función de transferencia.

Aplicando la segunda ley de Newton al presente sistema y considerando que no hay fricción del satélite con el medio, se tiene

$$J\frac{d^2\theta}{dt^2} = T$$

Tomando la transformada de Laplace en ambos miembros de esta última ecuación, y suponiendo que todas las condiciones iniciales son cero, se obtiene

$$Js^2\Theta(s) = T(s)$$

donde $\Theta(s) = \mathscr{L}[\theta(t)]$ y $T(s) = \mathscr{L}[T(t)]$. La función de transferencia del sistema es

$$\text{Función de transferencia} = \frac{\Theta(s)}{T(s)} = \frac{1}{Js^2}$$

## 1-7 DIAGRAMAS DE BLOQUES

Un sistema de control puede constar de cierta cantidad de componentes. Para mostrar las funciones que realiza cada componente, en ingeniería de control se acostumbra usar diagramas denominados *diagrama de bloques*. Esta sección explica qué es un diagrama en bloques, presenta un método para la obtención de diagramas de bloques para sistemas físicos, y, finalmente, expone las técnicas para simplificar esos diagramas.

**Diagramas de bloques.** Un *diagrama de bloques* de un sistema es una representación gráfica de las funciones realizadas por cada componente y del flujo de las señales. Tal diagrama indica las interrelaciones que existen entre los diversos componentes. A diferencia de una representación matemáticamente puramente abstracta, un diagrama de bloques tiene la ventaja de indicar en forma más realista el flujo de señales del sistema real.

En un diagrama de bloques, todas las variables del sistema se enlazan entre sí a través de bloques funcionales. El *bloque funcional*, o simplemente *bloque*, es un símbolo de la operación matemática que el bloque produce a la salida, sobre la señal que tiene a la entrada. Sobre los bloques correspondientes, se colocan generalmente las funciones de transferencia de los componentes; los bloques están conectados por flechas para indicar la dirección del flujo de señales. Nótese que la señal sólo puede pasar en la dirección de las flechas. De este modo, un diagrama de bloques de un sistema de control presenta explícitamente una propiedad o característica unilateral.

La figura 1-12 muestra un elemento del diagrama de bloques. La flecha que apunta hacia el bloque indica la entrada, y la que se aleja del bloque representa la salida. Tales flechas normalmente reciben la designación de *señales*.

Debe notarse que la magnitud de la señal de salida del bloque, es la de la señal de entrada, multiplicada por la magnitud de la función de transferencia en el bloque.

Las ventajas de la representación del diagrama de bloques de un sistema, consisten en que es fácil formar el diagrama de bloques global de todo el sistema, colocando simplemente los bloques de sus componentes de acuerdo con el flujo de señales, y en que es posible evaluar la contribución de cada componente al comportamiento general de todo el sistema.

En general, el funcionamiento de un sistema se puede ver más fácilmente examinando el diagrama de bloques, que analizando el sistema físico en sí. Un diagrama de bloques contiene información respecto al comportamiento dinámico, pero no contiene ninguna información acerca de la constitución física del sistema. En consecuencia, muchos sistemas disímiles, sin relación alguna entre sí, pueden estar representados por el mismo diagrama de bloques.

Debe notarse que en un diagrama de bloques no aparece representada la fuente principal de energía y, por lo tanto, el diagrama de bloques de un sistema no es único. Se pueden dibujar diversos diagramas de bloques diferentes de un sistema, según el punto de vista del análisis.

***Punto de suma.*** En relación a la figura 1-13, un círculo con una cruz constituye el símbolo que indica la operación de suma. El signo más o menos indica si la señal ha de sumarse o restarse. Es importante que las cantidades a sumar o restar tengan las mismas dimensiones y las mismas unidades.

***Punto de bifurcación.*** Un *punto de bifurcación* es un punto desde el cual la señal de un bloque va concurrentemente a otros bloques o puntos de suma.

**Diagrama de bloques de un sistema de lazo cerrado.** La figura 1-14 presenta un ejemplo del diagrama de bloques de un sistema de lazo cerrado. La salida $C(s)$ es alimentada nuevamente al punto de suma, donde se compara con la entrada de referencia $R(s)$. La naturaleza de lazo cerrado del sistema queda claramente indicada por la figura. La salida del bloque $C(s)$, se obtiene, en este caso, multiplicando la función de transferencia $G(s)$ por la entrada al bloque $E(s)$. Cualquier sistema lineal de control puede representarse por un diagrama de bloques, consistente en bloques, puntos de suma y puntos de bifurcación.

Al inyectar nuevamente la salida al punto de suma para compararla con la entrada, es necesario convertir la forma de la señal de salida a la forma de la señal de entrada. Por ejemplo, en un sistema de control de temperatura, la señal de salida es generalmente

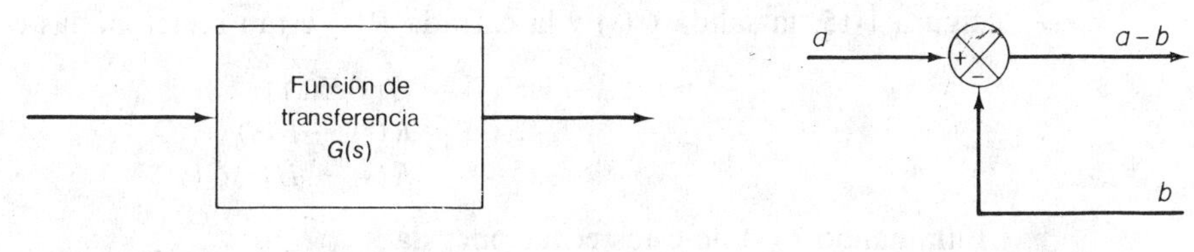


**Figura 1-12**
Elemento de un diagrama de bloques.

**Figura 1-13**
Punto de suma.

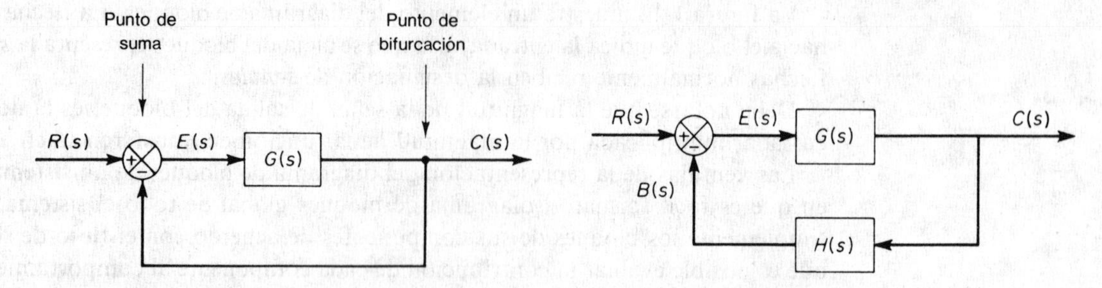


**Figura 1-14**
Diagrama de bloques de un sistema de lazo cerrado.

**Figura 1-15**
Sistema de lazo cerrado.

la temperatura controlada. La señal de salida, que tiene la dimensión de una temperatura, debe convertirse a una fuerza, posición o voltaje antes de compararla con la señal de entrada. Esta conversión la realiza el elemento de retroalimentación cuya función de transferencia es $H(s)$, como se ve en la figura 1-15. La función del elemento de retroalimentación es modificar la salida antes de compararla con la entrada. (En la mayoría de los casos, el elemento de retroalimentación es un sensor que mide la salida de la planta. La salida del sensor se compara con la entrada, y así se genera la señal de error). En este ejemplo la señal de retroalimentación que se envía de vuelta al punto de suma para su comparación con la entrada es $B(s) = H(s)C(s)$.

**Función de transferencia de lazo abierto y función de transferencia directa.** Con referencia a la figura 1-15, la relación entre la señal de retroalimentación $B(s)$ y la señal de error actuante $E(s)$, se denomina *función de transferencia de lazo abierto*. Es decir,

$$\text{Función de transferencia de lazo abierto} = \frac{B(s)}{E(s)} = G(s)H(s)$$

La relación entre la salida $C(s)$ y la señal de error actuante $E(s)$ se denomina *función de transferencia directa*, de modo que

$$\text{Función de transferencia directa} = \frac{C(s)}{E(s)} = G(s)$$

Si la función de transferencia de retroalimentación $H(s)$ es la unidad, la función de transferencia de lazo abierto y la función de transferencia directa son lo mismo.

**Función de transferencia de lazo cerrado.** Para el sistema que se muestra en la figura 1-15, la salida $C(s)$ y la entrada $R(s)$ están relacionadas como sigue:

$$C(s) = G(s)E(s)$$
$$E(s) = R(s) - B(s)$$
$$= R(s) - H(s)C(s)$$

Eliminando $E(s)$ de estas ecuaciones da

$$C(s) = G(s)[R(s) - H(s)C(s)]$$

o

$$\frac{C(s)}{R(s)} = \frac{G(s)}{1 + G(s)H(s)} \tag{1-15}$$

La función de transferencia que relaciona $C(s)$ con $R(s)$ se denomina *función de transferencia de lazo cerrado*. Esta función de transferencia relaciona la dinámica del sistema de lazo cerrado con la dinámica de los elementos de la acción directa y los de la retroalimentación.

De la ecuación (1-15), se obtiene $C(s)$ por

$$C(s) = \frac{G(s)}{1 + G(s)H(s)} R(s)$$

Así, la salida del sistema de lazo cerrado depende claramente tanto de la función de transferencia de lazo cerrado como de la naturaleza de la entrada.

**Sistema de lazo cerrado sometido a una perturbación.** En la figura 1-16 se ve un sistema de lazo cerrado sometido a una perturbación. Cuando dos entradas (la señal de referencia y la perturbación) están presentes en un sistema lineal, cada entrada puede tratarse independientemente de la otra; y las salidas correspondientes se pueden sumar a cada una de las entradas individuales, para obtener la salida total. En el punto de suma se indica, ya sea por medio de un signo más o un signo menos, la forma en que cada entrada se introduce al sistema.

Considere el sistema que aparece en la figura 1-16. Al examinar el efecto de la perturbación $N(s)$, se puede suponer que el sistema está inicialmente en reposo, con error cero; entonces se puede calcular la respuesta $C_N(s)$ debida a la perturbación solamente. Se puede hallar entonces que:

$$\frac{C_N(s)}{N(s)} = \frac{G_2(s)}{1 + G_1(s)G_2(s)H(s)}$$

Por otro lado, considerando la respuesta a la entrada de referencia $R(s)$, se puede suponer que la perturbación es cero. Entonces es posible obtener la respuesta $C_R(s)$ a la entrada de referencia $R(s)$ de

$$\frac{C_R(s)}{R(s)} = \frac{G_1(s)G_2(s)}{1 + G_1(s)G_2(s)H(s)}$$

La respuesta a la aplicación simultánea de la entrada de referencia y de la perturbación se puede obtener sumando las dos respuestas individuales. En otras palabras, la respuesta $C(s)$ debida a la aplicación simultánea de la entrada de referencia $R(s)$ y la perturbación $N(s)$, está dada por

$$\begin{aligned} C(s) &= C_R(s) + C_N(s) \\ &= \frac{G_2(s)}{1 + G_1(s)G_2(s)H(s)} [G_1(s)R(s) + N(s)] \end{aligned}$$

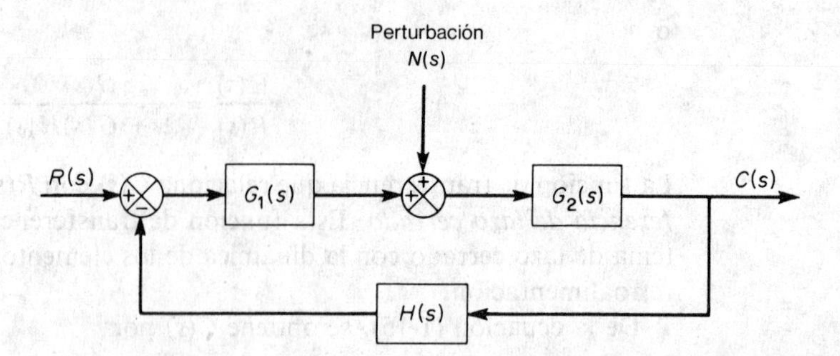


**Figura 1-16**
Sistema de lazo cerrado sujeto a una perturbación.

Sea ahora el caso en que $|G_1(s)H(s)| \gg 1$ y $|G_1(s)G_2(s)H(s)| \gg 1$. En este caso, la función de transferencia de lazo cerrado $C_N(s)/N(s)$ se convierte en casi cero, y se suprime el efecto de la perturbación. Esta es una ventaja del sistema de lazo cerrado.

Por otro lado, la función de transferencia de lazo cerrado $C_R(s)/R(s)$ tiende a $1/H(s)$ cuando la ganancia de $G_1(s)G_2(s)H(s)$ aumenta. Esto significa que si $|G_1(s)G_2(s)H(s)| \gg 1$, la función de transferencia de lazo cerrado $C_R(s)/R(s)$ se hace independiente de $G_1(s)$ y $G_2(s)$, y se vuelve inversamente proporcional a $H(s)$ de modo que las variaciones de $G_1(s)$ y $G_2(s)$ no afectan la función de transferencia de lazo cerrado $C_R(s)/R(s)$. Esta es otra ventaja del sistema de lazo cerrado. Se puede ver fácilmente que cualquier sistema de lazo cerrado con retroalimentación unitario $H(s) = 1$, tiende a igualar la entrada y la salida.

**Procedimientos para trazar diagramas de bloques.** Para trazar un diagrama de bloques de un sistema, primero se escriben las ecuaciones que describen el comportamiento dinámico de cada componente. Luego se toman las transformadas de Laplace de estas ecuaciones, suponiendo condiciones iniciales cero, y cada ecuación transformada de Laplace se representa individualmente en forma de bloque. Finalmente, se integran los elementos en un diagrama de bloques completo.

Como ejemplo, sea el circuito $RC$ que aparece en la figura 1-17(a). Las ecuaciones de este circuito son

$$i = \frac{e_i - e_o}{R} \tag{1–16}$$

$$e_o = \frac{\int i\,dt}{C} \tag{1–17}$$

Las transformadas de Laplace de las ecuaciones (1-16) y (1-17), para condiciones iniciales cero, son

$$I(s) = \frac{E_i(s) - E_o(s)}{R} \tag{1–18}$$

$$E_o(s) = \frac{I(s)}{Cs} \tag{1–19}$$

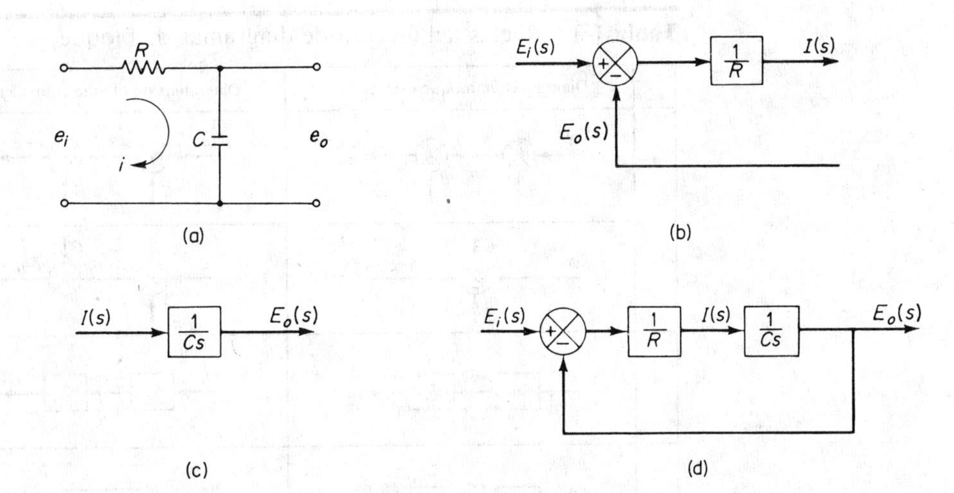


**Figura 1-17**
(a) Circuito $RC$;
(b) diagrama de bloques que representa la Ec. (1-18); (c) diagrama de bloques que representa la Ec. (1-19); (d) diagrama de bloques del circuito $RC$.

La ecuación (1-18) representa una operación de suma, y el diagrama correspondiente es el de la figura 1-17(b). La ecuación (1-19) representa el bloque como puede verse en la figura 1-17(c). Integrando estos dos elementos se obtiene el diagrama de bloque global para el sistema, que se ve en la figura 1-17(d).

**Reducción del diagrama de bloques.** Es importante notar que los bloques se pueden conectar en serie solamente si la salida de un bloque no es afectada por el bloque inmediato siguiente. Si hay cualquier efecto de carga entre los componentes, es necesario combinar esos componentes en un bloque individual.

Cualquier cantidad de bloques en cascada que representen componentes que no producen efecto de carga se puede representar como un bloque individual, siendo la función de transferencia de ese bloque simplemente el producto de las funciones de transferencia individuales.

Es posible simplificar un diagrama de bloques muy complejo, con muchos lazos de retroalimentación, modificando paso a paso, utilizando las reglas del álgebra de diagramas de bloques. En la tabla 1-3 se dan algunas de estas reglas importantes. Se obtienen escribiendo la misma ecuación en forma diferente. Simplificando el diagrama de bloques con modificaciones y sustituciones, se reduce considerablemente la tarea a efectuar en el análisis matemático subsiguiente. Hay que notar, sin embargo, que al simplificar el diagrama de bloques, los nuevos bloques se vuelven más complejos, debido a que se generan nuevos polos y ceros.

Al simplificar un diagrama de bloques, debe recordarse lo siguiente.

1. El producto de las funciones de transferencia en sentido directo debe quedar igual.
2. El producto de las funciones de transferencia alrededor del lazo debe quedar igual.

**EJEMPLO 1-8**

Sea el sistema que aparece en la figura 1-18(a). Simplifique este diagrama, utilizando las reglas que aparecen en la tabla 1-1.

Desplazando el punto de suma del lazo negativo de retroalimentación que contiene $H_2$ fuera del lazo positivo de retroalimentación que contiene a $H_1$, se obtiene la figura 1-18(b). Eliminando el lazo de retroalimentación positiva, se tiene la figura 1-18(c). Luego, eliminando el lazo que contiene $H_2/G_1$, se obtiene la figura 1-18(d). Finalmente eliminando el lazo de retroalimentación, se llega a la figura 1-18(e).

**Tabla 1-3** Reglas del álgebra de diagramas de bloque

| | Diagramas de bloque originales | Diagramas de bloque equivalentes |
|---|---|---|
| 1 | $A$, $A-B$, $A-B+C$, $B$, $C$ | $A$, $A+C$, $A-B+C$, $C$, $B$ |
| 2 | $C$, $A$, $A-B+C$, $B$ | $C$, $A$, $A-B$, $A-B+C$, $B$ |
| 3 | $A$, $G_1$, $AG_1$, $G_2$, $AG_1G_2$ | $A$, $G_2$, $AG_2$, $G_1$, $AG_1G_2$ |
| 4 | $A$, $G_1$, $AG_1$, $G_2$, $AG_1G_2$ | $A$, $G_1G_2$, $AG_1G_2$ |
| 5 | $A$, $G_1$, $AG_1$, $AG_1+AG_2$, $G_2$, $AG_2$ | $A$, $G_1+G_2$, $AG_1+AG_2$ |
| 6 | $A$, $G$, $AG$, $AG-B$, $B$ | $A$, $A-\frac{B}{G}$, $G$, $AG-B$, $\frac{B}{G}$, $\frac{1}{G}$, $B$ |
| 7 | $A$, $A-B$, $G$, $AG-BG$, $B$ | $A$, $G$, $AG$, $AG-BG$, $B$, $G$, $BG$ |
| 8 | $A$, $G$, $AG$, $AG$ | $A$, $G$, $AG$, $G$, $AG$ |
| 9 | $A$, $G$, $AG$, $A$ | $A$, $G$, $AG$, $AG$, $\frac{1}{G}$, $A$ |
| 10 | $A$, $A-B$, $A-B$, $B$ | $B$, $A$, $A-B$, $A-B$, $B$ |
| 11 | $A$, $G_1$, $AG_1$, $AG_1+AG_2$, $G_2$, $AG_2$ | $A$, $G_1$, $AG_1$, $AG_1+AG_2$, $\frac{G_2}{G_1}$ |
| 12 | $A$, $G_1$, $B$, $G_2$ | $A$, $\frac{1}{G_2}$, $G_2$, $G_1$, $B$ |
| 13 | $A$, $G_1$, $B$, $G_2$ | $A$, $\frac{G_1}{1+G_1G_2}$, $B$ |

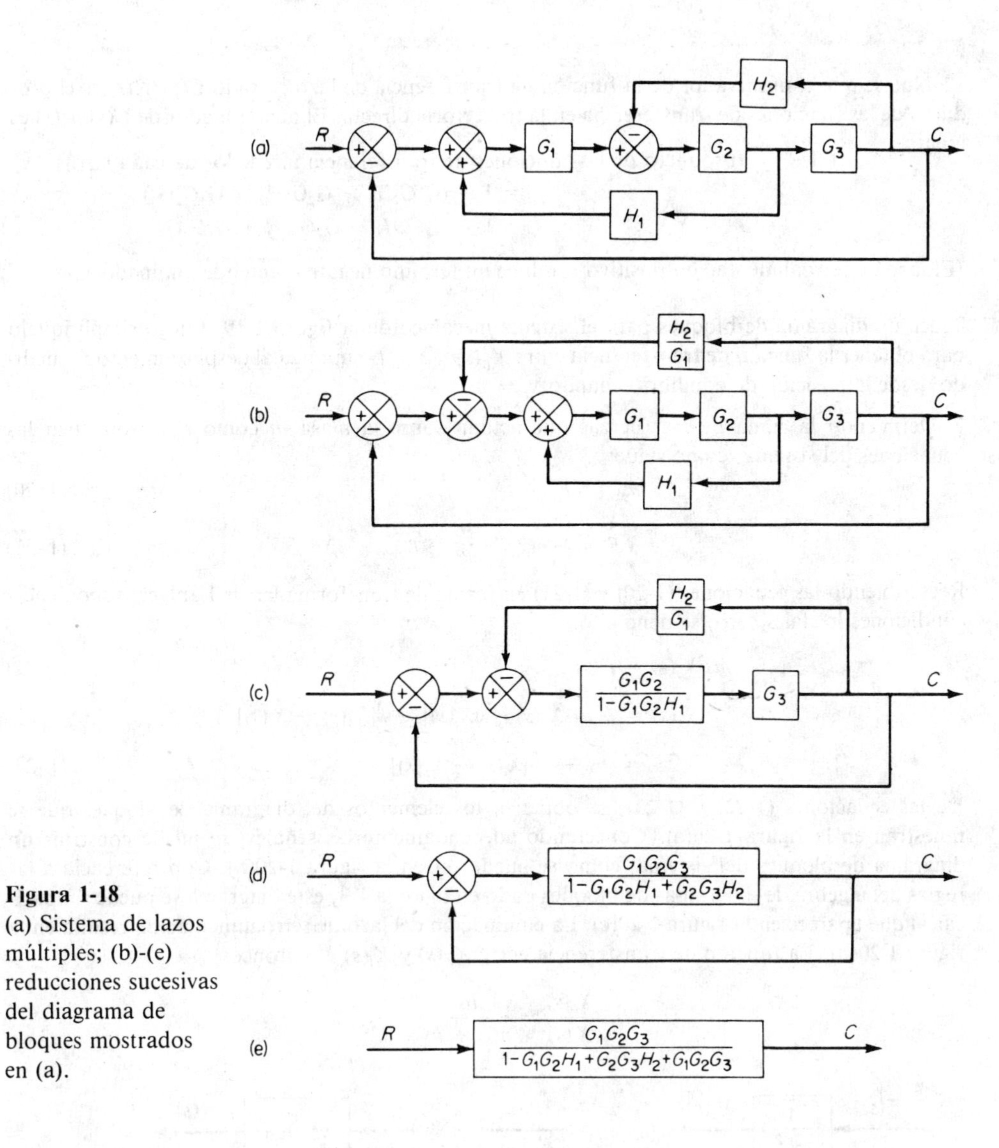


**Figura 1-18**
(a) Sistema de lazos múltiples; (b)-(e) reducciones sucesivas del diagrama de bloques mostrados en (a).

**Figura 1-19**
Sistema mecánico.

Nótese que el numerador de la función de transferencia de lazo cerrado $C(s)/R(s)$ es el producto de las funciones de transferencia en la trayectoria directa. El denominador de $C(s)/R(s)$ es igual a

$$1 - \sum \text{(producto de las funciones de transferencia alrededor de cada lazo)}$$
$$= 1 - (G_1G_2H_1 - G_2G_3H_2 - G_1G_2G_3)$$
$$= 1 - G_1G_2H_1 + G_2G_3H_2 + G_1G_2G_3$$

(El lazo de retroalimentación positivo produce un término negativo en el denominador).

**EJEMPLO 1-9** Trace un diagrama de bloques para el sistema mecánico de la figura 1-19. Luego simplifíquelo para obtener la función de transferencia entre $X_o(s)$ y $X_1(s)$. Suponga al desplazamiento $x_o$ medido desde la posición de equilibrio cuando $x_i = 0$.

Definiendo la suma de las fuerzas que actúan sobre la masa $m$ como $F$, se obtienen las ecuaciones del sistema, como sigue:

$$m\ddot{x}_o = F \tag{1–20}$$

$$F = -b(\dot{x}_o - \dot{x}_i) - k(x_o - x_i) \tag{1–21}$$

Reescribiendo las ecuaciones (1-20) y (1-21) en forma de transformadas de Laplace, suponiendo condiciones iniciales cero, se tiene

$$ms^2X_o(s) = F(s) \tag{1–22}$$

$$F(s) = -b[sX_o(s) - sX_i(s)] - k[X_o(s) - X_i(s)]$$
$$= (bs + k)\,[X_i(s) - X_o(s)] \tag{1–23}$$

De las ecuaciones (1-22) y (1-23), se obtienen los elementos del diagrama de bloques que se muestran en la figura 1-20(a). Conectando adecuadamente las señales, se puede construir un diagrama de bloques del sistema, como se puede ver en la figura 1-20(b). Con referencia a las reglas del álgebra de diagramas de bloques dado en la tabla 1-3, este diagrama se puede simplificar al que aparece en la figura 1-20(c). La eliminación del lazo de retroalimentación resulta en la figura 1-20(d). La función de transferencia entre $X_o(s)$ y $X_i(s)$ es entonces

$$\frac{X_o(s)}{X_i(s)} = \frac{bs + k}{ms^2 + bs + k}$$

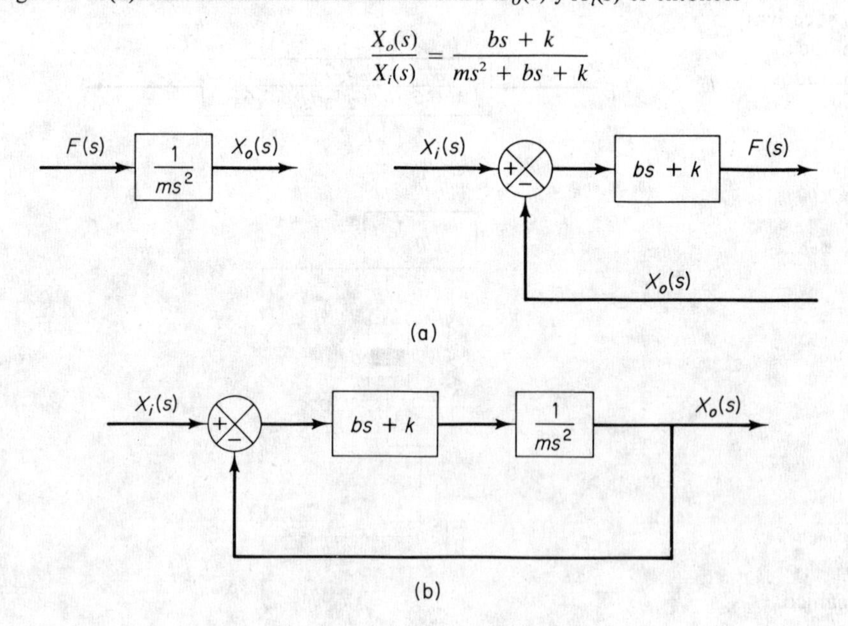


**Figura 1-20**
(a) Elementos de un diagrama de bloques; (b) diagrama de bloques como resultado de combinar elementos; (c) y (d) diagramas de bloques simplificados.

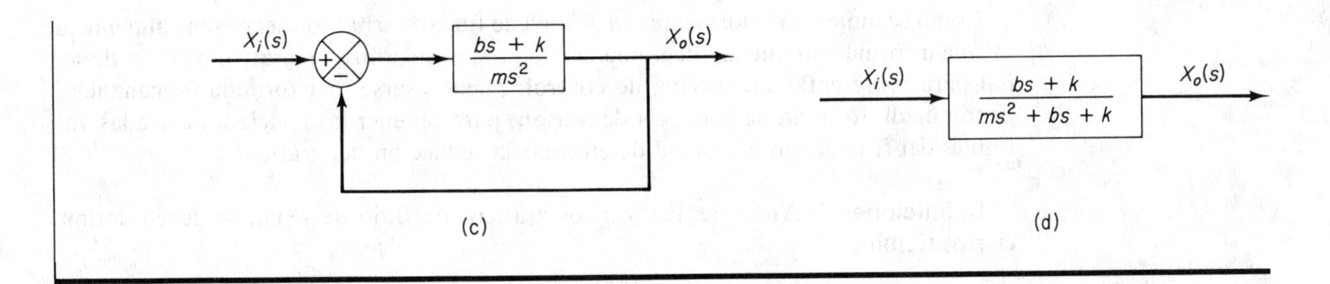


Se han presentado algunos ejemplos mostrando cómo simplificar diagramas de bloques. En los Capítulos 2 y 3 se ampliará la simplificación de diagramas de bloque, dando oportunidad a que el lector pueda practicar la simplificación o reducción de diagramas de bloques complejos.

**Comentarios.** Es importante notar que en el concepto de la función de transferencia, se supone que la función de transferencia de cualquier bloque no es afectada por la del bloque siguiente. Esto es, el bloque siguiente no carga al primer bloque. Si hay efectos de carga presentes, ambos bloques deben considerarse como uno, y se deduce una única función de transferencia para los dos bloques combinados. En el Capítulo 2 se dan más detalles. Se hace notar también que la secuencia de las funciones de transferencia individuales se puede variar. El producto de dos funciones de transferencia $G_1G_2$ se puede escribir como $G_2G_1$.

## 1-8 GRAFICOS DE FLUJO DE SEÑAL

El diagrama de bloques es útil para la representación gráfica de sistemas de control dinámico y se utiliza extensamente en el análisis y diseño de sistemas de control. Otro procedimiento alternativo para representar gráficamente la dinámica del sistema de control, es el método de los gráficos de flujo de señal, atribuido a S.J. Mason. Cabe señalar que el método de los gráficos de flujo de señal y el procedimiento de diagramas de bloques, brindan la misma información, y ninguno puede considerarse superior al otro en sentido alguno.

**Gráficos de flujo de señal.** Un gráfico de flujo de señal es un diagrama que representa un conjunto de ecuaciones algebraicas lineales simultáneas. Al aplicar el método de gráficos de flujo de señal al análisis de sistemas de control, primero hay que transformar las ecuaciones diferenciales lineales en ecuaciones algebraicas en $s$.

Un gráfico de flujo de señal consiste en una red en la cual los nodos están conectados por ramas con dirección y sentido. Cada nodo representa una variable del sistema y cada rama conectada entre dos nodos, actúa como un multiplicador de señal. Nótese que la señal fluye solamente en un sentido. El sentido del flujo de señal se indica por una flecha ubicada en la rama y el factor de multiplicación aparece a lo largo de la rama. El gráfico de flujo de señal despliega el flujo de señales de un punto de un sistema a otro y da las relaciones entre las señales.

Como se indicó anteriormente, un gráfico de flujo de señal contiene esencialmente la misma información que un diagrama de bloques. Si se utiliza un gráfico de flujo de señal para representar un sistema de control, puede usarse una fórmula de ganancia, denominada fórmula de ganancia de Mason, para obtener las relaciones entre las variables del sistema sin necesidad de efectuar la reducción del gráfico.

**Definiciones.** Antes de analizar los gráficos de flujo de señal, se deben definir ciertos términos.

*Nodo.* Un nodo es un punto que representa una variable o señal.

*Transmitancia.* La transmitancia es una ganancia real o una ganancia compleja entre dos nodos. Tales ganancias pueden expresarse en términos de la función de transferencia entre dos nodos.

*Rama.* Una rama es un segmento de línea con dirección y sentido, que une dos nodos. La ganancia de una rama es una transmitancia.

*Nodo de entrada o fuente.* Nodo de entrada o fuente es un nodo que sólo tiene ramas que salen. Esto corresponde a una variable independiente.

*Nodo de salida o sumidero.* Un nodo de salida o sumidero es un nodo que sólo tiene ramas de entrada. Esto corresponde a una variable dependiente.

*Nodo mixto.* Nodo mixto es un nodo que tiene tanto ramas que llegan, como ramas que salen.

*Camino o trayecto.* Camino o trayecto es un recorrido de ramas conectadas en el sentido de las flechas de las ramas. Si no se cruza ningún nodo más de una vez, el camino o trayecto es abierto. Si el camino o trayecto finaliza en el mismo nodo del cual partió, y no cruza ningún otro más de una vez, es un camino o trayecto cerrado. Si un camino o trayecto cruza algún nodo más de una vez, pero finaliza en un nodo diferente de aquel del cual partió, el camino o trayecto no es ni abierto ni cerrado.

*Lazo.* Un lazo es un camino o trayecto cerrado.

*Ganancia de lazo.* La ganancia de lazo es el producto de las transmitancias de ramas de un lazo.

*Lazos disjuntos.* Son disjuntos los lazos que no tienen ningún nodo común.

*Trayecto o camino directo.* Trayecto directo es el camino o trayecto de un nodo de entrada (fuente) a un nodo de salida (sumidero), sin cruzar ningún nodo más de una vez.

*Ganancia de trayecto directo.* La ganancia de trayecto directo es el producto de las transmitancias de rama de un camino o trayecto directo.

En la figura 1-21 se muestran nodos y ramas, con sus transmitancias.

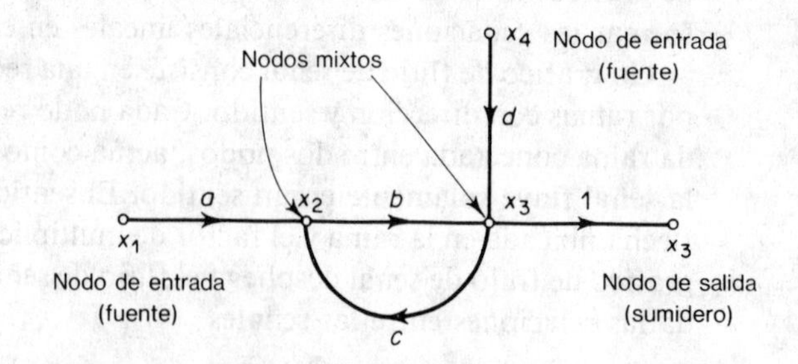


**Figura 1-21** Gráfico de flujo de señal.

**Propiedades de los gráficos de flujo de señal.** A continuación aparecen algunas de las propiedades importantes de los gráficos de flujo de señal.

1. Una rama indica la dependencia funcional de una señal respecto a otra. Una señal pasa sólo en la dirección indicada por la flecha de la rama.
2. Un nodo suma las señales de todas las ramas de entrada y transmite esa suma a todas las ramas de salida.
3. Un nodo mixto que tiene ramas tanto de entrada como de salida, puede considerarse como un nodo de salida (sumidero) añadiendo una rama de salida de transmitancia unitaria. (Véase figura 1-21. Nótese que una rama con transmitancia unitaria aparece dirigida desde $x_3$ a otro nodo también designado por $x_3$). Sin embargo, téngase en cuenta que usando este método no se puede cambiar un nodo mixto por una fuente.
4. Para un sistema dado, un gráfico de flujo de señal no es único. Se pueden dibujar muchos gráficos de flujo de señal diferentes para un sistema dado, escribiendo las ecuaciones del sistema en forma diferente.

**Algebra de gráficos de flujo de señal.** Un gráfico de flujo de señal para un sistema lineal se puede dibujar utilizando las definiciones recién indicadas. Al hacerlo, habitualmente se colocan los nodos de entrada (fuentes) a la izquierda y los nodos de salida (sumideros) a la derecha. Las variables independientes y dependientes de las ecuaciones, se convierten en nodos de entrada (fuentes) y nodos de salida (sumideros), respectivamente. Las transmitancias de rama se pueden obtener a partir de los coeficientes de las ecuaciones.

Para determinar la relación entrada-salida, se puede utilizar la ecuación de Mason, la cual se dará más adelante, o bien el gráfico de flujo de señal se puede reducir a un gráfico que contiene solamente nodos de entrada y de salida. Para lograr esto, se utilizan las reglas siguientes:

1. El valor de un nodo con una rama de entrada, como se puede ver en la figura 1-22(a), es $x_2 = ax_1$.
2. La transmitancia total de ramas en cascada es igual al producto de todas las transmitancias de las ramas. Así se pueden combinar ramas en cascada en una única rama multiplicando sus transmitancias, como se puede ver en la figura 1-22(b).
3. Se pueden combinar ramas en paralelo sumando sus transmitancias, según se muestra en la figura 1-22(c).
4. Se puede eliminar un nodo mixto, como se ve en la figura 1-22(d).
5. Se puede eliminar un lazo, como aparece en la figura 1-22(e). Nótese que

$$x_3 = bx_2, \qquad x_2 = ax_1 + cx_3$$

De aquí

$$x_3 = abx_1 + bcx_3 \tag{1–24}$$

o

$$x_3 = \frac{ab}{1 - bc} x_1 \tag{1–25}$$

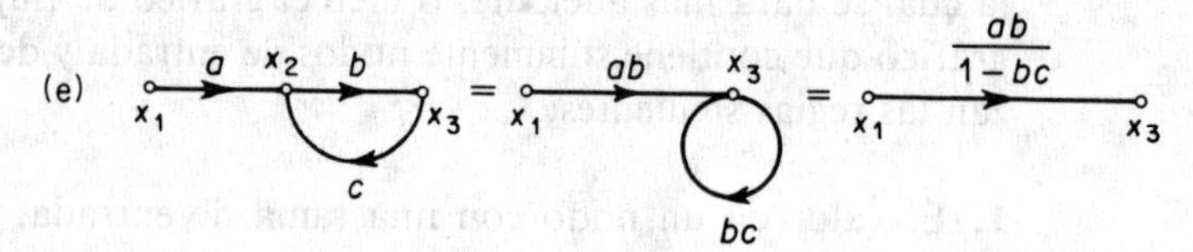


**Figura 1-22**
Gráficos de flujo de señal y simplificaciones.

La ecuación (1-24) corresponde a un diagrama que tiene un lazo propio de transmitancia $bc$. La eliminación del lazo propio produce la ecuación (1-25), que indica claramente que la transmitancia total es $ab/(1 - bc)$.

**Representación de sistemas lineales en gráficos de flujo de señal.** Los gráficos de flujo de señal se aplican ampliamente al análisis de sistemas lineales. Aquí se puede dibujar el gráfico a partir de las ecuaciones del sistema, o, con suficiente práctica, se le puede dibujar por inspección del sistema físico. Realizando una reducción rutinaria usando las reglas previamente indicadas, se logra la relación entre una variable de entrada y una de salida.

Sea un sistema definido por el siguiente conjunto de ecuaciones:

$$x_1 = a_{11}x_1 + a_{12}x_2 + a_{13}x_3 + b_1u_1 \tag{1-26}$$

$$x_2 = a_{21}x_1 + a_{22}x_2 + a_{23}x_3 + b_2u_2 \tag{1-27}$$

$$x_3 = a_{31}x_1 + a_{32}x_2 + a_{33}x_3 \tag{1-28}$$

donde $u_1$ y $u_2$ son variables de entrada y $x_1$, $x_2$ y $x_3$ son variables de salida. Se puede obtener un gráfico de flujo de señal, es decir, una representación gráfica de estas tres ecuaciones simultáneas para este sistema que indique la interdependencia de las variables, de la manera siguiente: primero se sitúan los nodos $x_1$, $x_2$ y $x_3$, como se muestra en la figura 1-23(a). Nótese que $a_{ij}$ es la transmitancia entre $x_j$ y $x_i$. La ecuación (1-26) establece que $x_1$ es igual a la suma de las cuatro señales $a_{11}x_1$, $a_{12}x_2$, $a_{13}x_3$ y $b_1u_1$. En la figura 1-23(a) se puede ver el gráfico de flujo que representa la ecuación (1-26). La ecuación (1-27) establece que $x_2$ es igual a la suma de $a_{21}x_1$, $a_{22}x_2$, $a_{23}x_3$, y $b_2u_2$. En la figura 1-23(b) se puede ver al gráfico de flujo de señal correspondiente. El gráfico de flujo de señal que representa la ecuación (1-28) aparec en la figura 1-23(c).

A continuación se halla el gráfico de flujo de señal que representa las ecuaciones (1-26), (1-27) y (1-28), combinando las figuras 1-23(a), (b) y (c). Finalmente, en la figura 1-23(d) se ve el gráfico de flujo de señal para las ecuaciones simultáneas dadas.

Al operar con un gráfico de flujo de señal, se pueden considerar los nodos de entrada (fuentes) uno a la vez. Entonces la salida de señal es igual a la suma de las contribuciones individuales de cada entrada.

La ganancia total entre una entrada y una salida se puede obtener directamente del gráfico de flujo de señal por inspección, utilizando la fórmula de Mason, o por reducción del gráfico a una forma más simple.

**Gráficos de señal en sistemas de control.** En la figura 1-24 se pueden ver algunos gráficos de flujo de señal de sistemas de control simples. Para tales gráficos simples, se puede obtener la función de transferencia de lazo cerrado $C(s)/R(s)$ [o $C(s)/N(s)$] por inspección. Para diagramas de flujo de señal más complejos, es sumamente útil la fórmula de ganancia de Mason.

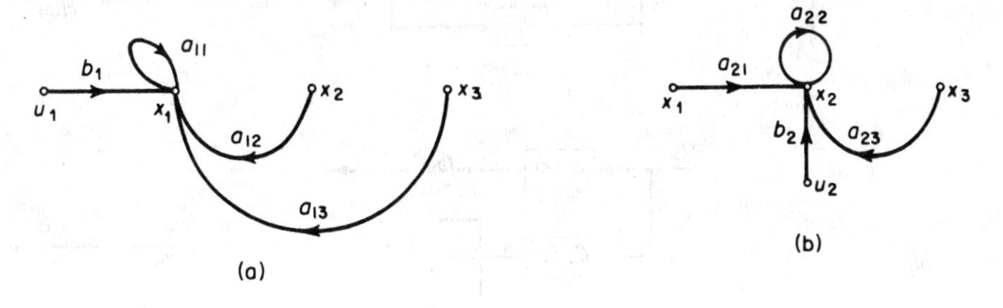


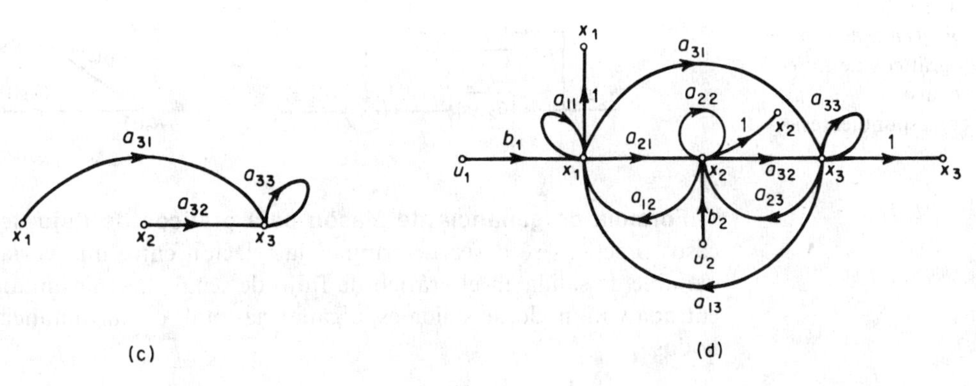


**Figura 1-23** Gráficos de flujo de señal que representan (a) la Ec. (1-26), (b) la Ec. (1-27), (c) la Ec. (1-28); (d) gráfico de flujo de señal completo para el sistema descrito por las ecuaciones (1-26)-(1-28).

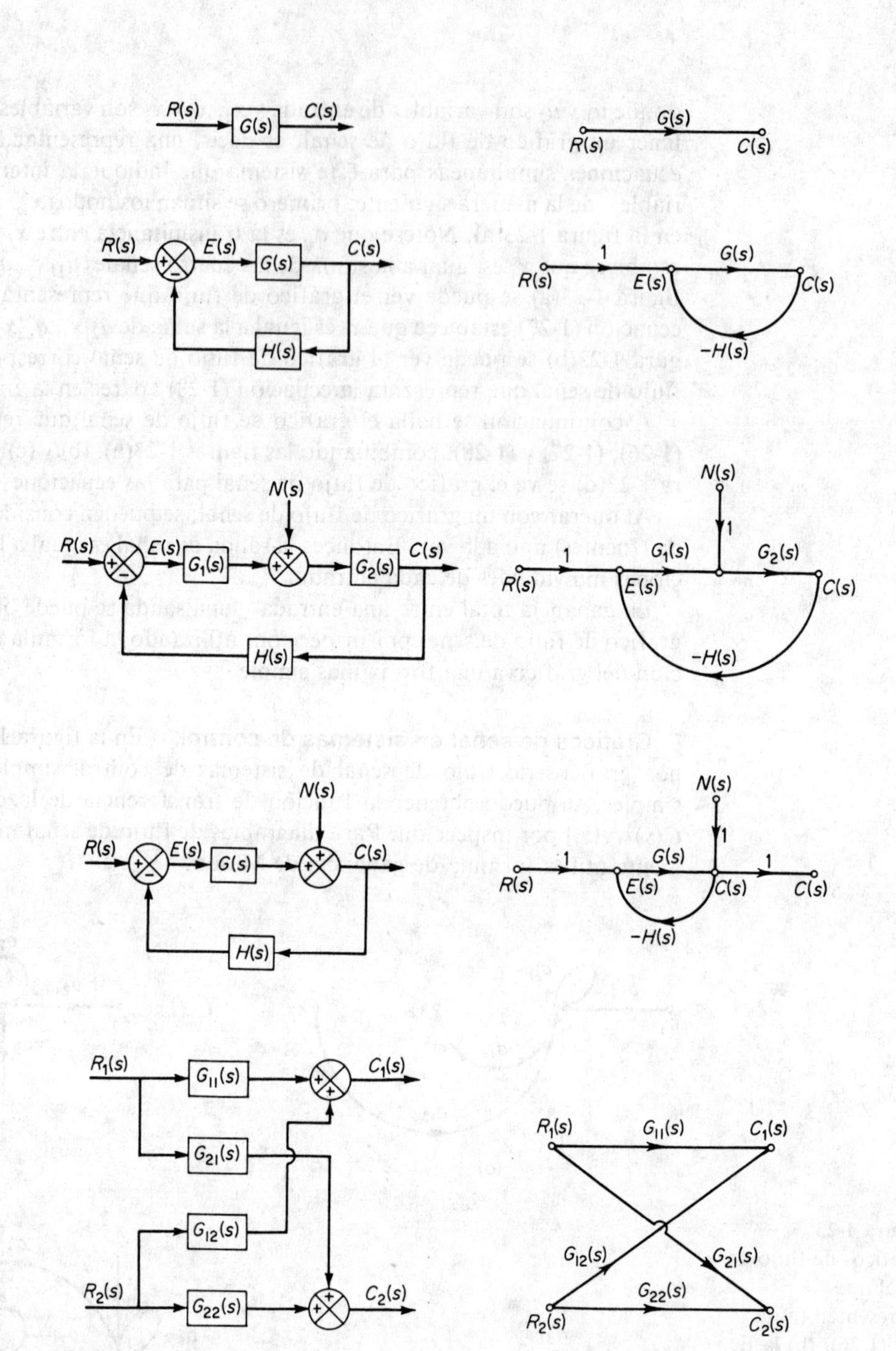


**Figura 1-24**
Diagrama de bloques y gráficos de flujo de señal correspondientes.

**Fórmula de ganancia de Mason para gráficos de flujo de señal.** En muchos casos prácticos se desea determinar la relación entre una variable de entrada y una variable de salida en el gráfico de flujo de señal. La transmitancia entre un nodo de entrada y un nodo de salida es la ganancia total, o transmitancia total, entre esos dos nodos.

La fórmula de ganancia de Mason, que es aplicable a la ganancia total, está dada por

$$P = \frac{1}{\Delta} \sum_k P_k \Delta_k$$

de donde

$P_k$ = ganancia de trayectoria o transmitancia de la $k$-ésima trayectoria directa

$\Delta$ = determinante del gráfico

= 1 − (suma de todos los lazos de ganancia individuales) + (suma de los productos de ganancia de todas las combinaciones posibles de dos lazos disjuntos) — (suma de los productos de ganancia de todas las combinaciones posibles de tres lazos disjuntos) + ...

$= 1 - \sum_a L_a + \sum_{b,c} L_b L_c - \sum_{d,e,f} L_d L_e L_f + \cdots$

$\sum_a L_a$ = suma de todas las ganancias de lazos individuales

$\sum_{b,c} L_b L_c$ = suma de los productos de ganancia de todas las combinaciones posibles de dos lazos disjuntos

$\sum_{d,e,f} L_d L_e L_f$ = suma de los productos de ganancia de todas las combinaciones posibles de tres lazos disjuntos

$\Delta_k$ = cofactor del determinante de la $k$-ésima trayectoria directa del gráfico con los lazos que tocan la trayectoria directa $k$-ésima eliminados, es decir, el cofactor de $\Delta_k$ se obtiene a partir de $\Delta$, para quitar los lazos que tocan la trayectoria $P_k$

(Nótese que las sumas se toman de todos los caminos posibles desde una entrada a una salida.)

En seguida se ilustra el uso de la fórmula de ganancia de Mason, mediante dos ejemplos.

**EJEMPLO 1-10**

Sea el sistema que aparece en la figura 1-25. En la figura 1-26 se muestra un diagrama de flujo de señal correspondiente a este sistema. La función de transferencia $C(s)/R(s)$ se obtendrá utilizando la fórmula de ganancia de Mason.

En este sistema hay un solo camino o trayectoria directa entre la entrada $R(s)$ y la salida $C(s)$. La trayectoria de ganancia directa es

$$P_1 = G_1 G_2 G_3$$

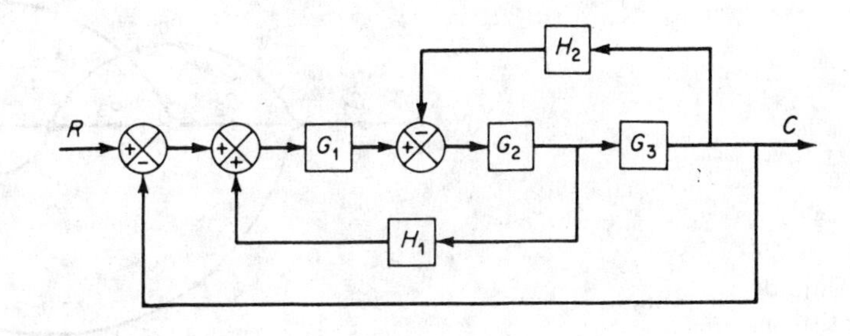


**Figura 1-25** Sistema de lazos múltiples.

n.

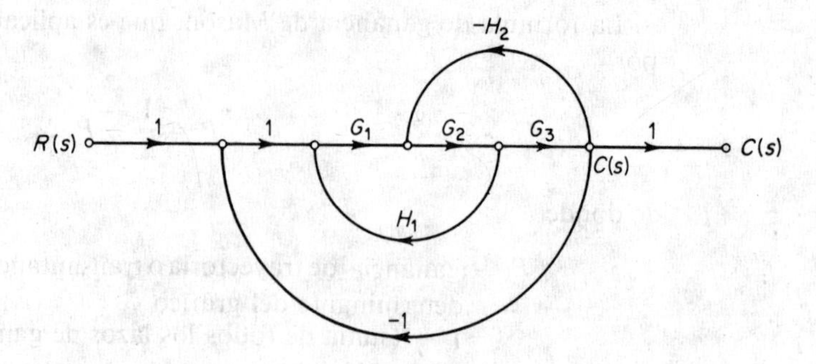


**Figura 1-26**
Gráfico de flujo de señal para el sistema de la Fig. 1-25.

De la figura 1-26 se ve que hay tres lazos individuales. Las ganancias de esos lazos son

$$L_1 = G_1 G_2 H_1$$

$$L_2 = -G_2 G_3 H_2$$

$$L_3 = -G_1 G_2 G_3$$

Obsérvese que como los tres lazos tienen una rama común, no hay lazos disjuntos. Por tanto, el determinante $\Delta$ está dado por

$$\begin{aligned}\Delta &= 1 - (L_1 + L_2 + L_3)\\ &= 1 - G_1 G_2 H_1 + G_2 G_3 H_2 + G_1 G_2 G_3\end{aligned}$$

Se obtiene el cofactor $\Delta_1$ del determinante a lo largo del trayecto directo que conecta el nodo de entrada con el nodo de salida, retirando los lazos que tocan este trayecto. Como el trayecto $P_1$ toca los tres lazos, se obtiene

$$\Delta_1 = 1$$

Por tanto, la ganancia total entre la entrada $R(s)$ y la salida $C(s)$ o función transferencia de lazo cerrado, está dada por

$$\begin{aligned}\frac{C(s)}{R(s)} &= P = \frac{P_1 \Delta_1}{\Delta}\\ &= \frac{G_1 G_2 G_3}{1 - G_1 G_2 H_1 + G_2 G_3 H_2 + G_1 G_2 G_3}\end{aligned}$$

que es la misma que la función de transferencia de lazo cerrado obtenida por reducción del diagrama de bloques. De este modo, la fórmula de ganancia de Mason proporciona la ganancia total $C(s)/R(s)$ sin una reducción del gráfico.

**EJEMPLO 1-11** Sea el sistema que aparece en la figura 1-27. Se desea hallar la función de transferencia de lazo cerrado $C(s)/R(s)$ utilizando la fórmula de Mason.

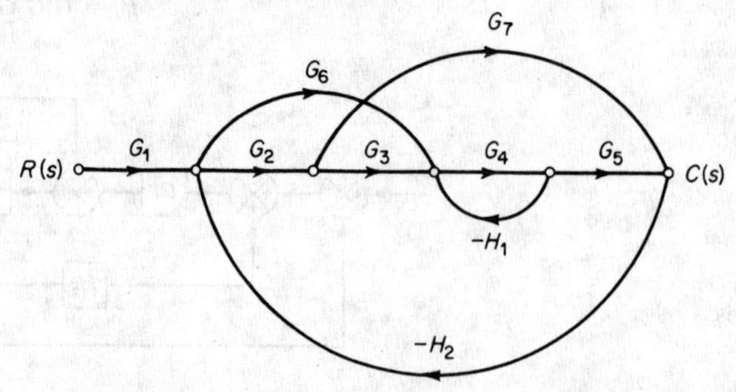


**Figura 1-27**
Gráfico de flujo de señal de un sistema.

En este sistema hay tres trayectos directos entre la entrada $R(s)$ y la salida $C(s)$. Las ganancias de los trayectos directos son

$$P_1 = G_1G_2G_3G_4G_5$$

$$P_2 = G_1G_6G_4G_5$$

$$P_3 = G_1G_2G_7$$

Hay cuatro lazos individuales. Las ganancias de esos lazos son

$$L_1 = -G_4H_1$$

$$L_2 = -G_2G_7H_2$$

$$L_3 = -G_6G_4G_5H_2$$

$$L_4 = -G_2G_3G_4G_5H_2$$

El lazo $L_1$ no toca al lazo $L_2$. Por tanto, el determinante $\Delta$ está dado por

$$\Delta = 1 - (L_1 + L_2 + L_3 + L_4) + L_1L_2 \tag{1-29}$$

El cofactor $\Delta_1$ se obtiene de $\Delta$ eliminando los lazos que tocan el trayecto $P_1$. Por tanto, quitando $L_1$, $L_2$, $L_3$, $L_4$, y $L_1L_2$ de la ecuación (1-29), se obtiene

$$\Delta_1 = 1$$

En forma similar, el cofactor $\Delta_2$ es

$$\Delta_2 = 1$$

El cofactor $\Delta_3$ se obtiene eliminando $L_2$, $L_3$, $L_4$, y $L_1L_2$ de la ecuación (1-29), lo que da

$$\Delta_3 = 1 - L_1$$

La función de transferencia de lazo cerrado $C(s)/R(s)$ es entonces

$$\frac{C(s)}{R(s)} = P = \frac{1}{\Delta}(P_1\Delta_1 + P_2\Delta_2 + P_3\Delta_3)$$

$$= \frac{G_1G_2G_3G_4G_5 + G_1G_6G_4G_5 + G_1G_2G_7(1 + G_4H_1)}{1 + G_4H_1 + G_2G_7H_2 + G_6G_4G_5H_2 + G_2G_3G_4G_5H_2 + G_4H_1G_2G_7H_2}$$

**Comentario.** En la práctica, los gráficos de flujo de señal se usan para la digramación de sistemas. El conjunto de ecuaciones que describen un sistema lineal, se representa por un gráfico de flujo de señal, estableciendo nodos que corresponden a las variables del sistema, e interconectando los nodos con transmitancias dirigidas ponderadas, que representan las relaciones entre las variables. Se puede utilizar la fórmula de ganancia de Mason para establecer las relaciones entre una entrada y una salida. (Alternativamente, se pueden eliminar una a una las variables del sistema, por técnicas de reducción). La fórmula de ganancia de Mason es especialmente útil para reducir diagramas de sistemas grandes y complejos en un solo paso, sin necesidad de realizar reducciones paso a paso.

Finalmente, nótese que al aplicar la fórmula de la ganancia de Mason a un sistema dado, se debe ser cuidadoso en no cometer errores en la determinación de los cofactores del trayecto directo, $\Delta_k$, pues cualquier error, en caso de producirse, no se puede detectar fácilmente.

## 1-9 METODO DEL ESPACIO DE ESTADO PARA EL ANALISIS DE CONTROL DE SISTEMAS

En esta sección se presenta material introductorio al tema de análisis de sistemas de control por el método del espacio de estado.

**Teoría de control moderna.** La tendencia actual en la ingeniería de sistemas es hacia una mayor complejidad, debido principalmente a los requerimientos de tareas complejas, y de una buena precisión. Los sistemas complejos pueden tener múltiples entradas y múltiples salidas y ser variables en el tiempo. Debido a la necesidad de afrontar los cada vez más severos requisitos del comportamiento de sistemas de control, al aumento en su complejidad, y al fácil acceso a computadoras de gran escala, la teoría de control moderna, que es un nuevo procedimiento para el análisis y diseño de sistemas de control complejos, se ha desarrollado desde alrededor de 1960. Este nuevo procedimiento está basado en el concepto de estado. El concepto de estado, en sí, no es nuevo, puesto que existe desde hace mucho tiempo en el campo de la dinámica clásica y otros campos.

**Teoría de control moderna versus teoría de control clásica.** La teoría de control moderna contrasta con la teoría de control convencional en que la primera se aplica a sistemas de múltiples entradas y múltiples salidas, que pueden ser lineales o no lineales, variables o invariantes en el tiempo, mientras la segunda sólo tiene aplicación en sistemas lineales, invariantes en el tiempo, y de una sola entrada y una sola salida. Además, la teoría de control moderna es un procedimiento en el dominio del tiempo esencialmente, mientras la teoría convencional opera en el dominio de las frecuencias complejas.

Antes de proseguir, hay que definir estado, variables de estado, vector de estado y espacio de estado.

**Estado.** El estado de un sistema dinámico es el conjunto más pequeño de variables (denominadas *variables de estado*) tales que el conocimiento de esas variables en $t = t_0$, conjuntamente con el conocimiento de la entrada para $t \geq t_0$, determinan completamente el comportamiento del sistema en cualquier tiempo $t \geq t_0$.

Así, el estado de un sistema dinámico al tiempo $t$ queda determinado unívocamente por el estado al tiempo $t_0$ y la entrada para $t \geq t_0$, y es independiente del estado y entradas antes de $t_0$. Nótese que al tratar sistemas lineales invariantes en el tiempo, generalmente se escoge un tiempo de referencia $t_0$ igual a cero.

Nótese que el concepto de estado de ningún modo está limitado a sistemas físicos. Es aplicable a sistemas biológicos, sistemas económicos, sistemas sociales, y otros.

**Variables de estado.** Las variables de estado de un sistema dinámico son las variables que constituyen el conjunto más pequeño de variables que determinan el estado de un sistema dinámico. Si se requieren al menos $n$ variables $x_1, x_2, \ldots, x_n$ para describir completamente el comportamiento de un sistema dinámico (de modo que una vez dada la entrada para $t \geq t_0$, y que el estado inicial esté especificado en $t = t_0$, el estado futuro del sistema queda completamente determinado) entonces esas $n$ variables son un conjunto de variables de estado.

Nótese que las variables de estado no deben ser necesariamente cantidades físicas mensurables u observables. Se pueden elegir como variables de estado variables que no representen magnitudes físicas o que no sean ni mensurables ni observables. Tal libertad en la elección de las variables de estado, constituye una ventaja de los métodos del espacio de estado. Sin embargo, hablando en términos prácticos, es conveniente elegir como variables de estado, de haber alguna posibilidad, magnitudes, porque las leyes de control óptimo exigen la retroalimentación de todas las variables de estado con ponderación adecuada.

**Vector de estado.** Si se requieren $n$ variables de estado para describir completamente el comportamiento de un sistema dado, se puede considerar a esas $n$ variables como $n$ componentes de un vector $\mathbf{x}$. Tal vector recibe el nombre de *vector de estado*. Un vector de estado es un vector que determina unívocamente el estado del sistema $\mathbf{x}(t)$ en cualquier tiempo $t \geq t_0$, una vez conocido el estado en $t = t_0$ y la entrada $\mathbf{u}(t)$ para $t \geq t_0$.

**Espacio de estado.** El espacio $n$-dimensional cuyos ejes coordenados consisten en el eje $x_1$, el eje $x_2, \ldots$, el eje $x_n$, se denomina *espacio de estado*. Cualquier estado se puede representar por un punto en el espacio de estado.

**Ecuaciones del espacio de estado.** En el análisis del espacio de estado se manejan tres tipos de variables comprendidas en el modelo de sistemas dinámicos: las variables de entrada, las variables de salida y las variables de estado. Como se verá en la sección 2-2, la representación en el espacio de estado de un sistema dado no es única, sólo que la cantidad de variables de estado es la misma para cualquier otra representación diferente en el espacio de estado, del mismo sistema.

Sea el sistema dinámico que aparece en la figura 1-28. En el diagrama, las flechas gruesas indican que las señales son cantidades vectoriales. En este sistema, la salida $\mathbf{y}(t)$ para $t \geq t_1$ depende del valor $\mathbf{y}(t_1)$ y de la entrada $\mathbf{u}(t)$ para $t \geq t_1$. El sistema dinámico debe incluir elementos que memoricen los valores de la entrada para $t \geq t_1$. Como en un sistema de control continuo en el tiempo, los integradores sirven como dispositivos de memoria, se puede considerar a la salida de tales integradores como variables que definen el estado interno del sistema dinámico. Así las salidas de los integradores sirven como variables de estado. La cantidad de variables de estado que definen completamente la dinámica del sistema, es igual a la cantidad de integradores incluidos en el sistema.

Supóngase que un sistema de múltiples entradas y múltiples salidas comprenden $n$ integradores. Supóngase también que hay $r$ entradas $u_1(t), u_2(t), \ldots, u_r(t)$ y $m$ salidas $y_1(t), y_2(t), \ldots, y_m(t)$. Se definen $n$ salidas de los integradores como variables de estado: $x_1(t), x_2(t), \ldots, x_n(t)$. Entonces el sistema se puede describir con

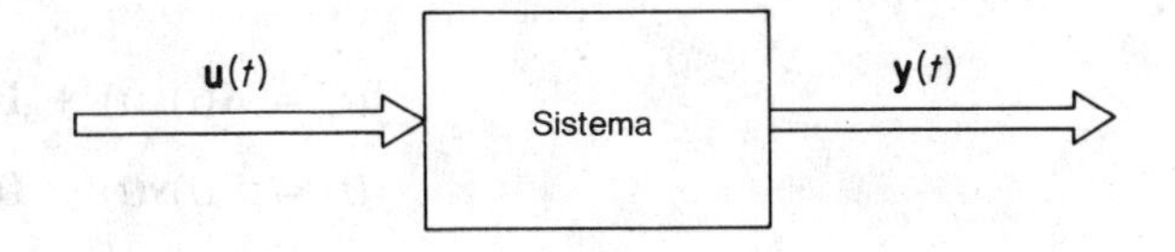


**Figura 1-28**
Sistema dinámico.

$$
\begin{aligned}
\dot{x}_1(t) &= f_1(x_1, x_2, \ldots, x_n; u_1, u_2, \ldots, u_r; t) \\
\dot{x}_2(t) &= f_2(x_1, x_2, \ldots, x_n; u_1, u_2, \ldots, u_r; t) \\
&\vdots \\
\dot{x}_n(t) &= f_n(x_1, x_2, \ldots, x_n; u_1, u_2, \ldots, u_r; t)
\end{aligned}
\tag{1–30}
$$

Las salidas del sistema $y_1(t), y_2(t), \ldots, y_m(t)$ están dadas por

$$
\begin{aligned}
y_1(t) &= g_1(x_1, x_2, \ldots, x_n; u_1, u_2, \ldots, u_r; t) \\
y_2(t) &= g_2(x_1, x_2, \ldots, x_n; u_1, u_2, \ldots, u_r; t) \\
&\vdots \\
y_m(t) &= g_m(x_1, x_2, \ldots, x_n; u_1, u_2, \ldots, u_r; t)
\end{aligned}
\tag{1–31}
$$

Si se define

$$
\mathbf{x}(t) = \begin{bmatrix} x_1(t) \\ x_2(t) \\ \vdots \\ x_n(t) \end{bmatrix}, \quad
\mathbf{f}(\mathbf{x}, \mathbf{u}, t) = \begin{bmatrix} f_1(x_1, x_2, \ldots, x_n; u_1, u_2, \ldots, u_r; t) \\ f_2(x_1, x_2, \ldots, x_n; u_1, u_2, \ldots, u_r; t) \\ \vdots \\ f_n(x_1, x_2, \ldots, x_n; u_1, u_2, \ldots, u_r; t) \end{bmatrix}
$$

$$
\mathbf{y}(t) = \begin{bmatrix} y_1(t) \\ y_2(t) \\ \vdots \\ y_m(t) \end{bmatrix}, \quad
\mathbf{g}(\mathbf{x}, \mathbf{u}, t) = \begin{bmatrix} g_1(x_1, x_2, \ldots, x_n; u_1, u_2, \ldots, u_r; t) \\ g_2(x_1, x_2, \ldots, x_n; u_1, u_2, \ldots, u_r; t) \\ \vdots \\ g_m(x_1, x_2, \ldots, x_n; u_1, u_2, \ldots, u_r; t) \end{bmatrix}, \quad
\mathbf{u}(t) = \begin{bmatrix} u_1(t) \\ u_2(t) \\ \vdots \\ u_r(t) \end{bmatrix}
$$

las ecuaciones (1-30) y (1-31) se convierten en

$$
\dot{\mathbf{x}}(t) = \mathbf{f}(\mathbf{x}, \mathbf{u}, t) \tag{1–32}
$$

$$
\mathbf{y}(t) = \mathbf{g}(\mathbf{x}, \mathbf{u}, t) \tag{1–33}
$$

donde la ecuación (1-32) es la ecuación de estado y la ecuación (1-33) es la ecuación de salida. Si el vector de funciones $\mathbf{f}$ y/o $\mathbf{g}$ comprenden explícitamente al tiempo $t$, el sistema se denomina sistema variable en el tiempo.

Si las ecuaciones (1-32) y (1-33) se linealizan alrededor de un punto de operación, se tienen las siguientes ecuación de estado y ecuación de salidas, linealizadas:

$$
\dot{\mathbf{x}}(t) = \mathbf{A}(t)\mathbf{x}(t) + \mathbf{B}(t)\mathbf{u}(t) \tag{1–34}
$$

$$
\mathbf{y}(t) = \mathbf{C}(t)\mathbf{x}(t) + \mathbf{D}(t)\mathbf{u}(t) \tag{1–35}
$$

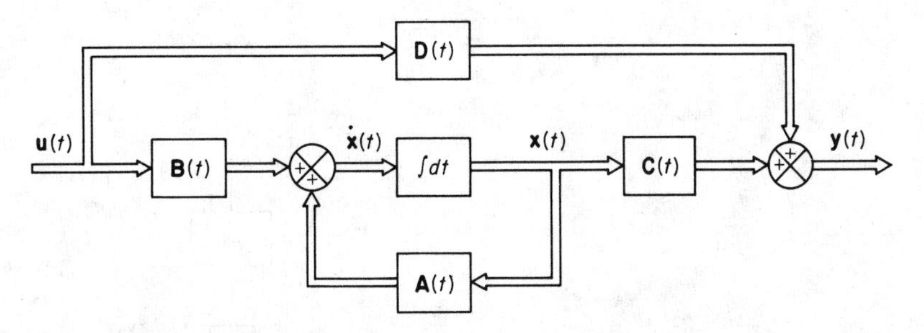


**Figura 1-29**
Diagrama de bloques de un sistema de control lineal continuo en el tiempo, representado en el espacio de estado.

donde $\mathbf{A}(t)$ se denomina matriz de estado, $\mathbf{B}(t)$ matriz de entrada, $\mathbf{C}(t)$ matriz de salida $\mathbf{D}(t)$ matriz de transmisión directa. En la figura 1-29 se representa un diagrama de bloques de las ecuaciones (1-34) y (1-35).

Si las funciones vectoriales **f** y **g** no comprenden explícitamente al tiempo $t$, se denomina al sistema como sistema invariante en el tiempo. En este caso, las ecuaciones (1-32) y (1-33) pueden simplificarse a

$$\dot{\mathbf{x}}(t) = \mathbf{f}(\mathbf{x}, \mathbf{u}) \tag{1–36}$$

$$\mathbf{y}(t) = \mathbf{g}(\mathbf{x}, \mathbf{u}) \tag{1–37}$$

Las ecuaciones (1-36) y (1-37) pueden linealizarse en el entorno del punto de operación, como sigue:

$$\dot{\mathbf{x}}(t) = \mathbf{A}\mathbf{x}(t) + \mathbf{B}\mathbf{u}(t) \tag{1–38}$$

$$\mathbf{y}(t) = \mathbf{C}\mathbf{x}(t) + \mathbf{D}\mathbf{u}(t) \tag{1–39}$$

La ecuación (1-38) es la ecuación de estado del sistema lineal invariante en el tiempo. La ecuación (1-39) es la ecuación de salida para el mismo sistema. En este libro se tratan fundamentalmente sistemas descritos por las ecuaciones (1-38) y (1-39).

En lo que sigue se presenta un ejemplo para deducir una ecuación de estado y una ecuación de salida.

**EJEMPLO 1-12**

Sea el sistema mecánico que aparece en la figura 1-30. Se supone que el sistema es lineal. La fuerza externa $u(t)$ es la entrada al sistema, y el desplazamiento $y(t)$ de la masa es la salida. En ausencia de la fuerza externa, se mide el desplazamiento $y(t)$ desde la posición de equilibrio. Se trata de un sistema de una sola entrada y una sola salida.

Del diagrama, la ecuación es

$$m\ddot{y} + b\dot{y} + ky = u \tag{1–40}$$

Este sistema es de segundo orden. Esto significa que el sistema incluye dos integradores. Las variables de estado $x_1(t)$ y $x_2(t)$ se definen como

$$x_1(t) = y(t)$$

$$x_2(t) = \dot{y}(t)$$

Entonces se obtiene

$$\dot{x}_1 = x_2$$

$$\dot{x}_2 = \frac{1}{m}(-ky - b\dot{y}) + \frac{1}{m}u$$

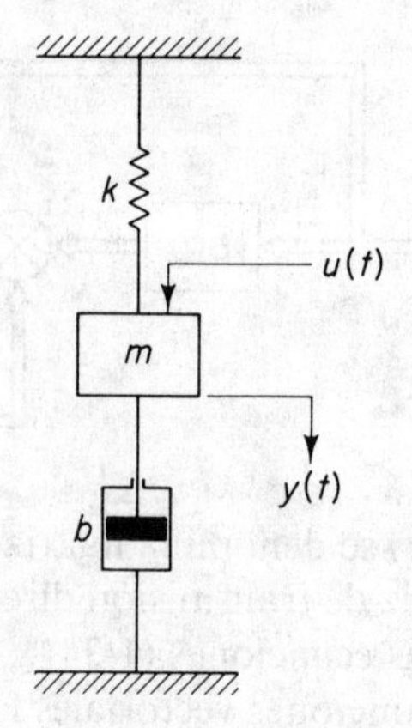


**Figura 1-30**
Sistema mecánico.

o

$$\dot{x}_1 = x_2 \tag{1–41}$$

$$\dot{x}_2 = -\frac{k}{m}x_1 - \frac{b}{m}x_2 + \frac{1}{m}u \tag{1–42}$$

La ecuación de salida es

$$y = x_1 \tag{1–43}$$

En forma vectorial matricial las ecuaciones (1-41) y (1-42) se pueden escribir como

$$\begin{bmatrix} \dot{x}_1 \\ \dot{x}_2 \end{bmatrix} = \begin{bmatrix} 0 & 1 \\ -\frac{k}{m} & -\frac{b}{m} \end{bmatrix} \begin{bmatrix} x_1 \\ x_2 \end{bmatrix} + \begin{bmatrix} 0 \\ \frac{1}{m} \end{bmatrix} u \tag{1–44}$$

La ecuación de salida, ecuación (1-43), se puede escribir como

$$y = [1 \quad 0] \begin{bmatrix} x_1 \\ x_2 \end{bmatrix} \tag{1–45}$$

La ecuación (1-44) es una ecuación de estado y la ecuación (1-45) es una ecuación de salida para el sistema. Las ecuaciones (1-44) y (1-45) están en la forma normalizada

$$\dot{\mathbf{x}} = \mathbf{A}\mathbf{x} + \mathbf{B}u$$

$$y = \mathbf{C}\mathbf{x} + \mathbf{D}u$$

donde

$$\mathbf{A} = \begin{bmatrix} 0 & 1 \\ -\frac{k}{m} & -\frac{b}{m} \end{bmatrix} \qquad \mathbf{B} = \begin{bmatrix} 0 \\ \frac{1}{m} \end{bmatrix}, \qquad \mathbf{C} = [1 \quad 0], \qquad D = 0$$

La figura 1-31 es un diagrama de bloques para el sistema. Nótese que las salidas de los integradores son variables de estado.

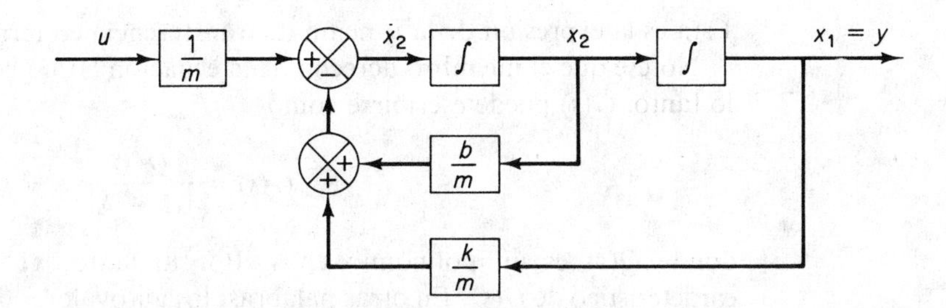


**Figura 1-31**
Diagrama de bloques para el sistema mecánico mostrado en la figura 1-30.

**Relación entre funciones de transferencia y variables de estado.** A continuación, se mostrará cómo obtener la función de transferencia de un sistema con una entrada y una salida simple, a partir de las ecuaciones de estado.

Sea un sistema cuya función de transferencia está dada por

$$\frac{Y(s)}{U(s)} = G(s) \tag{1–46}$$

Este sistema puede representarse en el espacio de estado por las siguientes ecuaciones:

$$\dot{\mathbf{x}} = \mathbf{A}\mathbf{x} + \mathbf{B}u \tag{1–47}$$

$$y = \mathbf{C}\mathbf{x} + Du \tag{1–48}$$

donde $\mathbf{x}$ es el vector de estado, $u$ es la entrada e $y$ es la salida. Las transformadas de Laplace de las ecuaciones (1-47) y (1-48) están dadas por

$$s\mathbf{X}(s) - \mathbf{x}(0) = \mathbf{A}\mathbf{X}(s) + \mathbf{B}U(s) \tag{1–49}$$

$$Y(s) = \mathbf{C}\mathbf{X}(s) + DU(s) \tag{1–50}$$

Como la función de transferencia se definió previamente como la relación entre la transformada de Laplace de la salida y la transformada de Laplace de la entrada cuando las condiciones iniciales son cero, se supone que $\mathbf{x}(0)$ en la ecuación (1-49) es cero. Entonces se tiene

$$s\mathbf{X}(s) - \mathbf{A}\mathbf{X}(s) = \mathbf{B}U(s)$$

o

$$(s\mathbf{I} - \mathbf{A})\mathbf{X}(s) = \mathbf{B}U(s)$$

Premultiplicando por $(s\mathbf{I} — \mathbf{A})^{-1}$ ambos miembros de esta última ecuación, se obtiene

$$\mathbf{X}(s) = (s\mathbf{I} - \mathbf{A})^{-1}\mathbf{B}U(s) \tag{1–51}$$

Sustituyendo la ecuación (1-51) en la ecuación (1-50), se ve que

$$Y(s) = [\mathbf{C}(s\mathbf{I} - \mathbf{A})^{-1}\mathbf{B} + D]U(s) \tag{1–52}$$

Comparando la ecuación (1-52) con la ecuación (1-46), se ve que

$$G(s) = \mathbf{C}(s\mathbf{I} - \mathbf{A})^{-1}\mathbf{B} + D \tag{1–53}$$

Esta es la expresión de la función de transferencia en términos de **A**, **B**, **C**, y $D$.

Nótese que el miembro derecho de la ecuación (1-53) comprende a $(s\mathbf{I} - \mathbf{A})^{-1}$. Por lo tanto, $G(s)$ puede escribirse como

$$G(s) = \frac{Q(s)}{|s\mathbf{I} - \mathbf{A}|}$$

donde $Q(s)$ es un polinomio en $s$. Por lo tanto, $|s\mathbf{I} - \mathbf{A}|$ es igual al polinomio característico de $G(s)$. En otras palabras, los autovalores de **A** son idénticos a los polos de $G(s)$.

**EJEMPLO 1-13** Sea nuevamente el sistema mecánico que aparece en la figura 1-30. Las ecuaciones de estado para el sistema están dadas por las ecuaciones (1-44) y (1-45). Las funciones de transferencia para el sistema se obtendrán partiendo de las ecuaciones de espacio de estado.

Sustituyendo **A**, **B**, **C**, y $D$ en la ecuación (1-53), se obtiene

$$\begin{aligned} G(s) &= \mathbf{C}(s\mathbf{I} - \mathbf{A})^{-1}\mathbf{B} + D \\ &= [1 \quad 0]\left\{\begin{bmatrix} s & 0 \\ 0 & s \end{bmatrix} - \begin{bmatrix} 0 & 1 \\ -\dfrac{k}{m} & -\dfrac{b}{m} \end{bmatrix}\right\}^{-1} \begin{bmatrix} 0 \\ \dfrac{1}{m} \end{bmatrix} + 0 \\ &= [1 \quad 0] \begin{bmatrix} s & -1 \\ \dfrac{k}{m} & s + \dfrac{b}{m} \end{bmatrix}^{-1} \begin{bmatrix} 0 \\ \dfrac{1}{m} \end{bmatrix} \end{aligned}$$

Como

$$\begin{bmatrix} s & -1 \\ \dfrac{k}{m} & s + \dfrac{b}{m} \end{bmatrix}^{-1} = \frac{1}{s^2 + \dfrac{b}{m}s + \dfrac{k}{m}} \begin{bmatrix} s + \dfrac{b}{m} & 1 \\ -\dfrac{k}{m} & s \end{bmatrix}$$

se tiene

$$\begin{aligned} G(s) &= [1 \quad 0] \frac{1}{s^2 + \dfrac{b}{m}s + \dfrac{k}{m}} \begin{bmatrix} s + \dfrac{b}{m} & 1 \\ -\dfrac{k}{m} & s \end{bmatrix} \begin{bmatrix} 0 \\ \dfrac{1}{m} \end{bmatrix} \\ &= \frac{1}{ms^2 + bs + k} \end{aligned}$$

que es la función de transferencia del sistema. Partiendo de la ecuación (1-40) se puede obtener la misma función de transferencia.

**Matriz de transferencia.** A continuación se analiza un sistema de múltiples entradas y múltiples salidas. Supóngase que hay $r$ entradas $u_1, u_2, \ldots, u_r$ y $m$ salidas $y_1, y_2, \ldots, y_m$. Se define

$$\mathbf{y} = \begin{bmatrix} y_1 \\ y_2 \\ \cdot \\ \cdot \\ \cdot \\ y_m \end{bmatrix}, \quad \mathbf{u} = \begin{bmatrix} u_1 \\ u_2 \\ \cdot \\ \cdot \\ \cdot \\ u_r \end{bmatrix}$$

La matriz de transferencia $\mathbf{G}(s)$ relaciona la salida $\mathbf{Y}(s)$ con la entrada $\mathbf{U}(s)$, o sea

$$\mathbf{Y}(s) = \mathbf{G}(s)\mathbf{U}(s) \tag{1–54}$$

Como el vector de salida $\mathbf{u}$ es $r$-dimensional mientras que el vector de salida $\mathbf{y}$ es $m$-dimensional, la matriz de transferencia es una matriz de $m \times r$.. En el capítulo 9 se tratarán detalles sobre la matriz de transferencia.

## 1-10 PRINCIPIOS BASICOS DE DISEÑO DE SISTEMAS DE CONTROL

**Requisitos generales de sistemas de control.** Todo sistema de control debe ser estable. Esto es un requisito básico. Además de estabilidad absoluta, un sistema de control debe tener una estabilidad relativa razonable; es decir, la respuesta debe mostrar un amortiguamiento razonable. Asimismo, la velocidad de respuesta debe ser razonablemente rápida, y el sistema de control debe ser capaz de reducir los errores a cero, o a un valor pequeño tolerable. Cualquier sistema de control, para ser útil, debe satisfacer estos requisitos.

El requisito de estabilidad relativa razonable y el de la precisión en estado estacionario tienden a ser incompatibles. Por lo tanto, al diseñar sistemas de control resulta necesario efectuar el mejor compromiso entre estos dos requerimientos.

**Teoría de control moderna versus teoría de control clásico.** La teoría de control clásica utiliza extensamente el concepto de función de transferencia. Se realiza el análisis y el diseño en el dominio de $s$ y/o el dominio de la frecuencia. La teoría de control moderna, que está basada en el concepto del espacio de estado, utiliza extensamente el análisis vectorial-matricial. El análisis y el diseño se realizan en el dominio del tiempo.

La teoría de control clásica brinda generalmente buenos resultados para sistemas de control de una entrada y una salida. Sin embargo, la teoría clásica no puede manejar los sistemas de control de múltiples entradas y múltiples salidas.

En este libro se presentan tanto los métodos de control clásicos, frecuentemente denominados métodos de control convencional, como los métodos de control moderno para el análisis y diseño de sistemas de control de lazo cerrado. Nótese que los procedimientos clasicos o convencionales, ponen énfasis en la comprensión física y utilizan menos matemáticas que los métodos de control modernos. En consecuencia, los métodos de control clásicos o convencionales son más fáciles de entender.

**Modelado matemático.** Los componentes que abarcan los sistemas de control son muy diversos. Pueden ser electromecánicos, hidráulicos, neumáticos, electrónicos, etc. En ingeniería de control, en lugar de operar con dispositivos o componentes físicos, se les remplaza por sus modelos matemáticos.

Obtener un modelo matemático razonablemente exacto de un componente físico, es uno de los problemas más importantes en ingeniería de control. Nótese que para ser útil, un modelo matemático no debe ser ni muy complicado ni excesivamente simple. Un modelo matemático debe representar los aspectos esenciales de un componente físico. Las predicciones sobre el comportamiento de un sistema, basadas en el modelo matemático, deben ser bastante precisas. Nótese también que sistemas al parecer diferentes, pueden representarse por el mismo modelo matemático. El uso de tales modelos matemáticos permite a los ingenieros de control desarrollar una teoría de control unificada. En ingeniería de control, se usan ecuaciones diferenciales lineales, invariantes en el tiempo, funciones de transferencia y ecuaciones de estado, para modelos matemáticos de sistemas lineales, invariantes en el tiempo y de tiempo continuo.

Aunque las relaciones entrada-salida de muchos componentes son no-lineales, normalmente esas relaciones se linealizan en la vecindad de los puntos de operación, limitando el rango de las variables a valores pequeños. Obviamente, tales modelos lineales son mucho más fáciles de manejar, tanto analíticamente como por computadora. En el capítulo 2 se presentan detalles de técnicas para modelado matemático de sistemas físicos.

**Análisis y diseño de sistemas de control.** Al llegar a este punto, es deseable definir qué significan los términos análisis, diseño, análisis de respuesta transitoria, y otros. Por *análisis* de un sistema de control se entiende la investigación, bajo condiciones especificadas, del comportamiento de un sistema cuyo modelo matemático se conoce. Como cualquier sistema consta de componentes, el análisis debe comenzar con una descripción matemática de cada componente. Una vez que se ha elaborado un modelo matemático del sistema completo, la forma en que el análisis se lleva a cabo es independiente de si el sistema físico es neumático, eléctrico, mecánico, etc. Por *análisis de respuesta transitoria* se entiende generalmente la determinación de la respuesta de una planta a señales y perturbaciones de entrada. Por *análisis de respuesta en estado estacionario* significa la determinación de la respuesta tras la desaparición de la respuesta transitoria.

Por *diseño* de un sistema, se entiende hallar uno que cumpla una tarea dada. Si las características de respuesta dinámica y/o de estado estacionario no son satisfactorias, se debe agregar un compensador al sistema. En general, el diseño de un compensador adecuado no es directo, sino que requiere procedimientos de tanteo.

Por *síntesis* se entiende encontrar, mediante un procedimiento directo, un sistema de control que se comporte de un modo específico. Generalmente, tal procedimiento es totalmente matemático de principio a fin del proceso de diseño. Se dispone de procedimientos de síntesis para el caso de sistemas lineales y para sistemas lineales de control óptimo.

En años recientes, las computadoras digitales han jugado un importante papel en el análisis, diseño y operación de sistemas de control. La computadora puede utilizarse para efectuar los cálculos necesarios, para simular los componentes de un sistema o una planta, o para controlar un sistema. El control por computadora ha llegado a ser de uso común, y muchos sistemas de control industrial, de control de vuelo, y de sistemas de control de robot, utilizan controladores digitales.

**Método básico de diseño de control.** El método básico para el diseño de cualquier sistema de control práctico, entraña la obligada aplicación de procedimientos de tanteo. La síntesis de sistemas de control lineales es teóricamente posible, y el ingeniero de control puede determinar sistemáticamente los componentes necesarios para realizar el objetivo propuesto. En la práctica, sin embargo, el sistema puede estar expuesto a muchas restricciones, o no ser lineal, y en tales casos no se cuenta actualmente con métodos de síntesis. Acaso, además, las características de los componentes no se conozcan con precisión. Por tanto, siempre resultará necesario seguir procedimientos de tanteo.

No obstante, en la práctica a menudo se enfrentan situaciones en las que una planta no es alterable (esto es, no se tiene la libertad de modificar la dinámica de la planta), y el ingeniero de control tiene que diseñar el resto del sistema, de modo que el conjunto cumpla con las normas previstas en tanto se lleva a cabo la tarea propuesta.

Las especificaciones pueden incluir factores tales como velocidad de respuesta, amortiguamiento razonable, exactitud en estado estacionario, confiabilidad y costo. En algunos casos los requerimientos o especificaciones pueden darse explícitamente, y en otros no. Todos los requerimientos o especificaciones deben interpretarse en términos matemáticos. En el diseño convencional, se debe estar seguro de que el sistema de lazo cerrado sea estable, y que presente características de respuesta transitoria aceptables (esto es, velocidad y amortiguamiento razonables), y exactitud aceptable en estado estacionario.

Es importante recordar que algunas de las especificaciones quizás no sean realistas. En tal caso, las especificaciones deben revisarse en las primeras etapas del diseño. Asimismo las especificaciones dadas, acaso incluyan condiciones contradictorias o conflictivas. Entonces el diseñador debe resolver en forma satisfactoria los conflictos entre los muchos requerimientos dados.

El diseño basado en la teoría de control moderna, requiere que el diseñador tenga un índice de comportamiento o desempeño razonable, que lo guíe en el diseño de un sistema de control. Un *índice de comportamiento* es una medida cuantitativa del comportamiento, que indica la desviación respecto al comportamiento ideal. La selección de un índice de comportamiento particular se determina por los objetivos del sistema de control.

El índice de comportamiento puede ser la integral de una función del error que debe minimizarse. Estos índices de comportamiento, basados en la minimización de la integral de error, pueden usarse tanto en los procedimientos de control moderno, como en los de control convencional. Sin embargo, en general la minimización de un índice de comportamiento se puede lograr mucho más fácilmente utilizando procedimientos de control modernos.

La especificación de la señal de control durante el intervalo de tiempo operativo, recibe el nombre de *ley de control*. Matemáticamente, el problema básico de control es determinar la ley de control óptimo, sujeta a diversas restricciones de ingeniería y de economía, que minimice (o maximice, según el caso) un índice de comportamiento o desempeño determinado. Para el caso de sistemas relativamente simples, se puede hallar la ley de control en forma analítica. En el caso de sistemas complejos, puede requerirse una computadora digital que opere en línea para generar la ley de control óptimo.

Para sistemas de control aeroespacial, el índice de comportamiento puede ser un mínimo en tiempo o en combustible. Para sistemas de control industrial, el índice de comportamiento puede ser el costo mínimo, la confiabilidad máxima, etc. Es importante puntualizar que la elección del índice de comportamiento es sumamente importante, ya que la naturaleza de control óptimo diseñado depende del índice de comportamiento particular que se elige. Hay que seleccionar el índice de comportamiento más adecuado para cada situación.

**Pasos de diseño.** Dada una planta industrial (en la mayoría de los casos, sus dinámicas son inalterables), primeramente se debe(n) elegir sensor(es) y actuador(es) apropiado(s). Luego hay que construir modelos matemáticos adecuados de la planta, sensor(es) y actuador(es). Después, utilizando los modelos matemáticos construidos, se diseña un controlador de tal modo que el sistema de lazo cerrado satisfaga las especificaciones dadas. El controlador diseñado es la solución a la versión matemática del problema de diseño. (Nótese que la teoría de control óptimo es muy útil en esta etapa del diseño, debido a que proporciona el límite superior del comportamiento del sistema para un valor de índice de comportamiento dado).

Tras completar el diseño matemático, el ingeniero de control simula el modelo en una computadora para verificar el comportamiento del sistema resultante en respuesta a diversas señales y perturbaciones. Generalmente, la configuración del sistema inicial no resulta satisfactoria. Luego se debe rediseñar el sistema, y completar el análisis correspondiente. Este proceso de diseño y análisis se repite hasta obtener un sistema satisfactorio. Al cabo, ya se puede construir un prototipo del sistema físico.

Nótese que este proceso de construir un prototipo es el inverso del de modelado. El prototipo es un sistema físico que representa el modelo matemático con exactitud razonable. Una vez construido el prototipo, el ingeniero lo prueba para ver si es satisfactorio o no. Si lo es, el diseño está completo. Si no lo es, el prototipo debe modificarse y ponerse a prueba de nuevo. Este proceso continúa hasta que el prototipo resulte completamente satisfactorio.

Obsérvese que, en el caso de algunos sistemas de control de procesos, se pueden utilizar formas de controladores normalizados [como los controladores PD (proporcional derivativo), PI (proporcional integral), o PID (proporcional integral derivativo)] y los parámetros del controlador se determinan experimentalmente siguiendo un procedimiento normalizado establecido. En este caso, no se requieren modelos matemáticos. Sin embargo, esto es más bien un caso particular.

**Comentarios:**

**1.** El controlador produce señales de control basadas en la diferencia entre la entrada de referencia y la salida. En situaciones prácticas, siempre hay algunas perturbaciones que actúan sobre la planta. Estas perturbaciones pueden ser de origen externo o interno, así como aleatorias o predecibles. El controlador debe tener en cuenta cualquier perturbación que pueda afectar las variables de la salida. En general, un buen sistema de control debe seguir estrechamente las señales de entrada, pero no debe ser sensible a ruidos o variaciones de parámetros externos.

**2.** Es deseable medir y controlar directamente la variable que indica el estado del sistema o calidad del producto. En el caso de sistemas de control de procesos, es deseable medir y controlar directamente la calidad del producto. Sin embargo, esto puede presentar un problema complicado, porque la calidad puede ser difícil de cuantificar. De ser este el caso, se requiere controlar una segunda variable. Por ejemplo, se pueden controlar variables que están directamente relacionadas con la calidad (como temperatura o presión). Por otra parte, dado que otras variables pueden afectar la relación entre la calidad y la variable medida, el control indirecto de un sistema no es por lo común tan eficaz como el control directo. Aunque resulte difícil, se debe tratar siempre de controlar la variable primaria en la forma más directa posible.

## 1-11 PLAN DE LA OBRA

Este libro trata solamente sobre sistemas de control continuos en el tiempo. En seguida se esboza la estructura y contenido de la obra.

La parte I, que comprende los primeros cuatro capítulos, presenta el análisis básico de sistemas de control por los métodos convencional y en el espacio de estado. El capítulo 1, ofrece una introducción al material de análisis de sistemas de control. En el capítulo 2 se analiza el modelado matemático de componentes físicos y sistemas. Aquí se deducen modelos de ecuaciones diferenciales, modelos de función de transferencia, y modelos en el estado de espacio para una variedad de sistemas físicos. En el capítulo 3 se presentan diversas acciones de control. En este capítulo se dan análisis detallados de controladores neumáticos e hidrúalicos. El capítulo 4 se ocupa del análisis de los sistemas de control en el dominio del tiempo. Se investiga en detalle la respuesta transitoria de sistemas de control. Se examina el criterio de estabilidad de Routh para el análisis de estabilidad de sistemas de orden superior. Este capítulo incluye el análisis de error en régimen estacionario, y una introducción a la optimización de sistemas. Finalmente, este capítulo expone el método en el espacio de estado para el análisis de la respuesta transitoria de sistemas de control. Se incluye, además, una breve explicación de la solución de las ecuaciones de estado por computadora.

La parte II consta de los cuatro capítulos siguientes y presenta análisis de sistemas de control y diseño por métodos convencionales. En particular, el capítulo 5 presenta el análisis del lugar de las raíces, mientras el capítulo 6 trata del análisis de respuesta en frecuencia. Se deduce el criterio de estabilidad de Nyquist y se aplica al análisis de estabilidad de sistemas de control. El capítulo 7 trata las técnicas del diseño y la compensación. Se presentan ejemplos de compensación de sistemas mediante la aplicación de técnicas del lugar de las raíces y de la respuesta en frecuencia. El capítulo 8 expone el análisis de los sistemas de control no lineales, con la utilización de la función descriptiva.

La parte III consiste en los dos últimos capítulos. Presenta el análisis y diseño de sistemas de control por los métodos en el espacio de estado. El capítulo 9 ofrece los fundamentos de la teoría de control moderna, incluyendo los conceptos de controlabilidad y observabilidad. El capítulo 10 trata el diseño de sistemas de control por medio de la ubicación de polos, diseño de observadores de estado, diseño de servosistemas, diseño de sistemas de control óptimo basado en índices de comportamiento o desempeño cuadrático, y análisis sobre sistemas de control con modelos de referencia y sistemas de control adaptables. Aunque se presume que el lector posee la base necesaria de conocimientos de análisis vectorial-matricial, en el apéndice se ofrece un resumen razonablemente detallado sobre análisis vectorial-matricial, para una referencia conveniente.

Los métodos del lugar de las raíces y de la respuesta en frecuencia, el corazón de la teoría clásica o convencional, se utilizan ampliamente en la industria. Son de utilidad al tratar sistemas de control lineales, invariantes en el tiempo, de entrada y salida únicas. La teoría de control moderna es aplicable tanto a sistemas de entrada única, salida única, como a sistemas de entradas múltiples, salidas múltiples. La teoría de control moderna permite también al diseñador tener en cuenta condiciones iniciales arbitrarias en la síntesis de sistemas de control óptimo. En tales síntesis quizá sea necesario ocuparse sólo de los aspectos analíticos del problema. Se puede programar una computadora digital para manejar todos los cálculos numéricos. Esta es una de las ventajas básicas de la teoría de control moderna.

Es importante notar que la teoría de control moderna no remplaza totalmente a la teoría de control convencional (o clásica); ambos procedimientos se complementan. El objetivo de este texto es presentar los aspectos útiles de ambos, de la teoría de control convencional y de la teoría de control moderna, y dar al lector una buena base en el uso de diversas herramientas para el análisis y diseño de sistemas de control modernos.

## *Ejemplos de problemas y soluciones*

**A-1-1.** Haga una lista de las principales ventajas y desventajas de los sistemas de control de lazo abierto.

**Solución.** Las ventajas de los sistemas de control de lazo abierto son:

1. Fácil instalación y mantenimiento sencillo.
2. Más económico que un sistema de lazo cerrado equivalente.
3. No hay problema de estabilidad.
4. Es conveniente, cuando es difícil o económicamente inconveniente medir la salida. (Por ejemplo, en un sistema de lavado, sería muy costoso agregar un dispositivo para determinar la calidad de la salida, en este caso, la limpieza de las prendas lavadas).

Las desventajas de los sistemas de control a lazo abierto son:

1. Las perturbaciones y las modificaciones en la calibración ocasionan errores, y la salida puede diferir de la deseada.
2. Para mantener la calidad requerida a la salida, hay que efectuar una recalibración periódicamente.

**A-1-2.** La figura 1-32(a) es un diagrama de un sistema de control de nivel de líquido. Aquí el controlador automático mantiene el nivel del líquido comparando el nivel efectivo con el deseado, y corrigiendo cualquier error por medio del ajuste de la apertura de la válvula neumática. La figura 1-32(b) es un diagrama de bloques del sistema de control. Dibuje el diagrama de bloques correspondiente para un sistema de control de nivel de líquido operado por un ser humano.

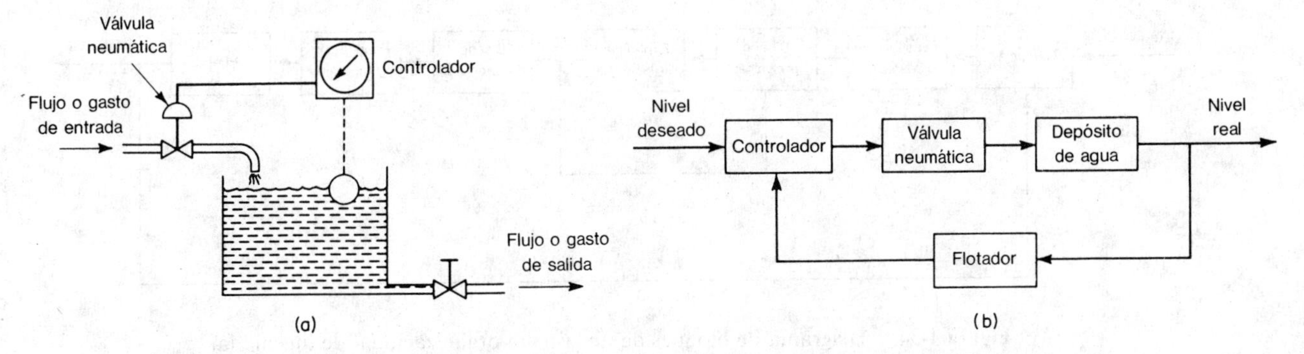


**Figura 1-32** (a) Sistema de control de nivel de líquido; (b) diagrama de bloques.

**Solución.** En el sistema de operación humana, al sensor, al controlador y a la válvula neumática, corresponden ojos, cerebro y músculos, respectivamente. En la figura 1-33 se puede ver un diagrama de bloques.

**A-1-3.** Un sistema organizacional de ingeniería está compuesto por diversos grupos primarios, como gerencia, investigación y desarrollo, diseño preliminar, experimentación, diseño y diagramación de productos, fabricación y montaje y pruebas. Estos grupos, se interrelacionan entre sí para constituir la operación global de la empresa.

El sistema puede analizarse reduciéndolo al conjunto de componentes más elemental que pueda brindar el detalle analítico requerido, y representando las características dinámicas de cada componente mediante un conjunto de ecuaciones simples. (El comportamiento dinámico de un sistema como éste) se puede determinar a partir de la relación entre los logros progresivos y el tiempo).

Dibuje un diagrama funcional que muestre un sistema organizacional de ingeniería.

**Solución.** Un diagrama de bloques funcional se puede dibujar empleando bloques que representen las actividades funcionales, y líneas de señal de interconexión, que representan la información o producto de salida de operación del sistema. En la figura 1-34 aparece un diagrama de bloques posible para este caso.

**A-1-4.** Halle los polos de la siguiente $F(s)$:

$$F(s) = \frac{1}{1 - e^{-s}}$$

**Solución.** Se encuentran los polos

$$e^{-s} = 1$$

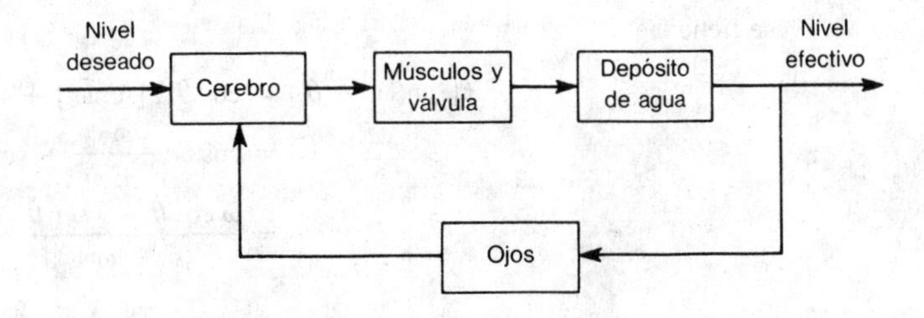


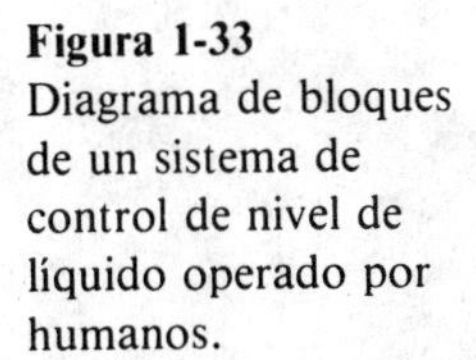
**Figura 1-33** Diagrama de bloques de un sistema de control de nivel de líquido operado por humanos.

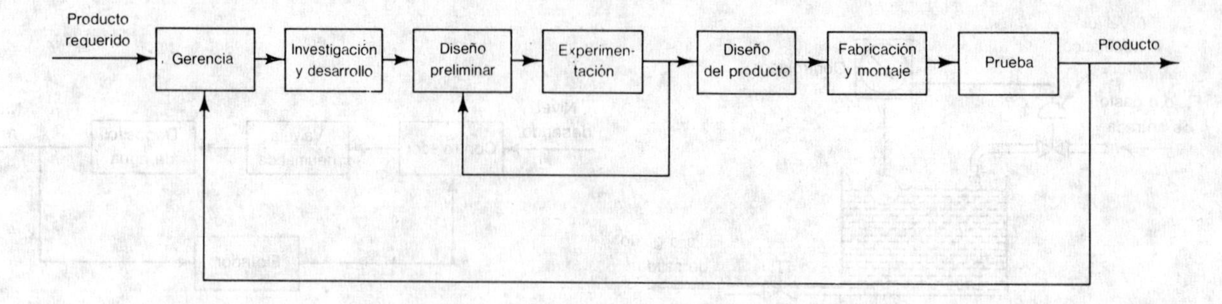


**Figura 1-34** Diagrama de bloques de un sistema organizacional de ingeniería.

o

$$e^{-(\sigma + j\omega)} = e^{-\sigma}(\cos \omega - j \operatorname{sen} \omega) = 1$$

De aquí resulta que $\sigma = 0$, $\omega = \pm 2n\pi$ $(n = 0,1,2, \ldots)$. Entonces, los polos están ubicados en

$$s = \pm j2n\pi \qquad (n = 0,1,2, \ldots)$$

**A–1–5.** Halle la transformada de Laplace de $f(t)$ definida por

$$\begin{aligned} f(t) &= 0 && (t < 0) \\ &= te^{-3t} && (t \geq 0) \end{aligned}$$

**Solución.** Como

$$\mathscr{L}[t] = G(s) = \frac{1}{s^2}$$

con referencia a la ecuación (1-5), se obtiene

$$F(s) = \mathscr{L}[te^{-3t}] = G(s + 3) = \frac{1}{(s + 3)^2}$$

**A–1–6.** ¿Cuál es la transformada de Laplace de

$$\begin{aligned} f(t) &= 0 && (t < 0) \\ &= \operatorname{sen}(\omega t + \theta) && (t \geq 0) \end{aligned}$$

donde $\theta$ es una constante?

**Solución.** Considerando que

$$\operatorname{sen}(\omega t + \theta) = \operatorname{sen} \omega t \cos \theta + \cos \omega t \operatorname{sen} \theta$$

se tiene

$$\begin{aligned} \mathscr{L}[\operatorname{sen}(\omega t + \theta)] &= \cos \theta \, \mathscr{L}[\operatorname{sen} \omega t] + \operatorname{sen} \theta \, \mathscr{L}[\cos \omega t] \\ &= \cos \theta \frac{\omega}{s^2 + \omega^2} + \operatorname{sen} \theta \frac{s}{s^2 + \omega^2} \\ &= \frac{\omega \cos \theta + s \operatorname{sen} \theta}{s^2 + \omega^2} \end{aligned}$$

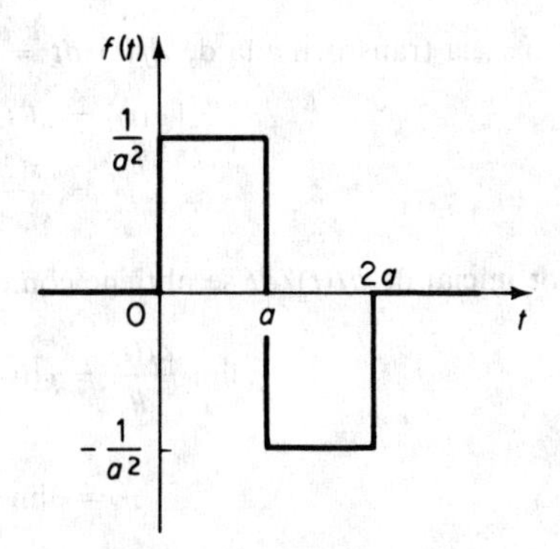


**Figura 1-35**
Función $f(t)$.

**A–1–7.** Halle la transformada de Laplace $F(s)$ de la función $f(t)$ mostrada en la figura 1-35. Hallar también el valor límite de $F(s)$ cuando $a$ tiende a cero.

**Solución.** La función $f(t)$ se puede escribir de la forma siguiente

$$f(t) = \frac{1}{a^2}\,1(t) - \frac{2}{a^2}\,1(t-a) + \frac{1}{a^2}\,1(t-2a)$$

Entonces

$$\begin{aligned} F(s) &= \mathcal{L}[f(t)] \\ &= \frac{1}{a^2}\mathcal{L}[1(t)] - \frac{2}{a^2}\mathcal{L}[1(t-a)] + \frac{1}{a^2}\mathcal{L}[1(t-2a)] \\ &= \frac{1}{a^2}\frac{1}{s} - \frac{2}{a^2}\frac{1}{s}e^{-as} + \frac{1}{a^2}\frac{1}{s}e^{-2as} \\ &= \frac{1}{a^2 s}(1 - 2e^{-as} + e^{-2as}) \end{aligned}$$

Al tender $a$ hacia cero, se tiene que

$$\begin{aligned} \lim_{a\to 0} F(s) &= \lim_{a\to 0}\frac{1 - 2e^{-as} + e^{-2as}}{a^2 s} = \lim_{a\to 0}\frac{\dfrac{d}{da}(1 - 2e^{-as} + e^{-2as})}{\dfrac{d}{da}(a^2 s)} \\ &= \lim_{a\to 0}\frac{2se^{-as} - 2se^{-2as}}{2as} = \lim_{a\to 0}\frac{e^{-as} - e^{-2as}}{a} \\ &= \lim_{a\to 0}\frac{\dfrac{d}{da}(e^{-as} - e^{-2as})}{\dfrac{d}{da}(a)} = \lim_{a\to 0}\frac{-se^{-as} + 2se^{-2as}}{1} \\ &= -s + 2s = s \end{aligned}$$

**A–1–8.** Halle el valor inicial de $df(t)/dt$ cuando la transformada de Laplace de $f(t)$ está dada por

$$F(s) = \mathcal{L}[f(t)] = \frac{2s+1}{s^2+s+1}$$

**Solución.** Utilizando el teorema del valor inicial,

$$\lim_{t\to 0+} f(t) = f(0+) = \lim_{s\to\infty} sF(s) = \lim_{s\to\infty}\frac{s(2s+1)}{s^2+s+1} = 2$$

Al ser $\mathcal{L}_+$, la transformada de $df(t)/dt = g(t)$ está dada por

$$\mathcal{L}_+[g(t)] = sF(s) - f(0+)$$
$$= \frac{s(2s+1)}{s^2+s+1} - 2 = \frac{-s-2}{s^2+s+1}$$

el valor inicial de $df(t)/dt$ se obtiene como

$$\lim_{t\to 0+} \frac{df(t)}{dt} = g(0+) = \lim_{s\to\infty} s[sF(s) - f(0+)]$$
$$= \lim_{s\to\infty} \frac{-s^2-2s}{s^2+s+1} = -1$$

**A–1–9.** La derivada de la función impulso unitario $\delta(t)$ se denomina función *dupla-unitaria*. (Así, la integral de la función dupla-unitaria es la función impulso unitario). Matemáticamente se puede dar un ejemplo de la función dupla-unitaria, que generalmente se designa por $u_2(t)$.

$$u_2(t) = \lim_{t_0\to 0} \frac{1(t) - 2[1(t-t_0)] + 1(t-2t_0)}{t_0^2}$$

Se pide obtener la transformada de Laplace de $u_2(t)$.

**Solución.** La transformada de Laplace de $u_2(t)$ está dada por

$$\mathcal{L}[u_2(t)] = \lim_{t_0\to 0} \frac{1}{t_0^2}\left(\frac{1}{s} - \frac{2}{s}e^{-t_0 s} + \frac{1}{s}e^{-2t_0 s}\right)$$
$$= \lim_{t_0\to 0} \frac{1}{t_0^2 s}\left[1 - 2\left(1 - t_0 s + \frac{t_0^2 s^2}{2} + \cdots\right) + \left(1 - 2t_0 s + \frac{4t_0^2 s^2}{2} + \cdots\right)\right]$$
$$= \lim_{t_0\to 0} \frac{1}{t_0^2 s}\left[t_0^2 s^2 + (\text{términos de orden superior en } t_0 s)\right] = s$$

**A–1–10.** Halle la transformada de Laplace de $f(t)$ definida por

$$f(t) = 0 \qquad (t < 0)$$
$$= t^2 \operatorname{sen} \omega t \qquad (t \geq 0)$$

**Solución.** Como

$$\mathcal{L}[\operatorname{sen}\omega t] = \frac{\omega}{s^2+\omega^2}$$

aplicando al teorema de diferenciación compleja

$$\mathcal{L}[t^2 f(t)] = \frac{d^2}{ds^2}F(s)$$

a este problema, se tiene

$$\mathcal{L}[f(t)] = \mathcal{L}[t^2 \operatorname{sen}\omega t] = \frac{d^2}{ds^2}\left[\frac{\omega}{s^2+\omega^2}\right] = \frac{-2\omega^3 + 6\omega s^2}{(s^2+\omega^2)^3}$$

**A–1–11.** Pruebe que si $f(t)$ es de orden exponencial y si existe $\int_0^\infty f(t)\,dt$ [lo que significa que $\int_0^\infty f(t)\,dt$ asume un valor definido], entonces

$$\int_0^{\infty} f(t)\,dt = \lim_{s\to 0} F(s)$$

donde $F(s) = \mathscr{L}[f(t)]$.

**Solución.** Nótese que

$$\int_0^{\infty} f(t)\,dt = \lim_{t\to\infty} \int_0^{t} f(t)\,dt$$

con referencia a la ecuación (1-8),

$$\mathscr{L}\left[\int_0^{t} f(t)\,dt\right] = \frac{F(s)}{s}$$

Como $\int_0^{\infty} f(t)\,dt$ existe, aplicando a este caso el teorema del valor final,

$$\lim_{t\to\infty} \int_0^{t} f(t)\,dt = \lim_{s\to 0} s\frac{F(s)}{s}$$

o

$$\int_0^{\infty} f(t)\,dt = \lim_{s\to 0} F(s)$$

**A–1–12.** Determine la transformada de Laplace de la integral de convolución

$$f_1(t)*f_2(t) = \int_0^{t} \tau[1 - e^{-(t-\tau)}]\,d\tau = \int_0^{t} (t-\tau)(1 - e^{-\tau})\,d\tau$$

donde

$$f_1(t) = f_2(t) = 0 \qquad \text{para } t < 0$$

$$f_1(t) = t \qquad \text{para } t \geq 0$$

$$f_2(t) = 1 - e^{-t} \qquad \text{para } t \geq 0$$

**Solución.** Nótese que

$$\mathscr{L}[t] = F_1(s) = \frac{1}{s^2}$$

$$\mathscr{L}[1 - e^{-t}] = F_2(s) = \frac{1}{s} - \frac{1}{s+1}$$

La transformada de Laplace de la integral de convolución está dada por

$$\mathscr{L}[f_1(t)*f_2(t)] = F_1(s)F_2(s) = \frac{1}{s^2}\left(\frac{1}{s} - \frac{1}{s+1}\right)$$

$$= \frac{1}{s^3} - \frac{1}{s^2(s+1)} = \frac{1}{s^3} - \frac{1}{s^2} + \frac{1}{s} - \frac{1}{s+1}$$

Para verificar que efectivamente es la transformada de Laplace de la integral de convolución, se puede realizar primero la convolución y luego tomar su transformada de Laplace.

$$f_1(t)*f_2(t) = \int_0^{t} \tau[1 - e^{-(t-\tau)}]\,d\tau = \int_0^{t} (t-\tau)(1 - e^{-\tau})\,d\tau$$

$$= \frac{t^2}{2} - t + 1 - e^{-t}$$

Y así

$$\mathcal{L}\left[\frac{t^2}{2} - t + 1 - e^{-t}\right] = \frac{1}{s^3} - \frac{1}{s^2} + \frac{1}{s} - \frac{1}{s+1}$$

**A–1–13.** Pruebe que si $f(t)$ es una función periódica con periodo $T$, entonces

$$\mathcal{L}[f(t)] = \frac{\int_0^T f(t)e^{-st}\,dt}{1 - e^{-Ts}}$$

**Solución.**

$$\mathcal{L}[f(t)] = \int_0^\infty f(t)e^{-st}\,dt = \sum_{n=0}^{\infty} \int_{nT}^{(n+1)T} f(t)\,e^{-st}\,dt$$

Cambiando la variable independiente de $t$ a $\tau$, donde $\tau = t - nT$,

$$\mathcal{L}[f(t)] = \sum_{n=0}^{\infty} e^{-nTs} \int_0^T f(\tau)e^{-s\tau}\,d\tau$$

Considerando que

$$\begin{aligned}\sum_{n=0}^{\infty} e^{-nTs} &= 1 + e^{-Ts} + e^{-2Ts} + \cdots \\ &= 1 + e^{-Ts}(1 + e^{-Ts} + e^{-2Ts} + \cdots) \\ &= 1 + e^{-Ts}\left(\sum_{n=0}^{\infty} e^{-nTs}\right)\end{aligned}$$

se obtiene

$$\sum_{n=0}^{\infty} e^{-nTs} = \frac{1}{1 - e^{-Ts}}$$

Por tanto se sigue que

$$\mathcal{L}[f(t)] = \frac{\int_0^T f(t)e^{-st}\,dt}{1 - e^{-Ts}}$$

**A–1–14.** ¿Cuál es la transformada de Laplace de la función periódica que aparece en la figura 1-36?

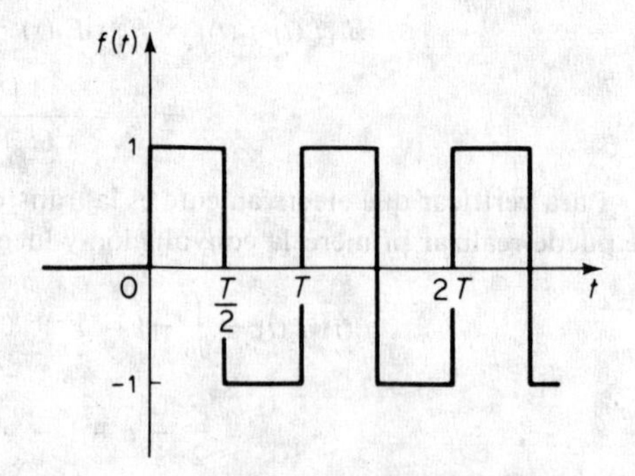


**Figura 1-36**
Función periódica (onda cuadrada).

**Solución.** Nótese que

$$\int_0^T f(t)e^{-st}\,dt = \int_0^{T/2} e^{-st}\,dt + \int_{T/2}^{T} (-1)e^{-st}\,dt$$

$$= \frac{e^{-st}}{-s}\bigg|_0^{T/2} - \frac{e^{-st}}{-s}\bigg|_{T/2}^{T}$$

$$= \frac{e^{-(1/2)Ts} - 1}{-s} + \frac{e^{-Ts} - e^{-(1/2)Ts}}{s}$$

$$= \frac{1}{s}[e^{-Ts} - 2e^{-(1/2)Ts} + 1]$$

$$= \frac{1}{s}[1 - e^{-(1/2)Ts}]^2$$

Con referencia al Problema A-1-13, se tiene

$$F(s) = \frac{\int_0^T f(t)e^{-st}\,dt}{1 - e^{-Ts}} = \frac{(1/s)[1 - e^{-(1/2)Ts}]^2}{1 - e^{-Ts}}$$

$$= \frac{1 - e^{-(1/2)Ts}}{s[1 + e^{-(1/2)Ts}]} = \frac{1}{s}\tanh\frac{Ts}{4}$$

**A–1–15.** Halle la transformada inversa de Laplace de $F(s)$, donde

$$F(s) = \frac{1}{s(s^2 + 2s + 2)}$$

**Solución.** Como

$$s^2 + 2s + 2 = (s + 1 + j1)(s + 1 - j1)$$

se puede ver que $F(s)$ comprende un par de polos complejos conjugados, así que $F(s)$ se expande a la forma

$$F(s) = \frac{1}{s(s^2 + 2s + 2)} = \frac{a_1}{s} + \frac{a_2 s + a_3}{s^2 + 2s + 2}$$

donde $a_1$, $a_2$ y $a_3$ se determinan por

$$1 = a_1(s^2 + 2s + 2) + (a_2 s + a_3)s$$

Comparando los coeficientes de los términos en $s^2$, $s$ y $s^0$, respectivamente, en ambos miembros de esta última ecuación, se obtiene

$$a_1 + a_2 = 0, \qquad 2a_1 + a_3 = 0, \qquad 2a_1 = 1$$

de donde

$$a_1 = \frac{1}{2}, \qquad a_2 = -\frac{1}{2}, \qquad a_3 = -1$$

Por tanto,

$$F(s) = \frac{1}{2}\frac{1}{s} - \frac{1}{2}\frac{s + 2}{s^2 + 2s + 2}$$

$$= \frac{1}{2}\frac{1}{s} - \frac{1}{2}\frac{1}{(s + 1)^2 + 1^2} - \frac{1}{2}\frac{s + 1}{(s + 1)^2 + 1^2}$$

La transformada inversa de Laplace de $F(s)$ da

$$f(t) = \frac{1}{2} - \frac{1}{2} e^{-t} \operatorname{sen} t - \frac{1}{2} e^{-t} \cos t \qquad (t \geq 0)$$

**A–1–16.** Obtenga la transformada inversa de Laplace de

$$F(s) = \frac{5(s + 2)}{s^2(s + 1)(s + 3)}$$

**Solución.**

$$F(s) = \frac{5(s + 2)}{s^2(s + 1)(s + 3)} = \frac{b_2}{s^2} + \frac{b_1}{s} + \frac{a_1}{s + 1} + \frac{a_2}{s + 3}$$

donde

$$a_1 = \left.\frac{5(s + 2)}{s^2(s + 3)}\right|_{s=-1} = \frac{5}{2}$$

$$a_2 = \left.\frac{5(s + 2)}{s^2(s + 1)}\right|_{s=-3} = \frac{5}{18}$$

$$b_2 = \left.\frac{5(s + 2)}{(s + 1)(s + 3)}\right|_{s=0} = \frac{10}{3}$$

$$b_2 = \frac{d}{ds}\left[\frac{5(s + 2)}{(s + 1)(s + 3)}\right]_{s=0}$$

$$= \left.\frac{5(s + 1)(s + 3) - 5(s + 2)(2s + 4)}{(s + 1)^2(s + 3)^2}\right|_{s=0} = -\frac{25}{9}$$

Por tanto

$$F(s) = \frac{10}{3}\frac{1}{s^2} - \frac{25}{9}\frac{1}{s} + \frac{5}{2}\frac{1}{s + 1} + \frac{5}{18}\frac{1}{s + 3}$$

La transformada inversa de Laplace de $F(s)$ es

$$f(t) = \frac{10}{3} t - \frac{25}{9} + \frac{5}{2} e^{-t} + \frac{5}{18} e^{-3t} \qquad (t \geq 0)$$

**A–1–17.** Halle la transformada inversa de Laplace de

$$F(s) = \frac{s^4 + 2s^3 + 3s^2 + 4s + 5}{s(s + 1)}$$

**Solución.** Como el polinomio numerador es de grado superior al del polinomio denominador, dividiendo el numerador entre el denominador hasta que el resto sea una fracción, se tiene

$$F(s) = s^2 + s + 2 + \frac{2s + 5}{s(s + 1)} = s^2 + s + 2 + \frac{a_1}{s} + \frac{a_2}{s + 1}$$

donde

$$a_1 = \left.\frac{2s + 5}{s + 1}\right|_{s=0} = 5$$

$$a_2 = \left. \frac{2s + 5}{s} \right|_{s=-1} = -3$$

De aquí se sigue que

$$F(s) = s^2 + s + 2 + \frac{5}{s} - \frac{3}{s+1}$$

La transformada inversa de Laplace de $F(s)$ es

$$f(t) = \mathcal{L}^{-1}[F(s)] = \frac{d^2}{dt^2}\delta(t) + \frac{d}{dt}\delta(t) + 2\,\delta(t) + 5 - 3e^{-t} \qquad (t \geq 0-)$$

**A–1–18.** Deduzca la transformada inversa de Laplace de

$$F(s) = \frac{1}{s(s^2 + \omega^2)}$$

**Solucio**

$$F(s) = \frac{1}{s(s^2 + \omega^2)} = \frac{1}{\omega^2}\frac{1}{s} - \frac{1}{\omega^2}\frac{s}{s^2 + \omega^2}$$

Por tanto, la transformada inversa de Laplace se obtiene de $F(s)$:

$$f(t) = \mathcal{L}^{-1}[F(s)] = \frac{1}{\omega^2}(1 - \cos \omega t) \qquad (t \geq 0)$$

**A–1–19.** Obtenga la transformada inversa de Laplace de la siguiente $F(s)$

$$F(s) = \frac{B(s)}{A(s)} = \frac{B(s)}{(s + p_1)^r(s + p_{r+1})(s + p_{r+2}) \cdots (s + p_n)}$$

donde el grado del polinomio $B(s)$ es menor que el del polinomio $A(s)$.

**Solución.** La expansión de $F(s)$ en fracciones parciales es

$$F(s) = \frac{B(s)}{A(s)} = \frac{b_r}{(s + p_1)^r} + \frac{b_{r-1}}{(s + p_1)^{r-1}} + \cdots + \frac{b_1}{s + p_1} + \frac{a_{r+1}}{s + p_{r+1}} + \frac{a_{r+2}}{s + p_{r+2}} + \cdots + \frac{a_n}{s + p_n} \qquad (1\text{–}55)$$

donde $b_r, b_{r-1}, \ldots, b_1$ están dados por

$$b_r = \left[ (s + p_1)^r \frac{B(s)}{A(s)} \right]_{s=-p_1}$$

$$b_{r-1} = \left\{ \frac{d}{ds} \left[ (s + p_1)^r \frac{B(s)}{A(s)} \right] \right\}_{s=-p_1}$$

$$\vdots$$

$$b_{r-j} = \frac{1}{j!} \left\{ \frac{d^j}{ds^j} \left[ (s + p_1)^r \frac{B(s)}{A(s)} \right] \right\}_{s=-p_1}$$

.
.
.

$$b_1 = \frac{1}{(r-1)!}\left\{\frac{d^{r-1}}{ds^{r-1}}\left[(s+p_1)^r \frac{B(s)}{A(s)}\right]\right\}_{s=-p_1}$$

Estas relaciones para los valores de $b$ pueden obtenerse como sigue: multiplicando ambos miembros de la ecuación (1-55) por $(s + p_1)^r$ y dejando que $s$ tienda a $-p_1$ se obtiene

$$b_r = \left[(s+p_1)^r \frac{B(s)}{A(s)}\right]_{s=-p_1}$$

Si ambos miembros de la ecuación (1-55) se multiplican por $(s + p_1)^r$ y luego se diferencia con respecto a $s$,

$$\frac{d}{ds}\left[(s+p_1)^r \frac{B(s)}{A(s)}\right] = b_r \frac{d}{ds}\left[\frac{(s+p_1)^r}{(s+p_1)^r}\right] + b_{r-1}\frac{d}{ds}\left[\frac{(s+p_1)^r}{(s+p_1)^{r-1}}\right]$$
$$+ \cdots + b_1 \frac{d}{ds}\left[\frac{(s+p_1)^r}{s+p_1}\right] + a_{r+1}\frac{d}{ds}\left[\frac{(s+p_1)^r}{s+p_{r+1}}\right]$$
$$+ \cdots + a_n \frac{d}{ds}\left[\frac{(s+p_1)^r}{s+p_n}\right]$$

El primer término del miembro derecho de esta última ecuación desaparece. El segundo término se convierte en $b_{r-1}$. Cada uno de los demás términos contiene como factor alguna potencia de $(s + p_1)$, con el resultado de que, cuando $s$ se aproxima a $-p_1$ esos términos desaparecen. Por tanto,

$$b_{r-1} = \lim_{s\to -p_1} \frac{d}{ds}\left[(s+p_1)^r \frac{B(s)}{A(s)}\right]$$
$$= \left\{\frac{d}{ds}\left[(s+p_1)^r \frac{B(s)}{A(s)}\right]\right\}_{s=-p_1}$$

En forma similar, realizando diferenciaciones sucesivas respecto a $s$ y dejando que $s$ tienda a $-p_1$, se obtienen ecuaciones para las $b_{r-j}$, donde $j = 2, 3, \ldots, r-1$.

Nótese que la transformada inversa de Laplace de $1/(s + p_1)^n$ está dada por

$$\mathscr{L}^{-1}\left[\frac{1}{(s+p_1)^n}\right] = \frac{t^{n-1}}{(n-1)!}e^{-p_1 t}$$

Las constantes $a_{r+1}, a_{r+2}, \ldots, a_n$ de la ecuación (1-55) se determinan a partir de

$$a_k = \left[(s+p_k)\frac{B(s)}{A(s)}\right]_{s=-p_k} \qquad (k = r+1, r+2, \ldots, n)$$

Entonces se obtiene la transformada inversa de Laplace de $F(s)$ del modo siguiente:

$$f(t) = \mathscr{L}^{-1}[F(s)] = \left[\frac{b_r}{(r-1)!}t^{r-1} + \frac{b_{r-1}}{(r-2)!}t^{r-2} + \cdots + b_2 t + b_1\right]e^{-p_1 t}$$
$$+ a_{r+1}e^{-p_{r+1}t} + a_{r+2}e^{-p_{r+2}t} + \cdots + a_n e^{-p_n t} \qquad (t \geq 0)$$

**A–1–20.** Hallar la transformada de Laplace de la siguiente ecuación diferencial:

$$\ddot{x} + 3\dot{x} + 6x = 0, \qquad x(0) = 0, \qquad \dot{x}(0) = 3$$

Tomando la transformada inversa de Laplace de $X(s)$, se obtiene la solución temporal.

**Solución.** La transformada de Laplace de la ecuación diferencial es

$$s^2X(s) - sx(0) - \dot{x}(0) + 3sX(s) - 3x(0) + 6X(s) = 0$$

Sustituyendo las condiciones iniciales y despejando $X(s)$

$$X(s) = \frac{3}{s^2 + 3s + 6} = \frac{2\sqrt{3}}{\sqrt{5}} \frac{\frac{\sqrt{15}}{2}}{(s + 1.5)^2 + \left(\frac{\sqrt{15}}{2}\right)^2}$$

La transformada inversa de Laplace de $X(s)$ es

$$x(t) = \frac{2\sqrt{3}}{\sqrt{5}} e^{-1.5t} \operatorname{sen}\left(\frac{\sqrt{15}}{2} t\right)$$

**A–1–21.** Sea el sistema mecánico que aparece en la figura 1-37. Supóngase que el sistema se pone en movimiento por una fuerza de impulso unitario. Encontrar la oscilación resultante. Supóngase que el sistema está inicialmente en reposo.

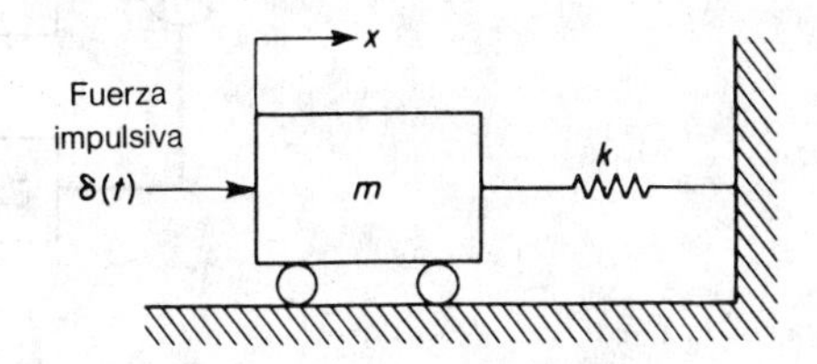


**Figura 1-37**
Sistema mecánico.

**Solución.** El sistema es excitado por un impulso unitario. Por tanto,

$$m\ddot{x} + kx = \delta(t)$$

Tomando la transformada de Laplace en ambos miembros de esta ecuación, se tiene

$$m[s^2X(s) - sx(0) - \dot{x}(0)] + kX(s) = 1$$

Sustituyendo las condiciones iniciales $x(0) = 0$ y $x(0) = 0$ en esta última ecuación y despejando $X(s)$ se obtiene

$$X(s) = \frac{1}{ms^2 + k}$$

La transformada inversa de Laplace de $X(s)$ se hace

$$x(t) = \frac{1}{\sqrt{mk}} \operatorname{sen} \sqrt{\frac{k}{m}}\, t$$

La oscilación es un movimiento armónico simple. La amplitud de la oscilación es $1/\sqrt{mk}$.

**A–1–22.** Simplifique el diagrama de bloques de la figura 1-38.

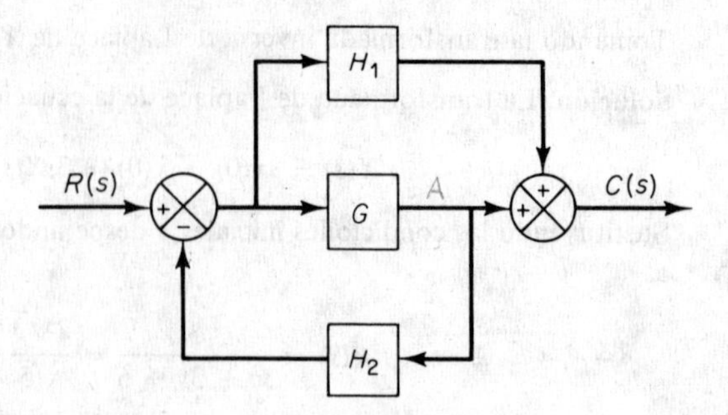


**Figura 1-38**
Diagrama de bloques de un sistema.

**Solución.** Primeramente desplace el punto de bifurcación del trayecto que incluye a $H_1$ fuera del lazo que abarca a $H_2$, como aparece en la figura 1-39(a). Luego eliminando los dos lazos, se llega a la figura 1-39(b). Combinando ambos bloques en uno, se llega a la figura 1-39(c).

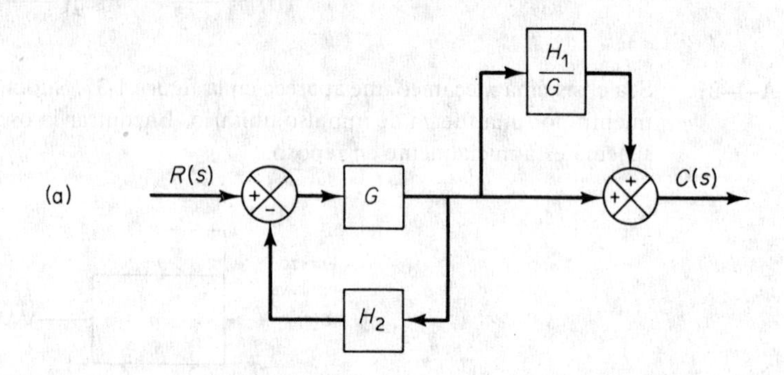


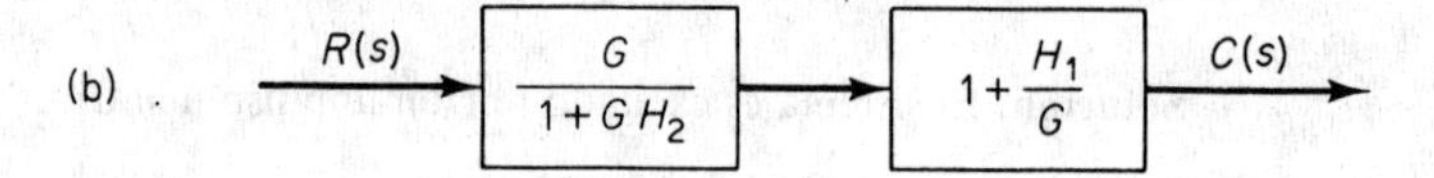


**Figura 1-39**
Diagrama de bloques simplificados para el sistema de la figura 1-38.

**A–1–23.** Simplificar el diagrama de bloques de la figura 1-40. Obtenga la función de transferencia que relacione $C(s)$ con $R(s)$.

**Solución.** Se puede modificar el diagrama de bloques de la figura 1-40, para pasar al de la figura 1-41(a). Eliminando el trayecto de retroalimentación menor, se obtiene la figura 1-41(b), que a su vez puede simplificarse para llegar a la mostrada en la figura 1-41(c). La función de transferencia queda entonces dada por

$$\frac{C(s)}{R(s)} = G_1G_2 + G_2 + 1$$

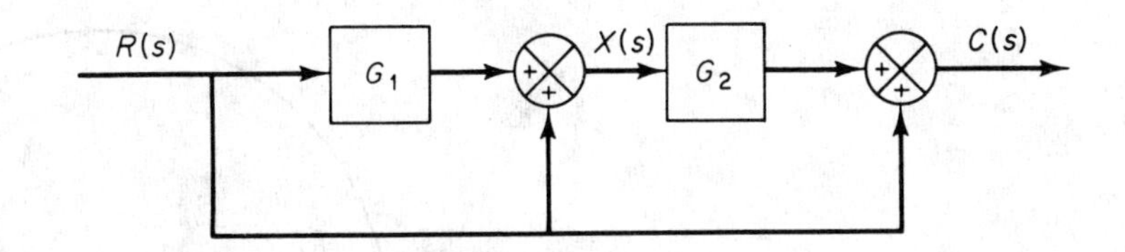


**Figura 1-40**
Diagrama de bloques de un sistema.

Se puede llegar al mismo resultado procediendo como sigue: como la señal $X(s)$ es la suma de dos señales $G_1R(s)$ y $R(s)$ se tiene

$$X(s) = G_1R(s) + R(s)$$

La señal de salida $C(s)$ es la suma de $G_2X(s)$ y $R(s)$. Entonces

$$C(s) = G_2X(s) + R(s) = G_2\,[G_1R(s) + R(s)] + R(s)$$

Y así se llega al mismo resultado que antes:

$$\frac{C(s)}{R(s)} = G_1G_2 + G_2 + 1$$

**A–1–24.** Considere el sistema que se presenta en la figura 1-42. Obténgase la función transferencia de lazo cerrado $H(s)/Q(s)$.

**Solución.** En este sistema hay un solo trayecto directo que conecta la entrada $Q(s)$ y la salida $H(s)$. Así,

$$P_1 = \frac{1}{C_1s}\frac{1}{R_1}\frac{1}{C_2s}$$

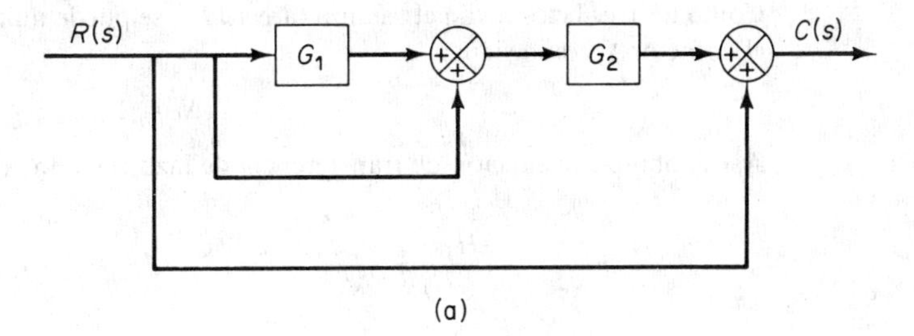


(a)

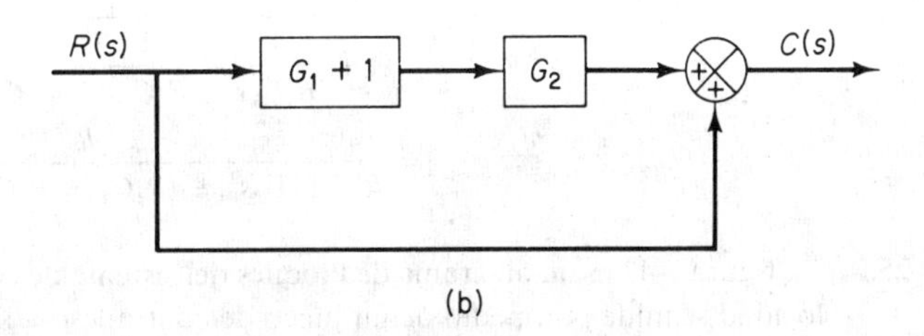


(b)

**Figura 1-41**
Reducción del diagrama de bloques de la Fig. 1-40.

R(s) $\longrightarrow$ $G_1G_2 + G_2 + 1$ $\longrightarrow$ C(s)

(c)

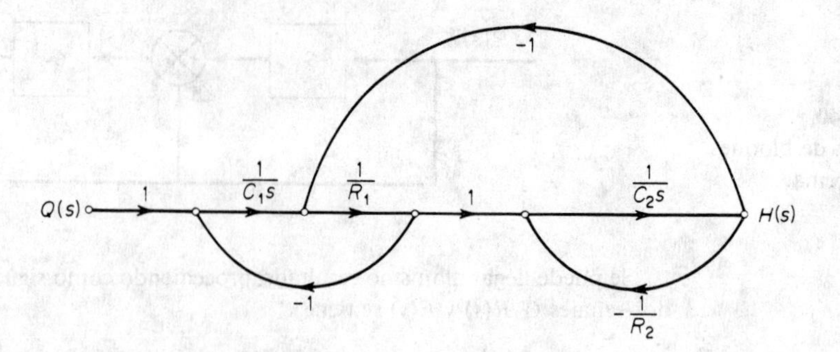


**Figura 1-42**
Gráfico de flujo de señal para un sistema de control.

Hay tres lazos individuales. Entonces

$$L_1 = -\frac{1}{C_1 s}\frac{1}{R_1}$$

$$L_2 = -\frac{1}{C_2 s}\frac{1}{R_2}$$

$$L_3 = -\frac{1}{R_1}\frac{1}{C_2 s}$$

El lazo $L_1$ no toca al lazo $L_2$. (El lazo $L_1$ toca al lazo $L_3$, y el lazo $L_2$ toca al lazo $L_3$). Por tanto el determinante $\Delta$ está dado por

$$\begin{aligned}\Delta &= 1 - (L_1 + L_2 + L_3) + (L_1 L_2)\\ &= 1 + \frac{1}{R_1 C_1 s} + \frac{1}{R_2 C_2 s} + \frac{1}{R_1 C_2 s} + \frac{1}{R_1 C_1 R_2 C_2 s^2}\end{aligned}$$

Como los tres lazos tocan el camino directo $P_1$, se puede quitar $L_1$, $L_2$, $L_3$, y $L_1 L_2$ de $\Delta$ y evaluar el cofactor $\Delta_1$ como sigue:

$$\Delta_1 = 1$$

Así se obtiene la función de transferencia de lazo cerrado como se muestra:

$$\begin{aligned}\frac{H(s)}{Q(s)} &= \frac{P_1 \Delta_1}{\Delta}\\ &= \frac{\dfrac{1}{R_1 C_1 C_2 s^2}}{1 + \dfrac{1}{R_1 C_1 s} + \dfrac{1}{R_2 C_2 s} + \dfrac{1}{R_1 C_2 s} + \dfrac{1}{R_1 C_1 R_2 C_2 s^2}}\\ &= \frac{R_2}{R_1 C_1 R_2 C_2 s^2 + (R_1 C_1 + R_2 C_2 + R_2 C_1)s + 1}\end{aligned}$$

**A–1–25.** La figura 1-43 es un diagrama de bloques del sistema de control de velocidad de un motor. La velocidad se mide por medio de un juego de contrapesos. Dibuje un gráfico de flujo de señal para este sistema.

**Solución.** Con referencia a la figura 1-22(e), se puede trazar un gráfico de flujo de señal para

$$\frac{Y(s)}{X(s)} = \frac{1}{s + 140}$$

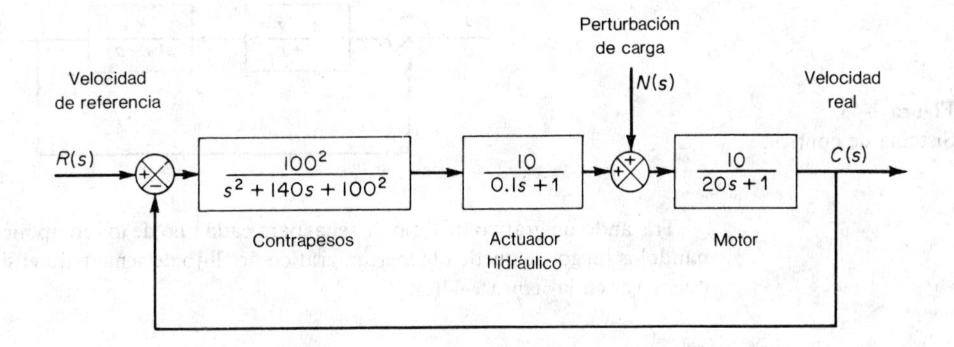


**Figura 1-43**
Diagrama de bloques de un sistema de control de velocidad de un motor.

como aparece en la figura 1-44(a). En forma similar, se puede realizar una gráfica de flujo de señal para

$$\frac{Z(s)}{X(s)} = \frac{1}{s^2 + 140s + 100^2} = \frac{\dfrac{1}{s+140}\dfrac{1}{s}}{1 + \dfrac{100^2}{s+140}\dfrac{1}{s}}$$

como se puede ver en la figura 1-44(b).

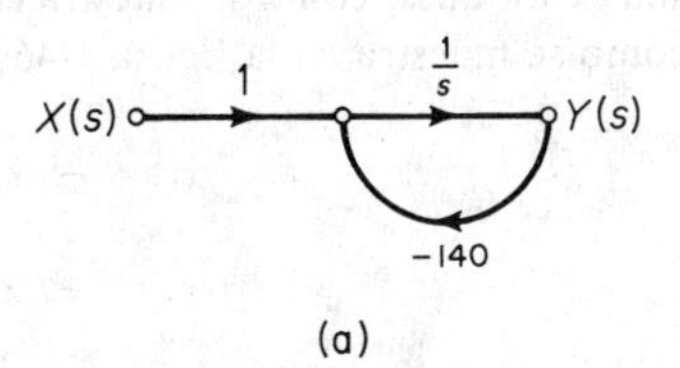


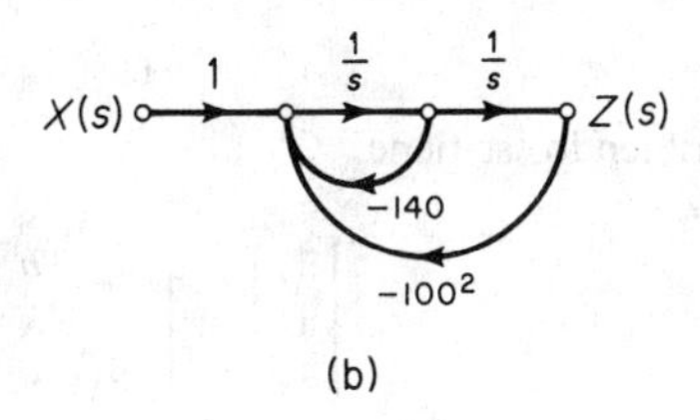


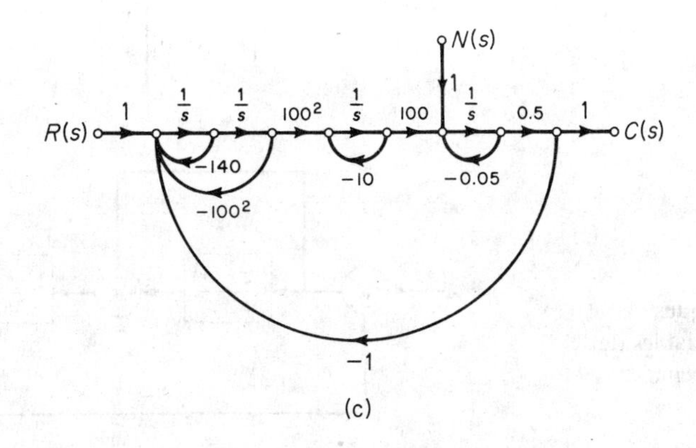


**Figura 1-44**
(a) Gráfico de flujo de señal para $Y(s)/X(s) = 1/(s + 140)$; (b) gráfico de flujo de señal para $Z(s)/X(s) = 1/(s^2 + 140s + 100^2)$; (c) gráfico de flujo de señal para el sistema de la Fig. 1-43.

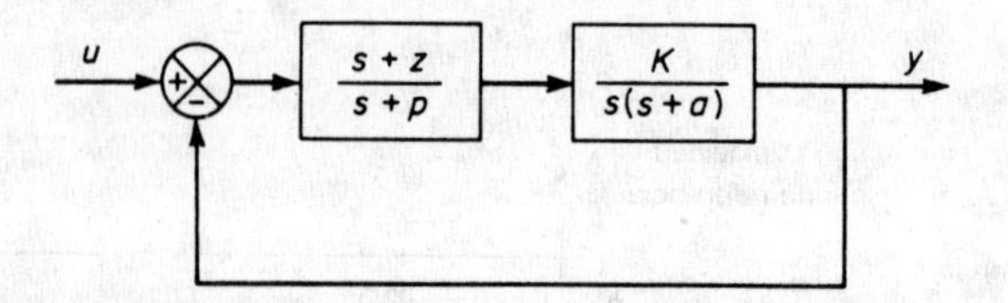


**Figura 1-45**
Sistema de control.

Trazando un gráfico de flujo de señal para cada uno de los componentes del sistema, y combinándolos luego, se puede obtener un gráfico de flujo de señal para el sistema completo, como se puede ver en la figura 1-44(c).

**A–1–26.** Obtenga una representación en el espacio de estado, del sistema que aparece en la figura 1-45.

**Solución.** En este problema, se ha de ilustrar un método para deducir una representación en el espacio de estado, a partir de sistemas dados en forma de diagramas de bloques.

En este problema, primeramente se expande $(s + z)/(s + p)$ en fracciones parciales.

$$\frac{s + z}{s + p} = 1 + \frac{z - p}{s + p}$$

Luego, se convierte $K/[s(s + a)]$ en el producto de $K/s$ y $1/(s + a)$. Luego se vuelve a dibujar el diagrama de bloques, como se muestra en la figura 1-46. Definiendo un juego de variables de estado, como se muestra en la figura 1-46, se obtienen las siguientes ecuaciones:

$$\dot{x}_1 = -ax_1 + x_2$$

$$\dot{x}_2 = -Kx_1 + Kx_3 + Ku$$

$$\dot{x}_3 = -(z - p)x_1 - px_3 + (z - p)u$$

$$y = x_1$$

Reescribiendo, se tiene

$$\begin{bmatrix} \dot{x}_1 \\ \dot{x}_2 \\ \dot{x}_3 \end{bmatrix} = \begin{bmatrix} -a & 1 & 0 \\ -K & 0 & K \\ -(z - p) & 0 & -p \end{bmatrix} \begin{bmatrix} x_1 \\ x_2 \\ x_3 \end{bmatrix} + \begin{bmatrix} 0 \\ K \\ z - p \end{bmatrix} u$$

$$y = [1 \quad 0 \quad 0] \begin{bmatrix} x_1 \\ x_2 \\ x_3 \end{bmatrix}$$

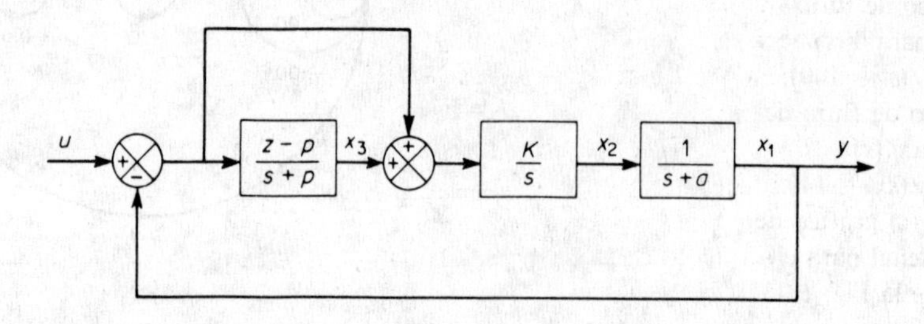


**Figura 1-46**
Diagrama de bloques que define las variables de estado para el sistema de la figura 1-45.

Obsérvese que la salida del integrador y las salidas de los integradores retardados de primer orden $[1/(s + a)$ y $(z - p)/(s + p)]$ se eligen como variables de estado. Es importante recordar que la salida del bloque $(s + z)/(s + p)$ de la figura 1-45 no puede ser una variable de estado, porque este bloque incluye un término derivativo, $s + z$.

**A-1-27.** Sea un sistema definido por las siguientes ecuaciones en el espacio de estado:

$$\begin{bmatrix} \dot{x}_1 \\ \dot{x}_2 \end{bmatrix} = \begin{bmatrix} -5 & -1 \\ 3 & -1 \end{bmatrix} \begin{bmatrix} x_1 \\ x_2 \end{bmatrix} + \begin{bmatrix} 2 \\ 5 \end{bmatrix} u$$

$$y = [1 \quad 2] \begin{bmatrix} x_1 \\ x_2 \end{bmatrix}$$

Obtenga la función de transferencia $G(s)$ del sistema.

**Solución.** Con referencia a la ecuación (1-53), la función transferencia del sistema puede hallarse como sigue (téngase en cuenta que en este caso $D = 0$):

$$\begin{aligned} G(s) &= \mathbf{C}(s\mathbf{I} - \mathbf{A})^{-1}\mathbf{B} \\ &= [1 \quad 2] \begin{bmatrix} s+5 & 1 \\ -3 & s+1 \end{bmatrix}^{-1} \begin{bmatrix} 2 \\ 5 \end{bmatrix} \\ &= [1 \quad 2] \begin{bmatrix} \dfrac{s+1}{(s+2)(s+4)} & \dfrac{-1}{(s+2)(s+4)} \\ \dfrac{3}{(s+2)(s+4)} & \dfrac{s+5}{(s+2)(s+4)} \end{bmatrix} \begin{bmatrix} 2 \\ 5 \end{bmatrix} \\ &= \frac{12s + 59}{(s+2)(s+4)} \end{aligned}$$

## PROBLEMAS

**B-1-1.** Muchos sistemas de control de lazo abierto y de lazo cerrado pueden encontrarse en casas-habitación. Haga una lista de ejemplos diversos y descríbalos.

**B-1-2.** La figura 1-47 muestra un sistema de control de tensión. Explique la secuencia de acciones de control cuando de súbito y por un breve periodo varía la velocidad de alimentación.

**B-1-3.** Algunas máquinas herramienta, como tornos, fresas y rectificadoras, poseen cabezales trazadores para reproducir el contorno de plantillas. En la figura 1-48 se muestra el diagrama de un sistema de trazado en el que la herramienta de corte reproduce la forma de la plantilla sobre la pieza en trabajo. Explique el funcionamiento del sistema.

**B-1-4.** Halle las transformadas de Laplace de las siguientes funciones:

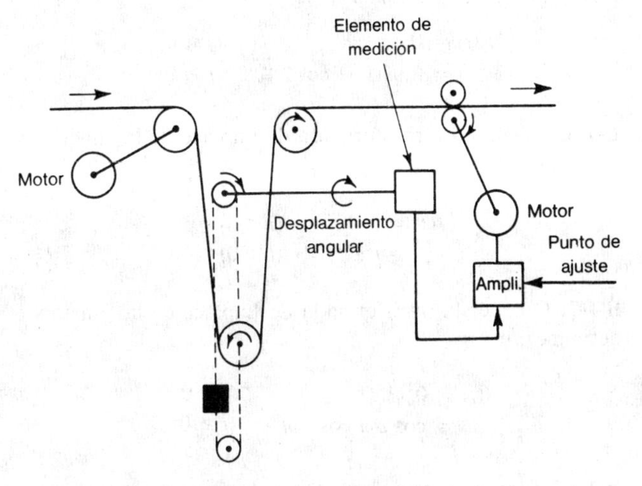


**Figura 1-47** Sistema de control de tensión.

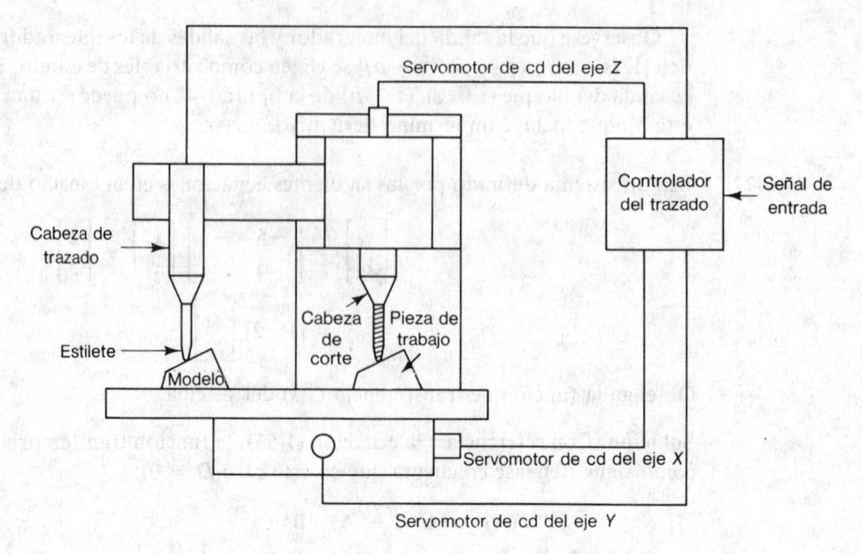


**Figura 1-48** Diagrama de un sistema de trazado.

(a) $f_1(t) = 0 \quad (t < 0)$

$= e^{-0.4t} \cos 12t \quad (t \geq 0)$

(b) $f_2(t) = 0 \quad (t < 0)$

$= \text{sen}\left(4t + \frac{\pi}{3}\right) \quad (t \geq 0)$

**B-1-5.** Halle las transformadas de Laplace de las siguientes funciones:

(a) $f_1(t) = 0 \quad (t < 0)$

$= 3\text{sen}\,(5t + 45°) \quad (t \geq 0)$

(b) $f_2(t) = 0 \quad (t < 0)$

$= 0.03(1 - \cos 2t) \quad (t \geq 0)$

**B-1-6.** Obtenga la transformada de Laplace de la función definida por

$$f(t) = 0 \quad (t < 0)$$
$$= t^2 e^{-at} \quad (t \geq 0)$$

**B-1-7.** Obtener la transformada de Laplace de la función definida por

$$f(t) = 0 \quad (t < 0)$$
$$= \cos 2\omega t \cdot \cos 3\omega t \quad (t \geq 0)$$

**B-1-8.** ¿Cuál es la transformada de Laplace de la función $f(t)$ que se muestra en la figura 1-49?

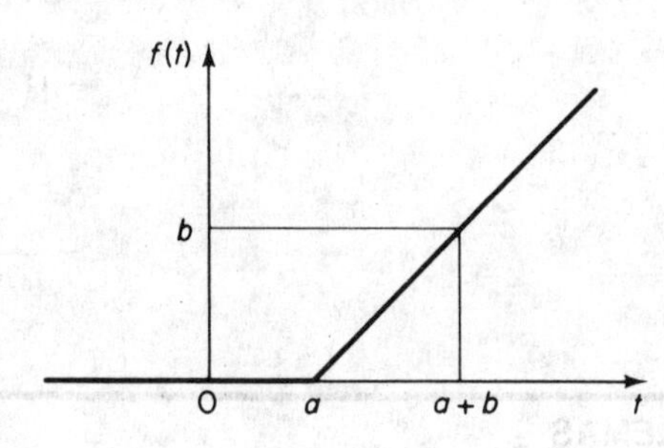


**Figura 1-49** Función $f(t)$.

**B-1-9.** Obtenga la transformada de Laplace de la función $f(t)$ que se muestra en la figura 1-50.

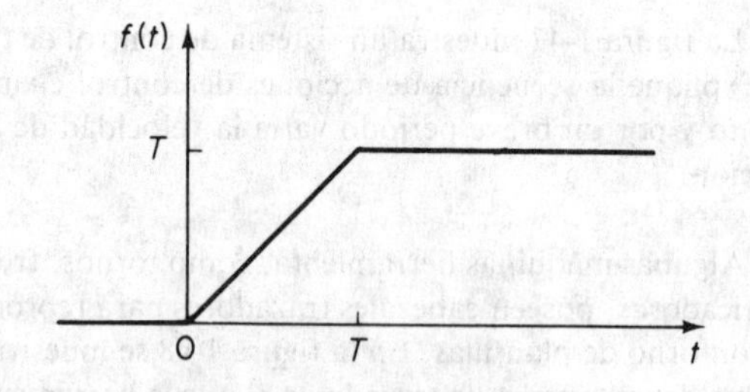


**Figura 1-50** Función $f(t)$.

**B-1-10.** Halle la transformada de Laplace de la función $f(t)$ que aparece en la figura 1-51. Encuéntrese también el valor límite de $\mathcal{L}[f(t)]$ cuando $a$ tiende a cero.

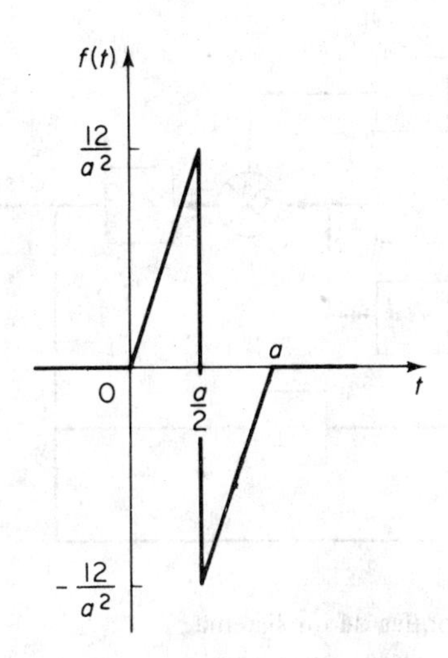


**Figura 1-51** Función $f(t)$.

**B-1-11.** Aplicando el teorema del valor final, determine el valor final de $f(t)$ cuya transformada de Laplace está dada por

$$F(s) = \frac{10}{s(s+1)}$$

Verifique este resultado tomando la transformada Laplace inversa de $F(s)$ y haciendo $t \to \infty$.

**B-1-12.** Dado

$$F(s) = \frac{1}{(s+2)^2}$$

determinar los valores de $f(0+)$ y $\dot{f}(0+)$. (Utilice el teorema del valor inicial).

**B-1-13.** Halle la transformada inversa de Laplace de

$$F(s) = \frac{s+1}{s(s^2+s+1)}$$

**B-1-14.** Halle las transformadas inversas de Laplace de las siguientes funciones.

(a) $$F_1(s) = \frac{6s+3}{s^2}$$

(b) $$F_2(s) = \frac{5s+2}{(s+1)(s+2)^2}$$

**B-1-15.** Halle la transformada inversa de Laplace de

$$F(s) = \frac{1}{s^2(s^2+\omega^2)}$$

**B-1-16.** ¿Cuál es la solución de la siguiente ecuación diferencial?

$$2\ddot{x} + 7\dot{x} + 3x = 0, \qquad x(0) = 3, \qquad \dot{x}(0) = 0$$

**B-1-17.** Resuelva la ecuación diferencial

$$\dot{x} + 2x = \delta(t), \qquad x(0-) = 0$$

**B-1-18.** Resuelva la siguiente ecuación diferencial

$$\ddot{x} + 2\zeta\omega_n\dot{x} + \omega_n^2 x = 0, \qquad x(0) = a, \qquad \dot{x}(0) = b$$

donde $a$ y $b$ son constantes.

**B-1-19.** Obtenga la solución de la ecuación diferencial

$$\dot{x} + ax = A \operatorname{sen} \omega t, \qquad x(0) = b$$

**B-1-20.** Considere el sistema que aparece en la figura 1-37. El sistema está inicialmente en reposo. Suponga que el carro inicia el movimiento por una fuerza impulsiva cuya intensidad es unitaria. ¿Puede ser detenido por otra fuerza impulsiva similar?

**B-1-21.** Simplifique el diagrama de bloques que aparece en la figura 1-52 y obtenga la función de transferencia de lazo cerrado $C(s)/R(s)$.

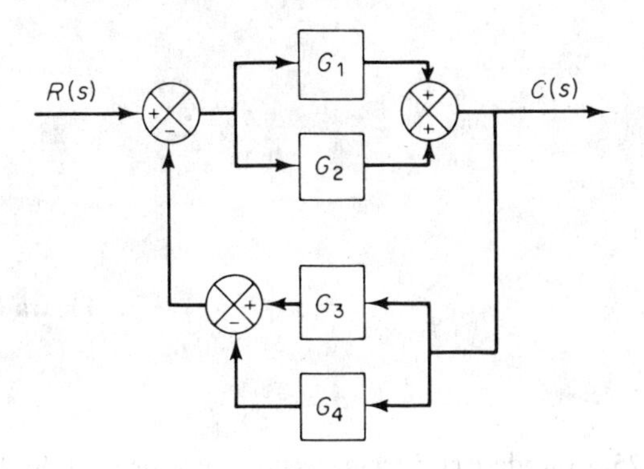


**Figura 1-52** Diagrama de bloques de un sistema.

**B-1-22.** Simplifique el diagrama de bloques de la figura 1-53 y obtenga la función de transferencia de lazo cerrado $C(s)/R(s)$.

**B-1-23.** Simplifique el diagrama de bloques de la figura 1-54 y obtenga la función de transferencia $C(s)/R(s)$.

**B-1-24.** Obtenga las funciones de transferencia $Y(s)/X(s)$ del sistema de la figura 1-55(a), (b), y (c).

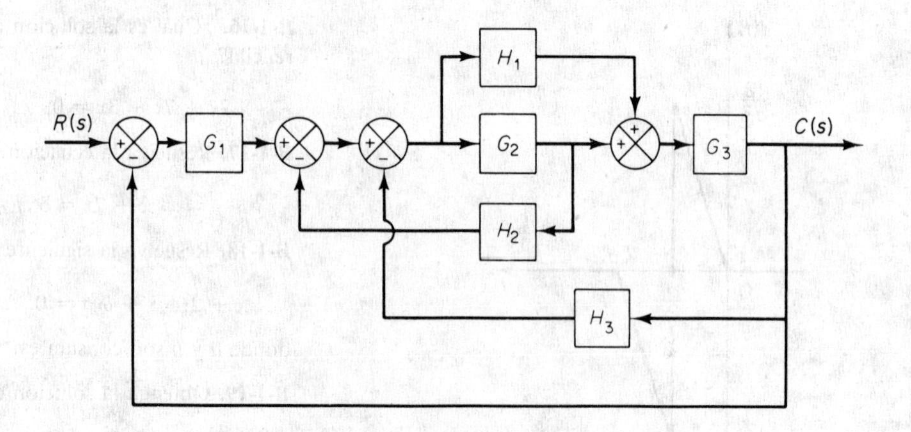


**Figura 1-53** Diagrama de bloques de un sistema.

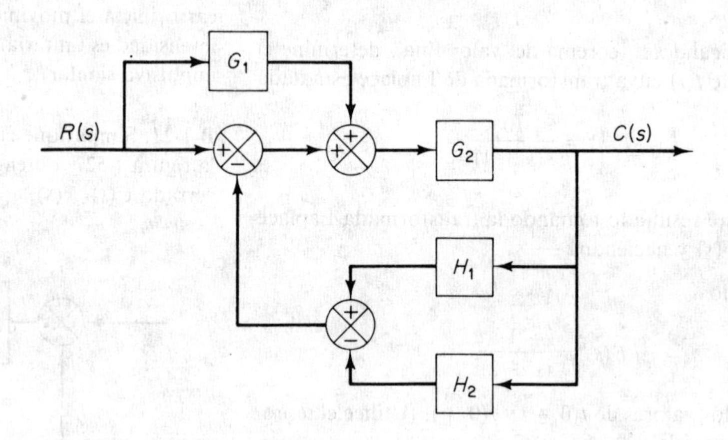


**Figura 1-54** Diagrama de bloques de un sistema.

**B-1-25.** Considere el sistema eléctrico de la figura 1-56. Eligiendo $v_c$ e $i_L$ como variable de estado, obtener el estado de equilibrio del sistema.

**B-1-26.** Sea el sistema descrito por

$$\dddot{y} + 3\ddot{y} + 2\dot{y} = u$$

Determine una representación de este sistema en el espacio de estado.

**B-1-27.** Analice el sistema descrito por

$$\begin{bmatrix} \dot{x}_1 \\ \dot{x}_2 \end{bmatrix} = \begin{bmatrix} -4 & -1 \\ 3 & -1 \end{bmatrix} \begin{bmatrix} x_1 \\ x_2 \end{bmatrix} + \begin{bmatrix} 1 \\ 1 \end{bmatrix} u$$

$$y = [1 \quad 0] \begin{bmatrix} x_1 \\ x_2 \end{bmatrix}$$

Obtenga la función de transferencia del sistema.

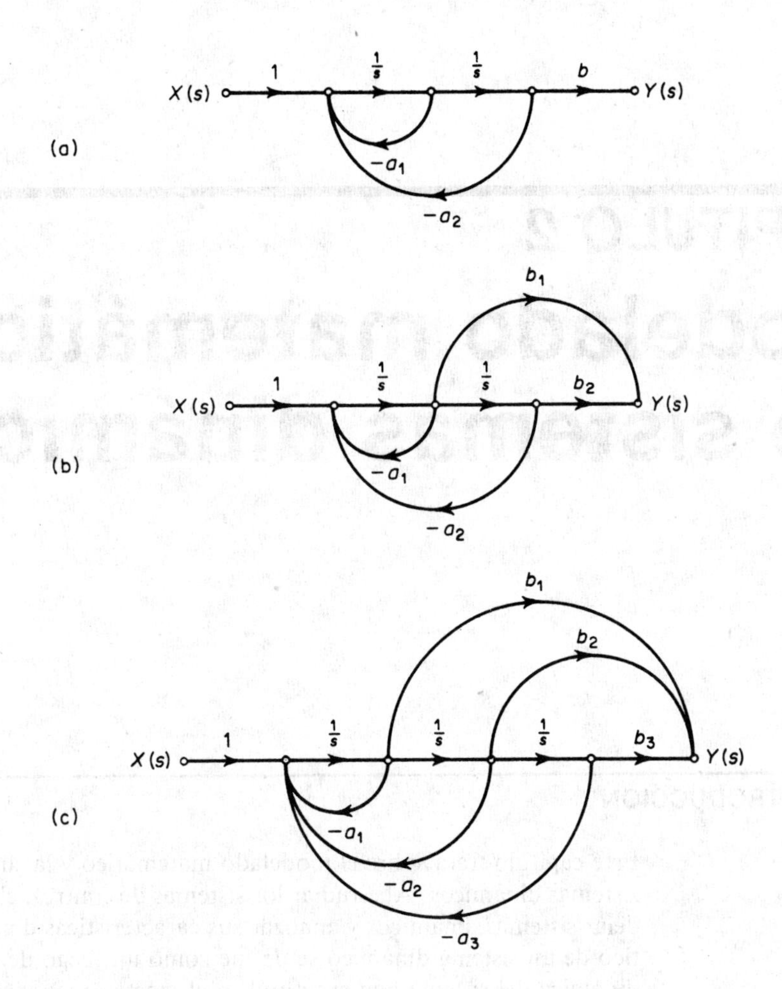


**Figura 1-55** Gráficos de flujo de señal de sistemas.

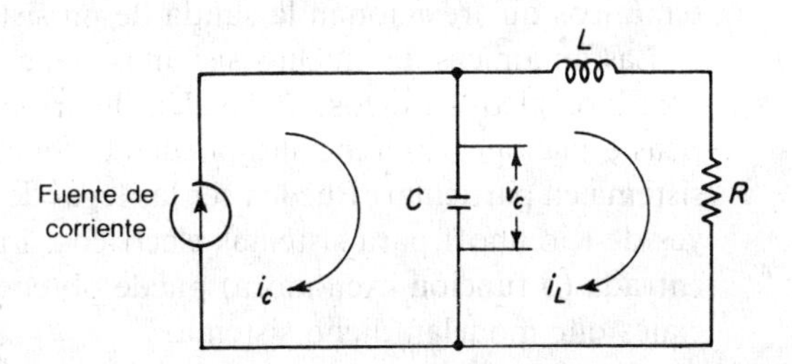


**Figura 1-56** Sistema eléctrico.

CAPITULO 2

# Modelado matemático de sistemas dinámicos

## 2-1 INTRODUCCION

Este capítulo trata sobre el modelado matemático y la simulación en computadora de sistemas dinámicos. Al estudiar los sistemas de control, el lector debe ser capaz de modelar sistemas dinámicos y analizar sus características dinámicas. Un modelo matemático de un sistema dinámico se define como un juego de ecuaciones que representa la dinámica del sistema con exactitud, o al menos, razonablemente bien. Nótese que un modelo matemático no es único para un sistema dado. Un sistema se puede representar de muchos modos diferentes, y por tanto, puede tener muchos modelos matemáticos, dependiendo de las perspectivas individuales. En este capítulo se obtienen modelos matemáticos que relacionan la salida de un sistema con su entrada.

Las dinámicas de muchos sistemas, sean mecánicos, eléctricos, térmicos, económicos, biológicos, u otros, se pueden describir en términos de ecuaciones diferenciales. Esas ecuaciones diferenciales pueden obtenerse utilizando las leyes físicas que rigen un sistema en particular. Pueden ser las leyes de Newton para sistemas mecánicos, y las leyes de Kirchhoff para sistemas eléctricos. La respuesta de un sistema dinámico a una entrada (o función excitadora) puede obtenerse si se resuelven las ecuaciones diferenciales que modelan dicho sistema.

**Modelos matemáticos.** El primer paso en el análisis de un sistema dinámico, consiste en deducir su modelo matemático. Siempre hay que tener en cuenta que deducir un modelo matemático razonable es la parte más importante de todo el análisis.

Los modelos matemáticos pueden adoptar diversas formas. Dependiendo del sistema y de las circunstancias particulares, un modelo matemático puede ser más adecuado que otros modelos. Por ejemplo, en problemas de control óptimo, es ventajoso utilizar representaciones en el espacio de estado. Por otro lado, para el análisis de la respuesta transitoria o la respuesta en frecuencia, de sistemas lineales invariantes en el tiempo, con una entrada y una salida, la función de transferencia es la representación más adecuada. Una vez obtenido el modelo matemático de un sistema, se pueden utilizar diversas herramientas analíticas y de computación para lograr el análisis y la síntesis.

Nótese que la representación en el espacio de estado es muy adecuada para el caso de sistemas con múltiples entradas y múltiples salidas; asimismo, la representación en el espacio de estado es conveniente al adoptarse algoritmos de diseño utilizando computadoras.

**Simplicidad versus exactitud.** Es posible aumentar la exactitud de un modelo matemático incrementando su complejidad; en algunos casos, se pueden incluir centenares de ecuaciones para describir un sistema completo. Sin embargo, al determinar un modelo matemático, hay que lograr un equilibrio entre la simplicidad del modelo y la exactitud de los resultados del análisis. No obstante, si no se requiere extremada precisión, es preferible obtener solamente un modelo matemático razonablemente simplificado. De hecho, por lo general quedamos satisfechos si podemos lograr un modelo que sea adecuado al problema en consideración. A pesar de todo, es importante considerar que los resultados obtenidos del análisis solamente son válidos en la medida en que el modelo se aproxima al sistema dinámico respectivo.

Al desarrollar un modelo simplificado, a menudo es conveniente pasar por alto ciertas características físicas inherentes al sistema. En particular, si se desea un modelo matemático con parámetros concentrados lineales (es decir, uno que emplee ecuaciones diferenciales ordinarias), es necesario hacer caso omiso de ciertas linealidades y parámetros distribuidos (es decir, los que dan lugar a ecuaciones en derivadas parciales) que puedan darse o hallarse presentes en sistema físico. Si los efectos que esas características despreciadas producen son pequeños en la respuesta, se logra una buena concordancia entre los resultados del análisis de un modelo matemático y los resultados del estudio experimental del sistema físico.

En general, al resolver un problema nuevo, es deseable construir primero un modelo simplificado, para tener una idea general de la solución. Luego se puede elaborar un modelo matemático más complejo, y utilizarlo para un análisis más completo.

Hay que tener bien presente el hecho de que un modelo lineal, de parámetros concentrados, puede ser válido en operaciones de baja frecuencia, pero puede no serlo a frecuencias suficientemente elevadas, ya que las propiedades despreciadas de los parámetros distribuidos, pueden volverse un factor importante en el comportamiento dinámico del sistema. Por ejemplo, se puede despreciar la masa de un resorte en operaciones de baja frecuencia, pero a frecuencias altas se convierte en una propiedad del sistema.

**Sistemas lineales.** Un sistema en el que se aplica el principio de superposición se denomina lineal. El principio de superposición establece que la respuesta producida por la aplicación simultánea de dos funciones excitadoras distintas, es la suma de las dos respuestas individuales. Por tanto, para sistemas lineales la respuesta a diversas entradas se puede calcular tratando una entrada a la vez, y añadiendo o sumando los resultados. Este es el principio que permite elaborar soluciones complicadas de las ecuaciones diferenciales lineales partiendo de soluciones simples.

En una investigación experimental sobre un sistema dinámico, si causa y efecto son proporcionales, lo que implica que el principio de superposición es válido, el sistema puede considerarse lineal.

**Sistemas lineales invariantes en el tiempo y sistemas lineales variables en el tiempo.** Una ecuación diferencial es lineal si los coeficientes son constantes o funciones de la variable independiente exclusivamente. Los sistemas dinámicos que son lineales y están constituidos por componentes concentrados lineales e invariantes en el tiempo, pueden describirse por ecuaciones diferenciales lineales, invariantes en el tiempo (de coeficientes constantes). Estos sistemas reciben el nombre de sistemas *lineales invariantes en el tiempo* (o *lineales de coeficientes constantes*). Los sistemas representados por ecuaciones diferenciales cuyos coeficientes son funciones del tiempo, reciben el nombre de sistemas lineales variables en el tiempo. Un ejemplo de sistema de control variable en el tiempo, es el sistema de control de un vehículo espacial. (La masa del vehículo se modifica debido al consumo de combustible).

**Sistemas no lineales.** Un sistema es no lineal si no se le aplica el principio de superposición. Así, para un sistema no lineal, no se puede calcular la respuesta a dos entradas determinando una a la vez y sumando los resultados. Los siguientes son ejemplos de ecuaciones diferenciales no lineales:

$$\frac{d^2x}{dt^2} + \left(\frac{dx}{dt}\right)^2 + x = A \operatorname{sen} \omega t$$

$$\frac{d^2x}{dt^2} + (x^2 - 1)\frac{dx}{dt} + x = 0$$

$$\frac{d^2x}{dt^2} + \frac{dx}{dt} + x + x^3 = 0$$

Aunque muchas relaciones físicas se representan frecuentemente por ecuaciones lineales, en la mayoría de los casos, las relaciones reales no son lineales. De hecho, un estudio cuidadoso de los sistemas físicos indica que aún los denominados ''sistemas lineales'' son realmente lineales solamente en rangos de operación restringidos. En la práctica, muchos sistemas electromecánicos, hidráulicos, neumáticos, etc., establecen relaciones no lineales entre las variables. Por ejemplo, la salida de un componente puede saturarse para niveles elevados de la señal de entrada. Puede haber una franja o zona muerta que afecte las señales de pequeña magnitud. (La franja muerta de un componente, es el pequeño rango de variaciones de entrada a las que el componente es insensible). Se puede producir alinealidad cuadrática en algunos componentes. Por ejemplo, los amortiguadores utilizados en sistemas físicos, que pueden ser lineales para operación a bajas velocidades, pueden volverse no lineales a altas velocidades, y la fuerza de amortiguación es proporcional al cuadrado de la velocidad de operación. En la figura 2-1 se pueden ver ejemplos de curvas características de estas linealidades.

Nótese que algunos sistemas de control importantes, son no lineales ante señales de cualquier magnitud. Por ejemplo, en los sistemas de control denominado intermitente

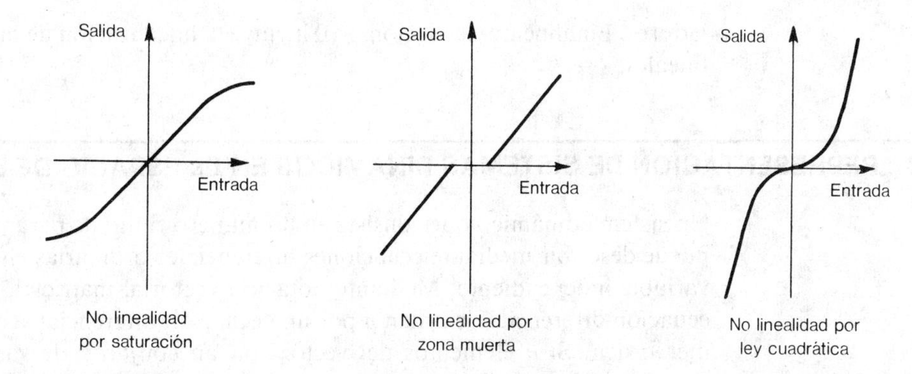


**Figura 2-1** Curvas características para diversas no linealidades.

o de encendido-apagado, la acción de control está, ya sea conectada o desconectada, y por tanto no hay relación lineal entre la entrada y la salida del controlador.

En general, los procedimientos para hallar soluciones a problemas de sistemas no lineales, son en extremo complicados. Debido a esta dificultad matemática inherente a los sistemas no lineales, a menudo se encuentra necesario introducir sistemas lineales "equivalentes", para remplazar los no lineales. Estos sistemas lineales equivalentes son válidos solamente en un rango restringido de operación. Una vez conseguida la aproximación de un sistema no lineal por medio de un modelo matemático lineal, se pueden aplicar herramientas lineales para su análisis y diseño.

**Linealización de sistemas no lineales.** En ingeniería de control, la operación normal del sistema puede darse alrededor de un punto de equilibrio, y se puede considerar a las señales como pequeñas señales alrededor del equilibrio. (Debe puntualizarse que se dan muchas excepciones a tal caso). Sin embargo, si el sistema funciona en las proximidades de un punto de equilibrio, y si las señales incluidas son pequeñas, es posible aproximar el sistema no lineal por un sistema lineal. Tal sistema lineal es equivalente al sistema no lineal, considerado dentro de un rango de operación limitado. Un modelo así linealizado (modelo lineal, invariante en el tiempo), es muy importante en ingeniería de control. En la sección 2-10 se expondrá una técnica de linealización.

**Esbozo del capítulo.** La sección 2-1 presentó una introducción al modelado matemático de sistemas dinámicos, incluyendo consideraciones sobre sistemas lineales y no lineales. La sección 2-2 trata sobre sistemas de control y su representación en el espacio de estado. En la sección 2-3 se trata el modelado matemático de sistemas mecánicos y se expondrá el método de Newton.

La sección 2-4 trata del modelado matemático de diversos circuitos eléctricos y electrónicos que incluyen amplificadores operacionales. En la sección 2-5 se presentan las analogías entre unos y otros sistemas dinámicos. Aquí se hace hincapié en las analogías entre sistemas mecánicos y eléctricos. La sección 2-6 presenta los servomotores eléctricos, que se utilizan habitualmente en sistemas de control. En la sección 2-7 se presentan los sistemas de nivel de líquido. Se obtienen los modelos de tales sistemas en términos de resistencia y capacitancia. En la sección 2-8 se expone el modelado matemático de los sistemas térmicos, en términos de resistencia térmica y capacitación térmica. (En el capítulo 3 se trata el modelado matemático de sistemas neumáticos y sistemas hidráulicos). La sección 2-9 discute los sistemas de brazo de robot y sus simuladores. Finalmente, la sección 2-10 incluye la linealización de modelos matemáticos no lineales.

## 2-2 REPRESENTACION DE SISTEMAS DINAMICOS EN EL ESPACIO DE ESTADO

Un sistema dinámico que consiste en un número finito de parámetros concentrados, se puede describir mediante ecuaciones diferenciales ordinarias en las que el tiempo es la variable independiente. Mediante notación vectorial-matricial, se puede expresar una ecuación diferencial de orden $n$ por una ecuación diferencial vectorial-matricial de primer orden. Si $n$ elementos del vector son un conjunto de variables de estado, a la ecuación diferencial vectorial-matricial se le llama *ecuación de estado*. En esta sección se presentarán métodos para obtener las representaciones en el espacio de estado de sistemas continuos en el tiempo.

**Representación en el espacio de estado de sistemas de ecuaciones diferenciales lineales de orden *n* en los que la función excitadora no incluye términos derivativos.** Sea el siguiente sistema de orden $n$:

$$\overset{(n)}{y} + a_1\overset{(n-1)}{y} + \cdots + a_{n-1}\dot{y} + a_n y = u \qquad (2\text{–}1)$$

Considerando que el conocimiento de $y(0)$, $\dot{y}(0)$, $\ldots$ $\overset{(n-1)}{y}(0)$, junto con la entrada $u(t)$ para $t \geq 0$, determina totalmente el comportamiento futuro del sistema, se puede tomar $y(t)$, $\dot{y}(t)$, $\ldots$, $\overset{(n-1)}{y}(t)$ como un juego de $n$ variables de estado. (Matemáticamente, una relación de variables de estado como ésta es muy conveniente. En la práctica, sin embargo, debido a que los términos en derivadas de orden superior son inexactos, así como los efectos de ruido inherentes a cualquier situación práctica, tal elección de variables de estado acaso no sea deseable).

Se define

$$\begin{aligned} x_1 &= y \\ x_2 &= \dot{y} \\ &\;\;\vdots \\ x_n &= \overset{(n-1)}{y} \end{aligned}$$

Entonces la ecuación (2-1) se puede escribir como

$$\begin{aligned} \dot{x}_1 &= x_2 \\ \dot{x}_2 &= x_3 \\ &\;\;\vdots \\ \dot{x}_{n-1} &= x_n \\ \dot{x}_n &= -a_n x_1 - \cdots - a_1 x_n + u \end{aligned}$$

o

$$\dot{\mathbf{x}} = \mathbf{A}\mathbf{x} + \mathbf{B}u \tag{2–2}$$

donde

$$\mathbf{x} = \begin{bmatrix} x_1 \\ x_2 \\ \cdot \\ \cdot \\ \cdot \\ x_n \end{bmatrix}, \quad \mathbf{A} = \begin{bmatrix} 0 & 1 & 0 & \cdots & 0 \\ 0 & 0 & 1 & \cdots & 0 \\ \cdot & \cdot & \cdot & & \cdot \\ \cdot & \cdot & \cdot & & \cdot \\ \cdot & \cdot & \cdot & & \cdot \\ 0 & 0 & 0 & \cdots & 1 \\ -a_n & -a_{n-1} & -a_{n-2} & \cdots & -a_1 \end{bmatrix}, \quad \mathbf{B} = \begin{bmatrix} 0 \\ 0 \\ \cdot \\ \cdot \\ \cdot \\ 0 \\ 1 \end{bmatrix}$$

La salida se puede escribir como

$$y = [1 \quad 0 \quad \cdots \quad 0] \begin{bmatrix} x_1 \\ x_2 \\ \cdot \\ \cdot \\ \cdot \\ x_n \end{bmatrix}$$

o

$$y = \mathbf{C}\mathbf{x} \tag{2–3}$$

donde

$$\mathbf{C} = [1 \quad 0 \quad \cdots \quad 0]$$

La ecuación diferencial de primer orden, ecuación (2-2), es la ecuación de estado, y la ecuación algebraica, ecuación (2-3) es la ecuación de salida. En la figura 2-2 se puede ver una presentación, en diagrama de bloques, de la ecuación de estado y de la ecuación de salida, dadas respectivamente por las ecuaciones (2-2) y (2-3).

**Representación en el espacio de estado, de sistemas de ecuaciones diferenciales lineales de orden *n* en los que la función excitadora incluye términos derivativos.** Si la ecuación diferencial del sistema incluye derivadas de la función excitadora tales como

$$\overset{(n)}{y} + a_1 \overset{(n-1)}{y} + \cdots + a_{n-1}\dot{y} + a_n y = b_0 \overset{(n)}{u} + b_1 \overset{(n-1)}{u} + \cdots + b_{n-1}\dot{u} + b_n u \tag{2–4}$$

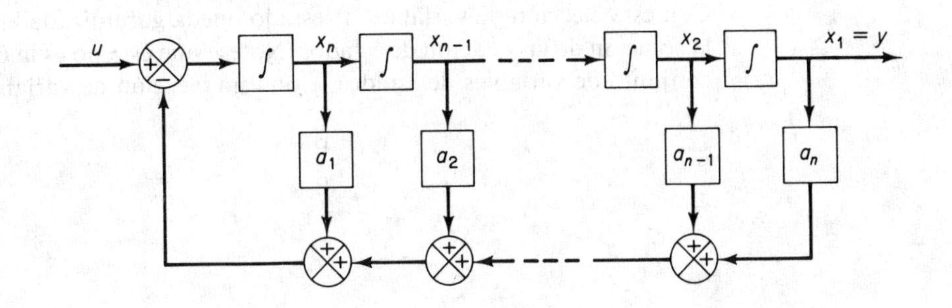


**Figura 2-2** Diagrama de bloques, de la ecuación de estado y de la ecuación de salida, resultado de las ecuaciones (2-2) y (2-3), respectivamente.

el conjunto de $n$ variables $y, y, y, \ldots, y$ no califica como un conjunto de variables de estado, y no se puede emplear el método directo utilizado previamente. Esto es porque $n$ ecuaciones diferenciales de primer orden

$$\dot{x}_1 = x_2$$
$$\dot{x}_2 = x_3$$
$$\vdots$$
$$\dot{x}_n = -a_n x_1 - a_{n-1} x_2 - \cdots - a_1 x_n + b_0 \overset{(n)}{u} + b_1 \overset{(n-1)}{u} + \cdots + b_n u$$

donde $x = y$, quizás no den una solución única.

El problema principal al definir las variables de estado para este caso, consiste en los términos derivativos del miembro derecho de la última de las $n$ ecuaciones precedentes. Las variables de estado deben ser tales que eliminen las derivadas de $u$ en la ecuación de estado.

Una forma de obtener una ecuación de estado y una ecuación de salida es definir las siguientes $n$ variables como un conjunto de $n$ variables de estado:

$$\begin{aligned} x_1 &= y - \beta_0 u \\ x_2 &= \dot{y} - \beta_0 \dot{u} - \beta_1 u = \dot{x}_1 - \beta_1 u \\ x_3 &= \ddot{y} - \beta_0 \ddot{u} - \beta_1 \dot{u} - \beta_2 u = \dot{x}_2 - \beta_2 u \\ &\vdots \\ x_n &= \overset{(n-1)}{y} - \beta_0 \overset{(n-1)}{u} - \beta_1 \overset{(n-2)}{u} - \cdots - \beta_{n-2} \dot{u} - \beta_{n-1} u = \dot{x}_{n-1} - \beta_{n-1} u \end{aligned} \qquad (2\text{–}5)$$

donde $\beta_0, \beta_1, \beta_2, \ldots, \beta_n$ determinan de

$$\begin{aligned} \beta_0 &= b_0 \\ \beta_1 &= b_1 - a_1 \beta_0 \\ \beta_2 &= b_2 - a_1 \beta_1 - a_2 \beta_0 \\ \beta_3 &= b_3 - a_1 \beta_2 - a_2 \beta_1 - a_3 \beta_0 \\ &\vdots \\ \beta_n &= b_n - a_1 \beta_{n-1} - \cdots - a_{n-1} \beta_1 - a_n \beta_0 \end{aligned} \qquad (2\text{–}6)$$

Con esta elección de variables de estado queda garantizada la existencia y unicidad de la solución de la ecuación de estado. (Nótese que ésta no es la única selección posible de conjunto de variables de estado). Con esta elección de variables de estado, se obtiene

$$\begin{aligned} \dot{x}_1 &= x_2 + \beta_1 u \\ \dot{x}_2 &= x_3 + \beta_2 u \\ &\vdots \end{aligned} \qquad (2\text{–}7)$$

$$\dot{x}_{n-1} = x_n + \beta_{n-1}u$$

$$\dot{x}_n = -a_n x_1 - a_{n-1}x_2 - \cdots - a_1 x_n + \beta_n u$$

[Para deducir la ecuación (2-7), ver el Problema A-2-1]. En términos de ecuaciones vector-matriz, la ecuación (2-7) y la ecuación de salida pueden escribirse así:

$$\begin{bmatrix} \dot{x}_1 \\ \dot{x}_2 \\ \cdot \\ \cdot \\ \cdot \\ \dot{x}_{n-1} \\ \dot{x}_n \end{bmatrix} = \begin{bmatrix} 0 & 1 & 0 & \cdots & 0 \\ 0 & 0 & 1 & \cdots & 0 \\ \cdot & \cdot & \cdot & & \cdot \\ \cdot & \cdot & \cdot & & \cdot \\ \cdot & \cdot & \cdot & & \cdot \\ 0 & 0 & 0 & \cdots & 1 \\ -a_n & -a_{n-1} & -a_{n-2} & \cdots & -a_1 \end{bmatrix} \begin{bmatrix} x_1 \\ x_2 \\ \cdot \\ \cdot \\ \cdot \\ x_{n-1} \\ x_n \end{bmatrix} + \begin{bmatrix} \beta_1 \\ \beta_2 \\ \cdot \\ \cdot \\ \cdot \\ \beta_{n-1} \\ \beta_n \end{bmatrix} u$$

$$y = [1 \quad 0 \quad \cdots \quad 0] \begin{bmatrix} x_1 \\ x_2 \\ \cdot \\ \cdot \\ \cdot \\ x_n \end{bmatrix} + \beta_0 u$$

o

$$\dot{\mathbf{x}} = \mathbf{A}\mathbf{x} + \mathbf{B}u \tag{2–8}$$

$$y = \mathbf{C}\mathbf{x} + Du \tag{2–9}$$

donde

$$\mathbf{x} = \begin{bmatrix} x_1 \\ x_2 \\ \cdot \\ \cdot \\ \cdot \\ x_{n-1} \\ x_n \end{bmatrix}, \quad \mathbf{A} = \begin{bmatrix} 0 & 1 & 0 & \cdots & 0 \\ 0 & 0 & 1 & \cdots & 0 \\ \cdot & \cdot & \cdot & & \cdot \\ \cdot & \cdot & \cdot & & \cdot \\ \cdot & \cdot & \cdot & & \cdot \\ 0 & 0 & 0 & \cdots & 1 \\ -a_n & -a_{n-1} & -a_{n-2} & \cdots & -a_1 \end{bmatrix}$$

$$\mathbf{B} = \begin{bmatrix} \beta_1 \\ \beta_2 \\ \cdot \\ \cdot \\ \cdot \\ \beta_{n-1} \\ \beta_n \end{bmatrix}, \quad \mathbf{C} = [1 \quad 0 \quad \cdots \quad 0], \quad D = \beta_0 = b_0$$

La condición inicial $\mathbf{x}(0)$ se puede determinar utilizando la ecuación (2-5).

En esta representación en el espacio de estado, la matriz $\mathbf{A}$ es exactamente la misma que la del sistema de la ecuación (2-1). Las derivadas del miembro derecho de la ecuación (2-4) afectan únicamente a los elementos de la matriz $\mathbf{B}$.

Nótese que la representación en el espacio de estado de la función de transferencia

$$\frac{Y(s)}{U(s)} = \frac{b_0 s^n + b_1 s^{n-1} + \cdots + b_{n-1}s + b_n}{s^n + a_1 s^{n-1} + \cdots + a_{n-1}s + a_n} \tag{2–10}$$

esta dada también por las ecuaciones (2-8) y (2-9). La figura 2-3 es una representación en diagrama de bloques, de la ecuación de estado y de la ecuación de salida, dadas por las ecuaciones (2-8) y (2-9), respectivamente.

Nótese que en el espacio de estado hay muchas otras representaciones del sistema (como la forma canónica controlable, canónica observable, canónica diagonal y canónica de Jordan). Estas se presentarán en el capítulo 9.

**EJEMPLO 2-1**

Sea el sistema de control que aparece en la figura 2-4. La función de transferencia de lazo cerrado es

$$\frac{Y(s)}{U(s)} = \frac{160(s + 4)}{s^3 + 18s^2 + 192s + 640}$$

La ecuación diferencial correspondiente es

$$\dddot{y} + 18\ddot{y} + 192\dot{y} + 640y = 160\dot{u} + 640u$$

Obténgase una representación del sistema en el espacio de estado.

Se puede definir, en referencia a la ecuación (2-5):

$$x_1 = y - \beta_0 u$$

$$x_2 = \dot{y} - \beta_0\dot{u} - \beta_1 u = \dot{x}_1 - \beta_1 u$$

$$x_3 = \ddot{y} - \beta_0\ddot{u} - \beta_1\dot{u} - \beta_2 u = \dot{x}_2 - \beta_2 u$$

donde $\beta_0$, $\beta_1$, y $\beta_2$ se determinan de la ecuación 2.6 como sigue:

$$\beta_0 = b_0 = 0$$

$$\beta_1 = b_1 - a_1\beta_0 = 0$$

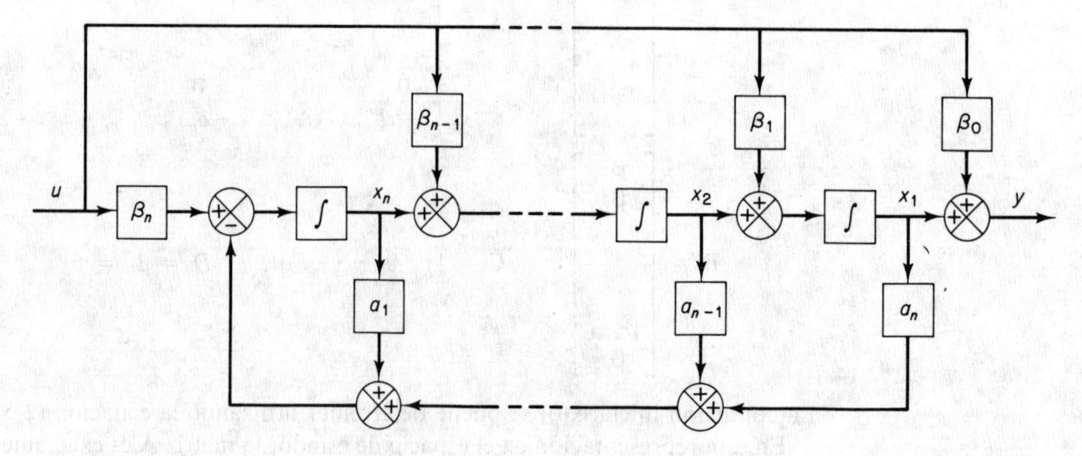


**Figura 2-3** Diagrama de bloques, de la ecuación de estado y de la ecuación de salida, resultantes de las ecuaciones (2-8) y (2-9), respectivamente.

$$\beta_2 = b_2 - a_1\beta_1 - a_2\beta_0 = 160$$

$$\beta_3 = b_3 - a_1\beta_2 - a_2\beta_1 - a_3\beta_0 = -2240$$

Entonces la ecuación de estado para el sistema se convierte en

$$\begin{bmatrix} \dot{x}_1 \\ \dot{x}_2 \\ \dot{x}_3 \end{bmatrix} = \begin{bmatrix} 0 & 1 & 0 \\ 0 & 0 & 1 \\ -640 & -192 & -18 \end{bmatrix} \begin{bmatrix} x_1 \\ x_2 \\ x_3 \end{bmatrix} + \begin{bmatrix} 0 \\ 160 \\ -2240 \end{bmatrix} u$$

La ecuación de salida es

$$y = [1 \quad 0 \quad 0] \begin{bmatrix} x_1 \\ x_2 \\ x_3 \end{bmatrix}$$

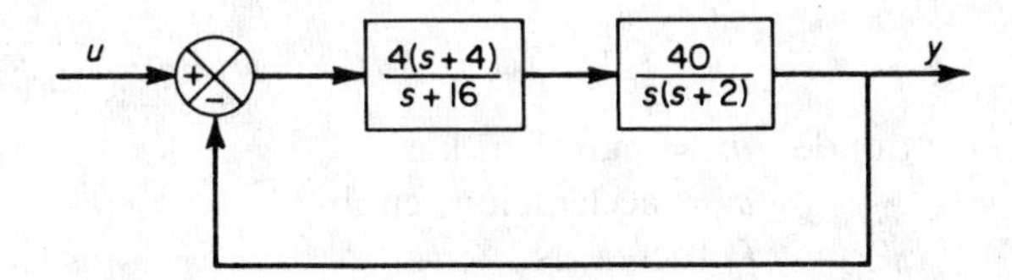


**Figura 2-4**
Sistema de control.

## 2-3 SISTEMAS MECANICOS

En esta sección se estudiará el modelado matemático de sistemas mecánicos. La ley fundamental que rige los sistemas mecánicos es la segunda ley de Newton. Esta puede aplicarse a cualquier sistema mecánico. A continuación, se desarrollan modelos matemáticos de algunos sistemas mecánicos.

**Sistema mecánico traslacional.** Considérese un sistema de masa-resorte-amortiguador montado en un carro, como se ve en la figura 2-5. Un amortiguador es un dispositivo que produce fricción viscosa o amortiguamiento. Consiste en un pistón y un cilindro lleno de aceite. Cualquier movimiento relativo entre el vástago del pistón y el cilindro, encuentra resistencia producida por el aceite, porque éste debe fluir alrededor del pistón (o a través de orificios practicados en el pistón) de un lado al otro del pistón. Esencialmente, el amortiguador absorbe energía. Esta energía absorbida se disipa como calor, y el amortiguador no almacena ninguna energía cinética ni potencial. El amortiguador se llama también apagador.

Obtengamos ahora un modelo matemático del sistema masa-resorte-amortiguador montado en un carro, suponiendo al mismo en reposo para $t<0$. En este sistema, $u(t)$ es el desplazamiento del carro y constituye la entrada al sistema. En $t = 0$, el carro se desplaza a velocidad constante, o sea $\dot{u}$ = constante. La salida es el desplazamiento $y(t)$ de la masa. (Se refiere al desplazamiento respecto del suelo). En este sistema, $m$ es la masa, $b$ es el coeficiente de la fricción viscosa, y $k$ designa a la constante del resorte. Supóngase que la fuerza de fricción del amortiguador es proporcional a $\dot{y} - \dot{u}$ y que el resorte es lineal, es decir, la fuerza del resorte es proporcional a $y - u$.

Para sistemas traslacionales, la segunda ley de Newton establece que

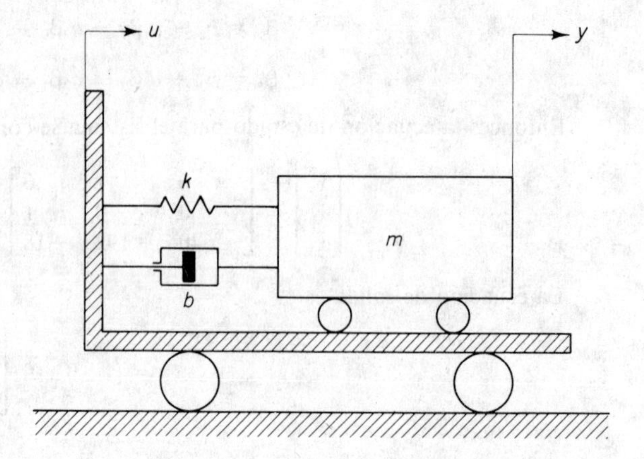


**Figura 2-5**
Sistema de resorte-masa-amortiguador montado sobre un carro.

$$ma = \sum F$$

donde $m$ = masa, en kg
$a$ = aceleración, en $m/s^2$
$F$ fuerza, N

Aplicando la segunda ley de Newton al sistema presente, se obtiene

$$m\frac{d^2y}{dt^2} = -b\left(\frac{dy}{dt} - \frac{du}{dt}\right) - k(y - u)$$

o bien

$$m\frac{d^2y}{dt^2} + b\frac{dy}{dt} + ky = b\frac{du}{dt} + ku \qquad (2\text{–}11)$$

La ecuación (2-11) es el modelo matemático del sistema considerado.

Otra forma de representar un modelo matemático de un sistema lineal invariante en el tiempo, es un modelo de función de transferencia. En el caso del sistema mecánico anterior, el modelo de función de transferencia se puede obtener como sigue. Tomando la transformada de Laplace de cada término en la ecuación (2-11) se tiene

$$\mathcal{L}\left[m\frac{d^2y}{dt^2}\right] = m[s^2Y(s) - sy(0) - \dot{y}(0)]$$

$$\mathcal{L}\left[b\frac{dy}{dt}\right] = b[sY(s) - y(0)]$$

$$\mathcal{L}[ky] = kY(s)$$

$$\mathcal{L}\left[b\frac{du}{dt}\right] = b\left[sU(s) - u(0)\right]$$

$$\mathcal{L}[ku] = kU(s)$$

Si se fijan las condiciones iniciales iguales a cero, o sea $y(0) = 0$, $\dot{y}(0) = 0$, y $u(0) = 0$, la transformada de Laplace de la ecuación (2-11) se puede escribir como

$$(ms^2 + bs + k)Y(s) = (bs + k)U(s)$$

Tomando la relación $Y(s)$ a $U(s)$, se halla que la función de transferencia del sistema es

$$\text{Función de transferencia} = G(s) = \frac{Y(s)}{U(s)} = \frac{bs + k}{ms^2 + bs + k}$$

Una representación de un modelo matemático como ésta tiene aplicación muy frecuente en ingeniería de control. Sin embargo, hay que hacer notar que los modelos de función de transferencia tienen aplicación solamente en sistemas lineales, invariantes en el tiempo, ya que las funciones de transferencia sólo están definidas para tales sistemas.

El siguiente paso, es obtener el modelo en el espacio de estado de este sistema. Primero se compara la ecuación diferencial para este sistema

$$\ddot{y} + \frac{b}{m}\dot{y} + \frac{k}{m}y = \frac{b}{m}\dot{u} + \frac{k}{m}u$$

con la forma normalizada

$$\ddot{y} + a_1\dot{y} + a_2 y = b_0\ddot{u} + b_1\dot{u} + b_2 u$$

y se identifican $a_1$, $a_2$, $b_0$ y $b_1$ como sigue:

$$a_1 = \frac{b}{m}, \qquad a_2 = \frac{k}{m}, \qquad b_0 = 0, \qquad b_1 = \frac{b}{m}, \qquad b_2 = \frac{k}{m}$$

Refiriéndonos a la ecuación (2-6), se tiene

$$\beta_0 = b_0 = 0$$

$$\beta_1 = b_1 - a_1\beta_0 = \frac{b}{m}$$

$$\beta_2 = b_2 - a_1\beta_1 - a_2\beta_0 = \frac{k}{m} - \left(\frac{b}{m}\right)^2$$

Luego, según la ecuación (2-5), se define

$$x_1 = y - \beta_0 u = y$$

$$x_2 = \dot{x}_1 - \beta_1 u = \dot{x}_1 - \frac{b}{m}u$$

De la ecuación (2-7) se tiene

$$\dot{x}_1 = x_2 + \beta_1 u = x_2 + \frac{b}{m}u$$

$$\dot{x}_2 = -a_2 x_1 - a_1 x_2 + \beta_2 u = -\frac{k}{m}x_1 - \frac{b}{m}x_2 + \left[\frac{k}{m} - \left(\frac{b}{m}\right)^2\right]u$$

y la ecuación de salida queda

$$y = x_1$$

o

$$\begin{bmatrix} \dot{x}_1 \\ \dot{x}_2 \end{bmatrix} = \begin{bmatrix} 0 & 1 \\ -\dfrac{k}{m} & -\dfrac{b}{m} \end{bmatrix} \begin{bmatrix} x_1 \\ x_2 \end{bmatrix} + \begin{bmatrix} \dfrac{b}{m} \\ \dfrac{k}{m} - \left(\dfrac{b}{m}\right)^2 \end{bmatrix} u \qquad (2\text{–}12)$$

y

$$y = [1 \quad 0] \begin{bmatrix} x_1 \\ x_2 \end{bmatrix} \qquad (2\text{–}13)$$

Las ecuaciones (2-12) y (2-13) dan una representación del sistema en el espacio de estado. (Nótese que ésta no es la única representación en el espacio de estado; en éste hay infinidad de representaciones para el sistema).

**Sistema mecánico rotacional.** Sea el sistema que aparece en la figura 2-6. El sistema consiste en una carga inercial y un amortiguador de fricción viscosa. Para un sistema mecánico rotacional como éste, la segunda ley de Newton establece que

$$J\alpha = \sum T$$

donde $J$ = momento de inercia de la carga, en kg-m$^2$
$\alpha$ = aceleración angular de la carga, en rad/s$^2$
$T$ = par aplicado al sistema, en N-m

Para tener un conjunto homogéneo o consistente de unidades de masa, momento de inercia y par, ver la tabla 2-1. Asimismo, para la conversión de sistemas de unidades, véase nota al pie.*

Aplicando la segunda ley de Newton al presente sistema, se obtiene

$$J\dot{\omega} = -b\omega + T$$

donde $J$ = momento de inercia de la carga, en kg-m$^2$
$b$ = coeficiente de fricción viscosa, en N-m/rad/s
$\omega$ = velocidad angular, rad/s
$T$ = par, N-m

Esta última ecuación puede escribirse como

$$J\dot{\omega} + b\omega = T$$

*14.594 kg = 1 slug. El slug es una unidad de masa (slug = lb-seg$^2$/pie). Cuando se aplica una fuerza de una libra a una masa de 1 slug se acelera en 1 pie/seg$^2$. Para obtener una masa en libras, hay que multiplicar la cantidad de slugs por 32.174; para tener la masa en slugs hay que multiplicar la cantidad de libras por $3.108 \times 10^{-2}$.
La relación entre kg-m$^2$ y slug-pie$^2$ está dada por 1.356 kg-m$^2$ = 1 slug-pie$^2$. Para obtener el momento de inercia en lb-pie$^2$, multiplicar el número de slug-pie$^2$ por 32.174. Inversamente, para obtener el momento de inercia en slug-pie$^2$, multiplicar el número de lb-pie$^2$ por $3.108 \times 10^{-2}$.

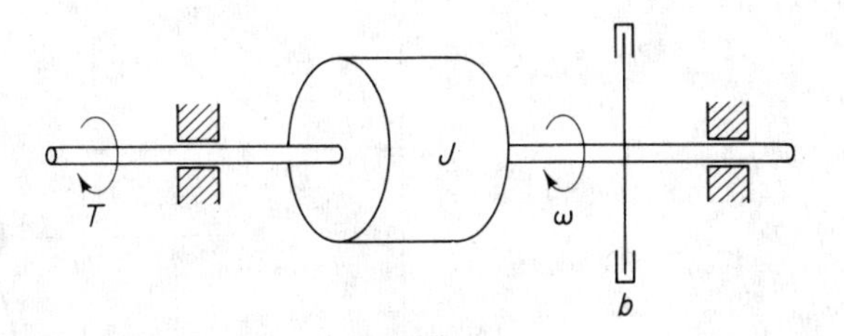


**Figura 2-6**
Sistema mecánico rotacional.

**Tabla 2-1** Unidades homogéneas de masa, momento de inercia y par.

| Masa | Momento de inercia | Par |
|---|---|---|
| kilogramo | kg-m$^2$ | newton-m |
| gramo | g-cm$^2$ | dina-cm |
| slug | slug-pie$^2$ | libra-pie |

que es un modelo matemático del sistema mecánico rotacional considerado.

El modelo en función de transferencia se puede determinar tomando la transformada de Laplace de la ecuación diferencial, suponiendo la condición inicial cero y escribiendo la relación entre la salida (velocidad angular $\omega$) y la entrada (par $T$ aplicada), como sigue:

$$\frac{\Omega(s)}{T(s)} = \frac{1}{Js + b}$$

donde $\Omega(s) = \mathscr{L}[\omega(t)]$ y $T(s) = \mathscr{L}[T(t)]$.

**EJEMPLO 2-2**

En la figura 2-7 se muestra un péndulo invertido montado en un carro impulsado por un motor. Este es un modelo de control de posición de un propulsor espacial. (La misión del control de posición es mantener el propulsor espacial en posición vertical). El péndulo invertido es inestable, y puede caer en cualquier momento y en cualquier dirección si no se le aplica una fuerza de control adecuada. Aquí sólo se considera un problema bidimensional, en que el péndulo se desplaza solamente en el plano de la página. Supóngase que la masa del péndulo está concentrada en el extremo de la varilla, como se muestra en la figura. (La varilla tiene masa nula). La fuerza de control $u$ se aplica al carro. Obtenga un modelo matemático para el sistema.

Se define $\theta$ como el ángulo que forma la varilla respecto a la vertical. (Como se desea mantener el péndulo invertido en posición vertical, se supone que el ángulo $\theta$ es pequeño). También se definen las coordenadas $(x, y)$ del centro de gravedad de la masa como $(x_G, y_G)$. Entonces

$$x_G = x + l \operatorname{sen}\theta$$

$$y_G = l \cos\theta$$

Aplicando la segunda ley de Newton en la dirección $x$ del movimiento, se tiene

$$M\frac{d^2x}{dt^2} + m\frac{d^2x_G}{dt^2} = u$$

o

$$M\frac{d^2x}{dt^2} + m\frac{d^2}{dt^2}(x + l \operatorname{sen}\theta) = u \tag{2–14}$$

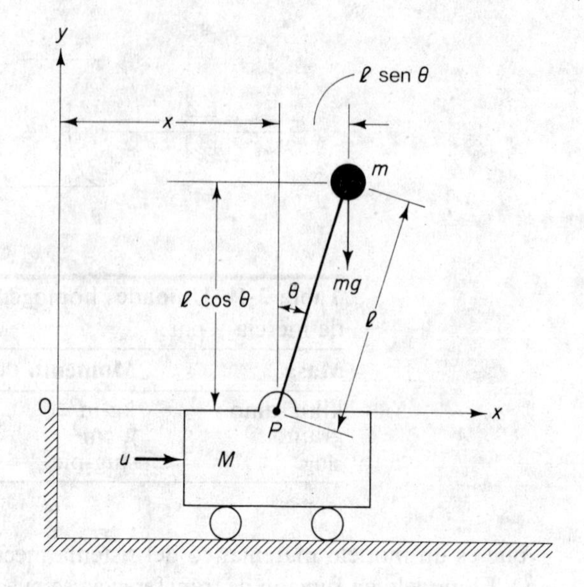


**Figura 2-7**
Sistema de péndulo invertido.

Nótese que

$$\frac{d}{dt}\operatorname{sen}\theta = (\cos\theta)\dot{\theta}$$

$$\frac{d^2}{dt^2}\operatorname{sen}\theta = -(\operatorname{sen}\theta)\dot{\theta}^2 + (\cos\theta)\ddot{\theta}$$

$$\frac{d}{dt}\cos\theta = -(\operatorname{sen}\theta)\dot{\theta}$$

$$\frac{d^2}{dt^2}\cos\theta = -(\cos\theta)\dot{\theta}^2 - (\operatorname{sen}\theta)\ddot{\theta}$$

La ecuación (2-14) se puede reescribir como

$$(M + m)\ddot{x} - ml(\operatorname{sen}\theta)\dot{\theta}^2 + ml(\cos\theta)\ddot{\theta} = u \tag{2–15}$$

La ecuación de movimiento de la masa $m$ en la dirección $y$ no se puede escribir sin tener en consideración el movimiento de esa masa $m$ en la dirección $x$. Por lo tanto, en lugar de considerar el movimiento de la masa en la dirección $y$, se considera el movimiento rotacional de la masa $m$ alrededor del punto $P$. Aplicando la segunda ley de Newton al movimiento rotatorio, se obtiene

$$m\frac{d^2x_G}{dt^2}l\cos\theta - m\frac{d^2y_G}{dt^2}l\operatorname{sen}\theta = mgl\operatorname{sen}\theta$$

o

$$\left[m\frac{d^2}{dt^2}(x + l\operatorname{sen}\theta)\right]l\cos\theta - \left[m\frac{d^2}{dt^2}(l\cos\theta)\right]l\operatorname{sen}\theta = mgl\operatorname{sen}\theta$$

que se puede simplificar como sigue:

$$m[\ddot{x} - l(\operatorname{sen}\theta)\dot{\theta}^2 + l(\cos\theta)\ddot{\theta}]l\cos\theta - m[-l(\cos\theta)\dot{\theta}^2 - l(\operatorname{sen}\theta)\ddot{\theta}]l\operatorname{sen}\theta = mgl\operatorname{sen}\theta$$

Simplificando, se llega a

$$m\ddot{x}\cos\theta + ml\ddot{\theta} = mg\operatorname{sen}\theta \tag{2–16}$$

Es claro que las ecuaciones (2-15) y (2-16) son ecuaciones diferenciales no lineales. Como hay que mantener vertical el péndulo invertido, se puede suponer que $\theta(t)$ y $\dot{\theta}(t)$ son magnitudes pequeñas, para las cuales sen $\theta \doteq \theta$ cos $\theta \doteq 1$, y $\theta\dot{\theta}^2 \doteq 0$. Entonces las ecuaciones (2-15) y (2-16) pueden linealizarse como sigue:

$$(M + m)\ddot{x} + ml\ddot{\theta} = u \tag{2–17}$$

$$m\ddot{x} + ml\ddot{\theta} = mg\theta \tag{2–18}$$

Estas ecuaciones linealizadas son válidas siempre que $\theta$ y $\dot{\theta}$ sean pequeñas. Las ecuaciones (2-17) y (2-18) definen un modelo matemático del sistema de péndulo invertido.

**EJEMPLO 2-3** Con referencia al sistema de péndulo invertido considerado en el ejemplo 2-2, obtener una representación en el espacio de estado del sistema linealizado.

Se pueden modificar las ecuaciones linealizadas del sistema, ecuaciones (2-17) y (2-18), de la forma siguiente:

$$Ml\ddot{\theta} = (M + m)g\theta - u \tag{2–19}$$

$$M\ddot{x} = u - mg\theta \tag{2–20}$$

La ecuación (2-19) se obtuvo eliminando $\ddot{x}$ de las ecuaciones (2-17) y (2-18). La ecuación (2-20) se halló eliminando de las ecuaciones (2-17) y (2-18). Las variables de estado $x_1$, $x_2$, $x_3$ y $x_4$ se definen como

$$x_1 = \theta$$

$$x_2 = \dot{\theta}$$

$$x_3 = x$$

$$x_4 = \dot{x}$$

Nótese que el ángulo $\theta$ indica la rotación de la varilla del péndulo alrededor del punto $P$, y $x$ es su ubicación en el carro. Se consideran $\theta$ y $x$ como las salidas del sistema, o

$$\mathbf{y} = \begin{bmatrix} y_1 \\ y_2 \end{bmatrix} = \begin{bmatrix} \theta \\ x \end{bmatrix} = \begin{bmatrix} x_1 \\ x_3 \end{bmatrix}$$

(Nótese que tanto $\theta$ como $x$ son cantidades medibles). Entonces, de la definición de las variables de estado y de las ecuaciones (2-19) y (2-20), se obtiene

$$\dot{x}_1 = x_2$$

$$\dot{x}_2 = \frac{M + m}{Ml} g x_1 - \frac{1}{Ml} u$$

$$\dot{x}_3 = x_4$$

$$\dot{x}_4 = -\frac{m}{M} g x_1 + \frac{1}{M} u$$

En términos de las ecuaciones vectorial-matriciales, se tiene

$$\begin{bmatrix} \dot{x}_1 \\ \dot{x}_2 \\ \dot{x}_3 \\ \dot{x}_4 \end{bmatrix} = \begin{bmatrix} 0 & 1 & 0 & 0 \\ \dfrac{M+m}{Ml}g & 0 & 0 & 0 \\ 0 & 0 & 0 & 1 \\ -\dfrac{m}{M}g & 0 & 0 & 0 \end{bmatrix} \begin{bmatrix} x_1 \\ x_2 \\ x_3 \\ x_4 \end{bmatrix} + \begin{bmatrix} 0 \\ -\dfrac{1}{Ml} \\ 0 \\ \dfrac{1}{M} \end{bmatrix} u \qquad (2\text{–}21)$$

$$\begin{bmatrix} y_1 \\ y_2 \end{bmatrix} = \begin{bmatrix} 1 & 0 & 0 & 0 \\ 0 & 0 & 1 & 0 \end{bmatrix} \begin{bmatrix} x_1 \\ x_2 \\ x_3 \\ x_4 \end{bmatrix} \qquad (2\text{–}22)$$

Las ecuaciones (2-21) y (2-22) dan una representación del sistema de péndulo invertido en el espacio de estado. (Nótese que la representación en el espacio de estado del sistema no es única. Hay infinidad de representaciones similares).

## 2-4 SISTEMAS ELECTRICOS

En esta sección se estudian los circuitos eléctricos, que incluyen resistores, capacitores, inductores y amplificadores operacionales. Las leyes básicas que rigen los circuitos eléctricos son las leyes de corriente y voltaje de Kirchhoff. La ley de corriente de Kirchhoff (ley de nodos) establece que la suma algebraica de todas las corrientes que entran y salen de un nodo, es cero. (Esta ley también se puede representar como sigue: La suma de corrientes que entra a un nodo es igual a la suma de las que salen del mismo). La ley de Kirchhoff de tensión o voltaje (ley de malla o lazos) establece que en cualquier instante, la suma algebraica de las tensiones a lo largo de una malla en un circuito eléctrico es igual a cero. (Esta ley también se puede presentar como sigue: La suma de caídas de tensión es igual a la suma de las elevaciones de tensión a lo largo de una malla). Aplicando una o ambas leyes de Kirchhoff a un circuito eléctrico, se puede obtener un modelo matemático del mismo.

**Circuito L-R-C.** Sea el circuito eléctrico de la figura 2-8. El circuito consiste en una inductancia $L$ (henry), una resistencia $R$ (ohm), y una capacitancia $C$ (farad). Al aplicar la ley de tensión de Kirchhoff al sistema, se obtienen las siguientes ecuaciones:

$$L\frac{di}{dt} + Ri + \frac{1}{C}\int i\,dt = e_i \qquad (2\text{–}23)$$

$$\frac{1}{C}\int i\,dt = e_o \qquad (2\text{–}24)$$

Las ecuaciones (2-23) y (2-24) son el modelo matemático del circuito.

También se puede obtener un modelo en función de transferencia de circuito del siguiente modo: tomando las transformadas de Laplace de las ecuaciones (2-23) y (2-24), suponiendo cero las condiciones iniciales, se tiene:

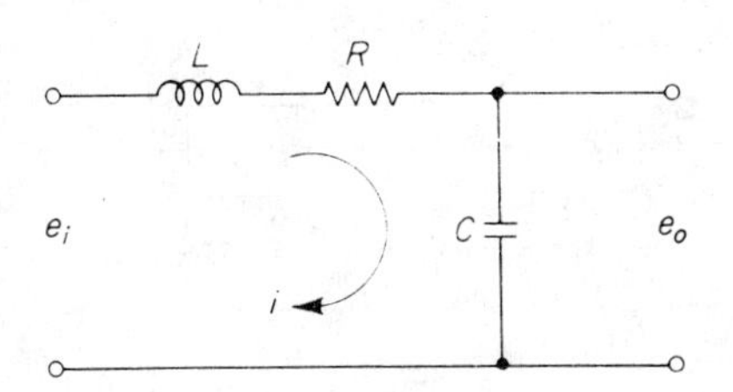


**Figura 2-8**
Circuito eléctrico.

$$LsI(s) + RI(s) + \frac{1}{C}\frac{1}{s}I(s) = E_i(s)$$

$$\frac{1}{C}\frac{1}{s}I(s) = E_o(s)$$

Si se supone que $e_i$ es la entrada, y $e_o$ es la salida, resulta que la función de transferencia de este sistema es

$$\frac{E_o(s)}{E_i(s)} = \frac{1}{LCs^2 + RCs + 1} \tag{2–25}$$

**Impedancias complejas.** Al deducir las funciones de transferencia para circuitos eléctricos, es conveniente escribir las ecuaciones ya transformadas a Laplace directamente, sin plantear las ecuaciones diferenciales. Sea el sistema que aparece en la figura 2.9(a). En este sistema $Z_1$ y $Z_2$ representan impedancias complejas. La impedancia compleja $Z(s)$ de un circuito de dos terminales es la relación entre $E(s)$, la transformada de Laplace de la tensión entre bornes, e $I(s)$, la transformada de Laplace de la corriente a través del elemento, suponiendo que las condiciones iniciales son cero, de manera que $Z(s) = E(s)/I(s)$. Si el elemento de dos terminales es una resistencia $R$, capacitancia $C$, o una inductancia $L$, entonces la impedancia compleja respectiva resulta de $R$, $1/Cs$ o $Ls$, respectivamente. Si las impedancias complejas están conectadas en serie, la impedancia total es la suma de las impedancias complejas individuales.

Recuérdese que el método de las impedancias es válido solamente si todas las condiciones iniciales son cero. Como la función de transferencia exige condiciones iniciales cero, puede aplicarse el procedimiento de impedancia para obtener la función de transferencia del circuito eléctrico. Este método simplifica mucho la deducción de funciones de transferencia en circuitos eléctricos.

Sea el circuito de la figura 2-9(b). Las tensiones de entrada y salida, $e_i$ y $e_o$, respectivamente. Entonces la función de transferencia de este circuito es:

$$\frac{E_o(s)}{E_i(s)} = \frac{Z_2(s)}{Z_1(s) + Z_2(s)}$$

Para el sistema de la figura 2-8,

$$Z_1 = Ls + R, \qquad Z_2 = \frac{1}{Cs}$$

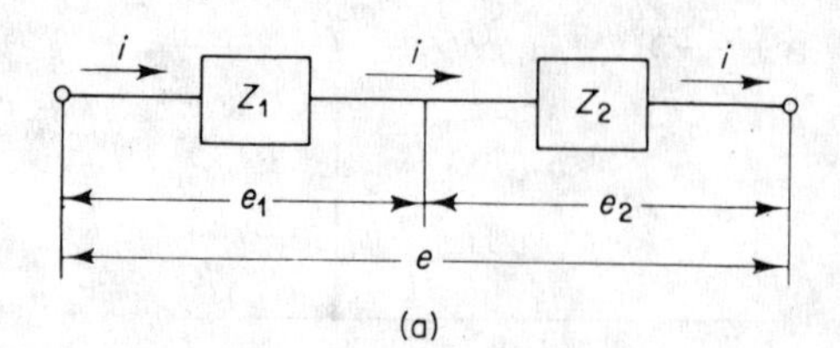

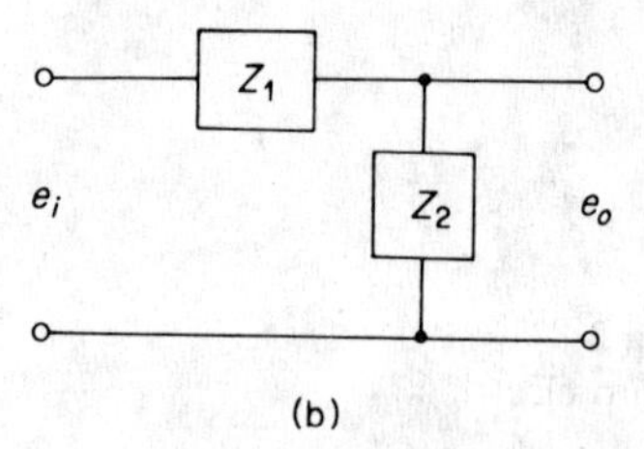


**Figura 2-9**
Circuitos eléctricos.

Por tanto, la función de transferencia se puede hallar como sigue:

$$\frac{E_o(s)}{E_i(s)} = \frac{\frac{1}{Cs}}{Ls + R + \frac{1}{Cs}} = \frac{1}{LCs^2 + RCs + 1}$$

que es, por supuesto, idéntica a la ecuación (2-25).

**Representación en el espacio de estado.** En el espacio de estado del sistema que aparece en la figura 2-8 se puede hallar un modelo como sigue: primero, nótese que la ecuación diferencial del sistema se puede obtener de la ecuación (2-25) como

$$\ddot{e}_o + \frac{R}{L}\dot{e}_o + \frac{1}{LC}e_o = \frac{1}{LC}e_i$$

Entonces las variables de estado se definen como

$$x_1 = e_o$$

$$x_2 = \dot{e}_o$$

y las variables de entrada y salida por

$$u = e_i$$

$$y = e_o = x_1$$

se obtiene

$$\begin{bmatrix} \dot{x}_1 \\ \dot{x}_2 \end{bmatrix} = \begin{bmatrix} 0 & 1 \\ -\frac{1}{LC} & -\frac{R}{L} \end{bmatrix} \begin{bmatrix} x_1 \\ x_2 \end{bmatrix} + \begin{bmatrix} 0 \\ \frac{1}{LC} \end{bmatrix} u$$

y

$$y = [1 \quad 0] \begin{bmatrix} x_1 \\ x_2 \end{bmatrix}$$

Estas dos ecuaciones dan un modelo matemático del sistema en el espacio de estado.

**Funciones de transferencia de elementos en cascada.** Muchos sistemas de retroalimentación tienen componentes que se cargan unos a otros. Sea el sistema que se

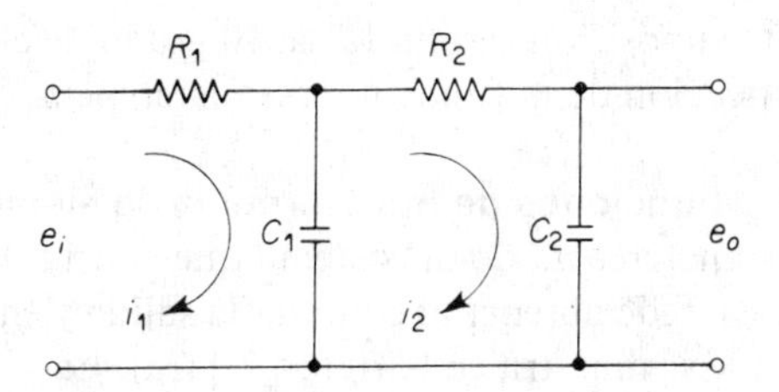


**Figura 2-10**
Sistema eléctrico.

muestra en la figura 2-10. Supóngase que $e_i$ es la entrada y $e_o$ es la salida. En este sistema la segunda etapa del circuito (porción $R_2C_2$) produce un efecto de carga sobre la primera etapa (porción $R_1c_1$). Las ecuaciones de este sistema son

$$\frac{1}{C_1}\int (i_1 - i_2)\,dt + R_1 i_1 = e_i \tag{2–26}$$

y

$$\frac{1}{C_1}\int (i_2 - i_1)\,dt + R_2 i_2 = -\frac{1}{C_2}\int i_2\,dt = -e_o \tag{2–27}$$

Tomando las transformadas de Laplace en las ecuaciones (2-26) y (2-27), respectivamente, suponiendo condiciones iniciales cero, se obtiene

$$\frac{1}{C_1 s}[I_1(s) - I_2(s)] + R_1 I_1(s) = E_i(s) \tag{2–28}$$

$$\frac{1}{C_1 s}[I_2(s) - I_1(s)] + R_2 I_2(s) = -\frac{1}{C_2 s} I_2(s) = -E_o(s) \tag{2–29}$$

Eliminando $I_1(s)$ e $I_2(s)$ de las ecuaciones (2-28) y (2-29), se encuentra que la función de transferencia entre $E_o(s)$ y $E_i(s)$, es

$$\begin{aligned}\frac{E_o(s)}{E_i(s)} &= \frac{1}{(R_1C_1s + 1)(R_2C_2s + 1) + R_1C_2s} \\ &= \frac{1}{R_1C_1R_2C_2s^2 + (R_1C_1 + R_2C_2 + R_1C_2)s + 1}\end{aligned} \tag{2–30}$$

El término $R_1C_2s$ en el denominador de la función de transferencia, representa la interacción de los dos circuitos $RC$ simples. Puesto que $(R_1C_1 + R_2C_2 + R_1C_2)^2 > 4R_1C_1R_2C_2$, las dos raíces del denominador de la ecuación (2-30) son reales.

El presente análisis indica que si dos circuitos $RC$ están conectados en cascada, de manera que la salida del primer circuito es la entrada al segundo, la función de transferencia total no es el producto de $1/(R_1C_1s + 1)$ y $1/(R_2C_2s + 1)$. La razón de esto es que cuando se deduce la función de transferencia de un circuito aislado, se supone implícitamente que la salida no está cargada. En otras palabras, se supone que la impedancia de carga es infinita, lo cual significa que no se toma potencia de la salida. Sin embargo, cuando el segundo circuito se conecta a la salida del primero, se toma cierta cantidad de potencia, y así se viola la suposición de ausencia de carga. Por tanto, si la función de transferencia de este sistema se obtiene suponiéndose que no tiene carga, esta suposición resulta falsa. El grado de efecto de carga determina la magnitud de modificación de la función de transferencia.

**Funciones de transferencia de elementos en cascada sin carga.** La función de transferencia de un sistema que consta de dos elementos en cascada que no se cargan, se puede obtener al eliminar la salida y entrada intermedias. Por ejemplo, sea el sistema que se muestra en la figura 2-11(a). Las funciones de transferencia de los elementos son

$$G_1(s) = \frac{X_2(s)}{X_1(s)} \quad \text{y} \quad G_2(s) = \frac{X_3(s)}{X_2(s)}$$

Si la impedancia de entrada del segundo elemento es infinita, la salida del primer elemento no se afecta por conectarla al segundo elemento. Entonces la función de transferencia de todo el sistema es

$$G(s) = \frac{X_3(s)}{X_1(s)} = \frac{X_2(s)\,X_3(s)}{X_1(s)\,X_2(s)} = G_1(s)G_2(s)$$

La función de transferencia de todo el sistema es, entonces, el producto de las funciones de transferencia de los elementos individuales. Esto se puede ver en la figura 2-11(b).

Como ejemplo, sea el sistema de la figura 2-12. La inserción de un amplificador separador entre circuitos para obtener características de no-carga, se utiliza frecuentemente al combinar circuitos. Como los amplificadores tienen impedancias de entrada muy altas, un amplificador separador insertado entre los dos circuitos justifica la presunción de no presentar carga entre ellos.

Los dos circuitos *RC* simples, aislados por un amplificador como puede verse en la figura 2-12, tienen efectos insignificantes de carga, y la función de transferencia de todo el circuito iguala al producto de las funciones de transferencia individuales. Por tanto, en este caso

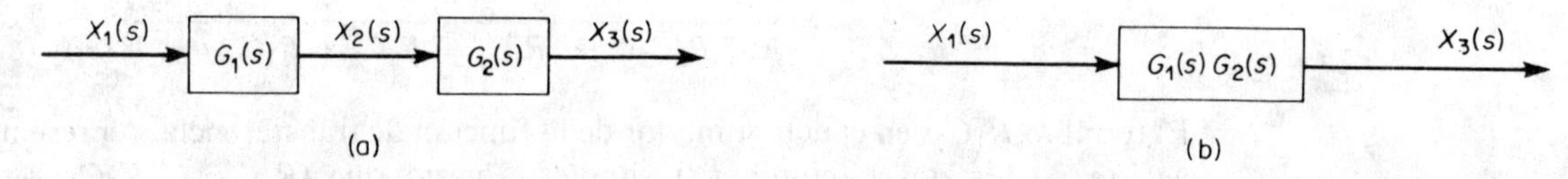


**Figura 2-11** (a) Sistema de dos elementos en cascada que no producen efecto de carga; (b) un circuito equivalente.

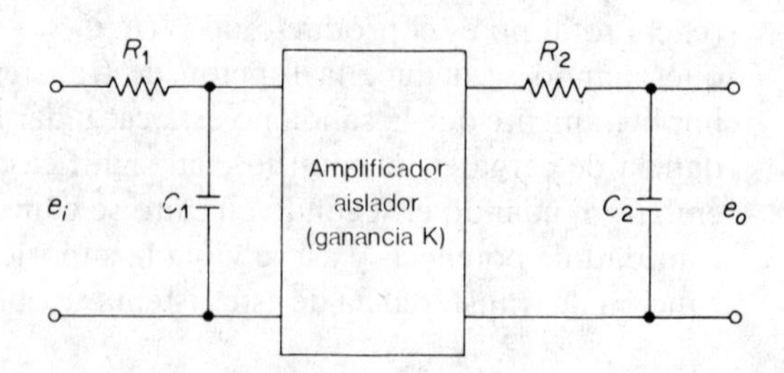


**Figura 2-12**
Sistema eléctrico.

$$\frac{E_o(s)}{E_i(s)} = \left(\frac{1}{R_1C_1s + 1}\right)(K)\left(\frac{1}{R_2C_2s + 1}\right)$$

$$= \frac{K}{(R_1C_1s + 1)(R_2C_2s + 1)}$$

**Elementos pasivos y elementos activos.** Algunos elementos de un sistema, como capacitores e inductores, almacenan energía. Esta energía se puede introducir posteriormente en el sistema. La cantidad de energía que se puede introducir, no puede exceder la magnitud de la que el elemento ha acumulado; y excepto si un elemento había almacenado energía antes, no puede aportar ninguna energía al sistema. Por ello, estos elementos se denominan *pasivos*. Un sistema que sólo contiene elementos pasivos, se llama *sistema pasivo*. Los capacitores, resistores e inductores en sistemas eléctricos son ejemplo de elementos pasivos; masas, inercias, amortiguadores y resortes lo son en sistemas mecánicos. Para sistemas pasivos, todos los términos en el sistema de ecuaciones diferenciales homogéneas, tienen el mismo signo.

Un elemento físico que puede entregar energía externa a un sistema, se denomina elemento *activo*. Por ejemplo, un amplificador es un elemento activo, pues tiene una fuente de alimentación y provee potencia al sistema. Las fuentes de fuerza, par, o velocidad son igualmente elementos activos. También lo son las fuentes de tensión y corriente.

**Amplificadores operacionales.** Los amplificadores operacionales llamados "op" suelen utilizarse en circuitos sensores y en filtros con fines de compensación. La figura 2-13 muestra un amplificador operacional. Es práctica habitual elegir la tierra como 0 volts y medir los voltajes de entrada $e_1$ y $e_2$ con respecto a masa o tierra. La entrada $e_1$ en la terminal negativa del amplificador es invertida, mientras la entrada $e_2$ en la terminal positiva del amplificador, no lo es. Así, la entrada total al amplificador se convierte en $e_2 - e_1$. Por tanto, para el circuito mostrado en la figura 2-13, se tiene

$$e_o = K(e_2 - e_1) = -K(e_1 - e_2)$$

donde las entradas $e_1$ y $e_2$ pueden ser señales de cd o de ca, y $K$ es la ganancia diferencial o ganancia de tensión. La magnitud de $K$ es aproximadamente $10^5 \sim 10^6$ para señales

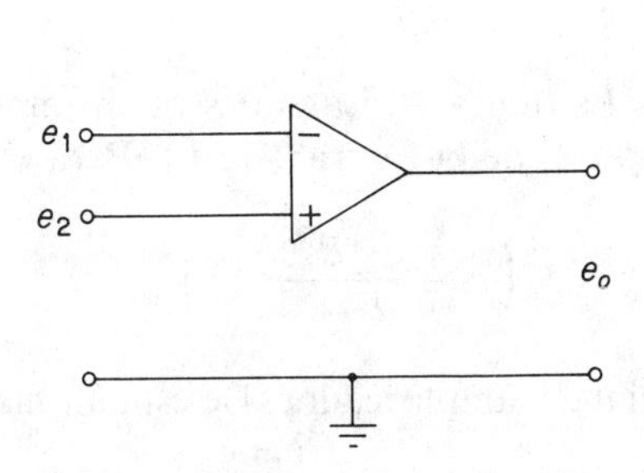


**Figura 2-13**
Amplificador operacional.

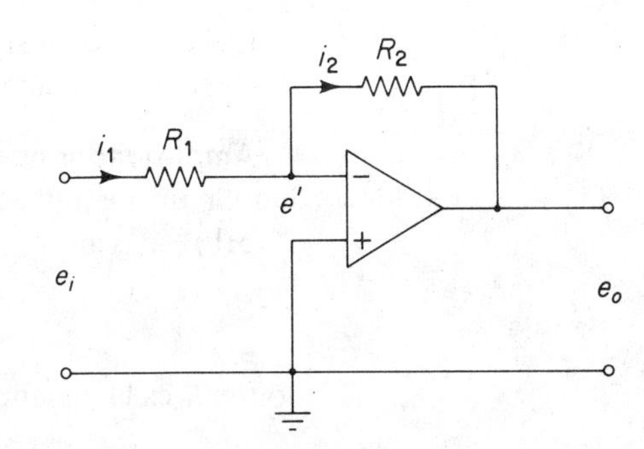


**Figura 2-14**
Amplificador inversor.

de cd y de ca de frecuencias inferiores a 10 Hz. (La ganancia diferencial disminuye con la frecuencia de la señal y se vuelve aproximadamente unitaria para frecuencias de 1 MHz ~ 50 MHz.) Nótese que el amplificador operacional amplifica la diferencia entre los voltajes $e_1$ y $e_2$. A este amplificador comúnmente se le denomina amplificador diferencial. Como la ganancia de un amplificador operacional es muy grande, es necesario disponer una retroalimentación negativa desde la salida a la entrada para estabilizar el amplificador. (La retroalimentación se efectúa desde la salida a la entrada invertida, de modo que sea negativa).

Es un amplificador operacional ideal, no fluye corriente en las terminales de entrada, y la tensión de salida no se afecta por la carga conectada a las terminales de salida. En otras palabras, la impedancia de entrada es infinita y la impedancia de salida es cero. En un amplificador operacional real, fluye una corriente muy pequeña (casi insignificante) en la terminal de entrada, y la salida no puede estar demasiado cargada. En estos análisis, se presume que se trata de amplificadores operacionales ideales.

**Amplificador inversor.** Considérese el circuito de amplificador operacional que se ve en la figura 2-14. Se trata de obtener el voltaje $e_0$.

La ecuación para este circuito, se puede obtener al definir

$$i_1 = \frac{e_i - e'}{R_1}, \qquad i_2 = \frac{e' - e_o}{R_2}$$

Como sólo fluye una corriente insignificante en la entrada del amplificador, la corriente $i_1$ debe ser igual a la corriente $i_2$. Entonces

$$\frac{e_i - e'}{R_1} = \frac{e' - e_o}{R_2}$$

Como $K(0 - e') = e_0$ y $K \gg 1$, $e'$ debe ser casi cero, o $e' \doteqdot 0$. Por tanto, se tiene

$$\frac{e_i}{R_1} = \frac{-e_o}{R_2}$$

o

$$e_o = -\frac{R_2}{R_1} e_i$$

Así, el circuito mostrado es un amplificador inversor. Si $R_1 = R_2$, entonces el amplificador operacional actúa como inversor de signo.

**Amplificador no inversor.** La figura 2-15(a) muestra un amplificador no inversor. Un circuito equivalente puede ser el de la figura 2-15(b). Para el circuito de la figura 2-15(b), se tiene

$$e_o = K\left(e_i - \frac{R_1}{R_1 + R_2} e_o\right)$$

donde $K$ es la ganancia diferencial del amplificador. De esta última ecuación se obtiene

$$e_i = \left(\frac{R_1}{R_1 + R_2} + \frac{1}{K}\right) e_o$$

**Figura 2-15**
(a) Amplificador operacional no inversor;
(b) circuito equivalente.

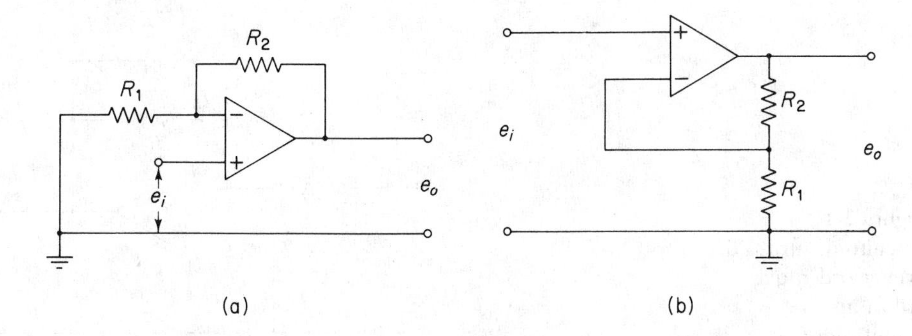


Como $K \gg 1$, si $R_1/(R_1 + R_2) \gg 1/K$, entonces

$$e_o = \left(1 + \frac{R_2}{R_1}\right) e_i$$

Esta ecuación da el voltaje de salida $e_o$. Como $e_o$ y $e_i$ tienen los mismos signos, el circuito del amplificador operacional que aparece en la figura 2-15(a) es no inversor.

**EJEMPLO 2-4** La figura 2-16 muestra un circuito eléctrico con un amplificador operacional. Hallar la salida $e_o$.

Se define:

$$i_1 = \frac{e_i - e'}{R_1}, \qquad i_2 = C\frac{d(e' - e_o)}{dt}, \qquad i_3 = \frac{e' - e_o}{R_2}$$

Considerando que la corriente que fluye hacia el amplificador es insignificante, se tiene

$$i_1 = i_2 + i_3$$

Por tanto

$$\frac{e_i - e'}{R_1} = C\frac{d(e' - e_o)}{dt} + \frac{e' - e_o}{R_2}$$

Como $e' \doteqdot 0$, resulta

$$\frac{e_i}{R_1} = -C\frac{de_o}{dt} - \frac{e_o}{R_2}$$

Tomando la transformada de Laplace de esta última ecuación, y suponiendo condiciones iniciales cero, se tiene

$$\frac{E_i(s)}{R_1} = -\frac{R_2Cs + 1}{R_2}E_o(s)$$

que se puede escribir como

$$\frac{E_o(s)}{E_i(s)} = -\frac{R_2}{R_1}\frac{1}{R_2Cs + 1}$$

El amplificador operacional que se ve en la figura 2-16, es un circuito de atraso de primer orden. (En la tabla 7-1 aparecen gran diversidad de circuitos con amplificadores operacionales, junto con sus funciones de transferencia).

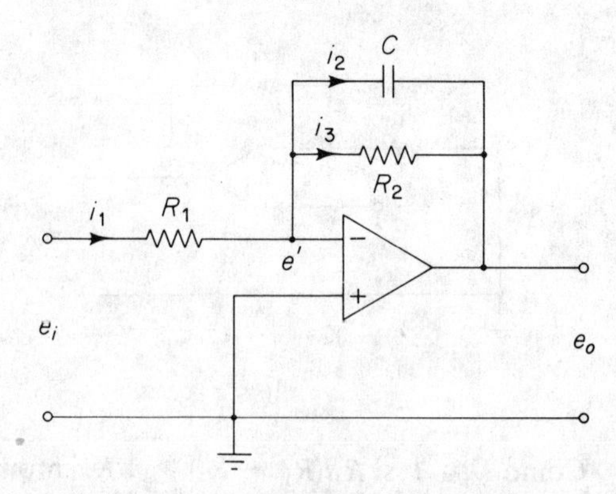


**Figura 2-16**
Circuito de atraso de primer orden que utiliza un amplificador operacional.

**Método de las impedancias para obtener funciones de transferencia.** Considérese el circuito con amplificador operacional de la figura 2-17. Al igual que en el caso de los circuitos eléctricos antes expuestos, el método de impedancias se puede aplicar a los circuitos con amplificadores operacionales para hallar sus funciones de transferencia. Para el circuito de la figura 2-17, se tiene

$$E_i(s) = Z_1(s)I(s), \qquad E_o(s) = -Z_2(s)I(s)$$

Por ende, se obtiene la función de transferencia para el circuito como

$$\frac{E_o(s)}{E_i(s)} = -\frac{Z_2(s)}{Z_1(s)}$$

**EJEMPLO 2-5**

Con referencia al circuito del amplificador operacional que aparece en la figura 2-16, obtenga la función de transferencia $E_o(s)/E_i(s)$ utilizando el método de impedancias.

Las impedancias complejas $Z_1(s)$ y $Z_2(s)$ para este circuito son

$$Z_1(s) = R_1 \qquad \text{y} \qquad Z_2(s) = \frac{1}{Cs + \dfrac{1}{R_2}} = \frac{R_2}{R_2Cs + 1}$$

Por tanto, se pueden hallar $E_i(s)$ y $E_o(s)$ como

$$E_i(s) = R_1I(s), \qquad E_o(s) = -\frac{R_2}{R_2Cs + 1}I(s)$$

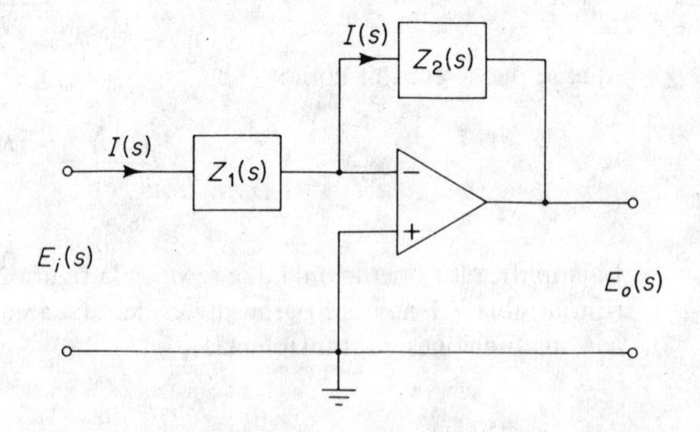


**Figura 2-17**
Circuito de amplificador operacional.

De este modo, se obtiene la función de transferencia de $E_o(s)/E_1(s)$ se obtiene como

$$\frac{E_o(s)}{E_i(s)} = -\frac{R_2}{R_1}\frac{1}{R_2Cs + 1}$$

que, por supuesto, es igual a la hallada en el ejemplo 2-4.

## 2-5 SISTEMAS ANALOGOS

Los sistemas que pueden representarse por los mismos modelos matemáticos, pero que son físicamente diferentes, se denominan sistemas análogos. Así, los sistemas análogos son descritos por las mismas ecuaciones diferenciales, integrodiferenciales, o el conjunto de ellas.

El concepto de sistemas análogos es muy útil en la práctica por las siguientes razones.

1. La solución de la ecuación que describe un sistema físico se puede aplicar directamente a sistemas análogos de otro campo.
2. Como un tipo de sistema puede ser más fácil de manejar experimentalmente que otro, en lugar de construir y estudiar un sistema mecánico (o un sistema hidráulico o un sistema neumático), se puede construir y estudiar sus análogos eléctricos, pues los sistemas eléctricos o electrónicos son, en general, mucho más fáciles de manejar en forma experimental.

Esta sección presenta analogías entre sistemas mecánicos y eléctricos; sin embargo, el concepto de sistemas análogos es aplicable a otros tipos de sistemas, y se pueden establecer analogías entre sistemas mecánicos, eléctricos, hidráulicos, neumáticos, térmicos y otros.

**Analogía mecánica-eléctrica.** Los sistemas mecánicos se puede estudiar a través de sus análogos eléctricos, que pueden construirse más fácilmente que los correspondientes mecánicos. Hay dos analogías eléctricas para sistemas mecánicos: la analogía fuerza-voltaje y la analogía fuerza-corriente.

**Analogía fuerza-voltaje.** Sean los sistemas mecánico, de la figura 2-18(a) y eléctrico de la figura 2-18(b). El sistema de ecuaciones para el primero es

$$m\frac{d^2x}{dt^2} + b\frac{dx}{dt} + kx = p \tag{2–31}$$

mientras la ecuación para el segundo es

$$L\frac{di}{dt} + Ri + \frac{1}{C}\int i\,dt = e$$

Expresada en términos de la carga eléctrica $q$, esta última ecuación se convierte en

$$L\frac{d^2q}{dt^2} + R\frac{dq}{dt} + \frac{1}{C}q = e \tag{2–32}$$

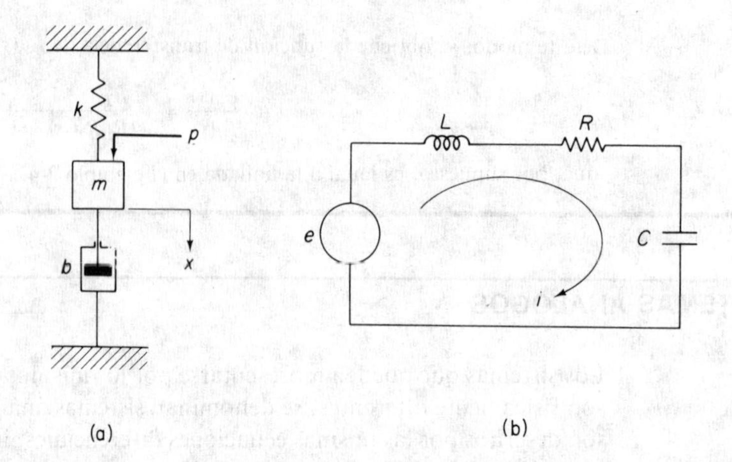


**Figura 2-18**
Sistemas mecánico y eléctrico análogos.

**Tabla 2-2** Analogía fuerza-voltaje

| Sistemas mecánicos | Sistemas eléctricos |
|---|---|
| Fuerza $p$ (par $T$) | Voltaje $e$ |
| Masa $m$ (momento de inercia $J$) | Inductancia $L$ |
| Coeficiente de fricción viscosa $b$ | Resistencia $R$ |
| Constante del resorte $k$ | Recíproco de capacitancia $1/C$ |
| Desplazamiento $x$ (desplazamiento angular $\theta$) | Carga $q$ |
| Velocidad $\dot{x}$ (velocidad angular $\dot{\theta}$) | Corriente $i$ |

Comparando las ecuaciones (2-31) y (2-32), se ve que las ecuaciones diferenciales para ambos sistemas son idénticas. Entonces estos dos sistemas son análogos. Los términos que ocupan posiciones correspondientes en las ecuaciones diferenciales, se denominan *magnitudes análogas*, algunas de las cuales aparecen en la lista de la tabla 2-2. Aquí la analogía indicada es la denominada *fuerza-voltaje* (o analogía masa-inductancia).

**Analogía fuerza-corriente.** Otra analogía entre sistemas eléctricos y sistemas mecánicos, está basada en la analogía fuerza-corriente. Considérese el sistema mecánico de la figura 2-19(a). Se pueden obtener la ecuación del sistema como

$$m\frac{dx^2}{dt^2} + b\frac{dx}{dt} + kx = p \tag{2–33}$$

Considere a continuación el sistema eléctrico de la figura 2-19(b). La aplicación de la ley de Kirchhoff produce

$$i_L + i_R + i_C = i_s \tag{2–34}$$

donde

$$i_L = \frac{1}{L}\int e\,dt, \qquad i_R = \frac{e}{R}, \qquad i_C = C\frac{de}{dt}$$

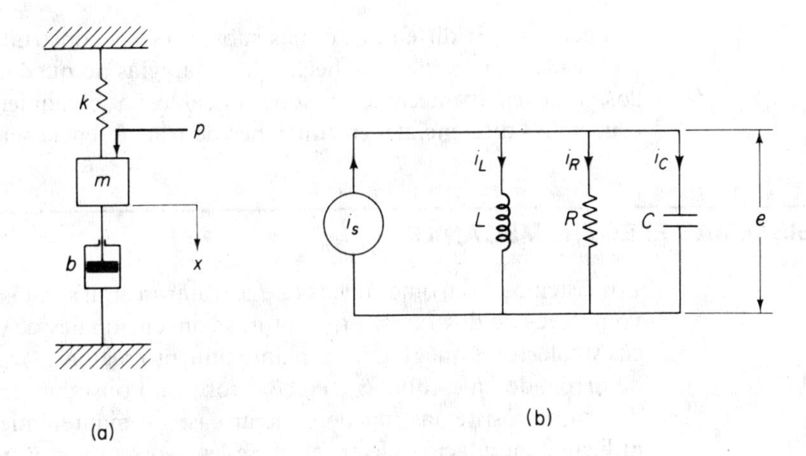


**Figura 2-19**
Sistemas mecánico y eléctrico análogos.

La ecuación (2-34) se puede escribir como

$$\frac{1}{L}\int e\,dt + \frac{e}{R} + C\frac{de}{dt} = i_s \tag{2–35}$$

Como el flujo magnético $\psi$ está relacionado con el voltaje $e$ por la ecuación

$$\frac{d\psi}{dt} = e$$

En términos de $\psi$ la ecuación (2-35) se puede escribir como

$$C\frac{d^2\psi}{dt^2} + \frac{1}{R}\frac{d\psi}{dt} + \frac{1}{L}\psi = i_s \tag{2–36}$$

Comparando las ecuaciones (2-33) y (2-36), se encuentra que los dos sistemas son análogos. Las magnitudes análogas aparecen listadas en la tabla 2-3. Aquí la analogía se llama *fuerza-corriente* (o analogía masa-capacitancia).

Debe recordarse que las analogías entre dos sistemas acaso no se cumplan si las regiones de operación se extienden demasiado. En otras palabras, como las ecuaciones diferenciales en las que se basan las analogías son solamente aproximaciones a las características dinámicas de los sistemas físicos en cierta región de operación, la analogía quizás no sea válida totalmente si la región operativa de un sistema es excesivamente amplia. Sin embargo, si la región operativa de un sistema mecánico es extensa,

**Tabla 2-3** Analogía fuerza-corriente

| **Sistemas mecánicos** | **Sistemas eléctricos** |
|---|---|
| Fuerza $p$ (par $T$) | Corriente $i$ |
| Masa $m$ (momento de inercia $J$) | Capacidad $C$ |
| Coeficiente de fricción viscosa $b$ | Recíproco de resistencia $1/R$ |
| Constante del resorte $k$ | Recíproco de inductancia $1/L$ |
| Desplazamiento $x$ (desplazamiento angular $\theta$) | Enlace de flujo magnético $\psi$ |
| Velocidad $\dot{x}$ (velocidad angular $\dot{\theta}$) | Voltaje $E$ |

se puede subdividir en dos o más subregiones y construir sistemas eléctricos análogos para cada una de ellas. De hecho, las analogías no quedan limitadas a sistemas eléctricos y sistemas mecánicos; son aplicables a cualquier sistema, siempre que sus ecuaciones diferenciales, o funciones de transferencia sean de forma idéntica.

## 2-6 SISTEMAS ELECTROMECANICOS

Los sistemas electromecánicos que se tratarán aquí son los servomotores de cd y los servomotores de dos fases. Los motores convencionales de cd utilizan escobillas mecánicas y colectores que requieren mantenimiento regular. Gracias a las mejoras que se han desarrollado en escobillas y en colectores, no obstante, muchos motores de cd utilizados en servosistemas, pueden operar casi sin mantenimiento. Algunos motores de cd utilizan conmutación electrónica. Se les denomina motores de cd sin escobillas.

**Servomotores de CD.** Hay muchos tipos de motores de cd en uso en la industria. Los motores de cd utilizados en servosistemas se llaman servomotores. En servomotores de cd se han hecho rotores con inercias muy pequeñas, de modo que se dispone comercialmente de motores con una elevada relación de par motriz a inercia. Algunos servomotores de cd tienen constantes de tiempo extremadamente pequeñas. Servomotores de cd con rangos de potencia relativamente chicos, se utilizan en instrumental y equipos de computación, como unidades de discos, de cinta magnética, impresoras y procesadores de texto. Otros de mayor potencia, media o grande, tienen utilización en sistemas robóticos, máquinas herramienta de control numérico, etc.

En los servomotores de cd, los bobinados de campo se pueden conectar en serie con la armadura, o separados (es decir, el campo magnético es producido por un circuito independiente). En este último caso, cuando el campo es excitado por separado, el flujo magnético es independiente de la corriente de la armadura. En algunos servomotores de cd, el campo magnético es producido por un imán permanente, y por lo tanto el flujo es constante. Esos servomotores de cd se llaman *servomotores de imán permanente*. Los servomotores de cd con campos excitados independientemente, así como los de imán permanente, pueden ser controlados por la corriente de la armadura. Tal esquema de control de salida de los servomotores de cd por la corriente de la armadura, se denomina *control de armadura* de servomotores de cd.

En el caso en que la corriente de armadura se mantiene constante y la velocidad se controla mediante la tensión de campo, se dice que el motor de cd es controlado por campo. (Algunos sistemas de control de velocidad usan motores de cd controlados por campo). El requisito de mantener constante la corriente de armadura, es una seria desventaja. (El proporcionar una fuente de corriente constante es mucho más difícil que producir una de tensión constante). Las constantes de tiempo del motor de cd controlado por campo son generalmente grandes en comparación con las constantes de tiempo de motores de cd controlados por armadura.

Un servomotor de cd también se puede controlar por medio de un controlador electrónico, frecuentemente denominado *servopropulsor*, combinación de motor y propulsor. El servopropulsor controla el movimiento de un servomotor de cd y funciona de diversos modos. Algunas de sus características son el posicionado punto a punto, el seguimiento de un perfil de velocidad, y la aceleración programable. En los sistemas de control de robot, en los sistemas de control numérico y otros sistemas de control de posición y/o de velocidad, es muy frecuente emplear un controlador electrónico de movimiento que utiliza un propulsor de modulación de ancho de pulso para controlar un servomotor de cd.

A continuación, se tratará el control de armadura de servomotores de cd y el control electrónico de movimiento de servomotores de cd.

**Control de armadura de servomotores de cd.** Se analizan los servomotores de cd controlados por armadura, donde la corriente de campo se mantiene constante y que aparece en la figura 2-20(a). En este sistema,

$R_a$ = resistencia de la armadura, en ohmios
$L_a$ = inductancia de la armadura, en henrios
$i_a$ = corriente en la armadura, en amperes
$i_f$ = corriente del campo, en amperes
$e_a$ = tensión aplicada a la armadura, en voltios
$e_b$ = fuerza contra-electromotriz, en voltios
$\theta$ = desplazamiento angular del eje del motor, en radianes
$T$ = par desarrollado por el motor, en Newton-metro
$J$ = momento de inercia equivalente del motor y carga con referencia al eje del motor, en kg-m$^2$
$b$ = coeficiente de fricción viscosa equivalente del motor y carga referido al eje del motor, en N-m/rad/seg

El par $T$ desarrollado por el motor es proporcional al producto de $i_a$ y el flujo $\psi$, en el entrehierro, el que a su vez es proporcional a la corriente de campo, o bien

$$\psi = K_f i_f$$

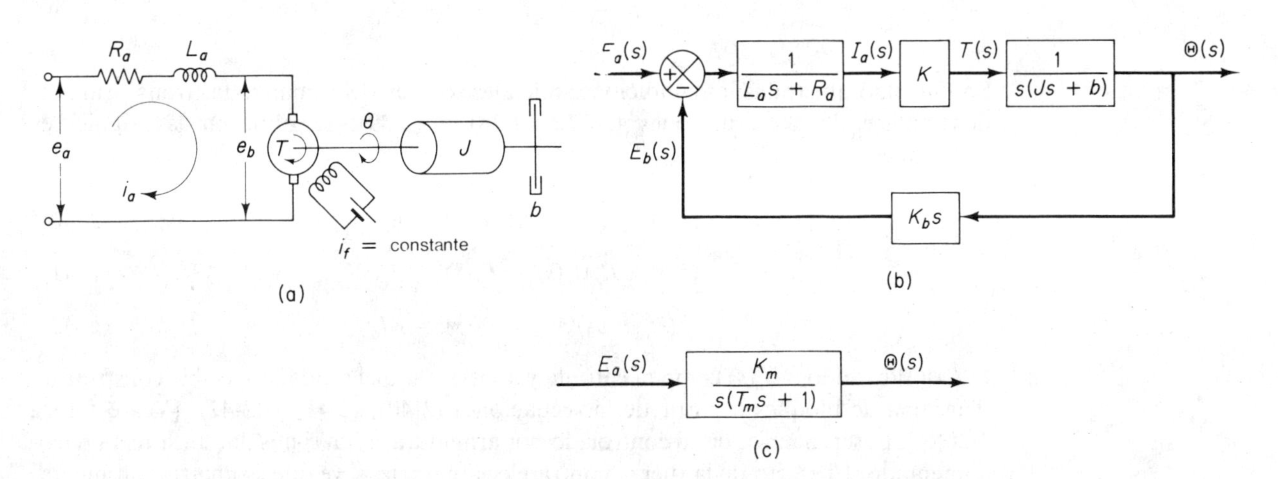


**Figura 2-20** (a) Diagrama de un motor de cd controlado por armadura; (b) diagrama de bloques obtenido de las ecuaciones (2-40)-(2-42); (c) diagrama de bloques simplificado.

donde $K_f$ es una constante. El par $T$ por tanto, se puede escribir como

$$T = K_f i_f K_1 i_a$$

donde $K_1$ es una constante.

Nótese que para una corriente de campo constante, el flujo se vuelve constante, y el par es directamente proporcional a la corriente de armadura, de modo que

$$T = K i_a$$

donde $K$ es una constante del par motriz. Nótese también que si el signo de la corriente $i_a$ se invierte, también se invierte el signo del par $T$, lo que se manifiesta en la inversión del sentido de rotación del eje del motor.

Cuando la armadura está girando, se induce en ella una tensión proporcional al producto del flujo por la velocidad angular. Para un flujo constante la tensión inducida $e_b$ es directamente proporcional a la velocidad angular $d\theta/dt$, o

$$e_b = K_b \frac{d\theta}{dt} \tag{2–37}$$

donde $e_b$ es la fuerza contra-electromotriz y $K_b$ es una constante de fuerza contra-electromotriz.

La velocidad de un servomotor de cd controlado por armadura, se controla mediante la tensión $e_a$ de la armadura. (La tensión de armadura $e_a$ es la salida de un amplificador de potencia, que no aparece en el diagrama). La ecuación diferencial del circuito de armadura es

$$L_a \frac{di_a}{dt} + R_a i_a + e_b = e_a \tag{2-38}$$

La corriente de armadura produce el torque que se aplica a la inercia y la fricción; por tanto

$$J \frac{d^2\theta}{dt^2} + b \frac{d\theta}{dt} = T = K i_a \tag{2–39}$$

Suponiendo que todas las condiciones iniciales son cero, y tomando las transformadas de Laplace de las ecuaciones (2-37), (2-38) y (2-39), se obtienen las siguientes ecuaciones:

$$K_b s\Theta(s) = E_b(s) \tag{2–40}$$

$$(L_a s + R_a) I_a(s) + E_b(s) = E_a(s) \tag{2–41}$$

$$(Js^2 + bs)\Theta(s) = T(s) = K I_a(s) \tag{2–42}$$

Considerando a $E_a(s)$ como la entrada y a $\Theta(s)$ como la salida, es posible construir un diagrama de bloques a partir de las ecuaciones (2-40), (2-41) y (2-42). [Véase figura 2-20(b)]. El servomotor de cd controlado por armadura es, en sí mismo, un sistema retroalimentado. El efecto de la fuerza contra-electromotriz se ve que es una retroalimentación de la señal proporcional a la velocidad del motor. Esta fuerza contra-electromotriz incrementa el amortiguamiento efectivo del sistema. La función de transferencia para este servomotor de cd se puede obtener como sigue

$$\frac{\Theta(s)}{E_a(s)} = \frac{K}{s[L_aJs^2 + (L_ab + R_aJ)s + R_ab + KK_b]} \tag{2–43}$$

La inductancia $L_a$ del circuito de armadura es pequeña generalmente y puede despreciarse. Si $L_a$ es insignificante, la función de transferencia dada por la ecuación (2-43) se reduce a

$$\frac{\Theta(s)}{E_a(s)} = \frac{K_m}{s(T_ms + 1)} \tag{2–44}$$

donde $K_m = K/(R_ab + KK_a)$ = constante de ganancia del motor
$T_m = R_aJ/(R_ab + KK_b)$ = constante de tiempo del motor

La figura 2-20(c) muestra un diagrama de bloques simplificado.

De las ecuaciones (2-43) y (2-44), se puede ver que las funciones de transferencia incluyen el término $1/s$. Así, este sistema posee una propiedad integrativa. En la ecuación (2-44), se hace notar que la constante de tiempo del motor es más pequeña cuando $R_a$ y $J$ lo son. Con $J$ pequeña, al reducir la resistencia $R_a$, la constante de tiempo del motor tiende a cero, y el motor actúa como un integrador ideal.

**Representación en el espacio de estado.** Se puede obtener un modelo en el espacio de estado del sistema de motor controlado por armadura recién analizado, del modo que se muestra a continuación. Primero, se observa de la ecuación (2-44) que la ecuación diferencial para este sistema es

$$\ddot{\theta} + \frac{1}{T_m}\dot{\theta} = \frac{K_m}{T_m}e_a$$

Las variables de estado $x_1$ y $x_2$ se definen como

$$x_1 = \theta$$

$$x_2 = \dot{\theta}$$

la variable de entrada $u$ por

$$u = e_a$$

y la variable de salida $y$ por

$$y = \theta = x_1$$

Entonces la representación en el espacio de estado del sistema de motor de cd está dada por

$$\begin{bmatrix} \dot{x}_1 \\ \dot{x}_2 \end{bmatrix} = \begin{bmatrix} 0 & 1 \\ 0 & -\dfrac{1}{T_m} \end{bmatrix} \begin{bmatrix} x_1 \\ x_2 \end{bmatrix} + \begin{bmatrix} 0 \\ \dfrac{K_m}{T_m} \end{bmatrix} u$$

$$y = [1 \quad 0] \begin{bmatrix} x_1 \\ x_2 \end{bmatrix}$$

**Control electrónico de movimiento de servomotores de cd.** Hay mucho tipos diferentes de controladores electrónicos de movimiento, o servopropulsores, para servomotores. La mayor parte de los servopropulsores están diseñados para controlar la velocidad de los servomotores. Ellos mejoran la eficiencia de operación. En la figura 2-21(a) se presenta un diagrama de bloques de un sistema de servo posición de alta precisión con control de velocidad que combina servopropulsor y servomotor. El servopropulsor está diseñado para lograr una velocidad del motor proporcional al voltaje $E_1$. En la figura 2-21(b) aparece un diagrama de bloques funcional para el servopropulsor.

**Comentarios.** La figura 2-22(a) muestra una configuración básica de sistema de servoposición que se usa mucho en la industria, representa un sistema de servoposición económico. La figura 2-22()b) muestra un sistema de servoposición con un servopropulsor. El sistema comprende un lazo de retroalimentación de velocidad. El integrador y ganancia mostrados como función de transferencia del servopropulsor son una versión muy simplificada del modelo matemático del servopropulsor. Este sistema es muy rápido y de alta precisión. Los servosistemas de posición de este tipo se utilizan frecuentemente en los sistemas actuales de control de posición.

**Servomotores de dos fases.** Un servomotor de dos fases, utilizado habitualmente en servomecanismos de instrumentación, es similar a un motor de inducción convencional de dos fases, excepto que su rotor tiene una pequeña relación entre diámetro y

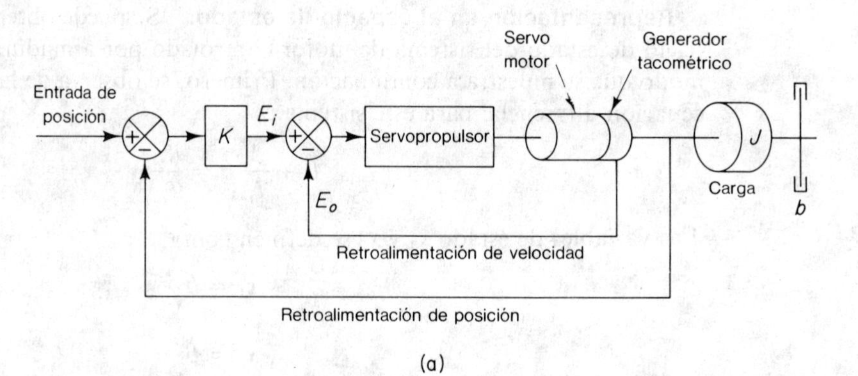


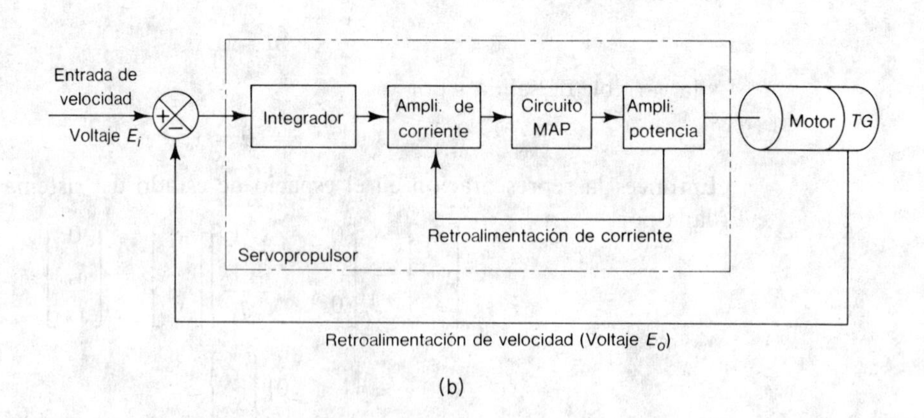


**Figura 2-21** Servosistema de posición de alta velocidad y alta precisión con control de velocidad, equipado con combinación de servopropulsor y servomotor; (b) diagrama funcional de un servopropulsor.

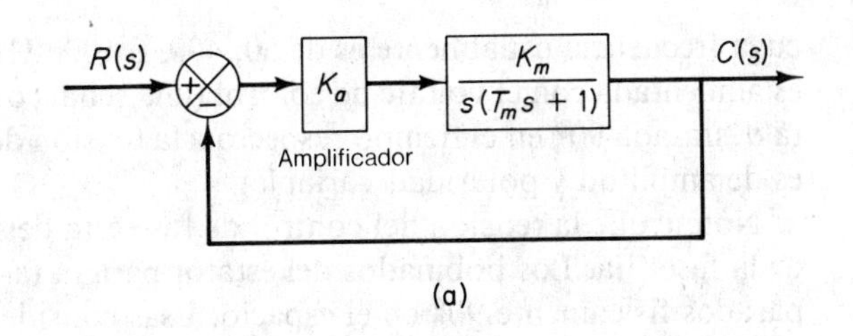


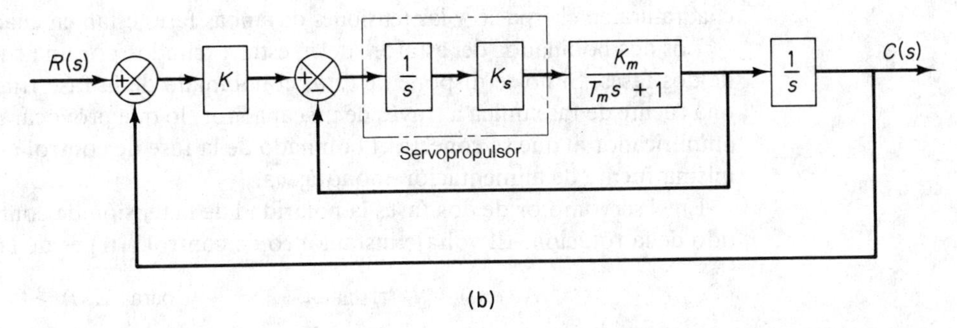


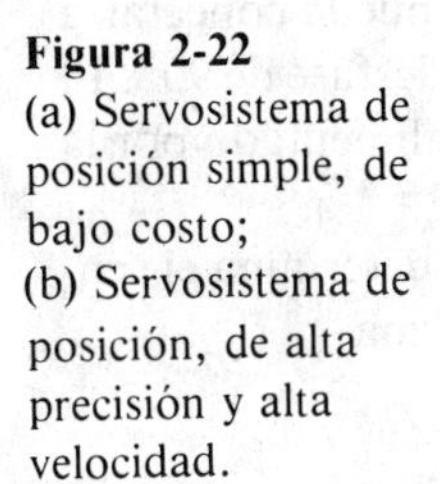
**Figura 2-22**
(a) Servosistema de posición simple, de bajo costo;
(b) Servosistema de posición, de alta precisión y alta velocidad.

longitud para llevar al mínimo el momento de inercia y obtener una buena característica de aceleración. El servomotor de dos fases es muy resistente y confiable. En muchas aplicaciones prácticas, el rango de potencia en que se usan los servomotores de dos fases va desde la fracción del vatio hasta algunos centenarios de vatios.

En la figura 2-23(a) se presenta un diagrama de un servomotor de dos fases. Aquí una fase (campo fijo) del motor es continuamente excitado por el voltaje de referencia,

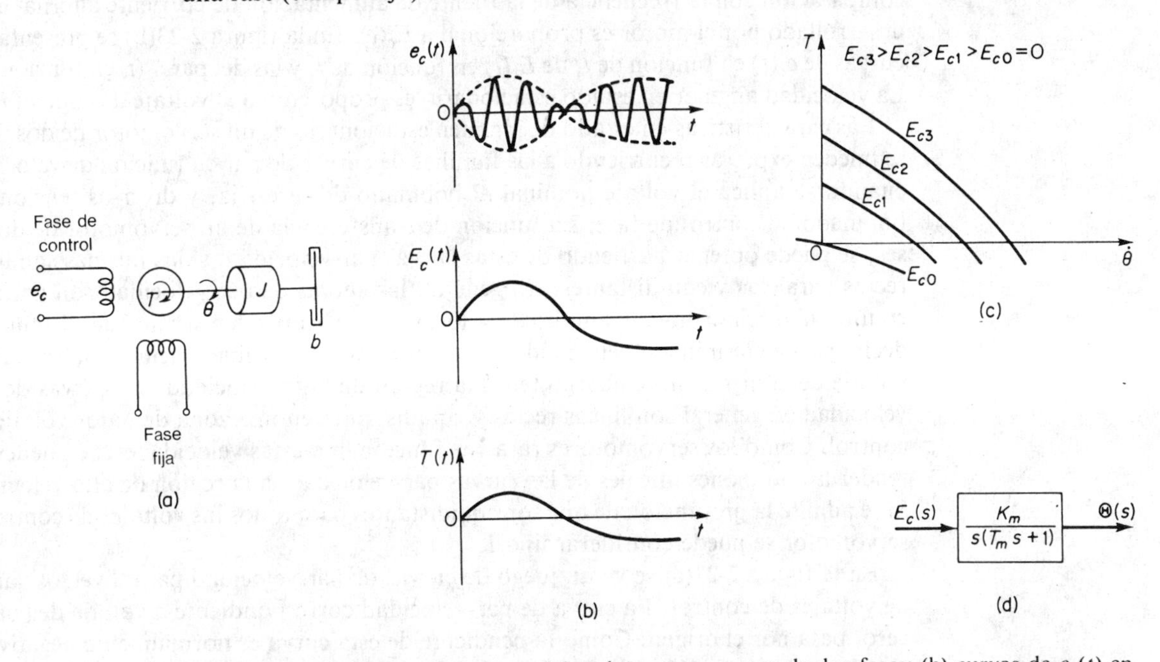


**Figura 2-23** (a) Diagrama esquemático de un servomotor de dos fases; (b) curvas de $e_c(t)$ en función de $t$, $E_c(t)$ en función de $t$ y $T(t)$ en función de $t$; (c) curvas de velocidad de par; (d) diagrama de bloques de un servomotor de dos fases.

cuya frecuencia usualmente es de 60, 400, o 1000 Hz, y la otra fase (campo de control) es alimentada con el voltaje de control (una señal con portadores suprimida), la cual está desfasada 90° en el tiempo respecto a la tensión de referencia. (La tensión de control es de amplitud y polaridad variable).

Nótese que la tensión del control de fase está desfasada en 90° respecto a la tensión de la fase fija. Los bobinados del estator para la fase fija y para la de control están separados físicamente 90° en el espacio. Esas consideraciones se basan en que el par resulta más eficiente sobre un eje cuando los ejes de los bobinados de las fases están en cuadratura en el espacio y las tensiones de ambas fases están en cuadratura en el tiempo.

Los dos bobinados del estator suelen estar excitados por una fuente de alimentación de dos fases. Si no se dispone de ésta, el bobinado de la fase fija se puede conectar a una fuente de fase única a través de un capacitor, lo que provocará el desfase de 90°. El amplificador al que se conecta el bobinado de la fase de control está alimentado por la misma fuente de alimentación monofásica.

En el servomotor de dos fases la polaridad de la tensión de control determina el sentido de la rotación. El voltaje instantáneo de control $e_c(t)$ es de la forma

$$
\begin{aligned}
e_c(t) &= E_c(t) \operatorname{sen} \omega t && \text{para} \quad E_c(t) > 0 \\
&= |E_c(t)| \operatorname{sen} (\omega t + \pi) && \text{para} \quad E_c(t) < 0
\end{aligned}
$$

Esto significa que un cambio de signo en $E_c(t)$ desplaza la fase en $\pi$ radianes. Así un cambio de signo en la tensión de control $E_c(t)$ invierte el sentido de rotación del motor. Como el voltaje de referencia es constante, el par $T$ y la velocidad angular $\dot{\theta}$ son también funciones del voltaje de control $E_c(t)$. Si las variaciones de $E_c(t)$ son lentas en comparación con la frecuencia de la fuente de alimentación de corriente alterna, el par desarrollado por el motor es proporcional a $E_c(t)$. En la figura 2-23(b) se presentan las curvas de $e_c(t)$ en función de $t$, de $E_c(t)$ en función de $t$, y las del par $T(t)$ en función de $t$. La velocidad angular en estado estacionario es proporcional al voltaje de control $E_c(t)$.

Las características en estado de régimen estacionario de un servomotor de dos fases, se pueden expresar recurriendo a las familias de curvas de par en función de velocidad, cuando se aplica el voltaje nominal al bobinado de fase fija, y diversas tensiones al bobinado de control de fase. La función de transferencia de un servomotor de dos fases, se puede obtener partiendo de estas curvas par-velocidad, si las mismas son líneas rectas paralelas y equidistantes. En general, las curvas de par-velocidad son paralelas en un rango relativamente amplio de velocidades, pero pueden ser no equidistantes; es decir, para determinada velocidad, el par puede no variar linealmente con respecto al voltaje de control. Sin embargo, en una región de baja velocidad, las curvas de par-velocidad en general son líneas rectas y equidistantes en una zona de bajos voltajes de control. Como los servomotores rara vez funcionan a estas velocidades, se pueden extender las porciones lineales de las curvas par-velocidad, a la región de alta velocidad. Si se admite la presunción de que son equidistantes para todos los voltajes de control, el servomotor se puede considerar lineal.

En la figura 2-23(c) se ve un juego de curvas de par-velocidad para diversos valores de voltajes de control. La curva de par-velocidad correspondiente a voltaje de control cero, pasa por el origen. Como la pendiente de esta curva es normalmente negativa, si el voltaje de control de fase se vuelve igual a cero, el motor desarrolla el par necesario para detener la rotación.

El servomotor provee un par elevado a velocidad cero. Este par es necesario para una aceleración rápida. De la figura 2-23(c) se ve que el par $T$ generado es función de la velocidad angular $\dot{\theta}$ del eje del motor y del voltaje $E_c$ de control. La ecuación de cualquier curva de par-velocidad linealizada es

$$T = -K_n\dot{\theta} + K_c E_c \tag{2–45}$$

donde $K_n$ y $K_c$ son constantes positivas. La ecuación de equilibrio de pares para el servomotor de dos fases es

$$T = J\ddot{\theta} + b\dot{\theta} \tag{2–46}$$

donde $J$ es el momento de inercia del motor y carga, referido al eje del motor y $b$ es el coeficiente de fricción viscosa del motor y carga referida al eje del motor. De las ecuaciones (2-45) y (2-46) se obtiene la ecuación siguiente:

$$J\ddot{\theta} + (b + K_n)\dot{\theta} = K_c E_c \tag{2–47}$$

Notando que el voltaje de control $E_c$ es la entrada, y el desplazamiento del eje del motor es la salida, se observa de la ecuación (2-47) que la función de transferencia del sistema está dada por

$$\frac{\Theta(s)}{E_c(s)} = \frac{K_c}{Js^2 + (b + K_n)s} = \frac{K_m}{s(T_m s + 1)} \tag{2–48}$$

donde $k_m = K_c/(b + K_n)$ = constante de ganancia del motor
$T_m = J/(b + K_n)$ = constante de tiempo del motor

La figura 2-23(d) muestra un diagrama de bloques para este sistema. De la función de transferencia de este sistema se observa que $(b + K_n)s$ es un término de fricción viscosa producida por el motor y la carga. Así, $K_n$, la pendiente negativa de la curva par-velocidad, junto con $b$ definen la fricción viscosa equivalente de la combinación motor-carga. Para curvas de par-velocidad más inclinadas, el amortiguamiento del motor es mayor. Si la inercia del rotor es suficientemente baja, abarcando la mayor parte del rango de frecuencia, se tiene que $|T_m s| \ll 1$ y el servomotor actúa como un integrador.

La función de transferencia dada por la ecuación (2-48) está basada en la presunción de que el servomotor es lineal. Sin embargo en la práctica, no es así. Para curvas de par-velocidad no suficientemente paralelas y equidistantes, el valor de $K_n$ no es constante, y por tanto, los valores de $K_m$ y $T_m$ tampoco son constantes; varían con el voltaje de control.

**Relación par-inercia.** La aceleración máxima que puede alcanzar el servomotor puede indicarse por la relación par-inercia, que es la relación entre el par máximo en reposo y la inercia del rotor. Cuanto mayor es esta relación, mejor es la característica de aceleración.

**Efecto de la carga en la dinámica del servomotor.** La característica más importante entre las del servomotor, es la aceleración máxima alcanzable. Para un par disponible dado, el momento de inercia del rotor debe ser mínimo. Como el servomotor opera bajo condiciones continuamente variables, se produce una aceleración y desaceleración del rotor de tiempo en tiempo. El servomotor debe ser capaz de absorber y generar energía mecánica. El comportamiento del servomotor cuando se le hace actuar como freno, debe ser satisfactorio.

Sean $J_m$ y $b_m$, respectivamente, el momento de inercia y el coeficiente de fricción viscosa del rotor, y sean $J_L$ y $b_L$ el momento de inercia y el coeficiente de fricción viscosa de la carga en el eje de la salida. Supóngase que el momento de inercia y el coeficiente de viscosidad del tren de engranes son o bien insignificantes, o ya están incluidos dentro de los valores de $J_L$ y $b_L$, respectivamente. Entonces, el momento de inercia equivalente $J_{eq}$ referido al eje del motor pueden escribirse como (para detalles, ver el Problema A-2-6)

$$J_{eq} = J_m + n^2 J_L \qquad (n < 1)$$

$$b_{eq} = b_m + n^2 f_L \qquad (n < 1)$$

donde $n$ es la relación de engranes entre el motor y la carga. Si la relación de engranes $n$ es pequeña y $J_m \gg n^2 J_L$, el momento de inercia de la carga referido al eje del motor es insignificante con respecto al momento de inercia del rotor. Esto se aplica en forma análoga a la fricción de la carga. En general, cuando la relación de engranes es pequeña, la función de transferencia del servomotor eléctrico se puede obtener sin tener en cuenta el momento de inercia y la fricción de la carga. Sin embargo, si tanto $J_m$ como $n^2 J_L$ no son despreciables en comparación con los otros, se debe recurrir al momento de inercia equivalente $J_{eq}$ para evaluar la función de transferencia de la combinación motor-carga.

## 2-7 SISTEMAS DE NIVEL DE LIQUIDO

Al analizar sistemas que analizan el flujo de fluidos, se hace necesario dividir los regímenes de flujo en régimen de flujo laminar y régimen de flujo turbulento, de acuerdo con la magnitud del número de Reynolds. Si el número de Reynolds es mayor que aproximadamente 300 ~ 4000, el flujo es turbulento. El flujo es laminar si el número de Reynolds es menor que 2000 aproximadamente. En el caso laminar el flujo de fluido se produce en venas sin turbulencia. Los sistemas que implican flujo turbulento suelen requerir, para representarse, de ecuaciones diferenciales no lineales, mientras que los sistemas que corresponden a flujo laminar, pueden representarse por ecuaciones diferenciales ordinarias. (En los procesos industriales frecuentemente se tienen flujos en tuberías y tanques. En esos procesos el flujo es frecuentemente turbulento y no laminar).

En esta sección se han de deducir modelos matemáticos de sistemas de nivel de líquido. Introduciendo el concepto de resistencia y capacitancia para tales sistemas de nivel de líquido, es posible describir las características dinámicas de esos sistemas en forma simple.

**Resistencia y capacitancia de sistemas de nivel de líquido.** Sea el flujo a través de una tubería corta que conecta dos tanques. En este caso la resistencia al flujo de líquido se define como la variación de diferencia de nivel (la diferencia de niveles de líquido entre los dos tanques) necesaria para producir una variación unitaria en el gasto; es decir

$$R = \frac{\text{cambio en la diferencia de niveles, en m}}{\text{cambio en el gasto, en m}^3/\text{s}}$$

Como la relación entre el gasto y la diferencia de nivel difiere entre el caso del flujo laminar y el del flujo turbulento, en lo que sigue se consideran ambos casos alternativos.

Sea el sistema de nivel de líquido que aparece en la figura 2-24(a). En este sistema el líquido fluye a través de la válvula de carga en el costado del tanque. Si el flujo a través de esta restricción es laminar, la relación entre el gasto en estado estacionario y la presión hidrostática en estado estacionario al nivel de la restricción queda dado por

$$Q = KH$$

donde $Q$ = gasto en estado estacionario, en $m^3/s$
$K$ = coeficiente, en $m^2/s$
$H$ = presión hidrostática en estado estacionario, en m

Nótese que la ley que rige el flujo laminar es análoga a la ley de Coulomb, que establece que la corriente es directamente proporcional a la diferencia de potencial.

En el caso de flujo laminar, la resistencia $R_l$ se obtiene como

$$R_l = \frac{dH}{dQ} = \frac{H}{Q} \tag{2–49}$$

La resistencia al flujo laminar es constante y análoga a la resistencia eléctrica.

Si el flujo a través de la restricción es turbulento, el gasto en estado estacionario está dado por

$$Q = K\sqrt{H} \tag{2–50}$$

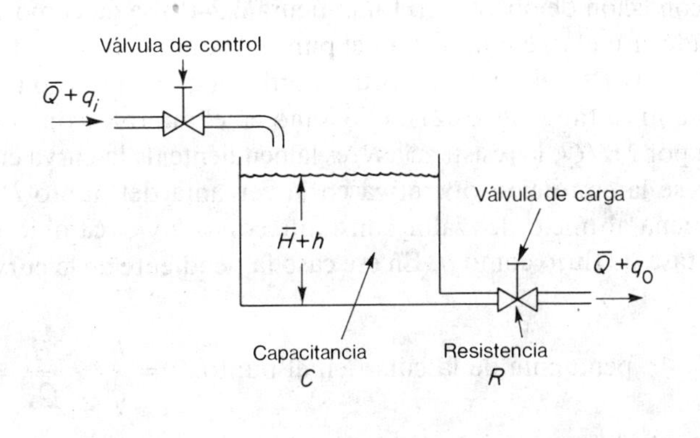


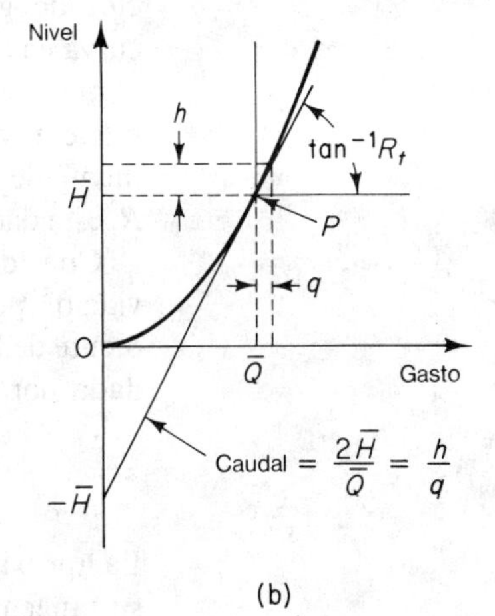


**Figura 2-24**
(a) Sistema de control de líquido; (b) curva de nivel en función del gasto.

donde $Q$ = gasto en estado estacionario, en $m^3/s$
$K$ = coeficiente, en $m^{2.5}/s$
$H$ = presión hidrostática en estado estacionario, en $m$

La resistencia $R_t$ para el flujo turbulento se obtiene de

$$R_t = \frac{dH}{dQ}$$

Como de la ecuación (2-50) se obtiene

$$dQ = \frac{K}{2\sqrt{H}}\, dH$$

se tiene

$$\frac{dH}{dQ} = \frac{2\sqrt{H}}{K} = \frac{2\sqrt{H}\sqrt{H}}{Q} = \frac{2H}{Q}$$

Así,

$$R_t = \frac{2H}{Q} \tag{2–51}$$

El valor de la resistencia en flujo turbulento $R_t$ depende del gasto y de la presión hidrostática. Sin embargo, el valor de $R_t$ se puede considerar como constante si las variaciones en la presión hidrostática y en el gasto son pequeñas.

Si se utiliza la resistencia de flujo turbulento, la relación entre $Q$ y $H$ está dada por

$$Q = \frac{2H}{R_t}$$

Esta linealización es válida, siempre que las modificaciones de presión hidrostática y de gasto sean pequeñas, respecto al estado estacionario.

En muchos casos reales no se conoce el valor del coeficiente $K$ de la ecuación (2-50), que depende del coeficiente de flujo y del área de la restricción. En ese caso la resistencia se determina trazando la representación gráfica de la presión hidrostática en función del gasto, basándose en los valores experimentales y midiendo la pendiente de la curva en la condición de operación. En la figura 2-24(b) se da como ejemplo de diagrama al mencionado. En ella, el punto $P$ es el punto de operación de estado estacionario. La tangente a la curva en el punto $P$ corta la ordenada en el punto $(-\bar{H}, 0)$. Así, la pendiente de esta línea tangente es $2\bar{H}/\bar{Q}$. Como en el punto de operación $P$ la resistencia $R_t$ está dada por $2\bar{H}/\bar{Q}$, la resistencia $R_t$ es la pendiente de la curva en el punto operativo.

Considérese la condición operativa en la cercanía del punto $P$. Defínase una desviación pequeña al inicio del valor constante como $h$ y el cambio pequeño correspondiente de la tasa de flujo como $q$. En ese caso la pendiente de la curva en el punto $P$ está dada por

$$\text{pendiente de la curva en el punto } P = \frac{h}{q} = \frac{2\bar{H}}{\bar{Q}} = R_t$$

La aproximación lineal se basa en el hecho de que la curva efectiva no difiere mucho de su tangente si las condiciones de operación no varían mucho.

La capacitancia $C$ de un tanque se define como la variación en la cantidad del líquido acumulado, necesaria para producir una variación unitaria en el potencial (presión hidrostática). (El potencial es la magnitud que indica el nivel de energía del sistema).

$$C = \frac{\text{cambio en la cantidad del líquido acumulado, en m}^3}{\text{cambio en el nivel en m}}$$

Nótese que la capacidad (en $m^3$) y la capacitancia ($m^2$) son diferentes. La capacitancia del tanque es igual al área de la sección de corte. Si ésta es constante, la capacitancia es constante para cualquier carga hidrostática.

**Sistemas de nivel de líquido.** Considere el sistema que aparece en la figura 2-24(a). Las variables se definen del siguiente modo:

$\bar{Q}$= gasto en estado estacionario (antes de haber algún cambio), $m^3/s$
$q_i$ = pequeña desviación en el gasto de entrada respecto a su valor en estado estacionario, en $m^3/s$
$q_o$ = pequeña desviación del gasto de salida respecto a su valor en estado estacionario, en $m^3/s$
$\bar{H}$= nivel de carga en estado estacionario (antes de haber algún cambio), en m
$h$ = pequeña desviación del nivel respecto a su valor en estado estacionario, en m

Como ya se indicó antes, un sistema se puede considerar lineal si el flujo es laminar. Aun cuando el flujo sea turbulento, el sistema puede linealizarse si se mantienen reducidos los cambios en las variables. Si se presumiera que el sistema fuera lineal o linealizable, la ecuación diferencial del sistema se puede obtener del siguiente modo: como el gasto de entrada menos el gasto de salida durante el pequeño intervalo de tiempo $dt$ es igual a la cantidad de líquido acumulada en el tanque, se ve que

$$C\,dh = (q_i - q_o)\,dt$$

De la definición de resistencia, la relación entre $q_o$ y $h$ está dada por

$$q_o = \frac{h}{R}$$

La ecuación diferencial de este sistema, para un valor constante de $R$ es

$$RC\frac{dh}{dt} + h = Rq_i \qquad (2\text{–}52)$$

Nótese que $RC$ es la constante de tiempo del sistema. Tomando la transformada de Laplace en ambos miembros de la ecuación (2-52), y suponiendo la condición inicial cero, se obtiene

$$(RCs + 1)H(s) = RQ_i(s)$$

donde

$$H(s) = \mathcal{L}[h] \qquad \text{y} \qquad Q_i(s) = \mathcal{L}[q_i]$$

Si se considera a $q_i$ como entrada y $h$ como salida, la función de transferencia es

$$\frac{H(s)}{Q_i(s)} = \frac{R}{RCs + 1}$$

Sin embargo, si se toma $q_o$ como salida, con la misma entrada, la función de transferencia es

$$\frac{Q_o(s)}{Q_i(s)} = \frac{1}{RCs + 1}$$

donde se ha usado la relación

$$Q_o(s) = \frac{1}{R} H(s)$$

**Sistemas de nivel de líquido con interacción.** Sea el sistema que se muestra en la figura 2-25. En este sistema, los dos tanques interactúan entre sí. Así, la función de transferencia del sistema no es el producto de dos funciones de transferencia de primer orden.

A continuación, se supondrán sólo pequeñas variaciones de las variables, respecto a sus valores en estado de régimen. Usando los simbolos como se definieron en la figura 2-25, se pueden obtener las siguientes ecuaciones para este sistema:

$$\frac{h_1 - h_2}{R_1} = q_1 \tag{2–53}$$

$$C_1 \frac{dh_1}{dt} = q - q_1 \tag{2–54}$$

$$\frac{h_2}{R_2} = q_2 \tag{2–55}$$

$$C_2 \frac{dh_2}{dt} = q_1 - q_2 \tag{2–56}$$

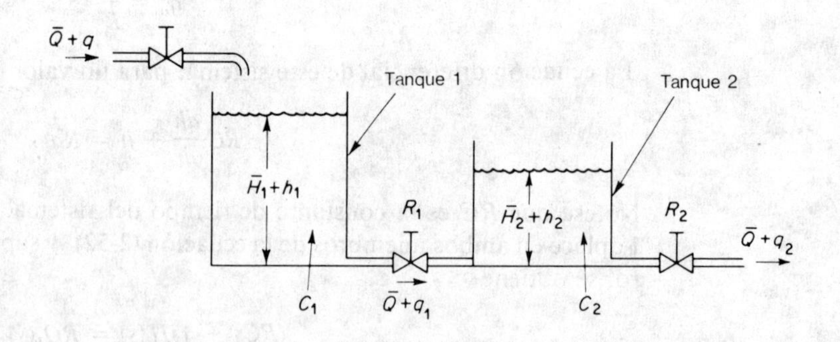


**Figura 2-25**
Sistema de nivel de liquido con interacción.

Si se considera a $q$ como la entrada y $q_2$ como la salida, la función de transferencia del sistema es

$$\frac{Q_2(s)}{Q(s)} = \frac{1}{R_1C_1R_2C_2s^2 + (R_1C_1 + R_2C_2 + R_2C_1)s + 1} \tag{2-57}$$

Es conveniente obtener, por reducción del diagrama de bloques, la ecuación (2-57), o sea la función de transferencia del sistema con interacción. De las ecuaciones (2-53) a (2-56) se obtienen los elementos del diagrama de bloques, como se puede ver en la figura 2-26(a). Conectando adecuadamente las señales, se puede construir un diagrama de bloques, como se ve en la figura 2-26(b). Utilizando las reglas del álgebra de diagramas de bloques de la tabla 1-3, se puede simplificar este diagrama de bloques, como se ve en la figura 2-26(c) y prosiguiendo con la simplificación, se llega a las figuras 2-26(d) y (e). La figura 2-26(e) es equivalente a la ecuación (2-57).

Nótese la similitud y diferencia entre la función de transferencia dada por la ecuación (2-57) y la ecuación (2-30). El término $R_2C_1s$ que aparece en el denominador de la ecuación (2-57) ejemplifica la interacción entre los dos tanques. De igual forma, el término $R_1C_2s$ en el denominador de la ecuación (2-30) representa la interacción de los dos circuitos $RC$ de la figura 2-10.

**Representación en el espacio de estado.** La representación en el espacio de estado de este sistema se puede obtener del siguiente modo. Considerando que la ecuación diferencial para este sistema es

$$R_1C_1R_2C_2\ddot{q}_2 + (R_1C_1 + R_2C_2 + R_2C_1)\dot{q}_2 + q_2 = q$$

o

$$\ddot{q}_2 + \left(\frac{1}{R_2C_2} + \frac{1}{R_1C_1} + \frac{1}{R_1C_2}\right)\dot{q}_2 + \frac{1}{R_1C_1R_2C_2}q_2 = q$$

se definen las variables de estado como

$$x_1 = q_2$$

$$x_2 = \dot{q}_2$$

la variable de entrada por

$$u = q$$

y la variable de salida por

$$y = q_2 = x_1$$

Entonces se obtiene

$$\begin{bmatrix} \dot{x}_1 \\ \dot{x}_2 \end{bmatrix} = \begin{bmatrix} 0 & 1 \\ -\dfrac{1}{R_1C_1R_2C_2} & -\left(\dfrac{1}{R_2C_2} + \dfrac{1}{R_1C_1} + \dfrac{1}{R_1C_2}\right) \end{bmatrix} \begin{bmatrix} x_1 \\ x_2 \end{bmatrix} + \begin{bmatrix} 0 \\ \dfrac{1}{R_1C_1\,R_2C_2} \end{bmatrix} u$$

$$y = \begin{bmatrix} 1 & 0 \end{bmatrix} \begin{bmatrix} x_1 \\ x_2 \end{bmatrix}$$

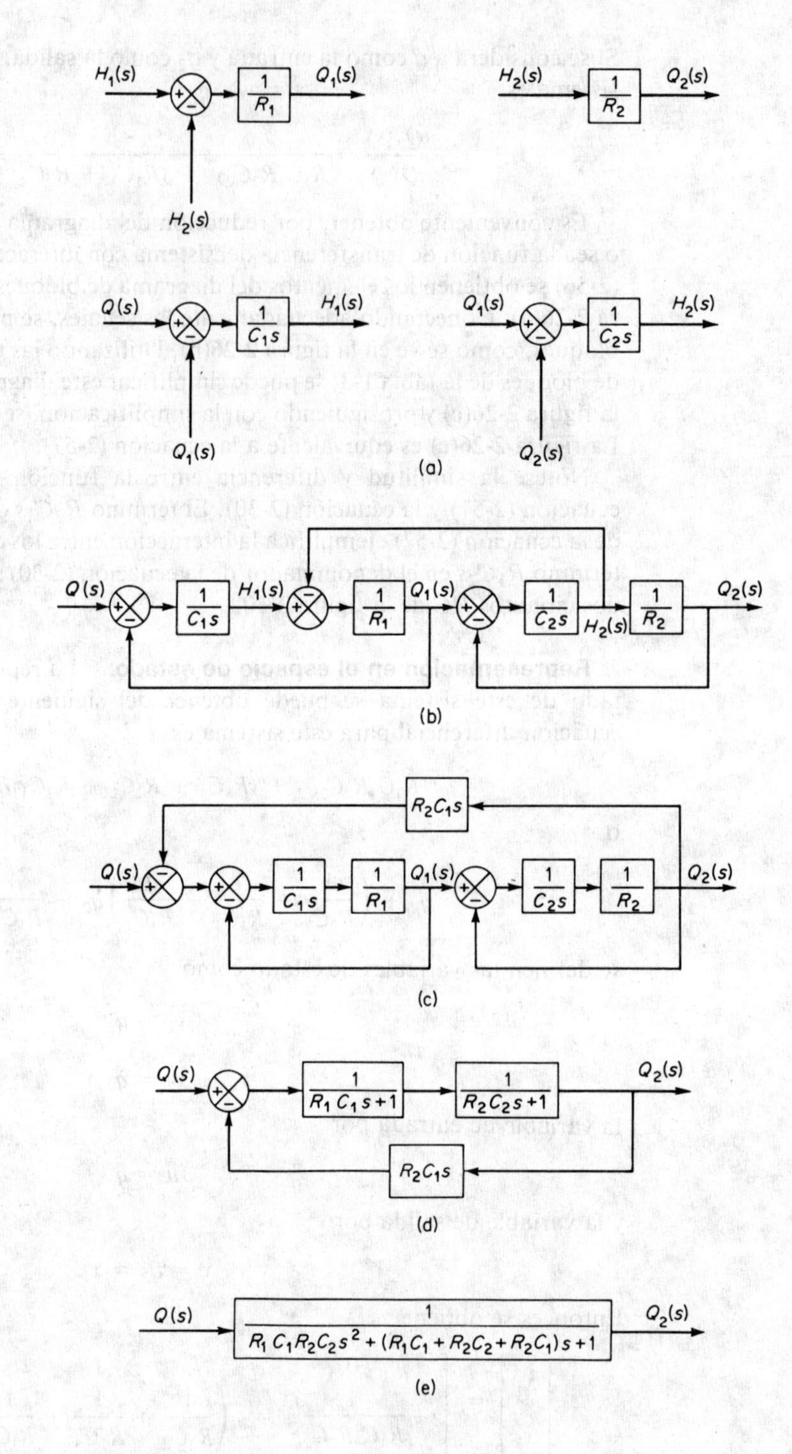


**Figura 2-26** (a) Elementos del diagrama de bloques del sistema de la figura 2-25; (b) diagrama de bloques del sistema; (c)-(e) reducción sucesiva del diagrama de bloques.

Estas dos ecuaciones dan una representación en el espacio de estado del sistema, cuando $q$ se considera como la entrada, y $q_2$ como la salida.

Si se considera $q$ como la entrada y $h_2$ como la salida, se logra una representación diferente en el espacio de estado. Si las variables de estado se definen como

$$x_1 = h_2$$

$$x_2 = h_1$$

la variable de entrada $u$ por

$$u = q$$

y la variable de salida $y$ por

$$y = h_2$$

Entonces se puede obtener la representación en el espacio de estado correspondiente como sigue. De las ecuaciones (2-53) a (2-56), se obtiene

$$C_2 \frac{dh_2}{dt} = \frac{h_1 - h_2}{R_1} - \frac{h_2}{R_2}$$

$$C_1 \frac{dh_1}{dt} = q - \frac{h_1 - h_2}{R_1}$$

o bien

$$\frac{dh_2}{dt} = -\left(\frac{1}{R_1C_2} + \frac{1}{R_2C_2}\right) h_2 + \frac{1}{R_1C_2} h_1$$

$$\frac{dh_1}{dt} = \frac{1}{R_1C_1} h_2 - \frac{1}{R_1C_1} h_1 + \frac{1}{C_1} q$$

La representación en el espacio de estado resulta ser

$$\begin{bmatrix} \dot{x}_1 \\ \dot{x}_2 \end{bmatrix} = \begin{bmatrix} -\left(\frac{1}{R_1C_2} + \frac{1}{R_2C_2}\right) & \frac{1}{R_1C_2} \\ \frac{1}{R_1C_1} & -\frac{1}{R_1C_1} \end{bmatrix} \begin{bmatrix} x_1 \\ x_2 \end{bmatrix} + \begin{bmatrix} 0 \\ \frac{1}{C_1} \end{bmatrix} u$$

$$y = [1 \quad 0] \begin{bmatrix} x_1 \\ x_2 \end{bmatrix}$$

Nótese que para este sistema son posibles muchas y diferentes representaciones, en el espacio de estado.

## 2-8 SISTEMAS TERMICOS

Los sistemas térmicos son aquellos que comprenden la transferencia o transmisión de calor de una sustancia a otra. Estos se pueden analizar en términos de resistencia y capacitancia, aunque la capacitancia y resistencia térmicas pueden no representarse con precisión como parámetros concentrados, ya que suelen estar distribuidos a lo largo de la sustancia. Para un análisis preciso se debe recurrir a modelos de parámetros distribuidos. Aquí, sin embargo, para simplificar cl análisis, se supondrá que un sistema térmico se puede representar por un modelo de parámetros concentrados; que las sustancias que se caracterizan por su resistencia al flujo del calor, tienen capacitancia térmica insignificante, y que la resistencia al flujo de calor de las sustancias que se caracterizan por la capacitancia térmica es despreciable.

Hay tres medios diferentes en que el calor fluye de una sustancia a otra: conducción, convección y radiación.

Para transferencia de calor por conducción o convección se tiene,

$$q = K\,\Delta\theta$$

donde $q$ = flujo de calor, en kcal/s
$\Delta\theta$ = diferencia de temperatura, en °C
$K$ = coeficiente, kcal/s °C

El coeficiente $K$ está dado por

$$K = \frac{kA}{\Delta X} \qquad \text{para conducción}$$

$$= HA \qquad \text{para convección}$$

donde $k$ = conductividad térmica, en kcal/m s °C
$A$ = área normal al flujo de calor, en $m^2$
$\Delta X$ = grosor del conductor, en m
$H$ = coeficiente de convección, kcal/$m^2$ s °C

Para transferencia de calor por radiación, el flujo de calor está dado por

$$q = K_r(\theta_1^4 - \theta_2^4) \tag{2–58}$$

donde $q$ = flujo de calor, en kcal/s
$K_r$ = coeficiente que depende de la emisión, dimensiones y características de la superficie emisora y de las de la superficie receptora
$\theta_1$ = temperatura absoluta del emisor, en K
$\theta_2$ = temperatura absoluta del receptor, en K

Como la constante $K_r$ es un número muy pequeño, la transferencia de calor por radiación sólo es apreciable si la temperatura del emisor es muy alta en comparación con la del receptor, o $\theta_1 \gg \theta_2$. Para tal caso, la ecuación (2-58) se puede aproximar mediante

$$q = K_r\bar{\theta}^4 \tag{2–59}$$

donde $\bar{\theta}$ es una diferencia efectiva de temperatura entre emisor y receptor. La diferencia efectiva de temperatura $\bar{\theta}$ está dada por

$$\bar{\theta} = \sqrt[4]{\theta_1^4 - \theta_2^4}$$

donde $\theta_1 \gg \theta_2$.

**Resistencia térmica y capacitancia térmica.** La resistencia térmica $R$ para la transferencia de calor entre dos sustancias, se puede definir del siguiente modo:

$$R = \frac{\text{cambio en la diferencia de temperaturas, en °C}}{\text{cambio en el flujo de calor, en kcal/s}}$$

La resistencia térmica para transferencia de calor por conducción o convección está dada por

$$R = \frac{d(\Delta\theta)}{dq} = \frac{1}{K}$$

Como los coeficientes de conductividad térmica por conducción o convección son casi constantes, la resistencia térmica tanto para conducción como para convección es constante. Con referencia a la ecuación (2-59), se puede dar la resistencia térmica para transferencia de calor por radiación como

$$R = \frac{d\bar{\theta}}{dq} = \frac{1}{4K_r\bar{\theta}^3}$$

donde $\bar{\theta}$ es una diferencia efectiva de temperatura entre el emisor y el receptor. Nótese que la resistencia de radiación se puede considerar constante solamente en un rango estrecho de la condición de operación.

La capacitancia térmica $C$ se define por

$$C = \frac{\text{cambio en el calor almacenado, en kcal}}{\text{cambio en la temperatura, °C}}$$

o

$$C = mc_p$$

donde $m$ = masa de la sustancia considerada, en kg
$c$ = calor específico de la sustancia, kcal/kg°C

**Sistemas térmicos.** Sea el sistema que aparece en la figura 2-27(a). Se supone que el tanque está aislado para evitar pérdida de calor al aire circundante. También se supone que no hay almacenamiento de calor en el aislamiento y que el líquido del tanque está perfectamente mezclado, de modo que la temperatura es uniforme. Así que se utiliza un termómetro único para describir la temperatura del líquido en el tanque, y la del líquido que fluye a la salida.

Se define

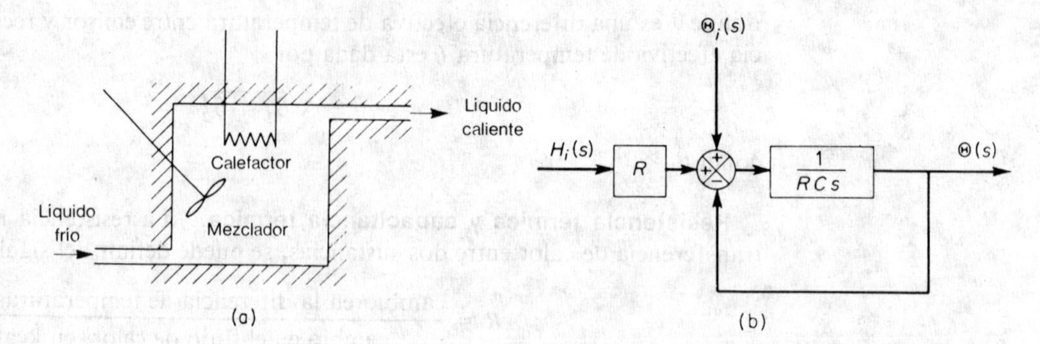


**Figura 2-27**
(a) Sistema térmico;
(b) diagrama de bloques del sistema.

$\bar{\Theta}_i =$ temperatura en estado estacionario del líquido que entra, en °C
$\bar{\Theta}_o =$ temperatura en estado estacionario del líquido que sale, en °C
$G =$ gasto de líquido en estado estacionario, en kg/s
$M =$ masa de líquido en el tanque, en kg
$c =$ calor específico del líquido, en kcal/kg °C
$R =$ resistencia térmica, en °C s/kcal
$C =$ capacidad térmica, en kcal/°C
$\bar{H} =$ flujo de calor de entrada en estado estacionario, en kcal/s

Supóngase que la temperatura del líquido que entra se mantiene constante, y que de súbito cambia el flujo de calor de entrada desde $\bar{H}$ a $\bar{H} + h_i$, donde $h_i$ representa una pequeña variación en el flujo de calor de entrada. El flujo de calor saliente varía entonces también gradualmente, de $\bar{H}$ a $\bar{H} + h_o$. La temperatura del líquido que sale, también habrá cambiado de $\bar{\Theta}_o$ a $\bar{\Theta}_o + \theta$. Para este caso, se obtienen $h_o$, $C$ y $R$, respectivamente como

$$h_o = Gc\theta$$

$$C = Mc$$

$$R = \frac{\theta}{h_o} = \frac{1}{Gc}$$

La ecuación diferencial para este sistema es

$$C\frac{d\theta}{dt} = h_i - h_o$$

que puede reescribirse como

$$RC\frac{d\theta}{dt} + \theta = Rh_i$$

Nótese que la constante de tiempo del sistema es igual a $RC$ o $M/G$ segundos. La función de transferencia que liga a $\theta$ con $h_i$ está dada por

$$\frac{\Theta(s)}{H_i(s)} = \frac{R}{RCs + 1}$$

donde $\Theta(s) = \mathscr{L}[\theta(t)]$ y $H_i(s) = \mathscr{L}[h_i(t)]$.

En la práctica, la temperatura del líquido que entra, puede fluctuar y actuar como perturbación de carga. (Si se desea una temperatura constante del flujo de salida se puede instalar un control automático para ajustar el flujo de calor de entrada con el objeto de compensar las fluctuaciones en la temperatura del líquido que ingresa). Si la temperatura del líquido de entrada se varía bruscamente desde $\bar{\Theta}_i$ a $\bar{\Theta}_i + \theta_i$ mientras el flujo de calor de entrada $H$ y el gasto de líquido $G$ se mantienen constantes, entonces el flujo de calor de salida se modificará de $\bar{H}$ a $\bar{H} + h_o$ y la temperatura del gasto de salida cambiará de $\bar{\Theta}_o$ a $\bar{\Theta}_o + \bar{\theta}$. La ecuación diferencial para este caso es

$$C\frac{d\theta}{dt} = Gc\theta_i - h_o$$

que se puede reescribir como

$$RC\frac{d\theta}{dt} + \theta = \theta_i$$

La función de transferencia que liga a $\theta$ con $\theta_i$ está dada por

$$\frac{\Theta(s)}{\Theta_i(s)} = \frac{1}{RCs + 1}$$

donde $\Theta(s) = \mathscr{L}[\theta(t)]$ y $\Theta_i(s) = \mathscr{L}[\theta_i(t)]$.

Si el sistema térmico está sujeto a variaciones, tanto en la temperatura del líquido que entra como en el flujo de calor de entrada, mientras se mantiene constante el gasto de líquido, el cambio de temperatura $\theta$ del líquido que sale, se puede obtener de la siguiente ecuación:

$$RC\frac{d\theta}{dt} + \theta = \theta_i + Rh_i$$

En la figura 2-27(b) se muestra un diagrama de bloques correspondientes a este caso. (Nótese que el sistema comprende dos entradas).

**Representación en el espacio de estado.** Se puede obtener una representación en el espacio de estado de este sistema, del siguiente modo. Como

$$\frac{d\theta}{dt} = -\frac{1}{RC}\theta + \frac{1}{RC}\theta_i + \frac{1}{C}h_i$$

la variable de estado $x$ se define como

$$x = \theta$$

las variables de entrada $u_1$ y $u_2$ por

$$u_1 = \theta_i$$

$$u_2 = h_i$$

y la variable de salida $y$ por

$$y = \theta = x$$

Entonces se obtiene

$$\dot{x} = -\frac{1}{RC}x + \begin{bmatrix} \frac{1}{RC} & \frac{1}{C} \end{bmatrix} \begin{bmatrix} u_1 \\ u_2 \end{bmatrix}$$

$$y = x$$

Las últimas dos ecuaciones representan un modelo del sistema en el espacio de estado.

## 2-9 SISTEMAS DE BRAZO DE ROBOT

En esta sección se estudiarán los sistemas de brazo de robot y sus simuladores. Los sistemas de brazo de robot pueden tener desde unos cuantos hasta muchos grados de libertad, dependiendo de sus configuraciones. En la figura 2-28 se ve el esquema de un sistema simple de brazo de robot. En un sistema de brazo de robot, si la fuerza de agarre de la mano de robot es demasiado pequeña, ésta dejará caer el objeto; y si es demasiado grande, puede dañar o aplastar el mismo. Entonces, las manos de robot deben tener dispositivos sensores de contacto así como de deslizamiento. Además, las manos de robot también deben tener dispositivos sensores de fuerza. Para ello se suelen utilizar semiconductores sensores de esfuerzo (''strain gauges''). Estos semiconductores transforman la fuerza en voltaje, que es proporcional a la deflexión. Uno de los procedimientos para el dispositivo sensor de deslizamiento es agregar un dispositivo de rodillo a la superficie de contacto; así se determina el deslizamiento por el ángulo de posición del rodillo.

Los brazos de robot se controlan mediante dispositivos digitales. Para lograr un control satisfactorio por computadora, se debe disponer de un modelo matemático exacto del sistema de brazo de robot. Como la mayor parte de los sistemas de brazo de

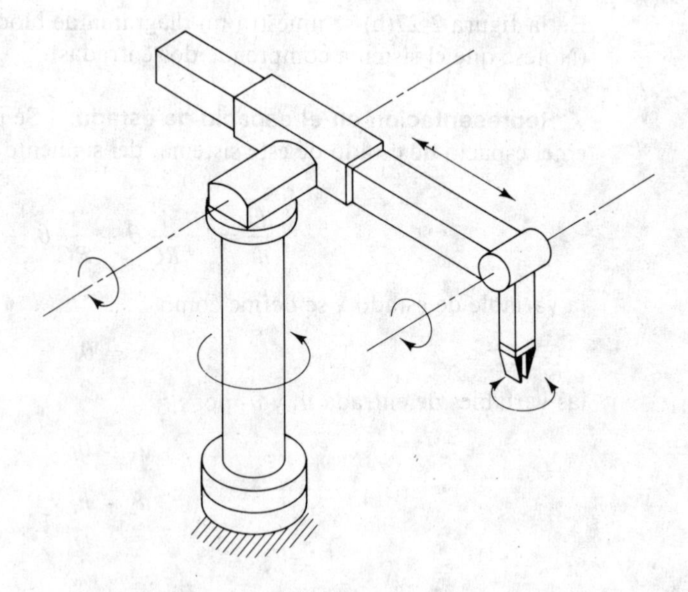

**Figura 2-28**
Sistema de brazo de robot.

robot incluyen muchas articulaciones y enlaces de extensión, no es fácil determinar cuáles articulaciones deben rotarse y qué enlaces extenderse para llevar la mano al lugar y orientación deseados. Para determinar la ubicación y orientación de la mano, es necesario conocer las magnitudes de las rotaciones y de los movimientos lineales incluidos en los diversos componentes del sistema de brazo de robot.

Los sistemas de robot se pueden clasificar de varias formas. Pueden clasificarse, por ejemplo, según el sistema de coordenadas asociado a ellos; es decir, en sistemas de robot de coordenadas rectangulares, de coordenadas circulares, de coordenadas polares y sistemas de robot del tipo de junturas múltiples. En la tabla 2-4 se presentan diagramas para cada uno de estos sistemas de robot, junto con la representación de las coordenadas para el punto $P$, centro de aprehensión de la mano.

También se pueden clasificar por la naturaleza del actuador, lo que los hace del tipo eléctrico, hidráulico o neumático. El tipo eléctrico, que utiliza motores de cd o de pasos, es fácil de manejar. El tipo hidráulico se utiliza cuando se requiere mayor potencia. Los de tipo neumático se pueden utilizar en movimiento lineal, pero por la dificultad propia de éstos en cuanto a la precisión de control, por lo general se requieren topes.

Es posible, además, clasificar los sistemas de robot de acuerdo a sus funciones, como robots de copiado, de control numérico, e inteligentes.

**Cálculo de la ubicación y orientación de los diversos puntos del sistema de brazo de robot.** Para evaluar la ubicación y orientación de los diversos puntos de un sistema de brazo de robot, por lo común se utilizan técnicas de transformación de coordenadas. A continuación, se considera sólo un simulador de un brazo simple de robot, incluyendo la transformación de coordenadas.

**Simulador de brazo de robot.** El simulador de brazo de robot es un simulador por computadora del movimiento de un brazo de robot, dados los ángulos de rotación de las articulaciones y los desplazamientos lineales de los enlaces extensibles.

Sea el sistema de brazo simple de robot que aparece en la figura 2-29. Suponga que los brazos del robot se desplazan sólo en el plano de la página. La función del simulador de brazo de robot es hallar el movimiento de cada punto del brazo a partir del conocimiento de los ángulos de rotación $\theta$ y $\theta'$. (En este sistema de brazo de robot las longitudes de los enlaces son constantes).

Las coordenadas $x$, $y$, $z$ del punto $P$ se pueden hallar mediante consideraciones geométricas, esto es,

$$x = a\cos\theta + b\cos(\theta + \theta')$$

$$y = a\,\mathrm{sen}\theta + b\,\mathrm{sen}(\theta + \theta')$$

$$z = 0$$

El escribir y calcular tales coordenadas para tantos puntos diferentes en un sistema de brazo de robot es largo y laborioso. En el simulador de brazo de robot, en lugar de determinar geométricamente las coordenadas de muchos puntos, se utilizan matrices de transformación para simplificar el trabajo.

**Tabla 2-4** Tipos de sistemas de robot

| Tipo | Configuración | Coordenadas del punto $P$ |
|---|---|---|
| Sistema de robot de coordenadas rectangulares | | $x,\ y,\ z$ |
| Sistema de robot de coordenadas circulares | | $r\cos\theta,\ r\operatorname{sen}\theta,\ z$ |
| Sistema de robot de coordenadas polares | | $r\cos\theta\cos\phi,\ r\operatorname{sen}\theta\cos\phi,\ r\operatorname{sen}\phi$ |
| Sistema de robot de articulaciones múltiples | | $(r_1\cos\phi_1 + r_2\cos\phi_2)\cos\theta$, $(r_1\cos\phi_1 + r_2\cos\phi_2)\operatorname{sen}\theta$, $(r_1\operatorname{sen}\phi_1 + r_2\operatorname{sen}\phi_2)$ |

**Transformación de coordenadas.** Considérese al sistema de coordenadas de la figura 2-30. Supóngase que el sistema de coordenadas $O$-$xyz$ está fijo en el espacio. El origen de este sistema de coordenadas es el punto $O$. El sistema de coordenadas $O$–$x'y'z'$ es un sistema de coordenadas rotatorio con origen en el punto $O$.

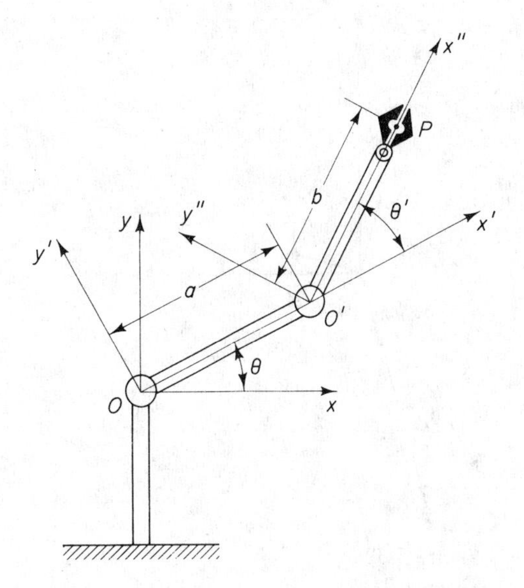


**Figura 2-29**
Sistema de brazo de robot simple.

Los ángulos entre los ejes del sistema de coordenadas fijo y los ejes del sistema de coordenadas rotatorio se definen, del siguiente modo. Se define como $\theta_{x'x}$, al ángulo entre el eje $x$ y el eje $x'$, como $\theta_{z'z}$; al ángulo entre el eje $y$ y el eje $y'$, como $\theta_{y'y}$, al ángulo entre el eje $z$ y el eje $z'$; como $\theta_{y'x}$, al ángulo entre el eje $x$ y el eje $y'$, como $\theta_{z'x}$; al ángulo entre el eje $x$ y el eje $z'$, como $\theta_{x'y}$, al ángulo entre el eje y el eje $x'$, como $\theta_{z'y}$; al ángulo entre el eje $y$ y el eje $z'$, como $\theta_{x'z}$, al ángulo entre el eje $z$ y el eje $x'$, y como $\theta_{y'z}$ al ángulo entre el eje $z$ y el eje $y'$.

Considérese el punto $P$, cuyas coordenadas en el sistema de coordenadas rotatorio son $(x', y', z')$. Defínanse las coordenadas del punto $P$ en el sistema de coordenadas fijo, denominadas $(x, y, z)$. Una vez encontradas las coordenadas $(x, y, z)$ del punto $P$, se puede deducir la ecuación del desplazamiento del punto $P$ en el sistema de coordenadas fijo. (Para determinar el desplazamiento de un punto en el espacio fijo, deben escribirse las ecuaciones del movimiento en términos de las coordenadas en el sistema de coordenadas fijo).

Ahora se definen vectores unitarios a lo largo de los ejes $x$, $y$ y $z$, como **i**, **j** y **k**; y vectores unitarios a lo largo de los ejes $x'$, $y'$ y $z'$, como **i**$'$, **j**$'$ y **k**$'$. Nótese que el punto $P$ es el extremo del vector $\overrightarrow{OP}$. Se puede escribir el vector $OP$ de dos modos diferentes:

$$\overrightarrow{OP} = x\mathbf{i} + y\mathbf{j} + z\mathbf{k} = [\mathbf{i} \quad \mathbf{j} \quad \mathbf{k}] \begin{bmatrix} x \\ y \\ z \end{bmatrix} \tag{2–60}$$

y

$$\overrightarrow{OP} = x'\mathbf{i}' + y'\mathbf{j}' + z'\mathbf{k}' = [\mathbf{i}' \quad \mathbf{j}' \quad \mathbf{k}'] \begin{bmatrix} x' \\ y' \\ z' \end{bmatrix} \tag{2–61}$$

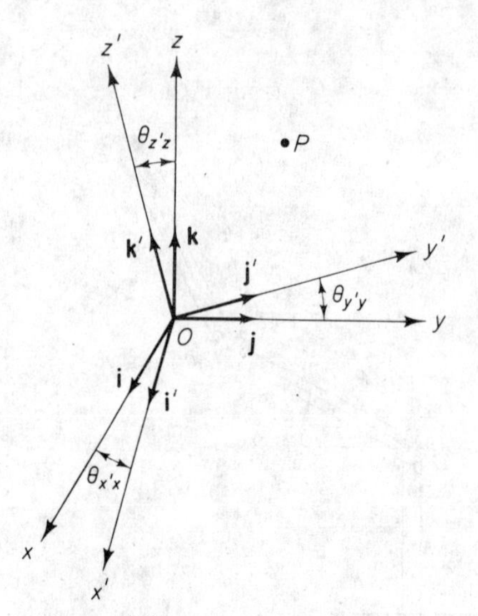


**Figura 2-30**
Sistema de coordenadas fijo y rotatorio.

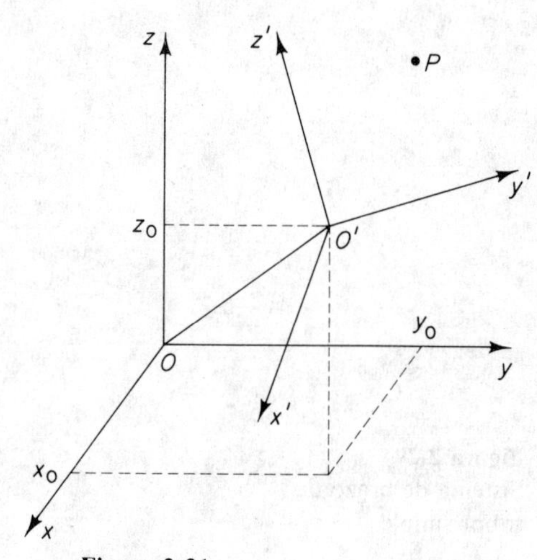


**Figura 2-31**
Sistema de coordenadas fijo y móvil.

Como los vectores unitarios (**i**, **j**, **k**) y (**i'**, **j'**, **k'**) se relacionan por

$$\begin{bmatrix} \mathbf{i}' \\ \mathbf{j}' \\ \mathbf{k}' \end{bmatrix} = \begin{bmatrix} \cos\theta_{x'x} & \cos\theta_{x'y} & \cos\theta_{x'z} \\ \cos\theta_{y'x} & \cos\theta_{y'y} & \cos\theta_{y'z} \\ \cos\theta_{z'x} & \cos\theta_{z'y} & \cos\theta_{z'z} \end{bmatrix} \begin{bmatrix} \mathbf{i} \\ \mathbf{j} \\ \mathbf{k} \end{bmatrix} \tag{2–62}$$

[véase el problema A-2-20 para la deducción de la ecuación (2-62)], tomando la traspuesta de la ecuación (2-62) y remplazando en la ecuación (2-61), se obtiene

$$\overrightarrow{OP} = [\mathbf{i}' \quad \mathbf{j}' \quad \mathbf{k}'] \begin{bmatrix} x' \\ y' \\ z' \end{bmatrix} = [\mathbf{i} \quad \mathbf{j} \quad \mathbf{k}] \begin{bmatrix} \cos\theta_{x'x} & \cos\theta_{y'x} & \cos\theta_{z'x} \\ \cos\theta_{x'y} & \cos\theta_{y'y} & \cos\theta_{z'y} \\ \cos\theta_{x'z} & \cos\theta_{y'z} & \cos\theta_{z'z} \end{bmatrix} \begin{bmatrix} x' \\ y' \\ z' \end{bmatrix} \tag{2–63}$$

Igualando las ecuaciones (2-60) y (2-63) se obtiene

$$\begin{bmatrix} x \\ y \\ z \end{bmatrix} = \begin{bmatrix} \cos\theta_{x'x} & \cos\theta_{y'x} & \cos\theta_{z'x} \\ \cos\theta_{x'y} & \cos\theta_{y'y} & \cos\theta_{z'y} \\ \cos\theta_{x'z} & \cos\theta_{y'z} & \cos\theta_{z'z} \end{bmatrix} \begin{bmatrix} x' \\ y' \\ z' \end{bmatrix} \tag{2–64}$$

La ecuación (2-64) permite hallar las coordenadas ($x$, $y$, $z$) de cualquier punto ($x'$, $y'$, $z'$) en el sistema de coordenadas rotatorio.

Hasta ahora no se consideró el desplazamiento del origen del sistema de coordenadas rotatorio. A continuación se considera el caso en que el origen del sistema de coordenadas rotatorio se desplaza en el sistema de coordenadas fijo. Con referencia a la figura 2-31, se supone que el origen del sistema de coordenadas rotatorio es ($x_0$, $y_0$, $z_0$). Supóngase que el punto $P$ es un punto fijo en el sistema coordenado $O'$-$x'y\,z'$. Las coordenadas del punto $P$ en el sistema de coordenadas $O'$-$x'y'z'$ es ($x'y'z'$). Supóngase también que las coordenadas del punto $P$ en el sistema coordenado fijo $O$-$xyz$ son ($x$, $y$,

$z$). Entonces se pueden obtener las coordenadas ($x$, $y$, $z$) del punto $P$ añadiendo al miembro derecho de la ecuación (2-64), las coordenadas ($x_0$, $y_0$, $z_0$) del origen del sistema de coordenadas rotatorio, o

$$\begin{bmatrix} x \\ y \\ z \end{bmatrix} = \begin{bmatrix} \cos\theta_{x'x} & \cos\theta_{y'x} & \cos\theta_{z'x} \\ \cos\theta_{x'y} & \cos\theta_{y'y} & \cos\theta_{z'y} \\ \cos\theta_{x'z} & \cos\theta_{y'z} & \cos\theta_{z'z} \end{bmatrix} \begin{bmatrix} x' \\ y' \\ z' \end{bmatrix} + \begin{bmatrix} x_0 \\ y_0 \\ z_0 \end{bmatrix} \tag{2–65}$$

La ecuación (2-65) se puede modificar a

$$\begin{bmatrix} x \\ y \\ z \\ 1 \end{bmatrix} = \begin{bmatrix} \cos\theta_{x'x} & \cos\theta_{y'x} & \cos\theta_{z'x} & x_0 \\ \cos\theta_{x'y} & \cos\theta_{y'y} & \cos\theta_{z'y} & y_0 \\ \cos\theta_{x'z} & \cos\theta_{y'z} & \cos\theta_{z'z} & z_0 \\ 0 & 0 & 0 & 1 \end{bmatrix} \begin{bmatrix} x' \\ y' \\ x' \\ 1 \end{bmatrix} \tag{2–66}$$

Nótese que el punto $O'$ es un punto móvil, el sistema coordenado $O'$-$x'y'z'$ puede trasladar y rotar en el sistema coordenado fijo $O$-$xyz$. Se designa al sistema coordenado $O'$-$x'y'z'$ como un sistema coordinado móvil. La ecuación (2-66) da las coordenadas ($x$, $y$, $z$) en el sistema de coordenadas de cualquier punto del sistema de coordenadas móvil. La matriz de $4 \times 4$ de la ecuación (2-66) se denomina matriz de transformación.

A continuación, se obtendrán las matrices de transformación para el simulador de brazo de robot para el sistema de brazo de robot de la figura 2-29. Refiriéndose a la figura 2-29, el punto $P$ tiene las coordenadas ($b$, 0, 0) en el sistema coordenado $O'$-$x''y''z''$. (El eje $z''$ es perpendicular al plano de la página, y no aparece en la figura 2-29). El sistema de coordenadas $O$-$x'y'z'$ y el sistema $O'$-$x''y''z''$ están relacionados por

$$\begin{bmatrix} x' \\ y' \\ z' \\ 1 \end{bmatrix} = \begin{bmatrix} \cos\theta' & -\operatorname{sen}\theta' & 0 & a \\ \operatorname{sen}\theta' & \cos\theta' & 0 & 0 \\ 0 & 0 & 1 & 0 \\ 0 & 0 & 0 & 1 \end{bmatrix} \begin{bmatrix} x'' \\ y'' \\ z'' \\ 1 \end{bmatrix} \tag{2–67}$$

(Para la deducción de esta matriz de transformación, véase el problema A-2-21). En forma similar, el sistema de coordenadas $O$-$xyz$ está relacionado con el sistema coordenado $O$-$x'y'z'$ por

$$\begin{bmatrix} x \\ y \\ z \\ 1 \end{bmatrix} = \begin{bmatrix} \cos\theta & -\operatorname{sen}\theta & 0 & 0 \\ \operatorname{sen}\theta & \cos\theta & 0 & 0 \\ 0 & 0 & 1 & 0 \\ 0 & 0 & 0 & 1 \end{bmatrix} \begin{bmatrix} x' \\ y' \\ z' \\ 1 \end{bmatrix} \tag{2–68}$$

Por tanto, las coordenadas ($x$, $y$, $z$) de cualquier punto del sistema de coordenadas $O$ -$x''\,y''\,z''$ pueden obtenerse de

$$\begin{bmatrix} x \\ y \\ z \\ 1 \end{bmatrix} = \begin{bmatrix} \cos\theta & -\operatorname{sen}\theta & 0 & 0 \\ \operatorname{sen}\theta & \cos\theta & 0 & 0 \\ 0 & 0 & 1 & 0 \\ 0 & 0 & 0 & 1 \end{bmatrix} \begin{bmatrix} \cos\theta' & -\operatorname{sen}\theta' & 0 & a \\ \operatorname{sen}\theta' & \cos\theta' & 0 & 0 \\ 0 & 0 & 1 & 0 \\ 0 & 0 & 0 & 1 \end{bmatrix} \begin{bmatrix} x'' \\ y'' \\ z'' \\ 1 \end{bmatrix}$$

$$= \begin{bmatrix} \cos(\theta + \theta') & -\operatorname{sen}(\theta + \theta') & 0 & a\cos\theta \\ \operatorname{sen}(\theta + \theta') & \cos(\theta + \theta') & 0 & a\operatorname{sen}\theta \\ 0 & 0 & 1 & 0 \\ 0 & 0 & 0 & 1 \end{bmatrix} \begin{bmatrix} x'' \\ y'' \\ z'' \\ 1 \end{bmatrix} \tag{2–69}$$

Ahora se hallarán las coordenadas $(x, y, z)$ del punto $P$. Las coordenadas del punto $P$ en el sistema de coordenadas $O'\text{-}x''y''z''$ son $(b, 0, 0)$. Remplazando estas coordenadas en la ecuación (2-69), se obtiene

$$\begin{bmatrix} x \\ y \\ z \\ 1 \end{bmatrix} = \begin{bmatrix} \cos(\theta + \theta') & -\operatorname{sen}(\theta + \theta') & 0 & a\cos\theta \\ \operatorname{sen}(\theta + \theta') & \cos(\theta + \theta') & 0 & a\operatorname{sen}\theta \\ 0 & 0 & 1 & 0 \\ 0 & 0 & 0 & 1 \end{bmatrix} \begin{bmatrix} b \\ 0 \\ 0 \\ 1 \end{bmatrix}$$

$$= \begin{bmatrix} b\cos(\theta + \theta') + a\cos\theta \\ b\operatorname{sen}(\theta + \theta') + a\operatorname{sen}\theta \\ 0 \\ 1 \end{bmatrix}$$

Este resultado coincide con el que se obtuvo previamente por medio de consideraciones geométricas.

El simulador del sistema de brazo de robot de dos dimensiones que aparece en la figura 2-29, consiste en dos matrices de transformación. Programando las matrices de transformación en la computadora y utilizando las ecuaciones (2-67) y (2-68), se puede tener en la pantalla de la misma el desplazamiento del punto $P$ al variar los ángulos de entrada $\theta$ y $\theta'$.

Si un sistema de brazo de robot abarca varias juntas y enlaces extensibles, las coordenadas de cualquier punto $(x, y, z)$ en cualquier sistema de coordenadas móvil se pueden obtener, multiplicando una serie de matrices de transformación. Nótese que cada matriz de transformación incorpora un ángulo, que relaciona la rotación entre dos sistemas de coordenadas, y una traslación lineal, que relaciona el traslado o desplazamiento del origen de uno de los sistemas de coordenadas respecto al origen de otro sistema de coordenadas. (Si los orígenes de los dos sistemas de coordenadas coinciden, el término de traslación es cero). Si se multiplican dos matrices de transformación, la matriz de transformación resultante abarca dos ángulos y dos traslaciones. (Uno de ambos términos de traslación puede ser cero).

## 2-10 LINEALIZACION DE MODELOS MATEMATICOS NO LINEALES

En esta sección se presenta una técnica de linealización que es aplicable a muchos sistemas no lineales. El proceso de linealizar sistemas no lineales es importante, porque al linealizar ecuaciones no lineales, es posible aplicarles numerosos métodos de análisis lineal que brindan información sobre su comportamiento. El procedimiento de linealización que se presenta aquí está basado en la expansión de la función no lineal en una serie de Taylor alrededor del punto de operación, donde queda únicamente el término lineal, y se desprecian los términos de orden superior de la expansión en serie de Taylor, debido a que estos últimos son suficientemente pequeños, es decir, las variables se desvían sólo un poco de la condición de operación.

A continuación, se presentan primero los aspectos matemáticos de la técnica de linealización y luego se aplica la técnica a un sistema de nivel de líquido y a un servosistema hidráulico para obtener modelos lineales de ambos sistemas. (El capítulo 8 trata sobre la linealización de elementos no lineales en el dominio de la frecuencia).

**Aproximación lineal de modelos matemáticos no lineales.** Para obtener un modelo matemático lineal de un sistema no lineal, se supone que las variables se desvían tan sólo levemente de alguna condición de operación. Sea el sistema cuya entrada es $x(t)$ y cuya salida es $y(t)$. La relación entre $y(t)$ y $x(t)$ está dada por

$$y = f(x) \tag{2–70}$$

Si la condición normal de funcionamiento corresponde a $\bar{x}$, $\bar{y}$, se puede expandir la ecuación (2-70) en una serie de Taylor alrededor de este punto del siguiente modo:

$$\begin{aligned} y &= f(x) \\ &= f(\bar{x}) + \frac{df}{dx}(x - \bar{x}) + \frac{1}{2!}\frac{d^2f}{dx^2}(x - \bar{x})^2 + \cdots \end{aligned} \tag{2–71}$$

donde las derivadas $df/dx$, $d^2f/dx^2, \ldots$ son evaluadas en $x = \bar{x}$. Si la variación $x - \bar{x}$ es pequeña, se pueden despreciar los términos de orden superior en $x - \bar{x}$. Entonces la ecuación (2-71) se puede escribir como

$$y = \bar{y} + K(x - \bar{x}) \tag{2–72}$$

donde

$$\bar{y} = f(\bar{x})$$

$$K = \left.\frac{df}{dx}\right|_{x=\bar{x}}$$

La ecuación (2-72) se puede reescribir como

$$y - \bar{y} = K(x - \bar{x}) \tag{2–73}$$

que indica que $y - \bar{y}$ es proporcional a $x - \bar{x}$. La ecuación (2-73) es un modelo matemático lineal del sistema no lineal dado por la ecuación (2-70) en la cercanía del punto $x = \bar{x}$, $y = \bar{y}$.

Considérese ahora un sistema no lineal, cuya salida $y$ es función de $x_2$ de modo que

$$y = f(x_1, x_2) \tag{2–74}$$

Para obtener una aproximación lineal a este sistema no lineal, se expande la ecuación (2-74) en una serie de Taylor alrededor del punto normal de operación $\bar{x}_1$, $\bar{x}_2$. Entonces la ecuación (2-74) se convierte en

$$\begin{aligned} y = f(\bar{x}_1, \bar{x}_2) &+ \left[\frac{\partial f}{\partial x_1}(x_1 - \bar{x}_1) + \frac{\partial f}{\partial x_2}(x_2 - \bar{x}_2)\right] \\ &+ \frac{1}{2!}\left[\frac{\partial^2 f}{\partial x_1^2}(x_1 - \bar{x}_1)^2 + 2\frac{\partial^2 f}{\partial x_1\, \partial x_2}(x_1 - \bar{x}_1)(x_2 - \bar{x}_2)\right. \\ &\left. + \frac{\partial^2 f}{\partial x_2^2}(x_2 - \bar{x}_2)^2\right] + \cdots \end{aligned}$$

donde las derivadas parciales son evaluadas en $x_1 = \bar{x}_1$, $x_2 = \bar{x}_2$. En las cercanías del punto normal de operación, se pueden despreciar los términos de orden superior. El modelo matemático lineal de este sistema no lineal en la vecindad del punto de operación está dado por

$$y - \bar{y} = K_1(x_1 - \bar{x}_1) + K_2(x_2 - \bar{x}_2)$$

donde

$$\bar{y} = f(\bar{x}_1, \bar{x}_2)$$

$$K_1 = \left. \frac{\partial f}{\partial x_1} \right|_{x_1 = \bar{x}_1, x_2 = \bar{x}_2}$$

$$K_2 = \left. \frac{\partial f}{\partial x_2} \right|_{x_1 = \bar{x}_1, x_2 = \bar{x}_2}$$

La técnica de linealización presentada aquí es válida en el entorno del punto de operación, sin embargo, si las condiciones de operación varían ampliamente, estas ecuaciones linealizadas no son adecuadas y se deben utilizar las ecuaciones no lineales. Es importante recordar que un modelo matemático particular utilizado para el análisis y diseño puede representar con exactitud la dinámica de un sistema real en ciertas condiciones de operación, pero no puede ser exacto para otras condiciones de operación.

**Linealización de un sistema de nivel de líquido.** Sea el sistema de nivel de líquido que se muestra en la figura 2-32. En estado estacionario, el gasto de entrada es $Q_1 = \bar{Q}$, el gasto de salida es $Q_o = \bar{Q}$, y la presión hidrostática es $H = \bar{H}$. Si el flujo es turbulento, se tiene

$$\bar{Q} = K\sqrt{\bar{H}}$$

Suponga que a $t = 0$ el gasto de entrada varía de $Q_i = \bar{Q}$ a $Q_i = \bar{Q} + q_i$. Este cambio produce una modificación de la presión hidrostática de $H = \bar{H}$ a $H = \bar{H} + h$, la que a su vez cambia de $Q_o = \bar{Q}$ a $Q_o = \bar{Q} + q_o$. Para este sistema se tiene

$$C\frac{dH}{dt} = Q_i - Q_o = Q_i - K\sqrt{H}$$

donde $C$ es la capacitancia del tanque. Se define

$$\frac{dH}{dt} = f(H, Q_i) = \frac{1}{C}Q_i - \frac{K\sqrt{H}}{C} \tag{2–75}$$

Nótese que la condición de operación en estado estacionario es $(\bar{H}, \bar{Q})$ y $H = \bar{H} + h$, $Q_i = \bar{Q} + q_i$. Como en estado estacionario $dH/dt = 0$, se tiene $f(\bar{H}, \bar{Q}) = 0$.

Usando la técnica de linealización recién introducida, la ecuación (2-75) en una versión linealizada es

$$\frac{dH}{dt} - f(\bar{H}, \bar{Q}_i) = \frac{\partial f}{\partial H}(H - \bar{H}) + \frac{\partial f}{\partial Q_i}(Q_i - \bar{Q}_i) \tag{2–76}$$

donde

$$f(\bar{H}, \bar{Q}_i) = 0$$

$$\left.\frac{\partial f}{\partial H}\right|_{H=\bar{H}, Q_i=\bar{Q}} = -\frac{K}{2C\sqrt{\bar{H}}} = -\frac{\bar{Q}}{\sqrt{\bar{H}}}\frac{1}{2C\sqrt{\bar{H}}} = -\frac{\bar{Q}}{2C\bar{H}} = -\frac{1}{RC}$$

en la que se utiliza la resistencia $R$ definida por

$$R = \frac{2\bar{H}}{\bar{Q}}$$

Igualmente,

$$\left.\frac{\partial f}{\partial Q_i}\right|_{H=\bar{H}, Q_i=\bar{Q}} = \frac{1}{C}$$

Entonces la ecuación (2-76) se puede expresar como

$$\frac{dH}{dt} = -\frac{1}{RC}(H - \bar{H}) + \frac{1}{C}(Q_i - \bar{Q}_i) \tag{2–77}$$

Como $H - \bar{H} = h$ y $Q_i - \bar{Q}_i = q_i$, la ecuación (2-77) puede expresarse como

$$\frac{dh}{dt} = -\frac{1}{RC}h + \frac{1}{C}q_i$$

o

$$RC\frac{dh}{dt} + h = Rq_i$$

que es la ecuación linealizada para el sistema de nivel de líquido y es igual a la ecuación (2-52) de la ecuación 2-7.

**Linealización de un sistema servohidráulico.** En la figura 2-33 se ilustra un servomotor hidráulico. Esencialmente se trata de un amplificador y un acondicionador de potencia hidráulico controlado por una válvula piloto. La válvula piloto es una válvula equilibrada, en el sentido de que la presión de todas las fuerzas que actúan sobre ella están equilibradas. Una salida de gran potencia se puede controlar con una válvula piloto, que puede accionarse con muy poca potencia.

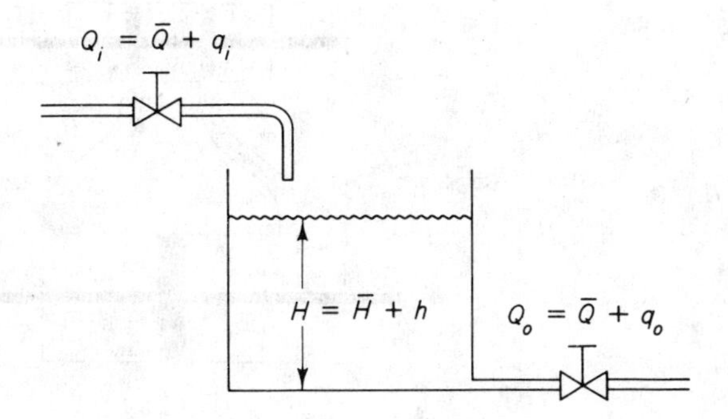


**Figura 2-32**
Sistema de nivel de líquido.

En la práctica, las compuertas $a$ y $b$ que se muestran en la figura 2-33 a menudo se hacen más anchas que las válvulas correspondientes $A$ y $B$. En tal caso, siempre hay fuga a través de la válvula. Esto mejora tanto la sensibilidad como la linealidad del servomotor hidráulico. En el análisis siguiente supondremos esta posibilidad. [Nótese que ocasionalmente se superpone una señal de vibración de alta frecuencia y de muy pequeña amplitud (respecto al desplazamiento máximo de la válvula), al movimiento de la válvula piloto. Esto también aumenta la sensibilidad y la linealidad, en cuyo caso también hay fuga a través de la válvula].

Se define

$$Q = \text{gasto del aceite al cilindro de potencia}$$
$$\Delta P = P_1 - P_2 = \text{diferencia de presiones en el cilindro de potencia}$$
$$x = \text{desplazamiento de la válvula piloto}$$

En la figura 2-33 se puede ver que $Q$ es una función de $x$ y de $\Delta P$. En general, la relación entre las variables $Q$, $x$ y $\Delta P$ está dada por una ecuación no lineal:

$$Q = f(x, \Delta P)$$

Linealizando esta ecuación no lineal en la vecindad del punto normal de operación $\bar{Q}$, $\bar{x}$, $\Delta\bar{P}$, se obtiene

$$Q - \bar{Q} = \frac{\partial f}{\partial x}(x - \bar{x}) + \frac{\partial f}{\partial \Delta P}(\Delta P - \Delta\bar{P}) \tag{2–78}$$

donde las derivadas parciales son evaluadas en $x = \bar{x}$, $\Delta P = \Delta\bar{P}$, y $\bar{Q} = f(\bar{x}, \Delta\bar{P})$. Se define

$$K_1 = \left.\frac{\partial f}{\partial x}\right|_{x=\bar{x}, \Delta P = \Delta\bar{P}} > 0$$

$$K_2 = -\left.\frac{\partial f}{\partial \Delta P}\right|_{x=\bar{x}, \Delta P = \Delta\bar{P}} > 0$$

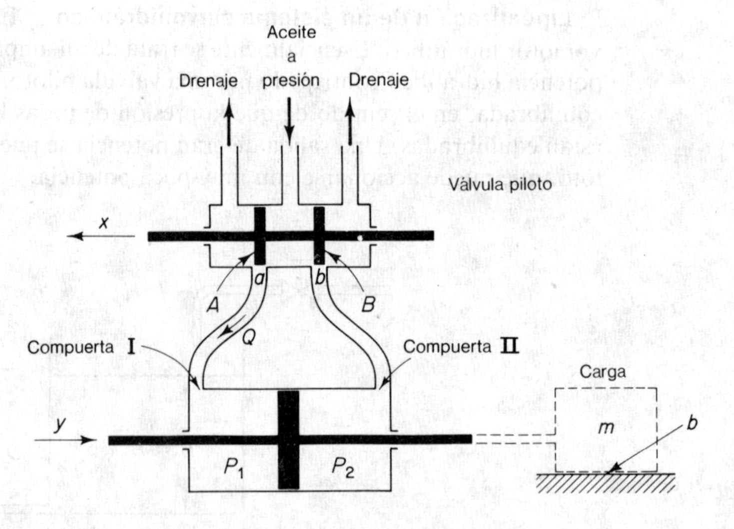


**Figura 2-33** Diagrama de un servomotor hidráulico.

Como las condiciones de operación corresponden a $\bar{Q} = 0$, $\bar{x} = 0$, y $\Delta\bar{P} = 0$, de la ecuación (2-78) se obtiene

$$Q = K_1 x - K_2 \, \Delta P \tag{2–79}$$

La figura 2-34 muestra esta relación linealizada entre $Q$, $x$, y $\Delta P$. Las líneas rectas indicadas son las curvas características del servomotor hidráulico linealizado. Esta familia de curvas, consiste en líneas rectas, paralelas y equidistantes, cuyo parámetro es el valor de $x$. Nótese que la zona cercana al origen es la más importante, porque la operación del sistema en general ocurre cerca de este punto. Un modelo matemático linealizado como éste es útil para analizar el comportamiento de válvulas de control hidráulico.

Según la figura 2-33, se ve que el gasto de aceite $Q$ multiplicado por $dt$ es igual al desplazamiento del pistón de potencia $dy$ multiplicado por el área del pistón $A$ y por la densidad del aceite $\rho$. Así, se obtiene

$$A \, \rho \, dy = Q \, dt$$

Nótese que para un determinado gasto $Q$, cuanto mayor es el área $A$ del pistón, menor será la velocidad $dy/dt$. Por lo tanto, si se disminuye el área del pistón $A$ manteniendo las otras variables constantes, aumentará la velocidad $dy/dt$. Igualmente, un aumento del gasto $Q$ producirá un aumento de velocidad del pistón de potencia, reduciendo el tiempo de respuesta.

Ahora la ecuación (2-79) se puede expresar como

$$\Delta P = \frac{1}{K_2}\left(K_1 x - A\rho \frac{dy}{dt}\right)$$

La fuerza desarrollada por el pistón de potencia es igual a la diferencia de presión $\Delta P$ multiplicada por el área del pistón $A$, es decir

$$\begin{aligned}\text{Fuerza desarrollada por el pistón de potencia} &= A \, \Delta P \\ &= \frac{A}{K_2}\left(K_1 x - A \, \rho \frac{dy}{dt}\right)\end{aligned}$$

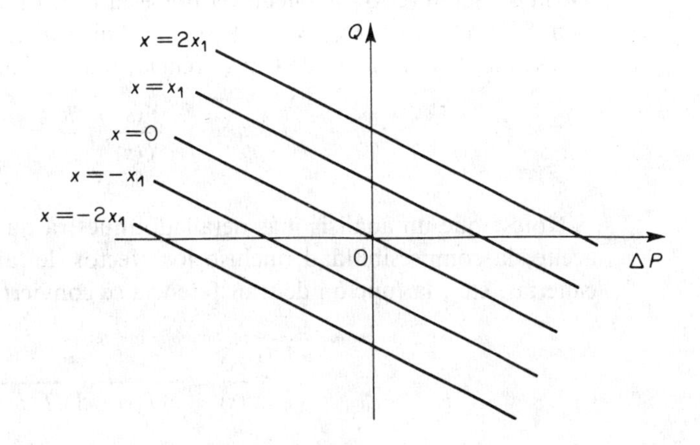


**Figura 2-34**
Curvas características del servomotor hidráulico linealizado.

Para una fuerza máxima dada, si la diferencia de presión es suficientemente alta, se puede disminuir el área del pistón o el volumen de aceite en el mismo. En consecuencia, para disminuir al mínimo el peso del controlador, hay que hacer la presión de la fuente suficientemente alta.

Supóngase que el pistón de potencia mueve una carga consistente en una masa y una fricción viscosa. Entonces la fuerza desarrollada por el pistón de potencia se aplica a la carga de masa y fricción, y se obtiene

$$m\ddot{y} + b\dot{y} = \frac{A}{K_2}(K_1 x - A\rho\dot{y})$$

o

$$m\ddot{y} + \left(b + \frac{A^2\rho}{K_2}\right)\dot{y} = \frac{AK_1}{K_2}x \tag{2–80}$$

donde $m$ es la masa de la carga y $b$ es el coeficiente de fricción viscosa.

Suponiendo que el desplazamiento $x$ de la válvula piloto es la entrada y el desplazamiento $y$ del pistón de potencia es la salida, se encuentra que la función de transferencia para el servomotor hidráulico es, de la ecuación (2-80)

$$\frac{Y(s)}{X(s)} = \frac{1}{s\left[\left(\frac{mK_2}{AK_1}\right)s + \frac{bK_2}{AK_1} + \frac{A\rho}{K_1}\right]}$$

$$= \frac{K}{s(Ts + 1)} \tag{2–81}$$

donde

$$K = \frac{1}{\frac{bK_2}{AK_1} + \frac{A\rho}{K_1}} \quad \text{y} \quad , \quad T = \frac{mK_2}{bK_2 + A^2\rho}$$

De la ecuación (2-81) se puede ver que esta función de transferencia es de segundo orden. Si la relación $mK_2/(bK_2 + A^2\rho)$ es insignificantemente pequeña, o lo es la constante de tiempo $T$, la función de transferencia, puede simplificarse como

$$\frac{Y(s)}{X(s)} = \frac{K}{s}$$

Nótese que un análisis más detallado muestra que si se consideran las pérdidas de aceite, la compresibilidad (incluso los efectos del aire disuelto), la dilatación de las cañerías, etc., la función de transferencia se convierte en

$$\frac{Y(s)}{X(s)} = \frac{K}{s(T_1 s + 1)(T_2 s + 1)}$$

donde $T_1$ y $T_2$ son constantes de tiempo. De hecho, estas constantes de tiempo dependen del volumen de aceite en operación. Cuanto más pequeño es el volumen, menores son las constantes de tiempo.

---

## *Ejemplos de problemas y soluciones*

**A–2–1** Muestre que para el sistema de ecuaciones diferenciales

$$\dddot{y} + a_1\ddot{y} + a_2\dot{y} + a_3 y = b_0\dddot{u} + b_1\ddot{u} + b_2\dot{u} + b_3 u \tag{2–82}$$

las ecuaciones de estado y salida, pueden estar dadas respectivamente, por

$$\begin{bmatrix} \dot{x}_1 \\ \dot{x}_2 \\ \dot{x}_3 \end{bmatrix} = \begin{bmatrix} 0 & 1 & 0 \\ 0 & 0 & 1 \\ -a_3 & -a_2 & -a_1 \end{bmatrix} \begin{bmatrix} x_1 \\ x_2 \\ x_3 \end{bmatrix} + \begin{bmatrix} \beta_1 \\ \beta_2 \\ \beta_3 \end{bmatrix} u \tag{2–83}$$

y

$$y = [1 \quad 0 \quad 0] \begin{bmatrix} x_1 \\ x_2 \\ x_3 \end{bmatrix} + \beta_0 u \tag{2–84}$$

donde las variables de estado están definidas como

$$x_1 = y - \beta_0 u$$

$$x_2 = \dot{y} - \beta_0\dot{u} - \beta_1 u = \dot{x}_1 - \beta_1 u$$

$$x_3 = \ddot{y} - \beta_0\ddot{u} - \beta_1\dot{u} - \beta_2 u = \dot{x}_2 - \beta_2 u$$

y

$$\beta_0 = b_0$$

$$\beta_1 = b_1 - a_1\beta_0$$

$$\beta_2 = b_2 - a_1\beta_1 - a_2\beta_0$$

$$\beta_3 = b_3 - a_1\beta_2 - a_2\beta_1 - a_3\beta_0$$

**Solución.** De la definición de variables de estado $x_1$ y $x_2$, se tiene

$$\dot{x}_1 = x_2 + \beta_1 u \tag{2–85}$$

$$\dot{x}_2 = x_3 + \beta_2 u \tag{2–86}$$

Para deducir la ecuación $\dot{x}_3$, nótese primero que

$$\dddot{y} = -a_1\ddot{y} - a_2\dot{y} - a_3 y + b_0\dddot{u} + b_1\ddot{u} + b_2\dot{u} + b_3 u$$

Como

$$x_3 = \ddot{y} - \beta_0\ddot{u} - \beta_1\dot{u} - \beta_2 u$$

se tiene

$$\begin{aligned}
\dot{x}_3 &= \dddot{y} - \beta_0\dddot{u} - \beta_1\ddot{u} - \beta_2\dot{u} \\
&= (-a_1\ddot{y} - a_2\dot{y} - a_3 y) + b_0\dddot{u} + b_1\ddot{u} + b_2\dot{u} + b_3 u - \beta_0\dddot{u} - \beta_1\ddot{u} - \beta_2\dot{u} \\
&= -a_1(\ddot{y} - \beta_0\ddot{u} - \beta_1\dot{u} - \beta_2 u) - a_1\beta_0\ddot{u} - a_1\beta_1\dot{u} - a_1\beta_2 u \\
&\quad -a_2(\dot{y} - \beta_0\dot{u} - \beta_1 u) - a_2\beta_0\dot{u} - a_2\beta_1 u - a_3(y - \beta_0 u) - a_3\beta_0 u \\
&\quad + b_0\dddot{u} + b_1\ddot{u} + b_2\dot{u} + b_3 u - \beta_0\dddot{u} - \beta_1\ddot{u} - \beta_2\dot{u} \\
&= -a_1x_3 - a_2x_2 - a_3x_1 + (b_0 - \beta_0)\dddot{u} + (b_1 - \beta_1 - a_1\beta_0)\ddot{u} \\
&\quad +(b_2 - \beta_2 - a_1\beta_1 - a_2\beta_0)\dot{u} + (b_3 - a_1\beta_2 - a_2\beta_1 - a_3\beta_0)u \\
&= -a_1x_3 - a_2x_2 - a_3x_1 + (b_3 - a_1\beta_2 - a_2\beta_1 - a_3\beta_0)u \\
&= -a_1x_3 - a_2x_2 - a_3x_1 + \beta_3 u
\end{aligned}$$

Por tanto, se tiene

$$\dot{x}_3 = -a_3x_1 - a_2x_2 - a_1x_3 + \beta_3 u \tag{2–87}$$

Combinando las ecuaciones (2-85), (2-86) y (2-87) en una ecuación diferencial vectorial-matricial, se obtiene la ecuación (2-83). También, de la definición de la variable de estado $x_1$, se llega a la ecuación de salida dada por la ecuación (2-84).

**A-2-2.** Obtener un modelo del sistema de la figura 2-35 en el espacio de estado.

**Solución.** El sistema comprende un integrador y dos integradores con retardo. La salida de cada integrador o integrador con retardo puede ser una variable de estado. La salida de la planta se define como $x_1$; la salida del controlador como $x_2$, y la del sensor como $x_3$.

$$\frac{X_1(s)}{X_2(s)} = \frac{10}{s+5}$$

$$\frac{X_2(s)}{U(s) - X_3(s)} = \frac{1}{s}$$

$$\frac{X_3(s)}{X_1(s)} = \frac{1}{s+1}$$

$$Y(s) = X_1(s)$$

que se puede reescribir como

$$sX_1(s) = -5X_1(s) + 10X_2(s)$$

$$sX_2(s) = -X_3(s) + U(s)$$

$$sX_3(s) = X_1(s) - X_3(s)$$

$$Y(s) = X_1(s)$$

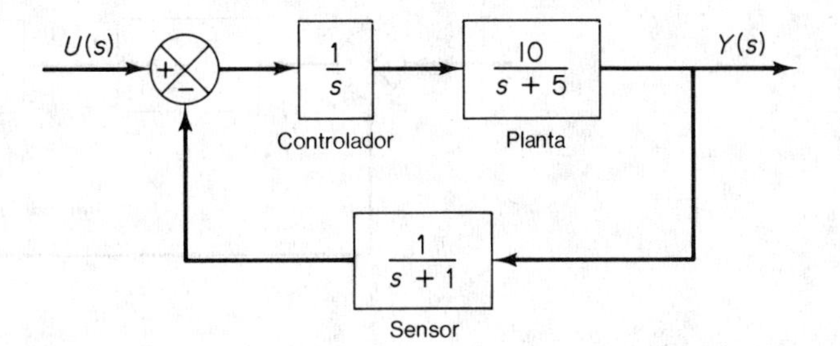


**Figura 2-35**
Sistema de control.

Tomando las transformadas inversas de Laplace de las cuatro ecuaciones precedentes, se obtiene

$$\dot{x}_1 = -5x_1 + 10x_2$$

$$\dot{x}_2 = -x_3 + u$$

$$\dot{x}_3 = x_1 - x_3$$

$$y = x_1$$

Así, se tiene un modelo en el espacio de estado del sistema en forma normalizada

$$\begin{bmatrix} \dot{x}_1 \\ \dot{x}_2 \\ \dot{x}_1 \end{bmatrix} = \begin{bmatrix} -5 & 10 & 0 \\ 0 & 0 & -1 \\ 1 & 0 & -1 \end{bmatrix} \begin{bmatrix} x_1 \\ x_2 \\ x_3 \end{bmatrix} + \begin{bmatrix} 0 \\ 1 \\ 0 \end{bmatrix} u$$

$$y = [1 \quad 0 \quad 0] \begin{bmatrix} x_1 \\ x_2 \\ x_3 \end{bmatrix}$$

Es importante reconocer que ésta no es la única representación de este sistema en espacio de estado. Muchas otras representaciones en el espacio de estado son posibles. Sin embargo, la cantidad de variables de estado es la misma en cualquier representación del mismo sistema. En el ejemplo hay tres variables de estado independientemente de qué variables se eligen como variables de estado.

**A-2-3.** Obtener un modelo en el espacio de estado para el sistema de la figura 2-36(a).

**Solución.** Primero, nótese que $(as + b)/s^2$ incluye un término derivativo. Ese término derivativo puede evitarse si se modifica $(as + b)/s^2$ como

$$\frac{as + b}{s^2} = \left(a + \frac{b}{s}\right)\frac{1}{s}$$

Utilizando esta expresión, se puede transformar el diagrama de bloques de la figura 2-36(a) para llegar al de la figura 2-36(b).

Las salidas de los integradores como variables de estado se definen como se muestra en la figura 2-36(b). Luego, de la figura 2-36(b), se obtiene

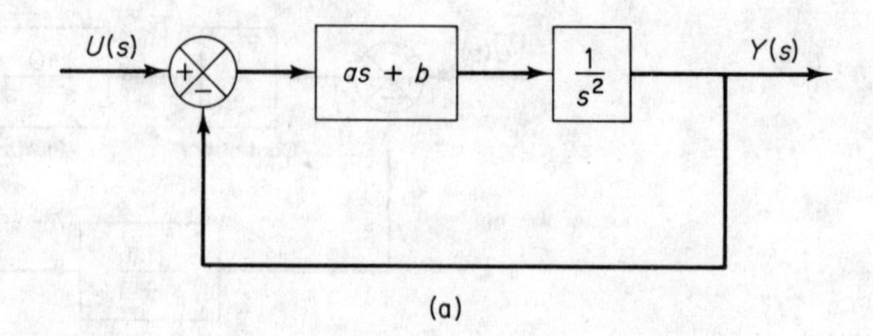


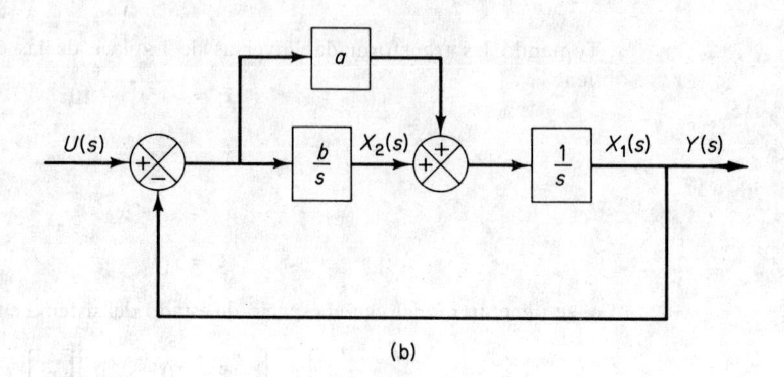


**Figura 2-36**
(a) Sistema de control; (b) diagrama de bloques modificado.

$$\frac{X_1(s)}{X_2(s) + a[U(s) - X_1(s)]} = \frac{1}{s}$$

$$\frac{X_2(s)}{U(s) - X_1(s)} = \frac{b}{s}$$

$$Y(s) = X_1(s)$$

que puede modificarse a

$$sX_1(s) = X_2(s) + a[U(s) - X_1(s)]$$

$$sX_2(s) = -bX_1(s) + bU(s)$$

$$Y(s) = X_1(s)$$

Tomando la transformada inversa de Laplace de las tres ecuaciones precedentes, se tiene

$$\dot{x}_1 = -ax_1 + x_2 + au$$

$$\dot{x}_2 = -bx_1 + bu$$

$$y = x_1$$

Reescribiendo las ecuaciones de estado y de salida en la forma vectorial matricial estándar, obtenemos

$$\begin{bmatrix} \dot{x}_1 \\ \dot{x}_2 \end{bmatrix} = \begin{bmatrix} -a & 1 \\ -b & 0 \end{bmatrix} \begin{bmatrix} x_1 \\ x_2 \end{bmatrix} + \begin{bmatrix} a \\ b \end{bmatrix} u$$

$$y = [1 \quad 0] \begin{bmatrix} x_1 \\ x_2 \end{bmatrix}$$

**A-2-4.** En la figura 2-37(a) se ve el diagrama de la suspensión de un automóvil. Cuando éste avanza, el desplazamiento vertical de los neumáticos actúa como movimiento excitador del sistema de suspensión del vehículo. El movimiento de este sistema, consiste en un movimiento traslacional del centro de masa y un movimiento rotacional alrededor del centro de masa. Realizar el modelo matemático del sistema completo es sumamente complicado.

En la figura 2-27(b) se muestra una versión muy simplificada del sistema de suspensión. Suponiendo que el movimiento $x_i$ en el punto $P$ es la entrada al sistema y el movimiento vertical $x_o$ del cuerpo es la salida, obtener la función de transferencia $X_o(s)/X_i(s)$. (Considerar sólo el movimiento del cuerpo en dirección vertical). En ausencia de entrada $x_i$ se mide el desplazamiento $x_o$ desde la posición de equilibrio.

**Solución.** La ecuación del movimiento para el sistema que aparece en la figura 2-37(b) es

$$m\ddot{x}_o + b(\dot{x}_o - \dot{x}_i) + k(x_o - x_i) = 0$$

o bien

$$m\ddot{x}_o + b\dot{x}_o + kx_o = b\dot{x}_i + kx_i$$

Tomando la transformada de Laplace de esta última ecuación, suponiendo condiciones iniciales cero, se obtiene

$$(ms^2 + bs + k)X_o(s) = (bs + k)X_i(s)$$

Por lo tanto, la función de transferencia $X_o(s)/X_i(s)$ resulta de

$$\frac{X_o(s)}{X_i(s)} = \frac{bs + k}{ms^2 + bs + k}$$

**A-2-5.** En situaciones reales, el movimiento de un sistema mecánico en un espacio tridimensional puede ser al mismo tiempo de traslación y de rotación, y partes del sistema pueden presentar restricciones respecto a qué movimiento pueden efectuarse. La descripción geométrica de tales movimientos se puede complicar mucho, pero siguen aplicándose las leyes físicas fundamentales.

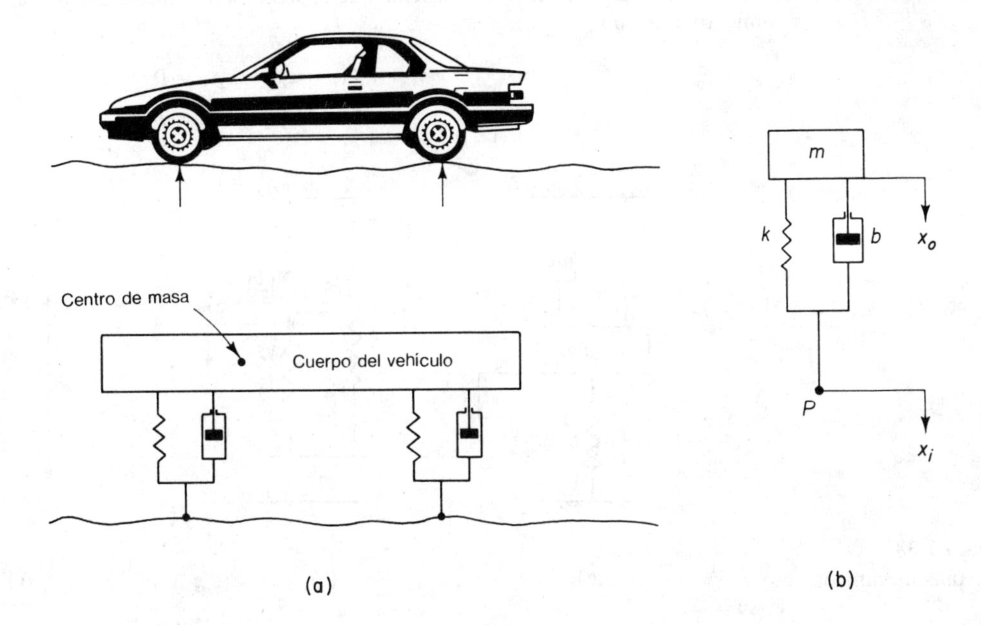


**Figura 2-37**
(a) Sistema de suspensión de un automóvil;
(b) sistema de suspensión simplificado.

En un sistema complejo, se puede requerir más de una coordenada para describir su movimiento. La cantidad mínima de coordendads independientes necesarias para especificar un movimiento se denomina *grados de libertad*. Los grados de libertad de un sistema mecánico, es la cantidad mínima de coordenadas independientes requeridas para especificar las posiciones de todos sus elementos. Por ejemplo, si sólo se necesita una coordenada independiente para especificar completamente la ubicación geométrica de la masa de un sistema en el espacio, es un sistema de un solo grado de libertad. Esto es, un cuerpo rígido que gira alrededor de un eje, tiene un solo grado de libertad, mientras que un cuerpo rígido en el espacio tiene seis grados de libertad, tres de traslación y tres de rotación.

Es importante notar que, en general, ni las masas ni cualquiera otra cantidad obvia, han de llevar necesariamente a la confirmación de la cantidad de grados de libertad.

En términos de cantidad de ecuaciones de movimiento y de restricciones, los grados de libertad se pueden escribir como

Número de grados de libertad
= (Número de ecuaciones de movimiento) − (Número de ecuaciones de restricción)

Considérese ahora el sistema de la figura 2-38. Determine los grados de libertad de cada sistema.

**Solución.** (a) Para el sistema de la figura 2-38(a), si la masa $m$ tiene movimiento restringido vertical, sólo se requiere una coordenada $x$ para determinar la posición de la masa en cualquier instante. Así, el sistema de la figura 2-38(a) tiene un solo grado de libertad.

La proposición se puede verificar contando las ecuaciones de movimiento y de restricción. Este sistema tiene una ecuación de movimiento

$$m\ddot{x} + b\dot{x} + (k_1 + k_2)x = 0$$

y ninguna ecuación de restricción. En consecuencia,

$$\text{Grados de libertad} = 1 - 0 = 1$$

(b) Segundo, considérese el sistema que aparece en la figura 2-38(b). Las ecuaciones de movimiento aquí son

$$m\ddot{x}_1 + k_1(x_1 - x_2) + k_2x_1 = 0$$
$$k_1(x_1 - x_2) = b_1\dot{x}_2$$

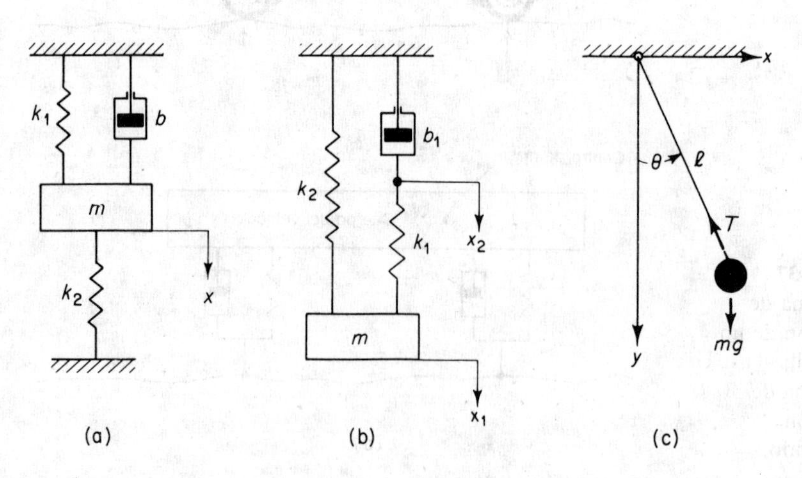


**Figura 2-38**
Sistemas mecánicos.

De modo que las ecuaciones de movimiento son dos. No hay ecuaciones de restricción. Por tanto,

$$\text{Grados de libertad} = 2 - 0 = 2$$

(c) Finalmente, considérese el sistema de péndulo de la figura 2-38(c). Definir las coordenadas de la masa del péndulo como $(x, y)$. Entonces las ecuaciones del movimiento son

$$m\ddot{x} = -T\,\text{sen}\,\theta$$

$$m\ddot{y} = mg - T\cos\theta$$

Así, las ecuaciones de movimiento son dos. La ecuación de restricción para este sistema es

$$x^2 + y^2 = l^2$$

La ecuación de restricción es una. Entonces

$$\text{Grados de libertad} = 2 - 1 = 1$$

Nótese que cuando se presentan restricciones físicas, el sistema de coordenadas más conveniente puede no ser el rectangular. En el sistema de péndulo de la figura 2-38(c), el péndulo está restringido a desplazarse en un recorrido circular. En este caso el sistema de coordenadas más conveniente sería un sistema de coordenadas polares. Entonces la única coordenada necesaria es el ángulo $\theta$ que recorre el péndulo. Las coordenadas rectangulares $x$, $y$ y las coordenadas polares $\theta$, $l$ (donde $l$ es una constante), están relacionadas por

$$x = l\,\text{sen}\theta, \qquad y = l\cos\theta$$

En términos del sistema de coordenadas polares, la ecuación del sistema es

$$ml^2\ddot{\theta} = -mgl\,\text{sen}\,\theta$$

o bien

$$\ddot{\theta} + \frac{g}{l}\text{sen}\,\theta = 0$$

Nótese que como $l$ es una constante, la configuración del sistema se puede especificar por una coordenada, $\theta$. En consecuencia, es un sistema de *un solo grado de libertad*, como ya se había determinado.

**A-2-6.** En los servosistemas, se suelen utilizar trenes de engranes para reducir velocidad, incrementar pares, u obtener la mejor transferencia de potencia al adaptar el elemento motriz a la carga, a través del tren de engranes. Suponiendo que la rigidez de los ejes es infinita (no hay zona muerta ni deformación elástica) y la cantidad de dientes en cada engrane es proporcional al radio del mismo, obtener el momento de inercia equivalente y el coeficiente de fricción viscosa equivalente referido al eje del motor y referidos al eje de la carga.

En la figura 2-39 la cantidad de dientes de los engranes 1, 2, 3, y 4 son $N_1$, $N_2$, $N_3$, y $N_4$, respectivamente. Los desplazamientos angulares de los ejes 1, 2, y 3 son $\theta_1$, $\theta_2$, y $\theta_3$, respectivamente. Entonces, $\theta_2/\theta_1 = N_1/N_2$ y $\theta_3/\theta_2 = N_3/N_4$. Los momentos de inercia y los coeficientes de fricción viscosa de cada componente del tren de engranes, se denominan aquí $J_1$, $b_1$; $J_2$, $b_2$; $J_3$, $b_3$;, respectivamente. ($J_3$ y $b_3$ incluyen el momento de inercia y el coeficiente de fricción de la carga).

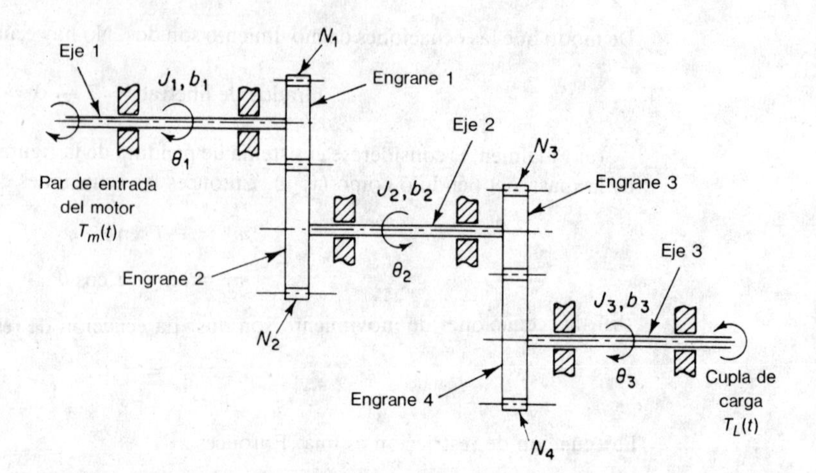


**Figura 2-39**
Sistema de tren de engranes.

**Solución.** Para este sistema de engranes, se pueden obtener las tres ecuaciones siguientes. Para el eje 1,

$$J_1\theta_1 + b_1\theta_1 + T_1 = T_m \tag{2–88}$$

donde $T_m$ es el par desarrollado por el motor y $T_1$ es el par de la carga en el engrane 1 debido al resto del tren de engranes. Para el eje 2,

$$J_2\ddot{\theta}_2 + b_2\theta_2 + T_3 = T_2 \tag{2–89}$$

donde $T_2$ es el par transmitido al engrane 2 y $T_3$ es el par de la carga en el engrane 3 debida al resto del tren de engranes. Como el trabajo realizado por el engrane 1 es igual al del engrane 2,

$$T_1\theta_1 = T_2\theta_2 \quad \text{o} \quad T_2 = T_1\frac{N_2}{N_1}$$

Si $N_1/N_2 < 1$, la relación de engranes reduce la velocidad, al tiempo que amplifica el par. Para el tercer eje,

$$J_3\theta_3 + b_3\dot{\theta}_3 + T_L = T_4 \tag{2–90}$$

donde $T_L$ es el par de carga y $T_4$ es el par transmitido al engrane 4. $T_3$ y $T_4$ están relacionados por

$$T_4 = T_3\frac{N_4}{N_3}$$

mientras $\theta_3$ y $\theta_1$ lo están por

$$\theta_3 = \theta_2\frac{N_3}{N_4} = \theta_1\frac{N_1N_3}{N_2N_4}$$

Al eliminar $T_1$, $T_2$, $T_3$, y $T_4$ de las ecuaciones (2-88), (2-89) y (2-90), resulta

$$J_1\ddot{\theta}_1 + b_1\dot{\theta}_1 + \frac{N_1}{N_2}(J_2\ddot{\theta}_2 + b_2\dot{\theta}_2) + \frac{N_1N_3}{N_2N_4}(J_3\ddot{\theta}_3 + b_3\dot{\theta}_3 + T_L) = T_m$$

Suprimiendo $\theta_2$ y $\theta_3$ de esta última ecuación y escribiendo la ecuación resultante en términos de $\theta_1$ y sus derivadas temporales, se obtiene

$$\left[J_1 + \left(\frac{N_1}{N_2}\right)^2 J_2 + \left(\frac{N_1}{N_2}\right)^2\left(\frac{N_3}{N_4}\right)^2 J_3\right]\ddot{\theta}_1$$

$$+\left[b_1 + \left(\frac{N_1}{N_2}\right)^2 b_2 + \left(\frac{N_1}{N_2}\right)^2\left(\frac{N_3}{N_4}\right)^2 b_3\right]\dot{\theta}_1 + \left(\frac{N_1}{N_2}\right)\left(\frac{N_3}{N_4}\right)T_L = T_m \qquad (2\text{–}91)$$

Entonces, el momento de inercia equivalente y el coeficiente de fricción viscosa del tren de engranes referido al eje 1, están dados, respectivamente por

$$J_{1\text{eq}} = J_1 + \left(\frac{N_1}{N_2}\right)^2 J_2 + \left(\frac{N_1}{N_2}\right)^2\left(\frac{N_3}{N_4}\right)^2 J_3$$

$$b_{1\text{eq}} = b_1 + \left(\frac{N_1}{N_2}\right)^2 b_2 + \left(\frac{N_1}{N_2}\right)^2\left(\frac{N_3}{N_4}\right)^2 b_3$$

De modo semejante, el momento de inercia equivalente y el coeficiente de fricción viscosa del tren de engranes, referidos al eje de la carga (eje 3), están dados, respectivamente por

$$J_{3\text{eq}} = J_3 + \left(\frac{N_4}{N_3}\right)^2 J_2 + \left(\frac{N_2}{N_1}\right)^2\left(\frac{N_4}{N_3}\right)^2 J_1$$

$$b_{3\text{eq}} = b_3 + \left(\frac{N_4}{N_3}\right)^2 b_2 + \left(\frac{N_2}{N_1}\right)^2\left(\frac{N_4}{N_3}\right)^2 b_1$$

Entonces, la relación entre $J_{1\text{eq}}$ y $J_{3\text{eq}}$ es

$$J_{1\text{eq}} = \left(\frac{N_1}{N_2}\right)^2\left(\frac{N_3}{N_4}\right)^2 J_{3\text{eq}}$$

y la que se da entre $b_{1\text{eq}}$ y $b_{3\text{eq}}$ es

$$b_{1\text{eq}} = \left(\frac{N_1}{N_2}\right)^2\left(\frac{N_3}{N_4}\right)^2 b_{3\text{eq}}$$

El efecto de $J_2$ y $J_3$ en un momento de inercia equivalente está determinado por las relaciones de engranes $N_1/N_2$ y $N_3/N_4$. En trenes de engranes reductores de velocidad, las relaciones $N_1/N_2$ y $N_3/N_4$ suelen ser inferiores a la unidad. Si $N_1/N_2 \ll 1$ y $N_3/N_4 \ll 1$, el efecto de $J_2$ y $J_3$ en el momento de inercia equivalente $J_{1\text{eq}}$ es mínimo. Comentarios similares se aplican al coeficiente de fricción viscosa equivalente $b_{1\text{eq}}$ del tren de engranes. En términos del momento de inercia equivalente $J_{1\text{eq}}$ y del coeficiente de fricción viscosa equivalente $b_{1\text{eq}}$, se puede simplificar la ecuación (2-91), dando

$$J_{1\text{eq}}\ddot{\theta}_1 + b_{1\text{eq}}\dot{\theta}_1 + nT_L = T_m$$

donde

$$n = \frac{N_1}{N_2}\frac{N_3}{N_4}$$

**A-2-7.** Obtener la función de transferencia $E_o(s)/E_i(s)$ del amplificador operacional que aparece en la figura 2-40.

**Solución.** El voltaje en el punto $A$ se define como $e_A$. Entonces

$$\frac{E_A(s)}{E_i(s)} = \frac{R_1}{\frac{1}{Cs} + R_1} = \frac{R_1 Cs}{R_1 Cs + 1}$$

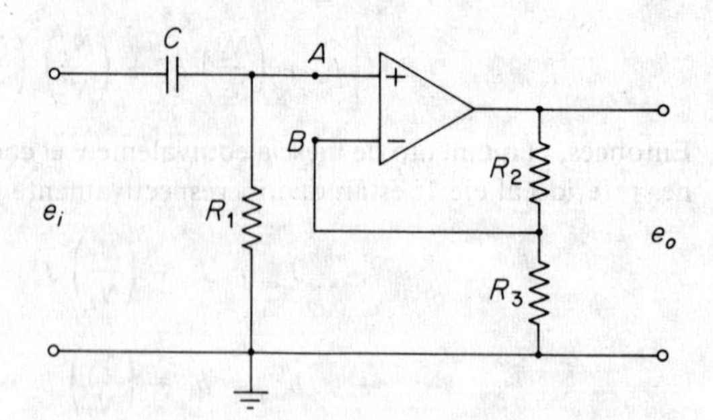


**Figura 2-40**
Circuito con amplificador operacional.

El voltaje en el punto $B$ se define como $e_B$. Entonces

$$E_B(s) = \frac{R_3}{R_2 + R_3} E_o(s)$$

Nótese que

$$[E_A(s) - E_B(s)]K = E_o(s)$$

y $K \gg 1$, debe resultar

$$E_A(s) = E_B(s)$$

Por lo tanto

$$E_A(s) = \frac{R_1 Cs}{R_1 Cs + 1} E_i(s) = E_B(s) = \frac{R_3}{R_2 + R_3} E_o(s)$$

de donde se obtiene

$$\frac{E_o(s)}{E_i(s)} = \frac{R_2 + R_3}{R_3} \frac{R_1 Cs}{R_1 Cs + 1} = \frac{\left(1 + \dfrac{R_2}{R_3}\right)s}{s + \dfrac{1}{R_1 C}}$$

**A-2-8.** Obtener la función de transferencia $E_o(s)/E_i(s)$ del circuito de amplificador operacional de la figura 2-41.

**Solución.** La tensión en el punto $A$ es

$$e_A = \frac{1}{2}(e_i - e_o) + e_o$$

La transformada de Laplace de esta última ecuación es

$$E_A(s) = \frac{1}{2}\left[E_i(s) + E_o(s)\right]$$

El voltaje en el punto $B$ es

$$E_B(s) = \frac{\dfrac{1}{Cs}}{R_2 + \dfrac{1}{Cs}} E_i(s) = \frac{1}{R_2 Cs + 1} E_i(s)$$

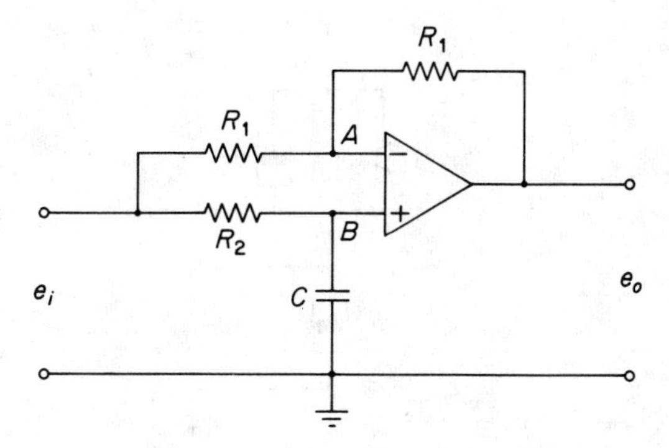


**Figura 2-41** Circuito con amplificador operacional.

Como $[E_B(s) - E_A(s)]K = E_o(s)$ y $K \gg 1$, debe obtener $E_A(s) = E_B(s)$. Entonces

$$\frac{1}{2}[E_i(s) + E_o(s)] = \frac{1}{R_2Cs + 1}E_i(s)$$

De donde

$$\frac{E_o(s)}{E_i(s)} = -\frac{R_2Cs - 1}{R_2Cs + 1} = -\frac{s - \frac{1}{R_2C}}{s + \frac{1}{R_2C}}$$

**A-2-9.** Demuestre que los sistemas de las figuras 2-42(a) y (b) son análogos. (Demuestre que las funciones de transferencia de ambos sistemas son de forma idéntica).

**Solución.** Las ecuaciones de movimiento para el sistema mecánico que aparece en la figura 2-42(a) son

$$b_1(\dot{x}_i - \dot{x}_o) + k_1(x_i - x_o) = b_2(\dot{x}_o - \dot{y})$$

$$b_2(\dot{x}_o - \dot{y}) = k_2 y$$

Tomando las transformadas de Laplace de estas dos ecuaciones, suponiendo condiciones iniciales cero, se tiene

$$b_1[sX_i(s) - sX_o(s)] + k_1[X_i(s) - X_o(s)] = b_2[sX_o(s) - sY(s)]$$

$$b_2[sX_o(s) - sY(s)] = k_2 Y(s)$$

Si se elimina $Y(s)$ de las dos últimas ecuaciones, se obtiene

$$b_1[sX_i(s) - sX_o(s)] + k_1[X_i(s) - X_o(s)] = b_2sX_o(s) - b_2s\frac{b_2sX_o(s)}{b_2s + k_2}$$

o bien

$$(b_1s + k_1)X_i(s) = \left(b_1s + k_1 + b_2s - b_2s\frac{b_2s}{b_2s + k_2}\right)X_o(s)$$

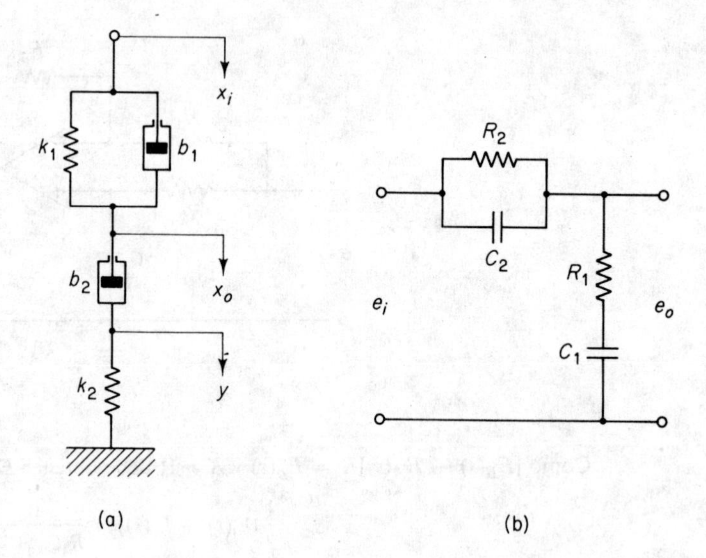


**Figura 2-42**
(a) Sistema mecánico;
(b) sistema eléctrico análogo.

De aquí, la función de transferencia $X_o(s)/X_i(s)$ se puede obtener como

$$\frac{X_o(s)}{X_i(s)} = \frac{\left(\frac{b_1}{k_1}s + 1\right)\left(\frac{b_2}{k_2}s + 1\right)}{\left(\frac{b_1}{k_1}s + 1\right)\left(\frac{b_2}{k_2}s + 1\right) + \frac{b_2}{k_1}s}$$

Para el sistema eléctrico de la figura 2-42(b), se halla que la función de transferencia $E_o(s)/E_i(s)$ es

$$\frac{E_o(s)}{E_i(s)} = \frac{R_1 + \frac{1}{C_1 s}}{\frac{1}{(1/R_2) + C_2 s} + R_1 + \frac{1}{C_1 s}}$$

$$= \frac{(R_1C_1s + 1)(R_2C_2s + 1)}{(R_1C_1s + 1)(R_2C_2s + 1) + R_2C_1s}$$

Comparando las funciones de transferencia se ve que los sistemas de las figuras 2-42(a) y (b) son análogos.

**A–2–10.** Utilizando la analogía fuerza-voltaje, obtener una analogía eléctrica del sistema mecánico que aparece en la figura 2-43.

**Solución.** Las ecuaciones de movimiento para el sistema mecánico son

$$m_1\ddot{x}_1 + b_1\dot{x}_1 + k_1x_1 + b_2(\dot{x}_1 - \dot{x}_2) + k_2(x_1 - x_2) = 0$$

$$m_2\ddot{x}_2 + b_2(\dot{x}_2 - \dot{x}_1) + k_2(x_2 - x_1) = 0$$

Con la analogía fuerza-voltaje, se pueden escribir las ecuaciones de un sistema eléctrico análogo:

$$L_1\ddot{q}_1 + R_1\dot{q}_1 + \frac{1}{C_1}q_1 + R_2(\dot{q}_1 - \dot{q}_2) + \frac{1}{C_2}(q_1 - q_2) = 0$$

$$L_2\ddot{q}_2 + R_2(\dot{q}_2 - \dot{q}_1) + \frac{1}{C_2}(q_2 - q_1) = 0$$

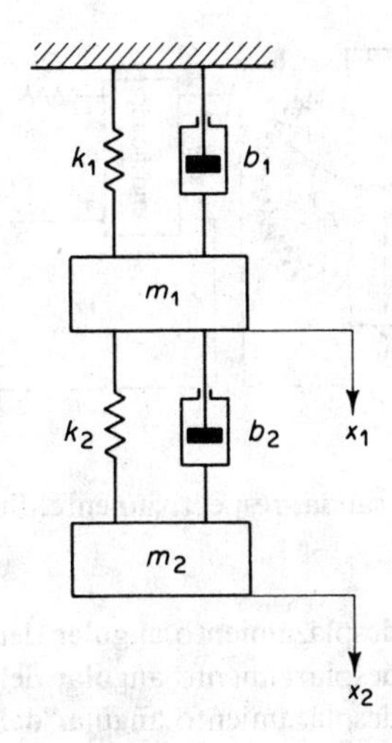


**Figura 2-43**
Sistema mecánico.

Con la sustitución de $\dot{q}_1 = i_1$ y $\dot{q}_2 = i_2$ en las dos últimas ecuaciones, se tiene

$$L_1 \frac{di_1}{dt} + R_1 i_1 + \frac{1}{C_1} \int i_1 \, dt + R_2(i_1 - i_2) + \frac{1}{C_2} \int (i_1 - i_2) \, dt = 0 \tag{2-92}$$

$$L_2 \frac{di_2}{dt} + R_2(i_2 - i_1) + \frac{1}{C_2} \int (i_2 - i_1) \, dt = 0 \tag{2-93}$$

Estas dos ecuaciones son de voltajes de malla. De la ecuación (2-92) se obtiene el diagrama de la figura 2-44(a). En forma similar, de la ecuación (2-93) se obtiene el circuito que está en la figura 2-44(b). Combinando estos dos diagramas se obtiene el sistema análogo eléctrico buscado que se muestra en la figura 2-44(c).

**A-2-11.** Obtener la función de transferencia de lazo cerrado para el sistema de servo posición que se ve en la figura 2-45. Supóngase que la entrada y la salida del sistema, son la posición del eje de entrada

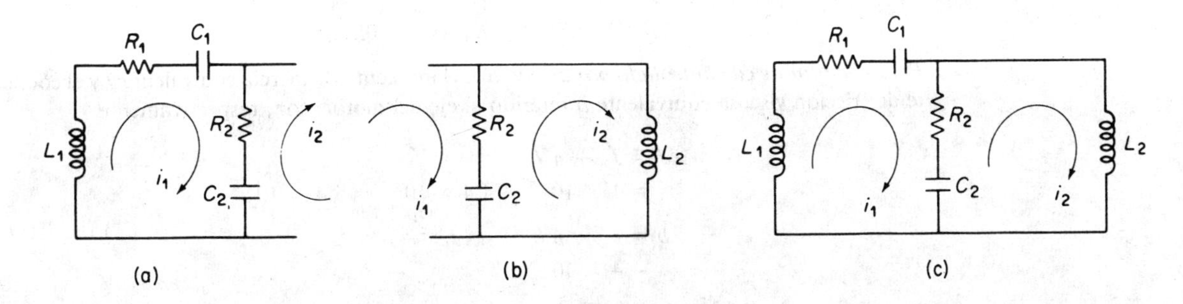


**Figura 2-44** (a) Circuito eléctrico correspondiente a la ecuación (2-92); (b) circuito eléctrico correspondiente a la ecuación (2-93); (c) sistema eléctrico análogo al sistema mecánico de la figura 2-43 (analogía fuerza-voltaje).

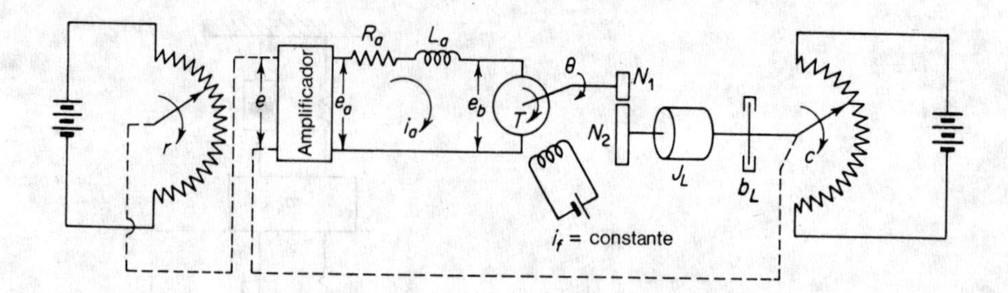


**Figura 2-45**
Sistema de servo posición.

y del eje de salida, respectivamente. Supóngase los siguientes valores numéricos como constantes del sistema:

$r$ = desplazamiento angular del eje de entrada de referencia, en radianes
$c$ = desplazamiento angular del eje de salida, en radianes
$\theta$ = desplazamiento angular del eje del motor, en radianes
$K_1$ = ganancia del potenciómetro detector de error = $24/\pi$volts/rad
$K_P$ = ganancia del amplificador = 10 V/V
$e_a$ = tensión aplicada a la armadura, en voltios
$e_b$ = fuerza contraelectromotriz, en voltios
$R_a$ = resistencia del bobinado de armadura = 0.2 ohmios
$L_a$ = inductancia del bobinado de armadura = despreciable
$i_a$ = corriente del bobinado de armadura, en amperes
$K_b$ = fuerza contraelectromotriz constante = $5.5 \times 10^{-2}$ voltios-seg/rad
$K$ = par motriz constante $\doteq 6 \times 10^{-5}$ N-m/ampere
$J_m$ = momento de inercia del motor = $1 \times 10^{-5}$ kg-m$^2$
$b_m$ = coeficiente de fricción viscosa del motor = despreciable
$J_L$ = momento de inercia de la carga = $4.4 \times 10^{-3}$ kg-m$^2$
$b_L$ = coeficiente de fricción viscosa de la carga = $4 \times 10^{-7}$ N-m/rad/seg
$n$ = relación de engranes $N_1/N_2 = 1/10$

**Solución.** Las ecuaciones que describen la dinámica del sistema son las siguientes:

*Para el potenciómetro detector de error:*

$$E(s) = K_1[R(s) - C(s)] = 7.64[R(s) - C(s)] \tag{2–94}$$

*Para el amplificador:*

$$E_a(s) = K_pE(s) = 10E(s) \tag{2–95}$$

*Para el motor de cd controlado por armadura*, el momento de inercia equivalente $J$ y el coeficiente de fricción viscosa equivalente $b$ referido al eje del motor, son, respectivamente

$$\begin{aligned} J &= J_m + n^2J_L \\ &= 1 \times 10^{-5} + 4.4 \times 10^{-5} = 5.4 \times 10^{-5} \end{aligned}$$

$$\begin{aligned} b &= b_m + n^2b_L \\ &= 4 \times 10^{-4} \end{aligned}$$

Respecto a la ecuación (2-44), se obtiene

$$\frac{\Theta(s)}{E_a(s)} = \frac{K}{s(T_ms + 1)}$$

donde

$$K_m = \frac{K}{R_a b + KK_b} = \frac{6 \times 10^{-5}}{(0.2)(4 \times 10^{-4}) + (6 \times 10^{-5})(5.5 \times 10^{-2})} = 0.72$$

$$T_m = \frac{R_a J}{R_a b + KK_b} = \frac{(0.2)(5.4 \times 10^{-5})}{(0.2)(4 \times 10^{-4}) + (6 \times 10^{-5})(5.5 \times 10^{-2})} = 0.13$$

Entonces

$$\frac{\Theta(s)}{E_a(s)} = \frac{10C(s)}{E_a(s)} = \frac{0.72}{s(0.13s + 1)} \tag{2–96}$$

Con las ecuaciones (2-94), (2-95), y (2-96), se puede trazar el diagrama del sistema que está en la figura 2-46(a). Simplificando este diagrama de bloques, se obtiene la figura 2-46(b). La función de transferencia de lazo cerrado de este sistema es

$$\frac{C(s)}{R(s)} = \frac{5.5}{0.13s^2 + s + 5.5} = \frac{42.3}{s^2 + 7.69s + 42.3}$$

**A-2-12.** Mostrar que las relaciones par-inercia referidas al eje del motor y al eje de carga difieren entre sí en un factor de $n$. Mostrar también que las relaciones de par cuadrado-inercia referidas al eje del motor y al eje de la carga son iguales.

**Solución.** Supóngase que $T_{\text{máx}}$ es el par máximo que se puede producir en el eje del motor. Entonces la relación par-inercia respecto al eje del motor es

$$\frac{T_{\text{máx}}}{J_m + n^2 J_L}$$

donde $j_m$ = momento de inercia del rotor
$J_L$ = momento de inercia de la carga
$n$ = relación de engranes

La relación par-inercia referida al eje de la carga es

$$\frac{\dfrac{T_{\text{máx}}}{n}}{J_L + \dfrac{J_m}{n^2}} = \frac{nT_{\text{máx}}}{J_m + n^2 J_L}$$

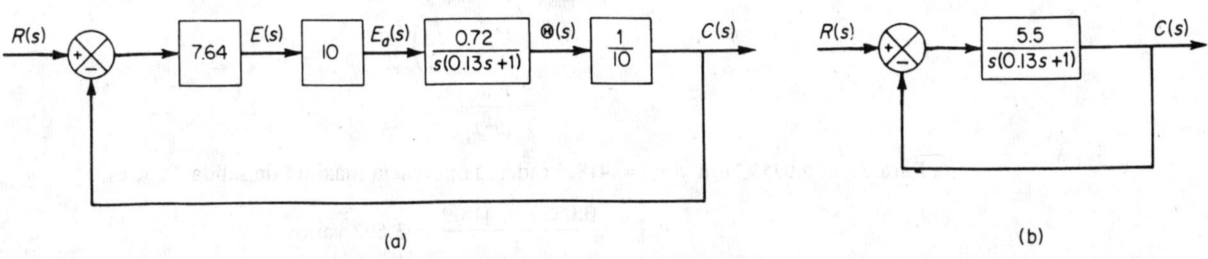


**Figura 2-46** (a) Diagrama de bloques del sistema de la figura 2-45; (b) diagrama de bloques simplificado.

De hecho, difieren entre sí en un factor de $n$. Por lo tanto, al comparar relaciones de par-inercia de motores, hay que especificar cuál es el eje de referencia.

Nótese que la relación de par cuadrado a inercia, respecto al eje del motor, es

$$\frac{T_{\text{máx}}^2}{J_m + n^2 J_L}$$

y que en cuanto al eje de la carga, es

$$\frac{\dfrac{T_{\text{máx}}^2}{n^2}}{J_L + \dfrac{J_m}{n^2}} = \frac{T_{\text{máx}}^2}{J_m + n^2 J_L}$$

Obviamente, estas dos relaciones son iguales.

**A-2-13.** Suponiendo que un servomotor de dos fases tiene una curva par-velocidad lineal tal que la velocidad sin carga es $\omega_0$ rad/s y que el par de detención es $T_S$ = N-m, hallar la potencia de salida en el eje del motor $P_{\text{máx}}$ watts. Si $T_S = 0.0353$ N-m y $\omega_0 = 418.9$ rad/seg (4000 rpm), ¿cuál es la potencia de salida $P_{\text{máx}}$ máxima y ¿a qué frecuencia se produce?

**Solución.** La curva par-velocidad es

$$T = T_s - \left(\frac{\omega}{\omega_0}\right) T_s$$

La potencia $P$ de salida en el eje resulta de

$$\begin{aligned} P &= T\omega \\ &= \left(T_s - \frac{\omega}{\omega_0} T_s\right)\omega \end{aligned}$$

Para obtener $P_{\text{máx}}$, se diferencia $P$ respecto a $\omega$:

$$\frac{dP}{d\omega} = T_s - 2\frac{\omega}{\omega_0} T_s$$

Al establecer que $dP/d\omega = 0$, se obtiene

$$\omega = \frac{\omega_0}{2}$$

Es claro que $d^2P/d\omega^2 = -2T_s/\omega_0 < 0$. Por lo tanto $P$ es máxima a $\omega = \omega_0/2$. $P_{\text{máx}}$ es

$$\begin{aligned} P_{\text{máx}} &= T\omega\big|_{\omega=\omega_0/2} \\ &= \left(T_s - \frac{T_s}{2}\right)\frac{\omega_0}{2} \\ &= \frac{T_s \omega_0}{4} \end{aligned}$$

Para $T_S = 0.0353$ N-m y $\omega_0 = 418.9$ rad/s, la potencia máxima de salida $P_{\text{máx}}$ es

$$P_{\text{máx}} = \frac{0.0353 \times 418.9}{4} = 3.697 \text{ vatios}$$

La potencia máxima se produce a $\omega = 209.4$ rad/s o 2000 rpm.

**A-2-14.** Respecto al sistema de brazo de robot que aparece en la figura 2-47, considérese el problema de controlar el movimiento angular alrededor del eje $z$. (En este problema sólo se considera el movimiento de la articulación en la base. No se tiene en cuenta los movimientos angulares en otras juntas). El motor es un servomotor de cd controlado por armadura. La relación de engranes comprendida es $n = N_1/N_2 \ll 1$. El momento de inercia del sistema de brazo de robot alrededor del eje $z$ no es constante. El valor del momento de inercia $J_z$ alrededor del eje $z$ depende de la configuración de los brazos.

El momento de inercia $J$ alrededor del eje $z$ de todo el sistema, respecto al eje del motor es

$$J = J_m + n^2 J_z \qquad (n < 1)$$

donde $J_m$ es el momento de inercia del motor más el engrane 1. Como $n^2$ será pequeño, el efecto de la variación de $J_z$ debido a las diversas configuraciones de brazo de robot, puede empequeñecerse a través del tren de engranes.

El coeficiente efectivo de fricción viscosa del movimiento rotacional se define alrededor del eje $z$, como $b_z$. Entonces, el coeficiente de fricción viscosa referido al eje del motor es

$$b = b_m + n^2 b_z \qquad (n < 1)$$

donde $b_m$ es el coeficiente de fricción viscosa del motor más el engrane 1.

El desplazamiento angular del eje del motor es $\theta_m$ y el desplazamiento angular del sistema de brazo de robot alrededor del eje $z$ es $\theta_o$. El ángulo $\theta_o$ es la salida del sistema en consideración. El desplazamiento angular $\theta_i$ es la entrada de control. La función de transferencia del controlador es $G_c(s)$.

Dibuje un diagrama de bloques para este sistema. Luego obtenga la función de transferencia $\Theta_o(s)/\Theta_i(s)$.

**Solución.** Según la figura 2-20, se tiene

$$J\ddot{\theta}_m + b\dot{\theta}_m = T = Ki_a \tag{2–97}$$

$$L_a \dot{i}_a + R_a i_a + e_b = e_a \tag{2–98}$$

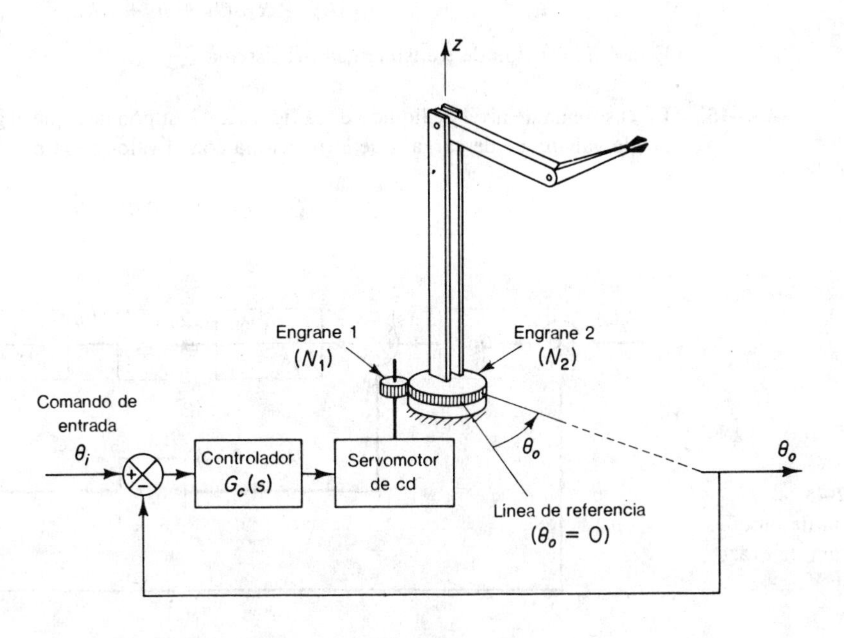


**Figura 2-47**
Sistema de brazo de robot.

donde

$$e_b = K_b \dot{\theta}_m$$

Tomando la transformada de Laplace de las ecuaciones (2-97), y (2-98), suponiendo condiciones iniciales cero, resulta

$$(Js^2 + bs)\,\Theta_m(s) = T(s) = KI_a(s)$$

$$(L_a s + R_a) I_a(s) + K_b s \Theta_m(s) = E_a(s)$$

que puede modificarse a

$$\Theta_m(s) = \frac{K}{s(Js + b)} I_a(s) \tag{2–99}$$

$$I_a(s) = \frac{1}{L_a s + R_a}\left[E_a(s) - K_b s \Theta_m(s)\right] \tag{2–100}$$

Basados en las ecuaciones (2-99) y (2-100), y con respecto a la figura 2-47, se obtiene el diagrama de bloques que aparece en la figura 2-48.

Del diagrama de bloques, se tiene

$$\frac{\Theta_m(s)}{E_a(s)} = \frac{K}{(L_a s + R_a)s(Js + b) + KK_b s}$$

Entonces

$$\frac{\Theta_o(s)}{\Theta_i(s)} = \frac{G_c(s)\dfrac{K}{(L_a s + R_a)s(Js + b) + KK_b s}\,n}{1 + G_c(s)\dfrac{K}{(L_a s + R_a)s(Js + b) + KK_b s}\,n}$$

$$= \frac{G_c(s)Kn}{(L_a s + R_a)s(Js + b) + KK_b s + G_c(s)Kn}$$

Esta es la función de transferencia del sistema.

**A–2–15.** En el sistema de nivel de líquido de la figura 2-49, supóngase que el gasto de salida es de $Q$ m$^3$/seg por la válvula de descarga, que lo relaciona con el valor de la presión hidrostática $H$ m por

$$Q = K\sqrt{H} = 0.01\sqrt{H}$$

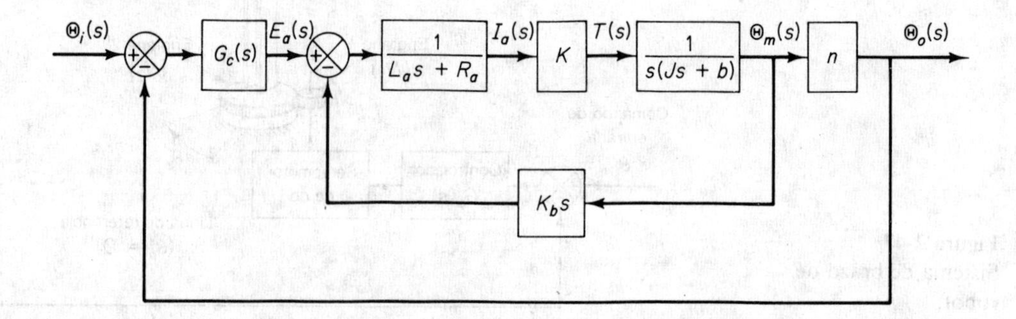


**Figura 2-48**
Diagrama de bloques del sistema de brazo de robot.

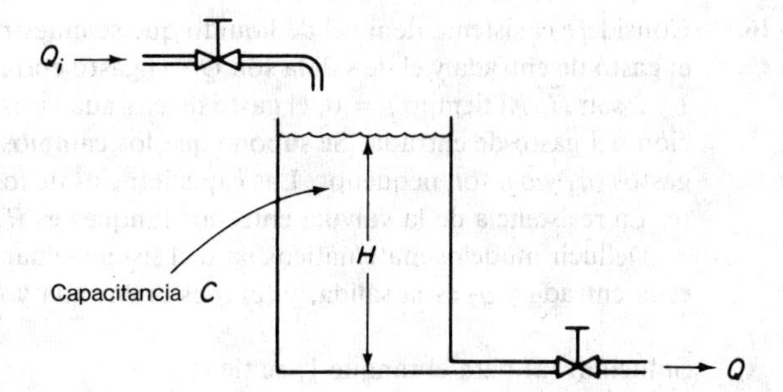


**Figura 2-49**
Sistema de nivel de líquido.

Supóngase también que cuando el gasto de entrada $Q_i$ vale 0.015 $m^3/s$, el valor de la presión hidrostática se mantiene constante. Al tiempo $t = 0$, la válvula de entrada está cerrada, de manera que no hay ingreso de líquido para $t \geq 0$. Hallar el tiempo necesario para vaciar el tanque hasta la mitad de su nivel original. La capacitancia $C$ del tanque es de 2 $m^2$.

**Solución.** Cuando el nivel está estacionario, el gasto de entrada es igual al de salida. Entonces, el valor de la presión $H_o$ en $t = 0$ se obtiene de

$$0.015 = 0.01\sqrt{H_o}$$

o

$$H_o = 2.25 \text{ m}$$

La ecuación del sistema para $t > 0$ es

$$-C\,dH = Q\,dt$$

o bien

$$\frac{dH}{dt} = -\frac{Q}{C} = \frac{-0.01\sqrt{H}}{2}$$

Por tanto

$$\frac{dH}{\sqrt{H}} = -0.005\,dt$$

Supóngase que, en $t = t_1$, $H = 1.125$ m. Integrando ambos miembros de esta última ecuación, se obtiene

$$\int_{2.25}^{1.125} \frac{dH}{\sqrt{H}} = \int_0^{t_1} (-0.005)\,dt = -0.005t_1$$

De aquí se llega a

$$2\sqrt{H}\Big|_{2.25}^{1.125} = 2\sqrt{1.125} - 2\sqrt{2.25} = -0.005t_1$$

o

$$t_1 = 176\ s$$

Entonces, el nivel alcanza la mitad del valor original (2.25 m) en 176 segundos.

**A-2-16.** Considere el sistema de nivel de líquido que se muestra en la figura 2-50. En estado estacionario, el gasto de entrada y el de salida son $\bar{Q}$ y el gasto entre tanques es cero. Los niveles en los tanques 1 y 2 son $\bar{H}$. Al tiempo $t = 0$, el gasto de entrada varía de $\bar{Q}$ a $\bar{Q} + q$, siendo $q$ una leve modificación del gasto de entrada. Se supone que los cambios resultantes en los niveles ($h_1$ y $h_2$) y en los gastos ($q_1$ y $q_2$) son pequeños. Las capacitancias de los tanques 1 y 2 son $C_1$ y $C_2$, respectivamente. La resistencia de la válvula entre los tanques es $R_1$ y la de la válvula de descarga es $R_2$.

Deducir modelos matemáticos para el sistema cuando (a) $q$ es la entrada y $h_2$ es la salida, (b) $q$ es la entrada y $q_2$ es la salida, y (c) $q$ es la entrada y $h_1$ es la salida.

**Solución.** (a) para el tanque 1, se tiene

$$C_1\, dh_1 = q_1\, dt$$

donde

$$q_1 = \frac{h_2 - h_1}{R_1}$$

En consecuencia,

$$R_1 C_1 \frac{dh_1}{dt} + h_1 = h_2 \tag{2-101}$$

Para el tanque 2 se tiene

$$C_2\, dh_2 = (q - q_1 - q_2)\, dt$$

donde

$$q_1 = \frac{h_2 - h_1}{R_1}, \qquad q_2 = \frac{h_2}{R_2}$$

Luego entonces

$$R_2 C_2 \frac{dh_2}{dt} + \frac{R_2}{R_1} h_2 + h_2 = R_2 q + \frac{R_2}{R_1} h_1 \tag{2-102}$$

Eliminando $h_1$ de las ecuaciones (2-101) y (2-102), se tiene

$$R_1 C_1 R_2 C_2 \frac{d^2 h_2}{dt^2} + (R_1 C_1 + R_2 C_2 + R_2 C_1) \frac{dh_2}{dt} + h_2 = R_1 R_2 C_1 \frac{dq}{dt} + R_2 q \tag{2-103}$$

y en términos de la función de transferencia se tiene

$$\frac{H_2(s)}{Q(s)} = \frac{R_2(R_1 C_1 s + 1)}{R_1 C_1 R_2 C_2 s^2 + (R_1 C_1 + R_2 C_2 + R_2 C_1)s + 1}$$

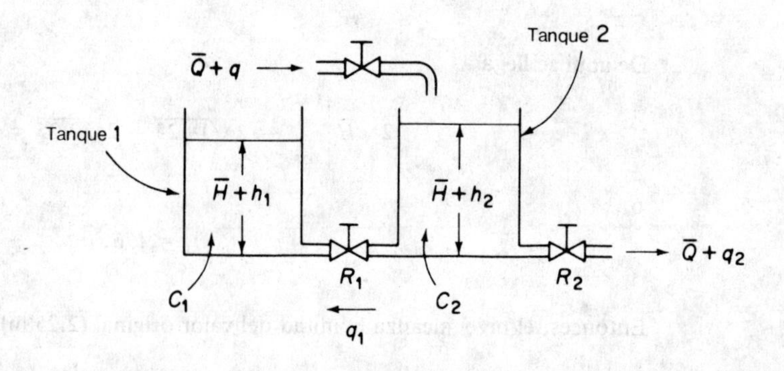


**Figura 2-50**
Sistema de nivel de líquido.

Este es el modelo matemático deseado, en el que $q$ se considera como entrada y $h_2$ como salida.

(b) Sustituyendo $h_2 = R_2 q_2$ en la ecuación (2-103), de

$$R_1C_1R_2C_2\frac{d^2q_2}{dt^2} + (R_1C_1 + R_2C_2 + R_2C_1)\frac{dq_2}{dt} + q_2 = R_1C_1\frac{dq}{dt} + q$$

Esta ecuación es un modelo matemático del sistema cuando $q$ se considera como la entrada y $q_2$ como la salida. En términos de la función de transferencia, se obtiene

$$\frac{Q_2(s)}{Q(s)} = \frac{R_1C_1s + 1}{R_1C_1R_2C_2s^2 + (R_1C_1 + R_2C_2 + R_2C_1)s + 1}$$

(c) Eliminando $h_2$ de las ecuaciones (2-101) y (2-102), se tiene

$$R_1C_1R_2C_2\frac{d^2h_1}{dt^2} + (R_1C_1 + R_2C_2 + R_2C_1)\frac{dh_1}{dt} + h_1 = R_2q$$

que es un modelo matemático del sistema en el que $q$ es considerado la entrada, y $h_1$ la salida. En términos de la función de transferencia, se obtiene

$$\frac{H_1(s)}{Q(s)} = \frac{R_2}{R_1C_1R_2C_2s^2 + (R_1C_1 + R_2C_2 + R_2C_1)s + 1}$$

**A–2–17.** Considérese el sistema de nivel de líquido de la figura 2-51. En el sistema, $\bar{Q}_1$ y $\bar{Q}_2$ son gastos estacionarios de entrada, y $\bar{H}_1$ y $\bar{H}_2$ son valores estacionarios de presión hidrostática. Las cantidades $q_{i1}$, $q_{i2}$, $h_1$, $h_2$, $q_1$, y $q_o$ se consideran pequeñas. Obtener una representación en el espacio de estado para el sistema cuando $h_1$ y $h_2$ son salidas, y $q_{i1}$ y $q_{i2}$ las entradas.

**Solución.** Las ecuaciones para el sistema son

$$C_1 dh_1 = (q_{i1} - q_1)\,dt \qquad (2\text{–}104)$$

$$\frac{h_1 - h_2}{R_1} = q_1 \qquad (2\text{–}105)$$

$$C_2 dh_2 = (q_1 + q_{i2} - q_o)\,dt \qquad (2\text{–}106)$$

$$\frac{h_2}{R_2} = q_o \qquad (2\text{–}107)$$

Al eliminar $q_1$ de la ecuación (2-104) utilizando la ecuación (2-105), resulta

$$\frac{dh_1}{dt} = \frac{1}{C_1}\left(q_{i1} - \frac{h_1 - h_2}{R_1}\right) \qquad (2\text{–}108)$$

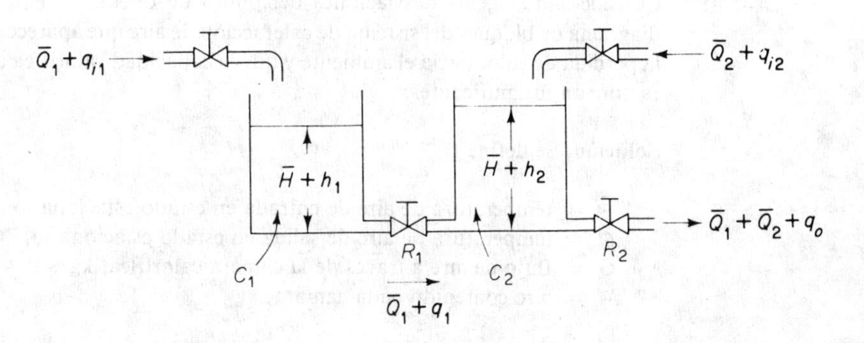


**Figura 2-51**
Sistema de nivel de líquido.

Eliminando $q_1$ y $q_o$ de la ecuación (2-106), utilizando las ecuaciones (2-105) y (2-107), se tiene

$$\frac{dh_2}{dt} = \frac{1}{C_2}\left(\frac{h_1 - h_2}{R_1} + q_{i2} - \frac{h_2}{R_2}\right) \tag{2–109}$$

Se definen las variables de estado $x_1$ y $x_2$ como

$$x_1 = h_1$$
$$x_2 = h_2$$

las variables de entrada $u_1$ y $u_2$ por

$$u_1 = q_{i1}$$
$$u_2 = q_{i2}$$

y las variables de salida $y_1$ y $y_2$ por

$$y_1 = h_1 = x_1$$
$$y_2 = h_2 = x_2$$

Entonces las ecuaciones (2-108) y (2-109) se pueden escribir como

$$\dot{x}_1 = -\frac{1}{R_1C_1}x_1 + \frac{1}{R_1C_1}x_2 + \frac{1}{C_1}u_1$$
$$\dot{x}_2 = \frac{1}{R_1C_2}x_1 - \left(\frac{1}{R_1C_2} + \frac{1}{R_2C_2}\right)x_2 + \frac{1}{C_2}u_2$$

En la forma normalizada de representación vector-matriz, se tiene

$$\begin{bmatrix} \dot{x}_1 \\ \dot{x}_2 \end{bmatrix} = \begin{bmatrix} -\frac{1}{R_1C_1} & \frac{1}{R_1C_1} \\ \frac{1}{R_1C_2} & -\left(\frac{1}{R_1C_2} + \frac{1}{R_2C_2}\right) \end{bmatrix} \begin{bmatrix} x_1 \\ x_2 \end{bmatrix} + \begin{bmatrix} \frac{1}{C_1} & 0 \\ 0 & \frac{1}{C_2} \end{bmatrix} \begin{bmatrix} u_1 \\ u_2 \end{bmatrix}$$

que es la ecuación de estado, y

$$\begin{bmatrix} y_1 \\ y_2 \end{bmatrix} = \begin{bmatrix} 1 & 0 \\ 0 & 1 \end{bmatrix} \begin{bmatrix} x_1 \\ x_2 \end{bmatrix}$$

que es la ecuación de salida.

**A–2–18.** Considerando ligeras desviaciones del punto de operación en estado estacionario, trazar un diagrama de bloques del sistema de calefacción de aire que aparece en la figura 2-52. Suponga que la pérdida de calor hacia el ambiente y que la capacidad calorífica de las partes metálicas del calefactor son insignificantes.

**Solución.** Se define

$\bar{\Theta}_i$ = temperatura de aire de entrada en estado estacionario, °C
$\bar{\Theta}_o$ = temperatura de aire de salida en estado estacionario, °C
$G$ = flujo de aire a través de la cámara calorífica, kg/s
$M$ = aire contenido en la cámara, kg

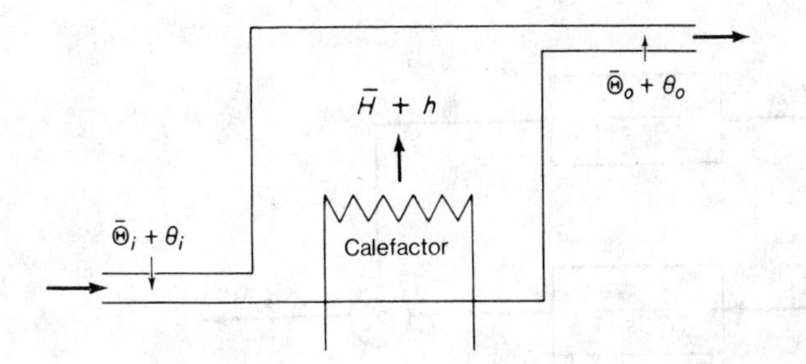


**Figura 2-52**
Sistema de calefacción de aire.

$c$ = calor específico del aire kcal/kg °C
$R$ = resistencia térmica, °Cs/kcal
$C$ = capacidad térmica del aire contenido en la cámara calorífica = $Mc$, kcal/°C
$\bar{H}$ = Flujo de calor de entrada en estado estacionario, kcal/seg

Supóngase que el calor de entrada varía bruscamente de $\bar{H}$ a $\bar{H} + h$ y que la temperatura del aire de entrada cambia repentinamente de $\bar{\Theta}_i$ a $\bar{\Theta}_i + \theta_i$. Entonces la temperatura del aire de salida variará desde $\bar{\Theta}_o$ a $\bar{\Theta}_o + \theta_o$.

La ecuación que describe el comportamiento del sistema es

$$C\,d\theta_o = [h + Gc(\theta_i - \theta_o)]\,dt$$

o bien

$$C\frac{d\theta_o}{dt} = h + Gc(\theta_i - \theta_o)$$

Nótese que

$$Gc = \frac{1}{R}$$

se obtiene

$$C\frac{d\theta_o}{dt} = h + \frac{1}{R}(\theta_i - \theta_o)$$

o bien

$$RC\frac{d\theta_o}{dt} + \theta_o = Rh + \theta_i$$

Tomando las transformadas de Laplace de ambos miembros de esta última ecuación y sustituyendo la condición inicial de que $\theta_o(0) = 0$, se obtiene

$$\Theta_o(s) = \frac{R}{RCs + 1}H(s) + \frac{1}{RCs + 1}\Theta_i(s)$$

En la figura 2-53 se puede ver el diagrama de bloques del sistema que corresponde a esta ecuación.

**A-2-19.** Considérese el sistema de termómetro de mercurio de paredes de vidrio delgado, que se muestra en la figura 2-54. Suponga que el termómetro está a una temperatura uniforme de $\bar{\Theta}$ °C (temperatura

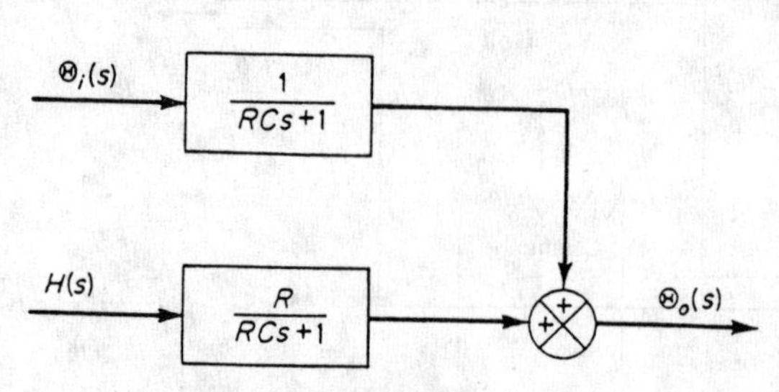


**Figura 2-53**
Diagrama de bloques del sistema de calefacción de la figura 2-52.

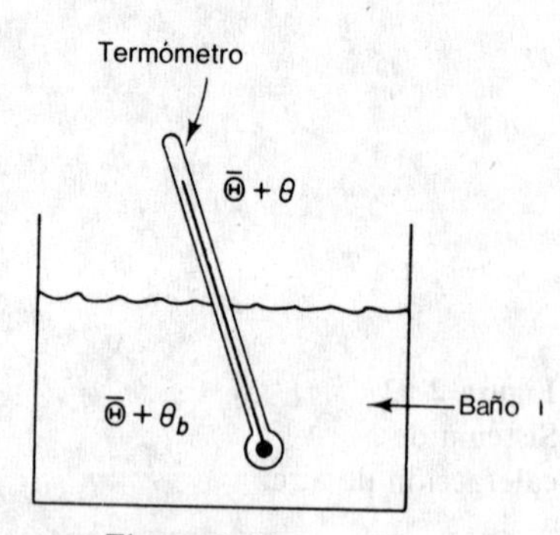


**Figura 2-54**
Sistema de termómetro de mercurio de pared de vidrio delgado.

ambiente), y qúe en $t = 0$ se sumerge en un baño a temperatura $\bar{\Theta} + \theta_b$ °C, donde $\theta_b$ es la temperatura del baño (que puede ser constante o variable) medida desde la temperatura ambiente $\bar{\Theta}$. Defina la temperatura instantánea del termómetro como $\bar{\Theta} + \theta$ °C de modo que $\theta$ es el cambio en la temperatura del termómetro que satisface la condición de que $\theta(0) = 0$. Obtener la función de transferencia $\Theta(s)/\Theta_b(s)$. Obtener también un análogo eléctrico del sistema de termómetro.

**Solución.** Se puede deducir un modelo matemático para este sistema, considerando el balance calórico como sigue: el calor que entra al termómetro durante $dt$ segundos, es $q\,dt$, donde $q$ es la razón de flujo de calor al termómetro. Este calor se acumula en la capacidad térmica $C$ del termómetro, elevando así su temperatura en $d\theta$. Entonces la ecuación de balance térmico es

$$C\,d\theta = q\,dt \tag{2–110}$$

Como la resistencia térmica $R$ se puede escribir como

$$R = \frac{d(\Delta\theta)}{dq} = \frac{\Delta\theta}{q}$$

el flujo de calor $q$, se puede expresar en términos de resistencia $R$, como

$$q = \frac{(\bar{\Theta} + \theta_b) - (\bar{\Theta} + \theta)}{R} = \frac{\theta_b - \theta}{R}$$

donde $\bar{\Theta} + \theta_b$ es la temperatura del baño, y $\bar{\Theta} + \theta$ es la temperatura del termómetro. Por tanto, la ecuación (2-110) se puede reescribir como

$$C\frac{d\theta}{dt} = \frac{\theta_b - \theta}{R}$$

o bien

$$RC\frac{d\theta}{dt} + \theta = \theta_b \tag{2–111}$$

La ecuación (2-111) es un modelo matemático del sistema de termómetro.

Respecto a la ecuación (2-111), un análogo eléctrico para el sistema de termómetro se puede escribir como

$$RC\frac{de_o}{dt} + e_o = e_i$$

En la figura 2-55 aparece un circuito eléctrico que representa a esta última ecuación.

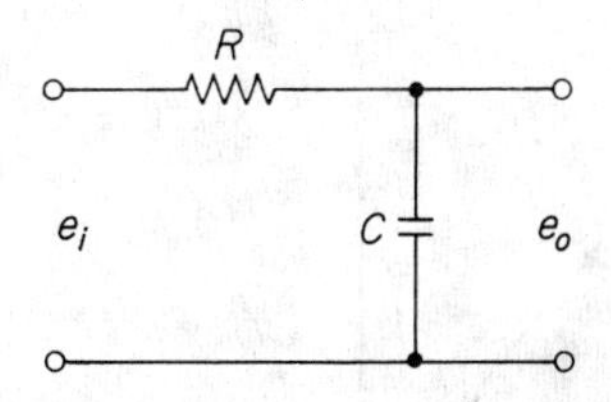


**Figura 2-55**
Análogo eléctrico del sistema térmico de la figura 2-54.

**A-2-20.** Considere el sistema de ejes coordenados $xyz$ y el sistema de ejes coordenados $x'y'z'$, teniendo ambos el origen en el mismo punto $O$. Defina los vectores unitarios a lo largo de los ejes $x$, $y$, y $z$ como **i**, **j**, y **k** y los vectores unitarios a lo largo de los ejes $x'$, $y'$ y $z'$ como **i'**, **j'**, y **k'**, respectivamente. Muestre que

$$\begin{bmatrix} \mathbf{i}' \\ \mathbf{j}' \\ \mathbf{k}' \end{bmatrix} = \begin{bmatrix} \cos\theta_{x'x} & \cos\theta_{x'y} & \cos\theta_{x'z} \\ \cos\theta_{y'x} & \cos\theta_{y'y} & \cos\theta_{y'z} \\ \cos\theta_{z'x} & \cos\theta_{z'y} & \cos\theta_{z'z} \end{bmatrix} \begin{bmatrix} \mathbf{i} \\ \mathbf{j} \\ \mathbf{k} \end{bmatrix} \tag{2–112}$$

donde $\theta_{\xi'\eta}$, es el ángulo entre el eje $\eta$ y el eje $\xi'$ ($\eta = x, y, z$; $\xi' = x', y', z'$).

**Solución.** Primero considérese el caso bidimensional. Con referencia a la figura 2-56, nótese que se pueden escribir los vectores **i'** y **j'**, respectivamente como

$$\mathbf{i}' = \cos\theta\,\mathbf{i} + \operatorname{sen}\theta\,\mathbf{j}$$

$$\mathbf{j}' = -\operatorname{sen}\theta\,\mathbf{i} + \cos\theta\,\mathbf{j}$$

Por tanto, se tiene

$$\begin{bmatrix} \mathbf{i}' \\ \mathbf{j}' \end{bmatrix} = \begin{bmatrix} \cos\theta & \operatorname{sen}\theta \\ -\operatorname{sen}\theta & \cos\theta \end{bmatrix} \begin{bmatrix} \mathbf{i} \\ \mathbf{j} \end{bmatrix} \tag{2–113}$$

Según la figura 2-56, se puede ver que

$$\cos\theta_{x'x} = \cos\theta, \qquad \cos\theta_{x'y} = \operatorname{sen}\theta$$

$$\cos\theta_{y'x} = -\operatorname{sen}\theta, \qquad \cos\theta_{y'y} = \cos\theta$$

Por tanto, la ecuación (2-13) se puede reescribir como

$$\begin{bmatrix} \mathbf{i}' \\ \mathbf{j}' \end{bmatrix} = \begin{bmatrix} \cos\theta_{x'x} & \cos\theta_{x'y} \\ \cos\theta_{y'x} & \cos\theta_{y'y} \end{bmatrix} \begin{bmatrix} \mathbf{i} \\ \mathbf{j} \end{bmatrix}$$

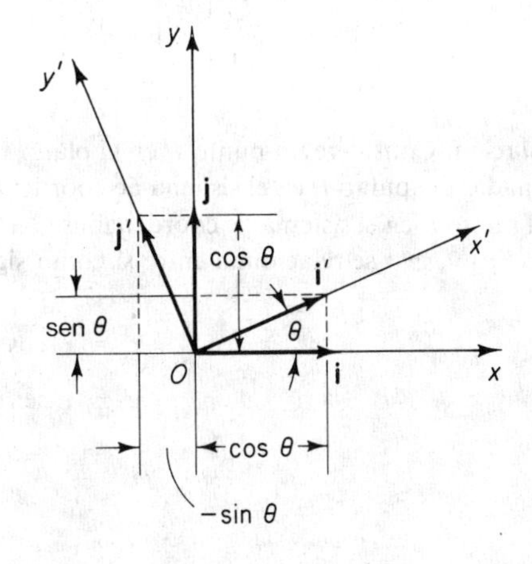


**Figura 2-56**
Sistema de coordenadas $O$-$xy$ y sistema de coordenadas rotado $O$-$x'y'$.

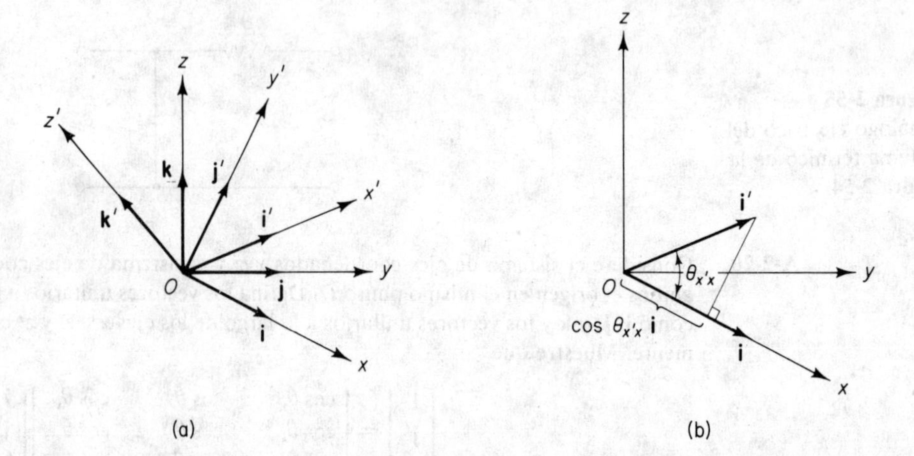


**Figura 2-57**
(a) Sistema de coordenadas y sistema de vectores unitarios asociados; (b) diagrama de la proyección del vector unitario **i′** sobre el eje *x*.

Tras esto, considérese el caso tridimensional. En la figura 2-57(a) se ven los vectores unitarios **i, j, k** e **i′**, **j′**, **k′**. Considérese el vector unitario **i′**. Observando la figura 2-57(b) la proyección del vector unitario **i′** sobre el eje *x* es $\theta_{x'x}\mathbf{i}$. En forma similar, las proyecciones del vector unitario **i′** en los ejes *y* y *z* son $\cos\theta_{x'y}\,\mathbf{j}$ y $\cos\theta_{x'z}\mathbf{k}$, respectivamente. En consecuencia, se puede escribir el vector unitario **i′** como

$$\mathbf{i}' = \cos\theta_{x'x}\mathbf{i} + \cos\theta_{x'y}\mathbf{j} + \cos\theta_{x'z}\mathbf{k}$$

Del mismo modo, los vectores **j′** y **k′** se pueden escribir como

$$\mathbf{j}' = \cos\theta_{y'x}\mathbf{i} + \cos\theta_{y'y}\mathbf{j} + \cos\theta_{y'z}\mathbf{k}$$

$$\mathbf{k}' = \cos\theta_{z'x}\mathbf{i} + \cos\theta_{z'y}\mathbf{j} + \cos\theta_{z'z}\mathbf{k}$$

Si se combinan las tres últimas ecuaciones en una ecuación vector-matriz, se obtiene la ecuación (2-112).

**A–2–21.** Considere el sistema de coordenadas $O$-$x'y'z'$ y $O$-$x''y''z''$ de la figura 2-58. (Estos sistemas de coordenadas son los mismos que los de la figura 2-29). Los ejes $z'$ y $z''$ son paralelos entre sí en el espacio. Muestre que

$$\begin{bmatrix} x' \\ y' \\ z' \\ 1 \end{bmatrix} = \begin{bmatrix} \cos\theta' & -\operatorname{sen}\theta' & 0 & a \\ \operatorname{sen}\theta' & \cos\theta' & 0 & 0 \\ 0 & 0 & 1 & 0 \\ 0 & 0 & 0 & 1 \end{bmatrix} \begin{bmatrix} x'' \\ y'' \\ z'' \\ 1 \end{bmatrix}$$

**Solución.** Considere un punto $P$ en el plano $x'y'$ (que es el mismo que el plano $x''y''$). Las coordenadas del punto $P$ en el sistema de coordenadas $O$-$x''y''z''$ son $(x'', y'', x'')$. Las coordenadas del punto $P$ en el sistema de coordenadas $O$-$x'y'z'$ son $(x', y', z')$. Las coordenadas $P(x', y', z')$ y $P(x'', y'', z'')$ se relacionan entre sí como sigue:

$$x' = x''\cos\theta' - y''\operatorname{sen}\theta' + a$$

$$y' = x''\operatorname{sen}\theta' + y''\cos\theta'$$

$$z' = z'' = 0$$

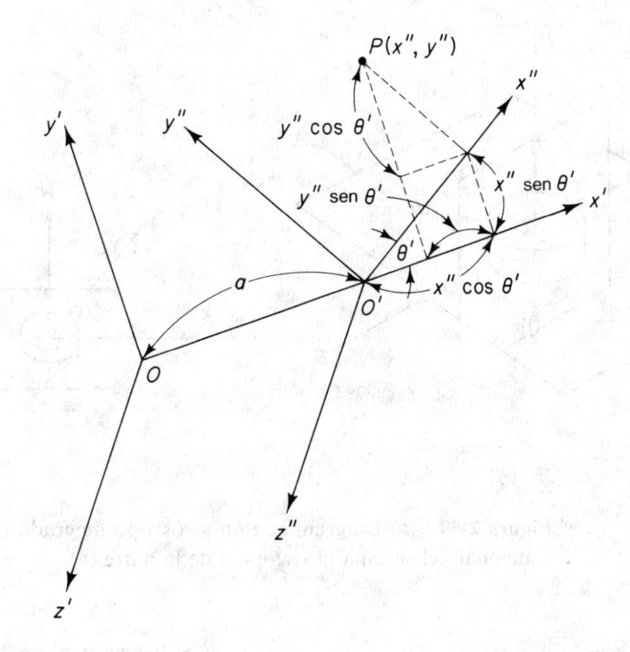


**Figura 2-58**
Sistema de coordenadas $O$-$x'y'z'$ y sistema de coordenadas $O'$–$x''y''z''$.

De ahí

$$\begin{bmatrix} x' \\ y' \end{bmatrix} = \begin{bmatrix} \cos\theta' & -\operatorname{sen}\theta' \\ \operatorname{sen}\theta' & \cos\theta' \end{bmatrix} \begin{bmatrix} x'' \\ y'' \end{bmatrix} + \begin{bmatrix} a \\ 0 \end{bmatrix}$$

$$z' = z''$$

Las dos últimas ecuaciones se pueden combinar en una ecuación vector-motriz como sigue:

$$\begin{bmatrix} x' \\ y' \\ z' \\ 1 \end{bmatrix} = \begin{bmatrix} \cos\theta' & -\operatorname{sen}\theta' & 0 & a \\ \operatorname{sen}\theta' & \cos\theta' & 0 & 0 \\ 0 & 0 & 1 & 0 \\ 0 & 0 & 0 & 1 \end{bmatrix} \begin{bmatrix} x'' \\ y'' \\ z'' \\ 1 \end{bmatrix}$$

**A–2–22.** Los giróscopos son dispositivos sensores de movimiento angular comúnmente usados en sistemas de guía inercial, sistemas de piloto automático y similares. La figura 2-59(a) muestra un giróscopo de un solo grado de libertad. El volante giratorio está montado en un balancín móvil, instalado en la caja del giróscopo. El balancín, o junta cardánica, tiene libertad de movimiento respecto a la caja del instrumento, alrededor del eje de salida $OB$. Nótese que el eje de salida es perpendicular al eje de giro del volante. El eje de entrada, alrededor del cual se mide la velocidad de giro o ángulo, es perpendicular tanto al eje de salida, como al de giro. La información sobre la señal de entrada (la velocidad de giro o ángulo alrededor del eje de entrada), se obtiene del movimiento resultante del balancín alrededor del eje de salida, respecto a la caja.

La figura 2-59(b) muestra un diagrama funcional del sistema giroscópico. La ecuación del movimiento para el eje de salida se puede obtener igualando la velocidad de variación de momento angular, con la suma de pares externos.

El cambio de momento angular respecto al eje $OB$ consta de dos partes: $I\ddot{\theta}$, la variación debida a la aceleración del balancín en torno al eje $OB$, y $-H\omega\cos\theta$, la variación debida al giro del vector momento angular del volante, alrededor del eje $OA$. Los pares externos consisten en $-b\dot{\theta}$, el par amortiguador, y $-k\theta$, el par de resorte. Entonces la ecuación del sistema giroscópico es

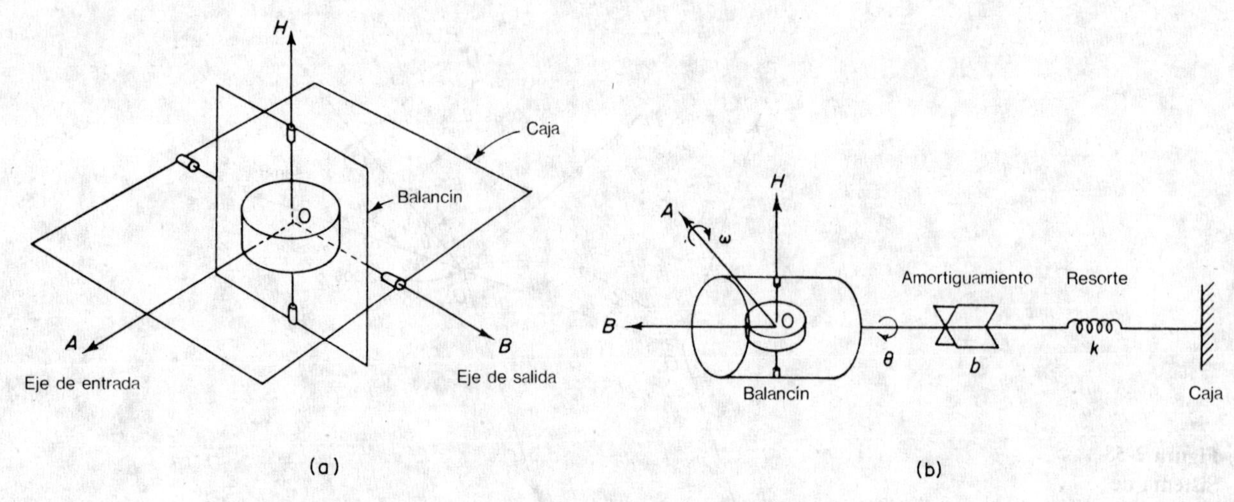


**Figura 2-59** (a) Diagrama de un giróscopo de grado de libertad único; (b) diagrama funcional del sistema giroscópico de la parte (a).

$$I\ddot{\theta} - H\omega \cos \theta = -b\dot{\theta} - k\theta$$

o bien

$$I\ddot{\theta} + b\dot{\theta} + k\theta = H\omega \cos \theta \tag{2–114}$$

En la práctica, $\theta$ es un ángulo muy pequeño, por lo general no mayor de $\pm 2.5°$.

Obtenga una representación del sistema giroscópico en el espacio de estado.

**Solución.** En este sistema, se pueden elegir como variables de estado $\theta$ y $\dot{\theta}$. La variable de entrada es $\omega$ y la de salida, $\theta$. Se define

$$\mathbf{x} = \begin{bmatrix} x_1 \\ x_2 \end{bmatrix} = \begin{bmatrix} \theta \\ \dot{\theta} \end{bmatrix}, \qquad u = \omega, \qquad y = \theta$$

Entonces la ecuación (2-114) se puede escribir como sigue:

$$\dot{x}_1 = x_2$$

$$\dot{x}_2 = -\frac{k}{I}x_1 - \frac{b}{I}x_2 + \frac{H}{I}u \cos x_1$$

o

$$\dot{\mathbf{x}} = \mathbf{f}(\mathbf{x}, u)$$

donde

$$\mathbf{x} = \begin{bmatrix} x_1 \\ x_2 \end{bmatrix}, \qquad \mathbf{f}(\mathbf{x}, u) = \begin{bmatrix} f_1(\mathbf{x}, u) \\ f_2(\mathbf{x}, u) \end{bmatrix} = \begin{bmatrix} x_2 \\ -\frac{k}{I}x_1 - \frac{b}{I}x_2 + \frac{H}{I}u \cos x_1 \end{bmatrix}$$

Claramente, $f_2(\mathbf{x}, u)$ incluye un término en $x_1$ y $u$. Expandiendo $\cos x_1$ en su representación en serie,

$$\cos x_1 = 1 - \frac{1}{2}x_1^2 + \cdots$$

y notando que $x_1$ es un ángulo pequeño, se puede aproximar cos $x_1$ por la unidad, con lo que se llega a la siguiente ecuación linealizada:

$$\begin{bmatrix} \dot{x}_1 \\ \dot{x}_2 \end{bmatrix} = \begin{bmatrix} 0 & 1 \\ -\frac{k}{I} & -\frac{b}{I} \end{bmatrix} \begin{bmatrix} x_1 \\ x_2 \end{bmatrix} + \begin{bmatrix} 0 \\ \frac{H}{I} \end{bmatrix} u$$

La ecuación de salida es

$$y = [1 \quad 0] \begin{bmatrix} x_1 \\ x_2 \end{bmatrix}$$

**A–2–23.** Linealizar la ecuación no lineal

$$z = xy$$

en la región $5 \leq x \leq 7$, $10 \leq y \leq 12$. Hallar el error si se utiliza la ecuación linealizada para calcular el valor de $z$ cuando $x = 5$, $y = 10$.

**Solución.** Como la región considerada está dada por $5 \leq x \leq 7$, $10 \leq y \leq 12$, se escoge $\bar{x} = 6$, $\bar{y} = 11$. Entonces $\bar{z} = \bar{x}\bar{y} = 66$. Obténgase la ecuación linealizada para la ecuación no lineal alrededor de un punto $\bar{x} = 6$, $\bar{y} = 11$.

Expandiendo la ecuación no lineal en serie de Taylor alrededor del punto $\bar{x} = x$, $y = \bar{y}$ y despreciando los términos de orden superior, se tiene

$$z - \bar{z} = a(x - \bar{x}) + b(y - \bar{y})$$

donde

$$a = \left. \frac{\partial(xy)}{\partial x} \right|_{x=\bar{x}, y=\bar{y}} = \bar{y} = 11$$

$$b = \left. \frac{\partial(xy)}{\partial y} \right|_{x=\bar{x}, y=\bar{y}} = \bar{x} = 6$$

De aquí que la ecuación linealizada sea

$$z - 66 = 11(x - 6) + 6(y - 11)$$

o bien

$$z = 11x + 6y - 66$$

Cuando $x = 5$, $y = 10$, el valor de $z$ dado por la ecuación linealizada es

$$z = 11x + 6y - 66 = 55 + 60 - 66 = 49$$

El valor exacto de $z$ es $z = xy = 50$. El error resulta así 50 — 49 = 1. En términos de porcentaje, el error es del 2%.

## PROBLEMAS

**B-2-1.** Obtener la representación en el espacio de estado del sistema que aparece en la figura 2-60 usando el método presentado en la sección 2-2.

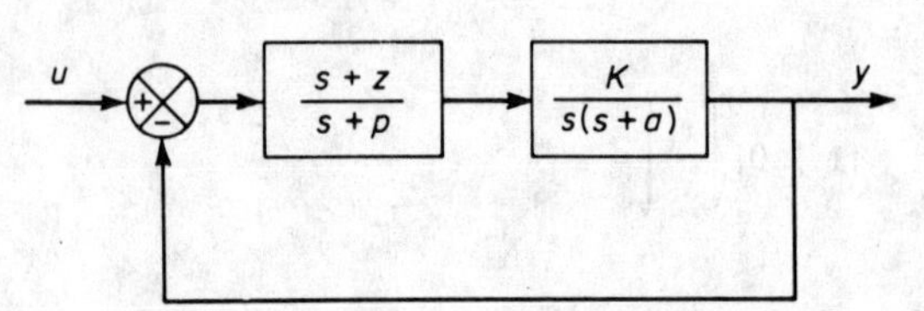


**Figura 2-60** Sistema de control.

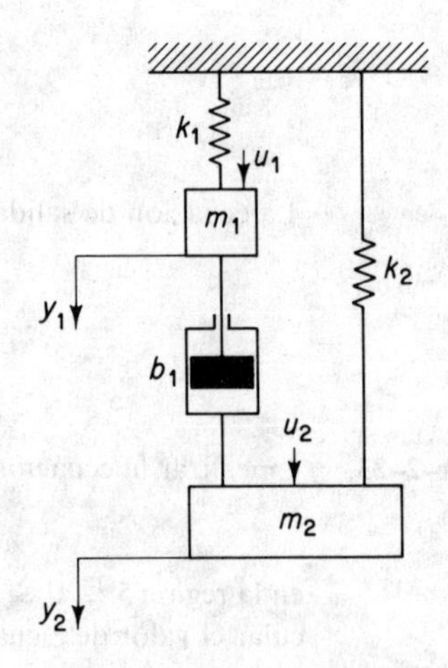


**Figura 2-61** Sistema mecánico.

**B-2-2.** Obtener la representación en el espacio de estado de los sistemas mecánicos que aparecen en la figura 2-61, donde $u_1$ y $u_2$ son las entradas y $y_1$, y $y_2$ son las salidas.

**B-2-3.** La figura 2-62 muestra el diagrama de un acelerómetro. Supóngase que la caja del acelerómetro está unida a la estructura de una aeronave. En el diagrama, $x$ es el desplazamiento de la masa $m$ en relación al espacio inercial y está medido desde la posición en la que el resorte no está extendido ni comprimido, en tanto que $y$ es el desplazamiento de la caja respecto al espacio inercial. El acelerómetro indica la aceleración de su caja respecto al espacio inercial. El ángulo de inclinación $\theta$, respecto a la línea del horizonte se considera constante durante el periodo de medición. La ecuación del movimiento para este sistema, es

$$m\ddot{x} + b(\dot{x} - \dot{y}) + k(x - y) = mg\,\mathrm{sen}\,\theta$$

Considerando la aceleración $y$ (aceleración de la caja con relación al espacio inercial), como la entrada a este sistema, y a $z$, donde

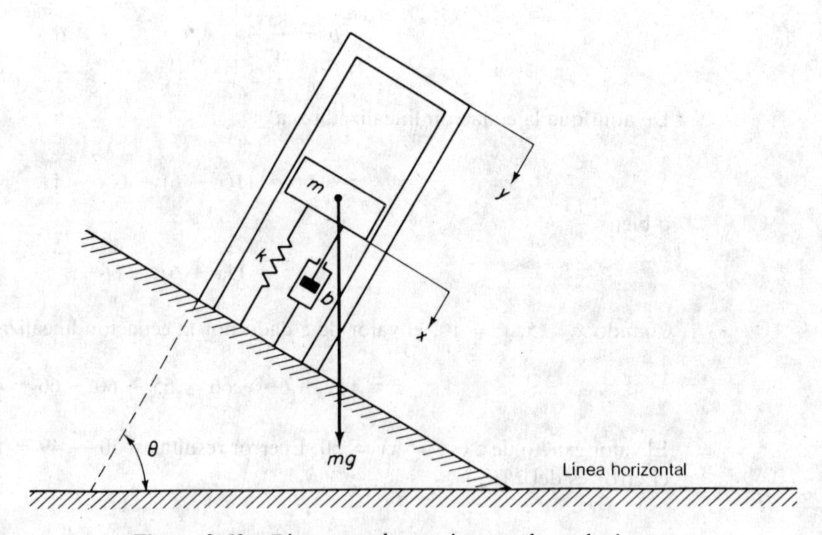


**Figura 2-62** Diagrama de un sistema de acelerómetro.

$$z = x - y - \frac{mg}{k}\operatorname{sen}\theta$$

como la salida, obtener un modelo matemático (función de transferencia), que relacione $z$ con $y$.

**B-2-4.** Obtenga los modelos matemáticos de los sistemas mecánicos de las figuras 2-63(a) y (b).

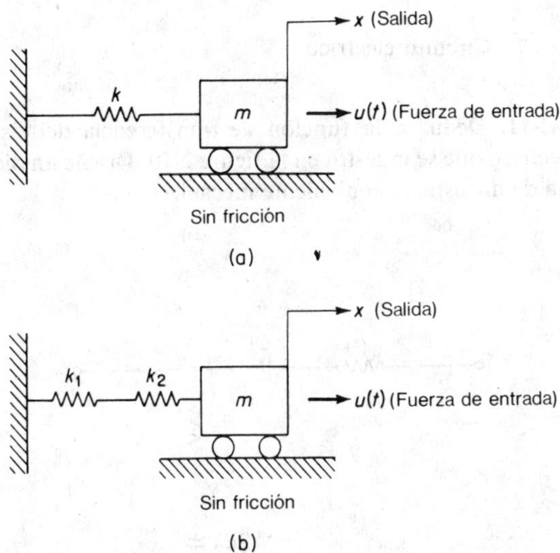


**Figura 2-63** Sistemas mecánicos.

**B-2-5.** Considere el sistema de péndulo invertido que se ve en la figura 2-64. Suponga que la masa del péndulo invertido es $m$ y está distribuida uniformemente a lo largo de la longitud de la varilla. (El centro de gravedad del péndulo está ubicado en el centro de la varilla). Aplique la segunda ley de Newton al sistema y deduzca la ecuación del movimiento cuando el ángulo $\theta$ es pequeño. Luego, halle el modelo matemático del sistema en el espacio de estado.

**B-2-6.** Considere el sistema de péndulo con resorte de la figura 2-65. Suponga que la fuerza del resorte que actúa sobre el péndulo es cero cuando el péndulo está vertical, o sea que $\theta = 0$. Suponga también, que la fricción implicada es insignificante y que el ángulo de oscilación $\theta$ es pequeño. Obtenga un modelo matemático del sistema.

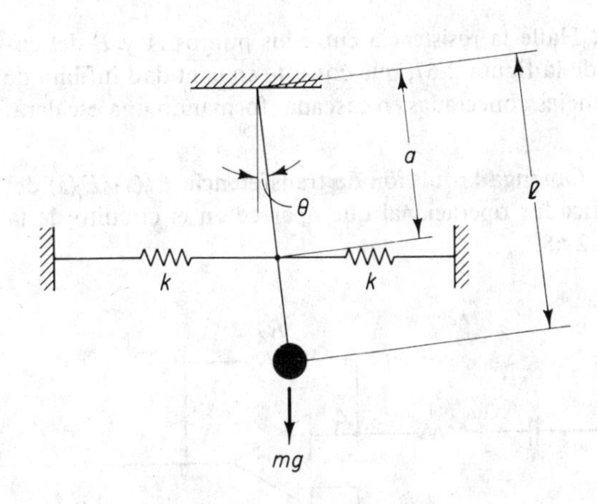


**Figura 2-65** Sistema de péndulo con resorte.

**B-2-7.** Obtenga la función de transferencia $X_o(s)/X_i(s)$ de cada uno de los tres sistemas mecánicos que aparecen en la figura 2-66. En los diagramas, $x_i$ indica el desplazamiento de entrada y $x_o$, el desplazamiento de salida. (Cada desplazamiento está medido desde su posición de equilibrio).

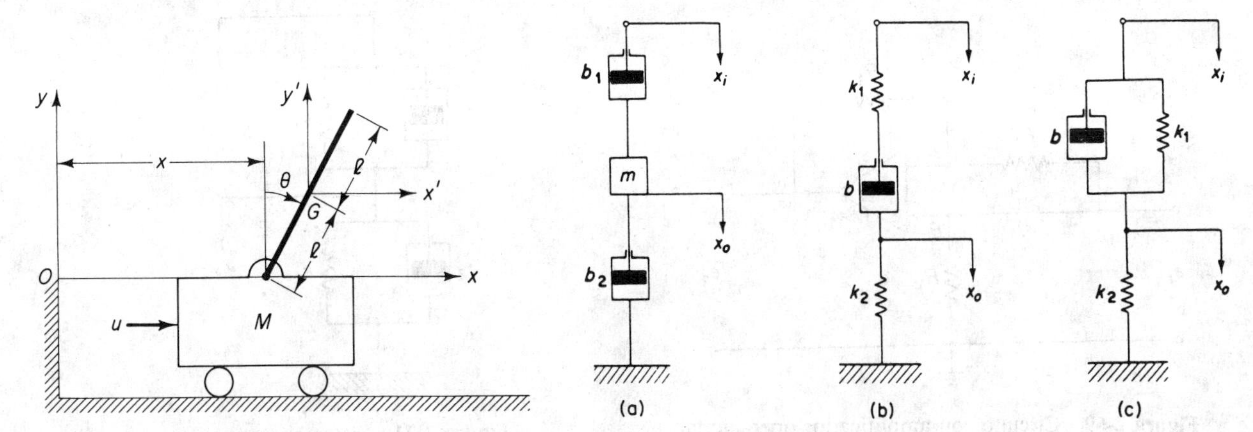


**Figura 2-64** Sistema de péndulo invertido.

**Figura 2-66** Sistemas mecánicos.

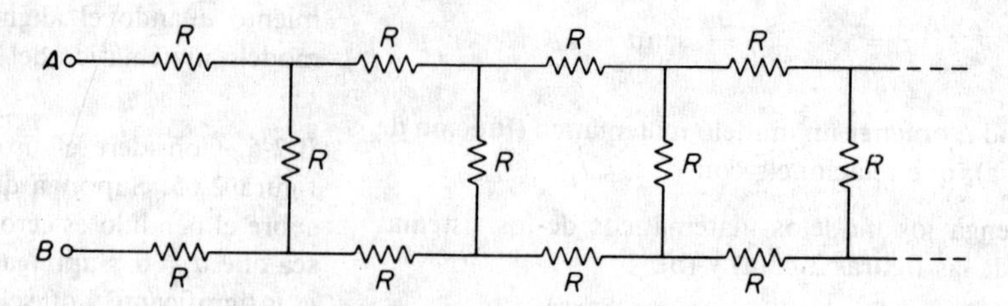

Figura 2-67 Circuito eléctrico.

**B-2-8.** Halle la resistencia entre los puntos $A$ y $B$ del circuito de la figura 2-67, que consiste en cantidad infinita de resistencias conectadas en cascada, formando una escalera.

**B-2-9.** Obtenga la función de transferencia $E_o(s)/E_i(s)$ del amplificador operacional que aparece en el circuito de la figura 2-68.

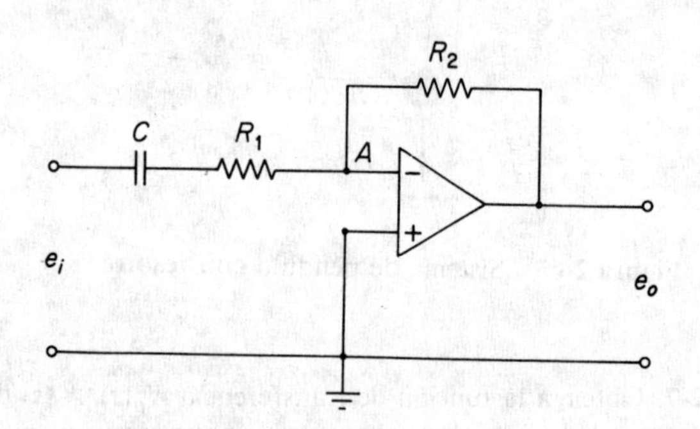

**Figura 2-68** Circuito con amplificador operacional.

**B-2-10.** Determine la función de transferencia $E_o(s)/E_i(s)$ del amplificador operacional de la figura 2-69.

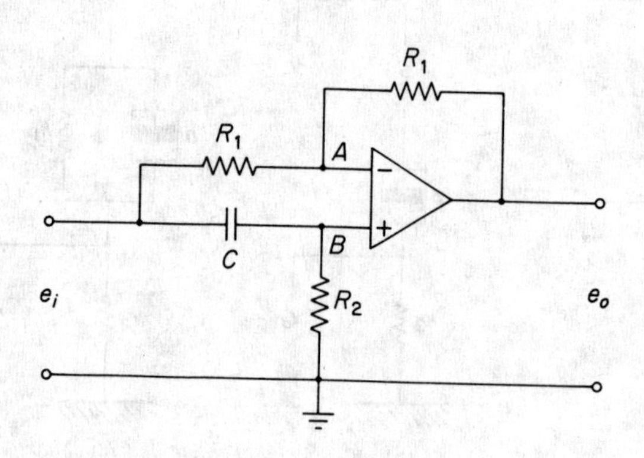

**Figura 2-69** Circuito con amplificador operacional.

**B-2-11.** Deduzca la función de transferencia del sistema eléctrico que se muestra en la figura 2-70. Diseñe un diagrama de un sistema equivalente mecánico.

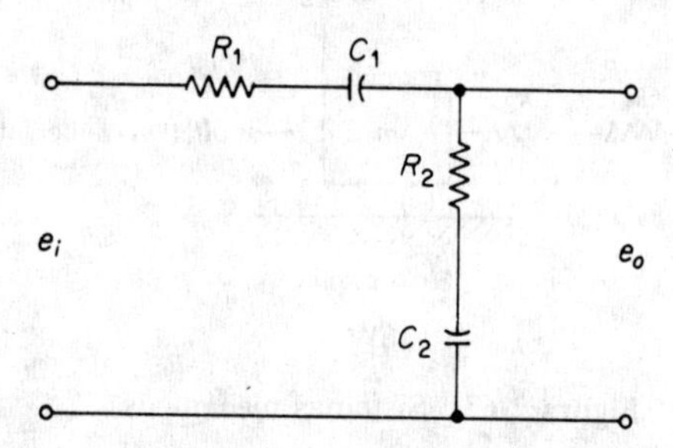

**Figura 2-70** Sistema eléctrico.

**B-2-12.** Determine la función de transferencia del sistema mecánico que se presenta en la figura 2-71. Dibuje un diagrama para un circuito equivalente eléctrico.

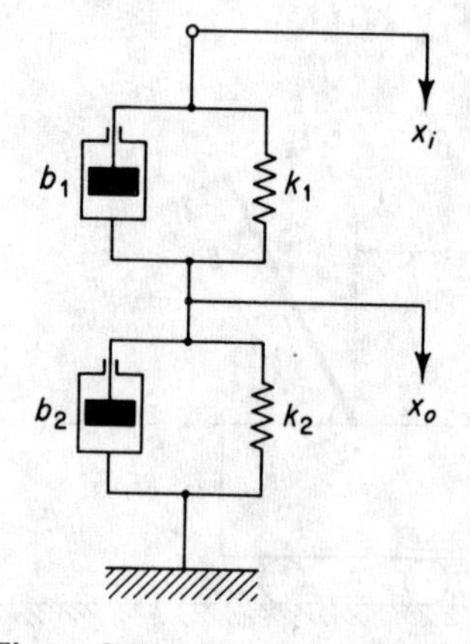

**Figura 2-71** Sistema mecánico.

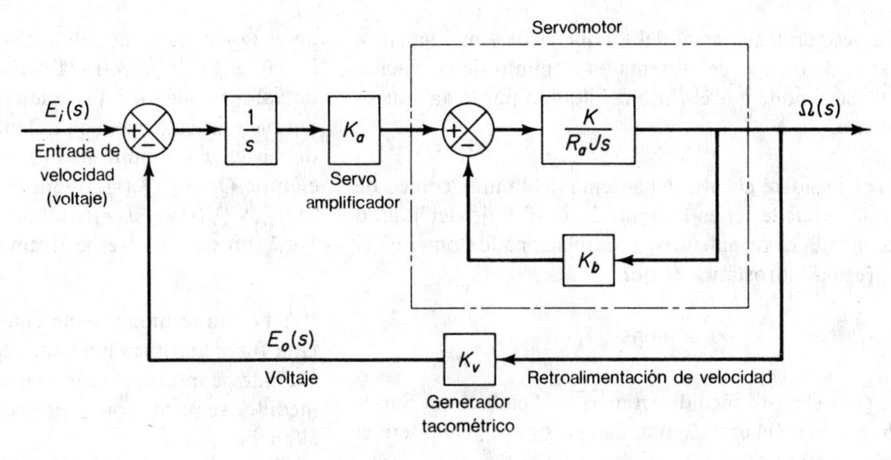


**Figura 2-72** Sistema de control de velocidad.

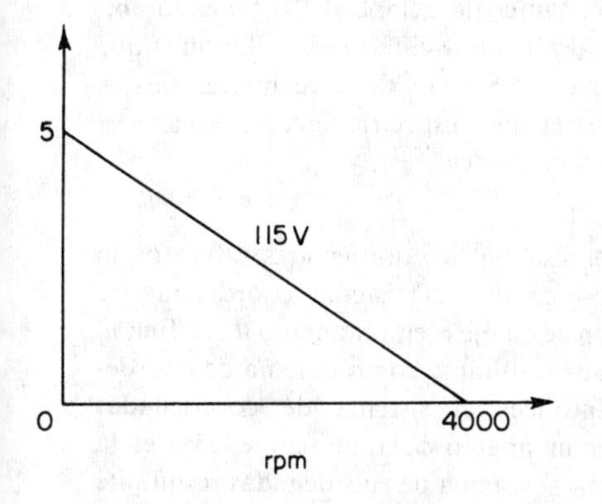


**Figura 2-73** Curva par-velocidad.

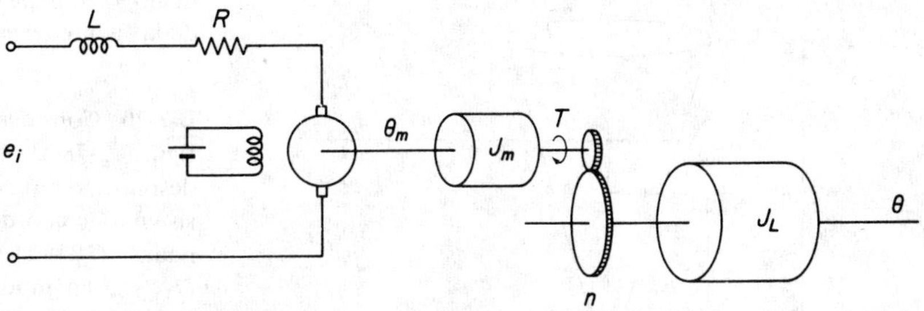

**Figura 2-74** Sistema servomotor controlado por armadura.

**B-2-13.** En la figura 2-72 hay un diagrama de bloques de un sistema de control de velocidad. Obtenga la función de transferencia entre $\Omega(s)$ y $E_i(s)$.

**B-2-14.** Obtenga la función de transferencia del servomotor de dos fases cuya curva par-velocidad aparece en la figura 2-73. Los voltajes máximos de la fase fija y de la fase de control, son 115 voltios. El momento de inercia $J$ del rotor (incluido el efecto de la carga), es $7.77 \times 10^{-4}$ onza-pulgada-seg$^2$, y el coeficiente de fricción viscosa del motor (incluido el efecto de la carga), es 0.005 onza-pulgada/rad/seg.

**B-2-15.** Considere el sistema de la figura 2-74. Un servomotor de cd controlado por armadura excita una carga consistente en un momento de inercia $J_L$. El par desarrollado por el motor es $T$. El desplazamiento angular del rotor del motor y el elemento de carga son $\theta_m$ y $\theta$, respectivamente. La relación de engranes es $n = \theta/\theta_m$. Hallar la función de transferencia $\Theta(s)/E_i(s)$.

**B-2-16.** Considere el sistema de nivel de líquido de la figura 2-75. Suponiendo que $\bar{H} = 3$ m, $\bar{Q} = 0.02$ m$^3$/s, y que el

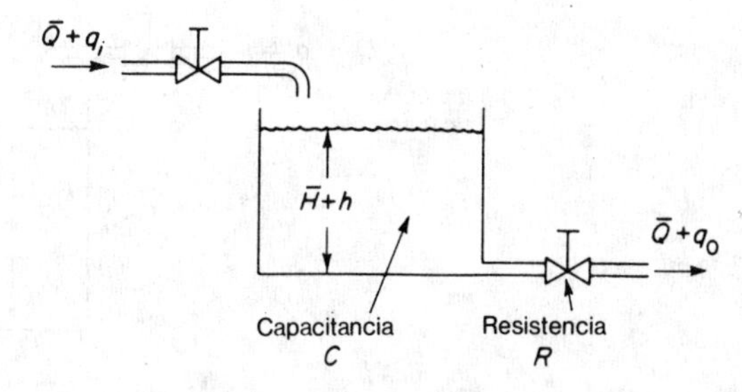


**Figura 2-75** Sistema de nivel de líquido.

área de sección transversal del tanque es de 5 $m^2$, hallar la constante de tiempo del sistema en el punto de operación $(\bar{H}, \bar{Q})$. Se supone que el flujo del líquido por la válvula es turbulento.

**B-2-17.** Considere el caso del sistema del tanque cónico de agua que se puede ver en la figura 2-76. El flujo del líquido por la válvula es turbulento y está relacionado con el nivel de la presión hidrostática $H$ por

$$Q = 0.005\sqrt{H}$$

donde $Q$ es el gasto medido en $m^3/s$ y $H$ en metros. Suponiendo que el nivel es de 2 m al tiempo $t = 0$. ¿Cuál será el nivel a $t = 60$ s?

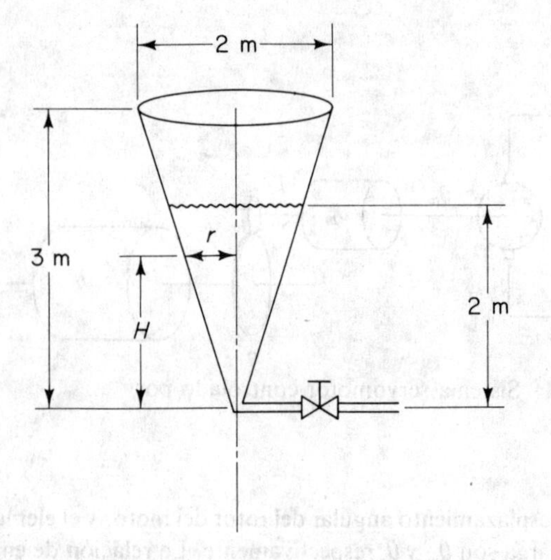


**Figura 2-76** Sistema de tanque cónico de agua.

**B-2-18.** Considere el sistema de nivel de líquido que aparece en la figura 2-77. En estado estacionario, el gasto de entrada es $\bar{Q}$ y el gasto de salida es también $\bar{Q}$. Suponga que en $t = 0$, el gasto de entrada varía de $\bar{Q}$ a $\bar{Q} + q$, donde $q_i$ es un valor pequeño. La entrada de perturbación es $q_d$ que es también un valor pequeño. Trazar un diagrama de bloques del sistema y simplifíquelo para obtener $H_2(s)$ como función de $Q_i(s)$ y $Q_d(s)$, donde $H_2(s) = \mathscr{L}[h_2(t)]$, $Q_i(s) = \mathscr{L}[q_i(t)]$, y $Q_d(s) = \mathscr{L}[q_d(t)]$. La capacitancias de los tanques 1 y 2 son $C_1$ y $C_2$, respectivamente.

**B-2-19.** Un termopar tiene una constante de tiempo de 2 s. Una fuente térmica tiene una constante de tiempo de 30 s. Cuando se inserta el termopar en la fuente, este dispositivo medidor se puede considerar como un sistema de dos capacitancias.

Determine las constantes de tiempo del sistema combinado constituido por la fuente y el termopar. Suponga que el peso del termopar es de 8 g y el de la fuente térmica es de 40 g. Suponga que el calor específico del termopar y el de la fuente térmica son iguales.

**B-2-20.** Considere el sistema de coordenadas $O$-$xyz$ de la figura 2-78(a). Suponga que el sistema coordenado es desplazado alrededor de su eje $x$ en un ángulo $\theta$. Defina al sistema de coordenads resultante como sistema de coordenadas $O$-$x'y'z'$. Entonces el sistema de coordenadas $O$-$x'y'z'$ ha girado en un ángulo $\phi$, como se puede ver en la figura 2-78(b). Defina al sistema de coordenadas resultante como sistema de coordenadas $O$-$x''y''z''$. Obtenga la matriz de transformación que relaciona $(x, y, z)$ con $(x'', y'', z'')$.

**B-2-21.** Suponga que el gasto $Q$ y el nivel $H$ de un sistema de líquido están relacionados por

$$Q = 0.002\sqrt{H}$$

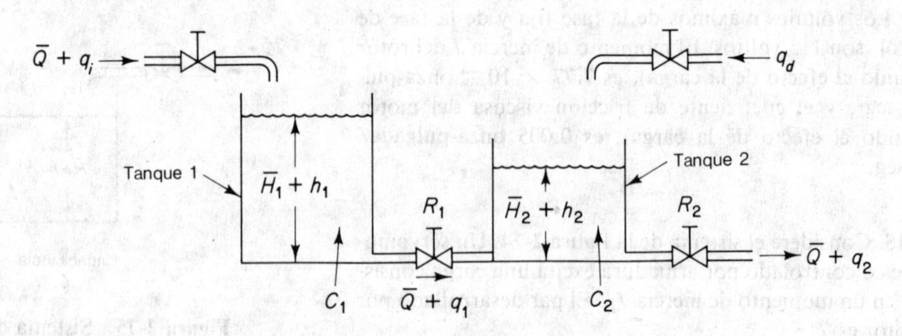


**Figura 2-77** Sistema de nivel de líquido.

Obtenga un modelo matemático linealizado que relacione al gasto y al nivel hidrostático cerca del estado estacionario en el punto de operación ($\bar{H}$, $\bar{Q}$), donde $\bar{H} = 2.25$ m y $\bar{Q} = 0.003$ m$^3$/s.

**B-2-22.** Hallar la ecuación linealizada de

$$y = 0.2x^3$$

alrededor del punto $\bar{x} = 2$.

**B-2-23.** Linealizar la ecuación no lineal

$$z = x^2 + 4xy + 6y^2$$

en la región definida por $8 \leq x \leq 10$, $2 \leq y \leq 4$.

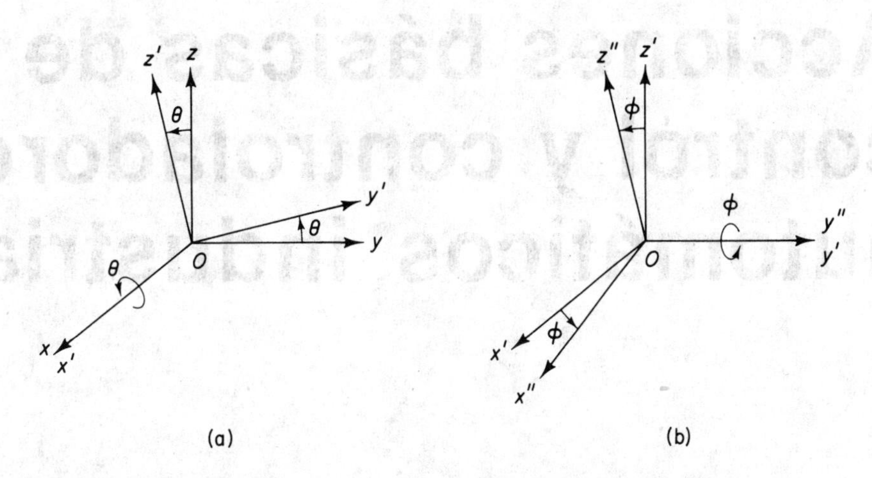


**Figura 2-78** (a) Sistema de coordenadas $O$-$xyz$ y sistema de coordenadas $O$-$x'y'z'$; (b) sistema de coordenadas $O$-$x'y'z'$ y sistema de coordenadas $O$-$x''y''z''$.

CAPITULO 3

# Acciones básicas de control y controladores automáticos industriales

## 3-1 INTRODUCCION

Un controlador automático compara el valor real de la salida de una planta con la entrada de referencia (valor deseado), determina el error, y produce una señal de control que reducirá el error a cero, o a un valor muy pequeño. La forma como el controlador automático produce la señal de control, se denomina *acción de control*.

En este capítulo primero se analizarán las acciones básicas de control utilizadas en los sistemas industriales de control; luego se presentarán los principios de los controladores neumáticos e hidráulicos. Posteriormente se analizarán los efectos de las acciones de control integral y derivativo en el comportamiento del sistema. Finalmente se presentarán los métodos para reducir las variaciones en parámetros, por medio de la retroalimentación.

El capítulo se esboza en la forma siguiente: la sección 3-1 es introductoria. En la sección 3-2 se presentan las acciones básicas de control de mayor uso en los controladores automáticos industriales. Las secciones 3-3 y 3-4 versan sobre los controladores neumáticos e hidráulicos, respectivamente. Aquí se hace una introducción al principio de funcionamiento de los controladores neumáticos e hidráulicos y a los métodos para la generación de diversas acciones de control. Finalmente, en la sección 3-6 se presenta un breve estudio sobre reducción de variaciones en parámetros, mediante la retroalimentación.

## 3-2 ACCIONES BASICAS DE CONTROL

En esta sección se analizarán en detalle las acciones básicas de control utilizadas en los controladores industriales analógicos. Se principiará con la clasificación de los controladores analógicos industriales.

**Clasificación de controladores industriales analógicos.** Los controladores industriales analógicos, se pueden clasificar de acuerdo con sus acciones de control, de la siguiente forma:

1. Controladores de dos posiciones, o intermitentes (encendido-apagado)
2. Controladores proporcionales
3. Controladores integrales
4. Controladores proporcional-integral
5. Controladores tipo proporcional-derivativo
6. Controladores tipo proporcional-integral-derivativo

La mayorá de los controladores analógicos industriales utilizan electricidad o algún fluido, como aceite o aire a presión, a modo de fuentes de potencia. Los controladores analógicos también se pueden clasificar según el tipo de potencia que utilizan en su operación, como neumáticos, hidráulicos o electrónicos. La clase de controlador a usar se decidirá en base a la naturaleza de la planta y las condiciones de operación, incluyendo consideraciones tales como seguridad, costo, disponibilidad, confiabilidad, exactitud, peso y tamaño.

**Controlador automático, actuador y sensor (elemento de medición).** La figura 3-1 muestra un diagrama de bloques de un sistema de control industrial que consiste en un controlador automático, un actuador o accionador, una planta y un sensor (elemento de medición). El controlador detecta la señal de error, que suele estar a un nivel de potencia muy bajo, y la amplifica a un nivel suficientemente alto. (Así, el controlador automático está constituido por un detector de error y un amplificador. También suele haber un circuito de retroalimentación adecuado, junto con un amplificador, que se utilizan para alterar la señal de error, amplificándola, y a veces diferenciándola y/o integrándola, para producir una mejor señal de control). El actuador es un dispositivo de

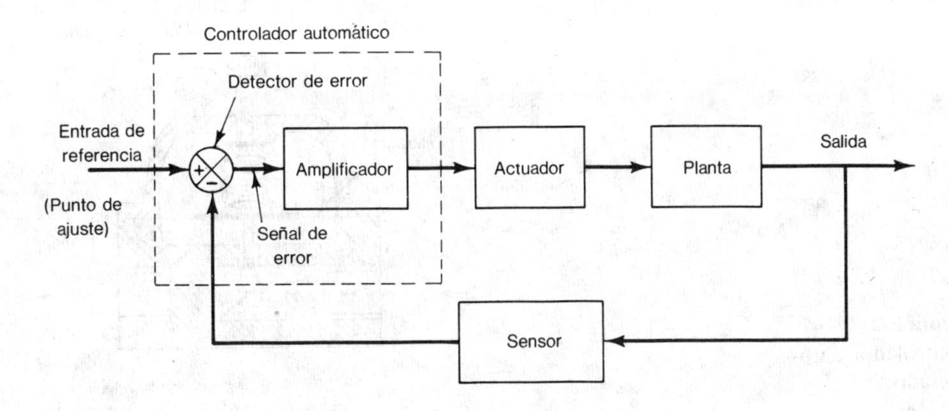


**Figura 3-1** Diagrama de bloques de un sistema de control industrial, que consiste en un controlador automático, un actuador, una planta, y un sensor (elemento de medición).

potencia que produce la entrada a la planta, de acuerdo con la señal de control, de modo que la señal de retroalimentación corresponda a la señal de entrada de referencia. La salida de un controlador automático alimenta a un actuador o accionador, que bien pueden ser un motor o una válvula neumática, un motor hidráulico o uno eléctrico.

El sensor o elemento de medición es un dispositivo que convierte la variable de salida en otra variable adecuada, como un desplazamiento, presión, o voltaje, que se utilizan para comparar la salida con la señal de entrada de referencia. Este elemento es el camino de retroalimentación en el sistema de lazo cerrado.

El punto de ajuste del controlador debe convertirse en una entrada de referencia con las mismas unidades que la señal de retroalimentación del sensor o el elemento de medición.

**Controladores auto-operados.** En la mayoría de los sistemas de control industriales se utilizan dispositivos independientes como elemento de medición y como actuador. Sin embargo, en el sistema de control más simple, el controlador auto-operado, ambos dispositivos están integrados en uno solo. Los controles auto-operados utilizan la energía desarrollada por el elemento de medición y son muy simples y económicos. En la figura 3-2 se puede ver un ejemplo de un controlador auto-operado. El punto de ajuste está determinado por la fuerza del resorte. El diafragma mide la presión controlada. La señal de error actuante es la fuerza neta que actúa sobre el diafragma. Su posición determina la apertura de la válvula.

El funcionamiento del controlador auto-operado es el siguiente: supóngase que la presión de salida es inferior a la presión de referencia, según lo determina el punto de ajuste o regulación. Entonces la fuerza descendente del resorte es superior a la fuerza ascendente de la presión, produciéndose un desplazamiento del diafragma hacia abajo, lo que aumenta el flujo e incrementa, por tanto, la presión de salida. Cuando la presión ascendente iguala a la fuerza descendente del resorte, el vástago de la válvula permanece estacionario, y el flujo es constante. Al contrario, si la presión de salida llega a ser mayor que la presión de referencia, se reduce la apertura de la válvula, y disminuye el flujo a través de la misma. Este tipo de controladores auto-operados se utilizan ampliamente para el control de presión de agua y gas.

**Acciones de control.** En controladores industriales es muy común encontrar los siguientes seis tipos de acción básica de control: de dos posiciones o de encendido-

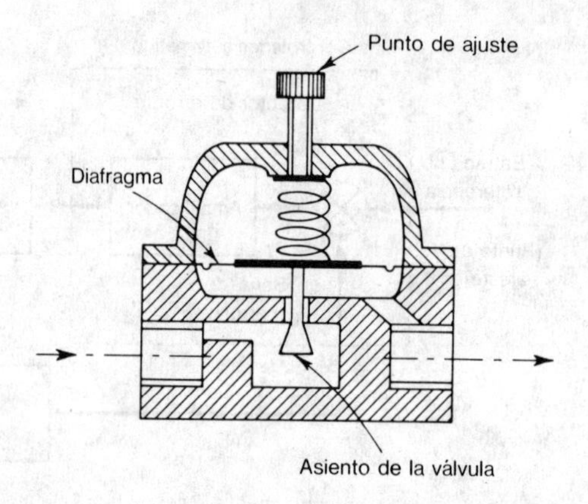


**Figura 3-2** Controlador auto-operado.

apagado, proporcional, integral, proporcional e integral, proporcional y derivativo, y proporcional, derivativo e integral. En este capítulo se estudiarán los seis. Es importante comprender las características básicas de las diversas acciones de control, para que el ingeniero de control elija la más adecuada a su aplicación.

**Acción de control de dos posiciones, o de encendido-apagado.** En un sistema de control de dos posiciones, el actuador tiene sólo dos posiciones fijas, que en muchos casos son, simplemente conectado y desconectado. El controlador de dos posiciones, o de encendido-apagado es relativamente simple y económico, y por esta razón se usa ampliamente en sistemas de control, tanto industriales como domésticos.

Sea $u(t)$ la señal de salida del controlador y $e(t)$ la señal de error. En un controlador de dos posiciones, la señal $u(t)$ permanece en un valor máximo o mínimo, según sea la señal de error positiva o negativa, de manera que

$$\begin{aligned} u(t) &= U_1 \quad \text{para } e(t) > 0 \\ &= U_2 \quad \text{para } e(t) < 0 \end{aligned}$$

donde $U_1$ y $U_2$ son constantes. Generalmente el valor mínimo de $U_2$ puede ser, o bien cero, o $-U_1$. En general los controladores de dos posiciones son dispositivos eléctricos, donde habitualmente hay una válvula accionada por un solenoide eléctrico. Los controladores neumáticos proporcionales con muy altas ganancias también actúan como controladores de dos posiciones y se les conoce como controladores neumáticos de dos posiciones.

En las figuras 3-3(a) y (b) se pueden ver diagramas de bloques de controladores de dos posiciones. El rango en el que la señal de error debe variar antes que se produzca la conmutación, se denomina brecha diferencial o zona muerta. En la figura 3-3(b) se indica una brecha diferencial. Tal brecha diferencial hace que la salida del controlador $u(t)$ mantenga su valor hasta que la señal de error haya rebasado ligeramente el valor cero. En algunos casos, la brecha diferencial es el resultado de una fricción no intencional o movimiento perdido; sin embargo, a veces se provoca en forma deliberada para impedir la acción excesivamente frecuente del actuador y elemento final de control. Sea el sistema de nivel de líquido que se presenta en la figura 3-4(a), donde la válvula electromagnética que aparece en la figura 3-4(b) controla el gasto de entrada. Esta válvula está abierta, o cerrada. Con este controlador de dos posiciones, el gasto de entrada es, o bien una constante positiva, o bien cero. Como se puede ver en la figura 3-5, la señal de salida fluctúa continuamente entre los dos límites requeridos para pro-

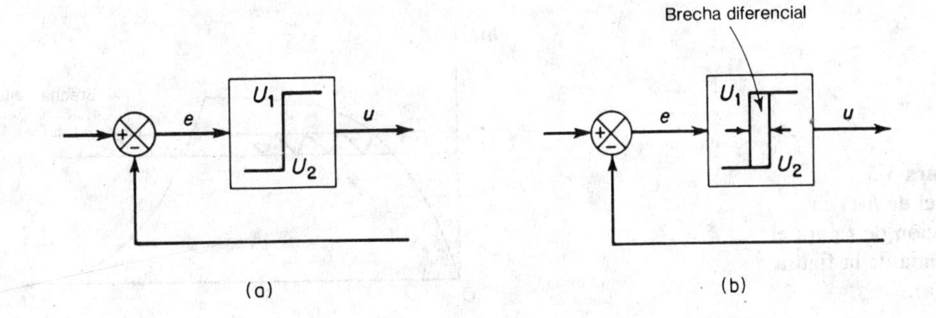


**Figura 3-3**
(a) Diagrama de bloques de un controlador de sí-no; (b) diagrama de bloques de un controlador de sí-no con brecha diferencial o zona muerta

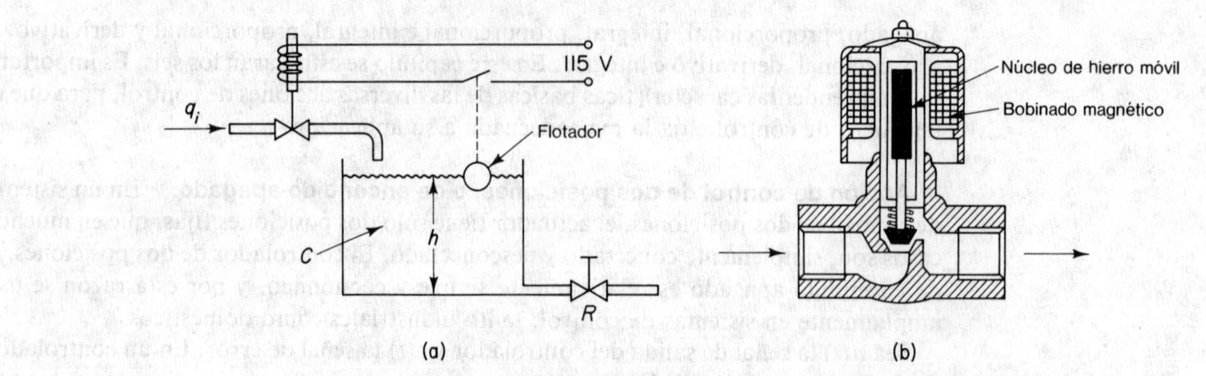


**Figura 3-4** (a) Sistema de control de nivel de líquido; (b) válvula electromagnética.

ducir la acción del actuador desde una posición fija a otra. Nótese que la curva de salida sigue una de dos curvas exponenciales, una correspondiente a la curva de llenado, y la otra a la curva de vaciado. Tal oscilación entre dos límites es una respuesta típica de un sistema bajo la acción de un controlador de dos posiciones.

De la figura 3-5, se puede deducir que la amplitud de la oscilación de salida puede reducirse disminuyendo la brecha diferencial. Sin embargo, la reducción de la brecha diferencial aumenta la cantidad de conmutaciones por minuto, y por tanto reduce la vida útil de los componentes. La magnitud de la brecha diferencial se debe determinar por consideraciones de exactitud deseada y duración de los componentes.

**Acción de control proporcional.** Para un controlador de acción de control proporcional, la relación entre la salida del controlador $u(t)$ y la señal de error $e(t)$, es

$$u(t) = K_p e(t)$$

o, en transformado a Laplace,

$$\frac{U(s)}{E(s)} = K_p$$

donde $K_p$ se denomina ganancia proporcional.

Sin importar el mecanismo en sí y la potencia que lo alimenta, el controlador proporcional es esencialmente un amplificador con ganancia ajustable. En la figura 3-6 se puede ver un diagrama de bloques de este controlador.

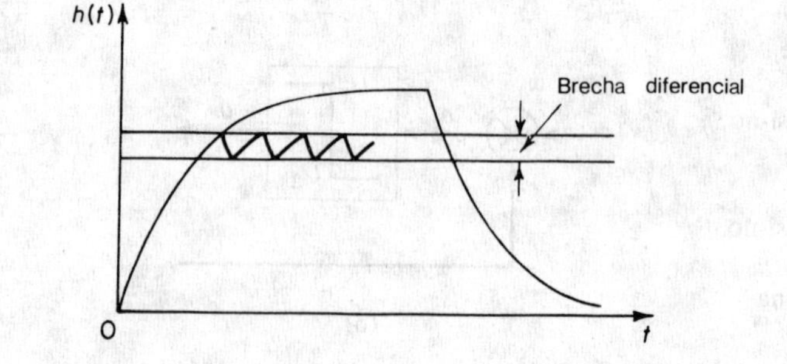


**Figura 3-5** Nivel de $h(t)$ en función de $t$ para el sistema de la figura 3-4(a).

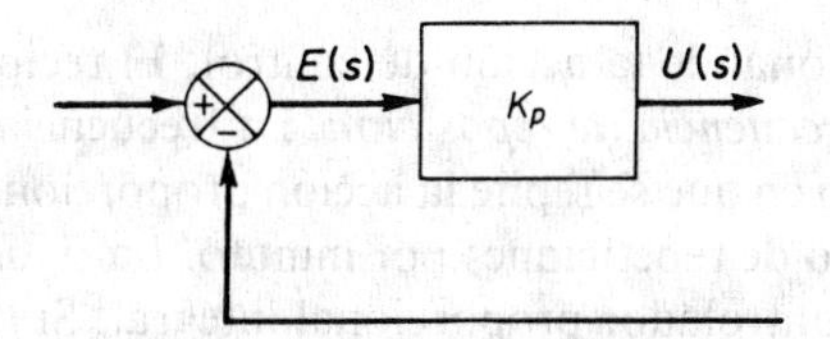


**Figura 3-6**
Diagrama de bloques de un controlador proporcional.

**Acción de control integral.** En un controlador con acción de control integral, el valor de la salida del controlador $u(t)$ varía en razón proporcional a la señal de error $e(t)$. Es decir,

$$\frac{du(t)}{dt} = K_i e(t)$$

o bien

$$u(t) = K_i \int_0^t e(t)\, dt$$

donde $K_i$ es una constante ajustable. La función de transferencia del controlador integral es

$$\frac{U(s)}{E(s)} = \frac{K_i}{s}$$

Si se duplica el valor de $e(t)$ el valor de $u(t)$ varía a doble velocidad. Ante un error igual a cero, el valor de $u(t)$ permanece estacionario. En ocasiones la acción de control integral recibe el nombre de control de reposición o restablecimiento. En la figura 3-7 aparece un diagrama de bloques de este control.

**Acción de control proporcional e integral.** La acción de un controlador proporcional-integral queda definida por la siguiente ecuación:

$$u(t) = K_p e(t) + \frac{K_p}{T_i} \int_0^t e(t)\, dt$$

y la función de transferencia del controlador es

$$\frac{U(s)}{E(s)} = K_p \left(1 + \frac{1}{T_i s}\right)$$

donde $K_p$ es la ganancia proporcional y $T_i$ se denomina *tiempo integral.* Ambos valores, $K_p$ y $T_i$ son ajustables. El tiempo integral regula la acción de control integral, mientras que una modificación en $K_p$ afecta tanto a la parte integral como a la propor-

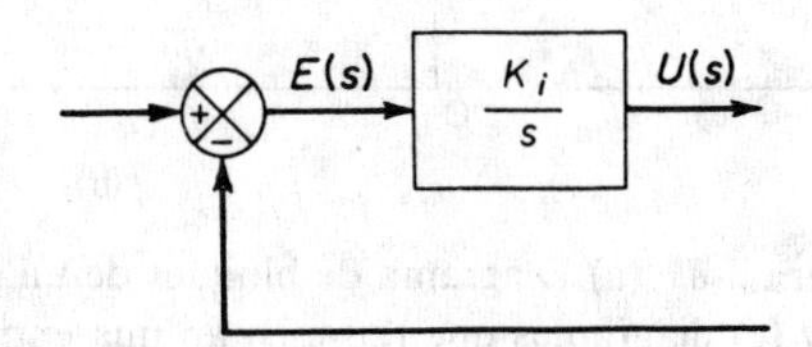


**Figura 3-7**
Diagrama de bloques de un controlador integral.

cional de la acción de control. El recíproco del tiempo integral $T_i$ recibe el nombre de *frecuencia de reposición*. La frecuencia de reposición es la cantidad de veces por minuto en que se repite la acción proporcional. La frecuencia de reposición se mide en término de repeticiones por minuto. La figura 3-8(a) muestra un diagrama de bloques de un controlador proporcional integral. Si la señal de error $e(t)$ es una función escalón unitario como se ve en la figura 3-8(b), la salida del controlador $u(t)$ pasa a ser la indicada en la figura 3-8(c).

**Acción de control proporcional y derivativo.** La acción de control proporcional-derivativo se define por la siguiente ecuación

$$u(t) = K_p e(t) + K_p T_d \frac{de(t)}{dt}$$

y la función de transferencia es

$$\frac{U(s)}{E(s)} = K_p(1 + T_d s)$$

donde $K_p$ es la ganancia proporcional y $T_d$ es una constante denominada *tiempo derivativo* o *tiempo de adelanto*. Tanto $K_p$ como $T_d$ son regulables. La acción de control derivativa, a veces llamada control de velocidad, se presenta cuando el valor de salida del controlador es proporcional a la velocidad de variación de la señal de error. El tiempo derivativo $T_d$ es el intervalo de tiempo en el que la acción de derivativa se adelanta al efecto de la acción proporcional. En la figura 3-9(a) se puede ver un diagrama de bloques de un controlador proporcional-derivativo. Si la señal de error $e(t)$ es una función rampa unitaria como se muestra en la figura 3-9(b), la salida del controlador $u(t)$ es la que se ve en la figura 3-9(c). Como puede verse en la figura 3-9(c), la acción derivativa tiene una caracteristica anticipatoria. Por supuesto, una acción derivativa nunca puede anticipar una acción que aún no acontece.

En tanto acontece la acción derivativa tiene una ventaja al anticiparse al error, sus desventajas son que amplifica las señales de ruido y produce un efecto de saturación en el actuador.

Nótese que nunca se usará una sola acción de control derivativo, porque este control es efectivo durante periodos transitorios solamente.

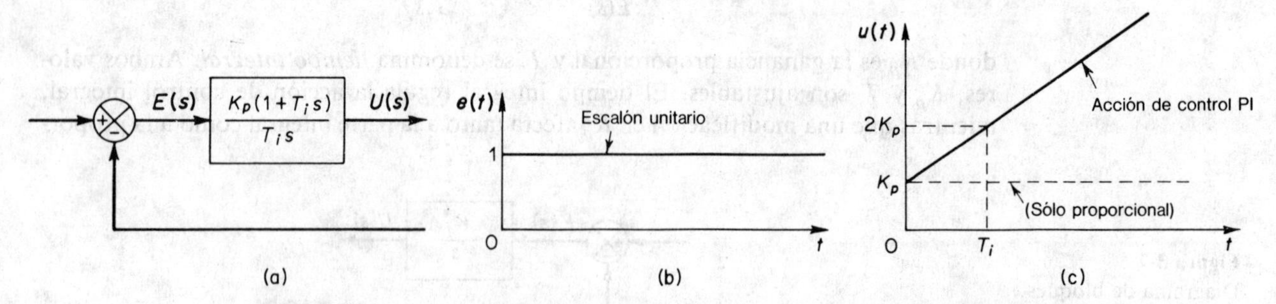


**Figura 3-8** (a) Diagrama de bloques de un controlador proporcional-integral; (b) y (c) diagramas que representan una entrada escalón unitario y salida del controlador.

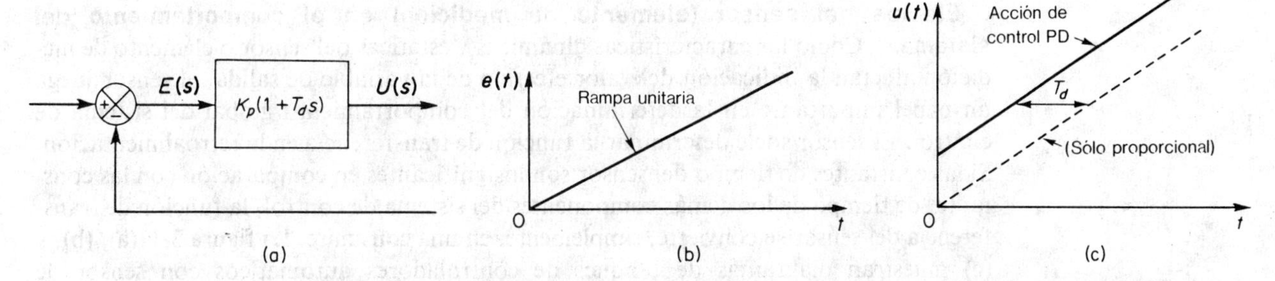


**Figura 3-9** (a) Diagrama de bloques de un controlador proporcional-derivativo; (b) y (c) diagramas que representan una entrada rampa unitaria y salida del controlador.

**Acción de control proporcional-integral-derivativo.** La combinación de los efectos de acción proporcional, integral y derivativa, se denomina acción de control proporcional-integral-derivativa. Esta combinación tiene las ventajas de cada una de las tres acciones de control individuales. La ecuación de un control con esta accción de control es

$$u(t) = K_p e(t) + \frac{K_p}{T_i}\int_0^t e(t)\,dt + K_p T_d \frac{de(t)}{dt}$$

y la función de transferencia es

$$\frac{U(s)}{E(s)} = K_p\left(1 + \frac{1}{T_i s} + T_d s\right)$$

donde $K_p$ es la ganancia proporcional, $T_i$ es el tiempo integral, y $T_d$ es el tiempo derivativo. En la figura 3-10(a) se puede ver el diagrama de bloques de un controlador proporcional, integral y derivativo. Si $e(t)$ es una función rampa unitaria, como se ve en la figura 3-10(b), la salida del controlador $u(t)$ resulta ser la que se muestra en la figura 3-10(c).

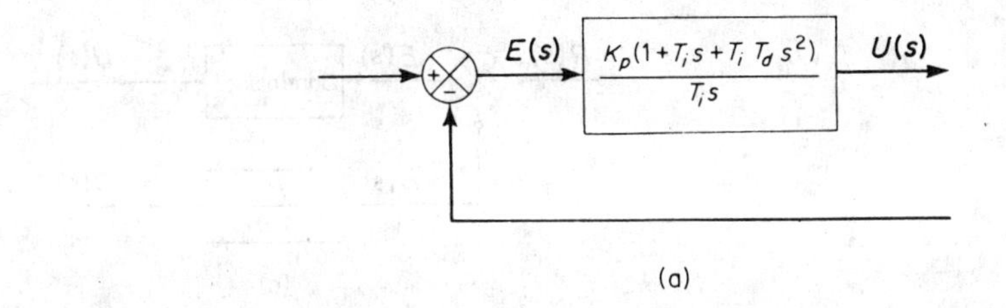


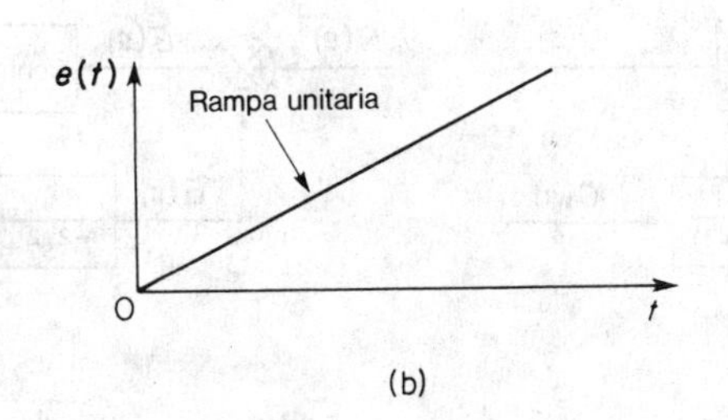


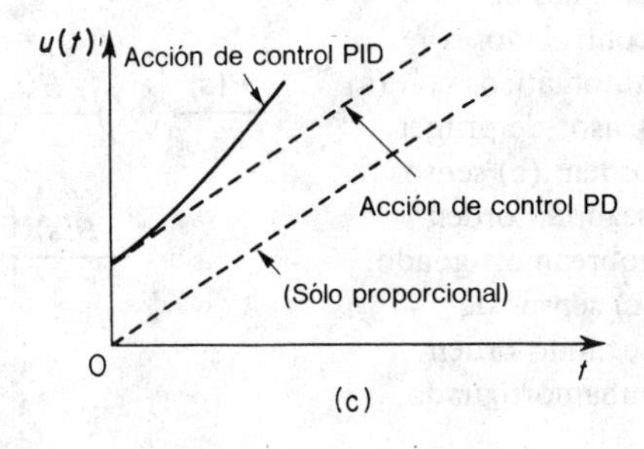


**Figura 3-10** (a) Diagrama de bloques de un controlador proporcional-integral-derivativo; (b) y (c) diagramas que representan una entrada rampa unitaria y la salida del controlador.

**Efectos del sensor (elemento de medición) en el comportamiento del sistema.** Como las características dinámicas y estáticas del sensor o elemento de medición afectan la indicación del valor efectivo de la variable de salida, el sensor juega un papel importante en la determinación del comportamiento global del sistema de control. El sensor suele determinar la función de transferencia en la retroalimentación. Si las constantes de tiempo del sensor son insignificantes en comparación con las constantes de tiempo de los demás componentes del sistema de control, la función de transferencia del sensor se convierte, simplemente, en una constante. La figura 3-11(a), (b), y (c) muestran diagramas de bloques de controladores automáticos con sensor de primer orden, sensor sobreamortiguado de segundo orden, y un sensor subamortiguado de segundo orden, respectivamente. La respuesta de un sensor térmico suele ser del tipo sobreamortiguado de segundo orden.

**Diagramas de bloques de sistemas de control automáticos.** Un diagrama de bloques de un sistema de control automático simple se puede obtener conectando la planta al controlador automático, como se muestra en la figura 3-12. La retroalimentación de la señal de control se realiza mediante el sensor. La ecuación que relaciona la variable de salida $C(s)$ con la entrada de referencia $R(s)$ y la variable de perturbación $N(s)$ se puede obtener como sigue:

$$C(s) = \frac{G_1(s)G_2(s)}{1 + G_1(s)G_2(s)H(s)} R(s) + \frac{G_3(s)}{1 + G_1(s)G_2(s)H(s)} N(s)$$

En sistemas de control de procesos, generalmente lo que interesa es la respuesta a la perturbación de carga $N(s)$. Sin embargo, en servosistemas, el mayor interés está en la respuesta a una entrada variable $R(s)$. El análisis de la respuesta del sistema a cambios en la carga se realizará en la sección 3-5. La respuesta del sistema a cambios en la entrada de referencia se estudiará en detalle en el capítulo 4.

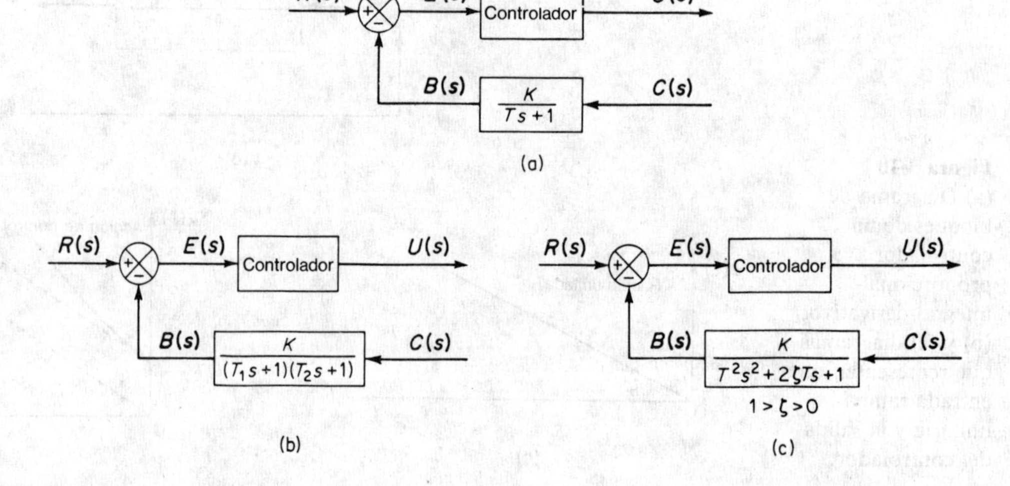


**Figura 3-11** Diagramas de bloques de controladores automáticos con (a) sensor de primer orden; (b) sensor de segundo orden sobreamortiguado; (c) sensor de segundo orden subamortiguado.

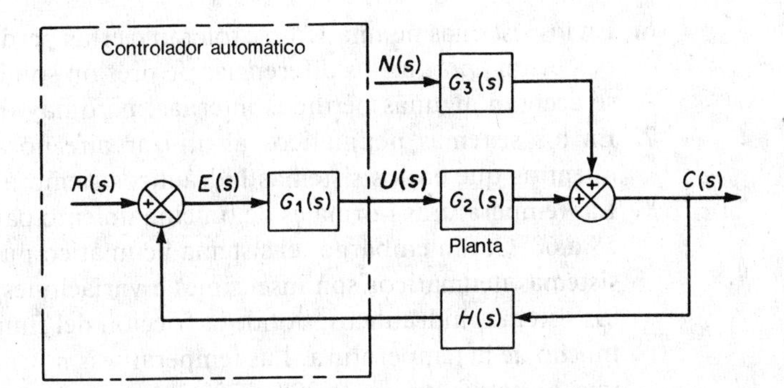


**Figura 3-12**
Diagrama de bloques de un sistema de control.

## 3-3 CONTROLADORES NEUMATICOS

Los fluidos, ya sean líquidos o gases, son el medio más versátil para la transmisión de señales y potencia, y tienen una amplia utilización en la industria. Líquidos y gases se distinguen básicamente por su relativa incompresibilidad y por el hecho de que un líquido puede presentar una superficie libre, mientras un gas se expande llenando su recipiente. En el campo de la ingeniería, el término *neumático* describe sistemas fluídicos que utilizan aire o gases, mientras que el término *hidráulico* se reserva para los que utilizan aceite.

Los sistemas neumáticos se utilizan mucho en la automatización de maquinaria de producción y en el campo de los controladores automáticos. Por ejemplo, los circuitos neumáticos que convierten la energía del aire comprimido en energía mecánica gozan de amplia utilización y en la industria se encuentran controladores neumáticos de diversos tipos.

Como los sistemas neumáticos y los hidráulicos se comparan con frecuencia, a continuación se realizará una breve comparación de estos dos tipos de sistemas.

**Comparación entre sistemas neumáticos y sistemas hidráulicos.** El fluido que por lo general se utiliza en los sistemas neumáticos es el aire y en los sistemas hidráulicos es el aceite. Las diferentes propiedades de los fluidos implicados es lo que caracteriza las diferencias entre ambos sistemas. A continuación se enumeran esas diferencias.

1. El aire y los gases se pueden comprimir, en tanto que el aceite no.
2. El aire carece de propiedades lubricantes y siempre contiene vapor de agua.
3. La presión de operación normal de los sistemas neumáticos es mucho menor que la de los sistemas hidráulicos.
4. La potencia de salida de los sistemas neumáticos es considerablemente inferior a la de los sistemas hidráulicos.
5. La precisión de los accionadores neumáticos es pobre a bajas velocidades, en tanto que la precisión de los accionadores hidráulicos es satisfactoria a cualquier velocidad.

6. En los sistemas neumáticos se toleran ciertas pérdidas, pero las fugas internas se deben evitar, porque las diferencias de presión son bajas. En los sistemas hidráulicos, se aceptan algunas pérdidas internas, pero hay que evitar toda fuga al exterior.
7. En los sistemas neumáticos al utilizar aire no se requieren tuberías de retorno, mientras que en los sistemas hidráulicos siempre son necesarias.
8. Las temperaturas normales de funcionamiento para los sistemas neumáticos, van de 5° a 60°C. Sin embargo, el sistema neumático puede funcionar de 0° a 200°C. Los sistemas neumáticos son insensibles a variaciones de temperatura, en contraste con los sistemas hidráulicos, donde la fricción del fluido debido a la viscosidad depende mucho de la temperatura. Las temperaturas normales de funcionamiento para sistemas hidráulicos van de 20° a 70°C.
9. Los sistemas neumáticos son seguros ante riesgos de incendio o explosión, en tanto que los hidráulicos no lo son.

A continuación, se desarrolla el modelo matemático de sistemas neumáticos. Luego, se conocerán los controladores neumáticos proporcionales. Se ilustrará el hecho de que los controladores proporcionales utilizan en sí mismos el principio de la retroalimentación negativa. El principio por el cual funcionan los controladores proporcionales se presentarán en forma detallada. Finalmente, se tratarán los métodos de obtener acciones de control derivativo y de control integral. A lo largo de las exposiciones, se hará hincapié en los principios fundamentales, más que en los detalles de operación de los mecanismos.

**Sistemas neumáticos.** En las últimas décadas se ha visto un gran desarrollo de controladores neumáticos de baja presión para sistemas de control industrial, y en la actualidad se les utiliza ampliamente en procesos industriales. Las razones de su gran preferencia incluyen sus características de inmunidad a explosiones, su sencillez y su facilidad de mantenimiento.

**Resistencia y capacitancia de sistemas de presión.** Muchos procesos industriales y controladores neumáticos, incorporan el flujo de un gas o aire a través de tuberías y tanques de presión.

Considere el sistema de presión que se muestra en la figura 3-13(a). El flujo de gas a través de la restricción, es una función de la diferencia de presiones de gas $p_i - p_o$. Un sistema de presión como éste se caracteriza en términos de resistencia y capacitancia.

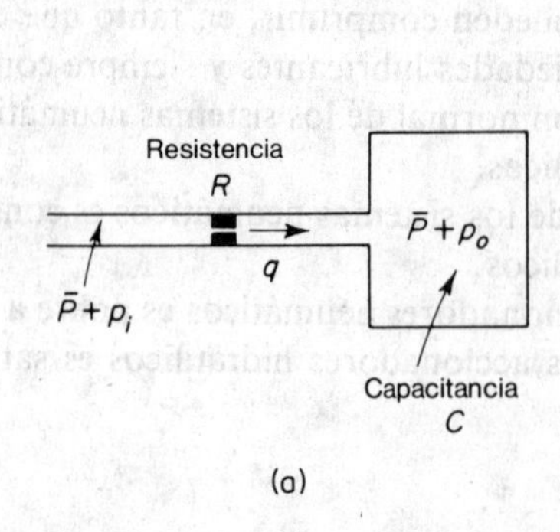


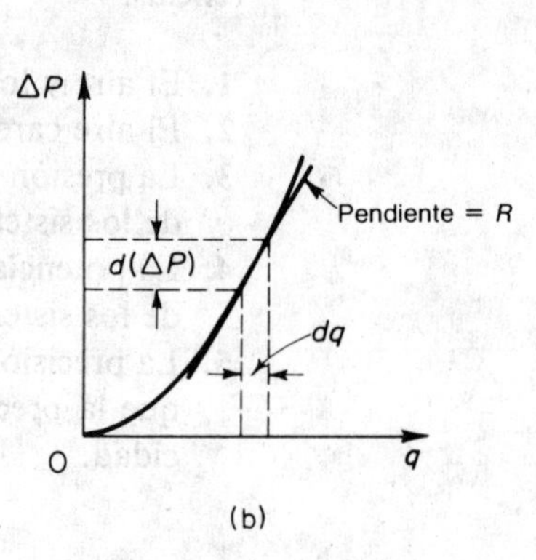


**Figura 3-13**
(a) Diagrama de un sistema de presión; (b) diferencia de presión en función del gasto.

La resistencia $R$ al flujo de gas se puede definir como sigue

$$R = \frac{\text{cambio en la diferencia de presión del gas, en N/m}^2}{\text{cambio en el gasto del gas, en kg/s}}$$

o bien

$$R = \frac{d(\Delta P)}{dq} \tag{3–1}$$

donde $d(\Delta P)$ es una pequeña variación en la diferencia de presión del gas, y $dq$ es una pequeña variación en el gasto de gas. El cálculo del valor de la resistencia al flujo de gas $R$ puede consumir algo de tiempo. Sin embargo, en forma experimental se puede determinar con facilidad de la gráfica la diferencia de presión en función del gasto, calculando la pendiente de la curva para una condición de operación determinada, como se ve en la figura 3-13(b).

La capacitancia del tanque de presión se puede definir como

$$C = \frac{\text{cambio en el gas almacenado, en kg}}{\text{cambio en la presión del gas, en N/m}^2}$$

o bien

$$C = \frac{dm}{dp} = V\frac{d\rho}{dp} \tag{3–2}$$

donde $C$ = capacitancia, en kg-m³/N
$m$ = masa del gas en el tanque, en kilogramos
$p$ = presión del gas, en N/m³
$V$ = volumen del tanque, en m³
$\rho$ = densidad, en kg/m³

La capacitancia del sistema de presión depende del tipo de proceso de expansión involucrado. La capacitancia se puede calcular utilizando la ley del gas ideal (ver problema A-3-3). Si el proceso de expansión del gas es politrópico y el cambio de estado del gas se da entre isotérmico y adiabático, entonces

$$p\left(\frac{V}{m}\right)^n = \frac{p}{\rho^n} = \text{constante} \tag{3–3}$$

donde $n$ = exponente politrópico.

Para gases ideales,

$$p\bar{v} = \bar{R}T \qquad \text{o} \qquad pv = \frac{\bar{R}}{M}T$$

donde $p$ = presión absoluta, en N/m²
$\bar{v}$ = el volumen ocupado por un mol del gel gas, en m³/kg-mol

$\bar{R}$ = constante universal de los gases, en N-m/kg-mol °K
$T$ = temperatura absoluta, en °K
$v$ = volumen específico del gas, en $m^3/kg$
$M$ = peso molecular del gas por mol, en kg/kg-mol

Así,

$$pv = \frac{p}{\rho} = \frac{\bar{R}}{M}T = R_{gas}T \tag{3–4}$$

donde $R_{gas}$ = constante del gas, en N-m/kg °K.

El exponente politrópico $n$ es la unidad para la expansión isotérmica. Para la expansión adiabática, es igual a la relación entre los calores específicos $c_p/c_v$, donde $c_p$ es el calor específico a presión constante, y $c_v$ es el calor específico a volumen constante. En la práctica, en muchos casos el valor de $n$ es constante, y entonces la capacitancia se puede considerar constante. El valor de $d\rho/dp$ se obtiene de las ecuaciones (3-3) y (3-4) como

$$\frac{d\rho}{dp} = \frac{1}{nR_{gas}T}$$

Entonces la capacitancia se obtiene como

$$C = \frac{V}{nR_{gas}T} \tag{3–5}$$

La capacitancia de un recipiente determinado es constante si la temperatura se mantiene constante. (En muchos casos reales, el exponente politrópico $n$ vale aproximadamente $1.0 \sim 1.2$ para gases en tanques metálicos sin aislamiento.)

**Sistemas de presión.** Considérese el sistema que aparece en la figura 3-13(a). Si se suponen solamente pequeñas desviaciones de las variables alrededor de sus valores respectivos en estado estacionario, dichos sistemas se pueden considerar como lineales. Se define

$\bar{P}$ = presión del gas en el tanque en estado estacionario (antes de producirse las variaciones de presión), en $N/m^3$
$p_i$ = pequeño cambio en la presión del gas que ingresa, en $N/m^2$
$p_o$ = pequeño cambio en la presión del gas en el tanque, en $N/m^2$
$V$ = volumen del tanque, en $m^3$
$m$ = masa del gas en el tanque, en kg
$q$ = gasto del gas, en kg/s
$\rho$ = densidad del gas, en $kg/m^3$

Para valores pequeños de $p_i$ y $p_o$, la resistencia $R$ dada por la ecuación (3-1), se vuelve constante y se puede escribir como

$$R = \frac{p_i - p_o}{q}$$

La capacitancia $C$ está dada por la ecuación (3-2), reescrita

$$C = \frac{dm}{dp} = V\frac{d\rho}{dp}$$

Como el producto del cambio de presión $dp_o$ por la capacitancia $C$ es igual al gas agregado al recipiente durante $dt$ segundos, se obtiene

$$C\,dp_o = q\,dt$$

o bien

$$C\frac{dp_o}{dt} = \frac{p_i - p_o}{R}$$

que se puede escribir como

$$RC\frac{dp_o}{dt} + p_o = p_i$$

Si se considera $p_i$ y a $p_o$ como entrada y salida, respectivamente, la función de transferencia del sistema es

$$\frac{P_o(s)}{P_i(s)} = \frac{1}{RCs + 1}$$

donde $RC$ está en unidades de tiempo, y es la constante de tiempo del sistema.

**Amplificadores neumáticos de tobera-aleta.** En la figura 3-14(a) se muestra el diagrama de un amplificador neumático de tobera-aleta. La fuente de potencia para este amplificador es una provisión de aire a presión constante. El amplificador de

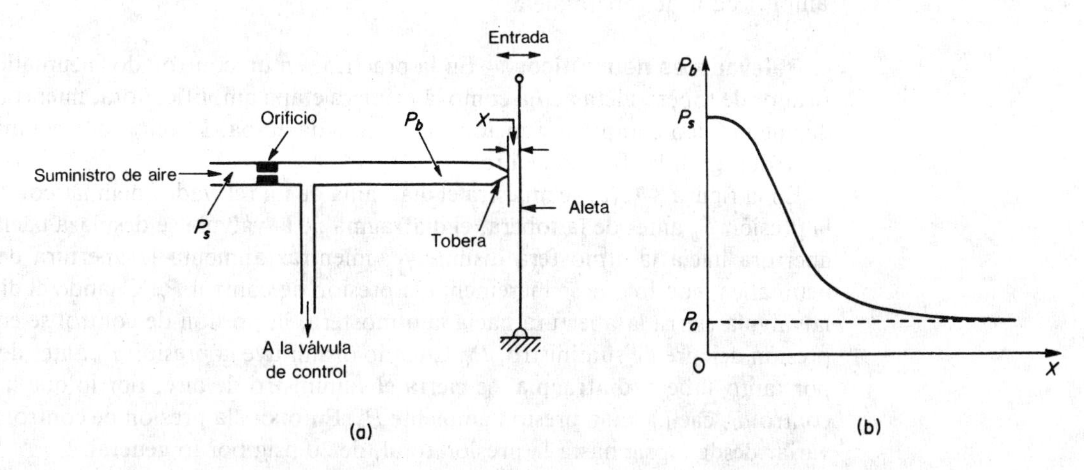


**Figura 3-14** (a) Diagrama de un amplificador neumático de tobera-aleta; (b) curva característica que relaciona la presión anterior de la tobera y la distancia tobera-aleta.

tobera-aleta convierte las pequeñas modificaciones en la posición de la aleta en grandes cambios de presión antes de la tobera. Así se puede controlar una salida de gran potencia, con la mínima potencia requerida para fijar la posición de la aleta.

En la figura 3-14(a), se alimenta aire a presión a través del orificio, y se le proyecta por la tobera hacia la aleta. El valor estándar de presión $P_s$ del suministro de aire en estos controladores es de 20 psig (1.4 $kg_f/cm^2$). El diámetro del orificio suele ser 0.01 pugl (0.25 mm), y el de la tobera, de 0.016 pulg (0.4 mm). El diámetro de la tobera debe ser mayor que el del orificio, para el funcionamiento correcto del amplificador.

Durante la operación normal, la aleta queda apoyada contra la abertura de la tobera. La presión antes de la tobera $P_b$ queda controlada por la distancia $X$ entre la tobera y la aleta. Al acercarse la aleta a la tobera, aumenta la oposición al flujo del aire a través de la tobera, con el resultado de que la presión $P_b$ aumenta antes de la tobera. Si la tobera queda tapada totalmente por la aleta, la presión anterior $P_b$ se equipara a la presión de alimentación $P_s$. Si la aleta se desplaza alejándose de la tobera, de manera que esa distancia sea grande (del orden de 0.01 pulg), prácticamente no hay restricción al flujo, y la presión antes de la tobera $P_b$ toma un valor mínimo que depende del dispositivo tobera-aleta. (El valor mínimo posible, es la presión ambiental $P_a$.)

Nótese que como el chorro de aire ejerce fuerza contra la aleta, se requiere que el diámetro de la tobera sea lo más pequeño posible.

En la figura 3-14(b) se presenta una curva característica que relaciona la presión anterior de la tobera $P_b$ con la distancia $X$ de la aleta a la tobera. Se utiliza la porción inclinada y casi lineal de la curva para el funcionamiento efectivo del amplificador de tobera-aleta. Como el rango de desplazamiento de la aleta está restringido a un valor pequeño, la modificación de presión de salida también es pequeña, a no ser que la curva resulte ser muy inclinada.

El amplificador de tobera-aleta convierte el desplazamiento en una señal de presión. Como los sistemas de control de procesos industriales requieren valores de potencias de salida elevados para controlar válvulas neumáticas grandes, por lo general la amplificación de potencia de los amplificadores de tobera-aleta es insuficiente. En consecuencia, se suele recurrir a un relevador neumático como amplificador de potencia, conectado al amplificador de tobera-aleta.

**Relevadores neumáticos.** En la práctica, en un controlador neumático el amplificador de tobera-aleta actúa como la primera etapa amplificadora, mientras un relevador neumático cumple la función de la segunda etapa. El relevador neumático puede controlar grandes flujos de aire.

En la figura 3-15(a) se muestra el diagrama de un relevador neumático. Al aumentar la presión $P_b$ antes de la tobera, el diafragma de la válvula se desplaza hacia abajo. La abertura hacia la atmósfera disminuye, mientras aumenta la apertura de la válvula neumática, con lo que se incrementa la presión de control $P_c$. Cuando el diafragma de la válvula cierra la abertura hacia la atmósfera, la presión de control se equipara a la presión del aire de suministro, $P_s$. Cuando disminuye la presión $P_b$ antes de la tobera y por tanto sube el diafragma, se cierra el suministro de aire, por lo que la presión de control $P_c$ cae hasta la presión ambiente $P_a$. Entonces la presión de control $P_c$ se puede variar desde 0 psig hasta la presión total, de 20 psig por lo general.

El desplazamiento total del diafragma de la válvula es muy pequeño. En todas las posiciones de la válvula, excepto en la de cierre de suministro de aire, el aire fluye conti-

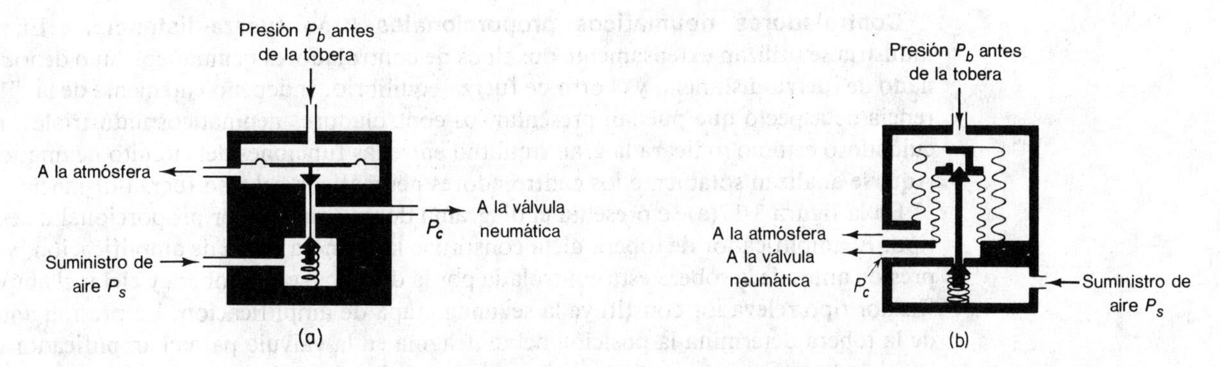


**Figura 3-15** (a) Diagrama de un relevador del tipo drenante; (b) diagrama de un relevador de tipo no drenante.

nuamente a la atmósfera, incluso después de haber alcanzado la condición de equilibrio entre la presión antes de la tobera y la presión de control. Por esto, al relevador que aparece en la figura 3-15(a) se le denomina relevador del tipo de drenaje.

Hay otro tipo de relevador, el no drenante. En éste el drenaje de aire se detiene cuando se alcanza la condición de equilibrio, y por lo tanto, cuando se llega a la condición de estado estacionario, no hay pérdida de aire. Nótese, sin embargo, que el relevador del tipo no drenante debe tener una descarga a la atmósfera, para liberar la presión de control $P_c$ de la válvula neumática. En la figura 3-15(b) se presenta un diagrama de un relevador del tipo no drenante.

En ambos tipos de relevador, el suministro de aire está controlado por una válvula, que a su vez lo está por la presión $P_b$ antes de la tobera. Así, la presión antes de la tobera se convierte en la presión de control con amplificación de potencia.

Como la presión de control $P_c$ varía casi instantáneamente con los cambios de la presión $P_b$ antes de la tobera, la constante de tiempo del relevador neumático es mínima comparada con otras constantes de tiempo superiores del controlador neumático y la planta.

Nótese que algunos relevadores nuemáticos son de acción reversible. Por ejemplo, el relevador que aparece en la figura 3-16 es de acción reversible. Aquí cuando la presión $P_b$ antes de la tobera aumenta, se fuerza el balín de la válvula a una posición más baja en su asiento, lo que disminuye por tanto la presión de control $P_c$. Entonces este relevador es de acción reversible.

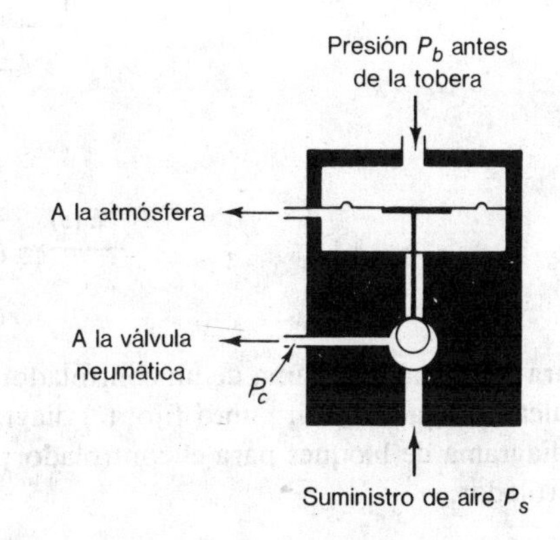


**Figura 3-16**
Relevador de acción reversible.

**Controladores neumáticos proporcionales (tipo fuerza-distancia).** En la industria se utilizan extensamente dos tipos de controladores neumáticos: uno denominado de fuerza-distancia, y el otro de fuerza-equilibrio. Independientemente de la diferencia de aspecto que puedan presentar los controladores neumáticos industriales, un cuidadoso estudio indicará la gran similitud entre las funciones del circuito neumático. Aquí se analizan solamente los controladores neumáticos del tipo fuerza-distancia.

En la figura 3-17(a) se presenta el diagrama de un controlador proporcional de este tipo. El amplificador de tobera-aleta constituye la primera etapa de amplificación, y la presión antes de la tobera está controlada por la distancia entre tobera y aleta; el amplificador tipo relevador constituye la segunda etapa de amplificación. La presión antes de la tobera determina la posición del diafragma en la válvula para el amplificador de la segunda etapa, que puede manejar grandes flujos de aire.

En la mayoría de los controladores neumáticos se emplea algún tipo de retroalimentación neumática; la retroalimentación en la salida neumática reduce el desplazamiento

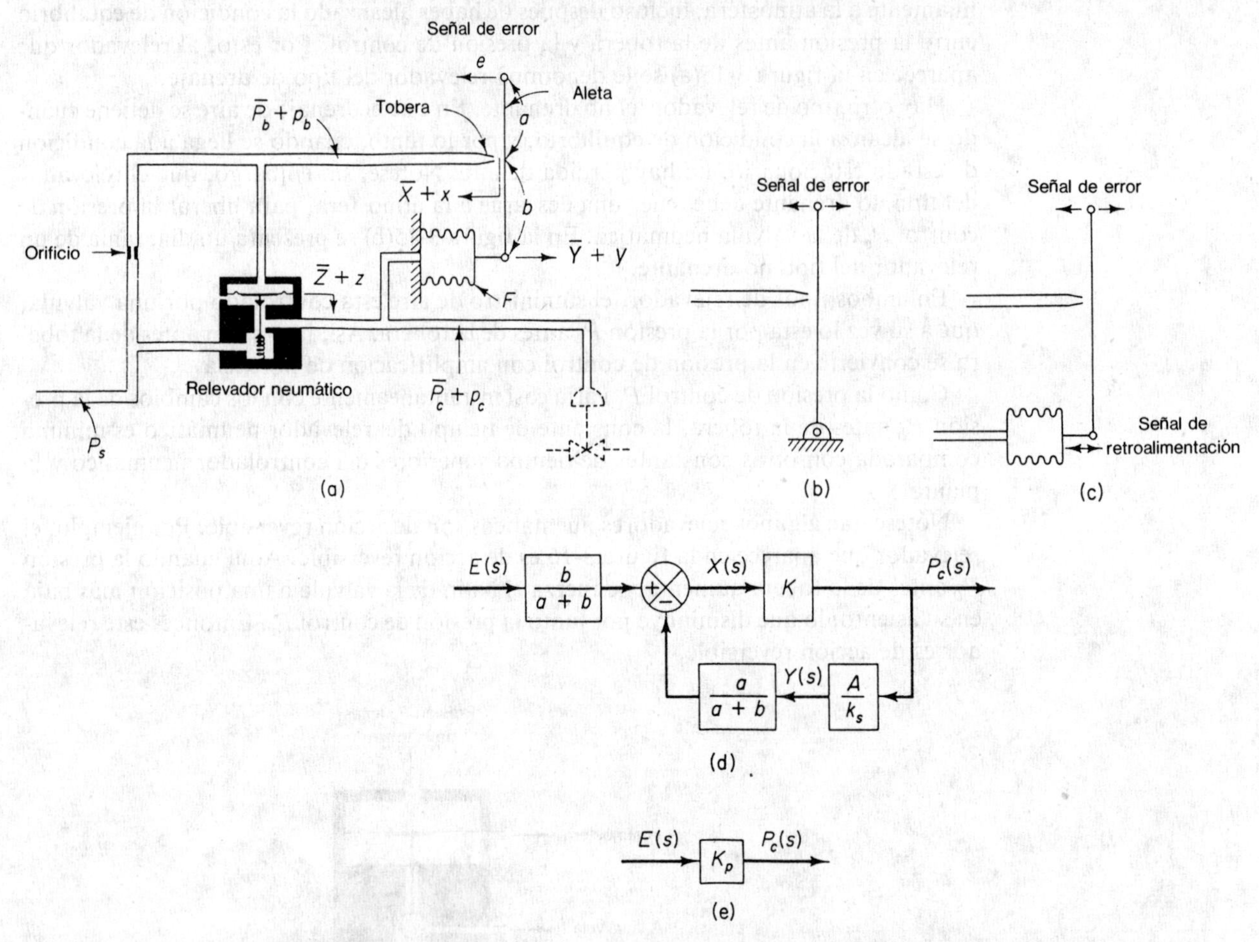


**Figura 3-17** (a) Diagrama de un controlador neumático proporcional del tipo fuerza-distancia; (b) aleta montada en un punto fijo; (c) diagrama de bloques simplificado del controlador; (d) diagrama de bloques para el controlador; (e) diagrama de bloques simplificado para el controlador.

efectivo de la aleta. En lugar de montar la aleta en un punto fijo, como se muestra en la figura 3-17(b), es frecuente hacerla pivotear en el fuelle de retroalimentación, como aparece en la figura 3-17(c). La retroalimentación se puede regular introduciendo un enlace variable entre el fuelle de retroalimentación y el punto de conexión de la aleta. La aleta se convierte entonces en un enlace flotante que puede moverse tanto por la señal de error, como por la señal de retroalimentación.

El funcionamiento del controlador que se muestra en la figura 3-17(a) es el siguiente: la señal de entrada al amplificador neumático de dos etapas es la señal de error; al aumentar ésta la aleta se desplaza hacia la izquierda, lo que a su vez incrementa la presión antes de la tobera, y el diafragma de la válvula se mueve hacia abajo, y al mismo tiempo se produce un aumento de la presión de control. Este crecimiento hace que el fuelle $F$ que mueve la aleta hacia la derecha se expanda para así abrir la tobera. Debido a la retroalimentación, el desplazamiento de la aleta y tobera es muy pequeño, pero la variación de presión de control puede ser elevada.

Es importante notar que para el correcto funcionamiento del controlador, es necesario que el desplazamiento provocado en la aleta por el fuelle sea menor que el producido por la señal de error sola. (Si estos movimientos fueran iguales, ello daría como resultado que no hubiera acción de control).

Las ecuaciones de este controlador se pueden deducir del siguiente modo: cuando el error es cero, o sea $e = 0$, hay un estado de equilibrio con la distancia entre aleta y tobera igual a $\bar{X}$, el desplazamiento del fuelle es igual a $\bar{Y}$, el movimiento de diafragma de valor es $\bar{Z}$, la presión anterior de la tobera es $\bar{P}_b$ y la presión de control es igual a $\bar{P}_c$. Cuando se presenta un error, la distancia entre aleta y tobera, el desplazamiento del fuelle, el movimiento del diafragma, la presión antes de la tobera y la presión de control, se desvían de sus respectivos valores de equilibrio. Sean esas desviaciones $x$, $y$, $z$, $p_b$, y $p_c$, respectivamente. (El sentido positivo del desplazamiento de cada variable está indicado en el diagrama por una flecha).

Suponiendo que la relación entre la variación de la presión antes de la tobera y la distancia aleta-tobera fuera lineal, se tiene que

$$p_b = K_1 x \tag{3–6}$$

donde $K_1$ es una constante positiva. Para el diafragma de la válvula

$$p_b = K_2 z \tag{3–7}$$

donde $K_2$ es una constante positiva. La posición del diafragma de la válvula determina la presión de control. Si el diafragma de la válvula es tal que la relación entre $p_c$ y $z$ sea lineal, entonces

$$p_c = K_3 z \tag{3–8}$$

donde $K_3$ es una constante positiva. De las ecuaciones (3-6), (3-7), y (3-8), se obtiene

$$p_c = \frac{K_3}{K_2} p_b = Kx \tag{3–9}$$

donde $K = K_1K_3/L_2$ es una constante positiva. Para el movimiento de la aleta, se tiene

$$x = \frac{b}{a + b} e - \frac{a}{a + b} y \tag{3–10}$$

El fuelle actúa como un resorte, y la siguiente ecuación se mantiene cierta

$$Ap_c = k_s y \tag{3–11}$$

donde $A$ es el área efectiva del fuelle, y $k_s$ es la constante equivalente del resorte, es decir, la rigidez debida a la acción del lado rugoso del fuelle.

Suponiendo que todas las variaciones de las variables están dentro de un rango lineal, el diagrama de bloques para este sistema se puede obtener a partir de las ecuaciones (3-9), (3-10), y (3-11) como se ve en la figura 3-17(d). De la figura 3-17(d) se puede ver claramente que el controlador neumático de la figura 3-17(a) es, en sí mismo, un sistema retroalimentado. La función de transferencia entre $p_c$ y $e$ está dada por

$$\frac{P_c(s)}{E(s)} = \frac{\frac{b}{a+b}K}{1 + K\frac{a}{a+b}\frac{A}{k_s}} = K_p \tag{3–12}$$

En la figura 3-17(e), se muestra un diagrama de bloques simplificados. Como $p_c$ y $e$ son proporcionales, el controlador neumático de la figura 3-17(a) se denomina *controlador neumático proporcional*. Como se ve en la ecuación (3-12), la ganancia del controlador neumático proporcional se puede variar ampliamente al ajustar el valor efectivo de $k_s$, lo cual se logra fácilmente ajustando el enlace que conecta la aleta. [En la figura 3-17(a) no se muestra el enlace que conecta la aleta]. La mayor parte de los controladores proporcionales comerciales tienen una perilla, un botón, u otro mecanismo para variar la ganancia regulando este enlace.

Como se indicó antes, la señal de error mueve la aleta en un sentido, en tanto que el fuelle de retroalimentación la mueve en sentido contrario, pero en menor grado. El efecto del fuelle de retroalimentación, por lo tanto, es reducir la sensibilidad del controlador. Habitualmente, el principio de retroalimentación se utiliza para lograr controladores de banda proporcional ancha.

Los controladores neumáticos que no tienen mecanismos de retroalimentación [lo que significa que un extremo de la aleta está fijo, como se puede ver en la figura 3-18(a)], tienen alta sensibilidad y se denominan *controladores de dos posiciones* o *controladores neumáticos* de encendido-apagado o intermitentes. En estos controladores, un pequeño desplazamiento entre la aleta y la tobera basta para lograr un cambio completo de máximo a mínimo en la presión de control. En la figura 3-18(b) se muestran las curvas que relacionan $P_b$ con $X$ y $P_c$ con $X$. Nótese que una pequeña variación en $X$ puede producir una modificación grande en $P_b$, lo que hace que el diafragma de la válvula pase de totalmente abierto a totalmente cerrado.

**Controladores neumáticos proporcionales (tipo fuerza-equilibrio).** En la figura 3-19 se muestra el diagrama de un controlador neumático proporcional del tipo fuerza-equilibrio. Estos controladores de fuerza-equilibrio tienen una extensa aplicación en la industria. En ocasiones se les denomina controladores apilados. Su principio básico de funcionamiento no difiere del de los controladores tipo fuerza-distancia. La ventaja principal del control de fuerza-equilibrio es que elimina muchos enlaces mecánicos y juntas de pivotes, con lo que se reducen los efectos de la fricción.

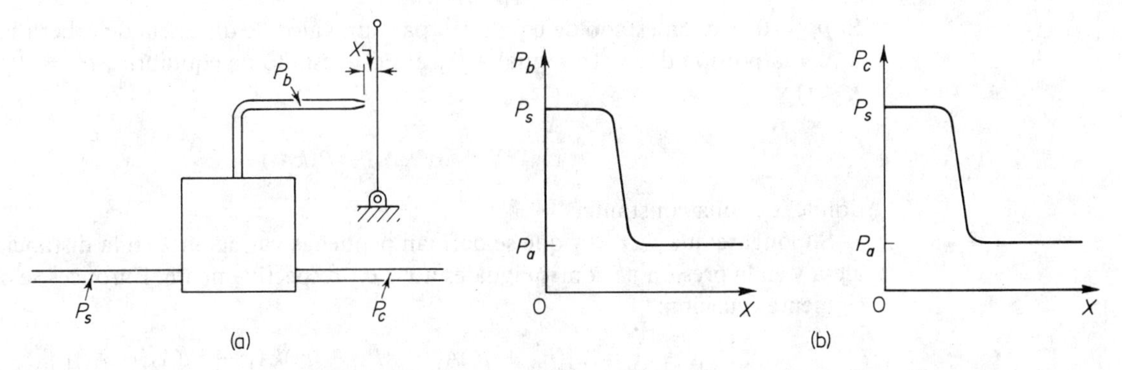


**Figura 3-18** (a) Controlador neumático sin mecanismo de retroalimentación; (b) curvas de $P_b$ en función de $X$ y de $P_c$ en función de $X$.

A continuación, se considerarán los principios de los controladores de fuerza-equilibrio. En el controlador que aparece en la figura 3-19, se alimenta la presión de entrada de referencia $P_r$ y la presión de salida $P_o$ a diafragmas grandes. Nótese que el controlador neumático de fuerza-equilibrio sólo funciona con señales de presión. Por lo tanto, hay que convertir la entrada de referencia y salida del sistema a señales de presión correspondientes.

Como en el caso del controlador de fuerza-distancia, este controlador utiliza una aleta, tobera y orificios. En la figura 3-19, la apertura perforada en el fondo de la cámara es la tobera. El diafragma que aparece justamente encima de la tobera actúa como aleta.

El funcionamiento del controlador de fuerza-equilibrio que aparece en la figura 3-19, se puede resumir del siguiente modo: el suministro de aire a 20 psig, fluye de un orificio produciendo una presión reducida en el fondo de la cámara. Desde esta cámara escapa aire a la atmósfera a través de la tobera. El flujo a través de la tobera depende de la brecha y de la caída de presión en ella. Un aumento en la presión de la entrada de referencia $P_r$ mientras la presión de salida $P_o$ permanece constante, hace descender el vástago de la válvula, disminuyendo la separación entre la tobera y el diafragma-aleta. Esto aumenta la presión, o sea

$$p_e = P_r - P_o \tag{3-13}$$

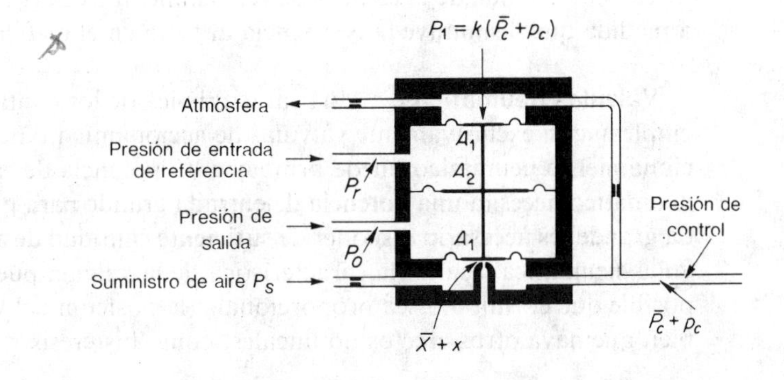


**Figura 3-19** Diagrama de un controlador neumático proporcional del tipo fuerza-equilibrio.

Si $p_e = 0$, hay un estado de equilibrio para un valor de distancia de tobera-aleta igual a $\bar{X}$ y la presión de control igual a $\bar{P}_o$. En este estado de equilibrio, $P_1 = \bar{P}_c k$ (donde $k < 1$) y

$$\bar{X} = \alpha(\bar{P}_c A_1 - \bar{P}_c k A_1) \tag{3–14}$$

donde $\alpha$ es una constante.

Supóngase que $p_e \neq 0$ y que se definan pequeñas variaciones en la distancia tobera-aleta y en la presión de control iguales a $x$ y $p_c$, respectivamente. Entonces se obtiene la siguiente ecuación:

$$\bar{X} + x = \alpha[(\bar{P}_c + p_c)A_1 - (\bar{P}c + p_c)kA_1 - p_e(A_2 - A_1)] \tag{3–15}$$

De las ecuaciones (3-14) y (3-15), se obtiene

$$x = \alpha[p_c(1 - k)A_1 - p_e(A_2 - A_1)] \tag{3–16}$$

En este punto, hay que examinar la magnitud $x$. En el diseño de los controladores neumáticos, la distancia tobera-aleta es muy pequeña. Teniendo en cuenta que $x/\alpha$ es un término de orden superior a $p_c(1 - k)A_1$ o $p_e(A_2 - A_1)$, esto es, para $p_e \neq 0$,

$$\frac{x}{\alpha} \ll p_c(1 - k)A_1$$

$$\frac{x}{\alpha} \ll p_e(A_2 - A_1)$$

en este análisis se puede despreciar el término $x$. Así, la ecuación (3-16) se puede reescribir para reflejar esta suposición del siguiente modo:

$$p_c(1 - k)A_1 = p_e(A_2 - A_1)$$

y la función de transferencia entre $p_c$ se convierte en

$$\frac{P_c(s)}{P_e(s)} = \frac{A_2 - A_1}{A_1} \frac{1}{1 - k} = K_p$$

donde $p_e$ está definida por la ecuación (3-13). El controlador mostrado en la figura 3-19 es un controlador proporcional. El valor de la ganancia $K_p$ aumenta cuando $k$ tiende a la unidad. Nótese que el valor de $k$ depende del diámetro de los orificios en las tuberías de entrada y salida de la cámara de retroalimentación. (El valor de $k$ tiende a la unidad a medida que disminuye la resistencia al flujo en el orificio de la tubería de entrada).

**Válvulas neumáticas.** Una característica de los controladores neumáticos, es que emplean casi exclusivamente válvulas de accionamiento neumático. Una válvula de accionamiento neumático puede brindar gran potencia de salida. (Como un accionador neumático necesita una potencia de entrada grande para producir una potencia de salida grande, es necesario disponer de suficiente cantidad de aire comprimido). En las válvulas neumáticas reales, la característica de la válvula puede ser no lineal, es decir, es posible que el flujo no sea proporcional a la posición del vástago de la válvula, y también que haya otros efectos no lineales, como histéresis.

Considérese el diagrama de una válvula de accionamiento neumático, como la que se muestra en la figura 3-20. Supóngase que el área del diafragma es $A$. Supóngase también que cuando el error es cero, la presión de control es igual a $\bar{P}_c$ y que el desplazamiento de la válvula es igual a $\bar{X}$.

En el análisis siguiente se consideran pequeñas variaciones en las variables y se linealiza la válvula neumática. Defínase a la pequeña variación en la presión de control y el correspondiente desplazamiento de la válvula, como $p_c$ y $x$, respectivamente. Con una pequeña modificación en la fuerza debido a la presión neumática aplicada al diafragma, se reposiciona la carga formada por el resorte, la fricción viscosa y la masa, la ecuación de equilibrio de fuerzas se convierte en

$$Ap_c = m\ddot{x} + b\dot{x} + kx \qquad (3\text{–}17)$$

donde $m$ = masa de la válvula y su vástago
$b$ = coeficiente de fricción viscosa
$k$ = constante del resorte

Si la fuerza debida a la masa y a la fricción viscosa es demasiado pequeña, la ecuación (3-17) se puede simplificar como

$$Ap_c = kx$$

La función de transferencia entre $x$ y $p_c$ se convierte en

$$\frac{X(s)}{P_c(s)} = \frac{A}{k} = K_c$$

donde $X(s) = \mathscr{L}[x]$ y $P_c(s) = \mathscr{L}[p_c]$. Si $q_i$, la variación de flujo a lo largo de la válvula neumatica, es proporcional a $x$ que es la variación en el desplazamiento del vástago de la válvula, entonces

$$\frac{Q_i(s)}{X(s)} = K_q$$

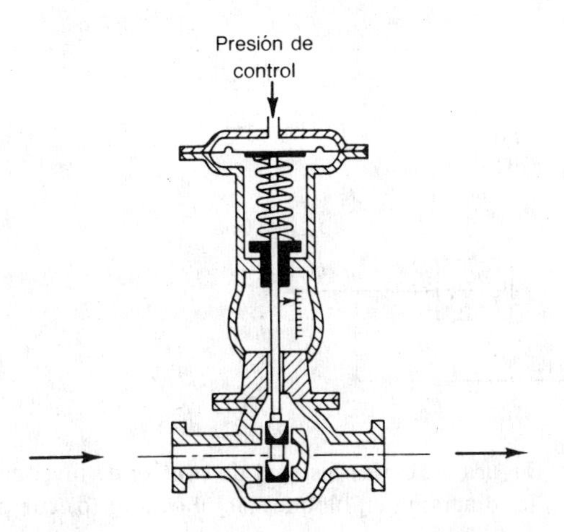


**Figura 3-20**
Diagrama de una válvula accionadora neumática.

donde $Q_i(s) = \mathscr{L}[q_i]$ y $K_q$ es una constante. La función de transferencia entre $q_i$ y $p_c$ se convierte en

$$\frac{Q_i(s)}{P_c(s)} = K_c K_q = K_v$$

donde $K_v$ es una constante.

La presión de control para este tipo de válvula neumática está entre 3 y 15 psig. El desplazamiento del vástago de la válvula está limitado por el recorrido permisible del diafragma, y es de sólo unas pocas pulgadas. Si se requiere un recorrido mayor, hay que emplear una combinación de pistón y resorte.

En válvulas neumáticas, la fuerza de fricción estática debe quedar limitada a un valor pequeño, para que no se produzca una histéresis excesiva. Debido a la compresibilidad del aire, la acción de control puede no ser positiva; esto es, puede darse un error en la posición del vástago de la válvula. Utilizando un posicionador de válvula se logra mejorar su funcionamiento.

**Controlador proporcional de un sistema de primer orden.** Considérese el sistema de control de nivel de líquido de la figura 3-21(a). [Se supone que el controlador es del tipo proporcional mostrado en la figura 3-17(a)]. Se supone que todas las variables $r$, $q_i$, $h_1$, y $q_o$ están medidas desde sus valores de reposo respectivos $\bar{R}$, $\bar{Q}$, $\bar{H}$, y $\bar{Q}$. Se supone también que las magnitudes de las variables $r$, $q_i$, $h_1$, y $q_o$ son suficientemente pequeños como para que se pueda aproximar al sistema con un modelo matemático lineal, es decir, una función de transferencia.

Con base en la sección 2-7, se puede obtener la función de transferencia del sistema de nivel de líquido como

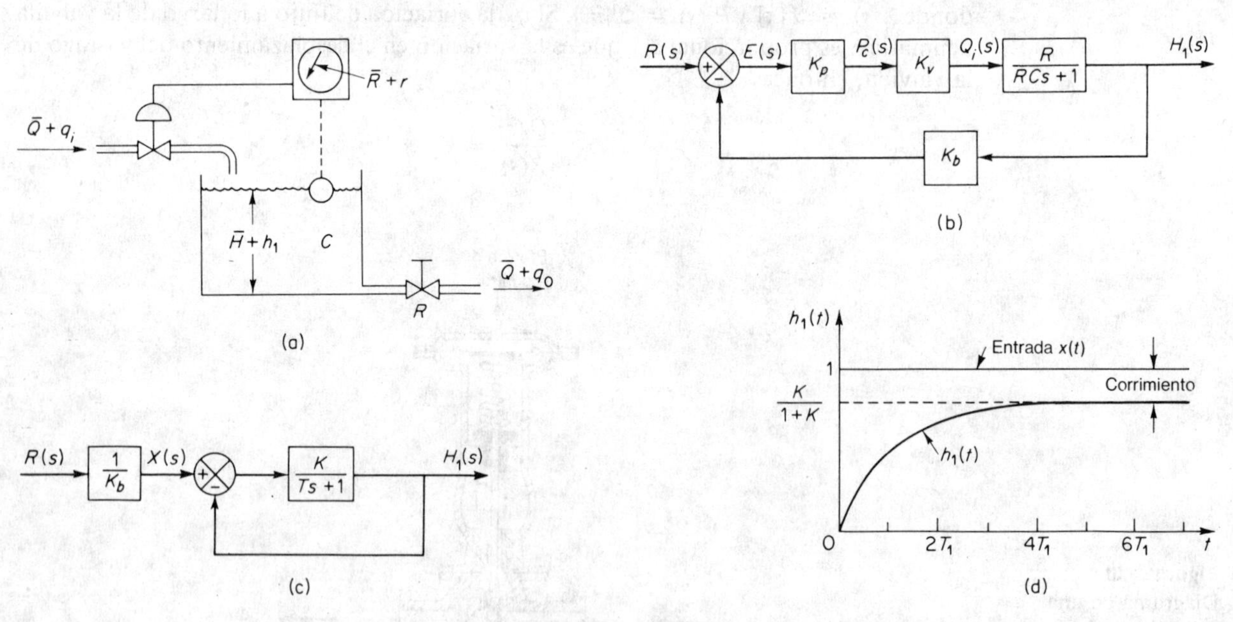


**Figura 3-21** (a) Sistema de control de nivel de líquido; (b) diagrama de bloques; (c) diagrama en bloques simplificado; (d) curvas de $h_1(t)$ en función de $t$.

$$\frac{H_1(s)}{Q_i(s)} = \frac{R}{RCs + 1}$$

Como el controlador es proporcional, la modificación en el flujo entrante $q_i$ es proporcional al error actuante $e$ de manera que $q_i = K_p K_v e$, donde $K_p$ es la ganancia del controlador y $K_v$ es la ganancia de la válvula de control. En términos de la transformada de Laplace,

$$Q_i(s) = K_p K_v E(s)$$

En la figura 3-21(b) se muestra un diagrama de bloques de este sistema. También en la figura 3-21(c) un diagrama de bloques simplificado, donde $X(s) = (1/K_b)R(s)$, $K = K_p K_v R K_b$, y $T = RC$.

A continuación se estudiará la respuesta $h_1(t)$ a un cambio en la entrada de referencia. Considérese que se produce una modificación escalón unitario en $x(t)$, donde $x(t) = (1/K_b)r(t)$. La función de transferencia de lazo cerrado entre $H_1(s)$ y $X(s)$ está dada por

$$\frac{H_1(s)}{X(s)} = \frac{K}{Ts + 1 + K} \tag{3–18}$$

Como la transformada de Laplace de la función escalón unitario es $1/s$, sustituyendo $X(s) = 1/s$ en la ecuación (3-18) se tiene

$$H_1(s) = \frac{K}{Ts + 1 + K}\frac{1}{s}$$

Al expandir $H_1(s)$ en fracciones parciales resulta

$$H_1(s) = \frac{K}{1 + K}\frac{1}{s} - \frac{TK}{1 + K}\frac{1}{Ts + 1 + K}$$

Tomando las transformadas inversas de Laplace en ambos miembros de esta última ecuación, se obtiene la siguiente solución temporal $h_1(t)$

$$h_1(t) = \frac{K}{1 + K}(1 - e^{-t/T_1}) \qquad (t \geq 0) \tag{3–19}$$

donde

$$T_1 = \frac{T}{1 + K}$$

La curva de respuesta $h_1(t)$ se presenta en la figura 3-21(d). De la ecuación (3-19) se ve que la constante de tiempo $T_1$ del sistema de lazo cerrado es diferente a la constante de tiempo $T$ del bloque en la línea recta.

De la ecuación (3-19) se ve que, a medida que $t$ tiende a infinito, el valor de $h_1(t)$ tiende a $K/(1 + K)$, o

$$h_1(\infty) = \frac{K}{1 + K}$$

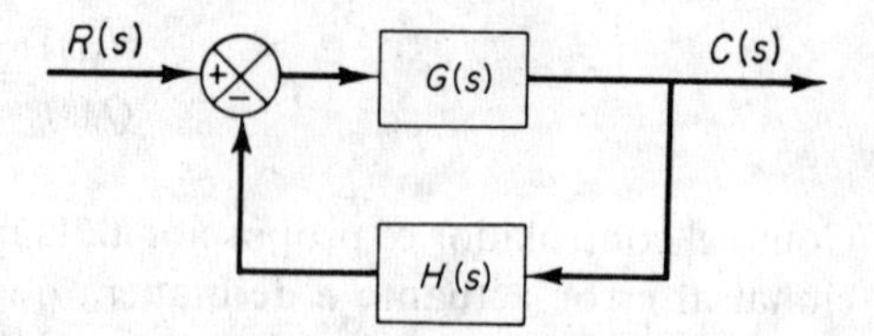


**Figura 3-22**
Sistema de control.

Como $x(\infty) = 1$, hay un error en estado estacionario de $1/(1 + K)$. A este error se le denomina corrimiento. El valor del corrimiento disminuye a medida que la ganancia $K$ se incrementa.

El corrimiento es una característica del control proporcional de una planta, cuya función de transferencia no posee un elemento integrador. (En un caso así se requiere un error no cero para dar una salida no cero). Para eliminar este corrimiento, se debe añadir una acción de control integral. (Ver sección 3-5).

**Principio básico para obtener las acciones de control derivativa e integral.** Ahora se presentan los métodos para obtener las acciones de control derivativa e integral. Nuevamente se pondrá énfasis en los principios y no en los detalles de los mecanismos en sí.

El principio básico para generar una acción de control deseada, es insertar la inversa de la función de transferencia deseada en el lazo de retroalimentación. Para el sistema que se muestra en la figura 3-22, la función de transferencia de lazo cerrado es

$$\frac{C(s)}{R(s)} = \frac{G(s)}{1 + G(s)H(s)}$$

Si $|G(s)H(s)| \gg 1$, entonces $C(s)/R(s)$ se puede modificar a

$$\frac{C(s)}{R(s)} = \frac{1}{H(s)}$$

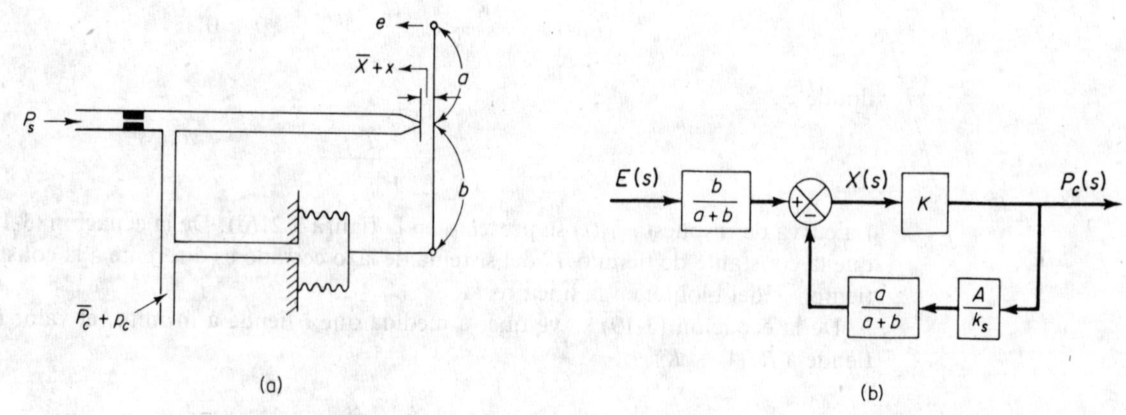


**Figura 3-23** (a) Controlador neumático proporcional; (b) diagrama de bloques del controlador.

Así, si se desea una acción de control proporcional y derivativa, se inserta un elemento que tenga la función de transferencia $1/(Ts + 1)$ en la trayectoria de retroalimentación.

Considere el controlador neumático de la figura 3-23(a). Considerando variaciones pequeñas en las variables, se puede trazar un diagrama de bloques de este controlador como el de la figura 3-23(b). Del diagrama de bloques se puede ver que el controlador es de tipo proporcional.

Se mostrará ahora que al agregar una restricción en el lazo de retroalimentación negativo, se modificará el control proporcional, transformándolo en un control proporcional-derivativo.

Considere el controlador neumático de la figura 3-24(a). Suponiendo nuevamente pequeños cambios en el error, en la distancia tobera-aleta y en la presión de control, el funcionamiento de este control se puede resumir como sigue: se supone un pequeño cambio escalón en $e$. Entonces el cambio en la presión de control $p_c$ será instantáneo. La restricción $R$ impide en forma momentánea que el fuelle de retroalimentación reciba la modificación de presión $p_c$. Así el fuelle de retroalimentación no responde al instante, y la válvula accionadora neumática recibe todo el efecto del movimiento de la aleta. Al transcurir el tiempo, el fuelle de retroalimentación se expande o se contrae. La modificación de distancia $x$ entre tobera y aleta, y la modificación de la presión $p_c$, se pueden representar en función del tiempo $t$, según se muestra en la figura 3-24(b). En estado estacionario, el fuelle de retroalimentación actúa como un mecanismo de retroalimentación ordinario. La curva $p_c$ en función de $t$ muestra claramente que este controlador es proporcional-derivativo.

En la figura 3-24(c) se ve un diagrama de bloques correspondiente a este controlador neumático. En el diagrama de bloques, $K$ es una constante, $A$ es el área del fuelle y $k_s$

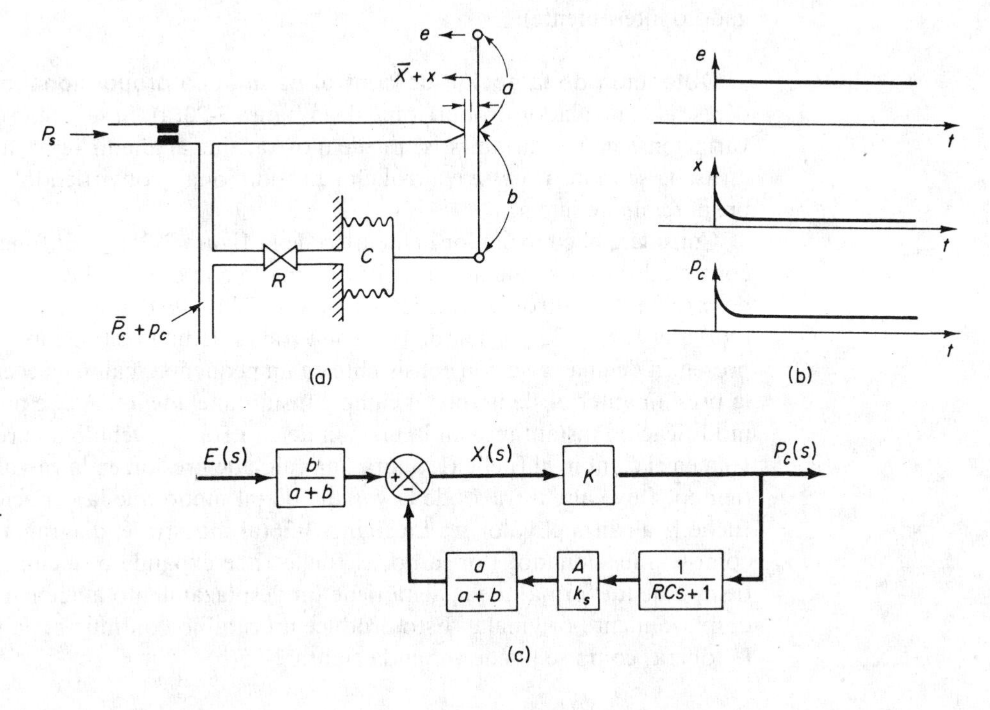


**Figura 3-24**
(a) Controlador neumático proporcional y derivativo;
(b) cambio escalón en $e$ y los correspondientes cambios en $x$ y en $p_c$ respresentados en función de $t$;
(c) diagrama de bloques del controlador.

es la constante equivalente elástica del fuelle. La función de transferencia entre $p_c$ y $e$ se puede obtener del diagrama de bloques como sigue:

$$\frac{P_c(s)}{E(s)} = \frac{\frac{b}{a+b}K}{1 + \frac{Ka}{a+b}\frac{A}{k_s}\frac{1}{RCs+1}}$$

En general, en un controlador como éste la ganancia de lazo $|KaA/[(a+b)k_s(RCs+1)]|$ es mucho mayor que la unidad. Entonces la función de transferencia $P_c(s)/E(s)$ se puede simplificar para que dé

$$\frac{P_c(s)}{E(s)} = K_p(1 + T_d s)$$

donde

$$K_p = \frac{bk_s}{aA}, \qquad T_d = RC$$

Así, la retroalimentación negativa atrasada, o la función de transferencia $1/(RCs+1)$ en el lazo de retroalimentación, modifica al controlador proporcional convirtiéndolo en un controlador proporcional-derivativo.

Nótese que si la válvula de retroalimentación está totalmente abierta, la acción de control se hace proporcional. Si la válvula de retroalimentación está totalmente cerrada, la acción de control se hace proporcional de banda estrecha (tipo encendido-apagado o intermitente).

**Obtención de la acción de control neumática proporcional e integral.** Considérese el controlador proporcional de la figura 3-23(a). Si se toman en cuenta pequeñas variaciones en las variables, se puede mostrar que al añadir retroalimentación positiva atrasada se modifica este controlador proporcional, convirtiéndolo en un controlador proporcional e integral.

Considere el controlador neumático de la figura 3-25(a). El funcionamiento de este controlador es el siguiente: el fuelle designado como fuelle I está conectado a la fuente de presión de control sin restricción alguna. El fuelle denominado fuelle II está conectado a la fuente de presión de control a través de una restricción. Supóngase ahora la presencia de una variación consistente en un pequeño escalón en el error. Esto hace que la presión anterior de la tobera cambie instantáneamente. Así se produce también una modificación instantánea en la presión de control $p_c$. Debido a la restricción de la válvula en el cambio al fuelle II, habrá una caída de presión en la válvula. Al transcurrir el tiempo, fluye aire a través de la válvula de tal modo que la variación de presión en el fuelle II alcanza el valor $p_c$. La figura 3-26(a) muestra el diagrama de un controlador como el mencionado. Por tanto, el fuelle II se expande o se contrae al transcurrir el tiempo de tal forma que la aleta tiene un desplazamiento adicional en la dirección del desplazamiento original $e$. Esto produce un cambio continuo en la presión anterior en la tobera, como se puede ver en la figura 3-25(b).

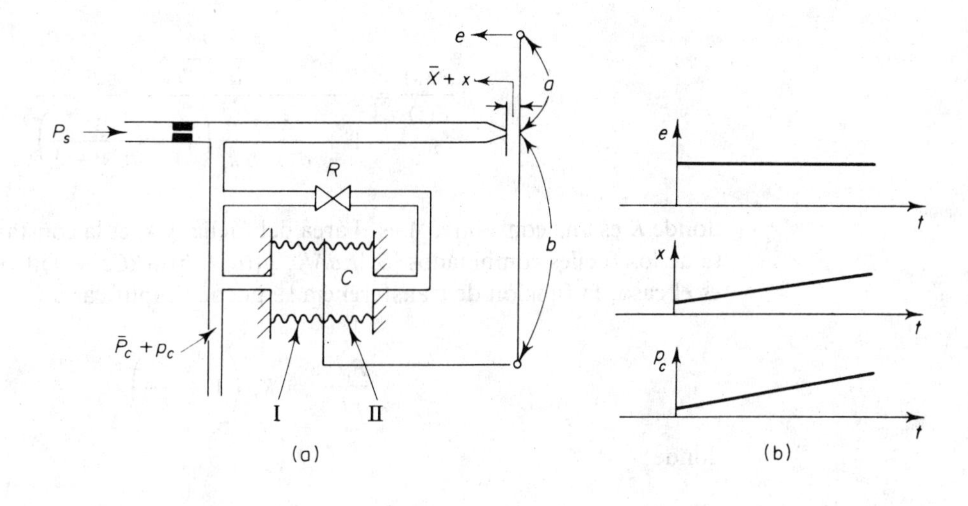


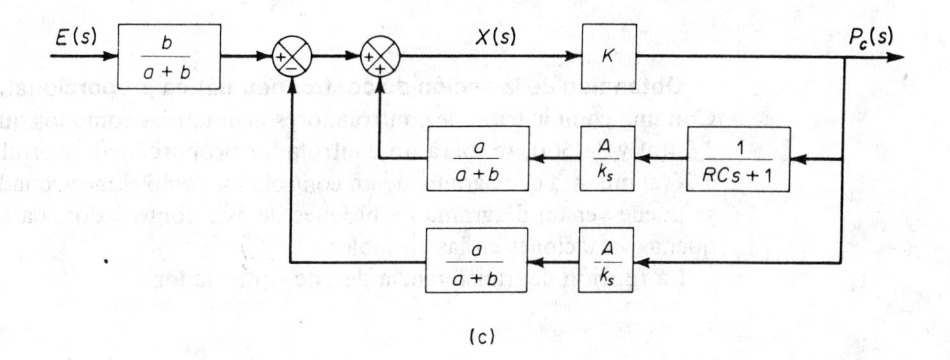


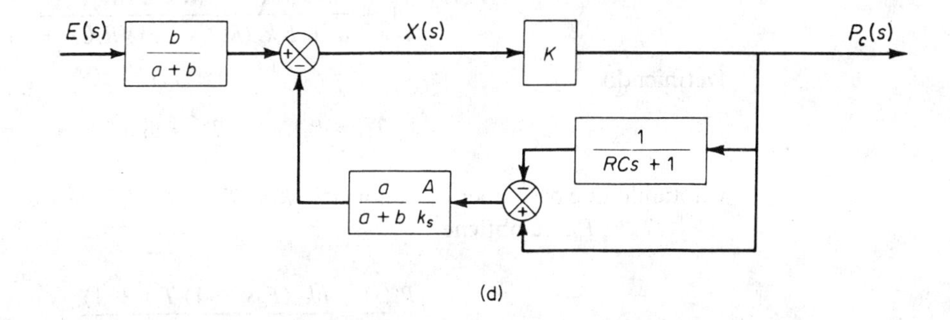


**Figura 3-25**
(a) Controlador neumático proporcional e integral; (b) cambio escalón en $e$ y los cambios correspondientes en $x$ y en $p_c$ representados en función de $t$; (c) diagrama de bloques del controlador; (d) diagrama de bloques simplificado.

Nótese que la acción de control integral en este controlador toma la forma de una cancelación lenta de la retroalimentación que suministraba originalmente el control proporcional.

En la figura 3-25(c) se puede ver un diagrama de bloques de este controlador, en el supuesto de un funcionamiento con pequeñas variaciones en las variables. En la figura 3-25(d) se muestra un diagrama de bloques simplificado. La función de transferencia de este control es

$$\frac{P_c(s)}{E(s)} = \frac{\dfrac{b}{a+b}K}{1 + \dfrac{Ka}{a+b}\dfrac{A}{k_s}\left(1 - \dfrac{1}{RCs+1}\right)}$$

donde $K$ es una constante, $A$ es el área del fuelle, y $k_s$ es la constante elástica equivalente de los fuelles combinados. Si $|KaARCs/[(a+b)k_s(RCs+1)]| \gg 1$, que por lo general es el caso, la función de transferencia se puede simplificar a

$$\frac{P_c(s)}{E(s)} = K_p\left(1 + \frac{1}{T_i s}\right)$$

donde

$$K_p = \frac{bk_s}{aA}, \qquad T_i = RC$$

**Obtención de la acción de control neumática proporcional, integral y derivativa.** Con una combinación de controladores neumáticos como los que se ven en las figuras 3-24(a) y 3-25(a), se logra un controlador proporcional-integral-derivativo. La figura 3-26(a) muestra el diagrama de un controlador como el mencionado. En la figura 3-26(b) se puede ver un diagrama de bloques de este controlador, bajo la presunción de pequeñas variaciones en las variables.

La función de transferencia de este controlador es

$$\frac{P_c(s)}{E(s)} = \frac{\dfrac{bK}{a+b}}{1 + \dfrac{Ka}{a+b}\dfrac{A}{k_s}\dfrac{(R_iC - R_dC)s}{(R_dCs+1)(R_iCs+1)}}$$

Definiendo

$$T_i = R_iC, \qquad T_d = R_dC$$

y notando que bajo operación normal, $|KaA(T_i - T_d)s/[(a+b)k_s(T_ds+1)(T_is+1)]| \gg 1$ y $T_i \gg T_d$, se obtiene

$$\begin{aligned}\frac{P_c(s)}{E(s)} &\doteqdot \frac{bk_s}{aA}\frac{(T_ds+1)(T_is+1)}{(T_i - T_d)s} \\ &\doteqdot \frac{bk_s}{aA}\frac{T_dT_is^2 + T_is + 1}{T_is} \\ &= K_p\left(1 + \frac{1}{T_is} + T_ds\right)\end{aligned} \qquad (3\text{–}20)$$

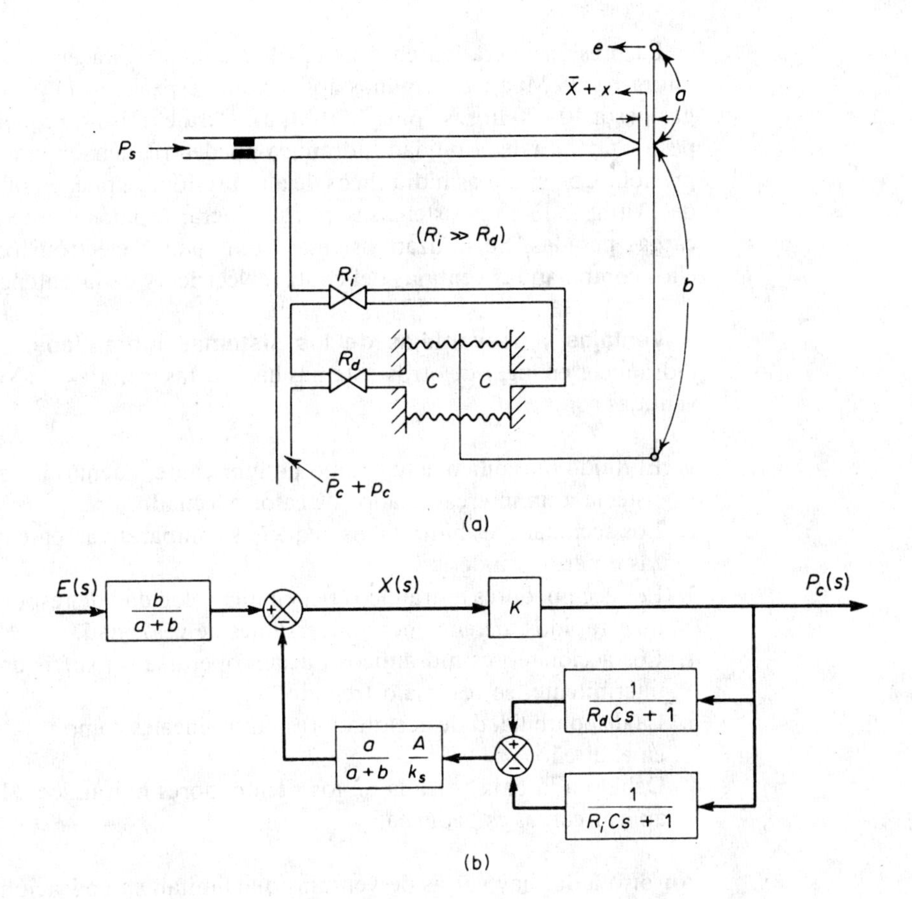


**Figura 3-26**
(a) Controlador neumático proporcional-integral-derivativo; (b) diagrama de bloques del controlador.

donde

$$K_p = \frac{bk_s}{aA}$$

La ecuación (3-20) indica que el controlador en la figura 3-26(a) es un controlador proporcional-integral-derivativo.

## 3-4 CONTROLADORES HIDRAULICOS

Excepto para los controladores neumáticos de baja presión, rara vez se ha utilizado el aire comprimido para el control continuo de movimiento en dispositivos de masa significativa bajo fuerzas de carga externa. Para tales casos, se prefieren los controladores hidráulicos generalmente.

**Sistemas hidráulicos.** Debido a diversos factores como su positividad, precisión, flexibilidad, elevada relación entre potencia y peso, arranque rápido, rápida detención, inversión con suavidad y precisión, y simplicidad de operación, los circuitos hidráulicos tienen aplicación amplia en máquinas herramienta, sistemas de control en aeronaves y operaciones similares.

La presión operativa en sistemas hidráulicos, está entre 145 y 5000 $libras_f/pulg^2$ (entre 1 y 35 Mpa). En algunas aplicaciones especiales, la presión operativa puede llegar hasta 10,000 $libras_f/pulg^2$ (70 Mpa). Para el mismo requerimiento de potencia, el peso y tamaño de la unidad hidráulica pueden reducirse aumentando el suministro de presión. Con sistemas hidráulicos de alta presión, se pueden obtener fuerzas muy grandes. Utilizando estos sistemas se pueden lograr rápidos y precisos posicionamientos de cargas pesadas. Se utilizan sistemas combinados electrónicos e hidráulicos, porque ellos combinan las ventajas del control eléctrico y de la potencia hidráulica.

**Ventajas y desventajas de los sistemas hidráulicos.** En el uso de sistemas hidráulicos en lugar de otros sistemas hay ciertas ventajas y desventajas. Algunas de las ventajas son:

1. El fluido hidráulico actúa como un lubricante, además lleva el calor generado en el sistema a un intercambiador de calor adecuado.
2. Los accionadores hidráulicos pequeños comparativamente pueden desarrollar fuerzas o pares grandes.
3. Los accionadores hidráulicos tienen una velocidad de respuesta más ágil, con arranques rápidos, detenciones e inversiones de velocidad.
4. Los accionadores hidráulicos pueden operarse sin sufrir daño en forma continua, intermitente, en reversa o frenado.
5. La disponibilidad de accionadores tanto lineales como rotativos brinda flexibilidad en el diseño.
6. Debido a la baja pérdida de los accionadores hidráulicos, la caída de velocidad al aplicar cargas es pequeña.

Por otro lado, hay varias desventajas que limitan su aplicación.

1. No se dispone de la potencia hidráulica tan fácilmente como de la potencia eléctrica.
2. El costo de un sistema hidráulico puede ser superior al de un sistema eléctrico comparable que realizará una función similar.
3. Si no se utilizan fluidos resistentes al fuego hay riesgo de incendio y explosión.
4. Como es muy difícil mantener un sistema hidráulico libre de fugas, el sistema tiende a ser sucio.
5. El aceite contaminado puede causar fallas en el funcionamiento correcto de un sistema hidráulico.
6. Como resultado de las no linealidades y otras características complejas, el diseño de sistemas hidráulicos sofisticados es sumamente complejo.
7. En general los circuitos hidráulicos tienen características de amortiguación pobres. Si un circuito hidráulico no se diseña adecuadamente, pueden aparecer y desaparecer algunos fenómenos de inestabilidad, según las condiciones de operación.

**Comentarios.** Para asegurar que el sistema hidráulico sea estable bajo todas las condiciones de funcionamiento se requiere una particular atención. Como la viscosidad del fluido hidráulico afecta mucho los efectos de amortiguamiento y fricción de los circuitos hidráulicos, las pruebas de estabilidad deben realizarse a temperaturas de operación lo más alto posible.

Se debe tener en cuenta que la mayor parte de los circuitos hidráulicos no son lineales. Sin embargo, en ocasiones es posible linealizar sistemas no lineales para reducir su complejidad, y permitir soluciones lo suficientemente precisas para la mayoría de las aplicaciones. En la sección 2-10 se presentó una técnica de linealización útil para tratar el caso de sistemas no lineales.

**Controladores hidráulicos integrales.** El servomotor hidráulico que aparece en la figura 3-27, consiste esencialmente en un actuador y un amplificador hidráulico de potencia controlado por una válvula piloto. La válvula piloto está balanceada en el sentido de que todas las fuerzas de presión que actúan sobre ella están equilibradas. Una gran salida de potencia se puede controlar con una válvula piloto, que puede colocarse en su posición con muy poca potencia.

A continuación se mostrará que para el caso de una carga de masa demasiado pequeña, el servomotor que se ve en la figura 3-27 actúa como un integrador o controlador integral. Este servomotor constituye la base del circuito de control hidráulico.

En el servomotor que aparece en la figura 3-27, la válvula piloto (una válvula de cuatro vías) tiene dos posiciones en el cilindro. Si el ancho del asiento es menor que la compuerta en el cilindro de la válvula, se dice que la válvula está *sublapada*. Las válvulas *sobrelapadas* tienen un asiento que es mayor que la compuerta correspondiente. Se llama *cero-lapada* a la que tiene un ancho igual al de la compuerta. (Si la válvula piloto no es una válvula cero-lapada, los análisis de los servomotores hidráulicos se hacen sumamente complicados).

En este análisis, se supone que el fluido hidráulico es incompresible y que la inercia del pistón de potencia y la carga son insignificantes frente a la fuerza hidráulica en el pistón de potencia. Se presume también que la válvula piloto es una válvula cero-lapada, y que el flujo del aceite es proporcional al desplazamiento de la válvula.

El funcionamiento de este servomotor hidráulico es el siguiente: si la entrada $x$ desplaza la válvula piloto hacia la derecha, se destapa la compuerta I, de modo que entra aceite a alta presión hacia la derecha del cilindro del pistón. Como la compuerta II está conectada a la compuerta de drenaje, el aceite que se encuentra al lado izquierdo del pistón de potencia retorna al drenaje. El aceite que penetra al cilindro de potencia se encuentra a alta presión; el que sale del cilindro de potencia hacia el drenaje, está a

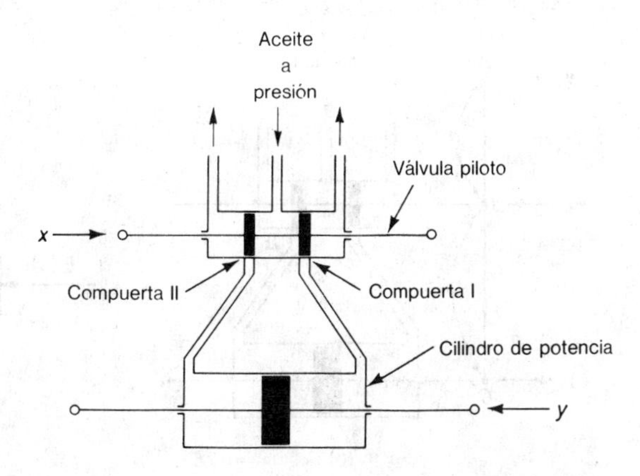


**Figura 3-27** Servomotor hidráulico.

baja presión. La diferencia resultante en presiones a ambos lados del cilindro de potencia hace que éste se desplace hacia la izquierda.

Nótese que el flujo del aceite $q$ (kg/s) multiplicado por $dt$ (seg) es igual al desplazamiento del pistón de potencia $dy$ (m) multiplicado por el área del pistón $A$(m$^2$), multiplicado por la densidad $\rho$ (kg/m$^3$). Por lo tanto,

$$A\rho\, dy = q\, dt \tag{3-21}$$

En el supuesto de que el flujo de aceite $q$ fuera proporcional al desplazamiento de la válvula piloto $x$, se tiene

$$q = K_1 x \tag{3-22}$$

donde $K_1$ es una constante positiva. De las ecuaciones (3-21) y (3-22), se obtiene

$$A\rho \frac{dy}{dt} = K_1 x$$

La transformada de Laplace de esta última ecuación, suponiendo condición inicial cero, es

$$A\rho s Y(s) = K_1 X(s)$$

o

$$\frac{Y(s)}{X(s)} = \frac{K_1}{A\rho s} = \frac{K}{s}$$

donde $K = K_1/(A\rho)$. Así, el servomotor hidráulico de la figura 3-27 actúa como un controlador integral.

**Controladores hidráulicos proporcionales.** Se ha demostrado que el servomotor de la figura 3-27 funciona como un controlador integral. Este servomotor se puede modificar para convertirlo en un controlador proporcional por medio de un enlace de retroalimentación. Considérese el controlador hidráulico que aparece en la figura 3-28(a). El lado izquierdo de la válvula piloto está unido al lado izquierdo del pistón o cilindro de potencia por el enlace $ABC$. Este enlace es flotante en lugar de móvil alrededor de un pivote fijo.

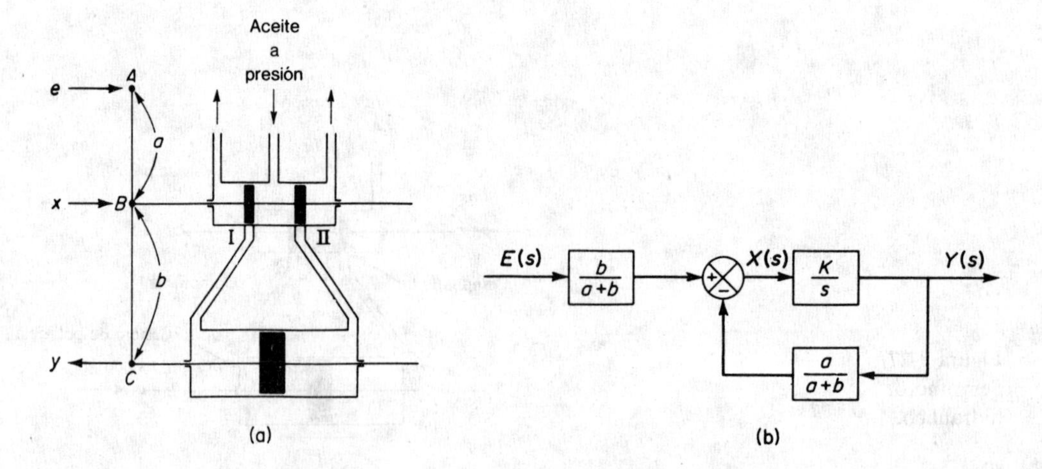


**Figura 3-28**
(a) Servomotor que actúa como controlador proporcional; (b) diagrama de bloques del servomotor.

El controlador funciona del siguiente modo: si la entrada $x$ mueve la válvula piloto hacia la derecha, se abre la compuerta II y fluye aceite a presión alta a través de la compuerta II hacia el lado derecho del pistón de potencia, forzando al pistón hacia la izquierda. El pistón de potencia, al desplazarse hacia la izquierda, lleva consigo el enlace de retroalimentación $ABC$, desplazando así la válvula piloto hacia la izquierda. Esta acción continúa hasta que el pistón piloto cubre nuevamente las compuertas I y II. En la figura 3-28(b) se presenta un diagrama de bloques del sistema. La función de transferencia entre $Y(s)$ y $E(s)$ está dada por

$$\frac{Y(s)}{E(s)} = \frac{\frac{b}{a+b}\frac{K}{s}}{1 + \frac{K}{s}\frac{a}{a+b}}$$

$$= \frac{bK}{s(a+b) + Ka}$$

Notándose que bajo condiciones normales de operación se tiene $|Ka/[s(a + b)]| \gg 1$, esta última ecuación puede simplificarse a

$$\frac{Y(s)}{E(s)} = \frac{b}{a} = K_p$$

La función de transferencia entre $x$ e $y$ se convierte en una constante. Entonces, el controlador hidráulico de la figura 3-28(a) actúa como un controlador proporcional, cuya ganancia es igual a $K_p$. Esta ganancia se puede ajustar modificando efectivamente la relación $b/a$. (En el diagrama no se muestra el mecanismo de ajuste).

Así se puede ver que el agregar una palanca de retroalimentación hace funcionar al servomotor hidráulico como un controlador proporcional.

**Amortiguadores.** El amortiguador mostrado en la figura 3-29(a) actúa como un elemento diferenciador. Supóngase que se introduce un desplazamiento escalón en la posición $x$ del pistón. De momento se produce un desplazamiento $y$ igual a $x$. Sin embargo, debido a la acción del resorte, fluye aceite a través de la resistencia $R$ y el ci-

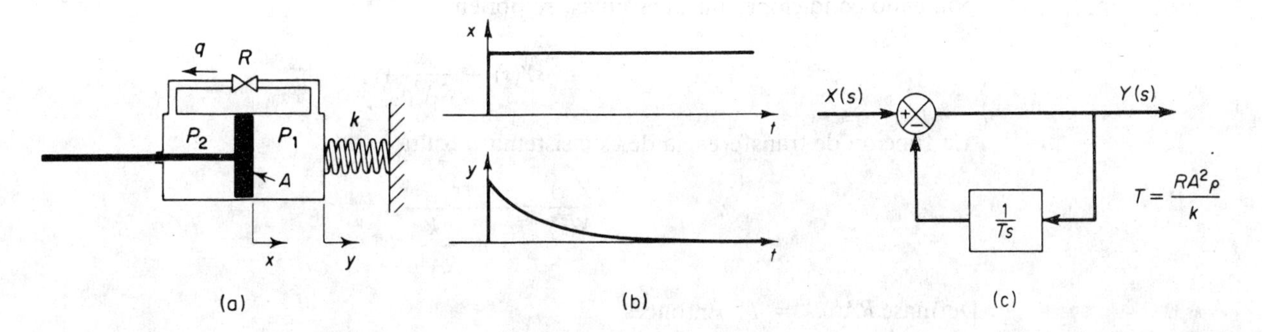


**Figura 3-29** (a) Amortiguador; (b) cambio escalón en $x$ y el correspondiente cambio en $y$ representado en función de $t$; (c) diagrama de bloques del amortiguador.

lindro regresa a su posición original. En la figura 3-29(b) se presentan las curvas de $x$ en función de $t$ y de $y$ en función de $t$.

Ahora hay que deducir la función de transferencia entre el desplazamiento $y$ y el desplazamiento $x$. Las presiones a derecha e izquierda del pistón, se designan como $P_1(\mathrm{N/m^2})$ y $P_2(\mathrm{N/m^2})$, respectivamente. Supóngase que la fuerza de inercia que interviene es insignificante. Así, la fuerza que actúa sobre el pistón debe equilibrar la fuerza del resorte. Entonces

$$A(P_1 - P_2) = ky$$

donde $A$ = área del pistón, en $\mathrm{m^2}$
$k$ = constante del resorte, en n/m

El gasto $q$ está dado por

$$q = \frac{P_1 - P_2}{R}$$

donde $q$ = gasto a través de la restricción, en kg/s
$R$ = resistencia al flujo en la restricción, en $\mathrm{N\text{-}s/m^2\text{-}kg}$

Como el flujo a través de la restricción durante $dt$ segundos debe igualar el cambio de masa de aceite a la izquierda del pistón durante esos mismos $dt$ segundos, se obtiene

$$q\,dt = A\rho(dx - dy)$$

donde $\rho$ = densidad, en $\mathrm{kg/m^3}$. (Se supone que el fluido no es compresible, o $\rho$ = constante). Esta última ecuación puede reescribirse como

$$\frac{dx}{dt} - \frac{dy}{dt} = \frac{q}{A\rho} = \frac{P_1 - P_2}{RA\rho} = \frac{ky}{RA^2\rho}$$

o

$$\frac{dx}{dt} = \frac{dy}{dt} + \frac{ky}{RA^2\rho}$$

Tomando la transformada de Laplace en ambos miembros de esta última ecuación, suponiendo condiciones iniciales nulas, se obtiene

$$sX(s) = sY(s) + \frac{k}{RA^2\rho}Y(s)$$

La función de transferencia de este sistema, resulta

$$\frac{Y(s)}{X(s)} = \frac{s}{s + \dfrac{k}{RA^2\rho}}$$

Defínase $RA^2\rho/k = T$. Entonces

$$\frac{Y(s)}{X(s)} = \frac{Ts}{Ts + 1} = \frac{1}{1 + \dfrac{1}{Ts}}$$

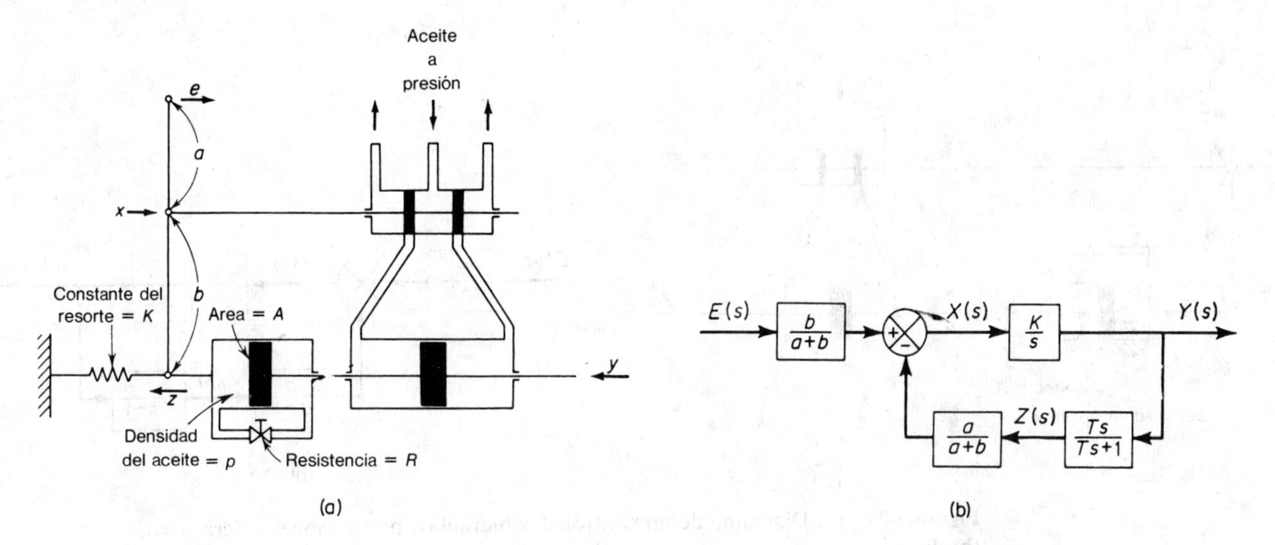


**Figura 3-30** (a) Diagrama de un controlador hidráulico proporcional e integral; (b) diagrama de bloques del controlador.

En la figura 3-29(c) se puede ver un diagrama de bloques de este sistema.

**Obtención de la acción de control hidráulica proporcional e integral.** La figura 3-30(a) muestra el diagrama de un controlador hidráulico proporcional e integral. En la figura 3-20(b) se muestra un controlador. La función de transferencia $Y(s)/E(s)$ está dada por

$$\frac{Y(s)}{E(s)} = \frac{\dfrac{b}{a+b}\dfrac{K}{s}}{1 + \dfrac{Ka}{a+b}\dfrac{T}{Ts+1}}$$

En un controlador así, en operación normal de funcionamiento, $|KaT/[(a + b)(Ts + 1)]| \gg 1$, con el resultado de

$$\frac{Y(s)}{E(s)} = K_p\left(1 + \frac{1}{T_i s}\right)$$

donde

$$K_p = \frac{b}{a}, \qquad T_i = T = \frac{RA^2\rho}{k}$$

Así, el controlador de la figura 3-30(a) es un controlador proporcional-integral.

**Obtención de la acción de control hidráulica proporcional y derivativa.** En la figura 3-31(a) se presenta el diagrama de un controlador hidráulico proporcional-derivativo. Los cilindros están fijos y los pistones pueden moverse. Para este sistema, téngase en cuenta que

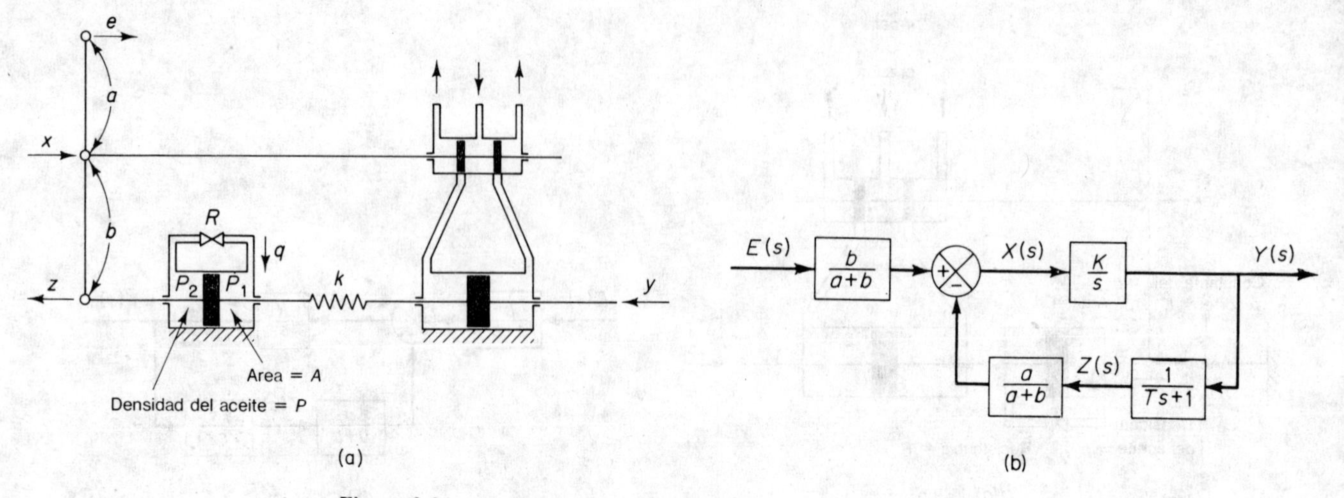


**Figura 3-31** (a) Diagrama de un controlador hidráulico proporcional y derivativo; (b) diagrama de bloques del controlador.

$$k(y - z) = A(P_2 - P_1)$$

$$q = \frac{P_2 - P_1}{R}$$

$$q\,dt = \rho A\,dz$$

Por lo tanto,

$$y = z + \frac{A}{k}qR = z + \frac{RA^2\rho}{k}\frac{dz}{dt}$$

o bien

$$\frac{Z(s)}{Y(s)} = \frac{1}{Ts + 1}$$

donde

$$T = \frac{RA^2\rho}{k}$$

En la figura 3-31(b) se puede ver un diagrama de bloques de este sistema. De este diagrama se puede obtener la función de transferencia $Y(s)/E(s)$ como

$$\frac{Y(s)}{E(s)} = \frac{\frac{b}{a + b}\frac{K}{s}}{1 + \frac{a}{a + b}\frac{K}{s}\frac{1}{Ts + 1}}$$

En operación normal, se tiene que $|aK/[(a + b)s(Ts + 1)]| \gg 1$. Por tanto,

$$\frac{Y(s)}{E(s)} = K_p(1 + Ts)$$

donde

$$K_p = \frac{b}{a}, \qquad T = \frac{RA^2\rho}{k}$$

Así, el controlador que se puede ver en la figura 3-31(a) es un controlador proporcional-derivativo.

**EJEMPLO 3-1** Considérese el sistema de control de nivel de líquido que aparece en la figura 3-32. La válvula de entrada está controlada por un controlador hidráulico integral. Supóngase que el gasto o flujo de entrada en estado estacionario es $\bar{Q}$ y que el gasto o flujo de salida en estado estacionario es también $Q$, el nivel en estado estacionario es $\bar{H}$, el desplazamiento de la válvula piloto en reposo es $X = 0$, y la posición en reposo de la válvula es $\bar{Y}$. Supóngase que el punto de regulación $\bar{R}$ corresponde al nivel de estado estacionario $\bar{H}$. El punto de regulación está fijo. Supóngase que en el tiempo $t = 0$, al tanque de agua se le aplica una pequeña perturbación, consistente en una modificación del gasto de entrada $q_d$. Esta perturbación hace que el nivel varíe de $\bar{H}$ a $\bar{H} + h$. Esta modificación resulta en un cambio $q_o$ del gasto de salida. El cambio de nivel a través del controlador hidráulico, produce un cambio del gasto de entrada de $\bar{Q}$ a $\bar{Q} + q_i$. (El controlador integral tiende a mantener constante el nivel en lo posible, ante la presencia de perturbaciones). Supóngase que todos los cambios consisten en modificaciones pequeñas.

Suponiendo que la salida es $h$ y $q_d$ es la entrada, deducir un modelo matemático del sistema en el espacio de estado.

Como el incremento de agua en el tanque durante $dt$ segundos es igual al gasto neto de entrada al tanque durante los mismos $dt$ segundos, se tiene

$$C\,dh = (q_i - q_o + q_d)\,dt \tag{3–23}$$

donde

$$q_o = \frac{h}{R} \tag{3–24}$$

Para el mecanismo de la palanca de retroalimentación se tiene

$$x = \frac{a}{a + b}h \tag{3–25}$$

Supóngase que la velocidad del pistón de potencia (válvula) es proporcional al desplazamiento de la válvula piloto $x$,

o bien

$$\frac{dy}{dt} = K_1 x \tag{3–26}$$

donde $K_1$ es una constante positiva. También se supone que la modificación del gasto de entrada $q_i$ es proporcionalmente negativo al cambio de la apertura de la válvula $y$, o

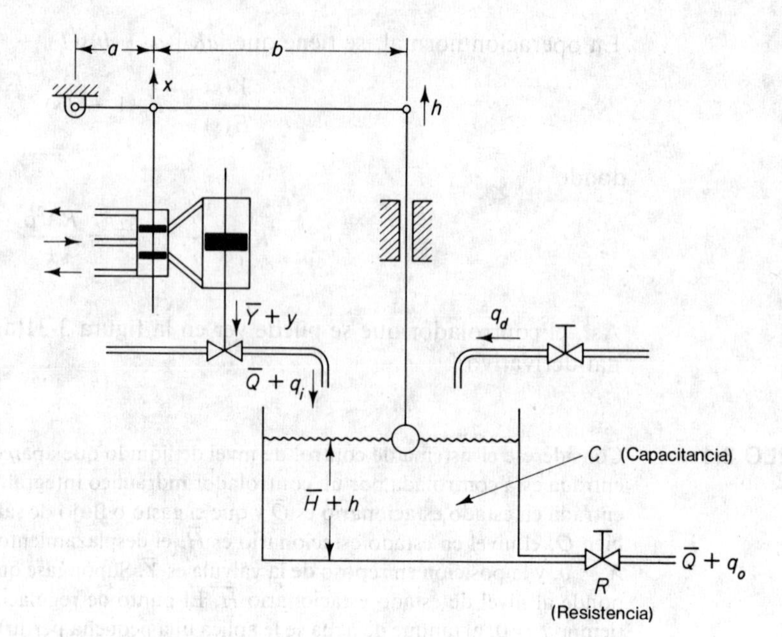


**Figura 3-32**
Sistema de control de nivel de líquido.

$$q_i = -K_v y \tag{3-27}$$

donde $K_v$ es una constante positiva.

Ahora se obtienen las ecuaciones para el sistema del siguiente modo. De las ecuaciones (3-23), 3-24), y (3-27), se tiene

$$C\frac{dh}{dt} = -K_v y - \frac{h}{R} + q_d \tag{3-28}$$

De las ecuaciones (3-25) y (3-26), se obtiene

$$\frac{dy}{dt} = \frac{K_1 a}{a + b} h \tag{3-29}$$

Se definen las variables de estado $x_1$ y $x_2$ y la variable de entrada $u$ como sigue:

$$x_1 = h$$

$$x_2 = y$$

$$u = q_d$$

Entonces las ecuaciones (3-28) y (3-29) se convierten en

$$\dot{x}_1 = -\frac{1}{RC}x_1 - \frac{K_v}{C}x_2 + \frac{1}{C}u$$

$$\dot{x}_2 = \frac{K_1 a}{a + b}x_1$$

Combinando las dos ecuaciones en una ecuación vectorial-matricial, se obtiene la ecuación de estado para el sistema.

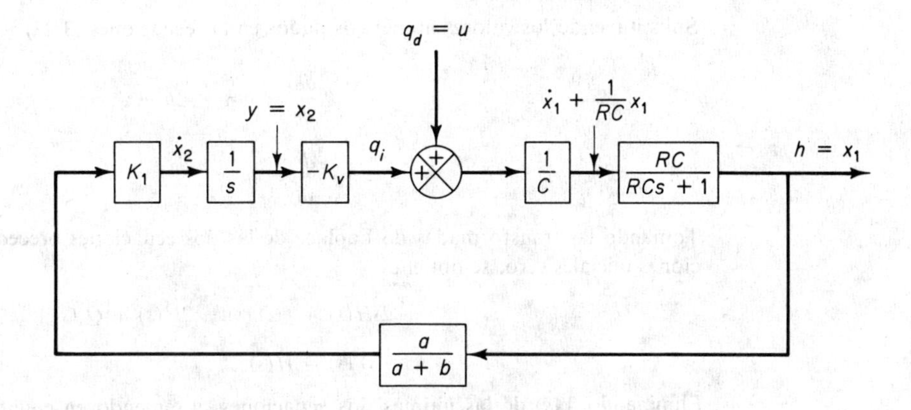


**Figura 3-33**
Diagrama de bloques del sistema de control de nivel de líquido considerado en el ejemplo 3-1.

$$\begin{bmatrix} \dot{x}_1 \\ \dot{x}_2 \end{bmatrix} = \begin{bmatrix} -\dfrac{1}{RC} & -\dfrac{K_v}{C} \\ \dfrac{K_1 a}{a+b} & 0 \end{bmatrix} \begin{bmatrix} x_1 \\ x_2 \end{bmatrix} + \begin{bmatrix} \dfrac{1}{C} \\ 0 \end{bmatrix} u \tag{3–30}$$

La ecuación de salida para el sistema cuando $h$ es la salida, está dada por

$$h = [1 \quad 0] \begin{bmatrix} x_1 \\ x_2 \end{bmatrix} \tag{3–31}$$

Las ecuaciones (3-30) y (3-31) dan un modelo matemático del sistema en el espacio de estado.

Por conveniencia para visualizar la dinámica del sistema, en la figura 3-33 se muestra un diagrama de bloques del sistema. Nótese que la variable de estado $x_1$ es la salida del elemento de atraso de primer orden (integrador), y que la variable de estado $x_2$ es la salida del integrador.

**EJEMPLO 3-2** Con los datos del ejemplo 3-1, obtener la respuesta $h(t)$ cuando la perturbación de entrada $q_d$ es una función escalón unitario. Supónganse los siguientes valores numéricos para el sistema:

$$C = 2\text{ m}^2, \qquad R = 0.5\text{ seg/m}^2, \qquad K_v = 1\text{ m}^2/\text{seg}$$

$$a = 0.25\text{ m}, \qquad b = 0.75\text{ m}, \qquad K_1 = 4\text{ seg}^{-1}$$

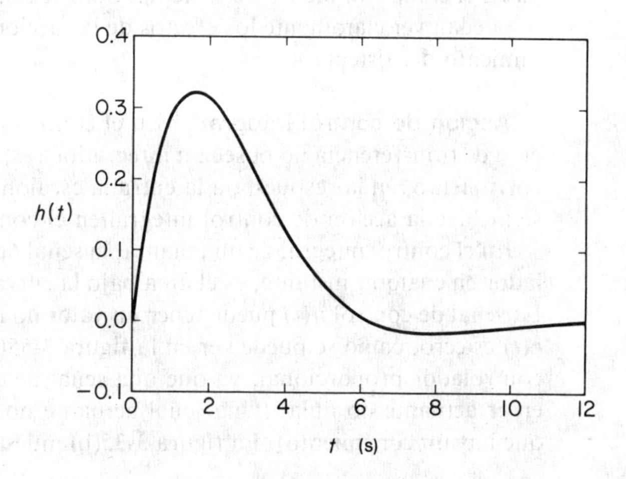


**Figura 3-34**
Curva de respuesta de $h(t)$ en función de $t$ cuando la perturbación en la entrada es un escalón unitario.

Substituyendo los valores numéricos dados en las ecuaciones (3-28) y (3-29), se obtiene

$$2\frac{dh}{dt} = -y - 2h + q_d$$

$$\frac{dy}{dt} = h$$

Tomando las transformadas de Laplace de las dos ecuaciones precedentes, suponiendo condiciones iniciales cero, se obtiene

$$2sH(s) = -Y(s) - 2H(s) + Q_d(s)$$

$$sY(s) = H(s)$$

Eliminando $Y(s)$ de las últimas dos ecuaciones, y teniendo en cuenta que la perturbación de entrada es una función escalón unitario, o sea $Q_d = 1/s$, se obtiene

$$H(s) = \frac{s}{2s^2 + 2s + 1}\frac{1}{s} = \frac{0.5}{(s + 0.5)^2 + 0.5^2}$$

La transformada inversa de Laplace de $H(s)$ da la respuesta temporal $h(t)$.

$$h(t) = e^{-0.5t}\,\text{sen}\,0.5t$$

Nótese que la perturbación escalón unitario $q_d$ en la entrada produjo un error transitorio en el nivel, como aparece en la figura 3-34. Sin embargo, el error se hace cero en estado estacionario. De este modo, el controlador integral ha eliminado el error producido por la perturbación de entrada $q_d$.

## 3-5 EFECTOS DE LAS ACCIONES DE CONTROL INTEGRAL Y DERIVATIVA EN EL COMPORTAMIENTO DEL SISTEMA

En esta sección se investigarán los efectos de las acciones de control integral y derivativa en el comportamiento del sistema. Sólo se tomarán sistemas sencillos, de modo que se puedan ver claramente los efectos de las acciones integral y derivativa en el comportamiento del sistema.

**Acción de control integral.** En el control proporcional de una planta cuya función de transferencia no posee un integrador $1/s$, hay un error de estado estacionario, o corrimiento, en la respuesta a la entrada escalón. Tal corrimiento se puede eliminar si se incluye la acción de control integral en el controlador.

En el control integral de una planta, la señal de control, la señal de salida del controlador en cualquir instante, es el área bajo la curva del error actuante hasta ese instante. La señal de control $u(t)$ puede tener un valor no nulo cuando la señal de error actuante $e(t)$ es cero, como se puede ver en la figura 3-55(a). Esto es imposible en el caso de un controlador proporcional, ya que una señal de control no nula requiere una señal de error actuante no nula. (Una señal actuante no nula en estado estacionario significa que hay un corrimiento). La figura 3-35(b) muestra una curva de $e(t)$ en función de $t$ y

**Figura 3-35**
(a) Curvas de $e(t)$ y de $u(t)$ mostrando la señal de control no nula cuando el error actuante es nulo (control integral); (b) Curvas de $e(t)$ y de $u(t)$ que muestran la señal de control nula cuando la señal de error actuante es nula (control) proporcional)

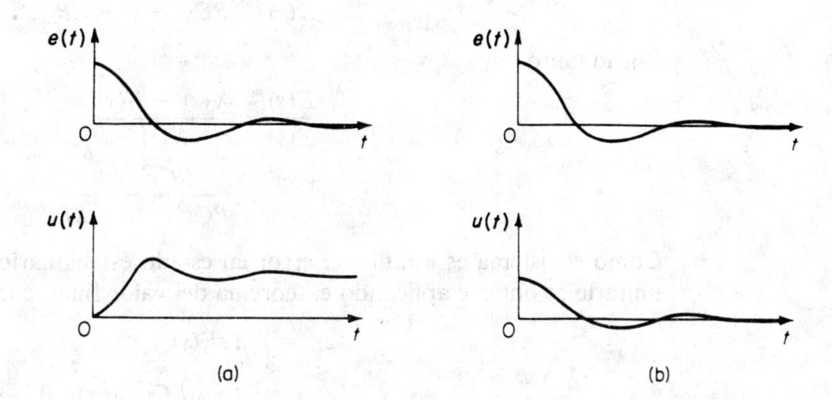


la correspondiente curva de $u(t)$ en función de $t$ cuando el controlador es del tipo proporcional.

Nótese que la función de control integral, si bien remueve el corrimiento o error estacionario, puede llevar a una respuesta oscilatoria de amplitud lentamente decreciente o aún de magnitud creciente, ambas son indeseables generalmente.

**Control integral de sistemas de control de nivel de líquido.** En la sección 3-3 se halló que el control proporcional de un sistema de nivel de líquido resultaría en un error estacionario con una entrada escalón. Ahora mostrará cómo se puede eliminar un error de este tipo si se incluye acción integral en el controlador.

La figura 3-36(a) muestra un sistema de control de nivel de líquido. Supóngase que el controlador es un controlador integral. También supóngase que las variables $x$, $q_i$, $h$, y $q_o$, que se miden desde sus respectivos valores de estado estacionario $\bar{X}$, $\bar{Q}$, $\bar{H}$, y $\bar{Q}$, son magnitudes pequeñas, de manera que el sistema se pueda considerar lineal. Bajo estas suposiciones, el diagrama de bloques del sistema se puede obtener como se puede ver en la figura 3-36(b). De la figura 3-36(b), la función de transferencia de lazo cerrado entre $H(s)$ y $X(s)$ es

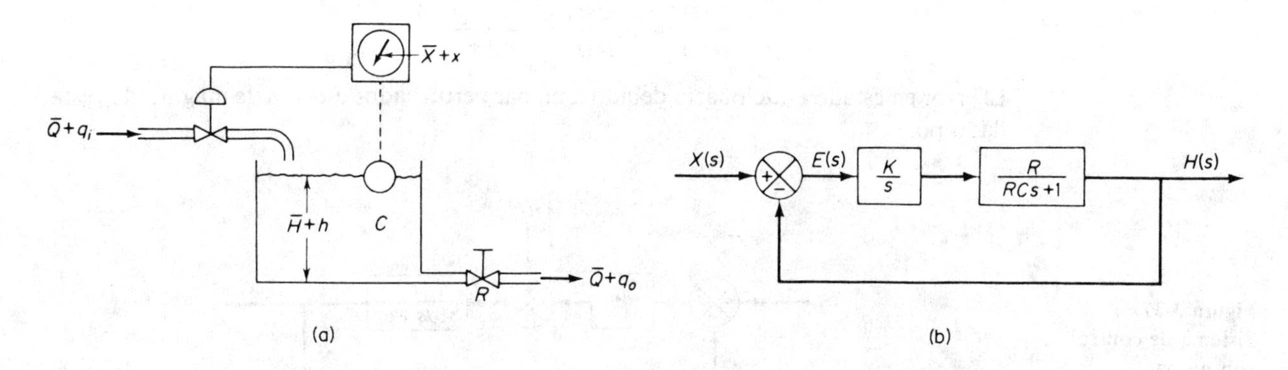


**Figura 3-36** (a) Sistema de control de nivel de líquido; (b) diagrama de bloques del sistema.

$$\frac{H(s)}{X(s)} = \frac{KR}{RCs^2 + s + KR}$$

Por lo tanto,

$$\frac{E(s)}{X(s)} = \frac{X(s) - H(s)}{X(s)}$$

$$= \frac{RCs^2 + s}{RCs^2 + s + KR}$$

Como el sistema es estable, el error en estado estacionario para la respuesta escalón unitario se obtiene aplicando el teorema del valor final, como sigue:

$$e_{ss} = \lim_{s\to 0} sE(s)$$

$$= \lim_{s\to 0} \frac{s(RCs^2 + s)}{RCs^2 + s + KR}\frac{1}{s}$$

$$= 0$$

Así, el control integral del sistema de nivel de líquido elimina el error en estado estacionario en respuesta al escalón de entrada. Esto mejora el comportamiento en estado estacionario con respecto a utilizar solamente una acción proporcional que produce corrimiento.

**Respuesta a perturbaciones de par de torsión [control proporcional].** Ahora se investigará el efecto de un par perturbador en el elemento de carga. Considérese el sistema que se ve en la figura 3-37. El controlador proporcional provee un par $T$ para posicionar el elemento de carga, que consiste en momento de inercia y fricción viscosa. El par perturbador se denota como $N$.

Suponiendo que la entrada de referencia es cero, o $R(s) = 0$, la función de transferencia entre $C(s)$ y $N(s)$ está dada por

$$\frac{C(s)}{N(s)} = \frac{1}{Js^2 + bs + K_p}$$

De donde

$$\frac{E(s)}{N(s)} = -\frac{C(s)}{N(s)} = -\frac{1}{Js^2 + bs + K_p}$$

El error en estado estacionario debido a un par perturbador escalón de magnitud $t_n$ está dado por

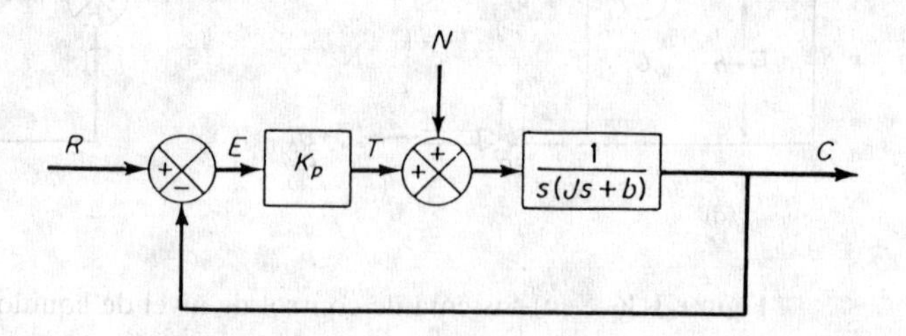


**Figura 3-37** Sistema de control con un par perturbador.

$$
\begin{aligned}
e_{ss} &= \lim_{s\to 0} sE(s) \\
&= \lim_{s\to 0} \frac{-s}{Js^2 + bs + K_p} \frac{T_n}{s} \\
&= -\frac{T_n}{K_p}
\end{aligned}
$$

En estado estacionario, el controlador proporcional provee el par $-T_n$, que es igual en magnitud pero opuesto al par perturbador $T_n$ en signo. La salida en estado estacionario debida al par perturbador escalón es

$$
c_{ss} = -e_{ss} = \frac{T_n}{K_p}
$$

El error estacionario se puede reducir aumentando el valor de la ganancia $K_p$. Sin embargo, al aumentar este valor, la respuesta del sistema se vuelve oscilatoria. En la figura 3-38 se ven curvas típicas para un valor pequeño de $K_p$ y para un valor elevado de $K_p$.

Como el valor de la ganancia $K_p$ no se puede incrementar demasiado, es deseable modificar el controlador proporcional convirtiéndolo en un controlador proporcional-integral.

**Respuesta a perturbaciones de par de torsión [control proporcional e integral].** Para eliminar el corrimiento debido a la perturbación de par, el controlador proporcional se puede remplazar por un controlador proporcional-integral.

Si se agrega acción de control integral al controlador, mientras haya señal de error el controlador desarrolla un par para reducir este error, siempre que el sistema de control sea estable.

La figura 3-39 muestra el control proporcional e integral del elemento de carga, consistente en momento de inercia y fricción viscosa.

La función de transferencia de lazo cerrado entre $C(s)$ y $N(s)$ es

$$
\frac{C(s)}{N(s)} = \frac{s}{Js^3 + bs^2 + K_p s + \dfrac{K_p}{T_i}}
$$

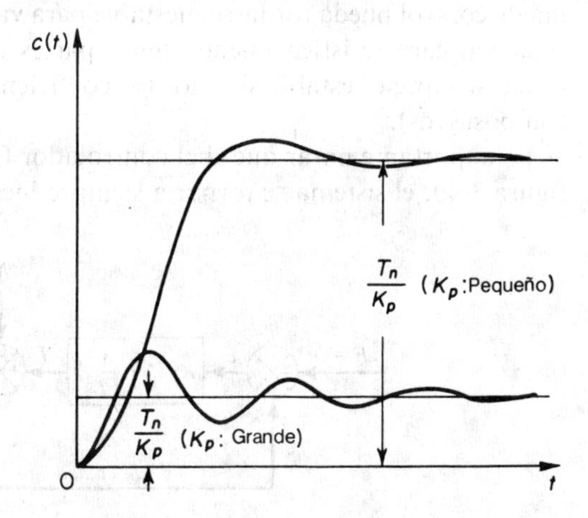


**Figura 3-38**
Curvas de respuesta típicas ante un par perturbador escalón.

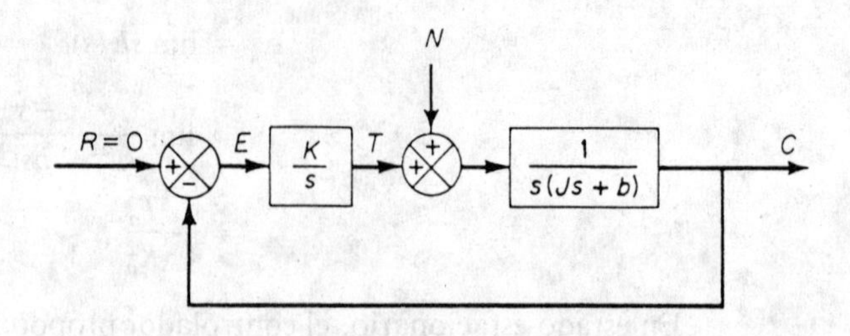


**Figura 3-39** Control proporcional-integral de un elemento de carga que consiste en un momento de inercia y fricción viscosa.

En ausencia de la entrada de referencia, o $r(t) = 0$, la señal de error se obtiene de

$$E(s) = -\frac{s}{Js^3 + bs^2 + K_p s + \dfrac{K_p}{T_i}} N(s)$$

Si este sistema de control es estable, es decir, si las raíces de la ecuación característica

$$Js^3 + bs^2 + K_p s + \frac{K_p}{T_i} = 0$$

tienen partes reales negativas, entonces el error en estado estacionario se puede obtener en la respuesta a una perturbación par de torsión escalón de magnitud $T_n$, aplicando el teorema del valor final, como sigue:

$$\begin{aligned} e_{ss} &= \lim_{s\to 0} s\,E(s) \\ &= \lim_{s\to 0} \frac{-s^2}{Js^3 + bs^2 + K_p s + \dfrac{K_p}{T_i}} \frac{T_n}{s} \\ &= 0 \end{aligned}$$

Así, se puede eliminar el error en estado estacionario ocasionado por el par perturbador escalón, si el controlador es del tipo proporcional-integral.

Nótese que la acción de control integral agregada al controlador proporcional convirtió el sistema original de segundo orden, en uno de tercer orden. De aquí que el sistema de control pueda tornarse inestable para valores elevados de $K_p$, pues las raíces de la ecuación característica pueden tener partes reales positivas. (El sistema de segundo orden siempre es estable si todos los coeficientes de la ecuación diferencial del sistema son positivos).

Es importante notar que si el controlador fuera un controlador integral, como en la figura 3-40, el sistema se tornaría siempre inestable, porque la ecuación característica

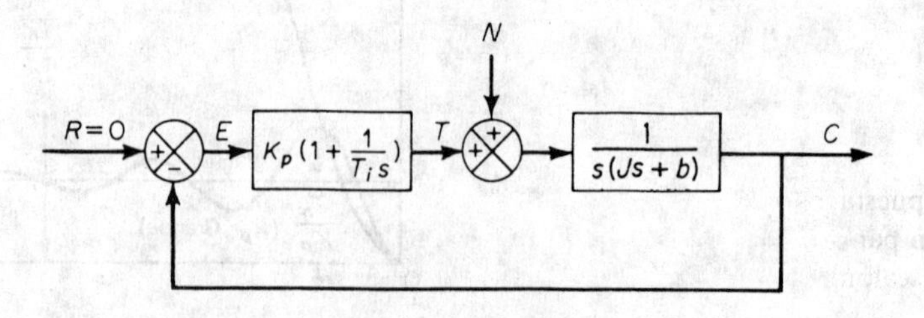


**Figura 3-40** Control integral de un elemento de carga que consiste en un momento de inercia y fricción viscosa.

$$Js^3 + bs^2 + K = 0$$

tiene raíces con partes reales positivas. En la práctica no se puede utilizar un sistema con tal inestabilidad.

Nótese que en el sistema de la figura 3-39 la acción de control proporcional tiende a estabilizar el sistema, en tanto que la acción integral tiende a eliminar o reducir el error estacionario en respuesta a diversas entradas.

**Acción de control derivativa.** Al añadir la acción de control derivativa al controlador proporcional, se brinda un medio de obtener un controlador con alta sensibilidad. Una ventaja de utilizar acción de control derivativa, es que responde al ritmo de variación del error y puede producir una corrección significativa antes que la magnitud del error sea excesivamente grande. Así, el control derivativo anticipa el error actuante, inicia una acción correctiva temprana y tiende a incrementar la estabilidad del sistema.

Aun cuando el control derivativo no afecta directamente al error estacionario, añade amortiguamiento al sistema y permite así usar valores más elevados de ganancia $K$, lo que resulta en una mejora de la exactitud en estado estacionario.

Debido a que el control derivativo actúa sobre el ritmo de variación del error, y no sobre el error en sí, este modo nunca se utiliza solo; siempre en combinación con la acción de control proporcional o proporcional-integral.

**Control proporcional de sistemas con carga inercial.** Antes de estudiar el efecto de la acción de control derivativa en el comportamiento del sistema, se considerará el control proporcional de una carga inercial.

Considérese el sistema de la figura 3-41(a). La función de transferencia de lazo cerrado se obtiene como

$$\frac{C(s)}{R(s)} = \frac{K_p}{Js^2 + K_p}$$

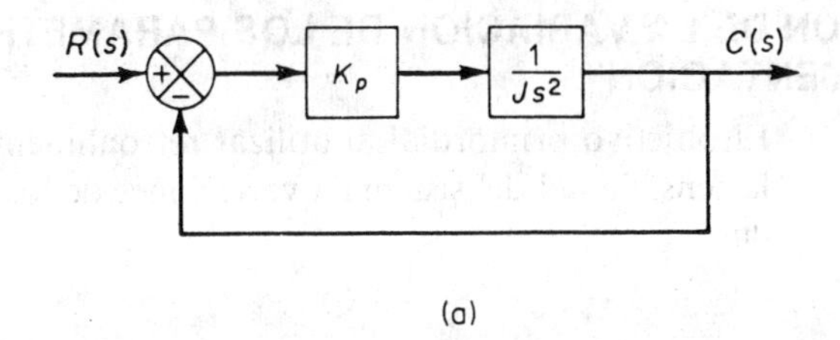


(a)

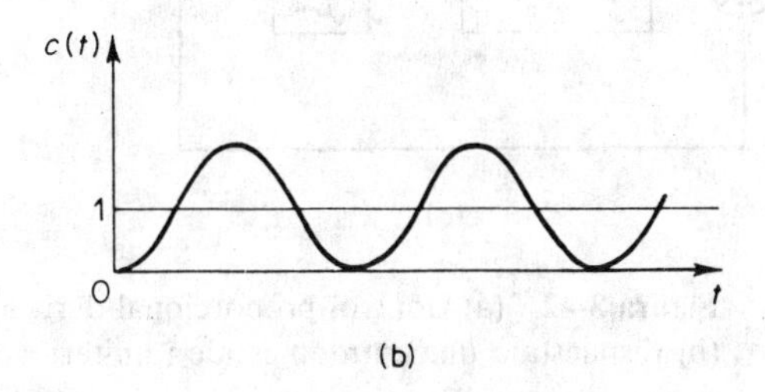


(b)

**Figura 3-41**
(a) Control proporcional de un sistema con carga inercial;
(b) respuesta a una entrada escalón unitario.

Como las raíces de la ecuación característica

$$Js^2 + K_p = 0$$

son imaginarias, la respuesta a una entrada escalón unitario continúa oscilando indefinidamente, como se muestra en la figura 3-41(b).

Los sistemas de control con estas características de respuesta no son deseables. Se verá que al agregar el control derivativo el sistema se estabiliza.

**Control proporcional-derivativo de un sistema con carga inercial.** El control proporcional se modifica convirtiéndolo en un control proporcional-derivativo cuya función de transferencia es $K_p(1 + T_d s)$. El par desarrollado por el control es proporcional a $K_p(e + T_d \dot{e})$. El control derivativo es esencialmente anticipativo, mide la velocidad instantánea del error y predice los sobreimpulsos grandes, brindando una compensación adecuada antes que se produzca un sobreimpulso excesivo.

Considérese el sistema mostrado en la figura 3-42(a). La función de transferencia de lazo cerrado está dada por

$$\frac{C(s)}{R(s)} = \frac{K_p(1 + T_d s)}{Js^2 + K_p T_d s + K_p}$$

La ecuación característica es

$$Js^2 + K_p T_d s + K_p = 0$$

tiene ahora dos raíces con partes reales negativas para valores positivos de $J$, $K_p$, y $T_d$. Así, el control derivativo introduce un efecto de amortiguamiento. En la figura 3-42(b) se ve la curva de respuesta $c(t)$ a una entrada escalón unitario. La curva de respuesta indica una marcada mejoría respecto a la curva de respuesta original mostrada en la figura 3-41(b).

## 3-6 REDUCCION DE LA VARIACION DE LOS PARAMETROS MEDIANTE LA RETROALIMENTACION

El objetivo primordial al utilizar retroalimentación en sistemas de control, es reducir la sensibilidad del sistema a variaciones de los parámetros y a perturbaciones no deseadas.

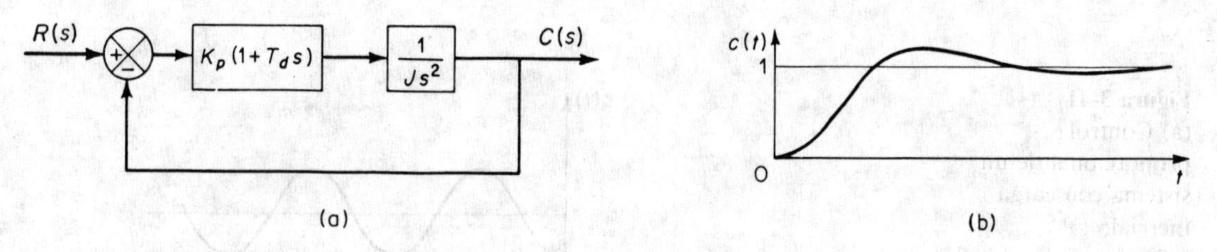


**Figura 3-42** (a) Control proporcional-derivativo de un sistema con carga inercial; (b) respuesta a una entrada escalón unitario.

Si se ha de construir un sistema de lazo abierto adecuado, se deben seleccionar con todo cuidado los componentes de la función de transferencia de lazo abierto $G(s)$, para que respondan con exactitud. Sin embargo, en el caso de construir un sistema de control de lazo cerrado, los componentes pueden ser menos precisos, pues la sensibilidad a variaciones de parámetros en $G(s)$ se reduce en un factor igual a $1 + G(s)$.

Para ilustrar esto, considérense los sistemas de lazo abierto y de lazo cerrado mostrados en las figuras 3-43(a) y 3-43(b), respectivamente. Supóngase que, debido a variaciones en los parámetros, $G(s)$ varía a $G(s) + \Delta G(s)$, donde $|G(s)| \gg |\Delta G(s)|$. Entonces en el sistema de lazo abierto de la figura 3-43(a), la salida está dada por

$$C(s) + \Delta C(s) = [G(s) + \Delta G(s)]R(s)$$

De aquí, el cambio en la salida resulta de

$$\Delta C(s) = \Delta G(s)R(s)$$

En el sistema de lazo cerrado que aparece en la figura 3-43(b),

$$C(s) + \Delta C(s) = \frac{G(s) + \Delta G(s)}{1 + G(s) + \Delta G(s)}R(s)$$

o bien

$$\Delta C(s) \doteqdot \frac{\Delta G(s)}{1 + G(s)}R(s)$$

Así, la modificación en la salida del sistema de lazo cerrado por variaciones de parámetros en $G(s)$, se reduce en un factor de $1 + G(s)$. En muchos casos prácticos, el valor de $1 + G(s)$ en general es mucho mayor que 1.

Nótese que al reducir los efectos de las variaciones en los parámetros de los componentes, frecuentemente se establece un puente sobre el componente que la causa, mediante un lazo de retroalimentación.

**Modificación de las constantes de tiempo utilizando la retroalimentación.** Considérese el sistema de la figura 3-44(a). La constante de tiempo del sistema es $T$. Al añadir un lazo de retroalimentación negativa alrededor de este elemento, se reduce la constante de tiempo. La figura 3-44(b) muestra el sistema con la misma función de transferencia directa indicada en la figura 3-44(a), excepto que se ha añadido un lazo de retroalimentación negativa. La constante de tiempo de este sistema se ha reducido a $T/(1 + Ka)$. Nótese que también la constante de ganancia del sistema se ha reducido de $K$ a $K/(1 + Ka)$.

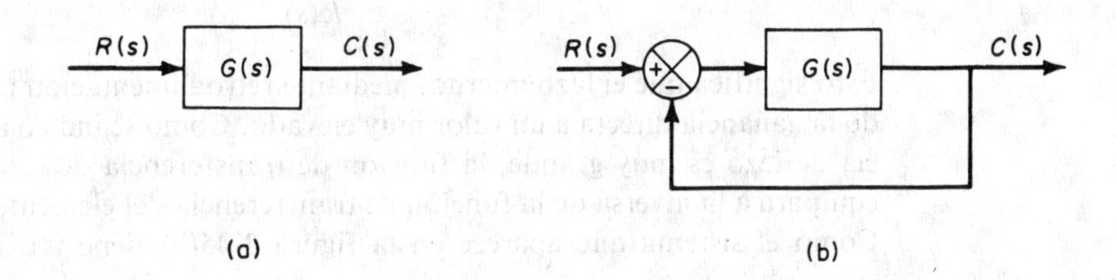


**Figura 3-43**
(a) Sistema de lazo abierto;
(b) sistema de lazo cerrado.

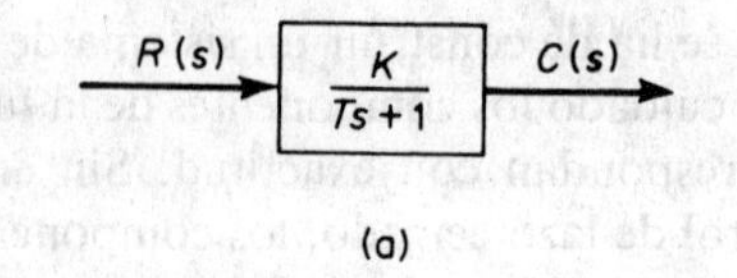


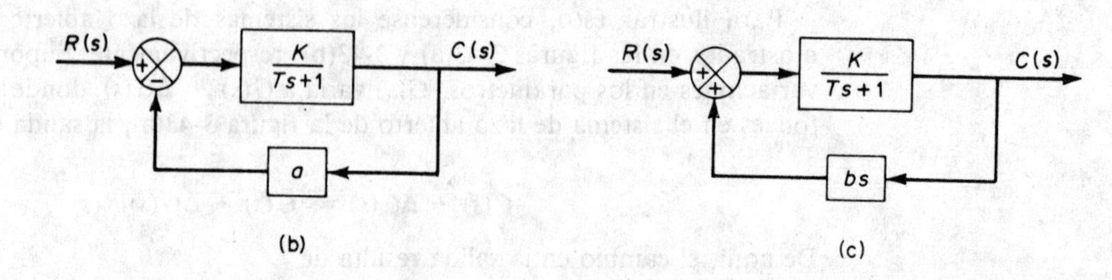


**Figura 3-44**
(a) Sistema de lazo abierto; (b) sistema de lazo cerrado con constante de tiempo $T/(1 + Ka)$; (c) sistema de lazo cerrado con constante de tiempo $T - bK$.

Si en lugar de un lazo de retroalimentación negativa, se añade un lazo de retroalimentación positiva alrededor de la función de transferencia $K/(Ts + 1)$ y se elige adecuadamente la función de transferencia de la retroalimentación, se puede hacer que la constante de tiempo valga cero o tenga un valor muy pequeño. Considérese el caso del sistema de la figura 3-44(c). Como la función de transferencia de lazo cerrado es

$$\frac{C(s)}{R(s)} = \frac{K}{(T - bK)s + 1}$$

la constante de tiempo se puede reducir si el valor de $b$ se elige adecuadamente. Si $b$ es igual a $T/K$, entonces la constante de tiempo es cero. Nótese, sin embargo, que si las perturbaciones provocan que $T - bK$ sea negativa en lugar de cero, el sistema se hace inestable. Por lo tanto, si se emplea retroalimentación positiva para reducir la constante de tiempo a un valor pequeño, hay que tener mucho cuidado de que $T - bK$ nunca se haga negativa. (Debe disponerse algún dispositivo de seguridad para evitarlo).

**Aumento de ganancias de lazo utilizando retroalimentación positiva.** El sistema que aparece en la figura 3-45(a) tiene la función de transferencia $C(s)/R(s) = G(s)$. Considérese ahora el sistema de la figura 3-45(b). Para el cual la función de transferencia de lazo cerrado es

$$\frac{C(s)}{R(s)} = \frac{G(s)}{1 - G_f(s) + G(s)}$$

Si se elige $G_f(s)$ cercano a la unidad, o sea $G_f(s) \doteqdot 1$, entonces

$$\frac{C(s)}{R(s)} \doteqdot 1$$

Esto significa que el lazo interno, mediante retroalimentación positiva, ha incrementado la ganancia directa a un valor muy elevado. Como se indicó antes, cuando la ganancia de lazo es muy grande, la función de transferencia de lazo cerrado $C(s)/R(s)$ se equipara a la inversa de la función de transferencia del elemento de retroalimentación. Como el sistema que aparece en la figura 3-45(b) tiene retroalimentación unitaria,

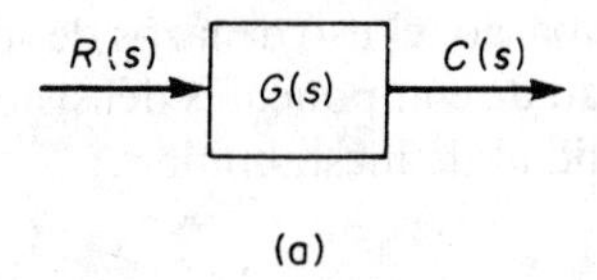


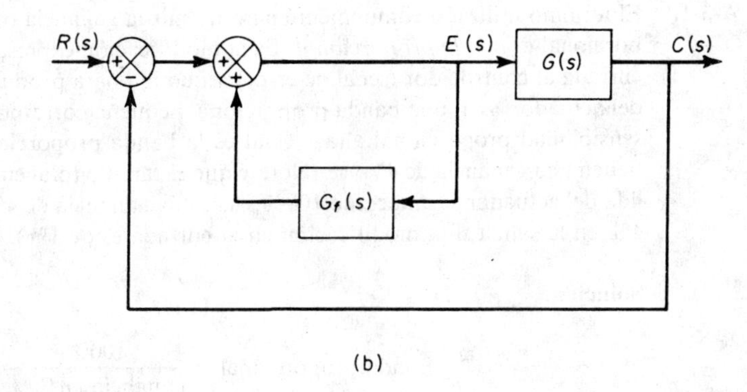


**Figura 3-45**
(a) Sistema de lazo abierto; (b) sistema de lazo cerrado cuya función transferencia es casi la unidad si $G_f(s) \doteq 1$

$C(s)/R(s)$ se aproxima a la unidad. [Así, $C(s)/R(s)$ no es sensible a variaciones del parámetro en $G(s)$].

**Eliminación de integración.** La introducción de un lazo menor rodeando un integrador, lo modifica convirtiéndolo en un elemento de atraso de primer orden. Considérese el sistema mostrado en la figura 3-46(a). La retroalimentación negativa de la salida, que se ve en la figura 3-46(b), modifica el integrador $K/s$ a un elemento de atraso de primer orden $K/(s + K)$.

**Comentarios sobre el uso de lazos de retroalimentación.** Como ya se estudió en los párrafos anteriores, el control de retroalimentación o control de lazo cerrado, reduce la sensibilidad de un sistema ante variaciones de sus parámetros, y por tanto, disminuye los efectos en variaciones de la ganancia en la trayectoria directa, en respuesta a variaciones en el suministro de presión, voltaje, temperatura, etc. En el estudio de controladores, en las secciones 3-3 y 3-4, se ha visto también que los elementos que efectúan las diversas funciones de control están en la parte de retroalimentación del mecanismo de los controladores, y que los elementos de retroalimentación de un controlador incrementan la linealidad del amplificador y aumentan el rango de sensibilidad proporcional.

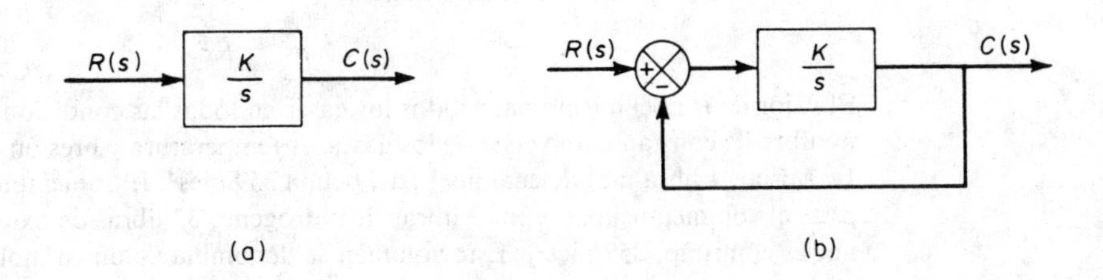


**Figura 3-46**
(a) Elemento integrador; (b) elemento de retardo de primer orden.

Sin embargo, el uso de lazos de retroalimentación en sistemas de control, incrementa la cantidad de componentes del sistema, con lo que aumenta su complejidad, y también la posibilidad de inestabilidad.

## *Ejemplos de problemas y soluciones*

**A-3-1.** El término utilizado comúnmente para definir la ganancia o sensibilidad de un controlador proporcional es *banda proporcional.* Es la modificación expresada en porcentaje de variación de la entrada al controlador (señal de error) requerida para producir un cambio del 100% en la salida del actuador. Así, una banda proporcional pequeña corresponde a una ganancia elevada o a una sensibilidad proporcional alta. ¿Cuál es la banda proporcional si el controlador y el actuador tienen una ganancia de 4%%? (Nótese que el cambio total en la entrada al controlador o en la salida del actuador se dan como 100%. Así, una ganancia de 4%% significa que hay un cambio de 4% en la salida si la modificación en la entrada es de 1%).

**Solución.**

$$\text{Banda proporcional} = \frac{100\%}{\text{ganancia en }\%/\%} = \frac{100\%}{4\%/\%} = 25\%$$

**A-3-2.** Considérese un gas ideal que cambia de un estado representado por $(p_1, v_1, T_1)$ a otro representado por $(p_2, v_2, T_2)$. Si la temperatura $T$ se mantiene constante pero varía la presión de $p_1$ a $p_2$, el volumen del gas variará de $v_1$ a $v'$, de modo que

$$p_1 v_1 = p_2 v' \tag{3–32}$$

Ahora mantenga la presión constante, pero varíe la temperatura a $T_2$. Entonces el volumen del gas alcanza $v_2$. Así

$$\frac{v'}{T_1} = \frac{v_2}{T_2} \tag{3–33}$$

Eliminando $v'$ entre las ecuaciones (3-32) y (3-33), se obtiene

$$\frac{p_1 v_1}{T_1} = \frac{p_2 v_2}{T_2}$$

Esto significa que, para una cantidad fija de gas, independientemente de los cambios físicos que puedan ocurrir, $pv/T$ será constante. Por lo tanto, se puede escribir

$$pv = kT$$

donde el valor de la constante $k$ depende de la cantidad y naturaleza del gas en consideración.

En el manejo de sistemas de gas, es conveniente trabajar con cantidades molares, ya que 1 mol de cualquier gas contiene la misma cantidad de moléculas. Así, 1 mol ocupa el mismo volumen si se mide en las mismas condiciones de temperatura y presión.

Si se considera 1 mol de gas, entonces

$$p\bar{v} = \bar{R}T \tag{3–34}$$

El valor de $R$ es el mismo para todos los gases en todas las condiciones. La constante $R$ recibe el nombre de constante universal de los gases. A temperatura y presión normales (es decir, 492°R y 14.7 psia), 1 libra-mol de cualquier gas, ocupa 359 pies$^3$. [Por ejemplo, a 492°R (= 32°F) y 14.7 psia, el volumen ocupado por 2 libras de hidrógeno, 32 libras de oxígeno, o 28 libras de nitrógeno, es el mismo, 359 pies$^3$]. Este volumen se denomina volumen molar, y está designado por $\bar{v}$.

Obtener el valor de la constante universal de los gases.

**Solución.** Substituyendo $p = 14.7$ libras$_f$/pulg$^2$, $\bar{v} = 359$ pies$^3$/libra-mol, y $T = 492$°R en la ecuación (3-34), se obtiene

$$\bar{R} = \frac{14.7 \times 144 \times 359}{492}$$
$$= 1545 \text{ pie-libra}_f\text{/libra-mol °R}$$
$$= 1.985 \text{ Btu/libra-mol °R}$$

**A-3-3.** El valor de la constante de los gases para cualquier gas se puede determinar mediante observaciones experimentales precisas de valores de $p$, $v$, y $T$.

Obtener la constante del gas $R_{aire}$ para el aire. Tenga en cuenta que a 32°F y 14.7 psia, el volumen específico del aire es 12.39 pie$^3$/libra. Obténgase luego la capacitancia de un tanque a presión de 20 pies$^3$ que contiene aire a 160°F. Supóngase que el proceso de expansión es isotérmico.

**Solución**

$$R_{aire} = \frac{pv}{T} = \frac{14.7 \times 144 \times 12.39}{460 + 32} = 53.3 \text{ pie-libra}_f\text{/libra °R}$$

Con base en la ecuación (3-5), la capacitancia de un tanque de presión de 20 pies$^3$ es

$$C = \frac{V}{nR_{aire}T} = \frac{20}{1 \times 53.3 \times 620} = 6.05 \times 10^{-4} \frac{\text{libra}}{\text{libra}_f\text{/pie}^2}$$

**A-3-4.** Considérese el sistema de control de líquido que se muestra en la figura 3-47. Supóngase que el punto de regulación del controlador es fijo. Determinar el error suponiendo una perturbación escalón de valor $n_o$. Supóngase que $n_o$ es pequeña y que también lo son las variaciones de las variables, desde sus respectivos valores de estado estacionario. El controlador es proporcional.

Si el controlador no es proporcional, sino integral, ¿cuál es el error en estado estacionario?

**Solución.** La figura 3-48 es un diagrama de bloques del sistema cuando el controlador es proporcional con ganancia $K_p$. (Se supone que la función de transferencia de la válvula neumática es la unidad). Como el punto de regulación es fijo, la variación del punto de regulación es cero, o $X(s) = 0$. La transformada de Laplace de $h(t)$ es

$$H(s) = \frac{K_pR}{RCs + 1}E(s) + \frac{R}{RCs + 1}N(s)$$

Entonces

$$E(s) = -H(s) = -\frac{K_pR}{RCs + 1}E(s) - \frac{R}{RCs + 1}N(s)$$

De aquí

$$E(s) = -\frac{R}{RCs + 1 + K_pR}N(s)$$

Como

$$N(s) = \frac{n_0}{s}$$

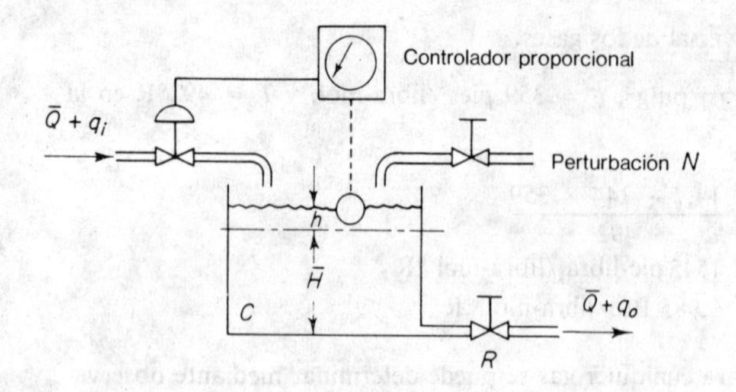


**Figura 3-47** Sistema de control de nivel de líquido.

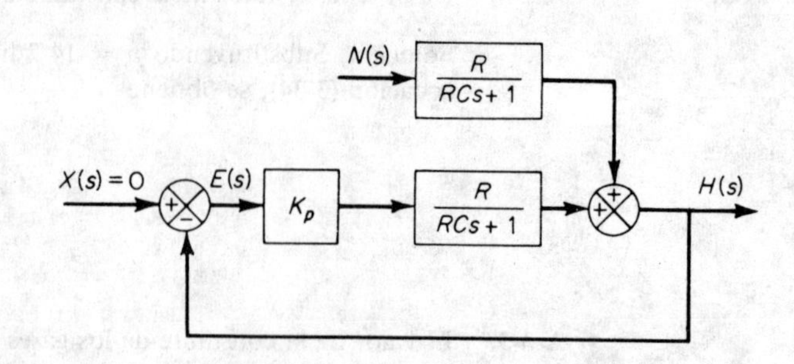


**Figura 3-48** Diagrama de bloques del sistema de control de nivel de líquido mostrado en la figura 3-47.

se obtiene

$$E(s) = -\frac{R}{RCs + 1 + K_pR}\frac{n_0}{s}$$

$$= \frac{Rn_0}{1 + K_pR}\left(\frac{1}{s + \frac{1 + K_pR}{RC}}\right) - \frac{Rn_0}{1 + K_pR}\frac{1}{s}$$

La solución de tiempo para $t > 0$ es

$$e(t) = \frac{Rn_0}{1 + K_pR}\left[\exp\left(-\frac{1 + K_pR}{RC}t\right) - 1\right]$$

Así, la constante de tiempo es $RC/(1 + K_pR)$. (En ausencia del controlador, la constante de tiempo es igual a $RC$). Al aumentar la ganancia del controlador, disminuye la constante de tiempo. El error en estado estacionario es

$$e(\infty) = -\frac{Rn_0}{1 + K_pR}$$

Al aumentar la ganancia $K_p$ del controlador, se reduce el error estacionario, o corrimiento. Así, matemáticamente, cuanto mayor sea la ganancia $K_p$, menores serán el corrimiento y la constante de tiempo. No obstante, de hecho, si se aumenta en forma excesiva la ganancia $K_p$ del controlador proporcional, puede haber oscilación en la salida porque en el análisis se dejaron de lado los pequeños atrasos y constantes de tiempo que pueden darse en sistemas de control reales. (Si se incluyen estos pequeños retrasos y constantes de tiempo en el análisis, la función transferencia se hace de orden superior, y para valores muy altos de $K_p$ existe la posibilidad de oscilación o inclusive, de inestabilidad).

Si el controlador es de tipo integral, suponiendo que la función de transferencia del mismo es

$$G_c = \frac{K}{s}$$

se obtiene

$$E(s) = -\frac{Rs}{RCs^2 + s + KR}N(s)$$

Para una perturbación escalón $N(s) = n_o/s$ el error en estado estacionario es

$$\begin{aligned} e(\infty) &= \lim_{s\to 0} sE(s) \\ &= \lim_{s\to 0} \frac{-Rs^2}{RCs^2 + s + KR} \frac{n_o}{s} \\ &= 0 \end{aligned}$$

Así, un controlador integral elimina el error estacionario, o corrimiento causado por una perturbación escalón. (Hay que elegir un valor de $K$ de modo que la respuesta transitoria a un comando de entrada y/o perturbación, se amortigüe a una velocidad razonable. Ver el capítulo 4 sobre análisis de respuesta transitoria).

**A-3-5.** En el sistema neumático de presión que aparece en la figura 3-49(a), supóngase que para $t < 0$, el sistema está en estado estacionario y que la presión de todo el sistema es $\bar{P}$. Supóngase, también, que los dos fuelles son idénticos. En $t = 0$, la presión de salida cambia de $\bar{P}$ a $\bar{P} + p_i$. Entonces las presiones en los fuelles 1 y 2 cambian de $\bar{P}$ a $\bar{P} + p_1$ y de $\bar{P}$ a $\bar{P} + p_2$, respectivamente. La capacidad (volumen) de cada fuelle es de $5 \times 10^{-4}$ m$^3$, y la diferencia de presión operativa $\Delta p$ (diferencia entre $p_i$ y $p_1$ o diferencia entre $p_i$ y $p_2$) está entre $-0.5 \times 10^5$ N/m$^2$ y $0.5 \times 10^5$ N/m$^2$. En la figura 3-49(b) se pueden ver los gastos (en kg/seg) correspondientes a través de las válvulas. Suponga que los fuelles se expanden o contraen en forma lineal con las presiones de aire aplicadas, que la constante elástica equivalente del sistema de los fuelles es $k = 1 \times 10^5$ N/m, y que cada fuelle tiene un área $A = 15 \times 10^{-4}$ m$^2$.

Definiendo como $x$ al desplazamiento del punto medio del vástago que conecta los dos fuelles, determinar la función de transferencia $X(s)/P_i(s)$. Supóngase que el proceso de expansión es isotérmico y que la temperatura de todo el sistema se mantiene en 30°C.

**Solución.** Con base en la sección 3-3, la función de transferencia $P_1(s)/P_i(s)$ se puede obtener como

$$\frac{P_1(s)}{P_i(s)} = \frac{1}{R_1Cs + 1} \tag{3-35}$$

En forma similar, la función de transferencia $P_2(s)/P_i(s)$ es

$$\frac{P_2(s)}{P_i(s)} = \frac{1}{R_2Cs + 1} \tag{3-36}$$

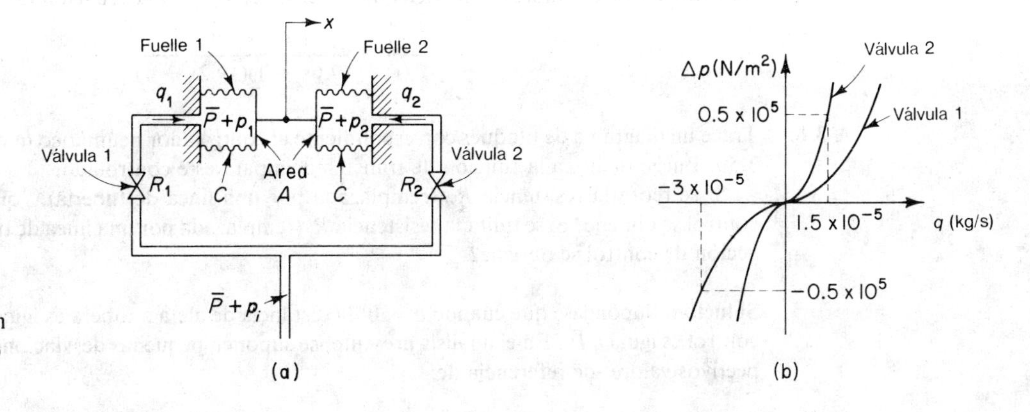


**Figura 3-49** (a) Sistema de presión neumática; (b) curvas de diferencia de presión en función del gasto o flujo másico.

La fuerza que actúa en el fuelle 1 en la dirección $x$ es $A(\bar{P} + p_1)$, y la fuerza que actúa sobre el fuelle 2 en dirección $x$ negativa es $A(\bar{P} + p_2)$. El balance de fuerzas se equilibra con $kx$, que es la fuerza del resorte del lado corrugado del fuelle.

$$A(p_1 - p_2) = kx$$

o

$$A[P_1(s) - P_2(s)] = kX(s) \tag{3–37}$$

Refiriéndose a las ecuaciones (3-35) y (3-36), se ve que

$$\begin{aligned} P_1(s) - P_2(s) &= \left(\frac{1}{R_1Cs + 1} - \frac{1}{R_2Cs + 1}\right) P_i(s) \\ &= \frac{R_2Cs - R_1Cs}{(R_1Cs + 1)(R_2Cs + 1)} P_i(s) \end{aligned}$$

Substituyendo esta última ecuación en la ecuación (3-37), y reescribiéndola, se obtiene la función de transferencia $X(s)/P_i(s)$ como

$$\frac{X(s)}{P_i(s)} = \frac{A}{k} \frac{(R_2C - R_1C)s}{(R_1Cs + 1)(R_2Cs + 1)} \tag{3–38}$$

Los valores numéricos de las resistencias medias $R_1$ y $R_2$ son

$$R_1 = \frac{d\,\Delta p}{dq_1} = \frac{0.5 \times 10^5}{3 \times 10^{-5}} = 0.167 \times 10^{10} \frac{\text{N/m}^2}{\text{kg/seg}}$$

$$R_2 = \frac{d\,\Delta p}{dq_2} = \frac{0.5 \times 10^5}{1.5 \times 10^{-5}} = 0.333 \times 10^{10} \frac{\text{N/m}^2}{\text{kg/seg}}$$

El valor numérico de la capacitancia $C$ de cada fuelle es

$$C = \frac{V}{nR_{\text{aire}}T} = \frac{5 \times 10^{-4}}{1 \times 287 \times (273 + 30)} = 5.75 \times 10^{-9} \frac{\text{kg}}{\text{N/m}^2}$$

En consecuencia,

$$R_1C = 0.167 \times 10^{10} \times 5.75 \times 10^{-9} = 9.60 \text{ seg}$$

$$R_2C = 0.333 \times 10^{10} \times 5.75 \times 10^{-9} = 19.2 \text{ seg}$$

Substituyendo los valores numéricos de $A$, $k$, $R_1C$, y $R_2$ en la ecuación (3-38), se tiene

$$\frac{X(s)}{P_i(s)} = \frac{1.44 \times 10^{-7}\, s}{(9.6s + 1)(19.2s + 1)}$$

**A-3-6.** Trace un diagrama de bloques correspondiente al controlador neumático que aparece en la figura 3-50. Luego deduzca la función de transferencia para este controlador.

Si se retira la resistencia $R_d$ (remplazada por una línea de tubería), ¿qué tipo de acción de control se obtiene? Si se quita la resistencia $R_i$ (remplazada por una línea de tubería), ¿qué tipo de acción de control se obtiene?

**Solución.** Supóngase que cuando $e = 0$, la distancia de aleta a tobera es igual a $\bar{X}$ y la presión de control es igual a $\bar{P}_c$. En el análisis presente, se suponen pequeñas desviaciones respecto a sus respectivos valores de referencia de:

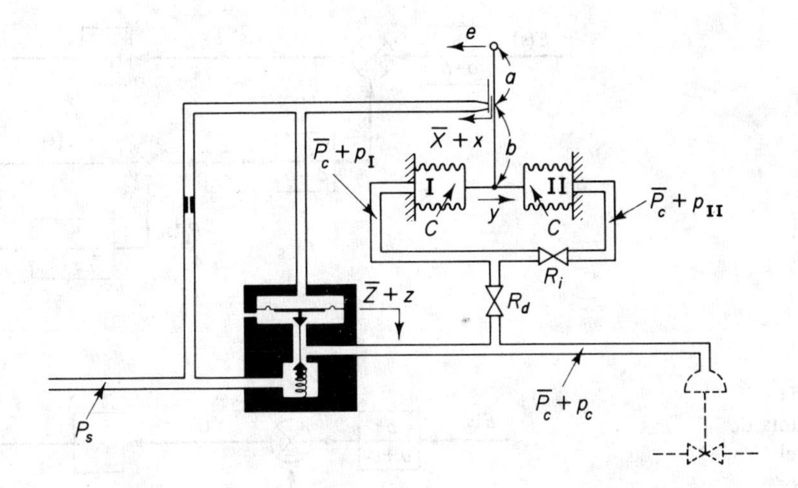


**Figura 3-50** Diagrama de un controlador neumático.

$e$ = pequeña señal de error
$x$ = pequeña variación en la distancia de aleta a tobera
$p_c$ = pequeño cambio en la presión de control
$p_{\mathrm{I}}$ = pequeña modificación de presión en el fuelle I a causa de un pequeño cambio en la presión de control
$p_{\mathrm{II}}$ = modificación de presión en el fuelle II a causa de un cambio pequeño en la presión de control
$y$ = pequeño desplazamiento del extremo inferior de la aleta

En este controlador, $p_c$ se transmite al fuelle I a través de la resistencia $R_d$. En forma similar, $p_c$ se transmite al fuelle II a través de la serie de resistencia $R_d$ y $R_i$. Una relación aproximada entre $p_{\mathrm{I}}$ y $p_c$ es

$$\frac{P_{\mathrm{I}}(s)}{P_c(s)} = \frac{1}{R_d Cs + 1} = \frac{1}{T_d s + 1}$$

donde $T_d = R_d C$ = tiempo derivativo. En forma similar, $p_{\mathrm{I}}$ y $p_{\mathrm{II}}$ están relacionadas por la función de transferencia

$$\frac{P_{\mathrm{II}}(s)}{P_{\mathrm{I}}(s)} = \frac{1}{R_i Cs + 1} = \frac{1}{T_i s + 1}$$

donde $T_i = R_i C$ = tiempo integral. La ecuación de balance de fuerzas para los dos fuelles es

$$(p_{\mathrm{I}} - p_{\mathrm{II}})A = k_s y$$

donde $k_s$ es la rigidez de los dos fuelles conectados y $A$ es la sección de corte de los fuelles. La relación entre las variables $e$, $x$, e $y$ es

$$x = \frac{b}{a+b} e - \frac{a}{a+b} y$$

La relación entre $p_c$ y $x$ es

$$p_c = Kx \qquad (K > 0)$$

De las ecuaciones recién deducidas, se puede trazar un diagrama de bloques del controlador, como se ve en la figura 3-51(a). Simplificando este diagrama de bloques se llega a la figura 3-51(b).

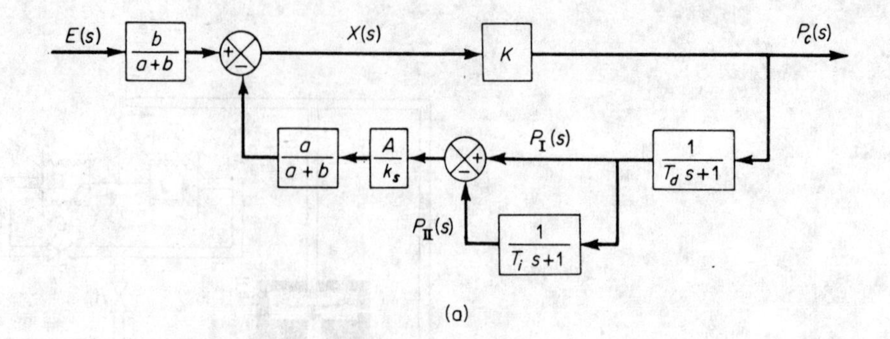


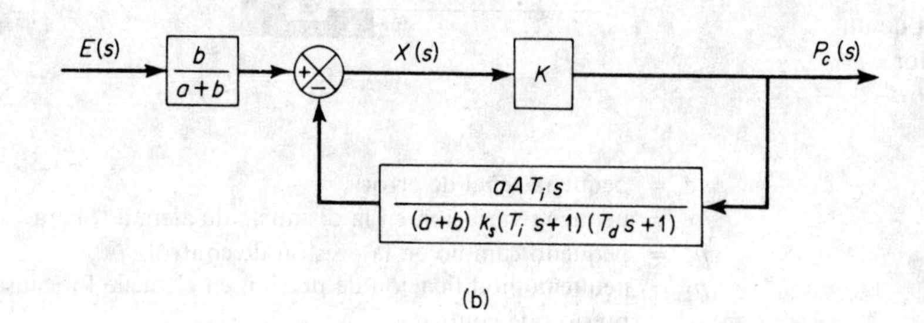


**Figura 3-51**
(a) Diagrama de bloques del controlador neumático que se muestra en la figura 3-50; (b) diagrama de bloques simplificado.

La función de transferencia entre $P_c(s)$ y $E(s)$ es

$$\frac{P_c(s)}{E(s)} = \frac{\frac{b}{a+b}K}{1 + K\frac{a}{a+b}\frac{A}{k_s}\left(\frac{T_i s}{T_i s + 1}\right)\left(\frac{1}{T_d s + 1}\right)}$$

Para un controlador práctico, en condiciones de funcionamiento normal, $|KaAT_i s/[(a + b)k_s(T_i s + 1)(T_d s + 1)]|$ es mucho mayor que la unidad y $T_i \gg T_d$. Por lo tanto, la función de transferencia se puede simplificar como sigue:

$$\begin{aligned}\frac{P_c(s)}{E(s)} &\doteqdot \frac{bk_s(T_i s + 1)(T_d s + 1)}{aAT_i s} \\ &= \frac{bk_s}{aA}\left(\frac{T_i + T_d}{T_i} + \frac{1}{T_i s} + T_d s\right) \\ &\doteqdot K_p\left(1 + \frac{1}{T_i s} + T_d s\right)\end{aligned}$$

donde

$$K_p = \frac{bk_s}{aA}$$

Así, el controlador de la figura 3-50 es un controlador proporcional-integral-derivativo.

Si se retira la resistencia $R_d$, o sea que $R_d = 0$, la acción pasa a ser la de un controlador proporcional integral.

Si se retira la resistencia $R_i$, o sea que $R_i = 0$, la acción pasa a ser la de un controlador proporcional de banda angosta o controlador de dos posiciones. (Nótese que las acciones de ambos fuelles se cancelan mutuamente, y no hay retroalimentación).

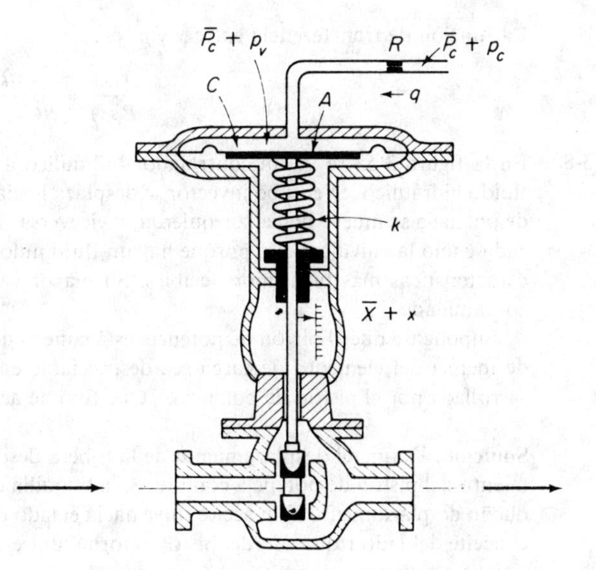


**Figura 3-52**
Válvula neumática de diafragma.

**A-3-7.** La figura 3-52 corresponde al diagrama esquemático de una válvula neumática de diafragma. En estado estacionario la presión de control del controlador es $\bar{P}_c$, la presión de la válvula también es $\bar{P}_c$, y el desplazamiento del vástago de la válvula es $\bar{X}$. Supóngase que al tiempo $t = 0$, se varía la presión de control de $\bar{P}_c$ a $\bar{P}_c + p_c$. Entonces la presión de la válvula cambia de $\bar{P}_c$ a $\bar{P}_c + p_v$. La modificación de presión en la válvula $p_v$, hace que el desplazamiento del vástago de la válvula varíe de $\bar{X}$ a $\bar{X} + x$. Hallar la función de transferencia entre la variación de desplazamiento del vástago de la válvula $x$, y la variación de presión de control $p_c$.

**Solución.** Si se define el gasto de aire al diafragma de la válvula a través de la resistencia $R$ como $q$, se tiene

$$q = \frac{p_c - p_v}{R}$$

En la cámara de aire de diafragma de la válvula, se tiene

$$C\, dp_v = q\, dt$$

En consecuencia,

$$C \frac{dp_v}{dt} = q = \frac{p_c - p_v}{R}$$

de donde

$$RC \frac{dp_v}{dt} + p_v = p_c$$

Notando que

$$Ap_v = kx$$

se tiene

$$\frac{k}{A}\left(RC \frac{dx}{dt} + x\right) = p_c$$

La función de transferencia entre $x$ y $p_c$ es

$$\frac{X(s)}{P_c(s)} = \frac{A/k}{RCs + 1}$$

**A-3-8.** En la figura 3-53 se ve un controlador hidráulico a chorro. Por el tubo inyector se expulsa el fluido hidráulico. Si el tubo inyector se desplaza hacia la derecha de su posición neutral, el pistón de potencia se mueve hacia la izquierda, y viceversa. Esta válvula de tubo inyector no es tan utilizada como la válvula aleta, porque hay un flujo nulo grande, velocidad de respuesta más lenta y características más bien impredecibles. Su mayor ventaja radica en que es insensible a fluidos contaminados.

Supóngase que el pistón de potencia está conectado a una carga liviana de modo que la fuerza de inercia del elemento de carga sea despreciable en comparación con la fuerza hidráulica desarrollada por el pistón de potencia. ¿Qué tipo de acción de control produce este controlador?

**Solución.** Defina el desplazamiento de la tobera desde su posición neutra como $x$ y al desplazamiento del pistón de potencia como $y$. Si la boquilla del chorro se mueve hacia la derecha un pequeño desplazamiento $x$, el aceite fluye hacia el lado derecho del pistón de potencia, en tanto que el aceite del lado izquierdo del pistón retorna al drenaje. El aceite que fluye hacia el cilindro de potencia está a presión alta; el aceite que retorna del cilindro de potencia al drenaje está a presión baja. La diferencia de presiones resultante hace que el pistón de potencia se desplace hacia la izquierda.

Para un desplazamiento pequeño $x$ de la boquilla del chorro, el gasto $q$ del cilindro de potencia es proporcional a $x$; es decir,

$$q = K_1 x$$

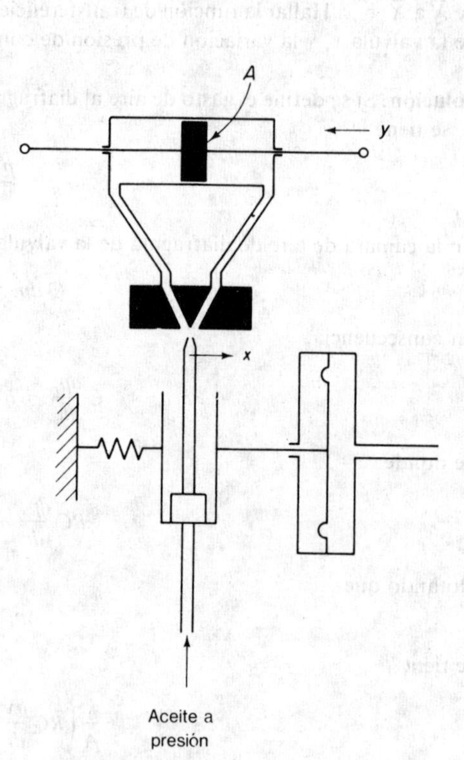


**Figura 3-53** Controlador hidráulico a chorro.

Para el cilindro de potencia,

$$A\rho\, dy = q\, dt$$

donde $A$ es el área del pistón de potencia y $\rho$ es la densidad del aceite. De aquí

$$\frac{dy}{dt} = \frac{q}{A\rho} = \frac{K_1}{A\rho} x = Kx$$

donde $K = K_1/(A\rho) =$ constante. La función de transferencia $Y(s)/X(s)$ es entonces

$$\frac{Y(s)}{X(s)} = \frac{K}{s}$$

El controlador produce la acción de control integral.

**A-3-9.** En la figura 3-54 aparece un controlador de chorro hidráulico aplicado a un sistema de control de gasto o flujo. El controlador a chorro gobierna la posición de la válvula de mariposa. Analice el funcionamiento del sistema. Trace una posible curva que relacione el desplazamiento $x$ de la boquilla con la fuerza total $F$ que actúa en el pistón de potencia.

**Solución.** El funcionamiento del sistema se describe a continuación. El gasto se mide a través del orificio, y la caída de presión producida por este orificio es transmitida al diafragma del dispositivo medidor de presión. El diafragma está conectado a la boquilla, o tubo del chorro, a través de un enlace. De la boquilla fluye aceite a alta presión todo el tiempo. Cuando ésta se encuentra en su posición neutra, no fluye aceite a través de ninguno de los tubos que mueven el pistón de potencia. Si la tobera es desplazada hacia un lado a través del tubo correspondiente por el movimiento del brazo de balance, fluye aceite a alta presión y el aceite del cilindro de potencia retorna al sumidero a través del otro tubo.

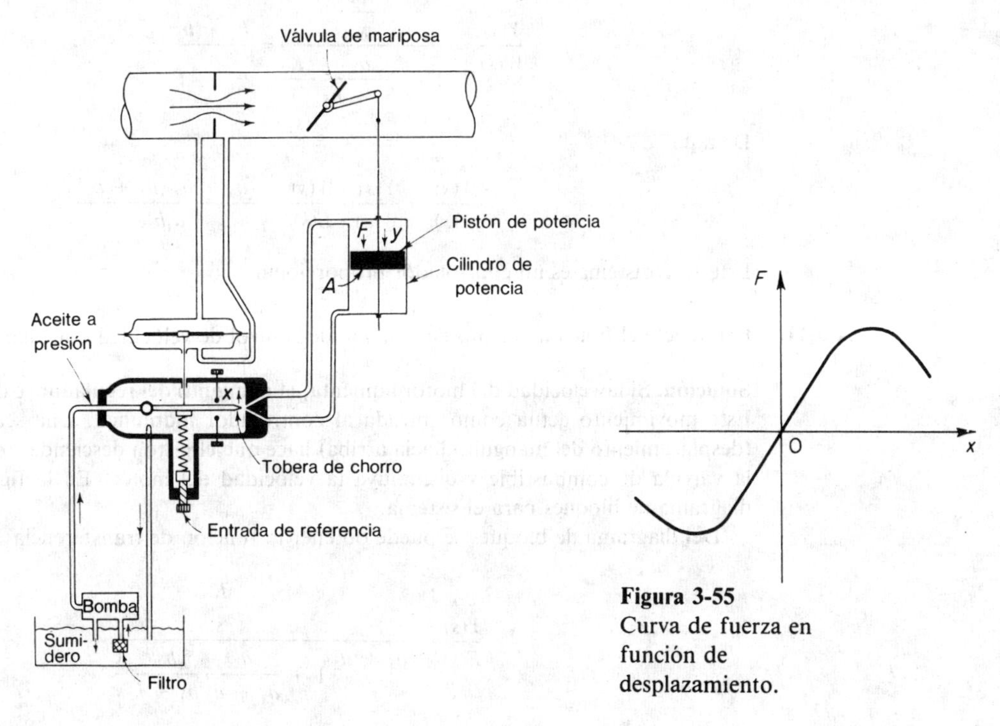


**Figura 3-54** Diagrama de un sistema de control de gasto o flujo con un controlador hidráulico de boquilla con turbina.

**Figura 3-55** Curva de fuerza en función de desplazamiento.

Supóngase que el sistema está inicialmente en reposo. Si la entrada de referencia cambia a un gasto mayor, la boquilla se desplaza de modo tal que mueve al pistón y abre la válvula de mariposa. Entonces el gasto aumenta, la diferencia de presión sobre el orificio se incrementa y la tobera retorna a su posición. El movimiento del pistón de potencia cesa cuando $x$, el desplazamiento de la tobera, retorna y se coloca en su posición neutra. (Así el controlador de chorro posee una propiedad integradora).

La relación entre la fuerza total $F$ que actúa sobre el pistón de potencia y el desplazamiento $x$ de la boquilla se puede ver en la figura 3-55. La fuerza total es igual a la diferencia de presión $\Delta P$ sobre el pistón, multiplicada por el área $A$ del pistón de potencia. Para un pequeño desplazamiento $x$ de la tobera, la fuerza total $F$ y el desplazamiento $x$ se pueden considerar proporcionales.

**A–3–10.** Considérese el servosistema hidráulico que aparece en la figura 3-56. Suponiendo que la señal $e(t)$ sea la entrada y el desplazamiento del pistón de potencia $y(t)$ la salida, hallar la función de transferencia $Y(s)/E(s)$.

**Solución.** Un diagrama de bloques del sistema se puede dibujar según se ve en la figura 3-57. Suponiendo que $|K_1a_1/[s(a_1 + a_2)]| \gg 1$ y $| K_2b_1/[s(b_1 + b_2)] \gg 1$, se obtiene

$$\frac{Z(s)}{E(s)} = \frac{\dfrac{a_2}{a_1 + a_2} \cdot \dfrac{K_1}{s}}{1 + \dfrac{K_1}{s} \cdot \dfrac{a_1}{a_1 + a_2}} \doteq \frac{a_2}{a_1 + a_2} \cdot \frac{a_1 + a_2}{a_1} = \frac{a_2}{a_1}$$

$$\frac{W(s)}{E(s)} = \frac{a_1 + a_2 + a_3}{a_1 + a_2} \cdot \frac{Z(s)}{E(s)} + \frac{a_3}{a_1 + a_2} = \frac{a_2 + a_3}{a_1}$$

$$\frac{Y(s)}{W(s)} = \frac{\dfrac{K_2}{s}}{1 + \dfrac{b_1}{b_1 + b_2} \cdot \dfrac{K_2}{s}} \doteq \frac{b_1 + b_2}{b_1}$$

De aquí,

$$\frac{Y(s)}{E(s)} = \frac{Y(s)}{W(s)} \cdot \frac{W(s)}{E(s)} = \frac{(a_2 + a_3)(b_1 + b_2)}{a_1 b_1}$$

Este servosistema es un controlador proporcional.

**A-3-11.** Explíquese el funcionamiento del sistema de control de velocidad que aparece en la figura 3-58.

**Solución.** Si la velocidad del motor aumenta, el manguito del regulador se desplaza hacia arriba. Este movimiento actúa como entrada al controlador hidráulico. Una señal de error positiva (desplazamiento del manguito hacia arriba) hace que el pistón descienda, reduzca la apertura de la válvula de combustible y disminuya la velocidad del motor. En la figura 3-59 aparece un diagrama de bloques para el sistema.

Del diagrama de bloques se puede obtener la función de transferencia $Y(s)/E(s)$ como

$$\frac{Y(s)}{E(s)} = \frac{a_2}{a_1 + a_2} \frac{\dfrac{K}{s}}{1 + \dfrac{a_1}{a_1 + a_2} \dfrac{bs}{bs + k} \dfrac{K}{s}}$$

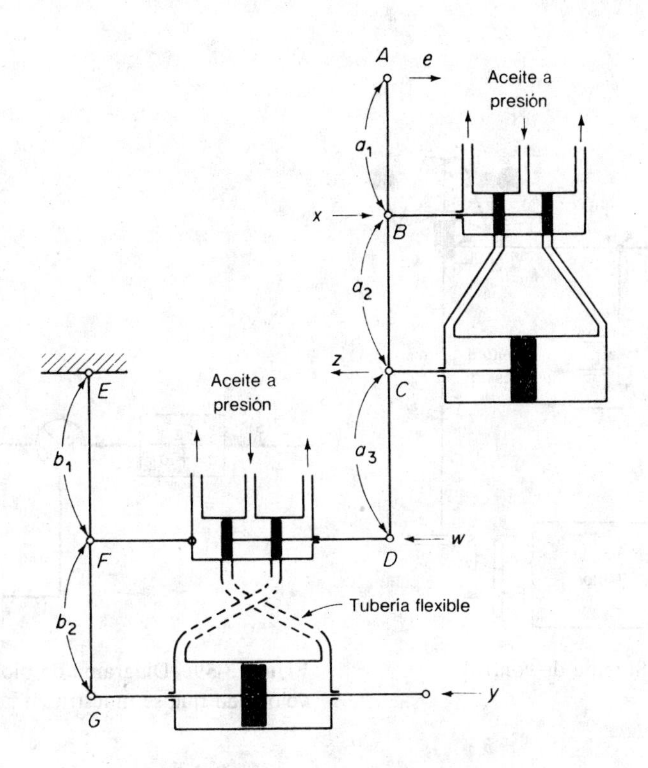


**Figura 3-56** Servosistema hidráulico.

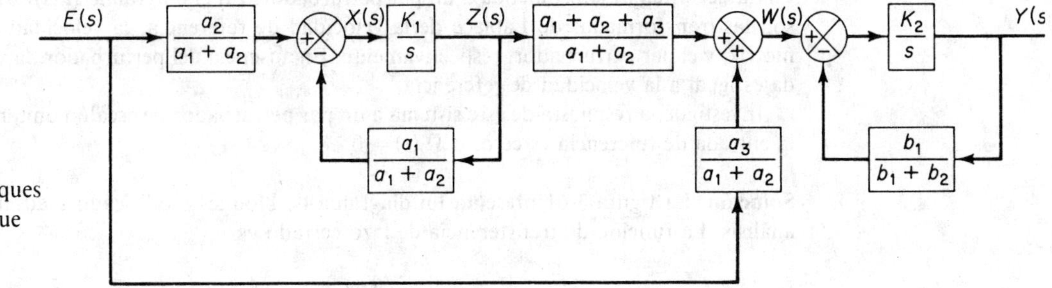


**Figura 3-57** Diagrama de bloques para el sistema que se muestra en la figura 3-56.

Si se aplica la condición siguiente,

$$\left| \frac{a_1}{a_1 + a_2} \frac{bs}{bs + k} \frac{K}{s} \right| \gg 1$$

la función de transferencia $Y(s)/E(s)$ resulta

$$\frac{Y(s)}{E(s)} \doteqdot \frac{a_2}{a_1 + a_2} \frac{a_1 + a_2}{a_1} \frac{bs + k}{bs} = \frac{a_2}{a_1} \left( 1 + \frac{k}{bs} \right)$$

El controlador de velocidad tiene acción de control proporcional e integral.

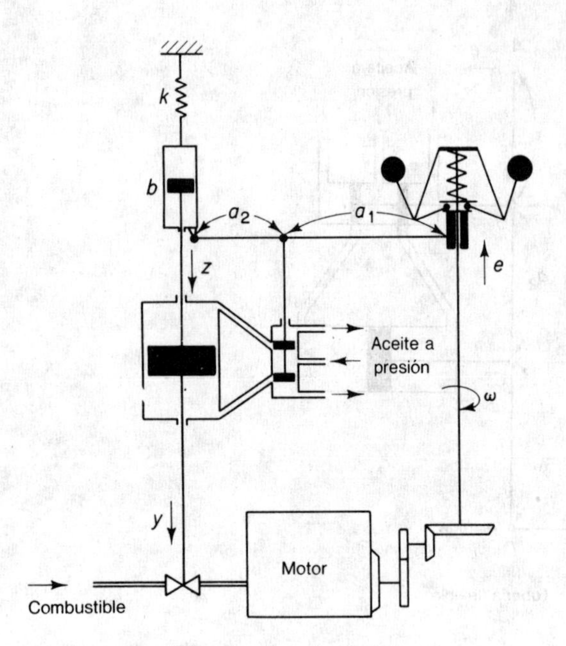


**Figura 3-58** Sistema de control de velocidad.

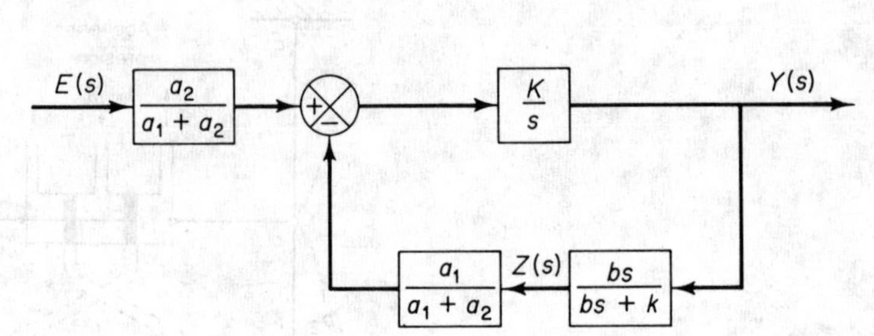


**Figura 3-59** Diagrama de bloques para el sistema de control de velocidad que se muestra en la figura 3-58.

**A-3-12.** El diagrama de bloques de la figura 3-60 muestra un sistema de control de velocidad en el que la salida del sistema está sometida a un par perturbador. En el diagrama $\Omega_r(s)$, $\Omega(s)$, $T(s)$, y $N(s)$ son las transformadas de Laplace de la velocidad de referencia, la velocidad de salida, el par motriz, y el par perturbador, respectivamente. En ausencia del perturbador, la velocidad de salida es igual a la velocidad de referencia.

Investigue la respuesta de este sistema a un par perturbador de escalón unitario. Suponga que la entrada de referencia es cero, o $\Omega_r(s) = 0$.

**Solución.** La figura 3-61 presenta un diagrama de bloques modificado y adecuado al presente análisis. La función de transferencia de lazo cerrado es

$$\frac{\Omega_N(s)}{N(s)} = \frac{1}{Js + K}$$

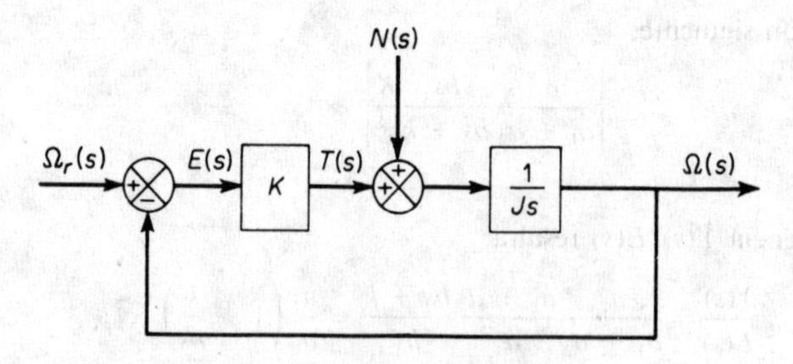


**Figura 3-60** Diagrama de bloques de un sistema de control de velocidad.

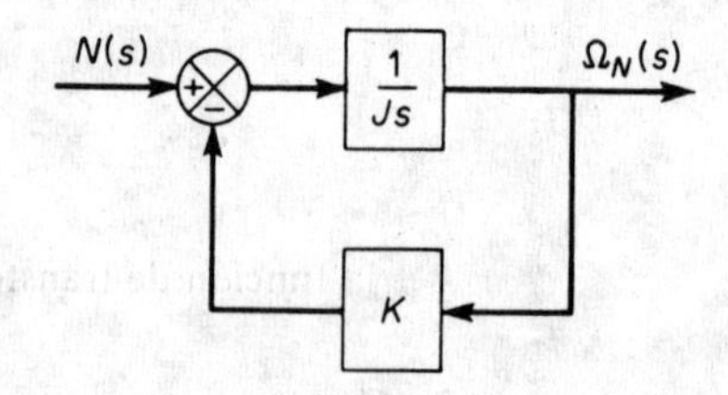


**Figura 3-61** Diagrama de bloques del sistema de control de velocidad mostrado en la figura 3-60 cuando $\Omega_r(s) = 0$.

donde $\Omega_N(s)$ es la transformada de Laplace de la velocidad de salida debida al par perturbador. Para un par perturbador tipo escalón unitario, la velocidad de salida en estado estacionario es

$$\begin{aligned}\omega_N(\infty) &= \lim_{s\to 0} s\Omega_N(s)\\ &= \lim_{s\to 0} \frac{s}{Js+K}\frac{1}{s}\\ &= \frac{1}{K}\end{aligned}$$

De este análisis se concluye que si se aplica un par perturbador escalón a la salida del sistema, se obtendrá una velocidad de error de manera que el par motriz resultante cancele exactamente el par perturbador. Para desarrollar este par motriz, es necesario que haya un error en velocidad, de modo que resulte un par no nulo.

**A-3-13.** En el sistema del caso del problema A-3-12, se desea eliminar en lo posible, los errores de velocidad causados por pares perturbadores.

¿Es posible cancelar el efecto de un par perturbador en estado estacionario de modo que un par perturbador constante aplicado a la salida, no produzca cambio de velocidad en estado estacionario?

**Solución.** Supóngase la elección de un controlador adecuado cuya función de transferencia es $G_c(s)$, que se puede ver en la figura 3-62. Entonces en ausencia de la entrada de referencia, la función de transferencia de lazo cerrado entre la velocidad de salida $\Omega_N(s)$ y el par perturbador $N(s)$ es

$$\begin{aligned}\frac{\Omega_N(s)}{N(s)} &= \frac{\frac{1}{Js}}{1+\frac{1}{Js}G_c(s)}\\ &= \frac{1}{Js+G_c(s)}\end{aligned}$$

La velocidad de salida en estado estacionario, como respuesta al par perturbador escalón unitario, es

$$\begin{aligned}\omega_N(\infty) &= \lim_{s\to 0} s\Omega_N(s)\\ &= \lim_{s\to 0} \frac{s}{Js+G_c(s)}\frac{1}{s}\\ &= \frac{1}{G_c(0)}\end{aligned}$$

Para satisfacer el requerimiento de que

$$\omega_N(\infty) = 0$$

se debe elegir $G_c(0) = \infty$. Lo cual se puede lograr si se elige

$$G_c(s) = \frac{K}{s}$$

La acción de control integral continuará corrigiendo hasta que el error sea nulo. Sin embargo, este controlador presenta un problema de estabilidad debido a que la ecuación característica tendrá dos raíces imaginarias.

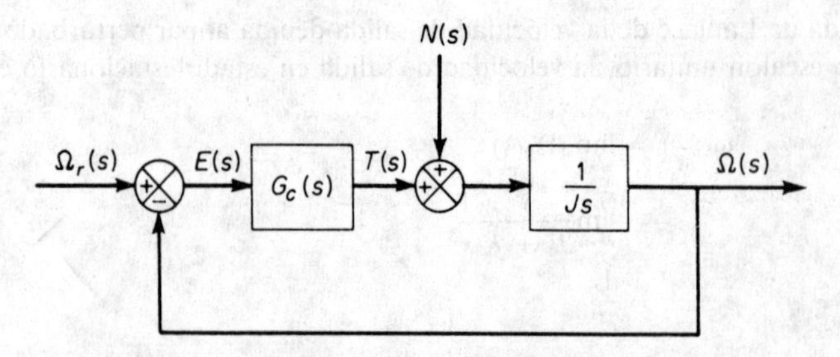


**Figura 3-62** Diagrama de bloques de un sistema de control de velocidad.

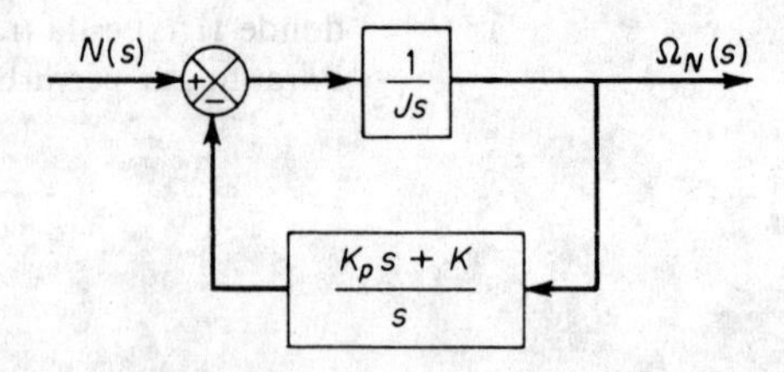


**Figura 3-63** Diagrama de bloques del sistema de control de velocidad de la figura 3-62 cuando $G_c(s) = K_p + (K/s)$ y $\Omega_r(s) = 0$.

Un método de estabilizar un sistema como éste, es agregar un modo proporcional al controlador, o elegir

$$G_c(s) = K_p + \frac{K}{s}$$

Con este controlador, el diagrama de bloques de la figura 3-62 en ausencia de la entrada de referencia, puede modificarse al diagrama de la figura 3-63. La función de transferencia $\Omega_N(s)/N(s)$ se convierte en

$$\frac{\Omega_N(s)}{N(s)} = \frac{s}{Js^2 + K_p s + K}$$

Para un par perturbador escalón unitario, la velocidad de salida estacionaria es

$$\omega_n(\infty) = \lim_{s \to 0} s\Omega_N(s) = \lim_{s \to 0} \frac{s^2}{Js^2 + K_p s + K} \frac{1}{s} = 0$$

Así, el controlador proporcional-integral, elimina el error de velocidad en estado estacionario.

El uso de la acción de control integral ha incrementado el orden del sistema en 1. (Esto tiende a producir una respuesta oscilatoria).

En este sistema, un par perturbador escalón producirá un error transitorio en la velocidad de salida, pero el error se hace cero en estado estacionario. El integrador permite una salida no nula con error cero. (La salida no nula del integrador produce un par motriz que cancela exactamente al par perturbador).

Nótese que el integrador en la función de transferencia de la planta no elimina el error en estado estacionario ocasionado por el par perturbador escalón. Para eliminar esto, se debe disponer de un integrador previo a la planta donde entra el par perturbador.

**A-3-14.** Considérense los sistemas de control de lazo abierto y de lazo cerrado que se ven en la figura 3-64. En el lazo abierto se calibra la ganancia $K_c$ de manera que $K_c = 1/K$. Así, la función de transferencia del sistema de control de lazo abierto es

$$G_0(s) = \frac{1}{K} \frac{K}{Ts + 1} = \frac{1}{Ts + 1}$$

En el sistema de control de lazo cerrado, se ajusta la ganancia $K_p$ del controlador de modo que $K_p K \gg 1$.

Suponiendo una entrada escalón unitario, comparar los errores estacionarios para estos sistemas de control.

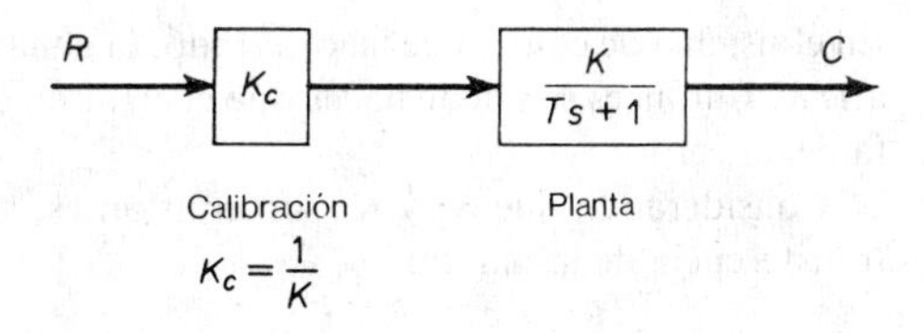


**Figura 3-64** Diagramas de bloques de un sistema de control de lazo abierto y de un sistema de control de lazo cerrado.

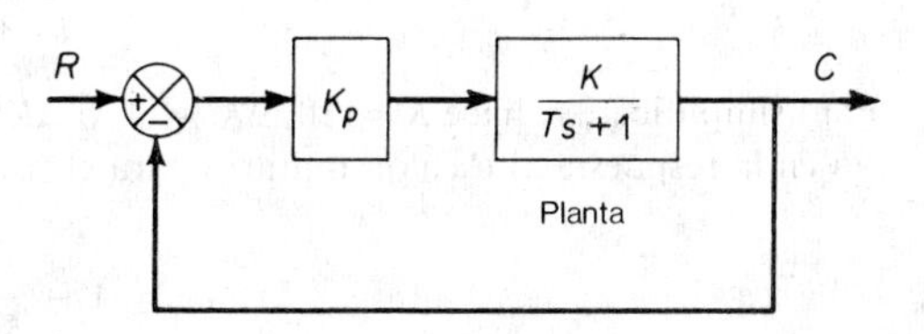


**Solución.** Para el sistema de control de lazo abierto, la señal de error es

$$e(t) = r(t) - c(t)$$

o bien

$$E(s) = R(s) - C(s)$$
$$= [1 - G_0(s)]R(s)$$

El error en estado estacionario en la respuesta escalón unitario es

$$e_{ss} = \lim_{s \to 0} sE(s)$$
$$= \lim_{s \to 0} s[1 - G_0(s)] \frac{1}{s}$$
$$= 1 - G_0(0)$$

Si $G_0(0)$, la ganancia de cd del sistema de control de lazo abierto es igual a la unidad, el error en estado estacionario es cero. Sin embargo, debido a modificaciones ambientales y envejecimiento de los componentes, la ganancia de cd se aleja de la unidad a medida que pasa el tiempo, y el error en estado estacionario ya no es igual a cero. Un error estacionario como éste en un sistema de control de lazo abierto, permanece hasta que el sistema se recalibra.

Para el sistema de lazo cerrado, la señal de error es

$$E(s) = R(s) - C(s)$$
$$= \frac{1}{1 + G(s)} R(s)$$

donde

$$G(s) = \frac{K_p K}{Ts + 1}$$

El error en estado estacionario en la respuesta al escalón unitario es

$$e_{ss} = \lim_{s \to 0} s \left[ \frac{1}{1 + G(s)} \right] \frac{1}{s}$$
$$= \frac{1}{1 + G(0)}$$
$$= \frac{1}{1 + K_p K}$$

En el sistema de control de lazo cerrado, la ganancia $K_p$ se regula a un valor muy elevado respecto a $1/K$. Entonces se puede hacer que el error en estado estacionario sea pequeño aunque no exactamente cero.

Considerando que $K_c$ y $K_p$ son constantes, supóngase la siguiente variación en la función de transferencia de la planta:

$$\frac{K + \Delta K}{Ts + 1}$$

Para simplificar, se hace $K = 10$, $\Delta K = 1$, o $\Delta K/K = 0.1$. Entonces el error en estado estacionario en la respuesta al escalón unitario para el sistema de control de lazo abierto, se convierte en

$$\begin{aligned} e_{ss} &= 1 - \frac{1}{K}(K + \Delta K) \\ &= 1 - 1.1 = -0.1 \end{aligned}$$

Para el sistema de control de lazo cerrado, si el valor de $K_p$ se ajusta en $100/K$, el error en estado estacionario en la respuesta al escalón unitario, es

$$\begin{aligned} e_{ss} &= \frac{1}{1 + G(0)} \\ &= \frac{1}{1 + \dfrac{100}{K}(K + \Delta K)} \\ &= \frac{1}{1 + 110} = 0.009 \end{aligned}$$

Entonces el sistema de control de lazo cerrado es superior al sistema de control de lazo abierto en presencia de cambios ambientales, envejecimiento de componentes, etc., que definitivamente afectan el funcionamiento en estado estacionario.

**A-3-15.** Debido a tolerancias de fabricación, las válvulas de carrete o cilindro vienen sobrelapadas o suplapadas. Se analizan las válvulas de carrete sobrelapada y sublapada de la figura 3-65(a) y (b). Dibuje las curvas que relacionan la porción descubierta de la compuerta de área $A$ en función del desplazamiento $x$.

**Solución.** Para la válvula sobrelapada, existe una zona muerta entre $-\frac{1}{2}x_0$ y $\frac{1}{2}x_0$, o $-\frac{1}{2}x_0 < x < \frac{1}{2}x_0$. En la figura 3-66(a) se presenta la curva del área no cubierta $A$ contra el desplazamiento $x$. La válvula sobrelapada no se utiliza como válvula de control.

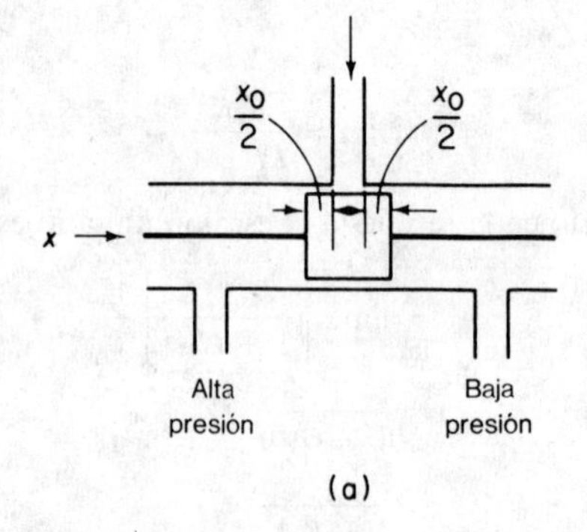


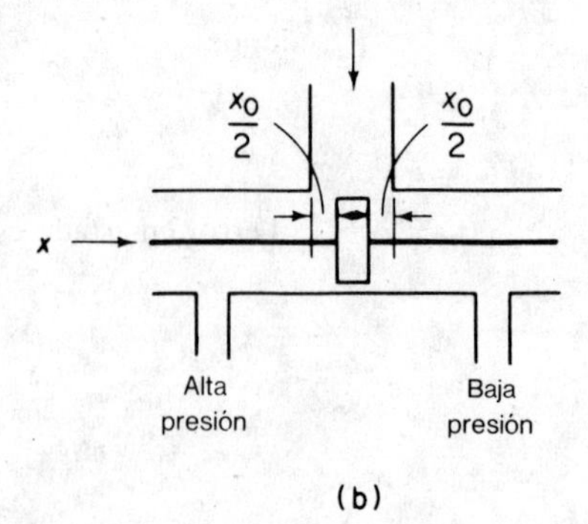


**Figura 3-65** (a) Válvula de carrete sobrelapada; (b) válvula de carrete sublapada.

**Figura 3-66**
(a) Curva de porción descubierta de la compuerta, de área $A$, en función del desplazamiento $x$ para la válvula sobrelapada;
(b) curva de porción descubierta de la compuerta, de área $A$, en función del desplazamiento $x$ para la válvula sublapada.

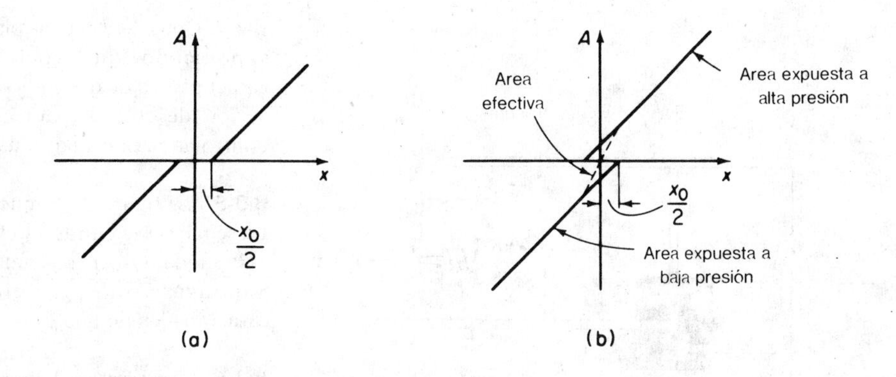


En la válvula sublapada, la curva del área de compuerta $A$ en función del desplazamiento $x$ aparece en la figura 3-66(b). La curva efectiva de la región sublapada tiene una pendiente más elevada, lo que significa una mayor sensibilidad. Las válvulas utilizadas para los controles son sublapadas por lo general.

## PROBLEMAS

**B-3-1.** Considérense los controladores automáticos industriales cuyas acciones de control son proporcional, integral, proporcional-derivativa, y proporcional-integral-derivativa. Las funciones de transferencia de estos controladores están dadas, respectivamente por

$$\frac{U(s)}{E(s)} = K_p$$

$$\frac{U(s)}{E(s)} = \frac{K_i}{s}$$

$$\frac{U(s)}{E(s)} = K_p\left(1 + \frac{1}{T_i s}\right)$$

$$\frac{U(s)}{E(s)} = K_p(1 + T_d s)$$

$$\frac{U(s)}{E(s)} = K_p\left(1 + \frac{1}{T_i s} + T_d s\right)$$

donde $U(s)$ es la transformada de Laplace de $u(t)$, la salida del controlador y $E(s)$ la transformada de Laplace de $e(t)$, la señal de error actuante. Trazar las curvas de $u(t)$ para cada uno de los cinco tipos de controladores, cuando la señal de error es

(a) $e(t)$ = función escalón unitario
(b) $e(t)$ = función rampa unitaria

Al trazar las curvas, supóngase que los valores numéricos de $K_p$, $K_i$, $T_i$, y $T_d$ están dados como

$K_p$ = ganancia proporcional = 4
$K_i$ = ganancia integral = 2
$T_i$ = tiempo integral = 2 seg.
$T_d$ = tiempo derivativo = 0.8 seg.

**B-3-2.** Considere el sistema neumático que aparece en la figura 3-67. Obtenga la función de transferencia $X(s)/P_i(s)$.

**B-3-3.** La figura 3-68 muestra un controlador neumático. ¿Qué clase de acción de control produce? Deduzca la función de transferencia $P_c(s)/E(s)$.

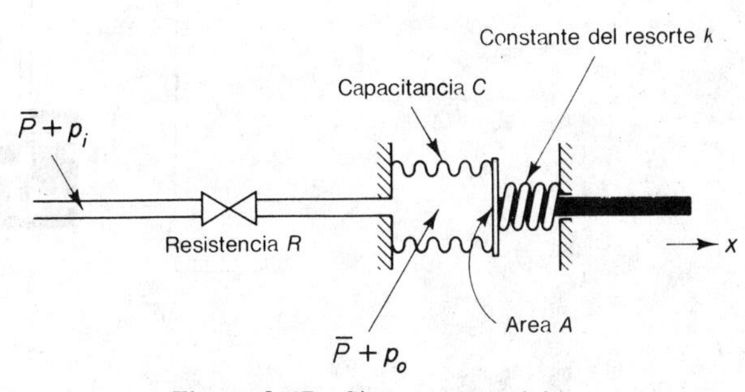


**Figura 3-67** Sistema neumático.

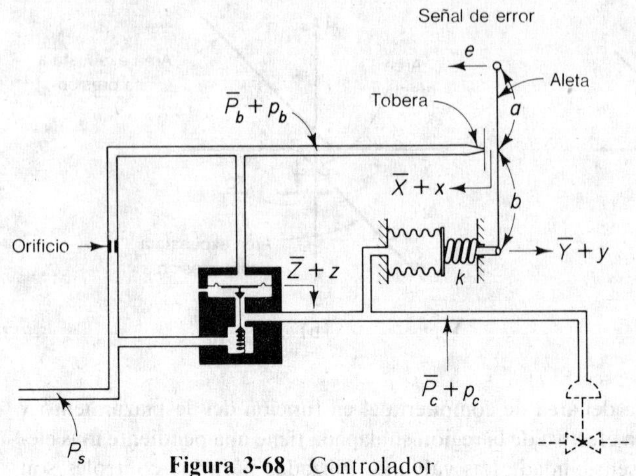


**Figura 3-68** Controlador neumático.

**B-3-4.** Considere el controlador neumático de la figura 3-69. suponiendo que el relevador neumático tiene la característica de que $p_c = Kp_b$ (donde $K > 0$), determine la acción de control para este controlador. La entrada al controlador es $e$ y la salida es $p_c$.

**B-3-5.** La figura 3-70 muestra un controlador neumático. La señal $e$ es la entrada y el cambio de presión de control $p_c$ es la salida. Obtener la función de transferencia $P_c(s)/E(s)$. Supóngase que el relevador neumático tiene la característica de que $p_c = Kp_b$ donde $K > 0$.

**B-3-6.** Considérese el controlador neumático mostrado en la figura 3-71. ¿Qué modo de control produce este contro-

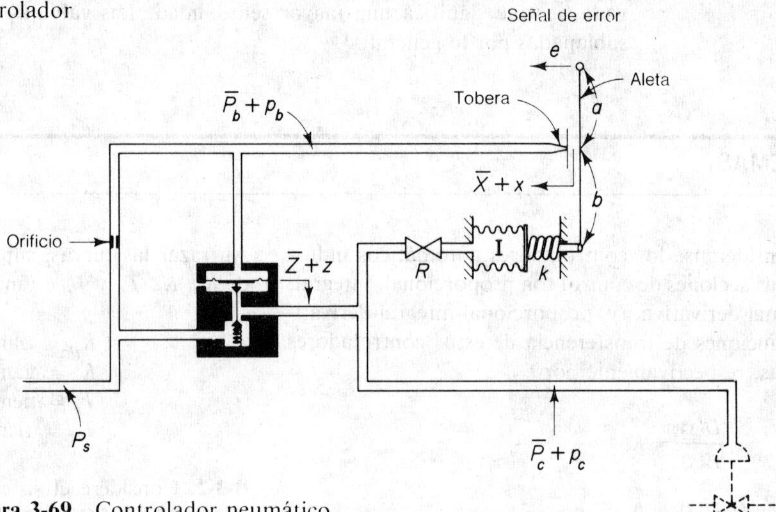


**Figura 3-69** Controlador neumático.

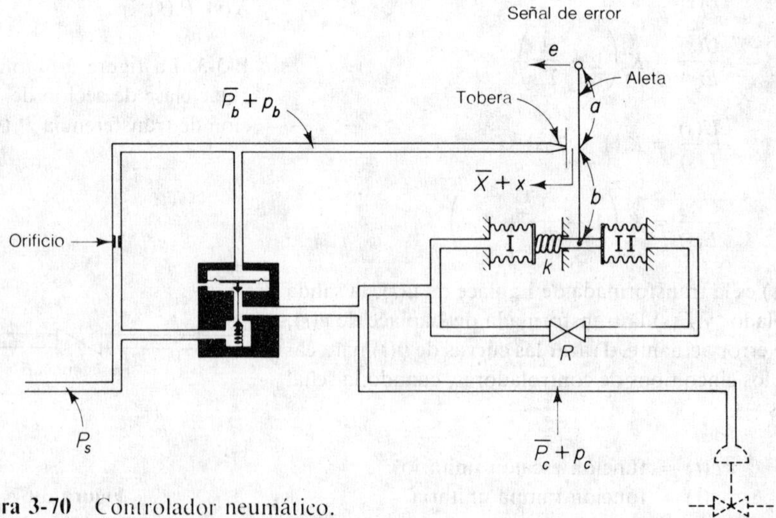


**Figura 3-70** Controlador neumático.

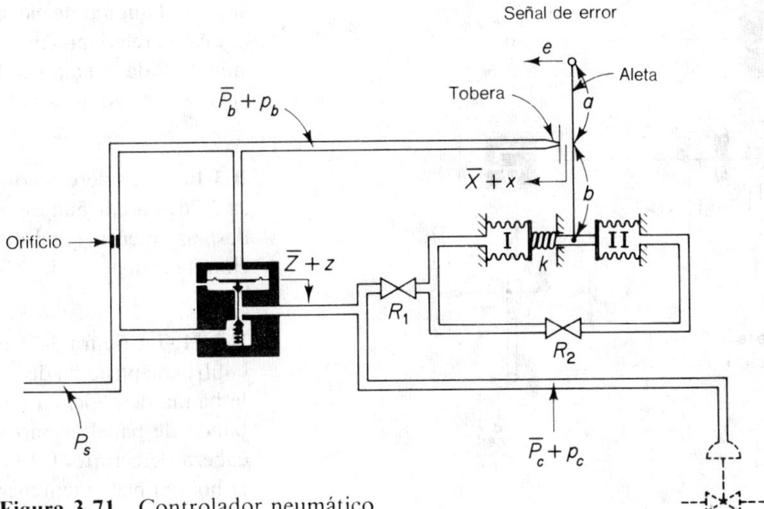


**Figura 3-71** Controlador neumático.

lador? Supóngase que el relevador neumático tiene la característica de que $p_c = Kp_b$, para $K > 0$.

**B-3-7.** La figura 3-72 muestra un transductor eléctrico-neumático. Demuestre que el cambio en la presión de salida es proporcional al cambio en la corriente de entrada.

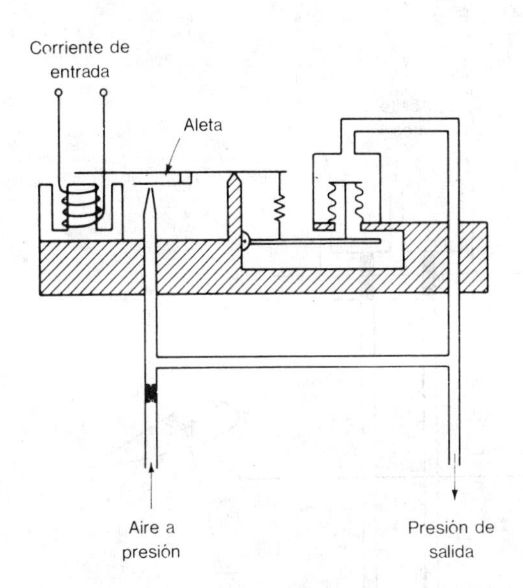


**Figura 3-72** Transductor electro-neumático.

**B-3-8.** La figura 3-73 muestra una válvula de aleta. Está ubicada entre dos toberas opuestas. Si la aleta se mueve le-

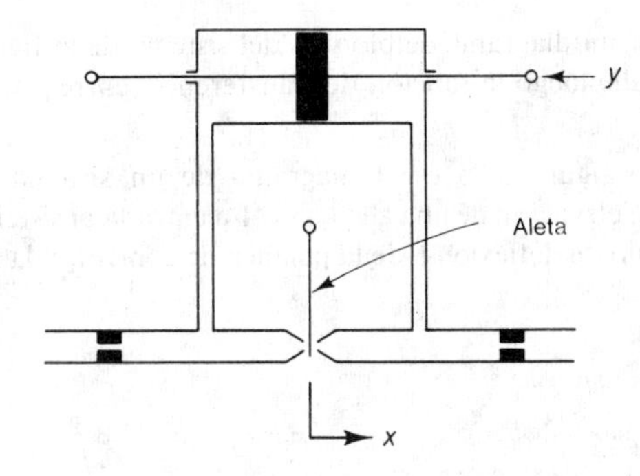


**Figura 3-73** Válvula de aleta conectada a un cilindro de potencia.

vemente hacia la derecha, se produce un desequilibrio en las boquillas y el pistón de potencia se desplaza hacia la izquierda y viceversa. Este dispositivo se utiliza frecuentemente en servos hidráulicos como válvula de primera etapa en servoválvulas de dos etapas. Esta utilización se explica porque se puede requerir una fuerza considerable para mover las grandes válvulas de carrete que operan sobre fuerzas producidas por flujo en estado estacionario. Para reducir o compensar estas fuerzas, se emplean válvulas en configuraciones de dos etapas; en la primera etapa se utiliza una válvula de aleta o de chorro para proveer la fuerza necesaria para activar, en la segunda etapa, una válvula de carrete.

La figura 3-74 muestra el diagrama de un servomotor hidráulico en el que la señal de error es amplificada en dos etapas utilizando una boquilla de chorro y una válvula pilo-

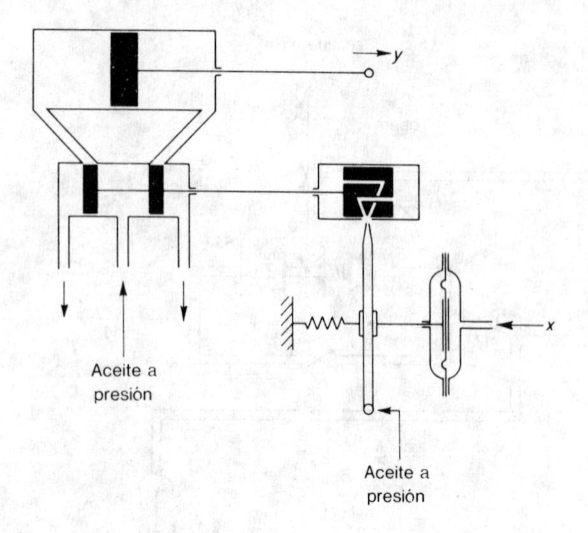


**Figura 3-74** Diagrama de un servomotor hidráulico.

to. Trazar un diagrama de bloques del sistema de la figura 3-74, y halle luego la función de transferencia entre $y$ y $x$.

**B-3-9.** La figura 3-75 es el diagrama de un sistema de control de elevación de una aeronave. La entrada al sistema es el ángulo de deflexión $\theta$ de la palanca de control, y la salida es el ángulo de elevación $\phi$. Supóngase que los ángulos $\theta$ y $\phi$ son relativamente pequeños. Demostrar que para cada ángulo $\theta$ de la palanca de control, hay un valor correspondiente (en estado estacionario) del ángulo de elevación $\phi$.

**B-3-10.** Considere el controlador que se muestra en la figura 3-76. La entrada es la presión de aire $p_i$ y la salida es el desplazamiento $y$ del pistón de potencia. Obtenga la función de transferencia $Y(s)/P_i(s)$.

**B-3-11.** La figura 3-77 muestra el diagrama del sistema de control de posición de borde. Se desea mantener el borde de la banda de papel en una posición deseada. El borde de la banda de papel en movimiento está determinado por una cabeza detectora $D$. El controlador hidráulico reposiciona la bobina para mantener el borde circulante de papel en la posición deseada. Dibujar un diagrama de bloques del sistema.

**B-3-12.** Con los datos de los ejemplos 3-1 y 3-2, obtenga la respuesta $h(t)$ cuando el gasto perturbador $q_d$ está dado por

$$q_d(t) = 1(t) - 1(t - 50)$$

Es decir, $q_d$ es la unidad para $0 < t < 50$ y cero para todo otro tiempo. Obtenga también $q_i(t)$.

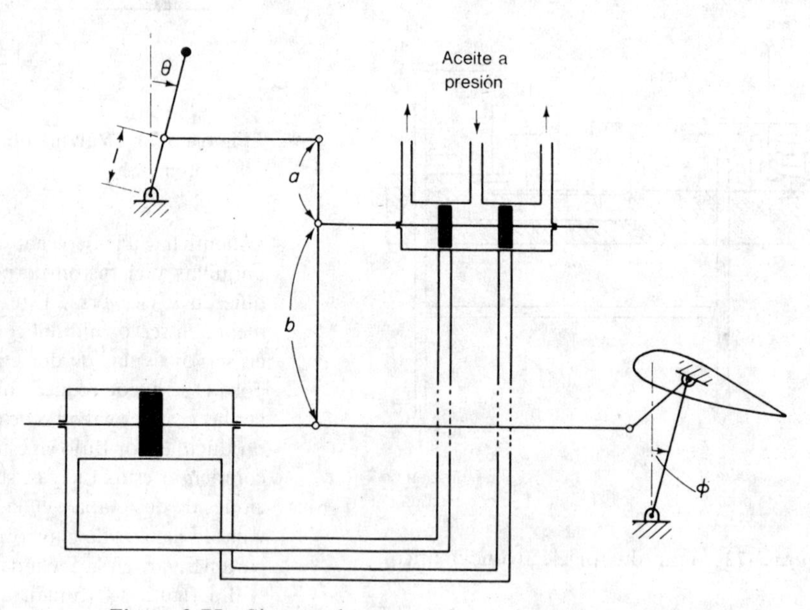


**Figura 3-75** Sistema de control de un elevador de aeronave.

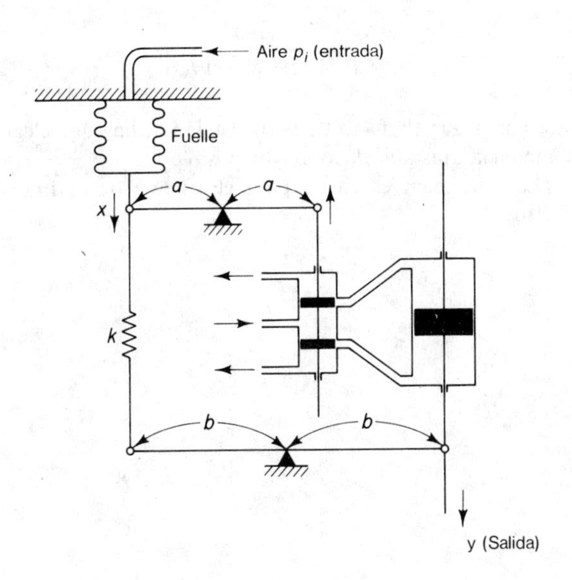


**Figura 3-76** Controlador.

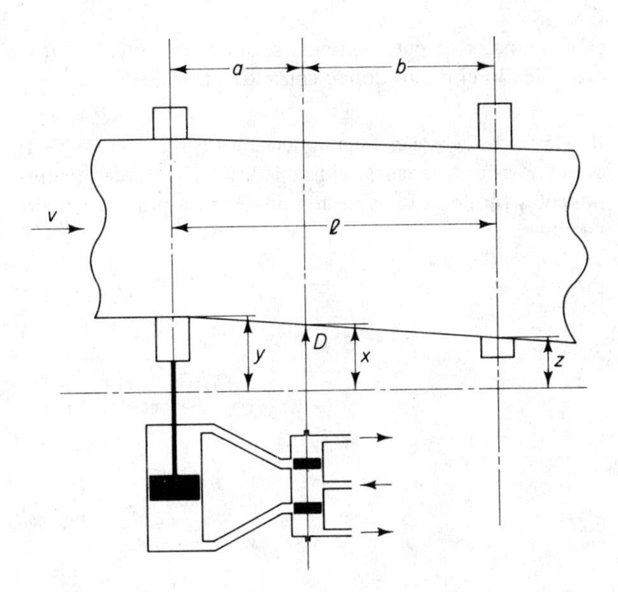


**Figura 3-77** Sistema de control de posición de borde.

**B-3-13.** Considere el sistema de lazos múltiples que se muestra en la figura 3-78. Obtenga la función de transferencia de lazo cerrado entre $C(s)$ y $N(s)$.

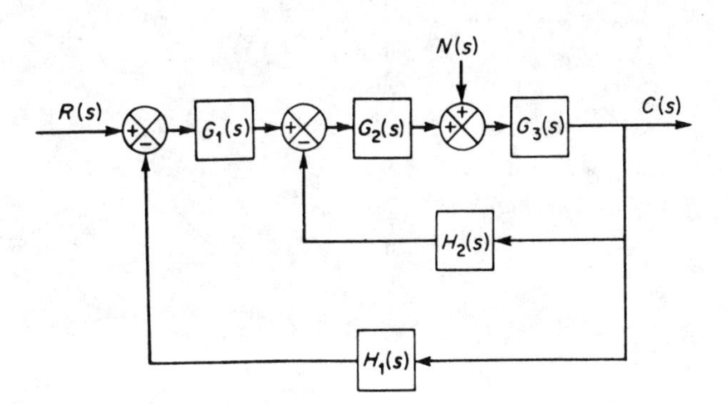


**Figura 3-78** Sistema de múltiples lazos.

**B-3-14.** Si el lazo de retroalimentación de un sistema de control contiene al menos un elemento integrador, la salida sigue cambiando mientras hay error. La salida se detiene cuando el error llega precisamente a cero. Si entra una perturbación externa al sistema, es deseable disponer de un elemento integrador entre el elemento de medición y el punto en el que entra la perturbación, de modo que el efecto de la perturbación externa pueda llevarse a cero en estado estacionario.

Demuestre que si la perturbación es una función rampa, el error en estado estacionario ocasionado por esta perturba-

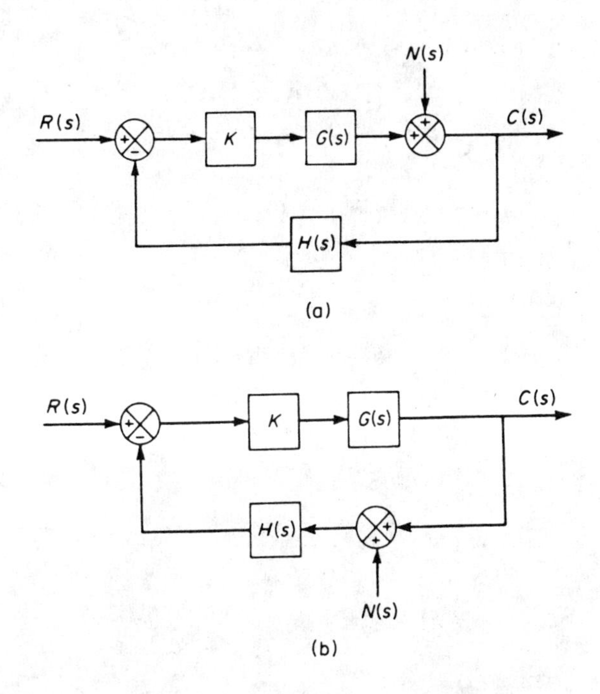


**Figura 3-79** (a) Sistema de control con perturbación en la trayectoria directa; (b) sistema de control con perturbación en la trayectoria de perturbación.

ción rampa, sólo puede eliminarse si hay dos integradores precediendo el punto donde entra la perturbación.

**B-3-15.** Considérese el sistema que se ve en la figura 3-79(a) donde $K$ es una ganancia ajustable y $G(s)$ y $H(s)$ son componentes fijos. La función de transferencia para la perturbación es

$$\frac{C(s)}{N(s)} = \frac{1}{1 + KG(s)H(s)}$$

Para minimizar el efecto de perturbaciones, hay que elegir la ganancia ajustable $K$ lo mayor posible.

¿Esto también es cierto para el sistema de la figura 3-79(b)?

# CAPITULO 4

# Análisis de respuesta transitoria y análisis de error en estado estacionario

## 4-1 INTRODUCCION

En el capítulo 2 se afirmó que el primer paso del análisis de un sistema de control, era deducir un modelo matemático del sistema. Una vez obtenido, se dispone de varios métodos para analizar el comportamiento del sistema.

En la práctica, la señal de entrada a un sistema de control no puede conocerse con anticipación, ya que es de naturaleza aleatoria y por lo tanto, la entrada instantánea no puede expresarse en forma analítica. Sólo en casos especiales se conoce previamente la señal de entrada, que entonces es expresable en forma analítica, o por curvas representativas, como es el caso del control automático de las herramientas de corte.

Al analizar y diseñar sistemas de control, se debe disponer de una base para comparar el comportamiento de diversos sitemas de control. Esas bases se pueden establecer especificando determinadas señales especiales de entrada y comparando las respuestas de diversos sistemas ante esas señales.

Muchos criterios de diseño están basados en tales señales, o en respuestas de sistemas a cambios en las condiciones iniciales (sin señales de prueba). El uso de señales de prueba se puede justificar por la correlación existente entre las características de respuesta de un sistema a una señal de prueba típica, y la capacidad del sistema para atender las señales de entrada reales que se le presentan.

**Señales de prueba típicas.** Las señales de prueba de entrada utilizadas más comúnmente son las funciones escalón, rampa, aceleración, impulso, senoidal y similares. Con estas señales de prueba, se pueden realizar análisis matemáticos y experimentales de los sistemas de control fácilmente, debido a que dichas señales son funciones sencillas del tiempo.

La selección de las señales de entrada a utilizar para analizar las características de un sistema, depende de la forma de las señales de entrada más habituales a que el sistema estará sometido en condiciones normales de operación. Si las entradas a un sistema de control son funciones que cambian gradualmente en el tiempo, la señal adecuada para una prueba puede ser la señal rampa. En forma similar, si un sistema está sujeto a perturbaciones súbitas, una función escalón en el tiempo puede ser una buena señal de prueba; y para un sistema sujeto a entradas bruscas, la mejor puede ser una función impulso. Una vez que un sistema de control se ha diseñado en base a señales de prueba, el comportamiento del sistema en respuesta a las entradas reales, resulta satisfactorio en general. El uso de tales señales de prueba permite comparar el funcionamiento de todos los sistemas con las mismas bases.

**Respuesta transitoria y respuesta en estado estacionario.** La respuesta temporal de un sistema de control consta de dos partes: la transitoria y la respuesta en estado estacionario. Por respuesta en estado estacionario se entiende la forma en que la salida del sistema se comporta cuando el tiempo $t$ tiende a infinito.

**Estabilidad absoluta, estabilidad relativa y error estacionario.** Al diseñar un sistema de control, debe poderse predecir el comportamiento dinámico del sistema partiendo del conocimiento de los componentes. La característica más importante del comportamiento dinámico de un sistema de control es la estabilidad absoluta, es decir, si el sistema es estable o inestable. Un sistema de control está en equilibrio, si la salida permanece en el mismo estado en ausencia de cualquier perturbación o entrada. Un sistema de control lineal, invariante en el tiempo, es estable si la salida regresa eventualmente a su estado de equilibrio cuando el sistema se somete a alguna perturbación. Un sistema de control lineal, invariante en el tiempo, es inestable si, o bien la salida oscila indefinidamente, o si la salida diverge sin límite de su estado de equilibrio, cuando el sistema sufre alguna perturbación. De hecho, la salida de un sistema físico puede aumentar hasta cierto valor, pero queda limitada por "topes" mecánicos; o el sistema puede quebrarse o volverse no lineal después de que la salida excede cierta magnitud, de modo que ya no son aplicables las ecuaciones diferenciales. En los capítulos 8 y 9 se analiza la estabilidad de los sistemas no lineales.

Hay comportamientos importantes del sistema (fuera de la estabilidad absoluta), que merecen una cuidadosa atención, como son la estabilidad relativa y el error en estado estacionario. Como un sistema físico de control incluye el almacenamiento de energía, la salida del sistema, cuando está sujeto a una entrada, no puede seguir en forma inmediata a esa entrada, sino que presenta un comportamiento transitorio antes de alcanzar un estado estacionario. La respuesta transitoria de un sistema de control práctico, suele presentar oscilaciones amortiguadas antes de alcanzar su estado de reposo o estacionario. Si la salida de un sistema en estado estacionario no coincide exactamente con la entrada, se dice que el sistema tiene un error en estado estacionario. Este error indica la exactitud del sistema. Al analizar un sistema de control, se debe examinar el comportamiento de la respuesta transitoria, así como el tiempo requerido para alcanzar el nuevo estado de reposo y el valor del error mientras sigue a la señal de entrada, así como el comportamiento en estado estacionario.

Los errores de un sistema de control se pueden atribuir a muchos factores. Las variaciones en la entrada de referencia producen errores inevitables durante los periodos transitorios y también pueden producir errores en estado estacionario. Las imperfecciones en los componentes de los sistemas, como fricción estática, zonas muertas, derivas en los amplificadores, así como el envejecimiento y el deterioro, producen errores en estado estacionario. En este capítulo, sin embargo, no se estudian los errores debidos a imperfecciones de los componentes. Más bien, se investiga un error estático producido por la incapacidad de un sistema para seguir determinados tipos de entradas.

**Lineamientos del capítulo.** Este capítulo estudia la respuesta del sistema a señales no periódicas (funciones del tiempo, como escalón, rampa, aceleración e impulso). También se expone el comportamiento, en estado estacionario, de sistemas de control estables.

El esbozo del capítulo es el siguiente: la sección 4-1 ha sido una introducción al capítulo. La sección 4-2 expone la respuesta impulsiva. La sección 4-3 trata de la respuesta de sistemas de primer orden a entradas no periódicas. En la sección 4-4 se cubre la respuesta transitoria de un sistema de segundo orden. Se incluye además un análisis de la respuesta escalón de un sistema de segundo orden. El análisis de respuesta transitoria de sistemas de orden superior se presenta en la sección 4-5. Como los sistemas de orden superior pueden volverse inestables, en la sección 4-6 se presenta el criterio de estabilidad de Routh. La sección 4-7 trata sobre el análisis del error en estado estacionario. El error en estado estacionario es una forma de medir la exactitud de un sistema de control. El comportamiento en estado estacionario de un sistema de control estable, se juzga generalmente por el error en estado estacionario ante entradas tipo escalón, rampa, o aceleración. En esta sección se investiga ese comportamiento en estado estacionario. En la sección 4-8 se presenta una distribución sobre optimización de sistemas. (En el capítulo 10 se estudia en forma detallada la optimización de sistemas). La sección 4-9 estudia la solución de la ecuación de estado invariante en el tiempo. Finalmente, la sección 4-10 analiza las soluciones de ecuaciones de estado usando la computadora.

## 4-2 FUNCION RESPUESTA IMPULSIVA

La función de transferencia $G(s)$ para un sistema lineal invariante en el tiempo, es

$$G(s) = \frac{Y(s)}{X(s)}$$

donde $X(s)$ es la transformada de Laplace de la entrada y $Y(s)$ es la transformada de Laplace de la salida. De aquí que la salida $Y(s)$ se puede escribir como el producto de $G(s)$ por $X(s)$, o sea

$$Y(s) = G(s)X(s) \tag{4-1}$$

Nótese que la multiplicación en el dominio complejo es equivalente a la convolución en el dominio del tiempo, de modo que la transformada inversa de Laplace de la ecuación (4-1) está dada por la siguiente integral de convolución

$$y(t) = \int_0^t x(\tau)g(t-\tau)\,d\tau$$
$$= \int_0^t g(\tau)x(t-\tau)\,d\tau$$

donde $g(t) = x(t) = 0$ para $t < 0$.

**Función respuesta impulsiva.** Considérese la salida (respuesta) de un sistema a una entrada impulso unitario cuando las condiciones iniciales son cero. Como la transformada de Laplace de la función impulso unitario es la unidad, la transformada de Laplace de la salida del sistema es justamente

$$Y(s) = G(s) \tag{4-2}$$

La transformada inversa de Laplace de la salida dada por la ecuación (4-2) es la función respuesta impulsiva, o

$$y(t) = g(t) = \text{función respuesta impulsiva}$$

Esta función recibe también el nombre de *función pesante* del sistema.

Entonces la función respuesta impulsiva $g(t)$ es la respuesta de un sistema lineal a una entrada impulsiva unitaria cuando las condiciones iniciales son cero. La transformada de Laplace de esta función es la función de transferencia. Por lo tanto, la función de transferencia y la función respuesta impulsiva de un sistema lineal invariante en el tiempo contienen la misma información sobre la dinámica del sistema. Por ende, es posible obtener información completa sobre las características dinámicas del sistema excitándolo con un impulso de entrada y midiendo la respuesta. En la práctica, una entrada pulso de muy corta duración comparada con las constantes de tiempo del sistema, se puede considerar como un impulso.

Considere la respuesta de un sistema de primer orden a un pulso de entrada de amplitud $1/t_1$ y duración $t_1$. Si la duración temporal de entrada $0 < t < t_1$ es suficientemente pequeña comparada con la constante de tiempo del sistema $T$, la respuesta se aproxima a una respuesta impulso unitario. Un procedimiento para determinar si $t_1$ es suficientemente pequeño, es aplicar un pulso de entrada de magnitud $2/t_1$ y duración $t_1/2$. Si la respuesta al pulso de entrada original y al pulso modificado son prácticamente iguales, se puede considerar que $t_1$ es suficientemente pequeño. La figura 4-1 muestra las curvas de respuesta de un sistema de primer orden a entradas pulso e impulso. Nótese que si $t_1 < 0.1\,T$, la respuesta del sistema es prácticamente idéntica a la respuesta al impulso unitario.

**Integrales de convolución.** En la práctica, una función impulso se puede aproximar por una función pulso de gran amplitud y muy corta duración, cuya área es igual a la intensidad de la función impulso. Si la función de entrada $x(t)$ es una función pulso de amplitud $1/\Delta t_1$ y ancho $\Delta t_1$, que ocurre en $t = k\Delta t_1$ y dura hasta $t = (k+1)\Delta t_1$ (la entrada es cero el resto del tiempo), así, la integral de convolución

$$y(t) = \int_0^t x(\tau)g(t-\tau)\,d\tau$$

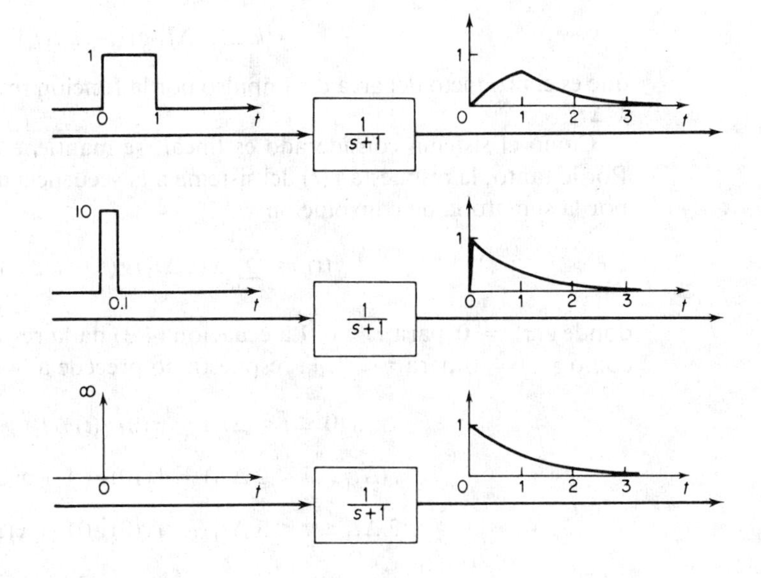


**Figura 4-1**
Curvas de respuesta de un sistema de primer orden sometido a entradas pulso e impulso.

se convierte en

$$y(t) = \int_{k\Delta t_1}^{(k+1)\Delta t_1} \frac{1}{\Delta t_1} g(t - \tau)\, d\tau \doteqdot g(t - k\,\Delta t_1)$$

para un valor suficientemente pequeño de $\Delta t_1$.

**Aproximación a integrales de convolución.** Considere el sistema de la figura 4-2. Suponga que la función respuesta impulsiva es $g(t)$. {La función de transferencia del sistema es $\mathscr{L}[g(t)] = G(s)$}. La entrada $x(t)$ comienza en $t = 0$ y dura hasta $t = t_1$. Aproximando la integral de convolución se obtendrá la respuesta de este sistema a $x(t)$

$$y(t) = \int_0^t x(t)g(t - \tau)\, d\tau$$

por la suma de las respuestas a $N$ funciones pulso.

La entrada $x(t)$ puede aproximarse por una secuencia de $N$ funciones pulso cuyo ancho es $\Delta t_1$, donde $\Delta t_1 = t_1/N$. Si $\Delta t_1$ es suficientemente pequeño comparado con la constante de tiempo más pequeña del sistema, el $k$-ésimo pulso se puede considerar como un impulso cuya magnitud es el área $x(k\;\Delta t_1)\;\Delta t_1$. Entonces la respuesta al $k$-ésimo pulso es

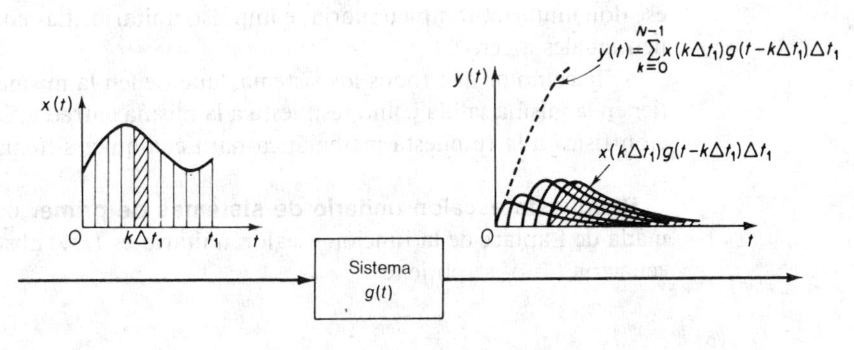


**Figura 4-2**
Salida del sistema como sumatoria de convolución.

$$x(k\,\Delta t_1)\,\Delta t_1\,g(t - k\,\Delta t_1)$$

que es el producto del área del impulso por la función respuesta impulsiva retardada en $k\,\Delta t_1$.

Como el sistema considerado es lineal, se mantiene el principio de superposición. Por lo tanto, la respuesta $y(t)$ del sistema a la secuencia de $N$ funciones pulso está dada por la sumatoria de convolución:

$$y(t) = \sum_{k=0}^{N-1} x(k\,\Delta t_1)g(t - k\,\Delta t_1)\,\Delta t_1 \tag{4-3}$$

donde $g(\tau) = 0$, para $\tau < 0$. La ecuación (4-3) da la respuesta al tiempo $t$. Nótese que como $g(\tau) = 0$ para $\tau < 0$, la respuesta no precede a la entrada. Entonces

$$y(0 \le t < \Delta t_1) = x(0)g(t)\,\Delta t_1$$

$$y(\Delta t_1 \le t < 2\,\Delta t_1) = [x(0)g(t) + x(\Delta t_1)g(t - \Delta t_1)]\,\Delta t_1$$

$$y(2\,\Delta t_1 \le t < 3\,\Delta t_1) = [x(0)g(t) + x(\Delta t_1)g(t - \Delta t_1) + x(2\,\Delta t_1)g(t - 2\,\Delta t_1)]\,\Delta t_1$$

$$\vdots$$

$$y(N\,\Delta t_1 - \Delta t_1 \le t < N\,\Delta t_1) = \left[\sum_{k=0}^{N-1} x(k\,\Delta t_1)g(t - k\,\Delta t_1)\right]\Delta t_1$$

## 4-3 SISTEMAS DE PRIMER ORDEN

Considere el sistema de primer orden que se presenta en la figura 4-3(a). Este sistema puede representar físicamente un circuito $RC$, un sistema térmico, etc. La figura 4-3(b) es un diagrama de bloques simplificado. La relación entrada-salida está dada por

$$\frac{C(s)}{R(s)} = \frac{1}{Ts + 1} \tag{4-4}$$

A continuación, se analizarán las respuestas del sistema a entradas como las funciones escalón unitario, rampa unitaria, e impulso unitario. Las condiciones iniciales se suponen iguales a cero.

Se hace notar que todos los sistemas que tienen la misma función de transferencia, tienen la misma salida como respuesta a la misma entrada. Se puede dar una interpretación física a la respuesta matemática para cualquier sistema físico.

**Respuesta escalón unitario de sistemas de primer orden.** Como la transformada de Laplace de la función escalón unitario es $1/s$, substituyendo $R(s) = 1/s$ en la ecuación (4-4), se obtiene

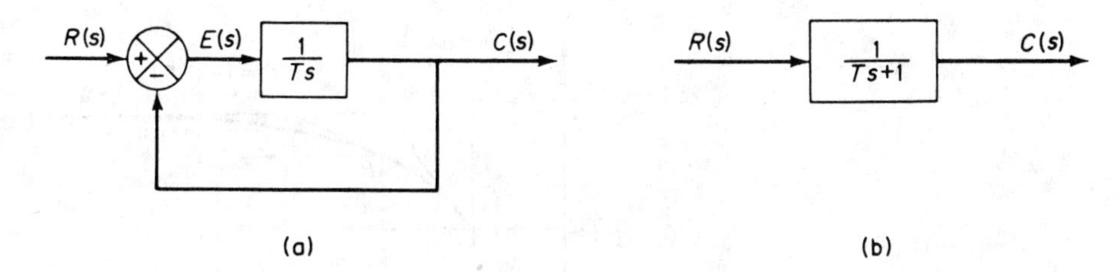


**Figura 4-3**
(a) Diagrama de bloques de un sistema de primer orden; (b) diagrama de bloques simplificado.

$$C(s) = \frac{1}{Ts + 1}\frac{1}{s}$$

Al expander $C(s)$ en fracciones parciales se tiene

$$C(s) = \frac{1}{s} - \frac{T}{Ts + 1} \tag{4–5}$$

Tomando la transformada inversa de Laplace de la ecuación (4-5) se obtiene

$$c(t) = 1 - e^{-t/T} \qquad (t \geq 0) \tag{4–6}$$

La ecuación (4-6) establece que inicialmente, la salida $c(t)$ es cero y finalmente se convierte en la unidad. Una característica importante de una curva exponencial de respuesta $c(t)$ es que en $t = T$ el valor de $c(t)$ es 0.632, o sea que la respuesta $c(t)$ ha alcanzado el 63.2% de su cambio total, lo cual se puede ver muy fácilmente al substituir $t = T$ en $c(t)$. Es decir,

$$c(T) = 1 - e^{-1} = 0.632$$

Nótese que cuanto más pequeña sea la constante de tiempo $T$, más rápida es la respuesta del sistema. Otra característica importante de la curva exponencial es que la pendiente de la recta tangente en $t = 0$, es $1/T$, pues

$$\frac{dc}{dt} = \frac{1}{T}e^{-t/T}\bigg|_{t=0} = \frac{1}{T} \tag{4–7}$$

La salida alcanzaría el valor final en $t = T$ si se mantuviera la velocidad inicial de respuesta. De la ecuación (4-7) se ve que la pendiente de la curva de respuesta $c(t)$ decrece en forma monótona desde $1/T$ en $t = 0$, hasta cero en $t = \infty$.

La curva de respuesta exponencial $c(t)$ de la ecuación (4-6) aparece en la figura 4-4. En un tiempo igual a una constante de tiempo, la curva exponencial de respuesta ha pasado de 0 a 63.2% del valor final. En dos constantes de tiempo, la respuesta alcanza 86.5% de su valor final. Para $t = 3T$, $4T$, y $5T$, la respuesta alcanza 95%, 98.2%, y 99.3% del valor final respectivamente. Así, para $t \geq 4T$, la respuesta se encuentra dentro del 2% del valor final. Como se ve en la ecuación (4-6), el estado estacionario se alcanza matemáticamente sólo en un tiempo infinito. Sin embargo, en la práctica se obtiene una estimación razonable del tiempo de respuesta, como el tiempo que requiere la curva de respuesta para alcanzar la línea del 2% de su valor final, o sea cuatro constantes de tiempo.

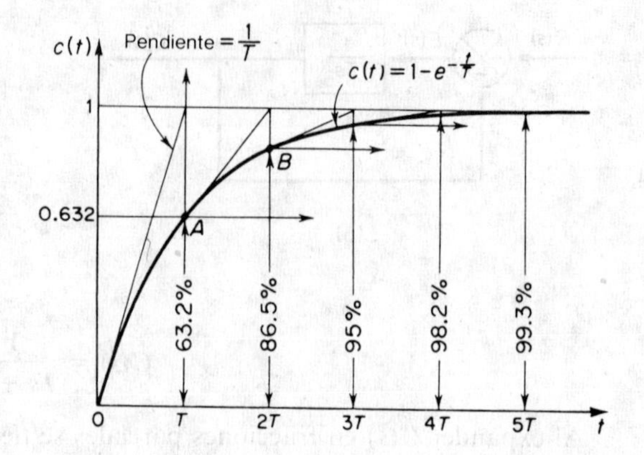


**Figura 4-4**
Curva de respuesta exponencial.

Considérese el sistema mostrado en la figura 4-5. Para determinar en forma experimental si el sistema es de primer orden o no, trácese la curva de log$|c(t) - c(\infty)|$, donde $c(t)$ es la salida del sistema, en función de $t$. Si la curva resulta ser una recta, el sistema es de primer orden. La constante de tiempo $T$ puede leerse en la gráfica, como el tiempo $T$ que satisface la siguiente ecuación:

$$c(T) - c(\infty) = 0.368\,[c(0) - c(\infty)]$$

Nótese que en lugar de trazar log$|c(t) - c(\infty)|$ en función de $t$, conviene representar $|c(t) - c(\infty)|/|c(0) - c(\infty)|$ en función de $t$, en papel semilogarítmico, como en la figura 4-6.

**Respuesta rampa unitaria de sistemas de primer orden.** Como la transformada de Laplace de la función rampa unitaria es $1/s^2$, la salida del sistema de la figura 4-3(a) se obtiene como

$$C(s) = \frac{1}{Ts + 1}\frac{1}{s^2}$$

Al expander $C(s)$ en fracciones parciales se obtiene

$$C(s) = \frac{1}{s^2} - \frac{T}{s} + \frac{T^2}{Ts + 1} \tag{4-8}$$

Tomando la transformada inversa de Laplace de la ecuación (4-8), se obtiene

$$c(t) = t - T + Te^{-t/T} \qquad (t \geq 0)$$

Entonces la señal de error $e(t)$ es

$$\begin{aligned} e(t) &= r(t) - c(t) \\ &= T(1 - e^{-t/T}) \end{aligned}$$

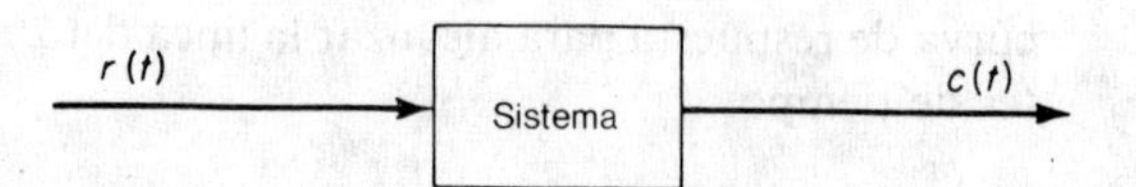


**Figura 4-5**
Un sistema general.

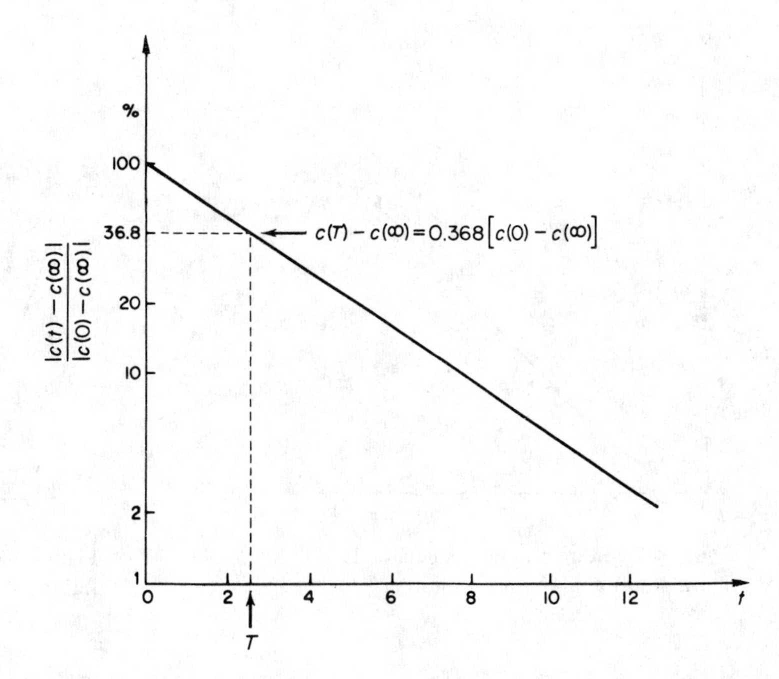


**Figura 4-6**
Diagrama de $|c(t) - c(\infty)| / |c(0) - c(\infty)|$ en función de $t$ en papel semilogarítmico.

Cuando $t$ tiende a infinito, $e^{-t/T}$ tiende a cero, y entonces la señal de error $e(t)$ tiende a $T$, o bien

$$e(\infty) = T$$

La entrada rampa unitaria y la salida del sistema están representados en la figura 4-7. El error al seguir la entrada rampa unitaria es igual a $T$ para una $t$ suficientemente grande. Cuanto más pequeña sea la constante de tiempo $T$, menor será el error en estado estacionario al seguir la entrada rampa.

**Respuesta impulso unitario de sistemas de primer orden.** Para la entrada impulso unitario $R(s) = 1$ y la salida del sistema de la figura 4-3(a) se puede obtener como

$$C(s) = \frac{1}{Ts + 1}$$

o bien

$$c(t) = \frac{1}{T} e^{-t/T} \qquad (t \geq 0) \tag{4–9}$$

En la figura 4-8 aparece la curva de respuesta resultante de la ecuación (4-9).

**Una propiedad importante de los sistemas lineales invariantes en el tiempo.** En el análisis previo, se demostró que para la entrada rampa unitaria, la salida $c(t)$ es

$$c(t) = t - T + Te^{-t/T} \qquad (t \geq 0)$$

Para la entrada escalón unitario, que es la derivada de la entrada rampa unitaria, la salida $c(t)$ es

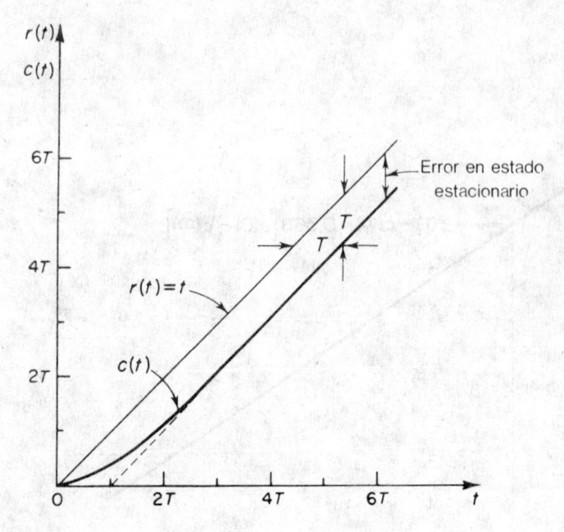


**Figura 4-7** Respuesta del sistema de la figura 4-3(a) a una rampa unitaria.

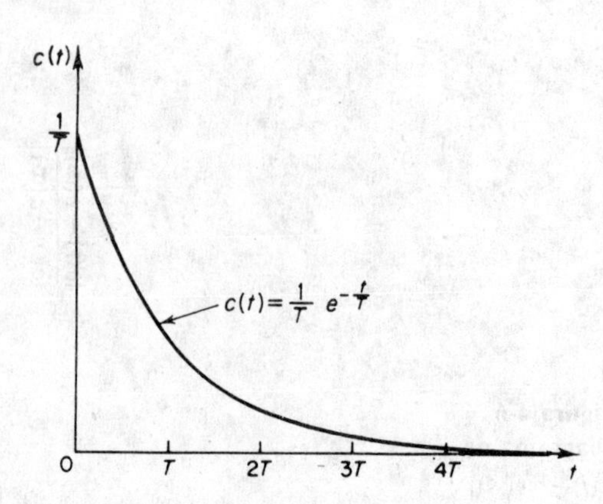


**Figura 4-8** Respuesta del sistema de la figura 4-3(a) a un impulso unitario.

$$c(t) = 1 - e^{-t/T} \qquad (t \geq 0)$$

Finalmente, para la entrada impulso unitario, que es la derivada de la entrada escalón unitario, la salida $c(t)$ es

$$c(t) = \frac{1}{T} e^{-t/T} \qquad (t \geq 0)$$

Una comparación de la respuesta del sistema con estas tres entradas indica claramente que la respuesta a la derivada de una señal de entrada se puede obtener al diferenciar la respuesta del sistema a la señal original. También se puede ver que la respuesta a la integral de la señal original se puede obtener integrando la respuesta del sistema a la señal original y las constantes de integración se determinan a partir de la condición inicial de salida cero. Esta es una propiedad de los sistemas lineales invariantes en el tiempo. Los sistemas lineales variables en el tiempo y los sistemas no lineales no poseen esta propiedad.

## 4-4 SISTEMAS DE SEGUNDO ORDEN

En esta sección, inicialmente se obtendrá la respuesta de un sistema de control de segundo orden específico a una entrada escalón, y luego el análisis de la solución se extenderá a otros sistemas de segundo orden.

**Un servosistema.** Considérese el servosistema que aparece en la figura 4-9(a). El objetivo de este sistema es controlar la posición de la carga mecánica de acuerdo con la posición de referencia. El sistema funciona de la siguiente forma: un par de poten-

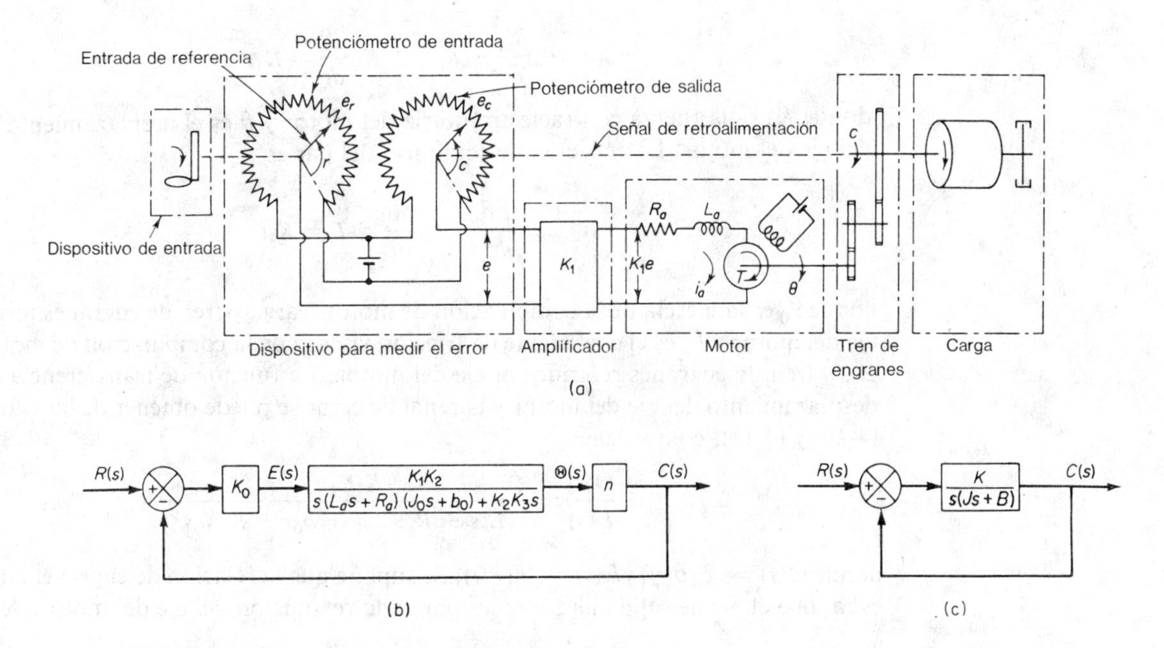


**Figura 4-9** (a) Diagrama de un servosistema; (b) diagrama de bloques para el sistema; (c) diagrama de bloques simplificado.

ciómetros actúan como dispositivos de medición de error. Ellos convierten las posiciones de entrada y de salida en señales eléctricas proporcionales. La señal de comando de entrada determina la posición angular $r$ del puntero o brazo de contacto del potenciómetro de entrada. La posición angular $r$ es la entrada de referencia del sistema, y el potencial eléctrico del puntero es proporcional a la posición angular del mismo. La posición angular del eje de salida determina la posición angular $c$ del puntero del potenciómetro de salida. La diferencia de potencial $e_r - e_c = e$ es la señal de error, donde $e_r$ es proporcional a $r$ y $e_c$ es proporcional a $c$; es decir, $e_r = K_0 r$ y $e_c = K_0 c$, donde $K_0$ es una constante de proporcionalidad. La señal de error que aparece en las terminales del potenciómetro es amplificada por el amplificador cuya ganancia constante es $K_1$. La tensión de salida de este amplificador se aplica al circuito de armadura del motor de cd. (El amplificador debe tener impedancia de entrada muy alta, porque los potenciómetros son esencialmente circuitos de alta impedancia y no soportan drenaje de corriente. Al mismo tiempo, el amplificador debe tener baja impedancia de salida porque alimenta el circuito de armadura del motor). Al bobinado de campo se le aplica una tensión fija. Si hay error, el motor desarrolla un par que tiende a rotar la carga de salida de tal modo que el error se deduzca a cero. Para una corriente de campo constante, el par desarrollado por el motor es

$$T = K_2 i_a$$

donde $K_2$ es la constante del par de torsión del motor e $i_a$ es la corriente de armadura. Para el circuito de armadura

$$L_a \frac{di_a}{dt} + R_a i_a + K_3 \frac{d\theta}{dt} = K_1 e \tag{4–10}$$

donde $K_3$ es la fuerza contraelectromotriz del motor y $\theta$ es el desplazamiento angular del eje del motor. La ecuación de equilibrio del par es

$$J_0 \frac{d^2\theta}{dt^2} + b_0 \frac{d\theta}{dt} = T = K_2 i_a \tag{4–11}$$

donde $J_0$ es la inercia de la combinación de motor, carga y tren de engranes respecto al eje del motor y $b_0$ es el coeficiente de fricción viscosa de la combinación de motor, carga, y tren de engranes referidos al eje del motor. La función de transferencia entre el desplazamiento del eje del motor y la señal de error se puede obtener de las ecuaciones (4-10) y (4-11), como sigue:

$$\frac{\Theta(s)}{E(s)} = \frac{K_1 K_2}{s(L_a s + R_a)(J_0 s + b_0) + K_2 K_3 s} \tag{4–12}$$

donde $\Theta(s) = \mathscr{L}[\theta(t)]$ y $E(s) = \mathscr{L}[e(t)]$. Se supone que la relación de engranes en el tren es tal que el eje de salida gira $n$ veces por cada revolución del eje del motor. Así

$$C(s) = n\Theta(s) \tag{4–13}$$

donde $C(s) = \mathscr{L}[c(t)]$ y $c(t)$ es el desplazamiento angular del eje de salida. La relación entre $E(s)$, $R(s)$, y $C(s)$ es

$$E(s) = K_0[R(s) - C(s)] \tag{4–14}$$

donde $R(s) = \mathscr{L}[r(t)]$. El diagrama de bloques de este sistema se puede construir con las ecuaciones (4-12), (4-13), y (4-14), como se puede ver en la figura 4-9(b). La ecuación de transferencia en la trayectoria directa es

$$G(s) = \frac{K_0 K_1 K_2 n}{s[(L_a s + R_a)(J_0 s + b_0) + K_2 K_3]}$$

Como $L_a$ es pequeña por lo general, se puede despreciar. La función de transferencia $G(s)$ en el trayecto directo, es

$$G(s) = \frac{K_0 K_1 K_2 n}{s[R_a(J_0 s + b_0) + K_2 K_3]} = \frac{K_0 K_1 K_2 n / R_a}{J_0 s^2 + \left(b_0 + \dfrac{K_2 K_3}{R_a}\right) s} \tag{4–15}$$

El término $[b_0 + K_2 K_3/R_a)]s$ indica que la fuerza contraelectromotriz del motor aumenta la fricción viscosa del sistema. La inercia $J_0$ y el coeficiente de fricción viscosa $b_0 + (K_2 K_3/R_a)$ están referidos al eje del motor. Cuando $J_0$ y $b_0 + (K_2 K_3/R_a)$ se multiplican por $1/n^2$, la inercia y el coeficiente de fricción viscosa se expresan en término del eje de salida. Introduciendo nuevos parámetros definidos por

$J = J_0/n^2$ = momento de inercia referido al eje de salida
$B = [b_0 + (K_2K_3/R)]/n^2$ = coeficiente de fricción viscosa referido al eje de salida
$K = K_0K_1K_2/nR_a$

la función de transferencia $G(s)$ de la ecuación (4-15) se puede simplificar, resultando

$$G(s) = \frac{K}{Js^2 + Bs}$$

El diagrama de bloques del sistema mostrado en la figura 4-9(b) se simplifica como aparece en la figura 4-9(c).

A continuación, se investigarán las respuestas dinámicas de este sistema a las entradas correspondientes al escalón unitario, a la rampa unitaria, y al impulso unitario.

**Respuesta escalón de sistemas de segundo orden.** La función de transferencia de lazo cerrado del sistema que se muestra en la figura 4-9(c) es

$$\frac{C(s)}{R(s)} = \frac{K}{Js^2 + Bs + K}$$

$$= \frac{\frac{K}{J}}{\left[s + \frac{B}{2J} + \sqrt{\left(\frac{B}{2J}\right)^2 - \frac{K}{J}}\right]\left[s + \frac{B}{2J} - \sqrt{\left(\frac{B}{2J}\right)^2 - \frac{K}{J}}\right]} \quad (4\text{–}16)$$

Los polos de lazo cerrado son complejos si $B^2 - 4JK < 0$, y son reales si $B^2 - 4JK \geq 0$. En análisis de respuesta transitoria, es conveniente escribir

$$\frac{K}{J} = \omega_n^2, \qquad \frac{B}{J} = 2\zeta\omega_n = 2\sigma$$

donde $\sigma$ se denomina *atenuación*; $\omega_n$, *frecuencia natural no amortiguada*, y $\zeta$, *relación de amortiguamiento del sistema*. La relación de amortiguamiento $\zeta$ es la relación entre el amortiguamiento efectivo $B$ y el amortiguamiento crítico $B_c = 2\sqrt{JK}$ o

$$\zeta = \frac{B}{B_c} = \frac{B}{2\sqrt{JK}}$$

En términos de $\zeta$ y $\omega_n$, el sistema de la figura 4-9(c) se puede modificar al que se muestra en la figura 4-10, y la función de transferencia de lazo cerrado $C(s)/R(s)$ de la ecuación (4-16) se pueden escribir

$$\frac{C(s)}{R(s)} = \frac{\omega_n^2}{s^2 + 2\zeta\omega_n s + \omega_n^2} \quad (4\text{–}17)$$

El comportamiento dinámico del sistema de segundo orden se puede describir en términos de dos parámetros $\zeta$ y $\omega_n$. Si $0 < \zeta < 1$, los polos de lazo cerrado, son complejos conjugados y quedan en el semiplano izquierdo del plano $s$. Se dice entonces que el sistema está subamortiguado, y la respuesta transitoria es oscilatoria. Si $\zeta = 1$, se dice que el sistema está críticamente amortiguado. Los sistemas sobreamortiguados corres-

**Figura 4-10**
Sistema de segundo orden.

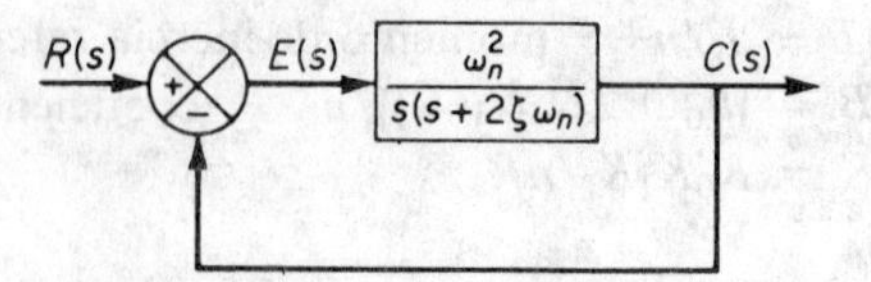


ponden a $\zeta > 1$. La respuesta transitoria de sistemas críticamente amortiguados y de sistemas sobreamortiguados, no oscila. Si $\zeta = 0$, la respuesta transitoria no se extingue.

Ahora se obtendrá la respuesta del sistema que aparece en la figura 4-10 a una entrada escalón unitario. Se considerarán tres casos diferentes: el subamortiguado ($0 < \zeta < 1$), el críticamente amortiguado ($\zeta = 1$), y el sobreamortiguado ($\zeta < 1$).

(1) Caso subamortiguado ($0 < \zeta < 1$): En este caso, $C(s)/R(s)$ se puede escribir

$$\frac{C(s)}{R(s)} = \frac{\omega_n^2}{(s + \zeta\omega_n + j\omega_d)(s + \zeta\omega_n - j\omega_d)}$$

donde $\omega_d = \omega_n\sqrt{1-\zeta^2}$. La frecuencia $\omega_d$ se denomina *frecuencia natural amortiguada*. Para una entrada escalón unitario, $C(s)$ se puede escribir

$$C(s) = \frac{\omega_n^2}{(s^2 + 2\zeta\omega_n s + \omega_n^2)s} \qquad (4\text{–}18)$$

La transformada inversa de Laplace de la ecuación (4-18) se obtiene fácilmente si $C(s)$ se escribe del siguiente modo:

$$\begin{aligned} C(s) &= \frac{1}{s} - \frac{s + 2\zeta\omega_n}{s^2 + 2\zeta\omega_n s + \omega_n^2} \\ &= \frac{1}{s} - \frac{s + \zeta\omega_n}{(s + \zeta\omega_n)^2 + \omega_d^2} - \frac{\zeta\omega_n}{(s + \zeta\omega_n)^2 + \omega_d^2} \end{aligned}$$

En el capítulo 1 se mostró que

$$\mathcal{L}^{-1}\left[\frac{s + \zeta\omega_n}{(s + \zeta\omega_n)^2 + \omega_d^2}\right] = e^{-\zeta\omega_n t}\cos\omega_d t$$

$$\mathcal{L}^{-1}\left[\frac{\omega_d}{(s + \zeta\omega_n)^2 + \omega_d^2}\right] = e^{-\zeta\omega_n t}\,\text{sen}\,\omega_d t$$

De aquí, se obtiene la tranformada inversa de Laplace de la ecuación (4-18) como

$$\begin{aligned} \mathcal{L}^{-1}[C(s)] &= c(t) \\ &= 1 - e^{-\zeta\omega_n t}\left(\cos\omega_d t + \frac{\zeta}{\sqrt{1-\zeta^2}}\,\text{sen}\,\omega_d t\right) \\ &= 1 - \frac{e^{-\zeta\omega_n t}}{\sqrt{1-\zeta^2}}\,\text{sen}\left(\omega_d t + \tan^{-1}\frac{\sqrt{1-\zeta^2}}{\zeta}\right) \qquad (t \geq 0) \qquad (4\text{–}19) \end{aligned}$$

Este resultado se puede obtener en forma directa, utilizando la tabla de transformadas de Laplace. De la ecuación (4-19) se puede ver que la frecuencia de oscilación transitoria es la frecuencia natural amortiguada $\omega_d$ y varía con la relación de amortiguamiento

$\zeta$. La señal de error para este sistema es la diferencia entre la entrada y la salida, y es

$$e(t) = r(t) - c(t)$$
$$= e^{-\zeta\omega_n t}\left(\cos\omega_d t + \frac{\zeta}{\sqrt{1-\zeta^2}}\operatorname{sen}\omega_d t\right) \qquad (t \geq 0)$$

Esta señal de error presenta una oscilación senoidal amortiguada. En estado estacionario, o en $t = \infty$, no hay error entre entrada y salida.

Si la relación de amortiguamiento $\zeta$ es igual a cero, la respuesta se hace no amortiguada y la oscilación continúa indefinidamente. La respuesta $c(t)$ para el amortiguamiento cero se puede obtener, substituyendo $\zeta = 0$ en la ecuación (4-19), llegándose a

$$c(t) = 1 - \cos\omega_n t \qquad (t \geq 0) \tag{4-20}$$

Así, de la ecuación (4-20) se ve que $\omega_n$ representa la frecuencia natural no amortiguada del sistema. Es decir, $\omega_n$ es la frecuencia a la cual el sistema oscilaría si el amortiguamiento descendiera a cero. Si el sistema lineal tiene algun amortiguamiento, la frecuencia natural no amortiguada no se puede observar en forma experimental. La frecuencia que se puede observar, es la frecuencia natural amortiguada $\omega_d$, que es igual a $\omega_n\sqrt{1-\zeta^2}$. Esta frecuencia es siempre inferior a la frecuencia natural no amortiguada. Un aumento en $\zeta$ reduce la frecuencia natural amortiguada $\omega_d$. Si $\zeta$ se incrementa por encima de la unidad, la respuesta se vuelve sobreamortiguada y no oscila.

(2) Caso de amortiguamiento crítico ($\zeta = 1$): Si los dos polos de $C(s)/R(s)$ son casi iguales, el sistema se puede aproximar por uno de amortiguamiento crítico.

Para una entrada escalón unitario, $R(s) = 1/s$, $C(s)$ se pueden escribir como

$$C(s) = \frac{\omega_n^2}{(s + \omega_n)^2 s} \tag{4-21}$$

La transformada inversa de Laplace de la ecuación (4-21) se puede hallar como

$$c(t) = 1 - e^{-\omega_n t}(1 + \omega_n t) \qquad (t \geq 0) \tag{4-22}$$

Este resultado se puede obtener dejando que $\zeta$ se aproxime a la unidad en la ecuación (4-19) y utilizando el límite siguiente:

$$\lim_{\zeta \to 1} \frac{\operatorname{sen}\omega_d t}{\sqrt{1-\zeta^2}} = \lim_{\zeta \to 1} \frac{\operatorname{sen}\omega_n\sqrt{1-\zeta^2}\,t}{\sqrt{1-\zeta^2}} = \omega_n t$$

(3) Caso sobreamortiguado ($\zeta > 1$): En este caso, los dos polos de $C(s)/R(s)$ son reales negativos y diferentes. Para una entrada escalón unitario, $R(s) = 1/s$, $C(s)$ se puede escribir como

$$C(s) = \frac{\omega_n^2}{(s + \zeta\omega_n + \omega_n\sqrt{\zeta^2-1})(s + \zeta\omega_n - \omega_n\sqrt{\zeta^2-1})s} \tag{4-23}$$

La transformada inversa de Laplace de la ecuación (4-23) es

$$c(t) = 1 + \frac{1}{2\sqrt{\zeta^2-1}\,(\zeta + \sqrt{\zeta^2-1})} e^{-(\zeta+\sqrt{\zeta^2-1})\omega_n t}$$

$$- \frac{1}{2\sqrt{\zeta^2 - 1}(\zeta - \sqrt{\zeta^2 - 1})} e^{-(\zeta - \sqrt{\zeta^2 - 1})\omega_n t}$$

$$= 1 + \frac{\omega_n}{2\sqrt{\zeta^2 - 1}} \left( \frac{e^{-s_1 t}}{s_1} - \frac{e^{-s_2 t}}{s_2} \right) \qquad (t \geq 0) \qquad (4\text{–}24)$$

donde $s_1 = (\zeta + \sqrt{\zeta^2 - 1})\omega_n$ y $s_2 = (\zeta - \sqrt{\zeta^2 - 1})\omega_n$. Así, la respuesta de $c(t)$ incluye dos términos exponenciales decrecientes.

Cuando $\zeta$ es notoriamente mayor que la unidad, uno de los dos términos exponenciales decrecientes disminuye más rápidamente que el otro, de modo que el término más rápidamente decreciente (que corresponde a la constante de tiempo más pequeña), se puede despreciar. Esto es, si $-s_2$ está colocado mucho más cerca del eje $j\omega$ que $-s_1$ (lo que significa que $|s_2| \ll |s_1|$), entonces como solución aproximada se puede despreciar $-s_1$. Esto es admisible porque el efecto de $-s_1$ en la respuesta es mucho más pequeño que el de $-s_2$, ya que el término que incluye a $s_1$ en la ecuación (4-24) disminuye con mucha mayor rapidez que el término que incluye a $s_2$. Una vez que ha desaparecido el término exponencial que disminuye más rápidamente, la respuesta es similar a la de un sistema de primer orden, y $C(s)/R(s)$ se puede aproximar por

$$\frac{C(s)}{R(s)} = \frac{\zeta\omega_n - \omega_n\sqrt{\zeta^2 - 1}}{s + \zeta\omega_n - \omega_n\sqrt{\zeta^2 - 1}} = \frac{s_2}{s + s_2}$$

Esta forma aproximada es consecuencia directa de que los valores iniciales y finales tanto de la $C(s)/R(s)$ original como de la aproximada, coincidan entre sí.

Con la función de transferencia aproximada $C(s)/R(s)$, la respuesta escalón se puede obtener como

$$C(s) = \frac{\zeta\omega_n - \omega_n\sqrt{\zeta^2 - 1}}{(s + \zeta\omega_n - \omega_n\sqrt{\zeta^2 - 1})s}$$

La respuesta temporal $c(t)$ es entonces

$$c(t) = 1 - e^{-(\zeta - \sqrt{\zeta^2 - 1})\omega_n t} \qquad (t \geq 0)$$

Esto da una respuesta escalón unitario aproximada cuando se puede despreciar uno de los polos de $C(s)/R(s)$. En la figura 4-11 hay un ejemplo de función $c(t)$ de respuesta temporal aproximada con $\zeta = 2$, $\omega_n = 1$ donde aparece junto con la solución exacta para $c(t)$. La solución aproximada es

$$c(t) = 1 - e^{-0.27t} \qquad (t \geq 0)$$

y la solución exacta para este caso es

$$c(t) = 1 + 0.077e^{-3.73t} - 1.077e^{-0.27t} \qquad (t \geq 0)$$

La mayor diferencia entre las curvas de respuesta exacta y aproximada está en la parte inicial de las curvas de respuesta.

En la figura 4-12 hay una familia de curvas de $c(t)$ para varios valores de $\zeta$, donde la abscisa es la variable adimensional $\omega_n t$. Las curvas son función de $\zeta$. Estas curvas se obtienen de las ecuaciones (4-19), (4-22), y (4-24). El sistema descrito por estas ecuaciones estaba inicialmente en reposo.

Nótese que dos sistemas de segundo orden con el mismo $\zeta$, pero diferente $\omega_n$, presentan el mismo sobreimpulso y el mismo esquema oscilatorio. Se dice que tales sistemas tienen la misma estabilidad relativa.

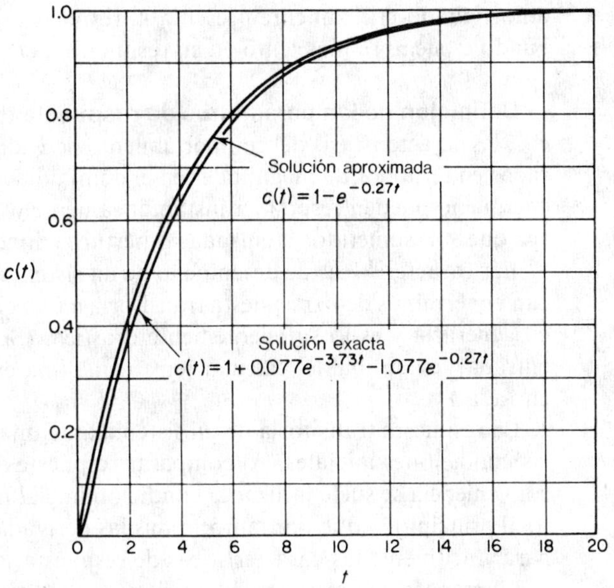

1.0
0.8
0.6
0.4
0.2
$c(t)$
Solución aproximada
$c(t) = 1 - e^{-0.27t}$
Solución exacta
$c(t) = 1 + 0.077e^{-3.73t} - 1.077e^{-0.27t}$
0 2 4 6 8 10 12 14 16 18 20
$t$

**Figura 4-11**
Curvas de respuesta al escalón unitario, del sistema mostrado en la figura 4-10 (caso sobreamortiguado).

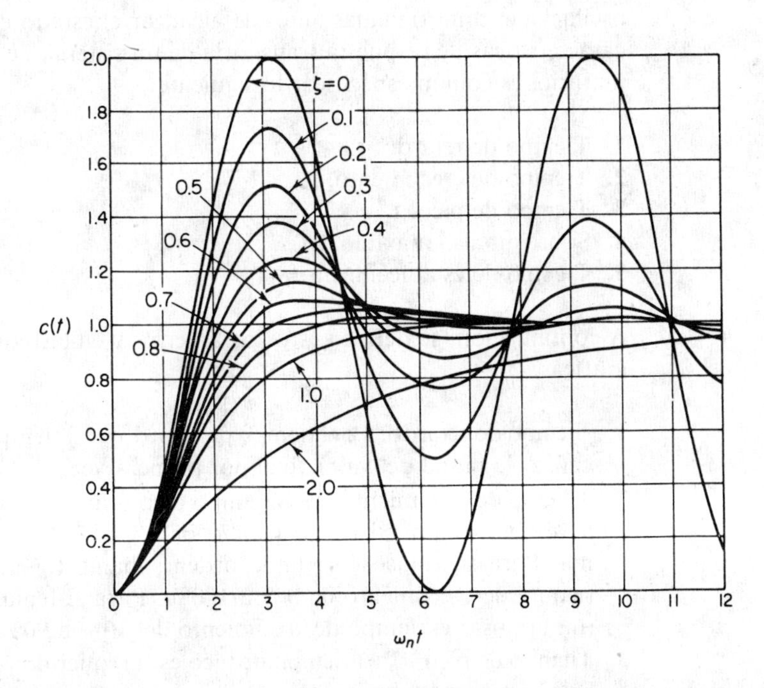


**Figura 4-12**
Curvas de respuesta al escalón unitario, del sistema mostrado en la figura 4-10.

Es importante notar que para sistemas de segundo orden cuyas funciones de transferencia de lazo cerrado son diferentes de las dadas por la ecuación (4-17), las curvas de respuesta escalón parecen ser muy diferentes a las que se muestran en la figura 4-12.

De la figura 4-12 se puede ver que un sistema subamortiguado con $\zeta$ entre 0.5 y 0.8, se aproximan con más rapidez al valor final que un sistema críticamente amortiguado o uno sobreamortiguado. Entre los sistemas que responden sin oscilación, un sistema amortiguado críticamente presenta la respuesta más rápida. Un sistema sobreamortiguado es siempre más lento en su respuesta a cualquier entrada.

**Definición de los parámetros de respuesta transitoria.** En muchos casos prácticos, las características del comportamiento deseado de sistemas de control están especificadas en términos de magnitudes en el dominio del tiempo. Los sistemas que almacenan energía no pueden responder instantáneamente y presentan respuestas transitorias toda vez que son sometidos a entradas o perturbaciones.

Las características de desempeño de un sistema de control con frecuencia se especifican en términos de la respuesta transitoria a una entrada de paso unitario, porque es fácil generarla y es lo suficientemente drástica. (Si se conoce la respuesta a un paso de entrada, es probable calcular en forma matemática la respuesta ante cualquier entrada.)

La respuesta transitoria de un sistema ante una entrada escalón unitario depende de las condiciones iniciales. Al comparar respuestas transitorias de diversos sistemas por conveniencia se suele utilizar la condición inicial normal de que el sistema está en reposo al principio, y que por tanto, todas las derivadas son cero. Entonces se pueden comparar fácilmente las características de respuesta.

La respuesta transitoria de un sistema de control práctico con frecuencia presenta oscilaciones amortiguadas antes de alcanzar el estado estacionario. Al especificar las características de respuesta transitoria de un sistema de control a una entrada escalón unitario, es común especificar lo siguiente:

1. Tiempo de retardo, $t_d$
2. Tiempo de crecimiento, $t_r$
3. Tiempo de pico, $t_p$
4. Sobreimpulso máximo, $M_p$
5. Tiempo de establecimiento, $t_s$

A continuación, se definen estos parámetros y en la figura 4-13 se muestran en forma gráfica.

1. Tiempo de retardo, $t_d$: el tiempo de retardo es el tiempo que tarda la respuesta en alcanzar la mitad del valor final por primera vez.
2. Tiempo de crecimiento, $t_r$: el tiempo de crecimiento es el tiempo requerido para que la respuesta aumente del 10 al 90%, del 5% al 95%, o del 0% al 100% de su valor final. Para sistemas de segundo orden subamortiguados se utiliza normalmente el tiempo de crecimiento de 0% a 100%. Para sistemas sobreamortiguados se acostumbra usar el tiempo de crecimiento del 10% a 90%.
3. Tiempo de pico, $t_p$: el tiempo de pico es el requerido para que la respuesta alcance el primer pico de sobreimpulso.
4. Sobreimpulso máximo (porcentual), $M_p$: el sobreimpulso máximo es el valor pico máximo de la curva de respuesta medido desde la unidad. Si el valor final estabilizado de la respuesta difiere de la unidad, se suele utilizar el sobreimpulso porcentual máximo. Está definido por

$$\text{Sobreimpulso porcentual máximo} = \frac{c(t_p) - c(\infty)}{c(\infty)} \times 100\%$$

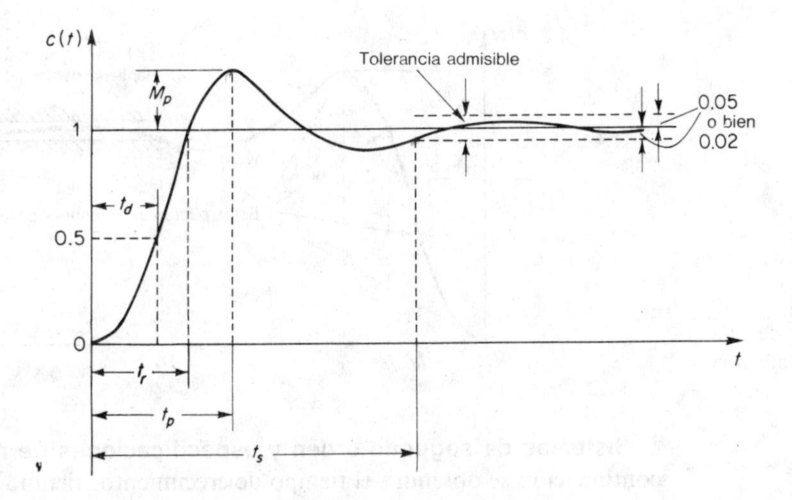


**Figura 4-13**
Curva de respuesta al escalón unitario, mostrando $t_d$, $t_r$, $t_p$, $M_p$, $t_s$.

La magnitud del sobreimpulso (porcentual) máximo indica la estabilidad relativa del sistema.

5. Tiempo de establecimiento, $t_s$: el tiempo de establecimiento es el que la curva de respuesta requiere para alcanzar y mantenerse en un rango alrededor del valor final con una magnitud especificada por el porcentaje absoluto del valor final (habitualmente 2% ó 5%). El tiempo de establecimiento está relacionado con la constante de tiempo mayor del sistema de control. El criterio para fijar el porcentaje de error a utilizar depende de los objetivos de diseño del sistema en cuestión.

Las especificaciones recién dadas, válidas en el dominio del tiempo, son muy importantes, pues la mayoría de los sistemas de control son sistemas en el dominio del tiempo; esto es, deben presentar respuestas temporales aceptables. (Esto significa que el sistema de control se debe modificar hasta que su respuesta transitoria sea satisfactoria). Nótese que si se especifican los valores de $t_d$, $t_r$, $t_p$, $t_s$, y $M_p$, queda virtualmente determinada la forma de la curva de respuesta, lo cual se ve claramente en la figura 4-14.

Nótese que no todas las especificaciones han de corresponden a un caso determinado. Por ejemplo, para un sistema sobreamortiguado no se aplican los términos tiempo de pico y sobreimpulso máximo. (Para sistemas que dan error estacionario para entradas escalón, este error debe quedar acotado dentro de un determinado nivel porcentual especificado. La exposición detallada sobre errores en estado estacionario se pospone hasta la sección 4-7).

**Comentarios sobre los parámetros de respuesta transitoria.** Excepto en ciertas aplicaciones en que no se pueden tolerar oscilaciones, es deseable que la respuesta transitoria sea suficientemente rápida y amortiguada. Así, para una respuesta transitoria deseable de un sistema de segundo orden, la relación de amortiguamiento debe estar entre 0.4 y 0.8. Valores pequeños de $\zeta$ ($\zeta < 0.4$) producen sobreimpulso excesivo en la respuesta transitoria y un sistema con un valor grande de $\zeta$ ($\zeta > 0.8$) responde lentamente.

Más adelante se verá que el sobreimpulso máximo y el tiempo de crecimiento están en conflicto entre sí. En otras palabras, no se puede lograr un sobreimpulso máximo y un tiempo de crecimiento pequeños al mismo tiempo. Si uno de ellos se hace pequeño, el otro se hará grande necesariamente.

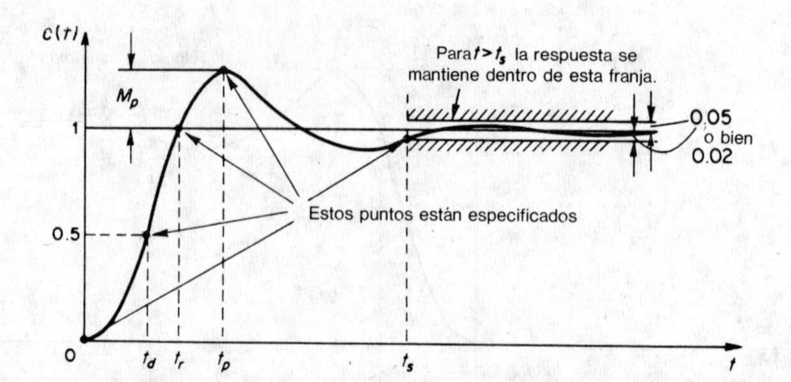


**Figura 4-14**
Parámetros de respuesta transitoria.

**Sistemas de segundo orden y especificaciones de respuesta transitoria.** A continuación se obtendrá el tiempo de crecimiento, tiempo de pico, sobreimpulso máximo y tiempo de establecimiento de sistemas de segundo orden dados por la ecuación (4-17). Estos valores se expresarán en términos de $\zeta$ y $\omega_n$. El sistema se supone subamortiguado.

Tiempo de crecimiento $t_r$: Respecto a la ecuación (4-19) el tiempo de crecimiento $t_r$ se obtiene haciendo $c(t_r) = 1$, o

$$c(t_r) = 1 = 1 - e^{-\zeta\omega_n t_r}\left(\cos\omega_d t_r + \frac{\zeta}{\sqrt{1-\zeta^2}}\operatorname{sen}\omega_d t_r\right) \tag{4–25}$$

Como $e^{-\zeta\omega_n t_r} \neq 0$, de la ecuación (4-25) se obtiene la siguiente expresión,

$$\cos\omega_d t_r + \frac{\zeta}{\sqrt{1-\zeta^2}}\operatorname{sen}\omega_d t_r = 0$$

o bien

$$\tan\omega_d t_r = -\frac{\sqrt{1-\zeta^2}}{\zeta} = -\frac{\omega_d}{\sigma}$$

Así, el tiempo de crecimiento $t_r$ es

$$t_r = \frac{1}{\omega_d}\tan^{-1}\left(\frac{\omega_d}{-\sigma}\right) = \frac{\pi-\beta}{\omega_d} \tag{4–26}$$

donde $\beta$ está definido en la figura 4-15. Se puede ver que el valor de $\tan^{-1}(-\sqrt{1-\zeta^2}/\zeta)$ está comprendido entre $\pi/2$ y $\pi$. Si $\zeta = 0+$, entonces $\tan^{-1}(-\sqrt{1-\zeta^2}/\zeta) = \pi+/2$; y si $\zeta = 1-$, entonces $\tan^{-1}(-\sqrt{1-\zeta^2}/\zeta) = \pi-$. Es evidente que para un valor pequeño de $t_r$, $\omega_n$ debe ser elevado.

Tiempo de pico $t_p$: en relación a la ecuación (4-19) el tiempo de pico se puede obtener diferenciando $c(t)$ respecto al tiempo y haciendo esa derivada igual a cero, o bien

$$\left.\frac{dc}{dt}\right|_{t=t_p} = (\operatorname{sen}\omega_d t_p)\frac{\omega_n}{\sqrt{1-\zeta^2}}e^{-\zeta\omega_n t_p} = 0$$

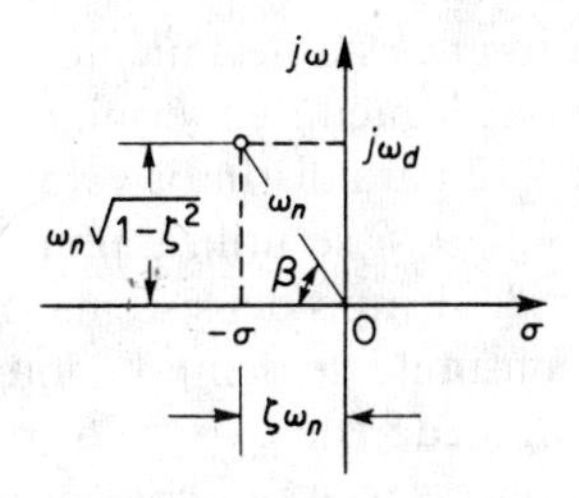


**Figura 4-15**
Definición del ángulo

Lo que da la siguiente ecuación

$$\operatorname{sen} \omega_d t_p = 0$$

o bien

$$\omega_d t_p = 0, \pi, 2\pi, 3\pi, \ldots$$

Como el tiempo de pico corresponde al primer pico de sobreimpulso, $\omega_d t_p = \pi$. Por lo tanto,

$$t_p = \frac{\pi}{\omega_d} \tag{4–27}$$

El tiempo de pico $t_p$ corresponde a medio ciclo de la frecuencia de oscilación amortiguada.

Sobreimpulso máximo, $M_p$: el sobreimpulso máximo se produce en el tiempo pico, o sea cuando $t = t_p = \pi/\omega_d$. Así, de la ecuación (4-19), se obtiene $M_p$ como

$$\begin{aligned} M_p &= c(t_p) - 1 \\ &= -e^{-\zeta\omega_n(\pi/\omega_d)}\left(\cos\pi + \frac{\zeta}{\sqrt{1-\zeta^2}}\operatorname{sen}\pi\right) \\ &= e^{-(\sigma/\omega_d)\pi} = e^{-(\zeta/\sqrt{1-\zeta^2})\pi} \end{aligned} \tag{4–28}$$

El sobreimpulso máximo porcentual es $e^{-(\sigma/\omega_d)\pi} \times 100\%$.

Tiempo de establecimiento $t_s$: la respuesta transitoria para un sistema subamortiguado de segundo orden, se obtiene a partir de la ecuación (4-19)

$$c(t) = 1 - \frac{e^{-\zeta\omega_n t}}{\sqrt{1-\zeta^2}}\operatorname{sen}\left(\omega_d t + \tan^{-1}\frac{\sqrt{1-\zeta^2}}{\zeta}\right) \qquad (t \geq 0)$$

Las curvas $1 \pm (e^{-\zeta\omega_n t}/\sqrt{1-\zeta^2})$ son las curvas envolventes de la respuesta transitoria a una entrada escalón unitario. La curva de respuesta $c(t)$ siempre se mantiene dentro del par de curvas envolventes, como se ve en la figura 4-16. La constante de tiempo de estas curvas envolventes es $1/\zeta\omega_n$.

La velocidad de disminución de la respuesta transitoria depende del valor de la constante de tiempo $1/\zeta\omega_n$. Para un valor de $\omega_n$, dado, el tiempo de establecimiento $t_s$ es una función de la relación de amortiguamiento $\zeta$. De la figura 4-12, se ve que para el mismo $\omega_n$ y para un rango de $\zeta$ comprendido entre 0 y 1, el tiempo de establecimiento $t_s$ para un sistema ligeramente amortiguado, es mayor que para un sistema amortiguado adecuadamente. Para un sistema sobreamortiguado, el tiempo de establecimiento $t_s$ se hace grande, debido a la iniciación tardía de la respuesta.

El tiempo de establecimiento correspondiente a una banda de tolerancia de $\pm 2\%$ o $\pm 5\%$ se puede medir en términos de la constante de tiempo $T = 1/\zeta\omega_n$ de las curvas de la figura 4-12 para distintos valores de $\zeta$. Los resultados aparecen en la figura 4-17. Para $0 < \zeta < 0.9$, si se utiliza el criterio de 2%, $t_s$ es aproximadamente cuatro veces la constante de tiempo del sistema. Si se utiliza el criterio de 5%, entonces $t_s$ es casi tres veces la constante de tiempo. Nótese que el tiempo de establecimiento alcanza un valor mínimo alrededor de $\zeta = 0.76$ (para el criterio de 2%) o $\zeta = 0.68$ (para el criterio de 5%) y entonces crece casi linealmente para valores elevados de $\zeta$. Las discontinuidades en las curvas de la figura 4-17 aparecen porque un cambio infinitesimal en el valor de $\zeta$ puede producir un cambio finito en el tiempo de establecimiento, como se ve en la figura 4-18.

Para facilitar la comparación de las respuestas de diferentes sistemas, se suele definir el tiempo de establecimiento $t_s$ como

$$t_s = 4T = \frac{4}{\sigma} = \frac{4}{\zeta\omega_n} \quad \text{(criterio de 2\%)} \tag{4–29}$$

o bien

$$t_s = 3T = \frac{3}{\sigma} = \frac{3}{\zeta\omega_n} \quad \text{(criterio de 5\%)} \tag{4–30}$$

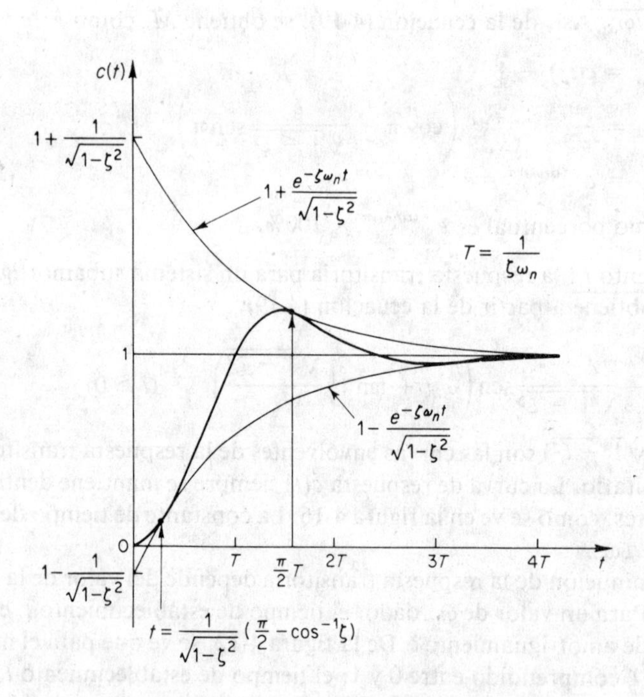


**Figura 4-16** Par de curvas envolventes de la curva de respuesta al escalón unitario, del sistema de la figura 4-10.

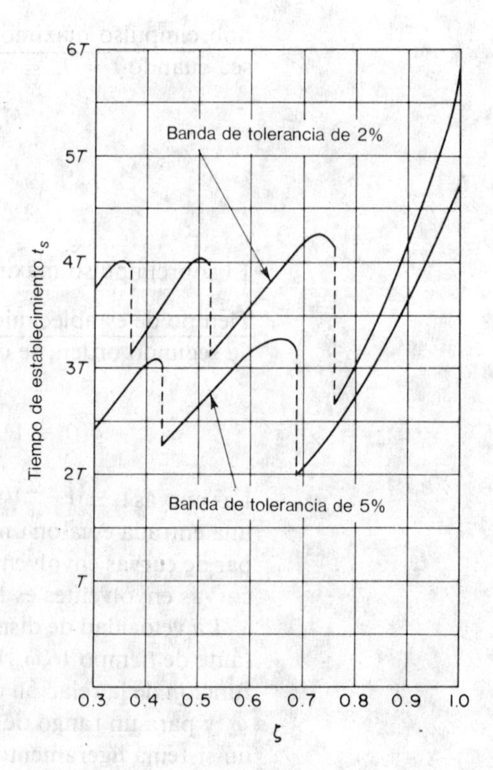


**Figura 4-17** Curvas de tiempo de establecimiento en función de $\zeta$.

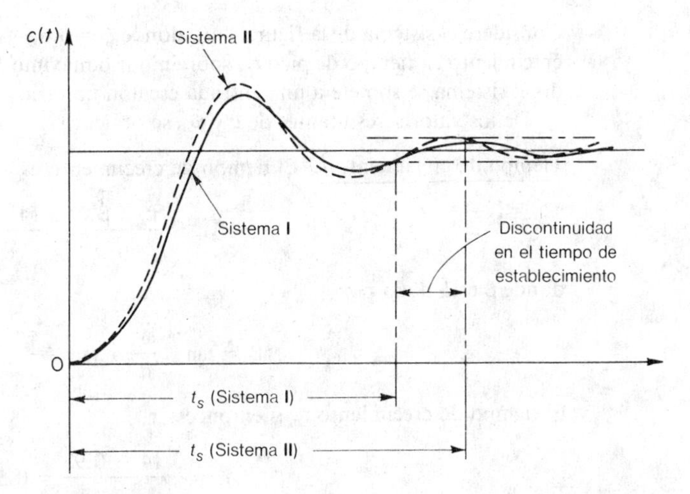


**Figura 4-18**
Curvas de respuesta al escalón unitario donde se ve una discontinuidad en el tiempo de establecimiento.

Nótese que el tiempo de establecimiento es inversamente proporcional al producto de la relación de amortiguamiento y la frecuencia natural no amortiguada. Dado que el valor de $\zeta$ está determinado generalmente por el requerimiento del sobreimpulso máximo permisible, el tiempo de establecimiento está determinado por la frecuencia natural $\omega_n$ no amortiguada. Esto significa que la duración del periodo transitorio puede variarse, sin cambiar el sobreimpulso máximo, ajustando la frecuencia natural no amortiguada $\omega_n$.

Del análisis precedente, es evidente que para tener una respuesta rápida, $\omega_n$ debe ser grande. Para limitar el sobreimpulso máximo $M_p$ y hacer pequeño el tiempo de establecimiento, la relación de amortiguamiento $\zeta$ no debe ser muy pequeña. En la figura 4-19 aparece la relación entre el sobreimpulso máximo porcentual $M_p$ y la relación de amortiguamiento $\zeta$. Nótese que si la relación de amortiguamiento está entre 0.4 y 0.8, el porcentaje de sobreimpulso máximo para la respuesta escalón está entre 25% y 2.5%.

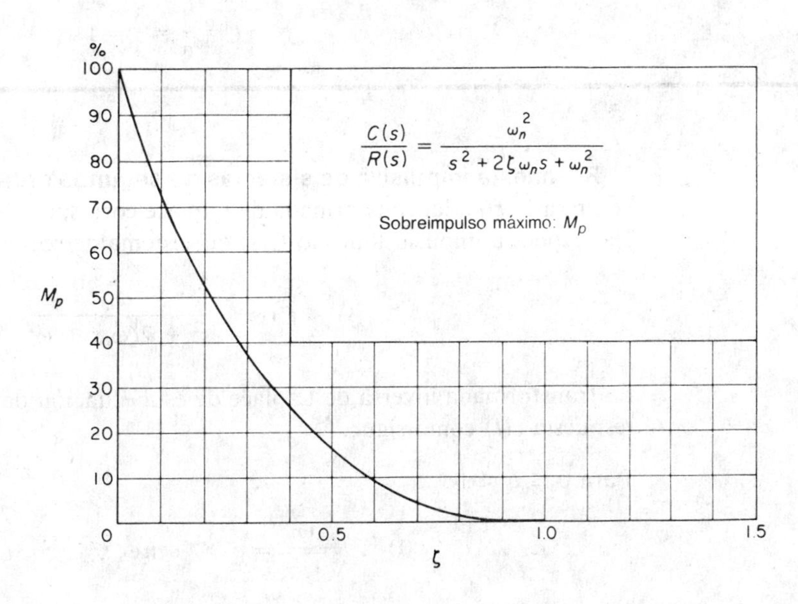


**Figura 4-19**
Curva de $M_p$ en función de $\zeta$.

**EJEMPLO 4-1** Considere el sistema de la figura 4-10, donde $\zeta = 0.6$ y $\omega_n = 5$ rad/s. Se desea hallar el tiempo de crecimiento $t_r$, tiempo de pico $t_p$, sobreimpulso máximo $M_p$, y tiempo de establecimiento $t_s$ cuando el sistema se somete a una entrada escalón unitario.

De los valores resultantes de $\zeta$ y $\omega_n$, se obtiene $\omega_d = \omega_n\sqrt{1-\zeta^2} = 4$ y $\sigma = \zeta\omega_n = 3$.

Tiempo de crecimiento $t_r$: El tiempo de crecimiento es

$$t_r = \frac{\pi - \beta}{\omega_d} = \frac{3.14 - \beta}{4}$$

donde $\beta$ está dado por

$$\beta = \tan^{-1}\frac{\omega_d}{\sigma} = \tan^{-1}\frac{4}{3} = 0.93 \text{ rad}$$

El tiempo de crecimiento $t_r$ es entonces

$$t_r = \frac{3.14 - 0.93}{4} = 0.55 \text{ seg}$$

Tiempo de pico $t_r$: El tiempo de pico es

$$t_p = \frac{\pi}{\omega_d} = \frac{3.14}{4} = 0.785 \text{ seg}$$

Sobreimpulso máximo $M_p$: El sobreimpulso máximo es

$$M_p = e^{-(\sigma/\omega_d)\pi} = e^{-(3/4)\times 3.14} = 0.095$$

El sobreimpulso máximo porcentual es entonces 9.5%.

Tiempo de establecimiento $t_s$: Para el criterio de 2%, el tiempo de establecimiento es

$$t_s = \frac{4}{\sigma} = \frac{4}{3} = 1.33 \text{ seg}$$

Para el criterio de 5%, es

$$t_s = \frac{3}{\sigma} = \frac{3}{3} = 1 \text{ seg}$$

**Respuesta impulsiva de sistemas de segundo orden.** Para una entrada impulso unitario $r(t)$, la transformada de Laplace correspondiente es la unidad, o $R(s) = 1$. La respuesta impulso unitario $C(s)$ del sistema de segundo orden de la figura 4-10 es

$$C(s) = \frac{\omega_n^2}{s^2 + 2\zeta\omega_n s + \omega_n^2}$$

La transformada inversa de Laplace de esta ecuación da la solución temporal para la respuesta $c(t)$ como sigue:

Para $0 \leq \zeta < 1$

$$c(t) = \frac{\omega_n}{\sqrt{1-\zeta^2}} e^{-\zeta\omega_n t} \operatorname{sen} \omega_n\sqrt{1-\zeta^2}\, t \qquad (t \geq 0) \qquad (4\text{-}31)$$

Para $\zeta > 1$,

$$c(t) = \omega_n^2 t e^{-\omega_n t} \qquad (t \geq 0) \qquad (4\text{–}32)$$

Para $\zeta = 1$,

$$c(t) = \frac{\omega_n}{2\sqrt{\zeta^2 - 1}} e^{-(\zeta - \sqrt{\zeta^2 - 1})\omega_n t} - \frac{\omega_n}{2\sqrt{\zeta^2 - 1}} e^{-(\zeta - \sqrt{\zeta^2 - 1})\omega_n t} \qquad (t \geq 0) \qquad (4\text{–}33)$$

Nótese que sin tomar la transformada inversa de Laplace de $C(s)$ también se puede obtener la respuesta temporal $c(t)$ al diferenciar la respuesta escalón unitario correspondiente, pues la función impulso unitario es la derivada temporal de la función escalón unitario. En la figura 4-20 hay una familia de curvas de respuesta impulso unitario, dadas por las ecuaciones (4-31) y (4-32) con varios valores de $\zeta$. Las curvas de $c(t)/\omega_n$ están representadas en función de la variable dimensional $\omega_n t$, y así, sólo son funciones de $\zeta$. Para los casos de amortiguamiento crítico y sobreamortiguado, la respuesta impulso unitario es siempre positiva o cero, es decir, $c(t) \geq 0$. Esto se puede ver de las ecuaciones (4-32) y (4-33). Para el caso subamortiguado, la respuesta impulso unitario $c(t)$ oscila alrededor de cero y toma valores tanto positivos como negativos.

Del análisis precedente se puede concluir que si la respuesta impulsiva $c(t)$ no cambia de signo, el sistema es, o bien de amortiguamiento crítico, o sobreamortiguado, en cuyo caso las respuestas escalón correspondientes no tienen sobreimpulso, sino que crecen o decrecen monótonamente tendiendo a un valor constante.

El sobreimpulso máximo para la respuesta al impulso unitario de un sistema subamortiguado se produce cuando

$$t = \frac{\tan^{-1} \dfrac{\sqrt{1 - \zeta^2}}{\zeta}}{\omega_n \sqrt{1 - \zeta^2}} \qquad (0 < \zeta < 1)$$

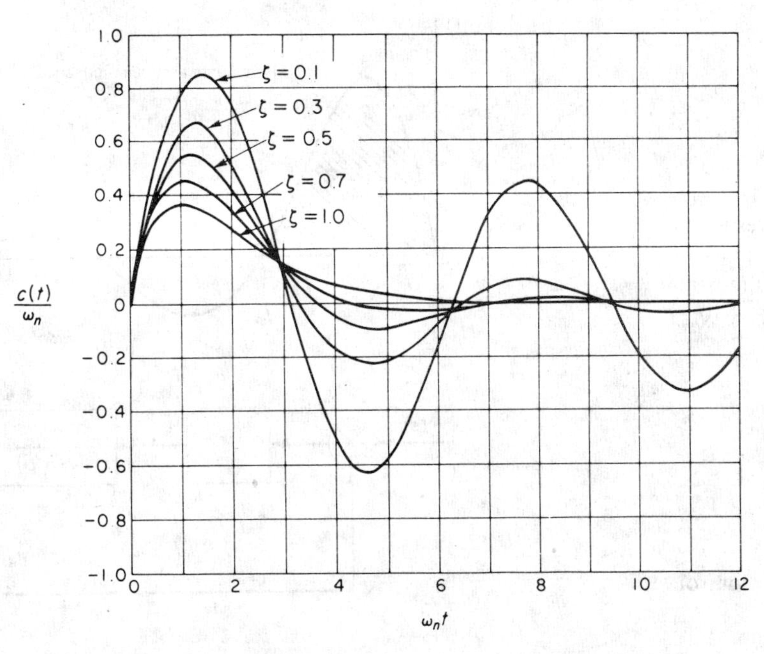


**Figura 4-20**
Curvas de respuesta al impulso unitario del sistema mostrado en la figura 4-10.

y el sobreimpulso máximo es

$$c(t)_{\text{máx}} = \omega_n \exp\left(-\frac{\zeta}{\sqrt{1-\zeta^2}}\tan^{-1}\frac{\sqrt{1-\zeta^2}}{\zeta}\right) \qquad (0 < \zeta < 1)$$

Como la función respuesta al impulso unitario es la derivada temporal de la función respuesta escalón unitario, el sobreimpulso máximo $M_p$ para la respuesta escalón unitario, se puede determinar partiendo de la respuesta correspondiente al impulso unitario. Es decir, el área bajo la curva de respuesta al impulso unitario desde $t = 0$, hasta el tiempo del primer cruce por cero, como se puede ver en la figura 4-21, es $1 + M_p$, donde $M_p$ es el sobreimpulso máximo (para la respuesta escalón unitario), dado por la ecuación (4-28). El tiempo de pico $t_p$ (para la respuesta escalón unitario) dado por la ecuación (4-27) corresponde al tiempo en que la respuesta al impulso unitario cruza el eje del tiempo.

**Error en estado estacionario para respuestas a una rampa.** La respuesta transitoria de un sistema de segundo orden cuando está sometido a una entrada rampa se puede obtener por un procedimiento directo. En este análisis se examina el error estacionario cuando un sistema de segundo orden se somete a esta entrada.

Para el sistema que aparece en la figura 4-22, se obtiene

$$E(s) = \frac{Js^2 + Bs}{Js^2 + Bs + K}R(s)$$

El error estacionario para la respuesta a la rampa unitaria se puede obtener del siguiente modo: para una entrada a la rampa unitaria $r(t) = t$, se obtiene $R(s) = 1/s^2$. El error estacionario $e_{ss}$ es

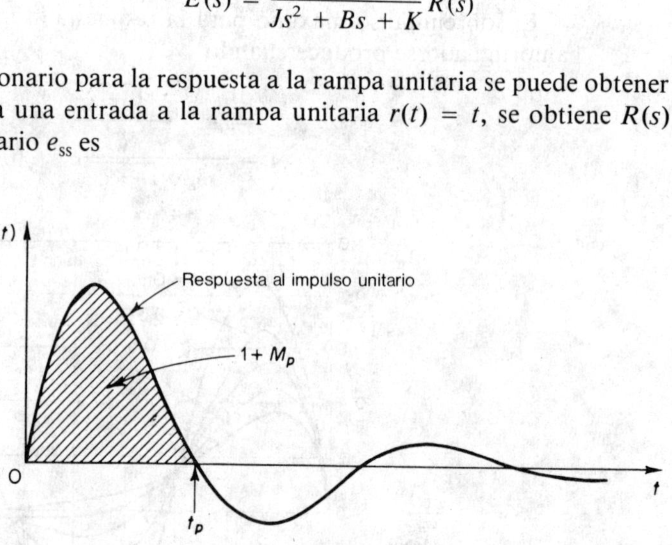

**Figura 4-21**
Curva de respuesta al impulso unitario del sistema mostrado en la figura 4-10.

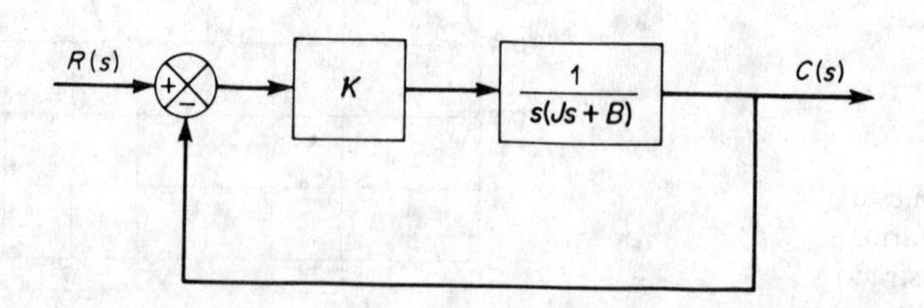


**Figura 4-22**
Sistema de control.

$$
\begin{aligned}
e_{ss} &= \lim_{s\to 0} sE(s) \\
&= \lim_{s\to 0} s \frac{Js^2 + Bs}{Js^2 + Bs + K} \frac{1}{s^2} \\
&= \frac{B}{K} \\
&= \frac{2\zeta}{\omega_n}
\end{aligned}
$$

donde

$$
\zeta = \frac{B}{2\sqrt{KJ}}, \qquad \omega_n = \sqrt{\frac{K}{J}}
$$

Para asegurar una respuesta transitoria aceptable y un error estacionario tolerable ante una entrada en rampa, $\zeta$ no debe ser demasiado pequeño, y $\omega_n$ debe ser suficientemente grande. Es posible reducir el error estacionario $e_{ss}$, aumentando el valor de la ganancia $K$. (Un valor elevado de $K$ tiene la ventaja adicional de suprimir los efectos indeseables de zona muerta, juego, fricción de Coulomb, etc.). Sin embargo, un valor elevado de $K$ disminuiría el valor de $\zeta$, y aumentaría el sobreimpulso máximo, lo que no es recomendable.

Por lo tanto, es necesario llegar a un compromiso entre el valor del error estacionario a una entrada rampa, y el sobreimpulso máximo ante una entrada escalón unitario. En el sistema que se ve en la figura 4-22, puede no ser fácil alcanzar un compromiso razonable. Entonces, resulta mejor considerar otros tipos de acción de control que puedan mejorar tanto la respuesta transitoria, como el comportamiento en estado estacionario. A continuación, se considerarán dos esquemas para mejorar el comportamiento, uno que utiliza un controlador proporcional y derivativo, y el otro con retroalimentación tacométrica.

**Control proporcional y derivativo de sistemas de segundo orden.** Se puede lograr un compromiso entre un comportamiento aceptable de respuesta transitoria y un comportamiento aceptable en estado estacionario, con una acción de control proporcional y derivativa.

Considérese el sistema de la figura 4-23. La función de transferencia de lazo cerrado es

$$
\frac{C(s)}{R(s)} = \frac{K_p + K_d s}{Js^2 + (B + K_d)s + K_p}
$$

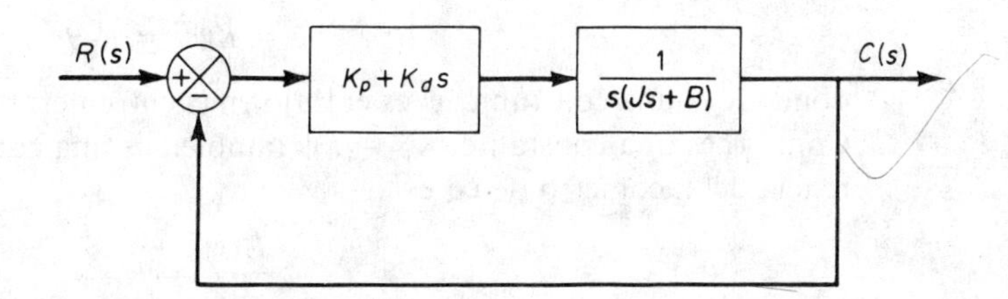


**Figura 4-23**
Sistema de control.

El error en estado estacionario para una entrada rampa unitaria es

$$e_{ss} = \frac{B}{K_p}$$

La ecuación característica para una entrada de unidad rampa es

$$Js^2 + (B + K_d)s + K_p = 0 \tag{4–34}$$

El coeficiente efectivo de amortiguamiento de este sistema es entonces $B + K_d$ en lugar de $B$. Como la relación de amortiguamiento $\zeta$ en este sistema es

$$\zeta = \frac{B + K_d}{2\sqrt{K_p J}}$$

es posible hacer que tanto el error estacionario $e_{ss}$ ante una entrada en rampa, como el sobreimpulso máximo para una entrada en escalón sean pequeños, haciendo $B$ pequeño, $K_p$ grande y $K_d$ suficientemente grande como para que $\zeta$ quede comprendido entre 0.4 y 0.7.

A continuación, se examinará la respuesta del sistema de la figura 4-23, al escalón unitario. Se define

$$\omega_n = \sqrt{\frac{K_p}{J}}, \qquad z = \frac{K_p}{K_d}$$

Entonces se puede escribir la función de transferencia de lazo cerrado

$$\frac{C(s)}{R(s)} = \frac{\omega_n^2}{z} \frac{s + z}{s^2 + 2\zeta\omega_n s + \omega_n^2}$$

Cuando un sistema de segundo orden tiene un cero cerca de los polos de lazo cerrado, el comportamiento de la respuesta transitoria difiere considerablemente del de un sistema de segundo orden sin un cero.

Si el cero en $s = -z$ está ubicado cerca del eje $j\omega$, el efecto del cero en la respuesta ante el escalón unitario es bastante significativo. En la figura 4-24 se pueden ver curvas típicas de respuesta ante un escalón para este sistema, con $\zeta = 0.5$ y diversos valores de $z/(\zeta\omega_n)$

**Tacómetros.** Otro procedimiento para mejorar el comportamiento de un servomecanismo, es agregar una retroalimentación tacométrica. Este método es fácilmente ajustable y relativamente económico. Un tacómetro de cd es un generador que produce una tensión proporcional a su velocidad de rotación. Se usa como transductor, para convertir la velocidad del eje rotativo en una tensión de cd proporcional. En un tacómetro de cd el flujo constante en el entrehierro, lo provee un imán permanente. Así, el voltaje $e$ inducido en el tacómetro se puede escribir como

$$e = K\psi\dot{\theta} = K_1\dot{\theta}$$

donde $K$ es una constante, $\psi$ es el flujo en el entrehierro y $\dot{\theta}$ es la velocidad de rotación. Como $\psi$ es una constante, $K_1 = K\psi$ también es una constante. La función de transferencia del tacómetro de cd es

$$\frac{E(s)}{\Theta(s)} = K_1 s$$

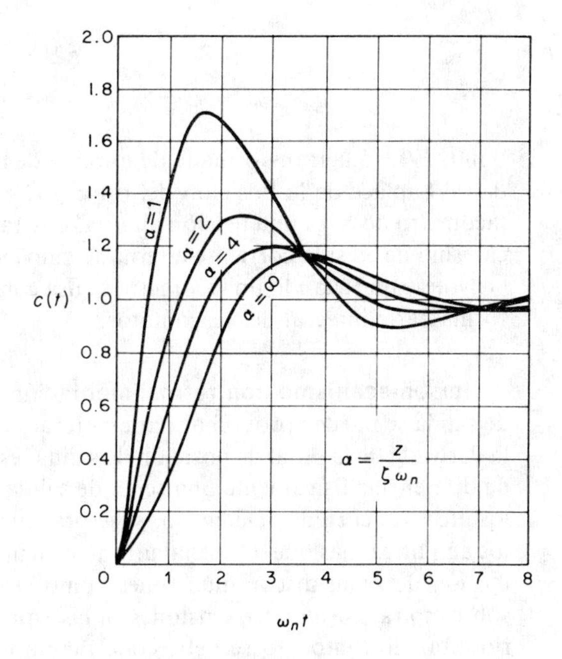


**Figura 4-24**
Curvas de respuesta al escalón unitario, del sistema de segundo orden
$$\frac{C(s)}{R(s)} = \left(\frac{\omega_n^2}{z}\right)\left(\frac{s + z}{s^2 + 2\zeta\omega_n s + \omega_n^2}\right),$$
$\zeta = 0.5$

En la figura 4-25(a) se presenta el diagrama de un tacómetro de cd. Aunque su salida es de corriente directa, si se la convierte en una tensión de ca, el tacómetro de cd se puede usar también en servosistemas de ca.

El tacómetro de ca es un dispositivo similar a un motor de inducción de dos fases. (Generalmente los motores de dos fases constituyen buenos tacómetros de ca). En la figura 4-25(b) se presenta el diagrama de un tacómetro de ca. Se aplica una determinada tensión alterna al bobinado primario del tacómetro. El bobinado secundario está ubicado espacialmente a 90° del bobinado primario. Entonces, cuando el rotor está detenido, la tensión de salida es nula. Cuando el rotor está girando, la tensión de salida en el bobinado secundario es proporcional a la velocidad del rotor. La polaridad de la tensión de salida se determina, por el sentido de la rotación. La función de transferencia de un tacómetro de ca es

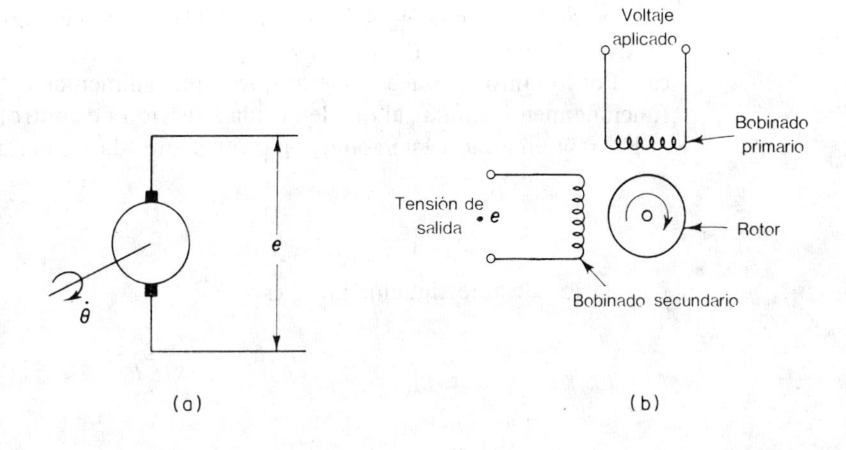


**Figura 4-25**
(a) Diagrama de un tacómetro de cd;
(b) Diagrama de un tacómetro de ca.

$$\frac{E(s)}{\Theta(s)} = Ks$$

donde $E(s)$ es la transformada de Laplace de la tensión de salida, $\Theta(s)$ es la transformada de Laplace de la posición del rotor y $K$ es una constante. Aunque la salida de un tacómetro de ca es una tensión alterna, este tacómetro se puede utilizar en un servomecanismo de cd si la corriente alterna se convierte en directa mediante un demodulador.

Nótese que cuando un tacómetro se usa con fines de amortiguamiento, generalmente forma parte integral del servomotor.

**Servomecanismo con retroalimentación de velocidad.** La derivada de la señal de salida se puede aprovechar para mejorar el comportamiento del sistema. Al obtener la derivada de la señal de posición de salida, es preferible utilizar un tacómetro en lugar de diferenciar físicamente una señal de salida. (Nótese que la diferenciación amplifica los efectos del ruido. De hecho, si se presentan ruidos discontinuos, la diferenciación los amplifica más que a la señal útil. Por ejemplo, la salida de un potenciómetro es una tensión de señal discontinua, pues como el contacto del potenciómetro se desplaza sobre espiras, se inducen tensiones en las espiras de conmutación y se generan transitorios. Por lo tanto, no se debe conectar un elemento diferenciador a la salida de un potenciómetro).

Considere el servosistema que se muestra en la figura 4-26(a). En este dispositivo, la señal de velocidad, junto con la de posición, se realimentan a la entrada para producir una señal de error. En cualquier servosistema se puede producir fácilmente una señal de velocidad como ésta por medio de un tacómetro. El diagrama de bloques que se ve en la figura 4-26(a) se puede simplificar como se presenta en la figura 4-26(b), dando por resultado

$$\frac{C(s)}{R(s)} = \frac{K}{Js^2 + (B + KK_h)s + K}$$

La ecuación característica es

$$Js^2 + (B + KK_h)s + K = 0 \tag{4–35}$$

Comparando la ecuación (4-35) con la (4-34), se ve que ambas son de la misma forma. Si $KK_h$ y $K$ fueran iguales a $K_d$ y $K_p$, respectivamente, ambas ecuaciones serían idénticas. Por lo tanto, se puede esperar que la retroalimentación de velocidad produzca un funcionamiento similar al que le brinda la acción de control proporcional-derivativa.

El error en estado estacionario para una entrada rampa unitaria es

$$e_{ss} = \frac{B}{K}$$

La relación de amortiguamiento $\zeta$ es

$$\zeta = \frac{B + KK_h}{2\sqrt{KJ}} \tag{4–36}$$

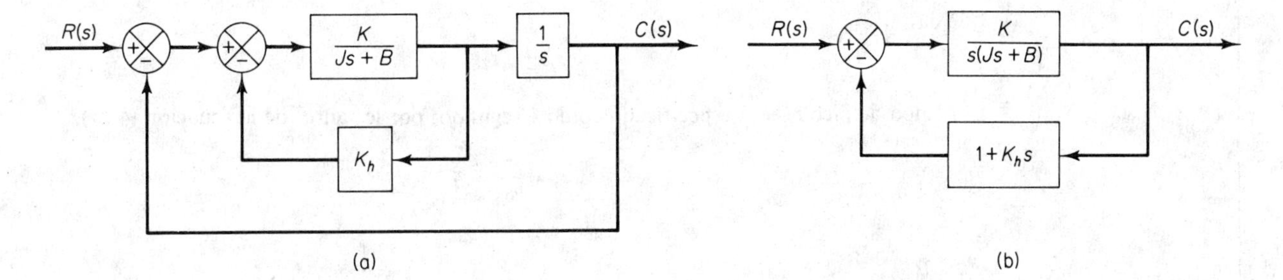


**Figura 4-26**
(a) Diagrama de bloques de un servosistema; (b) Diagrama de bloques simplificado.

La frecuencia natural no amortiguada es $\omega_n = \sqrt{K/J}$ no se ve afectada por la retroalimentación de velocidad. Teniendo en cuenta que el sobreimpulso máximo para una entrada de escalón unitario se puede controlar, controlando el valor de la relación de amortiguamiento $\zeta$, tanto el error estacionario $e_{ss}$ como el sobreimpulso máximo, haciendo que $B$ sea pequeño y $K$ grande, ajustando luego la constante de retroalimentación de velocidad $K_h$ de modo que $\zeta$ queda entre 0.4 y 0.7.

Recuérdese que la retroalimentación de velocidad incrementa la relación de amortiguamiento sin afectar la frecuencia natural no amortiguada del sistema.

**EJEMPLO 4-2** Determine los valores de la ganancia $K$ y la constante de retroalimentación de velocidad $K_h$ para el sistema mostrado en la figura 4-27, de modo que el sobreimpulso máximo en la respuesta al escalón unitario sea 0.2 y que el tiempo de pico sea de 1 segundo. Con esos valores de $K$ y de $K_h$, obtenga el tiempo de crecimiento y el tiempo de establecimiento.

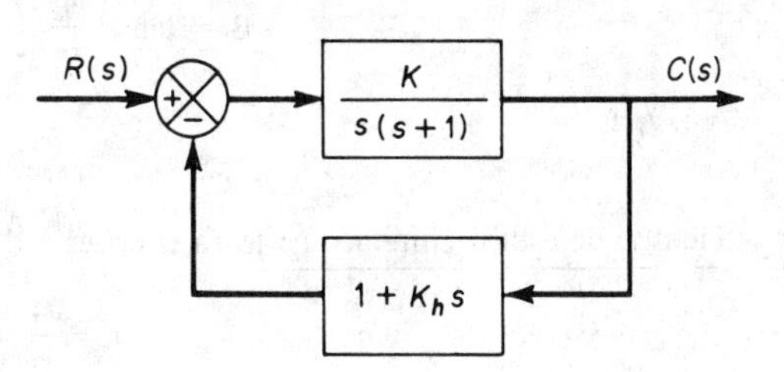


**Figura 4-27**
Sistema de control.

Determinación de los valores de $K$ y $K_h$: El sobreimpulso máximo $M_p$ está dado por la ecuación (4-28), como

$$M_p = e^{-(\zeta/\sqrt{1-\zeta^2})\pi}$$

Este valor debe ser 0.2. Entonces

$$e^{-(\zeta/\sqrt{1-\zeta^2})\pi} = 0.2$$

o bien

$$\frac{\zeta\pi}{\sqrt{1-\zeta^2}} = 1.61$$

que da

$$\zeta = 0.456$$

El tiempo de pico $t_p$ está especificado como 1 segundo; por lo tanto, de la ecuación (4-27),

$$t_p = \frac{\pi}{\omega_d} = 1$$

o

$$\omega_d = 3.14$$

Como $\zeta$ es 0.456, $\omega_n$ es

$$\omega_n = \frac{\omega_d}{\sqrt{1 - \zeta^2}} = 3.53$$

Como la frecuencia natural $\omega_n$ es igual a $\sqrt{K}$ en este ejemplo,

$$K = \omega_n^2 = 12.5$$

Entonces, a partir de la ecuación (4-36), $K_h$ es

$$K_h = \frac{2\sqrt{K}\zeta - 1}{K} = 0.178$$

Tiempo de crecimiento $t_r$: De la ecuación (4-26), el tiempo de crecimiento $t_r$ es

$$t_r = \frac{\pi - \beta}{\omega_d}$$

donde

$$\beta = \tan^{-1}\frac{\omega_d}{\sigma} = \tan^{-1} 1.95 = 1.10$$

Así, $t_r$ es

$$t_r = 0.65 \text{ seg}$$

Tiempo de establecimiento $t_s$: Para el criterio del 2%,

$$t_s = \frac{4}{\sigma} = 2.48 \text{ seg}$$

Para el criterio del 5%,

$$t_s = \frac{3}{\sigma} = 1.86 \text{ seg}$$

## 4-5 SISTEMAS DE ORDEN SUPERIOR

En esta sección, primero se analizará la respuesta de un tipo particular de sistema de tercer orden al escalón unitario. Luego, se presentará el análisis de respuesta transitoria de sistemas de órdenes superiores, en términos generales. Por último, se hará el estudio del análisis de estabilidad en el plano complejo.

**Respuesta de sistemas de tercer orden al escalón unitario.** Se estudiará la respuesta al escalón unitario de un sistema de tercer orden encontrado comúnmente, cuya función de transferencia de lazo cerrado es

$$\frac{C(s)}{R(s)} = \frac{\omega_n^2 p}{(s^2 + 2\zeta\omega_n s + \omega_n^2)(s + p)} \qquad (0 < \zeta < 1)$$

La respuesta al escalón unitario de este sistema se puede obtener de la siguiente forma:

$$c(t) = 1 - \frac{e^{-\zeta\omega_n t}}{\beta\zeta^2(\beta - 2) + 1}\left\{\beta\zeta^2(\beta - 2)\cos\sqrt{1 - \zeta^2}\,\omega_n t + \frac{\beta\zeta[\zeta^2(\beta - 2) + 1]}{\sqrt{1 - \zeta^2}}\operatorname{sen}\sqrt{1 - \zeta^2}\,\omega_n t\right\} - \frac{e^{-pt}}{\beta\zeta^2(\beta - 2) + 1} \qquad (t \geq 0)$$

donde

$$\beta = \frac{p}{\zeta\omega_n}$$

Nótese que como

$$\beta\zeta^2(\beta - 2) + 1 = \zeta^2(\beta - 1)^2 + (1 - \zeta^2) > 0$$

el coeficiente del término $e^{-pt}$ siempre es negativo.

El efecto de un polo real ubicado en $s = -p$ en la respuesta escalón unitario, es reducir el sobreimpulso máximo e incrementar el tiempo de establecimiento. La figura 4-28 muestra curvas de respuesta al escalón unitario del sistema de tercer orden, con $\zeta = 0.5$. La relación $\beta = p/(\zeta\omega_n)$ es un parámetro en la familia de curvas.

Si el polo real está ubicado a la derecha de los polos complejos conjugados, entonces hay tendencia a una respuesta lenta. El sistema se comporta como un sistema sobreamortiguado. Los pocos complejos conjugados agregan ondulación a la curva de respuesta.

**Respuesta transitoria de sistema de orden superior.** Considérese el sistema de la figura 4-29. La función de transferencia de lazo cerrado es

$$\frac{C(s)}{R(s)} = \frac{G(s)}{1 + G(s)H(s)} \qquad (4\text{-}37)$$

En general, $G(s)$ y $H(s)$ están dados como relaciones de polinomios en $s$, o bien

$$G(s) = \frac{p(s)}{q(s)} \qquad \text{o} \qquad H(s) = \frac{n(s)}{d(s)}$$

donde $p(s)$, $q(s)$, $n(s)$, y $d(s)$ son polinomios en $s$. La función de transferencia de lazo cerrado dada por la ecuación (4-37) se puede escribir como

$$\frac{C(s)}{R(s)} = \frac{p(s)d(s)}{q(s)d(s) + p(s)n(s)} = \frac{b_0 s^m + b_1 s^{m-1} + \cdots + b_{m-1}s + b_m}{a_0 s^n + a_1 s^{n-1} + \cdots + a_{n-1}s + a_n} \qquad (m \leq n)$$

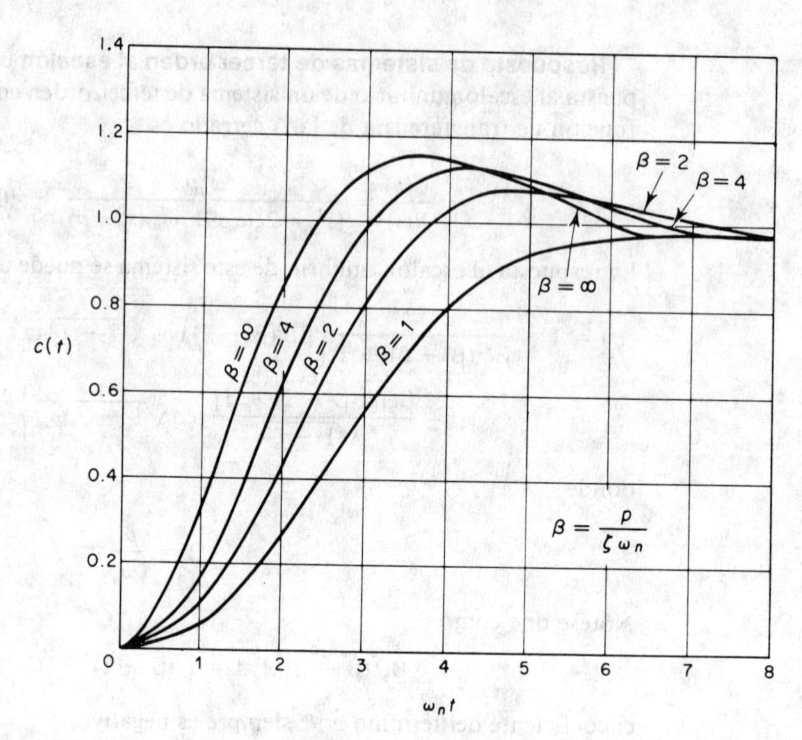


**Figura 4-28** Curvas de respuesta del sistema de tercer orden al escalón unitario $\dfrac{C(s)}{R(s)} = \dfrac{\omega_n^2 p}{(s^2 + 2\zeta\omega_n s + \omega_n^2)(s + p)}$, $\zeta = 0.5$

La respuesta transitoria de este sistema ante cualquier entrada, se puede obtener mediante una simulación en computadora (ver sección 4-10). Si se desea una expresión analítica de la respuesta transitoria buscada, entonces es necesario factorizar el polinomio denominador. (Hay varios métodos disponibles para hacerlo). Una vez factorizado el polinomio denominador, $C(s)/R(s)$ se puede escribir como

$$\frac{C(s)}{R(s)} = \frac{K(s + z_1)(s + z_2) \cdots (s + z_m)}{(s + p_1)(s + p_2) \cdots (s + p_n)} \tag{4–38}$$

Nótese que el numerador se puede factorizar fácilmente, pues es el producto de $p(s)$ y $d(s)$. (Normalmente, $p(s)$ y $d(s)$ son polinomios de orden inferior y se pueden factorizar fácilmente).

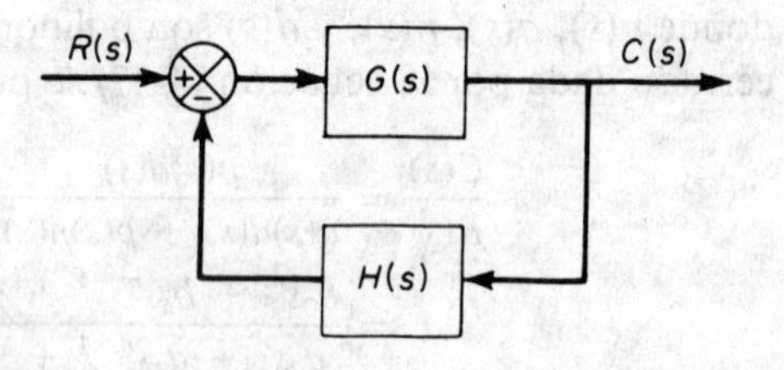


**Figura 4-29**
Sistema de control.

Considérese la respuesta de este sistema ante una entrada escalón unitario. Se supone que todos los polos de lazo cerrado son distintos. (De hecho esto es lo común). Para una entrada en escalón unitario, la ecuación (4-38) se puede escribir

$$C(s) = \frac{a}{s} + \sum_{i=1}^{n} \frac{a_i}{s + p_i} \tag{4-39}$$

donde $a_i$ es el residuo en el polo $s = -p_i$.

Si todos los polos de lazo cerrado quedan en el semiplano izquierdo, las magnitudes relativas de los residuos determinan la importancia relativa de los componentes en la forma expandida de $C(s)$. Si hay un cero de lazo cerrado cerca de su polo de lazo cerrado, entonces el residuo en este polo es pequeño y el coeficiente del término de respuesta transitoria correspondiente a este polo se hace pequeño. Un par de polos y ceros muy cercanos, se cancelan entre sí. Si hay un polo ubicado muy lejos del origen, el resultado de este polo puede ser pequeño. Los transitorios correspondientes a este polo son pequeños y duran poco tiempo. Los términos de la expansión de $C(s)$ que tienen residuos muy pequeños, contribuyen poco a la respuesta transitoria y por tanto, pueden ignorarse. Si se hace esto, el sistema de orden superior se puede aproximar por uno de orden inferior. (Tal aproximación permite estimar las características de respuesta de un sistema de orden superior, utilizando las de un sistema simplificado).

Los polos de $C(s)$ consisten en polos reales y pares de polos complejos conjugados. Un par de polos complejos conjugados produce un término de segundo orden en $s$. Como la forma factorizada de la ecuación característica de orden superior consiste en términos de primer y segundo orden, la ecuación (4-39) se puede reescribir como

$$C(s) = \frac{K \prod_{i=1}^{m} (s + z_i)}{s \prod_{j=1}^{q} (s + p_j) \prod_{k=1}^{r} (s^2 + 2\zeta_k \omega_k s + \omega_k^2)} \tag{4-40}$$

donde $q + 2r = n$. Si los polos de lazo cerrado son distintos, la ecuación (4-40) se puede expandir en fracciones parciales del modo siguiente

$$C(s) = \frac{a}{s} + \sum_{j=1}^{q} \frac{a_j}{s + p_j} + \sum_{k=1}^{r} \frac{b_k(s + \zeta_k\omega_k) + c_k\omega_k\sqrt{1 - \zeta_k^2}}{s^2 + 2\zeta_k\omega_k s + \omega_k^2}$$

De esta última ecuación se ve que la respuesta de un sistema de orden superior está compuesta por una cantidad de términos que incluyen las funciones simples halladas en las respuestas de los sistemas de primer y segundo orden. La respuesta $c(t)$ al escalón unitario, la transformada inversa de Laplace de $C(s)$, es entonces

$$\begin{aligned} c(t) = a &+ \sum_{j=1}^{q} a_j e^{-p_j t} + \sum_{k=1}^{r} b_k e^{-\zeta_k \omega_k t} \cos \omega_k \sqrt{1 - \zeta_k^2}\, t \\ &+ \sum_{k=1}^{r} c_k e^{-\zeta_k \omega_k t} \operatorname{sen} \omega_k \sqrt{1 - \zeta_k^2}\, t \qquad (t \geq 0) \end{aligned} \tag{4-41}$$

Si todos los polos de lazo cerrado caen en el semiplano izquierdo del plano $s$, los términos exponenciales y los términos exponenciales amortiguados en la ecuación (4-41) tienden a cero cuando el tiempo $t$ tiende a infinito. Entonces la salida estacionaria es $c(\infty) = a$.

Supóngase que el sistema considerado es estable. Entonces los polos que están ubicados lejos del eje $j\omega$ tienen partes reales negativas de valor elevado. Los términos exponenciales que corresponden a esos polos disminuyen muy rápidamente hasta cero. (Nótese que la distancia horizontal desde un polo de lazo cerrado al eje $j\omega$ determina el tiempo de establecimiento de los transitorios debidos a ese polo. Cuanto más pequeña la distancia, mayor el tiempo de establecimiento).

La curva de respuesta de un sistema estable de orden superior es la suma de un número de curvas exponenciales y curvas senoidales amortiguadas. En la figura 4-30 se muestran ejemplos de curvas de respuesta al escalón de sistemas de orden superior. Una característica particular de estas curvas de respuesta es que hay pequeñas oscilaciones superpuestas a las oscilaciones mayores o a curvas exponenciales. Los componentes de disminución rápida tienen significación solamente en la porción inicial de la respuesta transitoria.

Recuérdese que el tipo de respuesta transitoria está determinado por los polos de lazo cerrado, mientras que la forma de la respuesta transitoria depende principalmente de los ceros de lazo cerrado. Como se vio antes, los polos de la entrada $R(s)$ producen los términos de respuesta en estado estacionario en la solución, mientras que los polos de $C(s)/R(s)$ entran en los términos exponenciales de la respuesta transitoria y/o en los términos senoidales amortiguados de respuesta transitoria. Los ceros de $C(s)/R(s)$ no afectan los exponentes en los términos exponenciales, pero sí las magnitudes y signos de los residuos.

**Polos dominantes de lazo cerrado.** El predominio relativo de los polos de lazo cerrado está determinado por la relación entre las partes reales de los polos de lazo cerrado, así como por las magnitudes relativas de los residuos calculados en los polos de lazo cerrado. Los valores de los residuos, depende tanto de los polos como de los ceros de lazo cerrado.

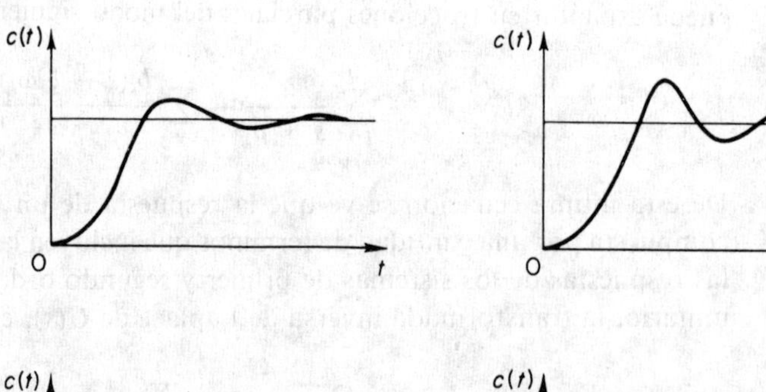


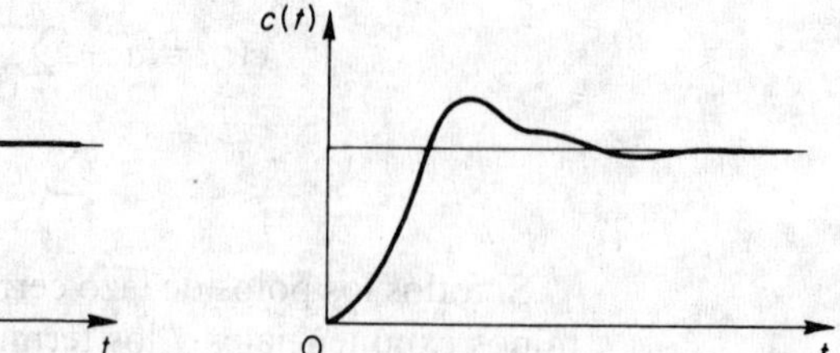


**Figura 4-30** Curvas de respuesta al escalón de sistemas de orden superior.

Si las relaciones de las partes reales exceden de 5, y no hay ceros cercanos, los polos de lazo cerrado más cercanos al eje $j\omega$ dominarán el comportamiento de respuesta transitoria, porque corresponden a términos de respuesta transitoria que disminuyen lentamente. Esos polos de lazo cerrado que tienen efectos dominantes en la respuesta transitoria, se denominan *polos dominantes de lazo cerrado* y suelen presentarse en forma de pares complejos conjugados. Los polos dominantes de lazo cerrado son los más importantes entre todos los polos de lazo cerrado.

La ganancia de un sistema de orden superior se ajusta a menudo de tal forma que haya un par de polos de lazo cerrado complejos conugados. La presencia de estos polos en un sistema estable, reduce el efecto de no linealidades como zonas muertas, juego y fricción de Coulomb.

Hay que recordar que, aunque el concepto de polos dominantes de lazo cerrado es útil al estimar el comportamiento dinámico de un sistema de lazo cerrado, se debe tener cuidado de que se cumplan las presunciones básicas antes de utilizarlo.

**Análisis de estabilidad en el plano complejo.** La estabilidad de un sistema lineal de lazo cerrado se puede determinar por la ubicación de los polos de lazo cerrado en el plano $s$. Si cualquiera de esos polos queda en el semiplano derecho del plano $s$, al transcurrir el tiempo dan lugar al modo dominante y la respuesta transitoria aumenta en forma monótona u oscila con amplitud creciente. Esto representa un sistema inestable. Para tal sistema, al momento de conectar la energía, la salida comienza a aumentar al transcurrir el tiempo. Si no se produce saturación en el sistema, y no se presenta alguna detención mecánica, el sistema puede sufrir daños y fallas, pues la respuesta de un sistema real no puede aumentar indefinidamente. Por lo tanto, no se admiten polos en el semiplano derecho de $s$, en los sistemas de control lineales. Si todos los polos de lazo cerrado quedan a la izquierda del eje $j\omega$, cualquier respuesta transitoria alcanza el equilibrio. Esto representa un sistema estable.

Que un sistema lineal sea estable o inestable es una propiedad del sistema en sí, y no depende de la entrada o función excitadora del sistema. Los polos de la entrada, o función excitadora, no afectan la propiedad de estabilidad del sistema, y sólo contribuyen a los términos de respuesta en estado estacionario de la solución. Así, el problema de estabilidad absoluta puede resolverse fácilmente si no se colocan polos de lazo cerrado en el semiplano derecho, ni sobre el eje $j\omega$.(Matemáticamente, los polos de lazo cerrado sobre el eje $j\omega$ producen oscilaciones, cuya amplitud no aumenta ni disminuye con el tiempo. En los casos prácticos, donde hay ruido, la amplitud de las oscilaciones puede aumentar a una velocidad determinada por el nivel de potencia de ruido. Por lo tanto, un sistema de control no debería tener polos de lazo cerrado sobre el eje $j\omega$ ).

Nótese que el solo hecho de que todos los polos de lazo cerrado queden en el semiplano izquierdo de $s$, no garantiza características de respuesta transitoria satisfactorias. Si hay polos de lazo cerrado dominantes complejos conjugados cerca del eje $j\omega$, la respuesta transitoria puede presentar oscilaciones excesivas, o puede ser muy lenta. Por lo tanto, para garantizar características de respuesta transitoria rápida, aunque bien amortiguada, es necesario que los polos de lazo cerrado del sistema queden en una zona determinada del plano complejo, tal como muestra la región sombreada en la figura 4-31.

Como la estabilidad relativa y el comportamiento transitorio de un sistema de control de lazo cerrado están directamente relacionados con la configuración de polos y ceros de lazo cerrado en el plano $s$, se suele ajustar uno o más parámetros del sistema,

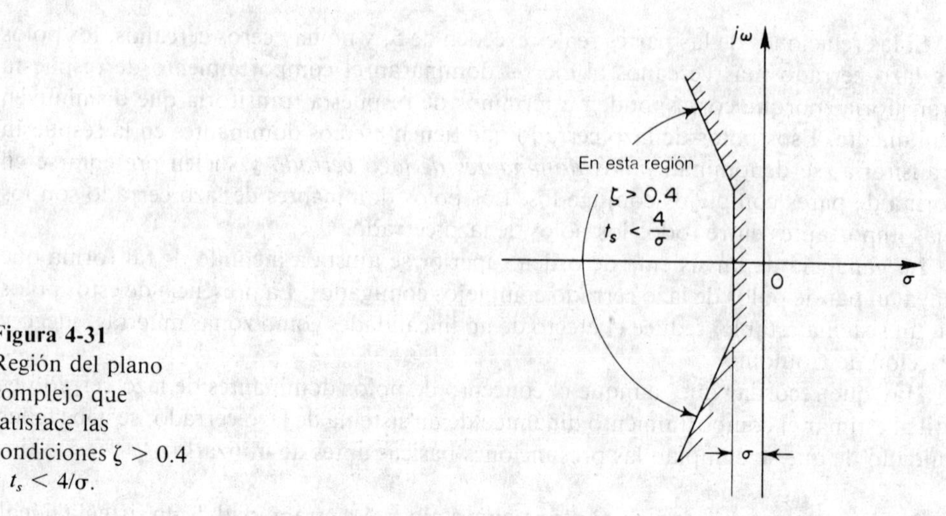


**Figura 4-31**
Región del plano complejo que satisface las condiciones $\zeta > 0.4$ y $t_s < 4/\sigma$.

para obtener configuraciones adecuadas. En el capítulo 5 se expondrán en detalle los efectos de la variación de parámetros del sistema en los polos de lazo cerrado.

## 4-6 CRITERIO DE ESTABILIDAD DE ROUTH

El problema más importante en sistemas de control lineal concierne a la estabilidad. De hecho, ¿bajo qué condiciones se volverá inestable un sistema? Si es inestable, ¿cómo se puede estabilizar? En la sección 4-5 se estableció que un sistema de control es estable si, y sólo si, todos los polos de lazo cerrado están ubicados en el semiplano izquierdo del plano $s$. Como la mayor parte de los sistemas lineales de lazo cerrado tienen funciones de transferencia de lazo cerrado de la forma

$$\frac{C(s)}{R(s)} = \frac{b_0 s^m + b_1 s^{m-1} + \cdots + b_{m-1}s + b_m}{a_0 s^n + a_1 s^{n-1} + \cdots + a_{n-1}s + a_n} = \frac{B(s)}{A(s)}$$

donde las $a$ y $b$ son constantes y $m \leq n$, primeramente se debe factorizar el polinomio $A(s)$ para hallar los polos de lazo cerrado. Este proceso es muy lento para polinomios de grado superior al segundo. Un criterio sencillo, denominado criterio de estabilidad de Routh, permite determinar la cantidad de polos de lazo cerrado que hay en el semiplano derecho del plano $s$, sin necesidad de factorizar el polinomio.

**Criterio de estabilidad de Routh.** El criterio de estabilidad de Routh dice si hay o no raíces positivas en una ecuación polinómica, sin tener que resolverla. Este criterio de estabilidad se aplica a polinomios con una cantidad finita de términos. Cuando se aplica a un sistema de control, se puede obtener información sobre estabilidad absoluta directamente a partir de los coeficientes de la ecuación característica.

El procedimiento del criterio de estabilidad de Routh es como sigue:

**1.** El polinomio en $s$ se escribe de la siguiente forma:

$$a_0 s^n + a_1 s^{n-1} + \cdots + a_{n-1}s + a_n = 0 \qquad (4\text{–}42)$$

donde los coeficientes son cantidades reales. Se supone que $a_n \neq 0$; es decir, cualquier raíz nula ha sido eliminada.

**2.** Si cualquiera de los coeficientes son nulos o negativos en presencia de un coeficiente positivo al menos, hay una raíz o raíces imaginarias, o que tienen partes reales positivas. Por lo tanto, en tal caso, el sistema no es estable. Si solamente interesa la estabilidad absoluta, no hay necesidad de seguir adelante con el procedimiento. Nótese que todos los coeficientes deben ser positivos. Esta es una condición necesaria, como surge del siguiente argumento: un polinomio en $s$ con coeficientes reales siempre se puede factorizar en factores lineales y cuadráticos, como $(s + a)$ y $(s^2 + bs + c)$ donde $a$, $b$, y $c$ son reales. Los factores lineales dan raíces reales y los factores cuadráticos dan raíces complejas. El factor $(s^2 + bs + c)$ da raíces con partes reales negativas sólo si $b$ y $c$ son positivas. Para que todas las raíces tengan partes reales negativas, las constantes $a$, $b$, $c$, etc., deben ser positivas en todos los factores. El producto de cualquier cantidad de factores lineales y cuadráticos que contienen solamente coeficientes positivos, da siempre un polinomio con coeficientes positivos. Es importante notar que la condición de que todos los coeficientes sean positivos no es suficiente para asegurar la estabilidad. La condición necesaria pero no suficiente para estabilidad, es que todos los coeficientes de la ecuación (4-42) estén presentes, y que todos tengan signo positivo. (Si todas las $a$ son negativas, se pueden hacer positivas multiplicando ambos miembros de la ecuación por —1).

**3.** Si todos los coeficientes son positivos, se colocan en filas y columnas de acuerdo al siguiente esquema:

$$\begin{array}{lllllll}
s^n & a_0 & a_2 & a_4 & a_6 & \cdot & \cdot \; \cdot \\
s^{n-1} & a_1 & a_3 & a_5 & a_7 & \cdot & \cdot \; \cdot \\
s^{n-2} & b_1 & b_2 & b_3 & b_4 & \cdot & \cdot \; \cdot \\
s^{n-3} & c_1 & c_2 & c_3 & c_4 & \cdot & \cdot \; \cdot \\
s^{n-4} & d_1 & d_2 & d_3 & d_4 & \cdot & \cdot \; \cdot \\
\cdot & \cdot & \cdot & & & & \\
\cdot & \cdot & \cdot & & & & \\
\cdot & \cdot & \cdot & & & & \\
s^2 & e_1 & e_2 & & & & \\
s^1 & f_1 & & & & & \\
s^0 & g_1 & & & & &
\end{array}$$

Los coeficientes $b_1$, $b_2$, $b_3$, etc., se evalúan como sigue:

$$b_1 = \frac{a_1 a_2 - a_0 a_3}{a_1}$$

$$b_2 = \frac{a_1 a_4 - a_0 a_5}{a_1}$$

$$b_3 = \frac{a_1 a_6 - a_0 a_7}{a_1}$$

$$\vdots$$

La evaluación de las $b$ continúa hasta que todas las restantes sean cero. En las dos filas previas se sigue el mismo procedimiento de multiplicación cruzada de los coeficientes para la evaluación de las $c$, $d$, $e$, etc. Es decir,

$$c_1 = \frac{b_1 a_3 - a_1 b_2}{b_1}$$

$$c_2 = \frac{b_1 a_5 - a_1 b_3}{b_1}$$

$$c_3 = \frac{b_1 a_7 - a_1 b_4}{b_1}$$

$$\vdots$$

y

$$d_1 = \frac{c_1 b_2 - b_1 c_2}{c_1}$$

$$d_2 = \frac{c_1 b_3 - b_1 c_3}{c_1}$$

$$\vdots$$

Este proceso continúa hasta que el renglón $n$-ésimo está completo. El conjunto completo de coeficientes es triangular. Nótese que al elaborar el conjunto, una fila completa se puede dividir o multiplicar por un número positivo para simplificar los cálculos subsiguientes sin alterar la conclusión de estabilidad.

El criterio de estabilidad de Routh establece que la cantidad de raíces de la ecuación (4-42) con partes reales positivas es igual a la cantidad de cambios de signo en los coeficientes de la primera columna del conjunto. Nótese que no se necesita conocer los valores exactos de los términos de la primera columna; en su lugar sólo se requieren los signos. La condición necesaria y suficiente para que todas las raíces de la ecuación (4-42) queden en el semiplano izquierdo del plano $s$, es que todos los coeficientes de la ecuación (4-42) sean positivos y que todos los términos de la primera columna del conjunto tengan signos positivos.

**EJEMPLO 4-3** Se aplicará el criterio de estabilidad de Routh al siguiente polinomio de tercer orden:

$$a_0 s^3 + a_1 s^2 + a_2 s + a_3 = 0$$

donde todos los coeficientes son números positivos. El conjunto de coeficientes es

$$\begin{array}{lll} s^3 & a_0 & a_2 \\ s^2 & a_1 & a_3 \\ s^1 & \dfrac{a_1 a_2 - a_0 a_3}{a_1} & \\ s^0 & a_3 & \end{array}$$

La condición de que todas las raíces tengan partes reales negativas está dada por

$$a_1 a_2 > a_0 a_3$$

**EJEMPLO 4-4** Sea el polinomio siguiente

$$s^4 + 2s^3 + 3s^2 + 4s + 5 = 0$$

Se sigue el procedimiento recién indicado y se construye el conjunto de coeficientes. Las primeras dos filas se obtienen directamente del polinomio dado. Con estos coeficientes se obtienen los términos remanentes. Si falta cualquier coeficiente, en el conjunto se pueden substituir por ceros).

| | | | | | | | | |
|---|---|---|---|---|---|---|---|---|
| $s^4$ | 1 | 3 | 5 | $s^4$ | 1 | 3 | 5 | |
| $s^3$ | 2 | 4 | 0 | $s^3$ | ~~2~~ | ~~4~~ | ~~0~~ | La segunda fila se divide |
| | | | | | 1 | 2 | 0 | entre 2 |
| $s^2$ | 1 | 5 | | $s^2$ | 1 | 5 | | |
| $s^1$ | $-6$ | | | $s^1$ | $-3$ | | | |
| $s_0$ | 5 | | | $s^0$ | 5 | | | |

En este ejemplo, los cambios de signos de los coeficientes en la primera columna son dos. Esto significa que hay dos raíces con parte real positiva. Obsérvese que el resultado es inalterable aunque los coeficientes de cualquier renglón se multipliquen o dividan por un número positivo para simplificar los cálculos.

**Casos especiales.** Si un término de la primera columna en cualquier fila es cero, pero los términos restantes no son cero, o no hay término remanente, el término cero substituye por un número positivo muy pequeño $\epsilon$ y se calcula el resto del conjunto. Por ejemplo, considere la ecuación siguiente:

$$s^3 + 2s^2 + s + 2 = 0 \tag{4-43}$$

El conjunto de coeficientes es

$$\begin{array}{lll} s^3 & 1 & 1 \\ s^2 & 2 & 2 \\ s^1 & 0 \approx \epsilon & \\ s^0 & 2 & \end{array}$$

Si el signo del coeficiente sobre el cero ($\epsilon$) es el mismo que el que está debajo de él, esto indica que hay un par de raíces imaginarias. En realidad la ecuación (4-43) tiene dos raíces en $s = \pm j$.

Sin embargo, si el signo del coeficiente sobre el cero ($\epsilon$) es contrario al que está debajo de él, esto indica que hay un cambio de signo. Por ejemplo, en la ecuación siguiente,

$$s^3 - 3s + 2 = (s - 1)^2(s + 2) = 0$$

el conjunto de coeficientes es

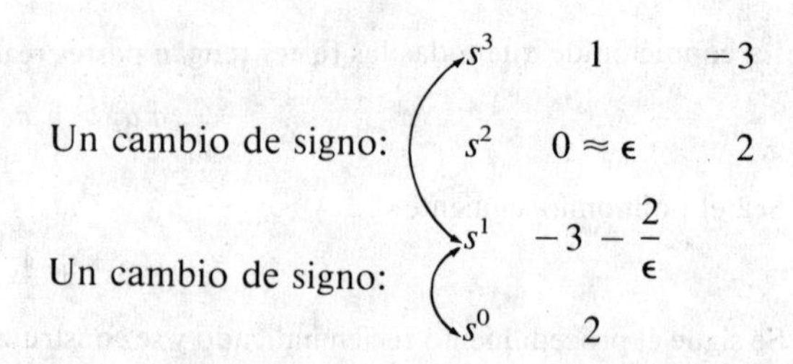

| | | |
|---|---|---|
| $s^3$ | 1 | $-3$ |
| $s^2$ | $0 \approx \epsilon$ | 2 |
| $s^1$ | $-3 - \frac{2}{\epsilon}$ | |
| $s^0$ | 2 | |

Un cambio de signo: ($s^3$ a $s^1$)
Un cambio de signo: ($s^1$ a $s^0$)

Hay dos cambios de signo de los coeficientes en la primera columna. Esto coincide con el resultado correcto indicado por la forma factorizada de la ecuación polinómica.

Si todos los coeficientes calculados en una fila son cero, esto indica que en el plano $s$ hay raíces de igual valor radialmente opuestas; es decir, dos raíces reales con igual valor y signo opuesto y/o dos raíces imaginarias conjugadas. En tal caso, se puede continuar con la evaluación del resto del conjunto, formando un polinomio auxiliar con los coeficientes del último renglón y usando los coeficientes de la derivada de este polinomio en el renglón siguiente. Esas raíces con igual valor y ubicadas en forma radialmente opuesta en el plano $s$, se pueden hallar resolviendo el polinomio auxiliar que siempre es par. Para un polinomio auxiliar de grado $2n$ hay $n$ pares de raíces iguales y opuestas. Por ejemplo, considere la siguiente ecuación:

$$s^5 + 2s^4 + 24s^3 + 48s^2 - 25s - 50 = 0$$

El conjunto de coeficientes es

| | | | | |
|---|---|---|---|---|
| $s^5$ | 1 | 24 | $-25$ | |
| $s^4$ | 2 | 48 | $-50$ | $\leftarrow$ Polinomio auxiliar $P(s)$ |
| $s^3$ | 0 | 0 | | |

Todos los términos del renglón $s^3$ son cero. Entonces el polinomio auxiliar se forma con los coeficientes del renglón $s^4$. El polinomio auxiliar $P(s)$ es

$$P(s) = 2s^4 + 48s^2 - 50$$

lo cual indica que hay dos pares de raíces de igual magnitud y signo opuesto. Esos pares se obtienen resolviendo la ecuación polinómica auxiliar $P(s) = 0$. La derivada de $P(s)$ respecto a $s$ es

$$\frac{dP(s)}{ds} = 8s^3 + 96s$$

En la fila $s^3$ se substituyen los términos por los coeficientes de la última ecuación, es decir 8 y 96. Entonces el conjunto de coeficientes se convierte en

| | | | | |
|---|---|---|---|---|
| $s^5$ | 1 | 24 | $-25$ | |
| $s^4$ | 2 | 48 | $-50$ | |
| $s^3$ | 8 | 96 | | $\leftarrow$ Coeficientes de $dP(s)/ds$ |
| $s^2$ | 24 | $-50$ | | |
| $s^1$ | 112.7 | 0 | | |
| $s^0$ | $-50$ | | | |

Se ve que en la primera columna del nuevo conjunto hay un cambio de signo. Por tanto, la ecuación original tiene una raíz con parte real positiva. Al hallar las raíces en la ecuación polinómica,

$$2s^4 + 48s^2 - 50 = 0$$

se obtiene

$$s^2 = 1, \qquad s^2 = -25$$

o bien

$$s = \pm 1, \qquad s = \pm j5$$

Estos dos pares de raíces son una parte de las raíces de la ecuación original. De hecho la ecuación original se puede escribir en forma de factores, como sigue:

$$(s + 1)(s - 1)(s + j5)(s - j5)(s + 2) = 0$$

Así, la ecuación original tiene una raíz con parte real positiva.

**Análisis de estabilidad relativa.** El criterio de estabilidad de Routh brinda la respuesta sobre estabilidad absoluta. Esto, en muchos casos reales, no es suficiente; pues se requiere información sobre la estabilidad relativa del sistema. Un procedimiento útil para examinar la estabilidad relativa es desplazar el eje del plano $s$ y aplicar el criterio de estabilidad de Routh. Es decir, se substituye

$$s = \hat{s} - \sigma \qquad (\sigma = \text{constante})$$

en la ecuación característica del sistema, se escribe el polinomio en términos de $\hat{s}$, y se aplica el criterio de estabilidad de Routh al nuevo polinomio en $\hat{s}$. La cantidad de cambios de signo en la primera columna del conjunto desarrollado por el polinomio en $\hat{s}$ es igual a la cantidad de raíces ubicadas a la derecha de la línea vertical $s = -\sigma$. Esta prueba indica la cantidad de raíces que quedan a la derecha de la línea vertical $s = -\sigma$.

**Aplicación del criterio de estabilidad de Routh al análisis de sistemas de control.** La utilidad del criterio de estabilidad de Routh en el análisis de sistemas lineales de control es limitada, principalmente porque no sugiere cómo mejorar la estabilidad relativa o cómo estabilizar un sistema inestable. Sin embargo, los efectos de la modificación de uno o dos parámetros de un sistema se pueden determinar examinando los valores que producen la inestabilidad. A continuación, se considerará el problema de determinar el rango de valores de un parámetro para lograr la estabilidad.

Considere el sistema de la figura 4-32. Determinar el rango de $K$ para la estabilidad. La función de transferencia de lazo cerrado es

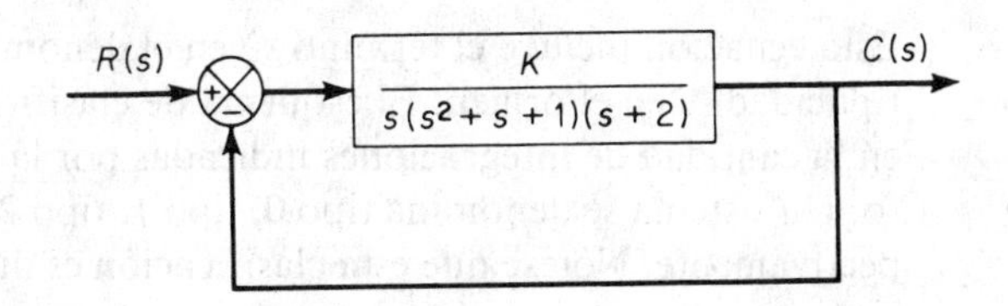


**Figura 4-32**
Sistema de control.

$$\frac{C(s)}{R(s)} = \frac{K}{s(s^2 + s + 1)(s + 2) + K}$$

La ecuación característica es

$$s^4 + 3s^3 + 3s^2 + 2s + K = 0$$

El conjunto de coeficientes se convierte en

$$\begin{array}{llll} s^4 & 1 & 3 & K \\ s^3 & 3 & 2 & 0 \\ s^2 & \frac{7}{3} & K & \\ s^1 & 2 - \frac{9}{7}K & & \\ s^0 & K & & \end{array}$$

Para que haya estabilidad, $K$ debe ser positiva, y todos los coeficientes de la primera columna deben serlo también. Por lo tanto,

$$\frac{14}{9} > K > 0$$

Para $K = \frac{14}{9}$, el sistema se vuelve oscilatorio y, matemáticamente, la oscilación se mantiene con amplitud constante.

## 4-7 ANALISIS DE ERROR EN ESTADO ESTACIONARIO

En cualquier sistema físico de control hay una falla inherente, que es el error en estado estacionario en respuesta a determinados tipos de entradas. Un sistema puede no tener error en estado estacionario ante una entrada escalón, pero ese mismo sistema puede presentar un error no nulo de estado estacionario ante una entrada rampa. (El único modo de eliminar este error, es modificar la estructura del sistema). El que un sistema dado presente o no error estacionario ante determinado tipo de señal de entrada, depende del tipo de función de transferencia de lazo abierto del sistema. Esto se analizará a continuación.

**Clasificación de los sistemas de control.** Los sistemas de control se pueden clasificar de acuerdo a su capacidad de seguir entradas escalón, rampa, parabólica, y otras. Este esquema de clasificación es razonable, ya que las entradas reales se suelen considerar como combinaciones de tales entradas. Los valores de los errores estacionarios debidos a esas entradas individuales son indicativos de la "bondad" del sistema.

Considere la siguiente función de transferencia de lazo abierto $G(s)H(s)$:

$$G(s)H(s) = \frac{K(T_a s + 1)(T_b s + 1) \cdots (T_m s + 1)}{s^N (T_1 s + 1)(T_2 s + 1) \cdots (T_p s + 1)}$$

Esta ecuación incluye el término $s^N$ en el denominador, representando un polo de multiplicidad $N$ en el origen. El esquema de clasificación que se presenta aquí está basado en la cantidad de integraciones indicadas por la función de transferencia de lazo abierto. Un sistema se denomina tipo 0, tipo 1, tipo 2, ..., si $N = 0$, $N = 1$, $N = 2$, ..., respectivamente. Nótese que esta clasificación es diferente a la del orden de un sistema. Al aumentar el número de tipo, aumentando la exactitud; sin embargo, al aumentar el tipo empeora el problema de estabilidad. Siempre se requiere establecer un compromiso entre la exactitud en estado estacionario, y la estabilidad relativa. En la práctica es muy raro tener sistemas de tipo 3 o superior, porque generalmente resulta difícil diseñar sistemas estables con más de dos integraciones en el paso directo.

Más adelante se verá que si se escribe $G(s)H(s)$ de tal forma que cada término en el numerador y denominador, excepto el término $s^N$, tienda a la unidad a medida que $s$ tiende a cero, la ganancia de lazo abierto $K$ queda directamente relacionada con el error estacionario.

**Errores en estado estacionario.** Se considera el sistema que aparece en la figura 4-33. La función de transferencia de lazo cerrado es

$$\frac{C(s)}{R(s)} = \frac{G(s)}{1 + G(s)H(s)}$$

La función de transferencia entre la señal de error $e(t)$ y la señal de entrada $r(t)$ es

$$\frac{E(s)}{R(s)} = 1 - \frac{C(s)H(s)}{R(s)} = \frac{1}{1 + G(s)H(s)}$$

donde la señal de error $e(t)$ es la diferencia entre la señal de entrada y la señal de retroalimentación.

El teorema del valor final brinda un camino adecuado para hallar el comportamiento en estado estacionario de un sistema estable. Como $E(s)$ es

$$E(s) = \frac{1}{1 + G(s)H(s)} R(s)$$

el error estacionario es

$$e_{ss} = \lim_{t \to \infty} e(t) = \lim_{s \to 0} sE(s) = \lim_{s \to 0} \frac{sR(s)}{1 + G(s)H(s)}$$

Los coeficientes de error estático definidos a continuación, son cifras de mérito de los sistemas de control. Cuanto mayores sean las constantes, menor es el error estacionario. En un sistema dado, la salida puede ser la posición, velocidad, presión, temperatura, u otros. Sin embargo, la forma clásica de la salida es inmaterial para el presente análisis. Por lo tanto, en adelante, se denominará "posición" a la salida, "velocidad" al ritmo de variación de la salida, etc. Esto significa que en un control de temperatura, "posición" representa la temperatura de salida, "velocidad" representa el régimen de variación de la temperatura de salida etc.

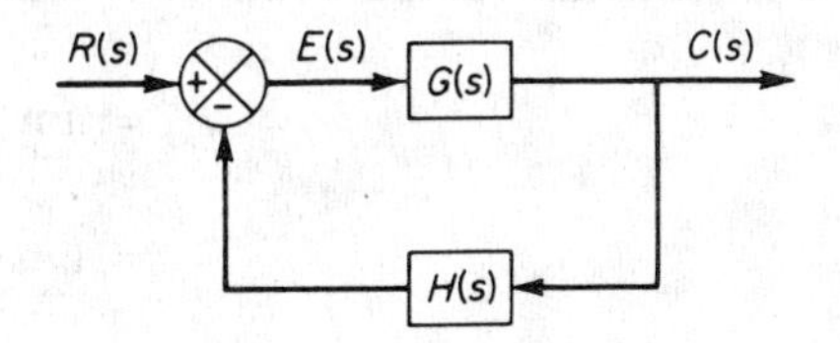


**Figura 4-33**
Sistema de control.

**Constante $K_p$ de error estático de posición.** El error estacionario del sistema, para una entrada de escalón unitario, es

$$e_{ss} = \lim_{s \to 0} \frac{s}{1 + G(s)H(s)} \frac{1}{s}$$
$$= \frac{1}{1 + G(0)H(0)}$$

La constante $K_p$ de error estático de posición se define como

$$K_p = \lim_{s \to 0} G(s)H(s) = G(0)H(0)$$

Así, el error estático en términos de la constante $K_p$ de error estático de posición está dado por

$$e_{ss} = \frac{1}{1 + K_p}$$

Para un sistema tipo 0,

$$K_p = \lim_{s \to 0} \frac{K(T_a s + 1)(T_b s + 1) \cdots}{(T_1 s + 1)(T_2 s + 1) \cdots} = K$$

Para un sistema tipo 1 o superior,

$$K_p = \lim_{s \to 0} \frac{K(T_a s + 1)(T_b s + 1) \cdots}{s^N (T_1 s + 1)(T_2 s + 1) \cdots} = \infty \qquad (N \geq 1)$$

Por lo tanto, para un sistema tipo 0, la constante $K_p$ de error estático de posición es finito, mientras que para uno de tipo 1, $K_p$ es infinito.

Para una entrada de escalón unitario, el error estacionario $e_{ss}$ como sigue

$$e_{ss} = \frac{1}{1 + K} \qquad \text{para sistemas tipo 0}$$

$$e_{ss} = 0 \qquad \text{para sistemas tipo 1 o superiores}$$

Del análisis precedente se ve que la respuesta de un sistema de control retroalimentado, ante una entrada en escalón, entraña un error estacionario si no hay integración en la trayectoria directa. (Si se pueden tolerar pequeños errores para entradas en escalón, se puede admitir un sistema tipo 0, siempre que la ganancia $K$ sea suficientemente elevada. Sin embargo, si la ganancia es excesivamente grande, es difícil lograr una estabilidad relativa razonable). Si se deseara un error estacionario nulo para una entrada en escalón, el sistema debería ser de tipo 1 o superior.

**Constante $K_v$ de error estático de velocidad.** El error estacionario del sistema, para una entrada rampa unitaria, está dado por

$$e_{ss} = \lim_{s \to 0} \frac{s}{1 + G(s)H(s)} \frac{1}{s^2}$$
$$= \lim_{s \to 0} \frac{1}{sG(s)H(s)}$$

La constante $K_v$ de error estático de velocidad se define como

$$K_v = \lim_{s \to 0} sG(s)H(s)$$

Así, el error estático en términos de la constante $K_v$ de error estático de velocidad está dado por

$$e_{ss} = \frac{1}{K_v}$$

El término *error de velocidad* se ha utilizado aquí para expresar el error estacionario ante una entrada rampa unitaria. La dimensión del error de velocidad es la misma que el error del sistema. Es decir, el error de velocidad no es en la velocidad, sino en la posición debido a una entrada rampa.

Para un sistema tipo 0,

$$K_v = \lim_{s \to 0} \frac{sK(T_a s + 1)(T_b s + 1) \cdots}{(T_1 s + 1)(T_2 s + 1) \cdots} = 0$$

Para un sistema tipo 1,

$$K_v = \lim_{s \to 0} \frac{sK(T_a s + 1)(T_b s + 1) \cdots}{s(T_1 s + 1)(T_2 s + 1) \cdots} = K$$

Para un sistema tipo 2 o superior,

$$K_v = \lim_{s \to 0} \frac{sK(T_a s + 1)(T_b s + 1) \cdots}{s^N(T_1 s + 1)(T_2 s + 1) \cdots} = \infty \qquad (N \geq 2)$$

El error en estado estacionario $e_{ss}$ para la entrada rampa unitaria se puede resumir como sigue:

$$e_{ss} = \frac{1}{K_v} = \infty \qquad \text{para sistemas tipo 0}$$

$$e_{ss} = \frac{1}{K_v} = \frac{1}{K} \qquad \text{para sistemas tipo 1}$$

$$e_{ss} = \frac{1}{K_v} = 0 \qquad \text{para sistemas tipo 2 o superior}$$

El análisis anterior indica que un sistema tipo 0 es incapaz de atender una entrada rampa en estado estacionario. El sistema tipo 1 con retroalimentación unitaria puede seguir la entrada rampa con error finito. En estado estacionario, la velocidad de salida es exactamente igual a la velocidad de entrada, pero hay un error de posición. Este error es proporcional a la velocidad de entrada e inversamente proporcional a la ganancia $K$. La figura 4-34 muestra un ejemplo de la respuesta de un sistema tipo 1 con retroalimentación unitaria ante una entrada rampa. Los sistemas tipo 2 y superiores pueden seguir una entrada rampa con error nulo en estado estacionario.

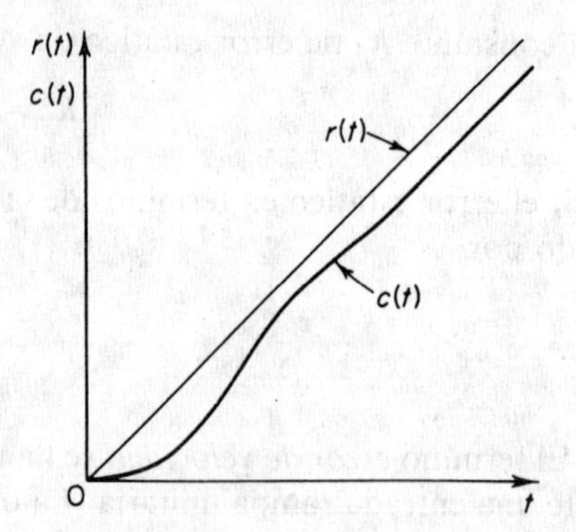


**Figura 4-34**
Curva de respuesta a la rampa unitaria, de un sistema de tipo 1, con retroalimentación unitaria.

**Constante $K_a$ de error estático de aceleración.** El error en estado estacionario del sistema con una entrada parabólica unitaria (entrada aceleración), que está definida por

$$\begin{aligned} r(t) &= \frac{t^2}{2} \quad \text{para } t \geq 0 \\ &= 0 \quad \text{para } t < 0 \end{aligned}$$

está dado por

$$\begin{aligned} e_{ss} &= \lim_{s \to 0} \frac{s}{1 + G(s)H(s)} \frac{1}{s^3} \\ &= \frac{1}{\lim\limits_{s \to 0} s^2 G(s)H(s)} \end{aligned}$$

La constante $K_a$ de error estático de aceleración está definida por la ecuación

$$K_a = \lim_{s \to 0} s^2 G(s)H(s)$$

Entonces el error en estado estacionario es

$$e_{ss} = \frac{1}{K_a}$$

Nótese que el error de aceleración, que es el error en estado estacionario causado por una entrada parabólica, es un error en posición.

Los valores de $K_a$ se obtienen como sigue:
Para un sistema tipo 0,

$$K_a = \lim_{s \to 0} \frac{s^2 K(T_a s + 1)(T_b s + 1) \cdots}{(T_1 s + 1)(T_2 s + 1) \cdots} = 0$$

Para un sistema tipo 1,

$$K_a = \lim_{s \to 0} \frac{s^2 K(T_a s + 1)(T_b s + 1) \cdots}{s(T_1 s + 1)(T_2 s + 1) \cdots} = 0$$

Para un sistema tipo 2,

$$K_a = \lim_{s \to 0} \frac{s^2 K(T_a s + 1)(T_b s + 1) \cdots}{s^2(T_1 s + 1)(T_2 s + 1) \cdots} = K$$

Para un sistema tipo 3 o superior,

$$K_a = \lim_{s \to 0} \frac{s^2 K(T_a s + 1)(T_b s + 1) \cdots}{s^N (T_1 s + 1)(T_2 s + 1) \cdots} = \infty \qquad (N \geq 3)$$

Así, el error en estado estacionario para una entrada parabólica unitaria es

$$e_{ss} = \infty \qquad \text{para sistemas tipo 0 y tipo 1}$$

$$e_{ss} = \frac{1}{K} \qquad \text{para sistemas tipo 2}$$

$$e_{ss} = 0 \qquad \text{para sistemas tipo 3 y superior}$$

Nótese que tanto el sistema tipo 0 como el 1, son incapaces de seguir una entrada parabólica en estado estacionario. El sistema tipo 2 con retroalimentación unitaria puede seguir una entrada parabólica con una señal de error finita. La figura 4-35 muestra un ejemplo de la respuesta de un sistema tipo 2 con retroalimentación unitaria, ante una entrada parabólica. El sistema tipo 3 o superior con retroalimentación unitaria responde ante una entrada parabólica con error nulo en estado estacionario.

**Resumen.** La tabla 4-1 resume los errores en estado estacionario para los sistemas de tipo 0, tipo 1, y tipo 2, sometidos a diversas entradas. Los valores finitos para errores en estado estacionario aparecen en la línea diagonal. Por arriba de la diagonal, los errores estacionarios son infinitos; por debajo de la diagonal, son cero.

Se debe recordar que los términos *error de posición*, *error de velocidad* y *error de aceleración*, significan desviaciones en estado estacionario de la posición de salida. Un error de velocidad finito, implica que tras la extinción de los transitorios, la entrada y la salida se mueven a la misma velocidad, pero tienen una diferencia de posición finita.

Las constantes de error $K_p$, $K_v$, y $K_a$ describen la capacidad de un sistema para reducir o eliminar el error estacionario; por lo tanto, son indicadores del funcionamiento en estado estacionario. En general es deseable aumentar los coeficientes de error, manteniendo la respuesta transitoria dentro de un rango aceptable. Si hay alguna contradicción entre el coeficiente estático de error de velocidad y el coeficiente estático de error de aceleración, a este último se debe considerar como menos importante que el ante-

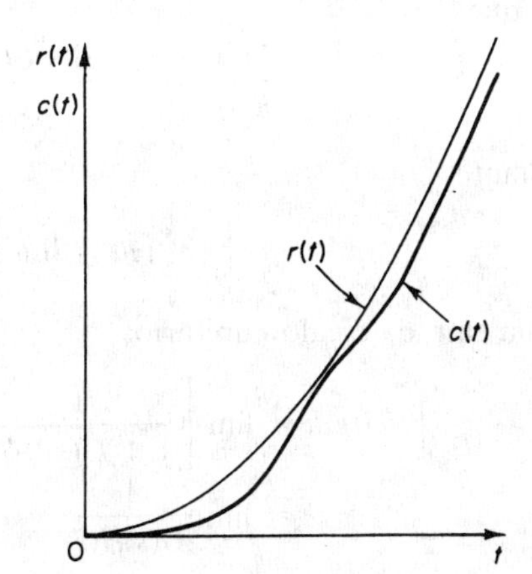


**Figura 4-35** Respuesta a una entrada parabólica de un sistema tipo 2, con retroalimentación unitaria.

**Tabla 4-1** Error en estado estacionario en términos de la ganancia $K$

| | Entrada escalón $r(t) = 1$ | Entrada rampa $r(t) = t$ | Entrada aceleración $r(t) = \frac{1}{2}t^2$ |
|---|---|---|---|
| Sistema tipo 0 | $\frac{1}{1 + K}$ | $\infty$ | $\infty$ |
| Sistema tipo 1 | 0 | $\frac{1}{K}$ | $\infty$ |
| Sistema tipo 2 | 0 | 0 | $\frac{1}{K}$ |

rior. Nótese que para mejorar el comportamiento de estado estacionario se puede incrementar el tipo de sistema agregando un integrador, o integradores, en el trayecto directo. Sin embargo, esto introduce un problema adicional de estabilidad; pues en general, es difícil diseñar un sistema satisfactorio con más de dos integradores en serie en el trayecto directo.

**Correlación entre la integral del error en la respuesta al escalón y el error estacionario en la respuesta a la rampa.** Ahora se tratará la correlación entre la integral del error en la respuesta al escalón unitario del sistema que aparece en la figura 4-33 y el error estacionario en la respuesta a la rampa unitaria del mismo sistema.

Se verá que el área total bajo la curva de error $\int_0^\infty e(t)\, dt$ como resultado de la respuesta al escalón unitario, da el error en estado estacionario en la respuesta a la rampa unitaria. Para probarlo, se define

$$\mathscr{L}[e(t)] = \int_0^\infty \epsilon^{-st} e(t)\, dt = E(s)$$

Entonces

$$\lim_{s\to 0} \int_0^\infty \epsilon^{-st} e(t)\, dt = \int_0^\infty e(t)\, dt = \lim_{s\to 0} E(s)$$

Nótese que

$$\frac{E(s)}{R(s)} = 1 - \frac{H(s)C(s)}{R(s)} = \frac{1}{1 + G(s)H(s)}$$

Por lo tanto

$$\int_0^\infty e(t)\, dt = \lim_{s\to 0} \left[ \frac{R(s)}{1 + G(s)H(s)} \right]$$

Para una entrada escalón unitario,

$$\begin{aligned} \int_0^\infty e(t)\, dt &= \lim_{s\to 0} \left[ \frac{1}{1 + G(s)H(s)} \frac{1}{s} \right] \\ &= \lim_{s\to 0} \frac{1}{sG(s)H(s)} \end{aligned}$$

$$= \frac{1}{K_v}$$

$=$ error estacionario en la respuesta a la rampa unitaria

De aquí que

$$\int_0^{\infty} e(t)\, dt = e_{ssr} \tag{4-44}$$

donde $e(t)$ = error en la respuesta al escalón unitario

$e_{ssr}$ = error estacionario en la respuesta a la rampa unitaria

Si $e_{ssr}$ es cero, entonces $e(t)$ debe cambiar de signo al menos una vez. Esto significa que un sistema con error de velocidad cero (un sistema con $K_v = \infty$) presentará cuando menos un sobreimpulso cuando el sistema está sometido a una entrada escalón.

## 4-8 INTRODUCCION A LA OPTIMIZACION DE SISTEMAS

En esta sección se resolverá un problema sencillo de optimización, en el que se minimizarán ciertos índices de error de comportamiento o desempeño. Se desarrollará el método directo y el método de la transformada de Laplace para la solución del problema. También se presenta un procedimiento en el espacio de estado como método de solución de problemas similares que aparecen en el capítulo 10.

En el diseño de un sistema de control, es importante que el sistema cumpla con las especificaciones de comportamiento deseadas. Como los sistemas de control son dinámicos, las especificaciones del comportamiento se pueden dar en términos de la respuesta transitoria ante entradas específicas, como escalón, rampa, y otras; o las especificaciones se pueden dar en términos de un índice de desempeño.

**Indices de desempeño.** Un índice de desempeño es un número que indica la "bondad" del comportamiento de un sistema. Se considera que un sistema de control es óptimo, si los valores de los parámetros se eligen de modo que el índice de desempeño elegido sea mínimo o máximo, según el caso. Los valores óptimos de los parámetros dependen directamente del índice de desempeño seleccionado.

**Requerimientos de los índices de desempeño.** Un índice de desempeño debe brindar selectividad, es decir, un ajuste óptimo de los parámetros que se distingue claramente de los ajustes no óptimos de los parámetros. Además, un índice de desempeño debe presentar un único valor numérico positivo o cero, este último se obtiene si y solamente si la medida de la desviación es idénticamente cero. Para que un índice de desempeño sea útil, debe ser una función de los parámetros del sistema y debe presentar un máximo o un mínimo. Finalmente, para que tenga utilidad práctica, debe ser fácilmente calculable, en forma analítica o mediante computadora.

**Indices de error de desempeño.** A continuación, se tratarán diversos criterios de error, cuyos índices de desempeño son integrales de alguna función o una función pesante de la desviación de la salida del sistema respecto a la entrada. Dado que es posible obtener los valores de las integrales como funciones de los parámetros del sistema, una vez especificado un índice de desempeño, se puede diseñar un sistema óptimo ajustando los parámetros que produzcan, por ejemplo, un valor mínimo de la integral.

En diversas obras sobre la materia se proponen diversos índices de error de desempeño. En esta sección se analizarán los cuatro siguientes:

$$\int_0^\infty e^2(t)\,dt, \qquad \int_0^\infty te^2(t)\,dt, \qquad \int_0^\infty |e(t)|\,dt, \qquad \int_0^\infty t\,|e(t)|\,dt$$

Sea un sistema de control cuya salida deseada y real sea $r(t)$ y $c(t)$, respectivamente. El error $e(t)$ se define como

$$e(t) = r(t) - c(t)$$

Nótese que, a menos que

$$\lim_{t\to\infty} e(t) = 0$$

los índices de desempeño tienden a infinito. $\lim_{t\to\infty} e(t)$ no tiende a cero, se puede definir

$$e(t) = c(\infty) - c(t)$$

Con esta definición de error, los índices de desempeño darán números finitos, si el sistema es estable.

**Criterio integral de error cuadrático.** De acuerdo con el criterio integral de error cuadrático (CIEC), la calidad de comportamiento del sistema se evalúa por medio de la siguiente integral:

$$\int_0^\infty e^2(t)\,dt$$

donde el límite superior $\infty$ se puede substituir por $T$, que se elige lo suficientemente grande como para que $e(t)$ sea despreciable para $T < t$. El sistema óptimo será el que minimice esta integral. Este índice se ha utilizado extensamente tanto para entradas determinísticas (como entrada escalón), como para entradas estadísticas, debido a la facilidad de cálculo de la integral, ya sea en forma analítica o experimental. La figura 4-36 muestra $r(t)$, $c(t)$, $e(t)$, $e^2(t)$, y $\int e^2(t)\,dt$ cuando la entrada $r(t)$ es un escalón unitario. La integral de $e^2(t)$ desde 0 a $T$ es el área total bajo la curva $e^2(t)$.

Una característica de este índice de desempeño es que da mayor importancia a los errores grandes, y menor a los pequeños. Este criterio no es muy selectivo, pues para el siguiente sistema de segundo orden

$$\frac{C(s)}{R(s)} = \frac{1}{s^2 + 2\zeta s + 1}$$

un cambio en $\zeta$ de 0.5 a 0.7 no resulta en un cambio importante en el valor de esta integral.

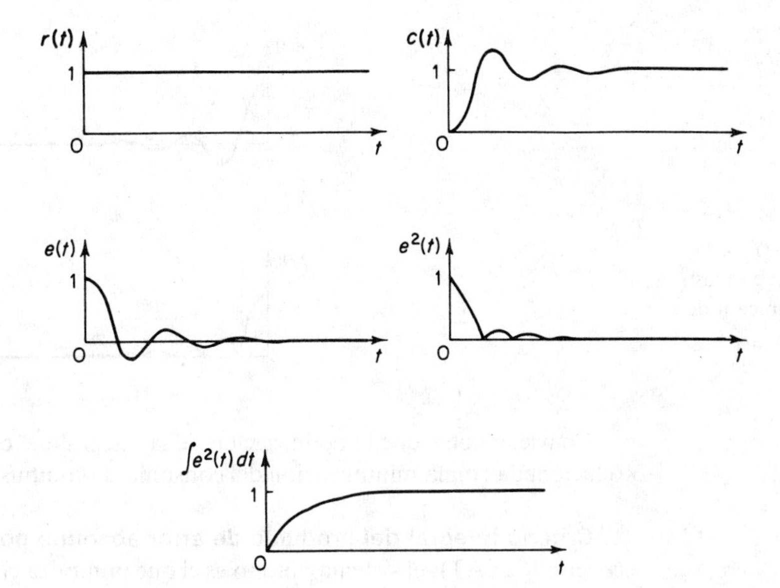


**Figura 4-36**
Curvas en función de $t$, mostrando la entrada $r(t)$, salida $c(t)$, error $e(t)$, error cuadrático $e^2(t)$ y la integral del error cuadrático $\int e^2(t)\,dt$ como funciones de $t$.

Un sistema diseñado con este criterio tiende a mostrar una disminución en un error inicial elevado, por lo tanto la respuesta es rápida y oscilatoria. Así, el sistema tiene estabilidad relativa pobre.

Sin embargo, nótese que el criterio integral de error cuadrático con frecuencia es de significación práctica, ya que la minimización del índice de desempeño, resulta en una minimización de consumo de potencia para algunos sistemas, como los de aeronaves.

**Criterio integral de error absoluto.** Este índice de desempeño definido por el criterio integral de error absoluto (CIEA) es

$$\int_0^\infty te^2(t)\,dt$$

El sistema óptimo es el que minimiza esta integral.

Este criterio tiene la característica de que la respuesta al escalón unitario del sistema ante un error inicial grande, tiene poco peso, mientras que los errores que se producen más tarde en la respuesta transitoria, se castigan severamente. Este criterio tiene una mejor selectividad comparada con el criterio de error cuadrático integral.

$$\int_0^\infty |e(t)|\,dt$$

Este es uno de los índices de desempeño de más fácil aplicación. Si se utiliza este criterio, no se pueden optimizar ni los sistemas altamente subamortiguados, ni los altamente sobreamortiguados. Un sistema basado en este criterio es un sistema con característica de respuesta satisfactoria y amortiguamiento razonable. Sin embargo, este índice de desempeño no se puede evaluar fácilmente por medios analíticos. La figura 4-37 muestra la curva de $e(t)$ en función de $t$ y la curva de $|e(t)|$ también en función de $t$.

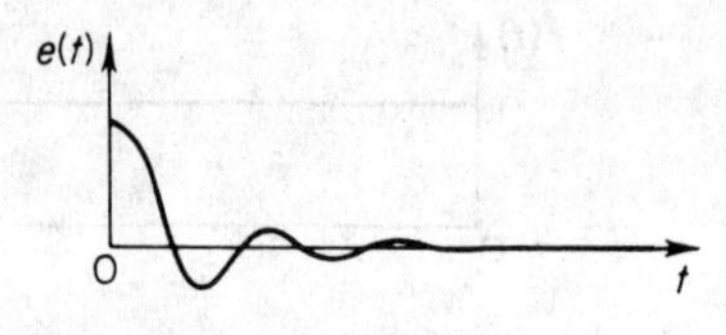


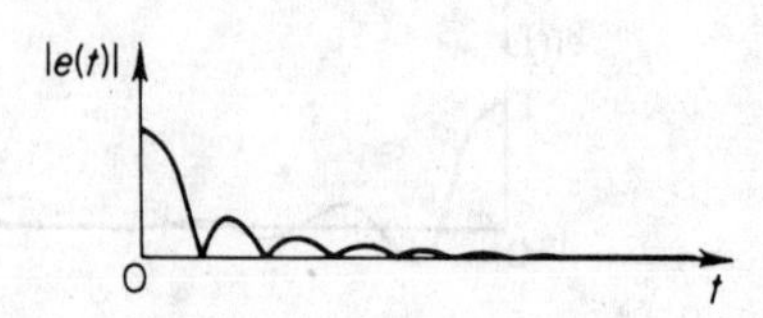


**Figura 4-37** Curvas que muestran $e(t)$ en función de $t$ y de $|e(t)|$ en función de $t$.

Conviene notar que la optimización de la integral del error absoluto está directamente relacionada con la minimización del consumo de combustible en sistemas de aeronaves.

**Criterio integral del producto de error absoluto por tiempo.** De acuerdo a este criterio (CIEAT), el sistema óptimo es el que minimiza el siguiente índice de desempeño

$$\int_0^\infty t|e(t)|\,dt$$

Como en los criterios precedentes, un error inicial grande en la respuesta al escalón unitario tiene poco peso y los errores tardíos en la respuesta transitoria, son penalizados severamente.

Un sistema diseñado con este criterio se caracteriza porque el sobreimpulso en la respuesta transitoria es pequeño, y las oscilaciones son bien amortiguadas. Este criterio posee buena selectividad y constituye una mejora respecto al criterio integral de error absoluto. Sin embargo, es muy difícil de evaluar analíticamente, aunque se puede medir experimentalmente con cierta facilidad.

**Comparación de los diversos criterios de error.** La figura 4-38 muestra diversas curvas de error de desempeño. El sistema considerado es

$$\frac{C(s)}{R(s)} = \frac{1}{s^2 + 2\zeta s + 1}$$

Inspeccionando estas curvas, se ve que el criterio integral de error cuadrático no tiene buena selectividad, porque la curva es más bien plana cerca del punto en que el índice de desempeño es mínimo. Al agregar el cuadrado de la variación del error al integrando del índice de desempeño, o

$$\int_0^\infty [e^2(t) + \dot{e}^2(t)]\,dt$$

desplaza el valor óptimo de $\zeta$ a 0.707, pero la selectividad es pobre nuevamente. De la figura 4-38 se ve claramente que otros índices de desempeño tienen buena selectividad.

Las curvas de la figura 4-38 indican que en el sistema de segundo orden considerado, $\zeta = 0.7$ corresponde al valor óptimo, o casi óptimo, respecto a los índices de desempeño utilizados. Cuando la relación de amortiguamiento $\zeta$ es igual a 0.7, el sistema de segun-

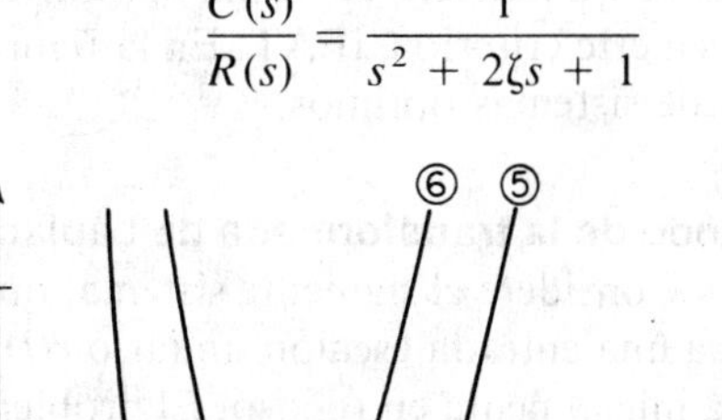

$$\frac{C(s)}{R(s)} = \frac{1}{s^2 + 2\zeta s + 1}$$

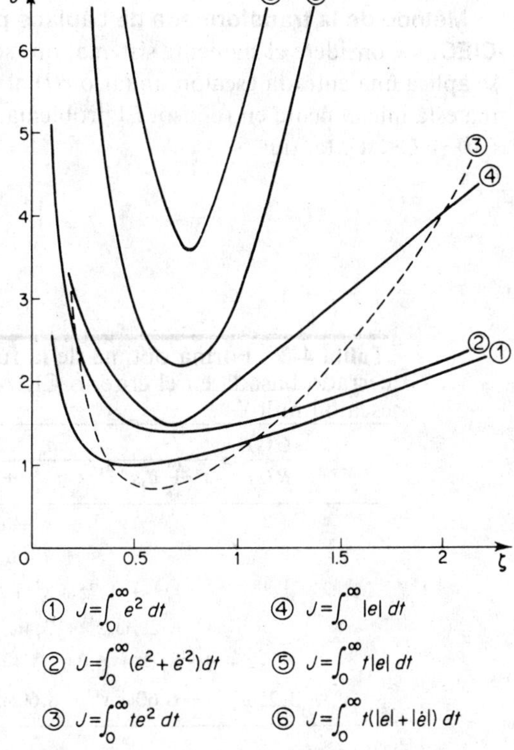


**Figura 4-38**
Curvas de error de desempeño.

do orden produce una respuesta rápida a una entrada escalón con un sobreimpulso de 5% aproximadamente.

**Aplicación del criterio CIEAT a sistemas de *n*-ésimo orden.*** El criterio CIEAT ha sido aplicado al siguiente sistema de $n$-ésimo orden:

$$\frac{C(s)}{R(s)} = \frac{a_n}{s^n + a_1 s^{n-1} + \cdots + a_{n-1}s + a_n}$$

y los coeficientes que se minimizarán

$$\int_0^{\infty} t|e|\, dt$$

han sido determinados. Está claro que esta función de transferencia produce error de estado estacionario nulo ante entradas escalón.

* Referencia G-4.

La tabla 4-2 muestra la forma óptima de la función de transferencia de lazo cerrado basado en este criterio CIEAT. En la figura 4-39 se muestran las curvas de respuesta al escalón de sistemas óptimos.

**Método de la transformada de Laplace para calcular los índices de desempeño CIEC.** Considere el siguiente sistema, que se muestra en la figura 4-40. Se supone que se aplica una entrada escalón unitario $r(t)$ al sistema en $t = 0$. Se presume que el sistema está inicialmente en reposo. El problema consiste en determinar el valor óptimo de $\zeta$ $(0 < \zeta < 1)$, tal que

$$J = \int_0^\infty x^2(t)\, dt \tag{4-45}$$

**Tabla 4-2** Forma óptima de la función de transferencia de lazo cerrado basada en el criterio CIEAT (Sistemas con error escalón nulo)

| $\dfrac{C(s)}{R(s)} = \dfrac{a_n}{s^n + a_1 s^{n-1} + \cdots + a_{n-1}s + a_n}, \quad a_n = \omega_n^n$ |
|---|
| $s + \omega_n$ |
| $s^2 + 1.4\omega_n s + \omega_n^2$ |
| $s^3 + 1.75\omega_n s^2 + 2.15\omega_n^2 s + \omega_n^3$ |
| $s^4 + 2.1\omega_n s^3 + 3.4\omega_n^2 s^2 + 2.7\omega_n^3 s + \omega_n^4$ |
| $s^5 + 2.8\omega_n s^4 + 5.0\omega_n^2 s^3 + 5.5\omega_n^3 s^2 + 3.4\omega_n^4 s + \omega_n^5$ |
| $s^6 + 3.25\omega_n s^5 + 6.60\omega_n^2 s^4 + 8.60\omega_n^3 s^3 + 7.45\omega_n^4 s^2 + 3.95\omega_n^5 s + \omega_n^6$ |

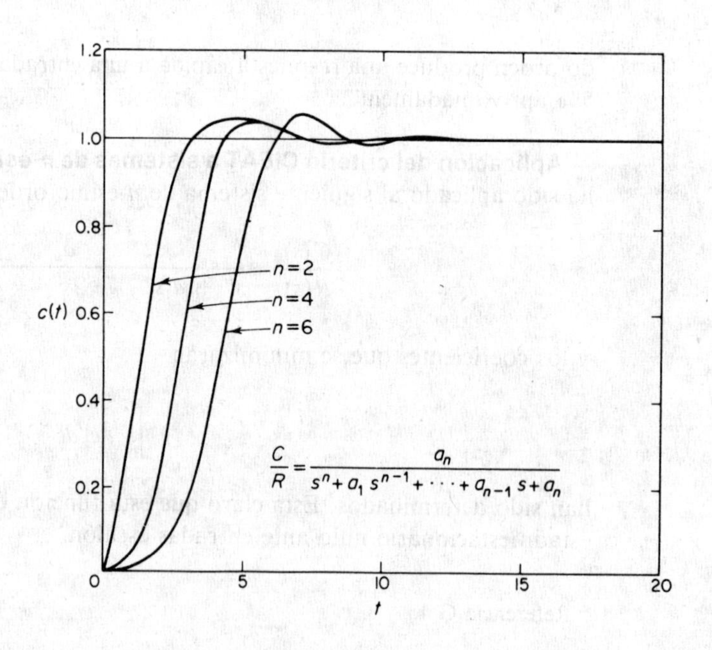


**Figura 4-39** Curvas de respuesta al escalón, de sistemas con funciones de transferencia óptimas basadas en el criterio CIEAT.

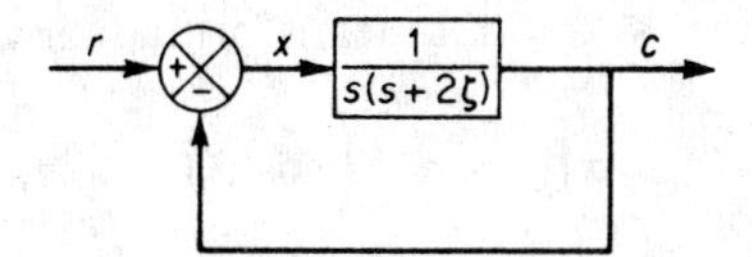


**Figura 4-40**
Sistema de control donde $0 < \zeta < 1$.

sea mínimo, donde $x(t)$ es la señal de error. (Para la señal de error se utiliza la notación $x(t)$, para evitar que se confunda con la función exponencial $e(t)$).

Se calculará $\int_0^\infty f(t)\,dt$, donde $f(t) = x^2(t)$, utilizando el método de la transformada de Laplace. Al hacerlo, se utilizará el teorema de integración real, que ya se trató en la sección 1-3 (ver ecuación (1-8)).

$$\mathcal{L}\left[\int_0^t f(t)\,dt\right] = \frac{F(s)}{s}$$

donde $F(s) = \mathcal{L}[f(t)]$.

Utilizando el teorema de integración real y el teorema del valor final, se obtiene

$$\begin{aligned}\int_0^\infty f(t)\,dt &= \lim_{t\to\infty}\int_0^t f(t)\,dt\\ &= \lim_{s\to 0} s\frac{F(s)}{s}\\ &= \lim_{s\to 0} F(s)\end{aligned}$$

Esta ha sido la ecuación básica para calcular el índice de desempeño CIEC. En el caso de este problema

$$f(t) = x^2(t)$$

Entonces

$$\lim_{t\to\infty}\int_0^t x^2(t)\,dt = \lim_{s\to 0} F(s)$$

donde $F(s) = \mathcal{L}[x^2(t)]$.

Considere nuevamente el sistema de control de la figura 4-40. Para este sistema,

$$\frac{X(s)}{R(s)} = \frac{s^2 + 2\zeta s}{s^2 + 2\zeta s + 1} \qquad (0 < \zeta < 1)$$

Por tanto, para la entrada escalón unitario,

$$\begin{aligned}X(s) &= \frac{s^2 + 2\zeta s}{s^2 + 2\zeta s + 1}\frac{1}{s}\\ &= \frac{s + \zeta}{s^2 + 2\zeta s + 1} + \frac{\zeta}{s^2 + 2\zeta s + 1}\end{aligned}$$

Como $0 < \zeta < 1$, la transformada inversa de Laplace es

$$x(t) = e^{-\zeta t}\left(\cos\sqrt{1-\zeta^2}\,t + \frac{\zeta}{\sqrt{1-\zeta^2}}\operatorname{sen}\sqrt{1-\zeta^2}\,t\right) \qquad (t \geq 0)$$

De aquí que

$$x^2(t) = e^{-2\zeta t}\left[\frac{1}{2(1-\zeta^2)} + \frac{1}{2}\frac{1-2\zeta^2}{1-\zeta^2}\cos 2\sqrt{1-\zeta^2}\,t + \frac{\zeta}{\sqrt{1-\zeta^2}}\operatorname{sen} 2\sqrt{1-\zeta^2}\,t\right]$$

Entonces

$$F(s) = \mathcal{L}[x^2(t)] = \frac{1}{2(1-\zeta^2)}\frac{1}{s+2\zeta} + \frac{1-2\zeta^2}{2(1-\zeta^2)}\frac{s+2\zeta}{(s+2\zeta)^2+4(1-\zeta^2)}$$
$$+ \frac{\zeta}{\sqrt{1-\zeta^2}}\frac{2\sqrt{1-\zeta^2}}{(s+2\zeta)^2+4(1-\zeta^2)} \tag{4–46}$$

Tomando el límite cuando $s$ tiende a cero, se tiene

$$\begin{aligned}\lim_{s\to 0} F(t) &= \frac{1}{2(1-\zeta^2)}\frac{1}{2\zeta} + \frac{1-2\zeta^2}{2(1-\zeta^2)}\frac{\zeta}{2} + \frac{\zeta}{2}\\ &= \zeta + \frac{1}{4\zeta}\end{aligned}$$

Por lo tanto

$$\begin{aligned}J &= \int_0^\infty x^2(t)\,dt\\ &= \zeta + \frac{1}{4\zeta}\end{aligned} \tag{4–47}$$

El valor óptimo de $\zeta$, se puede obtener diferenciando $J$ respecto a $\zeta$, igualando $dJ/d\zeta$ a cero, y resolviendo para $\zeta$. Como

$$\frac{dJ}{d\zeta} = 1 - \frac{1}{4\zeta^2} = 0$$

el valor óptimo de $\zeta$ $(0 < \zeta < 1)$, es

$$\zeta = 0.5$$

(Es claro que $\zeta = 0.5$ corresponde a un mínimo, ya que $d^2J/d\zeta^2 > 0$.) El valor mínimo de $J$ es

$$\text{lím}\ J = 0.5 + 0.5 = 1$$

**Método de la transformada de Laplace para calcular el índice de desempeño CIECT.** Al evaluar el índice de desempeño $\int_0^\infty tf(t)\,dt$, donde $f(t) = x^2(t)$, se determina que es conveniente utilizar el teorema de diferenciación compleja, que se presentó en la sección 1-3. Este teorema establece que $f(t)$ es transformable por Laplace, entonces, excepto en los polos de $F(s)$,

$$\mathcal{L}[tf(t)] = -\frac{d}{ds}F(s)$$

donde $F(s) = \mathcal{L}[f(t)]$.

Considere el sistema de la figura 4-40, con el índice de desempeño siguiente:

$$J = \int_0^{\infty} tx^2(t)\,dt$$

Nuevamente se supone que el sistema está en reposo antes de aplicar una entrada escalón unitario. Se trata de hallar el valor óptimo de $\zeta$ que minimice este índice de desempeño.

Se define $x^2(t) = t(t)$. Utilizando el teorema de diferenciación compleja, se obtiene

$$\mathcal{L}[tx^2(t)] = -\frac{d}{ds}F(s)$$

donde $F(s) = \mathcal{L}[f(t)] = \mathcal{L}[x^2(t)]$. En este problema, $F(s)$ está dado por la ecuación (4-46)

$$\begin{aligned}\mathcal{L}[tx^2(t)] &= -\frac{d}{ds}F(s)\\ &= \frac{1}{2(1-\zeta^2)}\frac{1}{(s+2\zeta)^2} + \frac{1-2\zeta^2}{2(1-\zeta^2)}\frac{(s+2\zeta)^2-4(1-\zeta^2)}{[(s+2\zeta)^2+4(1-\zeta^2)]^2}\\ &\quad + \frac{4\zeta(s+2\zeta)}{[(s+2\zeta)^2+4(1-\zeta^2)]^2}\end{aligned}$$

Como

$$\lim_{s\to 0}\int_0^{\infty} tx^2(t)e^{-st}\,dt = \lim_{s\to 0}\left[-\frac{d}{ds}F(s)\right]$$

se tiene

$$\int_0^{\infty} tx^2(t)\,dt = \lim_{s\to 0}\left[-\frac{d}{ds}F(s)\right]$$

Tomando el límite de $-dF(s)/ds$ cuando $s$ tiende a cero, se obtiene

$$\begin{aligned}\lim_{s\to 0}\left[-\frac{d}{ds}F(s)\right] &= \frac{1}{2(1-\zeta^2)}\frac{1}{4\zeta^2} + \frac{1-2\zeta^2}{2(1-\zeta^2)}\frac{2\zeta^2-1}{4} + \frac{\zeta^2}{2}\\ &= \zeta^2 + \frac{1}{8\zeta^2}\end{aligned}$$

Por lo tanto

$$\begin{aligned}J &= \int_0^{\infty} tx^2(t)\,dt\\ &= \zeta^2 + \frac{1}{8\zeta^2} \qquad (4\text{–}48)\end{aligned}$$

Para obtener el valor óptimo de $\zeta$ que minimiza $J$, se diferencia $J$ respecto a $\zeta$ y se iguala a cero

$$\frac{dJ}{d\zeta} = 2\zeta - \frac{1}{4\zeta^3} = 0$$

lo que da

$$\zeta = 0.595$$

Está claro que $d^2J/d\zeta^2 > 0$. El valor óptimo de $\zeta$ es 0.595 y el valor mínimo de $J$ es

$$\text{mín}\, J = 0.595^2 + \frac{1}{8 \times 0.595^2} = 0.707$$

**Comentarios.** En esta sección se ha presentado una introducción a la optimización de sistemas. Más tarde, en el capítulo 10, se tratará el problema de la optimización de sistemas con mayor profundidad. En el capítulo 10 específicamente se resolverán problemas de optimización basados en índices de desempeño cuadráticos utilizando el método de Liapunov en el espacio de estado.

## 4-9 SOLUCION DE LA ECUACION DE ESTADO INVARIANTE EN EL TIEMPO

En esta sección se obtendrá la solución general de la ecuación de estado lineal invariante en el tiempo. Primero se considerá el caso homogéneo y luego el caso no homogéneo.

**Solución de las ecuaciones de estado homogéneas.** Antes de resolver las ecuaciones diferenciales matriciales, se repasará la solución de la ecuación diferencial escalar.

$$\dot{x} = ax \tag{4–49}$$

Al resolver esta ecuación, se puede suponer una solución $x(t)$ de la forma

$$x(t) = b_0 + b_1 t + b_2 t^2 + \cdots + b_k t^k + \cdots \tag{4–50}$$

Substituyendo esta solución supuesta en la ecuación (4-49), se obtiene

$$\begin{aligned} b_1 + 2b_2 t + 3b_3 t^2 + \cdots + kb_k t^{k-1} + \cdots \\ = a(b_0 + b_1 t + b_2 t^2 + \cdots + b_k t^k + \cdots) \end{aligned} \tag{4–51}$$

Si esta solución es correcta, la ecuación (4-51) será válida para cualquier valor de $t$. Por lo tanto, al igualar los coeficientes de las potencias de $t$, se obtiene

$$b_1 = ab_0$$

$$b_2 = \frac{1}{2}ab_1 = \frac{1}{2}a^2 b_0$$

$$b_3 = \frac{1}{3}ab_2 = \frac{1}{3 \times 2}a^3 b_0$$

$$\vdots$$

$$b_k = \frac{1}{k!} a^k b_0$$

El valor de $b_0$ se determina al sustituir $t = 0$ en la ecuación (4-50), o bien

$$x(0) = b_0$$

Por lo tanto, la solución $x(t)$ se puede escribir como

$$x(t) = \left(1 + at + \frac{1}{2!}a^2t^2 + \cdots + \frac{1}{k!}a^kt^k + \cdots\right)x(0)$$
$$= e^{at}x(0)$$

Ahora se resolverá la ecuación vectorial matricial diferencial

$$\dot{\mathbf{x}} = \mathbf{A}\mathbf{x} \tag{4–52}$$

donde $\mathbf{x}$ = vector de $n$ elementos
$\mathbf{A}$ = matriz constante de $n \times n$ elementos

Por analogía con el caso escalar, se supone que la solución se da en la forma de un vector en serie de potencias en $t$, o bien

$$\mathbf{x}(t) = \mathbf{b}_0 + \mathbf{b}_1 t + \mathbf{b}_2 t^2 + \cdots + \mathbf{b}_k t^k + \cdots \tag{4–53}$$

Substituyendo esta solución en la ecuación (4-52), se obtiene

$$\mathbf{b}_1 + 2\mathbf{b}_2 t + 3\mathbf{b}_3 t^2 + \cdots + k\mathbf{b}_k t^{k-1} + \cdots$$
$$= \mathbf{A}(\mathbf{b}_0 + \mathbf{b}_1 t + \mathbf{b}_2 t^2 + \cdots + k\mathbf{b}_k t^k + \cdots) \tag{4–54}$$

Si esta solución es correcta, la ecuación (4-54) debe ser válida para todo valor de $t$. Por lo tanto, igualando los coeficientes de las potencias de $t$ en ambos miembros de la ecuación (4-54), se obtiene

$$\mathbf{b}_1 = \mathbf{A}\mathbf{b}_0$$

$$\mathbf{b}_2 = \frac{1}{2}\mathbf{A}\mathbf{b}_1 = \frac{1}{2}\mathbf{A}^2\mathbf{b}_0$$

$$\mathbf{b}_3 = \frac{1}{3}\mathbf{A}\mathbf{b}_2 = \frac{1}{3 \times 2}\mathbf{A}^3\mathbf{b}_0$$

$$\vdots$$

$$\mathbf{b}_k = \frac{1}{k!}\mathbf{A}^k\mathbf{b}_0$$

Substituyendo $t = 0$ en la ecuación (4-53), se obtiene

$$\mathbf{x}(0) = \mathbf{b}_0$$

Entonces la solución $\mathbf{x}(t)$ se puede escribir como

$$\mathbf{x}(t) = \left(\mathbf{I} + \mathbf{A}t + \frac{1}{2!}\mathbf{A}^2t^2 + \cdots + \frac{1}{k!}\mathbf{A}^kt^k + \cdots\right)\mathbf{x}(0)$$

La expresión entre paréntesis en el miembro derecho de esta última ecuación es una matriz de $n \times n$. Debido a su similitud con la serie infinita de potencias para una exponencial escalar, se le denomina matriz exponencial y se escribe

$$\mathbf{I} + \mathbf{A}t + \frac{1}{2!}\mathbf{A}^2t^2 + \cdots + \frac{1}{k!}\mathbf{A}^kt^k + \cdots = e^{\mathbf{A}t}$$

En términos de la matriz exponencial, la solución de la ecuación (4-52) se puede escribir como

$$\mathbf{x}(t) = e^{\mathbf{A}t}\mathbf{x}(0) \tag{4–55}$$

Como la matriz exponencial es muy importante en el análisis de sistemas lineales en espacio de estado, a continuación se examinan las propiedades de la matriz exponencial.

**Matriz exponencial.** Se puede probar que la matriz exponencial de una matriz $\mathbf{A}$ de $n \times n$

$$e^{\mathbf{A}t} = \sum_{k=0}^{\infty} \frac{\mathbf{A}^kt^k}{k!}$$

converge absolutamente para todo valor finito de $t$. (Por lo tanto, se pueden realizar fácilmente los cálculos para evaluar los elementos de $e^{\mathbf{A}t}$ usando la expansión en serie).

Debido a la convergencia de la serie infinita $\sum_{k=0}^{\infty} \mathbf{A}^kt^k/k!$, la serie se puede diferenciar término a término, dando

$$\begin{aligned}
\frac{d}{dt}e^{\mathbf{A}t} &= \mathbf{A} + \mathbf{A}^2t + \frac{\mathbf{A}^3t^2}{2!} + \cdots + \frac{\mathbf{A}^kt^{k-1}}{(k-1)!} + \cdots \\
&= \mathbf{A}\left[\mathbf{I} + \mathbf{A}t + \frac{\mathbf{A}^2t^2}{2!} + \cdots + \frac{\mathbf{A}^{k-1}t^{k-1}}{(k-1)!} + \cdots\right] = \mathbf{A}e^{\mathbf{A}t} \\
&= \left[\mathbf{I} + \mathbf{A}t + \frac{\mathbf{A}^2t^2}{2!} + \cdots + \frac{\mathbf{A}^{k-1}t^{k-1}}{(k-1)!} + \cdots\right]\mathbf{A} = e^{\mathbf{A}t}\mathbf{A}
\end{aligned}$$

La matriz exponencial tiene la propiedad de que

$$e^{\mathbf{A}(t+s)} = e^{\mathbf{A}t}e^{\mathbf{A}s}$$

Esto se puede probar como sigue:

$$e^{\mathbf{A}t}e^{\mathbf{A}s} = \left(\sum_{k=0}^{\infty} \frac{\mathbf{A}^kt^k}{k!}\right)\left(\sum_{k=0}^{\infty} \frac{\mathbf{A}^ks^k}{k!}\right)$$

$$= \sum_{k=0}^{\infty} \mathbf{A}^k \left( \sum_{i=0}^{k} \frac{t^i s^{k-i}}{i!(k-i)!} \right)$$

$$= \sum_{k=0}^{\infty} \mathbf{A}^k \frac{(t+s)^k}{k!}$$

$$= e^{\mathbf{A}(t+s)}$$

En particular, si $s = -t$, entonces

$$e^{\mathbf{A}t}e^{-\mathbf{A}t} = e^{-\mathbf{A}t}e^{\mathbf{A}t} = e^{\mathbf{A}(t-t)} = \mathbf{I}$$

Así, la inversa de $e^{\mathbf{A}t}$ es $e^{-\mathbf{A}t}$. Como la inversa de $e^{\mathbf{A}t}$ siempre existe, $e^{\mathbf{A}t}$ es no singular.

Es muy importante recordar que

$$e^{(\mathbf{A}+\mathbf{B})t} = e^{\mathbf{A}t}e^{\mathbf{B}t} \qquad \text{si } \mathbf{AB} = \mathbf{BA}$$

$$e^{(\mathbf{A}+\mathbf{B})t} \neq e^{\mathbf{A}t}e^{\mathbf{B}t} \qquad \text{si } \mathbf{AB} \neq \mathbf{BA}$$

Para probarlo, nótese que

$$e^{(\mathbf{A}+\mathbf{B})t} = \mathbf{I} + (\mathbf{A}+\mathbf{B})t + \frac{(\mathbf{A}+\mathbf{B})^2}{2!}t^2 + \frac{(\mathbf{A}+\mathbf{B})^3}{3!}t^3 + \cdots$$

$$e^{\mathbf{A}t}e^{\mathbf{B}t} = \left(\mathbf{I} + \mathbf{A}t + \frac{\mathbf{A}^2t^2}{2!} + \frac{\mathbf{A}^3t^3}{3!} + \cdots\right)\left(\mathbf{I} + \mathbf{B}t + \frac{\mathbf{B}^2t^2}{2!} + \frac{\mathbf{B}^3t^3}{3!} + \cdots\right)$$

$$= \mathbf{I} + (\mathbf{A}+\mathbf{B})t + \frac{\mathbf{A}^2t^2}{2!} + \mathbf{AB}t^2 + \frac{\mathbf{B}^2t^2}{2!} + \frac{\mathbf{A}^3t^3}{3!}$$

$$+ \frac{\mathbf{A}^2\mathbf{B}t^3}{2!} + \frac{\mathbf{AB}^2t^3}{2!} + \frac{\mathbf{B}^3t^3}{3!} + \cdots$$

De aquí que

$$e^{(\mathbf{A}+\mathbf{B})t} - e^{\mathbf{A}t}e^{\mathbf{B}t} = \frac{\mathbf{BA} - \mathbf{AB}}{2!}t^2$$

$$+ \frac{\mathbf{BA}^2 + \mathbf{ABA} + \mathbf{B}^2\mathbf{A} + \mathbf{BAB} - 2\mathbf{A}^2\mathbf{B} - 2\mathbf{AB}^2}{3!}t^3 + \cdots$$

La diferencia entre $e^{(\mathbf{A}+\mathbf{B})t}$ y $e^{\mathbf{A}t}e^{\mathbf{B}t}$ desaparece si se conmutan **A** y **B**.

**Método de la transformada de Laplace para la solución de las ecuaciones de estado homogéneas.** Considere primero el caso escalar

$$\dot{x} = ax \tag{4–56}$$

Tomando la transformada de Laplace de la ecuación (4-56), se obtiene

$$sX(s) - x(0) = aX(s) \tag{4–57}$$

donde $X(s) = \mathscr{L}[x]$. Resolviendo la ecuación (4-57) para $X(s)$ se tiene

$$X(s) = \frac{x(0)}{s-a} = (s-a)^{-1}x(0)$$

La transformada inversa de Laplace de esta última ecuación es la solución

$$x(t) = e^{at}x(0)$$

Este método de solución de la ecuación diferencial homogénea escalar, se puede extender a las ecuaciones de estado homogéneas:

$$\dot{\mathbf{x}}(t) = \mathbf{A}\mathbf{x}(t) \tag{4–58}$$

Tomando la transformada de Laplace en ambos miembros de la ecuación (4-58), se obtiene

$$s\mathbf{X}(s) - \mathbf{x}(0) = \mathbf{A}\mathbf{X}(s)$$

donde $\mathbf{X}(s) = \mathscr{L}[\mathbf{x}]$. Por lo tanto,

$$(s\mathbf{I} - \mathbf{A})\mathbf{X}(s) = \mathbf{x}(0)$$

Premultiplicando ambos miembros de esta última ecuación por $(s\mathbf{I} - \mathbf{A})^{-1}$ se obtiene

$$\mathbf{X}(s) = (s\mathbf{I} - \mathbf{A})^{-1}\mathbf{x}(0)$$

La transformada inversa de Laplace de $\mathbf{X}(s)$ es la solución $\mathbf{x}(t)$. Así

$$\mathbf{x}(t) = \mathscr{L}^{-1}[(s\mathbf{I} - \mathbf{A})^{-1}]\mathbf{x}(0) \tag{4–59}$$

Note que

$$(s\mathbf{I} - \mathbf{A})^{-1} = \frac{\mathbf{I}}{s} + \frac{\mathbf{A}}{s^2} + \frac{\mathbf{A}^2}{s^3} + \cdots$$

Por lo tanto, la transformada inversa de Laplace de $(s\mathbf{I} - \mathbf{A})^{-1}$ es

$$\mathscr{L}^{-1}[(s\mathbf{I} - \mathbf{A})^{-1}] = \mathbf{I} + \mathbf{A}t + \frac{\mathbf{A}^2t^2}{2!} + \frac{\mathbf{A}^3t^3}{3!} + \cdots = e^{\mathbf{A}t} \tag{4–60}$$

(La transformada inversa de Laplace de una matriz es la matriz consistente en las transformadas inversas de Laplace de todos sus elementos). De las ecuaciones (4-59) y (4-60), la solución de la ecuación (4-58) se obtiene como

$$\mathbf{x}(t) = e^{\mathbf{A}t}\mathbf{x}(0)$$

La importancia de la ecuación (4-60) radica en el hecho de que brinda un medio conveniente de hallar la solución cerrada de la matriz exponencial.

**Matriz de transición de estado.** La solución de la ecuación de estado homogénea

$$\dot{\mathbf{x}} = \mathbf{A}\mathbf{x} \tag{4–61}$$

se puede escribir como

$$\mathbf{x}(t) = \mathbf{\Phi}(t)\mathbf{x}(0) \tag{4–62}$$

donde $\mathbf{\Phi}(t)$ es una matriz de $n \times n$ y es la solución única de

$$\dot{\mathbf{\Phi}}(t) = \mathbf{A}\mathbf{\Phi}(t), \qquad \mathbf{\Phi}(0) = \mathbf{I}$$

Para verificar esto, nótese que

$$\mathbf{x}(0) = \mathbf{\Phi}(0)\mathbf{x}(0) = \mathbf{x}(0)$$

y

$$\dot{\mathbf{x}}(t) = \dot{\mathbf{\Phi}}(t)\mathbf{x}(0) = \mathbf{A}\mathbf{\Phi}(t)\mathbf{x}(0) = \mathbf{A}\mathbf{x}(t)$$

Así se confirma que la ecuación (4-62) es la solución de la ecuación (4-61).

De las ecuaciones (4-55), (4-59), y (4-62), se obtiene

$$\mathbf{\Phi}(t) = e^{\mathbf{A}t} = \mathscr{L}^{-1}[(s\mathbf{I} - \mathbf{A})^{-1}]$$

Nótese que

$$\mathbf{\Phi}^{-1}(t) = e^{-\mathbf{A}t} = \mathbf{\Phi}(-t)$$

De la ecuación (4-62) se ve que la solución de la ecuación (4-61) es simplemente una transformación de la condición inicial. Por lo tanto, la matriz única $\mathbf{\Phi}(t)$ se denomina matriz de transición de estado. La matriz de transición de estado contiene toda la información sobre los movimientos libres del sistema definido por la ecuación (4-61).

Si los valores propios $\lambda_1, \lambda_2, \ldots, \lambda_n$ de la matriz $\mathbf{A}$ son distintos, entonces $\mathbf{\Phi}(t)$ contendrá $n$ exponenciales

$$e^{\lambda_1 t}, e^{\lambda_2 t}, \ldots, e^{\lambda_n t}$$

En particular, si la matriz $\mathbf{A}$ es diagonal, entonces

$$\mathbf{\Phi}(t) = e^{\mathbf{A}t} = \begin{bmatrix} e^{\lambda_1 t} & & & & 0 \\ & e^{\lambda_2 t} & & & \\ & & \cdot & & \\ & & & \cdot & \\ & & & & \cdot \\ 0 & & & & e^{\lambda_n t} \end{bmatrix} \qquad (\mathbf{A}\text{: diagonal})$$

Si los valores se repiten, por ejemplo, si los valores propios de $\mathbf{A}$ son

$$\lambda_1, \lambda_1, \lambda_1, \lambda_4, \lambda_5, \ldots, \lambda_n$$

entonces $\mathbf{\Phi}(t)$ contendrá, además de las exponenciales $e^{\lambda_1 t}, e^{\lambda_4 t}, e^{\lambda_5 t}, \ldots, e^{\lambda_n t}$, términos como $te^{\lambda_1 t}$ y $t^2 e^{\lambda_1 t}$.

**Propiedades de las matrices de transición de estado.** Ahora se resumen las propiedades importantes de la matriz de transición de estado $\mathbf{\Phi}(t)$. Para el sistema invariante en el tiempo

$$\dot{\mathbf{x}} = \mathbf{A}\mathbf{x}$$

para el cual

$$\mathbf{\Phi}(t) = e^{\mathbf{A}t}$$

se tiene

1. $\mathbf{\Phi}(0) = e^{\mathbf{A}0} = \mathbf{I}$
2. $\mathbf{\Phi}(t) = e^{\mathbf{A}t} = (e^{-\mathbf{A}t})^{-1} = [\mathbf{\Phi}(-t)]^{-1}$ or $\mathbf{\Phi}^{-1}(t) = \mathbf{\Phi}(-t)$
3. $\mathbf{\Phi}(t_1 + t_2) = e^{\mathbf{A}(t_1+t_2)} = e^{\mathbf{A}t_1}e^{\mathbf{A}t_2} = \mathbf{\Phi}(t_1)\mathbf{\Phi}(t_2) = \mathbf{\Phi}(t_2)\mathbf{\Phi}(t_1)$
4. $[\mathbf{\Phi}(t)]^n = \mathbf{\Phi}(nt)$
5. $\mathbf{\Phi}(t_2 - t_1)\mathbf{\Phi}(t_1 - t_0) = \mathbf{\Phi}(t_2 - t_0) = \mathbf{\Phi}(t_1 - t_0)\mathbf{\Phi}(t_2 - t_1)$

**EJEMPLO 4-5** Obtenga la matriz de transición de estado $\mathbf{\Phi}(t)$ del sistema siguiente:

$$\begin{bmatrix} \dot{x}_1 \\ \dot{x}_2 \end{bmatrix} = \begin{bmatrix} 0 & 1 \\ -2 & -3 \end{bmatrix} \begin{bmatrix} x_1 \\ x_2 \end{bmatrix}$$

Obtenga también la inversa de la matriz de transición de estado, $\mathbf{\Phi}^{-1}(t)$.

Para este sistema,

$$\mathbf{A} = \begin{bmatrix} 0 & 1 \\ -2 & -3 \end{bmatrix}$$

La matriz de transición de estado $\mathbf{\Phi}(t)$ está dada por

$$\mathbf{\Phi}(t) = e^{\mathbf{A}t} = \mathcal{L}^{-1}[(s\mathbf{I} - \mathbf{A})^{-1}]$$

Como

$$s\mathbf{I} - \mathbf{A} = \begin{bmatrix} s & 0 \\ 0 & s \end{bmatrix} - \begin{bmatrix} 0 & 1 \\ -2 & -3 \end{bmatrix} = \begin{bmatrix} s & -1 \\ 2 & s+3 \end{bmatrix}$$

la inversa de $(s\mathbf{I} - \mathbf{A})$ está dada por

$$(s\mathbf{I} - \mathbf{A})^{-1} = \frac{1}{(s+1)(s+2)} \begin{bmatrix} s+3 & 1 \\ -2 & s \end{bmatrix}$$

$$= \begin{bmatrix} \dfrac{s+3}{(s+1)(s+2)} & \dfrac{1}{(s+1)(s+2)} \\ \dfrac{-2}{(s+1)(s+2)} & \dfrac{s}{(s+1)(s+2)} \end{bmatrix}$$

De aquí

$$\mathbf{\Phi}(t) = e^{\mathbf{A}t} = \mathcal{L}^{-1}[(s\mathbf{I} - \mathbf{A})^{-1}]$$

$$= \begin{bmatrix} 2e^{-t} - e^{-2t} & e^{-t} - e^{-2t} \\ -2e^{-t} + 2e^{-2t} & -e^{-t} + 2e^{-2t} \end{bmatrix}$$

Teniendo en cuenta que $\mathbf{\Phi}^{-1}(t) = \mathbf{\Phi}(-t)$, la inversa de la matriz de transición de estado, se obtiene como sigue:

$$\mathbf{\Phi}^{-1}(t) = e^{-\mathbf{A}t} = \begin{bmatrix} 2e^{t} - e^{2t} & e^{t} - e^{2t} \\ -2e^{t} + 2e^{2t} & -e^{t} + 2e^{2t} \end{bmatrix}$$

**Solución de las ecuaciones de estado no homogéneas.** Considere el caso escalar

$$\dot{x} = ax + bu \tag{4-63}$$

La ecuación (4-63) se reescribe como

$$\dot{x} - ax = bu$$

Multiplicando ambos miembros de esta ecuación por $e^{-at}$, se obtiene

$$e^{-at}[\dot{x}(t) - ax(t)] = \frac{d}{dt}[e^{-at}x(t)] = e^{-at}bu(t)$$

Integrando esta ecuación entre 0 y $t$, se tiene

$$e^{-at}x(t) = x(0) + \int_0^t e^{-a\tau}bu(\tau)\,d\tau$$

o bien,

$$x(t) = e^{at}x(0) + e^{at}\int_0^t e^{-a\tau}bu(\tau)\,d\tau$$

El primer término del miembro derecho es la respuesta a la condición inicial y el segundo término es la respuesta a la entrada $u(t)$.

Ahora considere la ecuación de estado no homogénea descrita por

$$\dot{\mathbf{x}} = \mathbf{Ax} + \mathbf{Bu} \tag{4-64}$$

donde $\mathbf{x}$ = vector de $n$ elementos
$\mathbf{u}$ = vector de $r$ elementos
$\mathbf{A}$ = matriz constante de $n \times n$
$\mathbf{B}$ = matriz constante de $n \times r$

Escribiendo la ecuación (4-64) como

$$\dot{\mathbf{x}}(t) - \mathbf{Ax}(t) = \mathbf{Bu}(t)$$

y premultiplicando ambos miembros de esta ecuación por $e^{-\mathbf{A}t}$, se obtiene

$$e^{-\mathbf{A}t}[\dot{\mathbf{x}}(t) - \mathbf{Ax}(t)] = \frac{d}{dt}[e^{-\mathbf{A}t}\mathbf{x}(t)] = e^{-\mathbf{A}t}\mathbf{Bu}(t)$$

Integrando la ecuación precedente entre 0 y $t$, se obtiene

$$e^{-\mathbf{A}t}\mathbf{x}(t) = \mathbf{x}(0) + \int_0^t e^{-\mathbf{A}\tau}\mathbf{Bu}(\tau)\,d\tau$$

o bien

$$\mathbf{x}(t) = e^{\mathbf{A}t}\mathbf{x}(0) + \int_0^t e^{\mathbf{A}(t-\tau)}\mathbf{Bu}(\tau)\,d\tau \tag{4-65}$$

La ecuación (4-65) se puede escribir también como

$$\mathbf{x}(t) = \mathbf{\Phi}(t)\mathbf{x}(0) + \int_0^t \mathbf{\Phi}(t - \tau)\mathbf{B}\mathbf{u}(\tau)\, d\tau \tag{4-66}$$

donde $\mathbf{\Phi}(t) = e^{\mathbf{A}t}$. La ecuación (4-65) o (4-66) es la solución de la ecuación (4-64). La solución de $\mathbf{x}(t)$ es claramente la suma de un término que consiste en la transición del estado inicial y un término que proviene del vector de entrada.

**Método de la transformada de Laplace para la solución de las ecuaciones de estado no homogéneas.** La solución de la ecuación de estado no homogénea

$$\dot{\mathbf{x}} = \mathbf{A}\mathbf{x} + \mathbf{B}\mathbf{u}$$

también se puede obtener el método de la transformada de Laplace. La transformada de Laplace de esta última ecuación da

$$s\mathbf{X}(s) - \mathbf{x}(0) = \mathbf{A}\mathbf{X}(s) + \mathbf{B}\mathbf{U}(s)$$

o bien

$$(s\mathbf{I} - \mathbf{A})\mathbf{X}(s) = \mathbf{x}(0) + \mathbf{B}\mathbf{U}(s)$$

Premultiplicando ambos miembros de esta ecuación por $(s\mathbf{I} - A)^{-1}$ se obtiene

$$\mathbf{X}(s) = (s\mathbf{I} - \mathbf{A})^{-1}\mathbf{x}(0) + (s\mathbf{I} - \mathbf{A})^{-1}\mathbf{B}\mathbf{U}(s)$$

Utilizando la relación dada por la ecuación (4-69) se tiene

$$\mathbf{X}(s) = \mathscr{L}[e^{\mathbf{A}t}]\mathbf{x}(0) + \mathscr{L}[e^{\mathbf{A}t}]\mathbf{B}\mathbf{U}(s)$$

La transformada inversa de Laplace de esta ecuación se puede obtener mediante la integral de convolución como sigue:

$$\mathbf{x}(t) = e^{\mathbf{A}t}\mathbf{x}(0) + \int_0^t e^{\mathbf{A}(t-\tau)}\mathbf{B}\mathbf{u}(\tau)\, d\tau$$

**Solución en términos de $x(t_0)$.** Hasta ahora se ha supuesto que el tiempo inicial es cero. Sin embargo, si el tiempo inicial es $t_0$ en lugar de 0, entonces la solución de la ecuación (4-64) se debe modificar a

$$\mathbf{x}(t) = e^{\mathbf{A}(t-t_0)}\mathbf{x}(t_0) + \int_{t_0}^t e^{\mathbf{A}(t-\tau)}\mathbf{B}\mathbf{u}(\tau)\, d\tau \tag{4-67}$$

**EJEMPLO 4-6** Obtenga la respuesta temporal del sistema siguiente:

$$\begin{bmatrix} \dot{x}_1 \\ \dot{x}_2 \end{bmatrix} = \begin{bmatrix} 0 & 1 \\ -2 & -3 \end{bmatrix} \begin{bmatrix} x_1 \\ x_2 \end{bmatrix} + \begin{bmatrix} 0 \\ 1 \end{bmatrix} u$$

donde $u(t)$ es la función unitario que ocurre en $t = 0$, o

$$u(t) = 1(t)$$

Para este sistema

$$\mathbf{A} = \begin{bmatrix} 0 & 1 \\ -2 & -3 \end{bmatrix}, \quad \mathbf{B} = \begin{bmatrix} 0 \\ 1 \end{bmatrix}$$

La matriz de transición de estado $\mathbf{\Phi}(t) = e^{\mathbf{A}t}$ se obtuvo en el ejemplo 4-5 como

$$\mathbf{\Phi}(t) = e^{\mathbf{A}t} = \begin{bmatrix} 2e^{-t} - e^{-2t} & e^{-t} - e^{-2t} \\ -2e^{-t} + 2e^{-2t} & -e^{-t} + 2e^{-2t} \end{bmatrix}$$

Entonces la respuesta ante la entrada escalón unitario se obtiene como

$$\mathbf{x}(t) = e^{\mathbf{A}t}\mathbf{x}(0) + \int_0^t \begin{bmatrix} 2e^{-(t-\tau)} - e^{-2(t-\tau)} & e^{-(t-\tau)} - e^{-2(t-\tau)} \\ -2e^{-(t-\tau)} + 2e^{-2(t-\tau)} & -e^{-(t-\tau)} + 2e^{-2(t-\tau)} \end{bmatrix} \begin{bmatrix} 0 \\ 1 \end{bmatrix} [1]\, d\tau$$

o bien

$$\begin{bmatrix} x_1(t) \\ x_2(t) \end{bmatrix} = \begin{bmatrix} 2e^{-t} - e^{-2t} & e^{-t} - e^{-2t} \\ -2e^{-t} + 2e^{-2t} & -e^{-t} + 2e^{-2t} \end{bmatrix} \begin{bmatrix} x_1(0) \\ x_2(0) \end{bmatrix} + \begin{bmatrix} \frac{1}{2} - e^{-t} + \frac{1}{2}e^{-2t} \\ e^{-t} - e^{-2t} \end{bmatrix}$$

Si el estado inicial es cero, o $\mathbf{x}(0) = 0$, entonces $\mathbf{x}(t)$ se puede simplificar a

$$\begin{bmatrix} x_1(t) \\ x_2(t) \end{bmatrix} = \begin{bmatrix} \frac{1}{2} - e^{-t} + \frac{1}{2}e^{-2t} \\ e^{-t} - e^{-2t} \end{bmatrix}$$

## 4-10 SOLUCION POR COMPUTADORA DE LAS ECUACIONES DE ESTADO

La sección 4-9 presentó métodos analíticos para resolver ecuaciones de estado, en esta sección se tratará la solución por computadora de las ecuaciones de estado. Uno de los cálculos más importantes que se incluyen en el análisis y diseño de los sistemas de control, son los de las respuestas transitorias a la entrada escalón. Por lo tanto, se presentará un método general para calcular la respuesta ante esas entradas. Se dispone, para estos fines, de diversos métodos (tales como el método de Runge-Kutta, método de Runge-Kutta-Gill, método de Euler, y método de Euler modificado). A continuación, se presenta el método de Runge-Kutta para calcular la respuesta al escalón.

**Método de Runge-Kutta.** Supóngase que se desea hallar la solución de la ecuación diferencial escalar

$$\frac{dx}{dt} = f(t, x), \qquad x(0) = x_0 \tag{4-68}$$

Considere que el punto $(t_i, x_i)$ en el plano $t$-$x$ es conocido, y se desea hallar el punto $(t_{i+1}, x_{i+1})$, como se ve en la figura 4-41(a). El tiempo incremental $t_{i+1} - t_i = h$ es el intervalo de tiempo para el cálculo o periodo de muestreo.

De acuerdo con el método de Runge-Kutta, dado $x_1$ para $t = t_i$, se determina $x_{i+1}$ para $t = t_{i+1}$, como sigue:

**1.** Determinar la pendiente de la curva en el punto $(t_i, x_i)$:

$$\text{Pendiente de la curva en el punto } (t_i, x_i) = f(t_i, x_i)$$

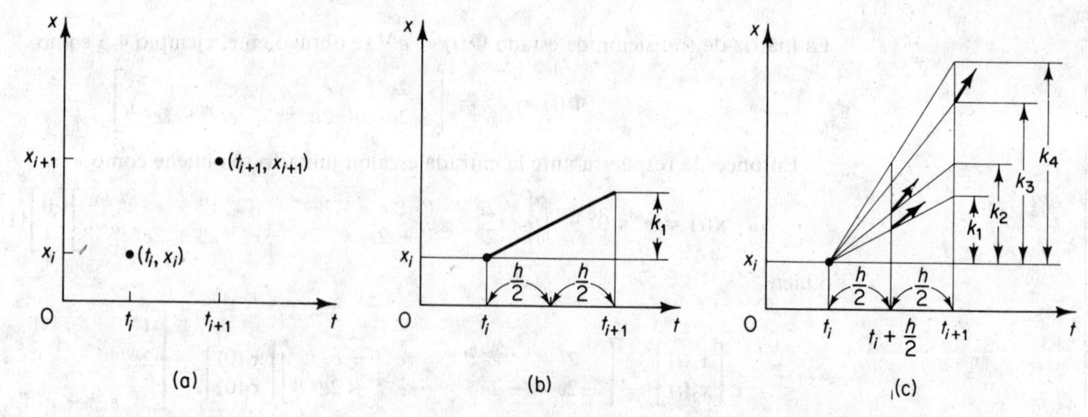


**Figura 4-41** (a) Puntos $(t_i, x_i)$ y $(t_{i+1}, x_{i+1})$; (b) pendiente de la curva solución en el punto $(t_i, x_i)$ y un incremento del valor de $x_i$ en $t = t_{i+1}$ si se extiende la pendiente; (c) rectas trazadas desde el punto $(t_i, x_i)$ paralelas a la pendiente en los puntos $(t_i + \frac{1}{2}h, x_i + \frac{1}{2}k_1)$ y $(t_i + \frac{1}{2}h, x_i + \frac{1}{2}k_2)$ y una recta que pasa por el punto $(t_i, x_i)$, paralela a la pendiente de la curva en el punto $(t_i + h, x_i + k_3)$.

Luego, determinar $k_1$, el cambio del valor de $x$ en $t = t_{i+1}$ si esta pendiente se mantiene durante todo el intervalo $h$, o

$$k_1 = hf(t_i, x_i)$$

como se puede ver en la figura 4-41(b).

**2.** En el punto $(t_i + \frac{1}{2}h, x_i + \frac{1}{2}k_1)$, donde $t$ se ha incrementado en $\frac{1}{2}h$, y $x$ en $\frac{1}{2}k_1$, determinar la pendiente de la curva. La pendiente es

$$\text{Pendiente en el punto } (t_i + \tfrac{1}{2}h, x_i + \tfrac{1}{2}k_1) = f(t_i + \tfrac{1}{2}h, x_i + \tfrac{1}{2}k_1)$$

Con esta pendiente, trazar una línea a partir del punto $(t_i, x_i)$ y determinar $k_2$, el cambio en el valor de $x$ en $t = t_{i+1}$, o

$$k_2 = hf(t_1 + \tfrac{1}{2}h, x_i + \tfrac{1}{2}k_1)$$

como se ve en la figura 4-41(c).

**3.** En forma similar, en el punto $(t_i + \frac{1}{2}h, x_i + \frac{1}{2}k_2)$, determinar la pendiente de la curva. La pendiente es $f(t_i + \frac{1}{2}h, x_i + \frac{1}{2}k_2)$. Usando esta pendiente, trazar una línea a partir del punto $(t_i, x_i)$ y determinar $k_3$, el cambio en el valor de $x$ en $t = t_{i+1}$, o

$$k_3 = hf(t_i + \tfrac{1}{2}h, x_i + \tfrac{1}{2}k_2)$$

como se ve en la figura 4-41(c).

**4.** En el punto $(t_i + h, x_i + k_3)$, determinar la pendiente de la curva. Usando esta pendiente, trazar una línea a partir del punto $(t_i, x_i)$ y determinar $k_4$, el cambio en el valor de $x$ en $t = t_{i+1}$, o

$$k_4 = hf(t_i + h, x_i + k_3)$$

como se ve en la figura 4-41(c).

**5.** Obtener el promedio ponderado de $k_1$, $k_2$, $k_3$, y $k_4$, donde los pesos son 1, 2, 2, y 1, respectivamente, o bien

$$\Delta x_i = x_{i+1} - x_i = \frac{1}{6}(k_1 + 2k_2 + 2k_3 + k_4)$$

Entonces el valor de $x_{i+1}$ está dado por

$$x_{i+1} = x_i + \Delta x_i = x_i + \frac{1}{6}(k_1 + 2k_2 + 2k_3 + k_4) \qquad (4\text{–}69)$$

La razón por la que obtuvo la ecuación (4-69) para $x_{i+1}$ está explicada en el problema A-4-23.

Nótese que la ecuación (4-69) se denomina ecuación de Runge-Kutta de cuarto orden, porque incluye cuatro valores de $k$. La ecuación de Runge-Kutta de tercer orden incluye tres valores de $k$, y $x_{i+1}$ se puede obtener de

$$x_{i+1} = x_i + \frac{1}{6}(k_1 + 4k_2 + k_3)$$

La ecuación de Runge-Kutta de cuarto orden es la utilizada comúnmente en la solución numérica de la ecuación diferencial.

Al obtener una solución por computdora de la ecuación (4-68), se utiliza la ecuación (4-69) repetidamente, desplazando el valor de $x_{i+1}$ a $x_1$. En el ejemplo 4-7 se mostrará un programa de computadora en BASIC, para obtener la respuesta al escalón de un sistema de una ecuación diferencial. (Para obtener una solución computacional de una respuesta ante una rampa, referirse al problema A-4-25).

**EJEMPLO 4-7**

Considere el sistema de la figura 4-42. Obtenga la respuesta ante una entrada escalón unitario.

Para obtener la solución por computadora de este problema de ejemplo, se necesita obtener una representación del sistema en el espacio de estado. Para obtener esa representación, primero se debe lograr la función de transferencia de lazo cerrado.

$$\frac{Y(s)}{U(s)} = \frac{25.04(s + 0.2)}{25.04(s + 0.2) + s(s + 5.02)(s + 0.01247)}$$

$$= \frac{25.04s + 5.008}{s^3 + 5.03247s^2 + 25.1026s + 5.008}$$

Luego, tomando las transformadas inversas de Laplace, se obtiene la ecuación diferencial para el sistema, como sigue:

$$\dddot{y} + 5.03247\ddot{y} + 25.1026\dot{y} + 5.008y = 25.04\dot{u} + 5.008u \qquad (4\text{–}70)$$

que se puede escribir como

$$\dddot{y} + a_1\ddot{y} + a_2\dot{y} + a_3 y = b_0\dddot{u} + b_1\ddot{u} + b_2\dot{u} + b_3 u$$

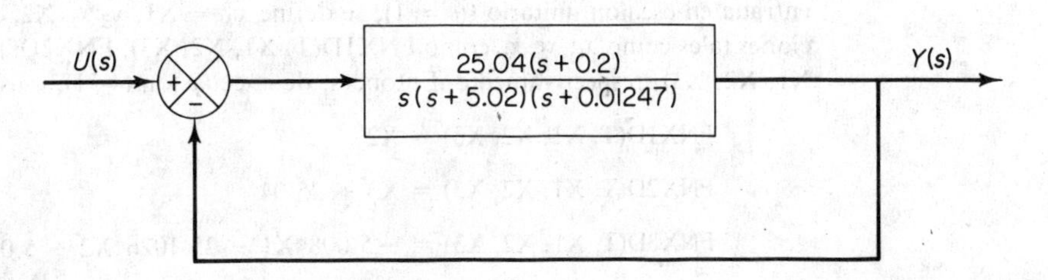


**Figura 4-42**
Sistema de control.

donde

$$a_1 = 5.03247, \qquad a_2 = 25.1026, \qquad a_3 = 5.008$$

$$b_0 = 0, \qquad b_1 = 0, \qquad b_2 = 25.04, \qquad b_3 = 5.008$$

Con referencia a las ecuaciones (2-5) y (2-6), las variables de estado $x_1$, $x_2$, y $x_3$ se definen como sigue:

$$x_1 = y - \beta_0 u$$

$$x_2 = \dot{x}_1 - \beta_1 u$$

$$x_3 = \dot{x}_2 - \beta_2 u$$

donde

$$\beta_0 = b_0 = 0$$

$$\beta_1 = b_1 - a_1\beta_0 = 0$$

$$\beta_2 = b_2 - a_1\beta_1 - a_2\beta_0 = 25.04$$

Entonces

$$\dot{x}_3 = -a_3x_1 - a_2x_2 - a_1x_3 + \beta_3 u$$

donde

$$\beta_3 = b_3 - a_1\beta_2 - a_2\beta_1 - a_3\beta_0 = 5.008 - 5.03247 \times 25.04$$
$$= -121.005$$

Así, las variables de estado están dadas por

$$x_1 = y$$

$$x_2 = \dot{x}_1$$

$$x_3 = \dot{x}_2 - 25.04u$$

Con referencia a las ecuaciones (2-8) y (2-9), la ecuación de estado y la ecuación de salida se pueden obtener como

$$\begin{bmatrix} \dot{x}_1 \\ \dot{x}_2 \\ \dot{x}_3 \end{bmatrix} = \begin{bmatrix} 0 & 1 & 0 \\ 0 & 0 & 1 \\ -5.008 & -25.1026 & -5.03247 \end{bmatrix} \begin{bmatrix} x_1 \\ x_2 \\ x_3 \end{bmatrix} + \begin{bmatrix} 0 \\ 25.04 \\ -121.005 \end{bmatrix} u \qquad (4\text{-}71)$$

$$y = [1 \quad 0 \quad 0] \begin{bmatrix} x_1 \\ x_2 \\ x_3 \end{bmatrix} \qquad (4\text{-}72)$$

Para escribir un programa de computadora BASIC para hallar la respuesta del sistema a una entrada en escalón unitario ($u = 1$), se define $x_1$ = X1, $x_2$ = X2, $x_3$ = X3 y se designan funciones tales como $\dot{x}_1$, $\dot{x}_2$, $\dot{x}_3$, como FNX1D(T, X1, X2, X3), FNX2D(T, X1, X2, X3) y FNX3D(T, X1, X2, X3), respectivamente. Entonces, de la ecuación (4-71), esas funciones están dadas por:

FNX1D(T, X1, X2, X3) = X2

FNX2D(T, X1, X2, X3) = X3 + 25.04

FNX3D(T, X1, X2, X3) = −5.008*X1 − 25.1026*X2 − 5.03247*X3 − 121.005

Se puede escribir un programa para computadora en BASIC para obtener las respuestas al escalón unitario, como se muestra en la tabla 4-3. Este programa de computadora muestra claramente los pasos incluidos en el método de Runge-Kutta. En la figura 4-43 se puede ver la curva de respuesta al escalón unitario obtenida con la simulación en computadora. Nótese que se pueden escribir diferentes programas de computadora para un problema como éste. (En el problema A-4-24 se da otro programa de computadora diferente para resolver un problema similar).

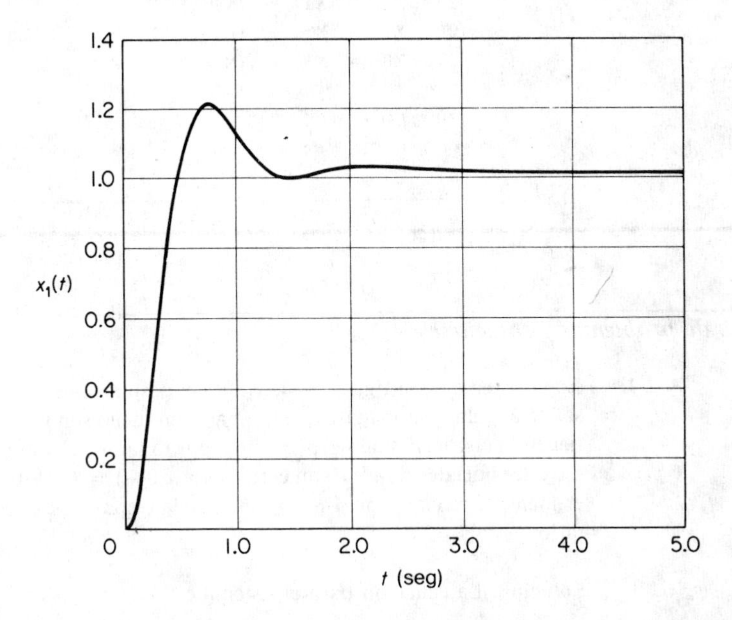


**Figura 4-43** Curva de respuesta al escalón unitario, del sistema que se ve en la figura 4-42.

**Tabla 4-3** Programa de computadora en BASIC para resolver la ecuación (4-71) con condición inicial cero y $u = 1$ (Respuesta al escalón unitario)

```
10 OPEN "O",#1,"BUSH.BAS"
20 DEF FNX1D(T,X1,X2,X3) = X2
30 DEF FNX2D(T,X1,X2,X3) = X3 + 25.04
40 DEF FNX3D(T,X1,X2,X3) = -5.008*X1 - 25.1026*X2 - 5.03247*X3 - 121.005
50 H = .05
60 T = 0 : X1 = 0 : X2 = 0 : X3 = 0
70 TT = 5
80 PRINT "        TIME          X1          X2          X3   "
90 PRINT    "  ---------------------------------------------"
100 IF T > TT THEN GOTO 1000
110 PRINT #1, USING "#####.#####"; X1
120 PRINT USING "#####.#####"; T, X1, X2, X3
130 K1 = H*FNX1D(T, X1, X2, X3)
140 L1 = H*FNX2D(T, X1, X2, X3)
150 M1 = H*FNX3D(T, X1, X2, X3)
160 K2 = H*FNX1D(T+.5*H, X1+.5*K1, X2+.5*L1, X3+.5*M1)
170 L2 = H*FNX2D(T+.5*H, X1+.5*K1, X2+.5*L1, X3+.5*M1)
180 M2 = H*FNX3D(T+.5*H, X1+.5*K1, X2+.5*L1, X3+.5*M1)
190 K3 = H*FNX1D(T+.5*H, X1+.5*K2, X2+.5*L2, X3+.5*M2)
200 L3 = H*FNX2D(T+.5*H, X1+.5*K2, X2+.5*L2, X3+.5*M2)
```

**Tabla 4-3** (Continuación)

```
 210 M3 = H*FNX3D(T+.5*H,  X1+.5*K2,  X2+.5*L2,  X3+.5*M2)
 220 K4 = H*FNX1D(T+H,  X1+K3,  X2+L3,  X3+M3)
 230 L4 = H*FNX2D(T+H,  X1+K3,  X2+L3,  X3+M3)
 240 M4 = H*FNX3D(T+H,  X1+K3,  X2+L3,  X3+M3)
 250 X1 = X1 + (K1 + 2*K2 + 2*K3 + K4)/6
 260 X2 = X2 + (L1 + 2*L2 + 2*L3 + L4)/6
 270 X3 = X3 + (M1 + 2*M2 + 2*M3 + M4)/6
 280 T = T + H
 290 GOTO 100
1000 CLOSE #1
1010 END
```

## *Ejemplos de problemas y soluciones*

**A-4-1.** En el sistema de la figura 4-44, $x(t)$ es el desplazamiento de salida y $\theta(t)$ es el desplazamiento de salida angular. Supóngase que las masas en juego son insignificantes y que todos los movimientos tienen la restricción de ser pequeños; por lo tanto, el sistema se puede considerar lineal. Las condiciones iniciales de $x$ y $\theta$ son cero, o sea $x(0—) = 0$ y $\theta(0—) = 0$. Pruebe que este sistema es un elemento diferenciador. Luego, obtenga la respuesta $\theta(t)$ cuando $x(t)$ es una entrada escalón unitario.

**Solución.** La ecuación para el sistema es

$$b(\dot{x} - L\dot{\theta}) = kL\theta$$

o bien

$$L\dot{\theta} + \frac{k}{b}L\theta = \dot{x}$$

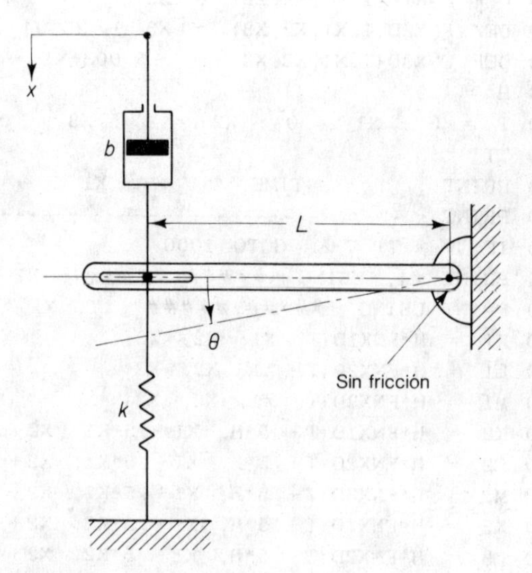


**Figura 4-44**
Sistema mecánico.

La transformada de Laplace de esta última ecuación, utilizando condiciones iniciales nulas, es

$$\left(Ls + \frac{k}{b}L\right)\Theta(s) = sX(s)$$

Y así

$$\frac{\Theta(s)}{X(s)} = \frac{1}{L}\frac{s}{s + (k/b)}$$

Entonces éste es un sistema diferenciador.

Para la entrada escalón unitario $X(s) = 1/s$, la salida $\Theta(s)$ es

$$\Theta(s) = \frac{1}{L}\frac{1}{s + (k/b)}$$

La transformada inversa de Laplace de $\Theta(s)$, es

$$\theta(t) = \frac{1}{L}e^{-(k/b)t}$$

Nótese que si el valor de $k/b$ es grande, la respuesta $\theta(t)$ tiende a ser una señal pulso, como se puede ver en la figura 4-45.

**A-4-2.** Cuando el sistema que se ve en la figura 4-46(a) se somete a una entrada escalón unitario, la salida del sistema responde como se puede ver en la figura 4-46(b). Determine los valores de $K$ y de $T$ partiendo de la curva de respuesta.

**Solución.** El sobreimpulso máximo del 25.4% corresponde a $\zeta = 0.4$. De la curva de respuesta se tiene

$$t_p = 3$$

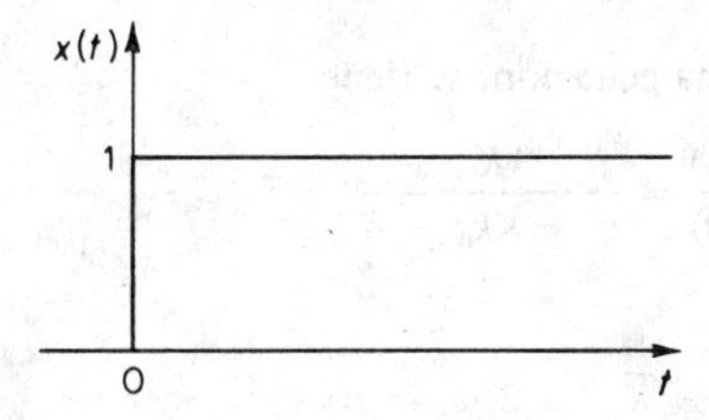


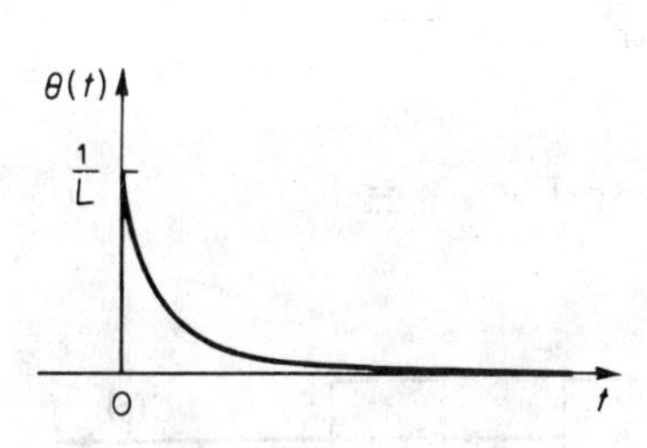


**Figura 4-45** Entrada escalón unitario y respuesta del sistema mecánico que se presenta en la figura 4-44.

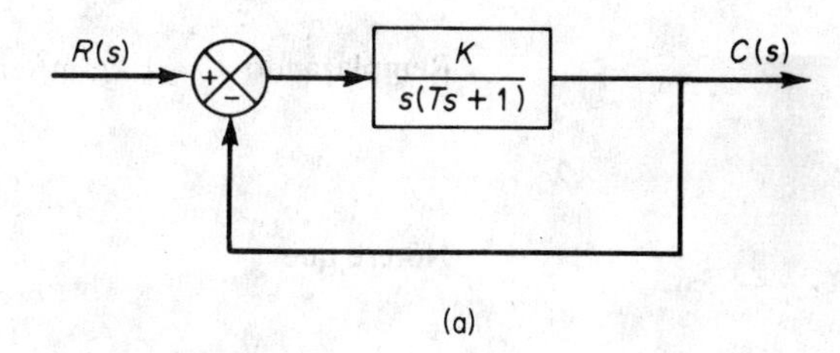


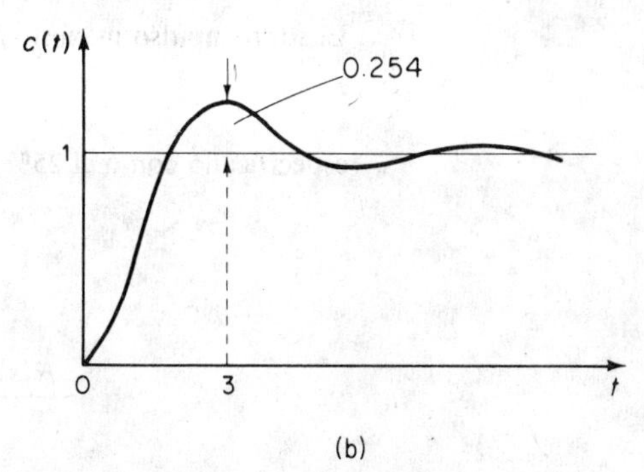


**Figura 4-46** (a) Sistema de lazo cerrado; (b) curva de respuesta al escalón unitario.

En consecuencia,

$$t_p = \frac{\pi}{\omega_d} = \frac{\pi}{\omega_n\sqrt{1-\zeta^2}} = \frac{\pi}{\omega_n\sqrt{1-0.4^2}} = 3$$

Sigue que

$$\omega_n = 1.14$$

Del diagrama de bloques se tiene

$$\frac{C(s)}{R(s)} = \frac{K}{Ts^2 + s + K}$$

de donde

$$\omega_n = \sqrt{\frac{K}{T}}, \qquad 2\zeta\omega_n = \frac{1}{T}$$

Por lo tanto, los valores de $T$ y $K$ están determinados por

$$T = \frac{1}{2\zeta\omega_n} = \frac{1}{2 \times 0.4 \times 1.14} = 1.09$$

$$K = \omega_n^2 T = 1.14^2 \times 1.09 = 1.42$$

**A-4-3.** Determine los valores de $K$ y $k$ del sistema de lazo cerrado de la figura 4-47, de modo que el sobreimpulso máximo en la respuesta ante el escalón unitario, sea de 25% y el tiempo de pico de 2 seg. Suponga que $J = 1$ kg-m$^2$.

**Solución.** La función de transferencia de lazo cerrado es

$$\frac{C(s)}{R(s)} = \frac{K}{Js^2 + Kks + K}$$

Remplazando $J = 1$ kg-m$^2$ en esta última ecuación, se tiene

$$\frac{C(s)}{R(s)} = \frac{K}{s^2 + Kks + K}$$

Nótese que

$$\omega_n = \sqrt{K}, \qquad 2\zeta\omega_n = Kk$$

El sobreimpulso máximo $M_p$ es

$$M_p = e^{-\zeta\pi/\sqrt{1-\zeta^2}}$$

especificado como el 25%. Por tanto

$$e^{-\zeta\pi/\sqrt{1-\zeta^2}} = 0.25$$

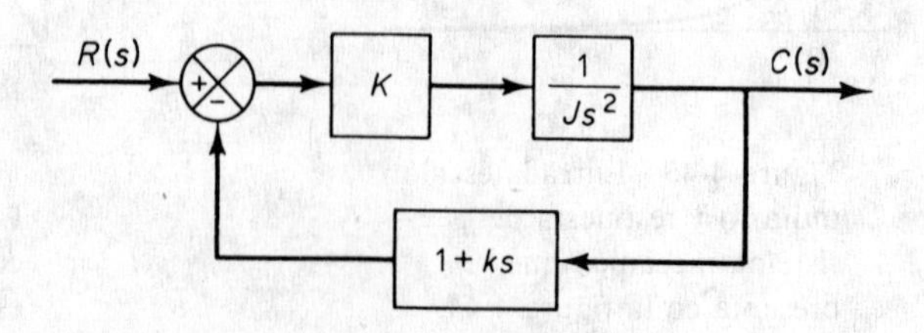


**Figura 4-47**
Sistema de lazo cerrado.

de donde

$$\frac{\zeta\pi}{\sqrt{1-\zeta^2}} = 1.386$$

o bien

$$\zeta = 0.404$$

El tiempo de pico $t_p$ está especificado en 2 segundos. Y entonces

$$t_p = \frac{\pi}{\omega_d} = 2$$

o bien

$$\omega_d = 1.57$$

Entonces la frecuencia natural no amortiguada $\omega_n$, es

$$\omega_n = \frac{\omega_d}{\sqrt{1-\zeta^2}} = \frac{1.57}{\sqrt{1-0.404^2}} = 1.72$$

Por tanto, se llega a

$$K = \omega_n^2 = 1.72^2 = 2.95 \text{ N-m}$$

$$k = \frac{2\zeta\omega_n}{K} = \frac{2 \times 0.404 \times 1.72}{2.95} = 0.471 \text{ seg}$$

**A–4–4.** ¿Cuál es la respuesta a un escalón unitario en el sistema de la figura 4-48?

**Solución.** La función de transferencia de lazo cerrado es

$$\frac{C(s)}{R(s)} = \frac{10s+10}{s^2+10s+10}$$

Para la entrada de escalón unitario $[R(s) = 1/s]$ se tiene

$$\begin{aligned} C(s) &= \frac{10s+10}{s^2+10s+10}\frac{1}{s} \\ &= \frac{10s+10}{(s+5+\sqrt{15})(s+5-\sqrt{15})s} \\ &= \frac{-4-\sqrt{15}}{3+\sqrt{15}}\frac{1}{s+5+\sqrt{15}} + \frac{-4+\sqrt{15}}{3-\sqrt{15}}\frac{1}{s+5-\sqrt{15}} + \frac{1}{s} \end{aligned}$$

La transformada inversa de Laplace de $C(s)$ es

$$\begin{aligned} c(t) &= -\frac{4+\sqrt{15}}{3+\sqrt{15}}e^{-(5+\sqrt{15})t} + \frac{4-\sqrt{15}}{-3+\sqrt{15}}e^{-(5-\sqrt{15})t} + 1 \\ &= -1.1455e^{-8.87t} + 0.1455e^{-1.13t} + 1 \end{aligned}$$

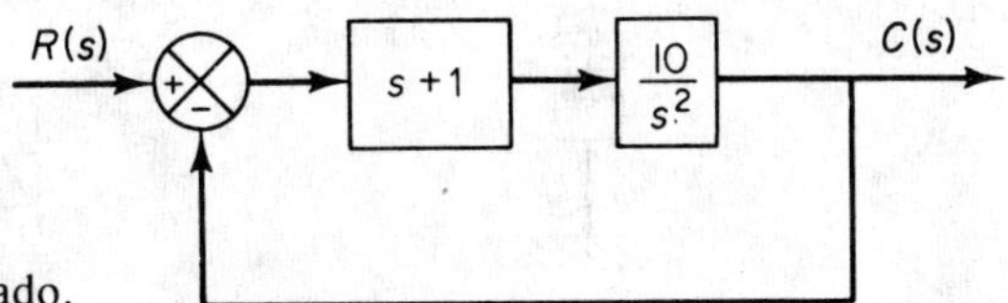


**Figura 4-48**
Sistema de lazo cerrado.

Es claro que la salida no debe presentar ninguna oscilación. La curva de respuesta exponencial tiende al valor final $c(\infty) = 1$.

**A-4-5.** La figura 4-49(a) muestra un sistema mecánico vibratorio. Cuando se aplica una fuerza de 2 libras (entrada escalón) al sistema, la masa oscila, como se muestra en la figura 4-49(b). Determinar $m$, $b$, y $k$ del sistema a partir de la curva de respuesta. El desplazamiento $x$ se mide desde la posición de equilibrio.

**Solución.** La función de transferencia de este sistema es

$$\frac{X(s)}{P(s)} = \frac{1}{ms^2 + bs + k}$$

Como

$$P(s) = \frac{2}{s}$$

se obtiene

$$X(s) = \frac{2}{s(ms^2 + bs + k)}$$

Se llega a que el valor de $x$ en estado estacionario es

$$x(\infty) = \lim_{s\to 0} sX(s) = \frac{2}{k} = 0.1 \text{ ft}$$

Entonces

$$k = 20 \text{ lb}_f/\text{ft}$$

Nótese que $M_p = 9.5\%$ corresponde a $\zeta = 0.6$. El tiempo de pico $t_p$ está dado por

$$t_p = \frac{\pi}{\omega_d} = \frac{\pi}{\omega_n\sqrt{1 - \zeta^2}} = \frac{\pi}{0.8\omega_n}$$

La curva experimental muestra que $t_p = 2$ segundos. Por tanto,

$$\omega_n = \frac{3.14}{2 \times 0.8} = 1.96 \text{ rad/seg}$$

Como $\omega_n^2 = k/m = 20/m$, se obtiene

$$m = \frac{20}{\omega_n^2} = \frac{20}{1.96^2} = 5.2 \text{ slugs} = 166 \text{ lb}$$

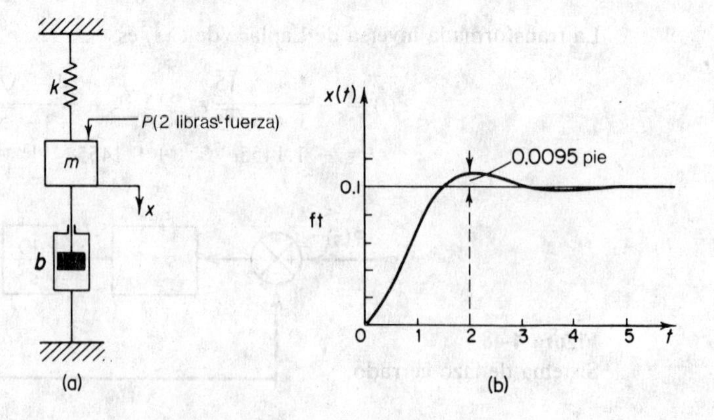


**Figura 4-49** (a) Sistema mecánico vibratorio; (b) curva de respuesta al escalón.

(Nótese que 1 slug = 1 libra-seg$^2$/pie). Entonces $b$ se determina de

$$2\zeta\omega_n = \frac{b}{m}$$

o bien

$$b = 2\zeta\omega_n m = 2 \times 0.6 \times 1.96 \times 5.2 = 12.2 \ \text{lb}_f/\text{ft/seg}$$

**A-4-6.** Suponiendo que el sistema mecánico que aparece en la figura 4-50 está en reposo antes de que la fuerza de excitación $P$ sen $\omega t$ sea aplicada, deduzca la solución completa $x(t)$ y la solución estacionaria $x_{ss}(t)$. El desplazamiento $x$ se mide desde la posición de equilibrio. Suponga que el sistema está subamortiguado.

**Solución.** La ecuación del movimiento para el sistema es

$$m\ddot{x} + b\dot{x} + kx = P \operatorname{sen} \omega t$$

Notando que $x(0) = 0$ y $\dot{x}(0) = 0$, la transformada de Laplace de esta ecuación es

$$(ms^2 + bs + k)X(s) = P\frac{\omega}{s^2 + \omega^2}$$

o bien

$$X(s) = \frac{P\omega}{(s^2 + \omega^2)}\frac{1}{(ms^2 + bs + k)}$$

Como el sistema está subamortiguado, $X(s)$ se puede escribir como sigue:

$$X(s) = \frac{P\omega}{m}\frac{1}{s^2 + \omega^2}\frac{1}{s^2 + 2\zeta\omega_n s + \omega_n^2} \qquad (0 < \zeta < 1)$$

donde $\omega_n = \sqrt{k/m}$ y $\zeta = b/(2\sqrt{mk})$. Se puede expandir $X(s)$ como

$$X(s) = \frac{P\omega}{m}\left(\frac{as + c}{s^2 + \omega^2} + \frac{-as + d}{s^2 + 2\zeta\omega_n s + \omega_n^2}\right)$$

Por cálculos sencillos se puede hallar que

$$a = \frac{-2\zeta\omega_n}{(\omega_n^2 - \omega^2)^2 + 4\zeta^2\omega_n^2\omega^2}, \qquad c = \frac{(\omega_n^2 - \omega^2)}{(\omega_n^2 - \omega^2)^2 + 4\zeta^2\omega_n^2\omega^2}, \qquad d = \frac{4\zeta^2\omega_n^2 - (\omega_n^2 - \omega^2)}{(\omega_n^2 - \omega^2)^2 + 4\zeta^2\omega_n^2\omega^2}$$

Por lo tanto

$$X(s) = \frac{P\omega}{m}\frac{1}{(\omega_n^2 - \omega^2)^2 + 4\zeta^2\omega_n^2\omega^2}\left[\frac{-2\zeta\omega_n s + (\omega_n^2 - \omega^2)}{s^2 + \omega^2} + \frac{2\zeta\omega_n(s + \zeta\omega_n) + 2\zeta^2\omega_n^2 - (\omega_n^2 - \omega^2)}{s^2 + 2\zeta\omega_n s + \omega_n^2}\right]$$

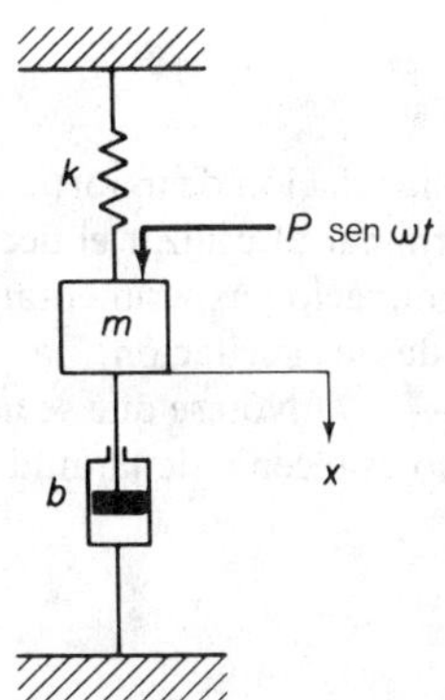


**Figura 4-50**
Sistema mecánico.

La transformada inversa de Laplace de $X(s)$ es

$$x(t) = \frac{P\omega}{m[(\omega_n^2 - \omega^2)^2 + 4\zeta^2\omega_n^2\omega^2]}\left[ -2\zeta\omega_n \cos \omega t + \frac{(\omega_n^2 - \omega^2)}{\omega} \operatorname{sen} \omega t \right.$$

$$\left. + 2\zeta\omega_n e^{-\zeta\omega_n t} \cos \omega_n\sqrt{1 - \zeta^2}\, t + \frac{2\zeta^2\omega_n^2 - (\omega_n^2 - \omega^2)}{\omega_n\sqrt{1 - \zeta^2}} e^{-\zeta\omega_n t} \operatorname{sen} \omega_n \sqrt{1 - \zeta^2}\, t \right]$$

En estado de reposo, ($t \to \infty$), los términos que incluyen $e^{-\zeta\omega_n t}$ tienden a cero. Así, en estado estacionario

$$x_{ss}(t) = \frac{P\omega}{m[(\omega_n^2 - \omega^2)^2 + 4\zeta^2\omega_n^2\omega^2]}\left( -2\zeta\omega_n \cos \omega t + \frac{\omega_n^2 - \omega^2}{\omega} \operatorname{sen} \omega t \right)$$

$$= \frac{P\omega}{(k - m\omega^2)^2 + b^2\omega^2}\left( -b \cos \omega t + \frac{k - m\omega^2}{\omega} \operatorname{sen} \omega t \right)$$

$$= \frac{P}{\sqrt{(k - m\omega^2)^2 + b^2\omega^2}} \operatorname{sen}\left( \omega t - \tan^{-1} \frac{b\omega}{k - m\omega^2} \right)$$

**A–4–7.** Considere la respuesta ante el escalón unitario del sistema de segundo orden

$$\frac{C(s)}{R(s)} = \frac{\omega_n^2}{s^2 + 2\zeta\omega_n s + \omega_n^2}$$

La amplitud de la senoide exponencial amortiguada cambia como una serie geométrica. En el tiempo $t = t_p = \pi/\omega_d$, la amplitud es igual a $e^{-(\sigma/\omega_d)\pi}$. Tras una oscilación, o sea en $t = t_p + 2\pi/\omega_d = 3\pi/\omega_d$, la amplitud es igual a $e^{-(\sigma/\omega_d)3\pi}$; tras otro ciclo de oscilación, la amplitud es $e^{-(\sigma/\omega_d)5\pi}$. El logaritmo de la relación de amplitudes sucesivas se denomina *decremento logarítmico*. Determine el decremento logarítmico para este sistema de segundo orden. Describa un método para la determinación experimental de la relación de amortiguamiento partiendo del ritmo de disminución de la oscilación.

**Solución.** Se define la amplitud de la oscilación de salida en $t = t_i$ como $x_i$ donde $t_i = t_p + (i - 1)T$ ($T$ = periodo de oscilación). La relación de amplitud por periodo de oscilación amortiguada es

$$\frac{x_1}{x_2} = \frac{e^{-(\sigma/\omega_d)\pi}}{e^{-(\sigma/\omega_d)3\pi}} = e^{2(\sigma/\omega_d)\pi} = e^{2\zeta\pi/\sqrt{1-\zeta^2}}$$

Así, el decremento logarítmico $\delta$ es

$$\delta = \ln \frac{x_1}{x_2} = \frac{2\zeta\pi}{\sqrt{1 - \zeta^2}}$$

Es función de la relación de amortiguamiento solamente $\zeta$. Así, la relación de amortiguamiento $\zeta$ se puede determinar al utilizar el decremento logarítmico.

En la determinación experimental de la relación de amortiguamiento $\zeta$ partiendo de la tasa de disminución de la oscilación, la amplitud $x_1$ se mide en $t = t_p$ y la amplitud $x_n$ en $t = t_p + (n - 1)T$. Nótese que se necesita elegir $n$ suficientemente grande como para que la relación $x_1/x_n$ no esté cerca de la unidad. Entonces

$$\frac{x_1}{x_n} = e^{(n-1)2\zeta\pi/\sqrt{1-\zeta^2}}$$

o bien

$$\ln \frac{x_1}{x_n} = (n-1)\frac{2\zeta\pi}{\sqrt{1-\zeta^2}}$$

Por lo tanto,

$$\zeta = \frac{\frac{1}{n-1}\left(\ln \frac{x_1}{x_n}\right)}{\sqrt{4\pi^2 + \left[\frac{1}{n-1}\left(\ln \frac{x_1}{x_n}\right)\right]^2}}$$

**A-4-8.** En el sistema que se puede ver en la figura 4-51, los valores numéricos dados de $m$, $b$, y $k$ son $m = 1$ kg, b = 2 N-s/m, y $k = 100$ N/m. La masa es desplazada 0.05 m y se libera sin velocidad inicial; hallar la frecuencia de vibración. Además, hallar la amplitud cuatro ciclos después. El desplazamiento $x$ se mide desde la posición de equilibrio.

**Solución.** La ecuación de movimiento para el sistema es

$$m\ddot{x} + b\dot{x} + kx = 0$$

Substituyendo los valores numéricos de $m$, $b$, y $k$ en esta ecuación, se tiene

$$\ddot{x} + 2\dot{x} + 100x = 0$$

donde las condiciones iniciales son $x(0) = 0.05$ y $\dot{x}(0) = 0$. De esta última ecuación se encuentra que la frecuencia natural no amortiguada $\omega_n$ y la relación de amortiguamiento $\zeta$, son

$$\omega_n = 10, \qquad \zeta = 0.1$$

La frecuencia que realmente se observa en la vibración, es la frecuencia natural amortiguada $\omega_d$.

$$\omega_d = \omega_n\sqrt{1-\zeta^2} = 10\sqrt{1-0.01} = 9.95 \text{ rad/seg}$$

En el presente análisis, $\dot{x}(0)$ es cero. Así, la solución $x(t)$ se puede escribir como

$$x(t) = x(0)e^{-\zeta\omega_n t}\left(\cos \omega_d t + \frac{\zeta}{\sqrt{1-\zeta^2}} \operatorname{sen} \omega_d t\right)$$

Se sigue que para $t = nT$, donde $T = 2\pi/\omega_d$,

$$x(nT) = x(0)e^{-\zeta\omega_n nT}$$

En consecuencia, cuatro ciclos después la amplitud es

$$\begin{aligned} x(4T) &= x(0)e^{-\zeta\omega_n 4T} = x(0)e^{-(0.1)(10)(4)(0.6315)} \\ &= 0.05e^{-2.526} = 0.05 \times 0.07998 = 0.004 \text{ m} \end{aligned}$$

**A–4–9.** Considere un sistema cuyos polos de lazo cerrado y cero de lazo cerrado están ubicados en el plano $s$ sobre una línea paralela al eje $j\omega$, como se muestra en la figura 4-52. Muestre que la respuesta impulsiva de tal sistema es una función coseno amortiguada.

**Solución.** La función de transferencia de lazo cerrado es

$$\frac{C(s)}{R(s)} = \frac{K(s+\sigma)}{(s+\sigma+j\omega_d)(s+\sigma-j\omega_d)}$$

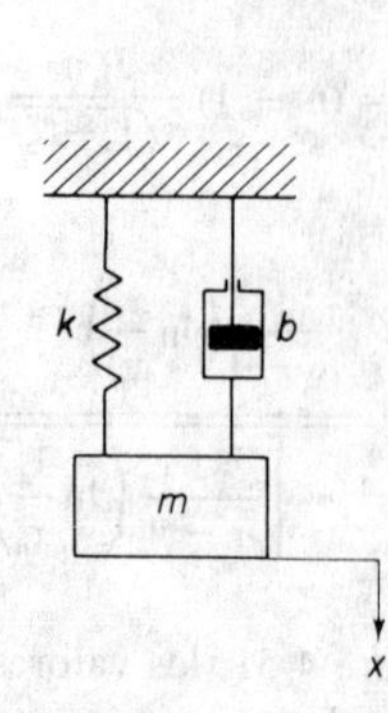


**Figura 4-51**
Sistema de resorte-masa-amortiguador.

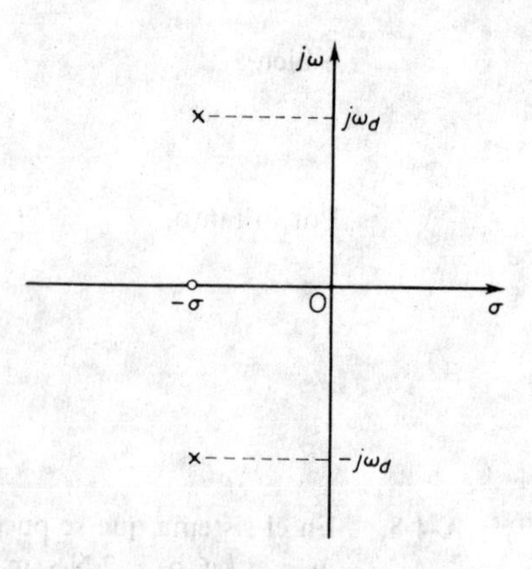


**Figura 4-52** Configuración de polos y ceros de un sistema de lazo cerrado cuya respuesta a un impulso es una función coseno amortiguada.

Para una entrada impulso unitaria, $R(s) = 1$ y

$$C(s) = \frac{K(s + \sigma)}{(s + \sigma)^2 + \omega_d^2}$$

La transformada inversa de Laplace de $C(s)$ es

$$c(t) = Ke^{-\sigma t} \cos \omega_d t \qquad (t \geq 0)$$

que es una función coseno amortiguada.

**A-4-10.** Considere el sistema mostrado en la figura 4-53(a). El error en estado estacionario ante una entrada rampa unitaria es $e_{ss} = 2\zeta/\omega_n$. Demuestre que el error estacionario para una entrada rampa se puede eliminar, si se introduce la entrada al sistema a través de un filtro proporcional y derivativo, como se puede ver en la figura 4-53(b), y si el valor de $k$ se ajusta adecuadamente. Nótese que el error $e(t)$ está dado por $r(t) - c(t)$.

**Solución.** La función de transferencia de lazo cerrado del sistema de la figura 4-53(b) es

$$\frac{C(s)}{R(s)} = \frac{(1 + ks)\omega_n^2}{s^2 + 2\zeta\omega_n s + \omega_n^2}$$

Entonces

$$R(s) - C(s) = \left( \frac{s^2 + 2\zeta\omega_n s - \omega_n^2 ks}{s^2 + 2\zeta\omega_n s + \omega_n^2} \right) R(s)$$

Si la entrada es una rampa unitaria, el error en estado estacionario es

$$\begin{aligned} e(\infty) &= r(\infty) - c(\infty) \\ &= \lim_{s \to 0} s \left( \frac{s^2 + 2\zeta\omega_n s - \omega_n^2 ks}{s^2 + 2\zeta\omega_n s + \omega_n^2} \right) \frac{1}{s^2} \\ &= \frac{2\zeta\omega_n - \omega_n^2 k}{\omega_n^2} \end{aligned}$$

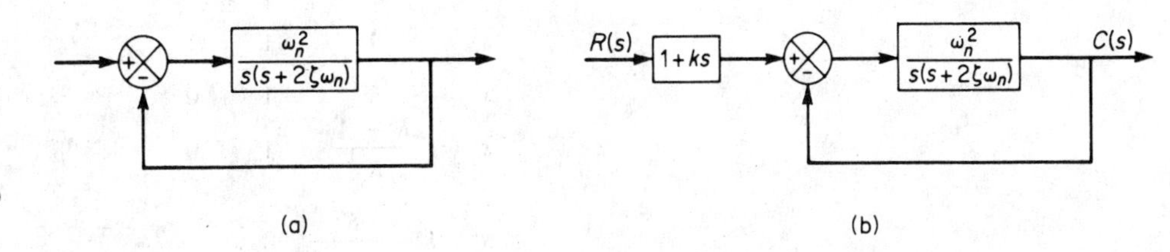


**Figura 4-53**
(a) Sistema de control; (b) sistema de control con filtro de entrada.

Por lo tanto, si se elige $k$ como

$$k = \frac{2\zeta}{\omega_n}$$

entonces el error en estado estacionario al seguir una entrada rampa se puede hacer igual a cero. Nótese que si hay cualquier variación en los valores de $\zeta$ y/o $\omega_n$ debido a cambios ambientales o a envejecimiento, puede darse un error estacionario no nulo en una respuesta a una rampa.

**A-4-11.** Obtenga la respuesta a un escalón unitario, en un sistema de retroalimentación unitaria cuya función de transferencia de lazo abierto es

$$G(s) = \frac{5(s + 20)}{s(s + 4.59)(s^2 + 3.41s + 16.35)}$$

**Solución.** La función de transferencia de lazo cerrado es

$$\begin{aligned}\frac{C(s)}{R(s)} &= \frac{5(s + 20)}{s(s + 4.59)(s^2 + 3.41s + 16.35) + 5(s + 20)} \\ &= \frac{5s + 100}{s^4 + 8s^3 + 32s^2 + 80s + 100} \\ &= \frac{5(s + 20)}{(s^2 + 2s + 10)(s^2 + 6s + 10)}\end{aligned}$$

Entonces la respuesta al escalón unitario de este sistema, es

$$\begin{aligned}C(s) &= \frac{5(s + 20)}{s(s^2 + 2s + 10)(s^2 + 6s + 10)} \\ &= \frac{1}{s} + \frac{\frac{3}{8}(s + 1) - \frac{17}{8}}{(s + 1)^2 + 3^2} + \frac{-\frac{11}{8}(s + 3) - \frac{13}{8}}{(s + 3)^2 + 1^2}\end{aligned}$$

La respuesta temporal $c(t)$ se puede obtener tomando la transformada inversa de Laplace de $C(s)$ como sigue:

$$c(t) = 1 + \tfrac{3}{8}e^{-t}\cos 3t - \tfrac{17}{24}e^{-t}\,\mathrm{sen}\,3t - \tfrac{11}{8}e^{-3t}\cos t - \tfrac{13}{8}e^{-3t}\,\mathrm{sen}\,t \qquad (t \geq 0)$$

(En el problema A-4-24 se da una solución por computadora a este problema).

**A-4-12.** Considere la siguiente ecuación característica

$$s^4 + Ks^3 + s^2 + s + 1 = 0$$

Determine el rango de $K$ para la estabilidad.

**Solución.** El arreglo de coeficientes de Routh es

$$\begin{array}{llll} s^4 & 1 & 1 & 1 \\ s^3 & K & 1 & 0 \\ s^2 & \dfrac{K-1}{K} & 1 & 0 \\ s^1 & 1-\dfrac{K^2}{K-1} & 0 & \\ s^0 & 1 & & \end{array}$$

Para asegurar la estabilidad, se requiere que

$$K > 0$$

$$\frac{K-1}{K} > 0$$

$$1 - \frac{K^2}{K-1} > 0$$

Por la primera y segunda condiciones, $K$ debe ser mayor que 1. Por $K > 1$ nótese que el término $1 - [K^2/(K-1)]$ siempre es negativo, pues

$$\frac{K - 1 - K^2}{K-1} = \frac{-1 + K(1-K)}{K-1} < 0$$

Así, no se pueden satisfacer las tres condiciones en forma simultánea. Por lo tanto, no hay valor de $K$ que asegure estabilidad para el sistema.

**A-4-13.** Considere la ecuación característica dada por

$$a_0 s^n + a_1 s^{n-1} + a_2 s^{n-2} + \cdots + a_{n-1} s + a_n = 0 \tag{4-73}$$

El criterio de estabilidad de Hurwitz, que se ofrece más adelante, proporciona las condiciones para que todas las raíces tengan partes reales negativas en términos de coeficientes del polinomio. Como se estableció al estudiar el criterio de estabilidad de Routh en la sección 4-6, para que todas las raíces tengan partes reales negativas, todos los coeficientes $a$ deben ser positivos. Esta es una condición necesaria, pero no suficiente. Si esta condición no se satisface eso indica que alguna de las raíces tienen partes reales positivas, o son imaginarias, o cero. En el criterio de estabilidad de Hurwitz se da una condición que es suficiente para que todas las raíces tengan partes reales negativas: si todos los coeficientes del polinomio son positivos, arreglar la disposición de esos coeficientes en el siguiente determinante:

$$\Delta_n = \begin{vmatrix} a_1 & a_3 & a_5 & \cdots & 0 & 0 & 0 \\ a_0 & a_2 & a_4 & \cdots & \cdot & \cdot & \cdot \\ 0 & a_1 & a_3 & \cdots & a_n & 0 & 0 \\ 0 & a_0 & a_2 & \cdots & a_{n-1} & 0 & 0 \\ \cdot & \cdot & \cdot & & a_{n-2} & a_n & 0 \\ \cdot & \cdot & \cdot & & a_{n-3} & a_{n-1} & 0 \\ 0 & 0 & 0 & \cdots & a_{n-4} & a_{n-2} & a_n \end{vmatrix}$$

donde se substituyó a las $a_s$ si $s > n$ por cero. Para que todas las raíces tengan partes reales negativas, es necesario y suficiente que los menores principales sucesivos de $\Delta_n$ sean positivos. Los menores principales sucesivos son los siguientes determinantes:

$$\Delta_i = \begin{vmatrix} a_1 & a_3 & \cdots & a_{2i-1} \\ a_0 & a_2 & \cdots & a_{2i-2} \\ 0 & a_1 & \cdots & a_{2i-3} \\ \cdot & \cdot & & \cdot \\ 0 & 0 & \cdots & a_i \end{vmatrix} \qquad (i = 1,2, \ldots, n)$$

donde $a_s = 0$ si $s > n$. (Nótese que algunas de las condiciones para los determinantes de orden inferior están incluidas en las condiciones para los determinantes de orden superior). Si todos estos determinantes son positivos, y $a_0 > 0$ como se supuso, el estado de equilibrio del sistema cuya ecuación característica está dada por la ecuación (4-73), es asintóticamente estable. Nótese que no se necesitan los valores exactos de los determinantes, sino que en su lugar sólo se necesitan los signos de estos determinantes para el criterio de estabilidad.

Ahora considere la siguiente ecuación característica:

$$a_0 s^4 + a_1 s^3 + a_2 s^2 + a_3 s + a_4 = 0$$

Obtenga la condición de estabilidad utilizando el criterio de estabilidad de Hurwitz.

**Solución.** Las condiciones de estabilidad son que todas las $a$ sean positivas y que

$$\Delta_2 = \begin{vmatrix} a_1 & a_3 \\ a_0 & a_2 \end{vmatrix} = a_1 a_2 - a_0 a_3 > 0$$

$$\Delta_3 = \begin{vmatrix} a_1 & a_3 & 0 \\ a_0 & a_2 & a_4 \\ 0 & a_1 & a_3 \end{vmatrix}$$

$$= a_1(a_2 a_3 - a_1 a_4) - a_0 a_3^2$$

$$= a_3(a_1 a_2 - a_0 a_3) - a_1^2 a_4 > 0$$

Está claro que si todas las $a$ son positivas y si se satisface la condición $\Delta_3 > 0$, también se ha de satisfacer la condición $\Delta_2 > 0$ . Por lo tanto, para que todas las raíces de una ecuación característica tengan partes reales negativas, es necesario y suficiente que todos los coeficientes $a$ sean positivos, y que $\Delta_3 > 0$.

**A-4-14.** Explique por qué el control proporcional de una planta que no posee propiedad integradora (lo que significa que la función de transferencia de la planta no incluye el factor $1/s$) sufre corrimiento en respuesta ante entradas escalón.

**Solución.** Considere, por ejemplo, el sistema que se ve en la figura 4-54. En estado estacionario, si $c$ fuera igual a una constante $r$ no nula, entonces $e = 0$ y $u = Ke = 0$, lo que resulta en $c = 0$, que contradice la presunción de que $c = r =$ constante no nula.

Para el correcto funcionamiento de un sistema de control como éste debe haber un corrimiento no nulo. En otras palabras, en estado estacionario, si $e$ fuera igual a $r/(1 + K)$, entonces $u = Kr/(1 + K)$ y $c = Kr/(1 + K)$, lo que resulta en la señal de error supuesta $e = r/(1 + K)$. Por lo tanto, en el sistema se debe dar un corrimiento de $r/(1 + K)$.

**A-4-15.** Considere un sistema con retroalimentación unitaria cuya función de transferencia de lazo abierto es

$$G(s) = \frac{K}{s(Js + B)}$$

Discuta los efectos de variar los valores de $K$ y $B$ sobre el error estacionario en la respuesta a la rampa unitaria. Trace un bosquejo de curvas de respuesta a la rampa unitaria, para un valor de $K$ pequeño, uno mediano y uno grande.

**Solución.** La función de transferencia de lazo cerrado es

$$\frac{C(s)}{R(s)} = \frac{K}{Js^2 + Bs + K}$$

Para una entrada rampa unitaria, $R(s) = 1/s^2$. Entonces

$$\frac{E(s)}{R(s)} = \frac{R(s) - C(s)}{R(s)} = \frac{Js^2 + Bs}{Js^2 + Bs + K}$$

o bien

$$E(s) = \frac{Js^2 + Bs}{Js^2 + Bs + K}\frac{1}{s^2}$$

El error en estado estacionario es

$$e_{ss} = e(\infty) = \lim_{s \to 0} sE(s) = \frac{B}{K}$$

Se ve que el error estacionario $e_{ss}$ se puede reducir aumentando la ganancia $K$ o reduciendo el coeficiente de fricción viscosa $B$. Sin embargo, incrementar la ganancia o disminuir el coeficiente de fricción viscosa, hace que disminuya la relación de amortiguamiento, dando por resultado que la respuesta transitoria del sistema sea más oscilatoria. Duplicando $K$ disminuye $e_{ss}$ a la mitad de su valor original, mientras que $\zeta$ decrece a 0.707 de su valor original, ya que $\zeta$ es inversamente proporcional a la raíz cuadrada de $K$. Por otro lado, al reducir $B$ a la mitad de su valor original, tanto $e_{ss}$ como $\zeta$ también disminuyen a la mitad. Por lo tanto, es recomendable aumentar el valor de $K$ en vez de disminuir el valor de $B$. Tras la extinción de la respuesta transitoria y una vez que se alcanzó el estado estacionario, la velocidad de salida iguala a la velocidad de entrada. No obstante, hay un pequeño error de posición estacionario entre la entrada y la salida. En la figura 4-55 se ilustran ejemplos de respuesta ante rampas unitarias para tres valores diferentes de $K$.

**A-4-16.** Considere el sistema que aparece en la figura 4-56, el cual está sometido a dos señales; una la entrada de referencia y otra la perturbación interna. Demuestre que la ecuación característica de este sistema es la misma, independientemente de qué señal se elija como entrada.

**Solución.** La función de transferencia que relaciona la entrada de referencia con la salida correspondiente, sin considerar la perturbación externa, es

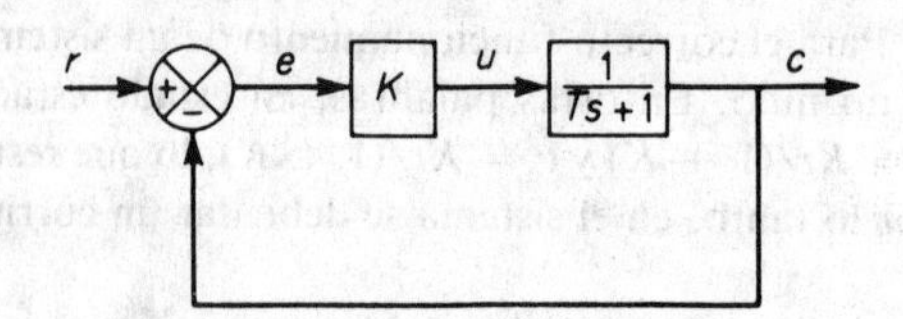


**Figura 4-54**
Sistema de control.

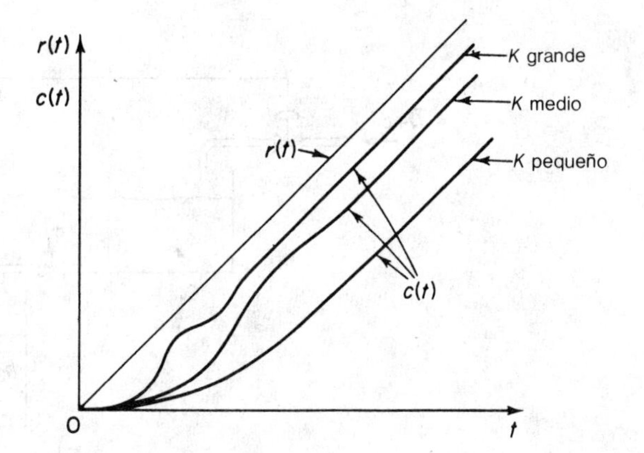


**Figura 4-55**
Respuesta a una rampa unitaria, del sistema considerado en el problema A-4-15.

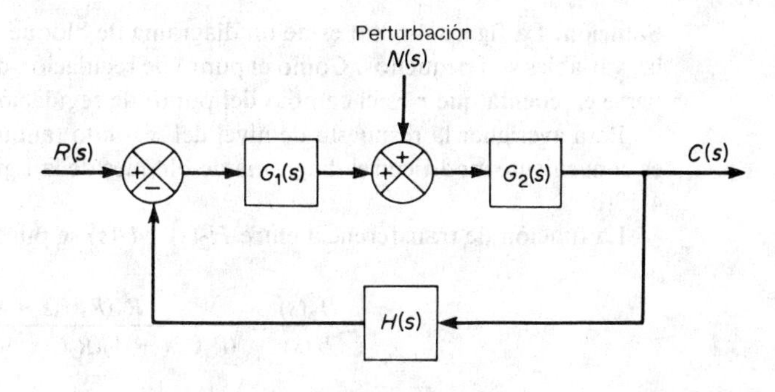


**Figura 4-56**
Sistema de control.

$$\frac{C(s)}{R(s)} = \frac{G_1(s)G_2(s)}{1 + G_1(s)G_2(s)H(s)} \tag{4-74}$$

La función de transferencia que relaciona la perturbación externa con la salida correspondiente en ausencia de entrada de referencia es

$$\frac{C(s)}{N(s)} = \frac{G_2(s)}{1 + G_1(s)G_2(s)H(s)} \tag{4-75}$$

Nótese que los denominadores de las ecuaciones (4-74) y (4-75) son iguales. La ecuación característica es

$$1 + G_1(s)G_2(s)H(s) = 0$$

Contiene la información necesaria para determinar las características básicas de la respuesta del sistema. (Recuerde que para un sistema determinado hay una sola ecuación característica. Esto significa que la ecuación característica para una función de transferencia dada, es la misma, independientemente de qué señal se elige como entrada).

**A-4-17.** Considere el sistema de control de nivel de líquido que se ve en la figura 4-57; el controlador es del tipo proporcional y el punto de regulación del controlador es fijo.

Dibuje un diagrama de bloques del sistema, suponiendo que los cambios en las variables son pequeños. Investigue la respuesta del nivel del segundo tanque sometido a una perturbación escalón $u$.

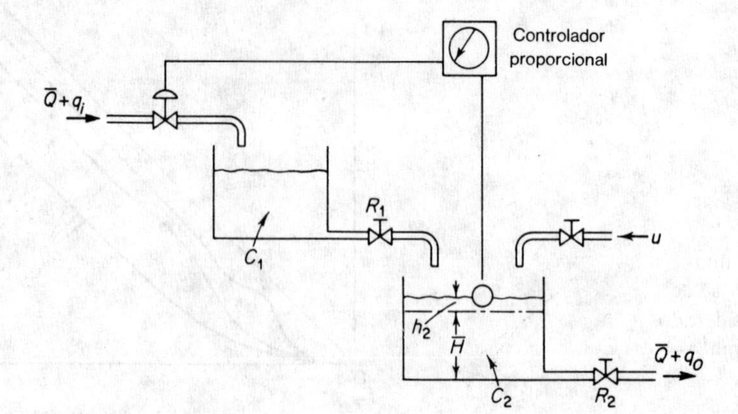


**Figura 4-57**
Sistema de control de nivel de líquido.

**Solución.** La figura 4-58(a) es de un diagrama de bloques de este sistema cuando los cambios en las variables son pequeños. Como el punto de regulación del controlador es fijo, $r = 0$. (Debe tenerse en cuenta que $r$ es el cambio del punto de regulación).

Para averiguar la respuesta de nivel del segundo tanque sujeto a una perturbación escalón $u$, es conveniente modificar el diagrama de bloques de la figura 4-58(a) por el que se ve en la figura 4-58(b).

La función de transferencia entre $H_2(s)$ y $U(s)$ se puede obtener como

$$\frac{H_2(s)}{U(s)} = \frac{R_2(R_1C_1s + 1)}{(R_1C_1s + 1)(R_2C_2s + 1) + KR_2}$$

De esta ecuación se puede hallar la respuesta $H(s)$ a una perturbación $U(s)$. El efecto del controlador se ve por la presencia de $K$ en el denominador de esta última ecuación.

Para una perturbación escalón de magnitud $U_0$ se obtiene

$$h_2(\infty) = \frac{R_2}{1 + KR_2} U_0$$

o bien

$$\text{error en estado estacionario} = -\frac{R_2}{1 + KR_2} U_0$$

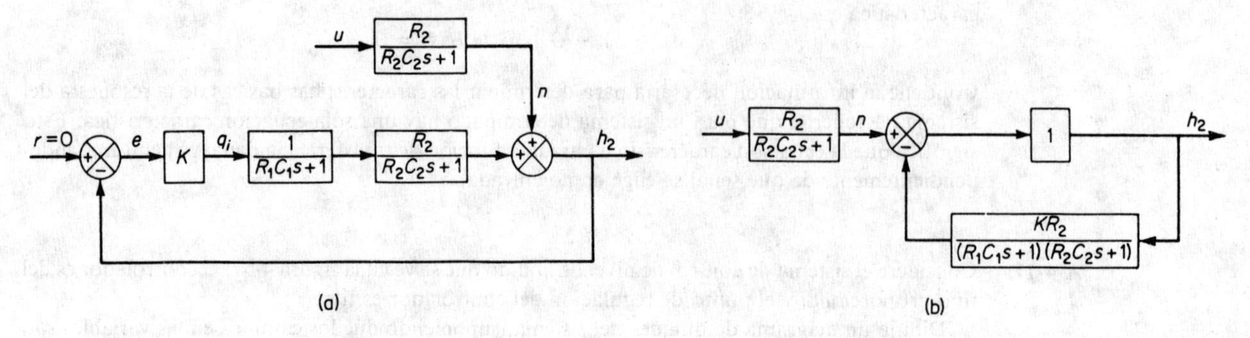


**Figura 4-58** (a) Diagrama de bloques del sistema que se ve en la figura 4-57; (b) diagrama de bloques modificado.

El sistema presenta corrimiento en la respuesta a una perturbación escalón.

Nótese que la ecuación característica para la entrada de perturbación o para la entrada de referencia es la misma. (Como se indicó en el problema A-4-16, la ecuación característica es única para cualquier sistema). La ecuación característica para este sistema es

$$(R_1C_1s + 1)(R_2C_2s + 1) + KR_2 = 0$$

que se puede modificar a

$$s^2 + \left(\frac{R_1C_1 + R_2C_2}{R_1C_1R_2C_2}\right)s + \frac{1 + KR_2}{R_1C_1R_2C_2} = 0$$

La frecuencia natural no amortiguada $\omega_n$ y la relación de amortiguamiento $\zeta$ están dadas por

$$\omega_n = \sqrt{\frac{1 + KR_2}{R_1C_1R_2C_2}}, \qquad \zeta = \frac{R_1C_1 + R_2C_2}{2\sqrt{R_1C_1R_2C_2}\sqrt{1 + KR_2}}$$

Tanto la frecuencia natural no amortiguada como la relación de amortiguamiento dependen del valor de la ganancia $K$. Esta ganancia se debe ajustar de modo que las respuestas transitorias tanto ante la entrada de referencia como ante la entrada de perturbación, muestren amortiguamiento y velocidad razonables.

**A-4-18.** ¿Los ceros de lazo abierto y los de lazo cerrado son idénticos en un sistema de lazo cerrado?

**Solución.** No. Considérese un sistema de lazo cerrado cuya función de transferencia directa es $G(s) = p(s)/q(s)$ y cuya función de transferencia de retroalimentación es $Hs) = n(s)/d(s)$, donde $p(s)$, $q(s)$, $n(s)$, y $d(s)$ son polinomios en $s$. Entonces

$$\frac{C(s)}{R(s)} = \frac{G(s)}{1 + G(s)H(s)} = \frac{p(s)d(s)}{q(s)d(s) + p(s)n(s)}$$

Los ceros de la función de lazo cerrado son los valores de $s$ que hacen $p(s)d(s) = 0$ y aquellos de la función de transferencia son los valores de $s$ que hacen $p(s)n(s) = 0$. (Así, algunos ceros de la función transferencia de lazo cerrado son los mismos que los de la función transferencia de lazo abierto).

**A-4-19.** Considere el sistema de control de retroalimentación unitaria con función de transferencia directa $G(s)$. Suponga que la función de transferencia de lazo cerrado se puede escribir como

$$\frac{C(s)}{R(s)} = \frac{G(s)}{1 + G(s)} = \frac{(T_as + 1)(T_bs + 1)\cdots(T_ms + 1)}{(T_1s + 1)(T_2s + 1)\cdots(T_ns + 1)} \qquad (m \leq n)$$

Demuestre que

$$\int_0^\infty e(t)dt = (T_1 + T_2 + \cdots + T_n) - (T_a + T_b + \cdots + T_m)$$

donde $e(t)$ es el error en la respuesta al escalón unitario. Muestre también que

$$\frac{1}{\lim_{s\to 0} sG(s)} = (T_1 + T_2 + \cdots + T_n) - (T_a + T_b + \cdots + T_m)$$

**Solución**. Se define

$$(T_a s + 1)(T_b s + 1) \cdots (T_m s + 1) = P(s)$$

y

$$(T_1 s + 1)(T_2 s + 1) \cdots (T_n s + 1) = Q(s)$$

Entonces

$$\frac{C(s)}{R(s)} = \frac{P(s)}{Q(s)}$$

y

$$E(s) = \frac{Q(s) - P(s)}{Q(s)} R(s)$$

Para una entrada escalón unitario, $R(s) = 1/s$ y

$$E(s) = \frac{Q(s) - P(s)}{sQ(s)}$$

Al dar por hecho que

$$\int_0^\infty e(t)\, dt = \lim_{s \to 0} s \frac{E(s)}{s} = \lim_{s \to 0} E(s)$$

se obtiene

$$\begin{aligned} \int_0^\infty e(t)\, dt &= \lim_{s \to 0} \frac{Q(s) - P(s)}{sQ(s)} \\ &= \lim_{s \to 0} \frac{Q'(s) - P'(s)}{Q(s) + sQ'(s)} \\ &= \lim_{s \to 0} [Q'(s) - P'(s)] \end{aligned}$$

Como

$$\lim_{s \to 0} P'(s) = T_a + T_b + \cdots + T_m$$

$$\lim_{s \to 0} Q'(s) = T_1 + T_2 + \cdots + T_n$$

se tiene

$$\int_0^\infty e(t)\, dt = (T_1 + T_2 + \cdots + T_n) - (T_a + T_b + \cdots + T_m)$$

Nótese que como

$$\int_0^\infty e(t)\, dt = \frac{1}{K_v} = \frac{1}{\lim_{s \to 0} sG(s)}$$

se obtiene inmediatamente la siguiente relación:

$$\frac{1}{\lim_{s \to 0} sG(s)} = (T_1 + T_2 + \cdots + T_n) - (T_a + T_b + \cdots + T_m)$$

Téngase presente que los ceros mejoran $K_v$. Los polos cercanos al origen producen bajas constantes de error de velocidad, a menos que haya ceros en la cercanía.

**A-4-20.** Considérese el sistema cuya función de transferencia de lazo cerrado es

$$\frac{C(s)}{R(s)} = \frac{1}{s^2 + 2\zeta s + 1} \qquad (0 < \zeta < 1)$$

Calcule $\int_0^\infty c^2(t)\,dt$ para una entrada impulso unitario.

**Solución.** Para una entrada impulso unitario, $R(s) = 1$. Por lo tanto,

$$C(s) = \frac{1}{s^2 + 2\zeta s + 1}$$
$$= \frac{1}{\sqrt{1-\zeta^2}} \frac{\sqrt{1-\zeta^2}}{(s+\zeta)^2 + 1 - \zeta^2}$$

La transformada inversa de Laplace de $C(s)$ es

$$c(t) = \frac{1}{\sqrt{1-\zeta^2}} e^{-\zeta t} \operatorname{sen} \sqrt{1-\zeta^2}\, t \qquad (t \geq 0)$$

Como $c^2(t)$ es

$$c^2(t) = \frac{1}{1-\zeta^2} e^{-2\zeta t} \operatorname{sen}^2 \sqrt{1-\zeta^2}\, t$$
$$= \frac{1}{1-\zeta^2} e^{-2\zeta t} \frac{1}{2}(1 - \cos 2\sqrt{1-\zeta^2}\, t)$$

se obtiene

$$\mathscr{L}[c^2(t)] = \frac{1}{2(1-\zeta^2)} \left[ \frac{1}{s + 2\zeta} - \frac{s + 2\zeta}{(s + 2\zeta)^2 + 4(1 - \zeta^2)} \right]$$

Entonces

$$\int_0^\infty c^2(t)\,dt = \lim_{s \to 0} \mathscr{L}[c^2(t)]$$
$$= \lim_{s \to 0} \frac{1}{2(1-\zeta^2)} \left[ \frac{1}{s + 2\zeta} - \frac{s + 2\zeta}{(s + 2\zeta)^2 + 4(1 - \zeta^2)} \right]$$
$$= \frac{1}{4\zeta}$$

**A-4-21.** Considere el sistema siguiente:

$$\ddot{x} + 2\zeta \dot{x} + x = 0, \qquad x(0) = 1, \qquad \dot{x}(0) = 0 \tag{4-76}$$

donde $0 < \zeta < 1$. Halle el valor de $\zeta$ que minimiza el siguiente índice de desempeño $J$:

$$J = \int_0^\infty [x^2(t) + \dot{x}^2(t)]\,dt$$

**Solución.** La solución de la ecuación (4-76) es

$$x(t) = k_1 e^{\lambda_1 t} + k_2 e^{\lambda_2 t}$$

donde

$$\lambda_1 = -\zeta + \sqrt{\zeta^2 - 1}, \qquad \lambda_2 = -\zeta - \sqrt{\zeta^2 - 1}$$

y $k_1$ y $k_2$ se determinan a partir de las condiciones iniciales. Por tanto

$$\dot{x}(t) = k_1\lambda_1 e^{\lambda_1 t} + k_2\lambda_2 e^{\lambda_2 t}$$

Entonces $x^2(t)$ y $\dot{x}^2(t)$ se pueden obtener como

$$x^2(t) = k_1^2 e^{2\lambda_1 t} + 2k_1k_2 e^{(\lambda_1+\lambda_2)t} + k_2^2 e^{2\lambda_2 t}$$

y

$$\dot{x}^2(t) = k_1^2\lambda_1^2 e^{2\lambda_1 t} + 2k_1k_2\lambda_1\lambda_2 e^{(\lambda_1+\lambda_2)t} + k_2^2\lambda_2^2 e^{2\lambda_2 t}$$

El índice de desempeño se hace

$$\begin{aligned} J &= \int_0^\infty [x^2(t) + \dot{x}^2(t)]\, dt \\ &= \int_0^\infty [k_1^2(1 + \lambda_1^2)e^{2\lambda_1 t} + 2k_1k_2(1 + \lambda_1\lambda_2)e^{(\lambda_1+\lambda_2)t} + k_2^2(1 + \lambda_2^2)e^{2\lambda_2 t}]\, dt \end{aligned}$$

Realizando la integración y evaluando en $t = \infty$ y $t = 0$, y teniendo en cuenta que las partes reales de $\lambda_1$ y de $\lambda_2$ son negativas, se obtiene

$$J = -\left[\frac{k_1^2(1 + \lambda_1^2)}{2\lambda_1} + \frac{2k_1k_2(1 + \lambda_1\lambda_2)}{\lambda_1 + \lambda_2} + \frac{k_2^2(1 + \lambda_2^2)}{2\lambda_2}\right]$$

Como

$$\lambda_1 + \lambda_2 = -2\zeta, \qquad \lambda_1\lambda_2 = 1$$

se obtiene

$$\begin{aligned} J &= \zeta(k_1^2 + k_2^2) + \frac{2k_1k_2}{\zeta} \\ &= \zeta(k_1 + k_2)^2 - 2k_1k_2\left(\zeta - \frac{1}{\zeta}\right) \end{aligned} \tag{4–77}$$

De las condiciones iniciales,

$$x(0) = 1 = k_1 + k_2, \qquad \dot{x}(0) = 0 = k_1\lambda_1 + k_2\lambda_2$$

Como $0 < \zeta < 1$, se tiene $\lambda_1 \neq \lambda_2$ y $k_1$ y $k_2$ se obtienen de

$$k_1 = \frac{\lambda_2}{\lambda_2 - \lambda_1}, \qquad k_2 = \frac{-\lambda_1}{\lambda_2 - \lambda_1}$$

Al substituir los valores de $k_1$ y $k_2$ en la ecuación (4-77) se tiene

$$J = \zeta + \frac{1}{2\zeta} \tag{4–78}$$

Para hallar el valor mínimo de $J$, se comienza por diferenciar $J$ respecto a $\zeta$, y luego se iguala el resultado a cero.

$$\frac{\partial J}{\partial \zeta} = 1 - \frac{1}{2\zeta^2} = 0$$

Al resolver esta ecuación

$$\zeta = \sqrt{\frac{1}{2}} = 0.707 \qquad (4\text{–}79)$$

Como $\partial^2 J/\partial\zeta^2 > 0$, la ecuación (4-79) da el valor óptimo de $\zeta$. El valor mínimo de $J$ es

$$\text{mín}\, J = \zeta + \frac{1}{2\zeta} = 1.414$$

**A–4–22.** Calcule los siguientes índices de desempeño:

$$\int_0^\infty |e(t)|dt, \qquad \int_0^\infty t|e(t)|dt, \qquad \int_0^\infty t[|e(t)| + |\dot{e}(t)|]\, dt$$

para el sistema

$$\frac{C(s)}{R(s)} = \frac{1}{s^2 + 2\zeta s + 1} \qquad (\zeta \geq 1)$$

$$E(s) = \mathscr{L}[e(t)] = R(s) - C(s)$$

Supóngase que el sistema está inicialmente en reposo, sometido a una entrada escalón unitario.

**Solución.** Para una entrada escalón unitario, $R(s) = 1/s$ y

$$\begin{aligned} E(s) &= \frac{s^2 + 2\zeta s}{s^2 + 2\zeta s + 1}\frac{1}{s} \\ &= \frac{-\zeta + \sqrt{\zeta^2 - 1}}{2\sqrt{\zeta^2 - 1}}\frac{1}{s + \zeta + \sqrt{\zeta^2 - 1}} + \frac{\zeta + \sqrt{\zeta^2 - 1}}{2\sqrt{\zeta^2 - 1}}\frac{1}{s + \zeta - \sqrt{\zeta^2 - 1}} \end{aligned}$$

Para $\zeta \geq 1$, el sistema no tiene sobreimpulso. Por tanto, $|e(t)| = e(t)$ para $t \geq 0$. Entonces los índices de desempeño dados se pueden calcular, como sigue:

**1.**

$$\begin{aligned} \int_0^\infty |e(t)|\, dt &= \int_0^\infty e(t)\, dt \\ &= \lim_{s\to 0} E(s) \\ &= \frac{-\zeta + \sqrt{\zeta^2 - 1}}{2\sqrt{\zeta^2 - 1}}\frac{1}{\zeta + \sqrt{\zeta^2 - 1}} + \frac{\zeta + \sqrt{\zeta^2 - 1}}{2\sqrt{\zeta^2 - 1}}\frac{1}{\zeta - \sqrt{\zeta^2 - 1}} \\ &= 2\zeta \qquad (\zeta \geq 1) \end{aligned}$$

**2.**

$$\begin{aligned} \int_0^\infty t|e(t)|\, dt &= \int_0^\infty te(t)\, dt \\ &= \lim_{s\to 0}\left[-\frac{d}{ds}E(s)\right] \\ &= \lim_{s\to 0}\left[\frac{-\zeta + \sqrt{\zeta^2 - 1}}{2\sqrt{\zeta^2 - 1}}\frac{1}{(s + \zeta + \sqrt{\zeta^2 - 1})^2}\right. \\ &\qquad \left. + \frac{\zeta + \sqrt{\zeta^2 - 1}}{2\sqrt{\zeta^2 - 1}}\frac{1}{(s + \zeta - \sqrt{\zeta^2 - 1})^2}\right] \\ &= 4\zeta^2 - 1 \qquad (\zeta \geq 1) \end{aligned}$$

3. Nótese que $\dot{e}(t) < 0$ y $|\dot{e}(t)| = -\dot{e}(t)$ para $t \geq 0$, se obtiene

$$\int_0^\infty t(|e(t)| + |\dot{e}(t)|)\,dt = \int_0^\infty [te(t) - t\dot{e}(t)]\,dt$$

$$= \lim_{s\to 0}\left[-\frac{d}{ds}E(s) + \frac{d}{ds}sE(s)\right]$$

$$= \lim_{s\to 0}\left[(-1+s)\frac{d}{ds}E(s) + E(s)\right]$$

$$= 4\zeta^2 - 1 + 2\zeta \qquad (\zeta \geq 1)$$

Para fines comparativos, se enumerarán otros índices de desempeño calculados para el mismo sistema (considerense las ecuaciones (4-47), (4-48), y (4-49)).

$$\int_0^\infty e^2(t)\,dt = \zeta + \frac{1}{4\zeta} \qquad (\zeta > 0)$$

$$\int_0^\infty te^2(t)\,dt = \zeta^2 + \frac{1}{8\zeta^2} \qquad (\zeta > 0)$$

$$\int_0^\infty [e^2(t) + \dot{e}^2(t)]\,dt = \zeta + \frac{1}{2\zeta} \qquad (\zeta > 0)$$

En la figura 4-38 se muestran diagramas de estos seis índices de desempeño, en función de $\zeta$. (Nótese que las curvas de la figura 4-38 son válidas para $\zeta > 0$. Los tres índices de desempeño calculados en este problema son válidos solamente para $\zeta \geq 1$.)

**A–4–23.** Considere la ecuación diferencial

$$\frac{dx}{dt} = f(t, x)$$

Deduzca la siguiente ecuación de Runge-Kutta de cuarto orden:

$$x_{i+1} = x_i + \Delta x_i = x_i + \frac{1}{6}(K_1 + 2K_2 + 2K_3 + K_4)$$

donde

$$K_1 = hf(t_i, x_i)$$

$$K_2 = hf(t_i + \tfrac{1}{2}h, x_i + \tfrac{1}{2}K_1)$$

$$K_3 = hf(t_i + \tfrac{1}{2}h, x_i + \tfrac{1}{2}K_2)$$

$$K_4 = hf(t_i + h, x_i + K_3)$$

y

$$h = t_{i+1} - t_i$$

**Solución.** Nótese que los valores de $x$ en $t = t_i$ y $t = t_i + h$ se pueden escribir como $x_i = x(t_i)$ y $x_{i+1} = x(t_{i+1})$, respectivamente. Si $x_{i+1}$ se expande en serie de Taylor alrededor del punto $x_i$, se obtiene

$$x_{i+1} = x_i + hx_i' + \frac{h^2}{2!}x_i'' + \frac{h^3}{3!}x_i''' + \frac{h^4}{4!}x_i^{(IV)} + R_5 \qquad (4\text{–}80)$$

donde

$$R_5 = \frac{h^5}{5!}x_i^{(V)}(t_i + \theta h) \qquad (0 < \theta < 1)$$

y

$$x' = f(t, x)$$

$$x'' = \frac{d^2x}{dt^2} = \frac{\partial f}{\partial t} + \frac{\partial f}{\partial x} f$$

$$x''' = \frac{d^3x}{dt^3} = \frac{\partial^2 f}{\partial t^2} + 2f \frac{\partial^2 f}{\partial t\, \partial x} + f^2 \frac{\partial^2 f}{\partial x^2} + \frac{\partial f}{\partial x}\frac{\partial f}{\partial t} + f\left(\frac{\partial f}{\partial x}\right)^2$$

$$x^{(IV)} = \frac{d^4x}{dt^4} = \frac{\partial^3 f}{\partial t^3} + 3f \frac{\partial^3 f}{\partial t^2\, \partial x} + 3f^2 \frac{\partial^3 f}{\partial t\, \partial x^2} + f^3 \frac{\partial^3 f}{\partial x^3} + \frac{\partial f}{\partial x}\frac{\partial^2 f}{\partial t^2}$$

$$+ 2f \frac{\partial f}{\partial x}\frac{\partial^2 f}{\partial t\, \partial x} + f^2 \frac{\partial f}{\partial x}\frac{\partial^2 f}{\partial x^2} + 3\frac{\partial f}{\partial t}\frac{\partial^2 f}{\partial t\, \partial x} + 3f \frac{\partial f}{\partial t}\frac{\partial^2 f}{\partial x^2}$$

$$+ 3f \frac{\partial f}{\partial x}\frac{\partial^2 f}{\partial t\, \partial x} + 3f^2 \frac{\partial f}{\partial x}\frac{\partial^2 f}{\partial x^2} + \left(\frac{\partial f}{\partial x}\right)^2 \frac{\partial f}{\partial t} + f\left(\frac{\partial f}{\partial x}\right)^2 \frac{\partial f}{\partial x}$$

Se define

$$D = \frac{\partial}{\partial t_i} + f \frac{\partial}{\partial x_i}$$

Entonces la ecuación (4-80) se puede escribir como

$$\Delta x_i = hf(t_i, x_i) + \frac{h^2}{2!} Df(t_i, x_i)$$

$$+ \frac{h^3}{3!}\left\{D^2 f(t_i, x_i) + \frac{\partial f(t_i, x_i)}{\partial x_i} Df(t_i, x_i)\right\}$$

$$+ \frac{h^4}{4!}\left[D^3 f(t_i, x_i) + \frac{\partial f(t_i, x_i)}{\partial x_i} D^2 f(t_i, x_i)\right.$$

$$\left. + \left\{\frac{\partial f(t_i, x_i)}{\partial x_i}\right\}^2 Df(t_i, x_i) + 3D\left\{\frac{\partial f(t_i, x_i)}{\partial x_i}\right\} Df(t_i, x_i)\right]$$

El error en esta ecuación es en el orden $0(h^5)$. Se define

$$K_1 = hf(t_i, x_i)$$

$$K_2 = hf(t_i + \alpha_1 h, x_i + \beta_1 K_1)$$

$$K_3 = hf(t_i + \alpha_2 h, x_i + \beta_2 K_1 + \gamma_2 K_2)$$

$$K_4 = hf(t_i + \alpha_3 h, x_i + \beta_3 K_1 + \gamma_3 K_2 + \delta_3 K_3)$$

y

$$\Delta \bar{x}_i = \lambda_1 K_1 + \lambda_2 K_2 + \lambda_3 K_3 + \lambda_4 K_4$$

Al expander $K_1$, $K_2$, $K_3$, y $K_4$ en serie de Taylor alrededor del punto $(t_i, x_i)$, y eligiendo trece constantes indeterminadas $\alpha_1$, $\alpha_2$, $\alpha_3$, $\beta_1$, $\beta_2$, $\beta_3$, $\gamma_2$, $\gamma_3$, $\delta_3$, $\lambda_1$, $\lambda_2$, $\lambda_3$, y $\lambda_4$ tal que

$$\Delta \bar{x}_i = \Delta x_i$$

se obtiene

$$\lambda_1 + \lambda_2 + \lambda_3 + \lambda_4 = 1$$

$$\lambda_2\alpha_1 + \lambda_3\alpha_2 + \lambda_4\alpha_3 = \frac{1}{2}$$

$$\lambda_2\alpha_1^2 + \lambda_3\alpha_2^2 + \lambda_4\alpha_3^2 = \frac{1}{3}$$

$$\lambda_2\alpha_1^3 + \lambda_3\alpha_2^3 + \lambda_4\alpha_3^3 = \frac{1}{4}$$

$$\lambda_3\alpha_1\gamma_2 + \lambda_4(\alpha_1\gamma_3 + \alpha_2\delta_3) = \frac{1}{6}$$

$$\lambda_3\alpha_1^2\gamma_2 + \lambda_4(\alpha_1^2\gamma_3 + \alpha_2^2\delta_3) = \frac{1}{12}$$

$$\lambda_3\alpha_1\alpha_2\gamma_2 + \lambda_4(\alpha_1\alpha_3\gamma_3 + \alpha_2\alpha_3\delta_3) = \frac{1}{8}$$

$$\lambda_4\alpha_1\gamma_2\delta_3 = \frac{1}{24}$$

$$\alpha_1 = \beta_1$$

$$\alpha_2 = \beta_2 + \gamma_2$$

$$\alpha_3 = \beta_3 + \gamma_3 + \delta_3$$

Aquí hay 11 ecuaciones y 13 incógnitas. En consecuencia, se pueden elegir dos variables desco: cidas en forma arbitraria. Se elige

$$\alpha_1 = \frac{1}{2}, \qquad \delta_3 = 1$$

Entonces las 11 incógnitas restantes se pueden determinar como sigue:

$$\alpha_2 = \frac{1}{2}, \qquad \alpha_3 = 1$$

$$\beta_1 = \frac{1}{2}, \qquad \beta_2 = 0, \qquad \beta_3 = 0$$

$$\gamma_2 = \frac{1}{2}, \qquad \gamma_3 = 0,$$

$$\lambda_1 = \frac{1}{6}, \qquad \lambda_2 = \frac{1}{3}, \qquad \lambda_3 = \frac{1}{3}, \qquad \lambda_4 = \frac{1}{6}$$

Por lo tanto, se obtiene

$$K_1 = hf(t_i, x_i)$$

$$K_2 = hf(t_i + \tfrac{1}{2}h, x_i + \tfrac{1}{2}K_1)$$

$$K_3 = hf(t_i + \tfrac{1}{2}h, x_i + \tfrac{1}{2}K_2)$$

$$K_4 = hf(t_i + h, x_i + K_3)$$

y

$$\Delta x_i = \frac{1}{6}K_1 + \frac{1}{3}K_2 + \frac{1}{3}K_3 + \frac{1}{6}K_4$$

$$= \frac{1}{6}(K_1 + 2K_2 + 2K_3 + K_4)$$

o bien

$$x_{i+1} = x_1 + \Delta x_i = x_i + \frac{1}{6}(K_1 + 2K_2 + 2K_3 + K_4)$$

Esta es la ecuación de Runge-Kutta de cuarto orden.

**A-4-24.** Obtenga una solución por computadora para la respuesta a un escalón unitario en el siguiente sistema:

$$\frac{Y(s)}{U(s)} = \frac{5s + 100}{s^4 + 8s^3 + 32s^2 + 80s + 100}$$

Escriba un programa para computadora. Grafique la curva de respuesta al escalón unitario $y(t)$ en función de $t$. (Para una solución analítica de este problema, ver el problema A-4-11).

**Solución.** De la función de transferencia dada, se puede obtener la ecuación diferencial correspondiente como

$$\ddddot{y} + 8\dddot{y} + 32\ddot{y} + 80\dot{y} + 100y = 5\dot{u} + 100u$$

Comparando esta ecuación diferencial con la ecuación diferencial siguiente,

$$\ddddot{y} + a_1\dddot{y} + a_2\ddot{y} + a_3\dot{y} + a_4 y = b_0\ddddot{u} + b_1\dddot{u} + b_2\ddot{u} + b_3\dot{u} + b_4 u$$

se obtiene

$$a_1 = 8, \quad a_2 = 32, \quad a_3 = 80, \quad a_4 = 100$$

$$b_0 = 0, \quad b_1 = 0, \quad b_2 = 0, \quad b_3 = 5, \quad b_4 = 100$$

Con base en las ecuaciones (2-5), (2-6), las variables de estado $x_1$, $x_2$, $x_3$, y $x_4$ se definen como sigue:

$$x_1 = y - \beta_0 u$$

$$x_2 = \dot{x}_1 - \beta_1 u$$

$$x_3 = \dot{x}_2 - \beta_2 u$$

$$x_4 = \dot{x}_3 - \beta_3 u$$

donde

$$\beta_0 = b_0 = 0$$

$$\beta_1 = b_1 - a_1\beta_0 = 0$$

$$\beta_2 = b_2 - a_1\beta_1 - a_2\beta_0 = 0$$

**Tabla 4-4** Programa de computadora en BASIC para resolver la ecuación de estado del problema A-4-24, donde todas las condiciones iniciales son cero y $u = 1$ (Respuesta al escalón unitario)

```
  10 ORDER = 4
  20 X(1) = 0
  30 X(2) = 0
  40 X(3) = 0
  50 X(4) = 0
  60 H = .01
  70 T = 0
  80 TK = 0
  90 TF = 4
 100 OPEN "O",#1, "ANS.BAS"
 110 PRINT "    TIME         X(1)         X(2)         X(3)      X(4)     "
 120 PRINT "-----------------------------------------------------------------"
 130 PRINT #1, USING "####.######"; X(1)
 140 PRINT USING "####.#####"; T, X(1), X(2), X(3), X(4)
 150 IF T > TF THEN GOTO 5000
 160 GOSUB 1000
 170 GOTO 130
1000 TK = T
1010 GOSUB 2000
1020 FOR I = 1 TO ORDER
1030 XK(I) = X(I)
1040 K(1,I)= DX(I)
1050 T = TK + H/2
1060 X(I) = XK(I) + (H/2)*K(1,I)
1070 NEXT I
1080 GOSUB 2000
1090 FOR I = 1 TO ORDER
1100 K(2,I) = DX(I)
1110 X(I) = XK(I) + (H/2)*K(2,I)
1120 NEXT I
1130 GOSUB 2000
1140 FOR I = 1 TO ORDER
1150 K(3,I) = DX(I)
1160 T = TK + H
1170 X(I) = XK(I) + H*K(3,I)
1180 NEXT I
1190 GOSUB 2000
1200 FOR I = 1 TO ORDER
1210 K(4,I) = DX(I)
1220 X(I) = XK(I) + (H/6)*(K(1,I) + 2*K(2,I) + 2*K(3,I) + K(4,I))
1230 NEXT I
1240 RETURN
2000 DX(1) = X(2)
2010 DX(2) = X(3)
2020 DX(3) = X(4) + 5
2030 DX(4) = - 100*X(1) - 80*X(2) - 32*X(3) - 8*X(4) + 60
2040 RETURN
4900 CLOSE #1
5000 END
```

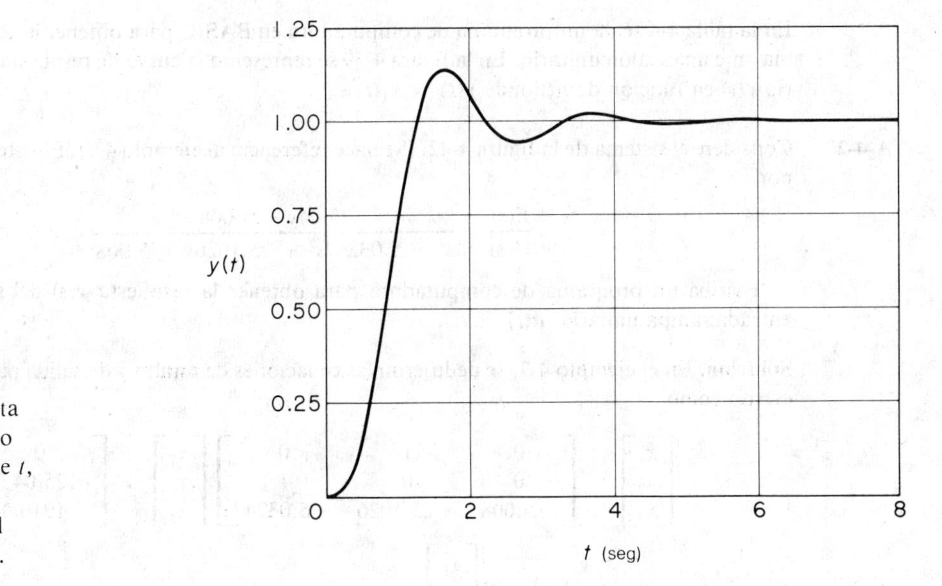


**Figura 4-59** Curva de respuesta al escalón unitario $y(t)$ en función de $t$, para el sistema considerado en el problema A-4-24.

$$\beta_3 = b_3 - a_1\beta_2 - a_2\beta_1 - a_3\beta_0 = 5$$

$$\beta_4 = b_4 - a_1\beta_3 - a_2\beta_2 - a_3\beta_1 - a_4\beta_0 = 100 - 8 \times 5 = 60$$

Así, las variables de estado están dadas por

$$x_1 = y$$

$$x_2 = \dot{x}_1$$

$$x_3 = \dot{x}_2$$

$$x_4 = \dot{x}_3 - 5u$$

Nótese que

$$\begin{aligned} \dot{x}_4 &= -a_4x_1 - a_3x_2 - a_2x_3 - a_1x_4 + \beta_4 u \\ &= -100x_1 - 80x_2 - 32x_3 - 8x_4 + 60u \end{aligned}$$

La ecuación de estado y la ecuación de salida se pueden obtener como

$$\begin{bmatrix} \dot{x}_1 \\ \dot{x}_2 \\ \dot{x}_3 \\ \dot{x}_4 \end{bmatrix} = \begin{bmatrix} 0 & 1 & 0 & 0 \\ 0 & 0 & 1 & 0 \\ 0 & 0 & 0 & 1 \\ -100 & -80 & -32 & -8 \end{bmatrix} \begin{bmatrix} x_1 \\ x_2 \\ x_3 \\ x_4 \end{bmatrix} + \begin{bmatrix} 0 \\ 0 \\ 5 \\ 60 \end{bmatrix} u$$

$$y = [1 \quad 0 \quad 0 \quad 0] \begin{bmatrix} x_1 \\ x_2 \\ x_3 \\ x_4 \end{bmatrix}$$

En la tabla 4-4 se da un programa de computadora en BASIC para obtener la respuesta del sis ma ante un escalón unitario. En la figura 4-59 se representa la curva de respuesta al escalón uni rio $y(t)$ en función de $t$ (donde $y(t) = x_1(t)$).

**A-4-25.** Considere el sistema de la figura 4-42. (Se hace referencia al ejemplo 4-7). El sistema está defini por

$$\frac{Y(s)}{U(s)} = \frac{25.04s + 5.008}{s^3 + 5.03247s^2 + 25.1026s + 5.008}$$

Escriba un programa de computadora para obtener la respuesta $y(t)$ del sistema ante u entrada rampa unitaria, $u(t) = t$.

**Solución**. En el ejemplo 4-7, se dedujeron las ecuaciones de estado y de salida para el sistema, escrito como

$$\begin{bmatrix} \dot{x}_1 \\ \dot{x}_2 \\ \dot{x}_3 \end{bmatrix} = \begin{bmatrix} 0 & 1 & 0 \\ 0 & 0 & 1 \\ -5.008 & -25.1026 & -5.03247 \end{bmatrix} \begin{bmatrix} x_1 \\ x_2 \\ x_3 \end{bmatrix} + \begin{bmatrix} 0 \\ 25.04 \\ -121.005 \end{bmatrix} u$$

$$y = [1 \quad 0 \quad 0] \begin{bmatrix} x_1 \\ x_2 \\ x_3 \end{bmatrix}$$

En el ejemplo 4-7, la entrada $u(t)$ era una función escalón unitario. En este problema, la ent da $u(t)$ es una función rampa unitaria. El programa de computadora dado en la tabla 4-3 se pue utilizar con una modificación mínima en las ecuaciones de estado. Las ecuaciones de estado pa una respuesta a una rampa unitaria son

FNX1D(T, X1, X2, X3) = X2

FNX2D(T, X1, X2, X3) = X3 + 25.04*T (4–

FNX3D(T, X1, X2, X3) = −5.008*X1 − 25.1026*X2 − 5.03247*X3 − 121.005*T (4–

Así, un programa de computadora BASIC para obtener la respuesta a una rampa unitaria e mismo que el de la tabla 4-3, excepto los renglones 30 y 40 que deben substituirse por ecuaciones (4-81) y (4-82), respectivamente. En la figura 4-60 aparece la curva de respuesta a una rampa unitaria $y(t)$ en función de $t$ (donde $y(t) = x_1(t)$).

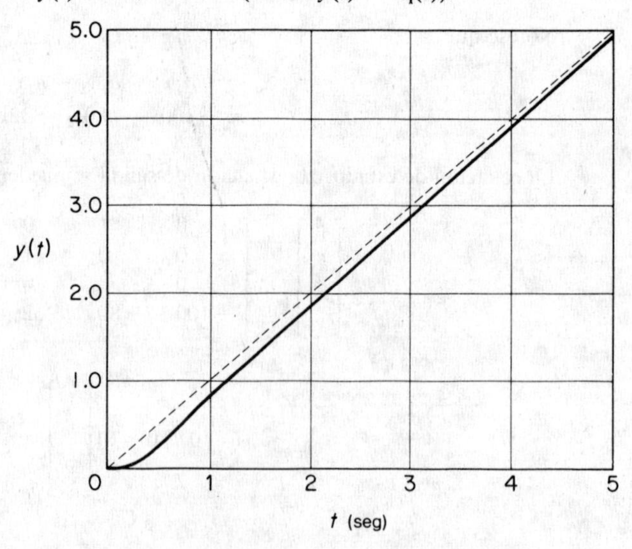


**Figura 4-60**
Respuesta a la rampa unitaria para el sistema de la figura 4-42.

## PROBLEMAS

**B-4-1.** Un termómetro requiere 1 minuto para indicar el 98% de la respuesta a una entrada escalón. Suponiendo que el termómetro es un sistema de primer orden, halle la constante de tiempo.

Si el termómetro se coloca en un baño, cuya temperatura varía linealmente a un ritmo de 10°/min, ¿cuánto error marca el termómetro?

**B-4.2.** Obtenga la respuesta de un sistema con retroalimentación unitaria ante un escalón unitario, siendo la función de transferencia de lazo abierto del sistema

$$G(s) = \frac{4}{s(s + 5)}$$

**B-4-3.** Considere la respuesta al escalón unitario, de un sistema de control de retroalimentación unitaria cuya función de transferencia de lazo abierto es

$$G(s) = \frac{1}{s(s + 1)}$$

Obtenga el tiempo de crecimiento, el tiempo de pico, el sobreimpulso máximo y el tiempo de establecimiento.

**B-4-4.** Considere el sistema de lazo cerrado dado por

$$\frac{C(s)}{R(s)} = \frac{\omega_n^2}{s^2 + 2\zeta\omega_n s + \omega_n^2}$$

Determine los valores de $\zeta$ y $\omega_n$ de modo que el sistema responda a una entrada escalón con aproximadamente el 5% de sobreimpulso y un tiempo de establecimiento de 2 segundos. (Utilice el criterio del 2%).

**B-4-5.** La figura 4-61 presenta un diagrama de bloques del sistema de control de posición de un vehículo espacial. Suponiendo que la constante de tiempo del controlador $T$ es de 3 segundos y que la relación de par de torsión a inercia $K/J$ es de $\frac{2}{9}$ rad$^2$/s$^2$ halle la relación de amortiguamiento del sistema.

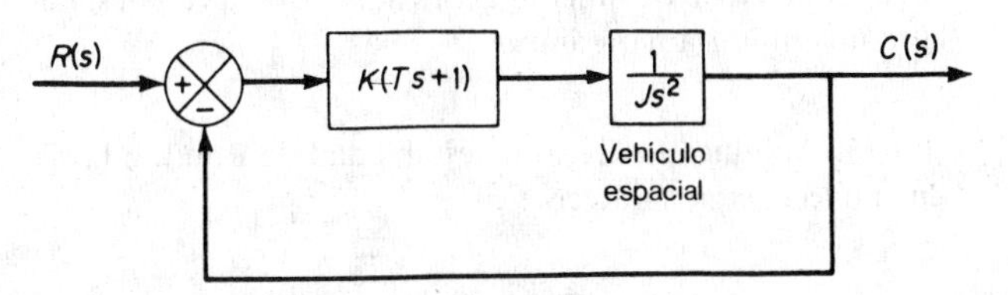


**Figura 4-61** Sistema de control de posición de vehículo espacial.

**B-4-6.** Considere el sistema de control con retroalimentación unitaria cuya función de transferencia de lazo abierto es

$$G(s) = \frac{0.4s + 1}{s(s + 0.6)}$$

Obtenga la respuesta ante una entrada en escalón unitario. ¿Cuál es el tiempo de crecimiento de este sistema? ¿Cuál es el sobreimpulso máximo?

**B-4-7.** Obtenga la respuesta impulso unitario y la respuesta escalón unitario de un sistema con retroalimentación unitaria cuya función de transferencia es

$$G(s) = \frac{2s + 1}{s^2}$$

**B-4-8.** Considere el sistema de la figura 4-62. Comprobar que la función de transferencia $Y(s)/X(s)$ tiene un cero en el semiplano $s$. Luego hallar $y(t)$ cuando $x(t)$ es un escalón unitario. Grafique $y(t)$ en función de $t$.

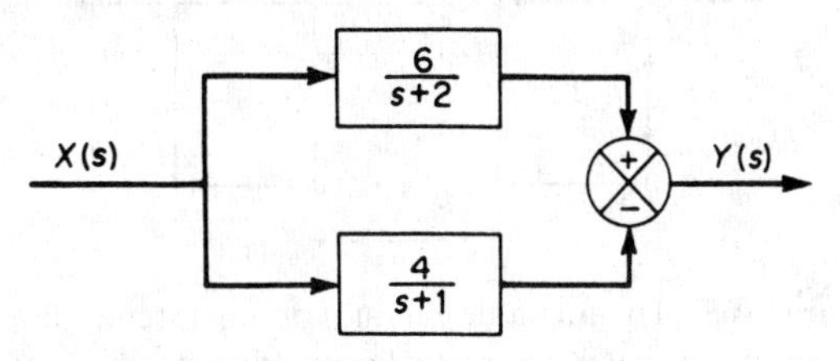


**Figura 4-62** Sistema con un cero en el semiplano derecho de $s$ (sistema de fase no mínima).

**B-4-9.** Se sabe que un sistema oscilatorio tiene una función de transferencia de la siguiente forma:

$$G(s) = \frac{\omega_n^2}{s^2 + 2\zeta\omega_n s + \omega_n^2}$$

Suponga que se dispone de un registro de una oscilación amortiguada según se ve en la figura 4-63. Determine la re-

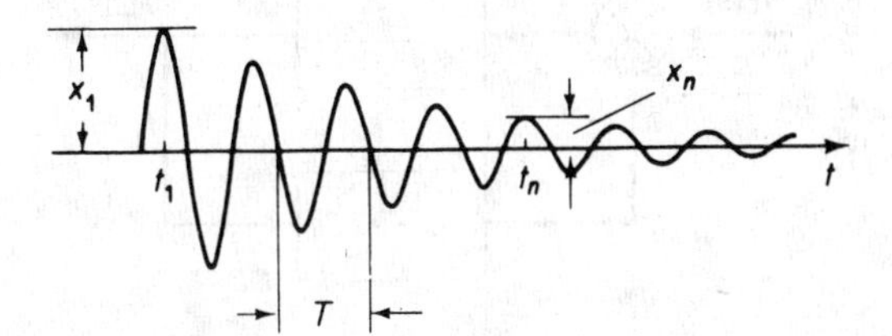


**Figura 4-63** Oscilación decreciente.

lación de amortiguamiento $\zeta$ del sistema, partiendo de la gráfica.

**B-4-10.** Con base en el sistema de la figura 4-64, determine los valores de $K$ y $k$ de modo que el sistema tenga una relación de amortiguamiento $\zeta$ de 0.7 y una frecuencia natural no amortiguada $\omega_n$ de 4 rad/s.

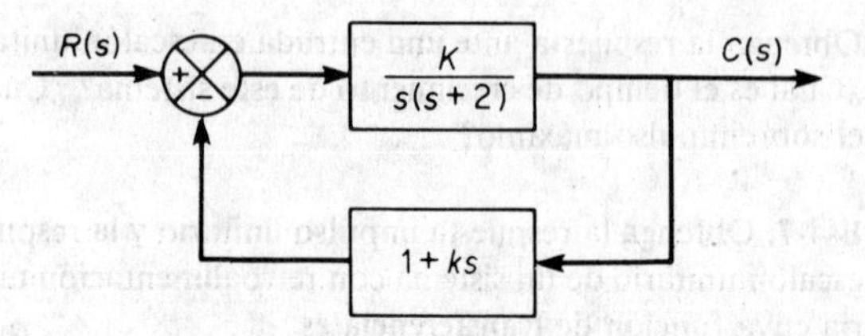


**Figura 4-64** Sistema de lazo cerrado.

**B-4-11.** La figura 4-65 muestra un sistema de control de posición con retroalimentación de velocidad. ¿Cuál es la respuesta $r(t)$ a una entrada escalón unitario?

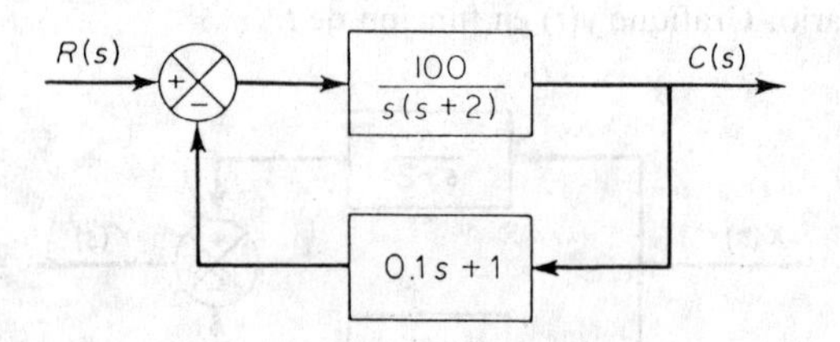


**Figura 4-65** Diagrama de bloques de un sistema de control de posición con retroalimentación de velocidad.

**B-4-12.** Considere el sistema de la figura 4-66. Determine el valor de $k$ de modo que la relación de amortiguamiento $\zeta$ sea 0.5. Luego obtenga el tiempo de crecimiento $t_r$, tiempo de pico $t_p$, sobreimpulso máximo $M_p$ y tiempo de establecimiento $t_s$ en la respuesta ante un escalón unitario.

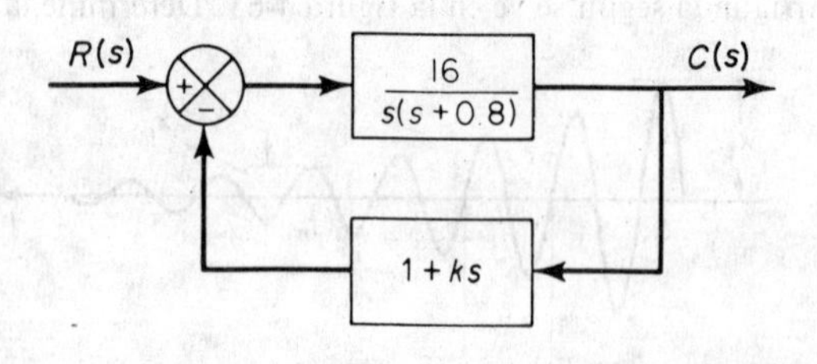


**Figura 4-66** Diagrama de bloques de un sistema.

**B-4-13.** Obtenga la respuesta a la rampa unitaria para el sistema dado por

$$\frac{C(s)}{R(s)} = \frac{\omega_n^2}{s^2 + 2\zeta\omega_n s + \omega_n^2}$$

Obtenga también el error estacionario.

**B-4-14.** Considere el sistema de la figura 4-67(a). La relación de amortiguamiento para este sistema es 0.158 y la frecuencia natural no amortiguada es de 3.16 rad/s. Para mejorar la estabilidad relativa, se emplea retroalimentación por tacómetro. La figura 4-67(b) muestra el sistema con retroalimentación por tacómetro.

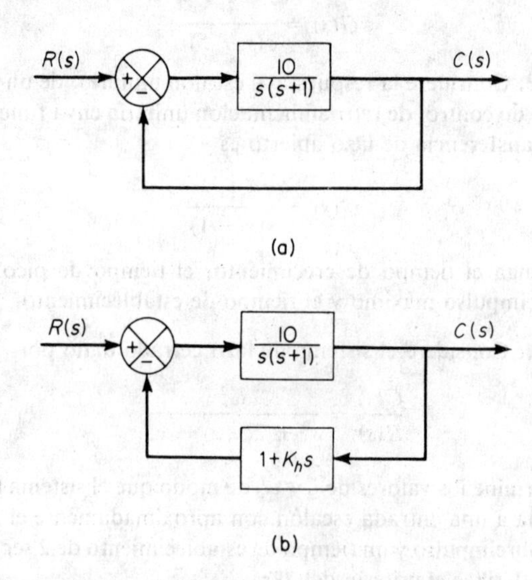


**Figura 4-67** (a) Sistema de control; (b) sistema de control con retroalimentación por tacómetro.

Determine el valor de $K_h$ para que la relación de amortiguamiento del sistema sea 0.5. Trace las curvas de respuesta al escalón unitario tanto del sistema original, como del sistema con retroalimentación por tacómetro. Dibuje también la curva de error en función del tiempo para la respuesta a la rampa unitaria para ambos sistemas.

**B-4-15.** Aplique el criterio de estabilidad de Routh a la siguiente ecuación característica:

$$s^4 + s^3 + Ks^2 + s + 1 = 0$$

Determine el rango de $K$ para la estabilidad.

**B-4-16.** Determine el rango de $K$ para la estabilidad de un sistema de control con retroalimentación unitaria, cuya función de transferencia de lazo abierto es

$$G(s) = \frac{K}{s(s+1)(s+2)}$$

**B-4-17.** Considere el sistema de control con retroalimentación unitaria con la siguiente función de transferencia:

$$G(s) = \frac{10}{s(s-1)(2s+3)}$$

¿Es estable este sistema?

**B-4-18.** Considere un sistema de control de retroalimentación unitaria con la función de transferencia de lazo cerrado

$$\frac{C(s)}{R(s)} = \frac{Ks+b}{s^2+as+b}$$

Determine la función de transferencia de lazo abierto $G(s)$.

Muestre que el error en estado estacionario en la respuesta rampa unitaria resulta de

$$e_{ss} = \frac{1}{K_v} = \frac{a-K}{b}$$

(Así, si $K = a$, no habrá error estacionario en la respuesta ante la entrada rampa).

**B-4-19.** Demuestre que el error en estado estacionario en la respuesta a las entradas rampa se puede llevar a cero si la función de transferencia de lazo cerrado está dada por

$$\frac{C(s)}{R(s)} = \frac{a_{n-1}s + a_n}{s^n + a_1 s^{n-1} + \cdots + a_{n-1}s + a_n}$$

**B-4-20.** Considere un sistema descrito por

$$\ddot{x} + 2\zeta\dot{x} + x = 0, \qquad x(0) = 1, \qquad \dot{x}(0) = 0$$

donde $0 < \zeta < 1$. Determine el valor de la relación de amortiguamiento $\zeta$ de modo que

$$\int_0^\infty (x^2 + \mu\dot{x}^2)\,dt \qquad (\mu \geq 0)$$

sea mínimo.

**B-4-21.** La función de transferencia de lazo cerrado para una perturbación de entrada $n(t)$ está dada por

$$\frac{C(s)}{N(s)} = \frac{s(s+a)}{s^2+as+10}$$

Determine el valor de la constante $a$ para que la integral del error cuadrático provocado por una perturbación escalón sea mínimo.

**B-4-22.** Considere el sistema de control con retroalimentación unitaria con la función de transferencia de lazo abierto

$$G(s) = \frac{(a+b)s + ab}{s^2}$$

Defina la señal de error $e(t)$ como

$$e(t) = r(t) - c(t)$$

donde $r(t)$ es la entrada y $c(t)$ es la salida. Calcule los siguientes índices de desempeño para una entrada escalón unitario:

$$J_1 = \int_0^\infty e^2(t)\,dt$$

$$J_2 = \int_0^\infty te^2(t)\,dt$$

Si $a = b$, ¿cuáles son los valores de $J_1$ y $J_2$?

**B-4-23.** Escriba un programa de computadora para obtener la respuesta escalón unitario del siguiente sistema:

$$\frac{Y(s)}{U(s)} = \frac{13}{s^2+4s+13}$$

donde $U(s)$ es la entrada y $Y(s)$ la salida.

**B-4-24.** Considere el sistema de control de posición de la figura 4-68. Escriba un programa de computadora para ob-

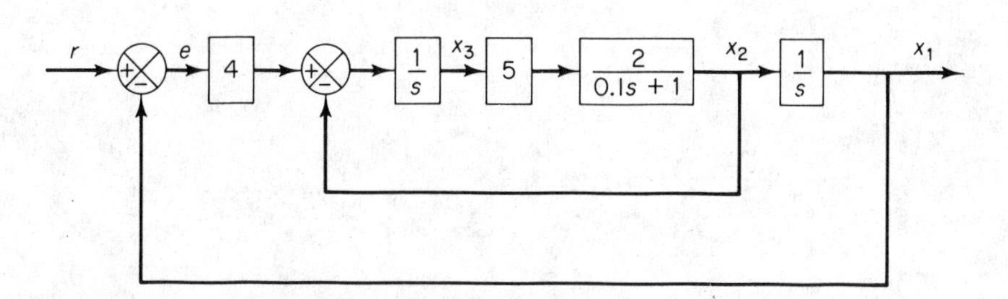


**Figura 4-68** Sistema de control de posición.

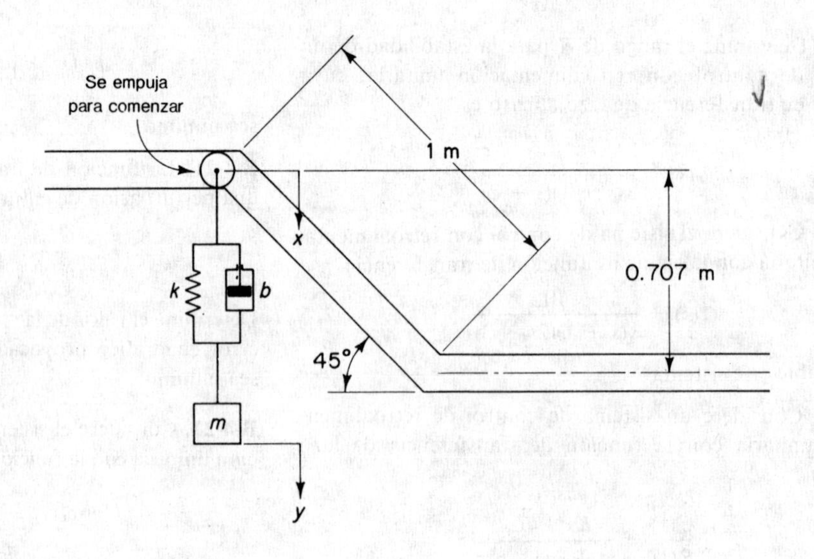


**Figura 4-69** Rueda de la que pende un sistema de resorte-masa-amortiguador.

tener la respuesta del sistema al escalón unitario y a la rampa unitaria. Trace las curvas de $x_1(t)$ en función de $t$, $x_2(t)$ en función de $t$, $x_3(t)$ en función de $t$, y $e(t)$ en función de $t$ (donde $e(t) = r(t) - x_1(t)$) tanto para la respuesta al escalón unitario, como para la respuesta rampa unitaria.

**B-4-25.** Considere el sistema de la figura 4-69. De una rueda pende un sistema de resorte-masa-amortiguador; la rueda está en una pista que tiene una porción horizontal, una inclinada (con pendiente descendente en 45°), y otra horizontal. El movimiento se comienza impulsando la rueda para iniciar la porción de caída al borde de la rampa. Al descender la rueda por la rampa con una altura total de 0.707 m (medido verticalmente), la masa que pende del resorte y el amortiguador cae con ella. La masa gana un impulso que luego pierde poco a poco cuando la rueda alcanza el segundo tramo horizontal de la pista.

Obtenga la solución analítica de este problema, y halle $y(t)$. Suponga que las condiciones iniciales $y(0)$ y $\dot{y}(0)$ son cero. Obtenga también una solución por computadora mediante su simulación. Trace las curvas $x(t)$ en función de $t$ y $y(t)$ en función de $t$. Suponga los siguientes valores numéricos para $m$, $b$, y $k$:

$$m = 4 \text{ kg}, \qquad b = 40 \text{ N-seg/m}. \qquad k = 400 \text{ N/m}$$

Suponga que no hay fricción en el sistema, excepto la fricción viscosa del amortiguador.

# PARTE II Análisis y diseño de sistemas de control por métodos convencionales

# CAPITULO 5
# Análisis del lugar de las raíces

## 5-1 INTRODUCCION

La característica básica de la respuesta transitoria de los sistemas de lazo cerrado, está estrechamente ligada a la ubicación de los polos de lazo cerrado. Si el sistema tiene una ganancia variable, la ubicación de los polos de lazo cerrado depende del valor de la ganancia elegida. Por tanto, es importante que el diseñador conozca cómo se desplazan los polos de lazo cerrado en el plano $s$ al variar la ganancia.

Desde el punto de vista del diseño, en algunos sistemas un simple ajuste de la ganancia puede desplazar los polos de lazo cerrado a las posiciones deseadas. Entonces el problema de diseño se puede convertir en la selección de un valor adecuado de ganancia. En este capítulo se tratarán problemas de diseño que incluyen la selección del valor de un parámetro particular (usualmente el valor de la ganancia de lazo cerrado) de modo que las características de respuesta transitoria sean satisfactorias. Si el sólo ajuste de la ganancia no brinda un resultado deseado, puede ser necesario agregar un compensador al sistema. (Este tema se trata en detalle en el capítulo 7).

Los polos de lazo cerrado son las raíces de la ecuación característica. Hallar las raíces de la ecuación característica de grado superior a tres es laborioso, y requiere resolverse mediante una computadora. Sin embargo, el sólo hecho de hallar las raíces de la ecuación característica puede ser de valor limitado pues, al variar la ganancia de la función de transferencia de lazo abierto, la ecuación característica cambia y los cálculos se deben repetir.

W.R. Evans desarrollo un método simple para hallar las raíces de la ecuación característica, utilizado extensamente en ingeniería de control. Este método, denominado *método del lugar de las raíces*, consiste en un procedimiento en que se trazan las raíces de la ecuación característica para todos los valores de un parámetro del sistema. Así se pueden ubicar en la gráfica resultante las raíces correspondientes a un valor determinado de este parámetro. Nótese que ese parámetro suele ser la ganancia, pero se puede utilizar cualquier otra variable de la función de transferencia de lazo abierto. A menos que se especifique lo contrario, se supone que el parámetro que se va a variar a través de todos sus valores desde cero a infinito, es la ganancia de la función de transferencia de lazo abierto.

Utilizando el método del lugar de las raíces, el diseñador puede predecir los efectos que la variación de ganancia o la adición de nuevos polos y/o ceros de lazo abierto, tienen en la ubicación de los polos de lazo cerrado. Por tanto, el diseñador debe conocer muy bien el procedimiento para bosquejar el lugar de las raíces del sistema de lazo cerrado.

**Método del lugar de las raíces.** La idea básica del método del lugar de las raíces, es que los valores de $s$ que hacen la función de transferencia de lazo abierto igual a $-1$, deben satisfacer la ecuación característica del sistema.

El lugar de las raíces de la ecuación característica del sistema en lazo cerrado al variar la ganancia de cero a infinito es lo que da al método su nombre. Un diagrama así indica claramente las contribuciones de cada polo o cero de lazo abierto, a la ubicación de los polos de lazo cerrado.

El método del lugar de las raíces permite hallar los polos de lazo cerrado, partiendo de los polos y ceros de lazo abierto tomando la ganancia como parámetro. Esto evita las dificultades inherentes a las técnicas clásicas, ya que brinda una presentación gráfica de todos los polos de lazo cerrado, para todos los valores de la ganancia de la función de transferencia de lazo abierto.

Al diseñar un sistema de control lineal, este método resulta muy útil, pues indica la forma en que hay que modificar la posición de los polos y ceros de lazo abierto para que la respuesta cumpla con las especificaciones de comportamiento del sistema. Este método resulta especialmente adecuado para obtener resultados aproximados en forma rápida.

Como el método es un procedimiento gráfico para hallar las raíces de la ecuación característica, brinda un medio efectivo para hallar las raíces de cualquier ecuación polinómica que se presente en el estudio de sistemas físicos.

Algunos sistemas de control pueden incluir más de un parámetro a ser ajustado. El diagrama del lugar de las raíces para un sistema que posea parámetros múltiples, se puede construir variando un parámetro a la vez. En este capítulo se incluye el estudio del lugar de las raíces para un sistema que tiene dos parámetros. Los lugares de las raíces para tal caso, se denominan *contornos de raíz*.

**Lineamientos del capítulo.** Este capítulo presenta el concepto básico del método del lugar de las raíces y presenta reglas útiles para la construcción gráfica de los lugares de las raíces.

El bosquejo del capítulo es el siguiente: la sección 5-1 fue una introducción al método del lugar de las raíces. La sección 5-2 detalla los conceptos subyacentes en el método del lugar de las raíces. La sección 5-3 presenta el procedimiento general para trazar lugares de las raíces utilizando ejemplos ilustrativos. En la sección 5-4 se resumen las reglas generales para la construcción del lugar de las raíces. En la sección 5-5 se analizan los sistemas de lazo cerrado mediante el uso del método del lugar de las raíces. La sección 5-6 extiende el método del lugar de las raíces al tratamiento de los sistemas de lazo cerrado con retardo de transporte. En la sección 5-7 se estudian los diagramas de contornos de raíz. Finalmente, en la sección 5-8 se dan las conclusiones del capítulo.

## 5-2 DIAGRAMAS DEL LUGAR DE LAS RAICES

**Condiciones de ángulo y magnitud.** Sea el sistema que se puede ver en la figura 5-1. La función de transferencia de lazo cerrado es

$$\frac{C(s)}{R(s)} = \frac{G(s)}{1 + G(s)H(s)} \tag{5–1}$$

La ecuación característica para este sistema de lazo cerrado se puede obtener haciendo igual a cero al denominador del miembro derecho de la ecuación (5-1).

$$1 + G(s)H(s) = 0$$

o bien

$$G(s)H(s) = -1 \tag{5–2}$$

Aquí se supone que $G(s)H(s)$ es una relación de polinomios en $s$. [Más adelante en la sección 5-6 se extenderá el análisis al caso en que $G(s)H(s)$ incluye el retardo de transporte $e^{-Ts}$]. Como $G(s)H(s)$ es una cantidad compleja, la ecuación (5-2) se puede dividir en dos ecuaciones que igualan en ambos miembros los ángulos y las magnitudes, respectivamente, para obtener

Condición de ángulo:

$$\angle G(s)H(s) = \pm 180°(2k + 1) \qquad (k = 0, 1, 2, \ldots) \tag{5–3}$$

Condición de magnitud, amplitud o módulo

$$|G(s)H(s)| = 1 \tag{5–4}$$

Los valores de $s$ que cumplen las condiciones de ángulo y magnitud, son las raíces de la ecuación característica o polos de lazo cerrado. El diagrama de los puntos del plano complejo que sólo satisfacen la condición de ángulo, constituye el lugar de las raíces.

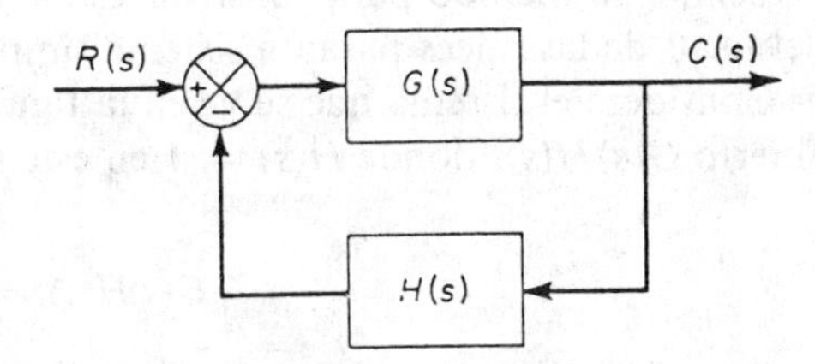


**Figura 5-1**
Sistema de control.

Las raíces de la ecuación característica (los polos de lazo cerrado) correspondientes a un valor determinado de la ganancia, se pueden hallar por la condición de magnitud. En la sección 5-3 se detalla la aplicación de las condiciones de ángulo y magnitud para obtener los polos de lazo cerrado.

En muchos casos, $G(s)H(s)$ contiene un parámetro de ganancia $K$, y la ecuación característica se puede escribir como

$$1 + \frac{K(s + z_1)(s + z_2) \cdots (s + z_m)}{(s + p_1)(s + p_2) \cdots (s + p_n)} = 0 \tag{5–5}$$

Entonces el lugar de las raíces, para el sistema, son los lugares de los polos de lazo cerrado al variar la ganancia $K$, de cero a infinito.

Nótese que para comenzar a trazar el lugar de las raíces, se debe conocer la ubicación de los polos y ceros de $G(s)H(s)$. Hay que recordar que los ángulos de las cantidades complejas originadas en los polos de lazo abierto y en los ceros de lazo abierto y que abarcan hasta el punto de prueba $s$, se miden en sentido antihorario. Por ejemplo, si $G(s)H(s)$ está dada por

$$G(s)H(s) = \frac{K(s + z_1)}{(s + p_1)(s + p_2)(s + p_3)(s + p_4)}$$

donde $-p_2$ y. $-p_3$ son polos complejos conjugados, el ángulo $G(s)H(s)$ es

$$\angle G(s)H(s) = \phi_1 - \theta_1 - \theta_2 - \theta_3 - \theta_4$$

donde $\phi_1$. $\theta_1$, $\theta_2$, $\theta_3$, y $\theta_4$ se miden en sentido antihorario, como se muestra en las figufiguras 5-2(a) y (b). La magnitud de $G(s)$ para este sistema es

$$|G(s)H(s)| = \frac{KB_1}{A_1 A_2 A_3 A_4}$$

donde $A_1$, $A_2$, $A_3$, $A_4$, y $B_1$ son las magnitudes de las cantidades complejas $s + p_1$, $s + p_2$, $s + p_3$, $s + p_4$, y $s + z_1$, respectivamente, como se puede ver en la figura 5-2(a).

Nótese que como los polos complejos conjugados y los ceros complejos conjugados de lazo abierto siempre están situados en forma simétrica respecto al eje real, el lugar de las raíces es simétrico respecto a este eje. Por lo tanto, sólo hay que construir la porción superior del lugar de las raíces, y dibujar la imagen espejo de la parte superior, en la parte inferior del plano $s$.

**Diagramas del lugar de las raíces de sistemas de segundo orden.** Antes de presentar un método para construir estos diagramas en detalle, se ilustra el diagrama del lugar de las raíces para un sistema simple de segundo orden.

Considere el sistema que se ve en la figura 5-3. La función de transferencia de lazo abierto $G(s)H(s)$, donde $H(s) = 1$ en este sistema, es

$$G(s)H(s) = \frac{K}{s(s + 1)}$$

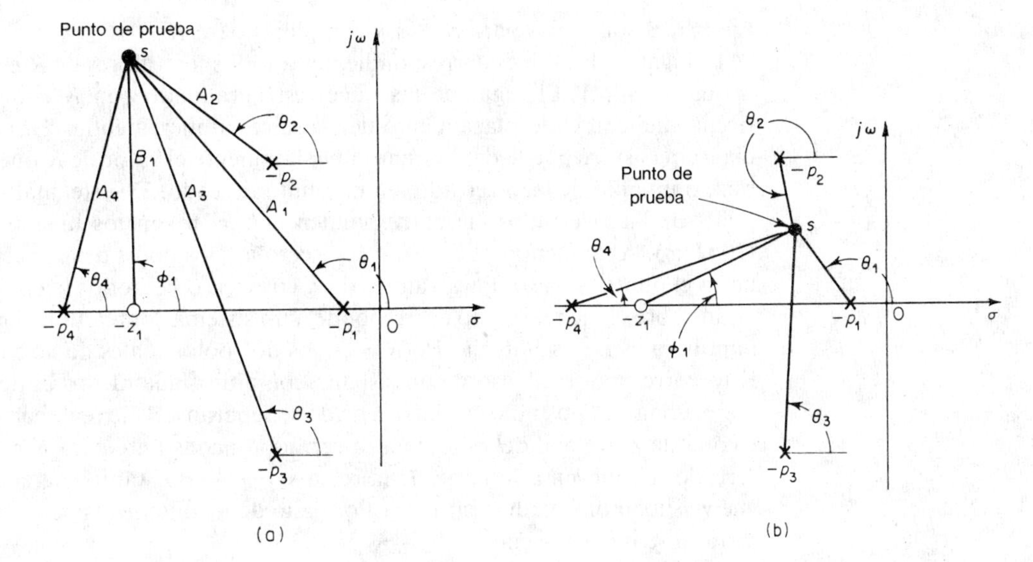


**Figura 5-2**
(a) y (b) Diagramas que muestran los ángulos desde polos y ceros de lazo abierto al punto de prueba $s$.

Entonces la función de transferencia de lazo cerrado es

$$\frac{C(s)}{R(s)} = \frac{K}{s^2 + s + K}$$

La ecuación característica es

$$s^2 + s + K = 0 \tag{5-6}$$

Se desea hallar el lugar de las raíces de esta ecuación, cuando $K$ varía de cero a infinito.

Para dar una idea clara del aspecto de un diagrama del lugar de las raíces para este sistema, primero se obtendrán las raíces de la ecuación característica en forma analítica, en términos de $K$, y luego variar $K$ de cero a infinito. Nótese que éste no es el procedimiento correcto de construir el diagrama del lugar de las raíces. El modo correcto es a través de un procedimiento de tanteo y corrección de error gráfico. La tarea gráfica se puede simplificar significativamente aplicando las reglas generales que se presentan en la sección 5-3. (Obviamente, si se puede hallar fácilmente una solución analítica de las raíces características, no habrá necesidad del método del lugar de las raíces). Las raíces de la ecuación característica, ecuación (5-6), son

$$s_1 = -\tfrac{1}{2} + \tfrac{1}{2}\sqrt{1 - 4K}, \qquad s_2 = -\tfrac{1}{2} - \tfrac{1}{2}\sqrt{1 - 4K}$$

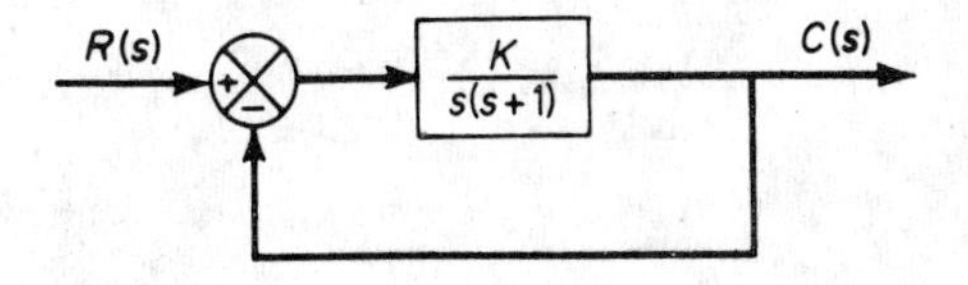


**Figura 5-3**
Sistema de control.

Las raíces son reales para $K \leq \frac{1}{4}$ y complejas para $K > \frac{1}{4}$.

El lugar de las raíces correspondientes a todos los valores de $K$ está representado en la figura 5-4(a). El lugar de las raíces está graduado con $K$ como parámetro. (Las flechas indican el desplazamiento de las raíces al incrementar $K$). Una vez trazado un diagrama así, se puede determinar inmediatamente el valor de $K$ que ha de brindar una raíz, o un polo de lazo cerrado, en un punto deseado. De este análisis, es claro que los polos de lazo cerrado que corresponden a $K = 0$ son los mismos que los polos de $G(s)H(s)$. Al aumentar el valor de $K$ de cero a $\frac{1}{4}$, los polos de lazo cerrado se desplazan hacia el punto $(-\frac{1}{2}, 0)$. Para valores de $K$ entre cero y $\frac{1}{4}$, todos los polos de lazo cerrado están sobre el eje real. Esto corresponde a un sistema sobreamortiguado, y la respuesta impulsiva es no oscilatoria. En $K = \frac{1}{4}$, los dos polos reales de lazo cerrado coinciden. Esto corresponde al caso de un sistema con amortiguamiento crítico. Al aumentar $K$ por encima de $\frac{1}{4}$, los polos de lazo cerrado se separan del eje real, haciéndose complejos, y como la parte real del polo de lazo cerrado es constante para $K > \frac{1}{4}$, los polos de lazo cerrado se mueven a lo largo de la recta $s = -\frac{1}{2}$. Por tanto, para $K > \frac{1}{4}$, el sistema se vuelve subamortiguado. Para un valor dado de $K$, uno de los polos conjugados de lazo cerrado se mueve hacia $s = -\frac{1}{2} + j\infty$.

Se demostrará que cualquier punto del lugar de las raíces satisface la condición de ángulo. La condición de ángulo dada por la ecuación (5-3) es

$$\angle \frac{K}{s(s+1)} = -\angle s - \angle s+1 = \pm 180°(2k+1) \qquad (k = 0, 1, 2 \ldots)$$

Considere el punto $P$ sobre el lugar de las raíces indicado en la figura 5-4(b). Las cantidades complejas $s$ y $s + 1$ tienen ángulos $\theta_1$ y $\theta_2$, respectivamente, y magnitudes $|s|$ y

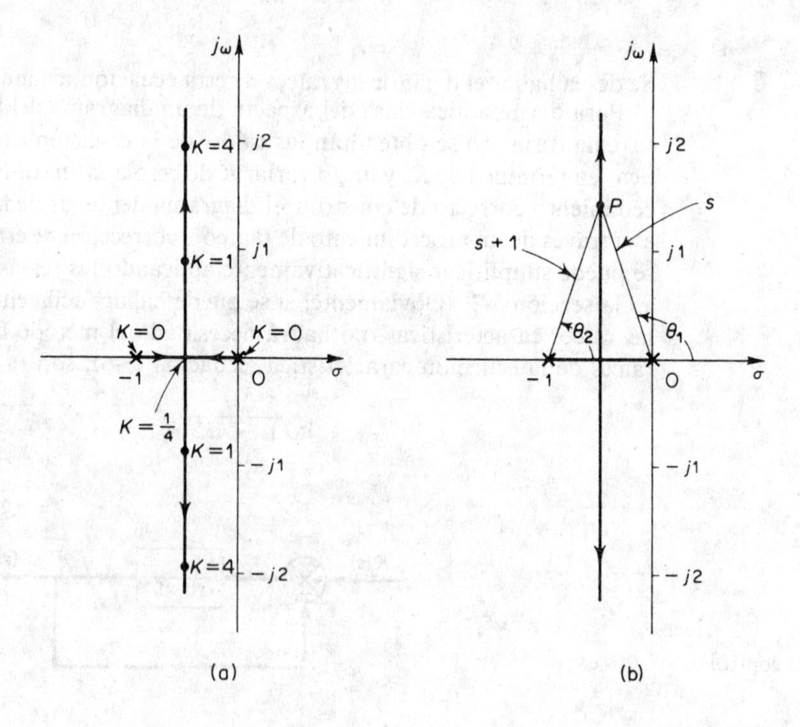


**Figura 5-4**
Diagramas del lugar de las raíces para el sistema que se muestra en la Fig. 5-3.

$|s + 1|$, respectivamente. (Nótese que los ángulos medidos en sentido antihorario se consideran positivos). Es evidente que la suma de los ángulos $\theta_1$ y $\theta_2$ es 180°.

Si el punto $P$ está ubicado sobre el eje real entre 0 y —1, entonces $\theta_1 = 180°$ y $\theta_2 = 0°$. Así cualquier punto en el lugar de las raíces satisface la condición de ángulo. También se puede ver que si el punto $P$ no es el punto del lugar de las raíces, la suma de $\theta_1$ y $\theta_2$ no es igual a $\pm 180°(2k + 1)$, donde $k = 0, 1, 2, \ldots$ Así los puntos que no están en el lugar de las raíces, no satisfacen la condición de ángulo y por tanto no pueden ser polos de lazo cerrado para ningún valor de $K$.

Si los polos de lazo cerrado se especifican en el lugar de las raíces, el valor correspondiente de $K$ se determina por la condición de magnitud, ecuación (5-4). Si, por ejemplo, los polos de lazo cerrado elegidos son $s = -\frac{1}{2} \pm j2$, entonces el valor correspondiente de $K$ resulta ser

$$|G(s)H(s)| = \left| \frac{K}{s(s + 1)} \right|_{s = -(1/2)+j2} = 1$$

o bien

$$K = |s(s + 1)|_{s = -(1/2)+j2} = \frac{17}{4}$$

Como los polos son complejos conjugados, si se especifica uno de ellos, por ejemplo $s = -\frac{1}{2} + j2$, entonces el otro se fija automáticamente. Para evaluar el valor de $K$ se puede utilizar cualquiera de ambos polos.

Del diagrama del lugar de las raíces de la figura 5-4(a), se ven claramente los efectos de las modificaciones en el valor de $K$ sobre el comportamiento en la respuesta transitoria del sistema de segundo orden. Un incremento del valor de $K$ produce una reducción de la relación de amortiguamiento $\zeta$, lo que produce un crecimiento del sobreimpulso de la respuesta. Un aumento del valor de $K$ también produce un incremento de las frecuencias naturales amortiguada y no amortiguada. (Si $K$ es mayor que el valor crítico, que es el que corresponde a un sistema con amortiguación crítica, aumentar el valor de $K$ no tiene efecto en el valor de la parte real de los polos de lazo cerrado). Del diagrama del lugar de las raíces resulta evidente que los polos de lazo cerrado siempre están en el semiplano izquierdo del plano $s$; de modo que sin importar cuánto se aumente el valor de $K$, el sistema siempre permanece estable. Por tanto, el sistema de segundo orden siempre es estable. (Sin embargo, hay que notar que si la ganancia se ajusta a un valor muy elevado, pueden cobrar importancia los efectos de algunas de las constantes de tiempo despreciadas, y el sistema, que supuestamente es de segundo orden, aun cuando en realidad es de orden superior, puede tornarse inestable).

La tabla 5-1 muestra un conjunto de diagramas sencillos del lugar de las raíces.

## 5-3 EJEMPLOS ILUSTRATIVOS

En esta sección se presentarán tres ejemplos para ilustrar como construir diagramas del lugar de las raíces. Aun cuando se dispone de procedimientos por computadora para construir los lugares de las raíces, aquí se utiliza computación gráfica, combinada con inspección, para determinar el lugar de las raíces sobre los que deben quedar las raíces

**Tabla 5-1** Conjunto de diagramas simples del lugar de las raíces.

| $G(s)H(s)$ | Ubicación de polos y ceros de lazo abierto y lugar de las raíces | $G(s)H(s)$ | Ubicación de polos y ceros de lazo abierto y lugar de las raíces |
|---|---|---|---|
| $\frac{K}{s}$ | 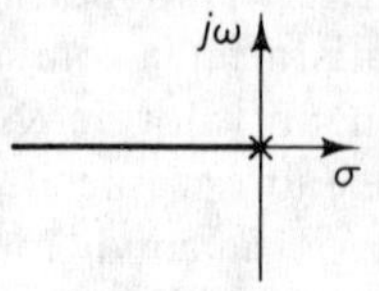 $j\omega$, $\sigma$ | $\frac{K}{s^2}$ | 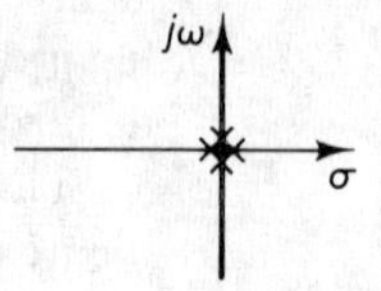 $j\omega$, $\sigma$ |
| $\frac{K}{s+p}$ | 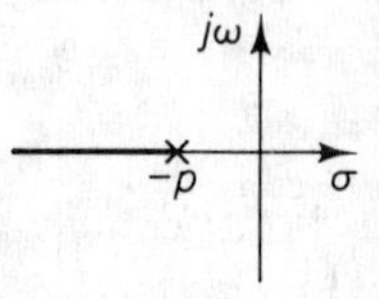 $j\omega$, $-p$, $\sigma$ | $\frac{K}{s^2+\omega_1^2}$ | 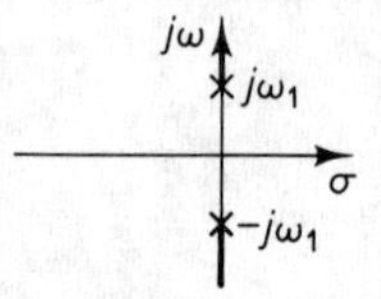 $j\omega$, $j\omega_1$, $\sigma$, $-j\omega_1$ |
| $\frac{K(s+z)}{s+p}$ $(z > p)$ | 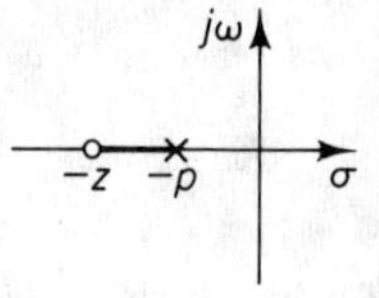 $j\omega$, $-z$, $-p$, $\sigma$ | $\frac{K}{(s+\sigma)^2+\omega_1^2}$ | 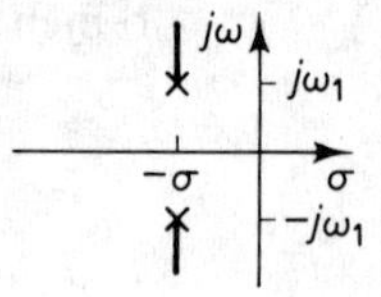 $j\omega$, $j\omega_1$, $-\sigma$, $\sigma$, $-j\omega_1$ |
| $\frac{K(s+z)}{s+p}$ $(z < p)$ | 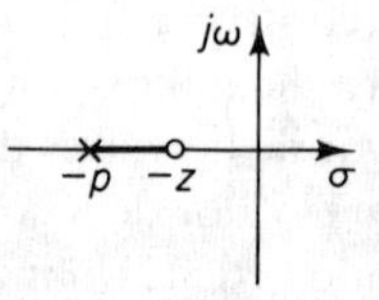 $j\omega$, $-p$, $-z$, $\sigma$ | $\frac{K}{(s+p_1)(s+p_2)}$ | 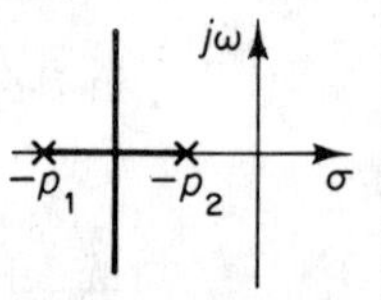 $j\omega$, $-p_1$, $-p_2$, $\sigma$ |

de lazo cerrado de la ecuación característica. Tal procedimiento gráfico resaltará la comprensión sobre el desplazamiento de los polos de lazo cerrado en el plano complejo, cuando se mueven los polos y los ceros de lazo abierto. Aunque se utilizan sistemas sencillos sólo con fines ilustrativos, el procedimiento para hallar el lugar de las raíces no es más complicado para sistemas de orden superior.

El primer paso del procedimiento para construir el diagrama del lugar de las raíces, es buscar los lugares de posibles raíces, utilizando la condición de ángulo. Luego, se ajustan, o se gradúan los lugares, en términos de la ganancia, utilizando la condición de magnitud.

Como en el análisis se incluyen mediciones gráficas de ángulos y magnitudes, es necesario utilizar las mismas divisiones en los ejes de ordenadas y de abscisas al trazar el lugar de las raíces.

**EJEMPLO 5-1** Considerando el sistema que se ve en la figura 5-5. (Se supone que el valor de la ganancia $K$ no es negativo). Para este sistema,

$$G(s) = \frac{K}{s(s+1)(s+2)}, \qquad H(s) = 1$$

Se desea trazar el diagrama del lugar de las raíces y luego determinar el valor de $K$ tal que la relación de amortiguamiento de un par de polos complejos conjugados de lazo cerrado, sea 0.5.

La condición de ángulo para este sistema, se convierte en

$$\angle G(s) = \angle \frac{K}{s(s+1)(s+2)}$$

$$= -\angle s - \angle s+1 - \angle s+2$$

$$= \pm 180°(2k+1) \qquad (k = 0, 1, 2, \ldots)$$

La condición de magnitud es

$$|G(s)| = \left| \frac{K}{s(s+1)(s+2)} \right| = 1$$

El siguiente es un procedimiento típico para trazar el diagrama del lugar de las raíces:

1. Determinar el lugar de las raíces sobre el eje real. El primer paso al trazar un diagrama del lugar de las raíces, es colocar los polos de lazo abierto, $s = 0$, $s = -1$, y $s = -2$, en el plano complejo. (En este sistema no hay ceros de lazo abierto). Las ubicaciones de los polos de lazo abierto se indican con cruces. (En este libro los ceros de lazo abierto se indicarán con círculos pequeños). Nótese que los puntos de iniciación del lugar de las raíces (los puntos que corresponden a $K = 0$), son polos de lazo abierto. El número de ramas del lugar de las raíces para este sistema es tres, que corresponde a la cantidad de polos de lazo abierto.

Para determinar el lugar de las raíces sobre el eje real, se elige un punto de prueba $s$. Si el punto de prueba está sobre el eje real positivo, entonces

$$\angle s = \angle s+1 = \angle s+2 = 0°$$

Esto demuestra que no se puede satisfacer la condición de ángulo. Por tanto, no hay lugar de las raíces sobre el eje real positivo. Luego, se elige un punto de prueba sobre el eje real negativo entre 0 y 1. Entonces

$$\angle s = 180°, \qquad \angle s+1 = \angle s+2 = 0°$$

Así,

$$-\angle s - \angle s+1 - \angle s+2 = -180°$$

y se satisface la condición de ángulo. Por tanto, la porción del eje real negativa entre 0 y $-1$ constituye una porción del lugar de las raíces. Si el punto de prueba se elige entre $-1$ y $-2$, entonces

$$\angle s = \angle s+1 = 180°, \qquad \angle s+2 = 0°$$

y

$$-\angle s - \angle s+1 - \angle s+2 = -360°$$

Se puede ver que no se satisface la condición de ángulo. Por tanto, el eje real negativo desde $-1$ a $-2$ no es parte del lugar de las raíces. En forma similar, si se ubica un punto de prueba

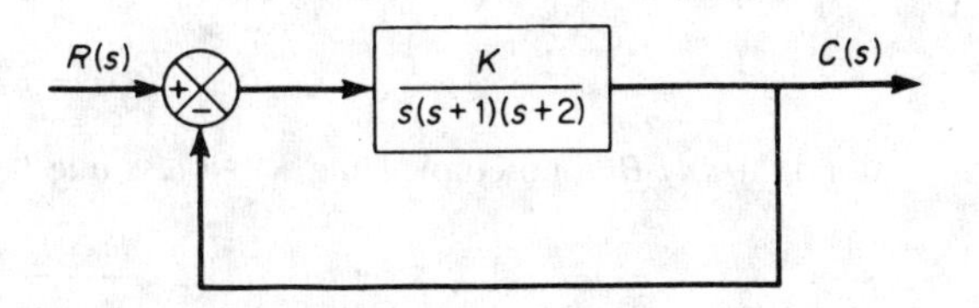


**Figura 5-5**
Sistema de control.

sobre el eje real negativo de —2 a — ∞, se satisface la condición de ángulo. Así, existe lugar de las raíces sobre el eje real negativo entre 0 y —1 y entre —2 y — ∞.

2. Determinar las asíntotas del lugar de las raíces. Las asíntotas del lugar de las raíces al tender $s$ a infinito, se pueden determinar del siguiente modo: si se elige un punto de prueba $s$ muy alejado del origen, entonces

$$\lim_{s\to\infty} G(s) = \lim_{s\to\infty} \frac{K}{s(s+1)(s+2)} = \lim_{s\to\infty} \frac{K}{s^3}$$

y la condición de ángulo se convierte en

$$-3\angle s = \pm 180°(2k+1) \qquad (k = 0, 1, 2, \ldots)$$

o

$$\text{Angulos de asíntotas} \quad \frac{\pm 180°(2k+1)}{3} \qquad (k = 0, 1, 2, \ldots)$$

Como el ángulo se repite a medida que varía $k$, los distintos ángulos para las asíntotas se determinan como 60°, —60°, y 180°. Así, hay tres asíntotas. La que tiene el ángulo de 180° es el eje real negativo.

Antes de trazar estas asíntotas en el plano complejo, se debe encontrar su intersección con el eje real. Como la ecuación característica del sistema es

$$\frac{K}{s(s+1)(s+2)} = -1$$

o bien

$$s^3 + 3s^2 + 2s = -K \tag{5–7}$$

si se supone que $s$ es elevada, esta ecuación característica se puede aproximar con la ecuación siguiente:

$$(s+1)^3 = 0$$

La abscisa de la intersección de las asíntotas con el eje real se puede hallar haciendo $s = \sigma_a$ y despejando de aquí el valor de $\sigma_a$. Entonces

$$\sigma_a = -1$$

y el punto del origen de las asíntotas es (—1, 0). Las asíntotas son casi parte del lugar de las raíces en regiones muy alejadas del origen.

3. Determinar el punto de ruptura. Para trazar con exactitud el lugar de las raíces, hay que conocer el punto de ruptura, arranque o dispersión, donde las ramas del lugar de las raíces que se originan en los polos en 0 y —1 se separan del eje real (al incrementar $K$) y se desplazan al plano complejo. El punto de ruptura corresponde a un punto del plano $s$ donde coinciden varias raíces de la ecuación característica.

Se dispone de un método muy simple para hallar el punto de ruptura que es el siguiente: la ecuación característica se reescribe como

$$f(s) = B(s) + KA(s) = 0 \tag{5–8}$$

donde $A(s)$ y $B(s)$ no contienen a $K$. Nótese que $f(s) = 0$ tiene raíces múltiples donde

$$\frac{df(s)}{ds} = 0$$

Esto es, supóngase que $f(s)$ tiene una raíz múltiple de orden $r$. Entonces $f(s)$ se puede escribir como

$$f(s) = (s - s_1)^r(s - s_2) \cdots (s - s_n)$$

Si se diferencia esta ecuación respecto a $s$ y se substituye $s = s_1$, se tiene

$$\left. \frac{df(s)}{ds} \right|_{s=s_1} = 0 \tag{5–9}$$

Esto significa que múltiples raíces de $f(s)$ han de satisfacer la ecuación (5-9). De la ecuación (5-8), se obtiene

$$\frac{df(s)}{ds} = B'(s) + KA'(s) = 0 \tag{5–10}$$

donde

$$A'(s) = \frac{dA(s)}{ds}, \quad B'(s) = \frac{dB(s)}{ds}$$

Se puede obtener el valor particular de $K$ que produce las raíces múltiples de la ecuación característica, a partir de la ecuación (5-10) como

$$K = -\frac{B'(s)}{A'(s)}$$

Si este valor de $K$ se substituye en la ecuación (5-8), se tiene

$$f(s) = B(s) - \frac{B'(s)}{A'(s)} A(s) = 0$$

o bien

$$B(s)A'(s) - B'(s)A(s) = 0 \tag{5–11}$$

Si se resuelve $s$ de la ecuación (5-11), se pueden hallar los puntos donde se producen las raíces múltiples. Por otro lado, de la ecuación (5-8) se obtiene

$$K = -\frac{B(s)}{A(s)}$$

y

$$\frac{dK}{ds} = -\frac{B'(s)A(s) - B(s)A'(s)}{A^2(s)}$$

Si $dK/ds$ es igual a cero, se llega a la misma ecuación (5-11). Por lo tanto, los puntos de ruptura se pueden determinar simplemente de las raíces de

$$\frac{dK}{ds} = 0$$

Debe notarse que no todas las soluciones de la ecuación (5-11) o de $dK/ds = 0$ corresponden a puntos de ruptura, lo que se demostrará con el presente ejemplo donde

$$f(s) = s^3 + 3s^2 + 2s + K = 0 \tag{5–12}$$

Con referencia a la gráfica de $f(\sigma)$ en función de $\sigma$ que se ve en la figura 5-6, nótese que los puntos $P$ y $Q$ corresponden a $df(\sigma)/d\sigma = 0$. Está claro que el punto $Q$ corresponde a $K < 0$, lo que significa que el punto $Q$ no puede ser un punto de ruptura del sistema en consideración, pues

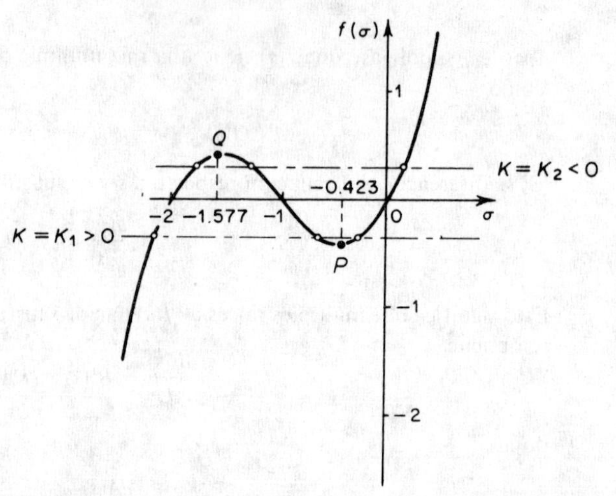


**Figura 5-6**
Gráfica de $f(\sigma)$ en función de $\sigma$.

en este sistema la ganancia $K$ no debe ser negativa. (Si un punto en el cual $df/(s)/ds = 0$ están en un lugar de las raíces, se trata efectivamente de un punto de ruptura o arranque. Dicho de otro modo, si en un punto en el cual $df(s)/ds = 0$, el valor de $K$ toma un valor positivo real, entonces ese punto es un punto de ruptura o arranque).

En el ejemplo actual, de la ecuación (5-7) se tiene

$$K = -(s^3 + 3s^2 + 2s)$$

Haciendo $dK/ds = 0$, se obtiene

$$\frac{dK}{ds} = -(3s^2 + 6s + 2) = 0$$

o bien

$$s = -0.4226, \qquad s = -1.5774$$

Como el punto de ruptura debe quedar sobre el lugar de las raíces entre 0 y —1, es claro que $s = 0.4226$ corresponde efectivamente a un punto de ruptura. El punto $s =$ —1.5774 no está en el lugar de las raíces. Por tanto, este punto no constituye punto de ruptura o de arranque. De hecho, el cálculo de los valores de $K$ correspondiente a $s =$ —0.4226 y $s =$ —1.5774 da

$$K = 0.3849 \qquad \text{para } s = -0.4226$$

$$K = -0.3849 \qquad \text{para } s = -1.5774$$

4. Determinar los puntos donde el lugar de las raíces cruzan al eje imaginario. Esos puntos pueden hallarse utilizando el criterio de estabilidad de Routh del siguiente modo: como la ecuación característica del sistema considerado es

$$s^3 + 3s^2 + 2s + K = 0$$

el conjunto de Routh se convierte en

$$\begin{array}{lll} s^3 & 1 & 2 \\ s^2 & 3 & K \\ s^1 & \dfrac{6-K}{3} & \\ s^0 & K & \end{array}$$

El valor de $K$ que hace cero al término $s^1$ en la primera columna es $K = 6$. Los puntos de cruce con el eje imaginario, se pueden hallar resolviendo la ecuación auxiliar obtenida del renglón de $s^2$, es decir

$$3s^2 + K = 3s^2 + 6 = 0$$

que da

$$s = \pm j\sqrt{2}$$

Así entonces las frecuencias de los puntos de cruce con el eje imaginario son $\omega = \pm\sqrt{2}$. El valor de la ganancia correspondiente a los puntos de cruce es $K = 6$.

Un procedimiento alternativo es hacer $s = j\omega$ en la ecuación característica, igualar las partes real e imaginaria a cero, y despejar los valores de $\omega$ y $K$. En el sistema presente, la ecuación característica, con $s = j\omega$, es

$$(j\omega)^3 + 3(j\omega)^2 + 2(j\omega) + K = 0$$

o bien

$$(K - 3\omega^2) + j(2\omega - \omega^3) = 0$$

Igualando tanto la parte real como la imaginaria de esta ecuación a cero, se obtiene

$$K - 3\omega^2 = 0, \qquad 2\omega - \omega^3 = 0$$

de donde

$$\omega = \pm\sqrt{2}, \quad K = 6 \quad \text{o} \quad \omega = 0, \quad K = 0$$

Entonces, el lugar de las raíces cruza al eje imaginario $\omega = \pm\sqrt{2}$, y el valor de $K$ en los puntos de cruce es 6. Igualmente, una rama del lugar de las raíces del eje real toca al eje imaginario en $\omega = 0$.

5. Elegir un punto de prueba en la amplia vecindad del eje $j\omega$ y del origen, como se muestra en la figura 5-7, y aplicar la condición de ángulo. Si hay un punto de prueba sobre el lugar de las raíces, entonces la suma de los tres ángulos $\theta_1 + \theta_2 + \theta_3$, debe ser 180°. Si el punto de prueba no satisface la condición de ángulo, elegir otro punto, hasta que esa condición quede satisfecha. (La suma de los ángulos en el punto de prueba indica en qué dirección debe desplazarse el mismo). Se continúa con este proceso y se ubica una cantidad suficiente de puntos que satisfagan la condición de ángulo.

6. Con base en la información obtenida en los pasos previos, trazar el diagrama del lugar de las raíces, como se ve en la figura 5-8.

7. Determinar un par de polos complejos conjugados de lazo cerrado de tal manera que la relación de amortiguamiento $\zeta$ sea 0.5. Los polos de lazo cerrado con $\zeta = 0.5$ quedan sobre rectas

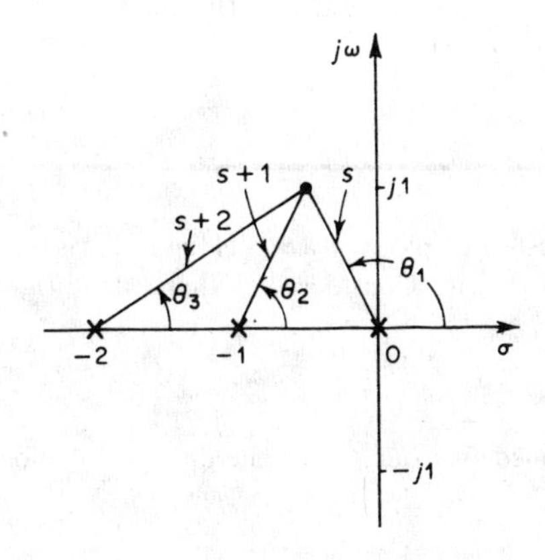


**Figura 5-7** Construcción del lugar de las raíces.

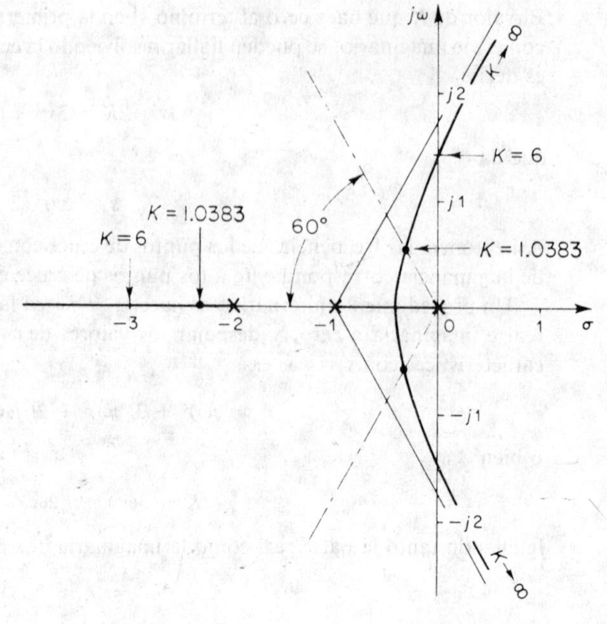


**Figura 5-8**
Diagrama del lugar de las raíces.

que pasan por el origen y forman ángulos $\pm\cos^{-1}\zeta = \pm\cos^{-1} 0.5 = \pm 60°$ con el eje real negativo. De la figura 5-8, esos polos de lazo cerrado con $\zeta = 0.5$ se obtienen del siguiente modo:

$$s_1 = -0.3337 + j0.5780, \qquad s_2 = -0.3337 - j0.5780$$

El valor de $K$ que produce tales polos, se puede hallar de la condición de magnitud, como sigue:

$$K = |s(s+1)(s+2)|_{s=-0.3337+j0.5780}$$
$$= 1.0383$$

Utilizando este valor de $K$, el tercer polo se encuentra en $s = -2.3326$.

Nótese que, del paso 4, se puede ver que para $K = 6$ los polos dominantes de lazo cerrado caen sobre el eje imaginario en $s = \pm j\sqrt{2}$. Con este valor de $K$, el sistema presenta oscilaciones sostenidas. Para $K > 6$ los polos dominantes de lazo cerrado quedan en el semiplano derecho del plano $s$, produciendo un sistema inestable.

Finalmente, nótese que, en caso de ser necesario, el lugar de las raíces en términos de $K$ se puede graduar fácilmente utilizando la condición de magnitud. Simplemente se elige un punto sobre el lugar de las raíces, se miden las magnitudes de las tres cantidades complejas $s$, $s+1$, y $s+2$, se multiplican esos tres módulos, y su producto es igual al valor de la ganancia $K$ en ese punto, o sea

$$|s|\cdot|s+1|\cdot|s+2| = K$$

**EJEMPLO 5-2** En este ejemplo, se trazará el lugar de las raíces de un sistema con polos complejos conjugados de lazo abierto. Considere el sistema de la figura 5-9. Para este sistema,

$$G(s) = \frac{K(s+2)}{s^2+2s+3}, \qquad H(s) = 1$$

Se puede ver que $G(s)$ tiene un par de polos complejos conjugados en

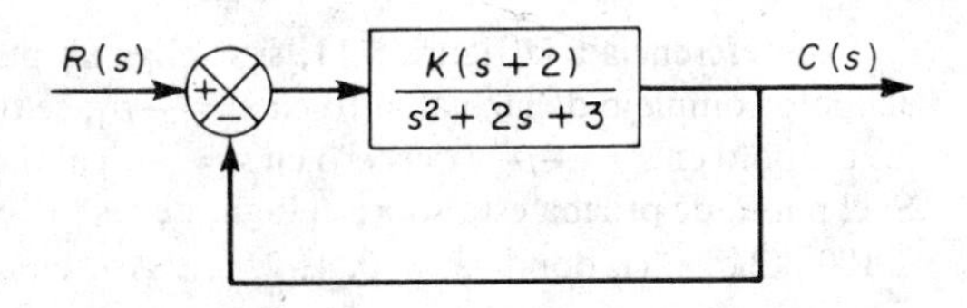


**Figura 5-9**
Sistema de control.

$$s = -1 + j\sqrt{2}, \qquad s = -1 - j\sqrt{2}$$

A continuación se da un procedimiento típico para trazar el lugar de las raíces:

1. Determinar el lugar de las raíces sobre el eje real. Para cualquier punto de prueba $s$ sobre el eje real, la suma de las contribuciones angulares de los polos complejos conjugados es de 360°, como se puede ver en la figura 5-10. Entonces el efecto total de los polos complejos conjugados sobre el eje real es cero. La ubicación del lugar de las raíces sobre el eje real se determina con el cero de lazo abierto sobre el eje real negativo. Una prueba simple muestra que una sección del eje real negativo, la comprendida entre $-2$ y $-\infty$, es una parte del lugar de las raíces. Se hace notar que como este lugar está comprendido entre dos ceros (en $s = -2$ y en $s = -\infty$), de hecho es una parte del lugar de las raíces, cada una de las cuales comienza en uno de los dos polos complejos conjugados. En otras palabras, dos lugares de las raíces arrancan en la porción del eje real negativo comprendido entre $-2$ y $-\infty$.

Como hay dos polos y un cero de lazo abierto, hay una asíntota, que coincide con el eje real negativo.

2. Detereminar el ángulo de separación respecto a los polos de lazo abierto complejos conjugados. La presencia de un par de polos complejos conjugados de lazo abierto requiere la determinación del ángulo de separación respecto a estos polos. El conocimiento de este ángulo es importante porque el lugar de las raíces cerca de un polo complejo brinda información respecto a si el lugar originado en el polo complejo se traslada hacia el eje real, o se extiende hacia la asintota.

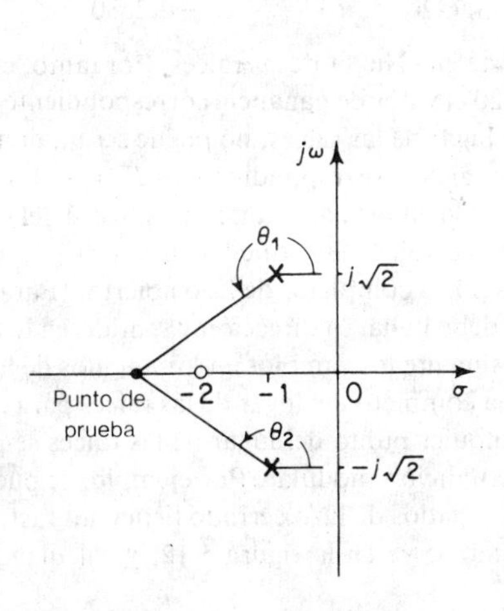


**Figura 5-10** Determinación del lugar de las raíces en el eje real.

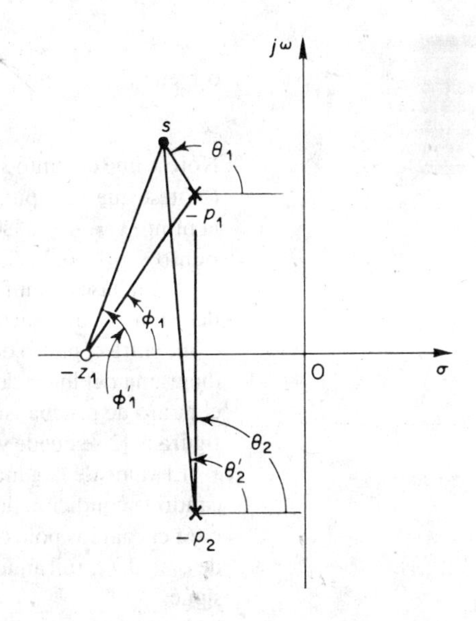


**Figura 5-11** Determinación del ángulo de partida.

Con referencia a la figura 5-11, si se elige un punto de prueba que se desplaza en la vecindad del polo complejo de lazo abierto en $s = -p_1$, se tiene que la suma de las contribuciones angulares del polo en $s = -p_2$ y del cero en $s = -z_1$ al punto de prueba, se puede considerar constante. Si el punto de prueba está sobre el lugar de las raíces, entonces la suma , $-\theta_1$ y $-\theta_2'$ debe ser $\pm 180°\ (2k + 1)$, donde $k = 0, 1, 2, \ldots$. Así, en este ejemplo

$$\phi_1' = (\theta_1 + \theta_2') = \pm 180°(2k + 1)$$

o bien

$$\theta_1 = 180° - \theta_2' + \phi_1' = 180° - \theta_2 + \phi_1$$

Entonces el ángulo de separación es

$$\theta_1 = 180° - \theta_2 + \phi_1 = 180° - 90° + 55° = 145°$$

Como el lugar de las raíces es simétrico respecto al eje real, el ángulo de separación desde el polo en $s = -p_2$ es $-145°$.

3. Determinar el punto de ruptura. Cuando se unen un par de ramas del lugar de las raíces al incrementarse $K$ hay punto de ruptura. Para este problema, el punto de ruptura se puede hallar como sigue. Ya que

$$K = -\frac{s^2 + 2s + 3}{s + 2}$$

se tiene

$$\frac{dK}{ds} = -\frac{(2s + 2)(s + 2) - (s^2 + 2s + 3)}{(s + 2)^2} = 0$$

que da

$$s^2 + 4s + 1 = 0$$

o bien

$$s = -3.7320 \qquad \text{o} \qquad s = -0.2680$$

Nótese que el punto $s = -3.7320$ está en el lugar de las raíces. Por tanto, ese punto es de ruptura. (Nótese que en el punto $s = -3.7320$ el valor de ganancia correspondiente es $K = 5.4641$.) Como el punto $s = -0.2680$ no está en el lugar de las raíces, no puede ser un punto de ruptura. (Para el punto $s = -0.2680$, el valor de ganancia correspondiente es $K = -1.4641$.)

4. En base a la información obtenida en los pasos anteriores, traze del lugar de las raíces. Para determinar con exactitud el lugar de las raíces, hay que hallar varios puntos por tanteo y corrección, entre el punto de ruptura y los polos complejos de lazo abierto. (Para facilitar el trazado del diagrama del lugar de las raíces, se debe hallar la dirección y sentido en los que se debe desplazar el punto de prueba, sumando mentalmente los cambios en los ángulos de los polos y ceros). En la figura 5-12 se puede ver un diagrama completo del lugar de las raíces para el sistema considerado.

El valor de la ganancia $K$ en cualquier punto del lugar de las raíces se puede determinar aplicando la condición de magnitud o condición modular. Por ejemplo, se puede hallar el valor de $K$ para el cual los polos complejos conjugados de lazo cerrado tienen un factor de amortiguamiento de $\zeta = 0.7$, ubicando las raíces como se ve en la figura 5-12, y calculando el valor de $K$ como sigue:

$$K = \left| \frac{(s + 1 - j\sqrt{2})(s + 1 + j\sqrt{2})}{s + 2} \right|_{s = -1.6659 + j1.6995} = 1.3318$$

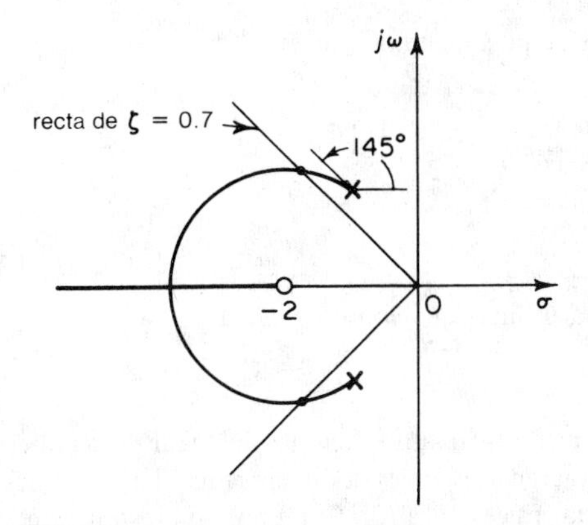


**Figura 5-12**
Diagrama del lugar de las raíces.

Debe notarse que en este sistema el lugar de las raíces en el plano complejo es una porción de un círculo. Un lugar de las raíces circular no ocurre en la mayor parte de los sistemas. Diagramas del lugar de las raíces de forma circular se puede producir en sistemas que incluyen dos polos y un cero, dos polos y dos ceros, o un polo y dos ceros. Aún en tales sistemas, que el lugar de las raíces sea o no circular, depende de las ubicaciones de los polos y ceros involucrados.

Para mostrar que en el sistema actual se produce un lugar de las raíces circular, hay que deducir la ecuación del lugar de las raíces. En este caso, la condición de ángulo es

$$\angle s + 2 - \angle s + 1 - j\sqrt{2} - \angle s + 1 + j\sqrt{2} = \pm 180°(2k + 1)$$

Si se remplaza $s = \sigma + j\omega$ en esta última ecuación, se obtiene

$$\angle \sigma + 2 + j\omega - \angle \sigma + 1 + j\omega - j\sqrt{2} - \angle \sigma + 1 + j\omega + j\sqrt{2} = \pm 180°(2k + 1)$$

que se puede escribir como

$$\tan^{-1}\left(\frac{\omega}{\sigma + 2}\right) - \tan^{-1}\left(\frac{\omega - \sqrt{2}}{\sigma + 1}\right) - \tan^{-1}\left(\frac{\omega + \sqrt{2}}{\sigma + 1}\right) = \pm 180°(2k + 1)$$

o bien

$$\tan^{-1}\left(\frac{\omega - \sqrt{2}}{\sigma + 1}\right) + \tan^{-1}\left(\frac{\omega + \sqrt{2}}{\sigma + 1}\right) = \tan^{-1}\left(\frac{\omega}{\sigma + 2}\right) \pm 180°(2k + 1)$$

Tomando tangentes en ambos miembros de esta última ecuación, usando la relación

$$\tan(x \pm y) = \frac{\tan x \pm \tan y}{1 \mp \tan x \tan y} \qquad (5\text{–}13)$$

se obtiene

$$\tan\left[\tan^{-1}\left(\frac{\omega - \sqrt{2}}{\sigma + 1}\right) + \tan^{-1}\left(\frac{\omega + \sqrt{2}}{\sigma + 1}\right)\right] = \tan\left[\tan^{-1}\left(\frac{\omega}{\sigma + 2}\right) \pm 180°(2k + 1)\right]$$

o bien

$$\frac{\dfrac{\omega - \sqrt{2}}{\sigma + 1} + \dfrac{\omega + \sqrt{2}}{\sigma + 1}}{1 - \left(\dfrac{\omega - \sqrt{2}}{\sigma + 1}\right)\left(\dfrac{\omega + \sqrt{2}}{\sigma + 1}\right)} = \frac{\dfrac{\omega}{\sigma + 2} \pm 0}{1 \mp \dfrac{\omega}{\sigma + 2} \times 0}$$

que se puede simplificar en

$$\frac{2\omega(\sigma + 1)}{(\sigma + 1)^2 - (\omega^2 - 2)} = \frac{\omega}{\sigma + 2}$$

o bien

$$\omega[(\sigma + 2)^2 + \omega^2 - 3] = 0$$

Esta última ecuación equivale a

$$\omega = 0 \qquad \text{o} \qquad (\sigma + 2)^2 + \omega^2 = (\sqrt{3})^2$$

Estas dos son las ecuaciones **del lugar de** las raíces para el presente sistema. Nótese que la primera ecuación $\omega = 0$, es la del eje **real. El eje** real desde $s = -2$ **hasta** $s = -\infty$ corresponde al lugar de las raíces para $K \geq 0$. La porción restante del eje real corresponde al lugar de las raíces cuando $K$ es negativa. (En el presente sistema, $K$ no es negativa). La segunda ecuación para el lugar de las raíces es la ecuación de un círculo con centro en $\sigma = -2$, $\omega = 0$ y con radio igual a $\sqrt{3}$. La parte del círculo que está a la izquierda de los polos complejos conjugados, corresponde al lugar de las raíces para $K \geq 0$. La porción restante de círculo corresponde al lugar de las raíces cuando $K$ es negativa.

Es importante notar que se pueden deducir ecuaciones de fácil interpretación para el lugar de las raíces, sólo para el caso de sistemas sencillos. Para sistemas complicados con muchos polos y ceros, se debe desalentar cualquier intento de deducción de ecuaciones para los lugares de las raíces. Tales ecuaciones así deducidas son sumamente complicadas y sus configuraciones en el plano complejo son de difícil visualización.

**Construcción del lugar de las raíces cuando la variable parámetro no aparece como factor.** En algunos casos la variable parámetro $K$ puede no aparecer como factor en $G(s)H(s)$. En tales casos es válido reescribir la ecuación característica de tal forma que la variable parámetro $K$ aparezca como factor de multiplicación de $G(s)H(s)$. El ejemplo 5-3 ilustra cómo proceder en un caso así.

**EJEMPLO 5-3**

Considere el sistema de la figura 5-13. Trace el lugar de las raíces. Luego determine el valor de $k$ tal que la relación de amortiguamiento de los polos dominantes de lazo cerrado sea 0.4.

Aquí el sistema incluye retroalimentación de velocidad. La función de transferencia de lazo abierto es

$$G(s)H(s) = \frac{20(1 + ks)}{s(s + 1)(s + 4)}$$

Nótese que la variable ajustable $k$ no aparece como factor. La ecuación característica para el sistema es

$$1 + \frac{20(1 + ks)}{s(s + 1)(s + 4)} = 0 \qquad (5\text{–}14)$$

o bien

$$s^3 + 5s^2 + 4s + 20 + 20ks = 0 \qquad (5\text{–}15)$$

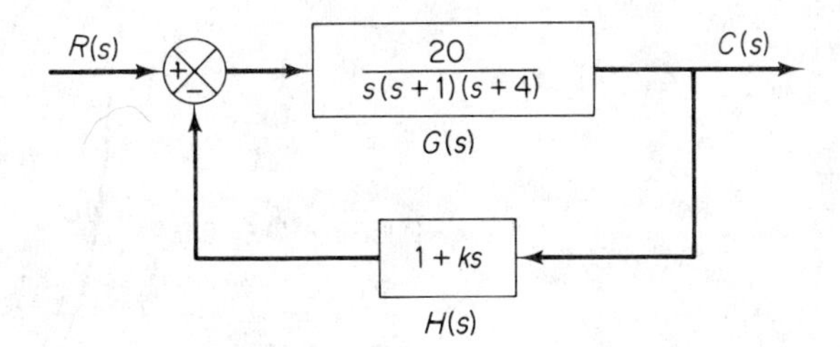


**Figura 5-13**
Sistema de control.

Definiendo

$$20k = K$$

y dividiendo ambos miembros de la ecuación (5-15) por la suma de los términos que no contienen $k$, se tiene

$$1 + \frac{Ks}{s^3 + 5s^2 + 4s + 20} = 0$$

o bien

$$1 + \frac{Ks}{(s + j2)(s - j2)(s + 5)} = 0 \qquad (5\text{–}16)$$

La ecuación (5-16) es la forma de la ecuación (5-5).

Ahora se traza el lugar de las raíces del sistema dado por la ecuación (5-16). Nótese que los polos de lazo abierto están ubicados en $s = j2$, $s = -j2$, y $s = -5$, y el cero de lazo abierto está colocado en $s = 0$. El lugar de las raíces existe en el eje real entre 0 y —5. Como

$$\lim_{s\to\infty} \frac{Ks}{(s + j2)(s - j2)(s + 5)} = \lim_{s\to\infty} \frac{K}{s^2}$$

se tiene

$$\text{Angulo de asíntota} = \frac{\pm 180°(2k + 1)}{2} = \pm 90°$$

La intersección de las asíntotas con el eje real se puede hallar de

$$\lim_{s\to\infty} \frac{Ks}{s^3 + 5s^2 + 4s + 20} = \lim_{s\to\infty} \frac{K}{s^2 + 5s + \cdots} = \lim_{s\to\infty} \frac{K}{(s + 2.5)^2}$$

como

$$\sigma_a = -2.5$$

El ángulo de separación (ángulo $\theta$) desde el polo, en $s = j2$ se puede obtener así:

$$\theta = 180° - 90° - 21.8° + 90° = 158.2°$$

El ángulo de separación desde el polo en $s = j2$ es 158.2°. La figura 5-14 muestra el diagrama del lugar de las raíces para el sistema.

Nótese que los polos de lazo cerrado con $\zeta = 0.4$ deben quedar sobre rectas que pasan por el origen y hacen ángulos de $\pm 66.42°$ con el eje real negativo. En el caso presente, hay dos intersecciones de la rama del lugar de las raíces en el semiplano superior del plano $s$ y la recta que forma el

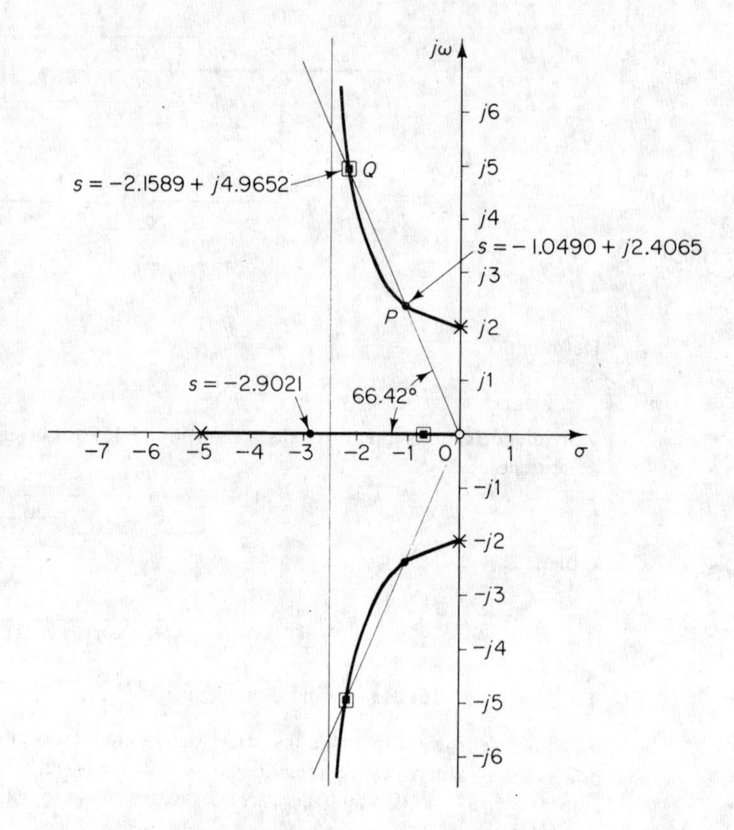


**Figura 5-14**
Diagrama del lugar de las raíces para el sistema que aparece en la fig. 5-13.

ángulo de 66.42°. Así, dos valores de $K$ darán la relación de amortiguamiento $\zeta$ igual a 0.4 de los polos de lazo cerrado. En el punto $P$, el valor de $K$ es

$$K = \left| \frac{(s + j2)(s - j2)(s + 5)}{s} \right|_{s = -1.0490 + j2.4065} = 8.9801$$

De aquí

$$k = \frac{K}{20} = 0.4490 \quad \text{en el punto } P$$

En el punto $Q$, el valor de $K$ es

$$K = \left| \frac{(s + j2)(s - j2)(s + 5)}{s} \right|_{s = -2.1589 + j4.9652} = 28.260$$

Por tanto

$$k = \frac{K}{20} = 1.4130 \quad \text{en el punto } Q$$

Así, se tienen dos soluciones para este problema. Para $k = 0.4490$, los tres polos de lazo cerrado están ubicados en

$$s = -1.0490 + j2.4065, \qquad s = -1.0490 - j2.4065, \qquad s = -2.9021$$

Para $k = 1.4130$, los tres polos de lazo cerrado se ubican en

$$s = -2.1589 + j4.9652, \qquad s = -2.1589 - j4.9652, \qquad s = -0.6823$$

Es importante destacar que el cero en el origen es el cero de lazo abierto, y no el cero de lazo cerrado. Esto es evidente, porque el sistema original que se muestra en la figura 5-13 no tiene cero de lazo cerrado, pues

$$\frac{C(s)}{R(s)} = \frac{20}{s(s+1)(s+4) + 20(1+ks)}$$

El polo de lazo abierto en $s = 0$ se introdujo en el proceso de modificación de la ecuación característica para que la variable ajustable $K = 20k$ apareciera como un factor de multiplicación.

Se han obtenido dos valores diferentes de $k$ para satisfacer los requerimientos de que la relación de amortiguamiento de los polos dominantes de lazo cerrado tuviera el valor de 0.4. La función de transferencia con $k = 0.4490$ está dada por

$$\frac{C(s)}{R(s)} = \frac{20}{s^3 + 5s^2 + 12.98s + 20}$$

$$= \frac{20}{(s + 1.0490 + j2.4065)(s + 1.0490 - j2.4065)(s + 2.9021)}$$

La función de transferencia de lazo cerrado con $k = 1.4130$ está dada por

$$\frac{C(s)}{R(s)} = \frac{20}{s^3 + 5s^2 + 32.26s + 20}$$

$$= \frac{20}{(s + 2.1589 + j4.9652)(s + 2.1589 - j4.9652)(s + 0.6823)}$$

Nótese que el sistema con $k = 0.4490$ tiene un par de polos complejos conjugados dominantes de lazo cerrado, mientras que en el sistema con $k = 1.4130$ el polo real de lazo cerrado en $s = -0.6823$ es dominante y los polos complejos conjugados de lazo cerrado no son dominantes. En este caso, la respuesta característica está determinada por el polo real de lazo cerrado.

Para una entrada escalón unitario, la respuesta del sistema con $k = 0.4490$ se convierte en

$$C(s) = \frac{1}{s} - \frac{0.747}{s + 2.9021} - \frac{0.2530(s + 1.0490)}{(s + 1.0490)^2 + (2.4065)^2}$$
$$- \frac{1.0113(2.4065)}{(s + 1.0490)^2 + (2.4065)^2}$$

o bien

$$c(t) = 1 - 0.747e^{-2.9021t} - 0.2530e^{-1.0490t}\cos(2.4065t)$$
$$- 1.0113e^{-1.0490t}\operatorname{sen}(2.4065t)$$

El segundo término del miembro derecho de esta ecuación amortigua rápidamente y la respuesta se vuelve oscilatoria. En la figura 5-15 se puede ver la curva de respuesta ante un escalón unitario.

Para el sistema con $k = 1.4130$, para la entrada escalón unitario, se tiene

$$C(s) = \frac{1}{s} - \frac{1.0924}{s + 0.6823} + \frac{0.0924(s + 2.1589)}{(s + 2.1589)^2 + (4.9652)^2}$$
$$- \frac{0.1102(4.9652)}{(s + 2.1589)^2 + (4.9652)^2}$$

**Figura 5-15** Respuesta al escalón unitario para el sistema que se ve en la fig. 5-13 cuando la relación de $\zeta$ amortiguamiento de los polos dominantes de lazo cerrado se iguala a 0.4. (Hay dos valores posibles de $k$ que dan la relación de $\zeta$ amortiguamiento igual a 0.4).

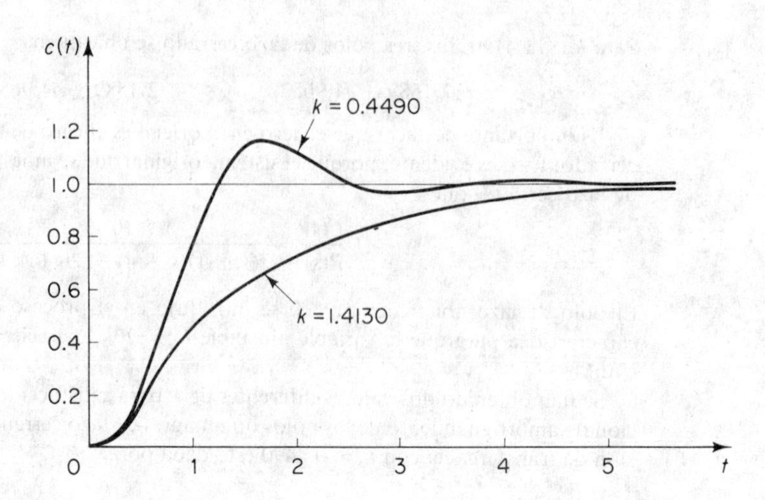


o

$$c(t) = 1 - 1.0924e^{-0.6823t} + 0.0924e^{-2.1589t}\cos(4.9652t) - 0.1102e^{-2.1589t}\operatorname{sen}(4.9652t)$$

Es claro que los términos oscilatorios se amortiguan más rápido que el término puramente exponencial. Por tanto, la respuesta está dominada por este término exponencial. En la figura 5-15 también se muestra la curva de respuesta al escalón unitario.

El sistema con $k = 0.4490$ (que presenta una respuesta más rápida con sobreimpulso relativamente pequeño) tiene una característica de respuesta mucho mejor que el sistema con $k = 1.4130$ (que presenta una respuesta lenta y sobreamortiguada). Por lo tanto, en el sistema presente se debería seleccionar $k = 0.4490$.

**Resumen.** De los ejemplos previos, se puede ver que es posible trazar un diagrama del lugar de las raíces razonablemente exacto siguiendo reglas sencillas. (Se sugiere estudiar varios diagramas del lugar de las raíces que aparecen en los problemas resueltos al final del capítulo). En las etapas preliminares de diseño, puede no ser necesario conocer las ubicaciones exactas de los polos de lazo cerrado. Frecuentemente sus ubicaciones aproximadas son todo lo que se necesita para hacer una estimación del comportamiento del sistema. Así, es importante que el diseñador esté familiarizado con las reglas generales para la construcción del lugar de las raíces. Tales reglas se resumen en la siguiente sección.

## 5-4 RESUMEN DE LAS REGLAS GENERALES PARA CONSTRUIR EL LUGAR DE LAS RAICES

Para un sistema complicado con muchos polos y ceros de lazo abierto puede parecer muy complicado construir un diagrama del lugar de las raíces, pero en realidad no lo es si se aplican ciertas reglas. Ubicando los puntos particulares y asíntotas y calculando los ángulos de partida desde los polos complejos y los ángulos de llegada a los ceros complejos, se puede construir sin dificultad la forma general del lugar de las raíces. De hecho, se puede aprovechar toda la ventaja del método del lugar de las raíces, en el caso de sistemas de orden superior, para los que otros métodos de hallar los polos de lazo cerrado son muy laboriosos.

Algunas de las reglas para la construcción del lugar de las raíces se establecieron en la sección 5-3. El propósito de esta sección es resumir las reglas generales para la construcción del lugar de las raíces del sistema que se muestra en la figura 5-16. Si bien el método está basado esencialmente en una técnica de prueba y corrección, la cantidad de pruebas requeridas se puede reducir mucho utilizando estas reglas.

**Reglas generales para construir el lugar de las raíces.** Ahora se resumirán las reglas y procedimientos generales para construir el lugar de las raíces del sistema de la figura 5-16.

**1.** Primero se obtiene la ecuación característica

$$1 + G(s)H(s) = 0$$

y se reescribe de modo que el parámetro de interés aparezca como el factor de multiplicación en la forma

$$1 + \frac{K(s + z_1)(s + z_2) \cdots (s + z_m)}{(s + p_1)(s + p_2) \cdots (s + p_n)} = 0$$

En la presentación actual, se supone que el parámetro de interés es la ganancia $K$, siendo $K > 0$. (Si $K < 0$, que corresponde al caso de retroalimentación positiva, se debe modificar la condición de ángulo. Vea problema A-5-4). Sin embargo, se hace notar que el método es aplicable a sistemas cuyos parámetros de interés son otros distintos a la ganancia.

Partiendo de la forma factorizada de la función de transferencia de lazo abierto, se ubican los polos y ceros de lazo abierto en el plano $s$. [Nótese que los ceros de lazo abierto son los ceros de $G(s)H(s)$, mientras que los ceros de lazo cerrado consisten en los ceros de $G(s)$ y los polos de $H(s)$].

Se puntualiza que el lugar de las raíces es simétrico respecto al eje real en el plano $s$, porque los polos y ceros complejos aparecen solamente en pares conjugados.

**2.** Se hallan los puntos de inicio y fin del lugar de las raíces y se determina la cantidad de ramas del lugar de las raíces. Los puntos del lugar de las raíces correspondientes a $K = 0$ son polos de lazo abierto. Lo cual se puede ver de la condición de magnitud, haciendo tender el valor de $K$ a cero, o

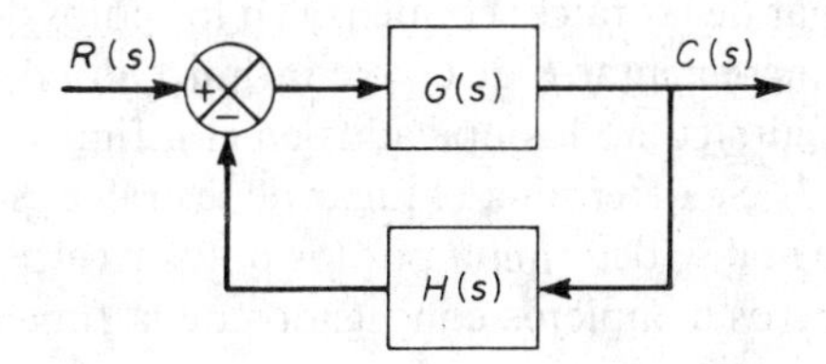


**Figura 5-16**
Sistema de control.

$$\lim_{K\to 0}\left|\frac{(s+z_1)(s+z_2)\cdots(s+z_m)}{(s+p_1)(s+p_2)\cdots(s+p_n)}\right| = \lim_{K\to 0}\frac{1}{K} = \infty$$

Esta última ecuación implica que al disminuir $K$, el valor de $s$ debe acercarse a uno de los polos de lazo abierto. Por tanto, cada rama del lugar de las raíces se origina en un polo de la función de transferencia de lazo abierto $G(s)H(s)$. Al tender $K$ a infinito, cada rama del lugar de las raíces tiende o bien hacia un cero de la función de transferencia de lazo abierto o a infinito en el plano complejo, lo que se puede ver del siguiente modo: si se hace que $K$ tienda a infinito en la condición de magnitud, entonces

$$\lim_{K\to 0}\left|\frac{(s+z_1)(s+z_2)\cdots(s+z_m)}{(s+p_1)(s+p_2)\cdots(s+p_n)}\right| = \lim_{K\to 0}\frac{1}{K} = 0$$

Por tanto, el valor de $s$ se debe aproximar a uno de los ceros de lazo abierto o a un cero de lazo abierto en el infinito. [Si los ceros en el infinito se incluyen en la cuenta, $G(s)H(s)$ tiene la misma cantidad de ceros que de polos].

Un diagrama del lugar de las raíces debe tener tantas ramas como raíces tiene la ecuación característica. Como en general la cantidad de polos de lazo abierto excede la de ceros, la cantidad de ramas iguala a la de polos. Si la cantidad de polos de lazo cerrado es la misma que la de polos de lazo abierto, entonces la cantidad de ramas individuales del lugar de las raíces que terminan en ceros finitos de lazo abierto, es igual a la cantidad $m$ de ceros de lazo abierto. Las $n - m$ ramas restantes terminan en infinito ($n - m$ ceros en infinito) a lo largo de las asíntotas.

Sin embargo, es importante notar que si se considera un problema puramente matemático, se puede hacer la cantidad de polos de lazo cerrado igual a la de ceros de lazo abierto, en lugar de igual a la de polos de lazo abierto. En tal caso, la cantidad de ramas del lugar de las raíces es igual a la cantidad de ceros de lazo abierto. Por ejemplo, sea la ecuación polinómica siguiente:

$$s^2 + s + 1 = 0$$

Esta ecuación se puede reescribir

$$1 + \frac{s^2}{s+1} = 0$$

Entonces la función de transferencia se puede considerar $s^2/(s + 1)$ como la función de transferencia de lazo abierto, tiene dos ceros y un polo. Por tanto, la cantidad de ceros finitos es mayor que la de polos finitos. La cantidad de ramas del lugar de las raíces es igual a la de ceros de lazo abierto.

Si se incluyen los polos y ceros en el infinito, la cantidad de polos de lazo abierto equivale a la de ceros de lazo abierto. Por lo tanto, siempre se puede establecer que el lugar de las raíces comienza en los polos de $G(s)H(s)$ y finaliza en los ceros de $G(s)H(s)$ al incrementar $K$ de cero a infinito, donde los polos y ceros incluyen tanto los del plano $s$ finito como los ubicados en el infinito.

**3.** Se determina el lugar de las raíces sobre el eje real. El lugar de las raíces sobre el eje real se determina por los polos y ceros de lazo abierto que están sobre él. Los polos y ceros complejos conjugados de la función de transferencia de lazo abierto no tienen efecto en la ubicación del lugar de las raíces sobre el eje real, porque la contribución angular de un par de polos o ceros complejos conjugados es 360° sobre el eje real. Cada porción del lugar de las raíces sobre el eje real se extiende sobre un rango que va desde un polo o cero hasta otro polo o cero. Al construir el lugar de las raíces sobre el eje real, se elige un punto de prueba sobre él. Si la cantidad total de polos reales y ceros reales a la derecha de este punto de prueba es impar, entonces este punto queda en una rama del lugar de las raíces. El lugar de las raíces y su complemento forman segmentos alternados a lo largo del eje real.

**4.** Se determinan las asíntotas del lugar de las raíces. Si el punto de prueba $s$ está ubicado lejos del origen, se pueden considerar iguales a los ángulos de cada cantidad compleja. Un polo de lazo abierto y un cero de lazo abierto cancelan sus efectos en forma mutua. Por lo tanto, el lugar de las raíces para valores muy grandes de $s$ deben ser asintóticos a rectas cuyos ángulos (pendientes) están dados por

$$\text{Angulo de asíntotas} = \frac{\pm 180°(2k+1)}{n-m} \qquad (k = 0, 1, 2, \ldots)$$

donde $n$ = cantidad de polos finitos de $G(s)H(s)$
$m$ = cantidad de ceros finitos de $G(s)H(s)$

Aquí, $k = 0$ corresponde a las asíntotas con ángulo más pequeño respecto al eje real. Aunque $k$ toma infinitos valores, al aumentar $k$, el ángulo se repite, y la cantidad de asíntotas diferentes es $n - m$.

Todas las asíntotas se intersectan sobre el eje real. El punto en que lo hacen se puede obtener del modo siguiente: si se expanden tanto el numerador como el denominador de la función de transferencia de lazo abierto, el resultado es

$$G(s)H(s) = \frac{K[s^m + (z_1 + z_2 + \cdots + z_m)s^{m-1} + \cdots + z_1 z_2 \cdots z_m]}{s^n + (p_1 + p_2 + \cdots + p_n)s^{n-1} + \cdots + p_1 p_2 \cdots p_n}$$

Si se coloca un punto de prueba muy lejano al origen, se puede escribir $G(s)H(s)$

$$G(s)H(s) = \frac{K}{s^{n-m} + [(p_1 + p_2 + \cdots + p_n) - (z_1 + z_2 + \cdots + z_m)]s^{n-m-1} + \cdots}$$

Como la ecuación característica es

$$G(s)H(s) = -1$$

se la puede escribir como

$$s^{n-m} + [(p_1 + p_2 + \cdots + p_n) - (z_1 + z_2 + \cdots + z_m)]s^{n-m-1} + \cdots = -K \qquad (5\text{–}17)$$

Para un valor grande de $s$ la ecuación (5-17) se puede aproximar por

$$\left[s + \frac{(p_1 + p_2 + \cdots + p_n) - (z_1 + z_2 + \cdots + z_m)}{n-m}\right]^{n-m} = 0$$

Si la abscisa de intersección de las asíntotas con el eje real se designa como $s = \sigma_a$, entonces

$$\sigma_a = -\frac{(p_1 + p_2 + \cdots + p_n) - (z_1 + z_2 + \cdots + z_m)}{n-m} \qquad (5\text{–}18)$$

o

$$\sigma_a = \frac{\text{(suma de polos)} - \text{(suma de ceros)}}{n - m} \tag{5-19}$$

Como todos los polos y ceros complejos se producen en pares conjugados, $\sigma_a$ siempre es un número real. Otras veces la intersección de las asíntotas y el eje real es fundamental, se pueden dibujar fácilmente las asíntotas en el plano complejo.

Es importante notar que las asíntotas muestran el comportamiento del lugar de las raíces para $|s| \gg 1$. Una rama del lugar de las raíces puede quedar a un lado de la asíntota correspondiente, o puede cruzar la asíntota correspondiente de un lado al otro.

**5.** Se hallan los puntos de ruptura de llegada y partida. Debido a la simetría conjugada del lugar de las raíces, los puntos de ruptura de llegada y partida, o bien están sobre el eje real, o se producen en pares complejos conjugados.

Si hay un lugar de las raíces entre dos polos de lazo abierto adyacentes sobre el eje real, entonces hay al menos un punto de ruptura entre los dos polos. En forma similar, si el lugar de las raíces queda entre dos ceros adyacentes (un cero puede estar en $-\infty$) sobre el eje real; entonces siempre hay al menos un punto de ruptura entre los dos ceros. Si el lugar de las raíces está entre un polo de lazo abierto y un cero (finito o infinito) sobre el eje real, entonces puede o no haber puntos de ruptura, tanto de llegada como de partida.

Supóngase que la ecuación característica está dada por

$$B(s) + KA(s) = 0$$

Los puntos de ruptura de llegada y partida corresponden a raíces múltiples de la ecuación característica. Por tanto, los puntos de ruptura de partida y de llegada se pueden determinar a partir de las raíces de

$$\frac{dK}{ds} = -\frac{B'(s)A(s) - B(s)A'(s)}{A^2(s)} = 0 \tag{5-20}$$

donde la "prima o apóstrofe" significa diferenciación respecto a $s$. Es importante ver que los puntos de ruptura de partida y de llegada deben ser raíces de la ecuación (5-20), pero no todas las raíces de la ecuación (5-20) son puntos de ruptura de llegada o de partida. Si una raíz real de la ecuación (5-20) cae sobre el lugar de las raíces sobre el eje real, se trata efectivamente de un punto de ruptura de llegada o partida. Si una raíz real de la ecuación (5-20) no cae sobre la porción del lugar de las raíces sobre el eje real, entonces esa raíz no corresponde a un punto de ruptura de llegada ni de partida. Si dos raíces $s = s_1$ y $s = -s_1$ de la ecuación (5-20) son un par complejo conjugado, y no se está seguro de si están en el lugar de las raíces, entonces es necesario verificar el valor de $K$ correspondiente. Si el valor de $K$ correspondiente a una raiz $s = s_1$ de $dK/ds = 0$, es real positivo, el punto $s = s_1$ es efectivamente un punto de ruptura de llegada o partida. (Como se supone que $K$ no es negativa o compleja, si el valor de $K$ así obtenido es negativo o complejo, entonces el punto $s = s_1$ no es punto de ruptura de llegada ni de partida).

**6.** Se determinan los ángulos de partida (o ángulos de llegada) del lugar de las raíces desde los polos complejos (o ceros complejos). Para trazar el lugar de las raíces con exactitud razonable, se deben hallar las direcciones y sentidos del lugar de las raíces en la vecindad de los polos y ceros complejos. Si se elige un punto de prueba que lo desplaza en la vecindad de un polo complejo (o de un cero complejo), se puede actuar considerando que la suma de las contribuciones angulares desde todos los otros polos y ceros se mantiene constante. Por tanto, se puede hallar el ángulo de partida (o de llegada) del lugar de las raíces desde un polo complejo (o hacia un cero complejo), restando de 180° la suma de todos los ángulos de los vectores desde todos los otros polos y ceros al polo complejo (o cero complejo) en cuestión, incluidos sus signos correspondientes.

Angulo de partida desde un polo complejo = 180°
— (suma de los ángulos de los vectores al polo complejo en cuestión desde los otros polos)
+ (suma de los ángulos de los vectores al polo complejo en cuestión desde los ceros)

Angulo de llegada hacia un cero complejo = 180°
— (suma de los ángulos de los vectores al cero complejo en cuestión desde los otros ceros)
+ (suma de los ángulos de los vectores al cero complejo en cuestión desde los polos)

En la figura 5-17 se ve un ángulo de partida.

**7.** Se hallan los puntos donde el lugar de las raíces cruza al eje imaginario. Se pueden hallar fácilmente los puntos en que el lugar de las raíces corta al eje $j\omega$, utilizando el criterio de estabilidad de Routh, (2) un procedimiento de prueba y corrección, o (3) haciendo en la ecuación característica $s = j\omega$, igualando a cero tanto la parte real como la imaginaria y resolviendo para $\omega$ y $K$. Los valores de $\omega$ así hallados dan las frecuencias en las que el lugar de las raíces corta al eje imaginario. El valor de $K$ correspondiente a cada frecuencia de cruce da la ganancia en el punto de cruce.

**8.** Cualquier punto del lugar de las raíces es un posible polo de lazo cerrado. Un punto particular será un polo de lazo cerrado cuando el valor de $K$ satisfaga la condición de magnitud. Así, la condición de magnitud, amplitud o módulo permite determinar el valor de la ganancia $K$ en cualquier ubicación de raíz específica en el lugar. (Si fuera necesario, se puede graduar el lugar de las raíces en términos de $K$. El lugar de las raíces es continuo en $K$).

El valor de $K$ correspondiente a cualquier punto $s$ sobre un lugar de las raíces se puede obtener con la condición de magnitud, o

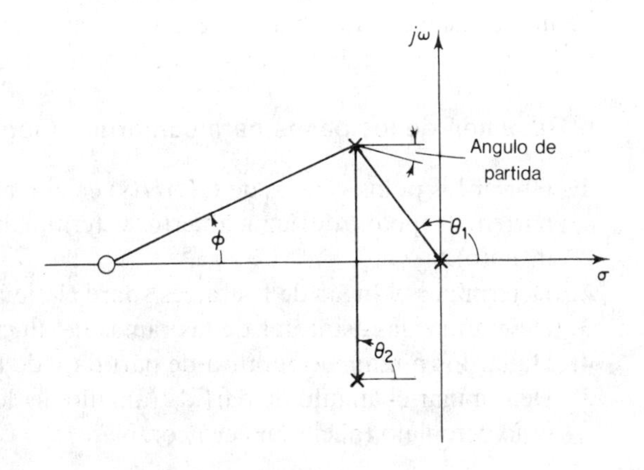


**Figura 5-17** Construcción del lugar de las raíces. [Angulo de partida $= 180° - (\theta_1 + \theta_2) + \phi$.]

$$K = \frac{\text{producto de las distancias entre el punto } s \text{ y los polos}}{\text{producto de las distancias del punto } s \text{ y los ceros}}$$

Este valor se puede determinar en forma gráfica o analítica.

Si en el problema está dada la ganancia $K$ de la función de transferencia de lazo abierto, aplicando la condición de magnitud se pueden hallar las ubicaciones correctas de los polos de lazo cerrado para determinado valor de $K$ en cada rama del lugar de las raíces por el procedimiento de prueba y corrección.

Una vez hallados los polos de lazo cerrado dominantes (o polos de lazo cerrado más próximos al eje $j\omega$) por el método del lugar de las raíces, se pueden hallar los demás polos de lazo cerrado dividiendo la ecuación característica por los factores correspondientes a los polos de lazo cerrado dominantes. Con frecuencia esta división no se puede realizar con exactitud, por las inevitables imprecisiones ocasionadas por el análisis gráfico.

Nótese que la ecuación característica del sistema cuya función de transferencia de lazo abierto es

$$G(s)H(s) = \frac{K(s^m + b_1 s^{m-1} + \cdots + b_m)}{s^n + a_1 s^{n-1} + \cdots + a_n} \qquad (n \geq m)$$

es una ecuación algebraica de $n$-ésimo grado en $s$. Si el orden del numerador de $G(s)H(s)$ es inferior al del denominador en dos o más (lo que significa que hay dos o más ceros en el infinito), el coeficiente $a_1$ es la suma negativa de las raíces de la ecuación y es independiente de $K$. En tal caso, si alguna de las raíces se desplaza hacia la izquierda al incrementar el valor de $K$, las otras raíces se desplazarán hacia la derecha al aumentar $K$. Esta información es útil para determinar la forma general del lugar de las raíces.

**9.** Determinar el lugar de las raíces en una zona amplia del eje $j\omega$ y el origen. La parte más importante del lugar de las raíces no está en el eje real ni en las asíntotas, sino en el amplio entorno comprendido entre el eje $j\omega$ y el origen. Hay que obtener con exactitud suficiente la forma del lugar de las raíces en esta importante región del plano $s$.

**Comentarios sobre los diagramas del lugar de las raíces.** Se hace hincapié en que un leve cambio en la configuración de polos y ceros puede producir modificaciones significativas en las configuraciones del lugar de las raíces. La figura 5-18 muestra el hecho de que un pequeño desplazamiento en la ubicación de un cero o un polo hace que la configuración del lugar de las raíces presente un aspecto bastante diferente.

### Resumen de los pasos para construir el lugar de las raíces

1. Ubicar los polos y ceros de $G(s)H(s)$ en el plano $s$. Las ramas del lugar de las raíces parten de polos de lazo abierto y terminan en ceros (ceros finitos o ceros en infinito).
2. Determinar el lugar de las raíces sobre el eje real.
3. Determinar las asíntotas de las ramas del lugar de las raíces.
4. Hallar los puntos de ruptura de partida y de llegada.
5. Determinar el ángulo de partida (ángulo de llegada) del lugar de las raíces desde un polo complejo (hacia un cero complejo).

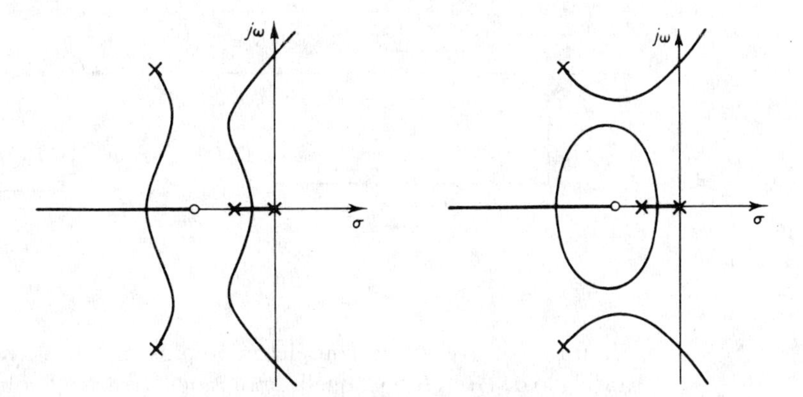


**Figura 5-18**
Diagramas de las raíces.

6. Hallar los puntos donde el lugar de las raíces cruza al eje imaginario.
7. Tomando una serie de puntos de prueba en una amplia zona alrededor del origen $s$, trazar el lugar de las raíces.
8. Ubicar los polos de lazo cerrado en las ramas del lugar de las raíces y determinar el valor de la ganancia $K$ correspondiente, utilizando la condición de magnitud. O bien, con la condición de magnitud, determinar la ubicación de los polos de lazo cerrado para un valor determinado de ganancia $K$.

**Cancelación de polos de $G(s)$ con ceros de $H(s)$.** Es importante tener presente que si el denominador de $G(s)$ y el numerador de $H(s)$ incluyen factores comunes, los polos y ceros de lazo abierto correspondientes se cancelan entre sí, reduciendo el grado de la ecuación característica en uno o más. Por ejemplo, considérese el caso del sistema de la figura 5-19(a). (Este sistema tiene retroalimentación de velocidad). La función de transferencia de lazo cerrado $C(s)/R(s)$ es

$$\frac{C(s)}{R(s)} = \frac{K}{s(s+1)(s+2) + K(s+1)}$$

La ecuación característica es

$$[s(s+2) + K](s+1) = 0$$

Debido a la cancelación de los términos $(s + 1)$ que aparecen en $G(s)$ y $H(s)$, sin embargo, se tienę

$$\begin{aligned} 1 + G(s)H(s) &= 1 + \frac{K(s+1)}{s(s+1)(s+2)} \\ &= \frac{s(s+2) + K}{s(s+2)} \end{aligned}$$

La ecuación característica reducida es

$$s(s+2) + K = 0$$

El diagrama del lugar de las raíces de $G(s)H(s)$ no muestra todas las raíces de la ecuación característica, solamente las raíces de la ecuación reducida.

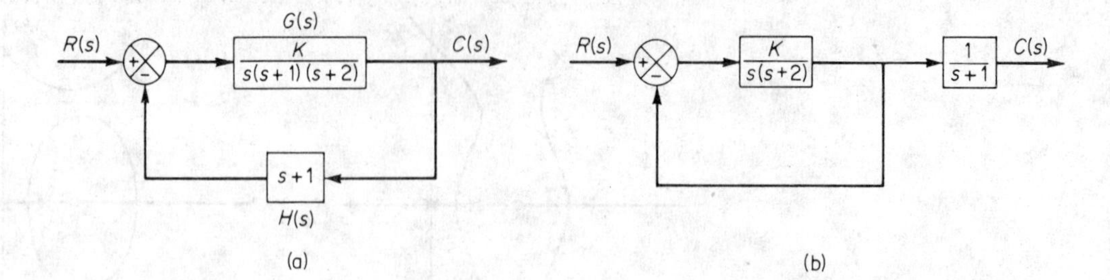


**Figura 5-19**
Sistemas de control.

Para obtener el juego completo de polos de lazo cerrado, se debe agregar el polo cancelado de $G(s)H(s)$ a aquellos polos de lazo cerrado obtenidos a partir del diagrama del lugar de las raíces de $G(s)H(s)$. El hecho importante a recordar es que el polo cancelado de $G(s)H(s)$ es un polo de lazo cerrado del sistema, como se puede ver en la figura 5-19(b).

**Configuración típica de polos y ceros y su correspondiente lugar de las raíces.** Para concluir esta sección, en la tabla 5-2 se muestran diversas configuraciones de polos y ceros y su correspondiente lugar de las raíces. El diagrama del lugar de las raíces depende solamente de la separación relativa de polos y ceros de lazo abierto. Si la cantidad de polos de lazo abierto excede la cantidad de ceros finitos en tres o más, hay un valor de la ganancia $K$ más allá del cual el lugar de las raíces entra al semiplano derecho del plano $s$, y así el sistema se puede tornar inestable. Un sistema estable debe tener todos sus polos de lazo cerrado en el semiplano izquierdo del plano $s$.

Nótese que una vez que se tiene alguna experiencia en el uso del método se pueden evaluar fácilmente los cambios en el lugar de las raíces debidos a cambios en la cantidad y ubicación de polos y ceros de lazo abierto, visualizando los diagramas del lugar de las raíces resultantes de diversas configuraciones de polos y ceros.

## 5-5 ANALISIS DEL LUGAR DE LAS RAICES DE SISTEMAS DE CONTROL

En esta sección se tratará primeramente la ortogonalidad del lugar de las raíces y del lugar de ganancia constante para sistemas de lazo cerrado. Luego se compararán los efectos del control derivativo y de la retroalimentación de velocidad en el comportamiento de un servosistema. A continuación se estudiarán los sistemas condicionalmente estables. Al final, se analizarán los sistemas de fase no mínima.

**Ortogonalidad del lugar de las raíces y de los lugares de ganancia constante.** Considere el sistema cuya función de transferencia de lazo abierto es $G(s)H(s)$. En el plano $G(s)H(s)$, los lugares de $|G(s)H(s)|$ = constante son círculos con centro en el origen, y los lugares correspondientes a $\angle G(s)H(s) = \pm 180°(2k + 1)(k = 0, 1, 2, \ldots)$ quedan sobre el eje real negativo del plano $G(s)H(s)$, como se ve en la figura 5-20. [Se hace notar que el plano complejo utilizado aquí no es el plano $s$, sino el plano $G(s)H(s)$].

El lugar de las raíces y los lugares de ganancia constante en el plano $s$ son representaciones o mapeos conformes de los lugares de $\angle G(s)H(s) = \pm 180°(2k + 1)$ y de $|G(s)H(s)|$ = constante en el plano $G(s)H(s)$.

**Tabla 5-2** Configuraciones de polos y ceros de lazo abierto y sus correspondientes lugares de las raíces.

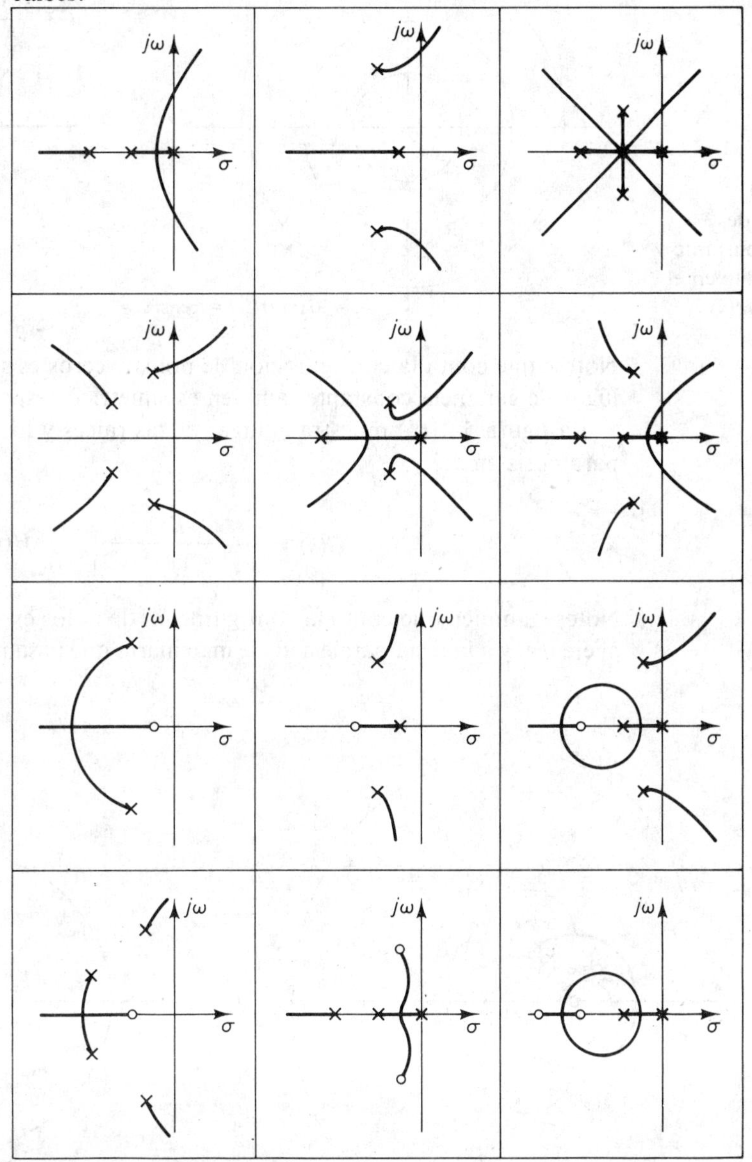


Como los lugares de fase constante y de ganancia constante en el plano $G(s)H(s)$ son ortogonales, el lugar de las raíces y los lugares de ganancia constante en el plano $s$ son ortogonales. La figura 5-21(a) muestra el lugar de las raíces y los lugares de ganancia constante del siguiente sistema:

$$G(s) = \frac{K(s + 2)}{s^2 + 2s + 3}, \qquad H(s) = 1$$

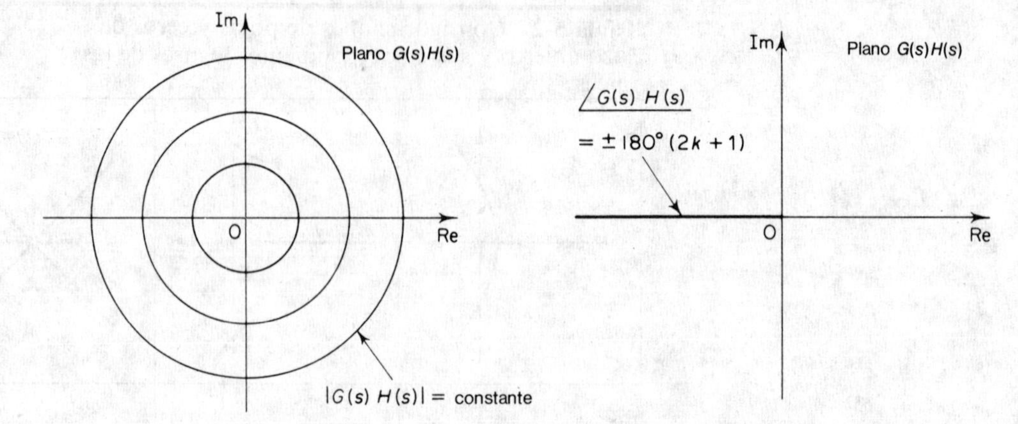


**Figura 5-20** Diagramas de ganancia constante y fase constante en el plano $G(s)H(s)$.

Nótese que como la configuración de polos y ceros es simétrica respecto al eje real, el lugar de ganancia constante también es simétrico respecto al eje real.

La figura 5-21(b) muestra el lugar de las raíces y los lugares de ganancia constante para el sistema:

$$G(s) = \frac{K}{s(s+1)(s+2)}, \qquad H(s) = 1$$

Nótese también que como la configuración de polos en el plano $s$ es simétrica respecto al eje real y a la recta paralela al eje imaginario que pasa por el punto ($\sigma = -1$, $\omega = 0$),

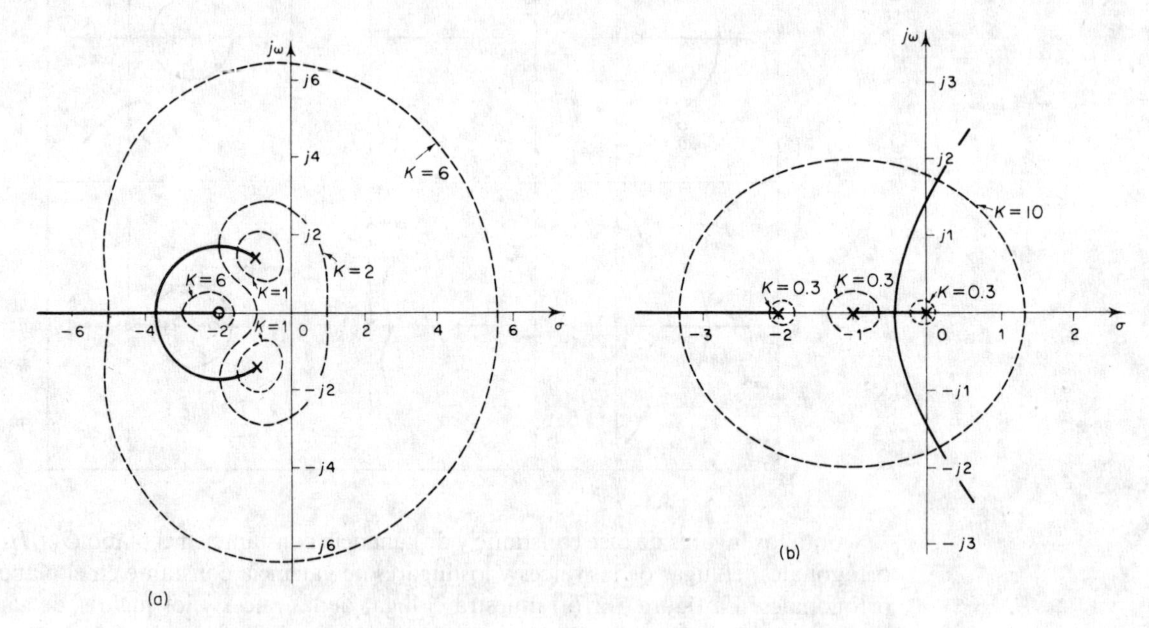


**Figura 5-21** Diagramas del lugar de las raíces y lugar de ganancia constante. (a) Sistema con $G(s) = K(s+2)/(s^2+2s+3)$, $H(s) = 1$; (b) sistemas con $G(s) = K/[s(s+1)(s+2)]$, $H(s) = 1$.

el lugar de ganancia constante es simétrico respecto a la recta $\omega = 0$ (eje real) y a la recta $\sigma = -1$

**Comparación de los efectos del control derivativo y de la retroalimentación de velocidad (retroalimentación tacométrica) en el comportamiento de los servomecanismos de posición.** El sistema I que se muestra en la figura 5-22 es un servosistema de posición. (La salida es la posición). El sistema II que aparece en la figura 5-22 es un servosistema de posición que utiliza acción de control proporcional y derivativa. El sistema III de la figura 5-22 es un servosistema de posición que utiliza retroalimentación de velocidad o tacométrica. Se compararán las ventajas relativas del control derivativo y de la retroalimentación de velocidad.

El diagrama del lugar de las raíces para el sistema I es el que aparece en la figura 5-23(a). Los polos de lazo cerrado están ubicados en $s = -0.1 \pm j0.995$.

La función de transferencia de lazo abierto del sistema II es

$$G_{\mathrm{II}}(s)H_{\mathrm{II}}(s) = \frac{5(1 + 0.8s)}{s(5s + 1)}$$

La función de transferencia de lazo abierto del sistema III es

$$G_{\mathrm{III}}(s)H_{\mathrm{III}}(s) = \frac{5(1 + 0.8s)}{s(5s + 1)}$$

Así, los sistemas II y III tienen funciones de transferencia de lazo abierto idénticas. (Ambos sistemas tienen los mismos polos y ceros de lazo abierto). Los diagramas del lugar de las raíces para los sistemas II y III por lo tanto son idénticos y se presentan en las figura 5-23(b) y (c), respectivamente.

Sin embargo, debe notarse que las funciones de transferencia de lazo cerrado de los sistemas II y III son claramente diferentes. El sistema II tiene dos polos de lazo cerrado y un cero finito de lazo cerrado, mientras que el sistema III tiene dos polos de lazo cerrado y no tiene cero finito de lazo cerrado. (La retroalimentación de velocidad, o tacométrica, posee un cero de lazo abierto, pero no un cero de lazo cerrado). Los polos de lazo cerrado de los Sistemas II y III son $s = -0.5 \pm j0.866$.

La función de transferencia de lazo cerrado del sistema II es

$$\frac{C_{\mathrm{II}}(s)}{R(s)} = \frac{1 + 0.8s}{(s + 0.5 + j0.866)(s + 0.5 - j0.866)}$$

Para una entrada impulso unitario,

$$C_{\mathrm{II}}(s) = \frac{0.4 + j0.346}{s + 0.5 + j0.866} + \frac{0.4 - j0.346}{s + 0.5 - j0.866}$$

El residuo en el polo de lazo cerrado $s = -0.5 - j0.866$ es $0.4 + j0.346$ y el del polo de lazo cerrado $s = -0.5 + j0.866$ es $0.4 - j0.346$. La transformada inversa de Laplace de $C_{\mathrm{II}}(s)$ da

$$c_{\mathrm{II}}(t)_{\mathrm{impulso}} = e^{-0.5t}(0.8 \cos 0.866t + 0.693 \operatorname{sen} 0.866t) \qquad (t \geq 0)$$

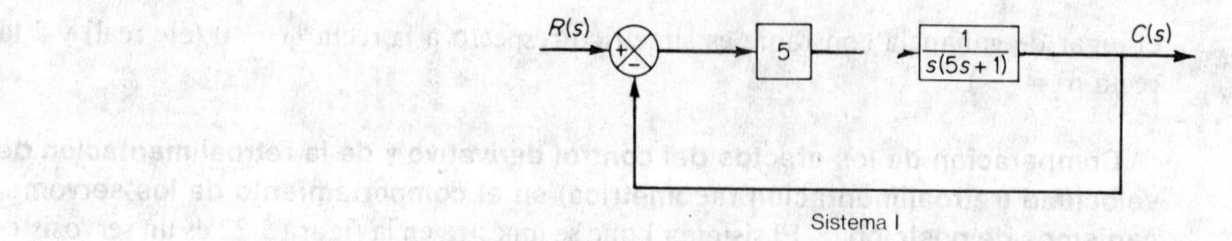


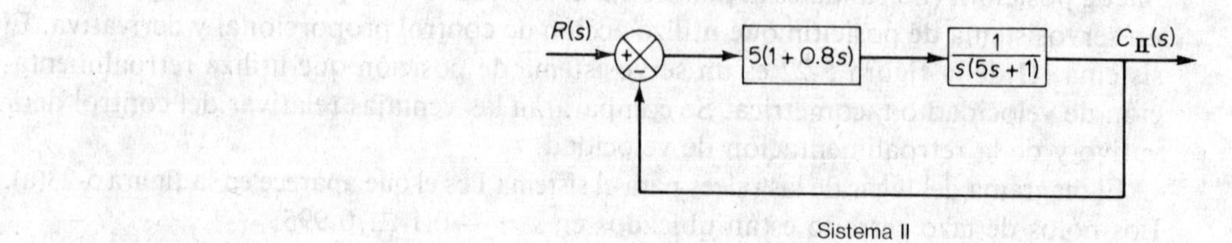


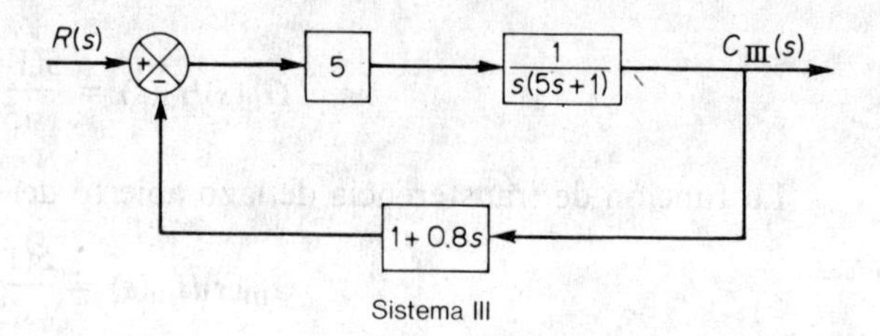


**Figura 5-22**
Servosistemas de posición.

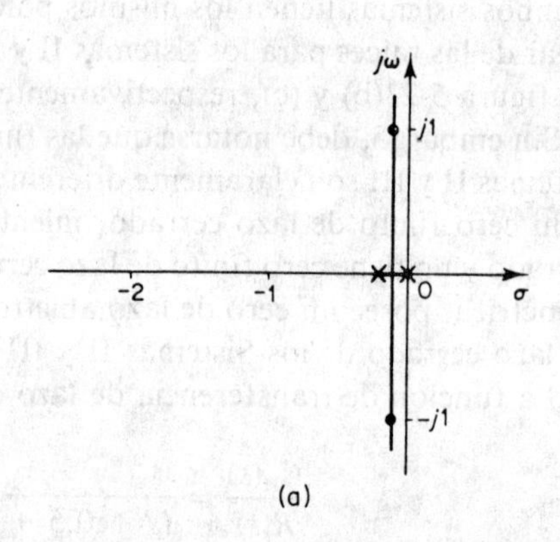


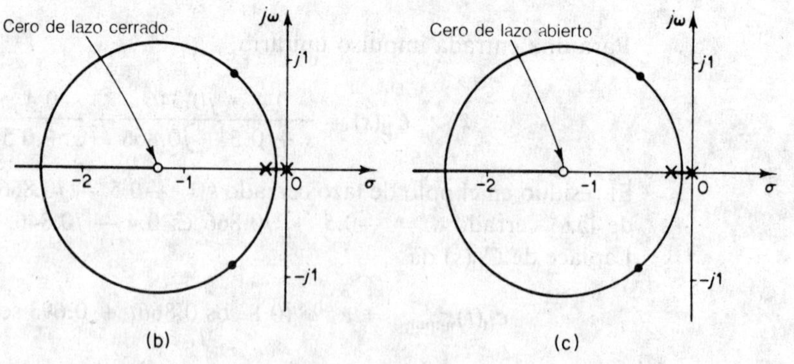


**Figura 5-23**
Diagramas del lugar de las raíces para los sistemas que se ven en la fig. 5-22: (a) sistema I; (b) sistema II; (c) sistema III.

La función de transferencia de lazo cerrado del sistema III es

$$\frac{C_{\text{III}}(s)}{R(s)} = \frac{1}{(s + 0.5 + j0.866)(s + 0.5 - j0.866)}$$

Para una entrada impulso unitario,

$$C_{\text{III}}(s) = \frac{j0.577}{s + 0.5 + j0.866} + \frac{-j0.577}{s + 0.5 - j0.866}$$

El residuo en el polo de lazo cerrado $s = -0.5 - j0.866$ es $j0.577$ y el del polo de lazo cerrado $s = -0.5 + j0.866$ es $-j0.577$. La transformada inversa de Laplace de $C_{\text{III}}(s)$ da

$$c_{\text{III}}(t)_{\text{impulso}} = 1.155e^{-0.5t} \text{ sen } 0.866t \qquad (t \geq 0)$$

Las respuestas al impulso unitario de los sistemas II y III son diferentes porque los residuos en el mismo polo son distintos para los dos sistemas. (Recuérdese que los residuos dependen tanto de los polos como de los ceros de lazo cerrado). En la figura 5-24 se pueden ver las curvas de respuesta al impulso.

Nótese que la respuesta al escalón unitario puede obtenerse o bien directamente o integrando la respuesta al impulso unitario. Por ejemplo, para el sistema III, la respuesta al escalón unitario se obtiene como sigue:

$$\begin{aligned} c_{\text{III}}(t)_{\text{escalón}} &= \int_0^t c_{\text{III}}(t)_{\text{impulso}}\, dt \\ &= \int_0^t 1.155e^{-0.5t} \text{sen}\, 0.866t\, dt \\ &= 1 - e^{-0.5t}(\cos 0.866t + 0.577 \,\text{sen}\, 0.866t) \end{aligned}$$

La figura 5-25 muestra las curvas de respuesta al escalón unitario para los tres sistemas; el sistema que utiliza acción de control proporcional y derivativa presenta el tiempo de

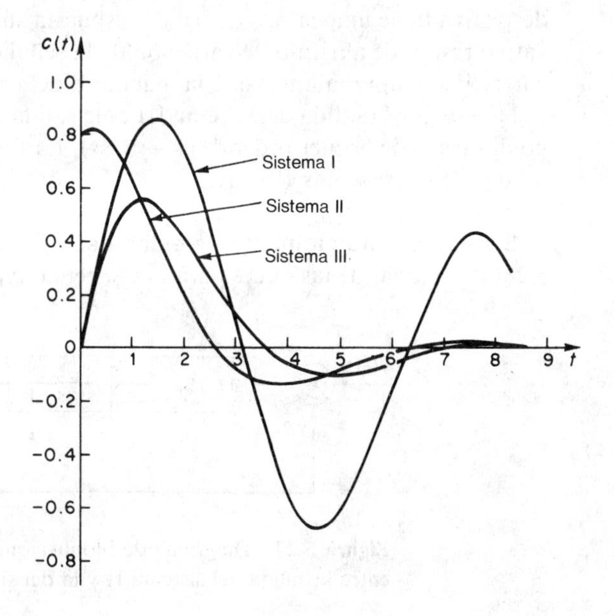


**Figura 5-24** Curvas de respuesta al impulso unitario para los sistemas I, II, y III de la fig. 5-22.

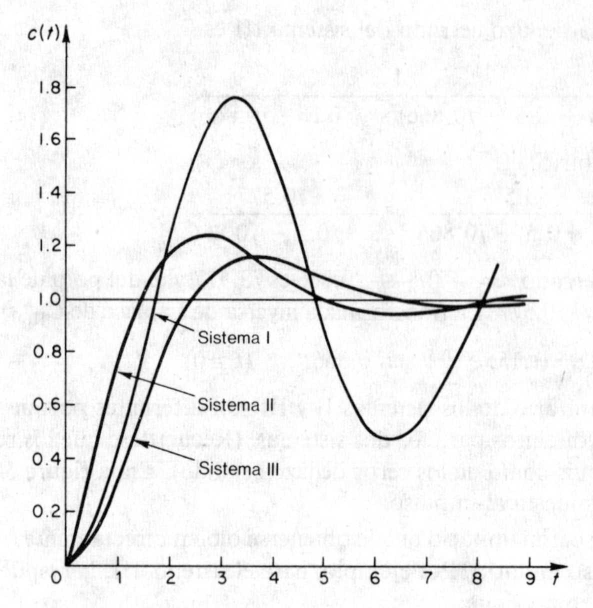


**Figura 5-25** Curvas de respuesta al escalón unitario para los sistemas I, II, y III de la Fig. 5-22

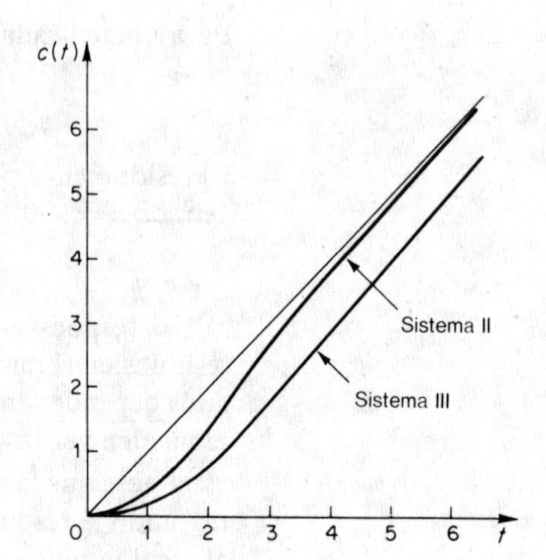


**Figura 5-26** Curvas de respuesta a la rampa unitaria para los sistemas I, II, y III de la Fig. 5-22.

establecimiento más breve. El sistema con retroalimentación de velocidad tiene el mínimo sobreimpulso máximo, o sea la mejor estabilidad relativa de los tres sistemas.

La figura 5-26 muestra curvas de respuesta a una rampa unitaria para los sistemas II y III. El sistema II tiene la ventaja de una respuesta más rápida y menor error en estado estacionario, ante una entrada rampa.

La razón principal por la que el sistema que utiliza acción de control proporcional y derivativa tiene una característica de respuesta superior consiste en que el control derivativo responde al ritmo de variación de la señal de error y puede producir una acción correctiva temprana antes que la magnitud del error se haga grande.

Nótese que la salida del sistema III es la salida del sistema II retardado por un término de atraso de primer orden $1/(1 + 0.8s)$. La figura 5-27 muestra la relación entre las salidas de los sistemas II y III.

**Sistemas condicionalmente estables.** Sea el sistema que se presenta en la figura 5-28(a). El lugar de las raíces para este sistema se puede dibujar aplicando las reglas ge-

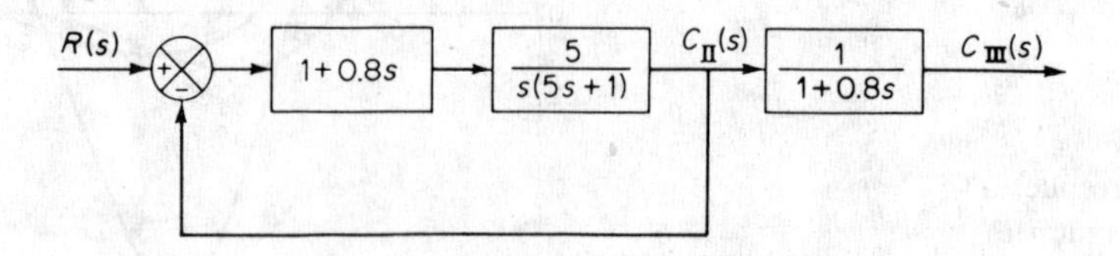


**Figura 5-27** Diagrama de bloques que muestra la relación entre la salida del sistema II y la del sistema III de la Fig. 5-22.

nerales para la construcción del lugar de las raíces. En la figura 5-28(b) se muestra un diagrama del lugar de las raíces para este sistema. Se puede ver que este sistema es estable solamente para rangos limitados del valor de $K$; es decir, $0 < K < 14$ y $64 < K < 195$. El sistema se vuelve inestable para $14 < K < 64$ y $195 < K$. Si $K$ toma un valor que corresponde a operación inestable, el sistema se puede quebrar o volverse no lineal debido a una no linealidad por saturación. Un sistema de esta naturaleza se denomina *condicionalmente estable.*

En la práctica, los sistemas condicionalmente estables no son deseables. La estabilidad condicional es peligrosa, pero ocurre en ciertos sistemas, en particular en aquellos que tienen una trayectoria directa inestable. Se puede dar una trayectoria directa inestable si el sistema tiene un lazo menor. Se aconseja evitar la estabilidad condicional pues si la ganancia cae por debajo de un valor crítico por una razón u otra, el sistema se vuelve inestable. Nótese que al añadir una red compensadora adecuada se elimina la estabilidad condicional. [Al agregar un cero hará que el lugar de las raíces se mueva hacia la izquierda. (Ver sección 7-3). Por lo tanto, la estabilidad condicional se puede eliminar añadiendo una compensación adecuada].

**Sistemas de fase no mínima.** Si todos los polos y ceros de un sistema quedan en el semiplano izquierdo de $s$, el sistema se denomina de *fase mínima*. Si un sistema tiene al menos un polo o cero en el semiplano derecho del plano $s$, recibe el nombre de sistema de *fase no mínima*. El término de fase no mínima viene de las características de desplazamiento de fase de un sistema, cuando se somete a entradas senoidales (ver sección 6-2).

Sea el sistema de la figura 5-29(a). En este sistema

$$G(s) = \frac{K(1 - T_a s)}{s(Ts + 1)} \qquad (T_a > 0), \qquad H(s) = 1$$

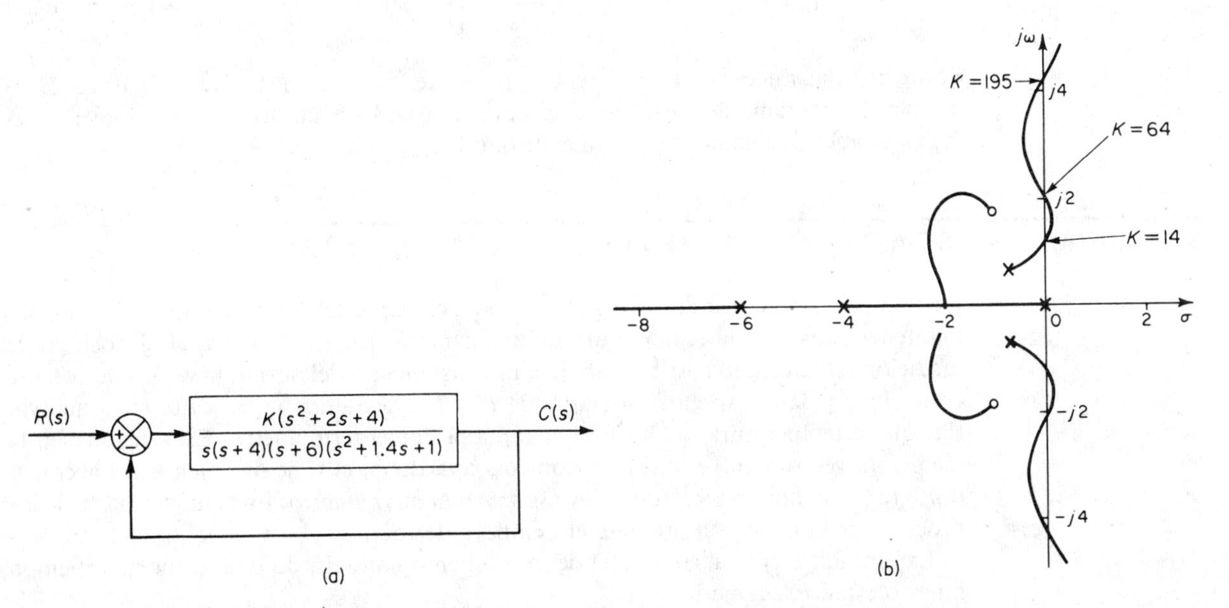


**Figura 5-28** (a) Sistema de control; (b) diagrama del lugar de las raíces.

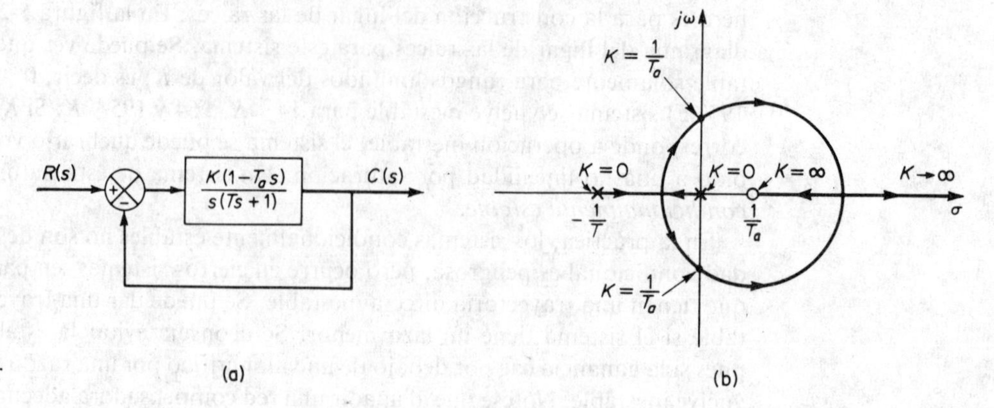


**Figura 5-29**
(a) Sistema de fase no mínima;
(b) diagrama del lugar de las raíces.

Este es un sistema de fase no mínima debido a que hay un cero en el semiplano derecho del plano $s$. Para este sistema, la condición de ángulo se convierte en

$$\angle G(s) = \angle -\frac{K(T_a s - 1)}{s(Ts + 1)}$$

$$= \angle \frac{K(T_a s - 1)}{s(Ts + 1)} + 180°$$

$$= \pm 180°(2k + 1) \qquad (k = 0, 1, 2, \ldots)$$

o bien

$$\angle \frac{K(T_a s - 1)}{s(Ts + 1)} = 0° \tag{5–21}$$

El lugar de las raíces se puede obtener a partir de la ecuación (5-21). La figura 5-29(b) muestra el diagrama del lugar de las raíces para este sistema, del cual se ve que el sistema es estable si la ganancia $K$ es menor que $1/T_a$.

## 5-6 LUGAR DE LAS RAICES PARA SISTEMAS CON RETARDO DE TRANSPORTE

La figura 5-30 muestra un sistema térmico en el que se hace circular aire caliente para mantener constante la temperatura de una cámara. En este sistema, el dispositivo de medición está ubicado corriente abajo a una distancia $L$ del horno, la velocidad del aire es de $v$ m/s y debe transcurrir un lapso de $T = L/v$ segundos antes de que cualquier variación de temperatura del horno sea captada por el termómetro. Esta demora en la medición, retardo en la acción de control, retardo en el funcionamiento del accionador, etc., se denomina *retardo de transporte* o *tiempo muerto*. En la mayor parte de los procesos de control está presente el tiempo muerto.

La entrada $x(t)$ y la salida $y(t)$ de un elemento con retardo de transporte o tiempo muerto están relacionados por

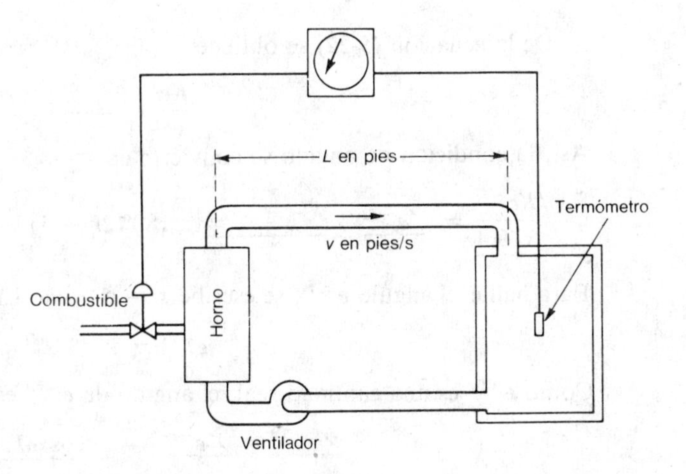


**Figura 5-30**
Sistema térmico.

$$y(t) = x(t - T)$$

donde $T$ es el tiempo muerto. La función de transferencia del retardo de transporte o tiempo muerto está dada por

$$\text{Función de transferencia del retardo de transporte o tiempo muerto} = \frac{\mathcal{L}[x(t - T)1(t - T)]}{\mathcal{L}[x(t)1(t)]} = \frac{X(s)e^{-Ts}}{X(s)} = e^{-Ts}$$

Supóngase que la función de transferencia directa de este sistema térmico se puede aproximar por

$$G(s) = \frac{Ke^{-Ts}}{s + 1}$$

como se ve en la figura 5-31. Se construirá el diagrama del lugar de las raíces para este sistema. La ecuación característica para este sistema de lazo cerrado es

$$1 + \frac{Ke^{-Ts}}{s + 1} = 0 \tag{5–22}$$

Es evidente que para sistemas con retardo de transporte, se deben modificar las reglas de construcción ya presentadas. Por ejemplo, la cantidad de ramas del lugar de las raíces se hace infinita, pues la ecuación característica tiene cantidad infinita de raíces. La cantidad de asíntota es infinita y todas son paralelas al eje real en el plano $s$.

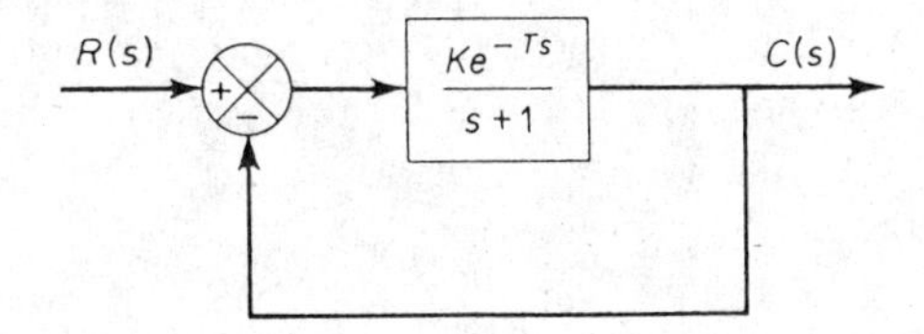


**Figura 5-31**
Diagrama en bloques del sistema de la Fig. 5-30.

De la ecuación (5-22) se obtiene

$$\frac{Ke^{-Ts}}{s+1} = -1$$

Así, la condición de ángulo se convierte en

$$\angle \frac{Ke^{-Ts}}{s+1} = \angle e^{-Ts} - \angle s+1 = \pm 180°(2k+1) \qquad (k = 0, 1, 2, \ldots) \qquad (5\text{–}23)$$

Para hallar el ángulo $e^{-Ts}$, se escribe $s = \sigma + j\omega$. Entonces se obtiene

$$e^{-Ts} = e^{-T\sigma - j\omega T}$$

Como $e^{-T\sigma}$ es una cantidad real, el ángulo de $e^{-T\sigma}$ es cero. De aquí que

$$\begin{aligned} \angle e^{-Ts} = \angle e^{-j\omega T} &= \angle \cos \omega T - j\mathrm{sen}\, \omega T \\ &= -\omega T \qquad \text{(radianes)} \\ &= -57.3\omega T \qquad \text{(grados)} \end{aligned}$$

Entonces la condición de angulo, ecuación (5-23), se convierte en

$$-57.3\omega T - \angle s+1 = \pm 180°(2k+1)$$

Como $T$ es una constante, el ángulo de $e^{-Ts}$ sólo es función de $\omega$

A continuación se determina la contribución angular debida a $e^{-Ts}$. Para $k = 0$, la condición de ángulo se puede escribir como

$$\angle s+1 = \pm 180° - 57.3°\omega T \qquad (5\text{–}24)$$

Como la contribución angular de $e^{-Ts}$ es cero para $\omega = 0$, el eje real desde —1 a $-\infty$ forma parte del lugar de las raíces. Ahora se supone un valor $\omega_1$ para $\omega$ y calcule $57.3°\omega_1 T$. En el punto —1 sobre el eje real negativo, se traza una recta con un ángulo de $180° - 57.3°\omega_1 T$ respecto al eje real. Hallar la intersección de esta recta con la horizontal $\omega = \omega_1$. Esta intersección, el punto $P$ en la figura 5-32(a), es un punto que satisfa-

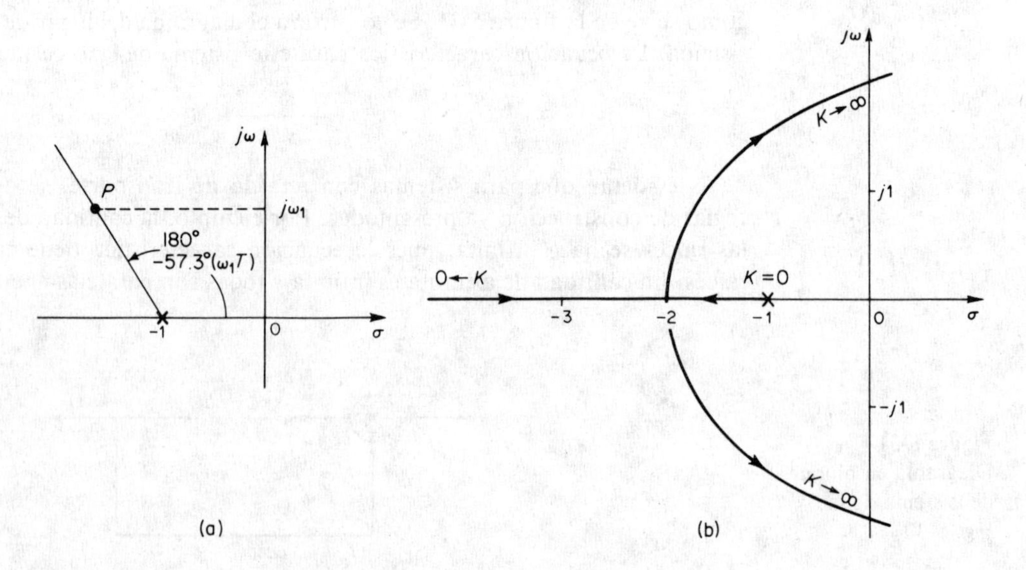


**Figura 5-32**
(a) Construcción del lugar de las raíces; (b) diagrama del lugar de las raíces.

ce la ecuación (5-24) y por tanto está sobre el lugar de las raíces. Continuando con el mismo proceso, se obtiene el diagrama del lugar de las raíces que se puede ver en la figura 5-32(b).

Nótese que a medida que $s$ tiende a menos infinito, la función de transferencia de lazo abierto

$$\frac{Ke^{-Ts}}{s+1}$$

tiende a menos infinito, pues

$$\begin{aligned} \lim_{s=-\infty} \frac{Ke^{-Ts}}{s+1} &= \left. \frac{\dfrac{d}{ds}(Ke^{-Ts})}{\dfrac{d}{ds}(s+1)} \right|_{s=-\infty} \\ &= -KTe^{-Ts}\big|_{s=-\infty} \\ &= -\infty \end{aligned}$$

Por lo tanto, $s = -\infty$ es un polo de la función de transferencia de lazo abierto. Así, el lugar de las raíces comienza en $s = -1$ o $s = -\infty$ y termina en $s = \infty$, al crecer $K$ desde cero a infinito. Como el lado derecho de la condición de ángulo dada por la ecuación (5-23) tiene una cantidad infinita de valores, hay una cantidad infinita de lugares de las raíces, al ir el valor de $k$ ($k = 0, 1, 2, \ldots$) desde cero a infinito. Por ejemplo, si $k = 1$, la condición de ángulo es

$$\begin{aligned} \angle s+1 &= \pm 540° - 57.3°\omega T \qquad \text{(grados)} \\ &= \pm 3\pi - \omega T \qquad \text{(radianes)} \end{aligned}$$

La construcción del lugar de las raíces para $k = 1$ es la misma que para $K = 0$. En la figura 5-33 se muestra un diagrama del lugar de las raíces para $k = 0$, 1, y 2, cuando $T = 1$.

La condición de magnitud establece que

$$\left| \frac{Ke^{-Ts}}{s+1} \right| = 1$$

como la magnitud de $e^{-Ts}$ es igual a $e^{-T\sigma}$, o bien

$$|e^{-Ts}| = |e^{-T\sigma}| \cdot |e^{-j\omega T}| = e^{-T\sigma}$$

la condición de magnitud se convierte en

$$|s + 1| = Ke^{-T\sigma}$$

El lugar de las raíces que se muestra en la figura 5-33 está graduado en términos de $K$ cuando $T = 1$.

Aunque hay un número infinito de ramas del lugar de las raíces, la rama primaria que se encuentra entre $-j\pi$ y $j\pi$ es la más importante. Refiriéndose a la figura 5-33, el valor crítico de $K$ en la rama primaria es igual a 2, en tanto que los valores críticos de $K$ en otras ramas son muy superiores (8, 14, ...). Por tanto, el valor crítico de $K = 2$ en la

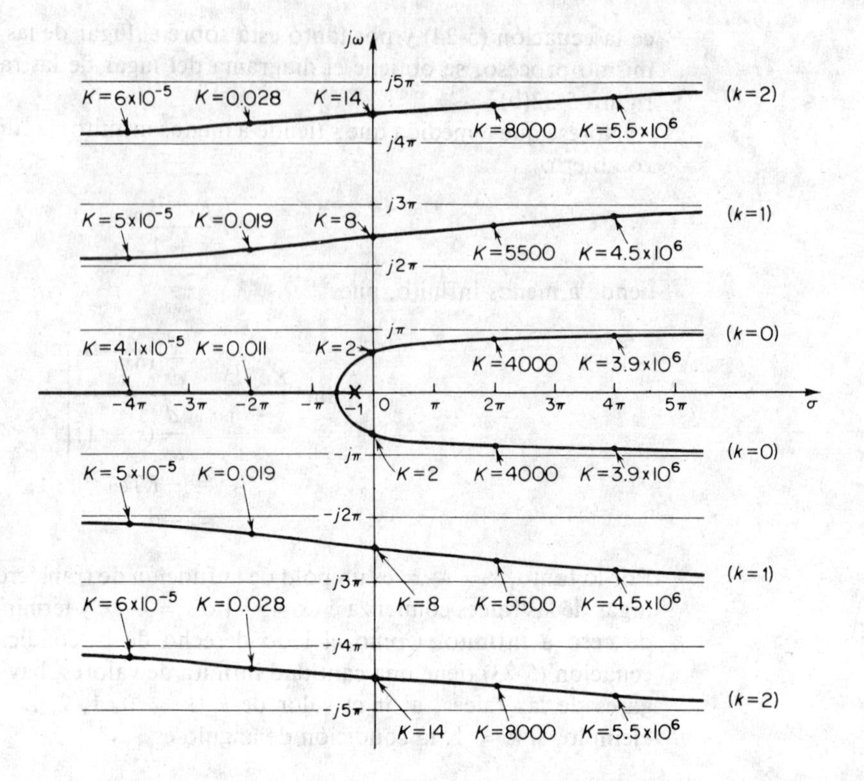


**Figura 5-33**
Diagrama del lugar de las raíces para el sistema que aparece en la Fig. 5-31 ($T = 1$).

rama primaria es muy significativo desde el punto de vista de la estabilidad. La respuesta transitoria del sistema está determinada por las raíces localizadas más cerca del eje $j\omega$ y quedan sobre la rama primaria. En resumen, la rama del lugar de las raíces correspondientes a $k = 0$ es la dominante; otras ramas correspondientes a $k = 1, 2, 3, \ldots$ no son tan importantes y pueden despreciarse.

Este ejemplo ilustra el hecho de que el tiempo muerto puede producir inestabilidad, incluso en un sistema de primer orden, porque el lugar de las raíces entra al semiplano derecho del plano $s$ para valores elevados de $K$. Por lo tanto, aunque la ganancia $K$ del sistema de primer orden puede ajustarse a un valor elevado en ausencia de tiempo muerto, no se lo puede ajustar demasiado alto, si hay presencia de tiempo muerto. (Para el sistema analizado aquí, el valor de la ganancia $K$ debe ser considerablemente menor que 2 para un funcionamiento satisfactorio).

**Aproximación del retardo de transporte o tiempo muerto.** Si el tiempo muerto $T$ es muy pequeño, $e^{-Ts}$ se puede aproximar por

$$e^{-Ts} \doteqdot 1 - Ts$$

o bien

$$e^{-Ts} \doteqdot \frac{1}{Ts + 1}$$

Estas aproximaciones son buenas si el tiempo muerto es muy pequeño y si, además, la función entrada $f(t)$ al elemento del tiempo muerto es suave y continua. [Esto significa que las derivadas de órdenes segundo y superiores de $f(t)$ son pequeñas].

## 5-7 DIAGRAMAS DE CONTORNO DE RAIZ

**Efectos de la variación de parámetros sobre los polos de lazo cerrado.** En muchos problemas de diseño hay que investigar los efectos que producen las variaciones de otros parámetros, no sólo de la ganancia $K$, sobre los polos de lazo cerrado. Tales efectos se pueden investigar fácilmente por el método del lugar de las raíces. Cuando se varían dos (o más) parámetros el lugar de las raíces correspondiente se denomina *contornos de raíz.*

Se utilizará un ejemplo para ilustrar la construcción de contornos de raíz cuando se varían dos parámetros, respectivamente, de cero a infinito.

Considere el sistema que se muestra en la figura 5-34. Se investigará el efecto de variar el parámetro $a$ al mismo tiempo que la ganancia $K$. La función de transferencia de lazo cerrado de este sistema es

$$\frac{C(s)}{R(s)} = \frac{K}{s^2 + as + K}$$

La ecuación característica es

$$s^2 + as + K = 0 \tag{5–25}$$

que se puede reescribir como

$$1 + \frac{as}{s^2 + K} = 0$$

o bien

$$\frac{as}{s^2 + K} = -1 \tag{5–26}$$

En la ecuación (5-26), el parámetro $a$ es un factor de multiplicación. Para un valor dado de $K$ el efecto de $a$ en los polos de lazo cerrado se puede investigar de la ecuación (5-26). Los contornos de raíz para este sistema se pueden construir siguiendo el mismo procedimiento que para la construcción del lugar de las raíces.

Ahora se construyen los contornos de raíz al variar $K$ y $a$, respectivamente, de cero a infinito. Los contornos de raíz comienzan y finalizan en los polos y ceros de $as/(s^2 + K)$.

Primero se construye el lugar de las raíces cuando $a = 0$; lo cual se puede hacer fácilmente como sigue: remplazar $a = 0$ en la ecuación (5-25). Entonces

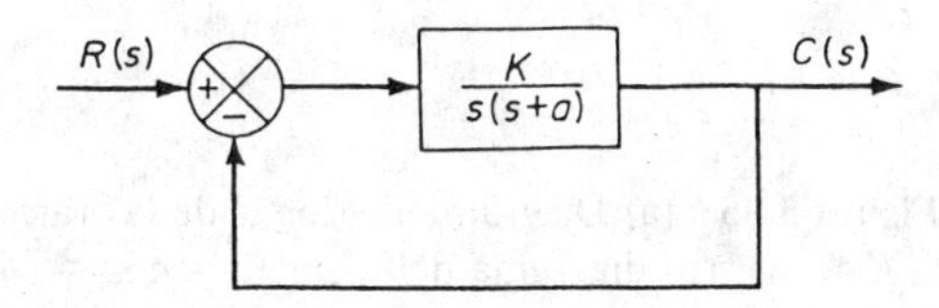


**Figura 5-34**
Sistema de control.

$$s^2 + K = 0$$

o bien

$$\frac{K}{s^2} = -1 \qquad (5\text{–}2$$

Los polos de lazo abierto son entonces un polo doble en el origen. El diagrama del l gar de las raíces de la ecuación (5-27) aparece en la figura 5-35(a).

Para construir los contornos de raíz, se supone que $K$ es una constante; por ejempl $K = 4$; entonces la ecuación (5-26) se convierte en

$$\frac{as}{s^2 + 4} = -1 \qquad (5\text{–}2$$

Los polos de lazo abierto son $s \pm j2$. El cero finito de lazo abierto está en el origen. E la figura 5-35(b) se muestra el diagrama del lugar de las raíces correspondiente a ecuación (5-28). Para otros valores de $K$, la ecuación (5-28) da lugares de las raíces s milares.

Los contornos de raíz, los diagramas que muestran los lugares de las raíces corre pondientes a $0 \leq K \leq \infty$, $0 \leq a \leq \infty$ se pueden bosquejar como se ve en la figura 5-35(c Es claro que los contornos de raíz comienzan en los polos y finalizan en los ceros de

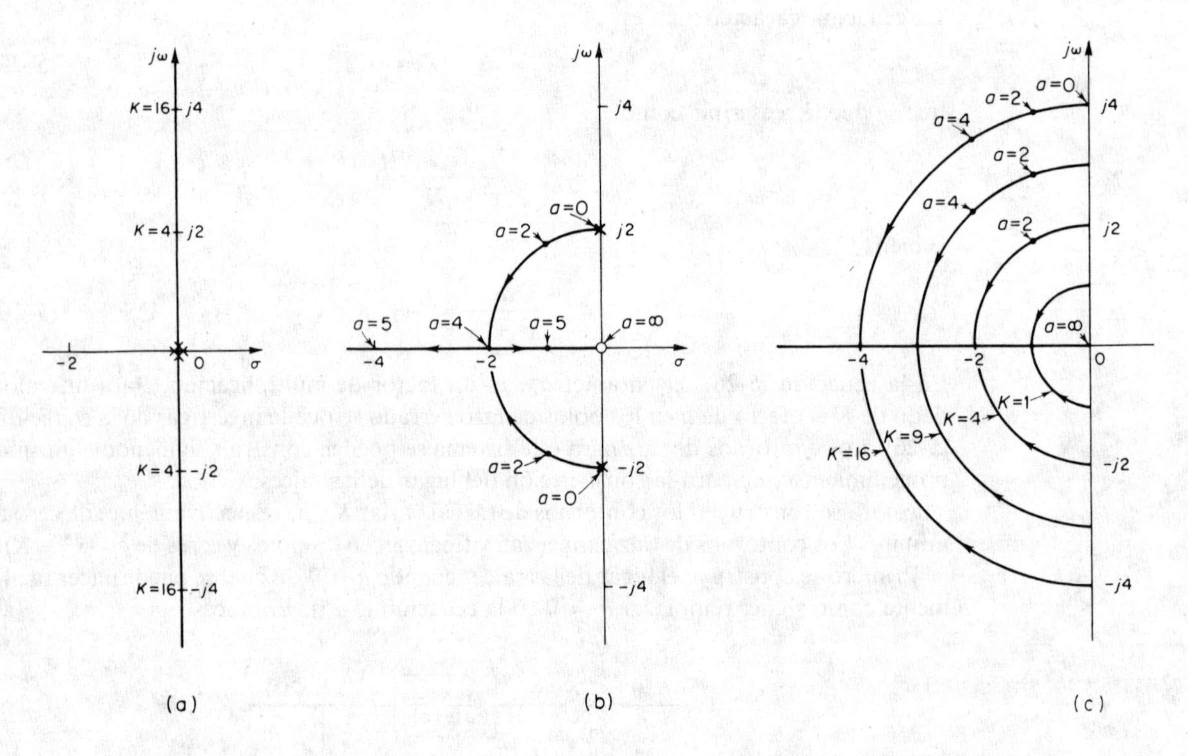


**Figura 5-35** (a) Diagrama del lugar de las raíces para el sistema de la Fig. 5-34 ($a = 0$, $0 \leq$ $K \leq \infty$); (b) diagrama del lugar ($0 \leq a \leq \infty$, $K = 4$); (c) diagrama de contorno de raíz.

función de transferencia $as/(s^2 + K)$. Las puntas de flecha en los contornos de raíz indican la dirección de incremento del valor de $a$.

Los contornos de raíz muestran los efectos de las variaciones de los parámetros del sistema sobre los polos de lazo cerrado. Del diagrama de contorno de raíz que se ve en la figura 5-35(c), se ve que, para $0 < K < \infty$, $0 < a < \infty$, los polos de lazo cerrado quedan en el semiplano izquierdo del plano $s$, y el sistema es estable.

Nótese que si el valor de $K$ está fijo, por ejemplo en $K = 4$, los contornos de raíz se convierten simplemente en el lugar de las raíces, como se puede ver en la figura 5-35(b).

Se ha ilustrado un procedimiento para la construcción de los contornos de raíz cuando la ganancia $K$ y un parámetro $a$ varían, respectivamente, de cero a infinito. Básicamente, se asigna un valor constante a un parámetro cada vez, y mientras se varía el otro parámetro desde 0 a $\infty$, se traza el lugar de las raíces. Luego se cambia el valor del primer parámetro, y se repite el trazo del lugar de las raíces. Repitiendo este procedimiento, se puede dibujar el contorno de raíz.

## 5-8 CONCLUSIONES

La respuesta transitoria de un sistema de lazo cerrado depende de la ubicación de los polos de lazo cerrado. En este capítulo se ha presentado el método del lugar de las raíces, una técnica gráfica muy poderosa para investigar los efectos de la variación de un parámetro en la ubicación de los polos de lazo cerrado. En la mayoría de los casos, el parámetro del sistema es la ganancia $K$, aunque el parámetro puede ser cualquier otra variable del sistema. Si el diseñador sigue las reglas generales para la construcción del lugar de las raíces, trazar el lugar de las raíces para un determinado sistema puede ser una tarea sencilla.

El procedimiento general presentado en este capítulo para construir el lugar de las raíces, nos permite obtener un bosquejo razonable del mismo. Si se necesita un diagrama preciso del lugar de las raíces, si se utiliza una computadora, la tarea de trazar un diagrama del lugar de las raíces para un sistema determinado es relativamente sencilla. Nótese que la experiencia en trazar el lugar de las raíces a mano, es de valor inapreciable en la interpretación del lugar de las raíces generados por computadora.

Con el método del lugar de las raíces, se puede determinar el valor de la ganancia $K$ que permita obtener la relación de amortiguamiento de los polos dominantes de lazo cerrado deseados. Si la ubicación de un polo o cero de lazo abierto es una variable del sistema, entonces el método del lugar de las raíces sugiere la forma de elegir la ubicación de un polo o cero de lazo abierto. (Vea el ejemplo 5-3 y los problemas A-5-14 a A-5-17). En el capítulo 7 se tratará con más detalle el diseño de sistemas de control basado en el método del lugar de las raíces.

## *Ejemplos de problemas y soluciones*

**A-5-1.** Trace el lugar de las raíces para el sistema que se muestra en la figura 5-36(a). (Se supone que la ganancia $K$ es positiva). Obsérvese que para valores de $K$ pequeños o elevados el sistema es sobreamortiguado y para valores medios de $K$ es subamortiguado.

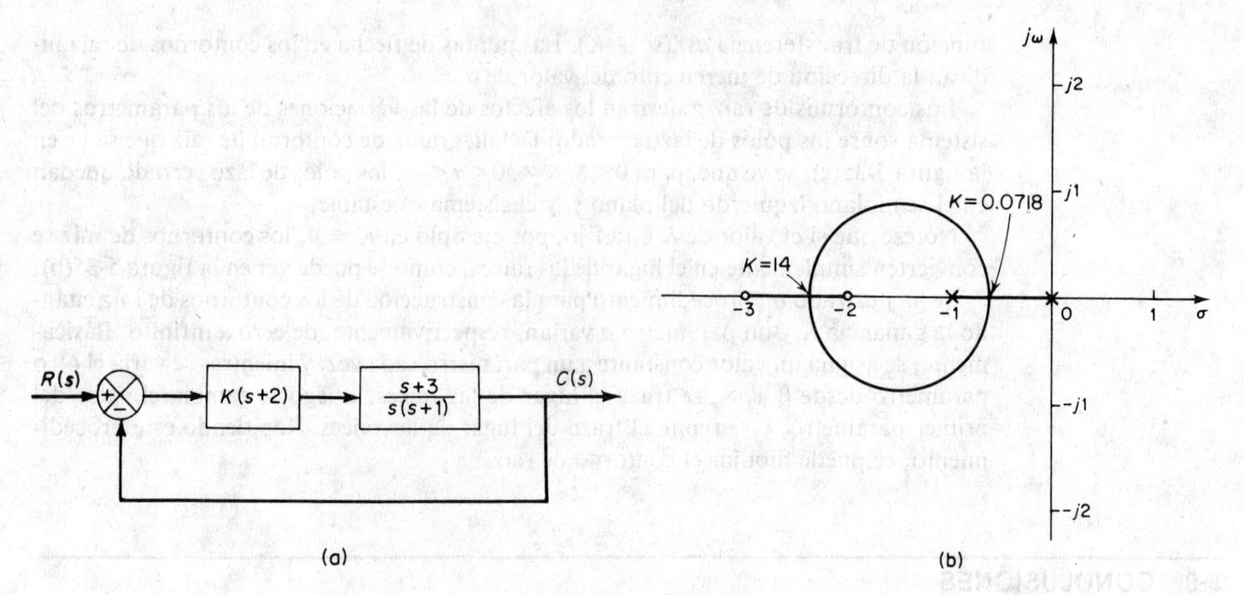


**Figura 5-36** (a) Sistema de control; (b) diagrama del lugar de las raíces.

**Solución.** El procedimiento para trazar el lugar de las raíces es el siguiente:

1. Ubicar los polos y ceros de lazo abierto en el plano complejo. Existen ramas del lugar de las raíces en el eje real negativo entre 0 y —1 y entre —2 y —3.
2. La cantidad de polos de lazo abierto y la de ceros finitos es la misma; lo cual significa que no hay asíntota en la región compleja del plano $s$.
3. Determinar los puntos de ruptura de partida y de llegada; la ecuación característica para el sistema es

$$1 + \frac{K(s+2)(s+3)}{s(s+1)} = 0$$

o bien

$$K = -\frac{s(s+1)}{(s+2)(s+3)}$$

Los puntos de partida y de llegada se determinan a partir de

$$\frac{dK}{ds} = -\frac{(2s+1)(s+2)(s+3) - s(s+1)(2s+5)}{[(s+2)(s+3)]^2}$$

$$= -\frac{4(s+0.634)(s+2.366)}{[(s+2)(s+3)]^2}$$

$$= 0$$

como sigue:

$$s = -0.634, \qquad s = -2.366$$

Nótese que ambos puntos están sobre el lugar de las raíces. Por lo tanto, son los puntos de ruptura de partida y llegada. En el punto $s = —0.634$, el valor de $K$ es

$$K = -\frac{(-0.634)(0.366)}{(1.366)(2.366)} = 0.0718$$

En forma similar, en $s = -2.366$,

$$K = -\frac{(-2.366)(-1.366)}{(-0.366)(0.634)} = 14$$

(Debido a que el punto $s = -0.634$ está entre dos polos, es un punto de ruptura de partida y como el punto $s = -2.366$ queda entre dos ceros, es un punto de ruptura de llegada).

**4.** Determinar una cantidad de puntos suficiente para satisfacer la condición de ángulo. (Se puede hallar que el lugar de las raíces es un círculo con centro en $-1.5$ que pasa por los puntos de partida y de llegada). El diagrama del lugar de las raíces para este sistema se puede apreciar en la figura 5-36(b).

Nótese que el sistema es estable para cualquier valor positivo de $K$ ya que todas las ramas del lugar de las raíces quedan en el semiplano izquierdo del plano $s$.

Valores pequeños de $K$ $(0 < K < 0.0718)$ corresponden a un sistema sobreamortiguado. Valores medios de $K$ $(00718 < K < 14)$ corresponden a un sistema subamortiguado. Finalmente, valores elevados de $K$ $(14 < K)$ corresponden a un sistema sobreamortiguado. Con un valor elevado de $K$, se alcanza el estado estacionario en mucho menos tiempo que con un valor pequeño de $K$.

El valor de $K$ se debe ajustar de modo que el funcionamiento del sistema sea óptimo de acuerdo con un índice de comportamiento determinado.

**A-5-2.** Hallar las raíces del siguiente polinomio utilizando el método del lugar de las raíces:

$$3s^4 + 10s^3 + 21s^2 + 24s - 16 = 0 \tag{5–29}$$

**Solución.** Primero se reordena el polinomio y se coloca en la forma

$$\frac{P(s)}{Q(s)} = -1$$

donde $P(s)$ y $Q(s)$ son polinomios factorizados. Se aplican las reglas generales presentadas en la sección 5-4 para ubicar las raíces del polinomio.

La ecuación (5-29) se puede reordenar en forma conveniente como sigue:

$$3s^4 + 10s^3 + 21s^2 = -24s + 16$$

En este caso, el polinomio se puede reescribir como

$$\frac{8(s - \frac{2}{3})}{s^2(s^2 + \frac{10}{3}s + 7)} = -1 \tag{5–30}$$

Esta forma tiene dos polos en el origen, dos polos complejos, y un cero en el eje real positivo. Como la ecuación (5-30) tiene la forma $G(s)H(s) = -1$, se puede aplicar el método del lugar de las raíces para hallar las raíces del polinomio.

Por supuesto, la ecuación (5-29) se puede reordenar de diferentes maneras. Por ejemplo, se puede reescribir como

$$3s^4 + 10s^3 = -21s^2 - 24s + 16$$

o bien

$$\frac{7(s^2 + \frac{8}{7}s - \frac{16}{21})}{s^3(s + \frac{10}{3})} = -1 \tag{5–31}$$

Sin embargo, en este caso el sistema incluye tres polos en el origen, un polo y un cero en el eje real negativo, y un cero en el eje real positivo. La cantidad de tarea gráfica requerida para trazar el diagrama del lugar de las raíces en la ecuación (5-31) es casi el mismo que en el de la ecuación (5-30).

Nótese que si se trazan dos lugares de las raíces, uno que corresponda a la ecuación (5-30) y el otro a la ecuación (5-31) sobre el mismo diagrama, las intersecciones de los dos dan las raíces del polinomio. (Si se utiliza la condición de magnitud sólo hay que trazar un lugar de las raíces).

En este problema, se trazará solamente un diagrama del lugar de las raíces basado en la ecuación (5-30) y se utilizará la condición de magnitud para determinar las raíces del polinomio. La ecuación (5-30) se puede reescribir como

$$\frac{8(s - \frac{2}{3})}{s^2(s + 1.67 + j2.06)(s + 1.67 - j2.06)} = -1 \tag{5-32}$$

Para determinar el lugar de las raíces, se remplaza la constante 8 en el numerador de la ecuación (5-32) por $K$ y se escribe

$$\frac{K(s - \frac{2}{3})}{s^2(s + 1.67 + j2.06)(s + 1.67 - j2.06)} = -1$$

Para trazar el lugar de las raíces, se sigue el siguiente procedimiento:

1. Se ubican los polos y el cero en el plano complejo. El lugar de las raíces está sobre el eje real entre $\frac{2}{3}$ y 0, y entre 0 y $-\infty$.
2. Se determinan las asíntotas del lugar de las raíces. Hay tres asíntotas, que forman los ángulos de

$$\frac{\pm 180°(2k + 1)}{4 - 1} = 60°, -60°, 180°$$

con el eje real positivo. En referencia a la ecuación (5-18), la abscisa de la intersección de las asíntotas con el eje real está dada por

$$\sigma_a = -\frac{(0 + 0 + \frac{5}{3} + j2.06 + \frac{5}{3} - j2.06) + \frac{2}{3}}{4 - 1} = -\frac{4}{3}$$

3. Al utilizar el criterio de estabilidad de Routh, se determina el valor de $K$ para el que el lugar de las raíces cruza el eje imaginario. La ecuación característica es

$$s^2(s^2 + \tfrac{10}{3}s + 7) = -K(s - \tfrac{2}{3})$$

o bien

$$s^4 + \tfrac{10}{3}s^3 + 7s^2 + Ks - \tfrac{2}{3}K = 0$$

El conjunto de Routh es

$$\begin{array}{llll}
s^4 & 1 & 7 & -\frac{2}{3}K \\
s^3 & \frac{10}{3} & K & 0 \\
s^2 & 7 - \frac{3}{10}K & -\frac{2}{3}K & \\
s^1 & \dfrac{-\frac{3}{10}K^2 + \frac{83}{9}K}{7 - \frac{3}{10}K} & 0 & \\
s^0 & -\frac{2}{3}K & &
\end{array}$$

Para tener raíces en el eje imaginario, se debe tener un renglón con elementos nulos. Nótese que los elementos del renglón $s^1$ se pueden igualar a cero con la elección apropiada de $K$. El valor de $K$ (distinto a $K = 0$) que hace nulo al término $s^1$ de la primera columna es $K = 30.7$. Los puntos de cruce con el eje imaginario se pueden encontrar resolviendo la ecuación auxiliar obtenida del renglón $s^2$ o bien

$$(7 - \tfrac{3}{10}K)s^2 - \tfrac{2}{3}K = 0$$

donde $K = 30.7$. El resultado es

$$s = \pm j3.04$$

Por tanto, los puntos de cruce con el eje imaginario son $s = \pm j3.0.4$.

4. Busque si hay algún punto de ruptura de partida o de llegada. Según el paso 3 se sabe que sólo hay dos puntos de cruce en el eje $j\omega$. Por tanto, en esta configuración particular de polos y ceros, no puede haber ningún punto de ruptura de partida o de llegada.
5. Halle los ángulos de partida del lugar de las raíces desde los polos complejos. En el polo $s = -1.67 + j2.06$, se halla que el ángulo de partida $\theta$ es

$$\theta = 180° - 129.03° - 129.03° - 90° + 138.60°$$

como sigue:

$$\theta = -29.46°$$

El ángulo de partida desde el polo $s = -1.67 - j2.06$ es $29.46°$.

6. En la amplia vecindad del eje $j\omega$ y el origen, ubique suficiente cantidad de puntos para satisfacer la condición de ángulo. Basado en la información obtenida hasta ahora, el lugar de las raíces para este sistema se puede trazar, como aparece en la figura 5-37.

7. Utilice la condición de magnitud

$$K = \left| \frac{s^2(s + 1.67 + j2.06)(s + 1.67 - j2.06)}{s - \frac{2}{3}} \right|$$

para determinar los puntos del lugar de las raíces en los que $K = 8$. Con el procedimiento de prueba y corrección se halla

$$s = -0.79 \pm j2.16$$

Se puede utilizar un procedimiento de prueba y corrección para localizar las dos raíces restantes. Sin embargo, se pueden factorizar las raíces conocidas del polinomio dado.

$$\begin{aligned} 3s^4 + 10s^3 + 21s^2 + 24s - 16 &= (s + 0.79 + j2.16)(s + 0.79 - j2.16)(3s^2 + 5.28s - 3.06) \\ &= 3(s + 0.79 + j2.16)(s + 0.79 - j2.16)(s + 2.22)(s - 0.46) \end{aligned}$$

Así, las raíces del polinomio son

$$s_1 = -0.79 - j2.16, \qquad s_2 = -0.79 + j2.16, \qquad s_3 = -2.22, \qquad s_4 = 0.46$$

**A-5-3.** Una forma simplificada de la función de transferencia de un avión con piloto automático en modo longitudinal es

$$G(s)H(s) = \frac{K(s + a)}{s(s - b)(s^2 + 2\zeta\omega_n s + \omega_n^2)}, \qquad a > 0, \qquad b > 0$$

Un sistema así con un polo de lazo abierto en el semiplano derecho del plano $s$ puede ser condicionalmente estable. Trace el lugar de las raíces cuando $a = b = 1$, $\zeta = 0.5$, y $\omega_n = 4$. Halle el rango de la ganancia $K$ para mantener la estabilidad.

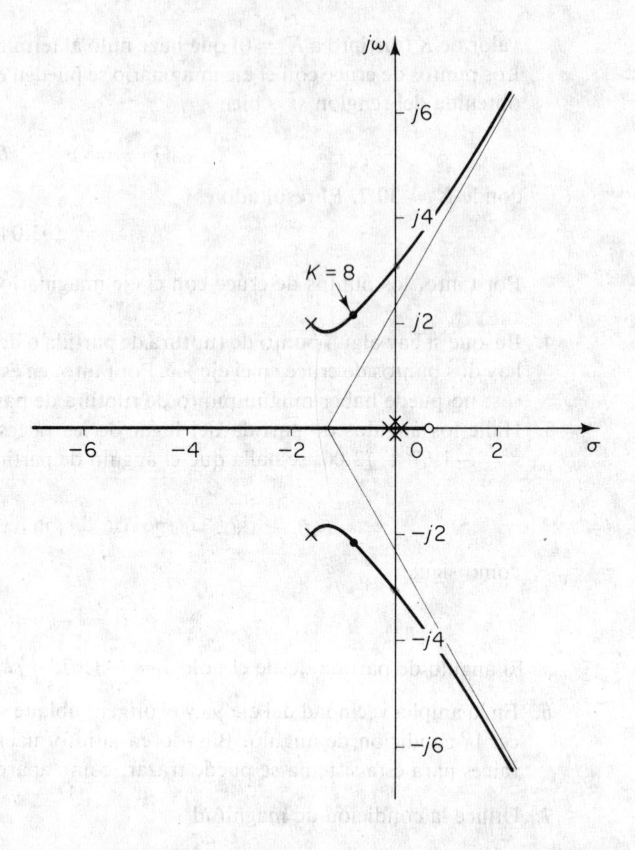


**Figura 5-37** Diagrama del lugar de las raíces para el sistema dado por la ecuación (5-30).

**Solución.** La función de transferencia de lazo abierto para el sistema es

$$G(s)H(s) = \frac{K(s+1)}{s(s-1)(s^2+4s+16)}$$

Para trazar el lugar de las raíces, se sigue este procedimiento:

**1.** Ubique los polos de lazo abierto y el cero en el plano complejo. El lugar de las raíces existe sobre el eje real entre 1 y 0 y entre —1 y —∞.

**2.** Determine las asíntotas del lugar de las raíces. Hay tres asíntotas cuyos ángulos se pueden determinar como

$$\text{Angulos de asíntotas} = \frac{180°(2k+1)}{4-1} = 60°,\ -60°,\ 180°$$

La abscisa de la intersección de las asíntotas y el eje real, es

$$\sigma_a = -\frac{(0 - 1 + 2 + j2\sqrt{3} + 2 - j2\sqrt{3}) - 1}{4-1} = -\frac{2}{3}$$

**3.** Determine los puntos de ruptura de partida y de llegada. Como la ecuación característica es

$$1 + \frac{K(s+1)}{s(s-1)(s^2+4s+16)} = 0$$

se obtiene

$$K = -\frac{s(s-1)(s^2+4s+16)}{s+1}$$

Diferenciando $K$ respecto a $s$ se tiene

$$\frac{dK}{ds} = -\frac{3s^4+10s^3+21s^2+24s-16}{(s+1)^2}$$

En el problema A-5-2, se vio que

$$3s^4 + 10s^3 + 21s^2 + 24s - 16$$
$$= 3(s+0.79+j2.16)(s+0.79-j2.16)(s+2.22)(s-0.46)$$

Los puntos $s = 0.46$ y $s = -2.22$ están en el lugar de las raíces en el eje real. Por tanto, estos puntos son de ruptura de partida y llegada, respectivamente. Los puntos $s = -0.79 \pm j2.16$ no satisfacen la condición de ángulo. Por tanto, no son puntos de partida ni de llegada.

**4.** Utilizando el criterio de estabilidad de Routh, determinar el valor de $K$ para el cual el lugar de las raíces cruza el eje imaginario. Como la ecuación característica es

$$s^4 + 3s^3 + 12s^2 + (K-16)s + K = 0$$

El conjunto de Routh se convierte en:

$$\begin{array}{llll} s^4 & 1 & 12 & K \\ s^3 & 3 & K-16 & 0 \\ s^2 & \dfrac{52-K}{3} & K & 0 \\ s^1 & \dfrac{-K^2+59K-832}{3(52-K)} & 0 & \\ s^0 & K & & \end{array}$$

Los valores de $K$ que hacen cero al término $s^1$ de la primera columna son $K = 35.7$ y $K = 23.3$.

Los puntos de cruce en el eje imaginario se pueden encontrar resolviendo la ecuación auxiliar obtenida del renglón $s^2$, es decir, resolviendo $s$ de la ecuación siguiente:

$$\frac{52-K}{3}s^2 + K = 0$$

Los resultados son

$$s = \pm j2.56 \quad \text{para } K = 35.7$$
$$s = \pm j1.56 \quad \text{para } K = 23.3$$

Los puntos de cruce con el eje imaginario son, entonces, $s = \pm j2.56$ y $s = \pm j1.56$.

**5.** Hallar los ángulos de partida del lugar de las raíces a partir de los polos complejos. Para el polo de lazo abierto en $s = -2 + j2\sqrt{3}$, ángulo de partida $\theta$ es

$$\theta = 180° - 120° - 130.5° - 90° + 106°$$

o bien

$$\theta = -54.5°$$

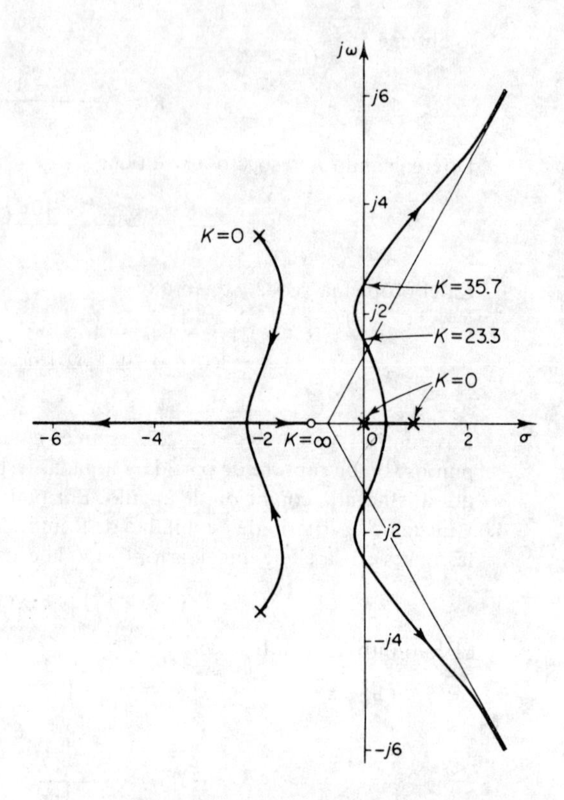


Figura 5-38
Diagrama del lugar de las raíces.

(El ángulo de partida del polo de lazo abierto en $s = -2 - j2\sqrt{3}$ es 54.5°).

6. Elegir un punto de prueba en la amplia vecindad del eje $j\omega$ y del origen, y aplicar la condición de ángulo. Si el punto de prueba no satisface la condición de ángulo, buscar otro hasta encontrar alguno que lo haga. Continuar el mismo proceso y ubicar suficiente cantidad de puntos que satisfagan la condición de ángulo.

La figura 5-38 muestra el lugar de las raíces para este sistema. Del punto 4, el sistema es estable para $23.3 < K < 35.7$. Fuera de esos valores, es inestable.

**A-5-4.*** En un sistema de control complejo, puede haber un lazo interno de retroalimentación positiva como se ve en la figura 5-39. Tal lazo suele estabilizarse mediante un lazo externo. En este problema se trata únicamente de la retroalimentación positiva del lazo interno. La función de transferencia de lazo cerrado del lazo interno es

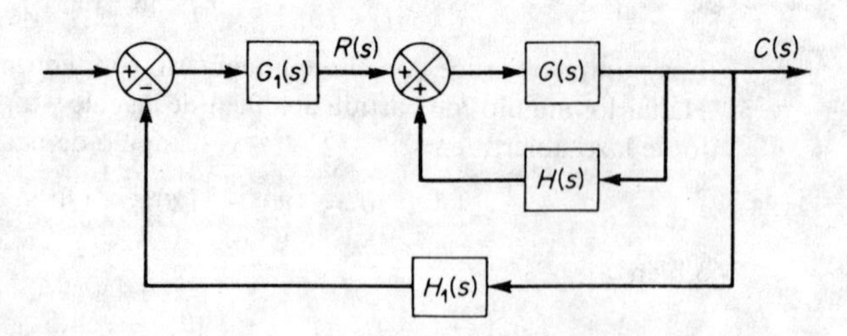


Figura 5-39
Sistema de control.

*Referencia W-5.

$$\frac{C(s)}{R(s)} = \frac{G(s)}{1 - G(s)H(s)}$$

La ecuación característica es

$$1 - G(s)H(s) = 0 \tag{5–33}$$

Esta ecuación se puede resolver en forma similar a los desarrollos del método del lugar de las raíces de las secciones 5-3 y 5-4. Sin embargo, hay que alterar la condición de ángulo.

La ecuación (5-33) se puede reescribir como:

$$G(s)H(s) = 1$$

que es equivalente a las dos ecuaciones siguientes:

$$\angle G(s)H(s) = 0° \pm k360° \qquad (k = 0, 1, 2, \ldots)$$

$$|G(s)H(s)| = 1$$

La suma total de todos los ángulos de los polos de lazo abierto y ceros debe ser igual a 0° + $K$ 360°. Así, la raíz del lugar sigue un lugar de 0° en contraste con el lugar de 180° considerado antes. La condición de magnitud permanece inalterada.

Trace el diagrama del lugar de las raíces para el sistema de retroalimentación positiva con las funciones de transferencia siguientes:

$$G(s) = \frac{K(s + 2)}{(s + 3)(s^2 + 2s + 2)}, \qquad H(s) = 1$$

Se supone que la ganancia $K$ es positiva.

**Solución.** Las reglas generales para la construcción del lugar de las raíces dadas en la sección 5-4 se deben modificar del siguiente modo:

La regla 3 se modifica así: Si la cantidad total de polos y ceros reales a la derecha del punto de prueba en el eje real es par, entonces este punto de prueba queda sobre el lugar de las raíces.

La regla 4 se modifica así:

$$\text{Angulos de asíntotas} = \frac{\pm k360°}{n - m} \qquad (k = 0, 1, 2, \ldots)$$

donde $n$ = cantidad de polos finitos de $G(s)H(s)$
$m$ = cantidad de ceros finitos de $G(s)H(s)$

La regla 6 se modifica así: Al calcular el ángulo de partida (o ángulo de llegada) de un polo complejo de lazo abierto (o llegando a un cero complejo), reste de 0° la suma de todos los ángulos de los vectores desde todos los demás polos y ceros al polo complejo (o cero complejo) en cuestión incluyendo sus signos correspondientes.

Las demás reglas para construir el lugar de las raíces permanecen invariables. Ahora se aplicarán las reglas modificadas para construir el diagrama del lugar de las raíces. La función de transferencia de lazo cerrado para el sistema de retroalimentación positiva está dado por

$$\frac{C(s)}{R(s)} = \frac{G(s)}{1 - G(s)H(s)}$$

$$= \frac{K(s + 2)}{(s + 3)(s^2 + 2s + 2) - K(s + 2)}$$

1. Dibuje los polos de lazo abierto ($s = -1 + j$, $s = -1 - j$, $s = -3$) y el cero ($s = -2$) en el plano complejo. Al incrementar $K$ desde 0 a $\infty$, los polos de lazo cerrado comienzan en los polos de lazo abierto y terminan en los ceros de lazo abierto (finitos o infinitos), igual que en el caso de los sistemas de retroalimentación negativa.
2. Determine el lugar de las raíces sobre el eje real. Existe lugar de las raíces sobre el eje real entre $-2$ y $+\infty$ y entre $-3$ y $-\infty$.
3. Determine las asintotas del lugar de las raíces. Para este sistema,

$$\text{Angulo de asíntota} = \frac{\pm k360°}{3-1} = \pm 180°$$

Esto significa simplemente que las ramas del lugar de las raíces están en el eje real.

4. Determine los puntos de ruptura, de partida y llegada. Como la ecuación característica es

$$(s+3)(s^2+2s+2) - K(s+2) = 0$$

se obtiene

$$K = \frac{(s+3)(s^2+2s+2)}{s+2}$$

Al diferenciar $K$ respecto a $s$, se obtiene

$$\frac{dK}{ds} = \frac{2s^3 + 11s^2 + 20s + 10}{(s+2)^2}$$

Nótese que

$$\begin{aligned} 2s^3 + 11s^2 + 20s + 10 &= 2(s+0.8)(s^2+4.7s+6.24) \\ &= 2(s+0.8)(s+2.35+j0.77)(s+2.35-j0.77) \end{aligned}$$

El punto $s = -0.8$ está en el lugar de la raíces. Como este punto está entre dos ceros (un cero finito y un cero infinito), es un punto de ruptura de llegada. Los puntos $s = -2.35 \pm j0.77$ no satisfacen la condición de ángulo y por lo tanto no son puntos de ruptura de partida ni de llegada.

5. Halle el ángulo de partida del lugar de las raíces desde un polo complejo. Para el polo complejo en $s = -1 + j$, el ángulo de partida $\theta$ es

$$\theta = 0° - 27° - 90° + 45°$$

o bien

$$\theta = -72°$$

(El ángulo de partida del polo complejo en $s = -1 - j$ es 72°).

6. Elija un punto de prueba en la zona comprendida entre el eje $j\omega$ y el origen, y aplique la condición de ángulo. Ubique suficiente cantidad de puntos para satisfacer la condición de ángulo.

La figura 5-40 muestra el lugar de las raíces para este sistema con retroalimentación positiva. El lugar de las raíces aparece con líneas punteadas y curvas.

Nótese que si

$$K > \left.\frac{(s+3)(s^2+2s+2)}{s+2}\right|_{s=0} = 3$$

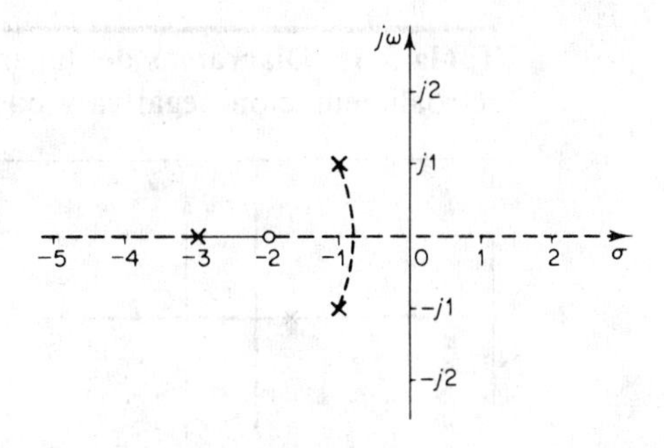


**Figura 5-40**
Diagrama del lugar de las raíces para el sistema de retroalimentación positiva con $G(s) = K(s + 2)/[(s + 3)(s^2 + 2s + 2)]$, $H(s) = 1$.

existe una raíz real al semiplano derecho del plano $s$. Por tanto, para valores de $K$ mayores que 3, el sistema se hace inestable. (Para $K < 3$, el sistema se debe estabilizar con un lazo exterior).

Para comparar este diagrama del lugar de las raíces con el del correspondiente sistema con retroalimentación negativa, se muestra en la figura 5-41 el lugar de las raíces para el sistema con retroalimentación negativa cuya función de transferencia de lazo cerrado es

$$\frac{C(s)}{R(s)} = \frac{K(s + 2)}{(s + 3)(s^2 + 2s + 2) + K(s + 2)}$$

La tabla 5-3 muestra varios diagramas del lugar de las raíces para sistemas con retroalimentación negativa y retroalimentación positiva. Las funciones de transferencia de lazo cerrado están dadas por

$$\frac{C}{R} = \frac{G}{1 + GH} \qquad \text{para sistemas de realimentación negativa}$$

$$\frac{C}{R} = \frac{G}{1 - GH} \qquad \text{para sistemas con retroalimentación positiva}$$

donde $GH$ es la función de transferencia de lazo abierto. En la tabla 5-3, están trazados con líneas llenas el lugar de las raíces para sistemas con retroalimentación negativa, y con líneas punteadas, el lugar de las raíces correspondientes a los sistemas con retroalimentación positiva.

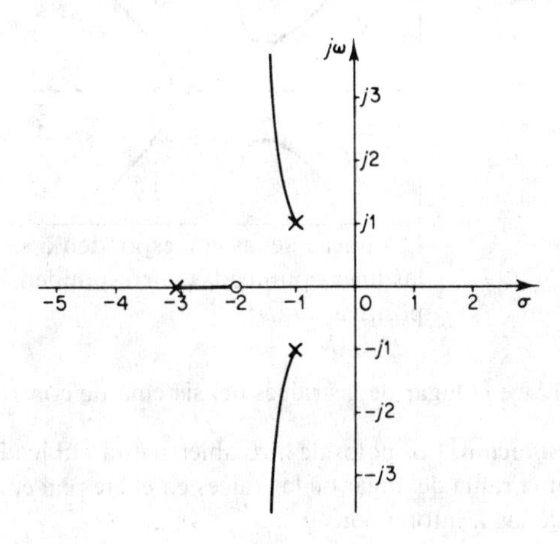


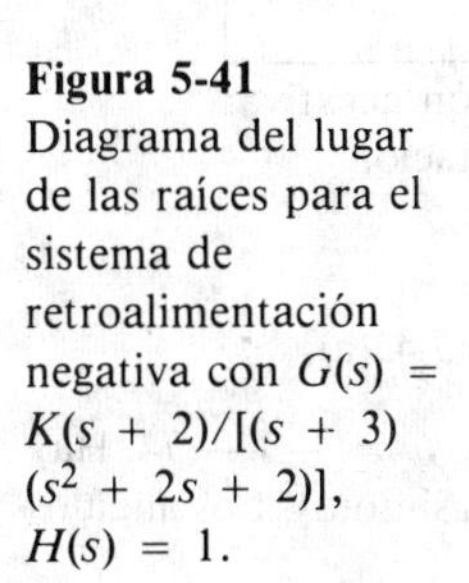

**Figura 5-41**
Diagrama del lugar de las raíces para el sistema de retroalimentación negativa con $G(s) = K(s + 2)/[(s + 3)(s^2 + 2s + 2)]$, $H(s) = 1$.

**Tabla 5-3** Diagramas del lugar de las raíces para sistemas con retroalimentación negativa y positiva

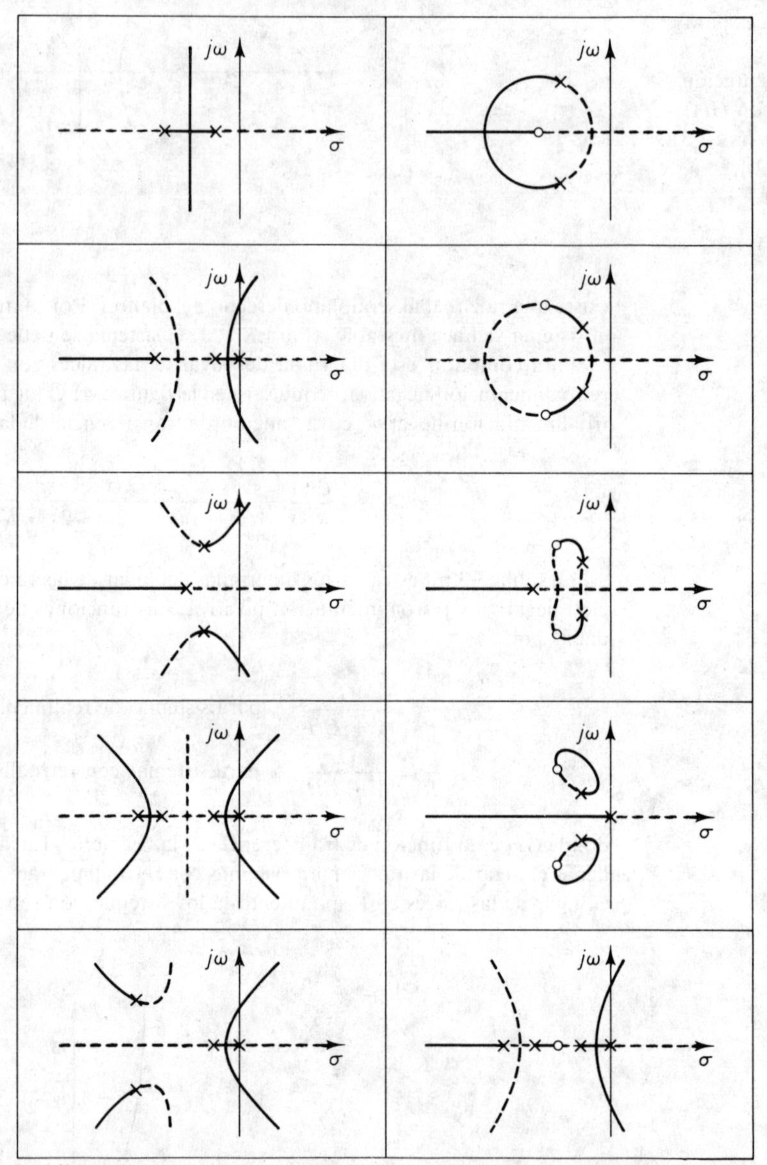


Las líneas llenas corresponden a sistemas con retroalimentación negativa; las líneas punteadas corresponden a sistemas con retroalimentación positiva

**A-5-5.** Trace el lugar de las raíces del sistema de control que aparece en la figura 5-42(a).

**Solución.** Los polos de lazo abierto están ubicados en $s = 0$, $s = -3 + j4$, y $s = -3 - j4$. Hay una rama del lugar de las raíces en el eje real entre el origen y $-\infty$, y tres asíntotas. Los ángulos de las asíntotas son

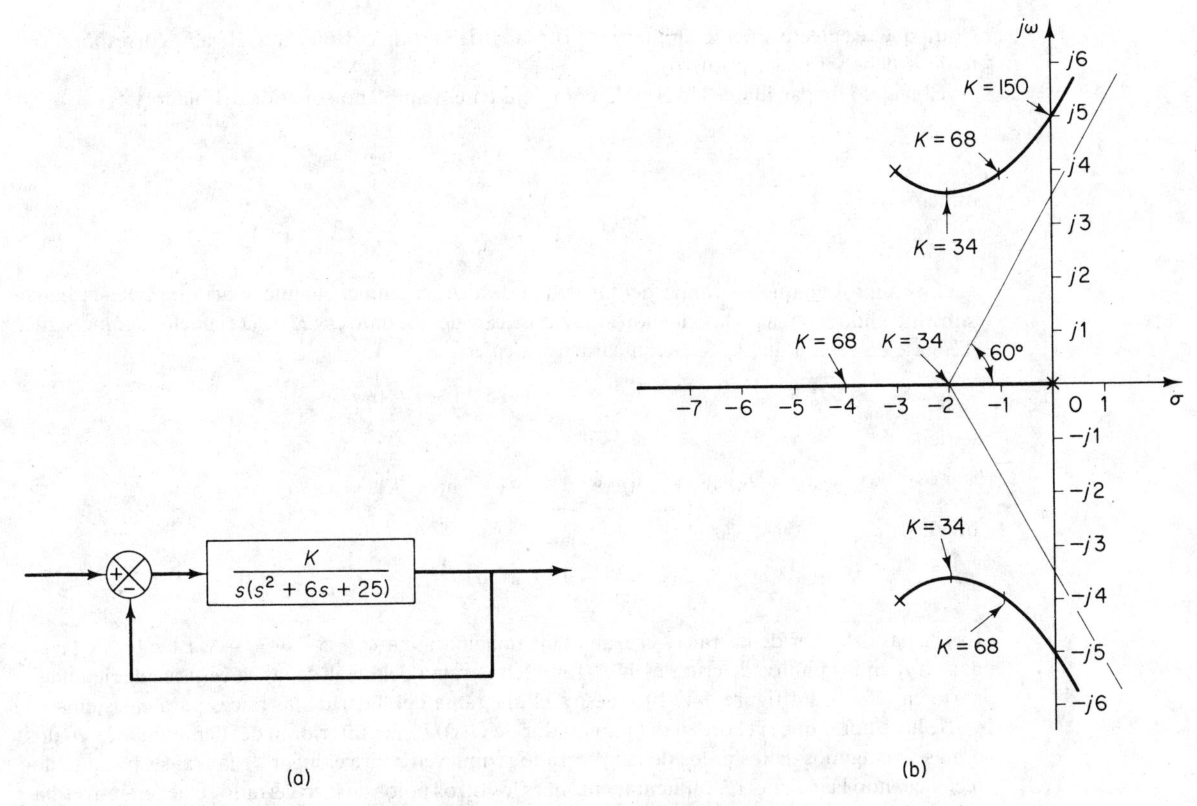


**Figura 5-42** (a) Sistema de control; (b) diagrama del lugar de las raíces.

$$\text{Angulos de asíntotas} = \frac{\pm 180°(2k + 1)}{3} = 60°, -60°, 180°$$

La intersección de las asíntotas y el eje real se obtiene con

$$\sigma_a = -\frac{0 + 3 + 3}{3} = -2$$

A continuación se verifican los puntos de ruptura de partida y de llegada. Para este sistema se tiene

$$K = -s(s^2 + 6s + 25)$$

Ahora se establece que

$$\frac{dK}{ds} = -(3s^2 + 12s + 25) = 0$$

que da

$$s = -2 + j2.0817, \qquad s = -2 - j2.0817$$

Nótese que en los puntos $s = -2 \pm j2.0817$ no se satisface la condición de ángulo. Por tanto no hay punto de ruptura, de partida ni de llegada. De hecho, si se calcula el valor de $K$, se tiene

$$K = -s(s^2 + 6s + 25)\Big|_{s = -2 \pm j2.0817} = 34 \pm j18.04$$

(Para que sea efectivamente un punto de ruptura, de partida o de llegada, el valor correspondiente de $K$ debe ser real y positivo).

El ángulo de partida desde el polo complejo en el semiplano superior del plano $s$ es

$$\theta = 180^\circ - 126.87^\circ - 90^\circ$$

o bien

$$\theta = -36.87^\circ$$

Los puntos en que las ramas del lugar de las raíces cruzan el eje imaginario, se pueden hallar substituyendo $s = j\omega$ en la ecuación característica y despejando $\omega$ y $K$ de la ecuación, como sigue. Téngase en cuenta que la ecuación característica es

$$s^3 + 6s^2 + 25s + K = 0$$

se tiene

$$(j\omega)^3 + 6(j\omega)^2 + 25(j\omega) + K = (-6\omega^2 + K) + j\omega(25 - \omega^2) = 0$$

que lleva a

$$\omega = \pm 5, \quad K = 150 \quad \text{o} \quad \omega = 0, \quad K = 0$$

Las ramas del lugar de las raíces cruzan al eje imaginario en $\omega = 5$ y $\omega = -5$. El valor de la ganancia $K$ en los puntos de cruce es 150. También la rama del lugar de las raíces toca al eje imaginario en $\omega = 0$. La figura 5-42(b) muestra el diagrama del lugar de las raíces para el sistema.

Se hace notar que si el orden del numerador de $G(s)H(s)$ es inferior al del denominador en dos o más y si algunos de los polos de lazo cerrado se mueven sobre el lugar de las raíces hacia la derecha cuando la ganancia $K$ aumenta, entonces los otros polos de lazo cerrado se deben mover hacia la izquierda. Este hecho se puede ver claramente en este problema. Si se aumenta la ganancia $K$ desde $K = 34$ a $K = 68$, los polos complejos conjugados de lazo cerrado se mueven desde $s = -2 + j3.65$ a $s = -1 + j4$; el tercer polo se mueve desde $s = -2$ (que corresponde a $K = 34$) hasta $s = -4$ (que corresponde a $K = 68$). Así, los movimientos de dos polos complejos conjugados de lazo cerrado hacia la derecha en una unidad, hacen que el polo remanente de lazo cerrado (polo real en este caso) se mueva hacia la izquierda en dos unidades.

**A-5-6.** Considere el sistema que se muestra en la figura 5-43(a). Trace el lugar de las raíces para el sistema. Observe que para valores de $K$ pequeños o grandes el sistema es amortiguado, y para valores medios de $K$ es sobreamortiguado.

**Solución.** Hay lugar de las raíces en el eje real entre el origen y $-\infty$. Los ángulos de las asíntotas de las ramas del lugar de las raíces se obtienen como

$$\text{Angulos de asíntotas} = \frac{\pm 180^\circ(2k + 1)}{3} = 60^\circ, -60^\circ, -180^\circ$$

La intersección de las asíntotas con el eje real está ubicada sobre el eje real en

$$\sigma_a = -\frac{0 + 2 + 2}{3} = -1.3333$$

Para hallar los puntos de ruptura, de partida y de llegada se puede recurrir a $dK/ds = 0$. Como la ecuación característica es

$$s^3 + 4s^2 + 5s + K = 0$$

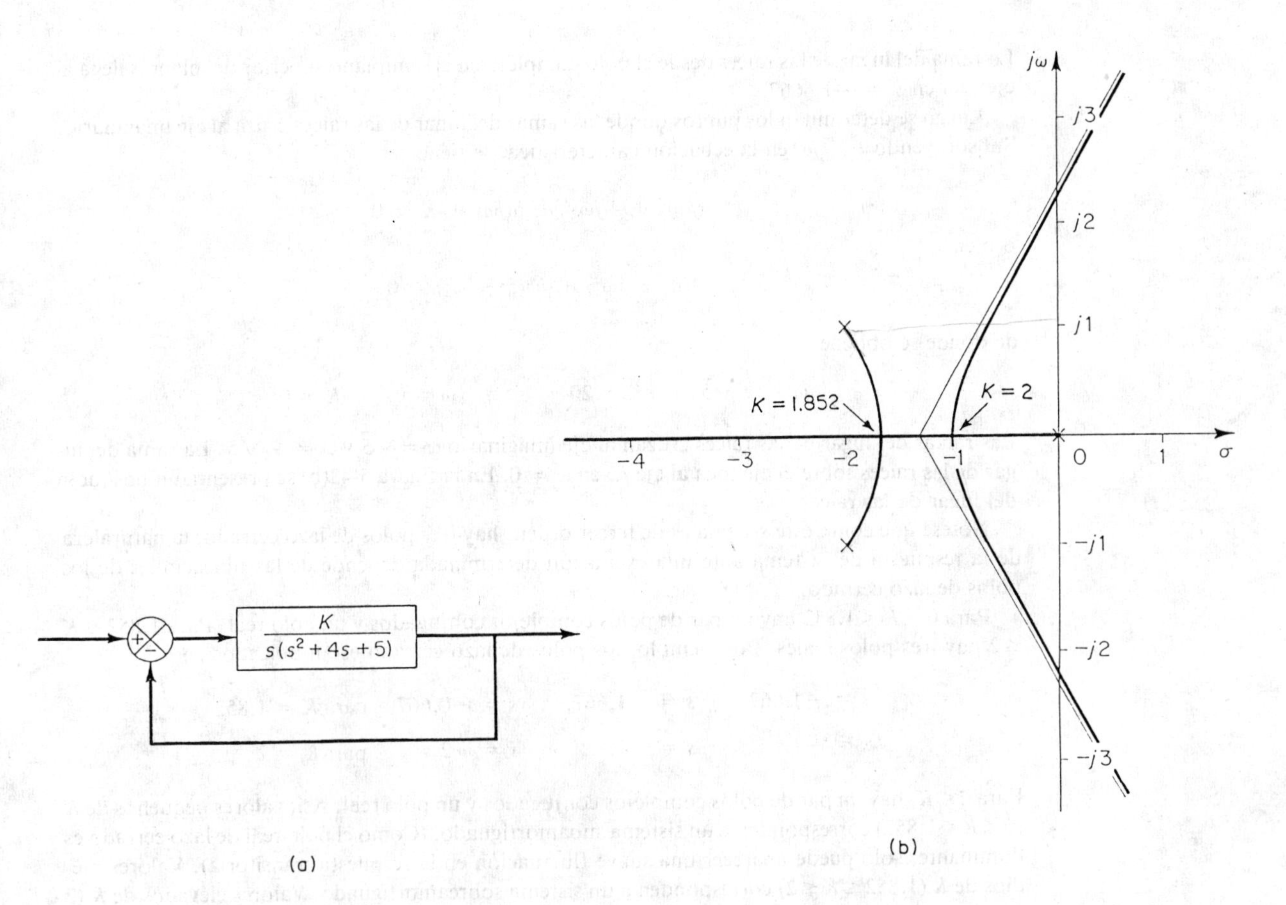


**Figura 5-43** (a) Sistema de control; (b) diagrama del lugar de las raíces.

se tiene

$$K = -(s^3 + 4s^2 + 5s)$$

Ahora se establece que

$$\frac{dK}{ds} = -(3s^2 + 8s + 5) = 0$$

que da

$$s = -1, \quad s = -1.6667$$

Como estos puntos están sobre el lugar de las raíces, son puntos de ruptura, de partida o llegada. (En el punto $s = -1$, el valor de $K$ es 2, y en el punto $s = -1.6667$, el valor de $K = 1.852$).

El ángulo de partida de un polo complejo en el semiplano superior del plano $s$ se puede obtener como

$$\theta = 180° - 153.43° - 90°$$

o bien

$$\theta = -63.43°$$

La rama del lugar de las raíces desde el polo complejo en el semiplano superior del plano $s$ llega al eje real en $s = -1.6667$.

Luego se determinan los puntos donde las ramas del lugar de las raíces cruza al eje imaginario. Substituyendo $s = j\omega$ en la ecuación característica, se tiene

$$(j\omega)^3 + 4(j\omega)^2 + 5(j\omega) + K = 0$$

o bien

$$(K - 4\omega^2) + j\omega(5 - \omega^2) = 0$$

de donde se obtiene

$$\omega = \pm\sqrt{5}, \quad K = 20 \quad \text{o} \quad \omega = 0, \quad K = 0$$

Las ramas del lugar de las raíces cruzan al eje imaginario $\omega = \sqrt{5}$ y $\omega = -\sqrt{5}$. La rama del lugar de las raíces sobre el eje toca al eje $j\omega$ en $\omega = 0$. En la figura 5-43(b) se presenta un bosquejo del lugar de las raíces.

Nótese que como este sistema es de tercer orden, hay tres polos de lazo cerrado; la naturaleza de la respuesta del sistema ante una excitación determinada depende de las ubicaciones de los polos de lazo cerrado.

Para $0 \quad K < 1.852$ hay un par de polos complejos conjugados y un polo real. Para $1.852 \leq K \leq 2$ hay tres polos reales. Por ejemplo, los polos de lazo cerrado están ubicados en

$$s = -1.667, \quad s = -1.667, \quad s = -0.667 \quad \text{para } K = 1.852$$

$$s = -1, \quad s = -1, \quad s = -2 \quad \text{para } K = 2$$

Para $2 < K$, hay un par de polos complejos conjugados y un polo real. Así, valores pequeños de $K$ $(0 < K < 1.852)$ corresponden a un sistema subamortiguado. (Como el polo real de lazo cerrado es dominante, sólo puede aparecer una suave fluctuación en la respuesta transitoria). Valores medios de $K$ $(1.852 \leq K \leq 2)$ corresponden a un sistema sobreamortiguado. Valores elevados de $K$ $(2 < K)$ corresponden a un sistema subamortiguado. Para un valor alto de $K$, el sistema responde mucho más rápidamente que para un valor de $K$ más pequeño.

**A-5-7.** Trace el lugar de las raíces para el sistema de la figura 5-44(a).

**Solución.** Los polos de lazo abierto están ubicados en $s = 0$, $s = -1$, $s = -2 + j3$, y $s = -2 - j3$. Hay lugar de las raíces sobre el eje real entre los puntos $s = 0$ y $s = -1$. Las asíntotas se encuentran como sigue:

$$\text{Angulos de asíntotas} = \frac{\pm 180°(2k + 1)}{4} = 45°, -45°, 135°, -135°$$

La intersección de las asíntotas y el eje real se puede hallar de

$$\sigma_a = -\frac{0 + 1 + 2 + 2}{4} = -1.25$$

Para determinar los puntos de ruptura de partida y de llegada se recurre a $dK/ds = 0$. Nótese que

$$K = -s(s + 1)(s^2 + 4s + 13) = -(s^4 + 5s^3 + 17s^2 + 13s)$$

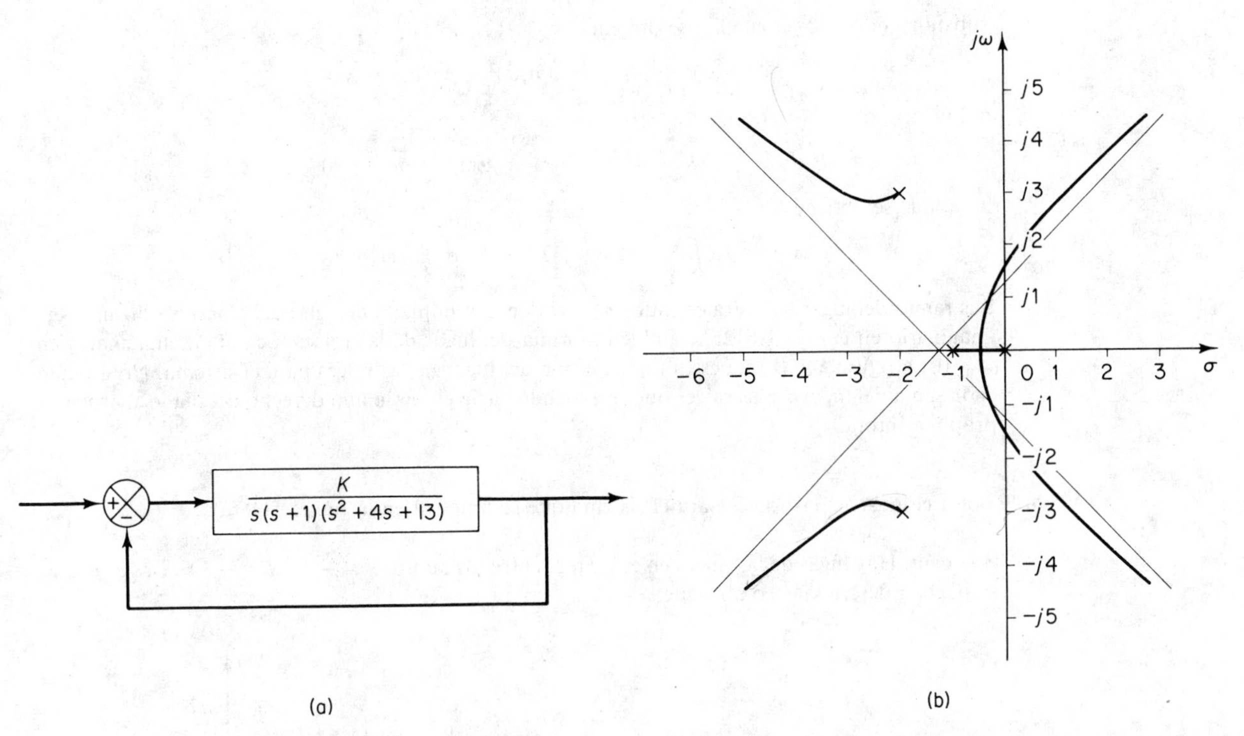


**Figura 5-44** (a) Sistema de control; (b) diagrama del lugar de las raíces.

se tiene

$$\frac{dK}{ds} = -(4s^3 + 15s^2 + 34s + 13) = 0$$

de donde

$$s = -0.467, \qquad s = -1.642 + j2.067, \qquad s = -1.642 - j2.067$$

El punto $s = —0.467$ está sobre el lugar de las raíces. Por lo tanto, es un punto de ruptura. El valor de la ganancia correspondiente al punto $s = —1.642 \pm j2.067$ es una cantidad compleja. Como el valor de la ganancia no es real positivo, este punto no es de ruptura de partida ni de llegada.

El ángulo de partida del polo complejo en el semiplano superior del plano $s$ es

$$\theta = 180° - 123.69° - 108.44° - 90°$$

o bien

$$\theta = -142.13°$$

Luego hay que hallar los puntos donde el lugar de las raíces cruza el eje $j\omega$. Como la ecuación característica es

$$s^4 + 5s^3 + 17s^2 + 13s + K = 0$$

substituyendo $s = j\omega$ en ella, se obtiene

$$(j\omega)^4 + 5(j\omega)^3 + 17(j\omega)^2 + 13(j\omega) + K = 0$$

o bien

$$(K + \omega^4 - 17\omega^2) + j\omega(13 - 5\omega^2) = 0$$

de donde se obtiene

$$\omega = \pm 1.6125, \qquad K = 37.44 \qquad \text{o} \qquad \omega = 0, \qquad K = 0$$

Las ramas del lugar de las raíces que se extienden al semiplano derecho del plano $s$, cruzan al eje imaginario en $\omega = \pm 1.6125$. También la rama del lugar de las raíces toca al eje imaginario en $\omega = 0$. La figura 5-44(b) muestra un diagrama del lugar de las raíces para el sistema. Nótese que cada rama del lugar de las raíces que se extiende hacia el semiplano derecho del plano $s$, cruza su propia asíntota.

**A-5-8.** Trace el lugar de las raíces para el sistema que se muestra en la figura 5-45(a).

**Solución.** Hay lugar de las raíces en el eje real entre los puntos $s = -1$ y $s = -3.6$. Las asíntotas se pueden determinar como sigue:

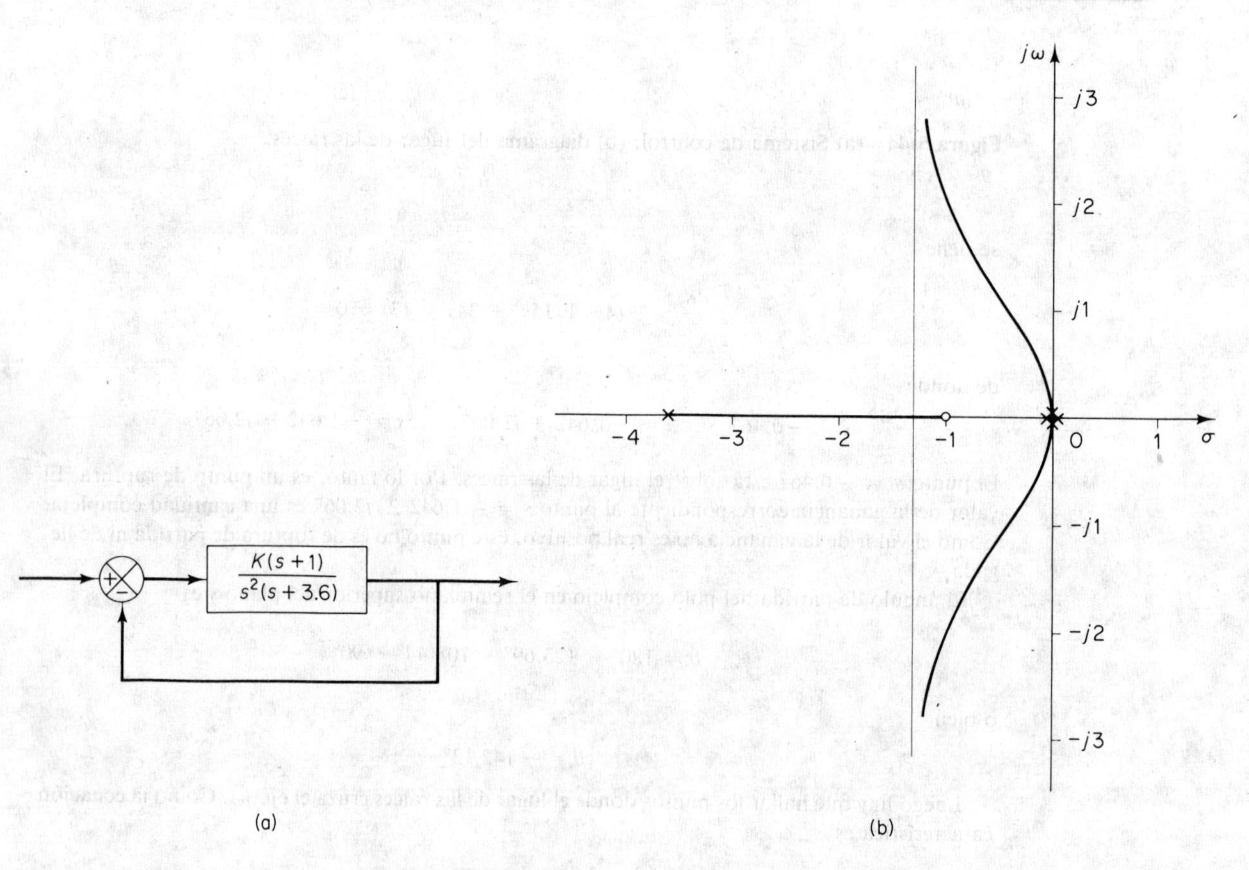


**Figura 5-45** (a) Sistema de control; (b) diagrama del lugar de las raíces.

$$\text{Angulos de asíntotas} = \frac{\pm 180°(2k + 1)}{3 - 1} = 90°, \ -90°$$

La intersección de las asíntotas con el eje real se puede determinar de

$$\sigma_a = -\frac{0 + 0 + 3.6 - 1}{3 - 1} = -1.3$$

Como la ecuación característica es

$$s^3 + 3.6s^2 + K(s + 1) = 0$$

se tiene

$$K = -\frac{s^3 + 3.6s^2}{s + 1}$$

Los puntos de ruptura, de partida y de llegada están determinados de

$$\frac{dK}{ds} = -\frac{(3s^2 + 7.2s)(s + 1) - (s^3 + 3.6s^2)}{(s + 1)^2} = 0$$

o bien

$$s^3 + 3.3s^2 + 3.6s = 0$$

de donde resulta

$$s = 0, \qquad s = -1.65 + j0.9367, \qquad s = -1.65 - j0.9367$$

El punto $s = 0$ corresponde al punto de ruptura. Pero los puntos $s = -1.65 \pm j0.9367$ no son puntos de ruptura, de partida ni de llegada, porque los valores de ganancia $K$ correspondientes son cantidades complejas.

Para verificar los puntos donde las ramas del lugar de las raíces pueden cruzar el eje imaginario, se substituye $s = j\omega$ en la ecuación característica.

$$(j\omega)^3 + 3.6(j\omega)^2 + Kj\omega + K = 0$$

o bien

$$(K - 3.6\omega^2) + j\omega(K - \omega^2) = 0$$

Nótese que esta ecuación sólo se puede satisfacer si $\omega = 0$, y $K = 0$. Debido a la presencia de un polo doble en el origen, el lugar de las raíces es tangente al eje $j\omega$ en $\omega = 0$. Las ramas del lugar de las raíces no cruzan al eje $j\omega$. En la figura 5-45(b) se tiene un bosquejo del lugar de las raíces para este sistema.

**A-5-9.** Trace el lugar de las raíces para el sistema de la figura 5-46(a).

**Solución.** Hay lugar de las raíces en el eje real entre los puntos $s = -0.4$ y $s = -3.6$. Las asíntotas se pueden hallar del siguiente modo:

$$\text{Angulos de asíntotas} = \frac{\pm 180°(2k + 1)}{3 - 1} = 90°, \ -90°$$

La intersección de las asíntotas y el eje real se puede hallar de

$$\sigma_a = -\frac{0 + 0 + 3.6 - 0.4}{3 - 1} = -1.6$$

Ahora se hallarán los puntos de ruptura. Como la ecuación característica es

$$s^3 + 3.6s^2 + Ks + 0.4K = 0$$

se tiene

$$K = -\frac{s^3 + 3.6s^2}{s + 0.4}$$

Los puntos de ruptura de partida y de llegada se obtienen de

$$\frac{dK}{ds} = -\frac{(3s^2 + 7.2s)(s + 0.4) - (s^3 + 3.6s^2)}{(s + 0.4)^2} = 0$$

de donde

$$s^3 + 2.4s^2 + 1.44s = 0$$

o

$$s(s + 1.2)^2 = 0$$

Así, los puntos de ruptura de partida y de llegada están en $s = 0$ y $s = -1.2$. Nótese que $s = -1.2$ es una raíz doble. Cuando se produce una raíz doble en $dK/ds = 0$ en el punto $s = -1.2$, en ese punto $d^2K/(ds^2) = 0$. El valor de la ganancia $K$ en el punto $s = -1.2$ es

$$K = -\left.\frac{s^3 + 3.6s^2}{s + 0.4}\right|_{s=-1.2} = 4.32$$

Esto significa que como $K = 4.32$ la ecuación característica tiene una raíz triple en el punto $s = -1.2$. Esto se puede verificar fácilmente como sigue:

$$s^3 + 3.6s^2 + 4.32s + 1.728 = (s + 1.2)^3 = 0$$

Por tanto, tres ramas del lugar de las raíces se unen en el punto $s = -1.2$. Los ángulos de partida en el punto $s = -1.2$ de las ramas del lugar de las raíces que aproximan a las asíntotas son $\pm$ 180°/3, es decir 60° y —60°. (Vea el problema A-5-10). Finalmente, se examina si las ramas del lugar de las raíces cruzan el eje imaginario. Al substituir $s = j\omega$ en la ecuación característica, se tiene

$$(j\omega)^3 + 3.6(j\omega)^2 + K(j\omega) + 0.4K = 0$$

o

$$(0.4K - 3.6\omega^2) + j\omega(K - \omega^2) = 0$$

Esta ecuación se puede satisfacer sólo si $\omega = 0$, $K = 0$. En el punto $\omega = 0$, el lugar de las raíces es tangente al eje $j\omega$ por la presencia de un polo doble en el origen. No hay puntos en que las ramas del lugar de las raíces crucen el eje imaginario.

En la figura 5-46(b) hay un diagrama del lugar de las raíces para este sistema.

**A-5-10.** En base al problema A-5-9, obtenga las ecuaciones de las ramas del lugar de las raíces para el sistema mostrado en la figura 5-46(a). Muestre que las ramas del lugar de las raíces cruzan el eje real, en los puntos de ruptura, con los ángulos de $\pm$60°.

**Solución.** Las ecuaciones de las ramas del lugar de las raíces se pueden obtener a partir de la condición de ángulo

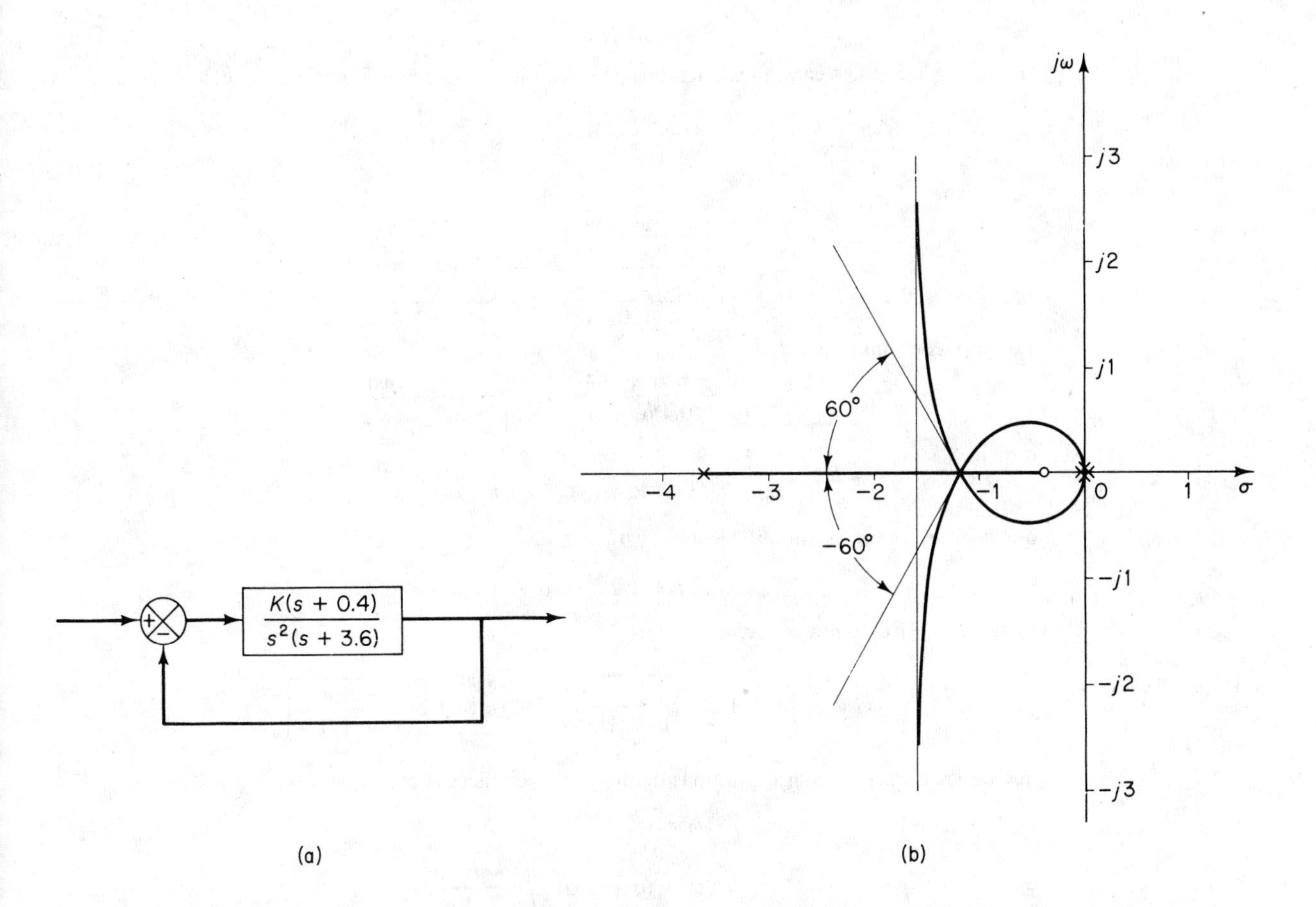


**Figura 5-46** (a) Sistema de control; (b) diagrama del lugar de las raíces.

$$\angle \frac{K(s + 0.4)}{s^2(s + 3.6)} = \pm 180°(2k + 1)$$

que se puede reescribir como

$$\angle s + 0.4 - 2\angle s - \angle s + 3.6 = \pm 180°(2k + 1)$$

Substituyendo $s = \sigma + j\omega$, se obtiene

$$\angle \sigma + j\omega + 0.4 - 2\angle \sigma + j\omega - \angle \sigma + j\omega + 3.6 = \pm 180°(2k + 1)$$

o bien

$$\tan^{-1}\left(\frac{\omega}{\sigma + 0.4}\right) - 2\tan^{-1}\left(\frac{\omega}{\sigma}\right) - \tan^{-1}\left(\frac{\omega}{\sigma + 3.6}\right) = \pm 180°(2k + 1)$$

Reordenando, se tiene

$$\tan^{-1}\left(\frac{\omega}{\sigma + 0.4}\right) - \tan^{-1}\left(\frac{\omega}{\sigma}\right) = \tan^{-1}\left(\frac{\omega}{\sigma}\right) + \tan^{-1}\left(\frac{\omega}{\sigma + 3.6}\right) \pm 180°(2k + 1)$$

Tomando tangentes en ambos miembros de esta última ecuación, y notando que

$$\tan\left[\tan^{-1}\left(\frac{\omega}{\sigma+3.6}\right) \pm 180°(2k+1)\right] = \frac{\omega}{\sigma+3.6}$$

se obtiene

$$\frac{\dfrac{\omega}{\sigma+0.4}-\dfrac{\omega}{\sigma}}{1+\dfrac{\omega}{\sigma+0.4}\dfrac{\omega}{\sigma}} = \frac{\dfrac{\omega}{\sigma}+\dfrac{\omega}{\sigma+3.6}}{1-\dfrac{\omega}{\sigma}\dfrac{\omega}{\sigma+3.6}}$$

que se puede simplificar a

$$\frac{\omega\sigma-\omega(\sigma+0.4)}{(\sigma+0.4)\sigma+\omega^2} = \frac{\omega(\sigma+3.6)+\omega\sigma}{\sigma(\sigma+3.6)-\omega^2}$$

o bien

$$\omega(\sigma^3+2.4\sigma^2+1.44\sigma+1.6\omega^2+\sigma\omega^2) = 0$$

que a su vez se puede simplificar a

$$\omega[\sigma(\sigma+1.2)^2+(\sigma+1.6)\omega^2] = 0$$

Para $\sigma \neq -1.6$, se puede escribir

$$\omega\left[\omega-(\sigma+1.2)\sqrt{\frac{-\sigma}{\sigma+1.6}}\right]\left[\omega+(\sigma+1.2)\sqrt{\frac{-\sigma}{\sigma+1.6}}\right] = 0$$

que da las ecuaciones para las ramas del lugar de las raíces como sigue:

$$\omega = 0$$

$$\omega = (\sigma+1.2)\sqrt{\frac{-\sigma}{\sigma+1.6}}$$

$$\omega = -(\sigma+1.2)\sqrt{\frac{-\sigma}{\sigma+1.6}}$$

La ecuación $\omega = 0$ representa al eje real. El lugar de las raíces para $0 \leq K \leq \infty$ está entre los puntos $s = -0.4$ y $s = -3.6$. (El eje real fuera de este segmento de recta y el origen $s = 0$, corresponde al lugar de las raíces para $-\infty \leq K < 0$).

Las ecuaciones

$$\omega = \pm(\sigma+1.2)\sqrt{\frac{-\sigma}{\sigma+1.6}} \tag{5–34}$$

representan las ramas complejas para $0 \leq K \leq \infty$. Estas dos ramas quedan entre $\sigma = -1.6$ y $\sigma = 0$. [Vea la figura 5-46(b)]. Las pendientes de las ramas complejas del lugar de las raíces en el punto de ruptura ($\sigma = -1.2$) se pueden hallar evaluando $d\omega/d\sigma$ en la ecuación (5-34) en el punto $\sigma = -1.2$.

$$\left.\frac{d\omega}{d\sigma}\right|_{\sigma=-1.2} = \pm\left.\sqrt{\frac{-\sigma}{\sigma+1.6}}\right|_{\sigma=-1.2} = \pm\sqrt{\frac{1.2}{0.4}} = \pm\sqrt{3}$$

Como tan $^{-1}\sqrt{3} = 60°$, las ramas del lugar de las raíces cortan al eje real con ángulos de $\pm 60°$.

**A-5-11.** Considere el sistema de la figura 5-47, que tiene una función de transferencia directa inestable. Trace el diagrama del lugar de las raíces y ubique los polos de lazo cerrado. Muestre que, aunque los polos de lazo cerrado quedan sobre el lado negativo del eje real y el sistema no es oscilatorio, la curva de respuesta al escalón unitario presenta sobreimpulso.

**Solución.** En la figura 5-48 se muestra el diagrama del lugar de las raíces para este sistema; los polos de lazo cerrado están ubicados en $s = -2$ y en $s = -5$.

La función de transferencia de lazo cerrado se convierte en

$$\frac{C(s)}{R(s)} = \frac{10(s+1)}{s^2 + 7s + 10}$$

La respuesta al escalón unitario de este sistema es

$$C(s) = \frac{10(s+1)}{s(s+2)(s+5)}$$

La transformada inversa de Laplace de $C(s)$ da

$$c(t) = 1 + 1.666e^{-2t} - 2.666e^{-5t} \qquad (t \geq 0)$$

La curva de respuesta al escalón unitario aparece en la figura 5-49. Aunque el sistema no es oscilatorio, la curva de respuesta al escalón unitario presenta sobreimpulso. (Esto se debe a la presencia de un cero en $s = -1$).

**A-5-12.** Trace el lugar de las raíces del sistema de control que se muestra en la figura 5-50(a). Determine el rango de ganancia $K$ para tener estabilidad.

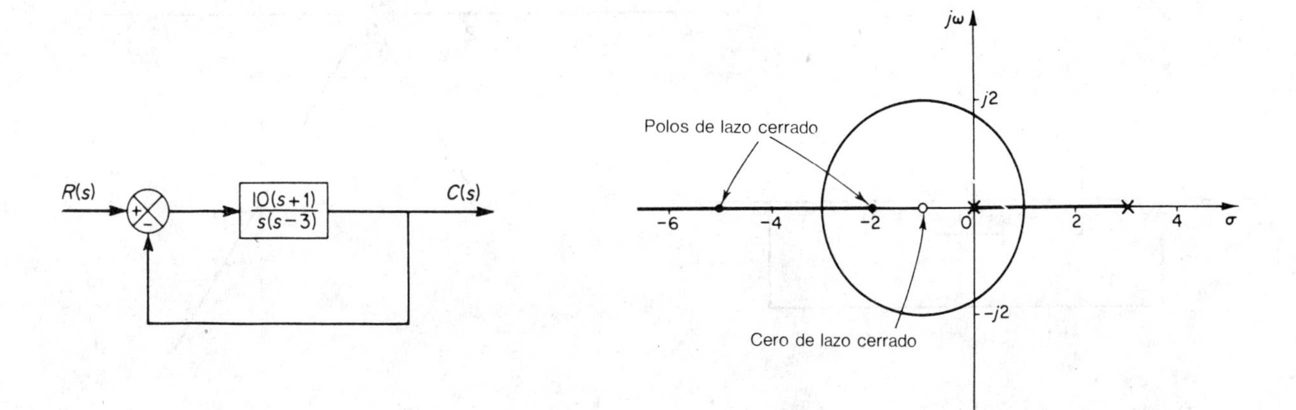


**Figura 5-47** Sistema de control.

**Figura 5-48** Diagrama del lugar de las raíces para el sistema que aparece en la Fig. 5-47.

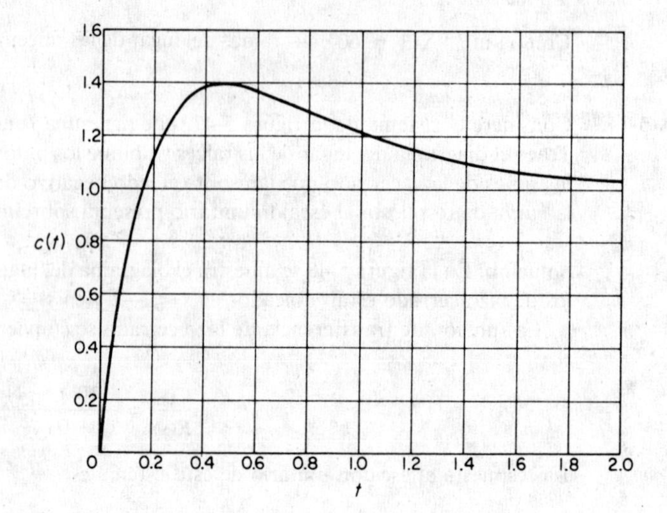


**Figura 5-49** Curva de respuesta al escalón unitario del sistema de la Fig. 5-47.

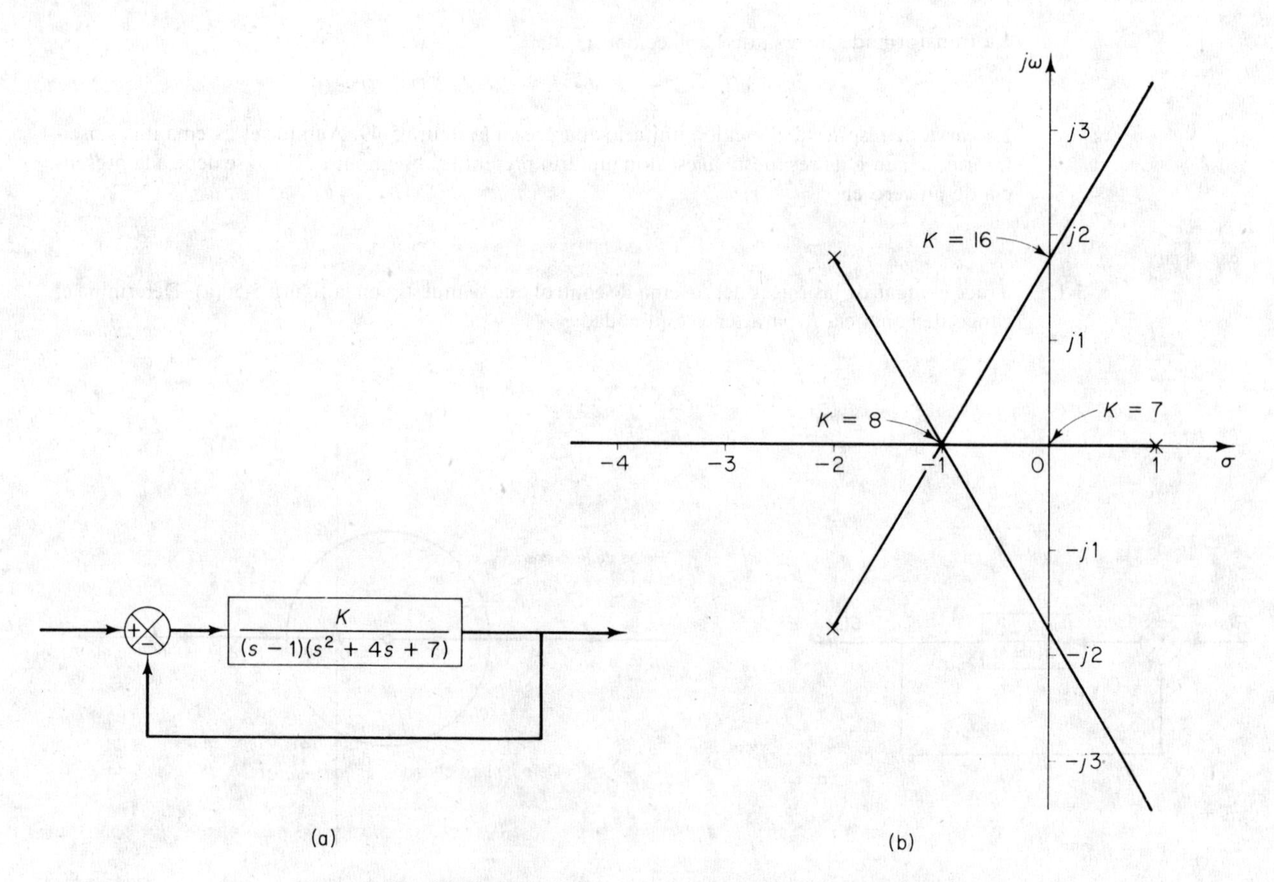


**Figura 5-50** (a) Sistema de control; (b) diagrama del lugar de las raíces.

**Solución.** Los polos de lazo cerrado están ubicados en $s = 1$, $s = -2 + j\sqrt{3}$, y $s = -2 - j\sqrt{3}$. Hay lugar de las raíces en el eje real entre los puntos $s = -1$ y $s = -\infty$. Las asíntotas de las ramas del lugar de las raíces se pueden hallar como sigue:

$$\text{Angulos de asíntotas} = \frac{\pm 180°(2k + 1)}{3} = 60°, -60°, 180°$$

La intersección entre las asíntotas y el eje real, se obtiene de

$$\sigma_a = -\frac{-1 + 2 + 2}{3} = -1$$

Los puntos de ruptura de partida y de llegada se pueden obtener de $dK/ds = 0$. Como

$$K = -(s - 1)(s^2 + 4s + 7) = -(s^3 + 3s^2 + 3s - 7)$$

se tiene

$$\frac{dK}{ds} = -(3s^2 + 6s + 3) = 0$$

que da

$$(s + 1)^2 = 0$$

Así la ecuación $dK/ds = 0$ tiene una raíz doble en $s = -1$. El punto de ruptura de partida está ubicado en $s = -1$. En el punto de ruptura se encuentran tres ramas del lugar de las raíces. Los ángulos de partida de las ramas en el punto de ruptura son $\pm 180°/3$, o sea $60°$ y $-60°$.

A continuación se determinan los puntos donde las ramas del lugar de las raíces pueden cruzar el eje imaginario. Nótese que la ecuación característica es

$$(s - 1)(s^2 + 4s + 7) + K = 0$$

o bien

$$s^3 + 3s^2 + 3s - 7 + K = 0$$

substituyendo $s = j\omega$ se obtiene

$$(j\omega)^3 + 3(j\omega)^2 + 3(j\omega) - 7 + K = 0$$

Reescribiendo esta última ecuación se tiene

$$(K - 7 - 3\omega^2) + j\omega(3 - \omega^2) = 0$$

Esta ecuación se satisface cuando

$$\omega = \pm\sqrt{3}, \qquad K = 7 + 3\omega^2 = 16 \qquad \text{o} \qquad \omega = 0, \qquad K = 7$$

Las ramas del lugar de las raíces cortan al eje imaginario en $\omega = \pm\sqrt{3}$ (donde $K = 16$) y $\omega = 0$ (donde $K = 7$). Como el valor de la ganancia $K$ en el origen es 7, el rango de $K$ para tener estabilidad es

$$7 < K < 16$$

La figura 5-50(b) muestra el diagrama del lugar de las raíces para el sistema. Nótese que todas las ramas consisten en segmentos de rectas.

El hecho de que las ramas del lugar de las raíces consistan de líneas rectas se puede verificar del siguiente modo: como la condición de ángulo es

$$\angle \frac{K}{(s-1)(s+2+j\sqrt{3})(s+2-j\sqrt{3})} = \pm 180°(2k+1)$$

se tiene

$$-\angle s-1 - \angle s+2+j\sqrt{3} - \angle s+2-j\sqrt{3} = \pm 180°(2k+1)$$

Remplazando $s = \sigma + j\omega$ en esta última ecuación,

$$\angle \sigma - 1 + j\omega + \angle \sigma + 2 + j\omega + j\sqrt{3} + \angle \sigma + 2 + j\omega - j\sqrt{3} = \pm 180°(2k+1)$$

o bien

$$\angle \sigma + 2 + j(\omega + \sqrt{3}) + \angle \sigma + 2 + j(\omega - \sqrt{3}) = -\angle \sigma - 1 + j\omega \pm 180°(2k+1)$$

que se puede reescribir como

$$\tan^{-1}\left(\frac{\omega+\sqrt{3}}{\sigma+2}\right) + \tan^{-1}\left(\frac{\omega-\sqrt{3}}{\sigma+2}\right) = -\tan^{-1}\left(\frac{\omega}{\sigma-1}\right) \pm 180°(2k+1)$$

Tomando tangentes en ambos miembros de esta última ecuación se obtiene

$$\frac{\dfrac{\omega+\sqrt{3}}{\sigma+2} + \dfrac{\omega-\sqrt{3}}{\sigma+2}}{1 - \left(\dfrac{\omega+\sqrt{3}}{\sigma+2}\right)\left(\dfrac{\omega-\sqrt{3}}{\sigma+2}\right)} = -\frac{\omega}{\sigma-1}$$

o bien

$$\frac{2\omega(\sigma+2)}{\sigma^2+4\sigma+4-\omega^2+3} = -\frac{\omega}{\sigma-1}$$

que se puede simplificar como

$$2\omega(\sigma+2)(\sigma-1) = -\omega(\sigma^2+4\sigma+7-\omega^2)$$

o bien

$$\omega(3\sigma^2+6\sigma+3-\omega^2) = 0$$

Simplificando más esta última ecuación se tiene

$$\omega\left(\sigma+1+\frac{1}{\sqrt{3}}\omega\right)\left(\sigma+1-\frac{1}{\sqrt{3}}\omega\right) = 0$$

que define tres líneas:

$$\omega = 0, \qquad \sigma+1+\frac{1}{\sqrt{3}}\omega = 0, \qquad \sigma+1-\frac{1}{\sqrt{3}}\omega = 0$$

Así, las ramas del lugar de las raíces consisten en tres líneas. Nótese que el lugar de las raíces para $K>0$ consiste en segmentos de rectas como se muestra en la figura 5-50(b). (Nótese que cada segmento de recta se extiende hasta el infinito en la dirección de 180°, 60°, o —60° medidos desde el eje real). La porción restante de cada recta corresponde a $K<0$.

**A-5-13.** Considere el sistema de la figura 5-51(a). Trace el diagrama del lugar de las raíces.

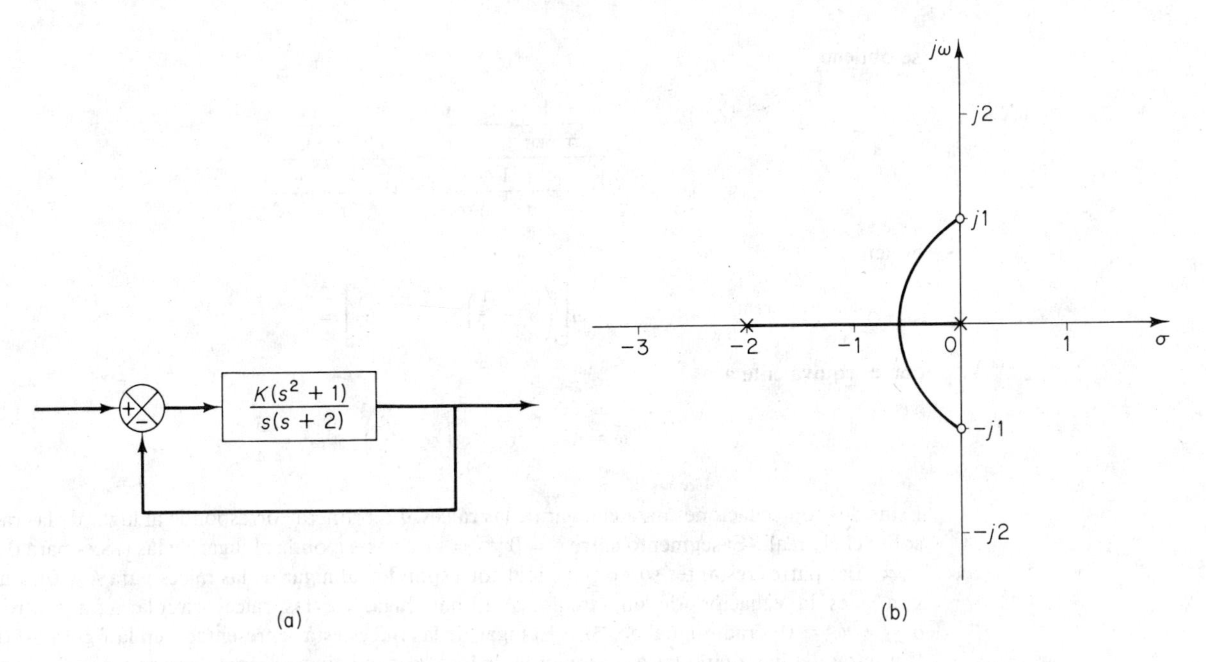


**Figura 5-51** (a) Sistema de control; (b) diagrama del lugar de las raíces.

**Solución.** Los ceros de lazo abierto del sistema están ubicados en $s = \pm j$. Los polos de lazo abierto están colocados en $s = 0$ y $s = -2$. El sistema contiene dos polos y dos ceros; por tanto, hay una posibilidad de que exista una rama circular del lugar de las raíces. De hecho, tal lugar de las raíces circular existe en este caso, como se verá a continuación. La condición de ángulo es

$$\angle \frac{K(s + j)(s - j)}{s(s + 2)} = \pm 180°(2k + 1)$$

o

$$\angle s + j + \angle s - j - \angle s - \angle s + 2 = \pm 180°(2k + 1)$$

Remplazando $s = \sigma + j\omega$ en esta última ecuación, se obtiene

$$\angle \sigma + j\omega + j + \angle \sigma + j\omega - j = \angle \sigma + j\omega + \angle \sigma + 2 + j\omega \pm 180°(2k + 1)$$

o

$$\tan^{-1}\left(\frac{\omega + 1}{\sigma}\right) + \tan^{-1}\left(\frac{\omega - 1}{\sigma}\right) = \tan^{-1}\left(\frac{\omega}{\sigma}\right) + \tan^{-1}\left(\frac{\omega}{\sigma + 2}\right) \pm 180°(2k + 1)$$

Tomando tangentes en ambos miembros de esta ecuación y viendo que

$$\tan\left[\tan^{-1}\left(\frac{\omega}{\sigma + 2}\right) \pm 180°\right] = \frac{\omega}{\sigma + 2}$$

se obtiene

$$\frac{\dfrac{\omega+1}{\sigma}+\dfrac{\omega-1}{\sigma}}{1-\dfrac{\omega+1}{\sigma}\dfrac{\omega-1}{\sigma}}=\frac{\dfrac{\omega}{\sigma}+\dfrac{\omega}{\sigma+2}}{1-\dfrac{\omega}{\sigma}\dfrac{\omega}{\sigma+2}}$$

o bien

$$\omega\left[\left(\sigma-\frac{1}{2}\right)^2+\omega^2-\frac{5}{4}\right]=0$$

que es equivalente a

$$\omega=0 \qquad \text{o} \qquad \left(\sigma-\frac{1}{2}\right)^2+\omega^2=\frac{5}{4}$$

Estas dos son ecuaciones para el lugar de las raíces. La primera corresponde al lugar de las raíces sobre el eje real. (El segmento entre $s = 0$ y $s = -2$ corresponde al lugar de las raíces para $0 \leq K < \infty$. Las partes restantes sobre el eje real corresponden al lugar de las raíces para $K < 0$). La segunda es la ecuación de un círculo. Así, hay lugar de las raíces circular con centro en $\sigma = \frac{1}{2}$, $\omega = 0$ y radio igual a $\sqrt{5}/2$. El lugar de las raíces está representado en la figura 5-51(b). [La parte del lugar circular a la izquierda de los ceros imaginarios corresponde a $K > 0$. La porción del lugar circular que no aparece en la figura 5-51(b) corresponde a $K < 0$].

**A-5-14.** Considere el sistema que aparece en la figura 5-52. Determine el valor de $\alpha$ tal que el factor de amortiguamiento $\zeta$ de los polos dominantes de lazo cerrado sea 0.5.

**Solución.** En este sistema la ecuación característica es

$$1+\frac{2(s+\alpha)}{s(s+1)(s+3)}=0$$

Nótese que la variable $\alpha$ no es un factor. Por tanto, hay que reescribir la ecuación característica

$$s(s+1)(s+3)+2s+2\alpha=0$$

como sigue:

$$1+\frac{2\alpha}{s^3+4s^2+5s}=0$$

Se define

$$2\alpha=K$$

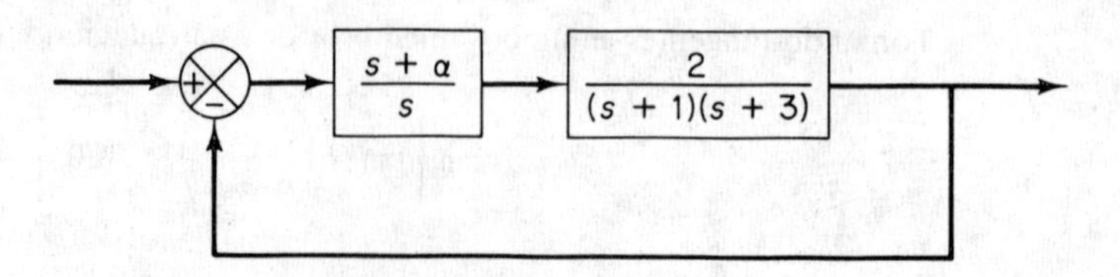


**Figura 5-52**
Sistema de control.

Entonces se llega a la ecuación característica en la forma

$$1 + \frac{K}{s(s^2 + 4s + 5)} = 0 \qquad (5\text{–}35)$$

En el problema A-5-6 se construyó el diagrama del lugar de las raíces para el sistema definido por la ecuación (5-35). Por tanto, la solución a este problema está disponible en el problema A-5-6. En cuyo caso se obtuvieron los polos de lazo cerrado con una relación de amortiguamiento $\zeta = 0.5$ en una ubicación de $s = -0.63 \pm j1.09$. El valor de $K$ en el punto $s = -0.63 + j1.09$ en el caso del problema A-5-6 resultó ser de 4.32. Por tanto, el valor de $\alpha$ en este problema, se puede hallar como sigue:

$$\alpha = \frac{K}{2} = 2.16$$

**A–5–15.** Sea el sistema de la figura 5-53(a). Determine el valor de $\alpha$ tal que la relación de amortiguamiento $\zeta$ de los polos dominantes sea 0.5.

**Solución.** La ecuación característica es

$$1 + \frac{10(s + \alpha)}{s(s + 1)(s + 8)} = 0$$

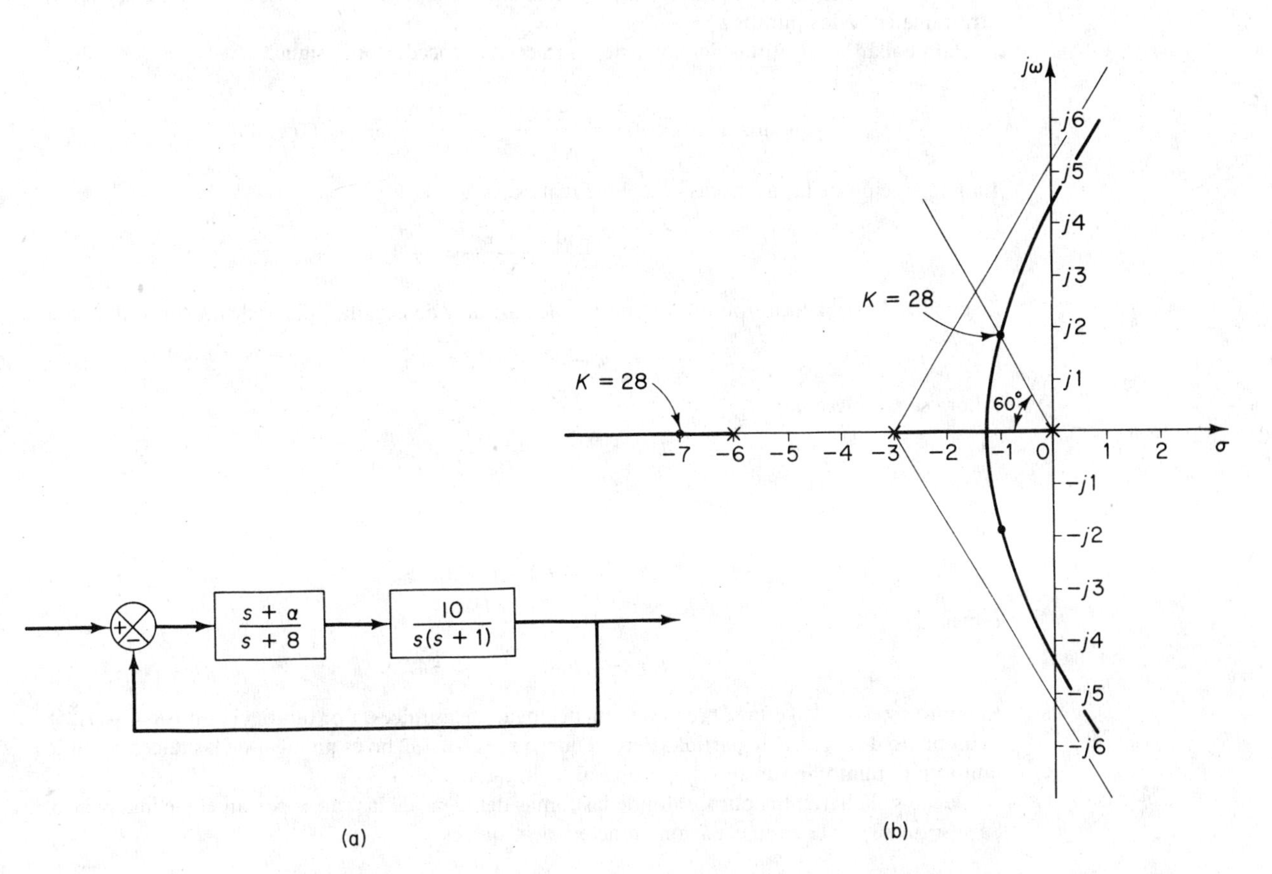


**Figura 5-53** (a) Sistema de control; (b) diagrama del lugar de las raíces, donde $K = 10\alpha$.

La variable $\alpha$ no es un factor. Por lo que hay necesidad de modificar la ecuación característica. Como la ecuación característica se puede escribir

$$s^3 + 9s^2 + 18s + 10\alpha = 0$$

esta ecuación se reescribe de modo que $\alpha$ aparezca como un factor como sigue:

$$1 + \frac{10\alpha}{s(s^2 + 9s + 18)} = 0$$

Se define

$$10\alpha = K$$

Entonces la ecuación característica se hace

$$1 + \frac{K}{s(s^2 + 9s + 18)} = 0$$

Nótese que la ecuación característica está planeada en forma adecuada para la construcción del lugar de las raíces.

Este sistema abarca tres polos y ningún cero. Los tres polos están en $s = 0$, $s = -3$, y $s = -6$. Existe lugar de las raíces en el eje real entre los puntos $s = 0$ y $s = -3$. También hay otra rama entre los puntos $s = -6$ y $s = -\infty$.

Para hallar las asíntotas del lugar de las raíces se procede como sigue:

$$\text{Angulos de asíntotas} = \frac{\pm 180°(2k + 1)}{3} = 60°, \ -60°, \ 180°$$

La intersección de las asíntotas con el eje real es

$$\sigma_a = -\frac{0 + 3 + 6}{3} = -3$$

Se pueden determinar los puntos de ruptura de partida y de llegada a partir de $dK/ds = 0$, donde

$$K = -(s^3 + 9s^2 + 18s)$$

Ahora se establece que

$$\frac{dK}{ds} = -(3s^2 + 18s + 18) = 0$$

que da

$$s^2 + 6s + 6 = 0$$

o bien

$$s = -1.268, \qquad s = -4.732$$

El punto $s = -1.268$ está sobre una rama del lugar de las raíces. Por tanto, el punto $s = -1.268$ es un punto de ruptura de partida. Pero el punto $s = -4.732$ no es un lugar de las raíces, y por lo tanto no es punto de ruptura de partida ni de llegada.

Luego se hallarán los puntos donde las ramas del lugar de las raíces cortan el eje imaginario. Se sustituye $s = j\omega$ en la ecuación característica, que es

$$s^3 + 9s^2 + 18s + K = 0$$

como sigue:

$$(j\omega)^3 + 9(j\omega)^2 + 18(j\omega) + K = 0$$

o bien

$$(K - 9\omega^2) + j\omega(18 - \omega^2) = 0$$

de donde se obtiene

$$\omega = \pm\, 3\sqrt{2}, \qquad K = 9\omega^2 = 162 \qquad \text{o} \qquad \omega = 0, \qquad K = 0$$

Los puntos de cruce están en $\omega = \pm 3\sqrt{2}$ y el valor de ganancia correspondiente es $K = 162$. También, una rama del lugar de las raíces toca al eje imaginario en $\omega = 0$. La figura 5-53(b) presenta un diagrama del lugar de las raíces para el sistema.

Como la relación de amortiguamiento de los polos dominantes de lazo cerrado especificada es 0.5, el polo de lazo cerrado deseado está en el semiplano superior del plano $s$, ubicado en la intersección de la rama del lugar de las raíces del semiplano superior del plano $s$, con una recta que hace un ángulo de 60° con el eje real negativo. Los polos dominantes de lazo cerrado deseados están ubicados en

$$s = -1 + j1.732, \qquad s = -1 - j1.732$$

En estos puntos, el valor de la ganancia $K$ es 28. Por tanto,

$$\alpha = \frac{K}{10} = 2.8$$

Como el sistema incluye dos o más polos que ceros (en realidad, tres polos y ningún cero), el tercer polo puede estar ubicado sobre el eje real negativo partiendo del hecho de que la suma de los tres polos de lazo cerrado es —9. De aquí que el tercer polo está en

$$s = -9 - (-1 + j1.732) - (-1 - j1.732)$$

o sea

$$s = -7$$

**A-5-16.** Considere el sistema de la figura 5-54(a). Trace el lugar de las raíces del sistema, cuando la ganancia de retroalimentación de velocidad $k$ varía de cero a infinito. Determinar el valor de $k$ tal que los polos de lazo cerrado tengan una relación de amortiguamiento $\zeta$ igual a 0.7.

**Solución.** La ecuación característica para el sistema es

$$1 + \frac{10(1 + ks)}{s(s + 1)} = 0$$

Como $k$ no es un factor, la ecuación se modifica de modo que $k$ aparezca como factor. Como la ecuación característica es

$$s^2 + s + 10ks + 10 = 0$$

esta ecuación se reescribe como sigue:

$$1 + \frac{10ks}{s^2 + s + 10} = 0 \tag{5–36}$$

Se define

$$10k = K$$

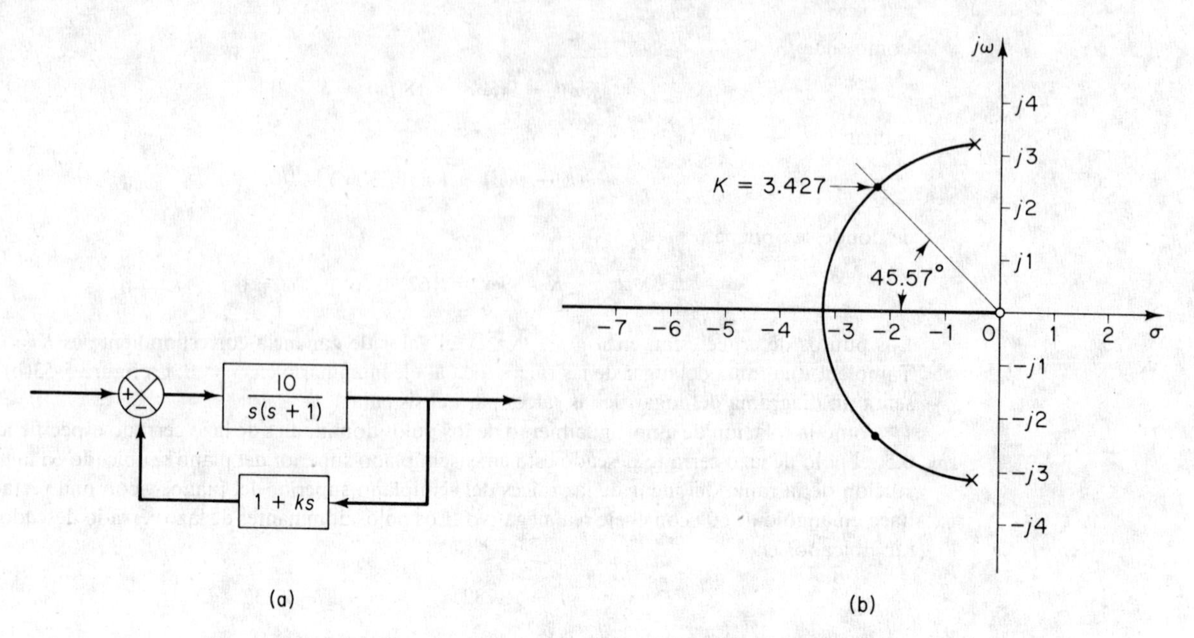


**Figura 5-54** (a) Sistema de control; (b) diagrama del lugar de las raíces, donde $K = 10k$.

Entonces la ecuación (5-36) se convierte en

$$1 + \frac{Ks}{s^2 + s + 10} = 0$$

Nótese que hay un cero ubicado en el origen del plano $s$, y polos situados en $s = -0.5 \pm j3.1225$. Como este sistema incluye dos polos y un cero, hay posibilidad de que exista un lugar de las raíces circular.

De hecho, este sistema tiene un lugar de las raíces circular, como se demostrará. Como la condición de ángulo es

$$\angle \frac{Ks}{s^2 + s + 10} = \pm 180°(2k + 1)$$

se tiene

$$\angle s - \angle s + 0.5 + j3.1225 - \angle s + 0.5 - j3.1225 = \pm 180°(2k + 1)$$

Substituyendo $s = \sigma + j\omega$ en esta última ecuación y reagrupando, se obtiene

$$\angle \sigma + 0.5 + j(\omega + 3.1225) + \angle \sigma + 0.5 + j(\omega - 3.1225) = \angle \sigma + j\omega \pm 180°(2k + 1)$$

que se puede reescribir como

$$\tan^{-1}\left(\frac{\omega + 3.1225}{\sigma + 0.5}\right) + \tan^{-1}\left(\frac{\omega - 3.1225}{\sigma + 0.5}\right) = \tan^{-1}\left(\frac{\omega}{\sigma}\right) \pm 180°(2k + 1)$$

Tomando tangentes en ambos miembros de esta última ecuación, se obtiene

$$\frac{\dfrac{\omega + 3.1225}{\sigma + 0.5} + \dfrac{\omega - 3.1225}{\sigma + 0.5}}{1 - \left(\dfrac{\omega + 3.1225}{\sigma + 0.5}\right)\left(\dfrac{\omega - 3.1225}{\sigma + 0.5}\right)} = \frac{\omega}{\sigma}$$

que se puede simplificar a

$$\frac{2\omega(\sigma + 0.5)}{(\sigma + 0.5)^2 - (\omega^2 - 3.1225^2)} = \frac{\omega}{\sigma}$$

o bien

$$\omega(\sigma^2 - 10 + \omega^2) = 0$$

que da

$$\omega = 0 \qquad \text{o} \qquad \sigma^2 + \omega^2 = 10$$

Nótese que $\omega = 0$ corresponde al eje real. El eje real negativo (entre $s = 0$ y $s = -\infty$) corresponde a $K \geq 0$, y el eje real positivo corresponde a $K < 0$. La ecuación

$$\sigma^2 + \omega^2 = 10$$

es la ecuación de un círculo con centro en $\sigma = 0$, $\omega = 0$, y radio igual a $\sqrt{10}$. El segmento de círculo que queda a la izquierda de los polos complejos corresponde al lugar de las raíces para $K > 0$. El segmento de círculo que queda a la derecha de los polos complejos corresponde al lugar de las raíces para $K < 0$. Por tanto, este segmento no es lugar de las raíces de este sistema, donde $K > 0$. La figura 5-54(b) muestra el diagrama del lugar de las raíces.

Como se requiere que $\zeta = 0.7$ para los polos de lazo cerrado, se encuentra la intersección del lugar de las raíces circular con la línea que hace un ángulo de 45.57° (pues cos 45.57° = 0.7) respecto al eje real negativo. La intersección está en $s = -2.214 + j2.258$. La ganancia $K$ correspondiente a este punto es 3.427. Por tanto, el valor deseado de ganancia de retroalimentación de velocidad $k$ es

$$k = \frac{K}{10} = 0.3427$$

**A–5–17.** Sea el sistema de figura 5-55(a) que es una parte de un sistema de control. Dibuje el lugar de las raíces para el sistema. Determine el valor de $k$ tal que la relación de amortiguamiento $\zeta$ de los polos dominantes de lazo cerrado sea 0.5.

**Solución.** La ecuación característica es

$$1 + \frac{s + 1}{s + 7}\,\frac{10}{s(s + 1) + 10k} = 0$$

Como la variable $k$ no es factor, hay que reescribir esta última ecuación como

$$s^3 + 8s^2 + 17s + 10 + 10k(s + 7) = 0$$

que se puede modificar a

$$1 + \frac{10k(s + 7)}{(s + 1)(s + 2)(s + 5)} = 0$$

Se define

$$10k = K$$

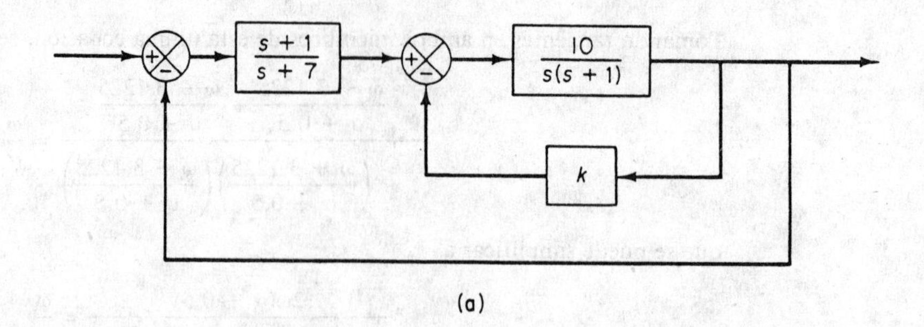


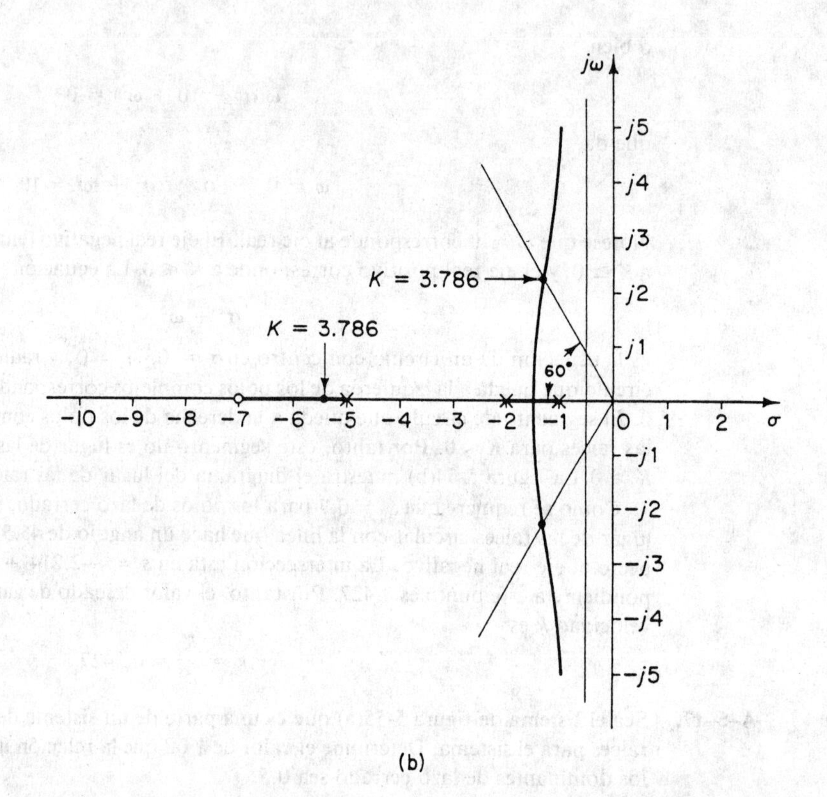


**Figura 5-55**
(a) Sistema de control; (b) diagrama del lugar de las raíces, donde $K = 10k$.

Entonces la ecuación característica se puede reescribir en una forma adecuada para la construcción del lugar de las raíces, como sigue:

$$1 + \frac{K(s + 7)}{(s + 1)(s + 2)(s + 5)} = 0$$

Hay ramas del lugar de las raíces en el eje real entre los puntos $s = -1$ y $s = -2$ y entre los puntos $s = -5$ y $s = -7$. Las asíntotas de las ramas del lugar de las raíces se pueden hallar del siguiente modo:

$$\text{Angulos de asíntotas} = \frac{\pm 180°(2k + 1)}{3 - 1} = 90°, -90°$$

Para obtener la intersección de las asíntotas y el eje real, se hace

$$\sigma_a = -\frac{1 + 2 + 5 - 7}{3 - 1} = -0.5$$

Los puntos de ruptura de partida o de llegada se pueden determinar partiendo de $dK/ds = 0$. Como

$$K = -\frac{(s + 1)(s + 2)(s + 5)}{s + 7}$$

se tiene

$$\frac{dK}{ds} = -\frac{(3s^2 + 16s + 17)(s + 7) - (s^3 + 8s^2 + 17s + 10)}{(s + 7)^2} = 0$$

o bien

$$s^3 + 14.5s^2 + 56s + 54.5 = 0$$

que se puede factorizar como

$$(s + 1.49)(s + 4.1175)(s + 8.8925) = 0$$

Así, se tiene

$$s = -1.49, \qquad s = -4.1175, \qquad s = -8.8925$$

El punto $s = -1.49$ está en el lugar de las raíces. Así, que es un punto de ruptura de partida. Los puntos $s = -4.1175$ y $s = -8.8925$ no están en ramas del lugar de las raíces, y por lo tanto, esos puntos no son de ruptura de partida ni de llegada.

Ahora se examinará si las ramas del lugar de las raíces cruzan al eje $j\omega$. Substituyendo $s = j\omega$ en la ecuación característica, que es

$$s^3 + 8s^2 + 17s + 10 + K(s + 7) = 0$$

se tiene

$$(j\omega)^3 + 8(j\omega)^2 + 17\,(j\omega) + 10 + K(j\omega) + 7K = 0$$

o bien

$$(10 + 7K - 8\omega^2) + j\omega(17 + K - \omega^2) = 0$$

De esta última ecuación, se tiene

$$10 + 7K - 8\omega^2 = 0, \qquad 17 + K - \omega^2 = 0$$

que produce

$$\omega^2 = -109, \quad K = -126$$

Esto implica que no hay ramas del lugar de las raíces que crucen al eje imaginario. La figura 5-55(b) muestra el diagrama del lugar de las raíces.

Para colocar los polos de lazo cerrado con la relación de amortiguamiento $\zeta = 0.5$, se determina el punto de intersección de la rama del lugar de las raíces en el semiplano superior del plano $s$ con una recta que forma un ángulo de 60° con el eje real negativo. La intersección está en $s = -1.30 + j2.252$. En este punto, el valor de $K$ es

$$K = -\left.\frac{(s + 1)(s + 2)(s + 5)}{s + 7}\right|_{s=-1.30+j2.252} = 3.786$$

Entonces el valor deseado de $k$ se determina de

$$k = \frac{K}{10} = 0.3786$$

Nótese que los tres polos de lazo cerrado están en los puntos

$$s = -1.30 + j2.252, \qquad s = -1.30 - j2.252, \qquad s = -5.4$$

**A–5–18.** Considere el sistema con retardo de transporte que se ve en la figura 5-56(a). Trace el lugar de las raíces y encuentre los dos pares de polos de lazo cerrado más cercanos al eje $j\omega$.

Utilizando solamente los polos dominantes de lazo cerrado, obtenga la respuesta al escalón unitario y dibuje la curva de respuesta.

**Solución.** La ecuación característica es

$$\frac{2e^{-0.3s}}{s+1} + 1 = 0$$

que es equivalente a las siguientes condiciones de ángulo y magnitud:

$$\angle \frac{2e^{-0.3s}}{s+1} = \pm 180°(2k+1)$$

$$\left| \frac{2e^{-0.3s}}{s+1} \right| = 1$$

La condición de ángulo se reduce a

$$\angle s+1 = \pm \pi(2k+1) - 0.3\omega \quad \text{(radianes)}$$

Para $k = 0$,

$$\angle s+1 = \pm\pi - 0.3\omega \quad \text{(radianes)}$$

$$= \pm 180° - 17.2°\omega \quad \text{(grados)}$$

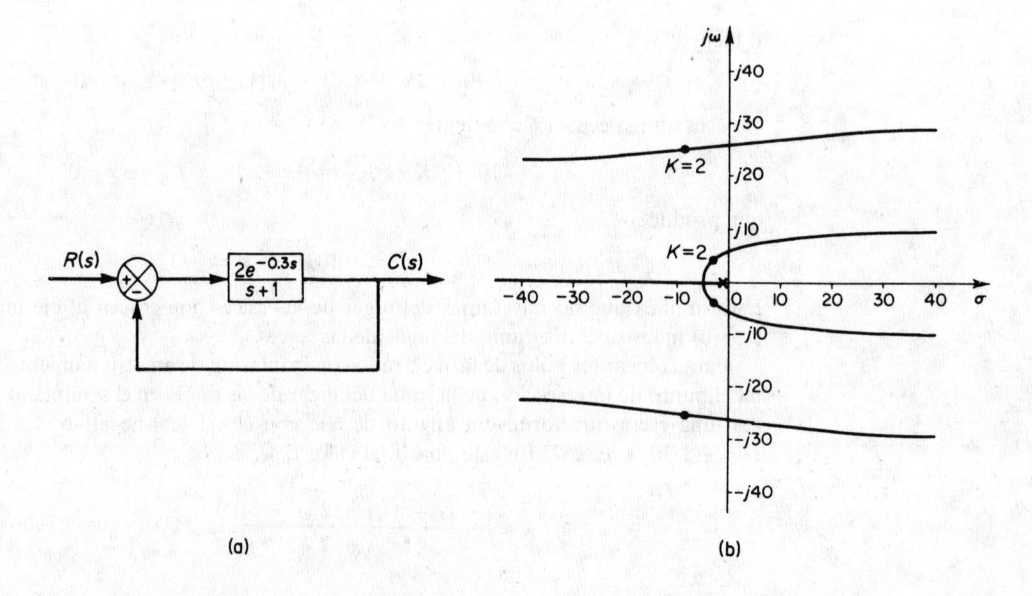


**Figura 5-56** (a) Sistema de control con retardo de transporte; (b) diagrama del lugar de las raíces.

Para $k = 1$,

$$\angle s + 1 = \pm 3\pi - 0.3\omega \quad \text{(radianes)}$$

$$= \pm 540° - 17.2°\omega \quad \text{(grados)}$$

El diagrama del lugar de las raíces para este sistema aparece en la figura 5-56(b).

Haciendo $s = \sigma + j\omega$ en la condición de magnitud, y sustituyendo $K$ por 2. Así se obtiene

$$\frac{\sqrt{(1 + \sigma)^2 + \omega^2}}{e^{-0.3\sigma}} = K$$

Evaluando $K$ en diferentes puntos del lugar de las raíces, se pueden hallar los puntos para los cuales $K = 2$. Esos puntos son polos de lazo cerrado. El par dominante de polos de lazo cerrado es

$$s = -2.5 \pm j3.9$$

El par más cercano de polos de lazo cerrado es

$$s = -8.6 \pm j25.1$$

Utilizando solamente el par de polos dominantes de lazo cerrado la función de transferencia de lazo cerrado se puede aproximar como sigue. Nótese que

$$\frac{C(s)}{R(s)} = \frac{2e^{-0.3s}}{1 + s + 2e^{-0.3s}}$$

$$= \frac{2e^{-0.3s}}{1 + s + 2\left(1 - 0.3s + \dfrac{0.09s^2}{2} + \cdots\right)}$$

$$= \frac{2e^{-0.3s}}{3 + 0.4s + 0.09s^2 + \cdots}$$

y

$$(s + 2.5 + j3.9)(s + 2.5 - j3.9) = s^2 + 5s + 21.46$$

$C(s)/R(s)$ se puede aproximar por

$$\frac{C(s)}{R(s)} = \frac{\frac{2}{3}(21.46)e^{-0.3s}}{s^2 + 5s + 21.46}$$

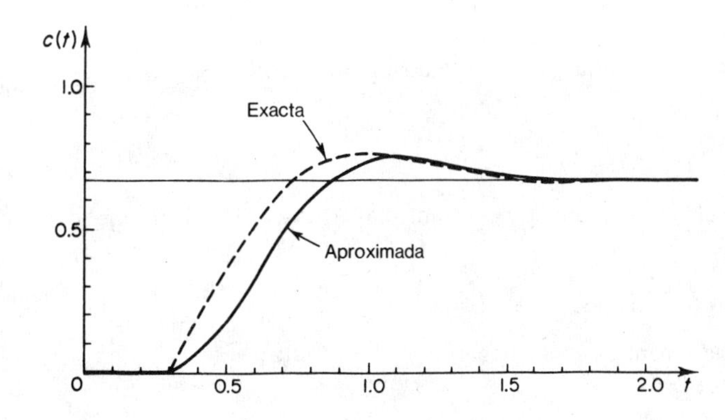


**Figura 5-57**
Curvas de respuesta al escalón unitario para el sistema que aparece en la Fig. 5-56(a).

o bien

$$\frac{C(s)}{R(s)} = \frac{14.31e^{-0.3s}}{(s + 2.5)^2 + 3.9^2}$$

Para una entrada escalón unitario

$$C(s) = \frac{14.31e^{-0.3s}}{[(s + 2.5)^2 + 3.9^2]s}$$

Nótese que

$$\frac{14.31}{[(s + 2.5)^2 + 3.9^2]s} = \frac{\frac{2}{3}}{s} + \frac{-\frac{2}{3}s - \frac{10}{3}}{(s + 2.5)^2 + 3.9^2}$$

Por tanto

$$C(s) = \left(\frac{\frac{2}{3}}{s}\right) e^{-0.3s} + \left[\frac{-\frac{2}{3}s - \frac{10}{3}}{(s + 2.5)^2 + 3.9^2}\right] e^{-0.3s}$$

La transformada inversa de Laplace de $C(s)$ da

$$c(t) = \tfrac{2}{3}[1 - e^{-2.5(t-0.3)} \cos 3.9(t - 0.3) - 0.641e^{-2.5(t-0.3)} \operatorname{sen} 3.9(t - 0.3)]1(t - 0.3)$$

donde $1(t - 0.3)$ es la función escalón unitario que se produce en $t = 0.3$.

La figura 5-57 muestra la curva de respuesta aproximada junto con la curva de respuesta al escalón unitario exacta obtenida mediante la simulación en computadora. Nótese que en este sistema se puede obtener una aproximación bastante buena utilizando solamente los polos dominantes de lazo cerrado.

## PROBLEMAS

**B-5-1.** Considere el sistema de retroalimentación unitaria cuya función de transferencia directa es

$$G(s) = \frac{K}{s(s + 1)}$$

El lugar de ganancia constante para el sistema para un valor determinado de $K$ está definido por la siguiente ecuación:

$$\left|\frac{K}{s(s + 1)}\right| = 1$$

Demuestre que el lugar de ganancia constante para $0 \leq K < \infty$ está dado por

$$[\sigma(\sigma + 1) + \omega^2]^2 + \omega^2 = K^2$$

Trace el lugar de ganancia constante para $K = 1, 2, 5, 10,$ y 20 en el plano $s$.

**B-5-2.** Muestre que el lugar de las raíces para un sistema de control con

$$G(s) = \frac{K(s^2 + 6s + 10)}{s^2 + 2s + 10}, \qquad H(s) = 1$$

son arcos de círculo con centro en el origen y radio igual a $\sqrt{10}$.

**B-5-3.** Trace el diagrama del lugar de las raíces para un sistema con

$$G(s) = \frac{K}{(s^2 + 2s + 2)(s^2 + 2s + 5)}, \qquad H(s) = 1$$

Determine los puntos exactos donde el lugar de las raíces cruza el eje $j\omega$.

**B-5-4.** Trace el diagrama del lugar de las raíces para un sistema con

$$G(s) = \frac{K}{s(s + 0.5)(s^2 + 0.6s + 10)}, \qquad H(s) = 1$$

**B-5-5.** Considere el sistema de la figura 5-58. Determine los valores de la ganancia $k$ y del coeficiente de retroalimentación de velocidad $k_h$, de modo que los polos de lazo cerrado estén en $s = -1 \pm j\sqrt{3}$. Luego, utilizando el valor de $K_h$ determinado, trace el lugar de las raíces.

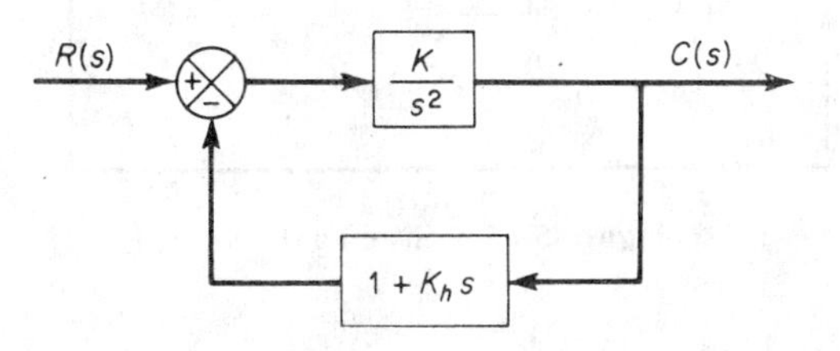


**Figura 5-58** Sistema de control.

**B-5-6.** Trace el lugar de las raíces para el sistema de la figura 5-59. Si el valor de la ganancia $K$ es igual a 2, ¿dónde están ubicados los polos de lazo cerrado?

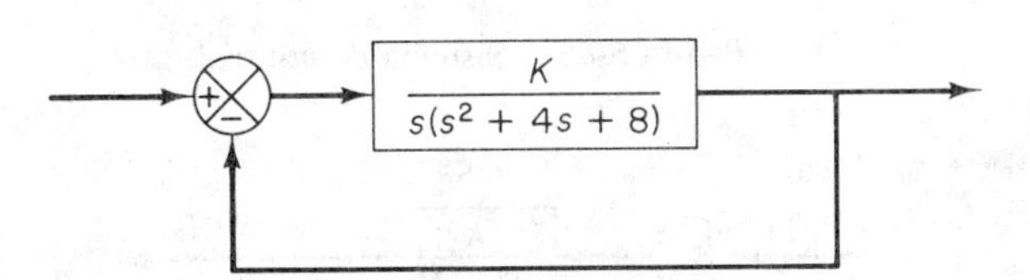


**Figura 5-59** Sistema de control.

**B-5-7.** Considere el sistema que se ve en la figura 5-60. Este sistema incluye retroalimentación de velocidad. Determine el valor de la ganancia $K$ tal que los polos dominantes de lazo cerrado tengan una relación de amortiguamiento de 0.5. Utilizando la ganancia $K$ calculada, obtenga la respuesta del sistema al escalón unitario.

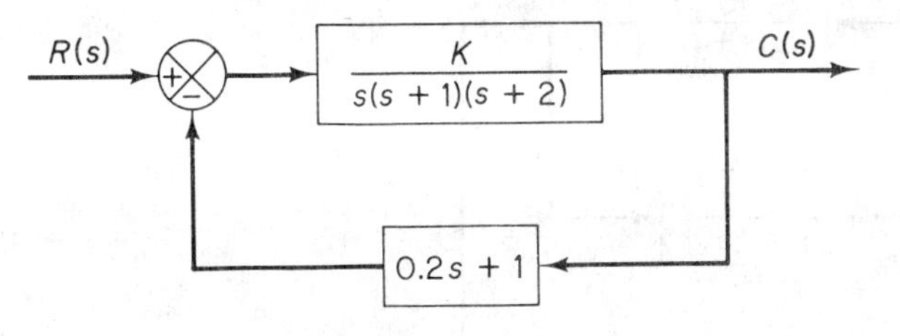


**Figura 5-60** Sistema de control.

**B-5-8.** Dibuje el lugar de las raíces para el sistema de control de lazo cerrado con

$$G(s) = \frac{K}{s(s+1)(s^2+4s+5)}, \qquad H(s) = 1$$

**B-5-9.** Trace el lugar de las raíces para un sistema de control de lazo cerrado con

$$G(s) = \frac{K(s+9)}{s(s^2+4s+11)}, \qquad H(s) = 1$$

Ubique los polos de lazo cerrado en el lugar de las raíces de tal modo que los polos dominantes de lazo cerrado tengan una relación de amortiguamiento igual a 0.5.

**B-5-10.** bosqueje el lugar de las raíces para un sistema de control de lazo cerrado con

$$G(s) = \frac{K(s+0.2)}{s^2(s+3.6)}, \qquad H(s) = 1$$

**B-5-11.** Bosqueje el lugar de las raíces para un sistema de control de lazo cerrado con

$$G(s) = \frac{K(s+0.5)}{s^3+s^2+1}, \qquad H(s) = 1$$

**B-5-12.** Trace el lugar de las raíces para el sistema que se muestra en la figura 5-61. Determine el rango de la ganancia $K$ para mantener la estabilidad.

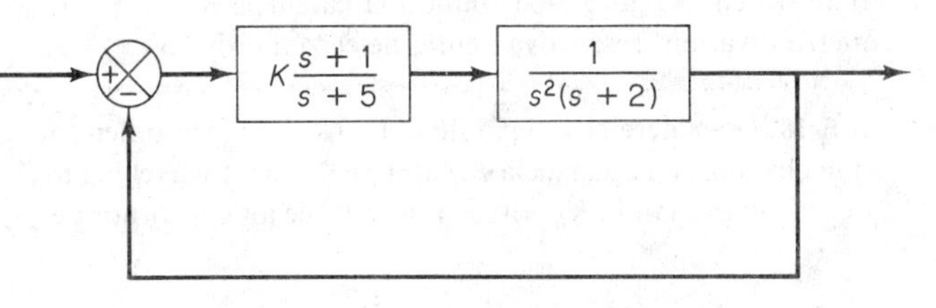


**Figura 5-61** Sistema de control.

**B-5-13.** Considere el sistema de la figura 5-62. Trace el lugar de las raíces cuando $\alpha$ varía de 0 a $\infty$. Determine el valor de $\alpha$ tal que la relación de amortiguamiento de los polos dominantes de lazo cerrado sea 0.5.

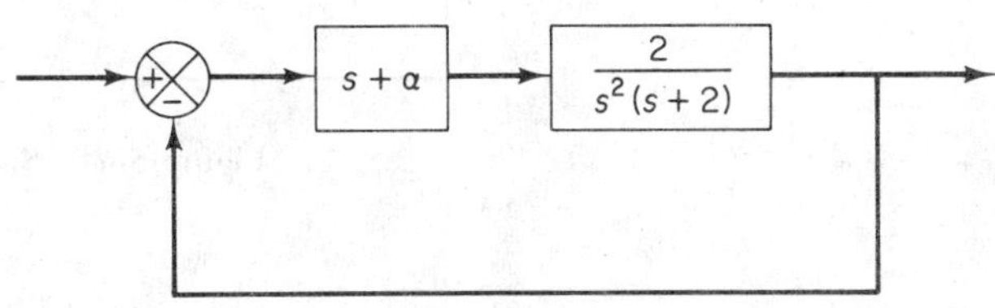


**Figura 5-62** Sistema de control.

**B-5-14.** Considere el sistema de la figura 5-63. Trace el lugar de las raíces. Ubique los polos de lazo cerrado cuando la ganancia $k$ es igual a 2.

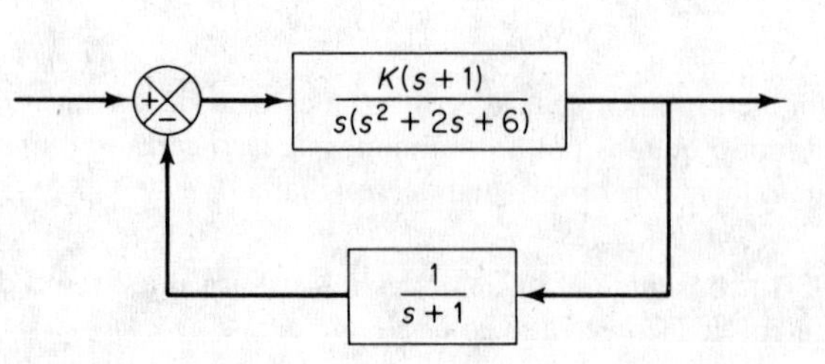


**Figura 5-63** Sistema de control.

**B-5-15.** Considere el sistema mostrado en la figura 5-64. Trace el lugar de las raíces al variar el valor de $k$ de 0 a $\infty$. ¿Cuál es el valor de $k$ que produce una relación de amortiguamiento igual a 0.5? Obtenga la constante de error estático de velocidad con este valor de $k$.

**B-5-16.** Trace el lugar de las raíces para el sistema de la figura 5-65. Muestre que el sistema se puede hacer inestable para valores elevados de $K$.

**B-5-17.** Trace los contornos de raíz para el sistema que se muestra en la figura 5-66 cuando la ganancia $K$ y el parámetro $a$ varían, respectivamente, de cero a infinito.

**B-5-18.** Considere el sistema de la figura 5-67. Suponiendo que el valor de la ganancia $K$ varía de 0 a $\infty$, trace el lugar de las raíces cuando $K_h = 0.5$. Luego trace los contornos de raíz para $0 \leq K < \infty$ y $0 \leq K_h < \infty$. Ubique los polos de lazo cerrado en el contorno de raíz cuando $K = 10$ y $K_h = 0.5$.

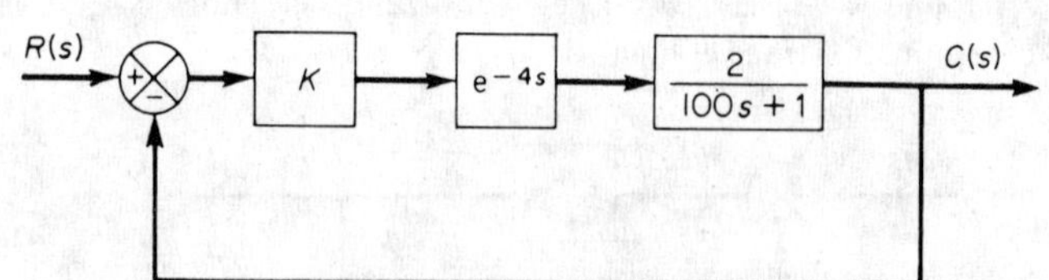


**Figura 5-65** Sistema de control.

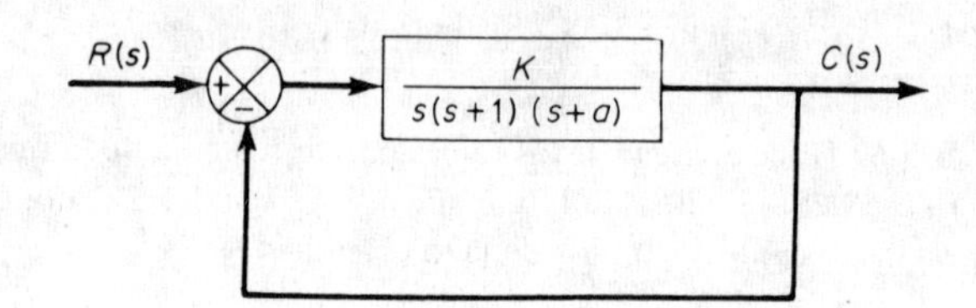


**Figura 5-66** Sistema de control.

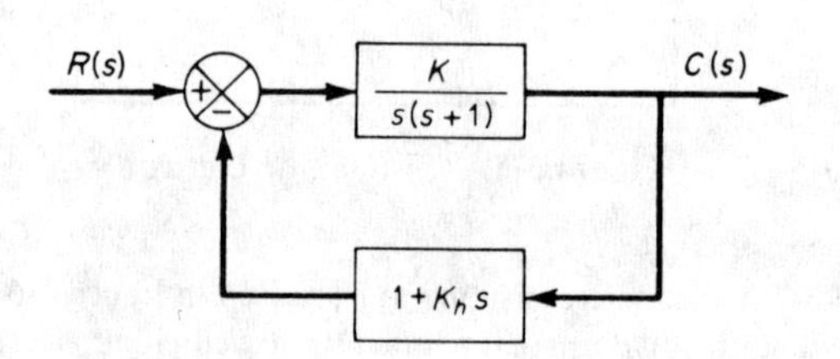


**Figura 5-67** Sistema de control.

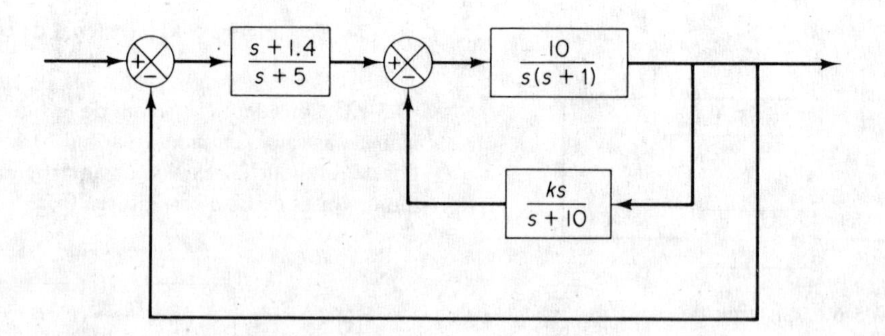


**Figura 5-64** Sistema de control.

# CAPITULO 6
# Análisis de respuesta en frecuencia

## 6-1 INTRODUCCION

**Métodos de respuesta en frecuencia.** Por respuesta de frecuencia o respuesta en frecuencia se entiende la respuesta en estado estacionario de un sistema, ante una entrada senoidal. En los métodos de respuesta en frecuencia, los métodos más convencionales de que disponen los ingenieros de control para el análisis y diseño de sistemas de control, se varía la frecuencia de la señal de entrada dentro de un rango de interés y se estudia la respuesta resultante.

Frecuentemente se utilizan métodos de respuesta en frecuencia para diseñar sistemas de control industrial. Entre estos métodos se dispone de muchas técnicas para el análisis y diseño de sistemas de control. En éste y en los siguientes capítulos se analizarán, en detalle, los métodos de respuesta en frecuencia.

El criterio de estabilidad de Nyquist, que se expondrá en la sección 6-5, permite investigar la estabilidad, tanto absoluta como relativa, de sistemas lineales de lazo cerrado a partir del conocimiento de sus características de respuesta en frecuencia de lazo abierto. Al usar este criterio de estabilidad, no es necesario determinar las raíces de la ecuación característica. Esta es una ventaja del procedimiento de respuesta en frecuencia. Otra ventaja de este método reside en que las pruebas de respuesta en frecuencia son, en general, sencillas y se pueden realizar con exactitud, utilizando generadores senoidales de fácil disponibilidad y equipos precisos de medición. Con las pruebas de respuesta en frecuencia se pueden determinar en forma experimental las funciones de transferencia de componentes complicados. Las funciones de transferencia obtenidas experimentalmente se pueden incorporar fácilmente al procedimiento de respuesta en frecuencia. Estos métodos también se pueden aplicar a sistemas que no tienen funciones racionales, tales como las que tienen retardo de transporte; incluso aquellas plantas que presentan incertidumbre o son poco conocidas. Se puede diseñar un sistema recurriendo al procedimiento de respuesta en frecuencia, de modo que se puedan ignorar los efectos de ruidos indeseables. Finalmente, es posible extender los métodos de respuesta en frecuencia a ciertos sistemas de control no lineales.

Aun cuando la respuesta en frecuencia de un sistema de control brinda una imagen cualitativa de la respuesta transitoria, hay una relación indirecta entre la respuesta en frecuencia y la transitoria, excepto en el caso de los sistemas de segundo orden. Al diseñar un sistema de lazo cerrado, la respuesta en frecuencia se puede ajustar utilizando diversos criterios de diseño (que se verán más adelante en este capítulo), para lograr características aceptables de respuesta transitoria.

A continuación, se obtendrá la relación entre la función de transferencia y la respuesta en frecuencia de un sistema lineal estable.

**Obtención de la salida en estado estacionario ante una entrada senoidal.** En primer lugar se probará el hecho básico de que las características de respuesta en frecuencia de un sistema se pueden obtener directamente de la función de transferencia senoidal, es decir, de la función de transferencia en la cual $s$ se substituye por $j\omega$, donde $\omega$ es la frecuencia.

Sea el sistema estable lineal invariante en el tiempo que se muestra en la figura 6-1. Se designa como $x(t)$ y $y(t)$ a la entrada y salida, respectivamente, del sistema cuya función de transferencia es $G(s)$. Si la entrada $x(t)$ es una señal senoidal, la salida en estado estacionario también será una señal senoidal de la misma frecuencia, pero posiblemente con diferente magnitud y ángulo de fase.

$$x(t) = X \text{ sen } \omega t$$

Suponga que la función de transferencia $G(s)$ se puede escribir como una relación entre dos polinomios en $s$, es decir

$$G(s) = \frac{p(s)}{q(s)} = \frac{p(s)}{(s+s_1)(s+s_2)\cdots(s+s_n)}$$

Entonces, la transformada de Laplace de la salida $Y(s)$ es

$$Y(s) = G(s)X(s) = \frac{p(s)}{q(s)}X(s) \tag{6–1}$$

donde $X(s)$ es la transformada de Laplace de la entrada $x(t)$.

Se demostrará que una vez que se alcanza la condición de estado estacionario, la respuesta en frecuencia se puede calcular remplazando $s$ en la función de transferencia por $j\omega$. También se demostrará que la respuesta en estado estacionario puede estar dada por

$$G(j\omega) = Me^{j\phi} = M\angle\phi$$

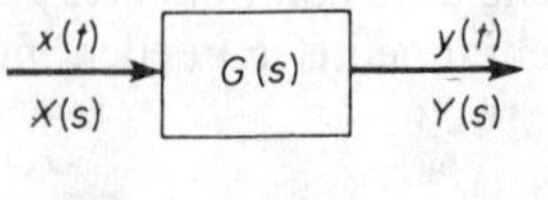

**Figura 6-1**
Sistema lineal estable invariante en el tiempo.

$x(t)$, $X(s)$ → $G(s)$ → $y(t)$, $Y(s)$

donde $M$ es la relación de amplitudes de las señales senoidales de salida y de entrada, y $\phi$ es el desplazamiento de fase entre las señales senoidales de entrada y salida. En la prueba de respuesta en frecuencia, se varía la frecuencia de entrada $\omega$ hasta que se haya cubierto todo el rango en frecuencia de interés.

La respuesta en estado estacionario de un sistema estable lineal invariante en el tiempo, ante una entrada senoidal no depende de las condiciones iniciales. (Entonces se puede suponer la condición inicial cero).

Si $Y(s)$ tiene únicamente polos diferentes, el desarrollo de la ecuación (6-1) en fracciones parciales es

$$Y(s) = G(s)X(s) = G(s)\frac{\omega X}{s^2 + \omega^2}$$

$$= \frac{a}{s + j\omega} + \frac{\bar{a}}{s - j\omega} + \frac{b_1}{s + s_1} + \frac{b_2}{s + s_2} + \cdots + \frac{b_n}{s + s_n} \tag{6–2}$$

donde $a$ y $b_i$ (donde $i = 1, 2, \ldots, n$) son constantes y $\bar{a}$ es el complejo conjugado de $a$. La transformada inversa de Laplace de la ecuación (6-2) es

$$y(t) = ae^{-j\omega t} + \bar{a}e^{j\omega t} + b_1 e^{-s_1 t} + b_2 e^{-s_2 t} + \cdots + b_n e^{-s_n t} \qquad (t \geq 0) \tag{6–3}$$

Para un sistema estable, $-s_1, -s_2, \ldots, -s_n$ tienen partes reales negativas. Por lo tanto, al tender $t$ a infinito, los términos $e^{-s_1 t}$, $e^{-s_2 t}$, . . . . , y $e^{-s_n t}$ tienden a cero. De manera que todos los términos del segundo miembro de la ecuación (6-3), excepto los dos primeros, desaparecen en el estado estacionario.

Si $Y(s)$ incluye polos múltiples $s_j$ de multiplicidad $m_j$, entonces $y(t)$ tendrá términos como $t^{h_j}e^{-s_j t}$ $(h_j = 0, 1, 2, \ldots, m_j - 1)$. Para un sistema estable, los términos $t^{h_j}e^{-s_j t}$ tienden a cero cuando $t$ tiende a infinito.

Entonces, independientemente de si el sistema tiene polos distintos, la respuesta en estado estacionario es

$$y_{ss}(t) = ae^{-j\omega t} + \bar{a}e^{j\omega t} \tag{6–4}$$

donde la constante $a$ de la ecuación (6-2) se puede evaluar de la manera siguiente:

$$a = G(s)\frac{\omega X}{s^2 + \omega^2}(s + j\omega)\bigg|_{s=-j\omega} = -\frac{XG(-j\omega)}{2j}$$

Nótese que

$$\bar{a} = G(s)\frac{\omega X}{s^2 + \omega^2}(s - j\omega)\bigg|_{s=j\omega} = \frac{XG(j\omega)}{2j}$$

Como $G(j\omega)$ es una cantidad compleja, se puede escribir como:

$$G(j\omega) = |G(j\omega)|e^{j\phi}$$

donde $|(Gj\omega)|$ representa la magnitud o módulo y $\phi$ el ángulo de $G(j\omega)$; es decir,

$$\phi = \underline{/G(j\omega)} = \tan^{-1}\left[\frac{\text{parte imaginaria de } G(j\omega)}{\text{parte real de } G(j\omega)}\right]$$

El ángulo $\phi$ puede ser negativo, positivo o cero. En forma similar, se obtiene la expresión para $G(-j\omega)$:

$$G(-j\omega) = |G(-j\omega)|e^{-j\phi} = |G(j\omega)|e^{-j\phi}$$

Entonces la ecuación (6-4) se puede escribir

$$\begin{aligned} y_{ss}(t) &= X|G(j\omega)|\frac{e^{j(\omega t+\phi)} - e^{-j(\omega t+\phi)}}{2j} \\ &= X|G(j\omega)|\text{sen}(\omega t + \phi) \\ &= Y\,\text{sen}(\omega t + \phi) \end{aligned} \tag{6–5}$$

donde $Y = X|G(j\omega)|$. Se ve que un sistema estable lineal invariante en el tiempo, sometido a una entrada senoidal, una vez alcanzado el estado estacionario, tiene una salida senoidal de la misma frecuencia que la entrada. Pero en general, la amplitud y la fase de la salida son diferentes a las de la entrada. De hecho, la amplitud de la salida está dada por el producto de la amplitud de la entrada y $|G(j\omega)|$, mientras que el ángulo de fase difiere del de la entrada en $\phi = \underline{/G(j\omega)}$. En la figura 6-2 se ve un ejemplo de señales senoidales de entrada y salida.

Sobre esta base, se obtiene el siguiente resultado importante para entradas senoidales,

$$|G(j\omega)| = \left|\frac{Y(j\omega)}{X(j\omega)}\right| = \text{relación entre las amplitudes de las señales senoidales de salida y de entrada}$$

$$\underline{/G(j\omega)} = \underline{/\frac{Y(j\omega)}{X(j\omega)}} = \text{desplazamiento de fase de la señal senoidal de salida respecto a la entrada}$$

Por tanto, las características de respuesta de un sistema ante una entrada senoidal se pueden obtener directamente de

$$\frac{Y(j\omega)}{X(j\omega)} = G(j\omega)$$

La función $G(j\omega)$ se denomina *función de transferencia senoidal*. Es la relación entre $Y(j\omega)$ y $X(j\omega)$; es una magnitud compleja, que se puede representar por la magnitud y el ángulo de fase con la frecuencia como parámetro. (Cuando el ángulo de fase es negativo, se denomina *retardo de fase*, y si el ángulo de fase es positivo, recibe el nombre de *adelanto de fase*). La función de transferencia senoidal de cualquier sistema lineal, se obtiene substituyendo $s$ por $j\omega$ en la función de transferencia del sistema. Para caracte-

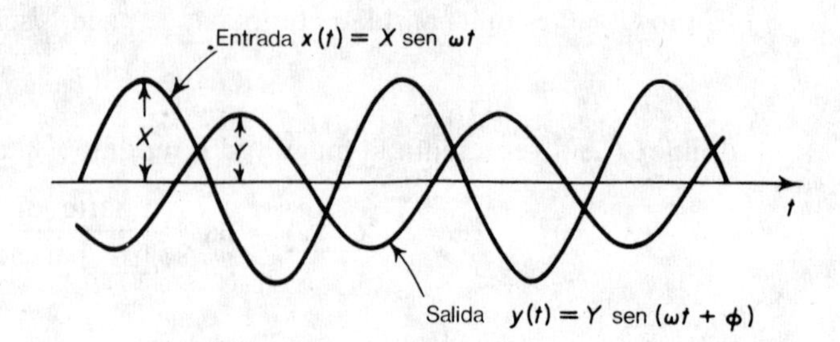


**Figura 6-2**
Señales senoidales de entrada y salida.

rizar totalmente un sistema lineal en el dominio de la frecuencia, se deben especificar tanto la relación de amplitud como el ángulo de fase, como funciones de la frecuencia $\omega$.

**EJEMPLO 6-1**

Sea el sistema que se muestra en la figura 6-3. La función de transferencia $G(s)$ es

$$G(s) = \frac{K}{Ts + 1}$$

Para la entrada senoidal $x(t) = X \operatorname{sen} \omega t$, la salida en estado estacionario $y_{ss}(t)$ se puede hallar del siguiente modo: substituyendo $s$ por $j\omega$ en $G(s)$ se tiene

$$G(j\omega) = \frac{K}{jT\omega + 1}$$

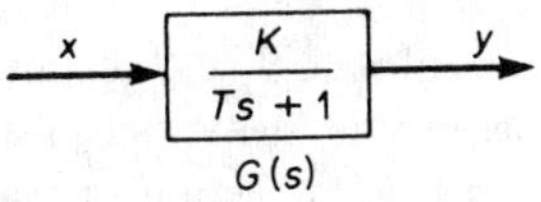

**Figura 6-3** Sistema de primer orden.

La relación de amplitudes entre salida y entrada es

$$|G(j\omega)| = \frac{K}{\sqrt{1 + T^2\omega^2}}$$

mientras que el ángulo de fase $\phi$ es

$$\phi = \angle G(j\omega) = -\tan^{-1} T\omega$$

Así, para la entrada $x(t) = X \operatorname{sen} \omega t$, se puede obtener la salida en estado estacionario $y_{ss}(t)$ de la ecuación (6-5) como sigue:

$$y_{ss}(t) = \frac{XK}{\sqrt{1 + T^2\omega^2}} \operatorname{sen}(\omega t - \tan^{-1} T\omega) \tag{6-6}$$

De la ecuación (6-6) se puede ver que para $\omega$ pequeña, la amplitud de la señal de salida estacionaria $y_{ss}(t)$ es casi igual a $K$ veces la amplitud de la entrada. El desplazamiento de fase a la salida es pequeño para $\omega$ pequeña. Para valores grandes de $\omega$, la amplitud de la salida es pequeña y casi inversamente proporcional a $\omega$. El desplazamiento de fase tiende a $-90°$ cuando $\omega$ tiende a infinito.

**Respuesta en frecuencia a partir de los diagramas de polos y ceros.** La respuesta en frecuencia se puede determinar a partir del diagrama de polos y ceros de la función de transferencia. Considere la siguiente función de transferencia:

$$G(s) = \frac{K(s + z)}{s(s + p)}$$

donde $p$ y $z$ son reales. La respuesta de frecuencia de esta función de transferencia se puede obtener de

$$G(j\omega) = \frac{K(j\omega + z)}{j\omega(j\omega + p)}$$

Los factores $j\omega + z$, $j\omega$, y $j\omega + p$ son magnitudes complejas, como se ve en la figura 6-4. La amplitud de $G(j\omega)$ es

$$|G(j\omega)| = \frac{K|j\omega + z|}{|j\omega||j\omega + p|}$$

$$= \frac{K|\overline{AP}|}{|\overline{OP}| \cdot |\overline{BP}|}$$

y el ángulo de fase de $G(j\omega)$ es

$$\angle G(j\omega) = \angle j\omega + z - \angle j\omega - \angle j\omega + p$$

$$= \tan^{-1}\frac{\omega}{z} - 90° - \tan^{-1}\frac{\omega}{p}$$

$$= \phi - \theta_1 - \theta_2$$

donde los ángulos $\phi$, $\theta_1$, y $\theta_2$ están definidos en la figura 6-4. Nótese que se define como sentido positivo de la medición angular, al sentido de giro antihorario.

Del análisis de la respuesta transitoria de sistemas de lazo cerrado, se sabe que un par de polos complejos conjugados cercanos al eje $j\omega$ resulta en una respuesta transitoria altamente oscilatoria. En el caso de la respuesta en frecuencia, un par de polos así, produce una respuesta de valor pico muy elevado.

Considere, por ejemplo, la siguiente función de transferencia:

$$G(s) = \frac{K}{(s + p_1)(s + p_2)}$$

donde $p_1$ y $p_2$ son complejos conjugados, como se muestra en la figura 6-5. La respuesta en frecuencia de esta función de transferencia se puede hallar de

$$|G(j\omega)| = \frac{K}{|j\omega + p_1||j\omega + p_2|}$$

$$= \frac{K}{|\overline{AP}||\overline{BP}|}$$

$$\angle G(j\omega) = -\theta_1 - \theta_2$$

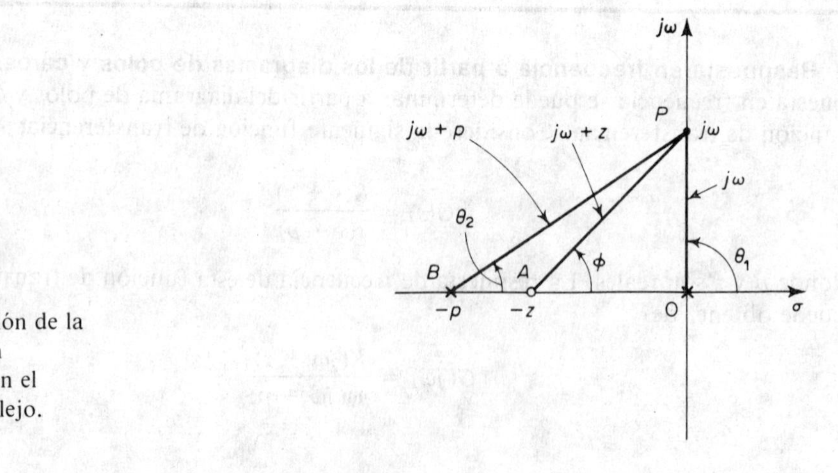


**Figura 6-4** Determinación de la respuesta en frecuencia en el plano complejo.

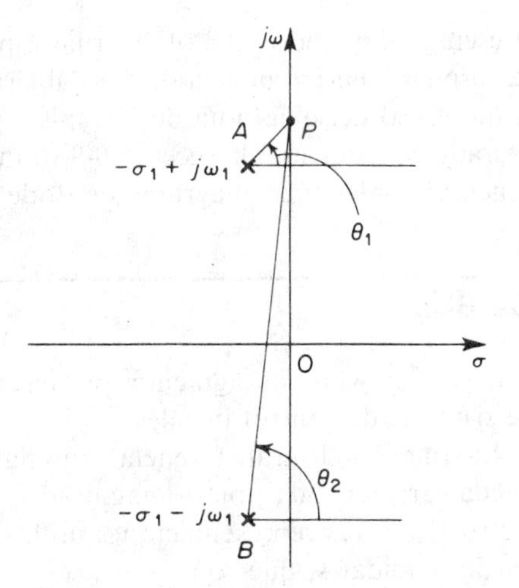


**Figura 6-5**
Determinación de la respuesta en frecuencia en el plano complejo.

donde los ángulos $\theta_1$ y $\theta_2$ están definidos en la figura 6-5. Como $|\overline{AP}||\overline{BP}|$ es muy pequeño cuando $\omega = \omega_1$, $|G(j\omega_1)|$ es muy grande. Así que un par de polos complejos conjugados cerca del eje $j\omega$ produce una respuesta en frecuencia de valor pico muy elevado.

En forma inversa, si la respuesta en frecuencia no presenta picos elevados, la función de transferencia no deberá tener polos complejos conjugados próximos al eje $jw$. Una función de transferencia así, no presenta tampoco una respuesta transitoria altamente oscilatoria. Como la respuesta en frecuencia describe indirectamente la ubicación de los polos y ceros de la función de transferencia, es posible estimar las características de respuesta transitoria de un sistema a partir de las características de respuesta en frecuencia. En la sección 6-7 se presentará una exposición detallada de este tema.

Una vez que se comprenda la relación entre diversas medidas de la respuesta transitoria y de la respuesta en frecuencia, puede aprovecharse el enfoque de la respuesta en frecuencia. El diseño de un sistema de control a través de este enfoque se basa en la interpretación de las características dinámicas deseadas en términos de las características de respuesta en frecuencia. Este análisis de un sistema de control indica en forma gráfica qué cambios deben hacerse en la función de transferencia en lazo abierto para obtener las características deseadas de respuesta transitoria.

**Lineamientos del capítulo.** En la sección 6-1 se presentó material introductorio a la respuesta en frecuencia y se introdujo la función de transferencia senoidal. La sección 6-2 presenta los diagramas de Bode y se exponen métodos para su trazado. La sección 6-3 trata sobre los diagramas polares de funciones de transferencia senoidales. En la sección 6-4 se tratan brevemente los diagramas del logaritmo de la magnitud en función de la fase. La sección 6-5 presenta una descripción detallada del criterio de estabilidad de Nyquist. En la sección 6-6 se trata el análisis de estabilidad de sistemas de lazo cerrado, utilizando el criterio de estabilidad de Nyquist. La sección 6-7 trata sobre el análisis de estabilidad relativa de sistemas de lazo cerrado. Se introducen mediciones de estabilidad relativa, como el margen de fase y el margen de ganancia. También se estudia la relación entre la respuesta transitoria y la respuesta en frecuencia. La sección 6-8 presenta un método para obtener la respuesta en frecuencia de lazo cerrado a partir de la respuesta en frecuencia de lazo abierto, utilizando los círculos $M$ y $N$. También se trata el uso del diagrama de Nichols para obtener la respuesta en frecuencia de lazo cerrado. Finalmente, la sección 6-9 trata sobre cómo determinar la función de transferencia, basada en un diagrama de Bode experimental.

## 6-2 DIAGRAMAS DE BODE

Esta sección y las dos siguientes presentan las características de respuesta en frecuencia de sistemas de control lineales.

La función de transferencia senoidal, una función compleja de la frecuencia $\omega$, queda caracterizada por su magnitud y ángulo de fase, con la frecuencia como parámetro. Hay tres representaciones utilizadas comúnmente de las funciones de transferencia senoidales, que son:

1. Diagrama de Bode o diagrama logarítmico
2. Diagrama polar
3. Diagrama del logaritmo de la magnitud en función de la fase

Esta sección presenta los diagramas de Bode de funciones de transferencia senoidales. En las secciones 6-3 y 6-4 se presentan los diagramas polar y de logaritmo de la magnitud en función de la fase, respectivamente.

**Diagramas de Bode o diagramas logarítmicos.** Una función de transferencia senoidal se puede representar con dos diagramas separados, uno de la magnitud en función de la frecuencia y el otro del ángulo de fase (en grados) en función de la frecuencia. Un diagrama de Bode consiste en dos gráficas: una es la representación del logaritmo de la magnitud de una función de transferencia senoidal; la otra es un diagrama del ángulo de fase, ambos en función de la frecuencia en escala logarítmica.

La representación habitual o normalizada de la magnitud logarítmica de $G(j\omega)$ es 20 log $|G(j\omega)|$, con 10 como base de los logaritmos. La unidad utilizada en esta representación es el decibel, abreviado usualmente como db. En la representación logarítmica, se trazan las curvas en papel semilogarítmico, utilizando la escala logarítmica para la frecuencia y la escala lineal ya sea para la magnitud (pero en decibeles) o para el ángulo de fase (en grados). (El rango de frecuencias de interés determina la cantidad de ciclos logarítmicos requeridos en la abscisa).

La ventaja principal de realizar un diagrama logarítmico, es que la multiplicación de magnitudes se convierte en suma. Además, se dispone de un procedimiento sencillo para bosquejar una curva del logaritmo de la magnitud en forma aproximada. Esa aproximación se basa en rectas asintóticas y es suficiente si sólo se necesita información superficial sobre las características de la respuesta en frecuencia. Si se requieren curvas exactas, se pueden realizar correcciones a esas aproximaciones asintóticas. Es muy fácil trazar las curvas de ángulo de fase si se dispone de una plantilla de dibujo para curvas de ángulo de fase de $1 + j\omega$.

Nótese que si los datos de respuesta en frecuencia se presentan en la forma de un diagrama de Bode, es muy sencillo determinar la función de transferencia experimental.

La representación logarítmica es útil debido a que presenta las características de alta y baja frecuencia de la función de transferencia en un solo diagrama. Una gran ventaja es la posibilidad de extender el rango de bajas frecuencias al utilizar una escala logarítmica, pues en los sistemas prácticos las características de baja frecuencia son muy importantes. Aun cuando no es posible trazar curvas hasta frecuencia cero debido a la frecuencia logarítmica ($\log 0 = -\infty$), esto no constituye un problema serio.

**Factores básicos de $G(j\omega)H(j\omega)$.** Como ya se indicó, la ventaja principal de usar el diagrama logarítmico, reside en la relativa facilidad de trazar curvas de respuesta en frecuencia. Los factores básicos que se presentan frecuentemente en una función de transferencia $G(j\omega)H(j\omega)$ arbitraria son

1. La ganancia $K$
2. Los factores integrales y derivativos $(j\omega)^{\mp 1}$
3. Los factores de primer orden $(1 + j\omega T)^{\mp 1}$
4. Los factores cuadráticos $[1 + 2\zeta(j\omega/\omega_n) + (j\omega/\omega_n)^2]^{\mp 1}$

Una vez familiarizado con el uso de los diagramas logarítmicos de estos factores básicos, se pueden utilizar para construir un diagrama logarítmico compuesto, para cualquier forma general de $G(j\omega)H(j\omega)$, trazando las curvas para cada factor y sumando gráficamente las curvas individuales, ya que sumar logaritmos de magnitudes equivale a multiplicarlas entre sí.

El proceso de obtención del diagrama logarítmico se puede simplificar aún más si se utilizan aproximaciones asintóticas a las curvas de cada factor. (De ser necesario, se puede corregir fácilmente el diagrama aproximado para obtener uno preciso.)

**La ganancia $K$.** Un número mayor que la unidad tiene un valor positivo en decibeles, en tanto que un número menor que la unidad tiene un valor negativo. La curva de logaritmo de la magnitud para una ganancia constante $K$ es una línea recta horizontal en la magnitud de $20 \log K$ decibeles. El ángulo de fase de la ganancia $K$ es cero. El efecto de variar la ganancia $K$ en la función de transferencia es que se eleva o desciende la curva del logaritmo de la magnitud de la función de transferencia en el valor constante correspondiente, pero no afecta al ángulo de fase.

En la figura 6-6 se da una línea de conversión de valor numérico a decibel. Con esta gráfica se puede obtener el valor en decibeles de cualquier número. Al aumentar el valor numérico en un factor de 10, el valor correspondiente en decibeles aumenta en un factor de 20. Esto se puede ver a continuación:

$$20 \log (K \times 10^n) = 20 \log K + 20n$$

Nótese que cuando el recíproco de un número se expresa en decibeles, difiere de su valor únicamente en el signo, es decir, para el número $K$

$$20 \log K = -20 \log \frac{1}{K}$$

**Factores integral y derivativo $(j\omega)^{\mp 1}$.** La magnitud logarítmica de $1/j\omega$ en decibeles es

$$20 \log \left| \frac{1}{j\omega} \right| = -20 \log \omega \text{ db}$$

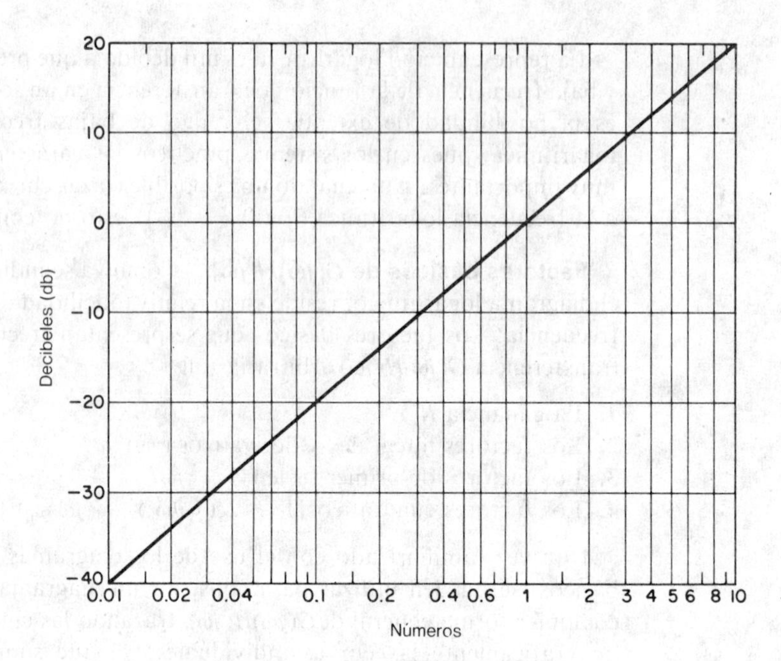


**Figura 6-6**
Línea de conversión de número a decibel.

El ángulo de fase de $1/j\omega$ es constante e igual a $-90^\circ$.

En los diagramas de Bode, las relaciones de frecuencias se expresan en términos de octavas o décadas. Una octava es una banda de frecuencias desde $\omega_1$, a $2\omega_1$, donde $\omega_1$ es cualquier valor en frecuencia. Una década es una banda de frecuencias desde $\omega_1$ a $10\omega_1$ donde $\omega_1$ es de nuevo cualquier valor en frecuencia. (En la escala logarítmica del papel semilogarítmico se puede representar cualquier relación de frecuencias dada por la misma distancia horizontal. Por ejemplo, la distancia horizontal desde $\omega = 1$ a $\omega = 10$ es igual a la que hay desde $\omega = 3$ a $\omega = 30$.)

Si se grafica el logaritmo de la magnitud $-20 \log \omega$ db en función de $\omega$ en escala logarítmica, se tiene una línea recta. Para trazar esta recta, se necesita ubicar un punto (0 db, $\omega = 1$) en el diagrama. Como

$$(-20 \log 10\omega) \text{ db} = (-20 \log \omega - 20) \text{ db}$$

la pendiente de esta recta es $-20$ db/década (o $-6$ db/octava).

En forma similar, el logaritmo de la magnitud de $j\omega$ en decibeles es

$$20 \log |j\omega| = 20 \log \omega \text{ db}$$

El ángulo de fase de $j\omega$ es constante e igual a $90^\circ$. La curva del logaritmo de magnitud es una recta con una pendiente de 20 db/década. En las figuras 6-7(a) y (b) se muestran curvas de respuesta en frecuencia de $1/j\omega$ y $j\omega$, respectivamente. Se puede ver claramente que las diferencias en las respuestas en frecuencia de los factores $1/j\omega$ y $j\omega$ están en los signos de las pendientes de la curva del logaritmo de la magnitud y en los signos de los ángulos de fase. Ambas magnitudes logarítmicas se hacen iguales a 0 db en $\omega = 1$.

Si la función de transferencia contiene el factor $(1/j\omega)^n$ o $(j\omega)^n$, el logaritmo de la magnitud se torna, respectivamente, en

$$20 \log \left| \frac{1}{(j\omega)^n} \right| = -n \times 20 \log |j\omega| = -20n \log \omega \text{ db}$$

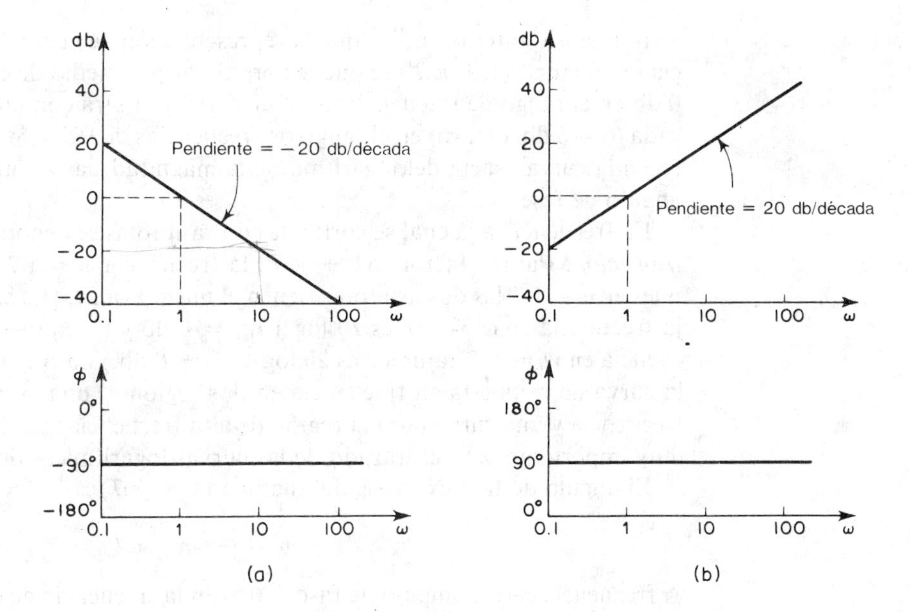


**Figura 6-7**
(a) Curvas de respuesta en frecuencia de $1/j\omega$; (b) curvas de respuesta en frecuencia de $j\omega$.

o

$$20 \log |(j\omega)^n| = n \times 20 \log |j\omega| = 20n \log \omega \text{ db}$$

Las pendientes de las curvas del logaritmo de la magnitud para los factores $(1/j\omega)^n$ y $(j\omega)^n$ son entonces $-20n$ db/década y $20n$ db/década, respectivamente. El ángulo de fase de $(1/j\omega)^n$ es igual a $-90^\circ \times n$ en todo el rango de frecuencias mientras el de $(j\omega)^n$ es igual a $90^\circ \times n$ en todo el rango de frecuencias. Estas curvas de magnitud pasan por el punto (0 db, $\omega = 1$).

**Factores de primer orden $(1 + j\omega T)^{\mp 1}$.** El logaritmo de la magnitud del factor de primer orden $1/(1 + j\omega T)$ es

$$20 \log \left| \frac{1}{1 + j\omega T} \right| = -20 \log \sqrt{1 + \omega^2 T^2} \text{ db}$$

Para frecuencias bajas, como $\omega \ll 1/T$, el logaritmo de la magnitud se puede aproximar por

$$-20 \log \sqrt{1 + \omega^2 T^2} \doteqdot -20 \log 1 = 0 \text{ db}$$

Entonces, la curva del logaritmo de la magnitud en bajas frecuencias es la recta constante en 0 db. Para frecuencias elevadas, como $\omega \gg 1/T$,

$$-20 \log \sqrt{1 + \omega^2 T^2} \doteqdot -20 \log \omega T \text{ db}$$

Esta es una expresión aproximada para el rango de altas frecuencias. En $\omega = 1/T$, el logaritmo de la magnitud es 0 db; en $\omega = 10/T$, el logaritmo de la magnitud es de —20 db. Entonces el valor de $-20 \log \omega T$ db disminuye en 20 db por cada década de $\omega$. Para $\omega \gg 1/T$, la curva del logaritmo de la magnitud es entonces una línea recta con una pendiente de $-20$ db/década (o $-6$ db/octava).

El análisis anterior indica que la representación de la curva de respuesta en frecuencia del factor $1/(1 + j\omega T)$ se puede aproximar por medio de dos rectas asíntotas, una a 0 db en el rango de frecuencias $0 < \omega < 1/T$ y la otra con una pendiente de 20 db/década (o $-6$ db/octava) en el rango de frecuencias de $1/T < \omega < \infty$. En la figura 6-8 aparecen la curva exacta del logaritmo de la magnitud, las asíntotas y la curva exacta del ángulo de fase.

La frecuencia a la cual se cortan las dos asíntotas se denomina *frecuencia de cruce* o *transición*. Para el factor $1/(1 + j\omega T)$ la frecuencia $\omega = 1/T$ es la frecuencia de cruce pues en $\omega = 1/T$ las dos asíntotas tienen el mismo valor. (La expresión asintótica de baja frecuencia en $\omega = 1/T$ es 20 log 1 db = 0 db y la expresión asintótica de baja frecuencia en $w = 1/T$ también es 20 log 1 db = 0 db.) La frecuencia de transición divide la curva de respuesta en frecuencia en dos regiones, una curva para la región de baja frecuencia y una curva para la región de alta frecuencia. La frecuencia de transición es muy importante para el trazado de las curvas logarítmicas de respuesta en frecuencia.

El ángulo de fase exacto $\phi$ del factor $1/(1 + j\omega T)$ es

$$\phi = -\tan^{-1} \omega T$$

A frecuencia cero el ángulo de fase es 0°. En la frecuencia de cruce, el ángulo de fase es

$$\phi = -\tan^{-1} \frac{T}{T} = -\tan^{-1} 1 = -45°$$

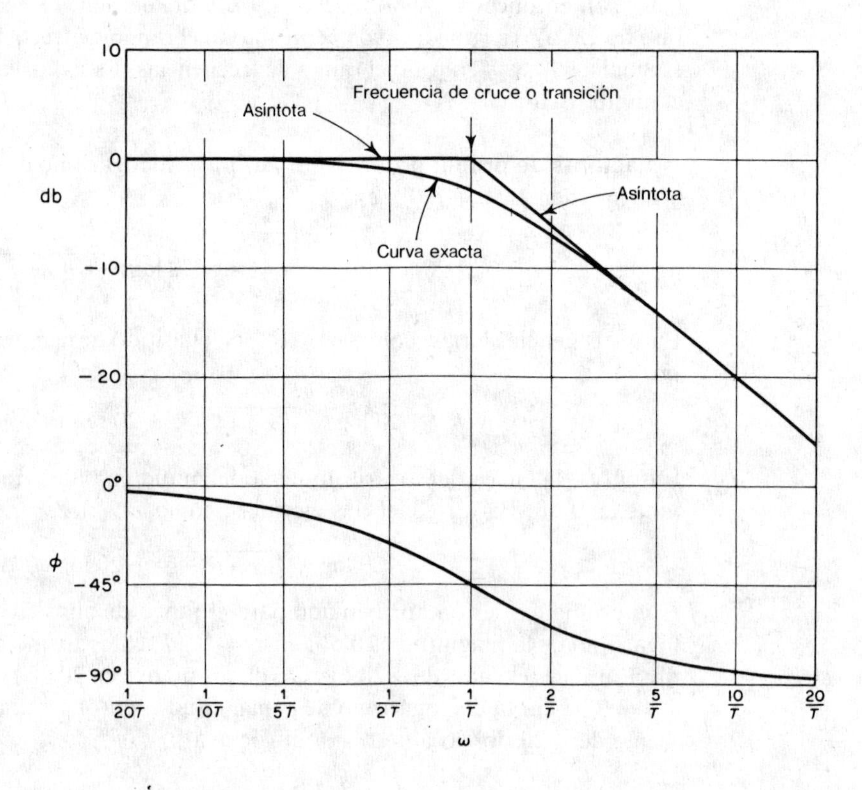


**Figura 6-8**
Curva del logaritmo de la magnitud junto con las asíntotas y la curva de ángulo de fase de $1/(1 + j\omega T)$.

En infinito, el ángulo de fase se hace $-90°$. Como el ángulo de fase está dado por la función tangente inversa, el ángulo de fase es antisimétrico respecto al punto de inflexión en $\phi = -45°$.

El error en la curva de magnitud causado por el uso de las asíntotas se puede calcular. El error máximo se produce en la frecuencia de cruce y es aproximadamente igual a —3 db, dado que

$$-20 \log \sqrt{1 + 1} + 20 \log 1 = -10 \log 2 = -3.03 \text{ db}$$

El error en la frecuencia a una octava por debajo de la frecuencia de cruce, es decir en $\omega = 1/2T$, es

$$-20 \log \sqrt{\frac{1}{4} + 1} + 20 \log 1 = -20 \log \frac{\sqrt{5}}{2} = -0.97 \text{ db}$$

El error en la frecuencia a una octava por arriba de la frecuencia de cruce, es decir en $\omega = 2/T$,

$$-20 \log \sqrt{2^2 + 1} + 20 \log 2 = -20 \log \frac{\sqrt{5}}{2} = -0.97 \text{ db}$$

Entonces el error a una octava por abajo o por arriba de la frecuencia de cruce es aproximadamente igual a $-1$ db. Del mismo modo, el error a una década por debajo o por encima de la frecuencia de cruce es aproximadamente de $-0.04$ db. En la figura 6-9 se puede ver el error en decibeles producido al utilizar la expresión asintótica para la curva de respuesta en frecuencia de $1/(1 + j\omega T)$. El error es simétrico respecto a la frecuencia de cruce.

Como las asíntotas son muy fáciles de dibujar y suficientemente cercanas a la curva exacta, es conveniente usar estas aproximaciones al dibujar diagramas de Bode para establecer con prontitud la naturaleza general de las características de respuesta en frecuencia, con una mínima cantidad de cálculos, y se pueden utilizar para el trabajo preliminar de diseño. Si se requieren curvas exactas de respuesta en frecuencia, se pueden corregir fácilmente si se utiliza la curva de la figura 6-9. En la práctica, se puede trazar una curva exacta de respuesta en frecuencia introduciendo una corrección de 3

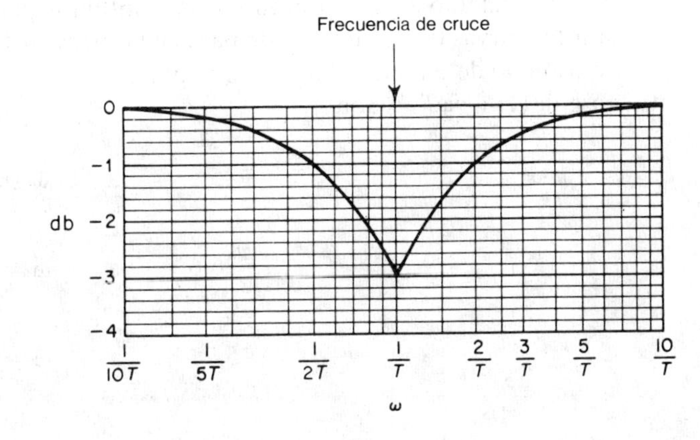


**Figura 6-9**
Error del logaritmo de la magnitud en la expresión asintótica de la curva de respuesta de frecuencia de $1/(1 + j\omega T)$.

db en la frecuencia de cruce y una corrección de 1 db en puntos a una octava abajo y arriba de la frecuencia de cruce, uniendo luego esos puntos con una línea curva suave.

Nótese que si la constante de tiempo $T$ varía la frecuencia de cruce se desplaza hacia la izquierda o hacia la derecha, pero las formas de las curvas del logaritmo de la magnitud y de ángulo de fase permanecen iguales.

La función de transferencia $1/(1 + j\omega T)$ tiene la característica de un filtro pasa bajos. Para frecuencias arriba de $\omega = 1/T$, el logaritmo de la magnitud cae rápidamente hacia $-\infty$. Esto se debe sobre todo a la presencia de la constante de tiempo. En el filtro pasa bajos, la salida puede reproducir fielmente la entrada senoidal a bajas frecuencias. Pero al aumentar la frecuencia de entrada, la salida no puede seguir a la entrada porque se requiere cierto tiempo para que el sistema alcance la magnitud necesaria. Entonces, a altas frecuencias, la magnitud de la salida tiende a cero y el ángulo de fase de la salida tiende a $-90°$. Por lo tanto, si la función de entrada contiene muchas armónicas, a la salida se reproducen fielmente las componentes de baja frecuencia, mientras que las componentes de altas frecuencias se atenúan en amplitud y se desplazan en fase. Así, un elemento de primer orden brinda una duplicación exacta, o casi exacta, solamente de fenómenos constantes o de lenta variación.

Una ventaja de los diagramas de Bode es que para los factores recíprocos, por ejemplo el factor $1 + j\omega T$, las curvas del logaritmo de la magnitud y de ángulo de fase solos requieren un cambio de signo. Como

$$20 \log |1 + j\omega T| = -20 \log \left| \frac{1}{1 + j\omega T} \right|$$

$$\angle 1 + j\omega T = \tan^{-1} \omega T = -\angle \frac{1}{1 + j\omega T}$$

la frecuencia de transición es la misma en ambos casos. La pendiente de la asíntota de alta frecuencia de $1 + j\omega T$ es de 20 db/década, y el ángulo de fase varía de 0 a 90° al aumentar la frecuencia $\omega$ de cero a infinito. En la figura 6-10 se puede ver la curva del logaritmo de la magnitud junto con las asíntotas y la curva del ángulo de fase para el factor $1 + j\omega T$.

Las formas de las curvas de ángulo de fase son las mismas para cualquier factor de la forma $(1 + j\omega T)^{\mp 1}$. Por tanto, es conveniente tener una plantilla de cartulina para la curva de ángulo de fase. Entonces esa plantilla se puede utilizar varias veces para constuir las curvas de ángulo de fase para cualquier función de la forma $(1 + j\omega T)^{\pm 1}$. Si no se dispone de esa plantilla, hay que ubicar varios puntos de la curva. Los ángulos de fase de $(1 + j\omega T)^{\mp 1}$ son

$$\mp 45° \quad \text{a} \quad \omega = \frac{1}{T}$$

$$\mp 26.6° \quad \text{a} \quad \omega = \frac{1}{2T}$$

$$\mp 5.7° \quad \text{a} \quad \omega = \frac{1}{10T}$$

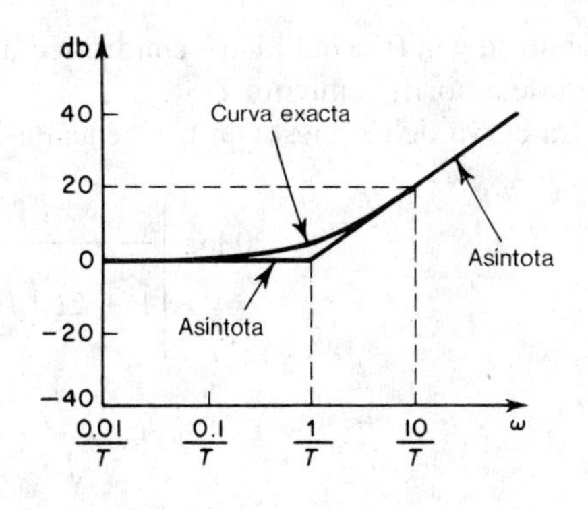


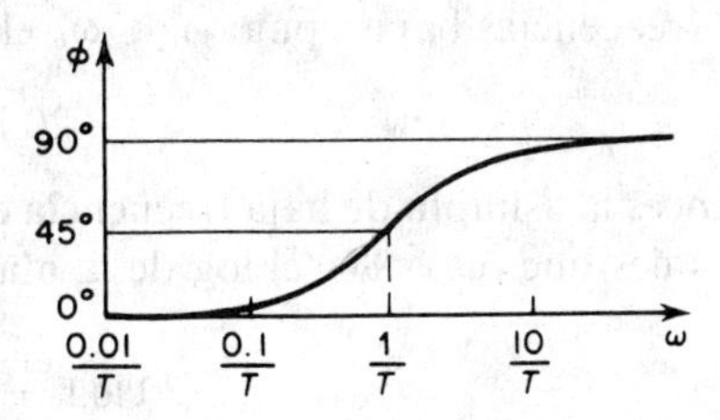


**Figura 6-10**
Curva del logaritmo de la magnitud junto con las asíntotas y la curva de ángulo de fase $1 + j\omega T$.

$$\mp 63.4° \quad \text{a} \quad \omega = \frac{2}{T}$$

$$\mp 84.3° \quad \text{a} \quad \omega = \frac{10}{T}$$

Cuando la función de transferencia incluye términos como $(1 + j\omega T)^{\mp n}$, se puede realizar una construcción asintótica similar. La frecuencia de transición sigue estando en $\omega = 1/T$, y las asíntotas son rectas. La asíntota de baja frecuencia es una recta horizontal en 0 db, en tanto que la asíntota de alta frecuencia tiene la pendiente de $-20n$ db/década o $20n$ db/década. El error contenido en las expresiones asintóticas es $n$ veces el correspondiente a $(1 + j\omega T)^{\mp 1}$. El ángulo de fase es $n$ veces el de $(1 + j\omega T)^{\mp 1}$ en cada punto de frecuencia.

**Factores cuadráticos $[1 + 2\zeta(j\omega/\omega_n) + (j\omega/\omega_n)^2]^{\mp 1}$.** Con frecuencia los sistemas de control tienen factores cuadráticos de la forma

$$\frac{1}{1 + 2\zeta\left(j\frac{\omega}{\omega_n}\right) + \left(j\frac{\omega}{\omega_n}\right)^2} \tag{6–7}$$

Si $\zeta > 1$, este factor cuadrático se puede expresar como un producto de dos de primer orden con polos reales. Si $0 < \zeta < 1$, este factor cuadrático es el producto de dos factores complejos conjugados. Las aproximaciones asintóticas de las curvas de respuesta en frecuencia no son exactas para un factor con valores bajos de $\zeta$. Esto se debe a que la magnitud y la fase del factor cuadrático dependen de la frecuencia de cruce y de la relación de amortiguamiento $\zeta$.

La curva de respuesta en frecuencia asintótica se puede obtener como sigue. Puesto que

$$20 \log \left| \frac{1}{1 + 2\zeta\left(j\frac{\omega}{\omega_n}\right) + \left(j\frac{\omega}{\omega_n}\right)^2} \right|$$

$$= -20 \log \sqrt{\left(1 - \frac{\omega^2}{\omega_n^2}\right)^2 + \left(2\zeta\frac{\omega}{\omega_n}\right)^2}$$

para frecuencias bajas como $\omega \ll \omega_n$ el logaritmo de la magnitud se convierte en

$$-20 \log 1 = 0 \text{ db}$$

Entonces la asíntota de baja frecuencia es una línea horizontal a 0 db. Para frecuencias altas tales que $\omega \gg \omega_n$, el log de la magnitud se convierte en

$$-20 \log \frac{\omega^2}{\omega_n^2} = -40 \log \frac{\omega}{\omega_n} \text{ db}$$

La ecuación de la asíntota de alta frecuencia es una línea recta con pendiente de —40 db/década ya que

$$-40 \log \frac{10\omega}{\omega_n} = -40 - 40 \log \frac{\omega}{\omega_n}$$

La asíntota de alta frecuencia corta a la de baja frecuencia en $\omega = \omega_n$

$$-40 \log \frac{\omega_n}{\omega_n} = -40 \log 1 = 0 \text{ db}$$

Esta frecuencia, $\omega_n$, es la frecuencia de transición en el caso del factor cuadrático considerado.

Las dos asíntotas recién determinadas son independientes del valor de $\zeta$. Cerca de la frecuencia $\omega = \omega_n$, se produce un pico de resonancia, como es de esperar de la ecuación (6-7). El factor de amortiguamiento $\zeta$ determina la magnitud de ese pico de resonancia. Obviamente hay error en la aproximación mediante rectas asintóticas. La magnitud del error depende del valor de $\zeta$ y es elevado para valores pequeños de $\zeta$. En la figura 6-11 aparecen las curvas exactas del logaritmo de la magnitud junto con las rectas asintóticas y las curvas exactas de ángulo de fase para el factor cuadrático dado por (6-7) para diversos valores de $\zeta$. Si se desea corregir las curvas asintóticas, los valores de las correcciones se pueden obtener de la figura 6-11 en suficientes puntos de frecuencia.

El ángulo de fase del factor cuadrático $[1 + 2\zeta(j\omega/\omega_n) + (j\omega/\omega_n)^2]^{-1}$ es

$$\phi = \angle \frac{1}{1 + 2\zeta\left(j\frac{\omega}{\omega_n}\right) + \left(j\frac{\omega}{\omega_n}\right)^2} = -\tan^{-1}\left[\frac{2\zeta\frac{\omega}{\omega_n}}{1 - \left(\frac{\omega}{\omega_n}\right)^2}\right] \qquad (6\text{–}8)$$

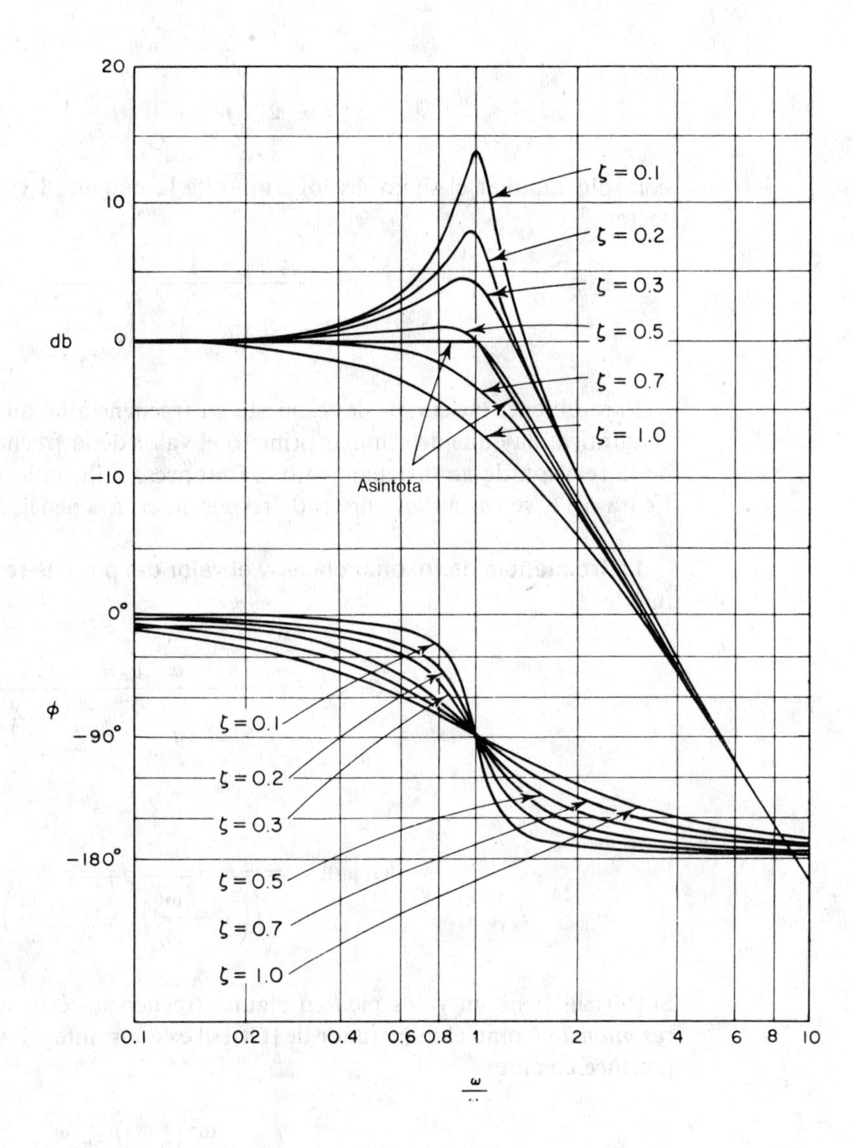


**Figura 6-11** Curvas de log-magnitud juntamente con las asíntotas y la curva de ángulo de fase de la función transferencia cuadrática dada por la (6-7).

El ángulo de fase es función tanto de $\omega$ como $\zeta$. En $\omega = 0$, el ángulo de fase es igual a 0°. A la frecuencia de transición $\omega = \omega_n$, el ángulo de fase es $-90°$ independientemente de $\zeta$ ya que

$$\phi = -\tan^{-1}\left(\frac{2\zeta}{0}\right) = -\tan^{-1}\infty = -90°$$

En $\omega = \infty$, el ángulo de fase es $-180°$. La curva de ángulo de fase es antisimétrica respecto al punto de inflexión, el punto donde $\phi = -90°$. No hay una forma sencilla de trazar las curvas de fase. Se requiere referirse a las curvas de ángulo de fase que se muestran en la figura 6-11.

Las curvas de respuesta en frecuencia para el factor se pueden obtener

$$1 + 2\zeta\left(j\frac{\omega}{\omega_n}\right) + \left(j\frac{\omega}{\omega_n}\right)^2$$

con sólo cambiar el signo del logaritmo de la magnitud y el del ángulo de fase en el factor

$$\frac{1}{1 + 2\zeta\left(j\frac{\omega}{\omega_n}\right) + \left(j\frac{\omega}{\omega_n}\right)^2}$$

Para obtener las curvas de respuesta en frecuencia de una función de transferencia cuadrática, hay que determinar primero el valor de la frecuencia de transición $\omega_n$ y el de la relación de amortiguamiento $\zeta$. Entonces, utilizando la familia de curvas de la figura 6-11, se trazan las curvas de respuesta en frecuencia.

**La frecuencia de resonancia $\omega_r$ y el valor del pico de resonancia $M_r$.** La magnitud de

$$G(j\omega) = \frac{1}{1 + 2\zeta\left(j\frac{\omega}{\omega_n}\right) + \left(j\frac{\omega}{\omega_n}\right)^2}$$

es

$$|G(j\omega)| = \frac{1}{\sqrt{\left(1 - \frac{\omega^2}{\omega_n^2}\right)^2 + \left(2\zeta\frac{\omega}{\omega_n}\right)^2}} \qquad (6\text{–}9)$$

Si $|G(j\omega)|$ tiene un valor pico en alguna frecuencia, ésta se denomina *frecuencia de resonancia*. Como el numerador de $|G(j\omega)|$ es constante, el valor de pico de $|G(j\omega)|$ se produce cuando

$$g(\omega) = \left(1 - \frac{\omega^2}{\omega_n^2}\right)^2 + \left(2\zeta\frac{\omega}{\omega_n}\right)^2 \qquad (6\text{–}10)$$

es un mínimo. Como la ecuación (6-10) se puede escribir

$$g(\omega) = \left[\frac{\omega^2 - \omega_n^2(1 - 2\zeta^2)}{\omega_n^2}\right]^2 + 4\zeta^2(1 - \zeta^2) \qquad (6\text{–}11)$$

el valor mínimo de $g(\omega)$ se produce para $\omega = \omega_n\sqrt{1 - 2\zeta^2}$. Entonces la frecuencia de resonancia $\omega_r$ es

$$\omega_r = \omega_n\sqrt{1 - 2\zeta^2} \qquad (0 \le \zeta \le 0.707) \qquad (6\text{–}12)$$

A medida que la relación de amortiguamiento $\zeta$ tiende a cero, la frecuencia de resonancia tiende a $\omega_n$. Para $0 < \zeta \le 0.707$, la frecuencia de resonancia $\omega_r$ es menor que la frecuencia natural amortiguada $\omega_d = \omega_n\sqrt{1-\zeta^2}$, que aparece en la respuesta transitoria. De la ecuación (6-12) se puede ver que para $\zeta > 0.707$ no hay pico de resonancia. La magnitud $|G(j\omega)|$ decrece monótonamente al incrementar la frecuencia $\omega$. (La magnitud es menor que 0 db para todos los valores de $\omega > 0$. Recuerde que, para $0.7 < \zeta < 1$, la respuesta al escalón es oscilatoria, pero las oscilaciones están bien amortiguadas y son apenas perceptibles.)

La magnitud del pico de resonancia $M_r$ se puede determinar substituyendo la ecuación (6-12) en la ecuación (6-9). Para $0 \leq \zeta \leq 0.707$,

$$M_r = |G(j\omega)|_{\text{máx}} = |G(j\omega_r)| = \frac{1}{2\zeta\sqrt{1-\zeta^2}} \tag{6–13}$$

Para $\zeta > 0.707$,

$$M_r = 1 \tag{6–14}$$

Al tender $\zeta$ a cero, $M_r$ tiende a infinito. Esto significa que si se excita al sistema no amortiguado a su frecuencia natural, la magnitud de $G(j\omega)$ se hace infinita. En la figura 6-12 aparece la relación entre $M_r$ y $\zeta$.

El ángulo de fase de $G(j\omega)$ a la frecuencia en que se produce el pico de resonancia se puede obtener substituyendo la ecuación (6-12) en la ecuación (6-8). Así, a la frecuencia de resonancia $\omega_r$,

$$\angle G(j\omega_r) = -\tan^{-1}\frac{\sqrt{1-2\zeta^2}}{\zeta} = -90^\circ + \text{sen}^{-1}\frac{\zeta}{\sqrt{1-\zeta^2}}$$

**Procedimiento general para trazar diagramas de Bode.** En primer lugar se reescribe la función de transferencia senoidal $G(j\omega)H(j\omega)$ como un producto de los factores básicos ya analizados. Luego se identifican las frecuencias de cruce asociadas con

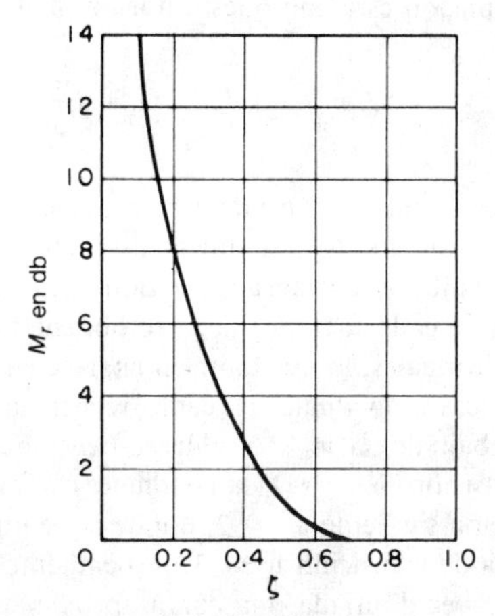


**Figura 6-12** Gráfica de $M_r$ en función de $\zeta$ para el sistema de segundo orden $1/[1 + 2\zeta(j\omega/\omega_n) + (j\omega/\omega_n)^2]$.

esos factores básicos. Finalmente, se trazan las curvas asintóticas del logaritmo de la magnitud con las pendientes adecuadas entre las frecuencias de cruce. La curva exacta, que es próxima a la curva asintótica, se puede obtener agregando las correcciones apropiadas.

La curva de ángulo de fase de $G(j\omega)H(j\omega)$ se puede dibujar sumando las curvas de ángulo de fase de los factores individuales.

El uso de los diagramas de Bode empleando las aproximaciones asintóticas exige mucho menos tiempo que otros métodos que pueden usarse para calcular la respuesta en frecuencia de una función de transferencia. Las principales razones por las que en la práctica se utilizan extensamente los diagramas de Bode, son la facilidad de trazar las curvas de respuestas en frecuencia para una función de transferencia dada y la facilidad de modificación de la curva de respuesta en frecuencia, cuando se agrega compensación.

**EJEMPLO 6-2** Trace el diagrama de Bode para la siguiente función de transferencia:

$$G(j\omega) = \frac{10(j\omega + 3)}{(j\omega)(j\omega + 2)[(j\omega)^2 + j\omega + 2]}$$

Haga las correcciones necesarias para que la curva del logaritmo de la magnitud sea exacta.

Para evitar cualquier posible error al trazar la curva del logaritmo de la magnitud, es deseable colocar $G(j\omega)$ en la forma normalizada siguiente, donde las asíntotas de baja frecuencia para los factores de primer orden y el factor de segundo orden están en la línea de 0 db.

$$G(j\omega) = \frac{7.5\left(\frac{j\omega}{3} + 1\right)}{(j\omega)\left(\frac{j\omega}{2} + 1\right)\left[\frac{(j\omega)^2}{2} + \frac{j\omega}{2} + 1\right]}$$

Esta función está compuesta por los siguientes factores:

$$7.5, \qquad (j\omega)^{-1}, \qquad 1 + j\frac{\omega}{3}, \qquad \left(1 + j\frac{\omega}{2}\right)^{-1}, \qquad \left[1 + j\frac{\omega}{2} + \frac{(j\omega)^2}{2}\right]^{-1}$$

Las frecuencias de cruce del tercero, cuarto y quinto términos, son $\omega = 3$, $\omega = 2$, y $\omega = \sqrt{2}$, respectivamente. Nótese que el último término tiene una relación de amortiguamiento de 0.3536.

Para dibujar el diagrama de Bode, en la figura 6-13 se muestran, por separado, las curvas asintóticas de cada factor. Luego se obtiene la curva compuesta sumando algebraicamente las curvas individuales, lo que también aparece en la figura 6-13. Nótese que cuando se suman las curvas asintóticas individuales en cada frecuencia, la pendiente de la curva compuesta es acumulativa. Por debajo de $\omega = \sqrt{2}$ el trazo tiene una pendiente de $-20$ db/década. A la primera frecuencia de transición $\omega = \sqrt{2}$ la pendiente cambia a $-60$ db/década y continúa hasta la frecuencia de transición siguiente $\omega = 2$, donde la pendiente pasa a ser de $-80$ db/década. En la última frecuencia de transición $\omega = 3$, la pendiente se modifica a $-60$ db/década.

Una vez dibujada una curva aproximada del logaritmo de la magnitud, la curva efectiva se puede obtener sumando las correcciones en cada frecuencia de cruce y a las frecuencias una octava abajo y arriba de las frecuencias de cruce. Para los factores de primer orden $(1 + j\omega T)^{\mp 1}$, las correcciones son de $\pm 3$ db a la frecuencia de cruce y de $\pm 1$ db a las frecuencias una octava abajo

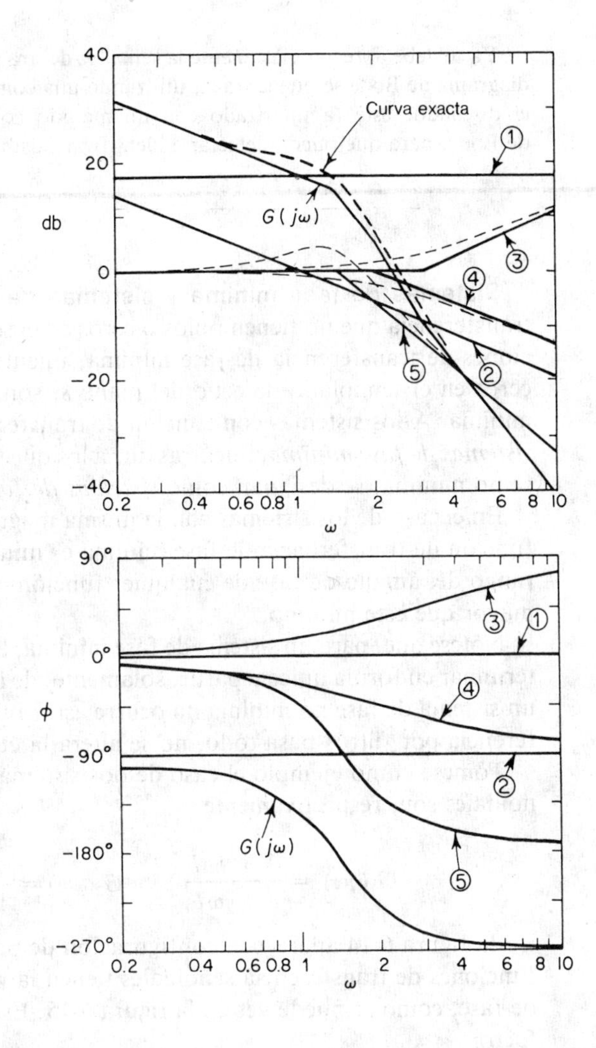


**Figura 6-13**
Diagrama de Bode del sistema del ejemplo 6-2.

y arriba de la frecuencia de cruce. Las correcciones requeridas por el factor cuadrático se pueden obtener de la figura 6-11. En la figura 6-13 aparece en línea punteada el trazo de la curva exacta del logaritmo de la magnitud para $G(j\omega)$.

Nótese que cualquier modificación en la pendiente de la curva de magnitud de la función de transferencia $G(j\omega)$ se realiza solamente en las frecuencias de cruce. Por tanto, en lugar de trazar las curvas de magnitud individuales y sumarlas, como se mostró anteriormente, se puede bosquejar la curva de magnitud sin hacerlo con las curvas individuales. Se puede comenzar trazando la porción de las frecuencias más bajas de la recta (esto es, la recta con pendiente $-20$ db/década para $\omega < \sqrt{2}$). Al aumentar la frecuencia aparecen los efectos de los polos complejos conjugados (término cuadrático) a la frecuencia $\omega = \sqrt{2}$. Los polos complejos conjugados hacen que las pendientes de las curvas de magnitud cambien de $-20$ a $-60$ db/década. En la próxima frecuencia de cruce $\omega = 2$, el efecto del polo es cambiar la pendiente a $-80$ db/década. Finalmente, a la frecuencia de cruce $\omega = 3$, el efecto del cero es cambiar la pendiente de $-80$ a $-60$ db/década.

Para dibujar la curva completa de ángulo de fase, hay que trazar las curvas de ángulo de fase de todos los factores. La suma algebraica de todas las curvas de ángulo de fase produce la curva completa de ángulo de fase que se presenta en la figura 6-13.

Ya se debe apreciar claramente la sencillez del trazado del diagrama de Bode. Nótese que este diagrama de Bode se puede trazar utilizando una computadora. Sin embargo, es importante que el diseñador esté familiarizado con un método convencional de construcción de diagramas de Bode, para que pueda detectar e identificar posibles resultados erróneos de la computadora.

**Sistemas de fase mínima y sistemas de fase no mínima.** Las funciones de transferencia que no tienen polos o ceros en el semiplano derecho del plano $s$, son funciones de transferencia de fase mínima, mientras que aquellas que tienen polos y/o ceros en el semiplano derecho del plano $s$, son funciones de transferencia de fase no mínima. A los sistemas con función de transferencia de fase mínima se les denomina *sistemas de fase mínima*, mientras que a los que tienen funciones de transferencia de fase no mínima, se designan como *sistemas de fase no mínima.*

En el caso de los sistemas con la misma magnitud, el rango del ángulo de fase de la función de transferencia de fase mínima es mínimo en estos sistemas, en tanto que el rango del ángulo de fase de cualquier función de transferencia de fase no mínima, es mayor que este mínimo.

Nótese que, para un sistema de fase mínima, la función de transferencia se puede determinar en forma única a partir, solamente, de la curva de magnitud. En cambio, para un sistema de fase no mínima no ocurre así. Multiplicando cualquier función de transferencia por filtros pasa todo, no se altera la curva de magnitud, pero sí la de fase.

Tómese como ejemplo el caso de dos sistemas cuyas funciones de transferencia senoidales son, respectivamente

$$G_1(j\omega) = \frac{1 + j\omega T}{1 + j\omega T_1}, \qquad G_2(j\omega) = \frac{1 - j\omega T}{1 + j\omega T_1} \qquad (0 < T < T_1)$$

En la figura 6-14 aparece la configuración de polos y ceros de estos sistemas. Las dos funciones de transferencia senoidales tienen la misma magnitud, pero distinto ángulo de fase, como se puede ver en la figura 6-15. Estos dos sistemas diferen entre sí por el factor

$$G(j\omega) = \frac{1 - j\omega T}{1 + j\omega T}$$

La magnitud del factor $(1 - j\omega T)/(1 + j\omega T)$ es siempre la unidad. Pero el ángulo de fase es igual a $-2 \tan^{-1} \omega T$ y varía de 0° a $-180°$ al aumentar $\omega$ de cero a infinito.

Como se estableció antes, para un sistema de fase mínima, la magnitud y el ángulo de fase tienen una relación unívoca. Esto significa que si se especifica la curva de magnitud de un sistema en todo el rango de frecuencias de cero a infinito, entonces la curva de ángulo de fase queda determinada en forma única y viceversa. Sin embargo, esto no es cierto para el caso de un sistema de fase no mínima.

Las situaciones de fase no mínima pueden aparecer de dos formas. Una es cuando un sistema incluye uno o varios elementos de fase no mínima. La otra situación es cuando un lazo menor es inestable.

Para un sistema de fase mínima, el ángulo de fase en $\omega = \infty$ es $-90°(q - p)$, donde $p$ y $q$ son los grados de los polinomios del numerador y del denominador de la función

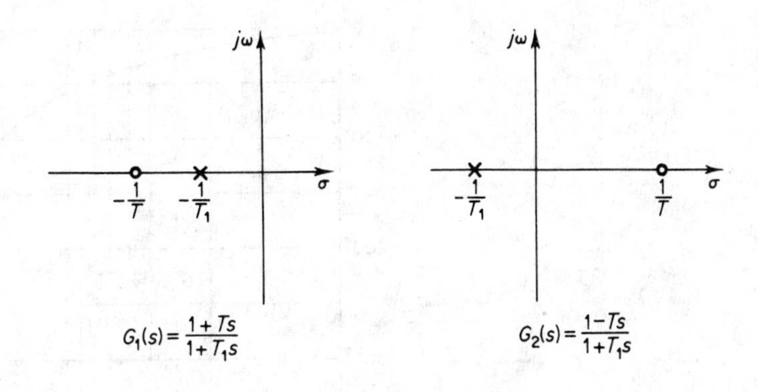


**Figura 6-14** Configuraciones de polos y ceros de un sistema $G_1(s)$ de fase mínima y de un sistema $G_2(s)$ de fase no mínima.

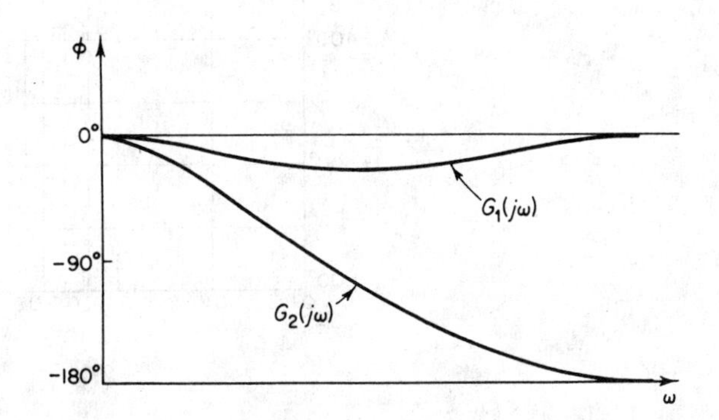


**Figura 6-15** Gráfica del ángulo de fase de los sistemas $G_1(s)$ y $G_2(s)$ de la Fig. 6-14.

de transferencia, respectivamente. Para un sistema de fase no mínima, el ángulo de fase en $\omega = \infty$ difiere de $-90°(q - p)$. En cualquier sistema, la pendiente de la curva del logaritmo de la magnitud en $\omega = \infty$ es igual a $-20(q - p)$ db/década. Por tanto, es posible determinar si el sistema es de fase mínima o no, examinando tanto la pendiente de la asíntota en alta frecuencia de la curva del logaritmo de la magnitud, como el ángulo de fase en $\omega = \infty$. Si la pendiente de la curva de logaritmo de la magnitud al tender $\omega$ a infinito es $-20\ (q - p)$ db/década y el ángulo de fase en $\omega = \infty$ es igual a $-90°(q - p)$, entonces el sistema es de fase mínima.

Los sistemas de fase no mínima son lentos en su respuesta, debido a su comportamiento defectuoso al comenzar la respuesta. En la mayoría de los sistemas de control prácticos, debe evitarse un excesivo retardo de fase. Al diseñar un sistema, si lo que se requiere es una velocidad de respuesta ágil, no deben utilizarse componentes de fase no mínima. (El retardo de transporte es un ejemplo común de elementos de fase no mínima que pueden aparecer en sistemas de control).

Nótese que las técnicas de análisis de respuesta en frecuencia y de proyecto que se presentarán en este capítulo y en el siguiente, son válidas tanto para sistemas de fase mínima, como para sistemas de fase no mínima.

**Retardo de transporte.** El retardo de transporte tiene un comportamiento de fase no mínima y tiene retardo excesivo de fase sin atenuación en altas frecuencias. Tales retardos de transporte se dan normalmente en sistemas térmicos, hidráulicos y neumaticos.

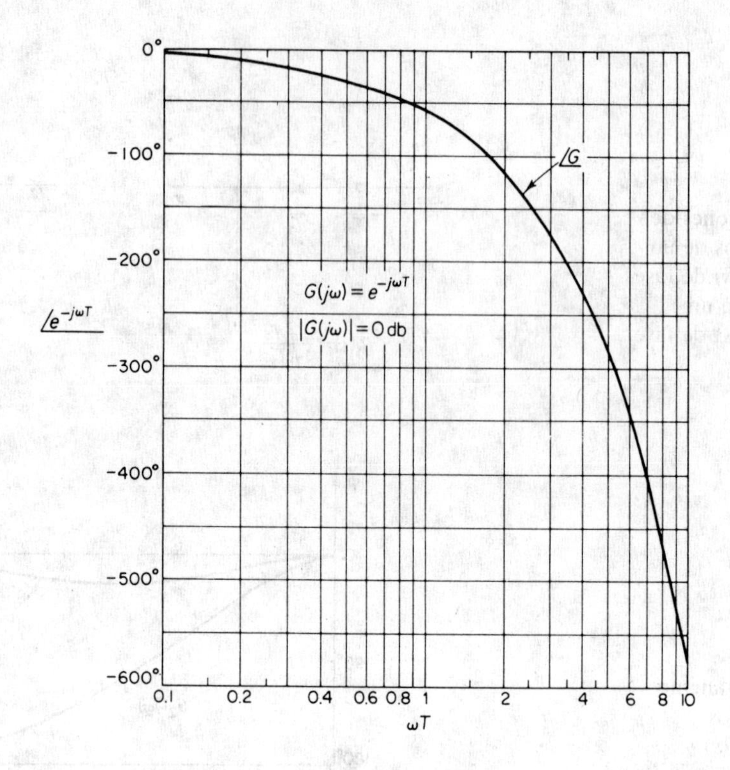


**Figura 6-16**
Gráfica del ángulo de fase del retardo de transporte.

Considere el retardo de transporte dado por

$$G(j\omega) = e^{-j\omega T}$$

La magnitud es siempre la unidad, puesto que

$$|G(j\omega)| = |\cos \omega T - j \operatorname{sen} \omega T| = 1$$

Por tanto, el logaritmo de la magnitud del retardo de transporte $e^{-j\omega T}$ es igual a 0 db. El ángulo de fase del retardo de transporte es

$$\begin{aligned} \angle G(j\omega) &= -\omega T \qquad \text{(radianes)} \\ &= -57.3\, \omega T \qquad \text{(grados)} \end{aligned}$$

El ángulo de fase varía linealmente con la frecuencia $\omega$. En la figura 6-16 se puede ver el ángulo de fase para el retardo de transporte.

**EJEMPLO 6-3** Trace el diagrama de Bode de la siguiente función de transferencia

$$G(j\omega) = \frac{e^{-j\omega L}}{1 + j\omega T}$$

El logaritmo de la magnitud es

$$\begin{aligned} 20 \log|G(j\omega)| &= 20 \log|e^{-j\omega L}| + 20 \log \left|\frac{1}{1 + j\omega T}\right| \\ &= 0 + 20 \log \left|\frac{1}{1 + j\omega T}\right| \end{aligned}$$

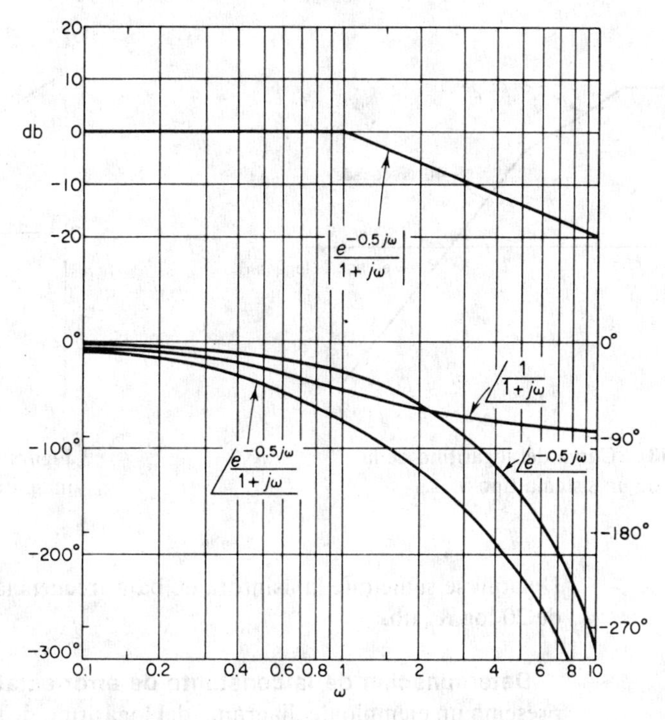


**Figura 6-17**
Diagrama de Bode del sistema $e^{-j\omega L}/(1 + j\omega T)$ con $L = 0.5$ y $T = 1$.

El ángulo de fase de $G(j\omega)$ es

$$\angle G(j\omega) = \angle e^{-j\omega L} + \angle \frac{1}{1 + j\omega T}$$
$$= -\omega L - \tan^{-1}\omega T$$

En la figura 6-17 aparecen las curvas del logaritmo de la magnitud y del ángulo de fase para esta función de transferencia con $L = 0.5$ y $T = 1$.

**Relación entre el tipo de sistema y la curva del logaritmo de la magnitud.** Las constantes de error estático de posición, velocidad y aceleración describen el comportamiento en bajas frecuencias de los sistemas tipo 0, tipo 1, y tipo 2, respectivamente. Para un sistema dado, sólo uno de los coeficientes de error estático es finito y significativo. (Cuanto mayor es el valor de la constante de error estacionario, mayor es la ganancia de lazo cuando ω tiende a cero).

El tipo de sistema determina la pendiente de la curva del logaritmo de la magnitud a bajas frecuencias. De esta forma se puede determinar la existencia y magnitud del error en estado estacionario a partir de la observación de la región de bajas frecuencias.

**Determinación de la constante de error estático de posición.** En la figura 6-18 se ve un ejemplo de diagrama del logaritmo de la magnitud para un sistema tipo 0. En este sistema, la magnitud de $G(j\omega)H(j\omega)$ a bajas frecuencias se iguala a $K_p$ o sea

$$\lim_{\omega\to 0} G(j\omega)H(j\omega) = K_p$$

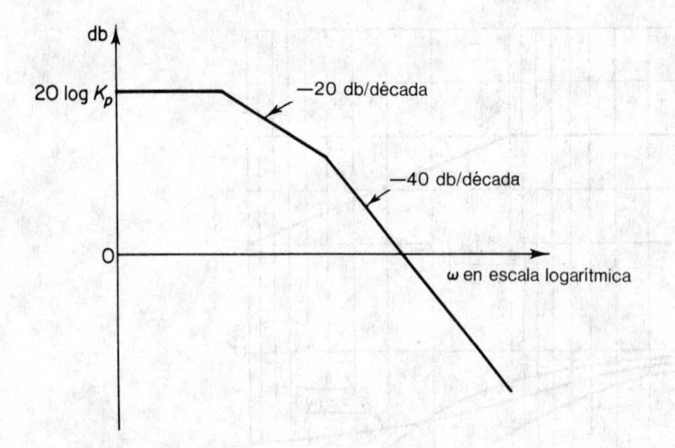


**Figura 6-18** Curva del logaritmo de la magnitud de un sistema tipo 0.

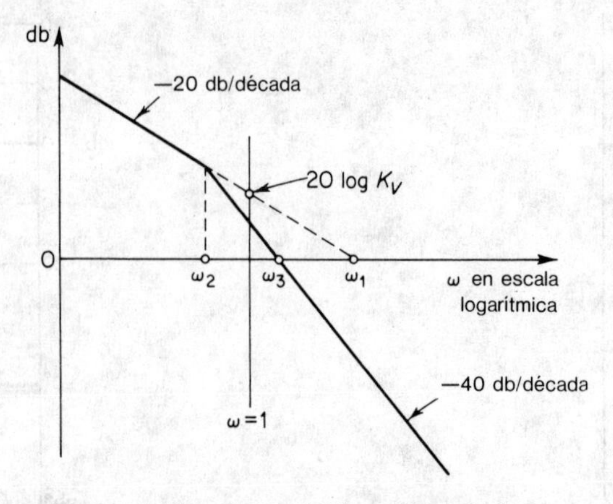


**Figura 6-19** Curva del logaritmo de la magnitud de un sistema tipo 1.

De aquí se sigue que la asíntota de baja frecuencia es una recta horizontal en el valor de 20 log $K_p$ db.

**Determinación de la constante de error estático de velocidad.** La figura 6-19 presenta un ejemplo de diagrama del logaritmo de la magnitud de un sistema tipo 1. La intersección del segmento inicial de –20 db/década (o su extensión) con la línea de $\omega = 1$ tiene el valor de 20 log $K_v$, lo cual se muestra a continuación. Como en un sistema tipo 1,

$$G(j\omega)H(j\omega) = \frac{K_v}{j\omega} \quad \text{para } \omega \ll 1$$

Entonces,

$$20 \log \left| \frac{K_v}{j\omega} \right|_{\omega = 1} = 20 \log K_v$$

La intersección del segmento inicial de –20 db/década (o su extensión) con la línea de 0 db tiene una frecuencia numéricamente igual a $K_v$. Para comprobarlo, la frecuencia en esta intersección se define como $\omega_1$; entonces

$$\left| \frac{K_v}{j\omega_1} \right| = 1$$

o bien

$$K_v = \omega_1$$

Como ejemplo, tómese el sistema de tipo 1 con retroalimentación unitaria, cuya función de transferencia de lazo abierto es

$$G(s) = \frac{K}{s(Js + F)}$$

Si definimos la frecuencia de transición como $\omega_2$, y la frecuencia en la intersección del segmento de $-40$ db/década (o su extensión) con la línea de 0 db como $\omega_3$, entonces

$$\omega_2 = \frac{F}{J}, \qquad \omega_3^2 = \frac{K}{J}$$

Como

$$\omega_1 = K_v = \frac{K}{F}$$

se sigue que

$$\omega_1 \omega_2 = \omega_3^2$$

o bien

$$\frac{\omega_1}{\omega_3} = \frac{\omega_3}{\omega_2}$$

En el diagrama de Bode

$$\log \omega_1 - \log \omega_3 = \log \omega_3 - \log \omega_2$$

Entonces, el punto $\omega_3$ queda justo en medio de los puntos $\omega_2$ y $\omega_1$. Entonces la relación de amortiguamiento $\zeta$ para el sistema es

$$\zeta = \frac{F}{2\sqrt{KJ}} = \frac{\omega_2}{2\omega_3}$$

**Determinación de la constante de error estático de aceleración.** La figura 6-20 muestra un ejemplo del diagrama del logaritmo de la magnitud para un sistema tipo 2. La intersección del segmento inicial de $-40$ db/década (o su extensión) con la línea $\omega = 1$, tiene la magnitud de $20 \log K_a$. Como a bajas frecuencias

$$G(j\omega)H(j\omega) = \frac{K_a}{(j\omega)^2}$$

resulta que

$$20 \log \left| \frac{K_a}{(j\omega)^2} \right|_{\omega = 1} = 20 \log K_a$$

La frecuencia $\omega_a$ en la intersección del segmento inicial de $-40$ db/década (o su extensión) con la línea de 0 db, produce en forma numérica la raíz cuadrada de $K_a$. Lo anterior se puede ver a continuación:

$$20 \log \left| \frac{K_a}{(j\omega_a)^2} \right| = 20 \log 1 = 0$$

que da

$$\omega_a = \sqrt{K_a}$$

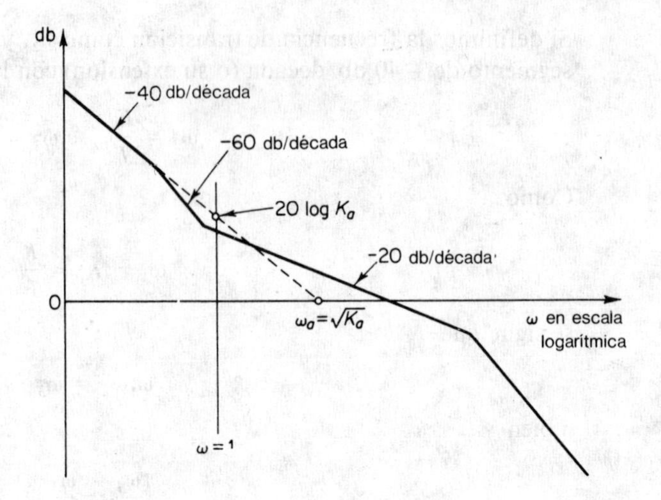


**Figura 6-20**
Curva del logaritmo de la magnitud de un sistema tipo 2.

## 6-3 DIAGRAMAS POLARES

El diagrama polar de una función de transferencia senoidal $G(j\omega)$ es un diagrama de la magnitud o módulo de $G(j\omega)$ en función del ángulo de fase de $G(j\omega)$ en coordenadas polares al variar el valor de ω de cero a infinito. Entonces, el diagrama polar es el lugar de los vectores $|G(j\omega)|\angle G(j\omega)$ cuando ω varía de cero a infinito. Nótese que en los diagramas polares, el ángulo de fase se mide como positivo (o negativo) en sentido antihorario (horario) desde el eje real positivo. Al diagrama polar se le denomina diagrama de Nyquist. En la figura 6-21 se presenta un ejemplo de este diagrama. Cada punto en el diagrama polar de $G(j\omega)$ representa el extremo terminal de un vector para un valor determinado de ω. En el diagrama polar, es importante indicar la graduación del lugar; las proyecciones de $G(j\omega)$ sobre los ejes real e imaginario, son sus componentes real e

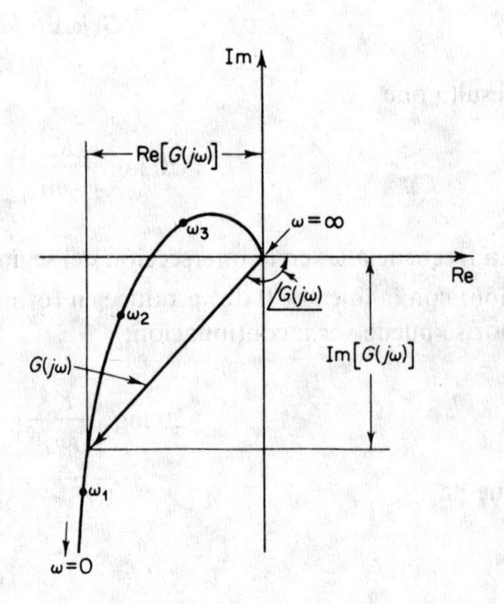


**Figura 6-21**
Diagrama polar.

imaginario. Para poder construir el diagrama polar, hay que calcular directamente la magnitud $|G(j\omega)|$ y el ángulo de fase $\angle G(j\omega)$ para cada frecuencia $\omega$. Sin embargo, como es fácil construir el diagrama logarítmico, los datos para construir el diagrama polar se pueden obtener directamente de él si primero se traza ese diagrama y los decibeles se convierten en relaciones normales de magnitud. Desde luego, se puede utilizar una computadora digital para obtener $|G(j\omega)|$ y $\angle G(j\omega)$ con exactitud para diversos valores de $\omega$ en el rango de interés.

Para dos sistemas conectados en cascada, la función transferencia total de la combinación, en ausencia de efectos de carga, es el producto de las funciones de transferencia individuales. Si se requiere la multiplicación de dos funciones de transferencia senoidales, se puede obtener multiplicando, para cada frecuencia, las funciones de transferencia senoidales individuales por medio de una multiplicación algebraica compleja. Es decir, si $G(j\omega) = G_1(j\omega)G_2(j\omega)$, entonces

$$G(j\omega) = |G(j\omega)|\angle G(j\omega)$$

donde

$$|G(j\omega)| = |G_1(j\omega)| \cdot |G_2(j\omega)|$$

y

$$\angle G(j\omega) = \angle G_1(j\omega) + \angle G_2(j\omega)$$

En la figura 6-22 se muestra el producto de $G_1(j\omega)$ y $G_2(j\omega)$.

En general, si se desea el diagrama polar de $G_1(j\omega)G_2(j\omega)$, es conveniente trazar primero el diagrama logarítmico de $G_1(j\omega)G_2(j\omega)$ y luego convertirlo en un diagrama polar, en lugar de dibujar los diagramas polares de $G_1(j\omega)$ y $G_2(j\omega)$ y multiplicar ambos en el plano complejo para obtener el diagrama polar de $G_1(j\omega)G_2(j\omega)$. De nuevo, se puede utilizar una computadora digital para obtener el producto de $G_1(j\omega)$ y $G_2(j\omega)$.

Una ventaja al utilizar un diagrama polar es que presenta las características de respuesta en frecuencia de un sistema en todo el rango de frecuencias, en un solo diagra-

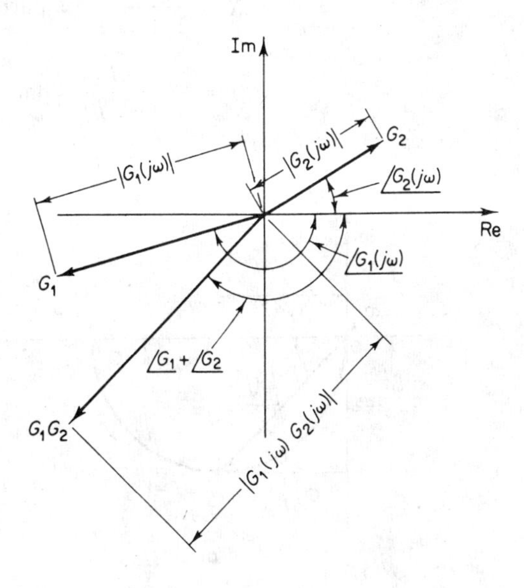


**Figura 6-22**
Diagramas polares de $G_1(j\omega)$, $G_2(j\omega)$ y $G_1(j\omega)G_2(j\omega)$.

ma, la desventaja es que el diagrama no indica claramente las contribuciones de cada factor individual de la función de transferencia de lazo abierto.

**Factores integral y derivativo $(j\omega)^{\mp 1}$.** El diagrama polar de $G(j\omega) = 1/j\omega$ es el eje imaginario negativo ya que

$$G(j\omega) = \frac{1}{j\omega} = -j\frac{1}{\omega} = \frac{1}{\omega}\angle -90°$$

El diagrama polar de $G(j\omega) = j\omega$ es el eje real positivo.

**Factores de primer orden $(1 + j\omega T)^{\mp 1}$.** Para la función de transferencia senoidal

$$G(j\omega) = \frac{1}{1 + j\omega T} = \frac{1}{\sqrt{1 + \omega^2 T^2}}\angle -\tan^{-1}\omega T$$

los valores de $G(j\omega)$ a $\omega = 0$ y $\omega = 1/T$ son, respectivamente

$$G(j0) = 1\angle 0° \qquad \text{y} \qquad G\left(j\frac{1}{T}\right) = \frac{1}{\sqrt{2}}\angle -45°$$

Si $\omega$ tiende a infinito, la magnitud de $G(j\omega)$ tiende a cero y el ángulo de fase tiende a $-90°$. El diagrama polar de esta función de transferencia es un semicírculo cuando la frecuencia $\omega$ varía de cero a infinito, como se puede ver en la figura 6-23(a). El centro está ubicado en 0.5 sobre el eje real, y el radio es igual a 0.5.

Para probar que el diagrama polar es un semicírculo, se define

$$G(j\omega) = X + jY$$

donde

$$X = \frac{1}{1 + \omega^2 T^2} = \text{parte real de } G(j\omega)$$

$$Y = \frac{-\omega T}{1 + \omega^2 T^2} = \text{parte imaginaria de } G(j\omega)$$

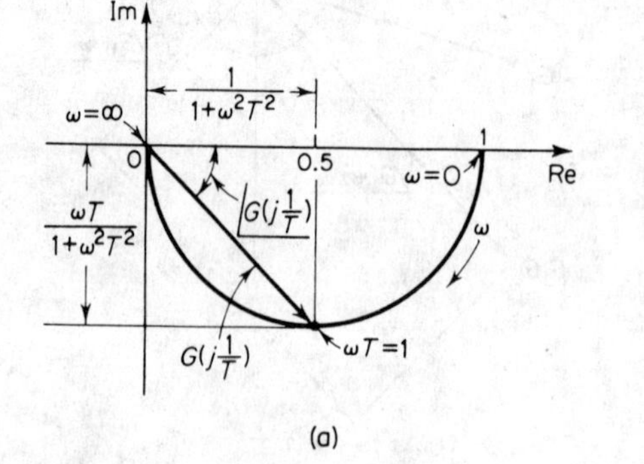


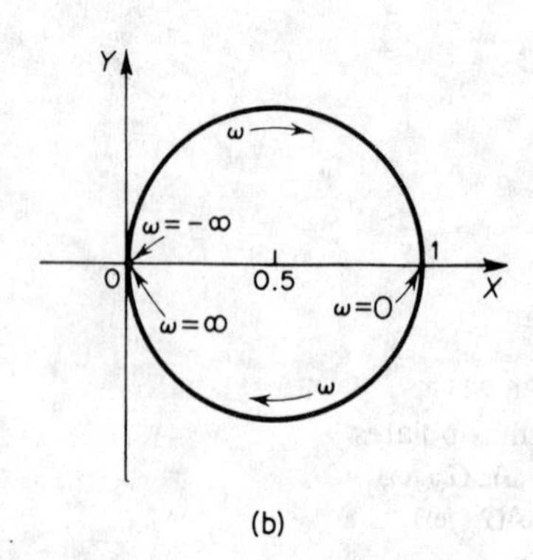


**Figura 6-23**
(a) Diagrama polar de $1/(1 + j\omega T)$; (b) diagrama polar de $G(j\omega)$ en el plano $X$-$Y$

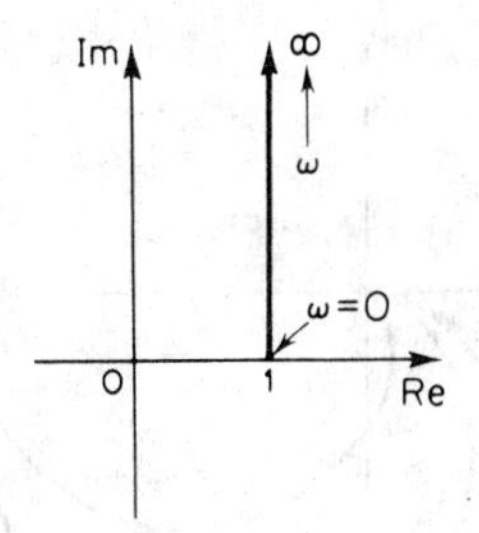


**Figura 6-24**
Diagrama polar de $1 + j\omega T$.

Así se obtiene

$$\left(X - \frac{1}{2}\right)^2 + Y^2 = \left(\frac{1}{2}\frac{1 - \omega^2 T^2}{1 + \omega^2 T^2}\right)^2 + \left(\frac{-\omega T}{1 + \omega^2 T^2}\right)^2 = \left(\frac{1}{2}\right)^2$$

Entonces, en el plano $X$ - $Y$, $G(j\omega)$ es un círculo con centro en $X = \frac{1}{2}$, $Y = 0$ y con radio $\frac{1}{2}$, como se muestra en la figura 6-23(b). El semicírculo inferior corresponde a $0 \leq \omega \leq \infty$ y el superior corresponde a $-\infty \leq \omega \leq 0$.

El diagrama polar de la función de transferencia $1 + j\omega T$ es simplemente la mitad superior de la recta que pasa por el punto (1, 0) en el plano complejo, y es paralela al eje imaginario, como se puede ver en la figura 6-24. El diagrama polar de $1 + j\omega T$ tiene un aspecto totalmente diferente al de $1/(1 + j\omega T)$.

**Factores cuadráticos $[1 + 2\zeta(j\omega/\omega_n) + (j\omega/\omega_n)^2]^{\mp 1}$.** Las partes de alta y baja frecuencia del diagrama polar de la función de transferencia senoidal siguiente

$$G(j\omega) = \frac{1}{1 + 2\zeta\left(j\frac{\omega}{\omega_n}\right) + \left(j\frac{\omega}{\omega_n}\right)^2} \qquad (\zeta > 0)$$

están dadas, respectivamente, por

$$\lim_{\omega \to 0} G(j\omega) = 1\angle 0^\circ \qquad \text{y} \qquad \lim_{\omega \to \infty} G(j\omega) = 0\angle -180^\circ$$

El diagrama polar de esta función de transferencia senoidal comienza en $1/0^\circ$ y finaliza en $0/180^\circ$ al aumentar $\omega$ de cero a infinito. Entonces la porción de alta frecuencia de $G(j\omega)$ es tangente al eje real negativo. Los valores de $G(j\omega)$ en el rango de frecuencias de interés se pueden calcular directamente, o mediante el uso del diagrama logarítmico.

En la figura 6-25 se presentan ejemplos de diagramas polares de la función de transferencia recién considerada. La forma exacta del diagrama polar depende del valor de la relación de amortiguamiento $\zeta$, pero la forma general es la misma, tanto para el caso subamortiguado $(1 > \zeta > 0)$ como para el sobreamortiguado $(\zeta > 1)$.

Para el caso subamortiguado en $\omega = \omega_n$, se tiene $G(j\omega_n) = 1/(j2\zeta)$ y el ángulo de fase en $\omega = \omega_n$ es $-90^\circ$. Por tanto, se puede ver que la frecuencia a la cual el lugar $G(j\omega)$ corta al eje imaginario, es la frecuencia natural no amortiguada $\omega_n$. El punto del diagrama polar cuya distancia al origen es máxima, corresponde a la frecuencia de resonancia $\omega_r$. El valor pico de $G(j\omega)$ se obtiene como la relación entre la magnitud del vector a la

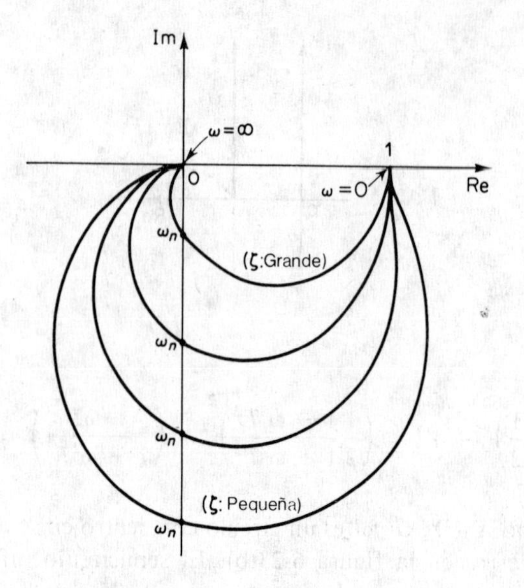


**Figura 6-25**
Diagramas polares de

$$\frac{1}{1 + 2\zeta\left(j\frac{\omega}{\omega_n}\right) + \left(j\frac{\omega}{\omega_n}\right)^2}, \quad (\zeta > 0).$$

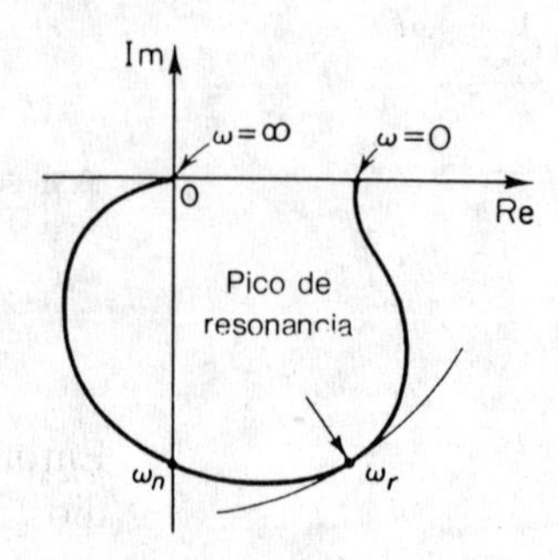


**Figura 6-26**
Diagrama polar que muestra el pico de resonancia y la frecuencia de resonancia $\omega_r$

frecuencia de resonancia $\omega_r$ y la magnitud del vector a la frecuencia $\omega = 0$. La frecuencia de resonancia $\omega_r$ aparece indicada en el diagrama polar de la figura 6-26.

Para el caso sobreamortiguado, al incrementar $\zeta$ más allá de la unidad, el lugar de $G(j\omega)$ tiende a ser un semicírculo, lo que resulta del hecho de que para un sistema fuertemente amortiguado las raíces características son reales, y una de ellas es mucho más pequeña que la otra. Como para un valor de $\zeta$ suficientemente alto la raíz más grande de la respuesta se hace muy pequeña, el sistema se comporta como uno de primer orden.

Para la función de transferencia senoidal

$$G(j\omega) = 1 + 2\zeta\left(j\frac{\omega}{\omega_n}\right) + \left(j\frac{\omega}{\omega_n}\right)^2$$

$$= \left(1 - \frac{\omega^2}{\omega_n^2}\right) + j\left(\frac{2\zeta\omega}{\omega_n}\right)$$

la porción de baja frecuencia de la curva es

$$\lim_{\omega \to 0} G(j\omega) = 1\angle 0^\circ$$

y la porción de alta frecuencia es

$$\lim_{\omega \to \infty} G(j\omega) = \infty\angle 180^\circ$$

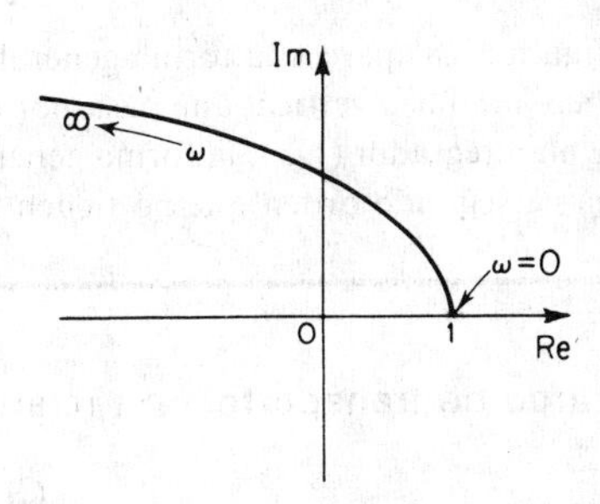


**Figura 6-27** Diagrama polar de $1 + 2\zeta\left(j\frac{\omega}{\omega_n}\right) + \left(j\frac{\omega}{\omega_n}\right)^2, \quad (\zeta > 0).$

Como la parte imaginaria de $G(j\omega)$ es positiva y crece en forma monótona para $\omega > 0$, y la parte real de $G(j\omega)$ decrece en forma monótona a partir de la unidad, la forma general del diagrama polar de $G(j\omega)$ es como aparece en la figura 6-27. El ángulo de fase está entre 0° y 180°.

**EJEMPLO 6-4** Considere la siguiente función de transferencia de segundo orden:

$$G(s) = \frac{1}{s(Ts + 1)}$$

Trace el diagrama polar para esta función de transferencia.

Como la función de transferencia senoidal se puede escribir como

$$G(j\omega) = \frac{1}{j\omega(1 + j\omega T)} = -\frac{T}{1 + \omega^2 T^2} - j\frac{1}{\omega(1 + \omega^2 T^2)}$$

la porción de baja frecuencia del diagrama polar es

$$\lim_{\omega \to 0} G(j\omega) = -T - j\infty = \infty \angle -90^\circ$$

y la porción de alta frecuencia es

$$\lim_{\omega \to \infty} G(j\omega) = 0 - j0 = 0 \angle -180^\circ$$

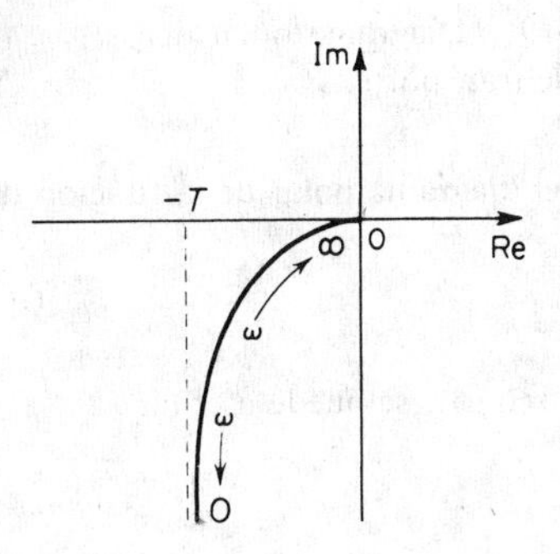


**Figura 6-28** Diagrama polar de $1/[j\omega\,(1 + j\omega T)]$.

En la figura 6-28 aparece la forma general del diagrama polar de $G(j\omega)$. El diagrama de $G(j\omega)$ es asintótico a la línea vertical que pasa por el punto $(-T, 0)$. Como esta función de transferencia incluye un integrador $(1/s)$, la forma general del diagrama polar difiere de las funciones de transferencia de segundo orden que no tienen un integrador.

**Retardo de transporte.** El retardo de transporte, o tiempo muerto,

$$G(j\omega) = e^{-j\omega T}$$

se puede escribir como

$$G(j\omega) = 1 \angle \cos \omega T - j \operatorname{sen} \omega T$$

Como la magnitud de $G(j\omega)$ es siempre la unidad, y el ángulo de fase varía linealmente con $\omega$ el diagrama polar del retardo de transporte es un círculo unitario, como se puede ver en la figura 6-29.

A bajas frecuencias, el retardo de transporte $e^{-j\omega T}$ y el retardo de primer orden $1/(1 + j\omega T)$ se comportan en forma similar, como se ve en la figura 6-30. Los diagramas polares de $e^{-j\omega T}$ y $1/(1 + j\omega T)$ son tangentes entre sí a $\omega = 0$. Lo cual resulta de que para $\omega \ll 1/T$,

$$e^{-j\omega T} \doteqdot 1 - j\omega T \qquad \text{y} \qquad \frac{1}{1 + j\omega T} \doteqdot 1 - j\omega T$$

Para $\omega \gg 1/T$, sin embargo, hay una diferencia esencial entre $e^{-j\omega T}$ y $1/(1 + j\omega T)$, como puede verse en la figura 6-30.

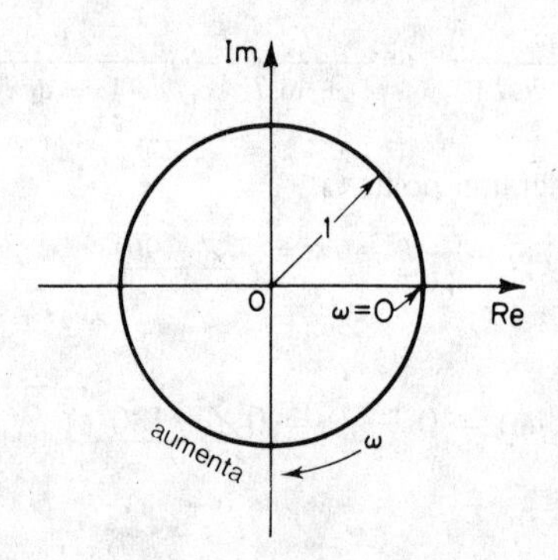


Figura 6-29 Diagrama polar del retardo de transporte.

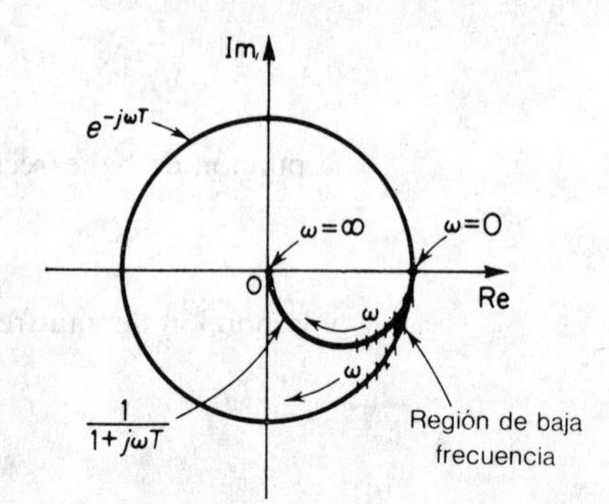


Figura 6-30 Diagramas polares de $e^{-j\omega T}$ y $1/(1 + j\omega T)$.

**EJEMPLO 6-5** Obtenga el diagrama polar de la función de transferencia siguiente:

$$G(j\omega) = \frac{e^{-j\omega L}}{1 + j\omega T}$$

Como $G(j\omega)$, se puede escribir

$$G(j\omega) = (e^{-j\omega L}) \left( \frac{1}{1 + j\omega T} \right)$$

la magnitud y el ángulo de fase son, respectivamente,

$$|G(j\omega)| = |e^{-j\omega L}| \cdot \left|\frac{1}{1 + j\omega T}\right| = \frac{1}{\sqrt{1 + \omega^2 T^2}}$$

y

$$\angle G(j\omega) = \angle e^{-j\omega L} + \angle \frac{1}{1 + j\omega T} = -\omega L - \tan^{-1} \omega T$$

Como la magnitud decrece en forma monótona a partir de la unidad y el ángulo de fase también decrece monótona e indefinidamente, el diagrama polar de la función de transferencia dada es una espiral, como aparece en la figura 6-31.

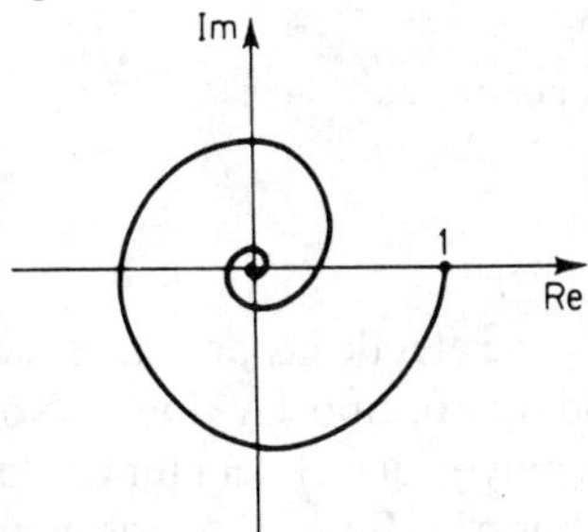


**Figura 6-31**
Diagrama polar de $e^{-j\omega L}/(1 + j\omega T)$.

**Formas generales de los diagramas polares.** Los diagramas polares de una función de transferencia de la forma

$$G(j\omega) = \frac{K(1 + j\omega T_a)(1 + j\omega T_b) \cdots}{(j\omega)^\lambda(1 + j\omega T_1)(1 + j\omega T_2) \cdots}$$
$$= \frac{b_0(j\omega)^m + b_1(j\omega)^{m-1} + \cdots}{a_0(j\omega)^n + a_1(j\omega)^{n-1} + \cdots}$$

donde $n > m$ o el grado del polinomio denominador es mayor que el del numerador, tendrán las siguientes formas generales:

**1.** *Para $\lambda = 0$ o sistemas tipo 0:* el punto de inicio del diagrama polar (que corresponde a $\omega = 0$) es finito y está sobre el eje real positivo. La tangente al diagrama polar en $\omega = 0$ es perpendicular al eje real. El punto terminal, que corresponde a $\omega = \infty$, está en el origen y la curva es tangente a uno de los ejes.

**2.** *Para $\lambda = 1$ o sistemas de tipo 1:* el término $j\omega$ en el denominador contribuye con $-90°$ al ángulo de fase total de $G(j\omega)$ para $\leq \omega \leq \infty$. A $\omega = 0$, la magnitud de $G(j\omega)$ es infinita, y el ángulo de fase es igual a $-90°$. A frecuencias bajas, el diagrama polar es asintótico a una línea paralela al eje imaginario negativo. En $\omega = \infty$, la magnitud es cero, la curva converge hacia el origen y es tangente a uno de los ejes.

**3.** *Para $\lambda = 2$ o sistemas de tipo 2:* el término $(j\omega)^2$ en el denominador contribuye con $-180°$ al ángulo de fase total de $G(j\omega)$ para $0 \leq \omega \leq \infty$. En $\omega = 0$ la magnitud de $G(j\omega)$ es infinita, y el ángulo de fase es igual a $-180°$. A frecuencias bajas, el diagrama polar es asintótico a una línea paralela al eje real negativo. En $\omega = \infty$, la magnitud se hace cero, y la curva es tangente a uno de los ejes. En la figura 6-32 se pueden ver las

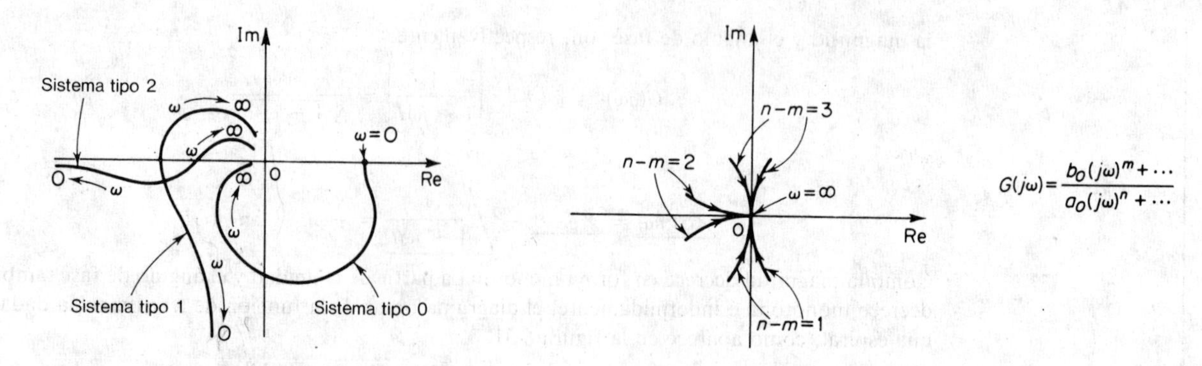


**Figura 6-32** Diagramas polares de sistemas tipo 0, tipo 1, y tipo 2.

**Figura 6-33** Diagramas polares en el rango de altas frecuencias.

formas generales de las porciones de baja frecuencia de los diagramas polares de los sistemas de tipo 0, tipo 1 y tipo 2. Nótese que si el grado del polinomio denominador de $G(j\omega)$es mayor que el del numerador, los lugares de$G(j\omega)$ convergen hacia el origen en sentido horario. En$\omega = \infty$, los lugares son tangentes a uno de los ejes, como se ve en la figura 6-33.

Nótese que cualquier forma complicada de las curvas del diagrama polar se debe a la dinámica del numerador, es decir, por las constantes de tiempo del numerador de la función de transferencia. La figura 6-34 presenta ejemplos de diagramas polares de funciones de transferencia con dinámica de numerador. Al analizar sistemas de control, debe determinarse con exactitud el diagrama polar de $G(j\omega)$ en el rango de frecuencias de interés.

En la tabla 6-1 se ven distintos diagramas polares de diversas funciones de transferencia.

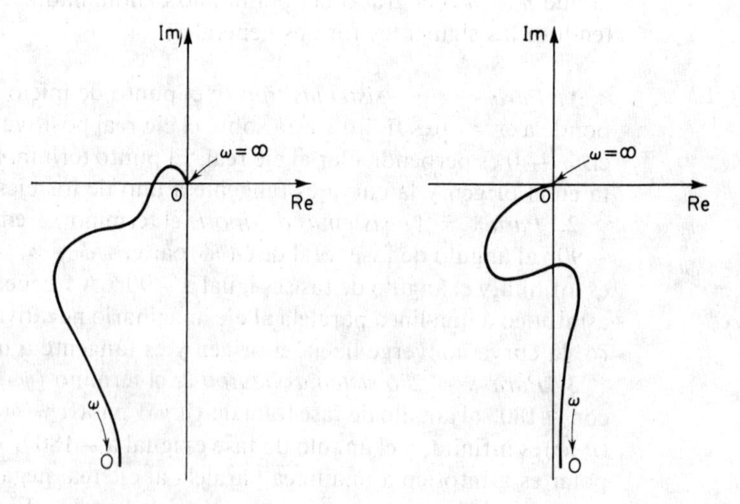


**Figura 6-34** Diagramas polares de funciones de transferencia con dinámica de numerador.

**Tabla 6-1** Diagramas polares de funciones de transferencia simples

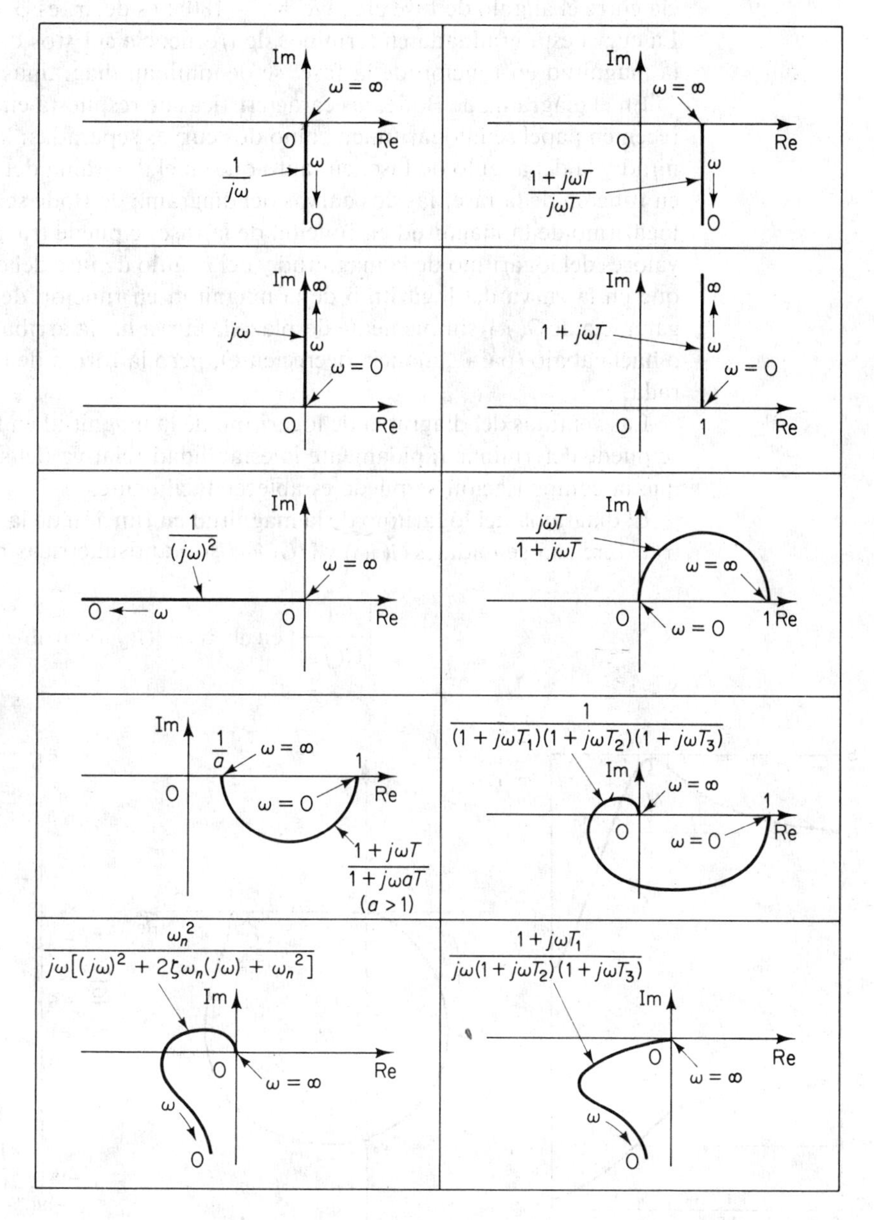


## 6-4 DIAGRAMAS DEL LOGARITMO DE LA MAGNITUD EN FUNCION DE LA FASE

Otro modo de presentar gráficamente las características de respuesta en frecuencia, es utilizar el diagrama del logaritmo de la magnitud en función de la fase, que es un diagrama de una magnitud logarítmica en decibeles en función del ángulo de fase o margen de fase para el rango de frecuencias de intéres. [El margen de fase es la diferencia entre el ángulo de fase efectivo $\phi$ y $-180°$; es decir, es $\phi - (-180°) = 180° + \phi$.] La curva está graduada en términos de frecuencia $\omega$. Estos diagramas del logaritmo de la magnitud en función de la fase, se denominan diagramas de Nichols.

En el diagrama de Bode, las características de respuesta en frecuencias de $G(j\omega)$ aparecen en papel semilogarítmico como dos curvas separadas: la del logaritmo de la magnitud y la del ángulo de fase, en tanto que en el diagrama del logaritmo de la magnitud en función de la fase, las dos curvas del diagrama de Bode se combinan en una sola. El logaritmo de la magnitud en función de la fase se puede trazar fácilmente, leyendo los valores del logaritmo de la magnitud y del ángulo de fase del diagrama de Bode. Nótese que en la curva del logaritmo de la magnitud en función de la fase, un cambio en la ganancia de $G(j\omega)$ simplemente desplaza la curva hacia arriba (para ganancia creciente) o hacia abajo (para ganancia decreciente), pero la forma de la curva permanece inalterada.

Las ventajas del diagrama de logaritmo de la magnitud en función de la fase son que se puede determinar rápidamente la estabilidad relativa del sistema de lazo cerrado, y que la compensación se puede establecer fácilmente.

El diagrama del logaritmo de la magnitud en función de la fase para las funciones de transferencia senoidales $G(j\omega)$ y $1/G(j\omega)$ son antisimétricas respecto al origen, pues

$$\left|\frac{1}{G(j\omega)}\right| \text{ en db} = -|G(j\omega)| \text{ en db}$$

y

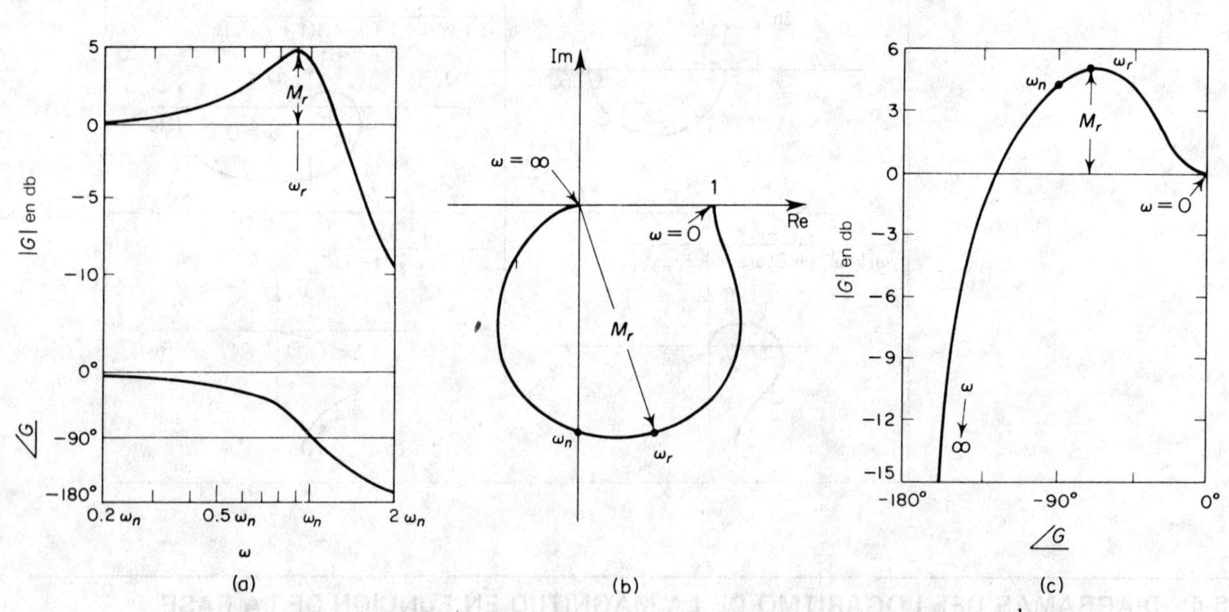


**Figura 6-35** Tres representaciones de la respuesta en frecuencia de $\dfrac{1}{1 + 2\zeta\left(j\dfrac{\omega}{\omega_n}\right) + \left(j\dfrac{\omega}{\omega_n}\right)^2}$, ($\zeta > 0$). (a) diagrama de Bode; (b) diagrama polar; (c) diagrama del logaritmo de la magnitud en función de la fase.

$$\underline{/\frac{1}{G(j\omega)}} = -\underline{/G(j\omega)}$$

Como ya se trataron en detalle, en las secciones 6-2 y 6-3, las características del logaritmo de la magnitud y del ángulo de fase de funciones de transferencia básicas, es suficiente con dar algunos ejemplos de diagramas del logaritmo de la magnitud en función de la fase. En la tabla 6-2 aparecen algunos ejemplos.

La figura 6-35 compara las curvas de respuesta en frecuencia de

$$G(j\omega) = \frac{1}{1 + 2\zeta\left(j\dfrac{\omega}{\omega_n}\right) + \left(j\dfrac{\omega}{\omega_n}\right)^2}$$

en tres diferentes representaciones. En el diagrama del logaritmo de la magnitud en función de la fase, la distancia vertical entre los puntos $\omega = 0$ y $\omega = \omega_r$, donde $\omega_r$ es la frecuencia de resonancia, que es el valor pico de $G(j\omega)$ en decibeles.

## 6-5 CRITERIO DE ESTABILIDAD DE NYQUIST

En esta sección se presenta el criterio de estabilidad de Nyquist y los fundamentos matemáticos asociados. Considere el sistema de lazo cerrado de la figura 6-36. La función de transferencia de lazo cerrado es

$$\frac{C(s)}{R(s)} = \frac{G(s)}{1 + G(s)H(s)}$$

Por razones de estabilidad, todas las raíces de la ecuación característica

$$1 + G(s)H(s) = 0$$

deben quedar en el semiplano izquierdo del plano $s$. [Nótese que, aunque puede haber polos y ceros de la función de transferencia de lazo abierto en el semiplano derecho del plano $s$, el sistema es estable si todos los polos de la función de transferencia de lazo cerrado (es decir, las raíces de la ecuación característica) están en el semiplano izquierdo del plano $s$]. El criterio de estabilidad de Nyquist relaciona la respuesta en frecuencia de lazo abierto $G(j\omega)H(j\omega)$ con la cantidad de polos y ceros de $1 + G(s)H(s)$ ubicados en el semiplano derecho del plano $s$. Este criterio, deducido por H. Nyquist, es útil en ingeniería de control, porque se puede determinar gráficamente la estabilidad absoluta de un sistema de lazo cerrado partiendo de las curvas de respuesta en frecuencia de lazo abierto sin necesidad de una determinación efectiva de los polos de lazo cerrado. Para el análisis de estabilidad se pueden utilizar curvas de respuesta en frecuencia de lazo abierto obtenidas en forma analítica, o experimental. Esto es conveniente, pues al diseñar un sistema de control, frecuentemente sucede que no se conocen las expresiones matemáticas de algunos componentes, y sólo se dispone de sus datos de respuesta en frecuencia.

**Tabla 6-2** Diagramas del logaritmo de la magnitud función de fase de funciones transferencia simples

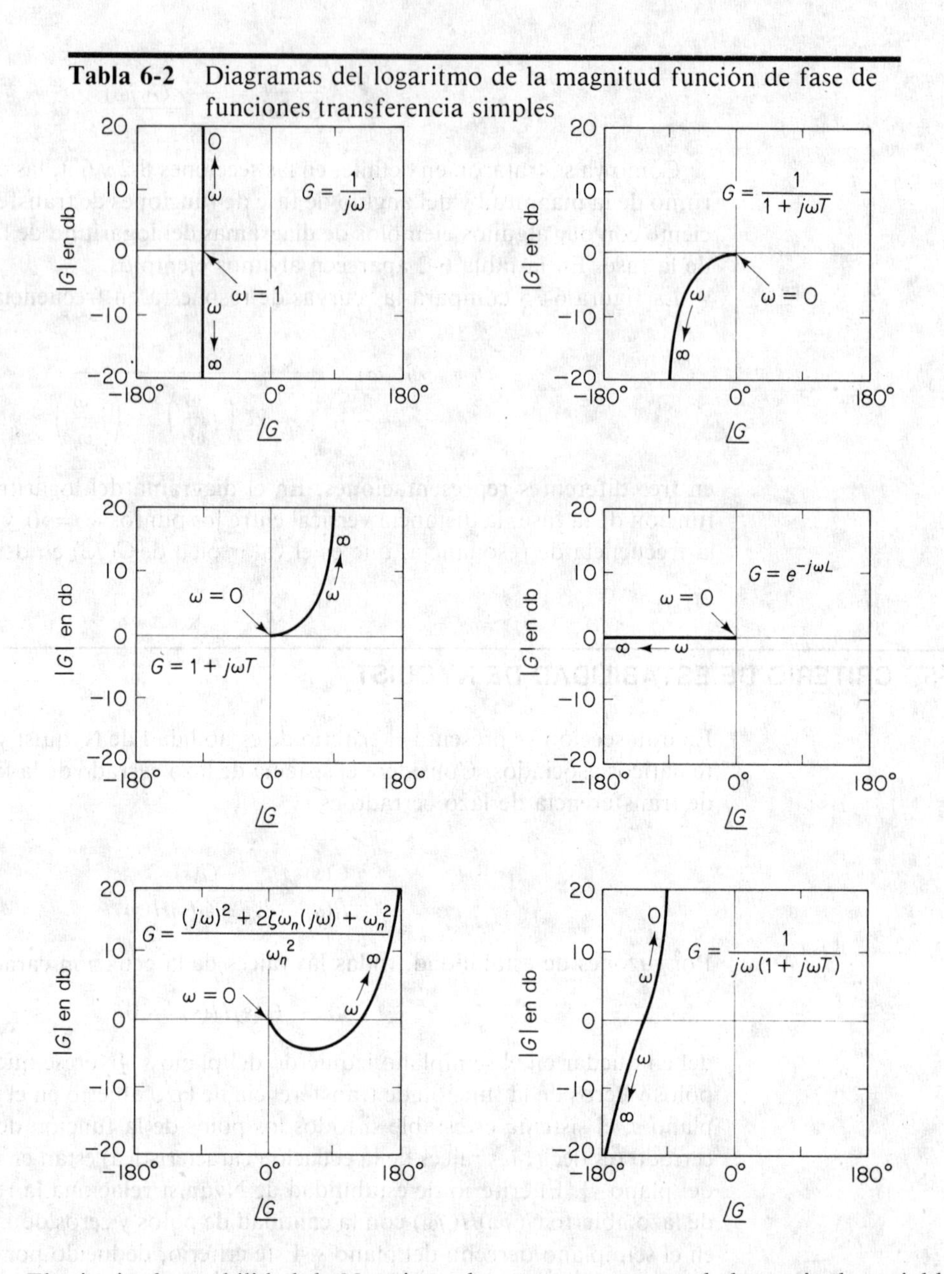


El criterio de estabilidad de Nyquist se basa en un teorema de la teoría de variable compleja. Para explicar este criterio, se tratará primero la transformación (mapeo) de trayectorias en el plano complejo.

Se supone que la función de transferencia de lazo abierto $G(s)H(s)$ se representa como una relación de polinomios en $s$. En el caso de un sistema físicamente realizable, el grado del polinomio denominador de la función de transferencia de lazo cerrado debe ser mayor o igual al del polinomio del numerador. Esto significa que para que el sistema sea físicamente realizable el límite de $G(s)H(s)$ cuando $s$ tiende a infinito sea cero o una constante.

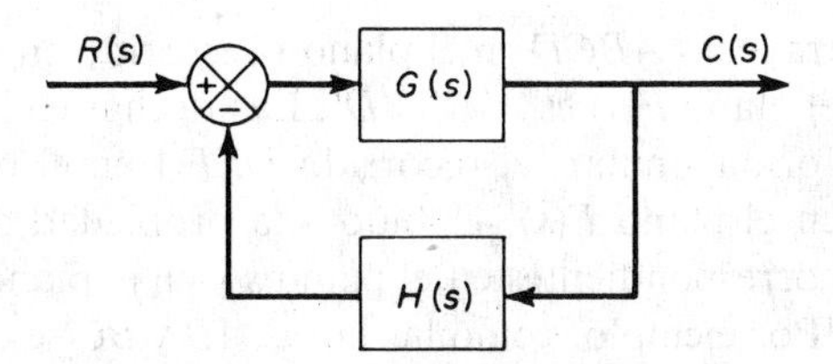


**Figura 6-36**
Sistema de lazo cerrado.

**Estudio preliminar.** La ecuación característica del sistema que aparece en la figura 6-36 es

$$F(s) = 1 + G(s)H(s) = 0$$

Se demostrará que a una trayectoria continua y cerrada dada en el plano $s$, que no pasa por ningún punto singular, corresponde una curva cerrada en el plano $F(s)$. La cantidad y sentido de lazos o rodeos alrededor del origen del plano $F(s)$ por una curva cerrada, juega un papel importante en lo que sigue, pues más adelante se verá que la cantidad y sentido de los lazos o rodeos se relacionan con la estabilidad del sistema.

Por ejemplo, considere la siguiente función de transferencia de lazo abierto

$$G(s)H(s) = \frac{6}{(s + 1)(s + 2)}$$

La ecuación característica es

$$F(s) = 1 + G(s)H(s) = 1 + \frac{6}{(s + 1)(s + 2)}$$
$$= \frac{(s + 1.5 + j2.4)(s + 1.5 - j2.4)}{(s + 1)(s + 2)} = 0$$

La función $F(s)$ es analítica en la totalidad del plano $s$, excepto en sus puntos singulares. A cada punto de analiticidad en el plano $s$, corresponde un punto en el plano $F(s)$. Por ejemplo, si $s = 1 + j2$, entonces $F(s)$ es

$$F(1 + j2) = 1 + \frac{6}{(2 + j2)(3 + j2)} = 1.115 - j0.577$$

Por tanto el punto $s = 1 + j2$ en el plano $s$ se mapea al punto $1.115 - j0.577$ en el plano $F(s)$.

Entonces, como se indicó antes, para una trayectoria continua y cerrada en el plano $s$, que no atraviesa ningún punto singular, corresponde una curva cerrada en el plano $F(s)$. La figura 6-37(a) muestra las transformaciones de las líneas $\omega = 0, 1, 2, 3$ y de las líneas $\sigma = 1, 0, -1, -2, -3, -4$ en el semiplano superior del plano $s$, al plano $F(s)$. Por ejemplo, la línea $s = j\omega$ en el semiplano superior del plano $s$ $(\omega \geq 0)$ se transforma en la curva indicada por $\sigma = 0$ en el plano $F(s)$. La figura 6-37(b) muestra una transformación de las líneas $\omega = 0, -1, -2, -3$ y de las líneas $\sigma = 1, 0, -1, -2, -3, -4$ en el semiplano inferior del plano $s$, en el plano $F(s)$. Nótese que para un valor dado de $\sigma$, la curva para frecuencias negativas es simétrica respecto al eje real, con la curva para frecuencias positivas. Conforme a las figuras 6-37(a) y (b), se ve que para el trayecto $ABCD$ en el plano $s$ recorrido en sentido horario, la curva correspondiente en el plano $F(s)$ es $A'B'C'D'$. Las flechas en las líneas indican el sentido del recorrido. En forma similar, el recorrido $DEFA$ en el plano $s$ se transforma en la curva $D'E'F'A'$ en el plano $F(s)$. Debido a la propiedad de la transformación conforme, los ángulos correspondientes en el plano $s$ y en el plano $F(s)$ son iguales y tienen el mismo sentido. [Por ejemplo, como las líneas $AB$ y $BC$ se cortan entre sí en ángulos rectos en el plano $s$, también se cortan en ángulos rectos en el punto $B$ las curvas $A'B'$ y $B'C'$ en el plano $F(s)$.] En la figura 6-37(c), se ve que en la trayectoria cerrada $ABCDEFA$ en el plano $s$, la variable $s$ comienza en el punto $A$ y toma, a lo largo de la trayectoria, valores en sentido horario hasta retornar al punto de partida $A$. La curva correspondiente en el plano $F(s)$ queda indicada por $A'B'C'D'E'F'A'$. Caminando sobre la trayectoria en sentido horario podemos definir el área a nuestra derecha cuando el punto representativo $s$ se mueve en dirección horaria como dentro de la trayectoria; y al área a la izquierda como exterior a esa trayectoria. Por tanto el área sombreada en la figura 6-37(c) está encerrada por la trayectoria $ABCDEFA$ y está dentro de ella. De la figura 6-37(c) se puede ver que cuando la trayectoria en el plano $s$ rodea los polos de $F(s)$, el lugar de $F(s)$ rodea al origen del plano $F(s)$ dos veces en el sentido antihorario.

La cantidad de rodeos al origen en el plano $F(s)$ depende de la trayectoria cerrada en el plano $s$. Si esa trayectoria rodea dos ceros y dos polos de $F(s)$, el correspondiente lugar $F(s)$ no rodea al origen, como puede verse en la figura 6-37(d). Si esta trayectoria rodea solamente un cero, el lugar correspondiente de $F(s)$ rodea al origen una vez en sentido horario. Lo cual se puede ver en la figura 6-37(e). Finalmente, si la trayectoria cerrada en el plano $s$ no rodea ningún cero o polo, entonces el lugar de $F(s)$ no rodea al origen del plano $F(s)$ que se puede ver también en la figura 6-37(e).

Nótese que para cada punto en el plano $s$, excepto para los puntos singulares, hay un solo punto correspondiente en el plano $F(s)$; esto es, la tranformación del plano $s$ en el plano $F(s)$ es de correspondencia uno-a-uno. Sin embargo, la transformación del plano $F(s)$ en el plano $s$ puede no ser unívoca, de manera que para un punto dado en el plano $F(s)$, puede corresponder más de un punto en el plano $s$. Por ejemplo, el punto $B'$ en el plano $F(s)$ en la figura 6-37(d), corresponde tanto al punto $(-3, 3)$ como al punto $(0, -3)$ del plano $s$.

Del análisis precedente, se puede ver que el sentido en el que se rodea al origen en el plano $F(s)$ depende de si la trayectoria en el plano $s$ rodea un polo o un cero. Nótese que la ubicación de un polo o cero en el plano $s$, sea en la mitad izquierda o derecha del plano $s$, no proudce ninguna diferencia, pero sí la produce el rodeo de un polo o de un cero. Si la trayectoria del plano $s$ rodea $k$ ceros y $k$ polos ($k = 0, 1, 2, \ldots$), es decir, igual cantidad de cada uno, la curva cerrada correspondiente en el plano $F(s)$, no rodea al origen del plano $F(s)$. Toda esta discusión es una explicación gráfica del teorema de la transformación o mapeo, que es la base del criterio de estabilidad de Nyquist.

**Teorema de la transformación.** Sea $F(s)$ la relación entre dos polinomios en $s$. Sea $P$ la cantidad de polos y $Z$ la cantidad de ceros de $F(s)$ que están dentro de una trayectoria cerrada determinada del plano $s$, considerando inclusive la multiplicidad de los polos y ceros. Esa trayectoria es tal que no pasa por ningún polo ni cero de $F(s)$. Esta trayectoria cerrada en el plano $s$ se transforma en una curva cerrada en el plano $F(s)$. A medida que un punto recorre la trayectoria completa en el plano $s$ en sentido horario, se producen un total de $N$ rodeos en torno al origen del plano $F(s)$; y $N$ es igual a

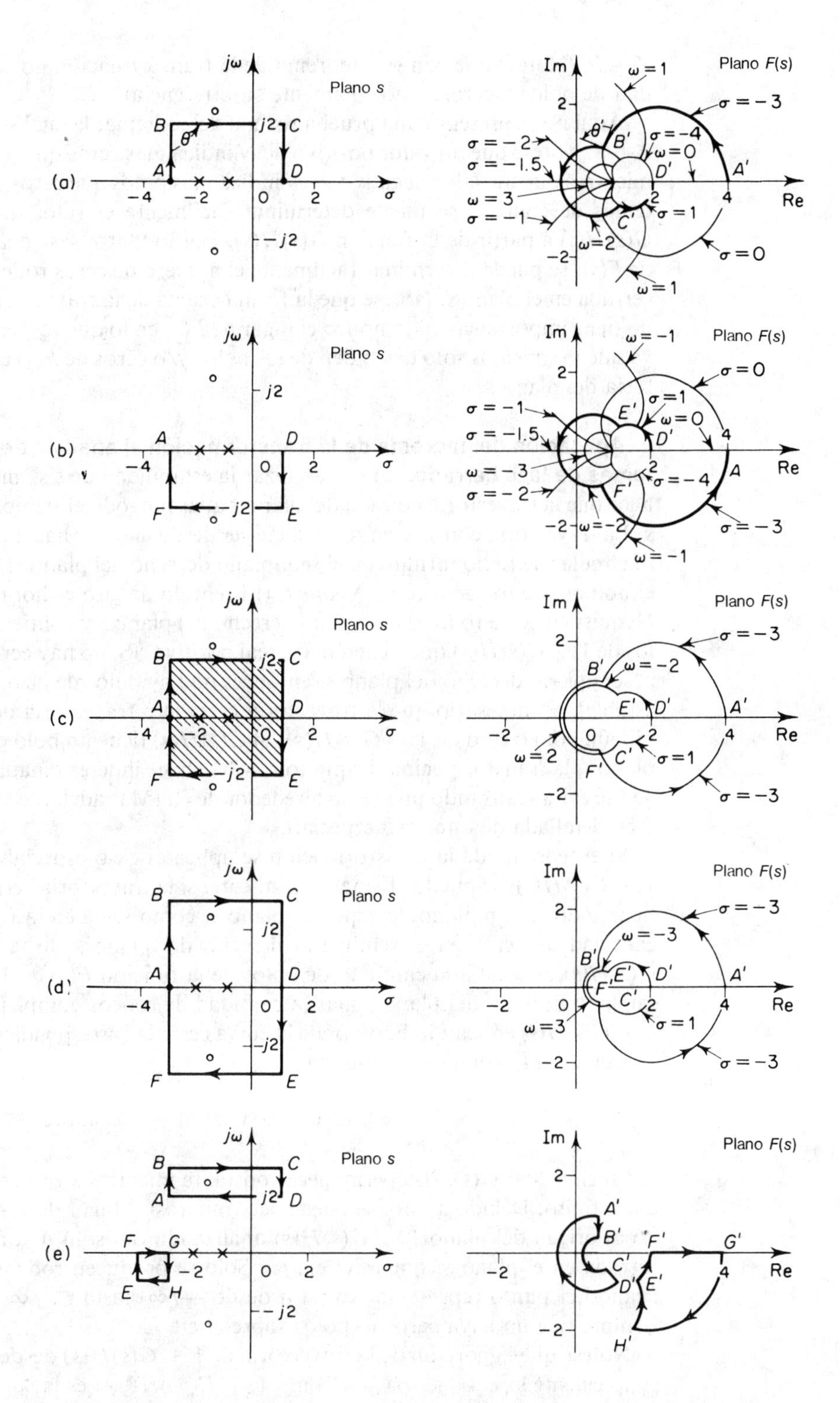


**Figura 6-37** Transformación de diversas trayectorias del plano $s$ al plano $F(s)$.

$Z - P$. (Nótese que con este teorema de la transformación no se puede hallar la cantidad de polos y ceros, sino solamente su diferencia).

Aquí no se presenta una prueba formal del teorema, la cual se deja para el problema A-6-8. Nótese que un valor positivo de $N$ indica más ceros que polos en la función $F(s)$, mientras que un valor negativo de $N$ indica más polos que ceros. En aplicaciones de sistemas de control, se puede determinar fácilmente el valor de $P$ para $F(s) = 1 + G(s)H(s)$ a partir de la función $G(s)H(s)$. Por lo tanto, si se determina $N$ de la gráfica de $F(s)$, se puede determinar fácilmente el número de ceros rodeados por la trayectoria cerrada en el plano $s$. Nótese que la forma exacta de la trayectoria cerrada en el plano $s$ no tiene importancia ni tampoco el lugar de $F(s)$ en lo que respecta a rodeos del origen, ya que los mismos sólo dependen de los polos y/o ceros de $F(s)$ contenidos en la trayectoria del plano $s$.

**Aplicación del teorema de la transformación al análisis de la estabilidad de sistemas de lazo cerrado.** Para analizar la estabilidad de sistemas de control lineal, se hace que la trayectoria cerrada del plano $s$ abarque todo el semiplano derecho del plano $s$. La trayectoria consiste en todo el eje $j\omega$ desde $\omega = -\infty$ hasta $+\infty$, y un trayecto semicircular de radio infinito en el semiplano derecho del plano $s$. Esta trayectoria recibe el nombre de *trayectoria de Nyquist*. (El sentido de giro es horario). La trayectoria de Nyquist encierra todo el semiplano derecho del plano $s$ y contiene todos los ceros y polos de $1 + G(s)H(s)$ que tienen parte real positiva. [Si no hay ceros de $1 + G(s)H(s)$ en el semiplano derecho del plano $s$, entonces no hay polos de lazo cerrado y el sistema es estable]. Es necesario que la trayectoria cerrada o trayectoria de Nyquist no pase por ningún polo o cero de $1 + G(s)H(s)$. Si $G(s)H(s)$ tiene un polo o polos en el origen del plano $s$, la transformación del punto $s = 0$ se hace indeterminada. En tales casos el origen se evita realizando un desvío alrededor de él. (Más adelante se presenta una explicación detallada de este caso especial).

Si el teorema de la transformación se aplica al caso especial en que $F(s)$ es igual a $1 + G(s)H(s)$, se puede afirmar lo siguiente: si la trayectoria cerrada en el plano $s$ contiene todo el semiplano derecho del plano $s$, como se ve en la figura 6-38, entonces la cantidad de ceros en el semiplano derecho del plano $s$ de la función $F(s) = 1 + G(s)H(s)$ es igual a la cantidad de polos de la función $F(s) = 1 + G(s)H(s)$ en el semiplano derecho del plano $s$ más la cantidad de rodeos completos al origen del plano $1 + G(s)H(s)$ en sentido horario, de la curva cerrada correspondiente a este último plano.

Debido a la condición supuesta de que

$$\lim_{s\to\infty} [1 + G(s)H(s)] = \text{constante}$$

la función $1 + G(s)H(s)$ permanece constante mientras $s$ recorre el semicírculo de radio infinito. Debido a esto, se puede determinar si el lugar de $1 + G(s)H(s)$ contiene o no al origen del plano $1 + G(s)H(s)$ analizando tan sólo una parte de la trayectoria cerrada en el plano $s$, que es el eje $j\omega$. Sólo se producen rodeos alrededor del origen cuando el punto representativo pasa desde $-j\infty$ hasta $\pm j\infty$ a lo largo del eje $j\omega$, siempre que no haya ceros ni polos sobre el eje $j\omega$.

Nótese que la porción de la trayectoria de $1 + G(s)H(s)$ desde $\omega = -\infty$ a $\omega = \infty$ es simplemente $1 + G(j\omega)H(j\omega)$. Como $1 + G(j\omega)H(j\omega)$ es la suma vectorial del vector unitario y el vector $G(j\omega)H(j\omega)$, el término $1 + G(j\omega)H(j\omega)$ es idéntico al vector que

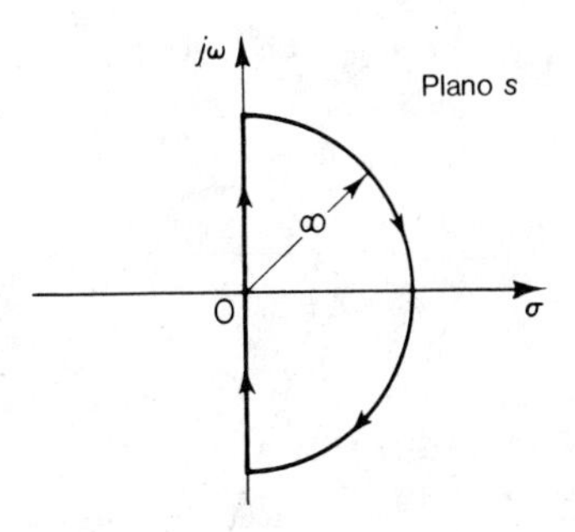


**Figura 6-38**
Trayectoria cerrada en el plano $s$.

va del punto $-1 + j0$ al extremo del vector $G(j\omega)H(j\omega)$, como aparece en la figura 6-39. Rodear al origen por la gráfica de $1 + G(j\omega)H(j\omega)$ es equivalente a hacerlo con el punto $-1 + j0$ por la gráfica de $G(j\omega)H(j\omega)$. Entonces, la estabilidad de un sistema de lazo cerrado se puede estudiar analizando los rodeos del punto $-1 + j0$ por la gráfica de $G(j\omega)H(j\omega)$. La cantidad de rodeos horarios al punto $-1 + j0$ se puede determinar trazando un vector del punto $-1 + j0$ a la gráfica de $G(j\omega)H(j\omega)$, comenzando en $\omega = -\infty$, pasando por $\omega = 0$, y terminando en $\omega = +\infty$, mientras se cuenta el número de giros del vector en sentido horario.

El trazado de $G(j\omega)H(j\omega)$ para la trayectoria de Nyquist es inmediato. La representación del eje negativo $j\omega$ es la imagen simétrica del eje positivo $j\omega$. Es decir, el diagrama de $G(j\omega)H(j\omega)$ y el de $G(-j\omega)H(-j\omega)$ son simétricos respecto al eje real. El semicírculo de radio infinito se transforma en el origen del plano $GH$ o en un punto sobre el eje real del plano $GH$.

En la explicación anterior, se supuso que $G(s)H(s)$ es la relación entre dos polinomios en $s$, de modo que el retardo de transporte $e^{-Ts}$ ha quedado fuera. Sin embargo, nótese que para sistemas con retardo de transporte se aplica un estudio similar, aun cuando aquí no se incluye su demostración. La estabilidad de un sistema con retardo de transporte se puede determinar examinando, en las curvas de respuesta en frecuencia, el número de veces que se rodea al punto $-1 + j0$, como en el caso de un sistema cuya función de transferencia de lazo abierto es una relación entre dos polinomios en $s$.

**Criterio de estabilidad de Nyquist.** Basado en el análisis previo, se puede resumir el siguiente criterio de estabilidad de Nyquist, utilizando el rodeo al punto $-1 + j0$ por la gráfica de $G(j\omega)H(j\omega)$:

*Criterio de estabilidad de Nyquist [para un caso especial en que $G(s)H(s)$ no tiene polos ni ceros sobre el eje $j\omega$]*: En el sistema que aparece en la figura 6-36, si la función de transferencia de lazo abierto $G(s)H(s)$ tiene $k$ polos en el semiplano derecho del plano $s$ y $\lim_{s\to\infty} G(s)H(s) =$ constante, entonces para que haya estabilidad, la gráfica de $G(j\omega)H(j\omega)$ al variar $\omega$ de $-\infty$ a $\infty$ debe rodear $k$ veces al punto $-1 + j0$ en sentido antihorario.

### Observaciones sobre el criterio de estabilidad de Nyquist

**1.** Este criterio se puede expresar como

$$Z = N + P$$

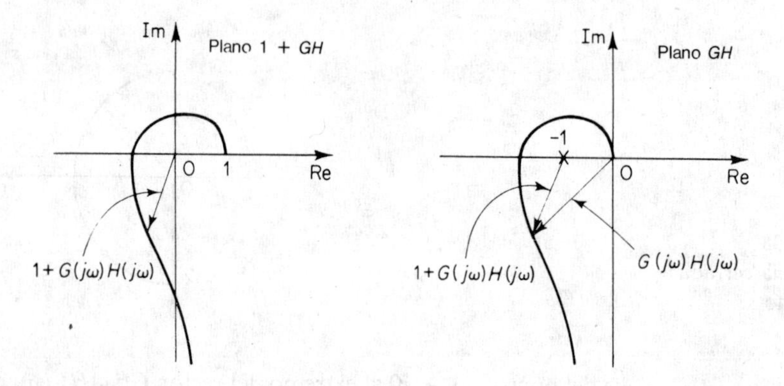


**Figura 6-39**
Diagramas de $1 + G(j\omega)H(j\omega)$ en los planos a $1 + GH$ y $GH$.

donde $Z =$ cantidad de ceros de $1 + G(s)H(s)$ en el semiplano derecho del plano $s$
$N =$ cantidad de rodeos alrededor del punto $-1 + j0$ en sentido horario
$P =$ cantidad de polos de $G(s)H(s)$ en el semiplano derecho del plano $s$

Si $P$ no es cero, para que un sistema de control sea estable, se debe tener $Z = 0$, o $N = -P$, lo que significa que hay que tener $P$ rodeos antihorarios alrededor del punto $-1 + j0$.

Si $G(s)H(s)$ no tiene polos en el semiplano derecho del plano $s$, entonces $Z = N$. Por lo tanto, para que haya estabilidad, no debe haber rodeos alrededor del punto $-1 + j0$ por parte de la gráfica $G(j\omega)H(j\omega)$. En este caso no es necesario considerar la gráfica para el eje $j\omega$ completo, pues basta solamente con la porción de frecuencia positiva. La estabilidad de tal sistema se puede determinar viendo si el punto $-1 + j0$ queda rodeado por el diagrama de Nyquist de $G(j\omega)H(j\omega)$. En la figura 6-40 se puede ver la región encerrada por el diagrama de Nyquist. Para que haya estabilidad, el punto $-1 + j0$ debe quedar fuera de la región sombreada.

**2.** Se debe tener mucho cuidado al verificar la estabilidad de sistemas con lazos múltiples, ya que pueden incluir polos en el semiplano derecho del plano $s$. (Nótese que aunque un lazo interior sea inestable, se puede hacer que todo el sistema de lazo cerrado sea estable con un diseño adecuado). Para determinar la inestabilidad de sistemas con lazos múltiples no basta la simple inspección de los rodeos alrededor del punto $-1 + j0$ por la gráfica $G(j\omega)H(j\omega)$. En esos casos, sin embargo, se puede determinar

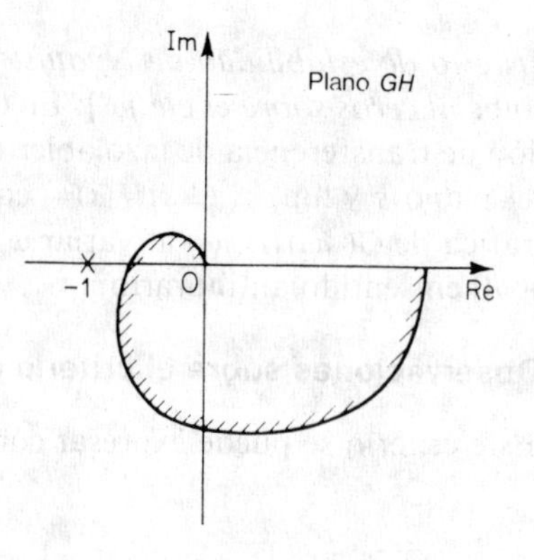


**Figura 6-40**
Región encerrada por un diagrama de Nyquist.

fácilmente si hay o no algún polo de $1 + G(s)H(s)$ en el semiplano derecho del plano $s$, al aplicar el criterio de estabilidad de Routh al denominador de $G(s)H(s)$.

Si hay funciones trascendentes, como retardo de transporte $e^{-Ts}$, incluidas en $G(s)H(s)$ se deben aproximar por una expansión en serie antes de aplicar el criterio de estabilidad de Routh. La expansión en serie de $e^{-Ts}$ es:

$$e^{-Ts} = \frac{1 - \frac{Ts}{2} + \frac{(Ts)^2}{8} - \frac{(Ts)^3}{48} + \cdots}{1 + \frac{Ts}{2} + \frac{(Ts)^2}{8} + \frac{(Ts)^3}{48} + \cdots}$$

Como primera aproximación, se pueden tomar solamente los dos primeros términos del numerador y denominador, respectivamente, o sea

$$e^{-Ts} \doteq \frac{1 - \frac{Ts}{2}}{1 + \frac{Ts}{2}} = \frac{2 - Ts}{2 + Ts}$$

Esto da una buena aproximación del retardo de transporte para el rango de frecuencias $0 \leq \omega \leq (0.5/T)$.[Nótese que la magnitud de $(2 - j\omega T)/(2 + j\omega T)$ es siempre la unidad y que el retraso de fase de $(2 - j\omega T)/(2 + j\omega T)$ se aproxima mucho al retardo de transporte dentro del rango de frecuencias establecido.]

**3.** Si el lugar de $G(j\omega)H(j\omega)$ pasa por el punto $-1 + j0$, hay ceros de la ecuación característica o polos de lazo cerrado, ubicados sobre el eje $j\omega$. Esto no es deseable para sistemas de control prácticos. En un sistema de control de lazo cerrado bien diseñado, ninguna de las raíces de la ecuación característica debe quedar sobre el eje $j\omega$.

**Caso especial en que $G(s)H(s)$ incluye polos y/o ceros sobre el eje $j\omega$.** En el análisis anterior se supuso que la función de transferencia de lazo abierto $G(s)H(s)$ no posee polos ni ceros en el origen. Ahora se analiza el caso en que $G(s)H(s)$ tiene polos y/o ceros en puntos del eje $j\omega$.

Como la trayectoria de Nyquist no debe pasar por polos o ceros de $G(s)H(s)$, si la función $G(s)H(s)$ tiene polos o ceros en el origen (o en el eje $j\omega$ en puntos fuera del origen), hay que modificar la trayectoria en el plano $s$. El modo habitual de hacerlo consiste en modificar la trayectoria en la vecindad del origen utilizando un semicírculo de radio infinitesimal $\epsilon$, como se ve en la figura 6-41. Se desplaza un punto representativo $s$ a lo largo del eje negativo $j\omega$ desde $-j\infty$ hasta $j0-$. El punto se mueve desde $s = j0-$ hasta $s = j0+$, a lo largo de un semicírculo de radio $\epsilon$ (donde $\epsilon \ll 1$)y luego a lo largo del eje positivo $j\omega$ desde $j0+$ hasta $j\infty$. Desde $s = j\infty$, la trayectoria sigue un semicírculo de radio infinito, y el punto representativo retorna al punto de comienzo. El área que la trayectoria modificada elude es muy pequeña y tiende a cero al tender a cero el radio $\epsilon$; por tanto, todos los polos y ceros, de haberlos, en el semiplano derecho de $s$ están incluidos dentro de este contorno.

Por ejemplo, considere un sistema de lazo cerrado cuya función de transferencia de lazo abierto está dada por

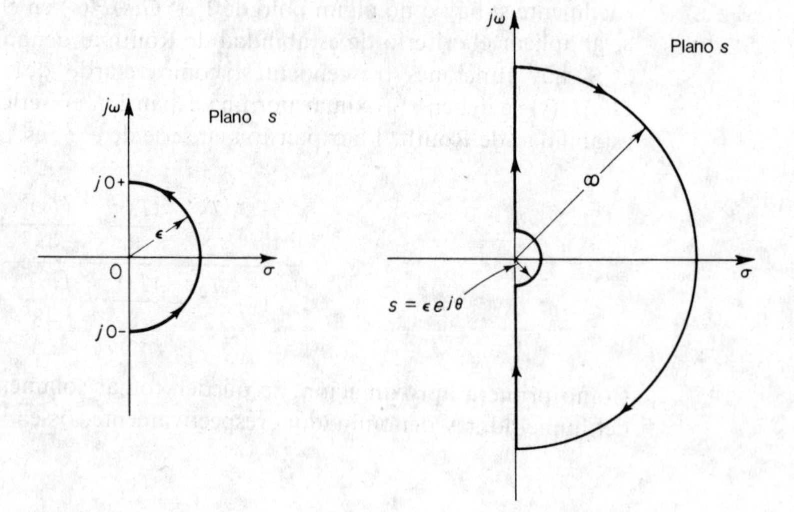


**Figura 6-41**
Trayectorias cerradas en el plano $s$ que evitan polos y ceros en el origen.

$$G(s)H(s) = \frac{K}{s(Ts + 1)}$$

Los puntos correspondientes a $s = j0+$ y $s = j0-$ del lugar de $G(s)H(s)$ en el plano $G(s)H(s)$ son $-j\infty$ y $j\infty$, respectivamente. En el trayecto semicircular de radio $\epsilon$ (donde $\epsilon \ll 1$), se puede escribir la variable compleja $s$

$$s = \epsilon e^{j\theta}$$

donde $\theta$ varía de $-90°$ a $+90°$. Entonces $G(s)H(s)$ se convierte en

$$G(\epsilon e^{j\theta})H(\epsilon e^{j\theta}) = \frac{K}{\epsilon e^{j\theta}} = \frac{K}{\epsilon} e^{-j\theta}$$

El valor de $K/\epsilon$ tiende a infinito a medida que $\epsilon$ tiende a cero, y $-\theta$ varía de 90° a —90° cuando el punto representativo $s$ se mueve a lo largo del semicírculo. Entonces, los puntos $G(j0-)H(j0-) = j\infty$ y $G(j0+)H(j0+) = -j\infty$ están unidos por un semicírculo de radio infinito en el semiplano derecho del plano $GH$. El desvío semicircular infinitesimal alrededor del origen, se transforma en el plano $GH$ en un semicírculo de radio infinito. La figura 6-42 muestra la trayectoria del plano $s$ y la gráfica de $G(s)H(s)$ en el plano $GH$. Los puntos $A$, $B$, y $C$ en la trayectoria del plano $s$ se representan por los puntos $A'$, $B'$, y $C'$ en la gráfica de $G(s)H(s)$. Como se ve en la figura 6-42, los puntos $D$, $E$, y $F$ sobre el semicírculo de radio infinito en el plano $s$, se transforman en el origen en el plano $GH$. Como no hay polo en el semiplano derecho del plano $s$, y el lugar $G(s)H(s)$ no incluye al punto $-1 + j0$, no hay ceros de la función $1 + G(s)H(s)$ en el semiplano derecho del plano $s$. Por lo tanto, el sistema es estable.

Para una función de transferencia de lazo abierto $G(s)H(s)$ que incluya un factor $1/s^n$ (donde $n = 2, 3, \ldots$), el diagrama de $G(s)H(s)$ tiene $n$ semicírculos de sentido horario y radio infinito alrededor del origen a medida que un punto representativo $s$ re-

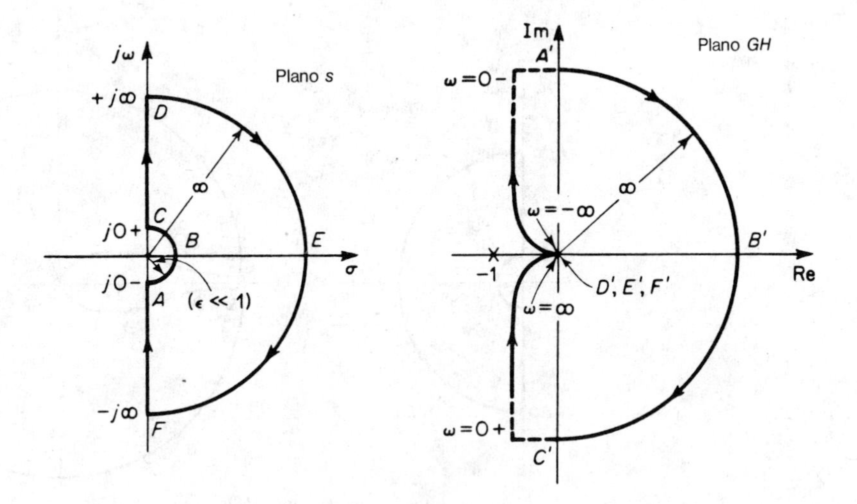


**Figura 6-42** Trayectoria en el plano $s$ y el diagrama de $G(s)H(s)$ en el plano $GH$ donde $G(s)H(s) = K/s(Ts + 1)]$.

corre el semicírculo de radio $\epsilon$ (donde $\epsilon \ll 1$). Por ejemplo, considere la siguiente función de transferencia de lazo abierto:

$$G(s)H(s) = \frac{K}{s^2(Ts + 1)}$$

entonces

$$\lim_{s \to \epsilon e^{j\theta}} G(s)H(s) = \frac{K}{\epsilon^2 e^{2j\theta}} = \frac{K}{\epsilon^2} e^{-2j\theta}$$

Al variar $\theta$ de $-90°$ a $90°$ en el plano $s$, el ángulo de $G(s)H(s)$ varía de $180°$ a $-180°$, como aparece en la figura 6-43. Como no hay polo en el semiplano derecho del plano $s$, y el lugar encierra al punto $-1 + j0$ dos veces en sentido horario para cualquier valor positivo de $K$, hay dos ceros de $1 + G(s)H(s)$ en el semiplano derecho del plano $s$. Por lo tanto, este sistema siempre es inestable.

Nótese que se puede hacer un análisis similar si $G(s)H(s)$ incluye polos y/o ceros en el eje $j\omega$. Ahora se puede generalizar el criterio de estabilidad de Nyquist como sigue:

*Criterio de estabilidad de Nyquist [para el caso general en que G(s)H(s) tiene polos y/o ceros sobre el eje jω]*: En el sistema que aparece en la figura 6-36, si la función de transferencia de lazo abierto $G(s)H(s)$ tiene $k$ polos en el semiplano derecho del plano $s$, entonces para que haya estabilidad, la gráfica de $G(s)H(s)$, cuando un punto representativo $s$ recorre la trayectoria de Nyquist modificada en sentido horario, debe rodear $k$ veces al punto $-1 + j0$ en sentido antihorario.

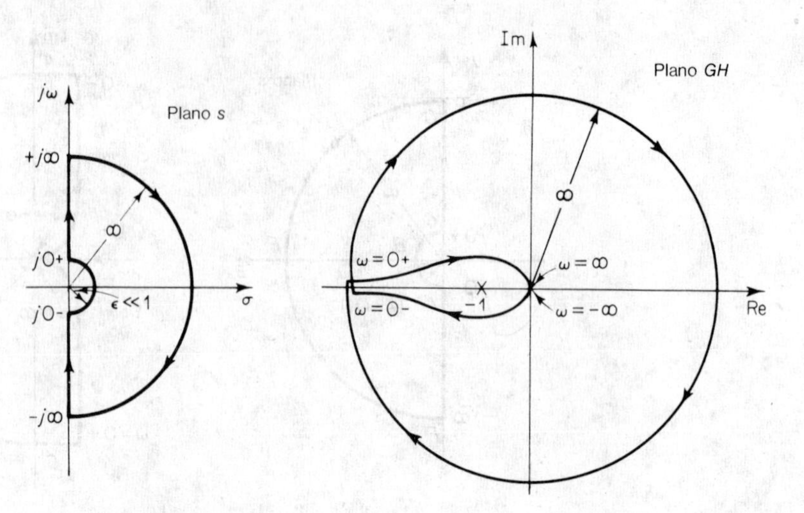


**Figura 6-43** Contorno en el plano $s$ y el lugar de $G(s)H(s)$ en el plano $GH$ donde $G(s)H(s) = K/[s^2(Ts + 1)]$.

## 6-6 ANALISIS DE ESTABILIDAD

En esta sección, se presentarán diversos ejemplos ilustrativos del análisis de estabilidad de sistemas de control, utilizando el criterio de estabilidad de Nyquist.

Si la trayectoria de Nyquist en el plano $s$ encierra $Z$ ceros y $P$ polos de $1 + G(s)H(s)$ y no atraviesa polos ni ceros de $1 + G(s)H(s)$ cuando un punto representativo $s$ se desplaza en sentido horario a lo largo de la trayectoria de Nyquist, entonces la trayectoria correspondiente en el plano $G(s)H(s)$ rodea al punto $-1 + j0$, $N = Z - P$ veces en sentido horario. (Valores negativos de $N$ implican rodeos antihorarios).

Al examinar la estabilidad de los sistemas de control lineales utilizando el criterio de estabilidad de Nyquist, se pueden presentar tres posibilidades:

1. No hay rodeo del punto $-1 + j0$. Esto implica que el sistema es estable si no hay polos de $G(s)H(s)$ en el semiplano derecho del plano $s$; en caso contrario, el sistema es inestable.
2. Hay un rodeo en sentido antihorario o rodeos del punto $-1 + j0$. En este caso el sistema es estable si la cantidad de rodeos antihorarios es la misma que la cantidad de polos de $G(s)H(s)$ en el semiplano derecho del plano $s$; en caso contrario, el sistema es inestable.
3. Hay un rodeo o rodeos del punto $-1 + j0$ en sentido horario. En este caso, el sistema es inestable.

En los ejemplos siguientes, se supone que los valores de la ganancia $K$ y de las constantes de tiempo (como $T$, $T_1$, y $T_2$) son todos positivos.

**EJEMPLO 6-6** Considere un sistema de lazo cerrado cuya función de transferencia de lazo abierto está dada por

$$G(s)H(s) = \frac{K}{(T_1 s + 1)(T_2 s + 1)}$$

Examine la estabilidad del sistema.

En la figura 6-44 hay un diagrama de $G(j\omega)H(j\omega)$ Como $G(s)H(s)$ no tiene ningún polo en el semiplano derecho del plano $s$, y el punto $-1 + j0$ no está rodeado por el lugar de $G(j\omega)H(j\omega)$, este sistema es estable para cualquier valor positivo de $K$, $T_1$, y $T_2$.

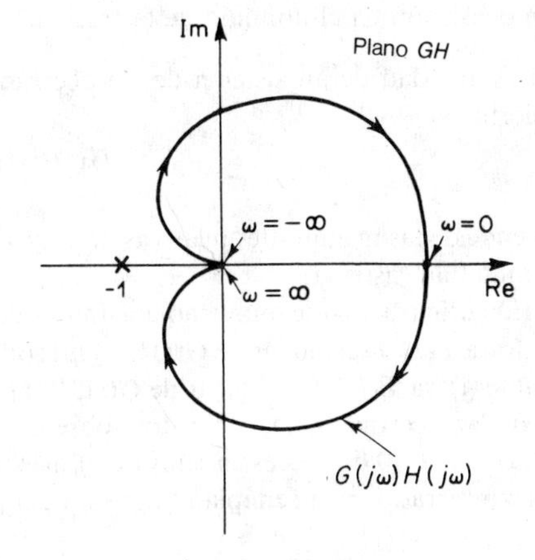


**Figura 6-44** Diagrama polar de $G(j\omega)H(j\omega)$ del ejemplo 6-6.

**EJEMPLO 6-7** Considere el sistema con la siguiente función de transferencia de lazo abierto:

$$G(s) = \frac{K}{s(T_1 s + 1)(T_2 s + 1)}$$

Determine la estabilidad del sistema para dos casos: (1) la ganancia $K$ es pequeña, (2) $K$ es grande.

En la figura 6-45 aparecen los diagramas de Nyquist de la función de transferencia de lazo abierto con un valor pequeño de $K$ y un valor grande de $K$. La cantidad de polos de $G(s)H(s)$ en

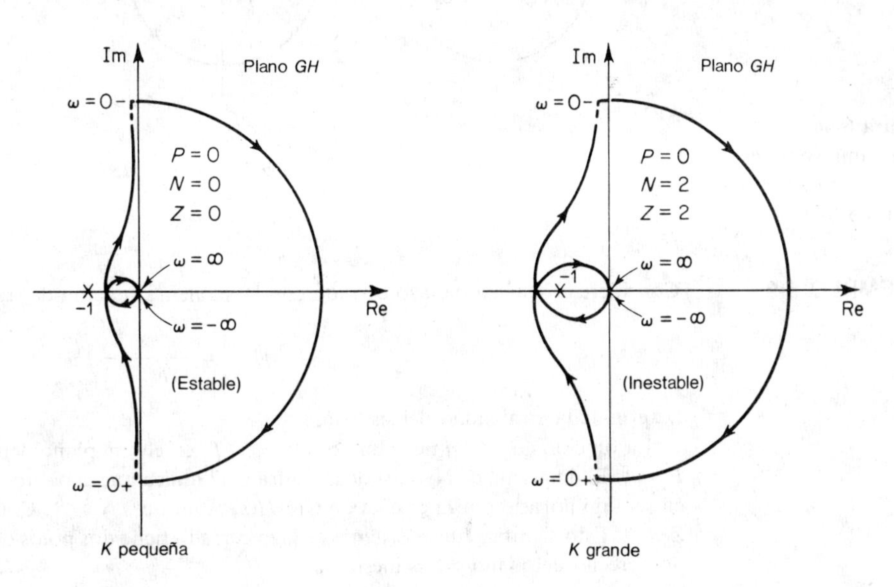


**Figura 6-45** Diagramas polares del sistema del ejemplo 6-7.

el semiplano derecho del plano $s$ es cero. Por lo tanto, para que este sistema sea estable, es necesario que $N = Z = 0$ o que el lugar de $G(s)H(s)$ no rodee al punto $-1 + j0$.

Para valores pequeños de $K$, no hay rodeo al punto $-1 + j0$. Por lo tanto, el sistema es estable para valores pequeños de $K$. Para valores grandes de $K$, el lugar de $G(s)H(s)$ rodea al punto $-1 + j0$ dos veces en sentido horario, lo que indica dos polos de lazo cerrado en el semiplano derecho del plano $s$ y el sistema es inestable. (Para lograr buena exactitud, $K$ debe ser grande. Sin embargo, desde el punto de vista de la estabilidad un valor elevado de $K$ brinda estabilidad pobre, incluso inestabilidad. Para hallar una solución de compromiso entre exactitud y estabilidad, se requiere insertar en el sistema una red de compensación. En el capítulo 7 se tratan las técnicas de compensación en el dominio de la frecuencia).

**EJEMPLO 6-8**

La estabilidad de un sistema de lazo cerrado con la siguiente función de transferencia de lazo abierto

$$G(s)H(s) = \frac{K(T_2 s + 1)}{s^2(T_1 s + 1)}$$

depende de las magnitudes relativas de $T_1$ y $T_2$. Trace los diagramas de Nyquist y determine la estabilidad del sistema.

En la figura 6-46 se muestran diagramas de $G(s)H(s)$ para tres casos, $T_1 < T_2$, $T_1 = T_2$, y $T_1 > T_2$. Para $T_1 < T_2$, el lugar de $G(s)H(s)$ no rodea al punto $-1 + j0$, y el sistema de lazo cerrado es estable. Para $T_1 = T_2$, el lugar de $G(s)H(s)$ pasa por el punto $-1 + j0$, lo que indica que los polos de lazo cerrado están ubicados sobre el eje $j\omega$. Para $T_1 > T_2$, el lugar de $G(s)H(s)$ rodea al punto $-1 + j0$ dos veces en sentido horario. Entonces, el sistema de lazo cerrado tiene dos polos de lazo cerrado en el semiplano derecho del plano $s$, el sistema es inestable.

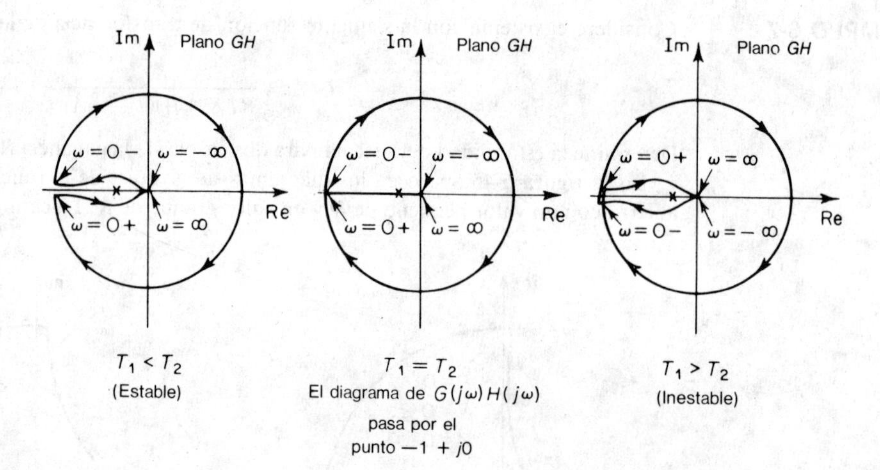


**Figura 6-46** Diagramas polares del sistema del ejemplo 6-8.

**EJEMPLO 6-9**

Considere el sistema de lazo cerrado con la siguiente función de transferencia de lazo abierto

$$G(s)H(s) = \frac{K}{s(Ts - 1)}$$

Determine la estabilidad del sistema.

La función $G(s)H(s)$ tiene un polo ($s = 1/T$) en el semiplano derecho del plano $s$. Por tanto, $P = 1$. El diagrama de Nyquist de la figura 6-47 indica que el punto $-1 + j0$ es rodeado una vez en sentido horario por la gráfica de $G(s)H(s)$. Entonces $N = 1$. Como $Z = N + P$, resulta que $Z = 2$. Esto significa que el sistema de lazo cerrado tiene dos polos de lazo cerrado en el semiplano derecho del plano $s$ y es inestable.

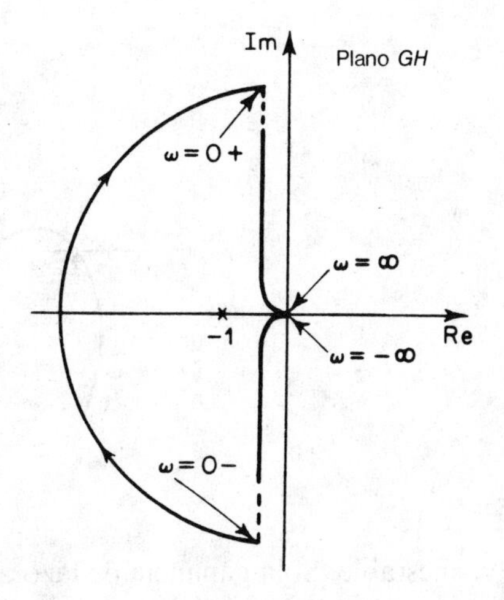


**Figura 6-47**
Diagrama polar del sistema del ejemplo 6-9.

**EJEMPLO 6-10** Determine la estabilidad de un sistema de lazo cerrado que tiene la siguiente función de transferencia de lazo abierto:

$$G(s)H(s) = \frac{K(s+3)}{s(s-1)} \qquad (K > 1)$$

La función de transferencia de lazo abierto tien un polo ($s = 1$) en el semiplano derecho del plano $s$, o sea $P = 1$. El sistema de lazo abierto es inestable. El diagrama de Nyquist que se ve en la figura 6-48 indica que el punto $-1 + j0$ es rodeado por la gráfica de $G(s)H(s)$ una vez en sentido antihorario. Por lo tanto, $N = -1$. Entonces, se determina que $Z = N + P$ es igual a cero, lo que indica que no hay cero de $1 + G(s)H(s)$ en el semiplano derecho del plano $s$, y el sistema de lazo cerrado es estable. Este es uno de los ejemplos donde un sistema inestable de lazo abierto se vuelve estable cuando se cierra el lazo.

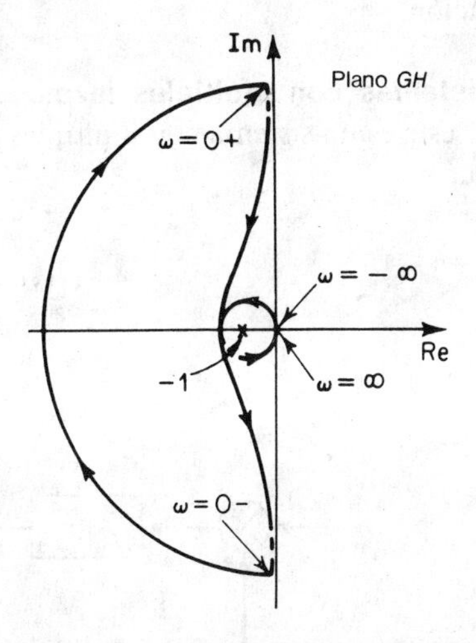


**Figura 6-48**
Diagrama polar del sistema del ejemplo 6-10.

**Sistemas condicionalmente estables.** La figura 6-49 presenta un ejemplo de la gráfica de $G(j\omega)H(j\omega)$ para el cual se puede hacer inestable el sistema de lazo cerrado, variando la ganancia de lazo abierto. Si la ganancia de lazo abierto aumenta lo suficiente, la gráfica de $G(j\omega)H(j\omega)$ encierra dos veces al punto $-1 + j0$ y el sistema se

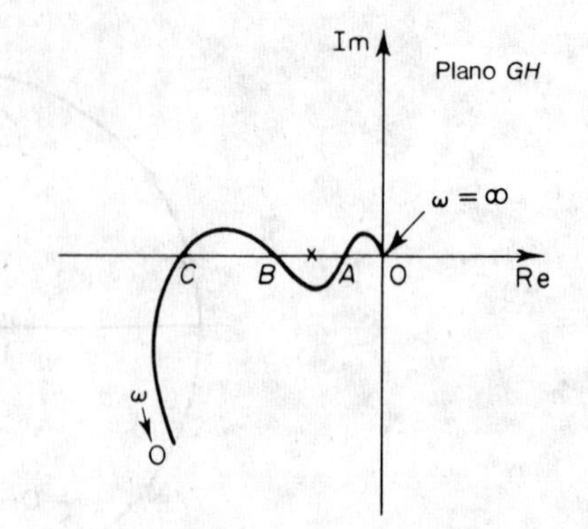


**Figura 6-49**
Diagrama polar de un sistema condicionalmente estable.

vuelve inestable. Si la ganancia de lazo abierto disminuye lo suficiente, nuevamente la gráfica de $a( j\omega)H(j\omega)$ rodea dos veces al punto $-1 + j0$. Para que haya un comportamiento estable de este sistema, el punto crítico $-1 + j0$ no debe quedar ubicado en las regiones entre $OA$ y $BC$ que aparecen en la figura 6-49. Un sistema así, que es estable solamente para rangos restringidos de valores de ganancia de lazo abierto para los cuales el punto $-1 + j0$ está completamente fuera de la gráfica de $G(j\omega)H(j\omega)$, es un sistema condicionalmente estable.

Un sistema condicionalmente estable es estable para valores de ganancia de lazo abierto comprendidos entre valores críticos, pero es inestable si la ganancia de lazo abierto aumenta o disminuye en forma suficiente. Un sistema así se hace inestable cuando se aplican señales de entrada grandes, pues éstas pueden producir saturación, lo que a su vez reduce la ganancia de lazo abierto del sistema. Es aconsejable evitar tal situación.

**Sistemas con múltiples lazos.** Considere el sistema que aparece en la figura 6-50, éste es un sistema con múltiples lazos. El lazo interno tiene la función de transferencia

$$G(s) = \frac{G_2(s)}{1 + G_2(s)H_2(s)}$$

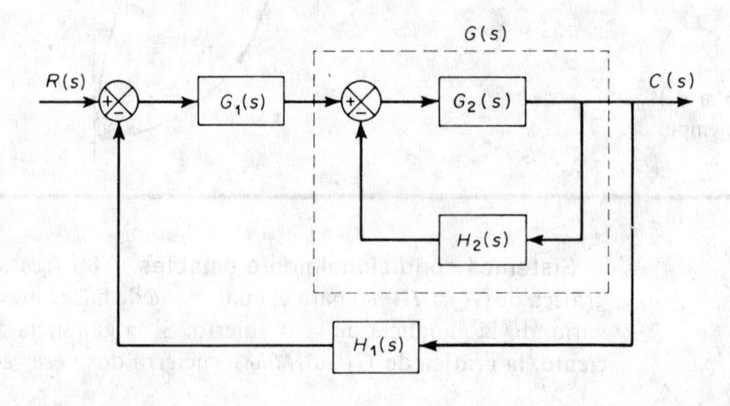


**Figura 6-50**
Sistema con múltiples lazos.

Si $G(s)$ es inestable, los efectos de la inestabilidad son producir un polo o polos en el semiplano derecho del plano $s$. Entonces la ecuación característica del lazo interno, $1 + G_2(s)H_2(s) = 0$, tiene un cero o ceros en esta porción del plano. Si $G_2(s)$ y $H_2(s)$ tienen $P_1$ polos aquí, se puede hallar la cantidad $Z_1$ de ceros en el semiplano derecho del plano $s$ de $1 + G_2(s)H_2(s)$ con la expresión $Z_1 = N_1 + P_1$, donde $N_1$ es la cantidad de rodeos en sentido horario al punto $-1 + j0$ por el lugar $G_2(s)H_2(s)$. Como la función de transferencia de lazo abierto de todo el sistema está dada por $G_1(s)G(s)H_1(s)$, la estabilidad de este sistema de lazo cerrado se puede determinar, a partir del diagrama de Nyquist de $G_1(s)G(s)H_1(s)$ y del conocimiento de los polos en el semiplano derecho del plano $s$ de $G_1(s)G(s)H_1(s)$.

Nótese que si se elimina un lazo de retroalimentación por simplificaciones del diagrama de bloques, existe la posibilidad de introducir polos inestables; si se elimina la rama directa por simplificaciones del diagrama de bloques, se da la posibilidad de introducir ceros en el semiplano derecho del plano $s$. Por tanto, hay que llevar cuenta de los polos y ceros que puedan aparecer en el semiplano derecho del plano $s$, como consecuencia de reducciones en los lazos. Este conocimiento es necesario para determinar la estabilidad de los sistemas con múltiples lazos.

**EJEMPLO 6-11** Considere el sistema de control de la figura 6-51, que incluye dos lazos. Se pide determinar el rango de ganancia $K$ que hace al sistema estable utilizando el criterio de estabilidad de Nyquist. (La ganancia $K$ es positiva).

Para examinar la estabilidad del sistema de control, hay que trazar el lugar de Nyquist de $G(s)$, donde

$$G(s) = G_1(s)G_2(s)$$

Sin embargo, en este punto no se conocen los polos de $G(s)$. Por lo tanto, hay que examinar el lazo menor por posible presencia de polos en el semiplano positivo del plano $s$. Esto es fácil de realizar utilizando el criterio de estabilidad de Routh. Como

$$G_2(s) = \frac{1}{s^3 + s^2 + 1}$$

el conjunto de Routh toma la forma siguiente:

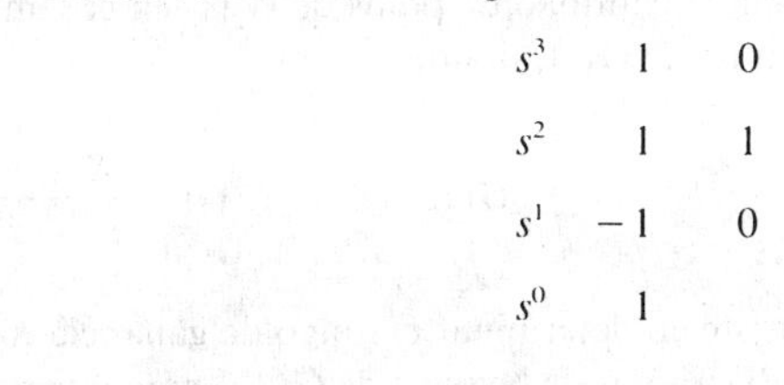

| | | |
|---|---|---|
| $s^3$ | 1 | 0 |
| $s^2$ | 1 | 1 |
| $s^1$ | −1 | 0 |
| $s^0$ | 1 | |

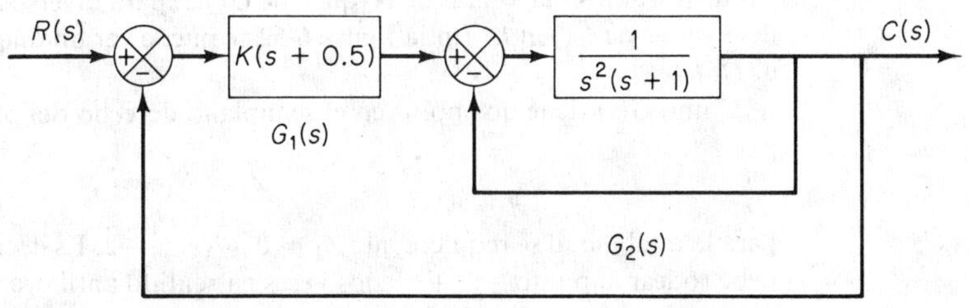


**Figura 6-51**
Sistema de control.

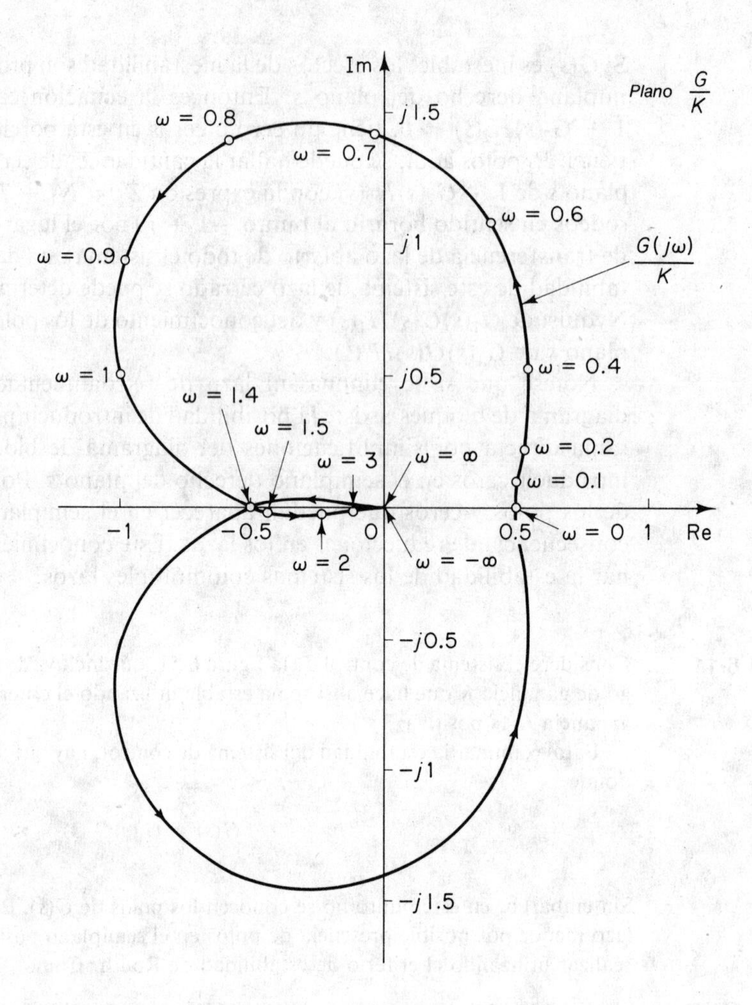


**Figura 6-52** Diagrama polar de $G(j\omega)/K$.

Nótese que hay dos cambios de signo en la primera columna. Por lo tanto, hay dos polos de $G_2(s)$ en el semiplano derecho del plano $s$.

Una vez hallada la cantidad de polos de $G_2(s)$ en el semiplano derecho del plano $s$ se traza el diagrama de Nyquist de $G(s)$, donde

$$G(s) = G_1(s)G_2(s) = \frac{K(s + 0.5)}{s^3 + s^2 + 1}$$

El problema consiste en determinar el rango de ganancia $K$ para la estabilidad. Por tanto, en lugar de trazar los diagramas de Nyquist de $G(j\omega)$ para diversos valores de $K$, se dibuja el diagrama de Nyquist de $G(j\omega)/K$. En la figura 6-52 se puede ver un diagrama de Nyquist o diagrama polar de $G(j\omega)/K$.

Como $G(s)$ tiene dos polos en el semiplano derecho del plano $s$, se tiene que $P_1 = 2$. Como

$$Z_1 = N_1 + P_1$$

para la estabilidad se requiere que $Z_1 = 0$ o $N_1 = -2$. Es decir, el diagrama de Nyquist de $G(j\omega)$ debe rodear al punto $-1 + j0$ dos veces en sentido antihorario. De la figura 6-52 se ve que, si el punto crítico queda entre 0 y $-0.5$, entonces el diagrama de $G(j\omega)/K$ rodea al punto crítico dos veces en sentido antihorario. Por lo tanto, se requiere que

$$-0.5K < -1$$

Entonces el rango de ganancia de $K$ por condición de estabilidad es

$$2 < K$$

**Criterio de estabilidad de Nyquist aplicado a diagramas polares inversos.** En análisis previos se aplicó el criterio de estabilidad de Nyquist a diagramas polares de la función de transferencia de lazo abierto $G(s)H(s)$.

Al analizar sistemas con múltiples lazos, en ocasiones se puede utilizar la función de transferencia inversa para permitir el análisis gráfico, lo que evita muchos cálculos numéricos. (De igual forma se puede aplicar el criterio de estabilidad de Nyquist a diagramas polares inversos. La deducción matemática del criterio de estabilidad de Nyquist para diagramas polares inversos es la misma que para diagramas polares directos).

El diagrama polar inverso de $G(j\omega)H(j\omega)$ es una representación de $1/[G(j\omega)H(j\omega)]$ en función de $\omega$. Por ejemplo, si $G(j\omega)H(j\omega)$ es

$$G(j\omega)H(j\omega) = \frac{j\omega T}{1 + j\omega T}$$

entonces

$$\frac{1}{G(j\omega)H(j\omega)} = \frac{1}{j\omega T} + 1$$

El diagrama polar inverso para $\omega \geq 0$ es la mitad inferior de la línea vertical que comienza en el punto $(1, 0)$ en el eje real.

El criterio de estabilidad de Nyquist aplicado a diagramas polares inversos, se puede definir del siguiente modo. Para que un sistema de lazo cerrado sea estable, a medida que el punto $s$ se desplaza sobre la trayectoria de Nyquist, la gráfica de $1/[G(s)H(s)]$ debe rodear al punto $-1 + j0$ en sentido antihorario, y la cantidad de rodeos debe ser igual al número de polos de $1/[G(s)H(s)]$ [es decir, de ceros de $G(s)H(s)$] que se encuentran en el semiplano derecho del plano $s$. [La cantidad de ceros de $G(s)H(s)$ en el semiplano derecho del plano $s$, se puede determinar utilizando el criterio de estabilidad de Routh]. Si la función de transferencia de lazo abierto $G(s)H(s)$ no tiene ceros en el semiplano derecho del plano $s$, entonces para que un sistema de lazo cerrado sea estable, la cantidad de rodeos del punto $-1 + j0$ por la gráfica $1/[G(s)H(s)]$ debe ser cero.

Aunque es posible aplicar el criterio de estabilidad de Nyquist a los diagramas polares inversos en el caso de incorporar datos experimentales de respuesta de frecuencia, puede resultar difícil la cuenta del número de giros del lugar $1/[G(s)H(s)]$, debido a la dificultad de medir el desplazamiento de fase correspondiente al trayecto infinito semicircular en el plano $s$. Por ejemplo, si la función de transferencia de lazo abierto $G(s)H(s)$ incluye retardo de transporte tal que

$$G(s)H(s) = \frac{Ke^{-j\omega L}}{s(Ts + 1)}$$

entonces la cantidad de rodeos al punto $-1 + j0$ por la gráfica $1/[G(s)H(s)]$ se hace infinita, y no se puede aplicar el criterio de estabilidad de Nyquist al diagrama polar inverso de dicha función de transferencia de lazo abierto.

En general, si los datos experimentales de respuesta en frecuencia no se pueden presentar en forma analítica, hay que trazar los diagramas de $G(j\omega)H(j\omega)$ y $1/[G(j\omega)H(j\omega)]$. Además, hay que determinar la cantidad de ceros de $G(s)H(s)$ en el semiplano derecho del plano $s$. Es más difícil determinar los ceros de $G(s)H(s)$ en el semiplano derecho del plano $s$ (en otras palabras, determinar si cierto componente es de fase mínima o no), que definir la cantidad de polos de $G(s)H(s)$ en el semiplano derecho de $s$ (en otras palabras, determinar si el componente es estable o no).

Dependiendo de si los datos son gráficos o analíticos y de si se incluyen o no componentes de fase mínima, debe recurrirse a una prueba de estabilidad adecuada para sistemas con múltiples lazos. Si los datos son dados en forma analítica, o si se conocen expresiones matemáticas para todos los componentes, la aplicación del criterio de estabilidad de Nyquist a diagramas polares inversos no causa dificultad y se pueden analizar y diseñar sistemas con múltiples lazos en el plano $GH$ inverso.

**EJEMPLO 6-12** Considere el sistema de control de la figura 6-51. (Como referencia, véase el ejemplo 6-11). Utilizando el diagrama polar inverso, determinar el rango de la ganancia $K$ para la estabilidad.

Como

$$G_2(s) = \frac{1}{s^3 + s^2 + 1}$$

se tiene

$$G(s) = G_1(s)G_2(s) = \frac{K(s + 0.5)}{s^3 + s^2 + 1}$$

Por tanto,

$$\frac{1}{G(s)} = \frac{s^3 + s^2 + 1}{K(s + 0.5)}$$

Nótese que $1/G(s)$ tiene un polo en $s = -0.5$. No tiene ningún polo en el semiplano derecho del plano $s$. Por lo tanto, la ecuación de estabilidad de Nyquist

$$Z = N + P$$

se reduce a $Z = N$ pues $P = 0$. La ecuación reducida establece que la cantidad $Z$ de ceros de $1 + [1/G(s)]$ en el semiplano derecho del plano $s$ es igual a $N$, la cantidad de rodeos en sentido horario alrededor del punto $-1 + j0$. Para la estabilidad, $N$ debe ser igual a cero, o no debe haber rodeos. En la figura 6-53 se tiene un diagrama de Nyquist o diagrama polar de $K/G(j\omega)$.

Nótese que como

$$\frac{K}{G(j\omega)} = \left[\frac{(j\omega)^3 + (j\omega)^2 + 1}{j\omega + 0.5}\right]\left(\frac{0.5 - j\omega}{0.5 - j\omega}\right)$$

$$= \frac{0.5 - 0.5\omega^2 - \omega^4 + j\omega(-1 + 0.5\omega^2)}{0.25 + \omega^2}$$

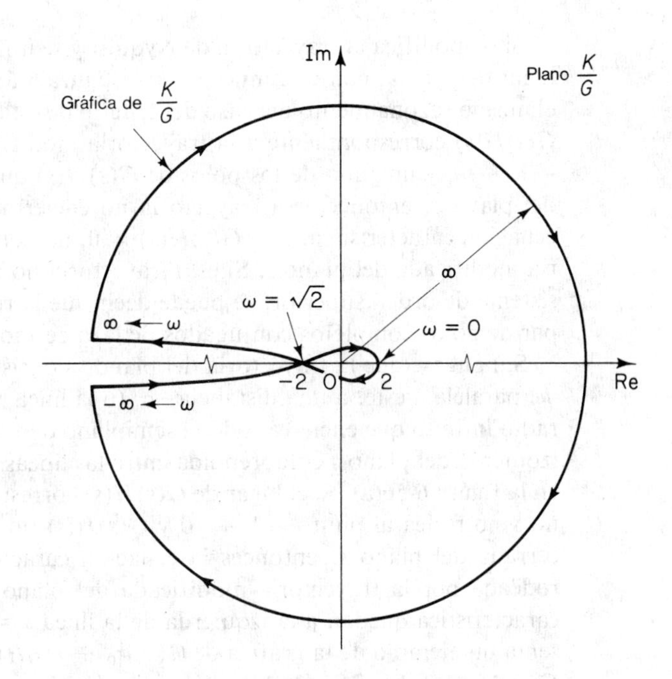


**Figura 6-53**
Diagrama polar de $K/G(j\omega)$.

la gráfica de $K/G(j\omega)$ cruza al eje real negativo en $\omega = \sqrt{2}$, y el punto de cruce con el eje real es $-2$.

De la figura 6-53 se ve que si el punto crítico queda en la región entre $-2$ y $-\infty$, entonces el punto crítico no queda rodeado. Por lo tanto, para tener estabilidad se requiere

$$-1 < \frac{-2}{K}$$

entonces, el rango de ganancia $K$ para la estabilidad es

$$2 < K$$

que es el mismo resultado al que se llegó en el ejemplo 6-11.

**Análisis de estabilidad relativa mediante trayectorias de Nyquist modificadas.** La trayectoria de Nyquist se puede modificar para pruebas de estabilidad a fin de investigar la estabilidad relativa de sistemas de lazo cerrado. Para la siguiente ecuación característica de segundo orden

$$s^2 + 2\zeta\omega_n s + \omega_n^2 = 0 \qquad (0 < \zeta < 1)$$

las raíces, complejas conjugadas, son

$$s_1 = -\zeta\omega_n + j\omega_n\sqrt{1-\zeta^2}, \qquad s_2 = -\zeta\omega_n - j\omega_n\sqrt{1-\zeta^2}$$

Si esas raíces se dibujan en el plano $s$, como en la figura 6-54, se ve que sen $\theta = \zeta$, o sea que el ángulo $\theta$ indica la relación de amortiguamiento $\zeta$. Al disminuir $\theta$, también disminuye el valor de $\zeta$.

Si se modifica la trayectoria de Nyquist y se utilizan líneas radiales con ángulo $\theta_x$ en lugar del eje $j\omega$, como se muestra en la figura 6-55, entonces se puede decir, siguiendo el mismo razonamiento del caso del criterio de estabilidad de Nyquist, que si el lugar de $G(s)H(s)$ correspondiente a la trayectoria modificada del plano $s$, no rodea al punto $-1 + j0$, y ninguno de los polos de $G(s)H(s)$ queda dentro de la trayectoria cerrada del plano $s$, entonces esa trayectoria no encierra ningún cero de $1 + G(s)H(s)$. La ecuación característica, $1 + G(s)H(s) = 0$, no tiene ninguna raíz dentro de la trayectoria modificada del plano $s$. Si esta trayectoria no encierra polos de lazo cerrado de un sistema de orden superior, se puede decir que la relación de amortiguamiento de cada par de polos complejos conjugados de lazo cerrado del sistema es mayor que sen $\theta_x$.

Supóngase que la trayectoria del plano $s$ consiste en una línea a la izquierda del eje $j\omega$ paralela a éste, a una distancia $-\sigma_0$ (o la línea $s = -\sigma_0 + j\omega$), y el semicírculo de radio infinito que encierra todo el semiplano derecho del plano $s$ y la parte de la mitad izquierda del plano $s$ comprendida entre las líneas $s = -\sigma_0 + j\omega$ y $s = j\omega$, como se ve en la figura 6-56(a). Si el lugar de $G(s)H(s)$ correspondiente a esta trayectoria en el plano $s$ no rodea al punto $-1 + j0$ y $G(s)H(s)$ no tiene polos dentro de la trayectoria cerrada del plano $s$, entonces la ecuación característica no tiene ceros en la región rodeada por la trayectoria modificada del plano $s$. Todas las raíces de la ecuación característica quedan a la izquierda de la línea $s = -\sigma_0 + j\omega$. La figura 6-56(b) presenta un ejemplo de la gráfica de $G(-\sigma_0 + j\omega)H(-\sigma_0 + j\omega)$, junto con la gráfica de $G(j\omega)H(j\omega)$. La magnitud $1/\sigma_0$ es indicativa de la constante de tiempo de los polos dominantes de lazo cerrado. Si todas las raíces quedan fuera de la trayectoria del plano $s$, todas las constantes de tiempo de la función de transferencia de lazo cerrado son inferiores a $1/\sigma_0$. Si se elige una trayectoria del plano $s$ como se muestra en la figura 6-57, la prueba de rodeo del punto $-1 + j0$ revela la existencia o inexistencia de las raíces de la ecuación característica del sistema de lazo cerrado dentro de esta trayectoria del plano $s$. Si la prueba revela que no hay raíces dentro de la trayectoria del plano $s$, es claro que todos los polos de lazo cerrado tienen relaciones de amortiguamiento mayores que $\zeta_x$ y constantes de tiempo menores que $1/\sigma_0$. Entonces, eligiendo adecuadamente la trayectoria del plano $s$, se pueden investigar las constantes de tiempo y las relaciones de amortiguamiento de los polos de lazo cerrado a partir de las funciones de transferencia de lazo abierto.

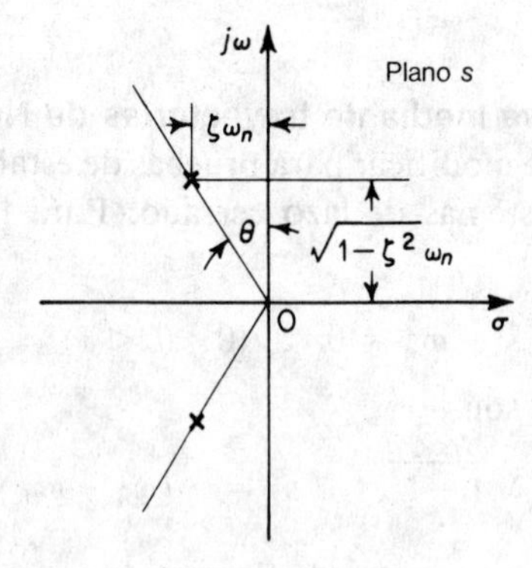


**Figura 6-54** Raíces complejas conjugadas en el plano $s$.

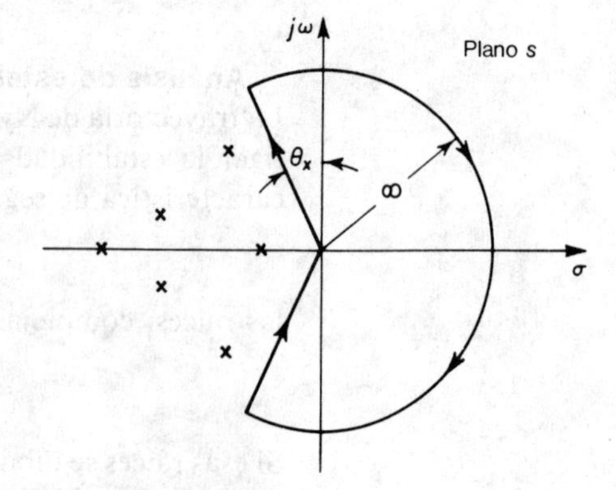


**Figura 6-55** Trayectoria de Nyquist modificada.

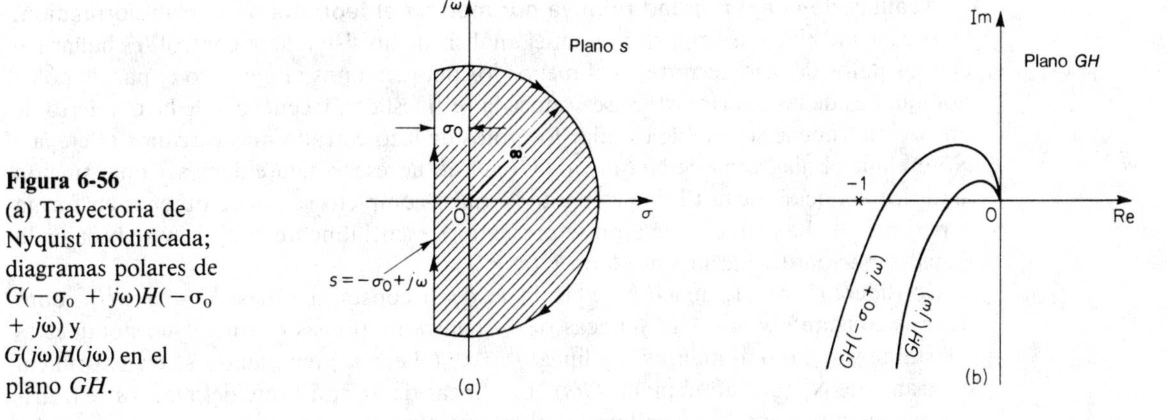


**Figura 6-56**
(a) Trayectoria de Nyquist modificada; diagramas polares de $G(-\sigma_0 + j\omega)H(-\sigma_0 + j\omega)$ y $G(j\omega)H(j\omega)$ en el plano $GH$.

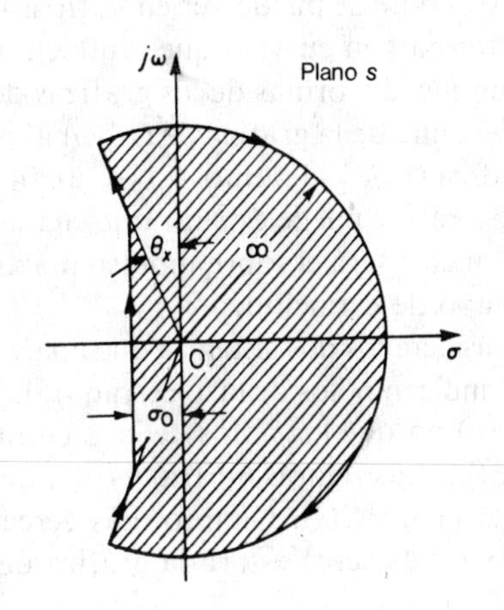


**Figura 6-57**
Trayectoria de Nyquist modificada.

## 6-7 ESTABILIDAD RELATIVA

Al diseñar un sistema de control, se requiere que el sistema sea estable. Además, es necesario que tenga una estabilidad relativa adecuada.

En esta sección, se demostrará que el diagrama de Nyquist no sólo indica si un sistema es o no estable, sino su grado de estabilidad. El diagrama de Nyquist también proporciona información sobre cómo mejorar la estabilidad, en caso de ser necesario. (Para detalles, véase el capítulo 7).

En el análisis siguiente, se supone que los sistemas considerados tienen retroalimentación unitaria. Nótese que siempre es posible reducir un sistema con elementos en la retroalimentación a un sistema con retroalimentación unitaria, como en la figura 6-58. Por tanto es posible extender el análisis de estabilidad relativa para el sistema con retroalimentación unitaria a sistemas con retroalimentación no unitaria.

También se supone que, a menos que se establezca otra cosa, los sistemas son de fase mínima, es decir, la función de transferencia de lazo abierto $G(s)$ no tienen polos ni ceros en el semiplano derecho del plano $s$.

**Análisis de la estabilidad relativa por medio del teorema de la transformación.** Uno de los problemas importantes en el análisis de un sistema de control, es hallar todos los polos de lazo cerrado, o al menos los más cercanos al eje $j\omega$ o el par de polos dominantes de lazo cerrado). Si se conoce la respuesta en frecuencia de lazo abierto de un sistema, puede ser viable estimar los polos de lazo cerrado más cercanos al eje $j\omega$. Nótese que el diagrama de Nyquist de $G(j\omega)$ no necesariamente debe ser una función analítica conocida de $\omega$. El diagrama de Nyquist completo se puede obtener en forma experimental. La técnica que aquí se presenta es esencialmente gráfica, y se basa en la transformación del plano $s$ al plano $G(s)$.

Considere la transformación de las líneas de $\sigma$ constante (líneas $s = \sigma + j\omega$ donde $\sigma$ es constante y $\omega$ varía) y líneas de $\omega$ constante (líneas $s = \sigma + j\omega$, donde $\omega$ es constante y $\sigma$ varía) al plano $s$. La línea $\sigma = 0$ (el eje $j\omega$) del plano $s$ se transforma al diagrama de Nyquist en el plano $G(s)$. Las líneas de $\sigma$ constante del plano $s$ se transforman en curvas que son similares al diagrama Nyquist y en algún sentido son paralelas a él, como se puede ver en la figura 6-59. Las líneas de $\omega$ constante en el plano $s$ se transforman en curvas, que también aparecen en la figura 6-59.

Aunque las formas de las gráficas de $\sigma$ constante y de $\omega$ constante en el plano $G(s)$ y la cercanía de la gráfica de $G(j\omega)$ al punto $-1 + j0$, dependen de $G(s)$, la cercanía de la gráfica $G(j\omega)$ al punto $-1 + j0$, indica la estabilidad relativa de un sistema estable. En general, se puede esperar que cuanto más cerca esté la gráfica de $G(j\omega)$ al punto $-1 + j0$, mejor será el sobreimpulso máximo en la respuesta transitoria al escalón y mayor el tiempo de extinción.

Considere los dos sistemas que aparecen en las figuras 6-60(a) y (b). (En la figura 6-60, las $\times$ indican polos de lazo cerrado). Es obvio que el sistema (a) es más estable que el sistema (b) porque los polos de lazo cerrado del sistema (a) están ubicados más lejos que los de (b). Las figuras 6-61(a) y (b) muestran la transformación de la cuadrícula del plano $s$ al plano $G(s)$. Cuanto más cercanos al eje $j\omega$ estén ubicados los polos de lazo cerrado, más cerca estará la gráfica de $G(j\omega)$ al punto $-1 + j0$.

**Márgenes de fase y ganancia.** La figura 6-62 muestra los diagramas polares de $G(j\omega)$ para tres valores diferentes de ganancia de lazo abierto $K$. Para un valor grande

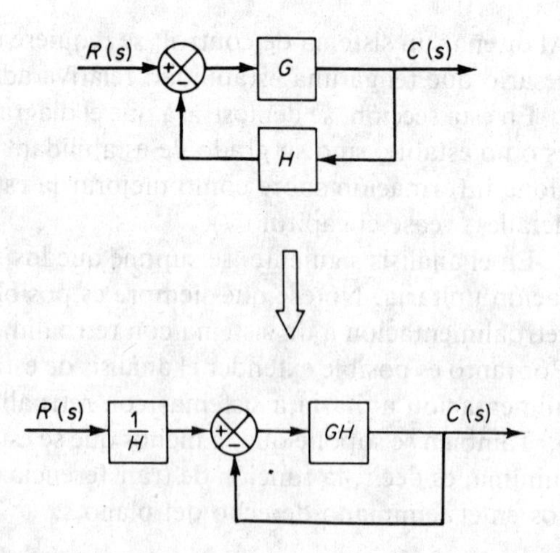


**Figura 6-58** Modificación de un sistema con elementos en la retroalimentación, a uno con retroalimentación unitaria.

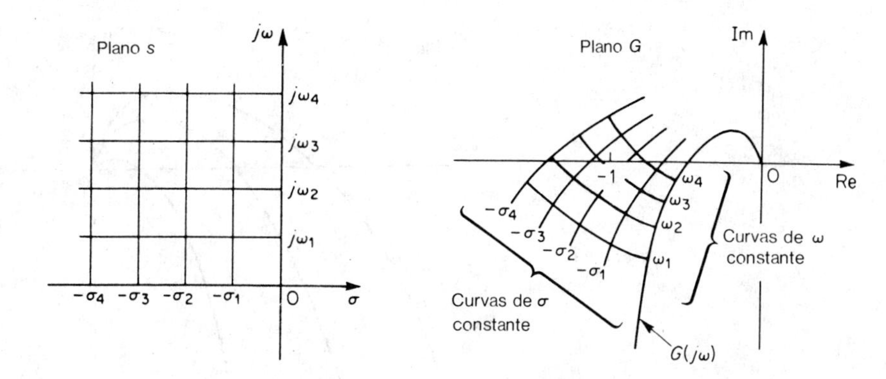


**Figura 6-59** Transformación de mallas en el plano $s$ al plano $G(s)$.

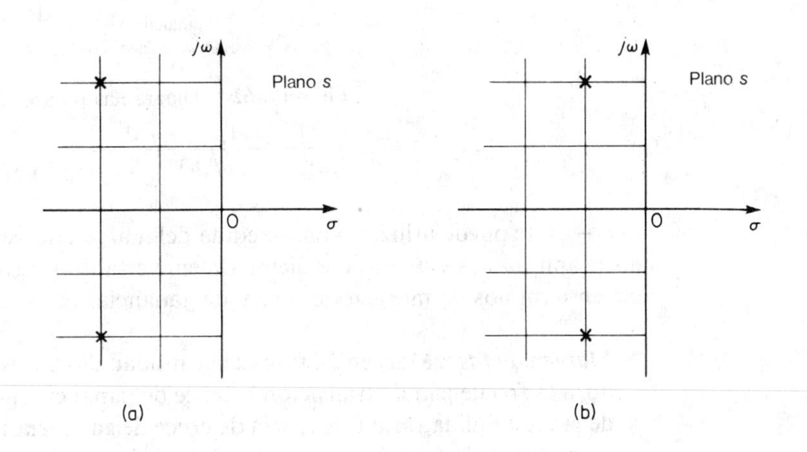


**Figura 6-60** Dos sistemas con dos polos de lazo cerrado.

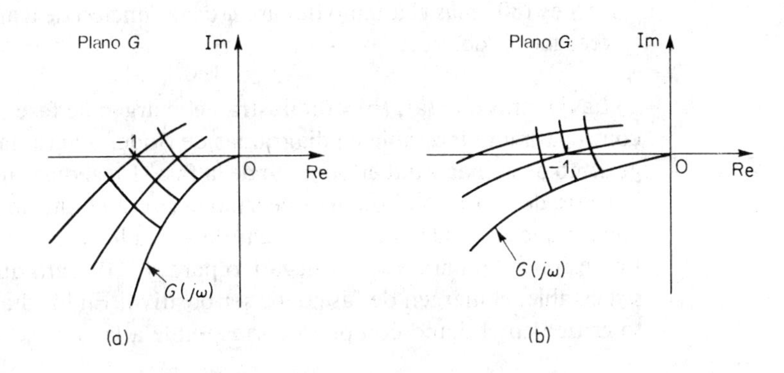


**Figura 6-61** Transformaciones de mallas en el plano $s$ al plano $G(s)$, para los sistemas que aparecen en la Fig. 6-60.

de $K$ el sistema es inestable. Al disminuir la ganancia hasta cierto valor, la gráfica de $G(j\omega)$ pasa por el punto $-1 + j0$. Esto significa que con este valor de ganancia el sistema está al borde de la inestabilidad, y presentará oscilaciones sostenidas. Para un valor pequeño de ganancia $K$, el sistema es estable.

En general, cuanto más se aproxima la gráfica $G(j\omega)$ para rodear el punto $-1 + j0$, más oscilatoria es la respuesta del sistema. La cercanía de la gráfica de $G(j\omega)$ al punto

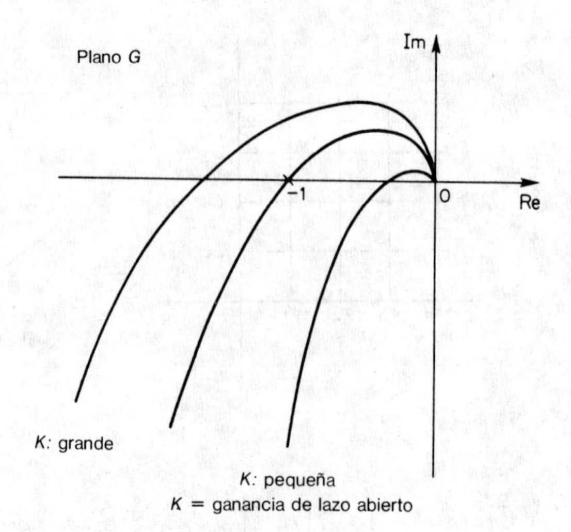


**Figura 6-62** Diagramas polare̥s de $\dfrac{K(1 + j\omega T_a)(1 + j\omega T_b)\cdots}{(j\omega)^{\lambda}(1 + j\omega T_1)(1 + j\omega T_2)\cdots}$

—1 + $j0$ se puede utilizar como medida del margen de estabilidad. (Sin embargo, esto no se aplica a los sistemas condicionalmente estables). Esa proximidad se suele presentar en términos de margen de fase y de ganancia.

*Margen de fase*: Margen de fase es la cantidad de retraso de fase que se requiere añadir a la frecuencia de transición o cruce de ganancia, para llevar el sistema al borde de la inestabilidad. La frecuencia de cruce de ganancia es aquella a la cual $|G(j\omega)|$, la magnitud de la función de transferencia de lazo abierto es unitaria. El margen de fase $\gamma$ es 180° más el ángulo de fase $\phi$ de la función de transferencia de lazo abierto a la frecuencia de cruce, o

$$\gamma = 180^\circ + \phi$$

Las figuras 6-63(a), (b) y (c) ilustran el margen de fase tanto para un sistema estable, como para uno inestable en diagramas de Bode, diagramas polares y diagramas del logaritmo de la magnitud en función de la fase. En el diagrama polar, se puede trazar una línea desde el origen al punto en el cual el círculo unitario cruza la gráfica de $G(j\omega)$. El ángulo que va desde el eje real negativo a esta línea es el margen de fase. El margen de fase es positivo para $\gamma > 0$ y negativo para $\gamma < 0$. Para que un sistema de fase mínima sea estable, el margen de fase debe ser positivo. En los diagramas logarítmicos, el punto crítico en el plano complejo corresponde a las líneas de 0 db y $-180^\circ$.

*Margen de ganancia*: El margen de ganancia es el recíproco de la magnitud de $|G(j\omega)|$ a la frecuencia en la que el ángulo de fase es $-180^\circ$. La frecuencia de cruce de fase $\omega_1$ se define como la frecuencia en la que el ángulo de fase de la función de transferencia de lazo abierto es igual a $-180^\circ$. El margen de ganancia $K_g$ se obtiene como:

$$K_g = \frac{1}{|G(j\omega_1)|}$$

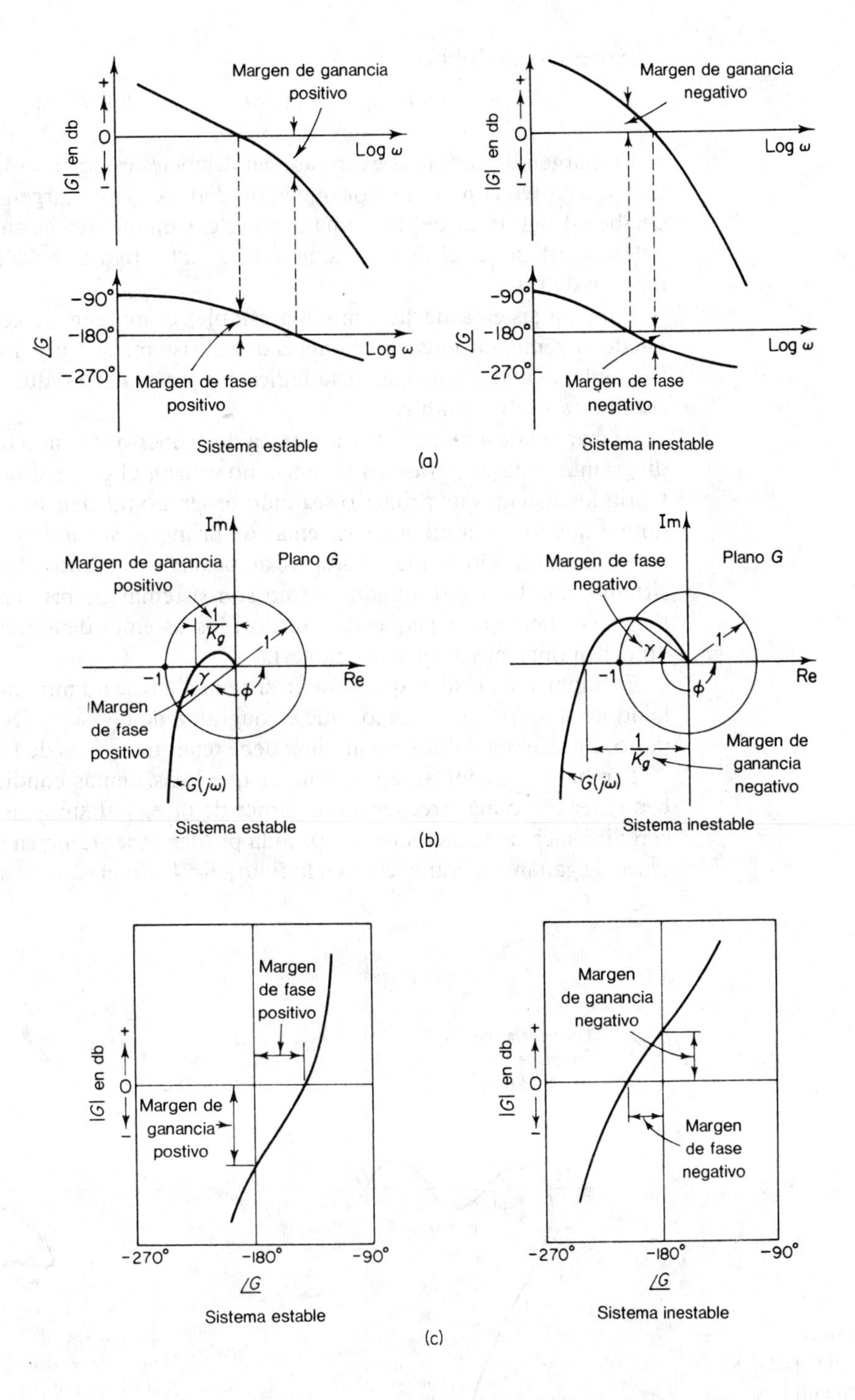


**Figura 6-63** Márgenes de fase y ganancia de sistemas estables e inestables. (a) Diagramas de Bode; (b) diagramas polares; (c) diagramas del logaritmo de la magnitud en función de la fase.

Expresado en decibeles,

$$K_g \text{ db} = 20 \log K_g = -20 \log |G(j\omega_1)|$$

El margen de ganancia expresado en decibeles es positivo si $K_g$ es mayor que la unidad y negativo si $K_g$ es menor que la unidad. Así, un margen de ganancia positivo (en decibeles) significa que el sistema es estable, y un margen de ganancia negativo (en decibeles) significa que el sistema es inestable. En las figuras 6-63(a), (b), y (c) se muestra el margen de fase.

Para un sistema de fase mínima estable, el margen de ganancia indica cuánto se puede incrementar la ganancia antes que el sistema se torne inestable. Para un sistema inestable, el margen de ganancia indica cuánto se debe reducir la ganancia para que el sistema se vuelva estable.

El margen de ganancia de un sistema de primer o segundo orden es infinito, pues los diagramas polares para esos sistemas no cruzan el eje real negativo. Por lo tanto, en teoría los sistemas de primer o segundo orden no pueden ser inestables. (Sin embargo, nótese que los denominados sistemas de primer o segundo orden son sólo aproximaciones en el sentido de que se desprecian pequeños retardos al deducir las ecuaciones del sistema, dando por resultado que no son sistemas de primer o segundo orden. Si se tienen en cuenta esos pequeños retardos, los sistemas denominados de primer o segundo orden pueden volverse inestables).

Es importante insistir que para un sistema de fase no mínima, la condición de estabilidad no se satisface, a menos que el diagrama de $G(j\omega)$ rodee al punto $-1 + j0$. Por tanto, un sistema de fase no mínima debe tener márgenes de fase y ganancia negativos.

También es importante hacer notar que los sistemas condicionalmente estables deben tener dos o más frecuencias de cruce de fase, y algunos sistemas de orden superior con dinámica de numerador complicada pueden tener también dos o más frecuencias de cruce de ganancia, como se ve en la figura 6-64. En el caso de sistemas estables con dos

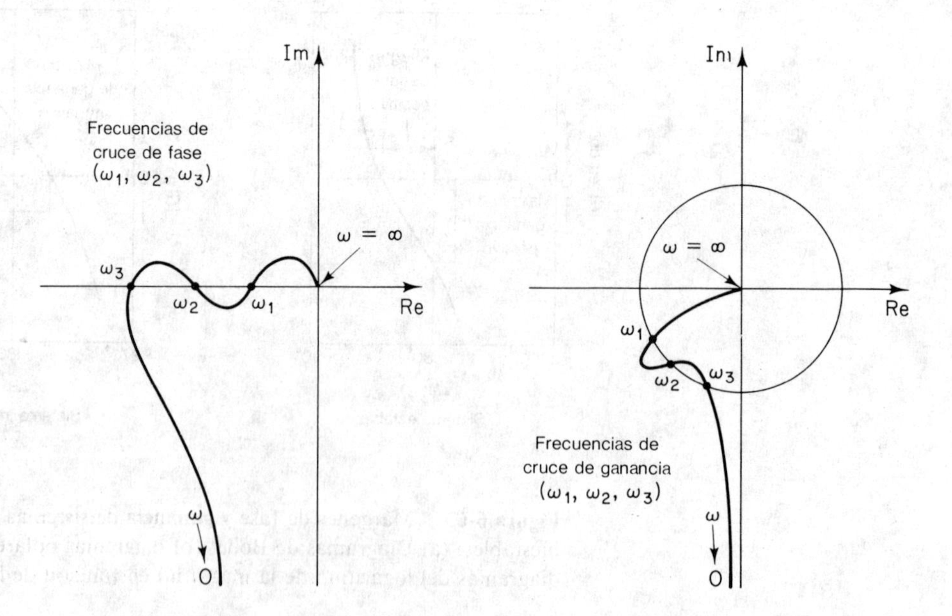


**Figura 6-64** Diagramas polares que presentan más de dos frecuencias de cruce de fase o ganancia.

o más frecuencias de cruce de ganancia, el margen de fase se mide a la frecuencia de cruce de ganancia más alta.

**Comentarios sobre los márgenes de fase y ganancia.** Los márgenes de fase y ganancia de un sistema de control, son una medida de la proximidad del diagrama polar al punto $-1 + j0$. Por lo tanto, se pueden usar como criterio de diseño.

Nótese que ni el margen de ganancia, ni el de fase solos dan indicación suficiente sobre estabilidad relativa. Para determinar la estabilidad relativa deben darse ambos.

Para un sistema de fase mínima, tanto el margen de fase como el de ganancia han de ser positivos para que el sistema sea estable. Los márgenes negativos indican inestabilidad.

Los márgenes de fase y ganancia adecuados proporcionan seguridad contra variaciones en los componentes del sistema y se especifican para determinados valores de frecuencia. Ambos valores limitan el comportamiento del sistema en lazo cerrado cerca de la frecuencia de resonancia. Para tener un comportamiento satisfactorio, el margen de fase debe estar entre 30° y 60° y el margen de ganancia debe ser superior a 6 db. Con estos valores, un sistema de fase mínima tiene garantizado la estabilidad, aun cuando la ganancia de lazo abierto y las constantes de tiempo de los componentes varíen entre ciertos límites. Aunque los márgenes de fase y ganancia sólo proporcionan una estimación superficial sobre la relación de amortiguamiento efectiva del sistema de lazo cerrado, brindan un medio conveniente para diseñar sistemas de control o ajustar las constantes de ganancia del sistema.

En los sistemas de fase mínima, las características de magnitud y fase de la función de transferencia de lazo abierto están relacionadas. El requisito de que el margen de fase se encuentre entre 30° y 60° significa que, en un diagrama de Bode, la pendiente de la curva del logaritmo de la magnitud a la frecuencia de cruce de ganancia debe ser más suave que $-40$ db/década. En la mayoría de los casos prácticos, para tener estabilidad, es deseable una pendiente de $-20$ db/década a la frecuencia de cruce de ganancia. (Aun cuando el sistema es estable, el margen de fase es pequeño). Si la pendiente a la frecuencia de cruce de ganancia es $-60$ db/década o más inclinada, muy probablemente el sistema es inestable.

**EJEMPLO 6-13** Obtenga los márgenes de fase y ganancia del sistema de la figura 6-65 para los casos en que $K = 10$ y $K = 100$.

Los márgenes de fase y ganancia se pueden obtener fácilmente del diagrama de Bode. En la figura 6-66(a) se presenta un diagrama de Bode para la función de transferencia de lazo abierto para $K = 10$. Los márgenes de fase y ganancia para $K = 10$ son

$$\text{Margen de fase} = 21°, \qquad \text{Margen de ganancia} = 8 \text{ db}$$

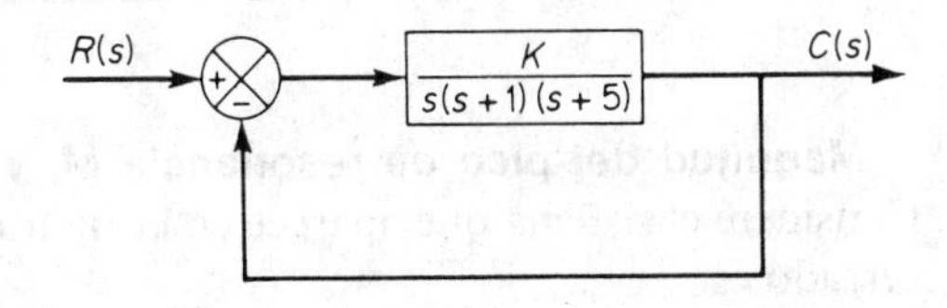


**Figura 6-65**
Sistema de control.

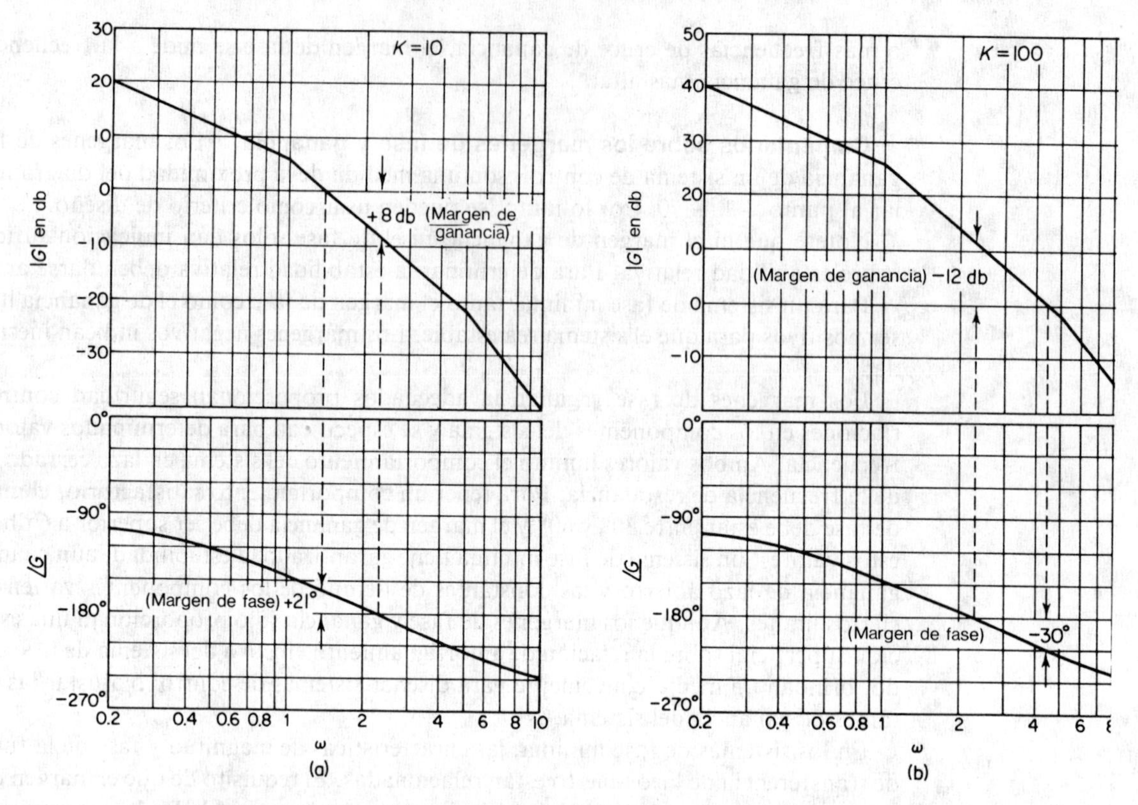


**Figura 6-66** Diagramas de Bode del sistema mostrado en la Fig. 6-65 con $K = 10$ y $K =$

Por lo tanto, la ganancia del sistema se puede aumentar en 8 db antes de que se presente inestabilidad.

Si la ganancia se incrementa desde $K = 10$ hasta $K = 100$, el eje de 0 db se desplaza en 20 hacia abajo, como se ve en la figura 6-66(b). Los márgenes de fase y de ganancia son

$$\text{Margen de fase} = -30°, \qquad \text{Margen de ganancia} = -12 \text{ db}$$

Entonces el sistema es estable para $K = 10$, pero inestable para $K = 100$.

Nótese que una de las ventajas del procedimiento del diagrama de Bode es la facilidad con que se pueden calcular los efectos del cambio de ganancia.

Nótese también que para obtener un funcionamiento satisfactorio, el margen de fase se debe aumentar a 30° ~ 60°. Esto se puede lograr disminuyendo la ganancia $K$. Sin embargo, no es deseable reducir $K$, pues un valor pequeño produce un error elevado para una entrada rampa. Esto sugiere que puede ser necesaria la modificación de la forma de la respuesta en frecuencia de lazo abierto. En el capítulo 7 se analizan esas técnicas en detalle.

**Magnitud del pico de resonancia $M_r$ y frecuencia del pico de resonancia**

Considere el sistema que aparece en la figura 6-67. La función de transferencia de lazo cerrado es

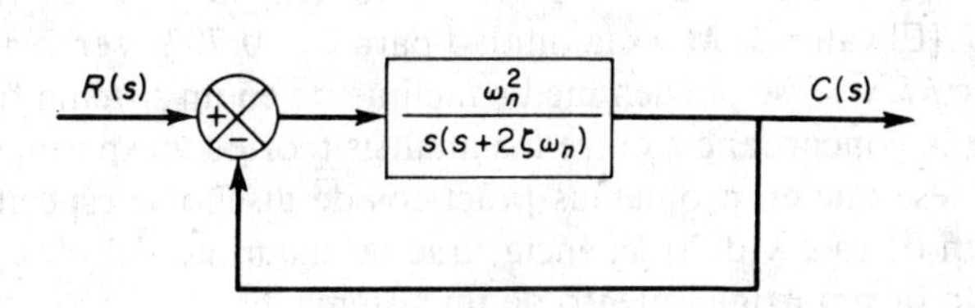


**Figura 6-67**
Sistema de control.

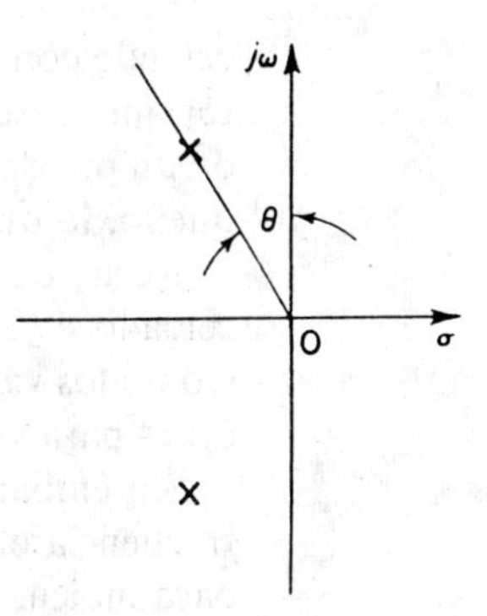


**Figura 6-68**
Definición del ángulo $\theta$.

$$\frac{C(s)}{R(s)} = \frac{\omega_n^2}{s^2 + 2\zeta\omega_n s + \omega_n^2} \tag{6–15}$$

donde $\zeta$ y $\omega_n$ son la relación de amortiguamiento y la frecuencia natural no amortiguada, respectivamente. La respuesta en frecuencia de lazo cerrado es

$$\frac{C(j\omega)}{R(j\omega)} = \frac{1}{\left(1 - \frac{\omega^2}{\omega_n^2}\right) + j2\zeta\frac{\omega}{\omega_n}} = Me^{j\alpha}$$

donde

$$M = \frac{1}{\sqrt{\left(1 - \frac{\omega^2}{\omega_n^2}\right)^2 + \left(2\zeta\frac{\omega}{\omega_n}\right)^2}}, \qquad \alpha = -\tan^{-1}\frac{2\zeta\frac{\omega}{\omega_n}}{1 - \frac{\omega^2}{\omega_n^2}}$$

De la ecuación (6-12), para $0 \leq \zeta \leq 0.707$ el valor máximo de $M$ se produce a la frecuencia $\omega_r$, donde

$$\omega_r = \omega_n\sqrt{1 - 2\zeta^2} = \omega_n\sqrt{\cos 2\theta} \tag{6–16}$$

El ángulo $\theta$ está definido en la figura 6-68. La frecuencia $\omega_r$ es la frecuencia de resonancia. A la frecuencia de resonancia, el valor de $M$ es máximo y está dado por la ecuación (6-13), reescrita del siguiente modo:

$$M_r = \frac{1}{2\zeta\sqrt{1 - \zeta^2}} = \frac{1}{\operatorname{sen} 2\theta} \tag{6–17}$$

donde $M_r$ está definido como la *magnitud del pico de resonancia*. La magnitud del pico de resonancia está relacionada con el amortiguamiento del sistema.

La magnitud del pico de resonancia indica la estabilidad relativa del sistema. Un pico de resonancia elevado indica la presencia de un par de polos dominantes de lazo cerrado con una relación de amortiguamiento pequeña, lo que da una respuesta transitoria no deseada. Por otro lado, un pico de resonancia más pequeño indica la ausencia de un par de polos dominantes de lazo cerrado, con un factor de amortiguamiento pequeño, lo que significa que el sistema está bien amortiguado.

Recuerde que $\omega_r$ es real sólo si $\zeta < 0.707$. Entonces, no hay resonancia de lazo cerrado si $\zeta > 0.707$. [El valor de $M_r$ es la unidad para $\zeta > 0.707$. Ver ecuación (6-14)]. Como los valores de $M_r$ y $\omega_r$ se pueden medir fácilmente en un sistema físico, son muy útiles para verificar la concordancia entre los análisis teórico y experimental.

Sin embargo, nótese que en problemas prácticos de diseño se especifican con más frecuencia el margen de fase y de frecuencia, que la magnitud del pico de resonancia para indicar el grado de amortiguamiento de un sistema.

**Relación entre la respuesta transitoria al escalón y la respuesta en frecuencia en el sistema estándar de segundo orden.** El sobreimpulso máximo en la respuesta al escalón unitario del sistema estándar de segundo orden se puede relacionar, con la magnitud del pico de resonancia de la respuesta en frecuencia, como se puede ver en la figura 6-67. Por tanto se tiene en esencia la misma información sobre la dinámica del sistema en la respuesta en frecuencia y en la respuesta transitoria.

Para una entrada escalón unitario, la salida del sistema que aparece en la figura 6-67 está dada por la ecuación (4-19), o sea

$$c(t) = 1 - e^{-\zeta\omega_n t}\left(\cos\omega_d t + \frac{\zeta}{\sqrt{1-\zeta^2}}\operatorname{sen}\omega_d t\right) \qquad (t \geq 0)$$

donde

$$\omega_d = \omega_n\sqrt{1-\zeta^2} = \omega_n\cos\theta \tag{6–18}$$

Por otro lado, el sobreimpulso máximo $M_p$ para la respuesta al escalón unitario está dado por la ecuación (4-28), es decir

$$M_p = e^{-(\zeta/\sqrt{1-\zeta^2})\pi} \tag{6–19}$$

Este sobreimpulso máximo tiene lugar en la respuesta transitoria que tiene una frecuencia natural no amortiguada $\omega_d = \omega_n\sqrt{1-\zeta^2}$. El sobreimpulso máximo se hace excesivo para valores de $\zeta < 0.4$.

Como el sistema de segundo orden que aparece en la figura 6-67 tiene la función de transferencia de lazo abierto siguiente

$$G(s) = \frac{\omega_n^2}{s(s+2\zeta\omega_n)}$$

para funcionamiento senoidal, la magnitud de $G(j\omega)$ se hace unitaria cuando

$$\omega = \omega_n\sqrt{\sqrt{1+4\zeta^4} - 2\zeta^2}$$

lo que puede obtenerse igualando $|G(j\omega)|$ a la unidad y despejando $\omega$. A esta frecuencia, el ángulo de fase de $G(j\omega)$ es

$$\angle G(j\omega) = -\angle j\omega - \angle j\omega + 2\zeta\omega_n = -90° - \tan^{-1}\frac{\sqrt{\sqrt{1+4\zeta^4} - 2\zeta^2}}{2\zeta}$$

Entonces, el margen de fase $\gamma$ es

$$\gamma = 180^\circ + \angle G(j\omega)$$
$$= 90^\circ - \tan^{-1}\frac{\sqrt{\sqrt{1+4\zeta^4}-2\zeta^2}}{2\zeta}$$
$$= \tan^{-1}\frac{2\zeta}{\sqrt{\sqrt{1+4\zeta^4}-2\zeta^2}} \qquad (6\text{–}20)$$

La ecuación (6-20) da la relación entre la relación de amortiguamiento $\zeta$ y el margen de fase $\gamma$. (Nótese que el margen de fase $\gamma$ sólo es función de $\zeta$.)

A continuación se resumirá la relación entre la respuesta transitoria al escalón y la respuesta en frecuencia del sistema de segundo orden dado por la ecuación (6-15):

**1.** El margen de fase y la relación de amortiguamiento están relacionados directamente entre sí. En la figura 6-69 se presenta un diagrama de margen de fase $\gamma$ en función de la relación de amortiguamiento $\zeta$. Nótese que para el sistema estándar de segundo orden que aparece en la figura 6-67, el margen de fase $\gamma$ y el factor de amortiguamiento $\zeta$ están relacionados aproximadamente por una recta para $0 \le \zeta \le 0.6$, como sigue:

$$\zeta = \frac{\gamma}{100}$$

Entonces a una relación de amortiguamiento de 0.6 le corresponde un ángulo de fase de 60°. Para sistemas de orden superior con un par dominante de polos de lazo cerrado, se puede utilizar esta relación como estimación para evaluar la estabilidad relativa de respuesta transitoria (es decir, la relación de amortiguamiento) a partir de la respuesta en frecuencia.

**2.** Con referencia a las ecuaciones (6-16) y (6-18), se ve que los valores de $\omega_r$ y $\omega_d$ son casi iguales para valores pequeños de $\zeta$. Entonces, para valores pequeños de $\zeta$, el valor de $\omega_r$ indica la velocidad de la respuesta transitoria del sistema.

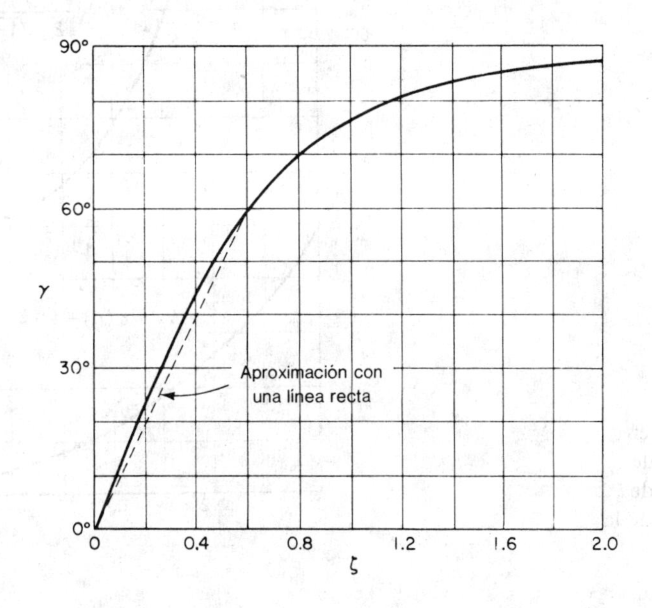


**Figura 6-69**
Gráfica de $\gamma$ (margen de fase), en función de $\zeta$, para el sistema de la Fig. 6-67.

**3.** De las ecuaciones (6-17) y (6-19) se halla que cuanto más pequeño es el valor d( mayores son los valores de $M_r$ y $M_p$. En la figura 6-70 se puede ver la relación entre , y $M_p$ en función de $\zeta$. Se puede ver una relación estrecha entre $M_r$ y $M_p$ para $\zeta > 0$ Para valores muy pequeños de $\zeta$, $M_r$ es muy grande ($M_r \gg 1$), en tanto que el valor $M_p$ no excede de 1.

**Relación entre la respuesta transitoria al escalón y la respuesta en frecuenc en sistemas en general.** Con frecuencia se realiza el diseño de sistemas de conti con base en la respuesta en frecuencia. La razón principal para esto es la relati simplicidad de este procedimiento, comparado con otros. Como en muchas aplic ciones el interés primordial reside en la respuesta transitoria del sistema ante entrad aperiódicas, más que en la respuesta en estado estacionario ante entradas senoidal surge la cuestión de la relación entre la respuesta transitoria y la respuesta en frecue cia.

Para el sistema de segundo orden que aparece en la figura 6-67, se pueden obter fácilmente expresiones matemáticas que relacionan la respuesta transitoria al escal con la respuesta en frecuencia. Se puede predecir casi exactamente la respuesta temp

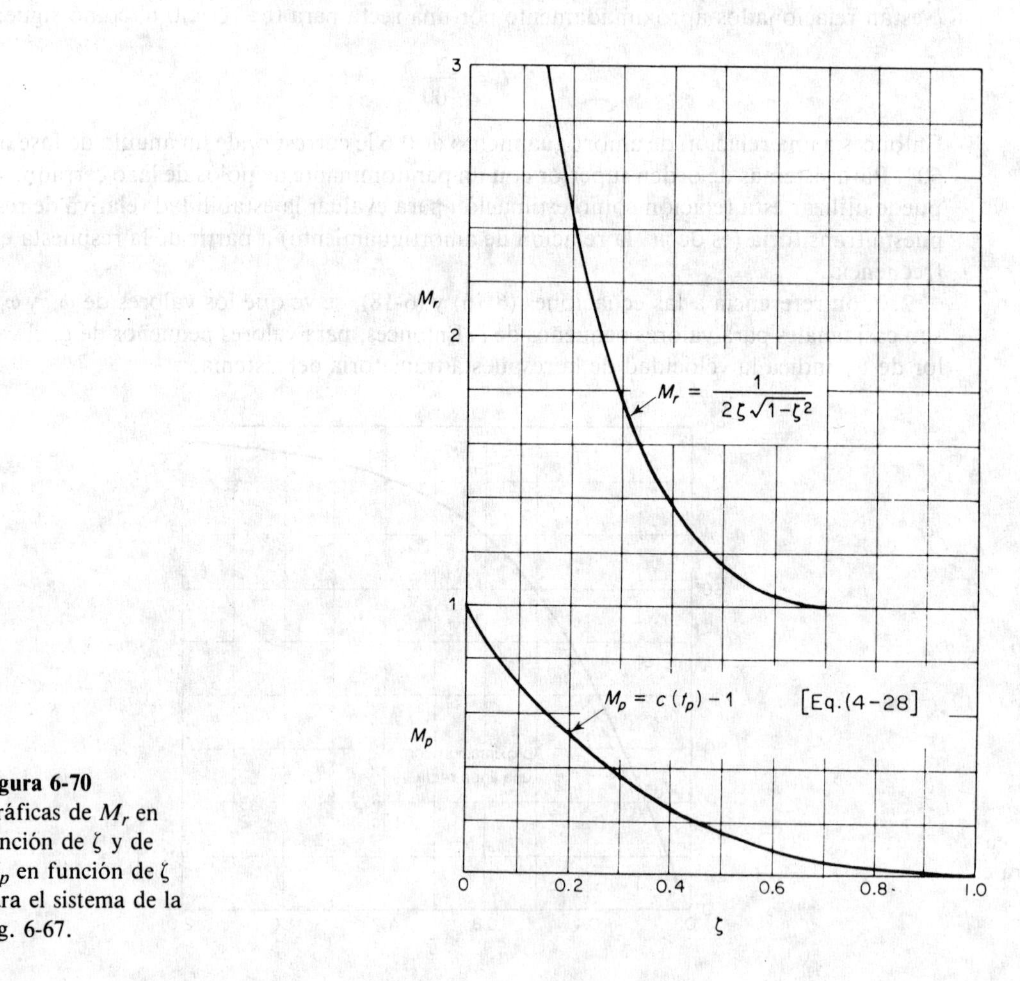


**Figura 6-70** Gráficas de $M_r$ en función de $\zeta$ y de $M_p$ en función de $\zeta$ para el sistema de la Fig. 6-67.

ral de un sistema de segundo orden partiendo del conocimiento de $M_r$ y $\omega_r$ de su respuesta en frecuencia de lazo cerrado.

Para sistemas de orden superior, la relación es más compleja, y la respuesta transitoria no puede predecirse fácilmente partiendo de la respuesta en frecuencia ya que los polos adicionales pueden cambiar la relación entre la respuesta transitoria al escalón y la respuesta en frecuencia dadas en un sistema de segundo orden. Hay técnicas matemáticas para obtener la relación exacta, pero son muy laboriosas y poco prácticas.

La aplicabilidad de la relación existente entre la respuesta transitoria y la respuesta en frecuencia que se da en el sistema de segundo orden de la figura 6-67, a sistemas de orden superior, depende de la presencia de un par de polos dominantes complejos conjugados de lazo cerrado en estos últimos. Desde luego que si la respuesta en frecuencia de un sistema de orden superior está dominada por un par de polos complejos conjugados de lazo cerrado, es posible extender al sistema de orden superior, la relación entre la respuesta transitoria y la respuesta en frecuencia en los sistemas de segundo orden.

Para sistemas de orden superior lineales invariantes en el tiempo con un par dominante de polos complejos conjugados de lazo cerrado, se dan generalmente las siguientes relaciones entre la respuesta transitoria al escalón y la respuesta en frecuencia:

**1.** El valor de $M_r$ indica la estabilidad relativa. Suele lograrse un comportamiento transitorio satisfactorio si el valor de $M_r$ está dentro del rango $1.0 < M_r < 1.4$ ($0 \text{ db} < M_r < 3 \text{ db}$), que corresponde a una relación de amortiguamiento efectiva de $0.4 < \zeta < 0.7$. Para valores de $M_r$ mayores que 1.5, la respuesta transitoria al escalón puede presentar diversos sobreimpulsos. (Nótese que, en general, un valor elevado de $M_r$ corresponde a un sobreimpulso grande en la respuesta transitoria al escalón. Si el sistema está sometido a señales de ruido cuyas frecuencias son cercanas a la frecuencia de resonancia $\omega_r$, el ruido se amplifica en la salida, y se presentan serios problemas).

**2.** La magnitud en la frecuencia de resonancia $\omega_r$ indica la velocidad de la respuesta transitoria. Cuanto mayor es el valor de $\omega_r$, más rápida es la respuesta. En otros términos, el tiempo de establecimiento varía en forma inversa con $\omega_r$. Expresado en términos de respuesta en frecuencia de lazo abierto, la frecuencia natural amortiguada en la respuesta transitoria está comprendida entre la frecuencia de cruce de ganancia y la frecuencia de cruce de fase.

**3.** En sistemas levemente amortiguados, la frecuencia del pico de resonancia $\omega_r$ y la frecuencia natural amortiguada $\omega_d$ en la respuesta transitoria al escalón son muy próximas.

Las tres relaciones recién enumeradas son útiles para la relación entre la respuesta transitoria al escalón y la respuesta en frecuencia de sistemas de orden superior, siempre que se pueda aproximar a un sistema de segundo orden o un par de polos complejos conjugados de lazo cerrado. Si un sistema de orden superior cumple con estas condiciones, las especificaciones en el dominio del tiempo se pueden convertir al dominio de la frecuencia. Esto simplifica mucho la tarea de diseño o compensación de sistemas de orden superior.

Además del margen de fase, el margen de ganancia, el pico de resonancia $M_r$ y la frecuencia pico de resonancia $\omega_r$, hay otras magnitudes en el dominio de la frecuencia de uso común. Estas son la frecuencia de corte, ancho de banda, y velocidad de corte que se definirán a continuación.

**Frecuencia de corte y ancho de banda.** Con referencia en la figura 6-71, la frecuencia $\omega_b$ a la cual la magnitud de la función de transferencia de lazo cerrado está a 3 db por debajo de su valor a frecuencia cero, se denomina *frecuencia de corte*. Entonces

$$\left|\frac{C(j\omega)}{R(j\omega)}\right| < \left|\frac{C(j0)}{R(j0)}\right| - 3\text{ db} \qquad (\omega > \omega_b)$$

Para sistemas donde $|C(j0)/R(j0)| = 0$ db,

$$\left|\frac{C(j\omega)}{R(j\omega)}\right| < -3\text{ db} \qquad (\omega > \omega_b)$$

El sistema de lazo cerrado filtra las componentes de señal cuyas frecuencias son superiores a la frecuencia de corte y transmite aquellas cuyas frecuencias son inferiores a la frecuencia de corte.

El rango de frecuencias $0 \leq \omega \leq \omega_b$ en el cual la magnitud de la función de transferencia de lazo cerrado no cae $-3$ db se denomina *ancho de banda* del sistema. El ancho de banda indica la frecuencia donde comienza a caer la ganancia desde su valor a baja frecuencia. Entonces, el ancho de banda indica la corrección con que un sistema ha de reproducir una senoide de entrada. Nótese que para una $\omega_n$ el tiempo de crecimiento aumenta con la relación de amortiguamiento $\zeta$. Por otro lado, el ancho de banda aumenta con el incremento de $\zeta$. Por lo tanto, el tiempo de crecimiento y el ancho de banda son inversamente proporcionales entre sí.

El ancho de banda se puede determinar por los factores siguientes:

1. La capacidad de reproducir una señal de entrada. Un ancho de banda grande, corresponde a un tiempo de crecimiento corto, o sea una respuesta ágil. En pocas palabras el ancho de banda es proporcional a la velocidad de respuesta.
2. Las características de filtrado necesarias ante el ruido de alta frecuencia.

Para que el sistema siga con exactitud entradas arbitrarias, se requiere un ancho de banda grande. Sin embargo, desde el punto de vista del ruido, el ancho de banda no debe ser muy grande. Por lo tanto, hay requisitos contradictorios respecto al ancho de banda, y generalmente, para lograr un buen diseño, se requiere un compromiso. Nótese que un sistema con ancho de banda grande requiere componentes de alta capacidad, de modo que el costo aumenta con el ancho de banda.

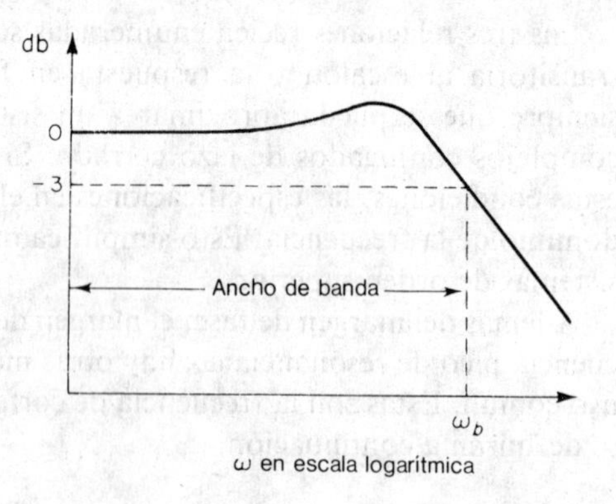


**Figura 6-71** Diagrama logarítmico que muestra la frecuencia de corte $\omega_b$ y el ancho de banda.

**Velocidad de corte.** La velocidad de corte es la pendiente de la curva de logaritmo de la magnitud en la proximidad de la frecuencia de corte. La velocidad de corte indica la capacidad de un sistema de distinguir entre la señal y el ruido.

Debe notarse que una curva de respuesta de lazo cerrado con una característica de corte de pendiente muy aguda, puede tener una magnitud de pico de resonancia grande, lo que implica que el sistema tiene un margen de estabilidad relativamente pequeño.

**EJEMPLO 6-14** Considere los dos sistemas siguientes:

$$\text{Sistema I:} \quad \frac{C(s)}{R(s)} = \frac{1}{s+1}, \qquad \text{Sistema II:} \quad \frac{C(s)}{R(s)} = \frac{1}{3s+1}$$

Compare los anchos de banda de estos dos sistemas. Muestre que el sistema con mayor ancho de banda tiene mayor velocidad de respuesta y puede seguir mejor la entrada que el de menor ancho de banda.

En la figura 6-72(a) se pueden ver las curvas de respuesta en frecuencia de lazo cerrado de los dos sistemas. (Las curvas asintóticas aparecen en líneas punteadas). El ancho de banda del sistema I es $0 \leq \omega \leq 1$ rad/s y el del sistema II es $0 \leq \omega \leq 0.33$ rad/s. En la figura 6-72(b) y (c), respectivamente, se pueden ver las curvas de respuesta al escalón unitario y a la rampa unitaria para los dos sistemas. Es claro que el sistema I, cuyo ancho de banda es tres veces más ancho que el del sistema II, tiene una respuesta de mayor velocidad y puede seguir la mejor entrada.

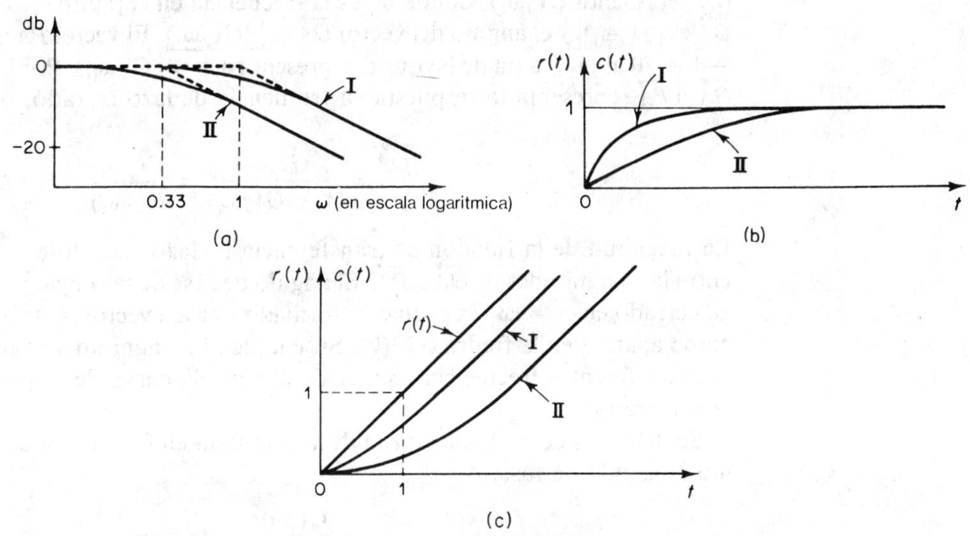


**Figura 6-72** Comparación de las características dinámicas de los dos sistemas considerados en el ejemplo 6-14. (a) Gráfica de la respuesta en frecuencia de lazo cerrado; gráfica de la respuesta al escalón unitario; (c) gráfica de la respuesta a la rampa unitaria.

## 6-8 RESPUESTA EN FRECUENCIA DE LAZO CERRADO

**Respuesta en frecuencia de lazo cerrado de sistema con retroalimentación unitaria.** Para un sistema estable de lazo cerrado la respuesta en frecuencia se puede

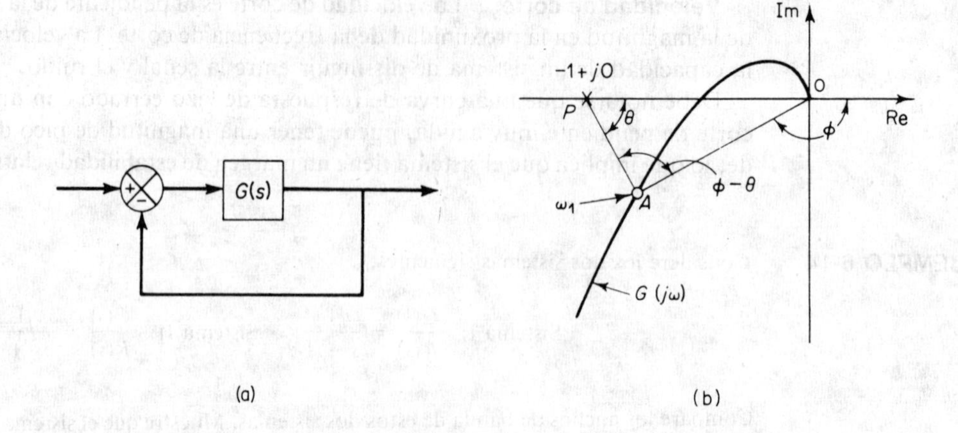


**Figura 6-73**
(a) Sistema de retroalimentación unitaria;
(b) determinación de la respuesta en frecuencia de lazo cerrado a partir de la respuesta en frecuencia de lazo abierto.

obtener fácilmente a partir de la de lazo abierto. Considere el sistema con retroalimentación unitaria que aparece en la figura 6-73(a). La función de transferencia de lazo cerrado es

$$\frac{C(s)}{R(s)} = \frac{G(s)}{1 + G(s)}$$

En el diagrama polar o diagrama de Nyquist que aparece en la figura 6-73(b), el vector $\overrightarrow{OA}$ representa $G(j\omega_1)$, donde $\omega_1$ es la frecuencia en el punto $A$. La longitud del vector $\overrightarrow{OA}$ es $|G(j\omega_1)|$ y el ángulo del vector $\overrightarrow{OA}$ es $\angle G(j\omega_1)$. El vector $\overrightarrow{PA}$, que va desde el punto $-1 + j0$ al diagrama de Nyquist, representa a $1 + G(j\omega_1)$. Por lo tanto, la relación de $\overrightarrow{OA}$ a $\overrightarrow{PA}$ representa la respuesta en frecuencia de lazo cerrado, o

$$\frac{\overrightarrow{OA}}{\overrightarrow{PA}} = \frac{G(j\omega_1)}{1 + G(j\omega_1)} = \frac{C(j\omega_1)}{R(j\omega_1)}$$

La magnitud de la función de transferencia de lazo cerrado en $\omega = \omega_1$ es la relación entre las magnitudes de $\overrightarrow{OA}$ a $\overrightarrow{PA}$. El ángulo de fase de la función de transferencia de lazo cerrado en $\omega = \omega_1$ es el ángulo formado por los vectores $\overrightarrow{OA}$ a $\overrightarrow{PA}$, es decir, $\phi - \theta$, como aparece en la figura 6-73(b). Si se miden la magnitud y el ángulo de fase en puntos de diferentes frecuencias, se puede obtener la curva de respuesta en frecuencia de lazo cerrado.

Se define $M$ como la magnitud de la respuesta en frecuencia de lazo cerrado y $\alpha$ como el ángulo de fase, o

$$\frac{C(j\omega)}{R(j\omega)} = Me^{j\alpha}$$

A continuación, se hallarán los lugares de magnitud constante y de ángulo de fase constante que son convenientes para determinar la respuesta en frecuencia de lazo cerrado partiendo del diagrama polar o diagrama de Nyquist.

**Lugares de magnitud constante [círculos *M*].** Para obtener los lugares de magnitud constante, nótese primero que $G(j\omega)$ es una cantidad compleja que se puede escribir como:

$$G(j\omega) = X + jY$$

donde $X$ e $Y$ son cantidades reales. Entonces $M$ está dado por

$$M = \frac{|X + jY|}{|1 + X + jY|}$$

y $M^2$ es

$$M^2 = \frac{X^2 + Y^2}{(1 + X)^2 + Y^2}$$

Por tanto,

$$X^2(1 - M^2) - 2M^2X - M^2 + (1 - M^2)Y^2 = 0 \qquad (6\text{–}21)$$

Si $M = 1$, entonces de la ecuación (6-21) se obtiene $X = -\frac{1}{2}$. Esta es la ecuación de una recta paralela al eje $Y$ que pasa por el punto $(-\frac{1}{2}, 0)$.

Si $M \neq 1$, la ecuación (6-21) se puede escribir como

$$X^2 + \frac{2M^2}{M^2 - 1}X + \frac{M^2}{M^2 - 1} + Y^2 = 0$$

Si se suma el término $M_2/(M_2 — 1)^2$ a ambos miembros de esta última ecuación, se obtiene

$$\left(X + \frac{M^2}{M^2 - 1}\right)^2 + Y^2 = \frac{M^2}{(M^2 - 1)^2} \qquad (6\text{–}22)$$

La ecuación (6-22) es la ecuación de un círculo con centro en $X = -M^2/(M^2 - 1)$, $Y = 0$ y radio $|M/(M^2 - 1)|$.

Así, los lugares de $M$ constante en el plano $G(s)$ son una familia de círculos. El centro y radio para un valor determinado de $M$ se pueden calcular fácilmente. Por ejemplo, para $M = 1.3$, el centro está en $(-2.45, 0)$ y el radio es 1.88. En la figura 6-74 se puede ver una familia de círculos de $M$ constante. Nótese que a medida que $M$ se hace más grande en comparación con 1, los círculos $M$ se hacen más pequeños y convergen hacia el punto $-1 + j0$. Para $M > 1$, los centros de los círculos $M$ quedan a la izquierda del punto $-1 + j0$. En forma similar, al hacerse $M$ pequeña en comparación con 1, los círculos $M$ se empequeñecen y convergen al origen. Para $0 < M < 1$, los centros de los círculos $M$ quedan hacia la derecha del origen. Para $M = 1$ corresponde al lugar de los puntos equidistantes al origen y al punto $-1 + j0$. Como se indicó antes, es una recta que pasa por el punto $(-\frac{1}{2}, 0)$ y es paralela al eje imaginario. (Los círculos de $M$ constante correspondientes a $M > 1$ quedan a la izquierda de la línea de $M = 1$ y los que corresponden a $0 < M < 1$ quedan a la derecha de la línea de $M = 1$). Los círculos $M$ son simétricos respecto a la recta que corresponde a $M = 1$ y al eje real.

**Lugares de fase constante [círculos *N*].** Se obtendrá el ángulo de fase $\alpha$ en función de $X$ e $Y$. Como

$$\angle e^{j\alpha} = \angle \frac{X + jY}{1 + X + jY}$$

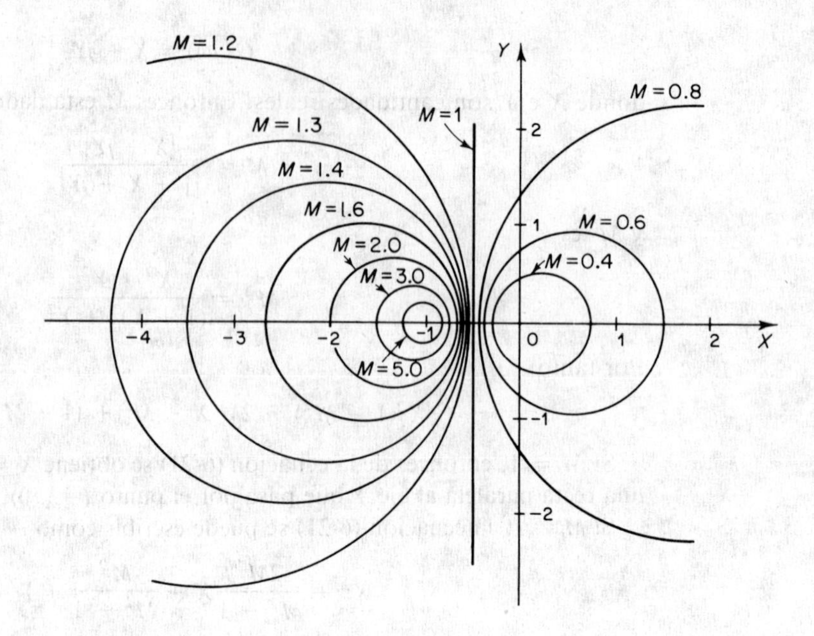


**Figura 6-74**
Familia de círculos de $M$ constante.

el ángulo de fase $\alpha$ es

$$\alpha = \tan^{-1}\left(\frac{Y}{X}\right) - \tan^{-1}\left(\frac{Y}{1 + X}\right)$$

Si se define

$$\tan \alpha = N$$

entonces

$$N = \tan\left[\tan^{-1}\left(\frac{Y}{X}\right) - \tan^{-1}\left(\frac{Y}{1 + X}\right)\right]$$

Como

$$\tan(A - B) = \frac{\tan A - \tan B}{1 + \tan A \tan B}$$

se obtiene

$$N = \frac{\dfrac{Y}{X} - \dfrac{Y}{1 + X}}{1 + \dfrac{Y}{X}\left(\dfrac{Y}{1 + X}\right)} = \frac{Y}{X^2 + X + Y^2}$$

o

$$X^2 + X + Y^2 - \frac{1}{N}Y = 0$$

Sumando $(\frac{1}{4}) + 1/(2N)^2$ en ambos lados de esta última ecuación se tiene

$$\left(X + \frac{1}{2}\right)^2 + \left(Y - \frac{1}{2N}\right)^2 = \frac{1}{4} + \left(\frac{1}{2N}\right)^2 \tag{6–23}$$

Esta es la ecuación de un círculo con centro en $X = -\frac{1}{2}, Y = 1/(2N)$ y con radio $\sqrt{(\frac{1}{4}) + 1/(2N)^2}$. Por ejemplo, si $\alpha = 30°$, entonces $N = \tan\alpha = 0.577$, y resulta que el centro y el radio del círculo correspondiente a $\alpha = 30°$ valen $(-0.5, 0.866)$ y la unidad, respectivamente. Como la ecuación (6-23) se satisface cuando $X = Y = 0$ y $X = -1$, $Y = 0$ independientemente del valor de $N$, cada círculo pasa por el origen y por el punto $-1 + j0$. Los lugares de $\alpha$ constante se pueden trazar fácilmente una vez dado el valor de $N$. En la figura 6-75 aparece una familia de círculos de $N$ constante con $\alpha$ como parámetro.

Nótese que el lugar de $N$ constante para un valor dado de $\alpha$ no es todo el círculo, sino tan sólo un arco. En otras palabras, los arcos $\alpha = 30°$ y $\alpha = -150°$ son partes del mismo círculo, porque la tangente de un ángulo permanece invariable si al mismo se le suma $\pm 180°$ (o sus múltiplos).

El uso de los círculos $M$ y $N$ permite hallar la respuesta en frecuencia de lazo cerrado completa a partir de la respuesta en frecuencia de lazo abierto $G(j\omega)$ sin calcular la magnitud y fase de la función de transferencia de lazo cerrado a cada frecuencia. Las intersecciones de los lugares de $G(j\omega)$ con los círculos $M$ y $N$ dan los valores de $M$ y $N$ en puntos de frecuencia sobre el lugar de $G(j\omega)$.

Los círculos $N$ son multivaluados en el sentido de que el círculo para $\alpha = \alpha_1$ y para $\alpha_1 \pm 180°n$ $(n = 1, 2, \ldots)$ son el mismo. Utilizando los círculos $N$ para determinar

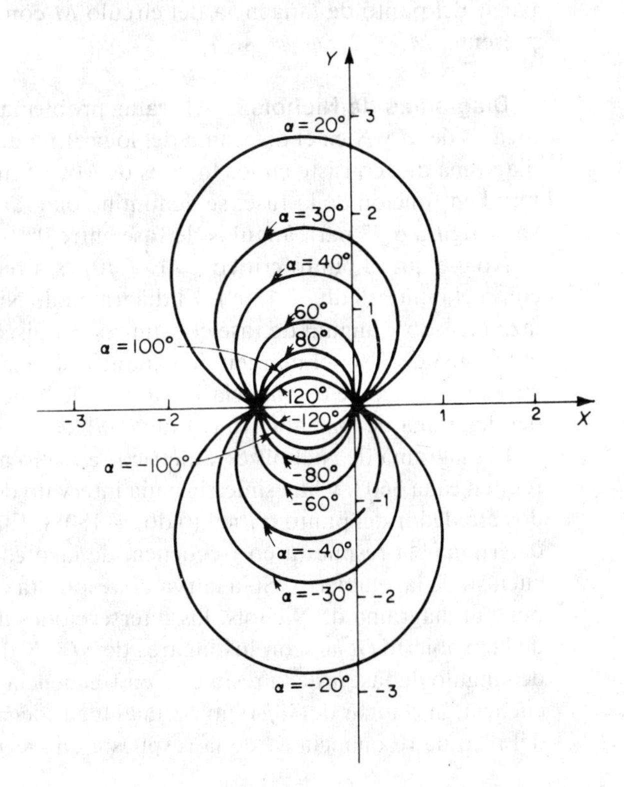


**Figura 6-75**
Familia de círculos de $N$ constante.

el ángulo de fase de sistemas de lazo cerrado, hay que interpretar el valor adecuado de $\alpha$. Para evitar cualquier error, se comienza con frecuencia cero, que corresponde a $\alpha = 0°$, y se avanza hacia frecuencias más altas. La curva de ángulo de fase debe ser continua.

Gráficamente, las intersecciones de los lugares de $G(j\omega)$ con los círculos $M$ dan los valores de $M$ a las frecuencias indicadas en el lugar de $G(j\omega)$. Así, el círculo de $M$ constante con el menor radio que es tangente al lugar $G(j\omega)$ da el valor del pico de resonancia de magnitud $M_r$. Si se desea mantener el pico de resonancia por debajo de cierto valor, el sistema no debe encerrar el punto crítico $(-1 + j0)$ y al mismo tiempo no debe haber intersecciones con el círculo particular $M$ y el lugar de $G(j\omega)$.

En la figura 6-76(a) se puede ver el lugar de $G(j\omega)$ sobrepuesto a una familia de círculos $M$. En la figura 6-76(b) se puede ver el lugar de $G(j\omega)$ sobrepuesto a una familia de círculos $N$. De estos diagramas se puede obtener la respuesta en frecuencia de lazo cerrado por inspección. Nótese que el círculo de $M = 1.1$ corta el lugar de $G(j\omega)$ en el punto de frecuencia $\omega = \omega_1$. Esto significa que a esta frecuencia la magnitud de la función de transferencia de lazo cerrado es 1.1. En la figura 6-76(a), el círculo $M = 2$ es tangente justo en el lugar $G(j\omega)$. Entonces hay un solo punto sobre el lugar $G(j\omega)$ para el cual el valor de $|C(j\omega))/R((j\omega)|$ es igual a 2. La figura 6-76(c) presenta la curva de respuesta en frecuencia de lazo cerrado para el sistema. La curva superior es la de $M$ y la inferior es la de $\alpha$, ambas en función de la frecuencia $\omega$.

El valor del pico de resonancia es el valor de $M$ que corresponde al círculo $M$ de menor radio que es tangente al diagrama de $G(j\omega)$. Entonces, en el diagrama de Nyquist, se puede hallar el valor del pico de resonancia $M_r$ y la frecuencia de resonancia $\omega_r$ a partir del punto de tangencia del círculo $M$ con el diagrama de $G(j\omega)$. (En el ejemplo presente, $M_r = 2$ y $\omega_r = \omega_4$.)

**Diagramas de Nichols.** Al tratar problemas de diseño, es conveniente trazar los lugares de $M$ y $N$ en el diagrama del logaritmo de la magnitud en función de la fase. El diagrama que consiste en los lugares de $M$ y $N$ en el diagrama del logaritmo de la magnitud en función de la fase, se denomina diagrama de Nichols. Este diagrama aparece en la figura 6-77 para ángulos de fase entre 0° y $-240°$.

Nótese que el punto crítico $(-1 + j0)$ está representado en el diagrama de Nichols como el punto (0 db, $-180°$). El diagrama de Nichols contiene curvas de magnitud de lazo cerrado y ángulo de fase constantes. El diseñador puede determinar gráficamente el margen de fase, el margen de ganancia, la magnitud del pico de resonancia, la frecuencia del pico de resonancia y el ancho de banda del sistema de lazo cerrado, a partir del diagrama de lazo abierto del lugar $G(j\omega)$.

El diagrama de Nichols es simétrico respecto al eje $-180°$. Los lugares de $M$ y $N$ se repiten cada 360°, y hay simetría cada intervalo de 180°. Los lugares de $M$ están centrados alrededor del punto crítico (0 db, $-180°$). El diagrama de Nichols es muy útil para determinar la respuesta en frecuencia de lazo cerrado a partir de la respuesta en frecuencia de lazo abierto. Si la curva de respuesta en frecuencia de lazo abierto se sobrepone al diagrama de Nichols, las intersecciones de la curva de respuesta en frecuencia de lazo abierto $G(j\omega)$ con los lugares de $M$ y $N$ dan los valores de la magnitud de $M$ y del ángulo de fase $\alpha$ de la respuesta en frecuencia de lazo cerrado en cada punto de frecuencia. Si el lugar de $G(j\omega)$ no corta al lugar de $M = M_r$, pero es tangente a él, el valor del pico de resonancia $M$ de la respuesta en frecuencia de lazo cerrado está dado por

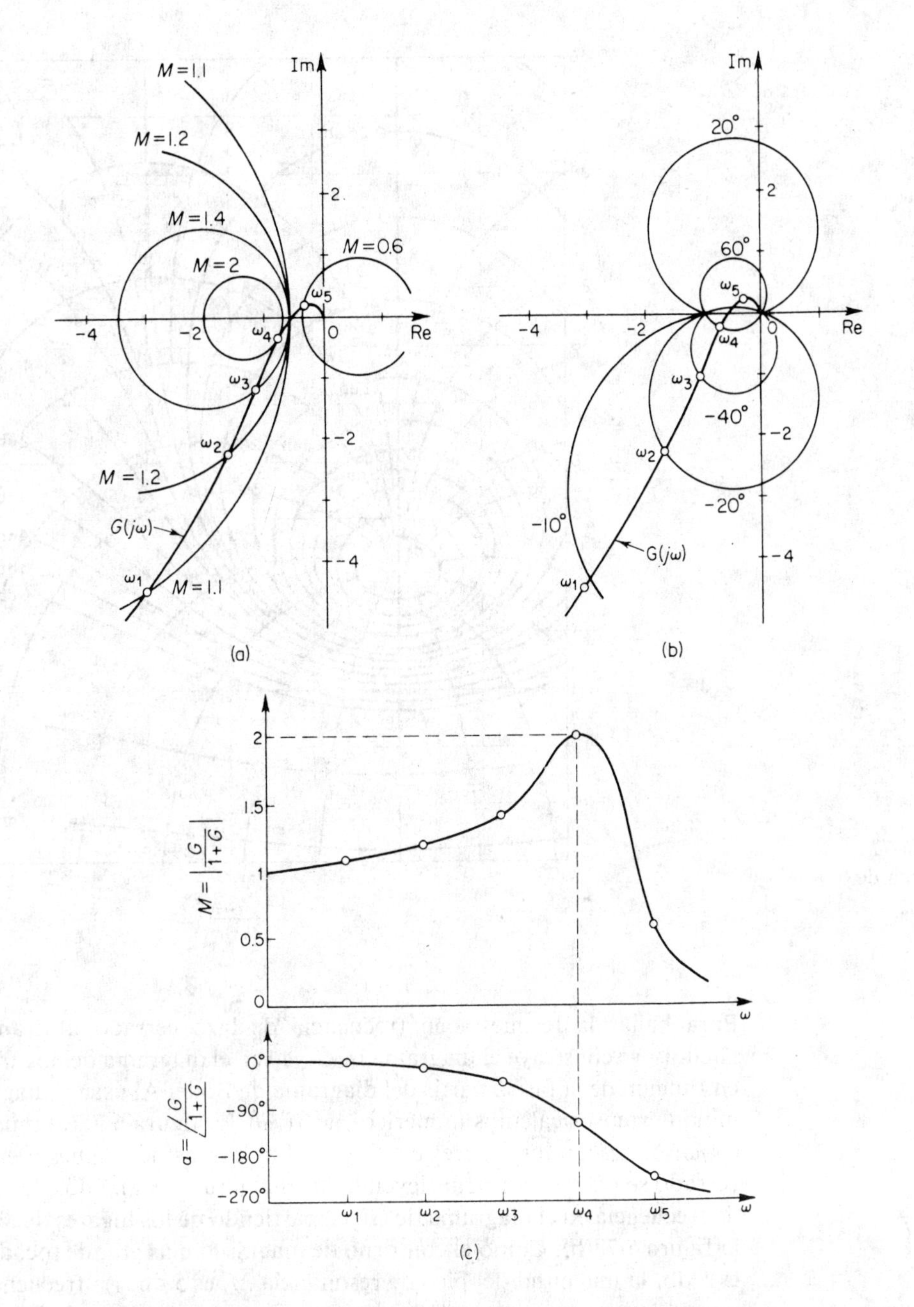


**Figura 6-76**
(a) Gráfica de $G(j\omega)$ sobrepuesta a una familia de círculos $M$; (b) gráfica de $G(j\omega)$ sobrepuesta a una familia de círculos $N$; (c) curvas de respuesta en frecuencia de lazo cerrado.

$M_r$. La frecuencia del pico de resonancia está dada por la frecuencia en el punto de tangencia.

Por ejemplo, considere el sistema con retroalimentación unitaria con la siguiente función de transferencia de lazo abierto:

$$G(j\omega) = \frac{K}{s(s+1)(0.5s+1)}, \quad K = 1$$

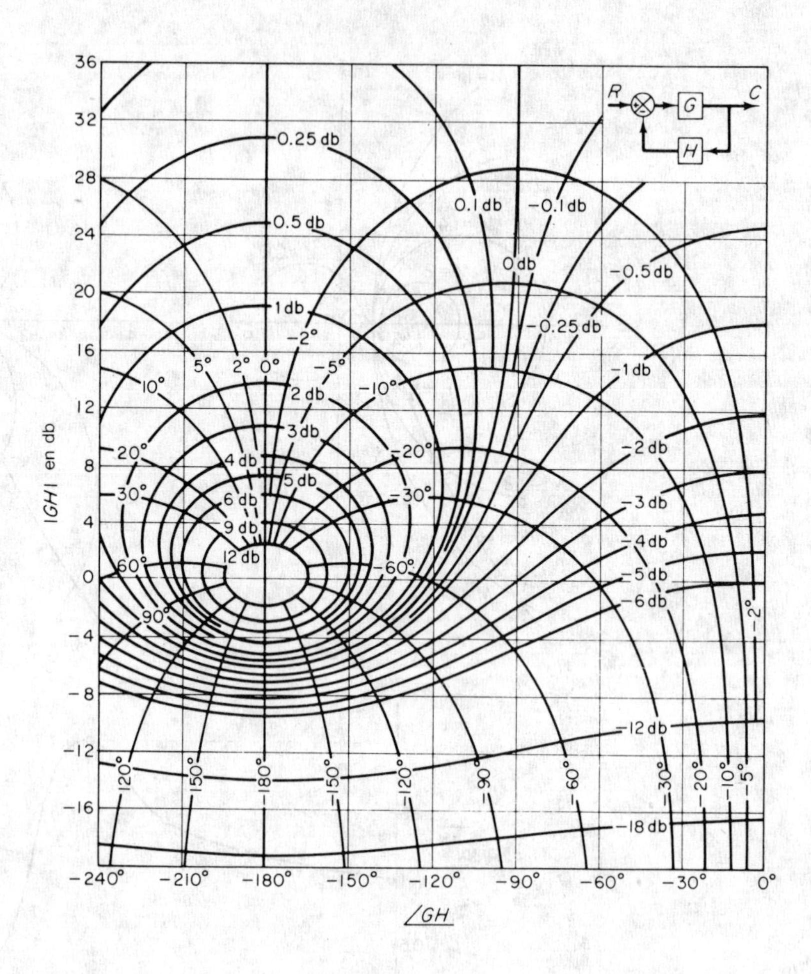


**Figura 6-77**
Diagrama de Nichols.

Para hallar la respuesta en frecuencia de lazo cerrado utilizando el diagrama de Nichols, se construye el diagrama de $G(j\omega)$ en el diagrama del logaritmo de la magnitud en función de la fase a partir del diagrama de Bode. Al usar el diagrama de Bode se eliminan extensos cálculos numéricos de $G(j\omega)$. La figura 6-78(a) muestra el diagrama de $G(j\omega)$ junto con los lugares de $M$ y $N$. Las curvas de respuesta en frecuencia de lazo cerrado se pueden construir leyendo las magnitudes y ángulos de fase en varios puntos de frecuencia en el diagrama de $G(j\omega)$ partiendo de los lugares de $M$ y $N$, como se ve en la figura 6-78(b). Como el contorno de magnitud más grande tocado por el lugar $G(j\omega)$ es 5 db, la magnitud del pico de resonancia $M_r$ es 5 db. La frecuencia del pico de resonancia correspondiente es 0.8 rad/s.

Nótese que el punto de cruce de fase es el punto en el que el diagrama de $G(j\omega)$ corta al eje de $-180°$ (en el sistema presente, $\omega = 1.4$ rad/s), y el punto de cruce de ganancia es el punto donde el lugar intersecta al eje de 0 db (en el sistema presente, $\omega = 0.76$ rad/s). El margen de fase es la distancia horizontal (medida en grados) entre el punto de cruce de ganancia y el punto crítico (0 db, $-180°$). El margen de ganancia es la distancia (en decibeles) entre el punto de cruce de fase y el punto crítico.

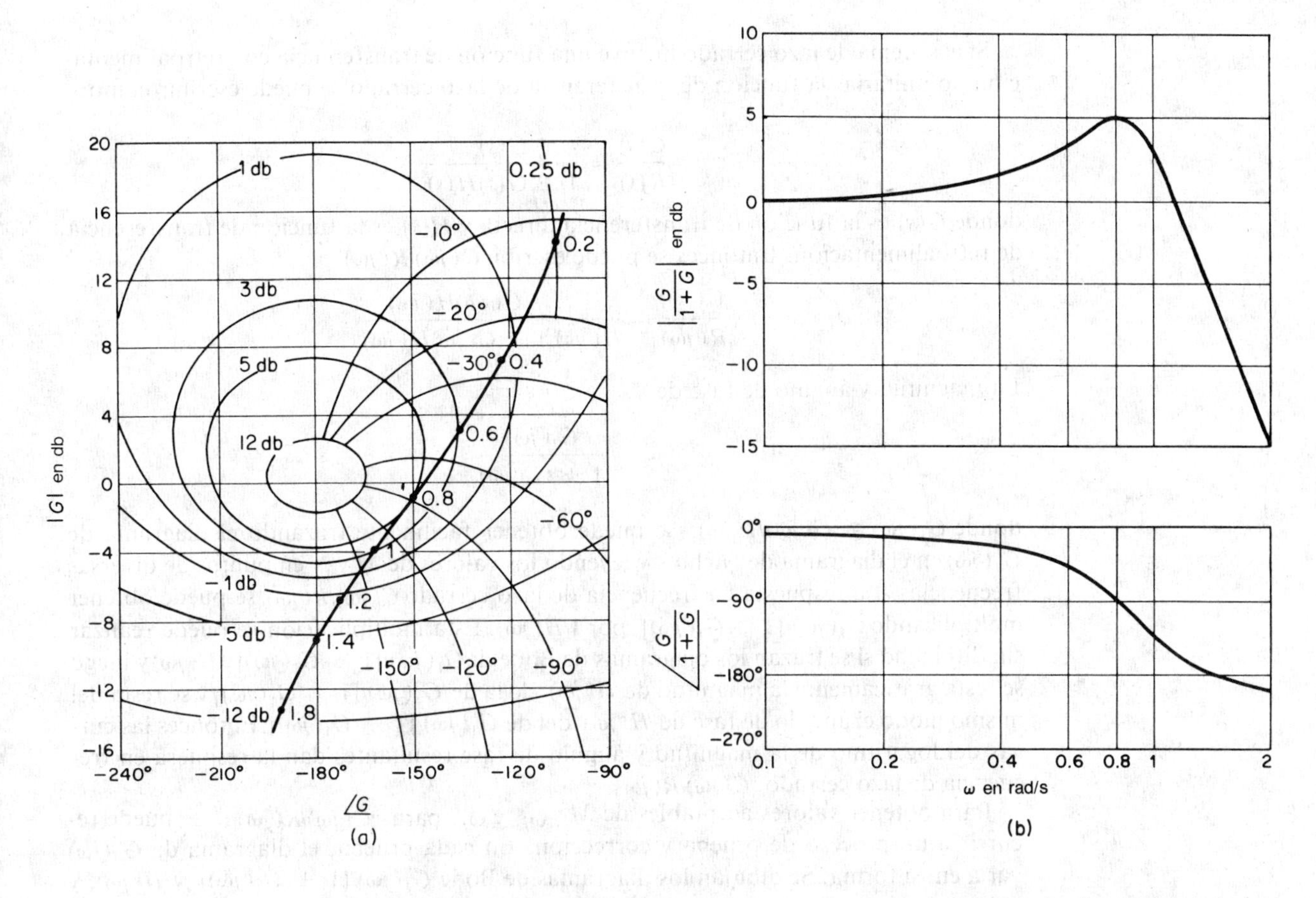


**Figura 6-78** (a) Gráfica de $G(j\omega)$ sobrepuesto a un diagrama de Nichols; (b) gráfica de la respuesta en frecuencia de lazo cerrado.

El ancho de banda del sistema de lazo cerrado se puede hallar fácilmente a partir de la gráfica de $G(j\omega)$ en el diagrama de Nichols. La frecuencia en la intersección del lugar $G(j\omega)$ y el lugar de $M = -3$ db da el ancho de banda.

Si se varía la ganancia de lazo abierto $K$, la forma del lugar de $G(j\omega)$ en el diagrama del logaritmo de la magnitud en función de la fase, permanece inalterada, pero se desplaza hacia arriba (para $K$ creciente) o hacia abajo (para $K$ decreciente) a lo largo del eje vertical. Por tanto, el lugar $G(j\omega)$ corta a los lugares de $M$ y $N$ en forma diferente, dando lugar a una curva de respuesta en frecuencia diferente. Para un valor pequeño de la ganancia $K$, el lugar $G(j\omega)$ no ha de ser tangente a ninguno de los lugares $M$, lo que significa que no hay resonancia en la respuesta en frecuencia de lazo cerrado.

**Respuesta en frecuencia para sistemas con retroalimentación no unitaria.** En la sección precedente, las explicaciones se limitaron a sistemas de lazo cerrado con retroalimentación unitaria. Los lugares de $M$ y $N$ constante y el diagrama de Nichols, no se pueden aplicar directamente al sistema de control con retroalimentación no unitaria, requiriéndose una leve modificación.

Si el sistema de lazo cerrado incluye una función de transferencia con retroalimentación no unitaria, la función de transferencia de lazo cerrado se puede escribir como:

$$\frac{C(s)}{R(s)} = \frac{G(s)}{1 + G(s)H(s)}$$

donde $G(s)$ es la función de transferencia directa y $H(s)$ es la función de transferencia de retroalimentación. Entonces se puede escribir $C(j\omega)/R(j\omega)$

$$\frac{C(j\omega)}{R(j\omega)} = \frac{1}{H(j\omega)} \frac{G(j\omega)H(j\omega)}{1 + G(j\omega)H(j\omega)}$$

La magnitud y ángulo de fase de

$$\frac{G_1(j\omega)}{1 + G_1(j\omega)}$$

donde $G_1(j\omega) = G(j\omega)H(j\omega)$, se puede obtener fácilmente trazando el diagrama de $G_1(j\omega)$ en el diagrama de Nichols y leyendo los valores de $M$ y $N$ en puntos de diversas frecuencias. La respuesta en frecuencia de lazo cerrado $C(j\omega)/R(j\omega)$ se puede obtener multiplicando $G_1(j\omega)/[1 + G_1(j\omega)]$ por $1/H(j\omega)$. Esta multiplicación se puede realizar sin dificultad si se trazan los diagramas de Bode de $G_1(j\omega)/[1 + G_1(j\omega)]$ y $H(j\omega)$ y luego se resta gráficamente la magnitud de $H(j\omega)$ de la de $G_1(j\omega)/[1 + G_1(j\omega)]$ y se resta del mismo modo el ángulo de fase de $H(j\omega)$ del de $G_1(j\omega)/[1 + G_1(j\omega)]$. Entonces las curvas del logaritmo de la magnitud y ángulo de fase resultantes dan la respuesa en frecuencia de lazo cerrado $C(j\omega)/R(j\omega)$

Para obtener valores aceptables de $M_r$, $\omega_r$, y $\omega_b$, para $|C(j\omega)/R(j\omega)|$, se puede recurrir a un proceso de prueba y corrección. En cada prueba, el diagrama de $G_1(j\omega)$ varía en su forma. Se dibujan los diagramas de Bode $G_1(j\omega)/[1 + G_1(j\omega)]$ y $H(j\omega)$, y se obtiene la respuesta en frecuencia de lazo cerrado $C(j\omega)/R(j\omega)$. Se verifican los valores de $M_r$, $\omega_r$, y $\omega_b$ hasta que sean aceptables.

**Ajustes de ganancia.** Ahora se aplicará el concepto de círculos $M$ al diseño de sistemas de control. Para obtener un funcionamiento adecuado, generalmente la primera consideración está en el ajuste de ganancia, que puede basarse en un valor deseado de pico de resonancia.

A continuación, se mostrará un método para determinar la ganancia $K$ de manera que el sistema logre algún valor máximo de $M_r$, no excedido en todo el rango de frecuencia.

Con base en la figura 6-79, la línea tangente, trazada desde el origen al círculo $M_r$ deseado, tiene un ángulo de $\psi$, como se muestra, si $M_r$ es mayor que la unidad. El valor de sen $\psi$ es

$$\operatorname{sen}\psi = \left| \frac{\dfrac{M_r}{M_r^2 - 1}}{\dfrac{M_r^2}{M_r^2 - 1}} \right| = \frac{1}{M_r} \tag{6–24}$$

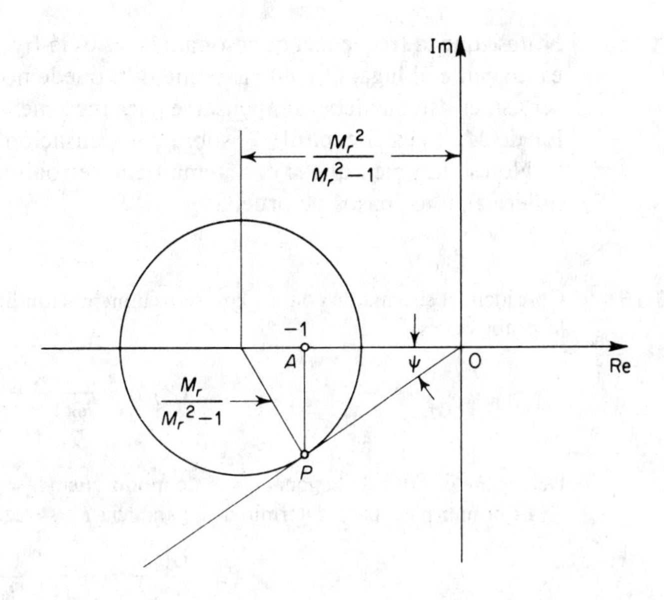


**Figura 6-79**
Círculo $M$.

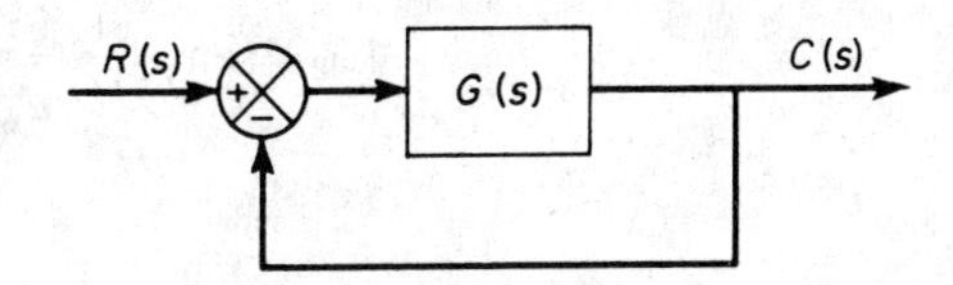


**Figura 6-80**
Sistema de control.

Se puede probar fácilmente que la línea trazada desde el punto $P$, perpendicular al eje real negativo, corta este eje en el punto $-1 + j0$.

Considere el sistema que aparece en la figura 6-80. Se puede resumir el procedimiento para determinar la ganancia $K$ tal que $G(j\omega) = KG_1(j\omega)$ tenga el valor deseado de $M_r$ (donde $M_r > 1$), como sigue:

1. Trace el diagrama polar de la función de transferencia de lazo abierto normalizada $G_1(j\omega) = G(j\omega)/K$.
2. Trace desde el origen la línea que hace un ángulo de $\psi = \text{sen}^{-1}(1/M_r)$ con el eje real negativo.
3. Determine un círculo con centro en el eje real negativo, tangente tanto al lugar $G_1(j\omega)$ como a la línea $PO$.
4. Trace una línea perpendicular al eje real negativo desde el punto $P$, punto de tangencia de este círculo con la línea $PO$. La línea perpendicular corta al eje real negativo en el punto $A$.
5. Para que el círculo recién determinado corresponda al círculo $M_r$ deseado, el punto $A$ debe ser el punto $-1 + j0$.
6. El valor deseado de ganancia $K$ es el que modifica la escala de manera que el punto $A$ sea el punto $-1 + j0$. Entonces, $K = 1/\overline{OA}$.

Nótese que la frecuencia de resonancia $\omega_r$ es la frecuencia del punto en el cual el círculo es tangente al lugar $G_1(j\omega)$. Este método puede no dar un valor satisfactorio de $\omega_r$. De ser así, el sistema debe compensarse para incrementar el valor de $\omega_r$ sin modificar el valor de $M_r$. (Vea el capítulo 7, sobre compensación de sistemas de control).

Nótese también que si el sistema tiene retroalimentación no unitaria, el método requiere algunos pasos de prueba.

**EJEMPLO 6-15** Considere el sistema de control con retroalimentación unitaria cuya función de transferencia de lazo abierto es

$$G(j\omega) = \frac{K}{j\omega(1 + j\omega)}$$

Determine el valor de la ganancia $K$ de modo que $M_r = 1.4$.

El primer paso para determinar la ganancia $K$ es trazar el diagrama polar de

$$\frac{G(j\omega)}{K} = \frac{1}{j\omega(1 + j\omega)}$$

como aparece en la figura 6-81. El valor de $\psi$ correspondiente a $M_r = 1.4$ se obtiene de

$$\psi = \text{sen}^{-1}\frac{1}{M_r} = \text{sen}^{-1}\frac{1}{1.4} = 45.6°$$

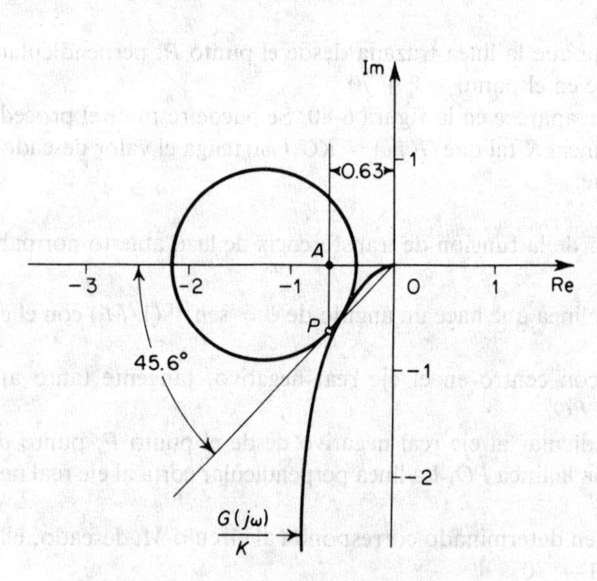


**Figura 6-81** Determinación de la ganancia $K$ utilizando un círculo $M$.

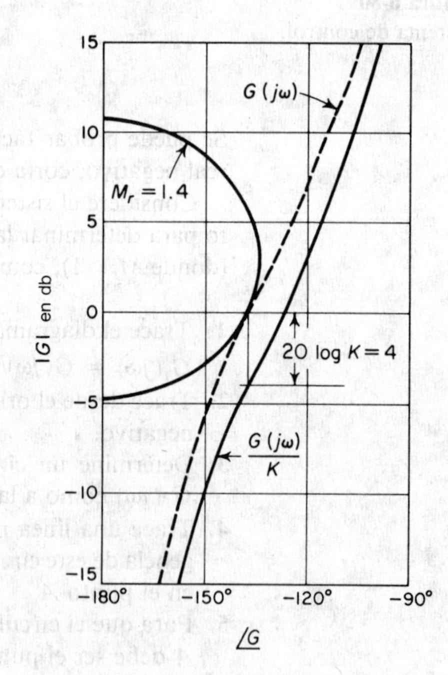


**Figura 6-82** Determinación de la ganancia $K$ utilizando el diagrama de Nichols.

El siguiente paso consiste en trazar la línea $OP$ que hace un ángulo $\psi = 45.6°$ con el eje real negativo. Trace luego el círculo tangente tanto al diagrama de $G(j\omega)/K$, como a la línea $OP$. Determine el punto $P$ donde el círculo es tangente a la línea de 45.6°. La línea perpendicular trazada desde el punto $P$ corta al eje real negativo en (—0.63, 0). Entonces la ganancia $K$ del sistema se determina como sigue:

$$K = \frac{1}{0.63} = 1.58$$

Nótese que esta determinación de la ganancia también se puede hacer fácilmente en el diagrama del logaritmo de la magnitud en función de la fase. A continuación, se demostrará cómo se puede utilizar el diagrama del logaritmo de la magnitud en función de la fase para determinar el valor de $K$ de modo que el sistema tenga el valor deseado de $M$.

La figura 6-82 muestra el lugar de $M_r = 1.4$ y el lugar $G(j\omega)/K$. El modificar la ganancia no tiene efecto en el ángulo de fase, pero desplaza verticalmente la curva hacia arriba para $K > 1$ y hacia abajo para $K < 1$. En la figura 6-82 se debe elevar en 4 db el diagrama $G(j\omega)/K$ para que sea tangente al lugar $M_r$ deseado y que todo el diagrama $G(j\omega)/K$ quede fuera de la gráfica de $M_r = 1.4$. La cantidad de variación vertical del lugar $G(jw)/K$ determina la ganancia necesaria para obtener el valor deseado de $M_r$. Entonces, resolviendo de

$$20 \log K = 4$$

se halla

$$K = 1.58$$

Así, se llega al mismo resultado obtenido antes.

## 6-9 DETERMINACION EXPERIMENTAL DE FUNCIONES DE TRANSFERENCIA

El primer paso en el análisis y diseño de un sistema de control es deducir un modelo matemático de la planta en consideración. El obtener un modelo en forma analítica puede ser bastante difícil. Para lograrlo puede ser necesario recurrir al análisis experimental. La importancia de los métodos de respuesta en frecuencia está en que la función de transferencia de la planta, o cualquier otro componente de un sistema, puede determinarse con mediciones simples de respuesta en frecuencia.

Si se han determinado por medición la relación de magnitud y de desplazamiento de fase en un número suficiente de frecuencias dentro del rango de frecuencias de interés, se pueden graficar en un diagrama de Bode. Entonces se puede determinar la función de transferencia por aproximaciones asintóticas. Las curvas asintóticas del logaritmo de la magnitud se integran en forma de varios segmentos. Por lo general con algún procedimiento de prueba y corrección a las frecuencias de cruce, se logra hallar un ajuste de la curva bastante bueno. (Nótese que si la frecuencia se gradúa en ciclos por segundo, y no en radianes por segundo, las frecuencia de cruce deben convertirse a radianes por segundo antes de calcular las constantes de tiempo).

**Generadores de señal senoidales.** Para poder realizar pruebas de respuesta en frecuencia, se requiere disponer de generadores de señal senoidal adecuados. La señal puede darse en forma mecánica, eléctrica o neumática. Los rangos de frecuencia requeridos para las pruebas son aproximadamente de 0.001 a 10 Hz para sistemas con constantes de tiempo elevadas y de 0.1 a 1000 Hz para sistemas con constantes de tiempo pequeñas. La señal senoidal debe estar razonablemente libre de armónicas o distorsión.

Para rangos de muy baja frecuencia (por debajo de 0.01 Hz) se puede utilizar un generador mecánico de señal (junto con un trasductor eléctrico o neumático en caso necesario). Para el rango de frecuencias desde 0.01 a 1000 Hz, se puede utilizar un generador de señal eléctrico (con el trasductor adecuado en caso necesario).

**Determinación de funciones de transferencia de fase mínima a partir de diagramas de Bode.** Como se indicó antes, se puede determinar si un sistema es de fase mínima o no, a partir de las curvas de respuesta en frecuencia y examinando en ellas las característica de alta frecuencia.

Para determinar la función de transferencia, se comienza por trazar las asíntotas de la curva del logaritmo de la magnitud, obtenida en forma experimental. Las asíntotas deben tener pendientes que sean múltiplos de $\pm 20$ db/década. Si la pendiente de la curva de logaritmo de magnitud obtenida experimentalmente cambia de —20 a —40 db/década a la frecuencia $\omega = \omega_1$, es claro que existe un factor $1/[1 + j(\omega/\omega_1)]$ en la función de transferencia. Si la pendiente cambia en —40 db/década a $\omega = \omega_2$, debe haber un factor cuadrático de la forma

$$\frac{1}{1 + 2\zeta\left(j\frac{\omega}{\omega_2}\right) + \left(j\frac{\omega}{\omega_2}\right)^2}$$

en la función de transferencia. La frecuencia natural no amortiguada de este factor cuadrático es igual a la frecuencia de cruce $\omega_2$. El factor de amortiguamiento $\zeta$ puede determinarse partiendo de la curva del logaritmo de la magnitud obtenida en forma experimental midiendo la magnitud del pico de resonancia en la cercanía de la frecuencia de cruce $\omega_2$ y comparando estas curvas con las que se ven en la figura 6-11.

Una vez que se han determinado los factores de la función de transferencia $G(j\omega)$, se puede determinar la porción de baja frecuencia de la curva del logaritmo de la magnitud. Dado que términos tales como $1 + j(\omega/\omega_1)$ y $1 + 2\zeta(j\omega/\omega_2) + (j\omega/\omega_2)^2$ se convierten en la unidad conforme $\omega$ tiende a cero, a muy bajas frecuencias, la función de transferencia senoidal $G(j\omega)$ se puede escribir

$$\lim_{\omega \to 0} G(j\omega) = \frac{K}{(j\omega)^\lambda}$$

En muchos casos prácticos, $\lambda$ iguala 0, 1, o 2.

**1.** Para $\lambda = 0$, o sistemas de tipo 0, 0,

$$G(j\omega) = K \quad \text{para } \omega \ll 1$$

o bien

$$20 \log |G(j\omega)| = 20 \log K \quad \text{para } \omega \ll 1$$

La asíntota de baja frecuencia es una línea horizontal a 20 log $K$ db. El valor de $K$ se puede hallar partiendo de esta asíntota horizontal.

**2.** Para $\lambda = 1$, o sistemas de tipo 1,

$$G(j\omega) = \frac{K}{j\omega} \quad \text{para } \omega \ll 1$$

o bien

$$20 \log |G(j\omega)| = 20 \log K - 20 \log \omega \quad \text{para } \omega \ll 1$$

que indica que la asíntota de baja frecuencia tiene una pendiente de $-20$ db/década. La frecuencia a la cual la asíntota de baja frecuencia (o su prolongación) corta la línea de 0 db, es numéricamente igual a $K$.

**3.** Para $\lambda = 2$, o sistemas de tipo 2,

$$G(j\omega) = \frac{K}{(j\omega)^2} \quad \text{para } \omega \ll 1$$

o bien

$$20 \log |G(j\omega)| = 20 \log K - 40 \log \omega \quad \text{para } \omega \ll 1$$

La pendiente de la asíntota de baja frecuencia es de $-40$ db/década. La frecuencia a la que esta asíntota (o su prolongación) corta a la línea de 0 db, es numéricamente igual a $\sqrt{K}$.

En la figura 6-83 se muestran ejemplos de curvas del logaritmo de la magnitud para sistemas de tipo 0, de tipo 1, y de tipo 2, junto con la frecuencia a la cual está relacionada la ganancia $K$.

La curva del logaritmo de la magnitud obtenida en forma experimental brinda un medio de verificar la función de transferencia obtenida de la curva del logaritmo de la magnitud. Para un sistema de fase mínima, la curva de ángulo de fase experimental debe concordar razonablemente bien con la curva teórica de ángulo de fase obtenida de la función de transferencia mencionada. Estas dos curvas de ángulo de fase deben coincidir exactamente tanto en el rango de muy bajas frecuencias como en el de muy altas frecuencias. Si el ángulo de fase obtenido de modo experimental a muy altas frecuencias (comparadas con las frecuencias de cruce) no es igual a $-90°(q - p)$, donde $p$ y $q$ son los grados de los polinomios numerador y denominador de la función de transferencia, respectivamente, entonces la función de transferencia debe ser de fase mínima.

**Funciones de transferencia de fase no mínima.** Si en el extremo de altas frecuencias el retardo de fase calculado es 180° menor que el retardo de fase obtenido experimentalmente, entonces uno de los ceros de la función de transferencia debe estar en el semiplano derecho del plano $s$, en lugar del semiplano izquierdo del plano $s$.

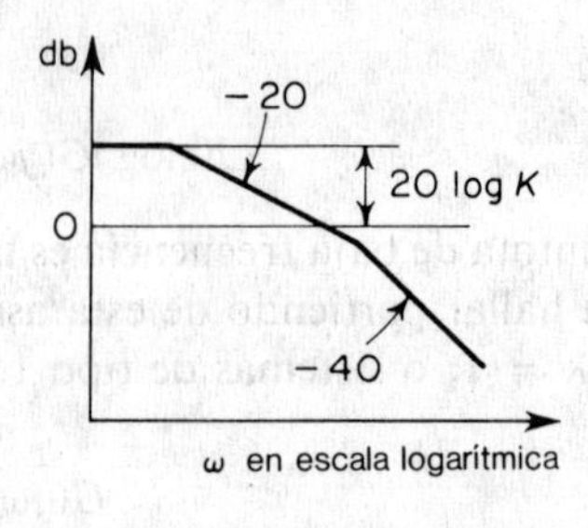

(a)

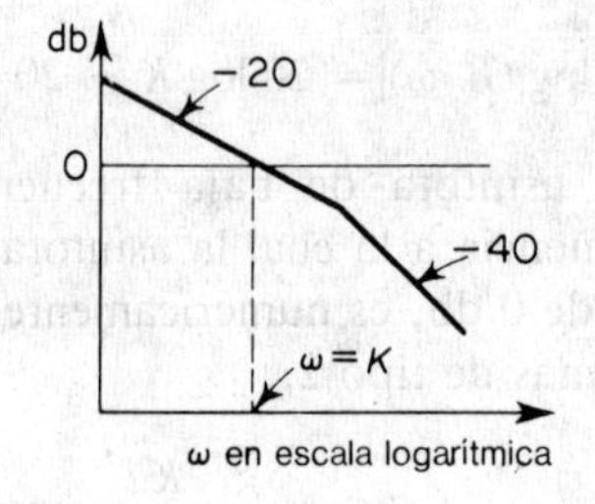


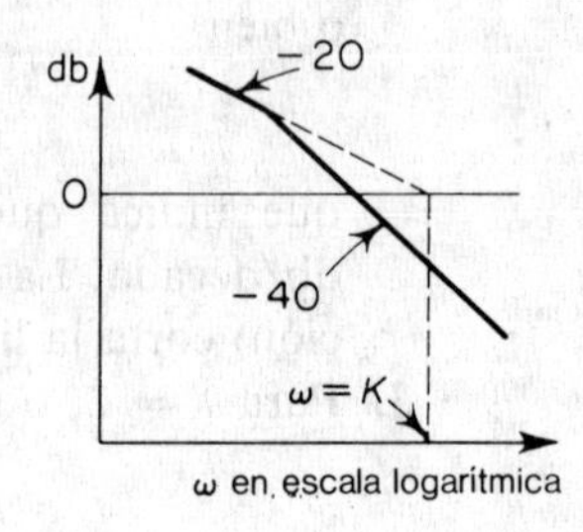


(b)

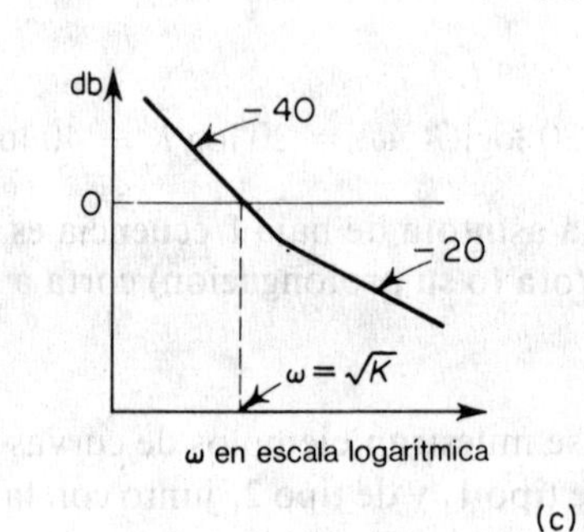


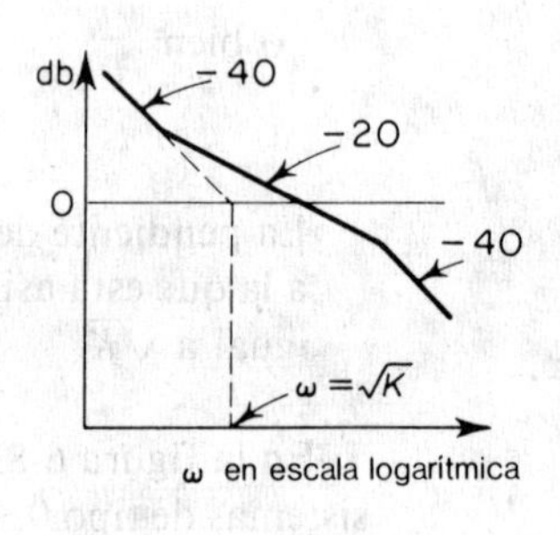


(c)

**Figura 6-83**
(a) Curva del logaritmo de la magnitud de un sistema tipo 0; (b) curvas del logaritmo de la magnitud de sistemas tipo 1; (c) curvas del logaritmo de la magnitud de sistemas tipo 2. (Las pendientes mostradas están en db/década).

Si el retardo de fase calculado difiere del retardo de fase obtenido experimentalmente en una razón de cambio constante de fase, hay retardo de transporte o tiempo muerto. Si se supone que la función de transferencia es de la forma

$$G(s)e^{-Ts}$$

donde $G(s)$ es una relación de polinomios en $s$, entonces

$$\lim_{\omega\to\infty} \frac{d}{d\omega} \underline{/G(j\omega)e^{-j\omega T}} = \lim_{\omega\to\infty} \frac{d}{d\omega}\left[\underline{/G(j\omega)} + \underline{/e^{-j\omega T}}\right]$$

$$= \lim_{\omega\to\infty} \frac{d}{d\omega}\left[\underline{/G(j\omega)} - \omega T\right]$$

$$= 0 - T = -T$$

Luego, de esta última ecuación se puede evaluar la magnitud del retardo de transporte $T$.

## Observaciones sobre la determinación experimental de funciones de transferencia

**1.** Generalmente es más fácil realizar mediciones exactas de magnitud que de desplazamiento de fase. Las mediciones de desplazamiento de fase pueden incluir errores producidos por la instrumentación o por las lecturas de los registros experimentales.

**2.** La respuesta en frecuencia del equipo de medición utilizado para medir la salida del sistema debe tener curvas de magnitud en función de frecuencia prácticamente planas. Además, el ángulo de fase debe ser casi proporcional a la frecuencia.

**3.** Los sistemas físicos pueden tener diversos tipos de no linealidad, por lo tanto hay que considerar con mucho cuidado la magnitud de las señales senoidales de entrada. Si la magnitud de la señal de entrada es demasiado grande, el sistema se saturará y la prueba de respuesta en frecuencia producirá resultados imprecisos. Por otro lado, una señal de entrada pequeña producirá errores por zona muerta, por tanto, hay que hacer una cuidadosa elección de la magnitud de la señal senoidal de entrada. Es necesario supervisar la forma de onda de la salida del sistema para asegurar que la forma de onda sea senoidal y que el sistema esté operando en la región lineal durante el periodo de prueba. (La forma de onda de la salida del sistema no es senoidal cuando el sistema está funcionando en su región no lineal).

**4.** Si el sistema en estudio opera continuamente durante días y semanas, no es necesario detener su funcionamiento normal para las pruebas de respuesta en frecuencia. La señal senoidal de prueba se puede sobreponer a las entradas normales. Frecuentemente se utilizan también señales estocásticas (señales de ruido blanco) para determinar la función de transferencia mientras el sistema está en funcionamiento normal. La función de transferencia del sistema se puede determinar utilizando funciones de correlación sin interrumpir el funcionamiento normal.

**EJEMPLO 6-16**

Determine la función de transferencia del sistema cuyas curvas de respuesta en frecuencia experimentales aparecen en la figura 6-84.

El primer paso para determinar la función de transferencia es aproximar la curva del logaritmo de la magnitud por asíntotas con pendientes de $\pm 20$ db/década y sus múltiplos, como aparecen en la figura 6-84. Luego se estiman las frecuencias de cruce. Para el sistema que se muestra en la figura 6-84, se estima la siguiente forma de la función de transferencia.

$$G(j\omega) = \frac{K(1 + 0.5j\omega)}{j\omega(1 + j\omega)\left[1 + 2\zeta\left(j\frac{\omega}{8}\right) + \left(j\frac{\omega}{8}\right)^2\right]}$$

El valor del factor de amortiguamiento $\zeta$ se estima examinando el pico de resonancia en la proximidad de $\omega = 6$ rad/s. Con referencia en la figura 6-11, se determina que $\zeta$ vale 0.5. La ganancia $K$ es numéricamente igual a la frecuencia en la intersección de la extensión de la asíntota de baja frecuencia y la línea de 0 db. Este valor de $K$ resulta ser 10, por lo tanto, $G(j\omega)$ se determina en forma tentativa

$$G(j\omega) = \frac{10(1 + 0.5j\omega)}{j\omega(1 + j\omega)\left[1 + \left(j\frac{\omega}{8}\right) + \left(j\frac{\omega}{8}\right)^2\right]}$$

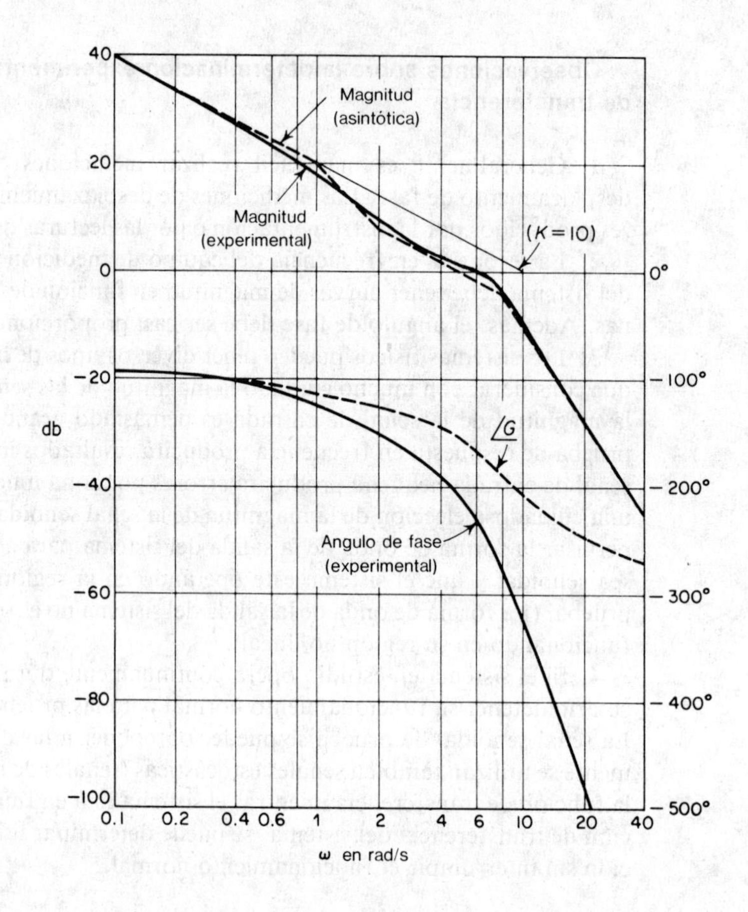


**Figura 6-84** Diagrama de Bode de un sistema. (Las líneas llenas se obtuvieron experimentalmente.)

o bien

$$G(s) = \frac{320(s+2)}{s(s+1)(s^2+8s+64)}$$

Esta función de transferencia es tentativa, porque aún no se ha examinado la curva de ángulo de fase.

Una vez marcadas las frecuencias de cruce en la curva del logaritmo de la magnitud, se puede trazar fácilmente la curva de ángulo de fase correspondiente a cada factor componente de la función de transferencia. La suma de estas curvas de ángulo de fase es la de la función de transferencia supuesta. En la figura 6-84 se denota a la curva de ángulo de fase para $G(j\omega)$ como $\angle G$. En la figura 6-84 se nota claramente una discrepancia entre la curva de ángulo de fase calculada y la curva de ángulo de fase obtenida experimentalmente. La diferencia entre las dos curvas a muy altas frecuencias se presenta como una razón de cambio constante. Así, la discrepancia en las curvas de ángulo de fase debe ser causada por el retardo de transporte.

Por lo tanto, se supone que la función de transferencia completa es $G(s)e^{-Ts}$. Como la discrepancia entre los valores de ángulo de fase calculado y experimental es de $-0.2\omega$ radianes para muy altas frecuencias, el valor de $T$ se puede determinar como sigue:

$$\lim_{\omega\to\infty} \frac{d}{d\omega} \angle G(j\omega)e^{-j\omega T} = -T = -0.2$$

o bien

$$T = 0.2 \text{ seg}$$

Así se puede determinar la presencia de retardo de transporte, con lo que la función de transferencia completa determinada a partir de las curvas experimentales, es

$$G(s)e^{-Ts} = \frac{320(s + 2)e^{-0.2s}}{s(s + 1)(s^2 + 8s + 64)}$$

## Ejemplos de problemas y soluciones

**A-6-1.** Considere el circuito que aparece en la figura 6-85. Suponga que el voltaje $e_i$ está aplicado en las terminales de entrada y que en la salida aparece el voltaje $e_o$. Suponga que la entrada al sistema es

$$e_i(t) = E_i \operatorname{sen} \omega t$$

Obtenga la corriente $i(t)$ en estado estacionario que fluye por la resistencia $R$.

**Solución.** Aplicando al circuito la ley de voltaje de Kirchhoff, se obtiene

$$L\frac{di}{dt} + Ri + \frac{1}{C}\int i\,dt = e_i$$

La función de transferencia entre $I(s)$ y $E_i(s)$ es

$$\frac{I(s)}{E_i(s)} = \frac{1}{Ls + R + \dfrac{1}{Cs}} = G(s)$$

Para la entrada dada $e_i(t) = E_i \operatorname{sen} \omega t$, la corriente en estado estacionario $i_{ss}(t)$ es

$$i_{ss}(t) = E_i|G(j\omega)|\operatorname{sen}[\omega t + \angle G(j\omega)]$$

donde

$$G(j\omega) = \frac{1}{Lj\omega + R - j\dfrac{1}{C\omega}}$$

Como

$$|G(j\omega)| = \frac{1}{\sqrt{R^2 + \left(L\omega - \dfrac{1}{C\omega}\right)^2}}$$

y

$$\angle G(j\omega) = -\tan^{-1}\left(\frac{L\omega - \dfrac{1}{C\omega}}{R}\right)$$

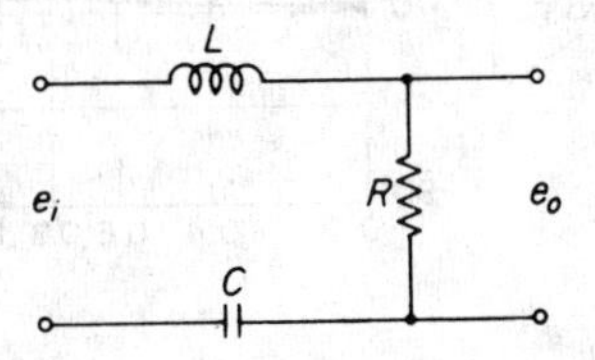


**Figura 6-85**
Circuito eléctrico.

se tiene

$$i_{ss}(t) = \frac{E_i}{\sqrt{R^2 + \left(L\omega - \frac{1}{C\omega}\right)^2}} \operatorname{sen}\left[\omega t - \tan^{-1}\left(\frac{L\omega - \frac{1}{C\omega}}{R}\right)\right]$$

**A–6–2.** Considere el sistema cuya función de transferencia de lazo cerrado es

$$\frac{C(s)}{R(s)} = \frac{10(s + 1)}{(s + 2)(s + 5)}$$

(Este sistema es el mismo del problema A-5-11). Está claro que los polos de lazo cerrado están ubicados en $s = -2$ y $s = -5$, y el sistema es no oscilatorio. (La respuesta al escalón unitario, sin embargo, presenta sobreimpulso debido a la presencia de un cero en $s = -1$. Véase la figura 5-49).

Demuestre que la respuesta en frecuencia de lazo cerrado de este sistema presenta un pico de resonancia, aunque los factores de amortiguamiento de los polos de lazo cerrado son mayores que la unidad.

**Solución.** La figura 6-86 muestra el diagrama de Bode para este sistema. El valor del pico de resonancia es aproximadamente 3.5 db. (Nótese que, en ausencia de un cero, el sistema de segundo orden con $\zeta > 0.7$ no presenta pico de resonancia; no obstante, la presencia de un cero de lazo cerrado producirá tal pico).

**A–6–3.** Pruebe que el diagrama polar de la función de transferencia senoidal

$$G(j\omega) = \frac{j\omega T}{1 + j\omega T} \qquad (0 \leq \omega \leq \infty)$$

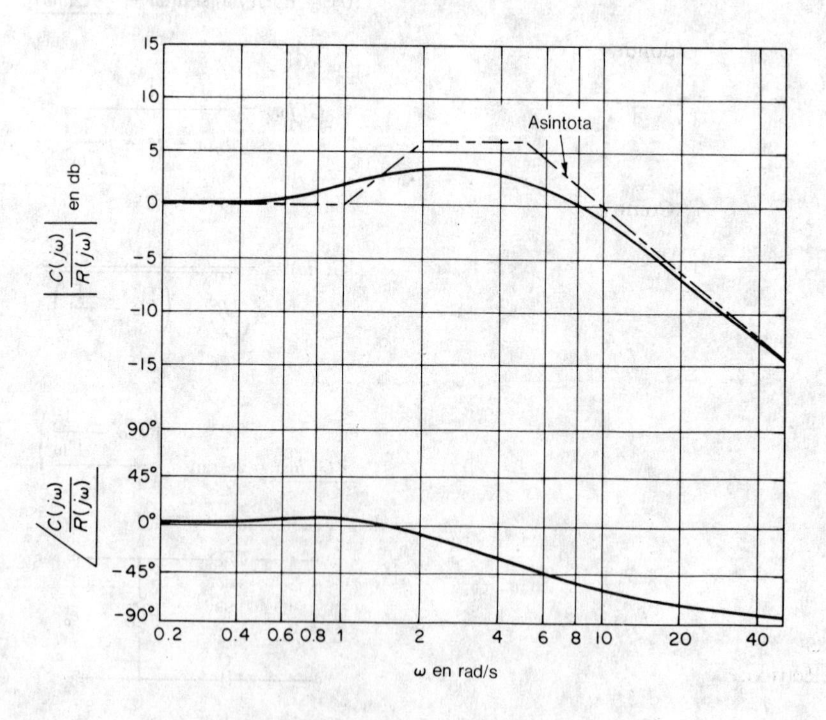


**Figura 6-86**
Diagrama de Bode de $10(1 + j\omega)/[(2 + j\omega)(5 + j\omega)]$.

es un semicírculo. Hallar el centro y el radio del círculo.

**Solución.** La función de transferencia senoidal dada $G(j\omega)$ se puede escribir como sigue:

$$G(j\omega) = X + jY$$

donde

$$X = \frac{\omega^2 T^2}{1 + \omega^2 T^2}, \qquad Y = \frac{\omega T}{1 + \omega^2 T^2}$$

Entonces

$$\left(X - \frac{1}{2}\right)^2 + Y^2 = \frac{(\omega^2 T^2 - 1)^2}{4(1 + \omega^2 T^2)^2} + \frac{\omega^2 T^2}{(1 + \omega^2 T^2)^2} = \frac{1}{4}$$

Por lo tanto, se ve que el diagrama de $G(j\omega)$ es un círculo centrado en (0.5, 0) con radio igual a 0.5. El semicírculo superior corresponde a $0 \leq \omega \leq \infty$, y el inferior a $-\infty \leq \omega \leq 0$.

**A–6–4.** Dibuje un diagrama de Bode para la siguiente función de transferencia de lazo abierto $G(s)$

$$G(s) = \frac{20(s^2 + s + 0.5)}{s(s + 1)(s + 10)}$$

**Solución.** Sustituyendo $s = j\omega$ en $G(s)$, se tiene

$$G(j\omega) = \frac{20\,[(j\omega)^2 + (j\omega) + 0.5]}{j\omega(j\omega + 1)(j\omega + 10)}$$

Nótese que $\omega_n$ y $\zeta$ del término cuadrático del numerador, son

$$\omega_n = \sqrt{0.5} \qquad \text{y} \qquad \zeta = 0.707$$

Este término cuadrático se puede escribir como

$$\omega_n^2 \left[\left(\frac{j\omega}{\omega_n}\right)^2 + 2\zeta\left(j\frac{\omega}{\omega_n}\right) + 1\right] = (\sqrt{0.5})^2 \left[\left(\frac{j\omega}{\sqrt{0.5}}\right)^2 + 2 \times 0.707\left(j\frac{\omega}{\sqrt{0.5}}\right) + 1\right]$$

Nótese que la frecuencia de cruce es $\omega = \sqrt{0.5} = 0.707$ rad/s. Ahora se puede escribir $G(j\omega)$ como

$$G(j\omega) = \frac{\left(j\dfrac{\omega}{\sqrt{0.5}}\right)^2 + 1.414\left(j\dfrac{\omega}{\sqrt{0.5}}\right) + 1}{j\omega(j\omega + 1)(0.1\,j\omega + 1)}$$

En la figura 6-87 se tiene el diagrama de Bode para $G(j\omega)$.

**A–6–5.** Trace el diagrama de Bode para el siguiente sistema de fase no mínima:

$$\frac{C(s)}{R(s)} = 1 - Ts$$

Obtenga la respuesta del sistema a la rampa unitaria y trace el diagrama de $c(t)$ en función de $t$.

**Solución.** En la figura 6-88 se ve el diagrama de Bode del sistema. Para la entrada rampa unitaria $R(s) = 1/s^2$, se tiene

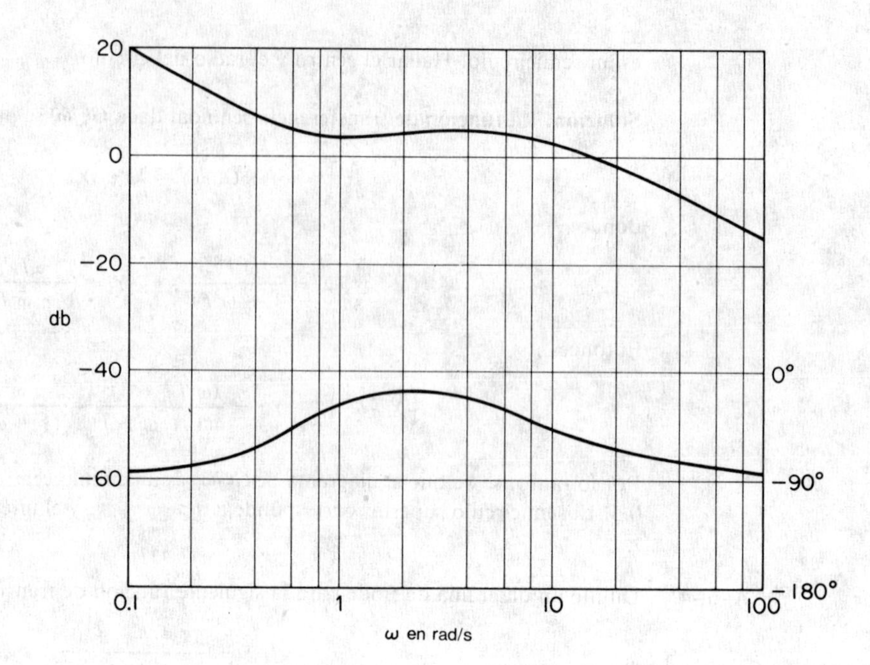


**Figura 6-87**
Diagrama de Bode de $G(j\omega)$ del problema A-6-4.

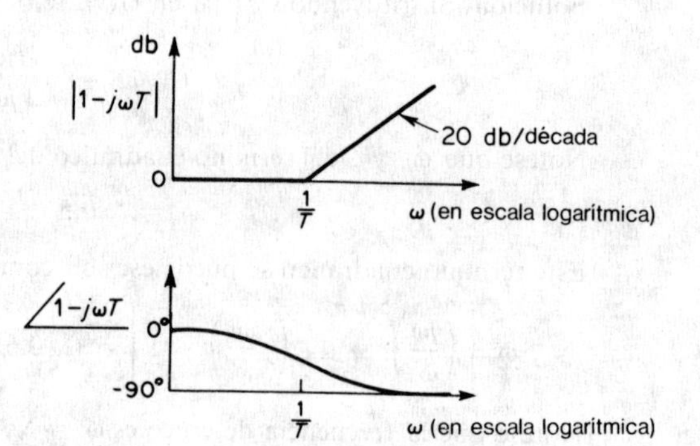


**Figura 6-88**
Diagrama de Bode de $1 - j\omega T$.

$$C(s) = \frac{1 - Ts}{s^2} = \frac{1}{s^2} - \frac{T}{s}$$

La transformada inversa de Laplace de $C(s)$ es

$$c(t) = t - T \qquad (t \geq 0)$$

En la figura 6-89 aparece la curva de respuesta $c(t)$ en función de $t$. (Note el comportamiento defectuoso del comienzo de la respuesta). Una propiedad característica de un sistema de fase no mínima como éste es que la respuesta transitoria comienza en dirección opuesta a la de la entrada, pero finalmente regresa a la misma dirección.

**A–6–6.** Con referencia al problema A-6-4, trace el diagrama polar del lugar de $G(s)$, donde

$$G(s) = \frac{20(s^2 + s + 0.5)}{s(s + 1)(s + 10)}$$

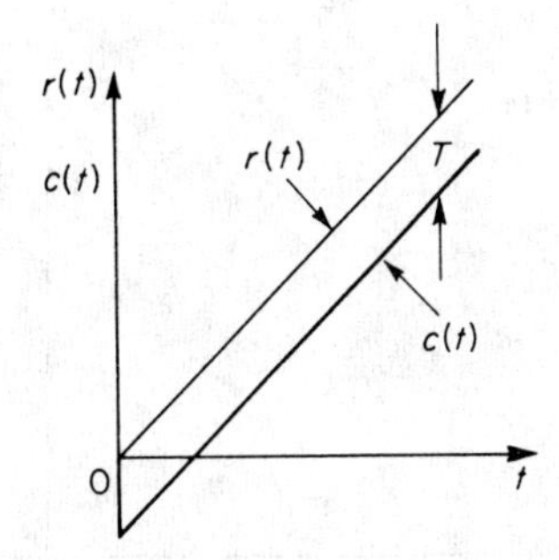


**Figura 6-89**
Respuesta a la rampa unitaria del sistema considerado en el problema A-6-5.

**Solución.** Viendo que

$$G(j\omega) = \frac{2(-\omega^2 + j\omega + 0.5)}{j\omega(j\omega + 1)(0.1\,j\omega + 1)}$$

se tiene

$$|G(j\omega)| = \frac{2\sqrt{(0.5 - \omega^2) + \omega^2}}{\omega\sqrt{1 + \omega^2}\,\sqrt{1 + 0.01\,\omega^2}}$$

$$\angle G(j\omega) = \tan^{-1}\left(\frac{\omega}{0.5 - \omega^2}\right) - 90° - \tan^{-1}\omega - \tan^{-1}(0.1\omega)$$

La magnitud y ángulo de fase se pueden obtener como aparece en la tabla 6-3. (Nótese que la magnitud en decibeles y el ángulo de fase en grados se pueden leer fácilmente de la figura 6-87). La magnitud en decibeles también puede convertirse a un valor numérico. La figura 6-90 muestra el diagrama polar. Nótese la existencia de un lazo en el lugar polar.

**A–6–7.** Considere la función

$$F(s) = \frac{s + 1}{s - 1}$$

**Tabla 6-3** Magnitud y fase de $G(j\omega)$ considerado en el problema A–6–6

| $\omega$ | $\|G(j\omega)\|$ | $\angle G(j\omega)$ |
|---|---|---|
| 0.1 | 9.952 | −84.75° |
| 0.2 | 4.918 | −78.96° |
| 0.4 | 2.435 | −64.46° |
| 0.6 | 1.758 | −47.53° |
| 1.0 | 1.573 | −24.15° |
| 2.0 | 1.768 | −14.49° |
| 4.0 | 1.801 | −22.24° |
| 6.0 | 1.692 | −31.10° |
| 10.0 | 1.407 | −45.03° |
| 20.0 | 0.893 | −63.44° |
| 40.0 | 0.485 | −75.96° |

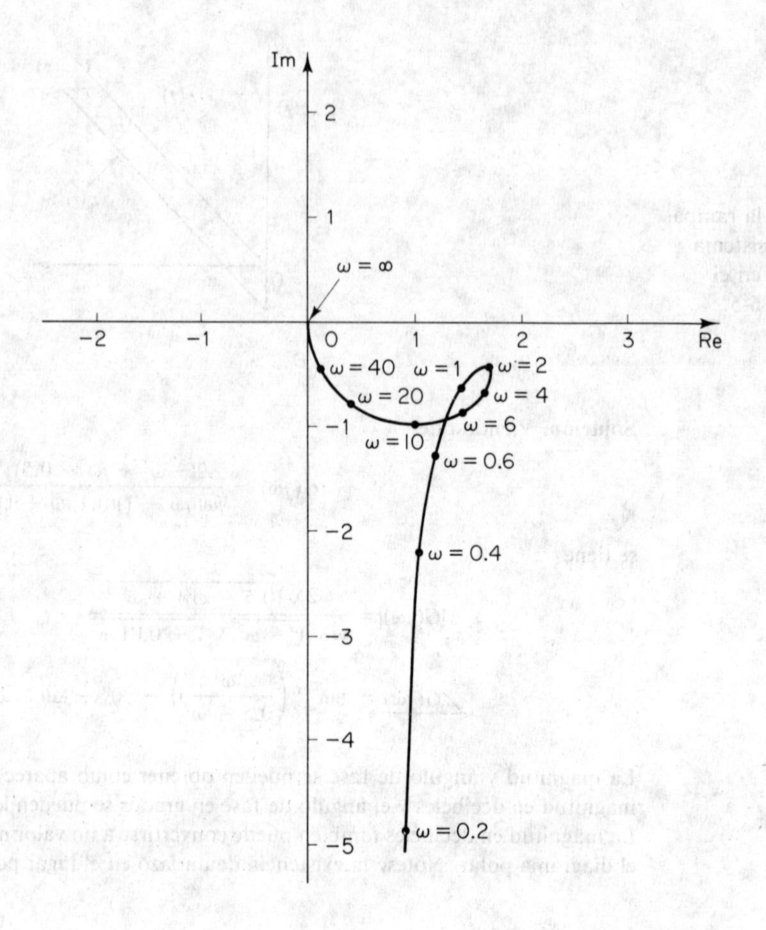


**Figura 6-90**
Diagrama polar de $G(j\omega)$ dado en el problema A-6-6.

La transformación de las líneas $\omega = 0, \pm 1, \pm 2$, y las líneas $\sigma = 0, \pm 1, \pm 2$, son círculos en el plano $F(s)$, como aparecen en la figura 6-91. Muestre que si la trayectoria en el plano $s$ encierra el polo de $F(s)$, hay un rodeo al origen en el plano $F(s)$ en sentido antihorario. Si la trayectoria en el plano $s$ encierra el cero de $F(s)$, hay un rodeo al origen del plano $F(s)$ en el sentido horario. Si la trayectoria en el plano $s$ rodea tanto al cero como al polo, o si la trayectoria no rodea al cero ni al polo, entonces no hay rodeo al origen en el plano $F(s)$ por parte del diagrama de $F(s)$. (Nótese que en el plano $s$ un punto representativo traza una trayectoria en sentido horario).

**Solución.** En la figura 6-92 se da una solución gráfica; ésta muestra trayectorias cerradas en el plano $s$ y sus curvas cerradas correspondientes en el plano $F(s)$.

**A-6-8.** Pruebe el siguiente teorema de la transformación: sea $F(s)$ una relación de polinomios en $s$. Sea $P$ la cantidad de polos y $Z$ la cantidad de ceros de $F(s)$ que están dentro de una trayectoria cerrada en el plano $s$, teniendo en cuenta la multiplicidad. La trayectoria cerrada no pasa por ningún polo o cero de $F(s)$. Entonces la trayectoria cerrada del plano $s$ tiene su transformación en el plano $F(s)$ como una curva cerrada. La cantidad $N$ de giros en sentido horario alrededor del origen del plano $F(s)$, a medida que un punto representativo traza toda la trayectoria en el plano $s$ en sentido horario, es igual a $Z - P$.

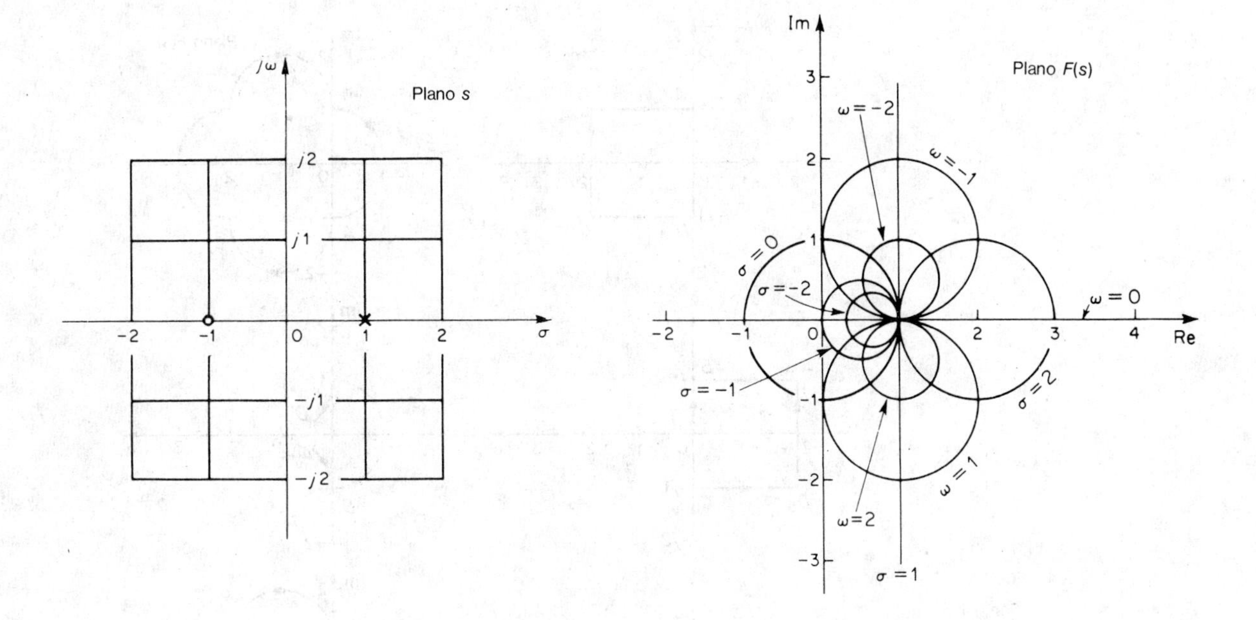


**Figura 6-91** Transformación de mallas en el plano $s$ al plano $F(s)$ donde $F(s) = (s + 1)/(s - 1)$.

**Solución.** Para probar este teorema, se utilizan el teorema de Cauchy y el teorema del residuo. El teorema de Cauchy establece que la integral de $F(s)$ alrededor de una trayectoria cerrada en el plano $s$ es cero si $F(s)$ es analítica dentro y sobre la trayectoria cerrada, o sea

$$\oint F(s)\, ds = 0$$

Supóngase que $F(s)$ está dada por

$$F(s) = \frac{(s + z_1)^{k_1}(s + z_2)^{k_2} \cdots}{(s + p_1)^{m_1}(s + p_2)^{m_2} \cdots} X(s)$$

donde $X(s)$ es analítica en la trayectoria cerrada en el plano $s$ y todos los polos y ceros están ubicados en la trayectoria. Entonces la relación $F'(s)/F(s)$ se puede escribir como

$$\frac{F'(s)}{F(s)} = \left(\frac{k_1}{s + z_1} + \frac{k_2}{s + z_2} + \cdots\right) - \left(\frac{m_1}{s + p_1} + \frac{m_2}{s + p_2} + \cdots\right) + \frac{X'(s)}{X(s)} \tag{6–25}$$

Esto se puede ver de la siguiente consideración: si $F(s)$ está dada por

$$F(s) = (s + z_1)^k X(s)$$

entonces $F(s)$ tiene un cero de $k$-ésimo orden en $s = -z_1$. Diferenciando $F(s)$ respecto a $s$ se tiene

$$F'(s) = k(s + z_1)^{k-1}X(s) + (s + z_1)^k X'(s)$$

Entonces

$$\frac{F'(s)}{F(s)} = \frac{k}{s + z_1} + \frac{X'(s)}{X(s)} \tag{6–26}$$

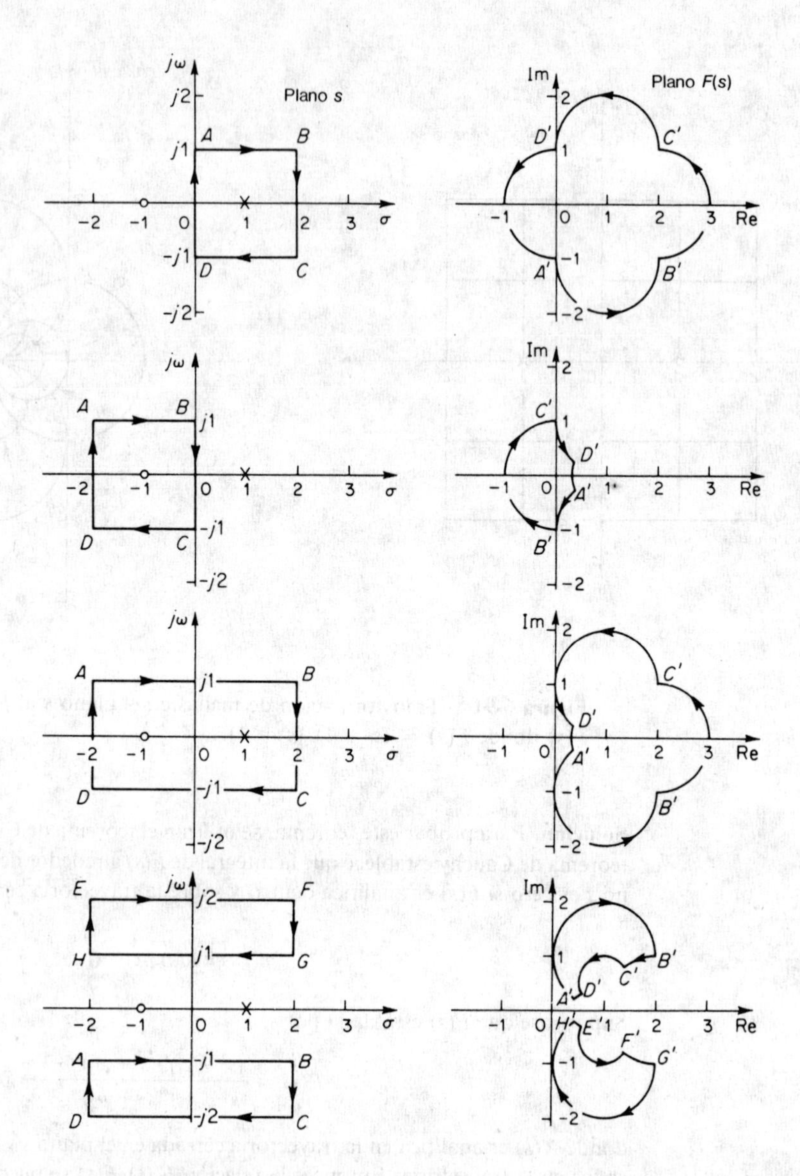


**Figura 6-92** Transformación de trayectorias en el plano $s$ al plano $F(s)$, donde $F(s) = (s + 1)/(s - 1)$.

Al tomar la relación $F'(s)/F(s)$, el cero de $k$-ésimo orden de $F(s)$ se convierte en un polo simple de $F'(s)/F(s)$.

Si el último término del miembro derecho de la ecuación (6-26) no contiene polos ni ceros en la trayectoria cerrada del plano $s$, $F'(s)/F(s)$ es analítica en esta trayectoria, excepto en el cero $s = -z_1$. Entonces, con referencia a la ecuación (6-25), y utilizando el teorema del residuo, que establece que la integral de $F'(s)/F(s)$ tomada en sentido horario alrededor de una trayectoria cerrada en el plano $s$ es igual a $-2\pi j$ veces los residuos en los polos simples de $F'(s)/F(s)$, o sea

$$\oint \frac{F'(s)}{F(s)}\, ds = -2\pi j(\Sigma \text{ residuos})$$

se tiene

$$\oint \frac{F'(s)}{F(s)}\, ds = -2\pi j[(k_1 + k_2 + \cdots) - (m_1 + m_2 + \cdots)] = -2\pi j(Z - P)$$

donde $Z = k_1 + k_2 + \ldots =$ cantidad total de ceros de $F(s)$ encerrados por la trayectoria cerrada en el plano $s$.

$P = m_1 + m_2 + \ldots =$ cantidad total de polos de $F(s)$ encerrados por la trayectoria cerrada en el plano $s$.

[Los múltiples ceros $k$ (o polos) se consideran $k$ ceros (o polos) ubicados en el mismo punto.] Como $F(s)$ es un número complejo, $F(s)$ se puede escribir

$$F(s) = |F|e^{j\theta}$$

y

$$\ln F(s) = \ln|F| + j\theta$$

Nótese que $F'(s)/F(s)$ se puede escribir

$$\frac{F'(s)}{F(s)} = \frac{d \ln F(s)}{ds}$$

se obtiene

$$\frac{F'(s)}{F(s)} = \frac{d \ln|F|}{ds} + j\frac{d\theta}{ds}$$

Si la trayectoria del plano $s$ se representa en trayectoria cerrada $\Gamma$ en el plano $F(s)$, entonces

$$\oint \frac{F'(s)}{F(s)}\, ds = \oint_{\Gamma} d \ln|F| + j\oint_{\Gamma} d\theta = j\int d\theta = 2\pi j(P - Z)$$

La integral $\oint_{\Gamma} d \ln|F|$ es cero pues la magnitud $\ln|F|$ es la misma en el punto inicial y en el final de la trayectoria $\Gamma$. Entonces, se obtiene

$$\frac{\theta_2 - \theta_1}{2\pi} = P - Z$$

La diferencia angular entre los valores inicial y final de $\theta$ es igual al cambio total de ángulo de fase de $F'(s)/F(s)$ a medida que un punto representativo del plano $s$ se desplaza a lo largo de la trayectoria cerrada. Nótese que $N$ es el número de rodeos del origen del plano $F(s)$ en sentido horario y $\theta_2 - \theta_1$ es cero o un múltiplo de $2\pi$ radianes, se obtiene

$$\frac{\theta_2 - \theta_1}{2\pi} = -N$$

Entonces se tiene la relación

$$N = Z - P$$

Esto prueba el teorema.

Nótese que con el teorema de la transformación, no se puede encontrar la cantidad exacta de polos y ceros, sólo su diferencia. También puede verse de las figuras 6-93(a) y (b) que, si $\theta$ no cambia en $2\pi$ radianes, no se puede rodear el origen del plano $F(s)$.

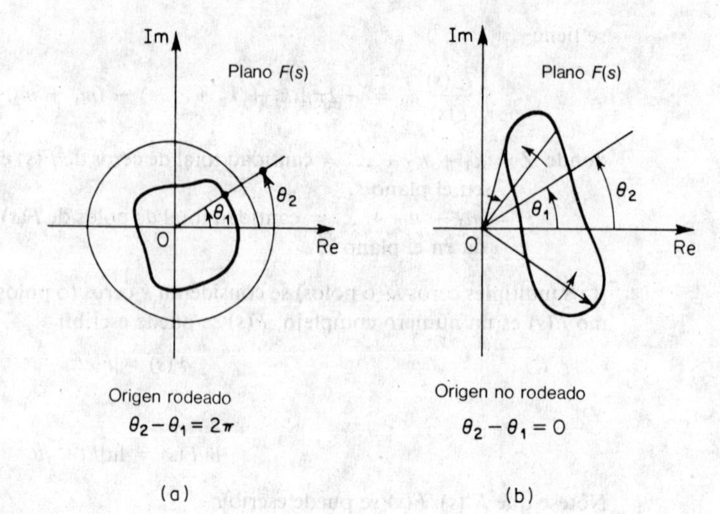


**Figura 6-93** Determinación de rodeos al origen en el plano $F(s)$.

**A-6-9.** En la figura 6-94 se ve el diagrama polar de la respuesta en frecuencia de lazo abierto de un sistema de control con retroalimentación unitaria. Suponiendo que la trayectoria de Nyquist en el plano $s$ rodea a todo el semiplano derecho del plano $s$, trace un diagrama completo de Nyquist en el plano $G$. Conteste las siguientes preguntas:

(a) Si la función de transferencia de lazo abierto no tiene polos en el semiplano derecho del plano $s$, ¿es estable el sistema de lazo cerrado?
(b) Si la función de transferencia de lazo abierto tiene un polo y no tiene ceros en el semiplano derecho del plano $s$, ¿es estable el sistema de lazo cerrado?
(c) Si la función de transferencia de lazo abierto tiene un cero y no tiene polos en el semiplano derecho del plano $s$, ¿el sistema de lazo cerrado es estable?

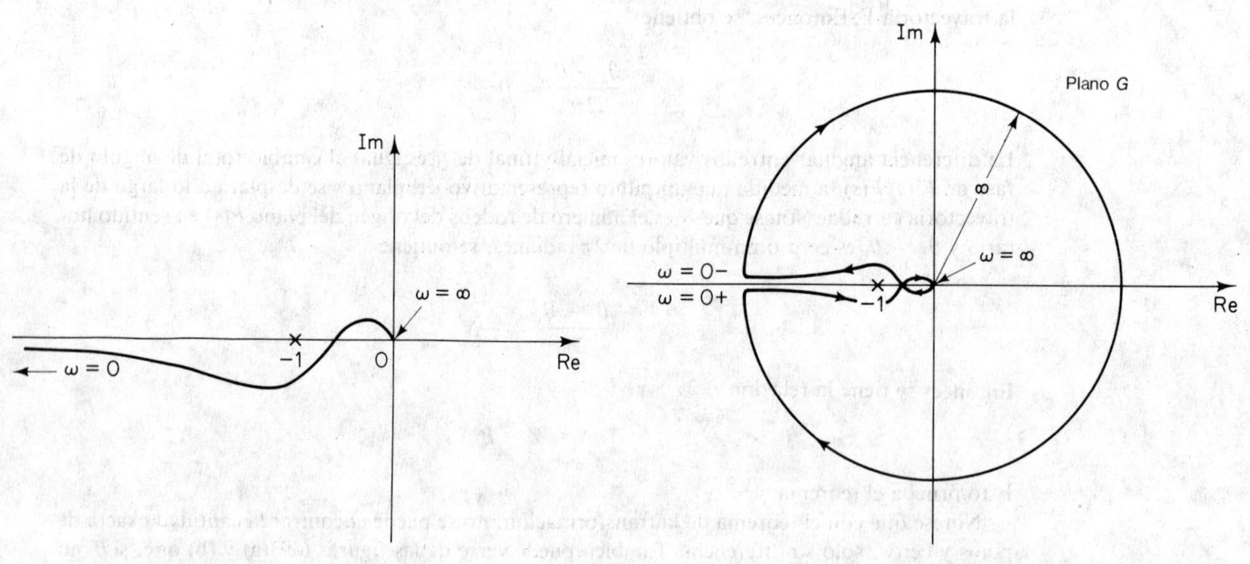


**Figura 6-94** Diagrama polar.

**Figura 6-95** Diagrama de Nyquist completo en el plano $G$.

**Solución.** En la figura 6-95 aparece un diagrama de Nyquist completo en el plano $G$. Las respuestas a las tres preguntas son:

(a) El sistema de lazo cerrado es estable, porque el punto crítico $(-1 + j0)$ no está rodeado por la trayectoria de Nyquist. Es decir, como $P = 0$ y $N = 0$, se tiene $Z = N + P = 0$.
(b) La función de transferencia de lazo abierto tiene un polo en el semiplano derecho del plano $s$. Por lo tanto, $P = 1$. (El sistema de lazo abierto es inestable). Para que el sistema de lazo cerrado sea estable, el diagrama de Nyquist debe rodear al punto crítico $(-1 + j0)$ una vez en sentido antihorario. Sin embargo, el diagrama de Nyquist no rodea al punto crítico. Por lo tanto, $N = 0$. Entonces, $Z = N + P = 1$. El sistema de lazo cerrado es inestable.
(c) Como la función de transferencia de lazo abierto tiene un cero pero no tiene polos en el semiplano derecho del plano $s$, se tiene que $Z = N + P = 0$. De este modo, el sistema de lazo cerrado es estable. (Nótese que los ceros de la función de transferencia de lazo abierto no afectan la estabilidad del sistema de lazo cerrado).

**A-6-10.** ¿El sistema con la función de transferencia de lazo abierto siguiente y con $K = 2$ es estable?

$$G(s)H(s) = \frac{K}{s(s+1)(2s+1)}$$

Hallar el valor crítico de la ganancia $K$ para la estabilidad.

**Solución.** La función de transferencia de lazo abierto es

$$G(j\omega)H(j\omega) = \frac{K}{j\omega(j\omega+1)(2j\omega+1)}$$

$$= \frac{K}{-3\omega^2 + j\omega(1-2\omega^2)}$$

Esta función de transferencia de lazo abierto no tiene polos en el semiplano derecho del plano $s$. Entonces, por razones de estabilidad, el punto $-1 + j0$ no debe quedar rodeado por el diagrama de Nyquist. Se encontrará el punto en el que el diagrama de Nyquist cruza el eje real negativo. Se hace cero la parte imaginaria de $G(j\omega)H(j\omega)$, o bien

$$1 - 2\omega^2 = 0$$

de donde

$$\omega = \pm \frac{1}{\sqrt{2}}$$

Substituyendo $\omega = 1/\sqrt{2}$ en $G(j\omega)H(j\omega)$, se tiene

$$G\left(j\frac{1}{\sqrt{2}}\right)H\left(j\frac{1}{\sqrt{2}}\right) = -\frac{2K}{3}$$

Se obtiene el valor de la ganancia $K$ crítica igualando $-2K/3$ a $-1$, o sea

$$-\frac{2}{3}K = -1$$

Por tanto,

$$K = \frac{3}{2}$$

El sistema es estable si $0 < K < \frac{3}{2}$. Por tanto, el sistema con $K = 2$ es inestable.

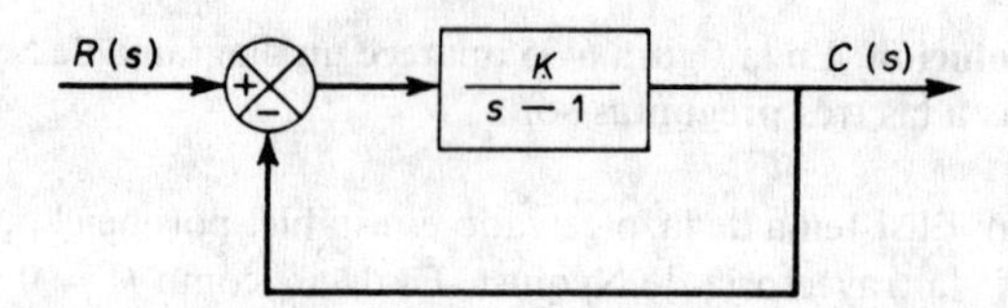


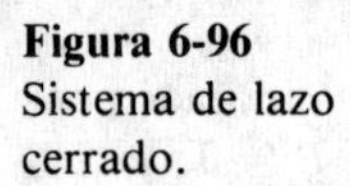

**Figura 6-96**
Sistema de lazo cerrado.

**A–6–11.** Considere el sistema de lazo cerrado de la figura 6-96. Determine el valor crítico de $K$ para la estabilidad utilizando el criterio de estabilidad de Nyquist.

**Solución.** El diagrama polar de

$$G(j\omega) = \frac{K}{j\omega - 1}$$

es un círculo con centro en $-K/2$ sobre el eje real negativo y con radio $K/2$, como en la figura 6-97(a). Al incrementar $\omega$ desde $-\infty$ a $\infty$, el lugar de $G(j\omega)$ realiza un giro en sentido antihorario. En este sistema, $P = 1$ porque hay un polo de $G(s)$ en el semiplano derecho del plano $s$. Para que el sistema de lazo cerrado sea estable, $Z$ debe ser igual a cero. Por lo tanto, $N = Z - P$ debe ser igual a $-1$, o debe haber un giro en sentido antihorario al punto $-1 + j0$ para que haya estabilidad. (Si no hay rodeo alrededor del punto $-1 + j0$, el sistema es inestable). Entonces, por razones de estabilidad, $K$ debe ser mayor que la unidad, y $K = 1$ da el límite de estabilidad. La figura 6-97(b) muestra casos estables e inestables de diagramas de $G(j\omega)$.

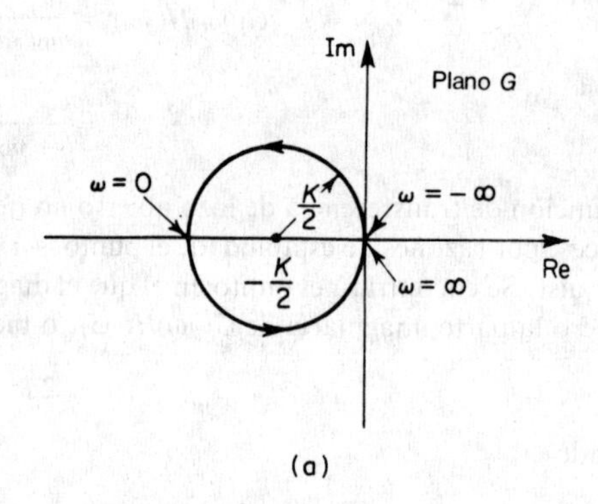


Im
Plano G
ω = 0
ω = −∞
−1
Re
ω = ∞
P = 1
N = −1
Z = 0
(Estable)
K > 1

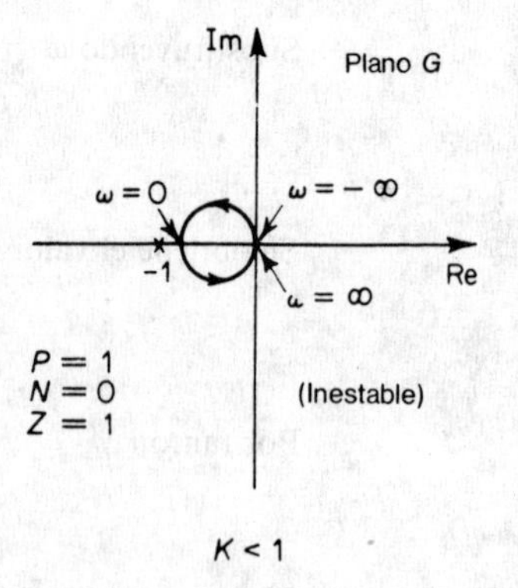


(b)

**Figura 6-97**
(a) Diagrama polar de $K/(j\omega - 1)$; (b) diagramas polares de $K/(j\omega - 1)$ para casos estables e inestables.

**A–6–12.** Considere el sistema con retroalimentación unitaria cuya función de transferencia de lazo abierto es

$$G(s) = \frac{Ke^{-0.8s}}{s + 1}$$

Utilizando el diagrama de Nyquist, determine el valor crítico de $K$ para la estabilidad.

**Solución.** Para este sistema,

$$G(j\omega) = \frac{Ke^{-0.8j\omega}}{j\omega + 1}$$

$$= \frac{K(\cos 0.8\omega - j\,\text{sen}\,0.8\omega)(1 - j\omega)}{1 + \omega^2}$$

$$= \frac{K}{1 + \omega^2}[(\cos 0.8\omega - \omega\,\text{sen}\,0.8\omega) - j(\text{sen}\,0.8\omega + \omega\cos 0.8\omega)]$$

La parte imaginaria de $G(j\omega)$ es igual a cero si

$$\text{sen}\,0.8\omega + \omega\cos 0.8\omega = 0$$

Por tanto

$$\omega = -\tan 0.8\omega$$

Resolviendo esta ecuación para el mínimo valor positivo de $\omega$, se obtiene

$$\omega = 2.4482$$

Substituyendo $\omega = 2.4482$ en $G(j\omega)$, se obtiene

$$G(j2.4482) = \frac{K}{1 + 2.4482^2}(\cos 1.9586 - 2.4482\,\text{sen}\,1.9586) = -0.378\,K$$

El valor crítico de $K$ para la estabilidad, se obtiene haciendo $G(j2.4482)$ igual a $-1$. Por tanto

$$0.378K = 1$$

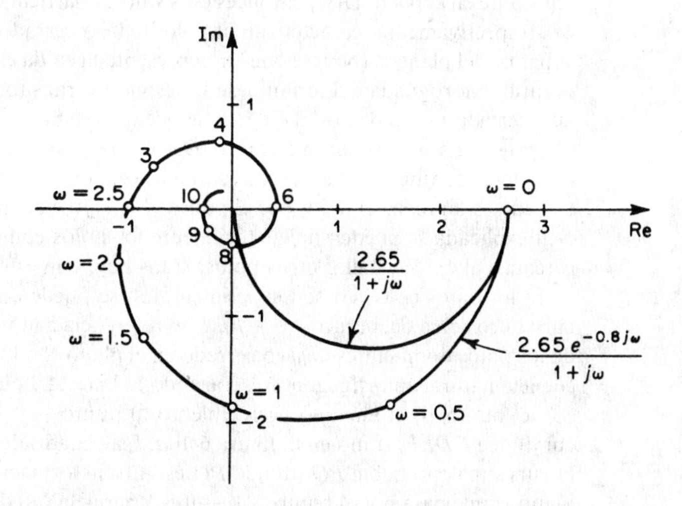


**Figura 6-98** Diagramas polares de $2.65e^{-0.8j\omega}/(1 + j\omega)$ y $2.65/(1 + j\omega)$.

o bien

$$K = 2.65$$

En la figura 6-98 se ven los diagramas de Nyquist o polares de $2.65\, e^{-0.8j\omega}/(1 + j\omega)$ y $2.65/(1 + j\omega)$. El sistema de primer orden sin retardo de transporte es estable para todos los valores de $K$, pero el que tiene retardo de transporte de 0.8 segundos se hace inestable para $K > 2.65$.

**A-6-13.** Dado

$$G(s) = \frac{\omega_n^2}{s^2 + 2\zeta\omega_n s + \omega_n^2}$$

muestre que

$$|G(j\omega_n)| = \frac{1}{2\zeta}$$

**Solución.** Nótese que

$$G(j\omega) = \frac{\omega_n^2}{(j\omega)^2 + 2\zeta\omega_n(j\omega) + \omega_n^2}$$

$$= \frac{1}{\left(j\dfrac{\omega}{\omega_n}\right)^2 + 2\zeta\left(j\dfrac{\omega}{\omega_n}\right) + 1}$$

se tiene

$$|G(j\omega_n)| = \left|\frac{1}{-1 + 2\zeta j + 1}\right| = \frac{1}{2\zeta}$$

**A-6-14.** Suponga que un sistema posee al menos un par de polos complejos conjugados de lazo cerrado. Si el punto $-1 + j0$ está ubicado en la intersección de una curva de $\sigma$ constante y una curva de $\omega$ constante en el plano $G(s)$, entonces esos valores particulares de $\sigma$ y $\omega$, que se definen como $-\sigma_c$ y $\omega_c$, respectivamente, caracterizan al polo de lazo cerrado más cercano al eje $j\omega$ en el semiplano superior del plano $s$. (Nótese que $-\sigma_c$ representa la caída exponencial y $\omega_c$ representa la frecuencia natural amortiguada del término de la respuesta transitoria al escalón debido al par de polos de lazo cerrado más cercanos al eje $j\omega$.) Se pueden estimar del diagrama los valores más probables de $-\sigma_c$ y $\omega_c$, como se ve en la figura 6-99. Así, se puede determinar gráficamente el par de polos complejos conjugados de lazo cerrado más cercano al eje $j\omega$. Nótese que todos los polos de lazo cerrado están representados por el punto $-1 + j0$ en el plano $G(s)$. Aunque con esta técnica recién explicada se pueden hallar fácilmente los polos complejos conjugados de lazo cerrado más cercanos al eje $j\omega$, hallar otros polos, si los hay, con este método es prácticamente imposible.

Si los datos en $G(j\omega)$ son experimentales, se puede construir por extrapolación un cuadrado curvilíneo cerca del punto $-1 + j0$. Con referencia a la figura 6-100, se puede hallar la ubicación de los polos dominantes de lazo cerrado en el plano $s$, o la relación de amortiguamiento $\zeta$ y la frecuencia natural amortiguada $\omega_d$, trazando la línea $AB$ que conecta el punto $-1 + j0$ (punto $A$) con el punto $B$, el máximo acercamiento al punto $-1 + j0$, construyendo luego el cuadrado curvilíneo $CDEF$, como en la figura 6-100. Este cuadrado curvilíneo se puede construir trazando la curva más probable $PQ$ (donde $PQ$ es la transformación de una línea paralela al eje $j\omega$ en el plano $s$) que pasa por el punto $-1 + j0$ y "paralela" al diagrama de $G(j\omega)$, y ajustando los puntos $C$, $D$, $E$, y $F$ de manera que $FB = BE$, $CA = AD$, y $FE + CD = FC + ED$. En la figura se

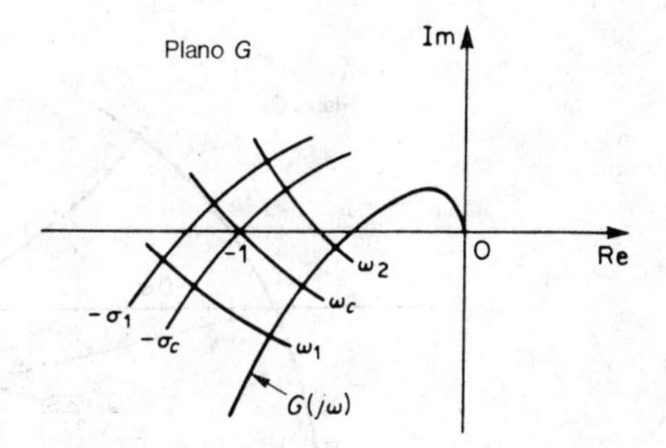


**Figura 6-99**
Estimación de $-\sigma_c$ y $\omega_c$.

muestra la trayectoria correspondiente del plano $s$, $C'D'E'F'$ junto con el punto $A'$, el polo de lazo cerrado más cercano al eje $j\omega$. El valor del intervalo de frecuencias $\Delta\omega_1$, entre los puntos $E$ y $F$ es aproximadamente igual al valor de $\sigma_1$ que aparece en la figura 6-100. La frecuencia en el punto $B$ es aproximadamente igual a la frecuencia natural amortiguada $\omega_d$. Entonces se pueden estimar los polos de lazo cerrado más cercanos al eje $j\omega$ como

$$s = -\sigma_1 \pm j\omega_d$$

Así se obtiene el factor de amortiguamiento $\zeta$ de estos polos de lazo cerrado como

$$\frac{\zeta}{\sqrt{1-\zeta^2}} = \frac{\sigma_1}{\omega_d} = \frac{\Delta\omega_1}{\omega_d}$$

Nótese que la frecuencia natural amortiguada $\omega_d$ de la respuesta transitoria al escalón de hecho está en la trayectoria de frecuencia que pasa por el punto $-1 + j0$, y no es necesariamente el punto de máxima proximidad al diagrama de $G(j\omega)$. Por lo tanto, el valor de $\omega_d$ obtenido previamente, es algo erróneo.

Del análisis previo, se puede concluir que es posible estimar los polos de lazo cerrado más cercanos al eje $j\omega$ partiendo de la proximidad del acercamiento del lugar $G(j\omega)$ al punto $-1 + j0$, la frecuencia en el punto de máximo acercamiento y la graduación de frecuencia cercana a este punto.

Con referencia al diagrama de respuesta en frecuencia de $G(j\omega)$ de un sistema con retroalimentación unitaria, como aparece en la figura 6-101, halle los polos de lazo cerrado más cercanos al eje $j\omega$.

**Solución.** Primero se traza la línea que conecta al punto $-1 + j0$ con el punto del diagrama de $G(j\omega)$ más cercano al punto $-1 + j0$. Luego se construye el cuadrado curvilíneo $ABCD$. Como

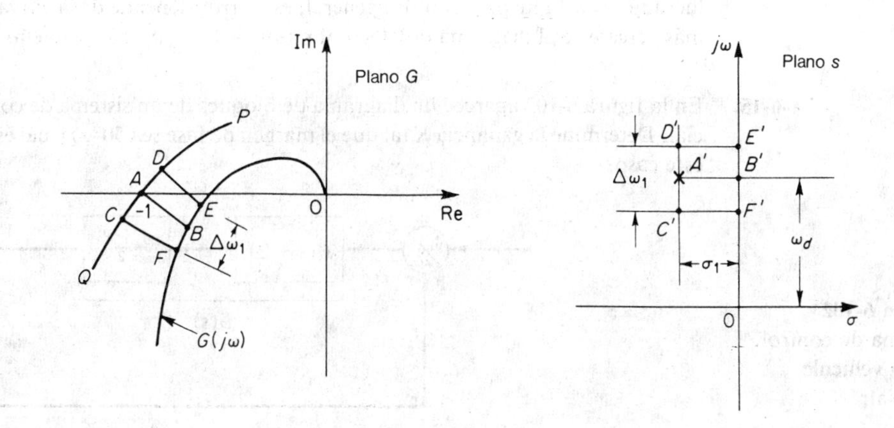


**Figura 6-100**
Transformación de un cuadrado curvilíneo cerca del punto $-1 + j0$ en el plano $G(s)$ al plano $s$.

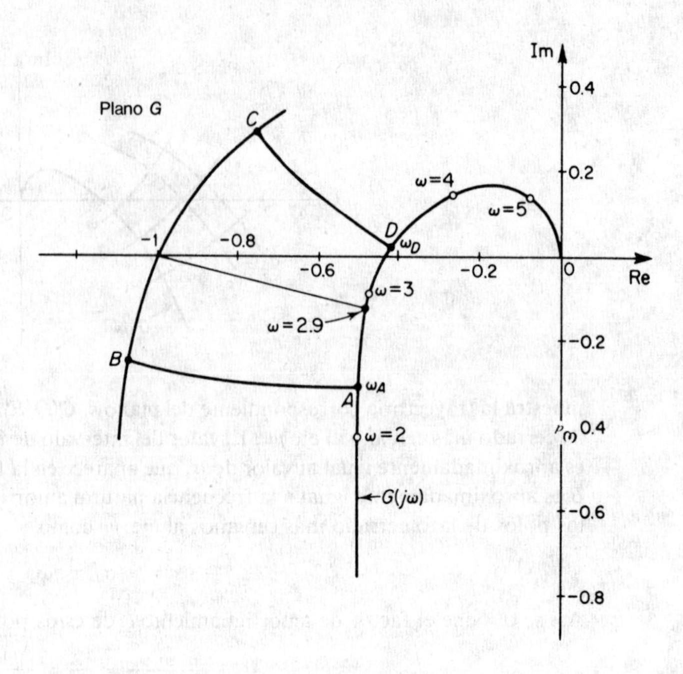


**Figura 6-101**
Diagrama polar y cuadrado curvilíneo.

la frecuencia en el punto más cercano es $\omega = 2.9$, la frecuencia natural amortiguada es aproximadamente 2.9, o $\omega_d = 2.9$. Del cuadrado curvilíneo *ABCD*, se halla que

$$\Delta\omega = \omega_D - \omega_A = 3.4 - 2.4 = 1.0$$

Los polos de lazo cerrado más cercanos al eje $j\omega$ se estiman en

$$s = -1 \pm j2.9$$

El diagrama de $G(j\omega)$ que aparece en la figura 6-101 es un diagrama de la siguiente función de transferencia de lazo abierto:

$$G(s) = \frac{5(s + 20)}{s(s + 4.59)(s^2 + 3.41s + 16.35)}$$

Los polos exactos de lazo cerrado de este sistema son $s = -1 \pm j3$ y $s = -3 \pm j1$. Los polos de lazo cerrado más cercanos al eje $j\omega$ son $s = -1 \pm j3$. En este ejemplo se ve que el error involucrado es bastante pequeño. En general, este error depende de la curva $G(j\omega)$ particular. Cuanto más cerca esté el diagrama de $G(j\omega)$ al punto $-1 + j0$, más pequeño es el error.

**A-6-15.** En la figura 6-102 aparece un diagrama de bloques de un sistema de control de un vehículo espacial. Determine la ganancia $K$ tal que el margen de fase sea 50°. ¿Cuál es el margen de ganancia en este caso?

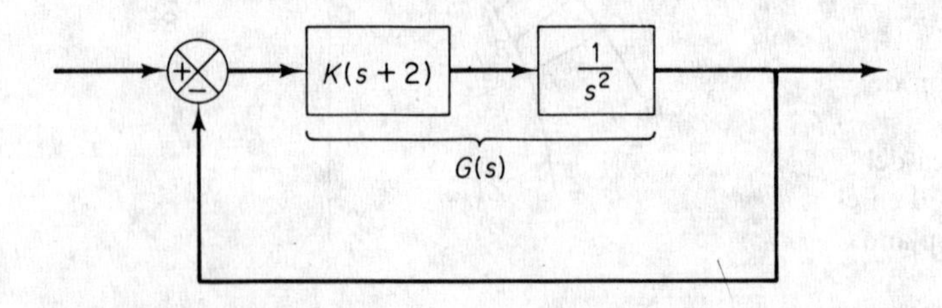


**Figura 6-102**
Sistema de control de un vehículo espacial.

**Solución.** Como

$$G(j\omega) = \frac{K(j\omega + 2)}{(j\omega)^2}$$

se tiene

$$\angle G(j\omega) = \angle j\omega + 2 - 2\angle j\omega = \tan^{-1}\frac{\omega}{2} - 180°$$

El requisito de que el margen de fase sea 50° significa que $\angle G(j\omega_c)$ debe ser igual a —130°, donde $\omega_c$ es la frecuencia de cruce de ganancia, o

$$\angle G(j\omega_c) = -130°$$

Entonces

$$\tan^{-1}\frac{\omega_c}{2} = 50°$$

de donde se obtiene

$$\omega_c = 2.3835 \text{ rad/seg}$$

Como la curva de fase nunca cruza la línea de $-180°$, el margen de ganancia es $+\infty$ db.

Nótese que la magnitud de $G(j\omega)$ debe ser igual a 0 db, a $\omega = 2.3835$, se tiene

$$\left|\frac{K(j\omega + 2)}{(j\omega)^2}\right|_{\omega = 2.3835} = 1$$

de donde

$$K = \frac{2.3835^2}{\sqrt{2^2 + 2.3835^2}} = 1.8259$$

Este valor de $K$ dará el margen de fase de 50°.

**A–6–16.** Trace el diagrama de Bode de la función de transferencia de lazo abierto $G(s)$ del sistema de lazo cerrado que aparece en la figura 6-103. Determine el margen de fase y el margen de ganancia.

**Solución.** Nótese que

$$G(j\omega) = \frac{20(j\omega + 1)}{j\omega(j\omega + 5)[(j\omega)^2 + 2j\omega + 10]}$$

$$= \frac{0.4(j\omega + 1)}{j\omega(0.2j\omega + 1)\left[\left(\dfrac{j\omega}{\sqrt{10}}\right)^2 + \dfrac{2}{10}j\omega + 1\right]}$$

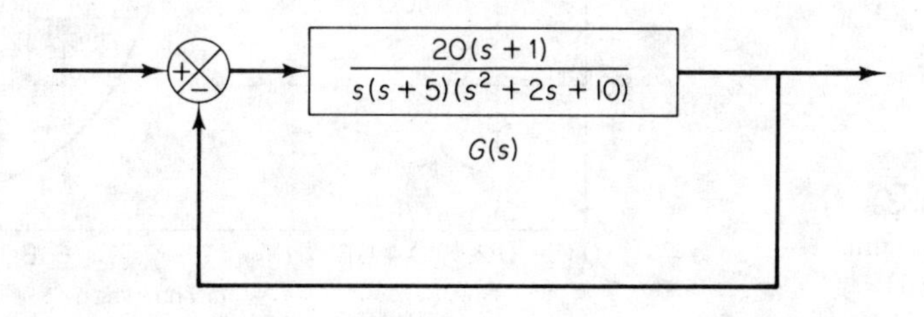


**Figura 6-103**
Sistema de lazo cerrado.

El término cuadrático del denominador tiene la frecuencia de cruce de $\sqrt{10}$ rad/s y el factor de amortiguamiento $\zeta$ de 0.3162, o

$$\omega_n = \sqrt{10}, \qquad \zeta = 0.3162$$

El diagrama de Bode de $G(j\omega)$ aparece en la figura 6-104. De este diagrama se halla que el margen de fase es de 100° y el margen de ganancia es de $\pm 13.3$ db.

**A–6–17.** Para el sistema de segundo orden normalizado

$$\frac{C(s)}{R(s)} = \frac{\omega_n^2}{s^2 + 2\zeta\omega_n^s + \omega_n^2}$$

muestre que el ancho de banda $\omega_b$ está dado por

$$\omega_b = \omega_n\left(1 - 2\zeta^2 + \sqrt{4\zeta^4 - 4\zeta^2 + 2}\right)^{1/2}$$

Nótese que $\omega_b/\omega_n$ es sólo función de $\zeta$. Trace el diagrama de una curva de $\omega_b/\omega_n$ en función de $\zeta$.

**Solución.** El ancho de banda $\omega_b$ está determinado de $|C(j\omega_b)/R(j\omega_b)| = -3$ db. Muy frecuentemente, en lugar de $-3$ db se utiliza $-3.01$ db, que es igual a 0.707. Por tanto

$$\left|\frac{C(j\omega_b)}{R(j\omega_b)}\right| = \left|\frac{\omega_n^2}{(j\omega_b)^2 + 2\zeta\omega_n(j\omega_b) + \omega_n^2}\right| = 0.707$$

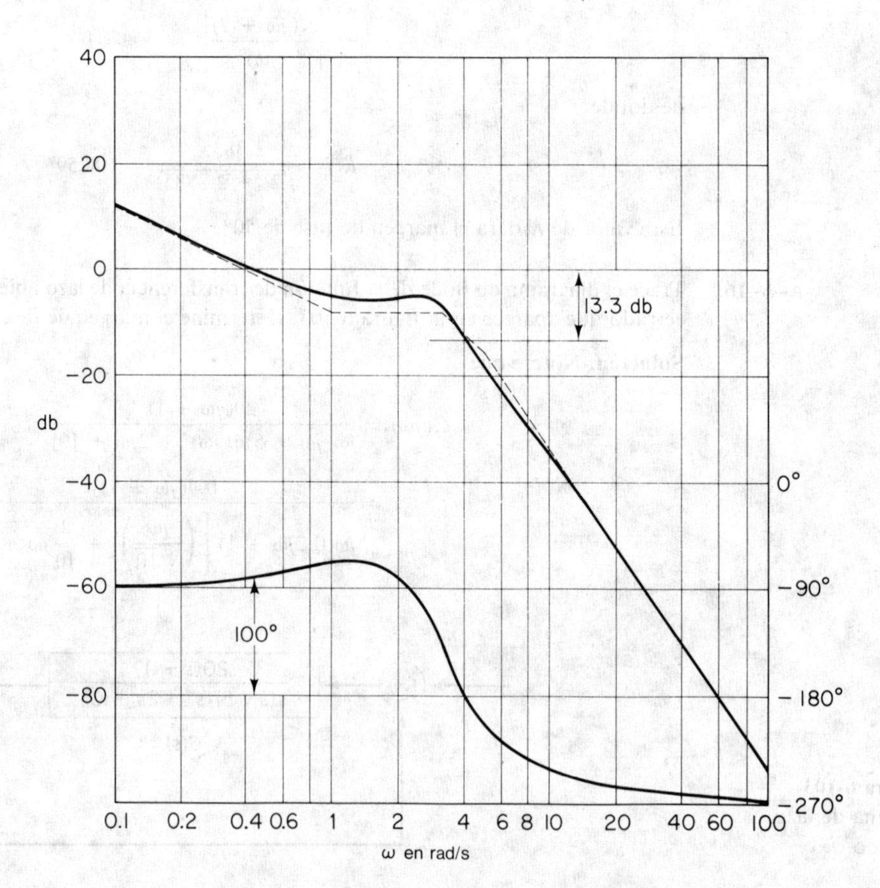


**Figura 6-104**
Diagrama de Bode de $G(j\omega)$ del sistema de la figura 6-103.

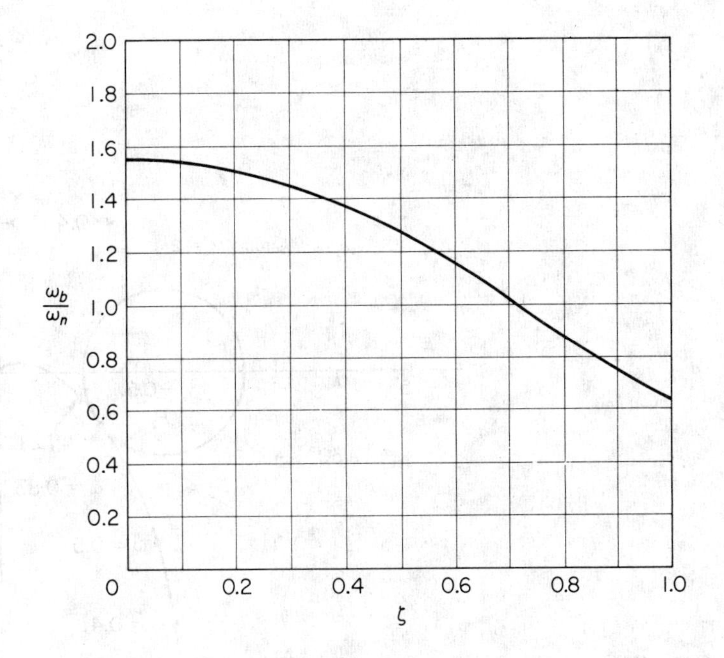


**Figura 6-105**
Gráficas de $\omega_b/\omega_n$ en función de $\zeta$, donde $\omega_b$ es el ancho de banda.

entonces

$$\frac{\omega_n^2}{\sqrt{(\omega_n^2 - \omega_b^2)^2 + (2\zeta\omega_n\omega_b)^2}} = 0.707$$

de donde se obtiene

$$\omega_n^4 = 0.5[(\omega_n^2 - \omega_b^2)^2 + 4\zeta^2\omega_n^2\omega_b^2]$$

Dividiendo ambos miembros de esta última ecuación por $\omega_n^4$, se obtiene

$$1 = 0.5\left\{\left[1 - \left(\frac{\omega_b}{\omega_n}\right)^2\right]^2 + 4\zeta^2\left(\frac{\omega_b}{\omega_n}\right)^2\right\}$$

Despejando de esta última ecuación el valor de $(\omega_b/\omega_n)^2$ se obtiene

$$\left(\frac{\omega_b}{\omega_n}\right)^2 = -2\zeta^2 + 1 \pm \sqrt{4\zeta^4 - 4\zeta^2 + 2}$$

Como $(\omega_b/\omega_n)^2 > 0$, se toma el signo más en esta última ecuación. Entonces

$$\omega_b^2 = \omega_n^2\left(1 - 2\zeta^2 + \sqrt{4\zeta^4 - 4\zeta^2 + 2}\right)$$

o bien

$$\omega_b = \omega_n\left(1 - 2\zeta^2 + \sqrt{4\zeta^4 - 4\zeta^2 + 2}\right)^{1/2}$$

La figura 6-105 muestra una curva que relaciona $\omega_b/\omega_n$ en función de $\zeta$.

**A–6–18.** Un sistema de control con retroalimentación unitaria tiene la siguiente función de transferencia de lazo abierto:

$$G(s) = \frac{K}{s(s+1)(s+2)}$$

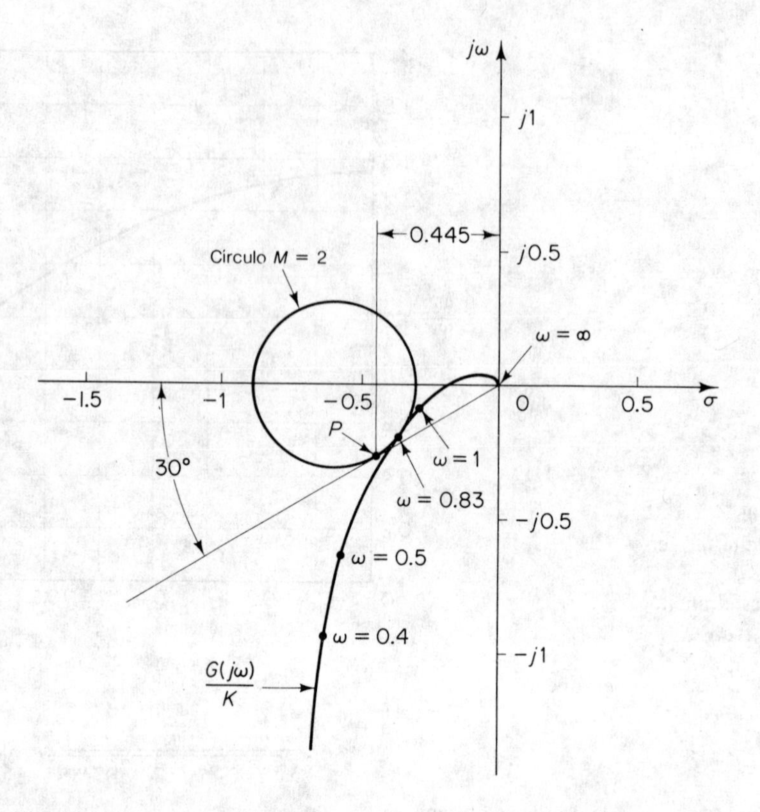


**Figura 6-106**
Diagrama de $G(j\omega)/K$ del sistema considerado en el problema A-6-18.

Considere la respuesta en frecuencia de este sistema. Trace un diagrama polar de $G(j\omega)/K$. Luego, determine el valor de la ganancia $K$ tal que la magnitud del pico de resonancia $M_r$ de la respuesta en frecuencia de lazo cerrado sea 2.

**Solución.** En la figura 6-106 aparece un diagrama de $G(j\omega)/K$. El valor del ángulo $\psi$ que corresponde a $M_r = 2$ obtenido de la ecuación (6-24) es

$$\psi = \operatorname{sen}^{-1}\frac{1}{2} = 30°$$

Por tanto, se traza una línea $\overline{OP}$ que pasa por el origen y que hace un ángulo de 30° con el eje real negativo, como se ve en la figura 6-106. Luego se traza un círculo que sea tangente tanto al diagrama $G(j\omega)/K$ como a la línea $\overline{OP}$. Se define como $P$ al punto donde el círculo y la línea $OP$ son tangentes. La línea perpendicular trazada desde el punto $P$ intersecta al eje real negativo en $(-0.445, 0)$. Entonces, la ganancia se determina como

$$K = \frac{1}{0.445} = 2.247$$

De la figura 6-106 se ve que la frecuencia de resonancia es de aproximadamente $\omega = 0.83$ rad/s.

**A-6-19.** En la figura 6-107 aparece un diagrama de bloques de un reactor químico. Trace un diagrama de Bode de $G(j\omega)$. Trace también la gráfica de $G(j\omega)$ en el diagrama de Nichols. Del diagrama de Nichols lea las magnitudes y ángulos de fase de la respuesta en frecuencia de lazo cerrado y luego trace el diagrama de Bode del sistema de lazo cerrado $G(j\omega)/[1 + G(j\omega)]$.

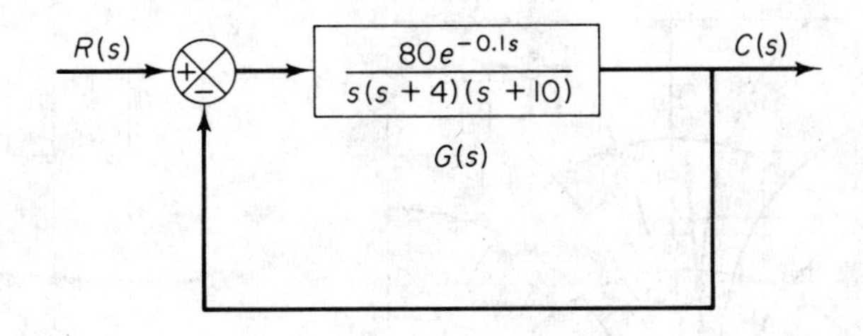


**Figura 6-107**
Diagrama de bloques de un reactor químico.

**Solución.** Nótese que

$$G(s) = \frac{80e^{-0.1s}}{s(s+4)(s+10)} = \frac{2e^{-0.1s}}{s(0.25s+1)(0.1s+1)}$$

se tiene

$$G(j\omega) = \frac{2e^{-0.1j\omega}}{j\omega(0.25j\omega+1)(0.1j\omega+1)}$$

El ángulo de fase del retardo de transporte $e^{-0.1j\omega}$ es

$$\angle e^{-0.1j\omega} = \angle \cos(0.1\omega) - j\mathrm{sen}(0.1\omega) = -0.1\omega \qquad \text{(rad)}$$

$$= -5.73\omega \qquad \text{(grados)}$$

En la figura 6-108 aparece el diagrama de Bode de $G(j\omega)$.

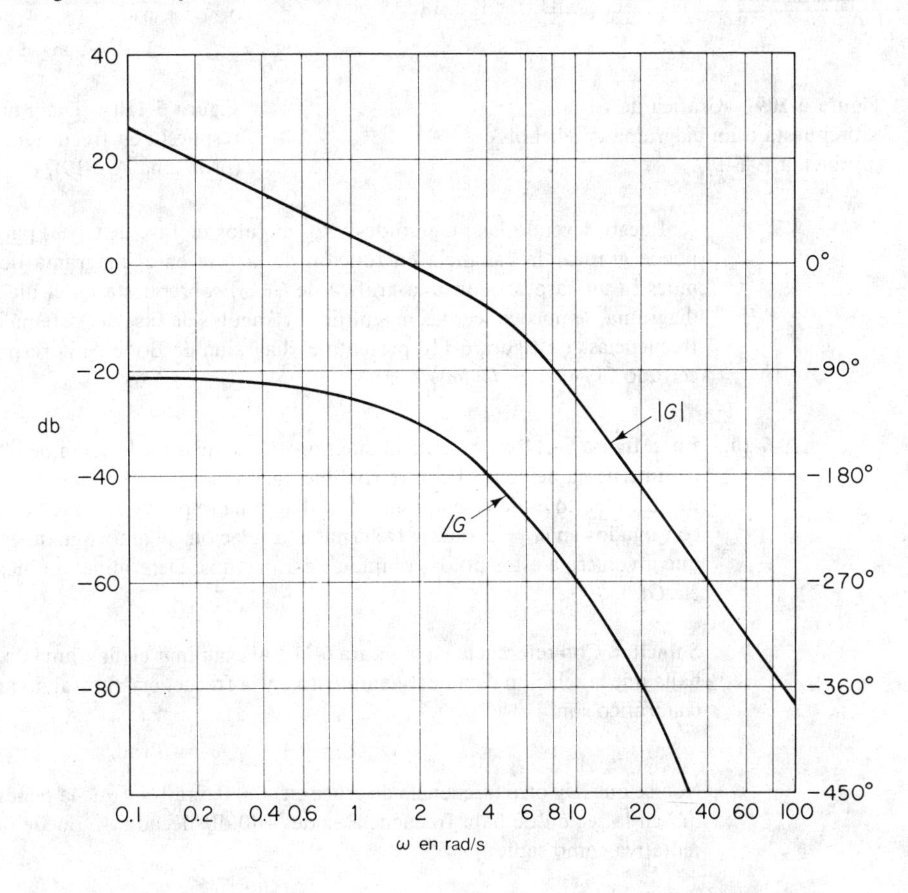


**Figura 6-108**
Diagrama de Bode de $G(j\omega)$ del sistema mostrado en la Fig. 6-107.

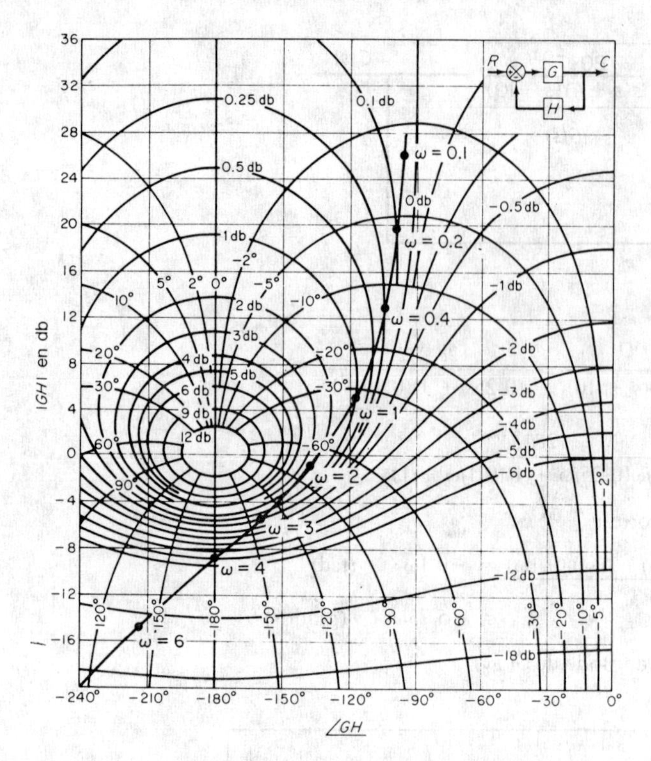


**Figura 6-109** Gráfica de $G(j\omega)$ sobrepuesta a un diagrama de Nichols (problema A-6-19).

**Figura 6-110** Diagrama de Bode de la respuesta en frecuencia de lazo cerrado (problema A-6-19).

Luego, leyendo las magnitudes y los ángulos de fase de $G(j\omega)$ para diversos valores de $\omega$, se puede graficar la ganancia en función de la fase en el diagrama de Nichols. La figura 6-109 muestra un caso así con una gráfica de $G(j\omega)$ sobrepuesta en el diagrama de Nichols. De este diagrama, se pueden leer las magnitudes y ángulos de fase del sistema de lazo cerrado para varias frecuencias. La figura 6-110 presenta el diagrama de Bode de la respuesta en frecuencia de lazo cerrado $G(j\omega)/[1 + G(j\omega)]$.

**A-6-20.** En la figura 6-111 se presenta el diagrama de Bode de la función de transferencia de lazo abierto de un sistema de control con retroalimentación unitaria. Se sabe que la función de transferencia de lazo abierto es de fase mínima. Del diagrama se puede ver que hay un par de polos complejos conjugados en $\omega = 2$ rad/s. Determine la relación de amortiguamiento del término cuadrático que involucra a estos polos complejos conjugados. Determine también la función de transferencia $G(s)$.

**Solución.** Con referencia en la figura 6-11 y al examinar el diagrama de Bode de la figura 6-111, se halla que la relación de amortiguamiento $\zeta$ y la frecuencia natural no amortiguada $\omega_n$ del término cuadrático son

$$\zeta = 0.1, \qquad \omega_n = 2 \text{ rad/s}$$

Nótese que hay otra frecuencia de cruce en $\omega = 0.5$ rad/s y que la pendiente de la curva de magnitud en la región de baja frecuencia es de $-40$ db/década, se puede determinar $G(j\omega)$ en forma tentativa como sigue:

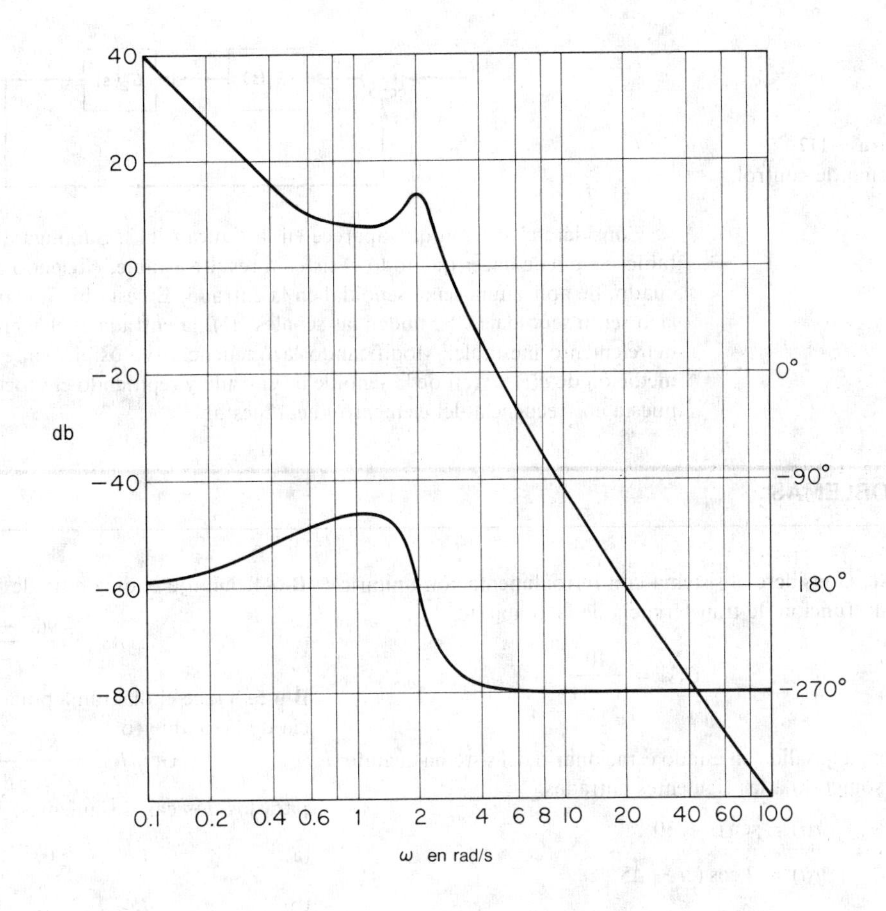


**Figura 6-111** Diagrama de Bode de la función transferencia de lazo abierto de un sistema de control con retroalimentación unitaria.

$$G(j\omega) = \frac{K\left(\dfrac{j\omega}{0.5} + 1\right)}{(j\omega)^2\left[\left(\dfrac{j\omega}{2}\right)^2 + 0.1(j\omega) + 1\right]}$$

De la figura 6-111 se tiene $|G(j0.1)| = 40$ db, el valor de la ganancia $K$ se puede determinar como la unidad. También la curva de fase calculada $\angle G(j\omega)$ en función de $\omega$ coincide con la curva de fase dada. Por tanto, la función de transferencia $G(s)$ se puede determinar como

$$G(s) = \frac{4(2s + 1)}{s^2(s^2 + 0.4s + 4)}$$

**A-6-21.** Un sistema de control de lazo cerrado puede incluir dentro del lazo un elemento inestable. Al aplicar el criterio de estabilidad de Nyquist a este sistema, se deben obtener las curvas de respuesta en frecuencia del elemento inestable.

¿Cómo se pueden obtener experimentalmente las curvas de respuesta de frecuencia para ese elemento inestable? Sugiera algún procedimiento experimental para determinar la respuesta en frecuencia de un elemento lineal inestable.

**Solución.** Un procedimiento posible es medir las características de respuesta en frecuencia del elemento inestable utilizándolo como parte de un sistema estable.

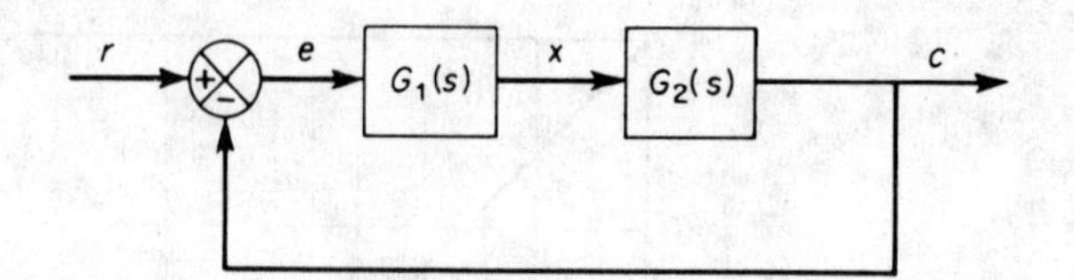


**Figura 6-112**
Sistema de control.

Considere el sistema que aparece en la figura 6-112. Suponga que el elemento $G_1(s)$ es inestable. Se puede hacer que todo el sistema resulte estable, eligiendo un elemento lineal $G_2(s)$ adecuado. Se aplica una señal senoidal en la entrada. En estado estacionario, todas las señales en el lazo serán senoidales. Se miden las señales $e(t)$, la entrada al elemento inestable, y $x(t)$, la salida del elemento inestable. Modificando la frecuencia [y posiblemente la amplitud para facilitar la medición de $e(t)$ y $x(t)$] de la senoide de entrada y repitiendo el proceso, es posible obtener la respuesta en frecuencia del elemento lineal inestable.

## PROBLEMAS

**B-6-1.** Considere el sistema con retroalimentación unitaria con la función de transferencia de lazo abierto

$$G(s) = \frac{10}{s+1}$$

Obtenga la salida en estado estacionario del sistema cuando está sometido a las siguientes entradas:

(a) $r(t) = \text{sen}\,(t + 30°)$

(b) $r(t) = 2\cos\,(2t - 45°)$

(c) $r(t) = \text{sen}\,(t + 30°) - 2\cos\,(2t - 45°)$

**B-6-2.** Considere el sistema cuya función de transferencia de lazo cerrado es

$$\frac{C(s)}{R(s)} = \frac{K(T_2 s + 1)}{T_1 s + 1}$$

Obtenga la salida estacionaria del sistema cuando está sometido a la entrada $r(t) = R\ \text{sen}\ \omega t$.

**B-6-3.** Trace los diagramas de Bode de las tres funciones de transferencia siguientes:

(a) $G(s) = \dfrac{T_1 s + 1}{T_2 s + 1} \qquad (T_1 > T_2 > 0)$

(b) $G(s) = \dfrac{T_1 s - 1}{T_2 s + 1} \qquad (T_1 > T_2 > 0)$

(c) $G(s) = \dfrac{-T_1 s + 1}{T_2 s + 1} \qquad (T_1 > T_2 > 0)$

**B-6-4.** Dibuje el diagrama de Bode de

$$G(s) = \frac{9(s^2 + 0.2s + 1)}{s(s^2 + 1.2s + 9)}$$

**B-6-5.** Trace el diagrama polar de la función de transferencia de lazo abierto

$$G(s)H(s) = \frac{K(T_a s + 1)(T_b s + 1)}{s^2(T s + 1)}$$

para los dos casos siguientes:

(a) $T_a > T > 0, \qquad T_b > T > 0$

(b) $T > T_a > 0, \qquad T > T_b > 0$

**B-6-6.** En la figura 6-113(a) y (b) se muestran las configuraciones de polos y ceros de las funciones complejas $F_1(s)$ y $F_2(s)$, respectivamente. Suponga que las trayectorias cerradas en el plano $s$ son las que aparecen en la figura 6-113(a) y (b). Trace en forma cualitativa las trayectorias cerradas en el plano $F_1(s)$ y en el plano $F_2(s)$.

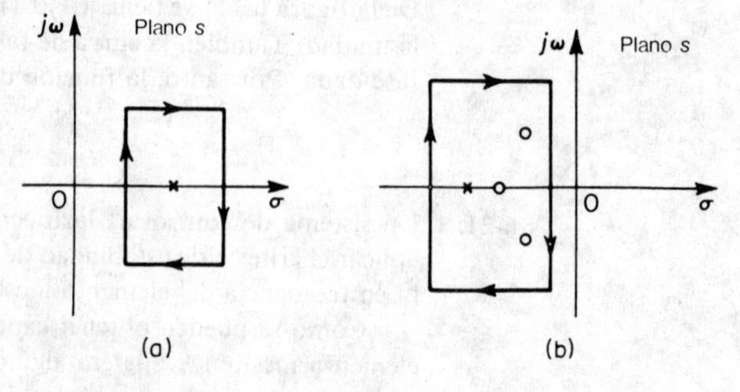


**Figura 6-113** (a) Transformación de una función compleja $F_1(s)$ y una trayectoria cerrada; (b) transformación en el plano $s$ de una función compleja $F_2(s)$ y una trayectoria cerrada.

**B-6-7.** Trace el diagrama de Nyquist para el sistema de control con retroalimentación unitaria con la función de transferencia de lazo abierto

$$G(s) = \frac{K(1 - s)}{s + 1}$$

Utilizando el criterio de estabilidad de Nyquist, determine la estabilidad del sistema de lazo cerrado.

**B-6-8.** Un sistema con la función de transferencia de lazo abierto

$$G(s)H(s) = \frac{K}{s^2(T_1 s + 1)}$$

es inherentemente inestable. Este sistema se puede estabilizar agregando un control derivativo. Bosqueje los diagramas polares para la función de transferencia de lazo abierto con y sin control derivativo.

**B-6-9.** Considere el sistema de lazo cerrado con la siguiente función de transferencia de lazo abierto:

$$G(s)H(s) = \frac{10K(s + 0.5)}{s^2(s + 2)(s + 10)}$$

Dibuje los diagramas polares directo e inverso de $G(s)H(s)$ con $K = 1$ y $K = 10$. Aplique el criterio de estabilidad de Nyquist y determine la estabilidad del sistema para estos valores de $K$.

**B-6-10.** Considere el sistema de lazo cerrado cuya función transferencia de lazo abierto es

$$G(s)H(s) = \frac{Ke^{-2s}}{s}$$

Encuentre el valor máximo de $K$ para el cual el sistema es estable.

**B-6-11.** Considere el sistema de control con retroalimentación unitaria cuya función de transferencia de lazo abierto es

$$G(s) = \frac{as + 1}{s^2}$$

Determine el valor de $a$ tal que el margen de fase sea 45°.

**B-6-12.** Considere el sistema que aparece en la figura 6-114. Trace el diagrama de Bode para la función de transferencia de lazo abierto $G(s)$. Determine el margen de fase y el margen de ganancia.

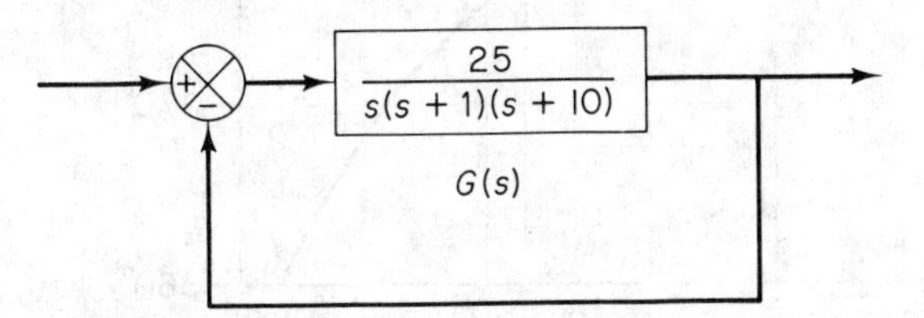


**Figura 6-114** Sistema de control.

**B-6-13.** Considere el sistema que aparece en la figura 6-115. Trace el diagrama de Bode para la función de transferencia de lazo abierto $G(s)$. Determine el margen de fase y el margen de ganancia.

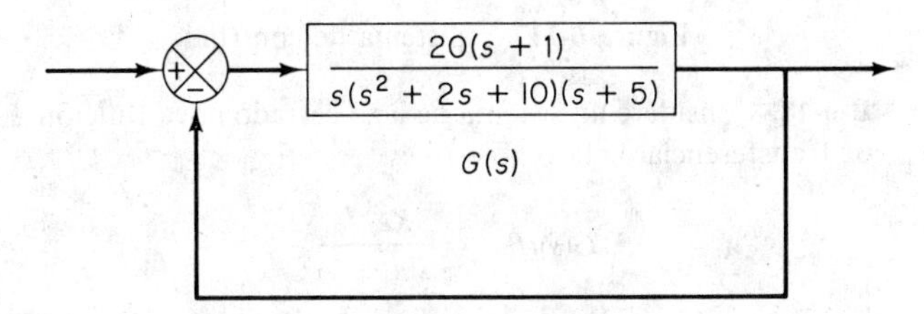


**Figura 6-115** Sistema de control.

**B-6-14.** Considere el sistema de control con retroalimentación unitaria con la siguiente función de transferencia de lazo abierto

$$G(s) = \frac{K}{s(s^2 + s + 4)}$$

Determine el valor de $K$ tal que el margen de fase sea de 50°. ¿Cuál es el margen de ganancia para este caso?

**B-6-15.** Considere el sistema de la figura 6-116. Trace el diagrama de Bode de la función de transferencia de lazo abierto y determine el valor de la ganancia $K$ tal que el margen de fase sea 50°. ¿Cuál es el margen de ganancia de este sistema con esta ganancia $K$?

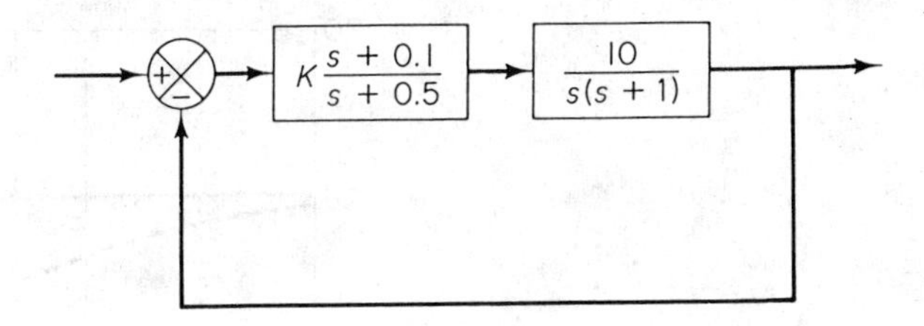


**Figura 6-116** Sistema de control.

**B-6-16.** Considere un sistema con retroalimentación unitaria cuya función de transferencia de lazo abierto es

$$G(s) = \frac{K}{s(s^2 + s + 0.5)}$$

Determine el valor de la ganancia $K$ tal que la magnitud del pico de resonancia de la respuesta en frecuencia sea 2 db, o sea $M_r = 2$ db.

**B-6-17.** En la figura 6-117 se ve un diagrama de bloques de un sistema de control. Determinar el rango de ganancia $K$ para la estabilidad.

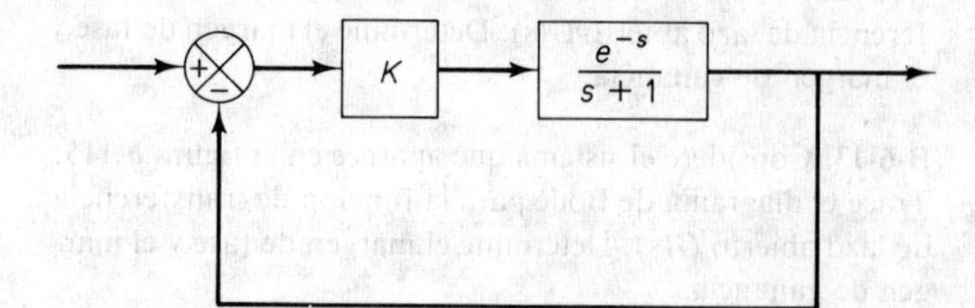


**Figura 6-117** Sistema de control.

**B-6-18.** Considere un sistema de lazo cerrado cuya función de transferencia de lazo abierto es

$$G(s)H(s) = \frac{Ke^{-Ts}}{s(s+1)}$$

Determine el valor máximo de la ganancia $K$ para la estabilidad como función del tiempo muerto $T$.

**B-6-19.** Trace el diagrama polar de

$$G(s) = \frac{(Ts)^2 - 6(Ts) + 12}{(Ts)^2 + 6(Ts) + 12}$$

Demuestre que para el rango de frecuencias $0 < \omega T < 2\sqrt{3}$, esta ecuación es una buena aproximación de la función de transferencia de retardo de transporte $e^{-Ts}$.

**B-6-20.** En la figura 6-118 aparece un diagrama de Bode de una función de transferencia $G(s)$. Determine esta función de transferencia.

**B-6-21.** En la figura 6-119 aparece el diagrama de Bode de un sistema $G(j\omega)$ determinado experimentalmente. Determine la función de transferencia $G(s)$.

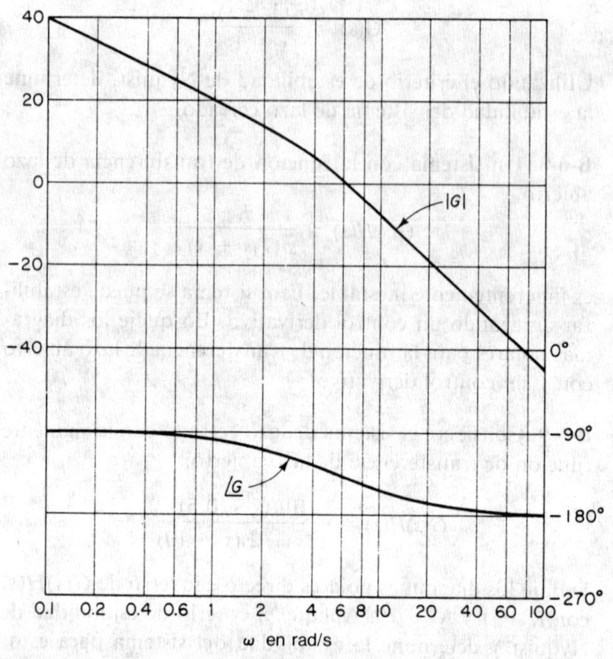


**Figura 6-118** Diagrama de Bode de una función de transferencia $G(s)$.

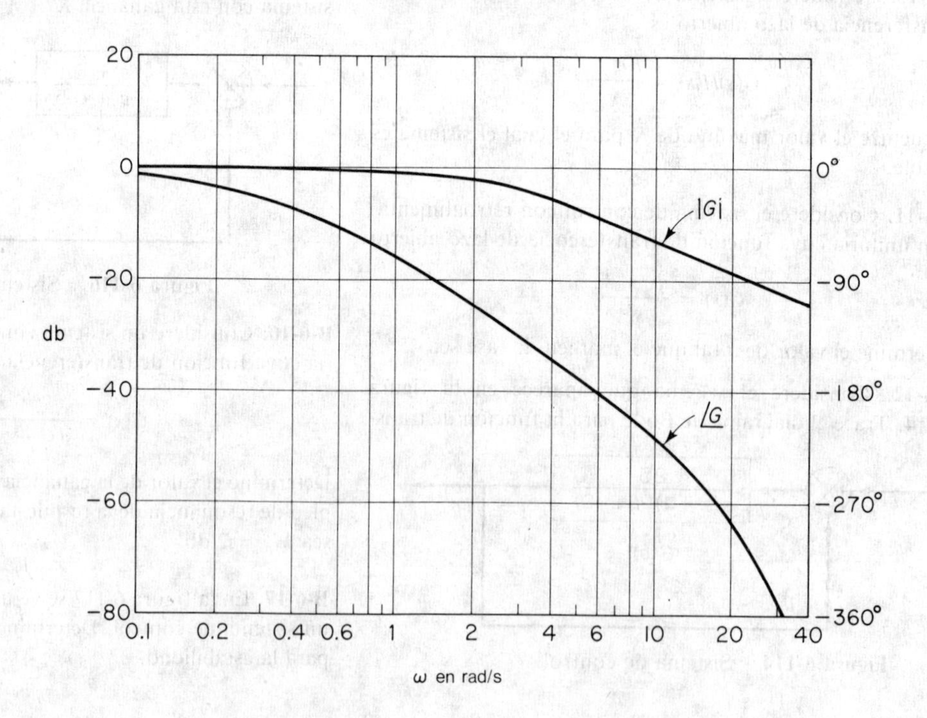


**Figura 6-19** Diagrama de Bode de un sistema obtenido en forma experimental.

# CAPITULO 7
# Técnicas de diseño y compensación

## 7-1 INTRODUCCION

El objetivo primordial de este capítulo es presentar algunos procedimientos para el diseño y la compensación de sistemas de control lineales, invariantes en el tiempo, con una entrada y una salida. Compensación es la modificación de la dinámica del sistema para satisfacer las especificaciones requeridas. Los procedimientos que se describen en este capítulo para el diseño y compensación de sistemas de control, son el método del lugar de las raíces y los métodos de respuesta en frecuencia (el diseño basado en los métodos en el espacio de estado se tratará en el capítulo 10).

**Especificaciones de comportamiento.** Los sistemas de control se diseñan para cumplir tareas determinadas. Con frecuencia los requerimientos impuestos a los sistemas de control toman la forma de especificaciones de funcionamiento. En general están relacionados con la exactitud, estabilidad relativa y velocidad de respuesta.

Para problemas rutinarios de diseño, las especificaciones de funcionamiento se pueden dar en términos de valores numéricos definidos. En otros casos, pueden estar dados en parte como magnitudes numéricas precisas, en parte como planteos cualitativos. En este caso, las especificaciones podrían cambiar durante el curso del diseño, debido a que es posible que no se alcancen a cumplir determinadas especificaciones (por requerimientos contradictorios) o que se llegara a un sistema excesivamente costoso.

En términos generales, las especificaciones de funcionamiento no deben ser más restrictivas de lo necesario para cumplir determinada tarea. Si en determinado sistema de control fuera de gran importancia la exactitud en estado estacionario, no se deberían exigir especificaciones muy rígidas de funcionamiento en respuesta transitoria, pues tales especificaciones requerirían componentes muy costosos. Téngase presente que la parte más importante del diseño de un sistema de control consiste en establecer en forma precisa las especificaciones de funcionamiento, a fin de lograr un sistema de control óptimo para el objetivo previsto.

**Método convencional de diseño de sistemas.** En la mayoría de los casos reales, el método de diseño a seguir lo determinan las especificaciones de funcionamiento aplicables al caso particular. Al diseñar sistemas de control, si las especificaciones de funcionamiento se expresan en términos de mediciones de comportamiento en el dominio del tiempo, como tiempo de crecimiento, sobreimpulso máximo o tiempo de establecimiento, o mediciones del comportamiento en el dominio de la frecuencia, como margen de fase, margen de ganancia, valor del pico de resonancia, o ancho de banda, no hay otra posibilidad más que la de utilizar el enfoque convencional que consiste en el método del lugar de las raíces y/o los métodos de respuesta en frecuencia.

Los sistemas diseñados por procedimientos convencionales por lo general están restringidos a sistemas con una entrada y una salida, invariantes en el tiempo. El diseñador trata de satisfacer todos los requerimientos mediante la repetición juiciosa del método de prueba y corrección. Al finalizar el diseño de un sistema, el diseñador verifica si satisface todas las especificaciones de funcionamiento. Si no lo hace, repite el proceso de diseño ajustando los valores de los parámetros o modificando la configuración hasta que se cumplan todas las especificaciones. Aunque el diseño está basado en un procedimiento de prueba y corrección, el ingenio y la experiencia del diseñador juegan un papel importante en el éxito del diseño. Un diseñador experimentado es capaz de diseñar un sistema aceptable sin realizar demasiados intentos.

Al construir un sistema de control, se sabe que una modificación adecuada de la dinámica de la planta constituye un medio simple de cumplir con las especificaciones de comportamiento. Sin embargo, esto no siempre es posible en la práctica, porque la planta puede ser fija y no admitir modificación. En tal caso se deben ajustar parámetros distintos a los de la planta fija. En este capítulo, se supone que la planta está determinada y es inalterable.

**Compensación del sistema.** Ajustar la ganancia es el primer paso para que el sistema logre un funcionamiento satisfactorio. Sin embargo, en muchos casos prácticos, no basta ajustar la ganancia del sistema para cumplir con las especificaciones dadas. Con frecuencia, aumentar el valor de la ganancia mejora el funcionamiento estacionario, pero redunda en una estabilidad pobre, o hasta en inestabilidad. En tal caso es necesario rediseñar el sistema (modificando la estructura o incorporando elementos o componentes adicionales) para alterar el funcionamiento global, de manera que el sistema se comporte en la forma deseada. Tal rediseño o el agregar un dispositivo adecuado, se denomina *compensación*. El dispositivo que se inserta en el sistema a fin de satisfacer las especificaciones se denomina *compensador*, el cual compensa precisamente las deficiencias de funcionamiento del sistema original.

**Diseño de sistemas complejos.** Los métodos de diseño utilizando el lugar de las raíces y la respuesta en frecuencia que consisten esencialmente en ajustar la ganancia y el diseño de compensadores, son muy útiles, sin embargo están limitados a sistemas de control relativamente simples, como los de una entrada y una salida, lineales e invariantes en el tiempo.

Si bien el diseño de sistemas de control por los métodos de lugar de las raíces y de respuesta en frecuencia constituyen un esfuerzo de ingeniería, el diseño de sistemas en el contexto de la teoría de control moderna (métodos en el espacio de estado), emplea formulaciones matemáticas del problema y aplica teoría matemática a problemas de diseño de sistemas que pueden tener varias entradas y salidas y pueden ser variables en el tiempo. Aplicando la teoría de control moderna, el diseñador puede partir de un índice de comportamiento, junto con las restricciones impuestas al sistema, y proceder a diseñar un sistema estable mediante un procedimiento completamente analítico. La ventaja del diseño basado en esa moderna teoría de control, es que permite al diseñador producir un sistema de control óptimo respecto al índice de comportamiento considerado.

Sin embargo, es importante tener en cuenta que esta técnica de diseño no se puede aplicar si las especificaciones de comportamiento están dadas en términos de magnitudes en el dominio del tiempo o en el dominio de la frecuencia, en cuyos casos las técnicas del lugar de la raíces y de respuesta en frecuencia demuestran ser muy útiles.

**Compensación en serie y compensación en la retroalimentación (o paralelos).** En las figuras 7-1(a) y (b) se muestran esquemas de compensación utilizados comúnmente en sistemas de control reatroalimentados. La figura 7-1(a) muestra la forma como el compensador $G_c(s)$ queda colocado en serie con la planta. Este esquema recibe el nombre de *compensación en serie*.

Una alternativa a la compensación en serie, consiste en retroalimentar la(s) señal(es) de algun(os) elemento(s), y colocar un compensador en el trayecto de retroalimentación interna resultante, como se ve en la figura 7-1(b). Tal compensación se denomina *compensación de retroalimentación* o *compensación en paralelo*.

Al compensar sistemas de control, por lo general el problema se centra en el diseño adecuado de un compensador en serie o paralelo. La elección entre compensación en

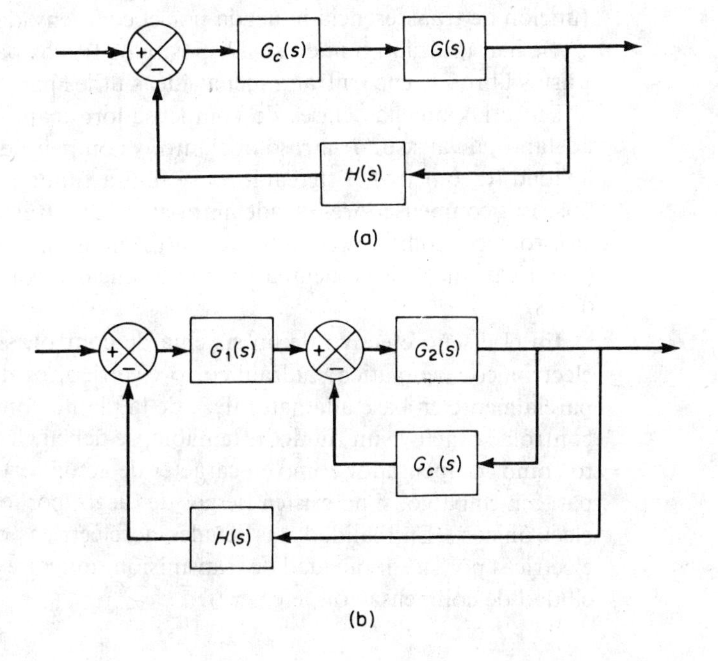


**Figura 7-1**
(a) Compensación en serie;
(b) compensación de retroalimentación o paralelo.

serie y compensación de retroalimentación, depende de la naturaleza de las señales en el sistema, los niveles de potencia en los diversos puntos, los componentes disponibles, la experiencia del diseñador, consideraciones energéticas, etc.

En general, la compensación en serie puede ser más simple que la de retroalimentación; sin embargo, la compensación en serie requiere amplificadores adicionales para incrementar la ganancia y/o brindar separación. (Para evitar disipación de potencia, el compensador en serie se inserta en el punto de mínima energía en el trayecto directo). Nótese que, en general, la cantidad de componentes requeridos en el caso de la compensación de retroalimentación es menor que la cantidad de componentes necesarios en la compensación en serie, siempre que se disponga de una señal adecuada, porque la transferencia de energía va desde el nivel de potencia más elevada al de menor nivel. (Esto significa que pueden no ser necesarios amplificadores adicionales).

Al hablar sobre compensadores, se utilizan terminologías como *red de adelanto*, *red de atraso*, y *red de retardo-atraso*. Si se aplica una entrada senoidal $e_i$ a la entrada de una red, y la salida estacionaria $e_o$ (que es también senoidal) tiene un adelanto de fase, entonces la red se denomina red de adelanto. (La magnitud del adelanto de la fase es una función de la frecuencia de entrada). Si la salida en estado estacionario $e_o$ tiene un atraso de fase, entonces la red se denomina red de atraso. En una red de atraso-adelanto, se producen en la salida tanto atraso como adelanto de fase, pero en diferentes regiones de frecuencias; un atraso de fase se produce en la región de bajas frecuencias y un adelanto de fase en la región de alta frecuencia. A un compensador con características de red de adelanto, red de atraso, o red de atraso-adelanto, se le denomina *compensador de adelanto*, *compensador de atraso*, o *compensador de atraso-adelanto*.

**Compensadores.** Si se necesita un compensador para cumplir con especificaciones de comportamiento, el diseñador debe lograr un dispositivo físico que tenga la función de transferencia indicada por el compensador.

Se han utilizado numerosos dispositivos físicos para tales propósitos. De hecho, en varios libros se encuentran muchas ideas útiles para construir compensadores.

Entre las muchas clases de compensadores, ampliamente utilizados, están los de adelanto, de atraso, de atraso-adelanto, y compensadores con retroalimentación de velocidad (tacómetro). Este capítulo se limita fundamentalmente al estudio de estos tipos. Los compensadores de adelanto, atraso, y atraso-adelanto pueden ser dispositivos electrónicos (como los circuitos que utilizan amplificadores operacionales) o redes *RC* (eléctricas, mecánicas, neumáticas, hidráulicas o combinaciones de ellas), y amplificadores.

En el diseño efectivo de un sistema de control, si se utiliza o no un compensador electrónico, neumático, hidráulico, o eléctrico, es una cuestión que se debe resolver parcialmente en base a la naturaleza de la planta controlada. Por ejemplo, si la planta controlada incluye un fluido inflamable, se deben elegir componentes neumáticos (tanto como compensador como en carácter de actuador) para evitar la posibilidad de chispas. Sin embargo, si no existen riesgos de fuego, por lo general se utilizan compensadores electrónicos. (En realidad, las señales no eléctricas con frecuencia se transforman en eléctricas por su simplicidad de transmisión, mayor exactitud, mayor confiabilidad, facilidad de compensación, etcétera).

**Procedimientos de diseño.** En el procedimiento de prueba y corrección del diseño de sistemas, se establece un modelo matemático del sistema de control y se ajustan los parámetros de un compensador. La parte que consume más tiempo de esta tarea, es verificar que el comportamiento del sistema siga las especificaciones previamente establecidas para cada cambio de parámetros. El diseñador debería usar una computadora digital para evitar cálculos engorrosos necesarios en esta verificación.

Una vez obtenido un modelo matemático satisfactorio, el diseñador debe construir un prototipo y verificar el sistema de lazo abierto. Si se asegura la estabilidad absoluta de lazo abierto, el diseñador cierra el lazo y verifica su funcionamiento. Debido a los efectos de carga que se despreciaron entre los componentes, no linealidades, parámetros distribuidos, y otros que no fueron considerados para el diseño original, el comportamiento efectivo del sistema prototipo probablemente difiera de las predicciones teóricas. Así, es probable que el primer diseño no satisfaga los requerimientos de funcionamiento. Por prueba y corrección, el diseñador debe introducir modificaciones en el prototipo hasta que el sistema cumpla con las especificaciones. Al hacerlo, debe analizar cada prueba, y tiene que incorporar los resultados del análisis a la prueba siguiente. El diseñador debe ver que el sistema final cumpla las especificaciones de funcionamiento, y que al mismo tiempo, sea confiable y económico.

Se debe notar que al diseñar sistemas de control con los métodos del lugar de las raíces o de respuesta en frecuencia, el resultado final no es único, porque la solución mejor u óptima puede no estar definida con precisión si las especificaciones están dadas en el dominio del tiempo o en el de la frecuencia.

Por lo general es deseable que un sistema diseñado presente los menores errores posibles ante una señal de entrada. En este sentido, el efecto amortiguador debe ser razonable y la dinámica del sistema debe ser relativamente insensible a cambios pequeños en los parámetros del sistema. Las perturbaciones indeseables deben atenuarse en forma correcta. [En general, la porción de alta frecuencia debe ser rápida atenuación de manera que se puedan atenuar los ruidos de alta frecuencia (como los de los sensores). Si el ruido o las frecuencias de perturbación se conocen se pueden utilizar filtros rechazabanda para atenuar esas frecuencias específicas]. Si el diseño del sistema se reduce finalmente a unas cuantas posibilidades, se puede realizar una elección óptima entre ellos, por consideraciones como funcionamiento global proyectado, costo, espacio y peso.

**Lineamientos del capítulo.** En la sección 7-1 se presentó una introducción a la compensación de sistemas de control. En la sección 7-2 se analizan temas introductorios para el diseño de sistemas de control mediante el método del lugar de las raíces y el método de respuesta en frecuencia. Se estudian las características básicas de los compensadores de adelanto, atraso, y atraso-adelanto. En la sección 7-3 se tratan detalles de las técnicas de compensación de adelanto basadas en los procedimientos del lugar de las raíces y de la respuesta en frecuencia. La sección 7-4 estudia las técnicas de compensación en atraso, utilizando los métodos tanto del lugar de las raíces como los de respuesta en frecuencia. En la sección 7-5 se presentan las técnicas de compensación en atraso-adelanto. Básicamente, la compensación de atraso-adelanto es una combinación de la compensación en atraso y la de adelanto. Se presenta un análisis detallado del diseño de compensadores en atraso-adelanto. La sección 7-6 trata de las reglas de ajuste de controladores PID (proporcional, integral y derivativo); aquí se detallan las reglas de Ziegler-Nichols de sintonización o afinación. Finalmente, la sección 7-7 resume las técnicas de compensación en adelanto, atraso y en atraso-adelanto junto con un breve análisis del control PID y control I-PD de plantas físicas.

## 7-2 CONSIDERACIONES PRELIMINARES DE DISEÑO

Los problemas de diseño que se consideran en este capítulo, tratan del mejoramiento del comportamiento del sistema mediante la inserción de un compensador. La compensación de un sistema de control se reduce al diseño de un filtro cuyas características tiendan a compensar las características indeseables o inalterables de la planta. El tema se limita a compensadores continuos en el tiempo.

En las secciones 7-3 a 7-5, se considerará en forma específica el diseño de compensadores en adelanto, en atraso y en atraso-adelanto. En estos problemas de diseño, se coloca un compensador en serie con la función de transferencia inalterable $G(s)$ para obtener el comportamiento deseado. El problema principal involucra la selección cuidadosa de polo(s) y cero(s) del compensador $G_c(s)$ para alterar el lugar de las raíces o la respuesta en frecuencia de modo que se cumplan las especificaciones.

**Método del lugar de las raíces para diseñar sistemas de control.** El método del lugar de las raíces es un procedimiento gráfico para determinar las ubicaciones de todos los polos de lazo cerrado, partiendo del conocimiento de las ubicaciones de los polos y ceros de lazo abierto al variar algún parámetro (usualmente la ganancia) de cero a infinito. Este método brinda una clara indicación de los efectos del ajuste de parámetros. Una ventaja del método del lugar de las raíces, consiste en que es posible obtener información sobre la respuesta transitoria, así como sobre la respuesta en frecuencia, partiendo de la configuración de polos y ceros del sistema en el plano $s$.

En la práctica el diagrama del lugar de las raíces de un sistema indica que el funcionamiento deseado puede no lograrse por el simple ajuste de la ganancia. De hecho, en algunos casos, el sistema puede no ser estable para todos los valores de ganancia. Entonces se requiere modificar la forma del lugar de las raíces para alcanzar las especificaciones de funcionamiento.

Al diseñar un sistema de control, si se requiere un ajuste diferente al de ganancia, se deben modificar los lugares de las raíces insertando un compensador adecuado. Una vez comprendidos perfectamente los efectos de la adición de polos y/o ceros en el lugar de las raíces, se pueden determinar fácilmente las ubicaciones de polo(s) y cero(s) del compensador que modificará la forma del lugar de las raíces en la forma deseada. En esencia, en el diseño por medio del método del lugar de las raíces, se modifica la forma de los lugares de las raíces del sistema a través del uso de un compensador, de modo que se puede colocar un par dominante de polos de lazo cerrado en la ubicación deseada. (Frecuentemente se especifica la relación de amortiguamiento y la frecuencia natural no amortiguada de un par dominante de polos de lazo cerrado).

**Efectos de la adición de polos.** El agregar un polo a la función de transferencia de lazo abierto tiene el efecto de mover el lugar de las raíces hacia la derecha, tendiendo a disminuir la estabilidad relativa y aumentar el tiempo de establecimiento de la respuesta. (Recuerde que agregar un control integral añade un polo en el origen, haciendo

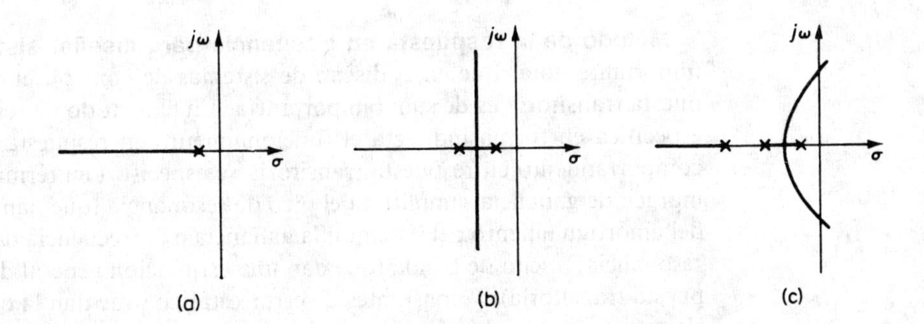


Figura 7-2
(a) Diagrama del lugar de las raíces de un sistema con un solo polo; (b) diagrama del lugar de las raíces de un sistema con dos polos; (c) diagrama del lugar de las raíces de un sistema con tres polos.

al sistema menos estable). La figura 7-2 muestra ejemplos del lugar de las raíces que ilustran los efectos de la adición de un polo a un sistema con un solo polo y la adición de dos polos al mismo sistema.

**Efectos de la adición de ceros.** El agregar un cero a la función de transferencia de lazo abierto tiene el efecto de mover el lugar de las raíces hacia la izquierda, tendiendo a hacer al sistema más estable y a disminuir el tiempo de establecimiento de la respuesta. (Físicamente, agregar un cero a la función de transferencia directa significa añadir control derivativo al sistema. El efecto de este control es introducir cierto grado de anticipación al sistema y acelerar la respuesta transitoria). La figura 7-3(a) muestra el lugar de las raíces para un sistema estable con ganancia pequeña, pero inestable con ganancia grande. Las figuras 7-3(b), (c), y (d) muestran diagramas del lugar de las raíces para un sistema cuando se añade un cero a la función de transferencia de lazo abierto. Nótese que cuando se agrega un cero al sistema de la figura 7-3(a), éste se vuelve estable para todos los valores de ganancia.

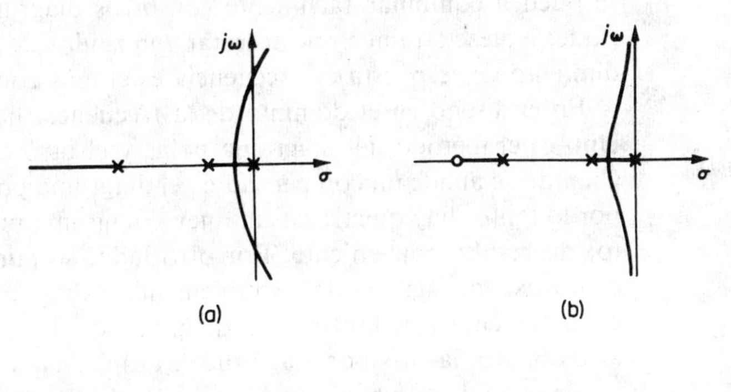


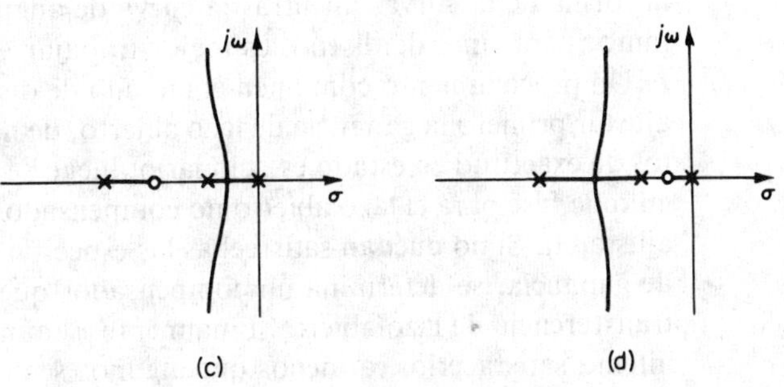


Figura 7-3
(a) Diagrama del lugar de las raíces de un sistema con tres polos; (b), (c), y (d) diagramas del lugar de las raíces que muestran los efectos de la adición de un cero al sistema con tres polos.

**Método de la respuesta en frecuencia para diseñar sistemas de control.** Es importante notar que en el diseño de sistemas de control, el comportamiento de respuesta transitoria es de suma importancia. En el método de respuesta en frecuencia se especifica en forma indirecta el funcionamiento en respuesta transitoria; es decir, el comportamiento en respuesta transitoria se especifica en términos de margen de fase, margen de ganancia, amplitud del pico de resonancia (que dan una estimación general del amortiguamiento del sistema); la ganancia a la frecuencia de cruce, la frecuencia de resonancia, ancho de banda (que dan una estimación general de la velocidad de la respuesta transitoria); y constantes de error estático (que dan la exactitud en estado estacionario). Aunque la relación entre la respuesta transitoria y la respuesta en frecuencia es indirecta, en el método de Bode se pueden satisfacer adecuadamente las especificaciones en el dominio de la frecuencia.

Una vez diseñado el lazo abierto por el método de respuesta en frecuencia, se pueden determinar los polos y ceros de lazo cerrado. Se deben verificar las características de respuesta transitoria para ver si el sistema diseñado satisface o no los requisitos en el dominio del tiempo. Si no lo hace, entonces se debe modificar el compensador y repetir el análisis hasta obtener un resultado satisfactorio.

El diseño en el dominio de la frecuencia es simple y directo. El diagrama de respuesta en frecuencia indica claramente la forma en que se debe modificar el sistema, aunque no se pueden predecir en forma cuantitativa las características de respuesta transitoria. El procedimiento de respuesta en frecuencia se puede aplicar a sistemas o componentes cuyas características dinámicas están dadas en forma de datos de respuesta en frecuencia. Nótese que debido a la dificultad en deducir ecuaciones que describan ciertos componentes, tales como componentes neumáticos e hidráulicos, las características dinámicas de éstos se determinan experimentalmente mediante pruebas de respuesta en frecuencia. Los diagramas de respuesta en frecuencia determinados experimentalmente se pueden combinar fácilmente con otros diagramas cuando se utiliza el método de Bode. Nótese también que al tratar con ruidos de alta frecuencia, resulta que el procedimiento de respuesta en frecuencia es el más conveniente.

En el diseño en el dominio de la frecuencia hay dos procedimientos básicamente. Uno es el método del diagrama polar y el otro es el método del diagrama de Bode. Cuando se añade un compensador, el diagrama polar no conserva su forma original y, por lo tanto, hay que trazar un nuevo diagrama polar, lo cual toma tiempo y, por tanto; no resulta conveniente. Por otro lado, se puede hacer un diagrama de Bode del compensador, agregándolo simplemente al diagrama de Bode original, de manera que, es sumamente sencillo trazar el diagrama de Bode completo, si se varía la ganancia de lazo abierto, la curva de magnitud se desplaza hacia arriba o hacia abajo sin modificar la forma de la curva, mientras la curva de ángulo de fase permanece sin cambio. Por tanto, para fines de diseño, es mejor trabajar en el diagrama de Bode.

Un procedimiento común en el método de diseño del diagrama de Bode, consiste en ajustar primero la ganancia de lazo abierto, de modo que se satisfagan los requerimientos de exactitud en estado estacionario; luego se trazan las curvas de magnitud y de ángulo de fase para el lazo abierto no compensado (con la ganancia de lazo abierto recién ajustada). Si no quedan satisfechas las especificaciones de margen de fase y de margen de ganancia, se determina un compensador que modifique la forma de la función de transferencia de lazo abierto. Finalmente, si aún restan requerimientos por cumplir, se intenta satisfacerlos, a menos que algunos sean contradictorios entre sí.

**Información que se obtiene de la respuesta en frecuencia de lazo abierto.** La región de baja frecuencia (que está por debajo de la frecuencia de cruce de ganancia), indica el comportamiento en estado estacionario del sistema de lazo cerrado. La región de frecuencias medias (la región cercana al punto $-1 + j0$) indica la estabilidad relativa. La región de alta frecuencia (que está por encima de la frecuencia de cruce de ganancia), indica la complejidad del sistema.

**Requerimientos en respuesta en frecuencia de lazo abierto.** Se podría decir que, en muchos casos prácticos, la compensación es esencialmente un compromiso entre la exactitud en estado estacionario y la estabilidad relativa.

Para tener un valor grande de la constante de error de velocidad y no obstante una estabilidad relativa satisfactoria, se requiere modificar la forma de la curva de respuesta en frecuencia de lazo abierto.

La ganancia en la región de baja frecuencia debe ser suficientemente grande y además, cercana a la frecuencia de cruce de ganancia, la pendiente de la curva del logaritmo de la magnitud en el diagrama de Bode debe ser de —20 db/década. Esta pendiente debe extenderse a una banda de frecuencia bastante ancha como para asegurar un margen de fase adecuado. Para la región de alta frecuencia, la magnitud debe atenuarse lo más rápido posible para minimizar los efectos del ruido.

En la figura 7-4 se dan ejemplos de curvas de respuesta en frecuencia de lazo abierto y lazo cerrado deseables e indeseables.

Respecto a la figura 7-5, se ve que se puede lograr el cambio de forma de la curva de respuesta en frecuencia de lazo abierto si la región de alta frecuencia del lugar, sigue al lugar $G_1(j\omega)$, mientras que la porción de baja frecuencia del lugar, sigue al lugar $G_2(j\omega)$. La curva modificada $G_c(j\omega)G(j\omega)$ debe tener márgenes de fase y de ganancia razonables o debe ser tangente a un círculo $M$ adecuado, como se muestra.

**Características básicas de la compensación en adelanto, atraso y atraso-adelanto.** La compensación en adelanto brinda esencialmente una mejora apreciable en la respuesta transitoria y una pequeña modificación en la exactitud del estado esta-

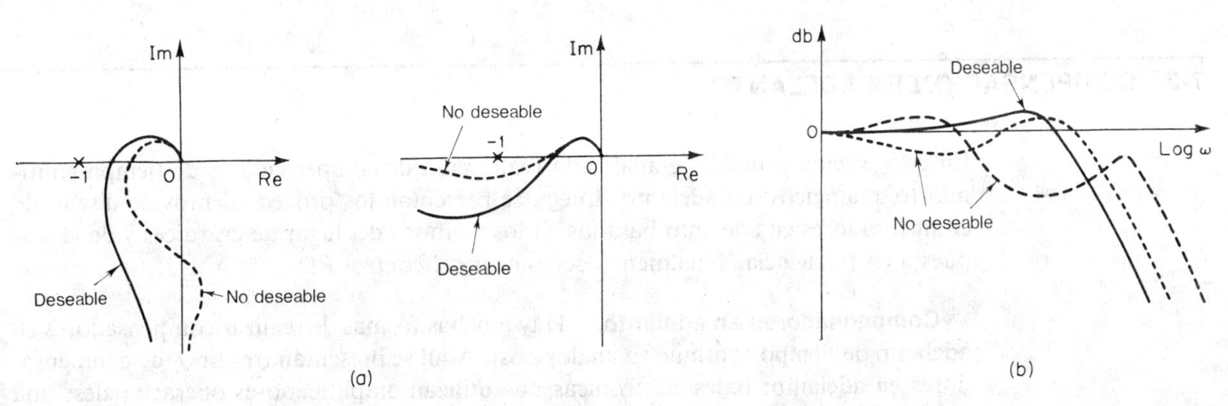


**Figura 7-4** (a) Ejemplos de curvas de respuesta en frecuencia de lazo abierto deseables e indeseables; (b) ejemplos de curvas de respuesta en frecuencia de lazo cerrado deseables e indeseables.

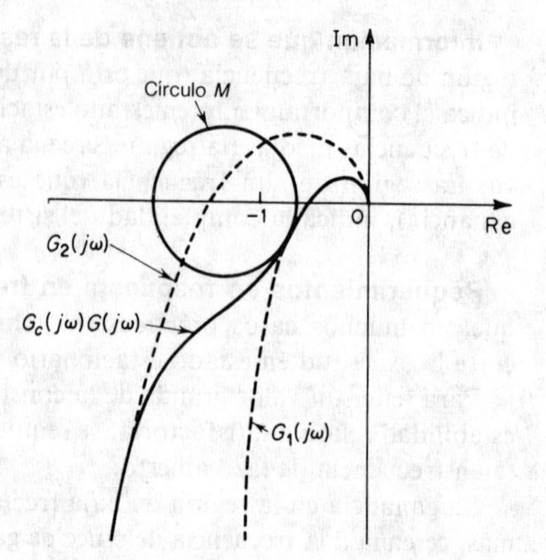


**Figura 7-5** Modificación de la forma de la curva de respuesta en frecuencia de lazo abierto.

cionario. Puede acentuar los efectos de ruido en frecuencias altas. En cambio, una compensación en atraso, brinda un mejoramiento apreciable en la exactitud del estado estacionario a expensas de un aumento del tiempo de respuesta transitoria. La compensación en atraso suprime los efectos de ruidos en frecuencias altas. Una compensación en atraso-adelanto combina las características de la compensación en adelanto y de la compensación en atraso. El uso de una compensación en adelanto o en atraso incrementa en uno el orden del sistema (a menos que se produzca cancelación entre el cero del compensador y un polo de la función de transferencia de lazo abierto no compensada). El uso de un compensador de atraso-adelanto incrementa el orden del sistema en dos [a menos que haya cancelación entre cero(s) del compensador en atraso-adelanto y polo(s) de la función de transferencia de lazo abierto no compensada], lo que significa que el sistema se torna más complejo y se hace más difícil controlar el comportamiento de respuesta transitoria. La situación particular determina el tipo de compensación a utilizar.

## 7-3 COMPENSACION EN ADELANTO

En esta sección primero se analiza la realización de compensadores de tiempo continuo (o analógicos) en adelanto. Luego se presentan los procedimientos de diseño de compensadores en adelanto basados en los métodos del lugar de las raíces y de la respuesta en frecuencia. Finalmente, se comenta el control PD.

**Compensadores en adelanto.** Hay muchas formas de realizar compensadores en adelanto de tiempo continuo (o analógicos). Aquí se presentan tres tipos de compensadores en adelanto: redes electrónicas que utilizan amplificadores operacionales, una red eléctrica *RC*, y un conjunto mecánico de resorte-amortiguador. En la práctica se utilizan comúnmente compensadores con amplificadores operacionales. A continuación se estudiarán los tres tipos de circuitos.

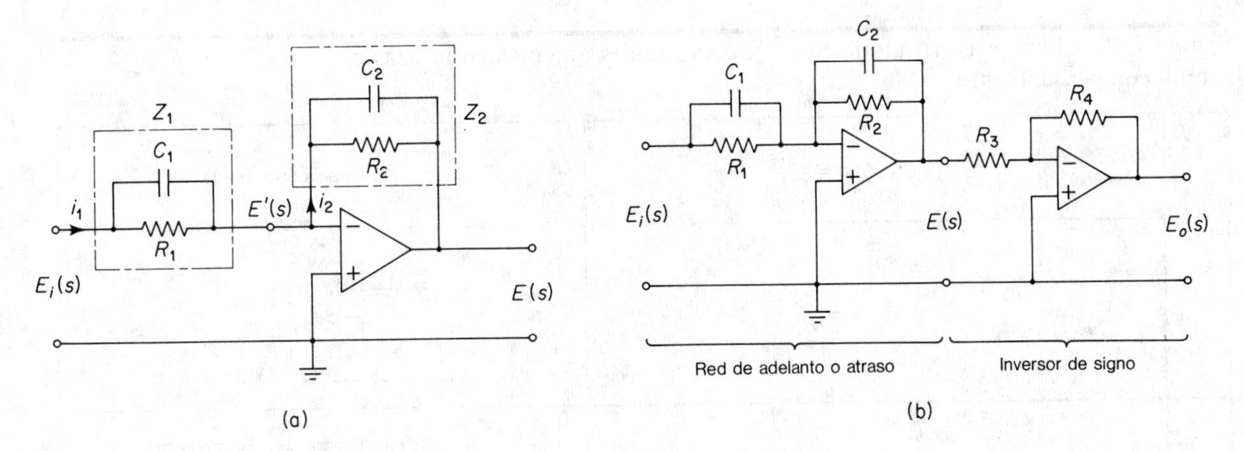


**Figura 7-6** (a) Circuito con amplificador operacional; (b) circuito con amplificador operacional utilizado como compensador en adelanto o atraso.

**Circuitos electrónicos de adelanto utilizando amplificadores operacionales.** La figura 7-6(a) muestra un circuito electrónico que utiliza un amplificador operacional. La función de transferencia de este circuito se puede obtener como sigue: se definen las impedancias de entrada y salida como $Z_1$ y $Z_2$, respectivamente. Entonces,

$$Z_1 = \frac{R_1}{R_1C_1s + 1}, \qquad Z_2 = \frac{R_2}{R_2C_2s + 1}$$

Como la corriente de entrada al amplificador es despreciable, la corriente $i_1$ es igual a la corriente $i_2$. Entonces $i_1 = i_2$, o

$$\frac{E_i(s) - E'(s)}{Z_1} = \frac{E'(s) - E(s)}{Z_2}$$

Como $E'(s) \doteqdot 0$, se tiene

$$\frac{E(s)}{E_i(s)} = -\frac{Z_2}{Z_1} = -\frac{R_2}{R_1}\frac{R_1C_1s + 1}{R_2C_2s + 1} = -\frac{C_1}{C_2}\frac{s + \dfrac{1}{R_1C_1}}{s + \dfrac{1}{R_2C_2}} \tag{7–1}$$

Nótese que la función de transferencia en la ecuación (7-1) contiene un signo negativo. Entonces este circuito es inversor de signo. Si no conviene hacer una inversión de signo en esta aplicación, se puede conectar un inversor de signo ya sea a la entrada o a la salida del circuito de la figura 7-6(a). En la figura 7-6(b) se muestra un ejemplo. El inversor de signo tiene la función de transferencia de

$$\frac{E_o(s)}{E(s)} = -\frac{R_4}{R_3}$$

**Tabla 7-1** Circuitos con amplificadores operacionales que pueden utilizarse como compensadores

| | Acción de control | $G(s) = \frac{E_o(s)}{E_i(s)}$ | Circuitos con amplificador operacional |
|---|---|---|---|
| 1 | P | $-\frac{R_2}{R_1}$ | |
| 2 | I | $\frac{R_4}{R_3}\frac{1}{R_1 C_2 s}$ | |
| 3 | PD | $\frac{R_4}{R_3}\frac{R_2}{R_1}(R_1 C_1 s + 1)$ | |
| 4 | PI | $\frac{R_4}{R_3}\frac{R_2}{R_1}\frac{R_2 C_2 s + 1}{R_2 C_2 s}$ | |
| 5 | PID | $\frac{R_4}{R_3}\frac{R_2}{R_1}\frac{(R_1 C_1 s + 1)(R_2 C_2 s + 1)}{R_2 C_2 s}$ | |
| 6 | Adelanto o atraso | $\frac{R_4}{R_3}\frac{R_2}{R_1}\frac{R_1 C_1 s + 1}{R_2 C_2 s + 1}$ | |
| 7 | Atraso-adelanto | $\frac{R_6}{R_5}\frac{R_4}{R_3}\frac{[(R_1 + R_3) C_1 s + 1](R_2 C_2 s + 1)}{(R_1 C_1 s + 1)\,[(R_2 + R_4) C_2 s + 1]}$ | |

La ganancia del inversor de signo es $-R_4/R_3$. Por tanto, el circuito de la figura 7-6(b) tiene la función de transferencia siguiente:

$$\frac{E_o(s)}{E_i(s)} = \frac{R_2R_4}{R_1R_3}\frac{R_1C_1s + 1}{R_2C_2s + 1} = \frac{R_4C_1}{R_3C_2}\frac{s + \dfrac{1}{R_1C_1}}{s + \dfrac{1}{R_2C_2}}$$

$$= K_c\alpha\frac{Ts + 1}{\alpha Ts + 1} = K_c\frac{s + \dfrac{1}{T}}{s + \dfrac{1}{\alpha T}} \qquad (7\text{–}2)$$

donde

$$T = R_1C_1, \qquad \alpha T = R_2C_2, \qquad K_c = \frac{R_4C_1}{R_3C_2}$$

Nótese que

$$K_c\alpha = \frac{R_4C_1}{R_3C_2}\frac{R_2C_2}{R_1C_1} = \frac{R_2R_4}{R_1R_3}, \qquad \alpha = \frac{R_2C_2}{R_1C_1}$$

Este circuito tiene una ganancia de cd de $K_c\alpha = R_2R_4/(R_1R_3)$.

De la ecuación (7-2) se ve que este circuito es un circuito de adelanto si $R_1C_1 > R_2C_2$, o $\alpha < 1$. Es una red de atraso si $R_1C_1 < R_2C_2$, la tabla 7-1 muestra diversos circuitos que incluyen amplificadores operacionales que se pueden usar como compensadores.

**Red eléctrica de adelanto.** En la figura 7-7 se muestra un diagrama de una red eléctrica de adelanto. Se deducirá la función de transferencia de este circuito. Como es habitual en la deducción de la función de transferencia de cualquier cuadrípolo, se supone que la impedancia de la fuente que ve el circuito es cero y que la impedancia de carga de salida es infinita.

Utilizando los símbolos definidos en la figura 7-7, se encuentra que las impedancias complejas $Z_1$ y $Z_2$ son

$$Z_1 = \frac{R_1}{R_1Cs + 1}, \qquad Z_2 = R_2$$

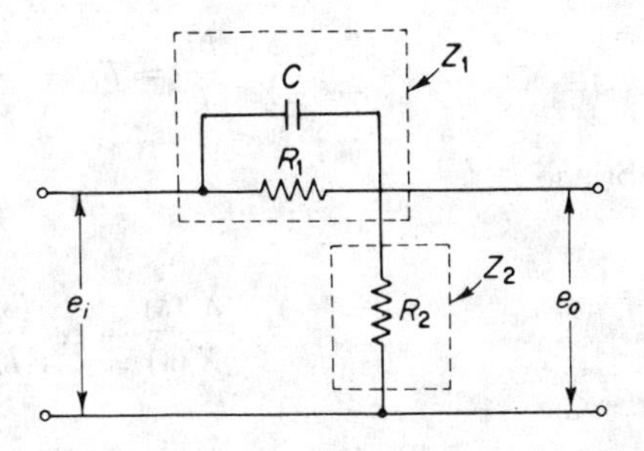


**Figura 7-7**
Circuito eléctrico de adelanto.

La función de transferencia entre la salida $E_o(s)$ y la entrada $E_i(s)$ es

$$\frac{E_o(s)}{E_i(s)} = \frac{Z_2}{Z_1 + Z_2} = \frac{R_2}{R_1 + R_2} \frac{R_1 Cs + 1}{\frac{R_1 R_2}{R_1 + R_2} Cs + 1}$$

Se define

$$R_1 C = T, \qquad \frac{R_2}{R_1 + R_2} = \alpha < 1$$

Entonces la función de transferencia se hace

$$\frac{E_o(s)}{E_i(s)} = \alpha \frac{Ts + 1}{\alpha Ts + 1} = \frac{s + \frac{1}{T}}{s + \frac{1}{\alpha T}}$$

Si este circuito $RC$ se utiliza como compensador en adelanto, se requiere agregar un amplificador con una ganancia $K_c$ ajustable, de modo que la función de transferencia del compensador es

$$G_c(s) = K_c \alpha \frac{Ts + 1}{\alpha Ts + 1} = K_c \frac{s + \frac{1}{T}}{s + \frac{1}{\alpha T}}$$

**Red mecánica de adelanto.** En la figura 7-8 se muestra un diagrama de una red mecánica de adelanto. Del diagrama se obtienen las siguientes ecuaciones:

$$b_2(\dot{x}_i - \dot{x}_o) = b_1(\dot{x}_o - \dot{y})$$

$$b_1(\dot{x}_o - \dot{y}) = ky$$

Tomando las transformadas de Laplace de estas dos ecuaciones, suponiendo condiciones iniciales cero, eliminando después $Y(s)$, se llega a

$$\frac{X_o(s)}{X_i(s)} = \frac{b_2}{b_1 + b_2} \frac{\frac{b_1}{k} s + 1}{\frac{b_2}{b_1 + b_2} \frac{b_1}{k} s + 1}$$

Esta es la función de transferencia entre $X_o(s)$ y $X_i(s)$. Definiendo

$$\frac{b_1}{k} = T, \qquad \frac{b_2}{b_1 + b_2} = \alpha < 1$$

se obtiene

$$\frac{X_o(s)}{X_i(s)} = \alpha \frac{Ts + 1}{\alpha Ts + 1} = \frac{s + \frac{1}{T}}{s + \frac{1}{\alpha T}}$$

Igual que en el caso del circuito eléctrico $RC$ discutido anteriormente, si esta red mecánica se utiliza como compensador en adelanto, es necesario agregar un dispositivo con ganancia $K_c$ ajustable, de modo que la función de transferencia del compensador es

$$G_c(s) = K_c\alpha \frac{Ts + 1}{\alpha Ts + 1} = K_c \frac{s + \frac{1}{T}}{s + \frac{1}{\alpha T}}$$

**Características de los compensadores en adelanto.** Considere un compensador en adelanto con la siguiente función de transferencia

$$K_c\alpha \frac{Ts + 1}{\alpha Ts + 1} = K_c \frac{s + \frac{1}{T}}{s + \frac{1}{\alpha T}} \qquad (0 < \alpha < 1)$$

Tiene un cero en $s = 1/T$ y un polo en $s = -1(\alpha T)$. Como $0 < \alpha < 1$, se ve que el cero siempre está ubicado a la derecha del polo en el plano complejo. Nótese que para un valor pequeño de $\alpha$, el polo está ubicado lejos a la izquierda. El valor mínimo $\alpha$ está limitado por la construcción física del compensador en adelanto. Generalmente se toma el valor mínimo de $\alpha$ alrededor de 0.07. (Esto significa que el máximo adelanto de fase que se puede producir con un compensador es de aproximadamente 60°).

La figura 7-9 muestra el diagrama polar de

$$K_c\alpha \frac{j\omega T + 1}{j\omega\alpha T + 1} \qquad (0 < \alpha < 1)$$

con $K_c = 1$. Para un valor dado de $\alpha$, el ángulo entre el eje real positivo y la línea tangente trazada desde el origen hasta el semicírculo, produce el máximo ángulo de fase de adelanto $\phi_m$. A la frecuencia en el punto tangente se le denomina $\omega_m$. De la figura 7-9, el ángulo de fase en $\omega = \omega_m$ es $\phi_m$, donde

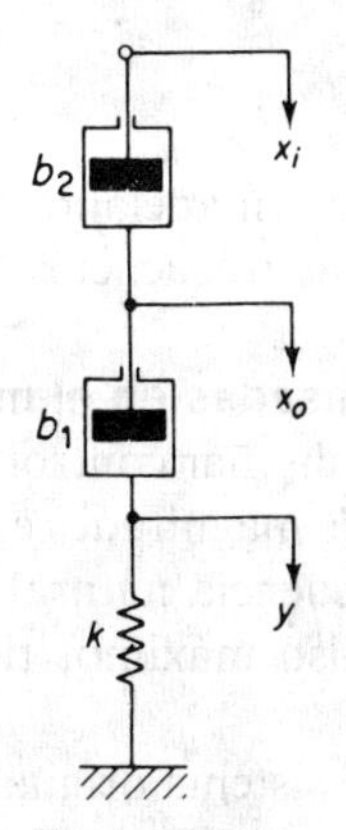


**Figura 7-8** Red mecánica de adelanto.

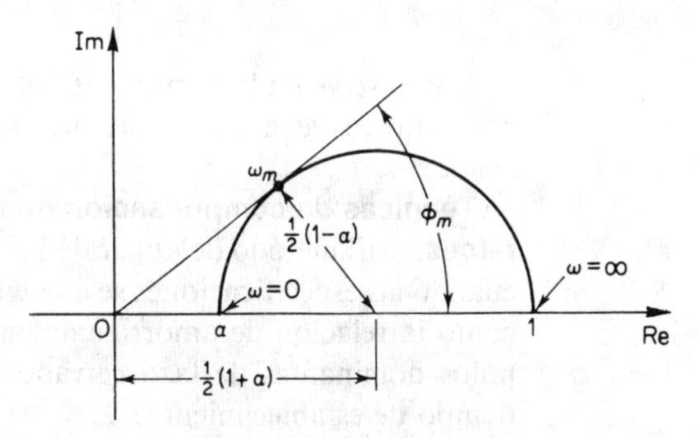


**Figura 7-9** Diagrama polar de un compensador en adelanto $\alpha(j\omega T + 1)/(j\omega\alpha T + 1)$, donde $0 < \alpha < 1$.

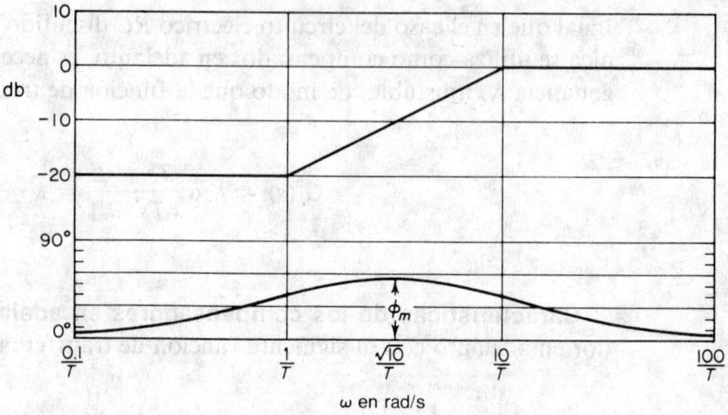

**Figura 7-10**
Diagrama de Bode de un compensador en adelanto $\alpha(j\omega T + 1)/(j\omega\alpha T + 1)$, donde $\alpha = 0.1$.

$$\operatorname{sen}\phi_m = \frac{\dfrac{1-\alpha}{2}}{\dfrac{1+\alpha}{2}} = \frac{1-\alpha}{1+\alpha} \tag{7–3}$$

La ecuación (7-3) relaciona el ángulo de fase en adelanto máximo y el valor de $\alpha$.

En la figura 7-10 se muestra el diagrama de Bode de un compensador en adelanto cuando $K_c = 1$ y $\alpha = 0.1$. Las frecuencias de cruce para el compensador en adelanto son $\omega = 1/T$ y $\omega = 1/(\alpha T) = 10/T$. Al examinar la figura 7-10, se puede ver que $\omega_m$ es la medida geométrica de las dos frecuencias de cruce, o

$$\log \omega_m = \frac{1}{2}\left(\log\frac{1}{T} + \log\frac{1}{\alpha T}\right)$$

Por tanto

$$\omega_m = \frac{1}{\sqrt{\alpha}T} \tag{7–4}$$

Como se ve en la figura 7-10, el compensador en adelanto es básicamente un filtro pasa altos. (Las altas frecuencias pasan, pero las frecuencias bajas se atenúan).

**Técnicas de compensación en adelanto basadas en el método del lugar de las raíces.** El método del lugar de las raíces para diseñar controladores es muy poderoso cuando las especificaciones se dan en términos de magnitudes en el dominio del tiempo, como la relación de amortiguamiento y la frecuencia natural no amortiguada de los polos dominantes de lazo cerrado, sobreimpulso máximo, tiempo de crecimiento y tiempo de establecimiento.

Considere un problema de diseño en el que el sistema original es o bien inestable para todos los valores de la ganancia, o es estable, pero tiene características indeseables de respuesta transitoria. En tal caso, se necesita modificar el lugar de las raíces próximo al eje y al origen, para que los polos dominantes de lazo cerrado estén en las ubica-

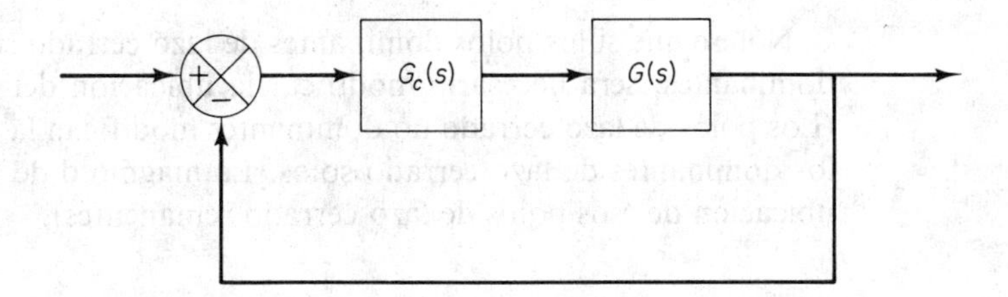


**Figura 7-11**
Sistema de control.

ciones deseadas en el plano complejo. Este problema se puede resolver insertando un compensador en adelanto adecuado, en cascada con la función de transferencia directa.

Los procedimientos para diseñar un compensador en adelanto para el sistema de la figura 7-11 por el método del lugar de las raíces, se pueden indicar como sigue:

**1.** De las especificaciones de funcionamiento, se determina la ubicación deseada de los polos dominantes de lazo cerrado.

**2.** Al trazar el lugar de las raíces, determine si con sólo ajustar la ganancia se logra obtener o no los polos de lazo cerrado deseados. De no ser posible, calcule la deficiencia angular $\phi$. Este ángulo se debe proporcionar por el compensador en adelanto para que el nuevo lugar de las raíces pase por las ubicaciones deseadas de los polos dominantes de lazo cerrado.

**3.** Suponga que el compensador $G_c(s)$ es

$$G_c(s) = K_c\alpha \frac{Ts + 1}{\alpha Ts + 1} = K_c \frac{s + \dfrac{1}{T}}{s + \dfrac{1}{\alpha T}} \qquad (0 < \alpha < 1)$$

donde $\alpha$ y $T$ se determinan a partir de la deficiencia angular. $K_c$ se determina a partir del requisito de ganancia de lazo abierto.

**4.** Si las constantes de error estático no se especifican determine la ubicación del polo y cero del compensador en adelanto de modo que el compensador en adelanto contribuya con el ángulo necesario $\phi$. Si no hay otros requisitos impuestos al sistema, trate que el valor de $\alpha$ sea lo mayor posible. Por lo general un valor más grande de $\alpha$ produce un valor grande de $K_v$, lo cual es deseable. (Si se especifica alguna constante de error estático, en general es más simple utilizar el procedimiento de respuesta en frecuencia).

**5.** Determine la ganancia de lazo abierto del sistema compensado partiendo de la condición de magnitud.

Una vez diseñado un compensador, verifique si se cumplen todas las especificaciones de funcionamiento. Si el sistema compensado no cumple las especificaciones de funcionamiento, se repite el procedimiento de diseño ajustando el polo y el cero del compensador hasta que se cumplan todas esas especificaciones. Si se requiere una constante de error estático grande, coloque en cascada una red de atraso, o altere el compensador en adelanto para que tenga el carácter de un compensador de atraso-adelanto.

Nótese que si los polos dominantes de lazo cerrado seleccionados no son realmente dominantes, será necesario modificar la ubicación del par de polos de lazo cerrado. (Los polos de lazo cerrado no dominantes modifican la respuesta obtenida por los polos dominantes de lazo cerrado solos. La magnitud de la modificación depende de la ubicación de esos polos de lazo cerrado remanentes).

**EJEMPLO 7-1** Considere el sistema que se ve en la figura 7-12(a). La función de transferencia directa es

$$G(s) = \frac{4}{s(s+2)}$$

En la figura 7-12(b) se puede ver el diagrama del lugar de las raíces para este sistema. La función de transferencia de lazo cerrado es

$$\frac{C(s)}{R(s)} = \frac{4}{s^2 + 2s + 4}$$

$$= \frac{4}{(s + 1 + j\sqrt{3})(s + 1 - j\sqrt{3})}$$

Los polos de lazo cerrado se ubican en

$$s = -1 \pm j\sqrt{3}$$

La relación de amortiguamiento de los polos de lazo cerrado es 0.5. La frecuencia natural no amortiguada de los polos de lazo cerrado es 2 rad/s. La constante de error estático de velocidad es $2\ s^{-1}$.

Se desea modificar los polos de lazo cerrado de modo que se obtenga la frecuencia natural no amortiguada $\omega_n = 4$ rad/s, sin cambiar el valor de la relación de amortiguamiento $\zeta = 0.5$.

Recuerde que en el plano complejo, la relación de amortiguamiento $\zeta$ de un par de polos complejos, puede expresarse en términos del ángulo $\theta$, que se mide desde el eje $j\omega$, como se ve en la figura 7-13(a), con

$$\zeta = \operatorname{sen}\theta.$$

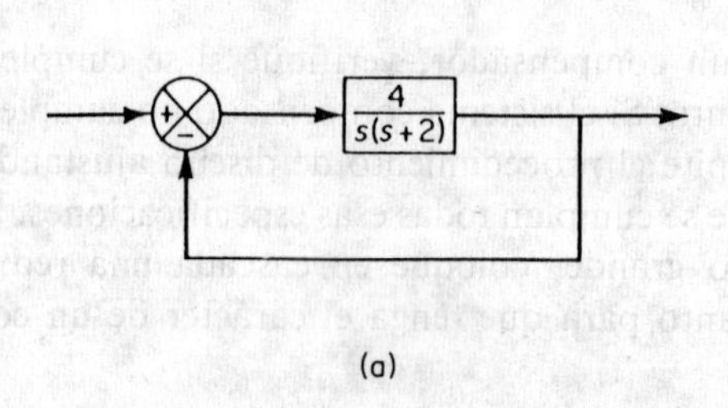


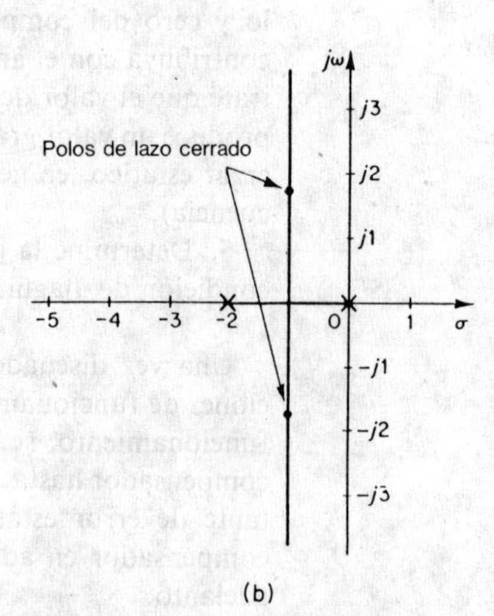


**Figura 7-12** (a) Sistema de control; (b) diagrama del lugar de las raíces.

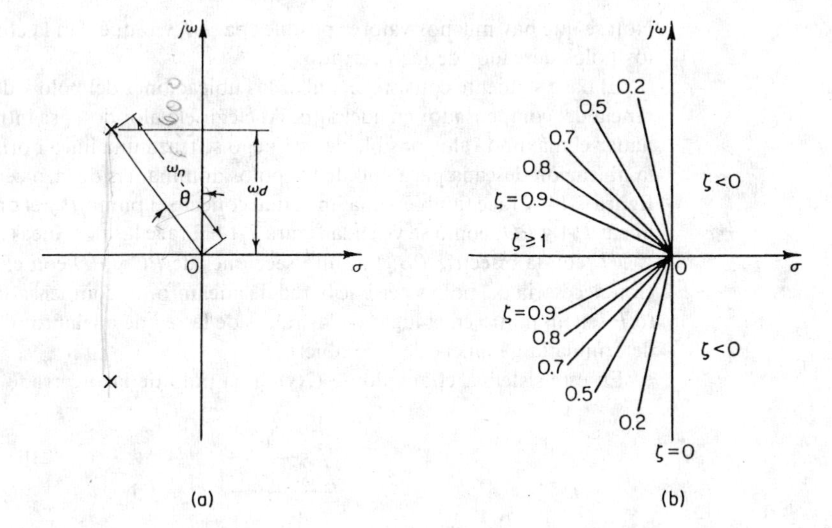


**Figura 7-13**
(a) Polos complejos.
(b) líneas de relación de amortiguamiento $\zeta$ constante.

En otras palabras, las líneas de relación de amortiguamiento constante $\zeta$ son líneas radiales que pasan por el origen como se ve en la figura 7-13(b). Por ejemplo, una relación de amortiguamiento de 0.5 requiere que los polos complejos queden sobre líneas que pasan por el origen y con un ángulo de $\pm 60°$ respecto al eje real negativo. (Si la parte real de un par de polos complejos es positiva, lo que significa que el sistema es inestable, el valor correspondiente de $\zeta$ es negativo). La relación de amortiguamiento determina la ubicación angular de los polos, mientras que la distancia del polo al origen queda determinada por la frecuencia natural no amortiguada $\omega_n$.

En este ejemplo, las ubicaciones deseadas de los polos de lazo cerrado son

$$s = -2 \pm j2\sqrt{3}$$

En muchos casos, tras haber obtenido el lugar de las raíces del sistema original, se pueden mover los polos de lazo cerrado a la ubicación deseada con un simple ajuste de ganancia. Sin embargo, ese no es el caso en este sistema. Por lo tanto, se insertará un compensador en la trayectoria directa.

El siguiente, es un procedimiento general para determinar el compensador en adelanto. Primero, encuentre la suma, en el lugar deseado, de uno de los polos dominantes de lazo cerrado con los polos de lazo abierto y los ceros del sistema original, y determine el ángulo $\phi$ necesario a agregar, para que la suma total de los ángulos sea igual a $\pm 180°(2k + 1)$. El compensador en adelanto debe contribuir con este ángulo $\phi$. (Si el ángulo $\phi$ es bastante grande, se pueden necesitar dos o más compensadores en adelanto más que uno único).

Si el sistema original tiene la función de transferencia de lazo abierto $G(s)$, el sistema compensado tendrá la función de transferencia de lazo abierto

$$G_c(s)G(s) = \left( K_c \frac{s + \dfrac{1}{T}}{s + \dfrac{1}{\alpha T}} \right) G(s)$$

londe

$$G_c(s) = K_c\alpha \frac{Ts + 1}{\alpha Ts + 1} = K_c \frac{s + \dfrac{1}{T}}{s + \dfrac{1}{\alpha T}} \qquad (0 < \alpha < 1)$$

Nótese que hay muchos valores posibles para $T$ y $\alpha$ que dan la contribución angular necesaria en los polos deseados de lazo cerrado.

El paso siguiente consiste en hallar las ubicaciones del polo y del cero de la función de transferencia del compensador en adelanto. Al elegir el valor de $T$, se introducirá un procedimiento para hallar el máximo valor posible de $\alpha$. Luego se traza una línea horizontal que pasa por el punto $P$, la ubicación deseada para uno de los polos dominantes de lazo cerrado; lo cual se puede ver en la figura 7-14. Trace también una línea que conecte el punto $P$ y el origen. Bisecte el ángulo entre las líneas $PA$ y $PO$, como se ve en la figura 7-14. Trace las dos líneas $PC$ y $PD$ que forman un ángulo $\pm\phi/2$ con la bisectriz $PB$. Las intersecciones de $PC$ y $PD$ con el eje negativo real, dan la ubicación necesaria del polo y cero de la red de adelanto. El compensador así diseñado hará que el punto $P$ sea un punto en el lugar de las raíces de la red de adelanto. Con la condición de magnitud se determina la ganancia de lazo abierto.

En este sistema, el ángulo de $G(s)$ en el polo de lazo cerrado deseado es

$$\left/ \frac{4}{s(s+2)} \right|_{s=-2+j2\sqrt{3}} = -210^\circ$$

Así, si se necesita que el lugar de las raíces pase por un polo de lazo cerrado deseado, el compensador en adelanto debe contribuir con $\phi = 30^\circ$ en este punto. Siguiendo el procedimiento de diseño anterior, se determinan el cero y el polo del compensador en adelanto, como se ve en la figura 7-15, que resulta

$$\text{Cero en } s = -2.9 \qquad \text{Polo en } s = -5.4$$

o bien

$$T = \frac{1}{2.9} = 0.345, \qquad \alpha T = \frac{1}{5.4} = 0.185$$

Entonces, $\alpha = 0.537$. La función de transferencia de lazo abierto del sistema compensado es

$$G_c(s)G(s) = K_c \frac{s+2.9}{s+5.4} \frac{4}{s(s+2)} = \frac{K(s+2.9)}{s(s+2)(s+5.4)}$$

donde $K = 4K_c$. En la figura 7-15 se muestra el diagrama del lugar de las raíces para el sistema compensado. La ganancia $K$ se evalúa a partir de la condición de magnitud, como sigue: respecto al diagrama del lugar de las raíces para el sistema que se ve en la figura 7-15, se calcula la ganancia $K$ de la condición de magnitud, como

$$\left| \frac{K(s+2.9)}{s(s+2)(s+5.4)} \right|_{s=-2+j2\sqrt{3}} = 1$$

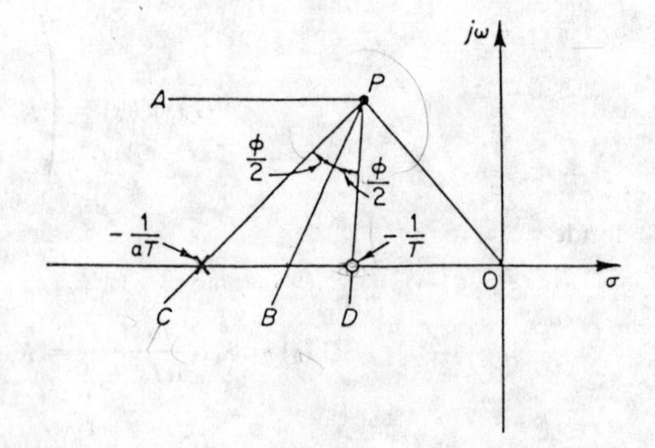


**Figura 7-14**
Determinación del polo y cero de una red de adelanto.

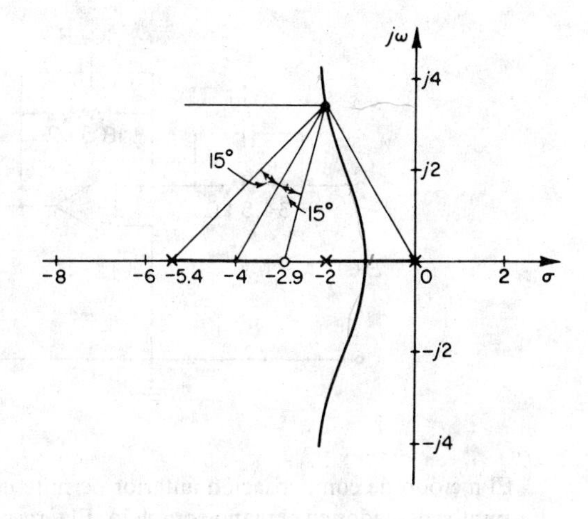


**Figura 7-15**
Diagrama del lugar de las raíces del sistema compensado.

o bien

$$K = 18.7$$

De aquí sigue que

$$G_c(s)G(s) = \frac{18.7(s + 2.9)}{s(s + 2)(s + 5.4)}$$

La constante $K_c$ del compensador en adelanto es

$$K_c = \frac{18.7}{4} = 4.68$$

De aquí que $K_c\alpha = 2.51$. El compensador en adelanto, por tanto, tiene la función de transferencia

$$G_c(s) = 2.51\frac{0.345s + 1}{0.185s + 1} = 4.68\frac{s + 2.9}{s + 5.4}$$

Si el circuito electrónico con amplificadores operacionales que se ve en la figura 7-6(b) se utiliza como compensador recién diseñado, los valores de los parámetros del compensador en adelanto se determinan a partir de

$$\frac{E_o(s)}{E_i(s)} = \frac{R_2R_4}{R_1R_3}\frac{R_1C_1s + 1}{R_2C_2s + 1} = 2.51\frac{0.345s + 1}{0.185s + 1}$$

como se muestra en la figura 7-16, donde se ha elegido arbitrariamente $C_1 = C_2 = 10\ \mu$F y $R_3 = 10\ \text{k}\Omega$.

La constante de error de velocidad $K_v$ se obtiene de la expresión

$$\begin{aligned} K_v &= \lim_{s\to 0} sG_c(s)G(s) \\ &= \lim_{s\to 0}\frac{s18.7(s + 2.9)}{s(s + 2)(s + 5.4)} \\ &= 5.02\ \text{seg}^{-1} \end{aligned}$$

Nótese que el tercer polo de lazo cerrado del sistema diseñado se puede obtener, dividiendo la ecuación característica entre los factores conocidos como

$$s(s + 2)(s + 5.4) + 18.7(s + 2.9) = (s + 2 + j2\sqrt{3})(s + 2 - j2\sqrt{3})(s + 3.4)$$

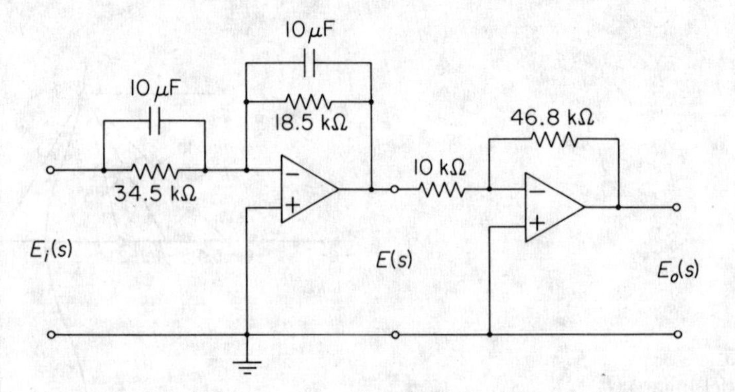


**Figura 7-16** Compensador en adelanto.

El método de compensación anterior permite ubicar los polos dominantes de lazo cerrado en los puntos deseados en el plano complejo. El tercer polo en $s = -3.4$ está cerca del cero agregado en $s = -2.9$. Por tanto, el efecto de este polo en la respuesta transitoria es relativamente pequeño. Como no se ha impuesto restricción al polo no dominante, ni se ha especificado el valor del coeficiente de error estático de velocidad, se concluye que el diseño logrado es satisfactorio.

Nótese que el cero del compensador se puede colocar en $s = -2$ y el polo en $s = -4$, de modo que la contribución del compensador en adelanto es 30°. (En este caso el cero del compensador en adelanto ha de cancelar un polo de la planta, dando por resultado un sistema de segundo orden, en lugar de uno de tercer orden, como se diseñó). Se puede ver que en este caso $K_v$ vale 4 $s^{-1}$. Se pueden elegir otras combinaciones que produzcan también un adelanto de fase 30°. (Para diferentes combinaciones de un cero o polo del compensador que contribuye con 30°, el valor de $\alpha$ será diferente, y también lo será el valor de $K_v$). Aunque se puede lograr cierto cambio en el valor de $K_v$ alterando la localización del polo y cero del compensador en adelanto, si se desea un aumento apreciable en el valor de $K_v$, hay que cambiar el compensador en adelanto por un compensador en atraso-adelanto. (Para compensación en atraso-adelanto, véase la sección 7-5).

**Técnicas de compensación en adelanto basadas en el método de respuesta en frecuencia.** La función primaria del compensador en adelanto es modificar la forma de la curva de respuesta en frecuencia, dando suficiente adelanto de ángulo de fase como para contrarrestar el atraso de fase excesivo asociado con los componentes del sistema fijo.

Considere nuevamente el sistema que se muestra en la figura 7-11. Supóngase que las especificaciones de funcionamiento están dadas en términos de margen de fase, margen de ganancia, coeficiente de error estático de velocidad, etc. El procedimiento para diseñar un compensador en adelanto por el método de respuesta en frecuencia se puede plantear como sigue:

**1.** Suponga el siguiente compensador en adelanto:

$$G_c(s) = K_c\alpha \frac{Ts + 1}{\alpha Ts + 1} = K_c \frac{s + \dfrac{1}{T}}{s + \dfrac{1}{\alpha T}} \qquad (0 < \alpha < 1)$$

Se define

$$K_c\alpha = K$$

Entonces

$$G_c(s) = K\frac{Ts + 1}{\alpha Ts + 1}$$

La función de transferencia de lazo abierto del sistema compensado es

$$G_c(s)G(s) = K\frac{Ts + 1}{\alpha Ts + 1}G(s) = \frac{Ts + 1}{\alpha Ts + 1}KG(s) = \frac{Ts + 1}{\alpha Ts + 1}G_1(s)$$

donde

$$G_1(s) = KG(s)$$

Determine la ganancia $K$ que satisface el requisito de coeficiente de error estático.

**2.** Utilizando la ganancia $K$ determinada, trace el diagrama de Bode de $G_1(j\omega)$, del sistema no compensado, pero con la ganancia determinada. Evalúe el margen de fase.

**3.** Determine el ángulo de fase en adelanto $\phi$ necesario para agregarlo al sistema.

**4.** Determine el factor de atenuación $\alpha$ utilizando la ecuación (7-3). Determine la frecuencia en que la magnitud del sistema no compensado $G_1(j\omega)$ es igual a $-20 \log (1/\sqrt{\alpha})$. Elija esta frecuencia como nueva frecuencia de cruce de ganancia. Esta frecuencia corresponde a $\omega_m = 1/(\sqrt{\alpha}T)$, y el máximo desplazamiento de fase se produce a esta frecuencia $\phi_m$.

**5.** Determine las frecuencias de cruce del compensador en adelanto como sigue:

$$\text{Cero del compensador en adelanto:} \quad \omega = \frac{1}{T}$$

$$\text{Polo del compensador en adelanto:} \quad \omega = \frac{1}{\alpha T}$$

**6.** Usando el valor de $K$ determinado en el paso 1 y el de $\alpha$ hallado en el paso 4, calcule la constante $K_c$ de

$$K_c = \frac{K}{\alpha}$$

**7.** Verifique el margen de ganancia para asegurar que sea satisfactorio. Si no lo fuera, repetir el proceso de diseño modificando la ubicación del polo y cero del compensador hasta que se logre un resultado satisfactorio.

**EJEMPLO 7-2** Considere el sistema que se muestra en la figura 7-17. La función de transferencia de lazo abierto es

$$G(s) = \frac{4}{s(s + 2)}$$

Se desea diseñar un compensador para el sistema tal que el coeficiente de error estático de velocidad $K_v$ sea $20\ s^{-1}$, el margen de fase no sea menor a 50°, y el margen de ganancia sea por lo menos de 10 db.

Se utilizará un compensador en adelanto de la forma siguiente

$$G_c(s) = K_c\alpha \frac{Ts + 1}{\alpha Ts + 1} = K_c \frac{s + \frac{1}{T}}{s + \frac{1}{\alpha T}}$$

El sistema compensado tendrá la función de transferencia de lazo abierto $G_c(s)G(s)$.

Se define

$$G_1(s) = KG(s) = \frac{4K}{s(s + 2)}$$

donde $K = K_c\alpha$.

El primer paso en el diseño es ajustar la ganancia $K$ para cumplir con la especificación de funcionamiento en estado estacionario, o brindar el coeficiente de error estático de velocidad requerido. Como este coeficiente está dado como 20 $s^{-1}$, se obtiene

$$K_v = \lim_{s\to 0} sG_c(s)G(s) = \lim_{s\to 0} s\frac{Ts + 1}{\alpha Ts + 1} G_1(s) = \lim_{s\to 0} \frac{s4K}{s(s + 2)} = 2K = 20$$

o bien

$$K = 10$$

Con $K = 10$, el sistema compensado satisfará el requerimiento en estado estacionario.

Luego se traza el diagrama de Bode de

$$G_1(j\omega) = \frac{40}{j\omega(j\omega + 2)} = \frac{20}{j\omega(0.5\, j\omega + 1)}$$

La figura 7-18 muestra las curvas de magnitud y de ángulo de fase de $G_1(j\omega)$. Partiendo de este diagrama, se puede hallar que los márgenes de fase y de ganancia son 17° y $+\infty$ db, respectivamente. (Un margen de fase de 17° implica que el sistema es bastante oscilatorio. Así, satisfacer la especificación en estado estacionario brinda un funcionamiento pobre en cuanto a respuesta transitoria). La especificación pide un margen de fase de al menos 50°. Se halla así que el adelanto de fase adicional necesario para satisfacer el requerimiento de estabilidad relativa es 33°. Para lograr un margen de fase de 50° sin disminuir el valor de $K$, el compensador en adelanto debe contribuir con el ángulo de fase requerido.

Nótese que añadir un compensador en adelanto modifica la curva de magnitud en el diagrama de Bode, observe que la frecuencia de cruce de ganancia se desplazará a la derecha. Se debe compensar el atraso de fase de $G_1(j\omega)$ incrementado debido al aumento en la frecuencia de cruce de ganancia. Considerando el desplazamiento en la frecuencia de cruce de ganancia, se puede suponer que $\phi_m$, el máximo adelanto de fase requerido, es aproximadamente de 38°. (Esto significa que se agregaron 5° para compensar el desplazamiento en la frecuencia de cruce de ganancia). Como

$$\text{sen}\, \phi_m = \frac{1 - \alpha}{1 + \alpha}$$

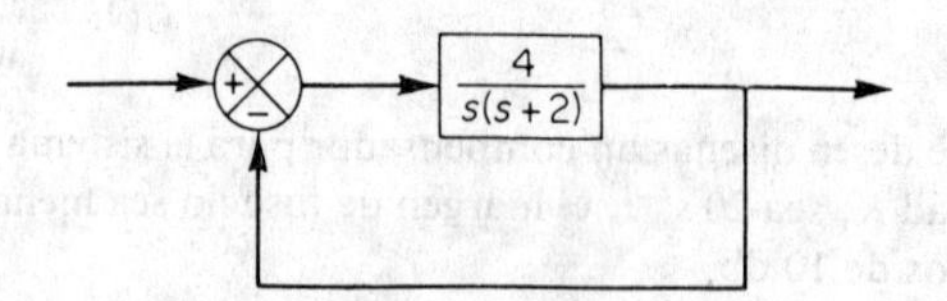


**Figura 7-17**
Sistema de control.

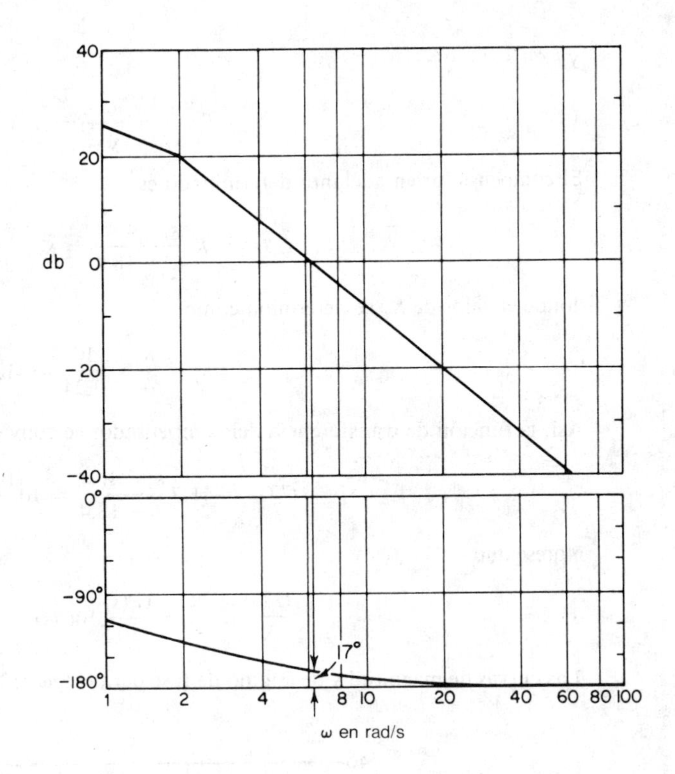


**Figura 7-18**
Diagrama de Bode de $G_1(j\omega) = 10G(j\omega) = 40/[j\omega(j\omega + 2)]$.

$\phi_m = 38°$ corresponde a $\alpha = 0.24$. Una vez determinado el factor de atenuación $\alpha$ con base en el máximo ángulo de fase en adelanto requerido, el próximo paso consiste en determinar las frecuencias de cruce $\omega = 1/T$ y $\omega = 1/(\alpha T)$ del compensador en adelanto. Para hacerlo, nótese primero que el máximo ángulo de fase en adelanto requerido $\phi_m$ se produce a la frecuencia media geométrica entre las dos frecuencias de cruce, o $\omega = 1/(\sqrt{\alpha}T)$. [Vea la ecuación (7-4)]. El tamaño de la modificación en la curva de magnitud en $\omega = 1/(\sqrt{\alpha}T)$ debido a la adición del término $(Ts + 1)/(\alpha Ts + 1)$ es

$$\left|\frac{1 + j\omega T}{1 + j\omega\alpha T}\right|_{\omega = 1/(\sqrt{\alpha}T)} = \left|\frac{1 + j\dfrac{1}{\sqrt{\alpha}}}{1 + j\alpha\dfrac{1}{\sqrt{\alpha}}}\right| = \frac{1}{\sqrt{\alpha}}$$

Se hace notar que

$$\frac{1}{\sqrt{\alpha}} = \frac{1}{\sqrt{0.24}} = \frac{1}{0.49} = 6.2 \text{ db}$$

y $|G_1(j\omega)| = -6.2$ db corresponde a $\omega = 9$ rad/s. Se debe elegir esta frecuencia para que sea la nueva frecuencia de cruce de ganancia $\omega_c$. Nótese que esta frecuencia corresponde a $1/(\sqrt{\alpha}T)$, o $\omega_c = 1/(\sqrt{\alpha}T)$,

$$\frac{1}{T} = \sqrt{\alpha}\omega_c = 4.41$$

y

$$\frac{1}{\alpha T} = \frac{\omega_c}{\sqrt{\alpha}} = 18.4$$

El compensador en adelanto determinado es

$$G_c(s) = K_c \frac{s + 4.41}{s + 18.4} = K_c\alpha \frac{0.227s + 1}{0.054s + 1}$$

donde el valor de $K_c$ se determina como

$$K_c = \frac{K}{\alpha} = \frac{10}{0.24} = 41.7$$

Así, la función de transferencia del compensador se convierte en

$$G_c(s) = 41.7 \frac{s + 4.41}{s + 18.4} = 10 \frac{0.227s + 1}{0.054s + 1}$$

Nótese que

$$\frac{G_c(s)}{K} G_1(s) = \frac{G_c(s)}{10} 10G(s) = G_c(s)G(s)$$

Las curvas de magnitud y de ángulo de fase para $G_c(j\omega)/10$ aparecen en la figura 7-19. El sistema

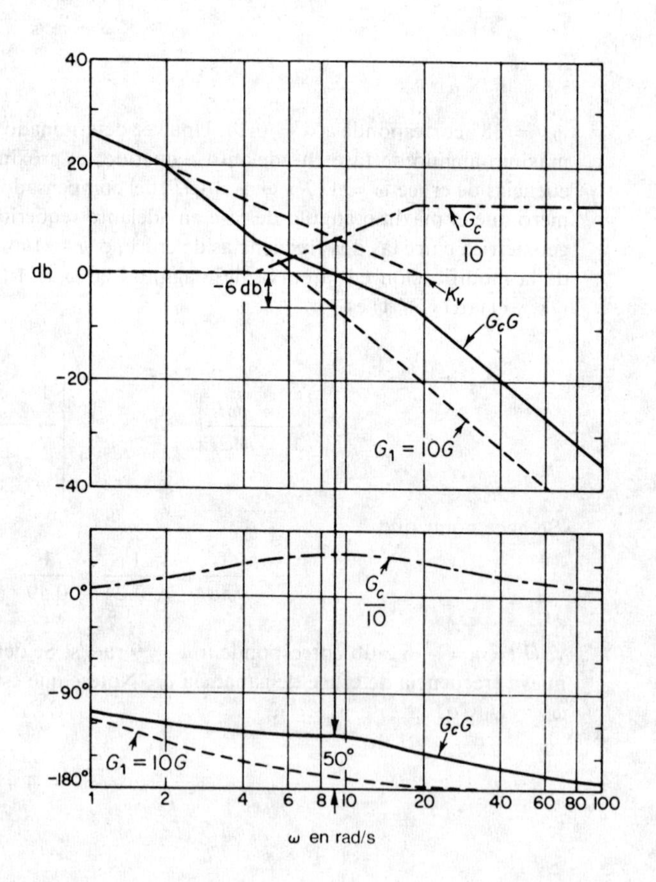


**Figura 7-19**
Diagrama de Bode para el sistema compensado.

compensado tiene la siguiente función de transferencia de lazo abierto:

$$G_c(s)G(s) = 41.7 \frac{s + 4.41}{s + 18.4} \frac{4}{s(s + 2)}$$

Las curvas gruesas de la figura 7-19 muestran la curva de magnitud y de ángulo de fase para el sistema compensado. El compensador en adelanto produce un aumento en la frecuencia de cruce de ganancia de 6.3 a 9 rad/s. El incremento en esta frecuencia significa un aumento de ancho de banda. Esto implica un aumento en la velocidad de respuesta. Se ve que los márgenes de ganancia y de fase son de 50° y + ∞, respectivamente. El sistema compensado de la figura 7-20, por lo tanto, satisface los requerimientos de estado estacionario y de estabilidad relativa.

Nótese que para sistemas de tipo 1, como el sistema recién considerado, el valor del coeficiente de error estático de velocidad $K_v$ es el valor de la frecuencia correspondiente a la intersección de la extensión de la recta inicial de —20 db/década con la línea de 0 db, como se muestra en la figura 7-19.

En la figura 7-21 se presentan los diagramas polares del sistema no compensado $G_1(j\omega) = 10G(j\omega)$ y del sistema compensado $G_c(j\omega)G(j\omega)$. De la figura 7-21 se ve que la frecuencia de reso-

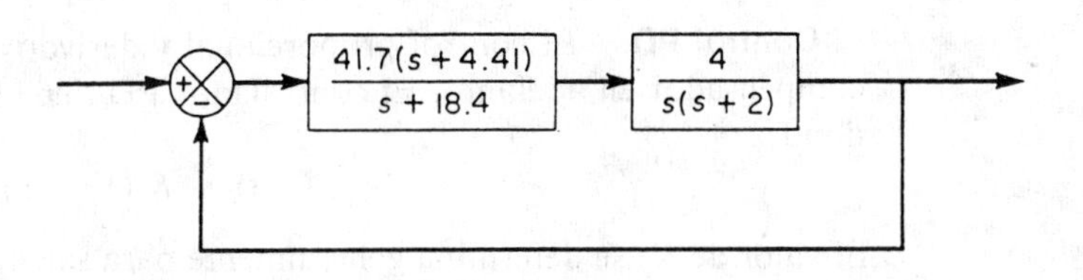


**Figura 7-20** Sistema compensado.

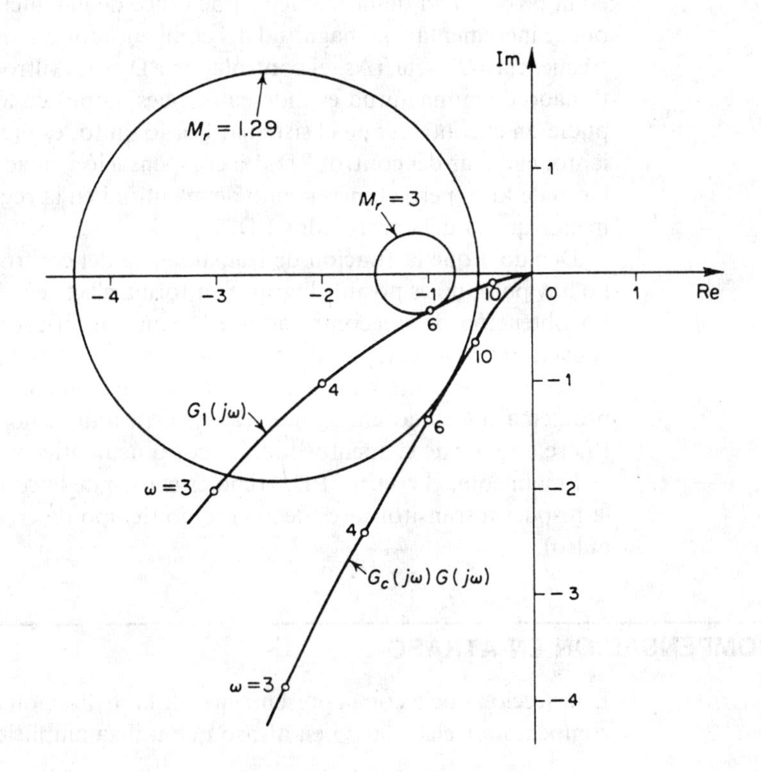


**Figura 7-21** Diagramas polares de la función de transferencia de lazo abierto compensada y no compensada ($G_1$: sistema no compensado; $G_cG$: sistema compensado).

nancia del sistema no compensado es de 6 rad/s y la del sistema compensado es de 7 rad/s. (Esto indica también que se ha incrementado el ancho de banda).

De la figura 7-21, se halla que el valor del pico de resonancia $M_r$ para el sistema no compensado con $K = 10$ es de 3. El valor de $M_r$ para el sistema compensado es de 1.29, lo cual indica claramente que el sistema compensado tiene una estabilidad relativa mejorada. (Nótese que el valor de $M_r$ se puede obtener fácilmente transfiriendo datos del diagrama de Bode al diagrama de Nichols. Vea ejemplo 7-4).

Nótese que si el ángulo de fase $G_1(j\omega)$ decrece rápidamente cerca de la frecuencia de cruce de ganancia, la compensación en adelanto se hace inefectiva porque el desplazamiento en la frecuencia de cruce de ganancia hacia la derecha dificulta producir suficiente adelanto de fase a la nueva frecuencia de cruce de ganancia. Esto significa que, para producir el margen de fase deseado, se debe utilizar un valor muy pequeño de $\alpha$. Sin embargo, el valor de $\alpha$, no debe ser inferior a 0.07 ni el máximo adelanto de fase $\phi_m$ debe ser superior a 60°, porque tales valores requerirán una ganancia adicional de valor excesivo. [Si se necesitan más de 60°, se pueden utilizar dos (o más) redes de adelanto en serie con un amplificador separador].

**Control PD.** El control proporcional y derivativo es una versión simplificada del compensador en adelanto. El controlador PD tiene la función de transferencia $G_c(s)$, donde

$$G_c(s) = K_p(1 + T_d s)$$

El valor de $K_p$ se determina generalmente para satisfacer los requerimientos de estado estacionario. Se elige la frecuencia de cruce $1/T_d$ tal que el adelanto de fase se produzca en la proximidad de la frecuencia de cruce de ganancia. Aunque el margen de fase se puede incrementar, la magnitud del compensador continúa aumentando en la región de frecuencia $1/T_d < \omega$. (Así el controlador PD es un filtro paso altas). El incremento continuado de la magnitud es indeseable pues amplifica los ruidos de alta frecuencia que pudieran encontrarse en el sistema. Por lo tanto, es preferible la compensación en adelanto, en lugar del control PD. La compensación en adelanto puede dar suficiente adelanto de fase, pero el incremento de magnitud en la región de alta frecuencia es mucho menor que la del controlador PD.

Debido a que la función de transferencia del controlador PD incluye un cero, pero no hay polo, no es posible lograrlo en forma eléctrica sólo con elementos pasivos *RLC*. La obtención de un controlador PD con amplificadores operacionales, resistores y capacitores es posible, pero con el controlador PD es un filtro paso altas, como se mencionó anteriormente, el proceso de diferenciación comprendido, puede producir serios problemas de ruido en algunos casos. En cambio, no hay problema si el controlador PD se obtiene de elementos hidráulicos o neumáticos.

Finalmente, el control PD, como es el caso de la compensación en adelanto, mejora la respuesta transitoria (es decir, rápido tiempo de crecimiento con pequeño sobreimpulso).

## 7-4 COMPENSACION EN ATRASO

Esta sección inicia con la presentación de la realización de compensadores en atraso; un compensador electrónico en atraso que utiliza amplificadores operacionales, un compensador eléctrico en atraso que utiliza una red $RC$, y un compensador en atraso mecánico que utiliza un resorte y amortiguadores. Luego se estudian los procedimientos de diseño utilizando compensadores en atraso. Al final, se compara el controlador PI con un compensador en atraso.

**Compensador electrónico en atraso que utiliza amplificadores operacionales.** La configuración del compensador electrónico en atraso que utiliza amplificadores operacionales es la misma que la del compensador en adelanto de la figura 7-6(b). Si se elige $R_2C_2 > R_1C_1$ en el circuito de la figura 7-6(b), se vuelve un compensador en atraso. Con referencia a la figura 7-6(b), la función de transferencia del compensador en atraso está dada por

$$\frac{E_o(s)}{E_i(s)} = K_c\beta \frac{Ts + 1}{\beta Ts + 1} = K_c \frac{s + \frac{1}{T}}{s + \frac{1}{\beta T}}$$

donde

$$T = R_1C_1, \qquad \beta T = R_2C_2, \qquad \beta = \frac{R_2C_2}{R_1C_1} > 1$$

Nótese el uso de $\beta$ en lugar de $\alpha$ en las expresiones anteriores. En el compensador en adelanto se utilizó $\alpha$ para indicar la relación $R_2C_2/R_1C_1$, que era menor que 1, o $0 < \alpha < 1$.En este capítulo siempre se supondrá que $0 < \alpha < 1$ y $\beta > 1$.

**Compensador en atraso que utiliza una red eléctrica *RC*.** La figura 7-22 muestra una red eléctrica de atraso. Las impedancias complejas $Z_1$ y $Z_2$ son

$$Z_1 = R_1, \qquad Z_2 = R_2 + \frac{1}{Cs}$$

La función de transferencia entre el voltaje de salida $E_o(s)$ y el de entrada $E_i(s)$ está dada por

$$\frac{E_o(s)}{E_i(s)} = \frac{Z_2}{Z_1 + Z_2} = \frac{R_2Cs + 1}{(R_1 + R_2)Cs + 1}$$

Se define

$$R_2C = T, \qquad \frac{R_1 + R_2}{R_2} = \beta > 1$$

Entonces la función de transferencia es

$$\frac{E_o(s)}{E_i(s)} = \frac{Ts + 1}{\beta Ts + 1} = \frac{1}{\beta}\left(\frac{s + \frac{1}{T}}{s + \frac{1}{\beta T}}\right)$$

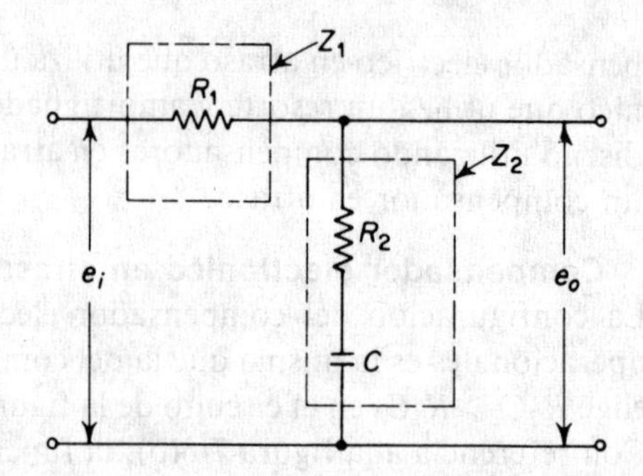


**Figura 7-22**
Circuito eléctrico de atraso.

Si este circuito *RC* se utiliza como compensador en atraso, por lo general se necesita agregar un amplificador con ganancia ajustable $K_c\beta$ de modo que la función de transferencia del compensador sea

$$G_c(s) = K_c\beta \frac{Ts + 1}{\beta Ts + 1} = K_c \frac{s + \dfrac{1}{T}}{s + \dfrac{1}{\beta T}}$$

**Red mecánica de atraso.** La figura 7-23 muestra una red mecánica de atraso. Consiste en un resorte y dos amortiguadores. La ecuación diferencial para esta red mecánica es

$$b_2(\dot{x}_i - \dot{x}_o) + k(x_i - x_o) = b_1\dot{x}_o$$

Tomando la transformada de Laplace en ambos miembros de esta ecuación, suponiendo condiciones iniciales cero, y reescribiendo, se obtiene

$$\frac{X_o(s)}{X_i(s)} = \frac{b_2 s + k}{(b_1 + b_2)s + k} = \frac{\dfrac{b_2}{k}s + 1}{\dfrac{b_1 + b_2}{k}s + 1}$$

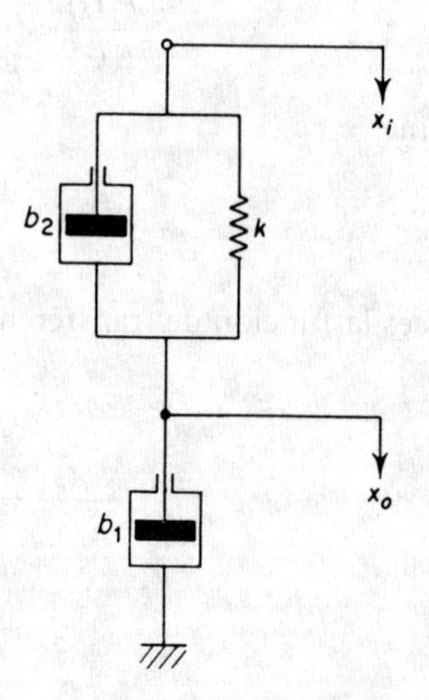


**Figura 7-23**
Red mecánica de atraso.

Si se define

$$\frac{b_2}{k} = T, \qquad \frac{b_1 + b_2}{b_2} = \beta > 1$$

entonces la función de transferencia $X_o(s)/X_i(s)$ es

$$\frac{X_o(s)}{X_i(s)} = \frac{Ts + 1}{\beta Ts + 1} = \frac{1}{\beta}\left(\frac{s + \frac{1}{T}}{s + \frac{1}{\beta T}}\right)$$

Igual que en el caso de la red eléctrica de atraso, si se utiliza esta red mecánica como compensador en atraso, es necesario agregar un dispositivo de enlace con una ganancia ajustable $K_c\beta$ de modo que la función de transferencia del compensador sea

$$G_c(s) = K_c\beta\frac{Ts + 1}{\beta Ts + 1} = K_c\frac{s + \frac{1}{T}}{s + \frac{1}{\beta T}}$$

**Características de los compensadores en atraso.** Considere el compensador en atraso con la siguiente función de transferencia:

$$G_c(s) = K_c\beta\frac{Ts + 1}{\beta Ts + 1} = K_c\frac{s + \frac{1}{T}}{s + \frac{1}{\beta T}} \qquad (\beta > 1)$$

En el plano complejo, un compensador en atraso tiene un cero en $s = -1/T$ y un polo en $s = -1/(\beta T)$. El polo está ubicado a la derecha del cero.

La figura 7-24 muestra un diagrama polar del compensador en atraso. En la figura 7-25 se muestra un diagrama de Bode del compensador, donde $K_c = 1$ y $\beta = 10$. Las frecuencias de cruce del compensador en atraso están en $\omega = 1/T$ y $\omega = 1/(\beta T)$.Como aparece en la figura 7-25, donde los valores de $K_c$ y de $\beta$ están colocados en 1 y 10, respectivamente, la magnitud del compensador en atraso es 10 (o 20 db) a bajas frecuencias y la unidad (0 db) a frecuencias altas. Así, el compensador en atraso es esencialmente un filtro paso bajas.

**Técnicas de compensación en atraso basadas en el método del lugar de las raíces.** Considere el problema de hallar una red de compensación adecuada para un sistema que presenta características satisfactorias de respuesta transitoria, pero no satisfactorias en estado estacionario. En este caso la compensación consiste esencialmente en incrementar la ganancia de lazo abierto sin modificar apreciablemente las características de respuesta transitoria. Esto significa que el lugar de las raíces más cercano a lo polos dominantes de lazo cerrado no debe variar en forma significativa, pero hay que aumentar la ganancia de lazo abierto tanto como sea necesario. Esto se puede

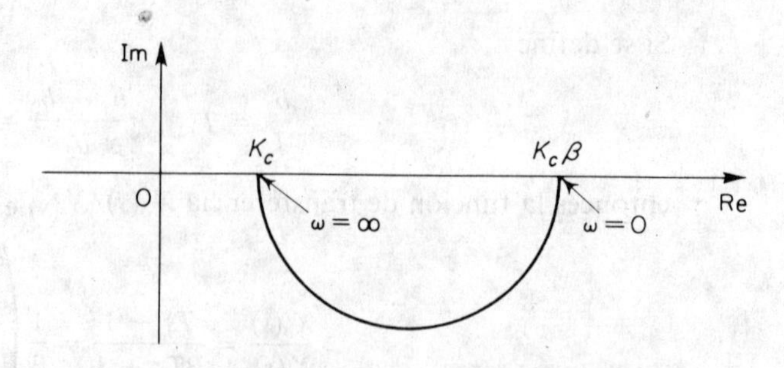


**Figura 7-24** Diagrama polar del compensador en atraso $K_c\beta(j\omega T + 1)/(j\omega\beta T + 1)$.

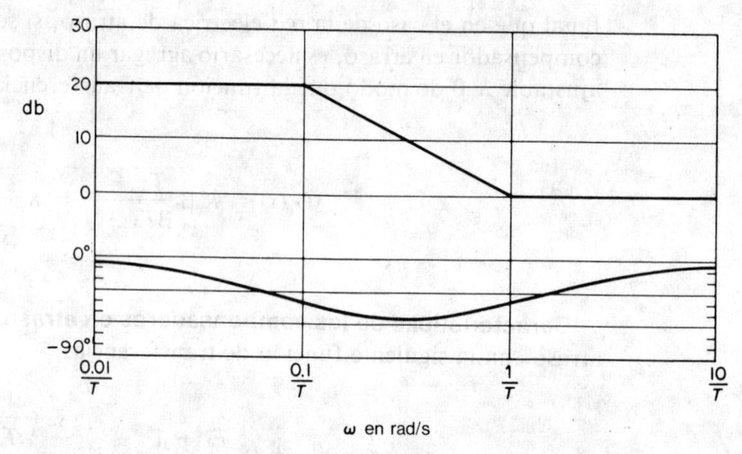


**Figura 7-25** Diagrama de Bode del compensador en atraso $\beta(j\omega T + 1)/(j\omega\beta T + 1)$, con $\beta = 10$.

lograr si se coloca un compensador en atraso en cascada con la función de transferencia directa.

Para evitar una modificación apreciable del lugar de las raíces, la contribución angular del circuito de atraso debe estar limitada a un valor pequeño, por ejemplo 5°. Para asegurar esto, el polo y el cero del circuito de atraso se colocan relativamente juntos y cerca del origen en el plano $s$. Entonces los polos de lazo cerrado del sistema compensado se desplazan levemente de sus ubicaciones originales. Por tanto, las características de respuesta transitoria no se alteran.

Considere el compensador en atraso $G_c(s)$, donde

$$G_c(s) = K_c\beta\frac{Ts + 1}{\beta Ts + 1} = K_c\frac{s + \dfrac{1}{T}}{s + \dfrac{1}{\beta T}} \tag{7–5}$$

Si el cero y el polo del compensador en atraso se colocan muy cerca entre sí, entonces en $s = s_1$, donde $s_1$ es uno de los polos dominantes de lazo cerrado, las magnitudes $s_1 + (1/T)$ y $s_1 + [1/(\beta T)]$ son casi iguales, o bien:

$$|G_c(s_1)| = \left| K_c \frac{s_1 + \dfrac{1}{T}}{s_1 + \dfrac{1}{\beta T}} \right| \doteq K_c$$

Esto implica que si la ganancia $K_c$ del compensador en atraso es 1, las características de respuesta transitoria no se alterarán. (O sea que la ganancia global de la función de transferencia de lazo abierto se puede incrementar en un factor de β, donde $\beta > 1$). Si el polo y el cero están ubicados muy cerca del origen, entonces el valor de β puede hacerse muy grande. Nótese que usualmente $1 < \beta < 15$, y $\beta = 10$ es una buena elección. (Nótese que el valor de $T$ debe ser grande, pero su valor exacto no es crítico. Sin embargo, no debe ser excesivamente elevado, para evitar dificultades en la construcción del compensador de atraso de fase con elementos físicos).

Un aumento en la ganancia significa un aumento en las constantes de error estático. Si la función de transferencia de lazo abierto del sistema no compensado es $G(s)$, el coeficiente de error estático de velocidad $K_v$ es

$$K_v = \lim_{s \to 0} sG(s)$$

Si el compensador se elige según la ecuación (7-5), entonces para el sistema compensado con la función de transferencia de lazo abierto $G_c(s)G(s)$ el coeficiente de error estático de velocidad $\hat{K}_v$ es

$$\begin{aligned}\hat{K}_v &= \lim_{s \to 0} sG_c(s)G(s) \\ &= \lim_{s \to 0} G_c(s)K_v \\ &= K_c \beta K_v\end{aligned}$$

Así, si el compensador está dado por la ecuación (7-5), el coeficiente de error estático de velocidad aumenta en un factor de $K_c\beta$, donde $K_c$ es aproximadamente uno.

**Procedimientos de diseño para compensar en atraso por el método del lugar de las raíces.** El procedimiento para diseñar compensadores en atraso para el sistema que aparece en la figura 7-26 por el método del lugar de las raíces es el siguiente. (Se supone que el sistema no compensado cumple las condiciones de respuesta transitoria por simple ajuste de la ganancia. Si no es así, debe referirse a la sección 7-5).

**1.** Trace el diagrama del lugar de las raíces para el sistema no compensado cuya función de transferencia de lazo abierto es $G(s)$. Basado en las especificaciones de respuesta transitoria, ubique los polos dominantes de lazo cerrado en el lugar de las raíces.

**2.** Suponga que la función de transferencia del compensador en atraso es

$$G_c(s) = K_c \beta \frac{Ts + 1}{\beta Ts + 1} = K_c \frac{s + \dfrac{1}{T}}{s + \dfrac{1}{\beta T}}$$

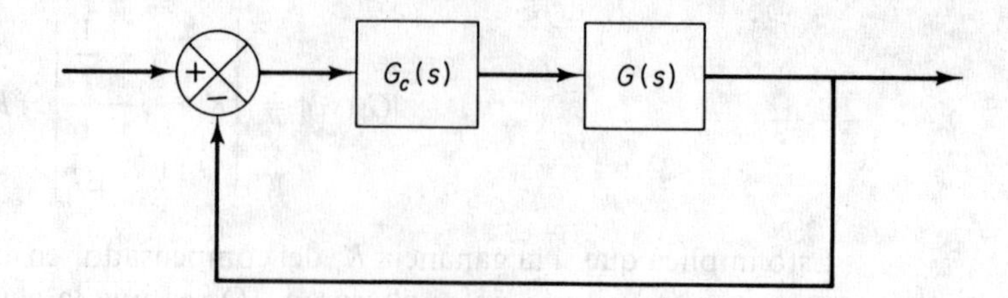


**Figura 7-26**
Sistema de control.

Entonces la función de transferencia de lazo abierto del sistema compensado es $G_c(s)G(s)$.

**3.** Evalúe el coeficiente de error estático particular especificado en el problema.

**4.** Determine la magnitud del aumento en el coeficiente de error estático para satisfacer las especificaciones.

**5.** Determine el polo y cero del compensador en atraso que produce el aumento necesario en el coeficiente de error estático particular sin alterar, en forma notoria, el lugar de las raíces original. (Note que la relación entre el valor de ganancia requerido en las especificaciones y la ganancia hallada en el sistema no compensado, es la relación requerida entre la distancia del cero al origen y la del polo al origen).

**6.** Trace un nuevo lugar de las raíces para el sistema compensado. Ubique los polos dominantes de lazo cerrado en el lugar de las raíces. (Si la contribución angular del circuito de atraso es muy pequeña, es decir, unos pocos grados, entonces el lugar de las raíces original y el nuevo, son casi idénticos. De otro modo, habrá una leve discrepancia entre ellos. Luego, ubique, en el nuevo lugar de las raíces, los polos dominantes de lazo cerrado deseados, con base en las especificaciones de respuesta transitoria).

**7.** Ajuste la ganancia $K_c$ del compensador partiendo de la condición de magnitud de que los polos dominantes de lazo cerrado queden en las ubicaciones deseadas.

**EJEMPLO 7-3**

Considere el sistema de la figura 7-27(a). La función de transferencia directa es

$$G(s) = \frac{1.06}{s(s+1)(s+2)}$$

El diagrama del lugar de las raíces para el sistema es el que aparece en la figura 7-27(b). La función de transferencia de lazo cerrado es

$$\frac{C(s)}{R(s)} = \frac{1.06}{s(s+1)(s+2) + 1.06}$$

$$= \frac{1.06}{(s + 0.33 - j0.58)(s + 0.33 + j0.58)(s + 2.33)}$$

Los polos dominantes de lazo cerrado son

$$s = -0.33 \pm j0.58$$

La relación de amortiguamiento de los polos dominantes de lazo cerrado es $\zeta = 0.5$. La frecuencia natural no amortiguada de los polos dominantes de lazo cerrado es 0.67 rad/s. La constante de error estático de velocidad es 0.53 $s^{-1}$.

Se desea incrementar el coeficiente de error estático de velocidad $K_v$ hasta casi 5 $s^{-1}$ sin cambiar en forma notable la ubicación de los polos dominantes de lazo cerrado.

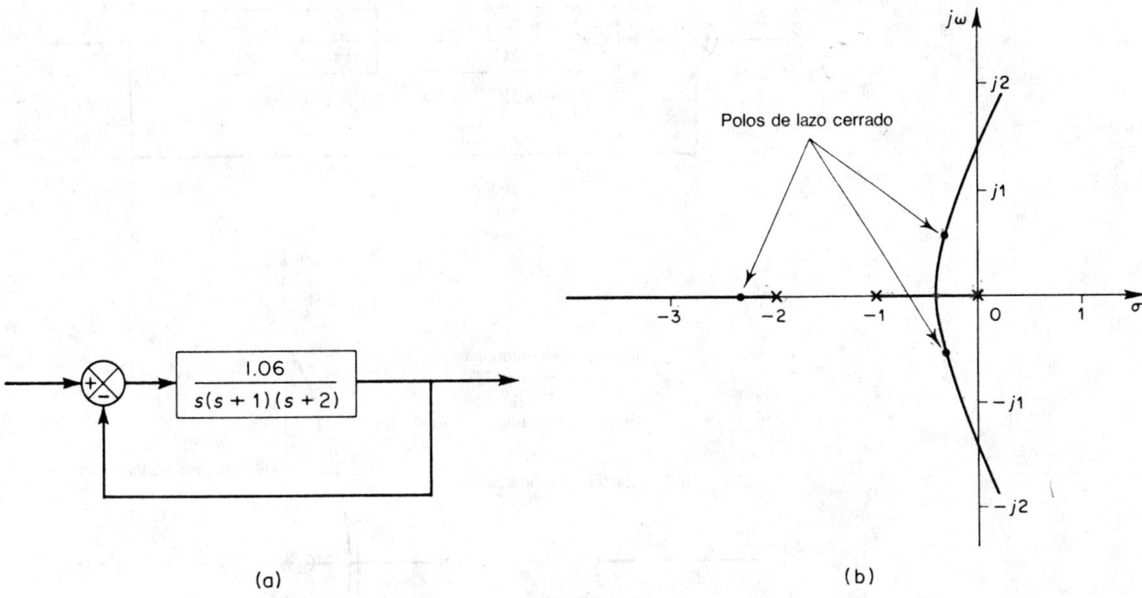


**Figura 7-27** (a) Sistema de control; (b) diagrama del lugar de las raíces.

Para cumplir esta especificación, se inserta un compensador en atraso como el de la ecuación (7-5) en cascada con la función de transferencia directa. Para incrementar el coeficiente de error estático de velocidad en un factor de aproximadamente 10, se elige $\beta = 10$ y se colocan el cero y el polo del compensador en atraso en $s = -0.1$ y $s = -0.01$, respectivamente. La función de transferencia del compensador en atraso es

$$G_c(s) = K_c \frac{s + 0.1}{s + 0.01}$$

La contribución angular de esta red de atraso cerca de un polo dominante de lazo cerrado es de alrededor de siete grados. (Esto es, aproximadamente el máximo admisible). Como la contribución angular de esta red de atraso no es muy pequeña, hay un pequeño cambio en el nuevo lugar de las raíces cerca de los polos dominantes de lazo cerrado.

La función de transferencia de lazo abierto del sistema compensado es

$$\begin{aligned} G_c(s)G(s) &= K_c \frac{s + 0.1}{s + 0.01} \frac{1.06}{s(s + 1)(s + 2)} \\ &= \frac{K(s + 0.1)}{s(s + 0.01)(s + 1)(s + 2)} \end{aligned}$$

donde

$$K = 1.06K_c$$

En la figura 7-28(a) aparece el diagrama de bloques del sistema compensado. En la figura 7-28(b) se presenta el diagrama del lugar de las raíces para el sistema compensado cerca de los polos dominantes de lazo cerrado, junto con el lugar de las raíces original.

Si la relación de amortiguamiento de los nuevos polos dominantes de lazo cerrado se mantiene igual, los polos se obtienen a partir del nuevo lugar de las raíces como sigue:

$$s_1 = -0.28 + j0.51, \qquad s_2 = -0.28 - j0.51$$

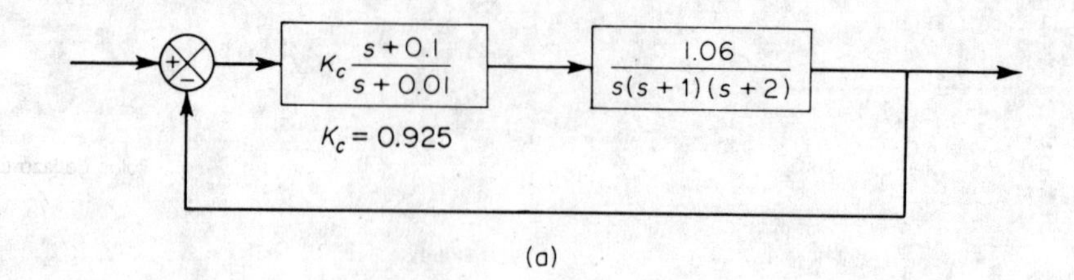


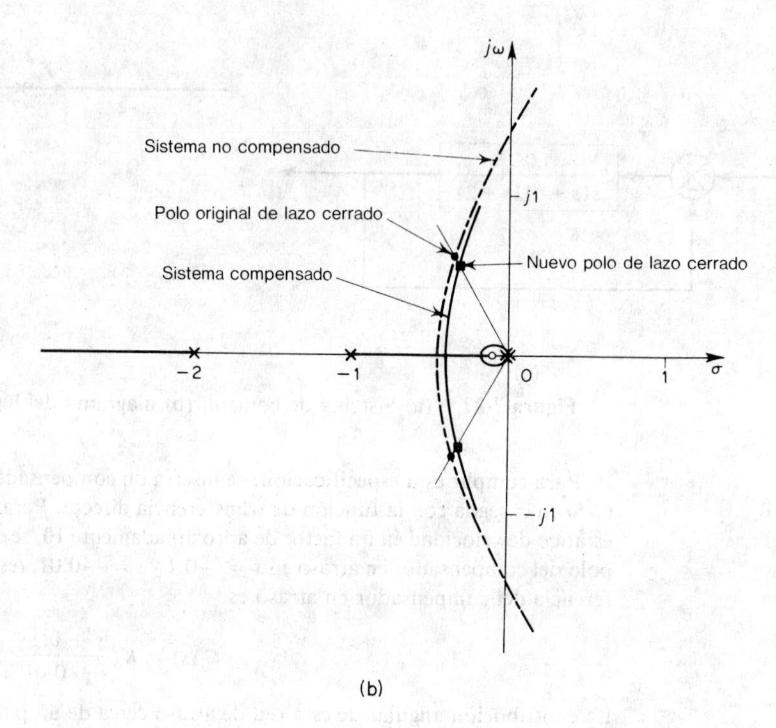


**Figura 7-28** (a) Sistema compensado; (b) diagramas del lugar de las raíces para el sistema compensado y no compensado.

La ganancia $K$ de lazo abierto es

$$K = \left| \frac{s(s+0.01)(s+1)(s+2)}{s+0.1} \right|_{s=-0.28+j0.51} = 0.98$$

Entonces, la ganancia $K_c$ se determina como

$$K_c = \frac{K}{1.06} = \frac{0.98}{1.06} = 0.925$$

Así la función de transferencia del compensador en atraso diseñado es

$$G_c(s) = 0.925 \frac{s+0.1}{s+0.01} = 9.25 \frac{10s+1}{100s+1}$$

Entonces el sistema compensado tiene la siguiente función de transferencia de lazo abierto:

$$G_1(s) = \frac{0.98(s+0.1)}{s(s+0.01)(s+1)(s+2)} = \frac{4.9(10s+1)}{s(100s+1)(s+1)(0.5s+1)}$$

El coeficiente de error estático de velocidad $K_v$ es

$$K_v = \lim_{s \to 0} sG_1(s) = 4.9 \text{ seg}^{-1}$$

En el sistema compensado, el coeficiente de error estático de velocidad se ha incrementado a 4.9 $s^{-1}$, o 4.9/0.53 = 9.25 veces el valor original. (El error en estado estacionario ante una entrada rampa ha disminuido a casi un 11% del valor del sistema original). Se ha alcanzado el objetivo esencial de diseño, de incrementar la constante de error estático de velocidad hasta aproximadamente 5 $s^{-1}$. (Si se desea incrementar el coeficiente de error estático de velocidad hasta exactamente 5 $s^{-1}$, o bien se modifican las ubicaciones del polo y cero del compensador en atraso, o se utiliza el compensador en atraso actual, pero eligiendo $K_c = 0.944$. En este último caso, sin embargo, la relación de amortiguamiento de los polos dominantes de lazo cerrado resulta levemente disminuida. En este problema, se puede considerar que el diseño es bastante aceptable).

Nótese que como el polo y el cero del compensador están juntos y localizados muy cerca del origen, su efecto en la forma del lugar de las raíces original es muy pequeño. El lugar de las raíces de los sistemas compensado y sin compensar es muy similar y sólo difiere en la presencia de una rama del lugar de las raíces cerca del origen en el sistema compensado. Sin embargo, el valor del coeficiente de error estático de velocidad es 9.25 veces el del sistema sin compensar.

Los otros dos polos de lazo cerrado del sistema compensado se encuentran como sigue:

$$s_3 = -2.31, \qquad s_4 = -0.137$$

La adición del compensador en atraso incrementa el orden del sistema de tres a cuatro, añadiendo un polo adicional de lazo cerrado cercano al cero del compensador en atraso. Debido a que el polo de lazo cerrado agregado en $s = -0.137$ está cerca del cero en $s = -0.1$, el efecto de este polo en la respuesta transitoria es pequeño. Como el polo en $s = -2.31$ está muy lejos del eje $j\omega$ en comparación con los polos dominantes de lazo cerrado, el efecto de este polo en la respuesta transitoria es pequeño también. Por lo tanto, se pueden descartar, con poco error, los polos de lazo cerrado $s_3$ y $s_4$. La conclusión es que los dos polos de lazo cerrado $s_1$ y $s_2$ son dominantes. Se puede predecir una respuesta bastante precisa considerando solamente los polos dominantes de lazo cerrado.

La frecuencia natural no amortiguada del sistema compensado es 0.58 rad/s. Este valor es aproximadamente 13% menor que el valor original, 0.67 rad/s. Esto implica que la respuesta transitoria del sistema compensado es menor que la del sistema original. Requiere mayor tiempo para la estabilización. Si esto es tolerable, la compensación en atraso estudiada presenta una solución satisfactoria al problema de diseño dado.

**Procedimientos de diseño para compensadores en atraso por el método de la respuesta en frecuencia.** La función primaria de un compensador en atraso es atenuar en el rango de alta frecuencia para dar a un sistema suficiente margen de fase. La característica de atraso de fase no tiene importancia en la compensación en atraso.

El procedimiento para el diseño de compensadores en atraso para el sistema de la figura 7-26, por el método de la respuesta de frecuencia, se puede presentar como sigue:

1. Suponga el siguiente compensador de atraso:

$$G_c(s) = K_c\beta \frac{Ts + 1}{\beta Ts + 1} = K_c \frac{s + \frac{1}{T}}{s + \frac{1}{\beta T}} \qquad (\beta > 1)$$

Se define

$$K_c\beta = K$$

Entonces

$$G_c(s) = K \frac{Ts + 1}{\beta Ts + 1}$$

La función de transferencia de lazo abierto del sistema compensado es

$$G_c(s)G(s) = K \frac{Ts + 1}{\beta Ts + 1} G(s) = \frac{Ts + 1}{\beta Ts + 1} KG(s) = \frac{Ts + 1}{\beta Ts + 1} G_1(s)$$

donde

$$G_1(s) = KG(s)$$

Determine la ganancia $K$ para satisfacer los requerimientos de la constante de error estático dada.

**2.** Si el sistema no compensado $G_1(j\omega) = KG(j\omega)$ no satisface las especificaciones en márgenes de fase y ganancia, halle el punto de frecuencia donde el ángulo de fase de la función de transferencia de lazo abierto es igual a —180° más el margen de fase requerido. El margen de fase requerido es el margen de fase especificado más 5° a 12°. (La adición de 5° a 12° compensa el atraso de fase del compensador). Elija esta frecuencia como la nueva frecuencia de cruce de ganancia.

**3.** Para evitar efectos perjudiciales del atraso de fase debido al compensador en atraso, el polo y cero del compensador en atraso deben ubicarse por debajo de la nueva frecuencia de cruce de ganancia. Por lo tanto, se debe elegir la frecuencia de cruce $\omega = 1/T$ (correspondiente al cero del compensador en atraso) una octava a una década por debajo de la nueva frecuencia de cruce de ganancia. (Si las constantes de tiempo del compensador en atraso no se hacen demasiado grandes, la frecuencia de cruce $\omega = 1/T$ se puede elegir una década por debajo de la nueva frecuencia de cruce de ganancia).

**4.** Determine la atenuación necesaria para bajar la curva de magnitud a 0 db en la nueva frecuencia de cruce de ganancia. Note que esta atenuación es $-20 \log \beta$, determine el valor de $\beta$. Luego, la otra frecuencia de cruce (correspondiente al polo del compensador en atraso) se determina de $\omega = 1/(\beta T)$.

**5.** Usando el valor de $K$ determinado en el paso 1 y el de $\beta$ determinado en el paso 5, calcule la constante $K_c$ de

$$K_c = \frac{K}{\beta}$$

**EJEMPLO 7-4** Considere el sistema de la figura 7-29. La función de transferencia de lazo abierto esta dada por

$$G(s) = \frac{1}{s(s + 1)(0.5s + 1)}$$

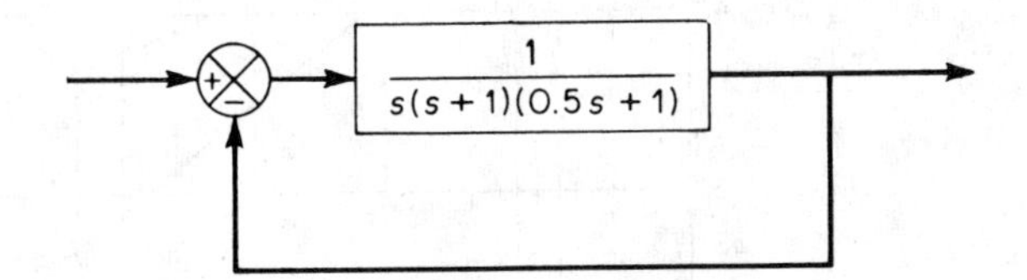


**Figura 7-29**
Sistema de control.

Se desea compensar el sistema de modo que el coeficiente de error estático de velocidad $K_v$ sea $5\ s^{-1}$, el margen de fase sea por lo menos de 40° y el margen de ganancia por lo menos de 10 db.

Se utilizará un compensador de atraso de la forma

$$G_c(s) = K_c\beta \frac{Ts+1}{\beta Ts+1} = K_c \frac{s+\frac{1}{T}}{S+\frac{1}{\beta T}} \qquad (\beta > 1)$$

Se define

$$K_c\beta = K$$

También se define

$$G_1(s) = KG(s) = \frac{K}{s(s+1)(0.5s+1)}$$

El primer paso del diseño es ajustar la ganancia $K$ para cumplir con el coeficiente de error estático de velocidad requerido. Así

$$K_v = \lim_{s\to 0} sG_c(s)G(s) = \lim_{s\to 0} s\frac{Ts+1}{\beta Ts+1}G_1(s) = \lim_{s\to 0} sG_1(s)$$
$$= \lim_{s\to 0}\frac{sK}{s(s+1)(0.5s+1)} = K = 5$$

o bien

$$K = 5$$

Con $K = 5$, el sistema compensado satisface el requisito de funcionamiento en estado estacionario.

Luego se traza el diagrama de Bode de

$$G_1(j\omega) = \frac{5}{j\omega(j\omega+1)(0.5j\omega+1)}$$

En la figura 7-30 se pueden ver las curvas de magnitud y ángulo de fase de $G_1(j\omega)$. Del diagrama, se ve que el margen de fase es de —20°, lo que significa que el sistema es inestable.

Nótese que la adición de un compensador en atraso modifica la curva de fase en el diagrama de Bode, por tanto, se deben añadir 5° a 12° al margen de fase especificado para compensar dicha modificación. Como la frecuencia correspondiente a un margen de fase de 40° es 0.7 rad/s, la nueva frecuencia de cruce de ganancia (del sistema compensado) debe elegirse cerca de este valor. Para evitar valores extremadamente grandes de constantes de tiempo para el compensador en atraso, se elige la frecuencia de cruce $\omega = 1/T$ (que corresponde al cero del compensador en atraso) de un valor de 0.1 rad/s. Como esta frecuencia de cruce no está demasiado por debajo de la

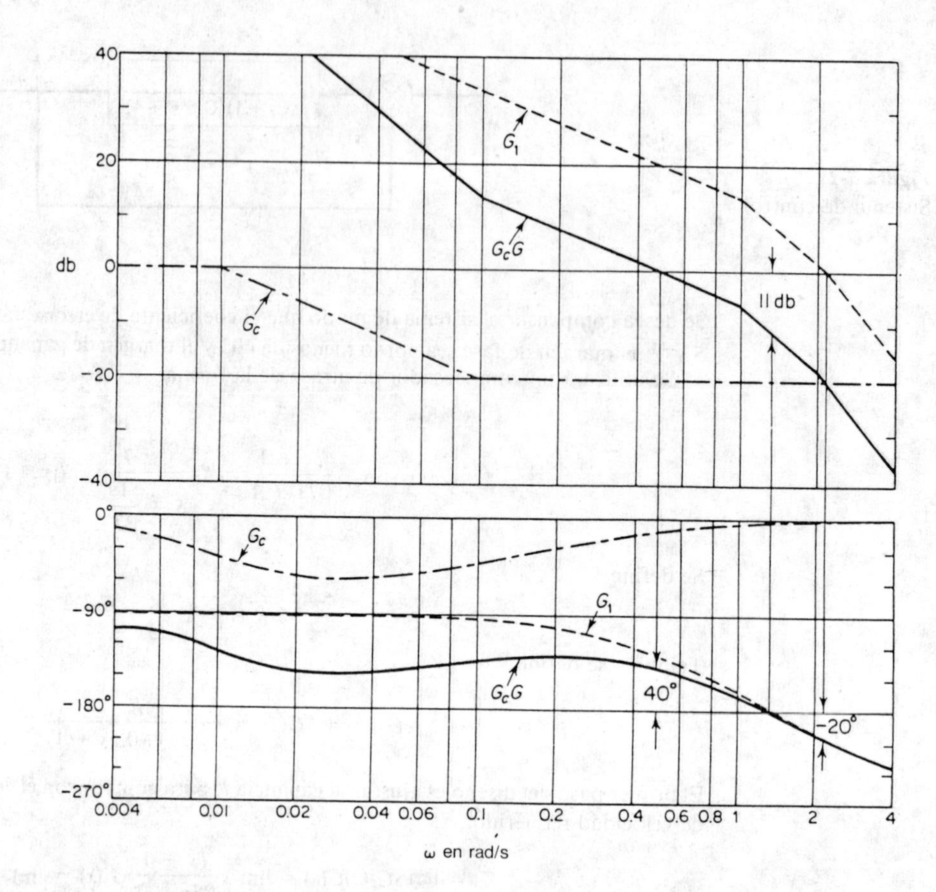


**Figura 7-30** Diagramas de Bode del sistema no compensado, del compensador y del sistema compensado ($G_1$: sistema no compensado, $G_c$: compensador, $G_cG$: sistema compensado).

nueva frecuencia de cruce de ganancia, la modificación en la curva de fase puede no ser pequeña. Por tanto, se agregan alrededor de 12° al margen de fase requerido como holgura para considerar el ángulo de atraso introducido por el compensador. El margen de fase requerido es ahora de 52°. El ángulo de fase de la función de transferencia de lazo abierto no compensado es —128° a ω = 0.5 rad/s. Entonces se elige una frecuencia de cruce de ganancia de 0.5 rad/s. Para bajar la curva de magnitud a 0 db, en esta nueva frecuencia de cruce de ganancia, el compensador en atraso debe producir la atenuación necesario, la que, en este caso, es —20 db. Por tanto,

$$20 \log \frac{1}{\beta} = -20$$

o bien

$$\beta = 10$$

La otra frecuencia de cruce $\omega = 1/(\beta T)$ que corresponde al polo del compensador en atraso, se determina como

$$\frac{1}{\beta T} = 0.01 \ \text{rad/s}$$

Entonces la función de transferencia del compensador en atraso es

$$G_c(s) = K_c(10)\frac{10s + 1}{100s + 1} = K_c \frac{s + \frac{1}{10}}{s + \frac{1}{100}}$$

Como se había determinado que la ganancia $K$ fuera 5 y que el valor de $\beta$ fuera igual a 10, se tiene

$$K_c = \frac{K}{\beta} = \frac{5}{10} = 0.5$$

La función de transferencia de lazo abierto del sistema compensado es

$$G_c(s)G(s) = \frac{5(10s + 1)}{s(100s + 1)(s + 1)(0.5s + 1)}$$

Las curvas de magnitud y ángulo de fase de $G_c(j\omega)G(j\omega)$ aparecen también en la figura 7-30.

El margen de fase del sistema compensado es de alrededor de 40°, que es el valor requerido. El margen de ganancia es de unos 11 db, lo que es bastante aceptable. El coeficiente de error estático de velocidad es de 5 $s^{-1}$, como se requiriera. Por tanto, el sistema compensado satisface los requisitos tanto de estado estacionario como de estabilidad relativa.

Nótese que la nueva frecuencia de cruce de ganancia disminuyó de 2.1 a 0.5 rad/s. Esto significa que el ancho de banda del sistema es reducido.

Para ampliar la información sobre los efectos de la compensación en atraso, en la figura 7-31 se muestran los diagramas del logaritmo de la magnitud en función de la fase del sistema no compensado $G_1(j\omega)$ y del sistema compensado $G_c(j\omega)G(j\omega)$. El diagrama de $G_1(j\omega)$ muestra claramente que el sistema no compensado es inestable. La adición del compensador en atraso estabiliza el sistema. El diagrama de $G_c(j\omega)G(j\omega)$es tangente a la gráfica de $M$ = 3 db. Así, el valor del pico de resonancia es 3 db, o 1.4, y este pico se produce en $\omega$ = 0.5 rad/seg.

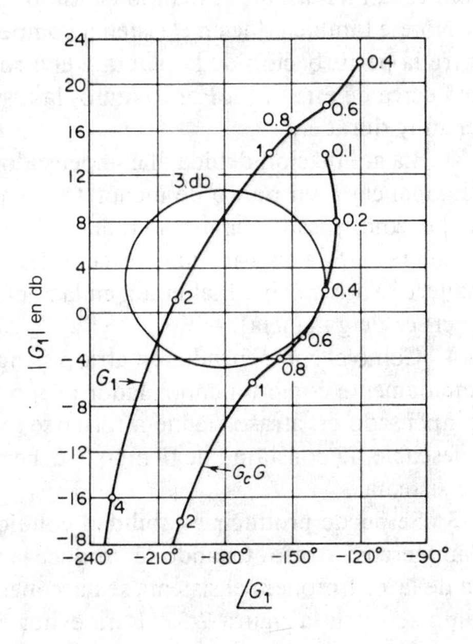


**Figura 7-31** Diagrama del logaritmo de la magnitud en función de la fase para los sistemas no compensado y compensado ($G_1$: sistema no compensado, $G_cG$: sistema compensado).

Los compensadores diseñados como métodos distintos o por diferentes diseñadores (aun utilizando los mismos procedimientos), pueden parecer bastante diferentes. Sin embargo, cualquiera de los sistemas bien diseñados funcionará en forma similar en estado transitorio y en estado estacionario. La mejor elección entre las muchas alternativas puede ser que, por consideraciones económicas, las constantes de tiempo del compensador en atraso no deben ser demasiado grandes.

## Algunos comentarios sobre la compensación en atraso

**1.** Los compensadores en atraso son esencialmente filtros paso bajas. Por lo tanto, la compensación en atraso permite una ganancia grande a bajas frecuencias (lo que mejora el comportamiento en estado estacionario) y reduce la ganancia en el rango más crítico de frecuencias de modo que mejora el margen de fase. Nótese que en la compensación en atraso se utilizan las características de atenuación a altas frecuencias más que la característica de atraso de fase. (La característica de atraso de fase no se aplica para compensación).

**2.** Suponga que el cero y polo de un compensador en atraso están ubicados en $s = -z$ y $s = -p$, respectivamente. Entonces la ubicación exacta del cero y polo no son críticas, siempre que estén cerca del origen, y que la relación $z/p$ sea igual al factor que multiplica al coeficiente de error estático de velocidad.

Sin embargo, note que el cero y el polo del compensador no deben ubicarse innecesariamente cerca del origen, porque el compensador en atraso colocará un polo adicional de lazo cerrado en la misma región del cero y polo del compensador.

El polo de lazo cerrado ubicado cerca del origen da una respuesta transitoria muy lenta, aunque su magnitud será muy pequeña porque el cero del compensador en atraso casi cancela el efecto de este polo. Sin embargo, la respuesta transitoria debida a este polo es tan lenta, que el tiempo de establecimiento resulta afectado en forma adversa.

Nótese también que en el sistema compensado en atraso, la función de transferencia entre la perturbación de la planta y el error del sistema pueden no incluir un cero que está cerca de este polo. Por lo tanto, la respuesta transitoria a una perturbación puede ser muy duradera.

**3.** La atenuación debida al compensador en atraso desplazará la frecuencia de cruce de ganancia a un punto de menor frecuencia donde el margen de fase sea aceptable. Así, el compensador en atraso reducirá el ancho de banda del sistema y el resultado será una respuesta transitoria más lenta. [La curva de ángulo de fase de $G_c(j\omega)G(j\omega)$ permanece relativamente inalterada en la zona cercana y por arriba de la nueva frecuencia de cruce de ganancia].

**4.** Como el compensador en atraso tiende a integrar la señal de entrada, actúa aproximadamente como un controlador proporcional e integral. Debido a esto, un sistema compensado en atraso tiende a tornarse menos estable. Para evitar esta característica indeseable, la constante de tiempo $T$ debe ser superior a la mayor constante de tiempo del sistema.

**5.** Se puede producir estabilidad condicional cuando un sistema con saturación se compensa en atraso. Cuando se produce la saturación en el sistema, se reduce la ganancia de lazo. Entonces el sistema se hace menos estable, y hasta puede resultar inestable, como se ve en la figura 7-32. Para evitar esto, el sistema debe diseñarse de tal forma

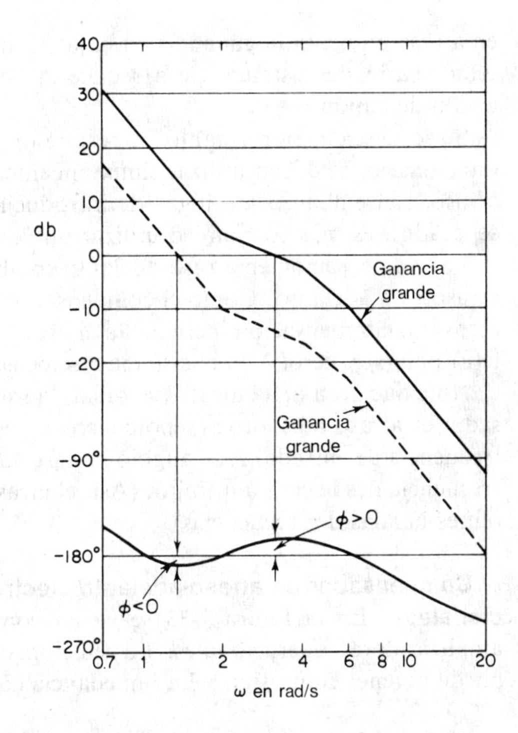


**Figura 7-32** Diagrama de Bode de un sistema condicionalmente estable.

que el efecto de la compensación en atraso se haga significativo solamente cuando la amplitud de la entrada al elemento saturable sea pequeña. (Lo cual se puede lograr por medio de compensación en un lazo menor de retroalimentación).

**Control PI.** El controlador proporcional e integral cuya acción de control está caracterizada por la función de transferencia

$$G_c(s) = K_p\left(1 + \frac{1}{T_i s}\right)$$

es un compensador en atraso. El controlador PI posee un cero en $s = -1/T_i$ y un polo en $s = 0$. Entonces la característica de un controlador PI es ganancia infinita a frecuencia cero lo cual mejora las características en estado estacionario. Sin embargo, la inclusión de la acción de control PI en el sistema aumenta el tipo del sistema compensado en 1, lo que provoca que el sistema compensado sea menos estable o hasta inestable. Por lo tanto, los valores de $K_p$ y $T_i$ se deben elegir cuidadosamente para asegurar una respuesta transitoria, ante una entrada escalón, relativamente pequeña o sin sobreimpulso. No obstante, la velocidad de respuesta se hace mucho más lenta porque el controlador PI, siendo un filtro pasa bajas, atenúa las componentes de alta frecuencia de la señal.

## 7-5 COMPENSACION EN ATRASO-ADELANTO

La compensación de adelanto básicamente aumenta el ancho de banda, acelera la respuesta y disminuye el sobreimpulso máximo en la respuesta escalón. La compensación en atraso aumenta la ganancia en baja frecuencia, y así mejora la exactitud en estado estacionario del sistema, pero reduce la velocidad de respuesta debido al reducido ancho de banda.

Si se desea mejorar tanto la respuesta transitoria como la respuesta en estado estacionario, se deben utilizar simultáneamente un compensador en adelanto y uno en atraso. Sin embargo, en lugar de introducir ambos compensadores como elementos separados, es más económico utilizar un único compensador en atraso-adelanto.

La compensación en atraso-adelanto combina las ventajas de las compensaciones en atraso y en adelanto. Como el compensador en atraso-adelanto posee dos polos y dos ceros, tal compensación incrementa el orden del sistema en dos, a menos que se cancele(n) polo(s) y cero(s) en el sistema compensado.

Note que para una entrada senoidal, la salida en estado estacionario de un compensador en atraso-adelanto es senoidal con un desplazamiento de fase que es función de la frecuencia de entrada. Este ángulo de fase varía de atraso a adelanto al incrementar la frecuencia desde cero a infinito. (Así, el atraso y adelanto de fase se producen en diferentes bandas de frecuencias).

**Compensador en atraso-adelanto electrónico que utiliza amplificadores operacionales.** En la figura 7-33 se ve un compensador en atraso-adelanto que utiiza amplificadores operacionales. La función de transferencia de este compensador se puede obtener como sigue. La impedancia compleja $Z_1$ está dada por

$$\frac{1}{Z_1} = \frac{1}{R_1 + \frac{1}{C_1 s}} + \frac{1}{R_3}$$

o bien

$$Z_1 = \frac{(R_1 C_1 s + 1)R_3}{(R_1 + R_3)C_1 s + 1}$$

En forma similar, la impedancia compleja $Z_2$ está dada por

$$Z_2 = \frac{(R_2 C_2 s + 1)R_4}{(R_2 + R_4)C_2 s + 1}$$

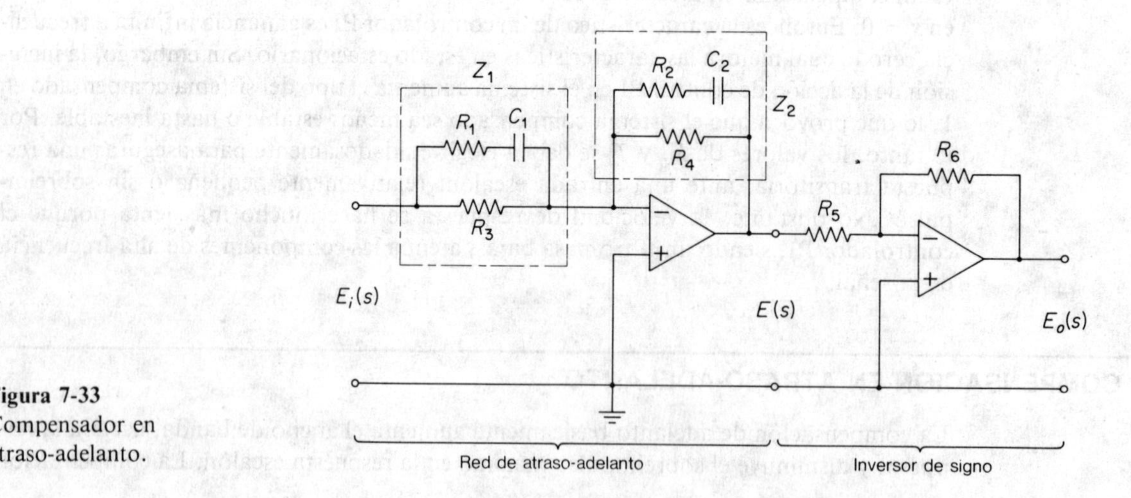


**Figura 7-33** Compensador en atraso-adelanto.

Por tanto, se tiene

$$\frac{E(s)}{E_i(s)} = -\frac{Z_2}{Z_1} = -\frac{R_4}{R_3}\,\frac{(R_1 + R_3)C_1s + 1}{R_1C_1s + 1}\cdot\frac{R_2C_2s + 1}{(R_2 + R_4)C_2s + 1}$$

El inversor de signo tiene la función de transferencia

$$\frac{E_o(s)}{E(s)} = -\frac{R_6}{R_5}$$

Entonces, la función de transferencia del compensador que se ve en la figura 7-33 es

$$\frac{E_o(s)}{E_i(s)} = \frac{E_o(s)}{E(s)}\,\frac{E(s)}{E_i(s)} = \frac{R_4R_6}{R_3R_5}\left[\frac{(R_1 + R_3)C_1s + 1}{R_1C_1s + 1}\right]\left[\frac{R_2C_2s + 1}{(R_2 + R_4)C_2s + 1}\right] \tag{7–6}$$

Se define

$$T_1 = (R_1 + R_3)C_1, \qquad \frac{T_1}{\gamma} = R_1C_1, \qquad T_2 = R_2C_2, \qquad \beta T_2 = (R_2 + R_4)C_2$$

Entonces la ecuación (7-6) se convierte en

$$\frac{E_o(s)}{E_i(s)} = K_c\,\frac{\beta}{\gamma}\left(\frac{T_1s + 1}{\frac{T_1}{\gamma}s + 1}\right)\left(\frac{T_2s + 1}{\beta T_2s + 1}\right) = K_c\,\frac{\left(s + \frac{1}{T_1}\right)\left(s + \frac{1}{T_2}\right)}{\left(s + \frac{\gamma}{T_1}\right)\left(s + \frac{1}{\beta T_2}\right)} \tag{7–7}$$

donde

$$\gamma = \frac{R_1 + R_3}{R_1} > 1, \qquad \beta = \frac{R_2 + R_4}{R_2} > 1, \qquad K_c = \frac{R_2R_4R_6}{R_1R_3R_5}\,\frac{R_1 + R_3}{R_2 + R_4}$$

Nótese que frecuentemente se elige $\beta$ igual a $\gamma$.

**Circuito eléctrico de atraso-adelanto.** La figura 7-34 muestra un circuito eléctrico de atraso-adelanto. Se deducirá la función de transferencia del circuito de atraso-adelanto.

Las impedancias complejas $Z_1$ y $Z_2$ son

$$Z_1 = \frac{R_1}{R_1C_1s + 1}, \qquad Z_2 = R_2 + \frac{1}{C_2s}$$

La función de transferencia entre $E_o(s)$ y $E_i(s)$ es

$$\frac{E_o(s)}{E_i(s)} = \frac{Z_2}{Z_1 + Z_2} = \frac{(R_1C_1s + 1)(R_2C_2s + 1)}{(R_1C_1s + 1)(R_2C_2s + 1) + R_1C_2s}$$

El denominador de esta función de transferencia se puede factorizar en dos términos reales. Se define

$$R_1C_1 = T_1, \qquad R_2C_2 = T_2, \qquad R_1C_1 + R_2C_2 + R_1C_2 = \frac{T_1}{\beta} + \beta T_2 \qquad (\beta > 1)$$

Entonces $E_o(s)/E_i(s)$ se puede simplificar a

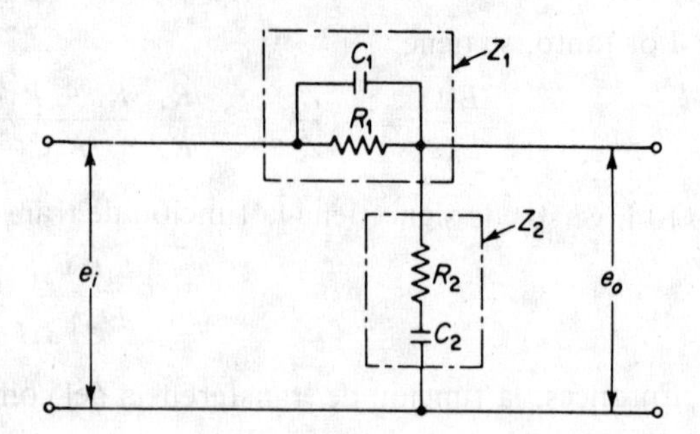


**Figura 7-34**
Red eléctrica de atraso-adelanto.

$$\frac{E_o(s)}{E_i(s)} = \frac{(T_1 s + 1)(T_2 s + 1)}{\left(\frac{T_1}{\beta} s + 1\right)(\beta T_2 s + 1)} = \frac{\left(s + \frac{1}{T_1}\right)\left(s + \frac{1}{T_2}\right)}{\left(s + \frac{\beta}{T_1}\right)\left(s + \frac{1}{\beta T_2}\right)}$$

Si este circuito se utiliza como un compensador en atraso-adelanto, por lo general se necesita agregar un amplificador de ganancia ajustable $K_c$ de modo que la función de transferencia del compensador sea

$$G_c(s) = K_c \frac{(T_1 s + 1)(T_2 s + 1)}{\left(\frac{T_1}{\beta} s + 1\right)(\beta T_2 s + 1)} = K_c \frac{\left(s + \frac{1}{T_1}\right)\left(s + \frac{1}{T_2}\right)}{\left(s + \frac{\beta}{T_1}\right)\left(s + \frac{1}{\beta T_2}\right)} \tag{7–8}$$

donde $\beta > 1$.

**Red mecánica de atraso-adelanto** En la figura 7-35 se puede ver una red mecánica de atraso-adelanto. Las ecuaciones de movimiento para este sistema mecánico son

$$b_2(\dot{x}_i - \dot{x}_o) + k_2(x_i - x_o) = b_1(\dot{x}_o - \dot{y})$$

$$b_1(\dot{x}_o - \dot{y}) = k_1 y$$

Tomando las transformadas de Laplace de estas dos ecuaciones, suponiendo condiciones iniciales cero, se obtiene

$$b_2[sX_i(s) - sX_o(s)] + k_2[X_i(s) - X_o(s)] = b_1[sX_o(s) - sY(s)]$$

$$b_1[sX_o(s) - sY(s)] = k_1 Y(s)$$

Si se elimina $Y(s)$ de estas dos últimas ecuaciones, la función de transferencia $X_o(s)X_i(s)$ como

$$\frac{X_o(s)}{X_i(s)} = \frac{\left(\frac{b_1}{k_1} s + 1\right)\left(\frac{b_2}{k_2} s + 1\right)}{\left(\frac{b_1}{k_1} s + 1\right)\left(\frac{b_2}{k_2} s + 1\right) + \frac{b_1}{k_2} s}$$

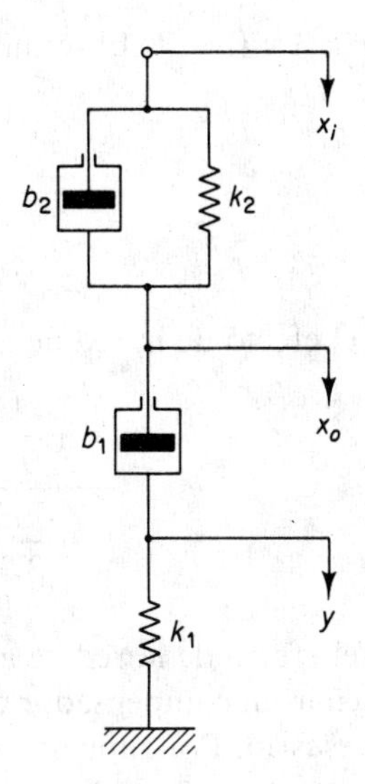


**Figura 7-35**
Red mecánica de atraso-adelanto.

Se define

$$T_1 = \frac{b_1}{k_1}, \qquad T_2 = \frac{b_2}{k_2}, \qquad \frac{b_1}{k_1} + \frac{b_2}{k_2} + \frac{b_1}{k_2} = \frac{T_1}{\beta} + \beta T_2 \qquad (\beta > 1)$$

Entonces $X_o(s)/X_i(s)$ se puede simplificar a

$$\frac{X_o(s)}{X_i(s)} = \frac{(T_1 s + 1)(T_2 s + 1)}{\left(\frac{T_1}{\beta} s + 1\right)(\beta T_2 s + 1)} = \frac{\left(s + \frac{1}{T_1}\right)\left(s + \frac{1}{T_2}\right)}{\left(s + \frac{\beta}{T_1}\right)\left(s + \frac{1}{\beta T_2}\right)}$$

Si este dispositivo mecánico se utiliza como compensador en atraso-adelanto, es necesario agregar un enlace adecuado con ganancia ajustable $K_c$ de modo que la función de transferencia del compensador sea

$$G_c(s) = K_c \frac{(T_1 s + 1)(T_2 s + 1)}{\left(\frac{T_1}{\beta} s + 1\right)(\beta T_2 s + 1)} = K_c \frac{\left(s + \frac{1}{T_1}\right)\left(s + \frac{1}{T_2}\right)}{\left(s + \frac{\beta}{T_1}\right)\left(s + \frac{1}{\beta T_2}\right)}$$

donde $\beta > 1$.

**Características del compensador en atraso-adelanto.** Considere el compensador en atraso-adelanto dado por

$$G_c(s) = K_c \left(\frac{s + \frac{1}{T_1}}{s + \frac{\gamma}{T_1}}\right)\left(\frac{s + \frac{1}{T_2}}{s + \frac{1}{\beta T_2}}\right) \qquad (7\text{–}9)$$

donde $\gamma > 1$ y $\beta > 1$. El término

$$\frac{s + \dfrac{1}{T_1}}{s + \dfrac{\gamma}{T_1}} = \frac{1}{\gamma}\left(\frac{T_1 s + 1}{\dfrac{T_1}{\gamma} s + 1}\right) \qquad (\gamma > 1)$$

produce el efecto de la red de adelanto, y el término

$$\frac{s + \dfrac{1}{T_2}}{s + \dfrac{1}{\beta T_2}} = \beta\left(\frac{T_2 s + 1}{\beta T_2 s + 1}\right) \qquad (\beta > 1)$$

produce el efecto de la red de atraso.

Al diseñar un compensador en atraso-adelanto, con frecuencia se elige $\gamma = \beta$. (Esto no es necesasrio. Por supuesto se puede elegir $\gamma \neq \beta$). A continuación, se considerará el caso en que $\gamma = \beta$. El diagrama polar del compensador atraso-adelanto con $K_c = 1$ y $\gamma = \beta$ toma la forma que se presenta en la figura 7-36. Se puede ver que, para $0 < \omega < \omega_1$, el compensador actúa como un compensador en atraso, en tanto que para $\omega_1 < \omega < \infty$, actúa como un compensador en adelanto. La frecuencia $\omega_1$ es aquella en que el ángulo de fase es cero y está dada por

$$\omega_1 = \frac{1}{\sqrt{T_1 T_2}}$$

(Para deducir esta ecuación, ver el problema A-7-9).

La figura 7-37 muestra el diagrama de Bode de un compensador en atraso-adelanto cuando $K_c = 1, \gamma = \beta = 10$, y $T_2 = 10T_1$. Nótese que la curva de magnitud tiene el valor de 0 db en las regiones de bajas y altas frecuencias.

**Técnicas de compensación en atraso-adelanto basadas en el método del lugar de las raíces.** Considere el sistema que se muestra en la figura 7-38. Suponga que se utiliza el compensador en atraso-adelanto:

$$G_c(s) = K_c \frac{\beta}{\gamma} \frac{(T_1 s + 1)(T_2 s + 1)}{\left(\dfrac{T_1}{\gamma} s + 1\right)\left(\beta T_2 s + 1\right)} = K_c \left(\frac{s + \dfrac{1}{T_1}}{s + \dfrac{\gamma}{T_1}}\right)\left(\frac{s + \dfrac{1}{T_2}}{s + \dfrac{1}{\beta T_2}}\right)$$

donde $\beta > 1$ y $\gamma > 1$.

*Caso 1. No se requiere que* $\gamma = \beta$: Si no se requiere que $\gamma = \beta$, el proceso de diseño es una combinación del diseño del compensador en adelanto y el del compensador en atraso. A continuación se presenta el procedimiento para diseñar un compensador en atraso-adelanto cuando no se requiere que $\gamma = \beta$.

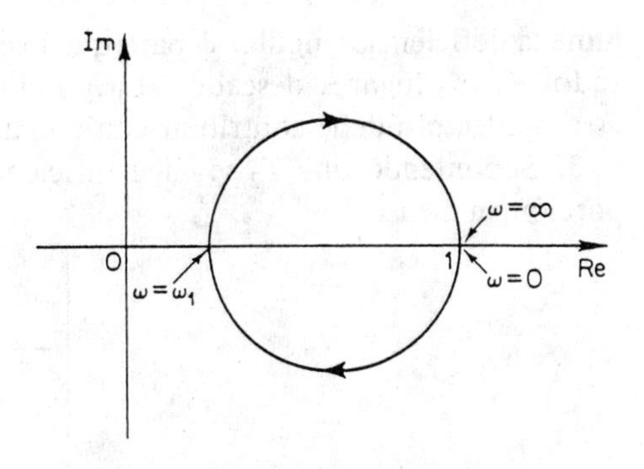


**Figura 7-36**
Diagrama polar de un compensador en atraso-adelanto dado por la ecuación (7-9), con $K_c = 1$ y $\gamma = \beta$.

**Figura 7-37**
Diagrama de Bode de un compensador en atraso-adelanto dado por la ecuación (7-9) con $K_c = 1$, $\gamma = \beta = 10$, y $T_2 = 10T_1$.

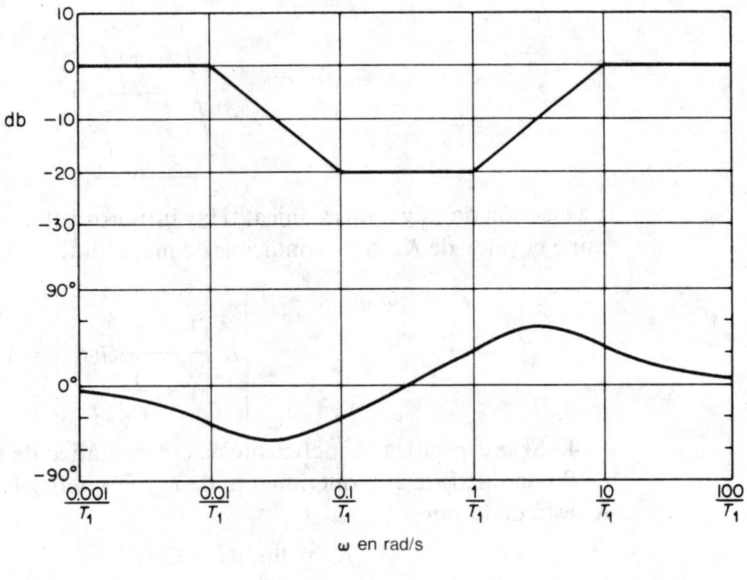

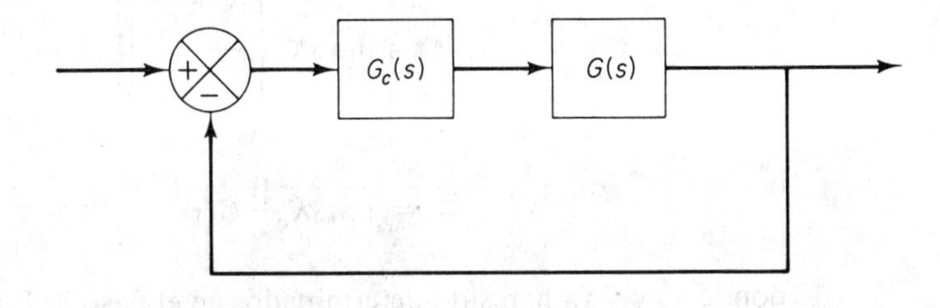


**Figura 7-38**
Sistema de control.

**1.** De las especificaciones de comportamiento, determine la ubicación deseada de los polos dominantes de lazo cerrado.

**2.** Suponga que el compensador en atraso-adelanto $G_c(s)$ tiene la forma de la ecuación (7-9), y la función de transferencia de lazo abierto del sistema no compensado en $G(s)$. Utilizando la función de transferencia de lazo abierto no compensada, determine la deficiencia angular $\phi$ para que los polos dominantes de lazo cerrado estén ubicados en los lugares deseados. La porción de adelanto de fase del compensador en atraso-adelanto debe contribuir con este ángulo $\phi$.

**3.** Suponiendo que $T_2$ se elige suficientemente grande para que la magnitud de la porción en atraso

$$\left| \frac{s_1 + \dfrac{1}{T_2}}{s_1 + \dfrac{1}{\beta T_2}} \right|$$

sea aproximadamente la unidad, donde $s = s_1$ es uno de los polos dominantes de lazo cerrado, se eligen los valores de $T_1$ y $\gamma$ del requisito de que

$$\angle \frac{s_1 + \dfrac{1}{T_1}}{s_1 + \dfrac{\gamma}{T_1}} = \phi$$

La elección de $T_1$ y $\gamma$ no es única. (Hay infinitos valores posibles de $T_1$ y $\gamma$. Luego determine el valor de $K_c$ de la condición de magnitud.

$$\left| K_c \frac{s_1 + \dfrac{1}{T_1}}{s_1 + \dfrac{\gamma}{T_1}} G(s_1) \right| = 1$$

**4.** Si se especifica el coeficiente de error estático de velocidad $K_v$, determine el valor de $\beta$ que satisface el requerimiento de $K_v$. El coeficiente de error estático de velocidad $K_v$ está dado por

$$\begin{aligned} K_v &= \lim_{s \to 0} sG_c(s)G(s) \\ &= \lim_{s \to 0} sK_c \left( \frac{s + \dfrac{1}{T_1}}{s + \dfrac{\gamma}{T_1}} \right) \left( \frac{s + \dfrac{1}{T_2}}{s + \dfrac{1}{\beta T_2}} \right) G(s) \\ &= \lim_{s \to 0} sK_c \frac{\beta}{\gamma} G(s) \end{aligned}$$

donde $K_c$ y $\gamma$ ya han sido determinados en el paso 3. Por tanto, de acuerdo al valor de $K_v$, se puede determinar el valor de $\beta$ de esta última ecuación. Luego, utilizando este valor de $\beta$, elija el valor de $T_2$ tal que

$$\left| \frac{s_1 + \dfrac{1}{T_2}}{s_1 + \dfrac{1}{\beta T_2}} \right| \doteq 1$$

$$-5^\circ < \angle \frac{s_1 + \dfrac{1}{T_2}}{s_1 + \dfrac{1}{\beta T_2}} < 0^\circ$$

(El procedimiento de diseño anterior aparece ilustrado en el ejemplo 7-5).

*Caso 2. Se requiere que* $\gamma = \beta$ : Si se requiere que $\gamma = \beta$ en la ecuación (7-9), entonces hay que modificar el procedimiento de diseño para el compensador en atraso-adelanto como sigue:

**1.** A partir de las especificaciones de funcionamiento, determinar las ubicaciones deseadas de los polos dominantes de lazo cerrado.

**2.** El compensador en atraso-adelanto dado por la ecuación (7-9) se modifica a

$$G_c(s) = K_c \frac{(T_1 s + 1)(T_2 s + 1)}{\left(\dfrac{T_1}{\beta} s + 1\right)\left(\beta T_2 s + 1\right)} = K_c \frac{\left(s + \dfrac{1}{T_1}\right)\left(s + \dfrac{1}{T_2}\right)}{\left(s + \dfrac{\beta}{T_1}\right)\left(s + \dfrac{1}{\beta T_2}\right)} \tag{7-10}$$

donde $\beta > 1$. La función de transferencia de lazo abierto del sistema compensado es $G_c(s)G(s)$. Si se especifica el coeficiente de error estático de velocidad $K_v$, determine el valor de la constante $K_c$ partiendo de la siguiente ecuación:

$$\begin{aligned} K_v &= \lim_{s \to 0} sG_c(s)G(s) \\ &= \lim_{s \to 0} sK_c G(s) \end{aligned}$$

**3.** Para que los polos dominantes de lazo cerrado estén en los lugares deseados, calcule la contribución angular $\phi$ que se necesita de la parte de adelanto de fase del compensador en atraso-adelanto.

**4.** Para el compensador en atraso-adelanto, se elige $T_2$ suficientemente grande como para que

$$\left| \frac{s_1 + \dfrac{1}{T_2}}{s_1 + \dfrac{1}{\beta T_2}} \right|$$

sea aproximadamente unitario, donde $s = s_1$ es uno de los polos dominantes de lazo cerrado. Determine los valores de $T_1$ y $\beta$ partiendo de las condiciones de magnitud y ángulo.

$$\left| K_c \left( \frac{s_1 + \dfrac{1}{T_1}}{s_1 + \dfrac{\beta}{T_1}} \right) G(s_1) \right| = 1$$

$$\angle \frac{s_1 + \dfrac{1}{T_1}}{s_1 + \dfrac{\beta}{T_1}} = \phi$$

**5.** Usando el valor de β recién determinado, elija $T_2$ tal que

$$\left| \frac{s_1 + \dfrac{1}{T_2}}{s_1 + \dfrac{1}{\beta T_2}} \right| \doteq 1$$

$$-5° < \angle \frac{s_1 + \dfrac{1}{T_2}}{S_1 + \dfrac{1}{\beta T_2}} < 0°$$

El valor de $\beta T_2$, la mayor constante de tiempo del compensador en atraso-adelanto, no debe ser excesivamente grande para que sea posible su realización física. (En el ejemplo 7-6 se analiza el caso de diseño de un compensador en atraso-adelanto cuando $\gamma = \beta$).

**EJEMPLO 7-5** Considere el sistema de control que aparece en la figura 7-39. La función de transferencia directa es

$$G(s) = \frac{4}{s(s + 0.5)}$$

Este sistema tiene polos de lazo cerrado en

$$s = -0.25 \pm j1.98$$

La relación de amortiguamiento vale 0.125, la frecuencia natural no amortiguada es 2 rad/s, y el coeficiente de error estático de velocidad es 8 $s^{-1}$.

Se desea que la relación de amortiguamiento de los polos dominantes de lazo cerrado sea igual a 0.5, que la frecuencia natural no amortiguada se incrementa a 5 rad/s y el coeficiente de error estático de velocidad aumente a 80 $s^{-1}$. Diseñe un compensador adecuado para cumplir con todas las especificaciones de funcionamiento.

Se supone que se utiliza un compensador en atraso-adelanto que tiene la función de transferencia

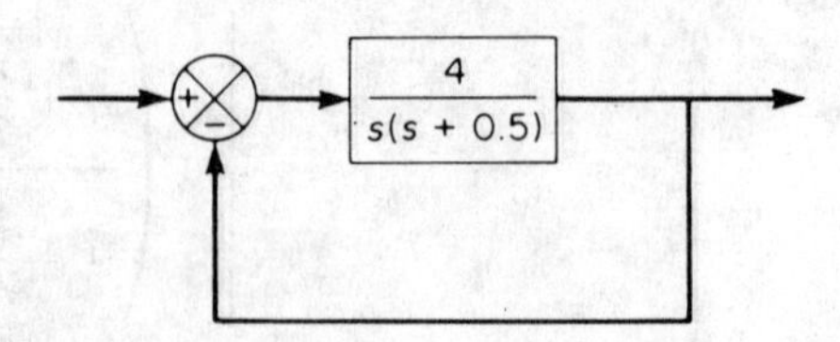


**Figura 7-39**
Sistema de control.

$$G_c(s) = K_c \left( \frac{s + \frac{1}{T_1}}{s + \frac{\gamma}{T_1}} \right) \left( \frac{s + \frac{1}{T_2}}{s + \frac{1}{\beta T_2}} \right) \qquad (\gamma > 1, \beta > 1)$$

donde $\gamma$ no necesita ser igual a $\beta$. Entonces el sistema compensado tendrá la función de transferencia

$$G_c(s)G(s) = K_c \left( \frac{s + \frac{1}{T_1}}{s + \frac{\gamma}{T_1}} \right) \left( \frac{s + \frac{1}{T_2}}{s + \frac{1}{\beta T_2}} \right) G(s)$$

De las especificaciones de funcionamiento, los polos dominantes de lazo cerrado deben estar en

$$s = -2.50 \pm j4.33$$

Como

$$\left. \angle \frac{4}{s(s + 0.5)} \right|_{s = -2.50 + j4.33} = -235^\circ$$

la porción de adelanto de fase del compensador en atraso-adelanto debe contribuir con 55° de modo que el lugar de las raíces pase por los lugares deseados de los polos dominantes de lazo cerrado.

Para diseñar la porción de adelanto de fase del compensador, se determina primero la ubicación del cero y polo que contribuyan con 55°. Hay muchas elecciones posibles, pero aquí se elegirá el cero en $s = -0.5$ de modo que este cero se cancele con el polo en $s = -0.5$ de la planta. Una vez elegido el cero, el polo se puede ubicar de tal modo que la contribución angular sea de 55°. Con un simple cálculo o mediante análisis gráfico, el polo debe estar en $s = -5.021$. Así; la porción de adelanto de fase del compensador en atraso-adelanto es

$$K_c \frac{s + \frac{1}{T_1}}{s + \frac{\gamma}{T_1}} = K_c \frac{s + 0.5}{s + 5.021}$$

Entonces

$$T_1 = 2, \qquad \gamma = \frac{5.021}{0.5} = 10.04$$

Luego se determina el valor de $K_c$ de la condición de magnitud:

$$\left| K_c \frac{s + 0.5}{s + 5.021} \frac{4}{s(s + 0.5)} \right|_{s = -2.5 + j4.33} = 1$$

Por tanto

$$K_c = \left| \frac{(s + 5.021)s}{4} \right|_{s = -2.5 + j4.33} = 6.26$$

La porción de atraso de fase del compensador se puede diseñar como sigue: En primer término, determine el valor de $\beta$ que satisfaga el requerimiento del coeficiente de error estático de velocidad

$$K_v = \lim_{s\to 0} sG_c(s)G(s) = \lim_{s\to 0} sK_c \frac{\beta}{\gamma} G(s)$$
$$= \lim_{s\to 0} s(6.26)\frac{\beta}{10.04}\frac{4}{s(s+0.5)} = 4.988\beta = 80$$

Por tanto, $\beta$ resulta un valor de

$$\beta = 16.04$$

Finalmente, se elige el valor de $T_2$ suficientemente grande para que

$$\left|\frac{s+\frac{1}{T_2}}{s+\frac{1}{16.04T_2}}\right|_{s=-2.5+j4.33} \doteqdot 1$$

y

$$-5^\circ < \angle\left.\frac{s+\frac{1}{T_2}}{s+\frac{1}{16.04T_2}}\right|_{s=-2.5+j4.33} < 0^\circ$$

Como $T_2 \doteqdot 5$ (o cualquier valor superior a 5) satisface los dos requerimientos previos, se puede elegir

$$T_2 = 5$$

La función de transferencia del compensador en atraso-adelanto diseñado está dada por

$$G_c(s) = (6.26)\left(\frac{s+\frac{1}{2}}{s+\frac{10.04}{2}}\right)\left(\frac{s+\frac{1}{5}}{s+\frac{1}{16.04\times 5}}\right)$$
$$= 6.26\left(\frac{s+0.5}{s+5.02}\right)\left(\frac{s+0.2}{s+0.01247}\right)$$
$$= \frac{10(2s+1)(5s+1)}{(0.1992s+1)(80.19s+1)}$$

El sistema compensado tendrá la función de transferencia de lazo abierto

$$G_c(s)G(s) = \frac{25.04(s+0.2)}{s(s+5.02)(s+0.01247)}$$

Debido a la cancelación de los términos $(s + 0.5)$, el sistema compensado es un sistema de tercer orden. (Matemáticamente esta cancelación es exacta, pero prácticamente tal cancelación no lo es porque en general siempre hay alguna aproximación incluida al deducir el modelo matemático del sistema, y como resultado, las constantes de tiempo no son precisas). En la figura 7-40 se ve el diagrama del lugar de las raíces del sistema compensado. Debido a que la contribución angular de

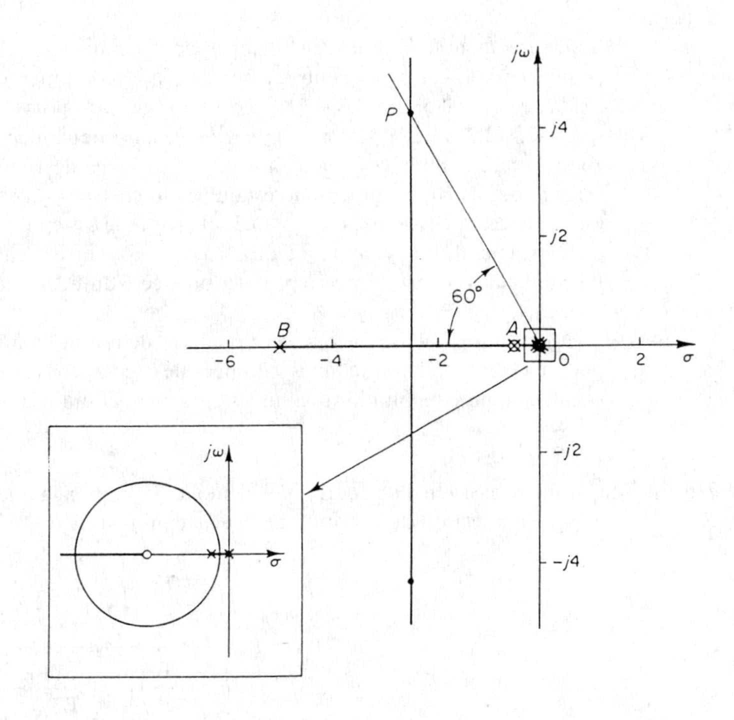


**Figura 7-40**
Diagrama del lugar de las raíces para el sistema compensado.

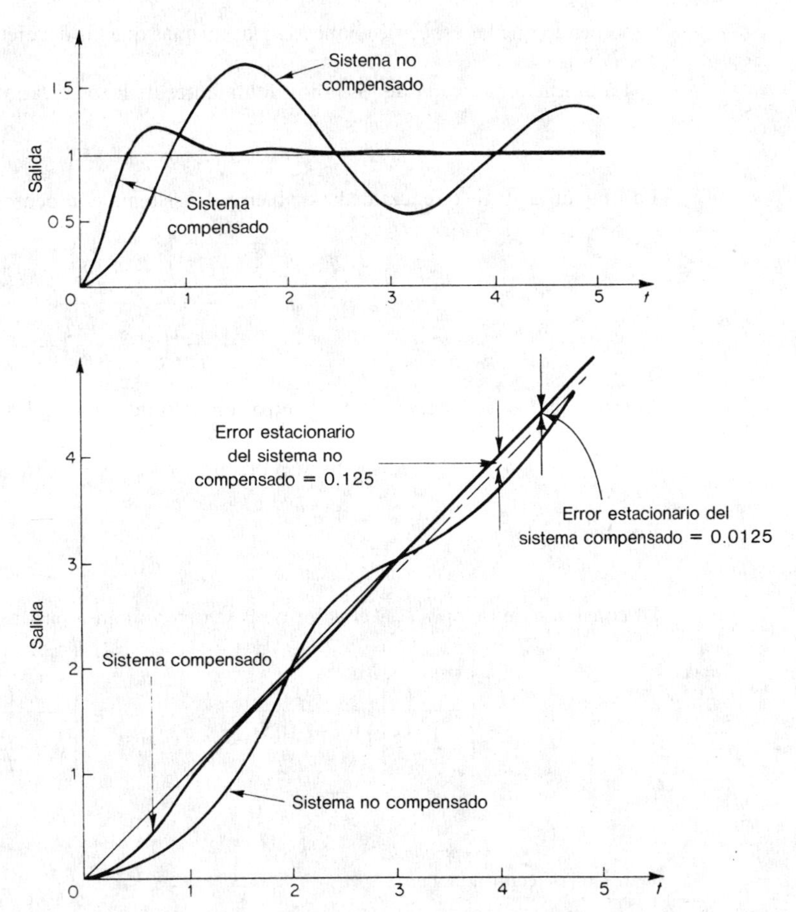


**Figura 7-41**
Curvas de respuesta transitoria para los sistemas no compensado y compensado. (a) Curvas de respuesta al escalón unitario; (b) curvas de respuesta a la rampa unitaria.

la porción de atraso de fase del compensador en atraso-adelanto es muy pequeña, sólo hay una pequeña modificación en la ubicación de los polos dominantes de lazo cerrado de la ubicación deseada, $s = -2.5 \pm j4.33$. De hecho, los nuevos polos de lazo cerrado están ubicados en $s = -2.412 \pm j4.275$. (La nueva relación de amortiguamiento es $\zeta = 0.49$). Por tanto, el sistema compensado cumple con todas las especificaciones de funcionamiento. El tercer polo de lazo cerrado del sistema compensado está ubicado en $s = -0.2085$. Como este polo de lazo cerrado está muy cerca del cero en $s = -0.2$, el efecto de este polo en la respuesta es pequeño. (Nótese que, en general, si hay un polo y un cero cercanos entre sí en el eje real negativo cerca del origen, tal combinación de polo y cero produce un efecto duradero de poca amplitud en la respuesta transitoria).

En la figura 7-41 se pueden ver las curvas de respuesta al escalón unitario y las curvas de respuesta a la rampa unitaria antes y después de la compensación. (En el ejemplo 4-7 se presenta una simulación en computadora de un sistema compensado).

**EJEMPLO 7-6**

Considere el sistema de control del ejemplo 7-5. Suponga que se utiliza un compensador eléctrico en atraso-adelanto de la forma de la ecuación (7-10), o

$$G_c(s) = K_c \frac{\left(s + \frac{1}{T_1}\right)\left(s + \frac{1}{T_2}\right)}{\left(s + \frac{\beta}{T_1}\right)\left(s + \frac{1}{\beta T_2}\right)} \qquad (\beta > 1)$$

Suponiendo que las especificaciones son las mismas que las del ejemplo 7-5, diseñe un compensador $G_c(s)$.

La ubicación deseada de los polos dominantes de lazo cerrado está en

$$s = -2.50 \pm j4.33$$

La función de transferencia de lazo abierto del sistema compensado es

$$G_c(s)G(s) = K_c \frac{\left(s + \frac{1}{T_1}\right)\left(s + \frac{1}{T_2}\right)}{\left(s + \frac{\beta}{T_1}\right)\left(s + \frac{1}{\beta T_2}\right)} \cdot \frac{4}{s(s + 0.5)}$$

Como el requisito del coeficiente de error estático de velocidad $K_v$ es 80 $s^{-1}$, se tiene

$$K_v = \lim_{s \to 0} sG_c(s)G(s) = \lim_{s \to 0} K_c \frac{4}{0.5} = 8K_c = 80$$

Entonces

$$K_c = 10$$

La constante de tiempo $T_1$ y el valor de $\beta$ se determinan a partir de

$$\left|\frac{s + \frac{1}{T_1}}{s + \frac{\beta}{T_1}}\right| \left|\frac{40}{s(s + 0.5)}\right|_{s = -2.5 + j4.33} = \left|\frac{s + \frac{1}{T_1}}{s + \frac{\beta}{T_1}}\right| \frac{8}{4.77} = 1$$

$$\left/ \frac{s + \dfrac{1}{T_1}}{s + \dfrac{\beta}{T_1}} \right|_{s=-2.5+j4.33} = 55°$$

Respecto a la figura 7-42, los puntos $A$ y $B$ se pueden ubicar fácilmente de forma que

$$\angle APB = 55°, \qquad \frac{\overline{PA}}{\overline{PB}} = \frac{4.77}{8}$$

El resultado es

$$\overline{AO} = 2.38, \qquad \overline{BO} = 8.34$$

o bien

$$T_1 = \frac{1}{2.38} = 0.420, \qquad \beta = 8.34T_1 = 3.503$$

La porción de adelanto de fase de la red en atraso-adelanto es

$$\frac{s + 2.38}{s + 8.34}$$

Para la porción de atraso de fase, se puede elegir

$$T_2 = 10$$

Entonces

$$\frac{1}{\beta T_2} = \frac{1}{3.503 \times 10} = 0.0285$$

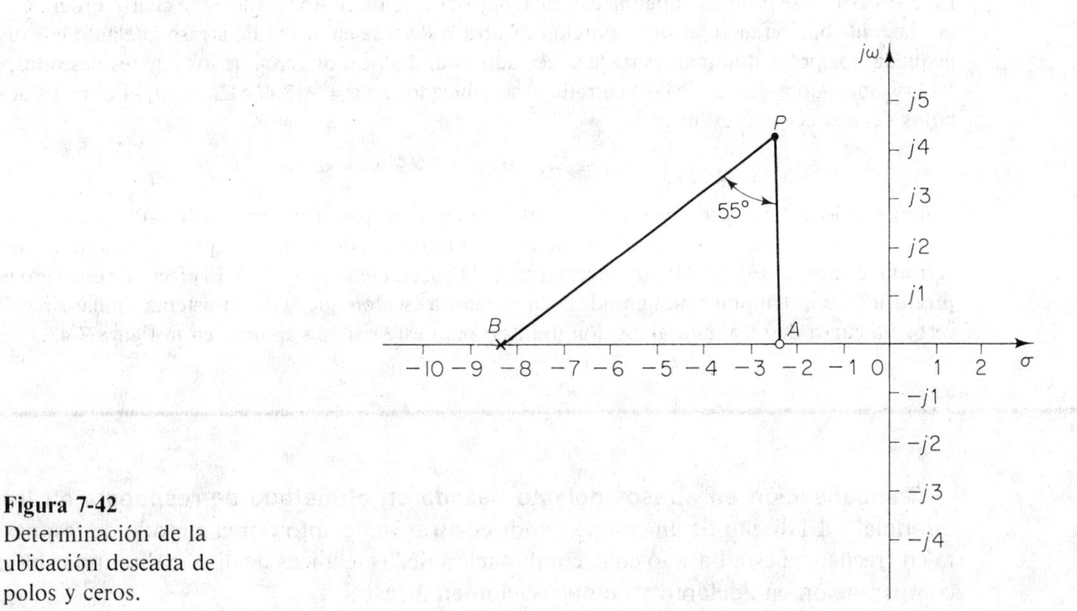


**Figura 7-42** Determinación de la ubicación deseada de polos y ceros.

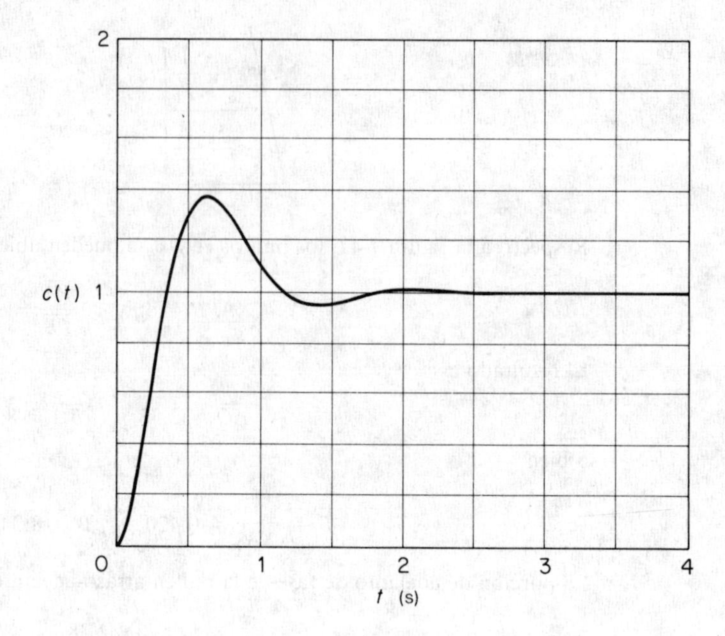


**Figura 7-43**
Curva de respuesta al escalón unitario para el sistema diseñado en el ejemplo 7-6.

Así, el compensador en atraso-adelanto resulta

$$G_c(s) = (10)\left(\frac{s + 2.38}{s + 8.34}\right)\left(\frac{s + 0.1}{s + 0.0285}\right)$$

El sistema compensado tendrá la función de transferencia de lazo abierto

$$G_c(s)G(s) = \frac{40(s + 2.38)(s + 0.1)}{(s + 8.34)(s + 0.0285)s(s + 0.5)}$$

En este caso no se produce ninguna cancelación, y el sistema compensado es de cuarto orden. Como la contribución angular de la porción de atraso de fase en la red de atraso-adelanto es muy pequeña, los polos dominantes de lazo cerrado están colocados cerca de los lugares deseados.

Los polos dominantes de lazo cerrado están ubicados en $s = -2.464 \pm j4.307$. Los otros dos polos de lazo cerrado están en

$$s = -0.1003, \qquad s = -3.84$$

Como el polo de lazo cerrado en $s = -0.1003$ está muy próximo al cero en $s = -0.1$, casi se cancelan entre sí. Entonces, el efecto de este polo de lazo cerrado es muy pequeño. El polo de lazo cerrado restante ($s = -3.84$) no cancela totalmente al cero en $s = -.2.4$. El efecto de este cero es producir un sobreimpulso más grande en la respuesta escalón que la de un sistema similar sin este cero. La curva de respuesta al escalón unitario para este sistema aparece en la figura 7-43.

**Compensación en atraso-adelanto basada en el método de respuesta en frecuencia.** El diseño de un compensador en atraso-adelanto por el método de respuesta en frecuencia está basado en la combinación de las técnicas de diseño discutidas bajo compensación en adelanto y compensación en atraso.

Se supone que el compensador en atraso-adelanto tiene la forma siguiente:

$$G_c(s) = K_c \frac{(T_1 s + 1)(T_2 s + 1)}{\left(\frac{T_1}{\beta}s + 1\right)\left(\beta T_2 s + 1\right)} = K_c \frac{\left(s + \frac{1}{T_1}\right)\left(s + \frac{1}{T_2}\right)}{\left(s + \frac{\beta}{T_1}\right)\left(s + \frac{1}{\beta T_2}\right)} \tag{7–11}$$

donde $\beta > 1$. La porción de adelanto de fase del compensador en atraso-adelanto (la porción que incluye $T_1$) altera la curva de respuesta en frecuencia agregando cierto adelanto de fase e incrementando el margen de fase a la frecuencia de cruce de ganancia. La porción de atraso de fase (la que incluye a $T_2$) produce atenuación cerca o por arriba de la frecuencia de cruce de ganancia, y por lo tanto, permite un incremento de ganancia en el rango de bajas frecuencias para mejorar el comportamiento en estado estacionario. Para ilustrar con detalle el procedimiento para diseñar un compensador en atraso-adelanto se utilizará un ejemplo.

**EJEMPLO 7-7** Considere el sistema con retroalimentación unitaria cuya función de transferencia de lazo abierto es

$$G(s) = \frac{K}{s(s + 1)(s + 2)}$$

Se desea que el coeficiente de error estático de velocidad sea $10\, s^{-1}$, el margen de fase sea 50° y el margen de ganancia sea de 10 db o más.

Suponga que se usa el compensador en atraso-adelanto dado por la ecuación (7-11). La función de transferencia de lazo abierto del sistema compensado es $G_c(s)G(s)$. Como la ganancia $K$ de la planta es ajustable, se supone que $K_c = 1$. Entonces, $\lim_{s\to 0} G_c(s) = 1$.

Del requisito sobre el coeficiente de error estático de velocidad, se obtiene

$$K_v = \lim_{s\to 0} sG_c(s)G(s) = \lim_{s\to 0} sG_c(s)\frac{K}{s(s + 1)(s + 2)} = \frac{K}{2} = 10$$

Entonces,

$$K = 20$$

A continuación se trazará el diagrama de Bode del sistema no compensado con $K = 20$, como se ve en la figura 7-44. Resulta que el margen de fase del sistema no compensado es —32°, lo que indica que el sistema no compensado es inestable.

El próximo paso en el diseño de un compensador en atraso-adelanto es elegir una nueva frecuencia de cruce de ganancia. De la curva de ángulo de fase para $G(j\omega)$, se determina que $\angle G(j\omega) = 180°$ a $\omega = 1.5$ rad/s. Conviene que la nueva frecuencia de cruce de ganancia sea de 1.5 rad/s de modo que el adelanto del ángulo de fase requerido a $\omega = 1.5$ rad/s sea alrededor de 50°, que es bastante posible utilizando sólo una red de atraso-adelanto.

Una vez decidido que la frecuencia de cruce de ganancia sea de 1.5 rad/s, se puede determinar la frecuencia de cruce de la porción de atraso de fase del compensador en atraso-adelanto. Se elige una frecuencia de cruce $\omega = 1/T_2$ (que corresponde al cero de la porción de atraso de fase del compensador) una década por debajo de la nueva frecuencia de cruce de ganancia, o sea $\omega = 0.15$ rad/s.

Recuerde que para el compensador en adelanto el ángulo de adelanto de fase máximo $\phi_m$ está dado por la ecuación (7-3), donde $\alpha$ es $1/\beta$ para este caso. Sustituyendo $\alpha = 1/\beta$ en la ecuación (7-3), se tiene

$$\operatorname{sen}\phi_m = \frac{1 - \dfrac{1}{\beta}}{1 + \dfrac{1}{\beta}} = \frac{\beta - 1}{\beta + 1}$$

Nótese que $\beta = 10$ corresponde a $\phi_m = 54.9°$. Como se necesita un margen de fase de 50°, se puede elegir $\beta = 10$. (Note que se utilizarán varios grados menos del ángulo máximo, 54.9°). Por tanto

$$\beta = 10$$

Entonces la frecuencia de cruce $\omega = 1/\beta T_2$ (que corresponde al polo de la porción de atraso de fase del compensador) resulta $\omega = 0.015$ rad/s. La función de transferencia de la porción de atraso de fase del compensador en atraso-adelanto es

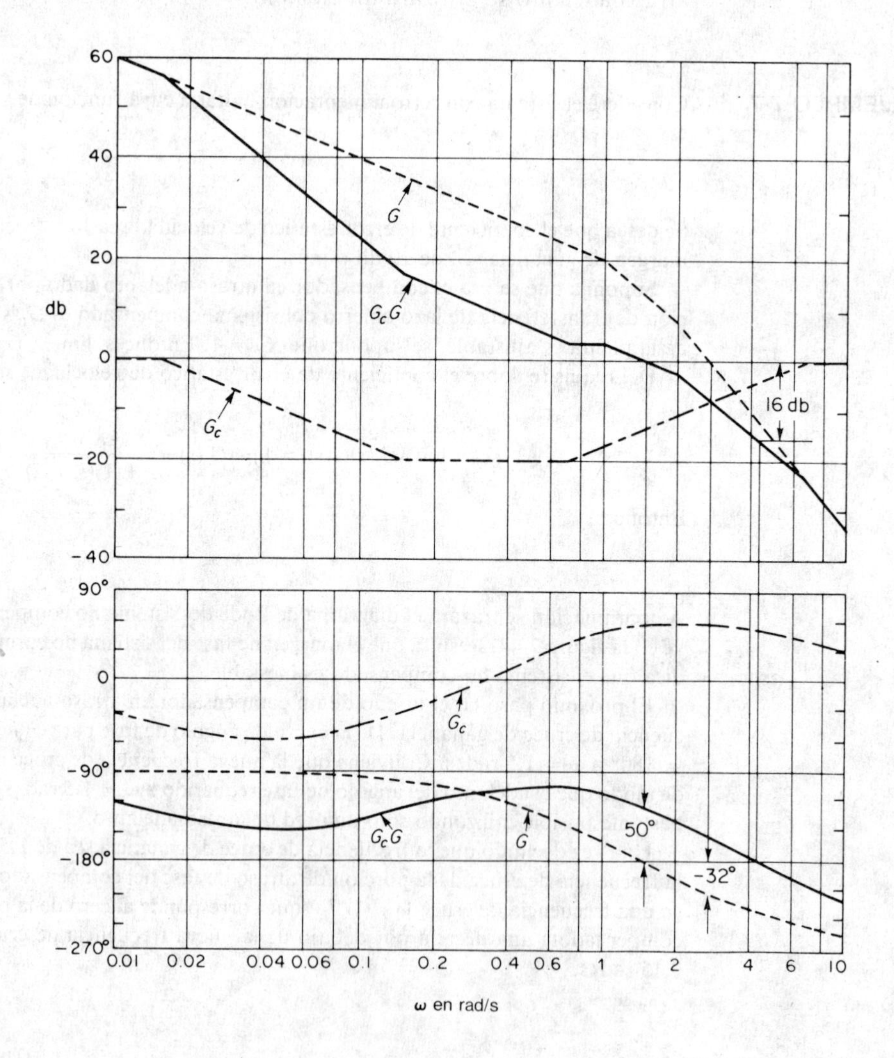


**Figura 7-44** Diagrama de Bode del sistema no compensado, del compensador y del sistema compensado ($G$: sistema no compensado, $G_c$: compensador, $G_cG$: sistema compensado).

$$\frac{s + 0.15}{s + 0.015} = 10\left(\frac{6.67s + 1}{66.7s + 1}\right)$$

La porción de adelanto de fase se puede determinar como sigue. Como la nueva frecuencia de cruce de ganancia es $\omega = 1.5$ rad/s, en la figura 7-44 se encuentra que $G(j1.5)$ es 13 db. Entonces si el compensador en atraso-adelanto contribuye con —13 db a $\omega = 1.5$ rad/s, la nueva frecuencia de cruce de ganancia es la deseada. A partir de este requisito, se traza una línea recta con pendiente de 20 db/década, que pasa por el punto (—13 db, 1.5 rad/s). Las intersecciones de esta línea con la línea de 0 db y —20 db, determinan las frecuencias de cruce. Así, las frecuencias de cruce para la porción en adelanto son $\omega = 0.7$ rad/s y $\omega = 7$ rad/s. Entonces la función de transferencia de la porción en adelanto del compensador en atraso-adelanto, es

$$\frac{s + 0.7}{s + 7} = \frac{1}{10}\left(\frac{1.43s + 1}{0.143s + 1}\right)$$

Combinando las funciones de transferencia de las porciones en atraso y adelanto del compensador, se obtiene la función de transferencia del compensador en atraso-adelanto. Como se elige $K_c = 1$, se tiene

$$G_c(s) = \left(\frac{s + 0.7}{s + 7}\right)\left(\frac{s + 0.15}{s + 0.015}\right) = \left(\frac{1.43s + 1}{0.143s + 1}\right)\left(\frac{6.67s + 1}{66.7s + 1}\right)$$

Las curvas de magnitud y ángulo de fase del compensador en atraso-adelanto recién diseñado aparecen en la figura 7-44. La función de transferencia de lazo abierto del sistema compensado es

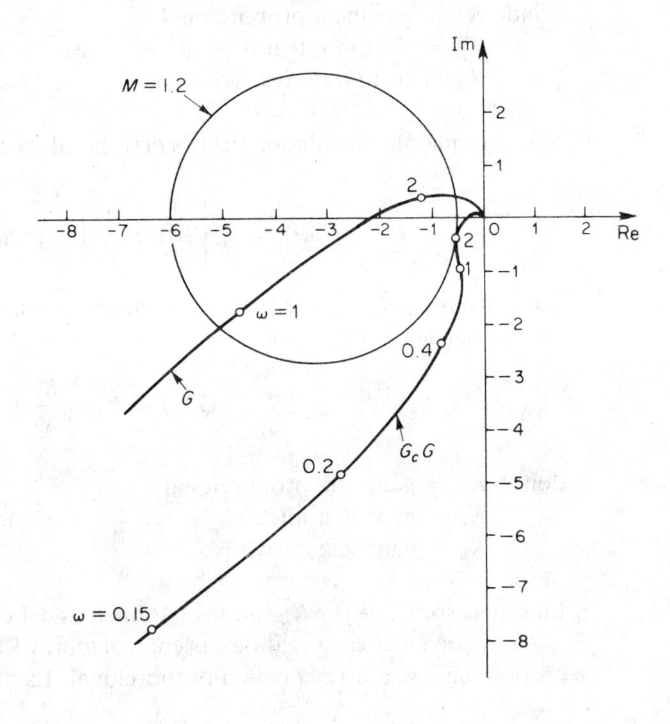


**Figura 7-45** Diagramas polares de los sistemas no compensado y compensado ($G$: sistema no compensado, $G_cG$: sistema compensado).

$$G_c(s)G(s) = \frac{(s + 0.7)(s + 0.15)20}{(s + 7)(s + 0.015)s\,(s + 1)(s + 2)}$$

$$= \frac{10(1.43s + 1)(6.67s + 1)}{s(0.143s + 1)(66.7s + 1)(s + 1)(0.5s + 1)} \qquad (7\text{–}12)$$

En la figura 7-44 se muestran las curvas de magnitud y ángulo de fase del sistema de la ecuación (7-12). El margen de fase del sistema compensado es 50°, el margen de ganancia es 16 db, y el coeficiente de error estático de velocidad es 10 $s^{-1}$. Todos los requisitos, por lo tanto, se cumplen y el diseño queda completo.

La figura 7-45 muestra los diagramas polares del sistema no compensado y del sistema compensado. La gráfica de $G_c(j\omega)G(j\omega)$ es tangente al círculo $M = 1.2$ en aproximadamente $\omega =$ 2 rad/s. Esto indica claramente que el sistema compensado tiene estabilidad relativa satisfactoria. El ancho de banda del sistema compensado es ligeramente mayor de 2 rad/s.

## 7-6 REGLAS DE SINTONIZACION O AFINACION PARA CONTROLADORES PID

Los controladores PID se utilizan con mucha frecuencia en sistemas de control industrial. Como se presentó antes, la función de transferencia $G_c(s)$ del controlador es

$$G_c(s) = K_p\left(1 + \frac{1}{T_i s} + T_d s\right) \qquad (7\text{–}13)$$

donde $K_p$ = ganancia proporcional
$T_i$ = tiempo integral
$T_d$ = tiempo derivativo

Si la entrada al controlador PID es $e(t)$, la salida $u(t)$ del controlador está dada por

$$u(t) = K_p\left[e(t) + \frac{1}{T_i}\int_{-\infty}^{t} e(t)dt + T_d\frac{de(t)}{dt}\right]$$

Las constantes $K_p$, $T_i$, y $T_d$ son los parámetros del controlador. La ecuación (7-13) también se puede escribir como

$$G_c(s) = K_p + \frac{K_i}{s} + K_d s \qquad (7\text{–}14)$$

donde $K_p$ = ganancia proporcional
$K_i$ = ganancia integral
$K_d$ = ganancia derivativa

En este caso, $K_p$, $K_i$, y $K_d$ son los parámetros del controlador.

Note que en el caso real de los controladores PID, en lugar de ajustar la ganancia proporcional se ajusta la banda proporcional. La banda proporcional es igual a $1/K_p$ y está expresada en porcentaje. (Por ejemplo, una banda proporcional de 25% corresponde a $K_p = 4$).

La figura 7-46 muestra un controlador PID electrónico que utiliza amplificadores operacionales. La función de transferencia $E(s)/E_i(s)$ está dada por

$$\frac{E(s)}{E_i(s)} = -\frac{Z_2}{Z_1}$$

donde

$$Z_1 = \frac{R_1}{R_1C_1s + 1}, \qquad Z_2 = \frac{R_2C_2s + 1}{C_2s}$$

Entonces

$$\frac{E(s)}{E_i(s)} = -\left(\frac{R_2C_2s + 1}{C_2s}\right)\left(\frac{R_1C_1s + 1}{R_1}\right)$$

Note que

$$\frac{E_o(s)}{E(s)} = -\frac{R_4}{R_3}$$

se tiene

$$\begin{aligned}\frac{E_o(s)}{E_i(s)} &= \frac{E_o(s)}{E(s)}\frac{E(s)}{E_i(s)} = \frac{R_4R_2}{R_3R_1}\frac{(R_1C_1s + 1)(R_2C_2s + 1)}{R_2C_2s} \\ &= \frac{R_4R_2}{R_3R_1}\left(\frac{R_1C_1 + R_2C_2}{R_2C_2} + \frac{1}{R_2C_2s} + R_1C_1s\right) \\ &= \frac{R_4(R_1C_1 + R_2C_2)}{R_3R_1C_2}\left[1 + \frac{1}{(R_1C_1 + R_2C_2)s} + \frac{R_1C_1R_2C_2}{R_1C_1 + R_2C_2}s\right] \qquad (7\text{–}15)\end{aligned}$$

Entonces

$$K_p = \frac{R_4(R_1C_1 + R_2C_2)}{R_3R_1C_2}$$

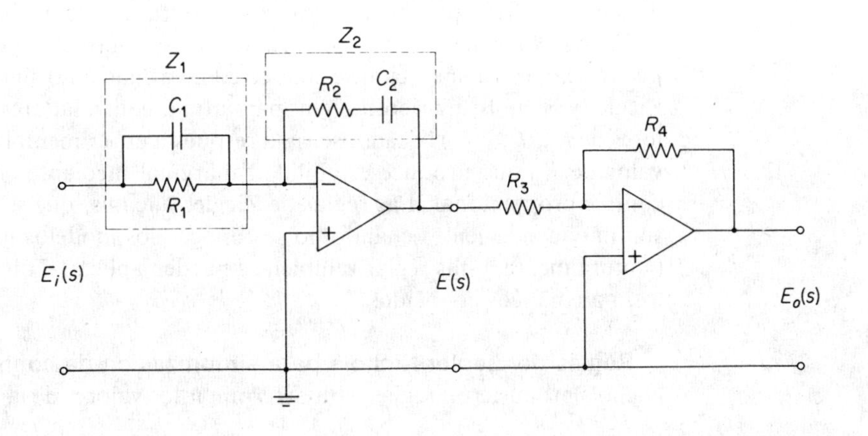


**Figura 7-46**
Controlador PID electrónico.

$$T_i = R_1C_1 + R_2C_2$$

$$T_d = \frac{R_1C_1R_2C_2}{R_1C_1 + R_2C_2}$$

En términos de ganancia proporcional, ganancia integral y ganancia derivativa, se tiene

$$K_p = \frac{R_4(R_1C_1 + R_2C_2)}{R_3R_1C_2}$$

$$K_i = \frac{R_4}{R_3R_1C_2}$$

$$K_d = \frac{R_4R_2C_1}{R_3}$$

Nótese que el segundo circuito del amplificador operacional actúa como inversor de signo así como ajuste de ganancia.

**Diagrama de Bode del controlador PID.** Considere el controlador siguiente:

$$G_c(s) = \frac{2(0.1s + 1)(s + 1)}{s}$$

En la figura 7-47 se puede ver el diagrama de Bode de este controlador. El controlador PID es un compensador de atraso-adelanto como se puede ver claramente en el diagrama de Bode. Por tanto, como en el caso del compensador en atraso-adelanto, si la ganancia proporcional es grande, el sistema con controlador PID puede volverse condicionalmente estable.

**Control PID de plantas.** La figura 7-48 muestra un control PID de una planta. Si se puede deducir un modelo matemático de la planta, entonces es posible aplicar varias técnicas para determinar los parámetros del controlador que cumplan con las especificaciones transitorias y de estado estacionario del sistema en lazo cerrado. Sin embargo, si la planta es tan complicada que no se puede obtener fácilmente su modelo matemático, no resulta posible el método analítico de diseño de un controlador PID. Entonces hay que recurrir a procedimientos experimentales para el diseño de controladores PID.

El proceso de seleccionar los parámetros del controlador para que cumpla con las especificaciones de operación se conoce como afinación o sintonización del controlador. Ziegler y Nichols sugirieron reglas para afinar controladores PID (significa fijar los valores de $K_p$, $T_i$, y $T_d$) basándose en la respuesta experimental al escalón, o con base en el valor de $K_p$ que produce estabilidad marginal mediante el sólo uso de la acción de control proporcional. Las reglas de Ziegler-Nichols, que se presentan a continuación, son muy convenientes cuando no se conocen los modelos matemáticos de las plantas. (Naturalmente, estas reglas también se pueden aplicar al diseño de sistemas con modelos matemáticos conocidos).

**Reglas de Ziegler-Nichols para sintonización de controladores PID.** Ziegler y Nichols propusieron reglas para determinar los valores de la ganancia proporcional $K_p$,

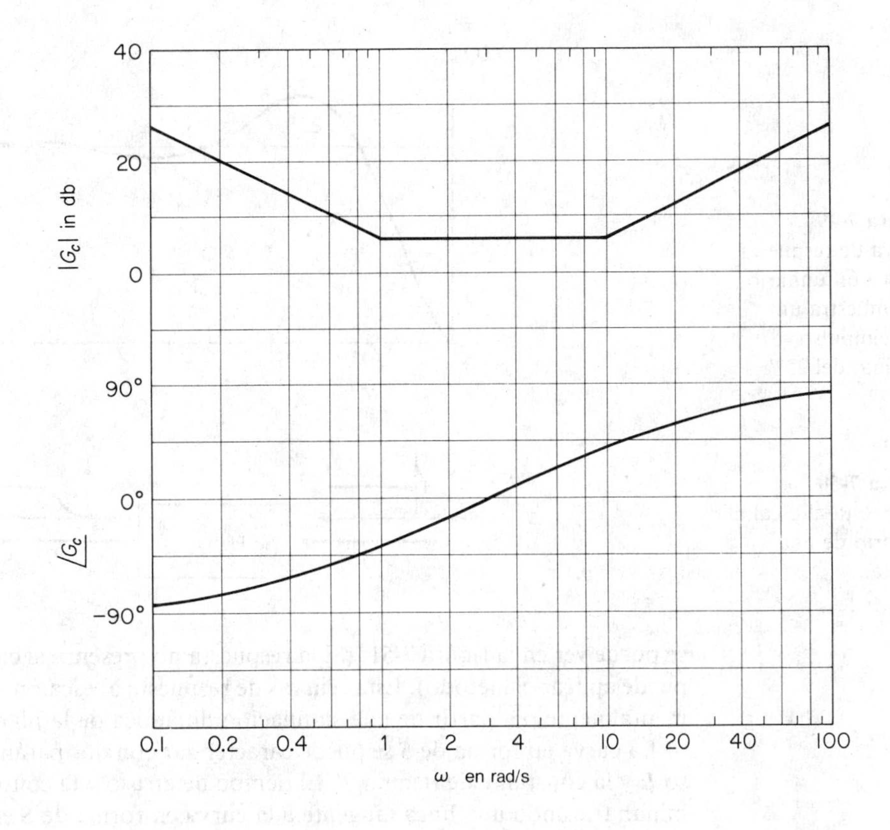


**Figura 7-47**
Diagrama de Bode del controlador PID dado por $G_c(s) = 2(0.1s + 1)(s + 1)/s$.

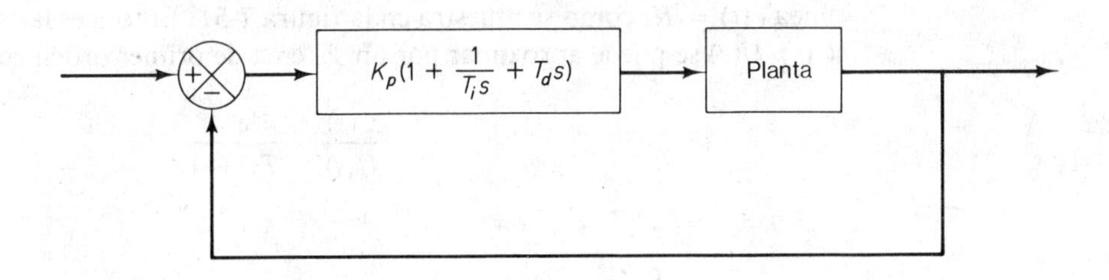


**Figura 7-48**
Control PID de una planta.

del tiempo integral $T_i$, y del tiempo derivativo $T_d$ basados en las características de respuesta transitoria de una planta dada. La determinación de los parámetros de los controladores PID la pueden realizar ingenieros en el sitio mismo efectuando experimentos en la planta.

Hay dos métodos denominados reglas de sintonización de Ziegler-Nichols. En ambos métodos se intenta lograr un sobreimpulso máximo del 25% en la respuesta al escalón (vea la figura 7-49).

**Primer método.** En el primer método, se obtiene experimentalmente la respuesta de la planta a una entrada escalón unitario, como se muestra en la figura 7-50. Si la planta no incluye integrador(es) o polos dominantes complejos conjugados, la curva de respuesta al escalón unitario puede tener el aspecto de una curva en forma de $S$, como

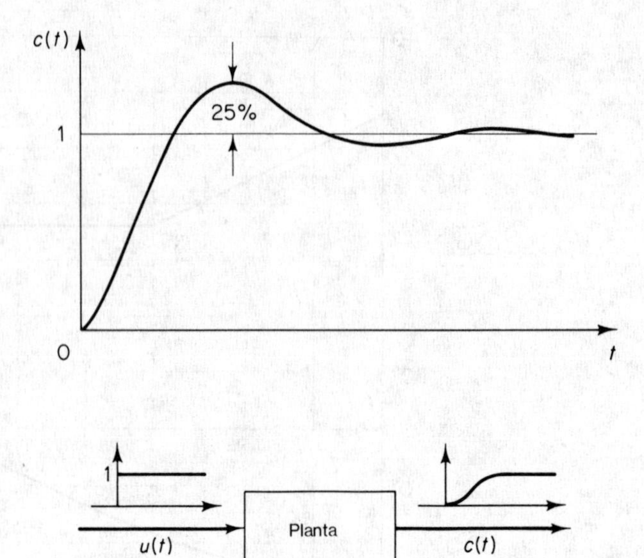


**Figura 7-49**
Curva de respuesta al escalón unitario que muestra un sobreimpulso máximo del 25%.

1
Planta
u(t)
c(t)

**Figura 7-50**
Respuesta al escalón unitario de una planta.

se puede ver en la figura 7-51. (Si la respuesta no presenta la curva en forma de $S$, no se puede aplicar el método). Estas curvas de respuesta al escalón se pueden generar experimentalmente o a partir de una simulación dinámica de la planta.

La curva en forma de $S$ se puede caracterizar con dos parámetros, el tiempo de atraso $L$ y la constante de tiempo $T$. El tiempo de atraso y la constante de tiempo se determinan trazando una línea tangente a la curva en forma de $S$ en el punto de inflexión y se determinan las intersecciones de esta línea tangente con el eje del tiempo y con la línea $c(t) = K$, como se muestra en la figura 7-51. Entonces la función de transferencia $C(s)/U(s)$ se puede aproximar por un sistema de primer orden con atraso de transporte.

$$\frac{C(s)}{U(s)} = \frac{Ke^{-Ls}}{Ts + 1}$$

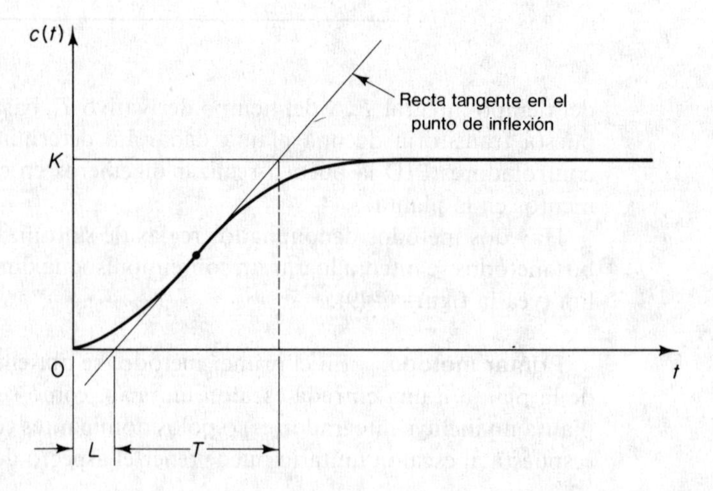


**Figura 7-51**
Curva de respuesta en forma de $S$.

Ziegler y Nichols sugirieron fijar los valores de $K_p$, $T_i$, y $T_d$ de acuerdo con la fórmula que aparece en la tabla 7.2.

Nótese que el controlador PID sintonizado de acuerdo con el primer método de Ziegler-Nichols da

$$G_c(s) = K_p\left(1 + \frac{1}{T_i s} + T_d s\right)$$

$$= 1.2\frac{T}{L}\left(1 + \frac{1}{2Ls} + 0.5Ls\right)$$

$$= 0.6\,T\frac{\left(s + \frac{1}{L}\right)^2}{s}$$

Así, el controlador PID tiene un polo en el origen y un cero doble en $s = -1/L$.

**Tabla 7-2** Reglas de sintonización de Ziegler-Nichols basadas en la respuesta al escalón de la planta (primer método)

| Tipo de controlador | $K_p$ | $T_i$ | $T_d$ |
|---|---|---|---|
| P | $\frac{T}{L}$ | $\infty$ | 0 |
| PI | $0.9\frac{T}{L}$ | $\frac{L}{0.3}$ | 0 |
| PID | $1.2\frac{T}{L}$ | $2L$ | $0.5L$ |

**Segundo método.** En el segundo método, primero se hace $T_i = \infty$ y $T_d = 0$. Usando solamente la acción de control proporcional (vea la figura 7-52), incremente $K_p$ desde 0 hasta un valor crítico $K_{cr}$ en la cual la salida exhiba por primera vez oscilaciones sostenidas. (Si la salida no presenta oscilaciones sostenidas para cualquier valor que pueda tomar $K_p$, entonces no se puede aplicar este método). Así, se determina experimentalmente la ganancia crítica $K_{cr}$ y el periodo correspondiente $P_{cr}$ (vea la figura 7-53). Ziegler y Nichols sugirieron fijar los valores de $K_p$, $T_i$, y $T_d$ de acuerdo a la fórmula de la tabla 7-3.

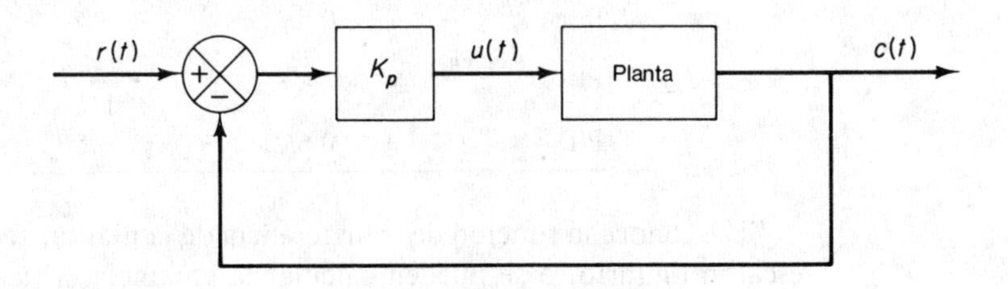


**Figura 7-52**
Sistema de lazo cerrado con control proporcional.

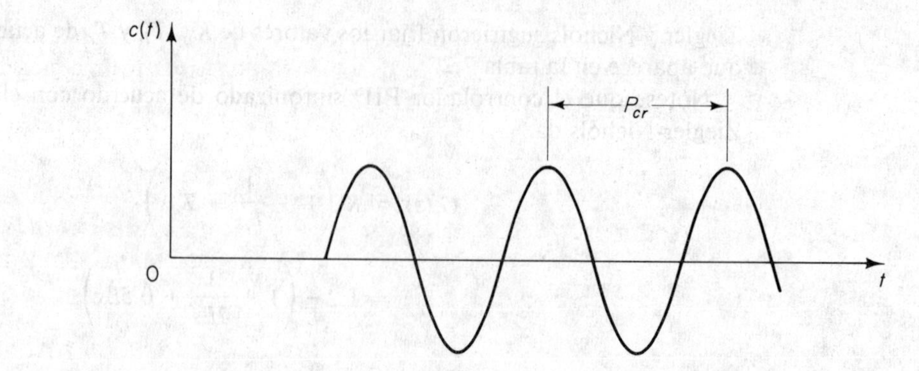


**Figura 7-53**
Oscilación sostenida de periodo $P_{cr}$.

Note que el controlador PID sintonizado mediante el segundo método de reglas de Ziegler-Nichols es

$$
\begin{aligned}
G_c(s) &= K_p\left(1 + \frac{1}{T_i s} + T_d s\right) \\
&= 0.6K_{\text{cr}}\left(1 + \frac{1}{0.5P_{\text{cr}}s} + 0.125\,P_{\text{cr}}s\right) \\
&= 0.075K_{\text{cr}}P_{\text{cr}}\frac{\left(s + \dfrac{4}{P_{\text{cr}}}\right)^2}{s}
\end{aligned}
$$

Entonces, el controlador PID tiene un polo en el origen y un cero doble en $s = -4/P_{cr}$.

**Comentarios.** Las reglas de sintonización de Ziegler-Nichols se han utilizado mucho para ajustar controladores PID en sistemas de control de procesos cuando las dinámicas de las plantas no se conocen con precisión. Durante muchos años, tales reglas de sintonización han probado ser muy útiles. Las reglas de Ziegler-Nichols se pueden aplicar, naturalmente, a plantas cuyas dinámicas son conocidas. (Si la dinámica de la planta se conoce, se dispone de muchos procedimientos analíticos y gráficos para el diseño de controladores PID, además de las reglas de Ziegler-Nichols).

**Tabla 7-3** Reglas de sintonización de Ziegler-Nichols basadas en la ganancia crítica $K_{cr}$ y en el periodo crítico $P_{cr}$ (segundo método).

| Tipo de controlador | $\mathbf{K}_p$ | $\mathbf{T}_i$ | $\mathbf{T}_d$ |
|---|---|---|---|
| P | $0.5K_{\text{cr}}$ | $\infty$ | 0 |
| PI | $0.45K_{\text{cr}}$ | $\frac{1}{1.2}P_{\text{cr}}$ | 0 |
| PID | $0.6K_{\text{cr}}$ | $0.5P_{\text{cr}}$ | $0.125P_{\text{cr}}$ |

Si se conoce la función de transferencia de la planta, se puede calcular la respuesta al escalón unitario, o se pueden calcular la ganancia crítica $K_{cr}$ y el periodo crítico $P_{cr}$.

Luego, utilizando esos valores calculados, es posible determinar los parámetros $K_p$, $T_i$, y $T_d$ de la tabla 7-2 o 7-3. Sin embargo, la utilidad real de las reglas de sintonización de Ziegler-Nichols se hace visible cuando no se conoce la dinámica de la planta, de modo que no se dispone de procedimientos analíticos o gráficos para el diseño de controladores.

Generalmente, para plantas con dinámicas complicadas, pero sin integradores, se pueden aplicar las reglas de sintonización de Ziegler-Nichols. No obstante, si la planta tiene un integrador, esas reglas no son aplicables. Para aclarar bien este punto, considere el siguiente caso. Suponga que una planta tiene la función de transferencia

$$G(s) = \frac{(s + 2)(s + 3)}{s(s + 1)(s + 5)}$$

Debido a la presencia de un integrador, el primer método no es aplicable. Observando la figura 7-50, la respuesta al escalón de esta planta no tiene una curva en forma de $S$, sino más bien, la respuesta aumenta con el tiempo. También, si se intenta con el segundo método (vea la figura 7-52), el sistema de lazo cerrado con un controlador proporcional no presentará oscilaciones sostenidas, sea cual fuere el valor de la ganancia $K_p$, lo cual se puede apreciar mediante el siguiente análisis. Como la ecuación característica es

$$s(s + 1)(s + 5) + K_p(s + 2)(s + 3) = 0$$

o bien

$$s^3 + (6 + K_p)s^2 + (5 + 5K_p)s + 6K_p = 0$$

el arreglo de Routh se convierte en

$$\begin{array}{lcc} s^3 & 1 & 5 + 5K_p \\ s^2 & 6 + K_p & 6K_p \\ s^1 & \dfrac{30 + 29K_p + 5K_p^2}{6 + K_p} & 0 \\ s^0 & 6K_p & \end{array}$$

Los coeficientes en la primera columna son positivos para todos los valores de $K_p$ positivo. Así, el sistema de lazo cerrado no presentará oscilaciones sostenidas y, por tanto, el valor crítico de ganancia $K_{cr}$ no existe. Por tanto, el segundo método tampoco se aplica.

Si la planta es tal que se pueden aplicar las reglas de Ziegler-Nichols, entonces la planta con un controlador PID afinado por las reglas de Ziegler-Nichols presentará un sobreimpulso de aproximadamente 10% ~ 60% en la respuesta al escalón. En promedio (experimentado en muchas plantas diferentes) el sobreimpulso máximo es de aproximadamente 25%. (Esto es bastante entendible porque los valores sugeridos en las tablas 7-2 y 7-3 están basados en el promedio). En un caso dado, si el sobreimpulso resultara excesivo, siempre es posible (en forma experimental o de otro modo) realizar la sintonización de que el sistema de lazo cerrado presente características transitorias satisfactorias. De hecho, las reglas de sintonización de Ziegler-Nichols dan una "primera estimación" de los valores de los parámetros y brindan un punto de partida para el ajuste fino.

**EJEMPLO 7-8** Considere el sistema de control que aparece en la figura 7-54 en el que se usa un controlador PID. El controlador PID tiene la función de transferencia

$$G_c(s) = K_p\left(1 + \frac{1}{T_i s} + T_d s\right)$$

Aunque se dispone de muchos métodos analíticos para el diseño de un controlador PID para este sistema, se aplicará una regla de sintonización de Ziegler-Nichols para determinar los valores de los parámetros $K_p$, $T_i$, y $T_d$. Luego se obtendrá una curva de respuesta al escalón unitario y se verificará si el sistema diseñado presenta un sobreimpulso máximo de aproximadamente 25%. Si el sobreimpulso máximo es excesivo (40% o más), se realizará un ajuste final para reducir la magnitud del sobreimpulso máximo a un 25%.

Como la planta tiene un integrador, se usan las reglas de afinación del segundo método de Ziegler-Nichols. Haciendo $T_i = \infty$ y $T_d = 0$, se obtiene la función de transferencia de lazo cerrado siguiente

$$\frac{C(s)}{R(s)} = \frac{K_p}{s(s+1)(s+5) + K_p}$$

El valor de $K_p$ que hace al sistema marginalmente estable, de modo que se produzcan oscilaciones sostenidas, se puede obtener utilizando el criterio de estabilidad de Routh. Como la ecuación característica del sistema de lazo cerrado es

$$s^3 + 6s^2 + 5s + K_p = 0$$

el arreglo de Routh se forma como sigue

$$\begin{array}{lll} s^3 & 1 & 5 \\ s^2 & 6 & K_p \\ s^1 & \dfrac{30 - K_p}{6} & \\ s^0 & K_p & \end{array}$$

Al examinar los coeficientes de la primera columna en la tabla de Routh, se determina que la oscilación se mantiene si $K_p = 30$. Así, el valor crítico de ganancia $K_{cr}$ es

$$K_{cr} = 30$$

Con la ganancia $K_p$ ajustada igual a $K_{cr}$ (= 30), la ecuación característica se convierte en

$$s^3 + 6s^2 + 5s + 30 = 0$$

Para hallar la frecuencia de la oscilación sostenida se remplaza $s = j\omega$ en esa ecuación característica como sigue:

$$(j\omega)^3 + 6(j\omega)^2 + 5(j\omega) + 30 = 0$$

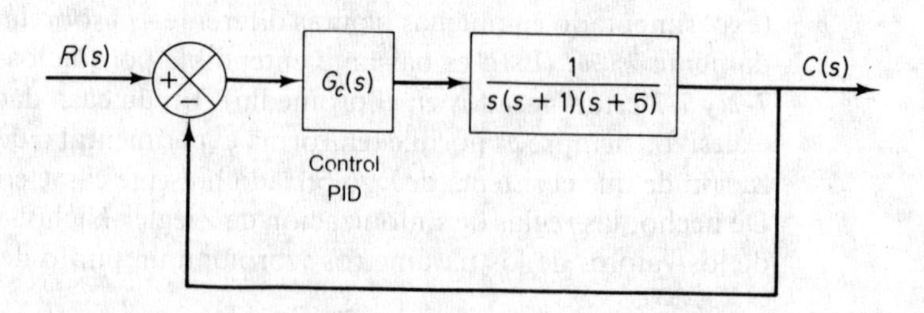


**Figura 7-54**
Sistema con control PID.

o bien

$$6(5 - \omega^2) + j\omega(5 - \omega^2) = 0$$

de donde la frecuencia de la oscilación sostenida resulta ser $\omega^2 = 5$ o $\omega = \sqrt{5}$. Por tanto, el periodo de la oscilación sostenida es

$$P_{cr} = \frac{2\pi}{\omega} = \frac{2\pi}{\sqrt{5}} = 2.81$$

Con referencia a la tabla 7-3, se determinan $K_p$, $T_i$, y $T_d$ como sigue:

$$K_p = 0.6K_{cr} = 18$$

$$T_i = 0.5P_{cr} = 1.405$$

$$T_d = 0.125P_{cr} = 0.35124$$

Entonces la función de transferencia del controlador PID resulta así

$$\begin{aligned} G_c(s) &= K_p\left(1 + \frac{1}{T_i s} + T_d s\right) \\ &= 18\left(1 + \frac{1}{1.405s} + 0.35124s\right) \\ &= \frac{6.3223(s + 1.4235)^2}{s} \end{aligned}$$

El controlador PID tiene un polo en el origen y un cero doble en $s = -1.4235$. En la figura 7-55 aparece el diagrama de bloques del sistema de control con el controlador PID diseñado.

Luego, se examina la respuesta del sistema al escalón unitario. La función de transferencia de lazo cerrado $C(s)/R(s)$ está dada por

$$\frac{C(s)}{R(s)} = \frac{6.3223s^2 + 18s + 12.811}{s^4 + 6s^3 + 11.3223s^2 + 18s + 12.811} \tag{7–16}$$

La respuesta de este sistema ante un escalón unitario se puede obtener mediante la simulación en computadora. El primer paso para obtener la solución por computadora es obtener la representación del sistema en el espacio de estado. Respecto al problema B-7-17, se puede dar una representación en el espacio de estado de la ecuación (7-16)

$$\begin{bmatrix} \dot{x}_1 \\ \dot{x}_2 \\ \dot{x}_3 \\ \dot{x}_4 \end{bmatrix} = \begin{bmatrix} 0 & 1 & 0 & 0 \\ 0 & 0 & 1 & 0 \\ 0 & 0 & 0 & 1 \\ -12.811 & -18 & -11.3223 & -6 \end{bmatrix} \begin{bmatrix} x_1 \\ x_2 \\ x_3 \\ x_4 \end{bmatrix} + \begin{bmatrix} 0 \\ 6.3223 \\ -19.9338 \\ 60.8308 \end{bmatrix} u$$

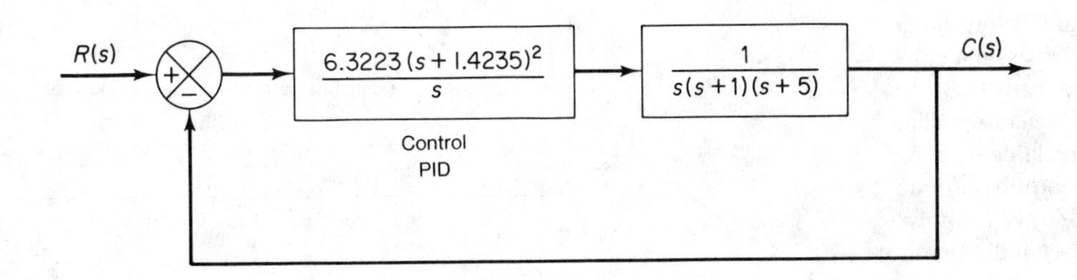


**Figura 7-55** Diagrama de bloques del sistema con control PID diseñado utilizando la regla de sintonización de Ziegler-Nichols (segundo método).

$$y = [1 \quad 0 \quad 0 \quad 0] \begin{bmatrix} x_1 \\ x_2 \\ x_3 \\ x_4 \end{bmatrix}$$

donde

$$x_1 = c$$

$$x_2 = \dot{x}_1$$

$$x_3 = \dot{x}_2 - 6.3223u$$

$$x_4 = \dot{x}_3 + 19.9338u$$

$$u = r$$

$$y = c = x_1$$

Para una entrada escalón unitario, $u = r = 1(t)$. La ecuación de estado se puede resolver con una computadora utilizando el método de Runge-Kutta. La figura 7-56 muestra la curva de respuesta al escalón unitario obtenida mediante la simulación en computadora. [Nótese que $x_1(t) = c(t)$]. El sobreimpulso máximo en la respuesta al escalón unitario es aproximadamente 62%. La magnitud del sobreimpulso máximo es excesiva. Se puede reducir afinando los parámetros del controlador. Esta afinación precisa se puede hacer con la computadora. Se encuentra que manteniendo $K_p = 18$ y desplazando el cero doble del controlador PID a $s = -0.65$, es decir, utilizando el siguiente controlador PID,

$$G_c(s) = 18\left(1 + \frac{1}{3.077s} + 0.7692s\right) = 13.846\frac{(s + 0.65)^2}{s} \qquad (7\text{–}17)$$

se puede reducir el sobreimpulso máximo en la respuesta al escalón a aproximadamente el 18% (vea la figura 7-57). Si se incrementa la ganancia proporcional $K_p$ a 39.42 sin modificar la ubicación del cero doble ($s = -0.65$), es decir, utilizando el siguiente controlador PID,

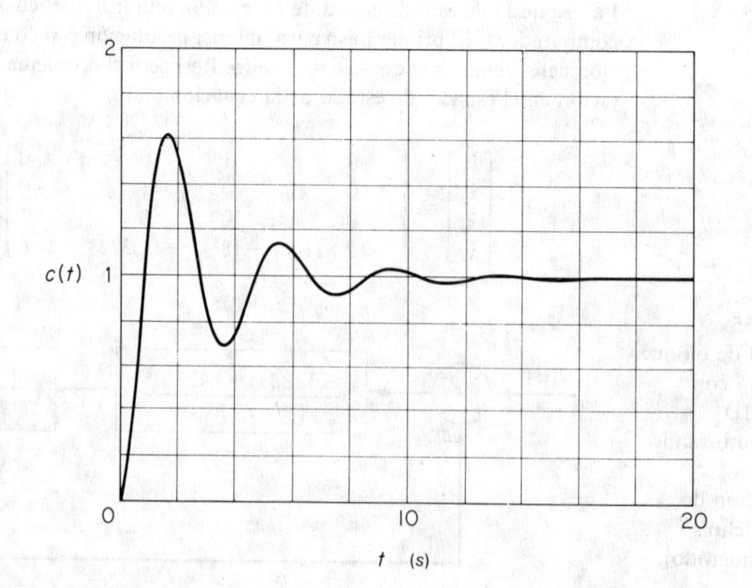


**Figura 7-56** Curva de respuesta al escalón unitario del sistema con control PID diseñado mediante la regla de sintonización de Ziegler-Nichols (segundo método).

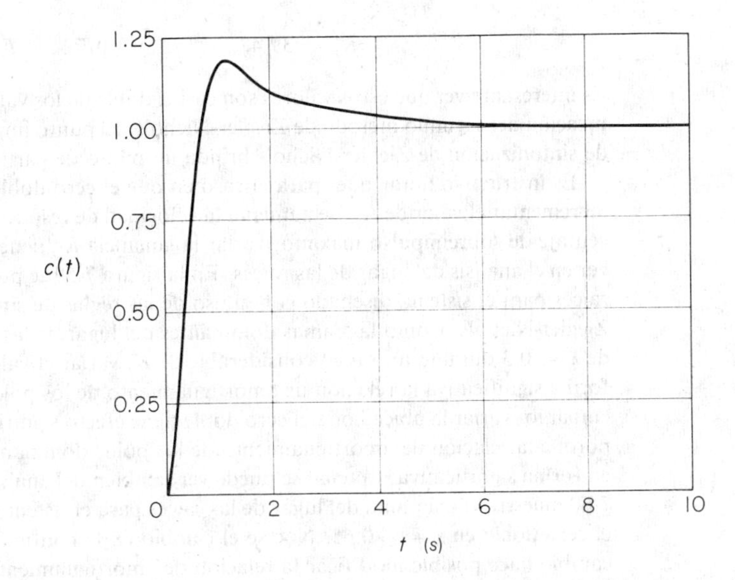


**Figura 7-57** Respuesta al escalón unitario del sistema de la Fig. 7-54 con control PID y parámetros $K_p = 18$, $T_i = 3.077$, y $T_d = 0.7692$.

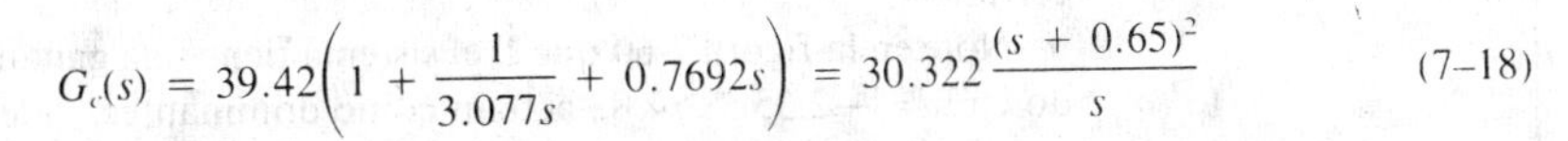

$$G_c(s) = 39.42\left(1 + \frac{1}{3.077s} + 0.7692s\right) = 30.322\frac{(s + 0.65)^2}{s} \qquad (7\text{-}18)$$

entonces la velocidad de respuesta aumenta, pero también se incrementa el sobreimpulso máximo hasta un 28%, como se ve en la figura 7-58. Como el sobreimpulso máximo en este caso es bastante cercano al 25% y la respuesta es más rápida que el sistema con $G_c(s)$ dado por la ecuación (7-17), se puede considerar que $G_c(s)$ dada por la ecuación (7-18) es aceptable. Entonces los valores de $K_p$, $T_i$, y $T_d$ son

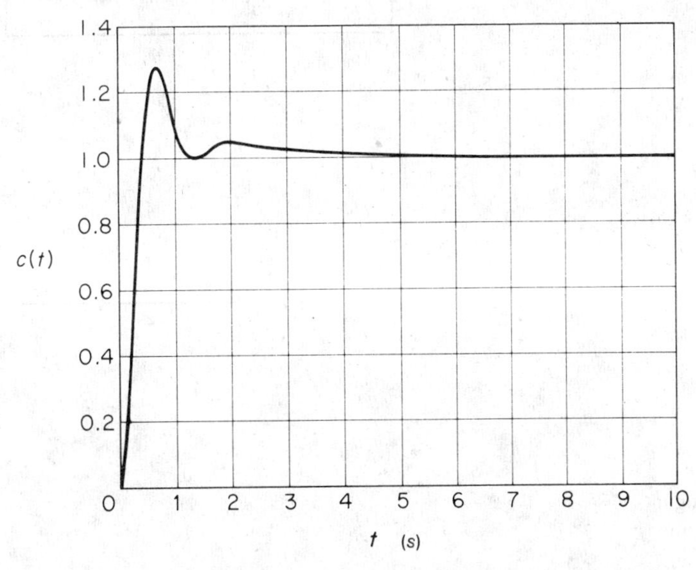


**Figura 7-58** Respuesta al escalón unitario del sistema de la Fig. 7-54 con control PID y parámetros $K_p = 39.42$, $T_i = 3.077$, y $T_d = 0.7692$.

$$K_p = 39.42, \qquad T_i = 3.077, \qquad T_d = 0.7692$$

Es interesante ver que estos valores son casi el doble de los valores sugeridos por la regla de sintonización del segundo método de Ziegler-Nichols. El punto importante a considerar es que la regla de sintonización de Ziegler-Nichols brinda un punto de partida para el ajuste fino.

Es instructivo notar que, para el caso en que el cero doble está ubicado en $s = -1.4235$, al incrementar el valor de $K_p$, se aumenta la velocidad de respuesta, pero, en lo que se refiere al porcentaje de sobreimpulso máximo, variar la ganancia $K_p$ tiene poco efecto. Lo anterior se puede ver en el análisis del lugar de las raíces. En la figura 7-59 se puede ver el diagrama del lugar de las raíces para el sistema diseñado con el uso de las reglas de sintonización del segundo método de Ziegler-Nichols. Como las ramas dominantes del lugar de las raíces están a lo largo de las líneas de $\zeta = 0.3$ durante un rango considerable de $K$, variar el valor de $K$ (de 6 a 30) no modifica en forma significativa la relación de amortiguamiento de los polos dominantes de lazo cerrado. Sin embargo, variar la ubicación del cero doble tiene efecto significativo en el sobreimpulso máximo, porque la relación de amortiguamiento de los polos dominantes de lazo cerrado se puede variar en forma significativa. Lo cual se puede ver también del análisis del lugar de las raíces. La figura 7-60 muestra el diagrama del lugar de las raíces para el sistema en el que el controlador PID tiene el cero doble en $s = -0.65$. Nótese el cambio en la configuración del lugar de las raíces. Este cambio hace posible modificar la relación de amortiguamiento de los polos dominantes de lazo cerrado.

Note en la figura 7-60 que si el sistema tiene una ganancia $K = 30.322$, los polos de lazo cerrado en $s = -2.35 \pm j4.82$ actúan como dominantes. Además hay dos polos de lazo cerrado muy cerca del cero doble en $s = -0.65$, con el resultado de que esos polos de lazo cerrado y el cero doble casi se cancelan entre sí. El par de polos dominantes de lazo cerrado realmente determina la naturaleza de la respuesta. Por otro lado, cuando el sistema tiene $K = 13.846$, los polos de lazo

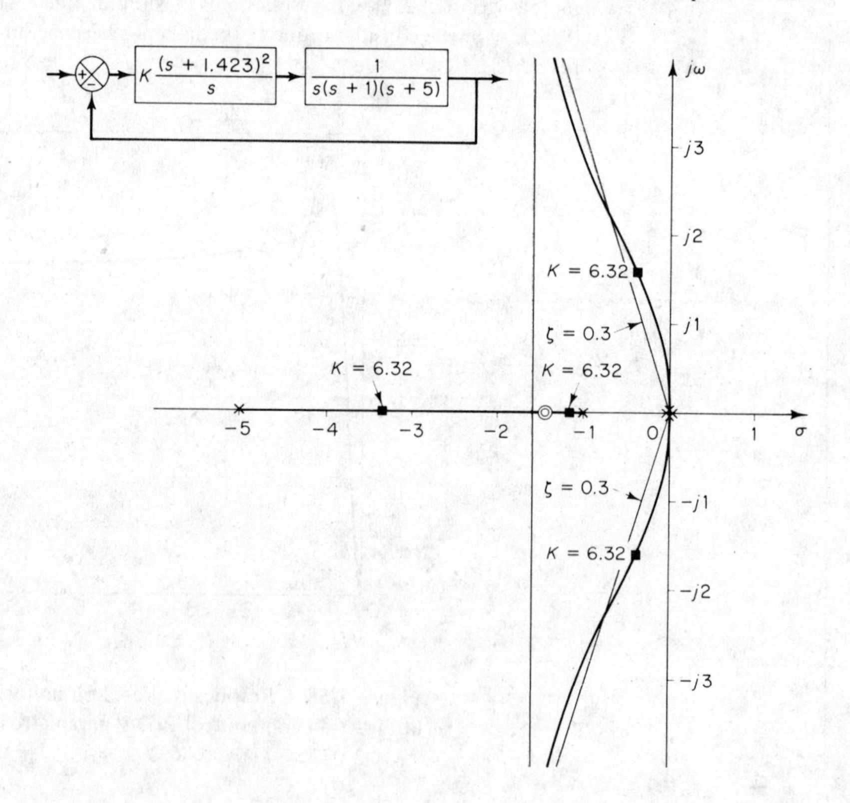


**Figura 7-59**
Diagrama del lugar de las raíces de un sistema cuando el controlador PID tiene un cero doble en $s = -1.4235$.

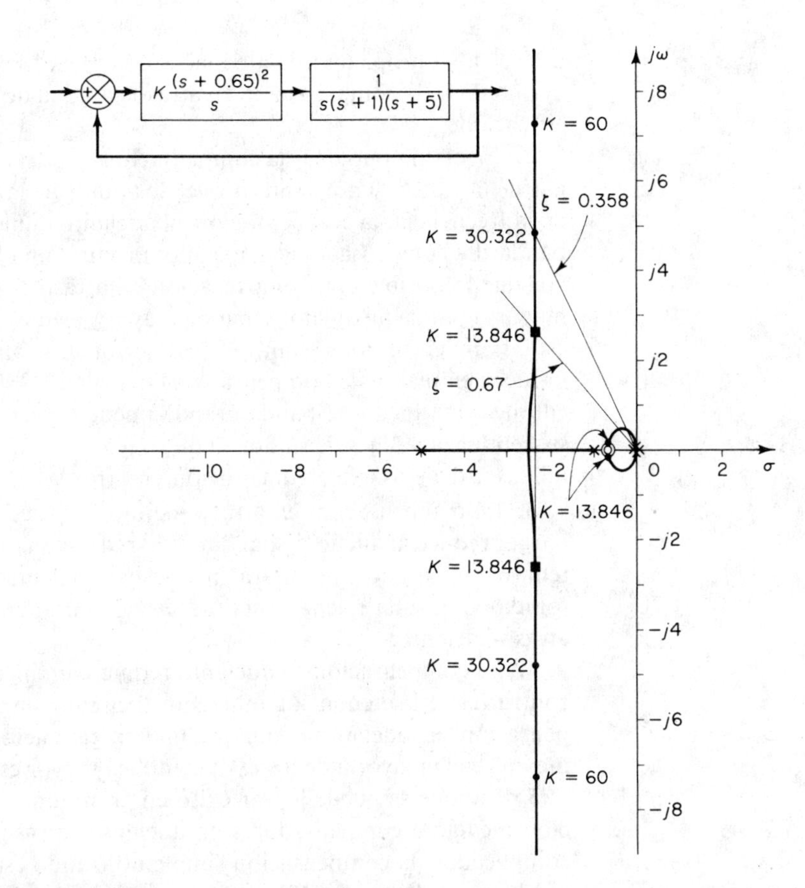


**Figura 7-60** Diagrama del lugar de las raíces de un sistema cuando el controlador PID tiene un cero doble en $s = -0.65$. $K = 13.846$ corresponde a $G_c(s)$ dado por la ecuación (7-17) y $K = 30.322$ que corresponde a $G_c(s)$ dado por la ecuación (7-18).

cerrado en $s = -2.35 \pm j2.62$ no son bastante dominan , porque los otros dos polos de lazo cerrado cercanos al cero doble en $s = -0.65$ tienen un efecto considerable en la respuesta. El sobreimpulso máximo en la respuesta escalón en este caso (18%) es mucho mayor que cuando el sistema es de segundo orden teniendo sólo polos dominantes de lazo cerrado. (En este último caso el sobreimpulso máximo en la respuesta escalón es de un 6%).

## 7-7 RESUMEN DE LOS METODOS DE COMPENSACION DE SISTEMAS DE CONTROL

En las secciones 7-3 a 7-6 se presentaron procedimientos detallados para el diseño de compensadores en adelanto, atraso y atraso-adelanto y de controladores PID mediante ejemplos simples. El diseño satisfactorio de un compensador o controlador para un sistema dado requerirá una aplicación creativa de estos principios básicos de diseño. En esta sección primero se resumirán las secciones 7-3 a 7-5, y luego se expondrán algunos métodos para mejorar los esquemas de control PID.

### Comparación entre la compensación en adelanto, en atraso y en atraso-adelanto.

**1.** La compensación en adelanto logra el resultado deseado gracias a su contribución al adelanto de fase, mientras que la compensación en atraso logra el resultado gracias a su propiedad de atenuación en altas frecuencias. (En algunos problemas de diseño tanto la compensación en atraso como la de adelanto pueden satisfacer las especificaciones).

**2.** En el dominio de $s$, la compensación en adelanto permite cambiar la forma del lugar de las raíces y por tanto provee los polos de lazo cerrado deseados. En el dominio de la frecuencia, la compensación en adelanto aumenta el margen de fase y el ancho de banda. La compensación en adelanto produce una frecuencia de cruce de ganancia mayor que la posible con compensación en atraso. Una frecuencia de cruce de ganancia mayor significa un ancho de banda mayor y éste significa una reducción en el tiempo de establecimiento. Por lo tanto, si se desea un gran ancho de banda o una rápida respuesta, debe emplearse la compensación en adelanto. Sin embargo, si hay señales de ruido, entonces un ancho de banda grande puede no ser deseable, pues hace al sistema más susceptible a señales de ruido, ya que hay aumento de ganancia en altas frecuencias. En tal caso, debe usarse compensación en atraso.

**3.** La compensación en atraso mejora la exactitud en estado estacionario; sin embargo, reduce al ancho de banda. Si la reducción de ancho de banda es excesiva, el sistema compensado presentará una respuesta lenta. Si se desean tanto una respuesta rápida como una buena exactitud estacionaria, se debe emplear un compensador en atraso-adelanto.

**4.** La compensación en adelanto requiere un incremento adicional en ganancia para contrarrestar la atenuación inherente al circuito en adelanto. Esto significa que la compensación en adelanto requerirá mayor ganancia que la de atraso. (Una ganancia mayor, en la mayoría de los casos, implica mayor espacio, mayor peso, y mayor costo).

**5.** Aunque se puede lograr éxito en gran número de tareas prácticas de compensación mediante compensadores en adelanto, atraso, o atraso-adelanto, para sistemas complicados, la compensación simple utilizando este tipo de compensadores puede no producir resultados satisfactorios. Entonces se deben emplear diferentes compensadores con distintas configuraciones de polos y ceros. Nótese que una vez que se ha especificado la configuración de polos y ceros de un compensador, éste puede realizarse físicamente mediante técnicas ordinarias de síntesis de circuitos.

**Comparación gráfica.** En la figura 7-61(a) se ve una curva de respuesta al escalón unitario y una curva de respuesta a una rampa unitaria para un sistema no compensado. En las figuras 7-61(b), (c), y (d) aparecen las curvas de respuesta al escalón unitario y a la rampa unitaria para el sistema compensado, utilizando una red de adelanto, atraso y atraso-adelanto, respectivamente. El sistema con el compensador en adelanto presenta la respuesta más rápida, mientras que el que tiene compensador en atraso presenta la respuesta más lenta, pero con marcada mejora en la respuesta ante la rampa unitaria. El sistema con el compensador en atraso-adelanto produce un compromiso: es decir, se puede esperar una razonable mejora tanto en la respuesta transitoria, como en estado estacionario. Las curvas de respuesta muestran la naturaleza de las mejoras que se pueden esperar al utilizar los diferentes tipos de compensadores.

**Cancelación de polos indeseables.** Como la función de transferencia de elementos en cascada es el producto de sus funciones de transferencia individuales, se pueden cancelar algunos polos y ceros indeseables, colocando un elemento compensador en cascada, con sus polos y ceros ajustados para cancelar los polos y ceros indeseables del sistema original. Por ejemplo, una constante de tiempo grande $T_1$ se puede cancelar utilizando el circuito en adelanto $(T_1s + 1)(T_2s + 1)$ como sigue:

$$\left(\frac{1}{T_1s + 1}\right)\left(\frac{T_1s + 1}{T_2s + 1}\right) = \frac{1}{T_2s + 1}$$

Si $T_2$ es mucho menor que $T_1$, se puede eliminar efectivamente la constante de tiempo $T_1$. En la figura 7-62 se presenta el efecto de cancelación de una constante de tiempo grande en la respuesta transitoria al escalón.

Si en el sistema original hay un polo indeseable en el semiplano derecho del plano $s$, no se debe utilizar este esquema de cancelación porque, aunque matemáticamente es posible cancelar el polo indeseable añadiendo un cero, la cancelación exacta es físicamente imposible debido a las inexactitudes en que se incurre en las ubicaciones de los polos y ceros. Un polo en el semiplano derecho del plano $s$, no cancelado exactamente por el cero compensador, podría llevar a una operación inestable, porque la respuesta incluye un término exponencial que se incrementa con el tiempo.

Note que si un polo en el semiplano izquierdo no se cancela exactamente, como casi siempre sucede, la combinación polo-cero no cancelada hace que la respuesta tenga una amplitud pequeña, pero con componentes de respuesta transitoria de larga duración. Si la cancelación no es exacta, pero razonablemente buena, entonces este componente será muy pequeño.

Debe tomarse en cuenta que el sistema de control ideal no es el que tiene una función de transferencia unitaria. Físicamente no es posible construir un sistema así, porque no es posible transferir energía en forma instantánea de la entrada a la salida. Además, co-

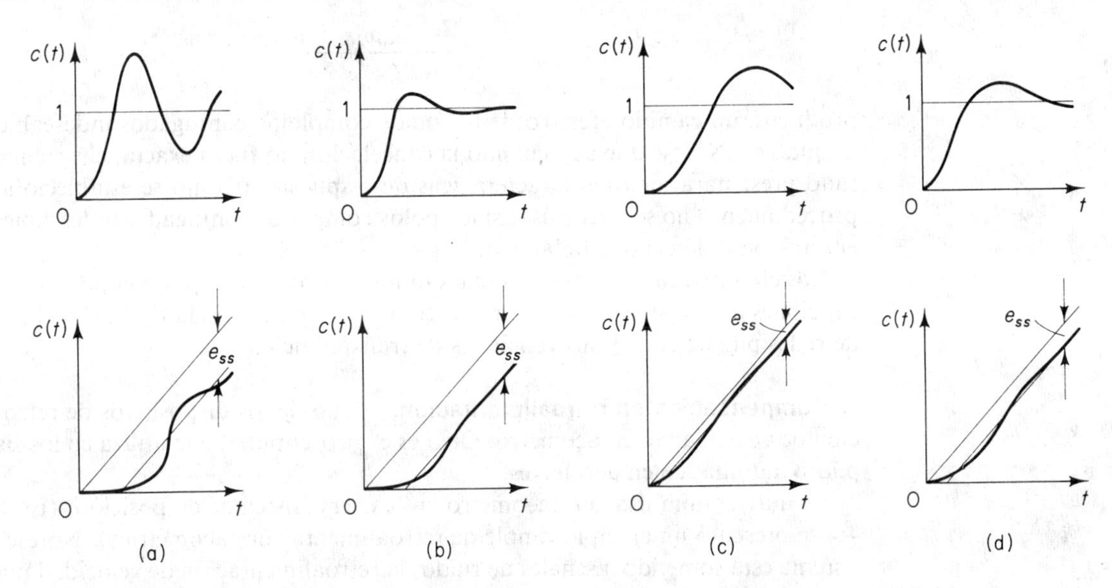


**Figura 7-61** Curvas de respuesta al escalón unitario y a la rampa unitaria. (a) Sistema no compensado; (b) sistema compensado en adelanto; (c) sistema compensado en atraso; (d) sistema compensado en atraso-adelanto.

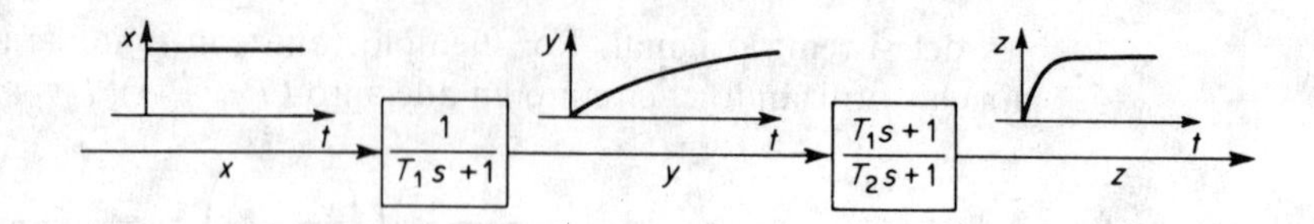


**Figura 7-62** Curvas de respuesta al escalón que muestran el efecto de cancelar una constante de tiempo grande.

mo siempre hay ruido de una u otra forma, no es deseable un sistema con función de transferencia unitaria. En muchos casos prácticos, un sistema ideal puede tener un par de polos dominantes de lazo cerrado complejos conjugados, con una relación de amortiguamiento y una frecuencia natural no amortiguada razonables. La determinación de la parte significativa de la configuración de polos y ceros de lazo cerrado, tal como la ubicación de los polos dominantes de lazo cerrado, está basada en las especificaciones del comportamiento requerido del sistema.

**Cancelación de polos complejos conjugados indeseables.** Si la función de transferencia de una planta contiene uno o más pares de polos complejos conjugados, entonces un compensador en adelanto, atraso o atraso-adelanto puede no dar resultados satisfactorios. En tal caso, se podría utilizar una red con dos ceros y dos polos. Si se eligen los ceros de modo que cancelen los polos complejos conjugados indeseables de la planta, éstos se pueden remplazar por otros polos aceptables. Es decir, si los polos complejos conjugados indeseables están en el semiplano izquierdo del plano $s$ y son de la forma

$$\frac{1}{s^2 + 2\zeta_1\omega_1 s + \omega_1^2}$$

entonces la inserción de una red compensadora con la función de transferencia

$$\frac{s^2 + 2\zeta_1\omega_1 s + \omega_1^2}{s^2 + 2\zeta_2\omega_2 s + \omega_2^2}$$

producirá un cambio efectivo de los polos complejos conjugados indeseables a polos aceptables. Nótese que aun cuando la cancelación no fuera exacta, el sistema compensado presentará mejores características de respuesta. (Como se estableció antes, este procedimiento no se puede usar si los polos complejos conjugados indeseables están en el semiplano derecho del plano $s$).

Los circuitos en puente-$T$ son redes familiares formados por componentes $RC$ cuyas funciones de transferencia poseen dos ceros y dos polos. En la figura 7-63 hay ejemplos de redes puente en $T$ y sus funciones de transferencia.

**Compensación en retroalimentación.** Uno de los dispositivos de retroalimentación de velocidad es el tacómetro. Otro es el giroscopio que se utiliza en los sistemas de piloto automático en aeronaves.

Es muy común usar un tacómetro en los servosistemas de posición. (En la sección 4-4 se presentó un ejemplo simple de retroalimentación tacométrica). Nótese que, si el sistema está sometido a señales de ruido, la retroalimentación de velocidad puede generar alguna dificultad si se realiza una diferenciación de la señal de salida. (El resultado es la acentuación de los efectos del ruido).

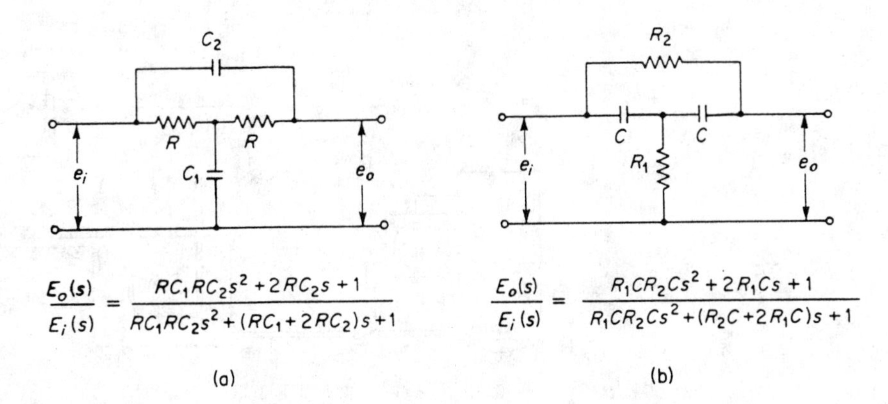


**Figura 7-63**
Circuitos en puente *T*.

**Eliminación de los efectos indeseables de perturbaciones por medio del control prealimentado.** Si las perturbaciones son medibles, el control prealimentado es un método útil para cancelar sus efectos en la salida del sistema. Con un control prealimentado, se cancelan los efectos indeseables de perturbaciones medibles al compensarlos aproximadamente antes que se materialicen. Esto es una ventaja, porque, en el control de retroalimentación, la acción correctiva comienza cuando la salida ya ha sido afectada.

Como ejemplo, considere el caso del sistema de control de temperatura de la figura 7-64(a). En este sistema, se desea mantener la temperatura de salida en un valor constante. La perturbación en este sistema es un cambio en el gasto de entrada, que depende del nivel en la torre. El efecto de un cambio en el gasto no se puede percibir de inmediato en la salida debido a los atrasos producidos en el sistema.

El controlador de temperatura, que controla la entrada de calor al intercambiador de calor, no actuará hasta que se presente un error. Si el sistema incluye grandes retardos, tomará algún tiempo antes que se inicie una acción correctiva. De hecho, cuando aparece el error tras cierto retardo y comienza la acción correctiva, ya puede ser tarde para mantener la temperatura de salida dentro de los límite deseados.

Si a un sistema con estas características se le proporciona control prealimentado, tan pronto se produce un cambio en el gasto de entrada, se genera, simultáneamente, una acción correctiva, ajustando la entrada de calor al intercambiador de calor. Esto se puede hacer alimentando al controlador de temperatura tanto con la señal del medidor de flujo, como con la señal del elemento medidor de temperatura.

El control prealimentado puede minimizar el error transitorio, pero como es un control de lazo abierto, hay limitaciones en su exactitud funcional. El control prealimentado no cancelará los efectos de las perturbaciones no medibles bajo condiciones normales de operación. Es necesario, en consecuencia, que un sistema de control prealimentado incluya un lazo de retroalimentación, como se muestra en las figuras 7-64(a) y (b).

De hecho, el control prealimentado minimiza el error transitorio producido por perturbaciones medibles, mientras que el control de retroalimentado compensa las imperfecciones en el funcionamiento del control prealimentado y provee correcciones para las perturbaciones no medibles.

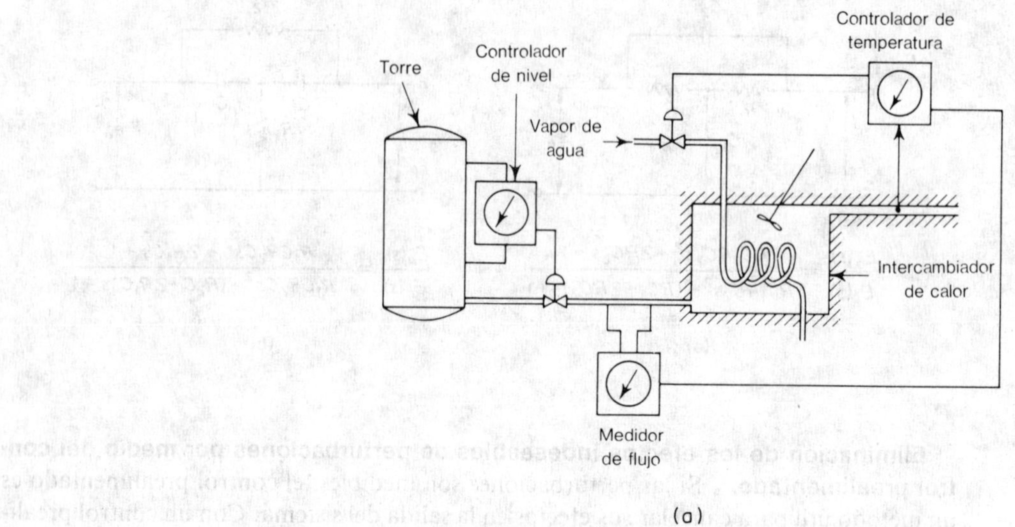


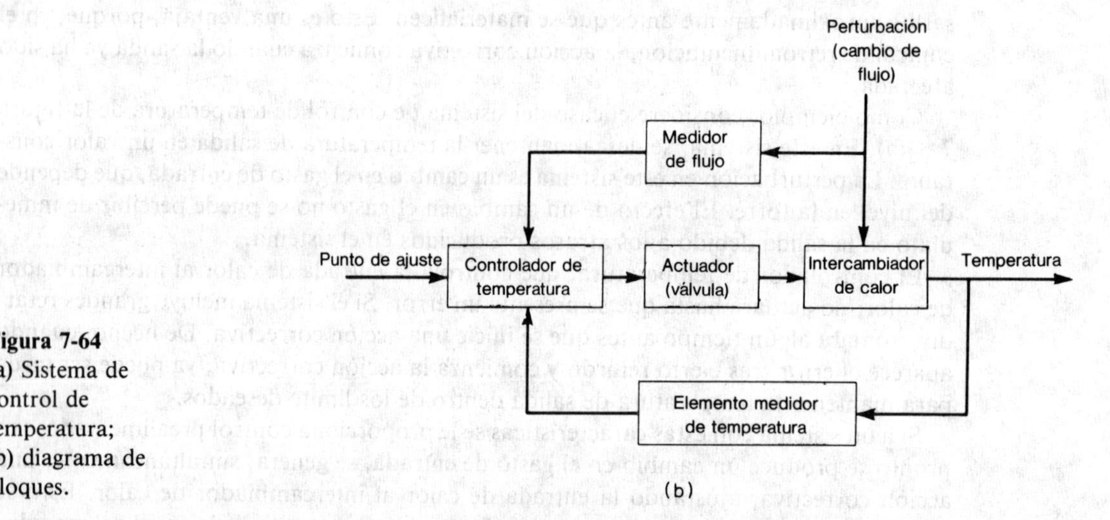


**Figura 7-64**
(a) Sistema de control de temperatura; (b) diagrama de bloques.

**Control de prealimentado de una planta.** Considere el sistema de la figura 7-65. Suponga que la función de transferencia de la planta $G(s)$ y la función de transferencia de la perturbación $G_n(s)$ son conocidas. Se ilustrará un método para determinar una función de transferencia de perturbación adecuada $G_1(s)$. Como la salida $C(s)$ está dada por

$$C(s) = G_c(s)G(s)E(s) + G_n(s)N(s)$$

donde

$$E(s) = R(s) - C(s) + G_1(s)N(s)$$

se obtiene

$$C(s) = G_c(s)G(s)[R(s) - C(s)] + [G_c(s)G(s)G_1(s) + G_n(s)]N(s) \qquad (7\text{–}19)$$

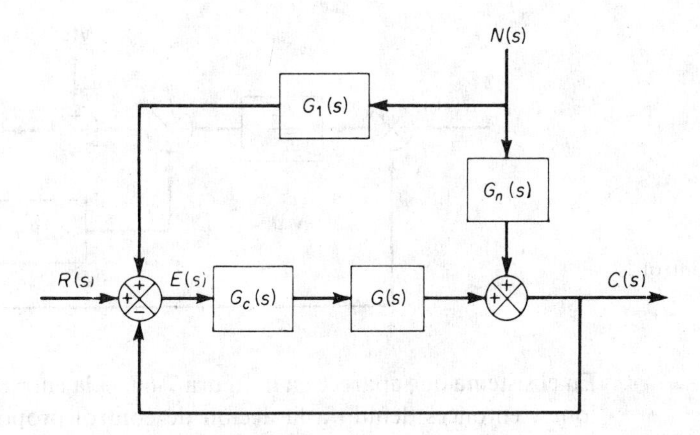


**Figura 7-65**
Sistema de control.

La ecuación (7-19) da la salida $C(s)$ en términos de $[R(s) - C(s)]$ y la perturbación $N(s)$.

Como es cierto en cualquier caso, la función de transferencia del controlador $G_c(s)$ está diseñada para satisfacer las especificaciones requeridas del sistema en ausencia de perturbaciones. La función de transferencia prealimentada de la perturbación $G_1(s)$ se determina de tal forma que los efectos de $N(s)$ sean eliminados en la salida $C(s)$. Es decir, se ajusta el coeficiente de $N(s)$ en la ecuación (7-19) igual a cero, o

$$G_c(s)G(s)G_1(s) + G_n(s) = 0 \tag{7-20}$$

Como $G_c(s)$ se diseña antes de determinar $G_1(s)$, $G_c(s)$ es una función de transferencia conocida en la ecuación (7-20). Así, la función de transferencia de la perturbación $G_1(s)$ se puede determinar resolviendo la ecuación (7-20) para hallar $G_1(s)$, o bien

$$G_1(s) = -\frac{G_n(s)}{G_c(s)G(s)}$$

**Dos tipos de configuraciones de control PID de plantas.** En la figura 7-66 se muestra la configuración básica del sistema controlado PID. Sin la perturbación de entrada $n(t)$, la función de transferencia de lazo cerrado $C(s)/R(s)$ es

$$\frac{C(s)}{R(s)} = \frac{K_p\left(1 + \frac{1}{T_i s} + T_d s\right)G_p(s)}{1 + K_p\left(1 + \frac{1}{T_i s} + T_d s\right)G_p(s)} \tag{7-21}$$

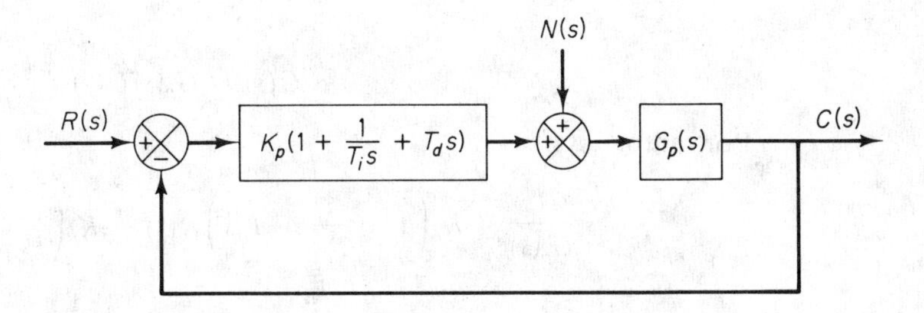


**Figura 7-66**
Configuración básica de un sistema con control PID.

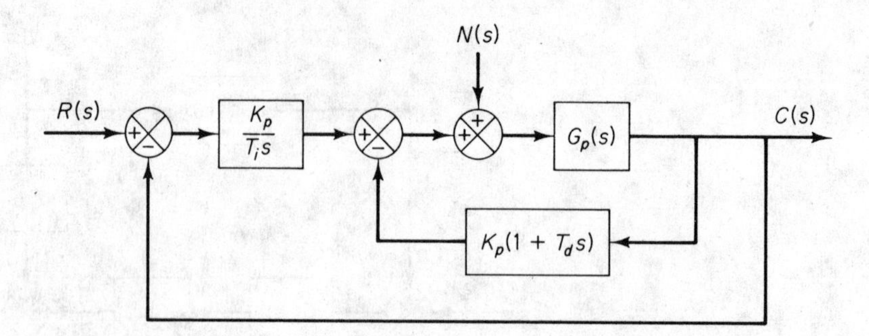


**Figura 7-67**
Sistema con control I-PD.

En el sistema que aparece en la figura 7-66, si la entrada de referencia $r(t)$ varía en escalones, entonces debido a la acción de control proporcional y derivativa, la señal de control tendrá un cambio brusco en la forma de la función escalón y en la del impulso. Ese cambio puede producir efectos de saturación no deseables en la señal de control.

En la figura 7-67 se muestra un diagrama de bloques de un sistema con control PID en el que la entrada de referencia se transmite a través de un paso de integración y los controles proporcional y derivativo actúan sobre la señal de retroalimentación. Con esta configuración se pueden evitar grandes cambios en señales de control debido a las acciones de control proporcional y de control derivativo cuando hay un cambio brusco en la entrada de referencia. La configuración que se muestra en la figura 7-67 es diferente y se denomina *control I-PD.*

En ausencia de la perturbación de entrada $n(t)$, la función de transferencia de lazo cerrado $C(s)/R(s)$ del sistema con control I-PD es

$$\frac{C(s)}{R(s)} = \frac{\dfrac{K_p}{T_i s} G_p(s)}{1 + K_p\left(1 + \dfrac{1}{T_i s} + T_d s\right) G_p(s)} \tag{7–22}$$

Nótese la diferencia en los numeradores de $C(s)/R(s)$ en las ecuaciones (7-21) y (7-22).

Es importante puntualizar que el sistema con control PID que se presenta en la figura 7-66 equivale al sistema controlado I-PD con prealimentación de la entrada de referencia, como aparece en la figura 7-68. Para verificar esto, se obtendrá la función de transferencia de lazo cerrado $C(s)/R(s)$ para el sistema de la figura 7-68. En ausencia de $n(t)$ se tiene

$$U(s) = K_p(1 + T_d s)R(s) + \frac{K_p}{T_i s}[R(s) - C(s)] - K_p(1 + T_d s)C(s)$$

y

$$C(s) = G_p(s)U(s)$$

Por tanto,

$$\frac{C(s)}{G_p(s)} = K_p\left(1 + \frac{1}{T_i s} + T_d s\right)R(s) - K_p\left(1 + \frac{1}{T_i s} + T_d s\right)C(s)$$

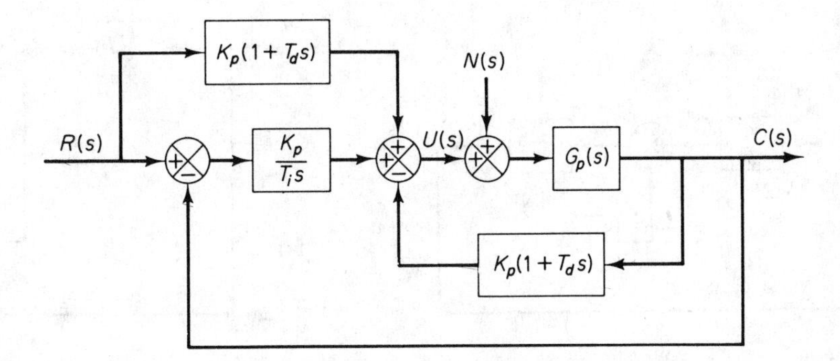


**Figura 7-68** Sistema con control I-PD prealimentado.

de donde se obtiene

$$\frac{C(s)}{R(s)} = \frac{K_p\left(1 + \frac{1}{T_i s} + T_d s\right) G_p(s)}{1 + K_p\left(1 + \frac{1}{T_i s} + T_d s\right) G_p(s)}$$

Esta última ecuación es igual a la (7-21), la función de transferencia de lazo cerrado $C(s)/R(s)$ del sistema que se ve en la figura 7-66.

**Comentarios.** La idea básica del control I-PD es evitar grandes señales de control (que pueden producir el fenómeno de saturación) dentro del sistema. Llevando las acciones de control proporcional y derivativo a la trayectoria de retroalimentación, se pueden elegir valores más elevados para $K_p$ y $T_d$ que aquellos en un esquema de control PID.

Considere la respuesta del sistema con control I-PD ante la entrada de referencia. Como el control PID equivale al sistema con control I-PD con control prealimentado, el sistema con control PID tendrá respuestas más rápidas que el sistema con control I-PD correspondiente, siempre que no se produzca el fenómeno de saturación dentro del sistema.

**Extensión de la configuración de control I-PD al control integral con retroalimentación de estado.** En la figura 7-69(a) se muestra un sistema de control que incluye acción de control integral y retroalimentación de estado. La configuración de control que se ve en la figura 7-69(a) es una extensión de la configuración de control I-PD de la figura 7-67. La configuración de control que se ve en la figura 7-69(a) es superior a la que aparece en la figura 7-67 cuando $G_p(s)$ es de una planta de orden superior. Es decir, en el sistema de la figura 7-67, se pueden especificar los polos dominantes de lazo cerrado (especifica $\zeta$ y $\omega_n$), pero no otros polos de lazo cerrado. Por otro lado, en el caso del sistema que aparece en la figura 7-69(a), es posible especificar todos los polos de lazo cerrado.

Si la planta $G_p(s)$ es de $n$-ésimo orden, entonces el vector de estado es de $n$ dimensiones y el vector de ganancia $\mathbf{K}$ se determina

$$\mathbf{K} = [k_1\ k_2\ \dots\ k_n]$$

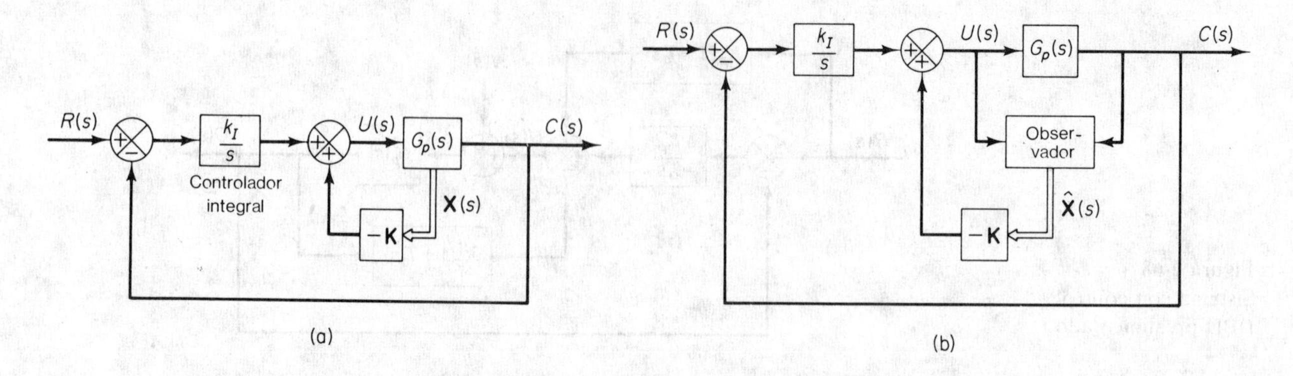


**Figura 7-69** (a) Control integral con retroalimentación del estado; (b) control integral con retroalimentación del estado observado.

de modo que los parámetros de diseño sean $k_1$ y $k_1, k_2, \ldots, k_n$. De esta forma, hay que determinar $n + 1$ parámetros. Esto significa que se puede lograr un control más fino si se especifican los polos de lazo cerrado. Sin embargo, el esquema de control en este caso es mucho más complejo que en el control I-PD.

En la mayoría de las situaciones prácticas, puede no ser posible medir todas las variables de estado. Entonces se necesita un observador. [Un observador es un dispositivo que genera un vector de estado estimado $\hat{\mathbf{x}}(t)$. [Para detalles sobre el observador, ver capítulo 10]. En lugar del vector de estado $\mathbf{x}(t)$ para retroalimentación, se usa el estado observado (estado estimado) $\hat{\mathbf{x}}(t)$ para este fin. En la figura 7-69(b) se muestra un diagrama de bloques del sistema modificado para emplear un observador. (En el capítulo 10 se presenta el diseño de controladores basado en el control integral con retroalimentación de estado o de estado observado).

**Conclusiones.** En los ejemplos de diseño presentados en este capítulo, se han considerado solamente las funciones de transferencia de compensadores. En problemas de diseño reales, se debe seleccionar el equipo. Por tanto, se deben satisfacer las condiciones de diseño restantes, tales como costo, tamaño, peso y confiabilidad.

El sistema diseñado puede cumplir con las especificaciones bajo condiciones normales de funcionamiento, pero puede desviarse considerablemente de las especificaciones cuando los cambios ambientales son considerables. Como los cambios ambientales afectan la ganancia y las constantes de tiempo del sistema, se necesitan medios manuales o automáticos para ajustar la ganancia y compensar esos cambios ambientales, los efectos de no linealidades que no fueron tomados en cuenta en el diseño y también para compensar las tolerancias de manufactura entre unidades en la producción de componentes del sistema. (Los efectos de tolerancias de manufactura se suprimen en un sistema de lazo cerrado; por lo tanto los efectos pueden no ser críticos en funcionamiento de lazo cerrado, pero sí en operación de lazo abierto). Además de esto, el diseñador debe recordar que cualquier sistema está sujeto a pequeñas variaciones debidas principalmente al deterioro normal del sistema.

## *Ejemplos de problemas y soluciones*

**A-7-1.** Muestre que la red de adelanto y la red de atraso insertadas en cascada en un lazo abierto actúan como control proporcional y derivativo (en la región de ω pequeña) y control proporcional e integral (en la región de ω grande), respectivamente.

**Solución.** En la región de ω pequeña, el diagrama polar de la red de adelanto es aproximadamente igual a la del controlador proporcional y derivativo. Esto se puede ver en la figura 7-70(a).

En forma similar, en la región de ω grande, el diagrama polar de la red de atraso se aproxima a la del controlador proporcional e integral, como se ve en la figura 7-70(b).

**A–7–2.** Considere el sistema con la siguiente función de transferencia de lazo abierto:

$$G(s)H(s) = \frac{K(s + z)}{(s + p_1)(s + p_2)} \qquad (K \geq 0, p_1 > p_2 > 0, z > 0)$$

Examine el lugar de las raíces para el sistema en los tres casos siguientes:

Caso 1: $z > p_1 > p_2$
Caso 2: $p_1 > p_2 > z$
Caso 3: $p_1 > z > p_2$

**Solución.** Para el caso 1, los puntos de ruptura (punto de partida y punto de llegada) se pueden determinar como sigue: Como la ecuación característica del sistema es

$$(s + p_1)(s + p_2) + K(s + z) = 0$$

o bien

$$K = -\frac{(s + p_1)(s + p_2)}{s + z}$$

las raíces de $dK/ds = 0$ se pueden hallar de

$$(s + p_1)(s + p_2) - (2s + p_1 + p_2)(s + z) = 0$$

como sigue:

$$s = -z \pm \sqrt{(z - p_1)(z - p_2)} \tag{7–23}$$

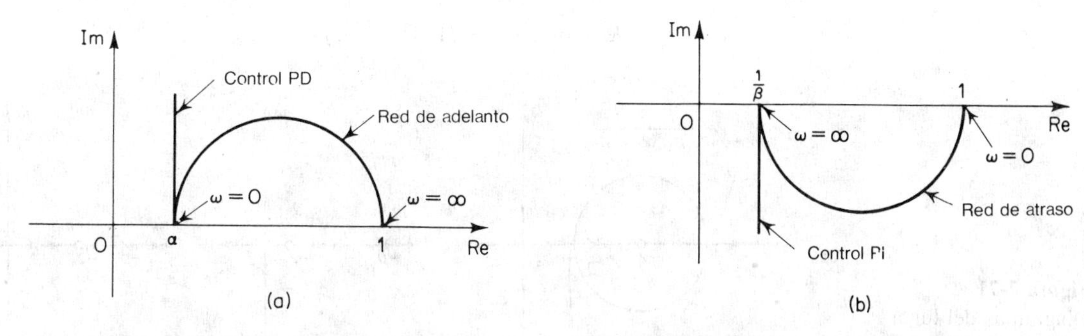


**Figura 7-70** (a) Diagramas polares de una red en adelanto con control proporcional y derivativo; (b) diagramas polares de una red en atraso y un controlador proporcional e integral.

Como $z > p_1 > p_2$, la cantidad bajo el radical es de signo positivo. El valor de $K$ correspondiente a $s = -z + \sqrt{(z - p_1)(z - p_2)}$ es

$$K = (\sqrt{z - p_1} - \sqrt{z - p_2})^2 > 0$$

En forma similar, el valor de $K$ correspondiente a $s = -z - \sqrt{(z - p_1)(z - p_2)}$ es

$$K = (\sqrt{z - p_1} + \sqrt{z - p_2})^2 > 0$$

Entonces, tanto $s = -z + \sqrt{(z - p_1)(z - p_2)}$ como $s = -z - \sqrt{(z - p_1)(z - p_2)}$ son puntos de ruptura (un punto de ruptura de partida y un punto de ruptura de llegada).

Para el caso 2, aunque el argumento de las raíces cuadrada en la ecuación (7-23) es positivo y por lo tanto los valores de $s$ dados por la ecuación (7-23) son reales, los valores correspondientes de $K$ se hacen negativos, pues

$$K = -(\sqrt{p_1 - z} \pm \sqrt{p_2 - z})^2 < 0$$

Esto significa que para el caso 2 los puntos dados por la ecuación (7-23) no son puntos de ruptura y por lo tanto no hay puntos de ruptura.

Para el caso 3, el argumento de las raíces cuadrada en la ecuación (7-23) se hace negativo, lo que significa que los puntos dados por la ecuación (7-23) son complejos conjugados. Como los puntos de ruptura de partida y de llegada, si existen, deben estar sobre el eje real en el ejemplo actual, los puntos dados por la ecuación (7-23) no son puntos de ruptura. Por lo tanto, en el caso 3 no hay puntos de ruptura y el lugar de las raíces son dos segmentos del eje real negativo.

La figura 7-71 muestra los diagramas del lugar de las raíces correspondientes a los tres casos considerados.

**A-7-3.** Considere el sistema que se ve en la figura 7-72(a). Trace un diagrama del lugar de las raíces para el sistema. Determine el valor de $K$ tal que la relación de amortiguamiento $\zeta$ de los polos dominantes de lazo cerrado sea 0.5. Luego determine todos los polos de lazo cerrado.

**Solución.** Los polos de lazo abierto están ubicados en $s = 0$, $s = -2 + j1$, y $s = -2 - j1$. En la figura 7-22(b) se puede ver el diagrama del lugar de las raíces. En el plano complejo la relación de amortiguamiento $\zeta = 0.5$ corresponde a líneas rectas con ángulos $\pm 60°$ con el eje real negativo. Las intersecciones de las líneas de $\zeta = 0.5$ con las ramas del lugar de las raíces con asíntotas en las direcciones de $\pm 60°$ dan un par de polos complejos conjugados de lazo cerrado. Las intersecciones están ubicadas en $s = -0.63 \pm j1.09$. El valor de la ganancia $K$ se puede obtener utilizando la condición de magnitud como se indica:

$$K = |s(s + 2 + j1)(s + 2 - j1)|_{s=-0.63+j1.09} = 4.32$$

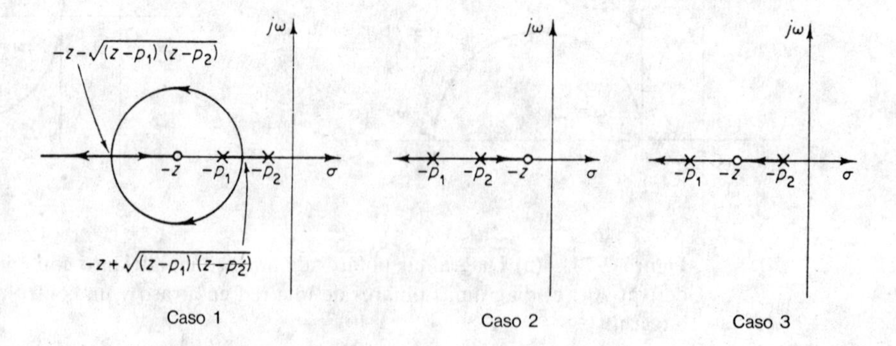


**Figura 7-71** Diagramas del lugar de las raíces del sistema del problema A-7-2.

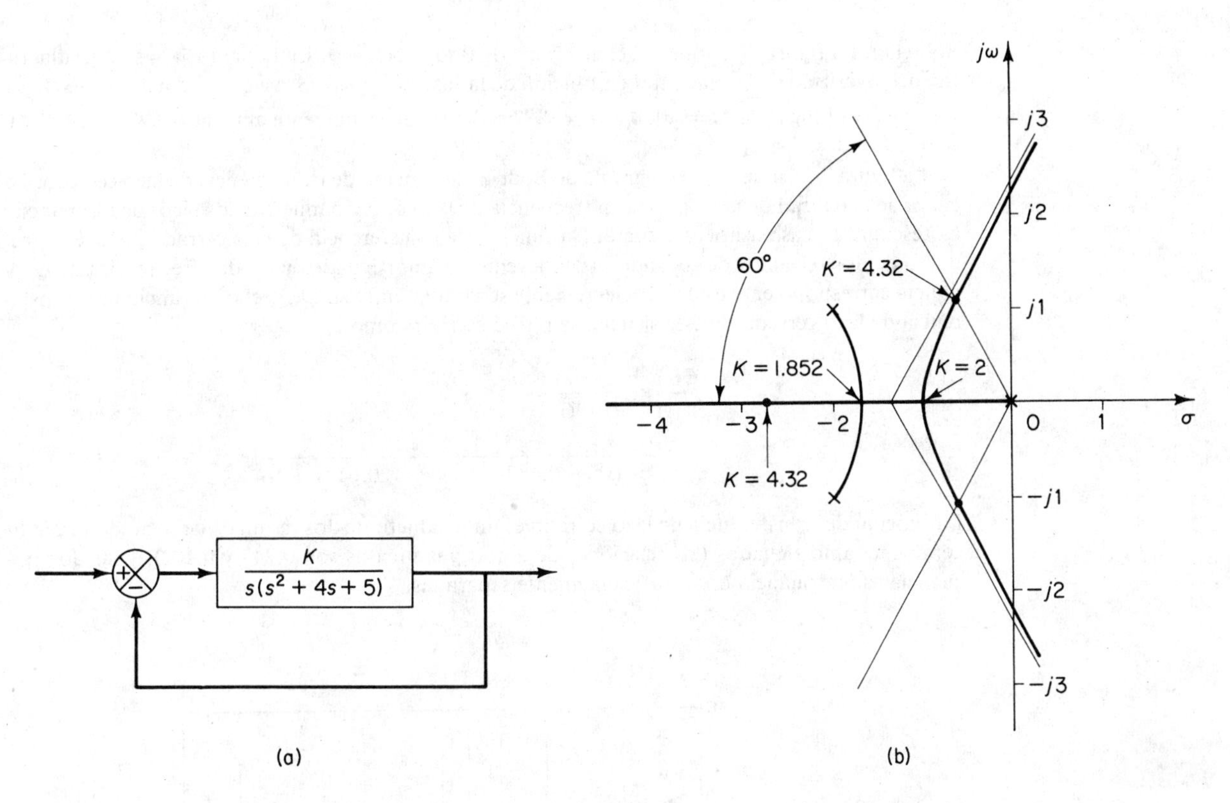


**Figura 7-72** a) Sistema de control; (b) diagrama del lugar de las raíces.

Como el sistema es de tercer orden, hay tres polos de lazo cerrado. El tercer polo (polo real) se puede determinar el dividir la ecuación característica

$$s^3 + 4s^2 + 5s + 4.32 = 0$$

por el producto de los polos dominantes de lazo cerrado; es decir

$$(s + 0.63)^2 + 1.09^2 = s^2 + 1.26s + 1.585$$

El cociente es $s + 2.74$. Por tanto, los tres polos de lazo cerrado están ubicados en

$$s = -0.63 + j1.09, \qquad s = -0.63 - j1.09, \qquad s = -2.74$$

**A-7-4.** Si la función de transferencia de lazo abierto $G(s)$ incluye polos complejos conjugados ligeramente amortiguados, entonces más de un lugar $M$ puede ser tangente al diagrama de $G(j\omega)$. Considere el sistema con retroalimentación unitaria cuya función de transferencia de lazo abierto es

$$G(s) = \frac{9}{s(s + 0.5)(s^2 + 0.6s + 10)} \qquad (7\text{–}24)$$

Trace el diagrama de Bode para esta función de transferencia de lazo abierto. Trace también el diagrama del logaritmo de la magnitud en función de la fase y muestre que los lugares $M$ son tangentes al diagrama de $G(j\omega)$. Finalmente, represente el diagrama de Bode para la función de transferencia de lazo cerrado.

**Solución.** La figura 7-73 muestra el diagrama de Bode de $G(j\omega)$. En la figura 7-74 se ve el diagrama del logaritmo de la magnitud en función de la fase de $G(j\omega)$. Se ve que el diagrama de $G(j\omega)$ es tangente al lugar de $M = 8$ db a $\omega = 0.97$ rad/s y que es tangente al lugar de $M = -4$ db en $\omega = 2.8$ rad/s.

La figura 7-75 muestra el diagrama de Bode de la función de transferencia de lazo cerrado. La curva de magnitud de la respuesta en frecuencia de lazo cerrado muestra dos picos de resonancia. Nótese que un caso así ocurre cuando la función de transferencia de lazo cerrado incluye el producto de dos términos de segundo orden levemente amortiguados y las dos frecuencias de resonancia correspondiente están suficientemente separadas entre sí. De hecho, la función de transferencia de lazo cerrado de este sistema se puede escribir como

$$\frac{C(s)}{R(s)} = \frac{G(s)}{1 + G(s)}$$

$$= \frac{9}{(s^2 + 0.487s + 1)(s^2 + 0.613s + 9)}$$

La función de transferencia de lazo cerrado es un producto de dos términos de segundo orden ligeramente amortiguados (las relaciones de amortiguamientos son 0.243 y 0.102), y las dos frecuencias de resonancia están suficientemente separadas.

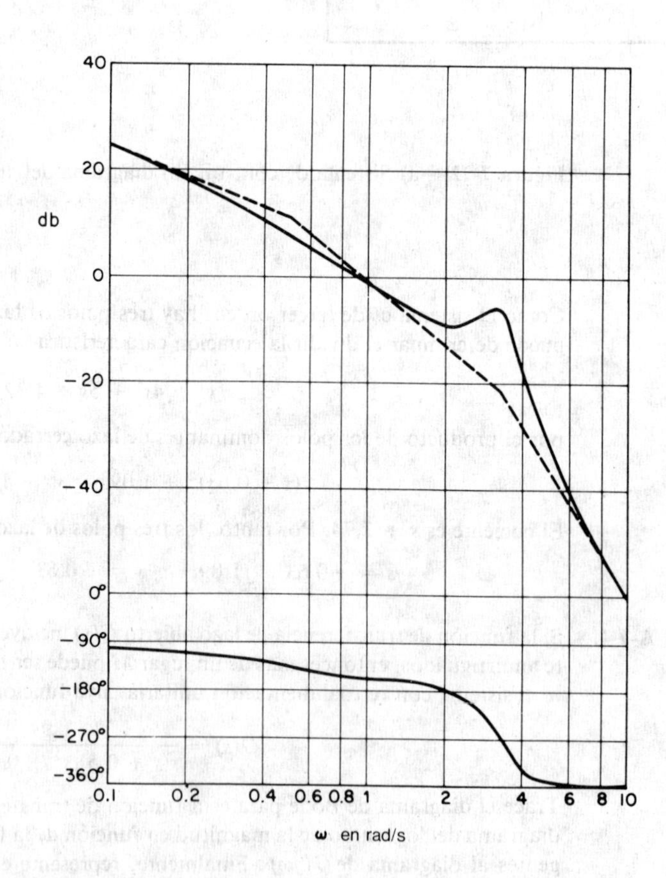


**Figura 7-73**
Diagrama de Bode de $G(j\omega)$ dado por la ecuación (7-24).

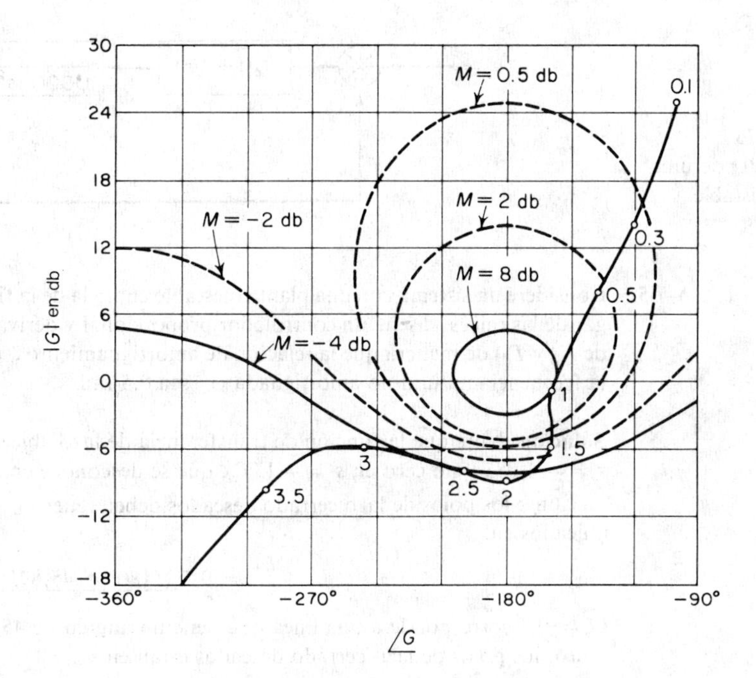


**Figura 7-74** Diagrama del logaritmo de la magnitud en función de la fase de $G(j\omega)$ dado por la ecuación (7-24).

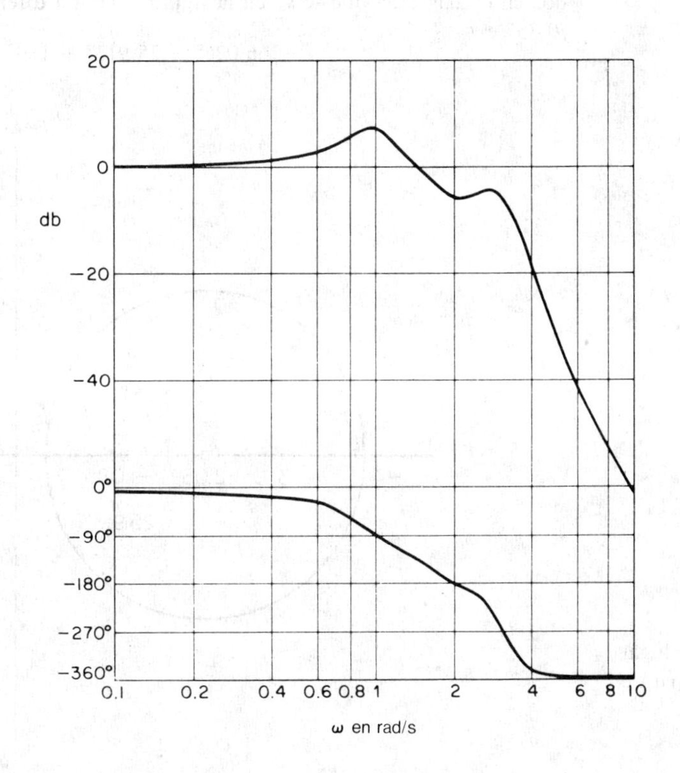


**Figura 7-75** Diagrama de Bode de $G(j\omega)/[1 + G(j\omega)]$ donde $G(j\omega)$ está dado por la ecuación (7-24).

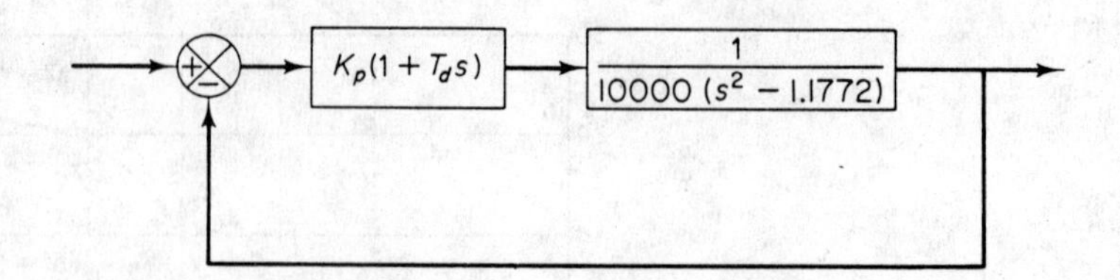


**Figura 7-76**
Control PD de una planta inestable.

**A-7-5.** Considere un sistema con una planta inestable como la de la figura 7-76. Usando el método del lugar de las raíces, diseñe un controlador proporcional y derivativo (es decir, determine los valores de $K_p$ y $T_d$) de manera que la relación de amortiguamiento $\zeta$ del sistema de lazo cerrado sea 0.7 y la frecuencia natural no amortiguada $\omega_n$ sea 0.5 rad/s.

**Solución**. Note que la función de transferencia de lazo abierto incluye dos polos en $s = 1.085$ y $s = -1.085$ y un cero en $s = -1/T_d$, que se desconoce en este momento.

Como los polos de lazo cerrado deseados deben tener $\omega_n = 0.5$ rad/s y $\zeta = 0.7$, deben estar ubicados en

$$s = 0.5 \underline{/180° \pm 45.573°}$$

($\zeta = 0.7$ corresponde a una línea que tiene un ángulo de 45.573° con el eje real negativo). Por tanto, los polos de lazo cerrado deseados están en

$$s = 0.35 \pm j0.357$$

Los polos de lazo abierto y el polo de lazo cerrado deseado en el semiplano superior están colocados en el diagrama que se ve en la figura 7-77. La diferencia angular en el punto $s = 0.35 + j0.357$ es

$$-166.026° - 25.913° + 180° = -11.938°$$

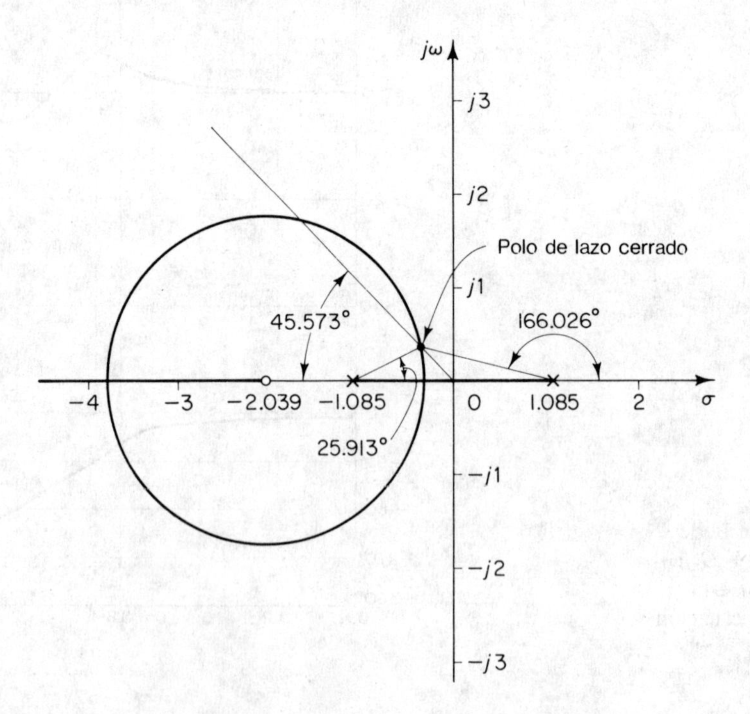


**Figura 7-77**
Diagrama del lugar de las raíces para el sistema de la Fig. 7-76.

Esto significa que el cero en $s = -1/T_d$ debe contribuir 11.938°, que a su vez determina la ubicación del cero como sigue:

$$s = -\frac{1}{T_d} = -2.039$$

Por tanto, se tiene

$$K_p(1 + T_d s) = K_p T_d\left(\frac{1}{T_d} + s\right) = K_p T_d(s + 2.039)$$

El valor de $T_d$ es

$$T_d = \frac{1}{2.039} = 0.4904$$

Se puede determinar el valor de la ganancia $K_p$ de la condición de magnitud como se indica:

$$\left|K_p T_d \frac{s + 2.039}{10000(s^2 - 1.1772)}\right|_{s = -0.35 + j0.357} = 1$$

o bien

$$K_p T_d = 6999.5$$

Por tanto

$$K_p = \frac{6999.5}{0.4904} = 14{,}273$$

Y entonces

$$K_p(1 + T_d s) = 14{,}273(1 + 0.4904s) = 6999.5(s + 2.039)$$

**A–7–6.** Considere el sistema que aparece en la figura 7-78. Diseñe un compensador en adelanto tal que el sistema de lazo cerrado tenga un margen de fase de 50° y un margen de fase no menor a 10 db. Suponga que

$$G_c(s) = K_c\alpha\left(\frac{Ts + 1}{\alpha Ts + 1}\right) \qquad (0 < \alpha < 1)$$

Se desea que el ancho de banda del sistema de lazo cerrado sea $1 \sim 2$ rad/s. ¿Cuáles son los valores de $M_r$ y $\omega_r$ del sistema compensado?

**Solución.** Note que

$$G_c(j\omega)G(j\omega) = K_c\alpha\left(\frac{Tj\omega + 1}{\alpha Tj\omega + 1}\right)\frac{0.2}{(j\omega)^2(0.2j\omega + 1)}$$

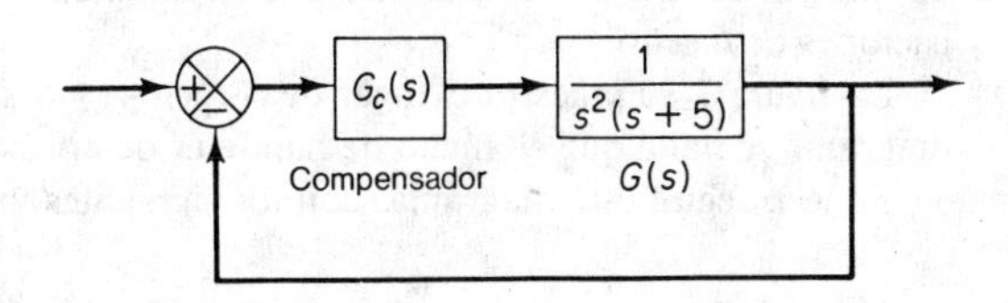


**Figura 7-78** Sistema de lazo cerrado.

Como el ancho de banda del sistema de lazo cerrado es cercano a la frecuencia de cruce de ganancia, ésta se elige como 1 rad/s. A $\omega = 1$, el ángulo de fase de $G(j\omega)$ es 191.31°. Por tanto la red en adelanto debe proveer 50° + 11.31° = 61.31° a $\omega = 1$. Entonces, $\alpha$ se puede determinar de

$$\operatorname{sen}\phi_m = \operatorname{sen} 61.31° = \frac{1-\alpha}{1+\alpha} = 0.8772$$

como sigue:

$$\alpha = 0.06541$$

Nótese que el ángulo de fase en adelanto máximo $\phi_m$ se produce en la media geométrica de las dos frecuencias de cruce, se tiene

$$\omega_m = \sqrt{\frac{1}{T}\frac{1}{\alpha T}} = \frac{1}{\sqrt{\alpha}\,T} = \frac{1}{\sqrt{0.06541}\,T} = \frac{3.910}{T} = 1$$

Entonces

$$\frac{1}{T} = \frac{1}{3.910} = 0.2558$$

y

$$\frac{1}{\alpha T} = \frac{0.2558}{0.06541} = 3.910$$

Por tanto

$$G_c(j\omega)G(j\omega) = 0.06541K_c\frac{3.910j\omega + 1}{0.2558j\omega + 1}\frac{0.2}{(j\omega)^2(0.2j\omega + 1)}$$

o bien

$$\frac{G_c(j\omega)G(j\omega)}{0.06541\,K_c} = \frac{3.910j\omega + 1}{0.2558j\omega + 1}\frac{0.2}{(j\omega)^2(0.2j\omega + 1)}$$

En la figura 7-79 hay un diagrama de Bode para $G_c(j\omega)G(j\omega)/(0.06541\,K_c)$. Por simple cálculo (o utilizando el diagrama de Bode), se halla que la curva de magnitud se debe elevar en 2.306 db de modo que la magnitud alcance 0 db a $\omega = 1$ rad/s. Entonces se establece que

$$20\log 0.06541\,K_c = 2.306$$

o bien

$$0.06541\,K_c = 1.3041$$

lo que da por resultado

$$K_c = 19.94$$

Las curvas de magnitud y de ángulo de fase del sistema compensado muestran que el sistema tiene un margen de fase de 50° y un margen de ganancia de 16 db. Por tanto, se satisfacen las especificaciones de diseño.

La figura 7-80 muestra el lugar de $G_c(j\omega)G(j\omega)$ sobrepuesto al diagrama de Nichols. De este diagrama se halla que el ancho de banda es de aproximadamente 1.9 rad/s. Los valores de $M_r$ y $\omega_r$ se leen según este diagrama, con los siguientes valores:

$$M_r = 2.13 \text{ db}, \qquad \omega_r = 0.58 \text{ rad/s}$$

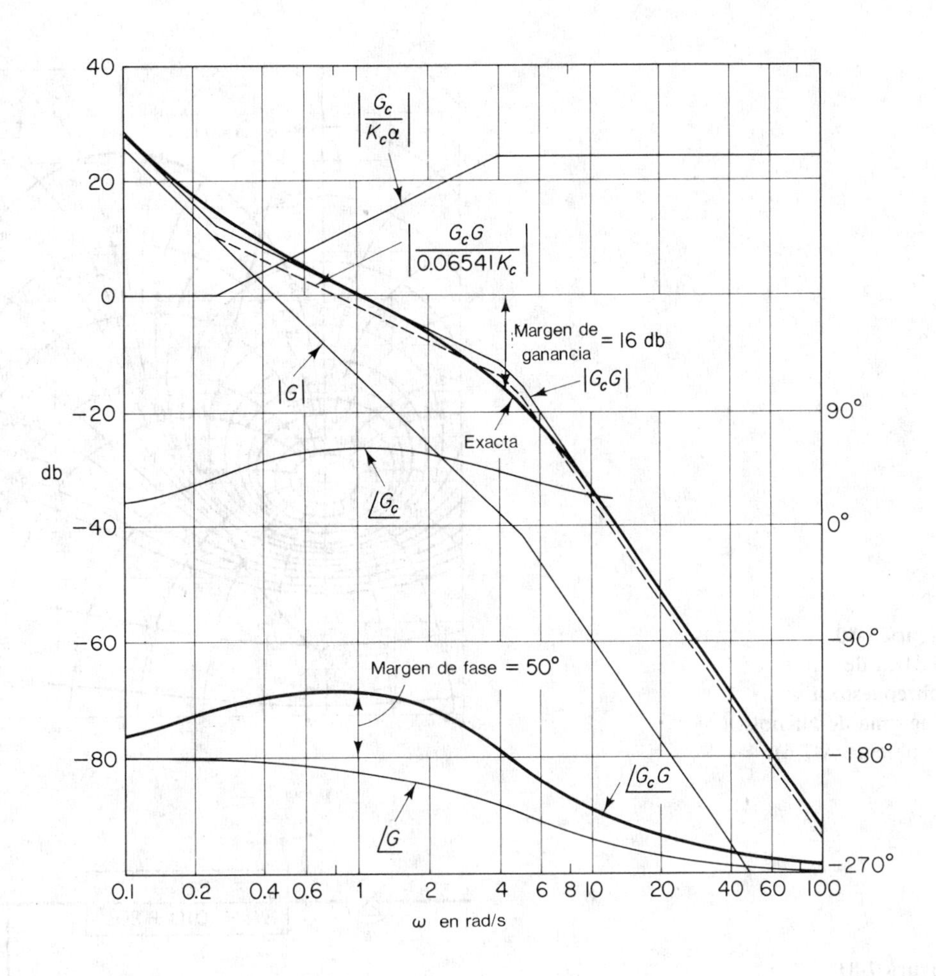


**Figura 7-79**
Diagrama de Bode del sistema de la Fig. 7-78.

**A-7-7.** Considere el sistema angular de posición que aparece en la figura 7-81. Los polos dominantes de lazo cerrado están ubicados en $s = -3.60 \pm j4.80$. La relación de amortiguamiento $\zeta$ de los polos dominantes de lazo cerrado es 0.6. El coeficiente de error estático de velocidad $K_v$ es 4.1 $s^{-1}$, lo que significa que para una entrada rampa de 360°/s, el error en estado estacionario al seguir la entrada rampa es

$$e_v = \frac{\theta_i}{K_v} = \frac{360°/\text{seg}}{4.1\ \text{seg}^{-1}} = 87.8°$$

Se desea disminuir $e_v$ a un décimo de su valor actual, o incrementar el valor del coeficiente de error estático de velocidad $K_v$ a 41 $s^{-1}$. También se desea mantener la relación de amortiguamiento $\zeta$ de los polos dominantes de lazo cerrado en 0.6. Es posible un pequeño cambio en la frecuencia natural no amortiguada $\omega_n$. Diseñe un compensador en atraso para incrementar el coeficiente de error estático de velocidad en la forma deseada.

**Solución.** Como la ecuación característica del sistema no compensado es

$$s^3 + 30s^2 + 200s + 820 = 0$$

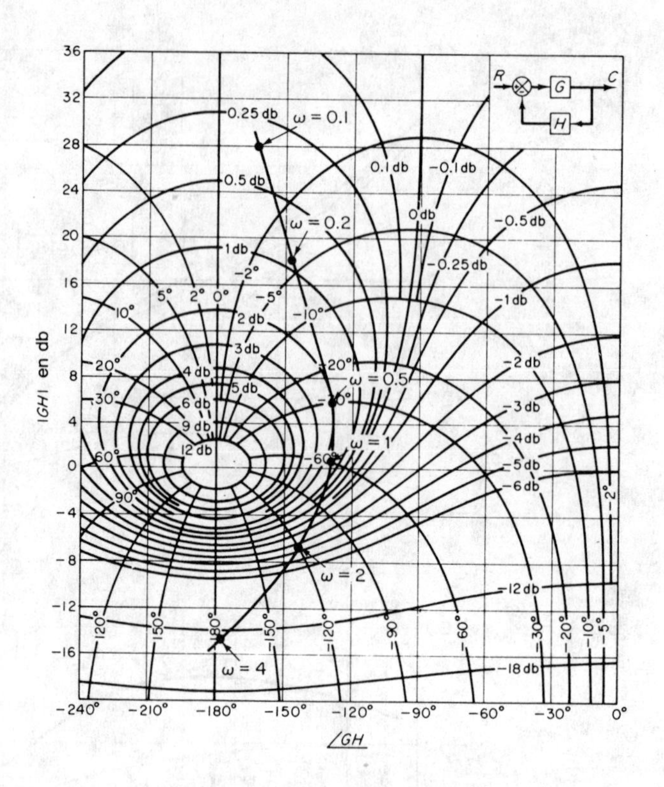


**Figura 7-80**
Gráfica de sobrepuesto a un diagrama de Nichols. (Problema A-7-6).

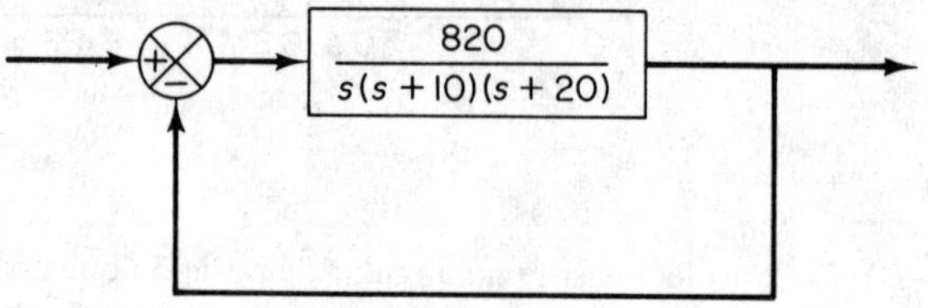

$$\frac{820}{s(s+10)(s+20)}$$

**Figura 7-81**
Sistema de posición angular.

el sistema no compensado tiene los polos de lazo cerrado en

$$s = -3.60 + j4.80, \qquad s = -3.60 - j4.80, \qquad s = -22.8$$

Para aumentar el coeficiente de error estático de velocidad desde 4.1 a 41 $s^{-1}$ sin modificar apreciablemente la ubicación de los polos dominantes de lazo cerrado, hay que insertar un compensador en atraso $G_c(s)$ cuyo polo y cero estén ubicados muy cerca del origen. Por ejemplo, se puede elegir

$$G_c(s) = 10\,\frac{Ts + 1}{10Ts + 1}$$

donde $T$ puede tener un valor de 4, o sea $T = 4$. Entonces el compensador en atraso es

$$G_c(s) = 10\,\frac{4s + 1}{40s + 1} = \frac{s + 0.25}{s + 0.025} \tag{7–25}$$

La contribución angular de esta red en atraso en $s = -3.60 + j4.80$ es $-1.77°$, lo que es aceptable en el presente problema.

La función de transferencia de lazo abierto del sistema compensado es

$$G_c(s)G(s) = \frac{s + 0.25}{s + 0.025} \frac{820}{s(s + 10)(s + 20)}$$
$$= \frac{820(s + 0.25)}{s(s + 0.025)(s + 10)(s + 20)}$$

Claramente, el coeficiente de error estático de velocidad $K_v$ para el sistema compensado es

$$K_v = \lim_{s \to 0} sG_c(s)G(s) = 41 \text{ seg}^{-1}$$

Nótese que debido a la adición del compensador en adelanto, el sistema compensado se hace de cuarto orden. La ecuación característica para el sistema compensado es

$$s^4 + 30.025s^3 + 200.75s^2 + 825s + 205 = 0$$

Los polos dominantes de lazo cerrado del sistema compensado se pueden hallar por las intersecciones del lugar de las raíces con las líneas correspondientes a $\zeta = 0.6$ en el plano complejo. (O simplemente por el método de prueba y corrección, que se puede utilizar notando que la relación de amortiguamiento de los polos complejos es 0.6). Los polos dominantes de lazo cerrado están ubicados en

$$s = -3.4868 + j4.6697, \qquad s = 3.4868 - j4.6697$$

Los otros dos polos de lazo cerrado están colocados en

$$s = -0.2648, \qquad s = -22.787$$

El polo de lazo cerrado en $s = -0.2648$ casi cancela al cero del compensador en atraso, $s = -0.25$. También, como el polo de lazo cerrado en $s = -22.787$ está ubicado mucho más lejos hacia la izquierda en comparación con los polos complejos conjugados de lazo cerrado, el efecto de este polo en la respuesta del sistema es muy pequeño. Por lo tanto, los polos de lazo cerrado en $s = -3.4868 \pm j4.6697$ son realmente los polos dominantes de lazo cerrado.

La frecuencia natural no amortiguada $\omega_n$ de los polos dominantes de lazo cerrado es

$$\omega_n = \sqrt{3.4868^2 + 4.6697^2} = 5.828 \text{ rad/seg}$$

Como el sistema no compensado tiene una frecuencia natural no amortiguada de 6 rad/s, el sistema compensado tiene un valor aproximadamente 3% menor, lo cual es aceptable. Por tanto el compensador en atraso de la ecuación (7-25) es satisfactorio.

**A-7-8.** Considere el sistema de la figura 7-82. Diseñe un compensador de atraso-adelanto de modo que el coeficiente de error estático de velocidad $K_v$ sea 50 $s^{-1}$ y la relación de amortiguamiento de los polos de lazo cerrado sea 0.5. (Se debe elegir el cero de la porción en adelanto del compensador en

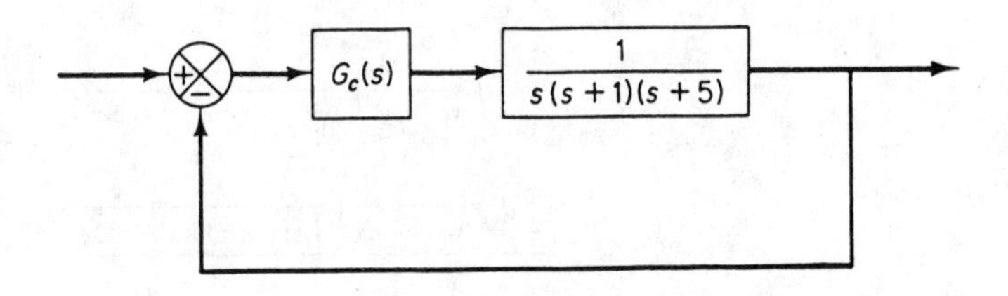


**Figura 7-82**
Sistema de control.

atraso-adelanto para cancelar el polo en $s = -1$ de la planta). Determine todos los polos dominantes de lazo cerrado del sistema compensado.

**Solución.** Se utilizará el compensador en atraso-adelanto dado por

$$G_c(s) = K_c \left( \frac{s + \frac{1}{T_1}}{s + \frac{\beta}{T_1}} \right) \left( \frac{s + \frac{1}{T_2}}{s + \frac{1}{\beta T_2}} \right) = K_c \frac{(T_1 s + 1)(T_2 s + 1)}{\left( \frac{T_1}{\beta} s + 1 \right) (\beta T_2 s + 1)}$$

donde $\beta > 1$. Entonces

$$\begin{aligned} K_v &= \lim_{s \to 0} sG_c(s)G(s) \\ &= \lim_{s \to 0} s \frac{K_c(T_1 s + 1)(T_2 s + 1)}{\left( \frac{T_1}{\beta} s + 1 \right) (\beta T_2 s + 1)} \frac{1}{s(s + 1)(s + 5)} \\ &= \frac{K_c}{5} \end{aligned}$$

La especificación de que $K_v = 50\ s^{-1}$ determina el valor de $K_c$, o sea

$$K_c = 250$$

Ahora se elige $T_1 = 1$ de modo que $s + (1/T_1)$ cancelará el término $(s + 1)$ de la planta. La porción en adelanto es

$$\frac{s + 1}{s + \beta}$$

Para la porción en atraso del compensador en atraso-adelanto, se requiere

$$\left| \frac{s_1 + \frac{1}{T_2}}{s_1 + \frac{1}{\beta T_2}} \right| \doteq 1, \qquad -5° < \angle \frac{s_1 + \frac{1}{T_2}}{s_1 + \frac{1}{\beta T_2}} < 0°$$

donde $s = s_1$ es uno de los polos dominantes de lazo cerrado. Para $s = s_1$, la función de transferencia de lazo abierto es

$$G_c(s_1)G(s_1) \doteq K_c \left( \frac{s_1 + 1}{s_1 + \beta} \right) \frac{1}{s_1(s_1 + 1)(s_1 + 5)}$$

Nótese que en $s = s_1$ se satisfacen las condiciones de magnitud y de ángulo, se tiene

$$\left| K_c \left( \frac{s_1 + 1}{s_1 + \beta} \right) \frac{1}{s_1(s_1 + 1)(s_1 + 5)} \right| = 1 \tag{7–26}$$

$$\angle K_c \left( \frac{s_1 + 1}{s_1 + \beta} \right) \frac{1}{s_1(s_1 + 1)(s_1 + 5)} = \pm 180° (2k + 1) \tag{7–27}$$

donde $k = 0, 1, 2, \ldots$. En las ecuaciones (7-26) y (7-27), $\beta$ y $s_1$ no se conocen. Como la relación de amortiguamiento $\zeta$ de los polos dominantes de lazo cerrado está especificado como 0.5, el polo de lazo cerrado $s = s_1$ se puede escribir como

$$s_1 = -x + j\sqrt{3}\,x$$

donde $x$ aún no se determina.

Nótese que con la condición de magnitud, la ecuación (7-26) se puede reescribir como

$$\left| \frac{K_c}{(-x + j\sqrt{3}\,x)(-x + \beta + j\sqrt{3}\,x)(-x + 5 + j\sqrt{3}\,x)} \right| = 1$$

Como $K_c = 250$, se tiene

$$x\sqrt{(\beta - x)^2 + 3x^2}\,\sqrt{(5 - x)^2 + 3x^2} = 125 \tag{7-28}$$

Con la condición de ángulo, la ecuación (7-27) se puede escribir como

$$\angle K_c \frac{1}{(-x + j\sqrt{3}\,x)(-x + \beta + j\sqrt{3}\,x)(-x + 5 + j\sqrt{3}\,x)}$$

$$= -120° - \tan^{-1}\left(\frac{\sqrt{3}\,x}{-x + \beta}\right) - \tan^{-1}\left(\frac{\sqrt{3}\,x}{-x + 5}\right) = -180°$$

o bien

$$\tan^{-1}\left(\frac{\sqrt{3}\,x}{-x + \beta}\right) + \tan^{-1}\left(\frac{\sqrt{3}\,x}{-x + 5}\right) = 60° \tag{7-29}$$

Hay que resolver las ecuaciones (7-28) y (7-29) para hallar $\beta$ y $x$. Con varios cálculos de prueba y corrección, se puede determinar que

$$\beta = 16.025, \qquad x = 1.9054$$

Entonces

$$s_1 = -1.9054 + j\sqrt{3}\,(1.9054) = -1.9054 + j3.3002$$

La porción en atraso del compensador en atraso-adelanto se puede determinar del siguiente modo. Nótese que el polo y cero de la porción en atraso del compensador deben ubicarse cerca del origen, se puede elegir

$$\frac{1}{\beta T_2} = 0.01$$

Esto es,

$$\frac{1}{T_2} = 0.16025 \quad \text{o} \quad T_2 = 6.25$$

Con la elección de $T_2 = 6.25$, se tiene

$$\left| \frac{s_1 + \dfrac{1}{T_2}}{s_1 + \dfrac{1}{\beta T_2}} \right| = \left| \frac{-1.9054 + j3.3002 + 0.16025}{-1.9054 + j3.3002 + 0.01} \right|$$

$$= \left| \frac{-1.74515 + j3.3002}{-1.89054 + j3.3002} \right| = 0.98 \doteqdot 1$$

y

$$\angle \frac{s_1 + \dfrac{1}{T_2}}{s_1 + \dfrac{1}{\beta T_2}} = \angle \frac{-1.9054 + j3.3002 + 0.16025}{-1.9054 + j3.3002 + 0.01}$$

$$= \tan^{-1}\left(\frac{3.3002}{-1.74515}\right) - \tan^{-1}\left(\frac{3.3002}{-1.89054}\right) = -1.937°$$

Como

$$-5° < -1.937° < 0°$$

la elección de $T_2 = 6.25$ es aceptable. Entonces este compensador en atraso-adelanto recién diseñado se puede escribir como

$$G_c(s) = 250\left(\frac{s + 1}{s + 16.025}\right)\left(\frac{s + 0.16025}{s + 0.01}\right)$$

Por lo tanto, el sistema compensado tiene la siguiente función de transferencia de lazo abierto

$$G_c(s)G(s) = \frac{250(s + 0.16025)}{s(s + 0.01)(s + 5)(s + 16.025)}$$

Por tanto, la ecuación característica del sistema compensado es

$$s(s + 0.01)(s + 5)(s + 16.025) + 250(s + 0.16025) = 0$$

o bien

$$s^4 + 21.035s^3 + 80.335s^2 + 250.801s + 40.0625 = 0$$

Resolviendo esta ecuación para determinar sus raíces, se obtienen los polos de lazo cerrado como sigue:

$$s = -1.8308 + j3.2359, \qquad s = -1.8308 - j3.2359$$

$$s = -17.205, \qquad s = -0.1684$$

El polo de lazo cerrado en $s = -0.1684$ casi cancela al cero en $s = -0.16025$. Por tanto, el efecto de este polo de lazo cerrado es muy pequeño. Como el polo de lazo cerrado en $s = -17.205$ está ubicado mucho más lejos hacia la izquierda en comparación con los polos de lazo cerrado en $s = -1.8308 \pm j3.2359$, el efecto de este polo real en la respuesta del sistema es también muy pequeño. Por lo tanto, los polos de lazo cerrado en $s = -1.8308 \pm j3.2359$ son realmente polos dominantes de lazo cerrado que determinan las características de respuesta del sistema de lazo cerrado.

**A-7-9.** Considere un compensador en atraso-adelanto $G_c(s)$ definido por

$$G_c(s) = K_c \frac{\left(s + \dfrac{1}{T_1}\right)\left(s + \dfrac{1}{T_2}\right)}{\left(s + \dfrac{\beta}{T_1}\right)\left(s + \dfrac{1}{\beta T_2}\right)}$$

Muestre que en la frecuencia $\omega_1$, donde

$$\omega_1 = \frac{1}{\sqrt{T_1 T_2}}$$

el ángulo de fase de $G_c(j\omega)$ se hace cero. (Este compensador actúa como un compensador en atraso para $0 < \omega < \omega_1$ y como un compensador en adelanto para $\omega_1 < \omega < \infty$.)

**Solución.** El ángulo de $G_c(j\omega)$ está dado por

$$\angle G_c(j\omega) = \angle j\omega + \frac{1}{T_1} + \angle j\omega + \frac{1}{T_2} - \angle j\omega + \frac{\beta}{T_1} - \angle j\omega + \frac{1}{\beta T_2}$$

$$= \tan^{-1} \omega T_1 + \tan^{-1} \omega T_2 - \tan^{-1} \omega T_1/\beta - \tan^{-1} \omega T_2 \beta$$

En $\omega = \omega_1 = 1/\sqrt{T_1 T_2}$, se tiene

$$\angle G_c(j\omega_1) = \tan^{-1} \sqrt{\frac{T_1}{T_2}} + \tan^{-1} \sqrt{\frac{T_2}{T_1}} - \tan^{-1} \frac{1}{\beta} \sqrt{\frac{T_1}{T_2}} - \tan^{-1} \beta \sqrt{\frac{T_2}{T_1}}$$

Como

$$\tan \left( \tan^{-1} \sqrt{\frac{T_1}{T_2}} + \tan^{-1} \sqrt{\frac{T_2}{T_1}} \right) = \frac{\sqrt{\frac{T_1}{T_2}} + \sqrt{\frac{T_2}{T_1}}}{1 - \sqrt{\frac{T_1}{T_2}} \sqrt{\frac{T_2}{T_1}}} = \infty$$

o bien

$$\tan^{-1} \sqrt{\frac{T_1}{T_2}} + \tan^{-1} \sqrt{\frac{T_2}{T_1}} = 90°$$

y también

$$\tan^{-1} \frac{1}{\beta} \sqrt{\frac{T_1}{T_2}} + \tan^{-1} \beta \sqrt{\frac{T_2}{T_1}} = 90°$$

resulta que

$$G_c(j\omega_1) = 0°$$

Entonces el ángulo de $\angle G_c(j\omega_1)$ es 0° en $\omega = \omega_1 = 1/\sqrt{T_1 T_2}$.

**A–7–10.** Considere el sistema que se ve en la figura 7-83. Se desea diseñar un controlador PID $G_c(s)$ tal que los polos dominantes de lazo cerrado están ubicados en $s = -1 \pm j\sqrt{3}$. Para el controlador PID, se elige $a = 0.2$ y luego determine los valores de $K$ y $b$. Trace el diagrama del lugar de las raíces para el sistema diseñado.

**Solución.** Como

$$G_c(s)G(s) = K \frac{(s + 0.2)(s + b)}{s} \frac{1}{s^2 + 1}$$

la suma de los ángulos en $s = -1 + j\sqrt{3}$, uno de los polos de lazo cerrado deseados, desde el cero en $s = -0.2$ y polos en $s = 0$, $s = j$, y $s = -j$ es

$$114.79° - 120° - 143.80° - 110.10° = -259.11°$$

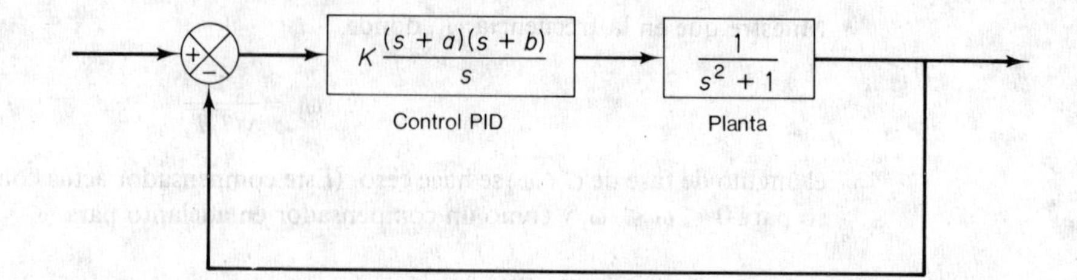


**Figura 7-83**
Sistema con control PID.

Por tanto el cero en $s = -b$ debe contribuir con 79.11°. Esto requiere que el cero esté ubicado en

$$b = 1.3332$$

La constante de ganancia $K$ se puede determinar de la condición de magnitud

$$\left| K\frac{(s+0.2)(s+1.3332)}{s}\frac{1}{s^2+1} \right|_{s=-1+j\sqrt{3}} = 1$$

o sea

$$K = 2.143$$

Entonces la ecuación característica es

$$s(s^2+1) + 2.143(s+0.2)(s+1.3332) = 0$$

o

$$s^3 + 2.143s^2 + 4.2856\,s + 0.5714 = 0$$

que se puede factorizar como sigue:

$$(s^2+2s+4)(s+0.1428) = 0$$

Por lo tanto, los tres polos de lazo cerrado están ubicados en

$$s = -1 + j\sqrt{3}, \qquad s = -1 - j\sqrt{3}, \qquad s = -0.1428$$

La figura 7-84 muestra el diagrama del lugar de las raíces para el sistema diseñado. El polo de lazo cerrado en $s = -0.1428$ está cerca de un cero en $s = -0.2$. Por tanto, el efecto de este polo de lazo cerrado en la respuesta es relativamente pequeño. Aunque un cero en $s = -1.3332$ tiene algún efecto en la respuesta del sistema, los polos de lazo cerrado en $s = -1 \pm j\sqrt{3}$ son los polos dominantes de lazo cerrado.

**A-7-11.** Considere el circuito electrónico que incluye dos amplificadores operacionales como se muestra en la figura 7-85. Este es un controlador PID modificado en el que la función de transferencia incluye un integrador y un término de atraso de primer orden. Obtenga la función de transferencia de este controlador PID.

**Solución.** Como

$$Z_1 = \frac{1}{\frac{1}{R_1} + C_1 s} + R_3 = \frac{R_1 + R_3 + R_1R_3C_1s}{1 + R_1C_1s}$$

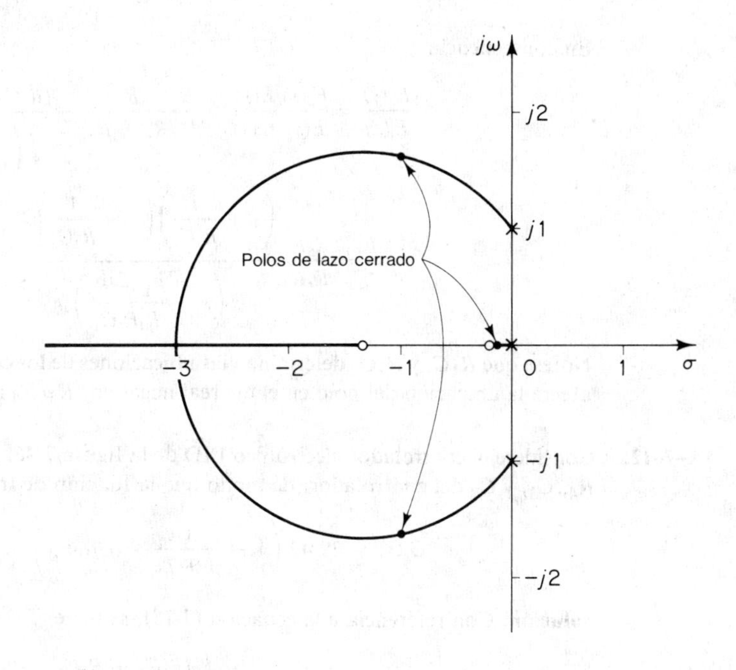


**Figura 7-84**
Diagrama del lugar de las raíces para el sistema diseñado en el problema A-7-10.

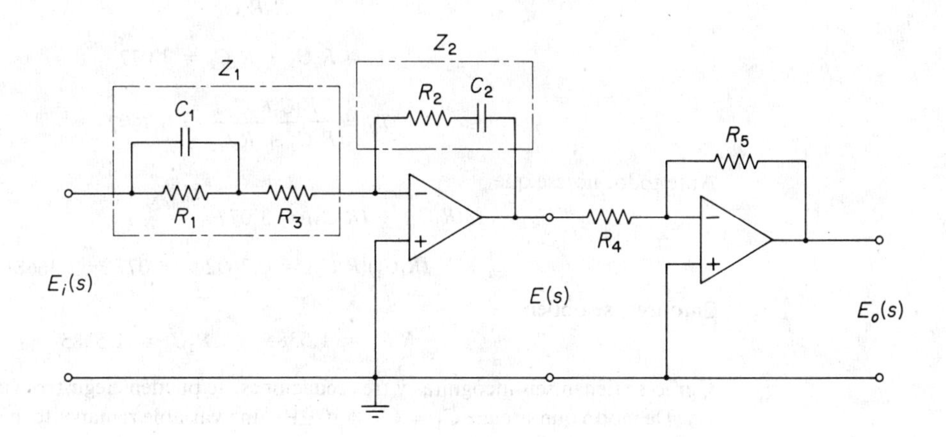


**Figura 7-85**
Control PID modificado.

y

$$Z_2 = R_2 + \frac{1}{C_2 s}$$

se tiene

$$\frac{E(s)}{E_1(s)} = -\frac{Z_2}{Z_1} = -\frac{(R_2C_2s + 1)(R_1C_1s + 1)}{C_2s(R_1 + R_3 + R_1R_3C_1s)}$$

También

$$\frac{E_o(s)}{E(s)} = -\frac{R_5}{R_4}$$

En consecuencia,

$$\frac{E_o(s)}{E_i(s)} = \frac{E_o(s)}{E(s)}\frac{E(s)}{E_i(s)} = \frac{R_5}{R_4(R_1 + R_3)C_2}\frac{(R_1C_1s + 1)(R_2C_2s + 1)}{s\left(\frac{R_1R_3}{R_1 + R_3}C_1s + 1\right)}$$

$$= \frac{R_5R_2}{R_4R_3}\frac{\left(s + \frac{1}{R_1C_1}\right)\left(s + \frac{1}{R_2C_2}\right)}{s\left(s + \frac{R_1 + R_3}{R_1R_3C_1}\right)}$$

Nótese que $R_1C_1$ y $R_2C_2$ determinan las ubicaciones de los ceros del controlador, mientras que $R_3$ afecta la ubicación del polo en el eje real negativo. $R_5/R_4$ ajusta la ganancia del controlador.

**A–7–12.** Considere el controlador electrónico PID de la figura 7-46. Determine los valores de $R_1$, $R_2$, $R_3$, $R_4$, $C_1$, y $C_2$ del controlador, de modo que la función de transferencia $G_c(s)$ sea

$$G_c(s) = 39.42\left(1 + \frac{1}{3.077s} + 0.7692s\right) = 30.3215\frac{(s + 0.65)^2}{s} \tag{7–30}$$

**Solución.** Con referencia a la ecuación (7-15), se tiene

$$K_p = \frac{R_4(R_1C_1 + R_2C_2)}{R_3R_1C_2} = 39.42$$

$$T_i = R_1C_1 + R_2C_2 = 3.077$$

$$T_d = \frac{R_1C_1R_2C_2}{R_1C_1 + R_2C_2} = 0.7692$$

Ante todo, nótese que

$$(R_1C_1) + (R_2C_2) = 3.077$$

$$(R_1C_1)(R_2C_2) = 0.7692 \times 3.077 = 2.3668$$

Entonces, se obtiene

$$R_1C_1 = 1.5385, \qquad R_2C_2 = 1.5385$$

Como se tienen seis incógnitas y tres ecuaciones, se pueden elegir tres variables en forma arbitraria. De modo que se elige $C_1 = C_2 = 10\ \mu\text{F}$ y una variable remanente más tarde. Entonces resulta

$$R_1 = R_2 = 153.85\ \text{k}\Omega$$

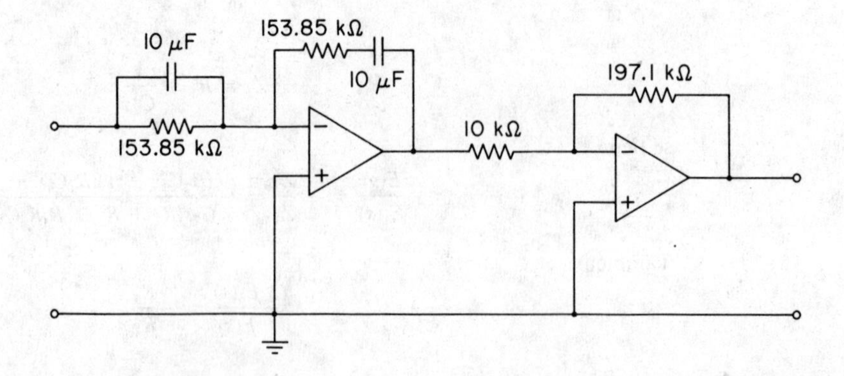


**Figura 7-86** Control electrónico PID con la función de transferencia de la ecuación (7-30).

De la ecuación de $K_p$, se tiene

$$\frac{R_4}{R_3}\frac{R_1C_1 + R_2C_2}{R_1C_2} = 39.42$$

o bien

$$\frac{R_4}{R_3} = 39.42 \times \frac{1}{2} = 19.71$$

Ahora se elige en forma arbitraria $R_3 = 10$ kΩ. Entonces $R_4 = 197.1$ kΩ. El controlador PID diseñado aparece en la figura 7-86.

**A-7-13.** Considere el sistema que aparece en la figura 7-87, que incluye retroalimentación de velocidad. Determine los valores de la ganancia del amplificador $K$ y la ganancia de la retroalimentación de velocidad $K_h$ de modo que se satisfagan las siguientes especificaciones:

1. Relación de amortiguamiento de los polos de lazo cerrado sea 0.5
2. El tiempo de establecimiento sea $\leq 2$ s
3. Coeficiente de error estático de velocidad $K_v$ sea $\geq 50$ s$^{-1}$
4. $0 < K_h < 1$

**Solución.** La especificación de la relación de amortiguamiento requiere que los polos queden sobre líneas que forman un ángulo de $\pm 60°$ con el eje real negativo. La especificación sobre tiempo de establecimiento se puede expresar en términos de los polos de lazo cerrado complejos conjugados como

$$t_s = \frac{4}{\sigma} \leq 2 \text{ seg}$$

o bien

$$\sigma \geq 2$$

Por tanto, los polos de lazo cerrado debe quedar sobre las líneas gruesas $AB$ y $CD$ en el semiplano izquierdo del plano $s$, como se muestra en la figura 7-88.

Como el coeficiente de error de velocidad $K_v$ está definido como

$$K_v = \lim_{s \to 0} sG(s)H(s)$$

se obtiene

$$K_v = \lim_{s \to 0} \frac{sK(1 + K_h s)}{s(2s + 1)} = K$$

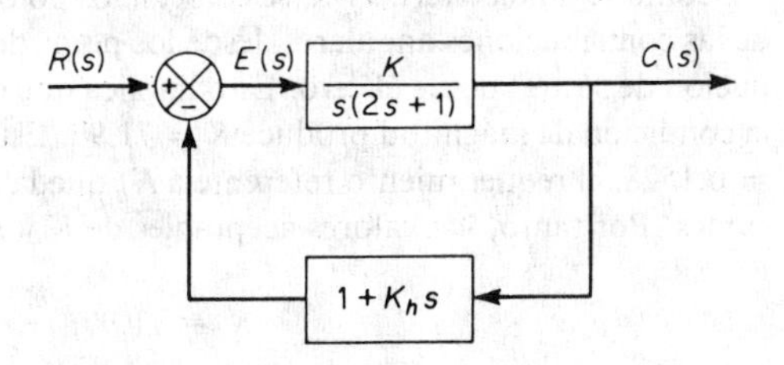


**Figura 7-87**
Sistema de control.

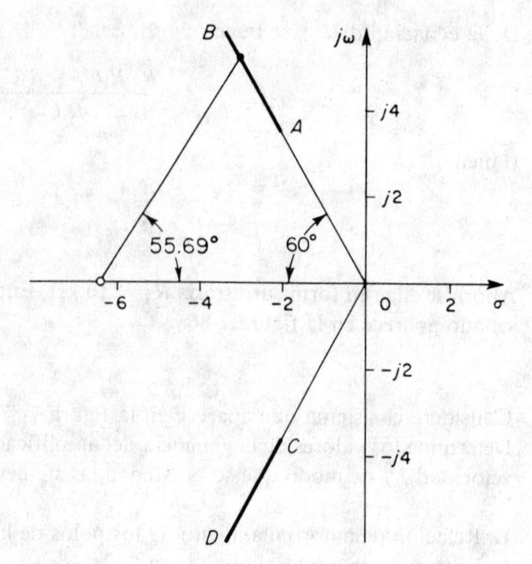


**Figura 7-88**
Posible ubicación de los polos de lazo cerrado en el plano $s$ para el sistema del problema A-7-13.

De las especificaciones dadas sobre el coeficiente de error de velocidad, se obtiene

$$K \geq 50$$

Para este sistema, los polos de lazo abierto están colocados en $s = 0$ y $s = -\frac{1}{2}$. El cero de lazo abierto está ubicado en $s = -1/K_h$ es una constante aún no determinada. En primer término, se colocan los polos de lazo cerrado en $s = -2 \pm j3.464$ (puntos $A$ y $C$ en la figura 7-88). La suma de los ángulos en las ubicaciones elegidas para los polos de lazo cerrado con los polos de lazc abierto es 120° + 113.41° = 233.41°. Entonces, se requiere una contribución de 53.41° desde el cero para que la suma total sea —180°. Para satisfacer la condición de ángulo, se elige el cero en $s = -4.572$. Entonces $K_h$ se determina como

$$K_h = \frac{1}{4.572} = 0.2187$$

La condición de magnitud requiere que

$$\left| \frac{K(1 + 0.2187s)}{s(2s + 1)} \right|_{s = -2 + j3.464} = 1$$

De aquí que

$$K = 32.00$$

Como $K < 50$, la elección de los polos de lazo cerrado en $s = -2 \pm j3.464$ no es aceptable.

Como segunda alternativa, se colocan los polos de lazo cerrado en $s = -3 \pm j5.196$. La suma de las contribuciones angulares desde los polos de lazo abierto es 235.69°. Se necesita una contribución de 55.69° desde el cero. Esto implica que el cero debe estar en $s = -6.546$. Con este cero, la condición de magnitud produce $K = 71.99$. Esto es bastante satisfactorio. Como $K_h = 1/6.456 = 0.1528$, el requerimiento referente a $K_h$ queda satisfecho. Así, se cumplen todas las especificaciones. Por tanto, los valores aceptables de $K$ y $K_h$ son

$$K = 71.99, \qquad K_h = 0.1528$$

Nótese que hay una infinidad de soluciones para un problema como éste. Si se agregan restricciones, disminuyen las soluciones posibles.

**A-7-14.** Un sistema de lazo cerrado tiene la característica de que la función de transferencia de lazo cerrado es casi igual al recíproco de la función de transferencia de la retroalimentación cuando la ganancia de lazo abierto es mucho mayor que la unidad.

La característica de lazo abierto se puede modificar agregando un lazo de retroalimentación interna con una función de transferencia igual al recíproco de la función de transferencia de lazo abierto deseada. Suponga que un sistema de retroalimentación unitaria tiene la función de transferencia de lazo abierto

$$G(s) = \frac{K}{(T_1 s + 1)(T_2 s + 1)}$$

Determine la función de transferencia $H(s)$ del elemento de lazo interno de retroalimentación, de modo que el lazo interno quede sin efecto tanto a bajas como a altas frecuencias.

**Solución.** En la figura 7-89(a) se puede ver el sistema original. La figura 7-89(b) muestra la adición del lazo de retroalimentación interna rodeando a $G(s)$. Como

$$\frac{C(s)}{E(s)} = \frac{G(s)}{1 + G(s)H(s)} = \frac{1}{H(s)} \frac{G(s)H(s)}{1 + G(s)H(s)}$$

si la ganancia alrededor del lazo interno es grande comparada con la unidad, entonces $G(s)H(s)/[1 + G(s)H(s)]$ es aproximadamente igual a la unidad, y la función de transferencia $C(s)/E(s)$ es aproximadamente igual a $1/H(s)$.

Por otro lado, si la ganancia $G(s)H(s)$ es mucho menor que la unidad, el lazo interno queda sin efecto y $C(s)/E(s)$ es aproximadamente igual a $G(s)$.

Para hacer que el lazo interno quede sin efecto en los rangos, de bajas y altas frecuencias, se requiere que

$$G(j\omega)H(j\omega) \ll 1 \quad \text{para } \omega \ll 1 \quad \text{y} \quad \omega \gg 1$$

Como en este problema

$$G(j\omega) = \frac{K}{(1 + j\omega T_1)(1 + j\omega T_2)}$$

el requerimiento se puede satisfacer si $H(s)$ se elige como

$$H(s) = ks$$

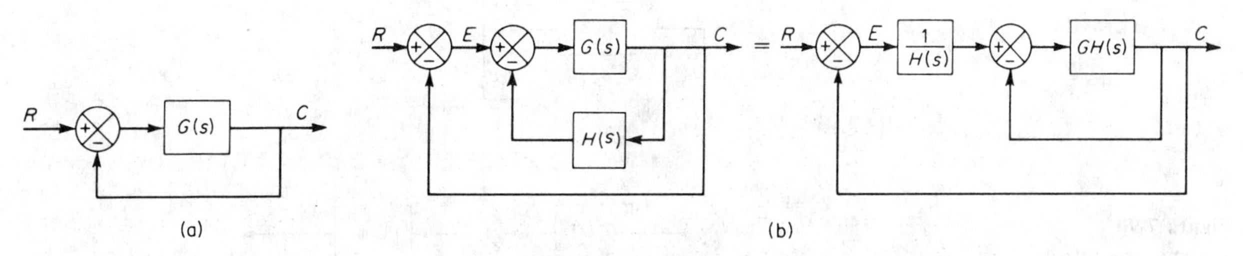


**Figura 7-89** (a) Sistema de control; (b) adición de un lazo de retroalimentación interna para modificar las características de lazo cerrado.

porque

$$\lim_{\omega \to 0} G(j\omega)H(j\omega) = \lim_{\omega \to 0} \frac{Kkj\omega}{(1 + j\omega T_1)(1 + j\omega T_2)} = 0$$

$$\lim_{\omega \to \infty} G(j\omega)H(j\omega) = \lim_{\omega \to \infty} \frac{Kkj\omega}{(1 + j\omega T_1)(1 + j\omega T_2)} = 0$$

Así, con $H(s) = ks$ (retroalimentación de velocidad), el lazo interior queda sin efecto en las regiones de frecuencias tanto bajas como altas. Solamente se hace efectivo en la región de frecuencias intermedias.

**A-7-15.** Cuando una perturbación actúa sobre una planta, toma algún tiempo detectar algún efecto en la salida. Si se mide la perturbación misma (aunque esto puede no ser posible o ser muy difícil) más que la respuesta a la perturbación, entonces se puede realizar antes la acción correctiva y así esperar un mejor resultado. La figura 7-90 presenta un diagrama de bloques donde se muestra una compensación en prealimentación para la perturbación.

Analice las limitaciones del esquema de prealimentación en general. Luego exponga las ventajas y limitaciones del esquema de la figura 7-90.

**Solución.** Un esquema prealimentado es un esquema de lazo abierto y por ello depende de que tan constante son los parámetros. Cualquier cambio en estos parámetros producirá una compensación eficiente.

En este sistema, están funcionando simultáneamente los esquemas de lazo abierto y de lazo cerrado. Los errores grandes debidos a la fuente principal de perturbación se reduce en gran medida por la compensación de lazo abierto sin requerir una ganancia de lazo elevada. Los errores pequeños debidos a otras fuentes de perturbación se pueden atender con el esquema de control de lazo cerrado. Por lo tanto, los errores por cualquier causa se reduce sin necesidad de un lazo de alta ganancia. Esto es una ventaja desde el punto de vista de la estabilidad.

Nótese que este esquema no se puede utilizar a menos que se pueda medir la perturbación principal.

**A-7-16.** En algunos casos se requiere proveer un filtro de entrada como se ve en la figura 7-91(a). Note que el filtro de entrada $G_f(s)$ está fuera del lazo. Por lo tanto, no afecta la estabilidad de la porción de lazo cerrado del sistema. La ventaja de tener un filtro de entrada, es que se pueden modi-

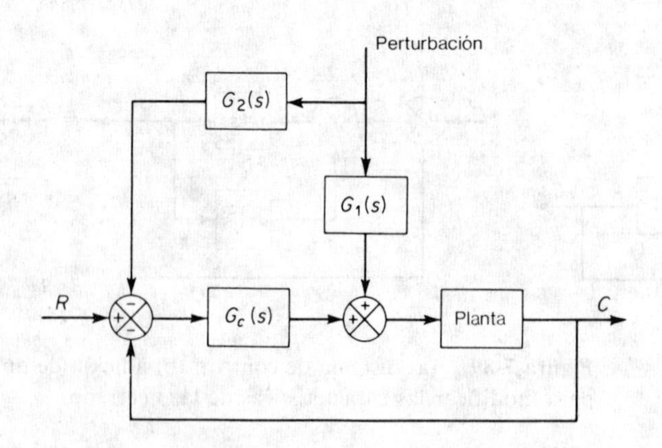


**Figura 7-90** Sistema de control prealimentado para la perturbación.

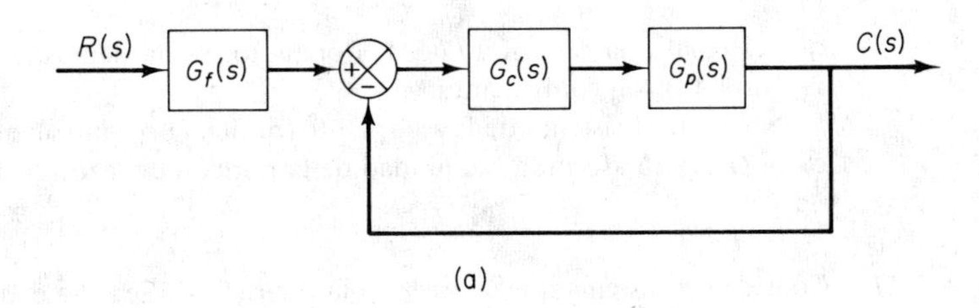


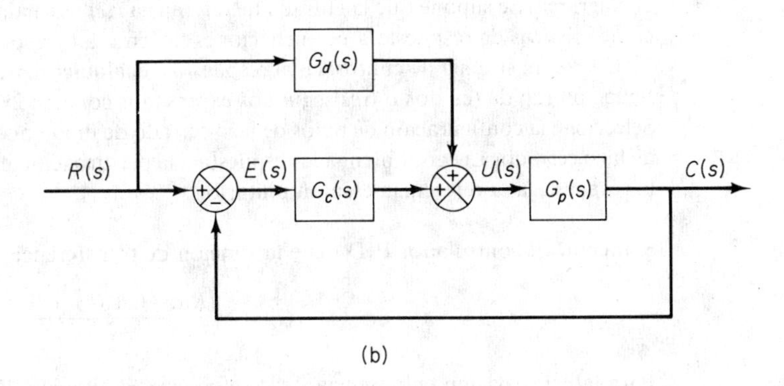


**Figura 7-91**
(a) Diagrama de bloques del sistema de control con un filtro de entrada; (b) diagrama de bloques modificado.

ficar los ceros de la función de transferencia de lazo cerrado (cancelarlos o remplazarlos por otros ceros), de modo que la respuesta de lazo cerrado sea aceptable.

Muestre que la configuración de la figura 7-91(a) se puede modificar a la de la figura 7-91(b), donde $G_d(s) = [G_f(s) - 1]G_c(s)$.

**Solución.** Para el sistema de la figura 7-91(a), se tiene

$$\frac{C(s)}{R(s)} = G_f(s)\frac{G_c(s)G_p(s)}{1 + G_c(s)G_p(s)} \tag{7–31}$$

Para el sistema de la figura 7-91(b), se tiene

$$U(s) = G_d(s)R(s) + G_c(s)E(s)$$

$$E(s) = R(s) - C(s)$$

$$C(s) = G_p(s)U(s)$$

Entonces

$$C(s) = G_p(s)\,\{G_d(s)R(s) + G_c(s)\,[R(s) - C(s)]\}$$

o bien

$$\frac{C(s)}{R(s)} = \frac{[G_d(s) + G_c(s)]G_p(s)}{1 + G_c(s)G_p(s)} \tag{7–32}$$

Al sustituir $G_d(s) = [G_f(s) - 1]G_c(s)$ en la ecuación (7-32), se tiene

$$\frac{C(s)}{R(s)} = \frac{[G_f(s)G_c(s) - G_c(s) + G_c(s)]\,G_p(s)}{1 + G_c(s)G_p(s)}$$

$$= G_f(s)\frac{G_c(s)G_p(s)}{1 + G_c(s)G_p(s)}$$

que es igual a la ecuación (7-31). Por tanto, se ha demostrado que los sistemas de las figuras 7-91(a) y (b) son equivalentes.

Note que el sistema de la figura 7-91(b) tiene un controlador de prealimentado $G_d(s)$. En tal caso, $G_d(s)$ no afecta la estabilidad de la porción de lazo cerrado del sistema.

**A-7-17.** Considere el sistema que aparece en la figura 7-92. Se trata de un controlador PID de una planta $G(s)$ de segundo orden. Suponga que las perturbaciones $U_d(s)$ entran al sistema como se indica en el diagrama. Se supone que la entrada de referencia $r(t)$ normalmente se mantiene constante, y las características de respuesta a perturbaciones tienen gran importancia en este sistema.

Diseñe un sistema de control cuya respuesta a cualquier perturbación escalón tenga una amortiguación rápida (en dos o tres segundos expresados como el 2% del tiempo de establecimiento). Seleccione la configuración de polos de lazo cerrado de modo que haya un par de polos dominantes de lazo cerrado. Luego, obtenga la respuesta a la perturbación escalón unitaria. Obtenga también la respuesta a la referencia escalón unitario.

**Solución.** El controlador PID tiene la función de transferencia

$$G_c(s) = \frac{K(as + 1)(bs + 1)}{s}$$

Para la perturbación en ausencia de la referencia, la función de transferencia de lazo cerrado es

$$\frac{C_d(s)}{U_d(s)} = \frac{s}{s(s^2 + 3.6s + 9) + K(as + 1)(bs + 1)}$$

$$= \frac{s}{s^3 + (3.6 + Kab)s^2 + (9 + Ka + Kb)s + K} \qquad (7\text{–}33)$$

La especificación requiere que la respuesta ante una perturbación escalón unitaria tenga un tiempo de establecimiento de 2 a 3 segundos, y que el sistema tenga un amortiguamiento razonable. La especificación se puede interpretar como $\zeta = 0.5$ y $\omega_n = 4$ rad/s para los polos dominantes de lazo cerrado. El tercer polo se puede elegir en $s = -10$ de modo que el efecto de este polo real en la respuesta sea pequeño. Entonces la ecuación característica deseada es

$$(s + 10)(s^2 + 2 \times 0.5 \times 4s + 4^2) = (s + 10)(s^2 + 4s + 16) = s^3 + 14s^2 + 56s + 160$$

La ecuación característica para el sistema dado por la ecuación (7-37) es

$$s^3 + (3.6 + Kab)s^2 + (9 + Ka + Kb)s + K = 0$$

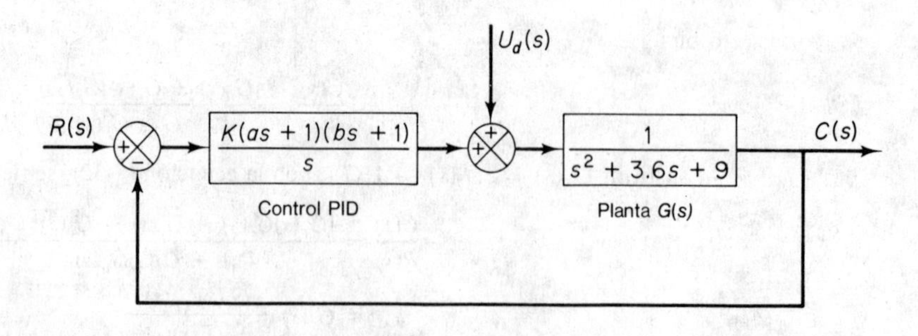


**Figura 7-92**
El sistema con control PID.

Entonces se requiere que

$$3.6 + Kab = 14$$
$$9 + Ka + Kb = 56$$
$$K = 160$$

que produce

$$ab = 0.065, \qquad a + b = 0.29375$$

El controlador PID es

$$\begin{aligned} G_c(s) &= \frac{K[abs^2 + (a + b)s + 1]}{s} \\ &= \frac{160(0.065s^2 + 0.29375s + 1)}{s} \\ &= \frac{10.4(s^2 + 4.5192s + 15.385)}{s} \end{aligned}$$

Con este controlador PID la respuesta a la perturbación está dada por

$$\begin{aligned} C_d(s) &= \frac{s}{s^3 + 14s^2 + 56s + 160} U_d(s) \\ &= \frac{s}{(s + 10)(s^2 + 4s + 16)} U_d(s) \end{aligned}$$

Es claro que para una perturbación escalón unitario, la salida en estado estacionario es cero, pues

$$\lim_{t\to\infty} c_d(t) = \lim_{s\to 0} sC_d(s) = \lim_{s\to 0} \frac{s^2}{(s + 10)(s^2 + 4s + 16)} \frac{1}{s} = 0$$

La respuesta a la perturbación escalón unitario está dada por

$$\begin{aligned} C_d(s) &= \frac{s}{(s + 10)(s^2 + 4s + 16)} \frac{1}{s} \\ &= \frac{0.013158}{s + 10} + \frac{-0.013158s + 0.078947}{s^2 + 4s + 16} \\ &= \frac{0.013158}{s + 10} - \frac{0.013158(s + 2)}{(s + 2)^2 + (\sqrt{12})^2} + \frac{0.03039\sqrt{12}}{(s + 2)^2 + (\sqrt{12})^2} \end{aligned}$$

La transformada inversa de Laplace de esta última ecuación es

$$c_d(t) = 0.013158e^{-10t} - 0.013158e^{-2t} \cos \sqrt{12}\, t + 0.03039e^{-2t} \operatorname{sen} \sqrt{12}\, t$$

La respuesta a la perturbación escalón unitario de este sistema aparece en la figura 7-93(a). (En el problema A-7-18 se presenta una solución por computadora de respuesta a la perturbación escalón unitario). La curva de respuesta muestra que el tiempo de establecimiento es de aproximadamente 2.7 s. La curva de respuesta se amortigua rápidamente. Por lo tanto, el sistema diseñado aquí es aceptable.

Para la entrada de referencia $r(t)$, la función de transferencia de lazo cerrado es

$$\frac{C_r(s)}{R(s)} = \frac{10.4(s^2 + 4.5192s + 15.385)}{s^3 + 14s^2 + 56s + 160} \tag{7-34}$$

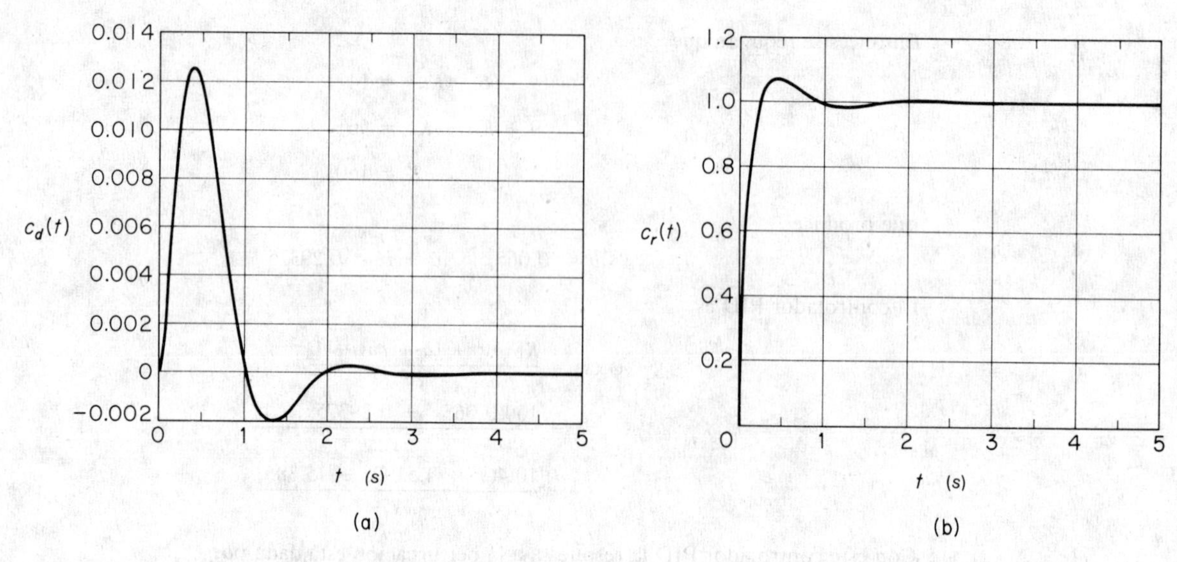


**Figura 7-93** (a) Respuesta a una perturbación escalón unitario; (b) respuesta a una referencia escalón unitario.

De la ecuación (7-34) se puede obtener la respuesta a una entrada de referencia escalón unitario como

$$C_r(s) = \frac{10.4(s^2 + 4.5192s + 15.385)}{s^3 + 14s^2 + 56s + 160}\frac{1}{s}$$

$$= \frac{10.4s^2 + 47s + 160}{s(s + 10)(s^2 + 4s + 16)}$$

$$= \frac{1}{s} - \frac{0.96053}{s + 10} - \frac{0.03947(s + 2)}{(s + 2)^2 + (\sqrt{12})^2} + \frac{0.20663\sqrt{12}}{(s + 2)^2 + (\sqrt{12})^2}$$

La transformada inversa de Laplace de esta última ecuación es

$$c_r(t) = 1 - 0.96053e^{-10t} - 0.03947e^{-2t}\cos\sqrt{12}\,t + 0.20663e^{-2t}\,\text{sen}\sqrt{12}\,t$$

La respuesta al escalón unitario de este sistema aparece en la figura 7-93(b). (Vea la solución por computadora de la respuesta a la entrada de referencia escalón unitario en el problema A-7-18). Esta respuesta muestra que el sobreimpulso máximo es 7.3% y el tiempo de establecimiento es de 1.2 s. La característica de respuesta es bastante aceptable.

**A-7-18.** Con referencia al problema A-7-17, considere la simulación del sistema en computadora y obtenga la respuesta a una perturbación escalón unitario y a una referencia escalón unitario. La respuesta a una perturbación escalón unitario está dada por

$$C_d(s) = \frac{s}{s^3 + 14s^2 + 56s + 160}U_d(s) \tag{7–35}$$

La respuesta a una referencia escalón unitario está dada por

$$C_r(s) = \frac{10.4(s^2 + 4.5192s + 15.385)}{s^3 + 14s^2 + 56s + 160}R(s) \tag{7–36}$$

Escriba un programa en BASIC para obtener las soluciones por computadora de las respuestas para este problema.

**Solución.**

(1) *Respuesta a una perturbación escalón unitario*: La ecuación diferencial que corresponde a la ecuación (7-35) es

$$\dddot{c}_d + 14\ddot{c}_d + 56\dot{c}_d + 160c_d = \dot{u}_d$$

Definimos $c_d = y$ y $u_d = u$. Entonces esta última ecuación se escribe como

$$\dddot{y} + 14\ddot{y} + 56\dot{y} + 160y = \dot{u}$$

Al comparar esta ecuación con

$$\dddot{y} + a_1\ddot{y} + a_2\dot{y} + a_3y = b_0\dddot{u} + b_1\ddot{u} + b_2\dot{u} + b_3u$$

resulta

$$a_1 = 14, \qquad a_2 = 56, \qquad a_3 = 160$$

$$b_0 = 0, \qquad b_1 = 0, \qquad b_2 = 1, \qquad b_3 = 0$$

Respecto a la ecuación (2-5), las variables de estado $x_1$, $x_2$, y $x_3$ se definen como

$$x_1 = y - \beta_0 u$$

$$x_2 = \dot{y} - \beta_0\dot{u} - \beta_1 u = \dot{x}_1 - \beta_1 u$$

$$x_3 = \ddot{y} - \beta_0\ddot{u} - \beta_1\dot{u} - \beta_2 u = \dot{x}_2 - \beta_2 u$$

donde $\beta_0$, $\beta_1$, y $\beta_2$ se determinan de

$$\beta_0 = b_0 = 0$$

$$\beta_1 = b_1 - a_1\beta_0 = 0$$

$$\beta_2 = b_2 - a_1\beta_1 - a_2\beta_0 = 1$$

Así, se tiene

$$x_1 = y$$

$$x_2 = \dot{x}_1$$

$$x_3 = \dot{x}_2 - u$$

Nótese que de la ecuación (2-7) se tiene

$$\dot{x}_3 = -a_3x_1 - a_2x_2 - a_1x_3 + \beta_3 u$$

$$= -160x_1 - 56x_2 - 14x_3 + \beta_3 u$$

donde

$$\beta_3 = b_3 - a_1\beta_2 - a_2\beta_1 - a_3\beta_0 = -14$$

Así, las ecuaciones de estado y la ecuación de salida para el sistema en el caso en que la perturbación es la entrada, son

$$\begin{bmatrix} \dot{x}_1 \\ \dot{x}_2 \\ \dot{x}_3 \end{bmatrix} = \begin{bmatrix} 0 & 1 & 0 \\ 0 & 0 & 1 \\ -160 & -56 & -14 \end{bmatrix} \begin{bmatrix} x_1 \\ x_2 \\ x_3 \end{bmatrix} + \begin{bmatrix} 0 \\ 1 \\ -14 \end{bmatrix} u \tag{7–37}$$

y

$$y = [1 \quad 0 \quad 0] \begin{bmatrix} x_1 \\ x_2 \\ x_3 \end{bmatrix}$$

En la tabla 7-4 se da un programa en BASIC para hallar la respuesta al escalón unitario. En la figura 7-93(a) se muestra la curva de respuesta $c_d(t)$ en función de $t$ [que es $x_1(t)$ en función de $t$ cuando $u$ es igual a 1].

(2) *Respuesta a una entrada de referencia escalón unitario:* La ecuación diferencial correspondiente a la ecuación (7-36) es

$$\dddot{c}_r + 14\ddot{c}_r + 56\dot{c}_r + 160c_r = 10.4\ddot{r} + 47\dot{r} + 160r$$

Definimos $c_r = y$ y $r = u$. Entonces esta última ecuación se escribe como

$$\dddot{y} + 14\ddot{y} + 56\dot{y} + 160y = 10.4\ddot{u} + 47\dot{u} + 160u$$

Comparando esta ecuación con

$$\dddot{y} + a_1\ddot{y} + a_2\dot{y} + a_3y = b_0\dddot{u} + b_1\ddot{u} + b_2\dot{u} + b_3u$$

resulta

$$a_1 = 14, \quad a_2 = 56, \quad a_3 = 160$$

$$b_0 = 0, \quad b_1 = 10.4, \quad b_2 = 47, \quad b_3 = 160$$

Respecto a la ecuación (2-5), las variables de estado $x_1$, $x_2$, y $x_3$ se definen como

$$x_1 = y - \beta_0 u$$

$$x_2 = \dot{y} - \beta_0\dot{u} - \beta_1 u = \dot{x}_1 - \beta_1 u$$

$$x_3 = \ddot{y} - \beta_0\ddot{u} - \beta_1\dot{u} - \beta_2 u = \dot{x}_2 - \beta_2 u$$

donde $\beta_0$, $\beta_1$, y $\beta_2$ se determinan de

$$\beta_0 = b_0 = 0$$

$$\beta_1 = b_1 - a_1\beta_0 = 10.4$$

$$\beta_2 = b_2 - a_1\beta_1 - a_2\beta_0 = 47 - 14 \times 10.4 = -98.6$$

Entonces, se tiene que

$$x_1 = y$$

$$x_2 = \dot{x}_1 - 10.4u$$

$$x_3 = \dot{x}_2 + 98.6u$$

Con base en la ecuación (2-7), se tiene

$$\dot{x}_3 = -a_3x_1 - a_2x_2 - a_1x_3 + \beta_3 u$$

$$= -160x_1 - 56x_2 - 14x_3 + \beta_3 u$$

**Tabla 7-4** Programa BASIC para resolver la ecuación (7-37): respuesta a una perturbación escalón unitario

```
  10 ORDER = 3
  20 X(1) = 0
  30 X(2) = 0
  40 X(3) = 0
  50 H = .02
  60 T = 0
  70 TK = 0
  80 TF = 5
  90 OPEN "O", #1, "ANS.BAS"
 100 PRINT "   TIME        X(1)        X(2)        X(3)   "
 110 PRINT "---------------------------------------------------"
 120 PRINT #1, USING "####.######"; X(1)
 130 PRINT USING "####.######"; T, X(1), X(2), X(3)
 140 IF T > TF THEN GOTO 5000
 150 GOSUB 1000
 160 GOTO 120
1000 TK = T
1010 GOSUB 2000
1020 FOR I = 1 TO ORDER
1030 XK(I) = X(I)
1040 K(1,I) = DX(I)
1050 T = TK + H/2
1060 X(I) = XK(I) + (H/2)*K(1,I)
1070 NEXT I
1080 GOSUB 2000
1090 FOR I = 1 TO ORDER
1100 K(2,I) = DX(I)
1110 X(I) = XK(I) + (H/2)*K(2,I)
1120 NEXT I
1130 GOSUB 2000
1140 FOR I = 1 TO ORDER
1150 K(3,I) = DX(I)
1160 T = TK + H
1170 X(I) = XK(I) + H*K(3,I)
1180 NEXT I
1190 GOSUB 2000
1200 FOR I = 1 TO ORDER
1210 K(4,I) = DX(I)
1220 X(I) = XK(I) + H/6*(K(1,I) + 2*K(2,I) + 2*K(3,I) + K(4,I))
1230 NEXT I
1240 RETURN
2000 DX(1) = X(2)
2010 DX(2) = X(3) + 1
2020 DX(3) = - 160*X(1) - 56*X(2) - 14*X(3) - 14
2030 RETURN
4900 CLOSE #1
5000 END
```

donde

$$\beta_3 = b_3 - a_1\beta_2 - a_2\beta_1 - a_3\beta_0 = 160 + 14 \times 98.6 - 56 \times 10.4$$
$$= 958$$

Las ecuaciones de estado y la ecuación de salida para cuando la entrada de referencia es la entrada al sistema, son

$$\begin{bmatrix} \dot{x}_1 \\ \dot{x}_2 \\ \dot{x}_3 \end{bmatrix} = \begin{bmatrix} 0 & 1 & 0 \\ 0 & 0 & 1 \\ -160 & -56 & -14 \end{bmatrix} \begin{bmatrix} x_1 \\ x_2 \\ x_3 \end{bmatrix} + \begin{bmatrix} 10.4 \\ -98.6 \\ 958 \end{bmatrix} u \qquad (7\text{–}38)$$

y ,

$$y = [1 \quad 0 \quad 0] \begin{bmatrix} x_1 \\ x_2 \\ x_3 \end{bmatrix}$$

El programa en BASIC para resolver la ecuación (7-38) (donde $u = 1$), es similar al de la tabla 7-4, excepto las líneas 2000, 2010, y 2020 que cambian como sigue:

```
2000 DX(1) = X(2) + 10.4
2010 DX(2) = X(3) - 98.6
2020 DX(3) = - 160*X(1) - 56*X(2) - 14*X(3) + 958
```

La curva de respuesta $c_r(t)$ en función de $t$ [que es $x_1(t)$ en función de $t$] aparece en la figura 7-93(b).

## PROBLEMAS

**B-7-1.** Trace los diagramas de Bode de la red en adelanto y de la red en atraso que aparecen en las figuras 7-94(a) y (b), respectivamente.

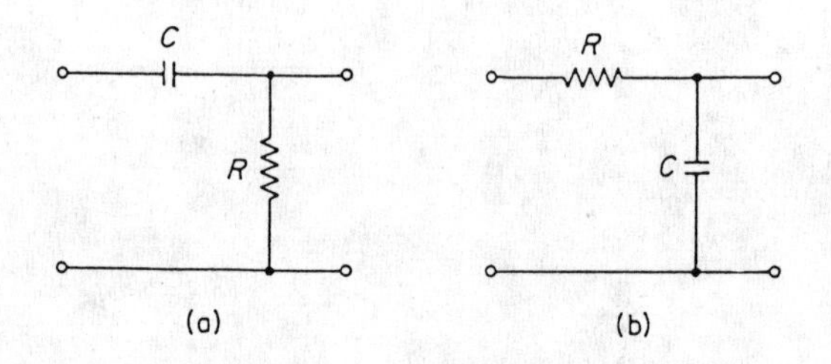


**Figura 7-94** (a) Red de adelanto; (b) red de atraso.

**B-7-2.** Considere un sistema de control con retroalimentación unitaria cuya función de transferencia directa está dada por

$$G(s) = \frac{K}{s(s+1)(s+2)(s+3)}$$

Determine el valor de $K$ tal que los polos dominantes de lazo cerrado tengan una relación de amortiguamiento de 0.5.

**B-7-3.** Considere un sistema con retroalimentación unitaria cuya función de transferencia directa está dada por

$$G(s) = \frac{1}{s^2}$$

Se desea insertar un compensador en serie de modo de que la curva de respuesta en frecuencia de lazo abierto sea tangente al círculo $M = 3$ db en $\omega = 3$ rad/s. El sistema está sometido a ruidos de alta frecuencia y se desea un corte agudo. Diseñe un compensador en serie apropiado.

**B-7-4.** Determine los valores de $K$, $T_1$, y $T_2$ del sistema que aparece en la figura 7-95, de modo que los polos dominantes de lazo cerrado tengan $\zeta = 0.5$ y $\omega_n = 3$ rad/s.

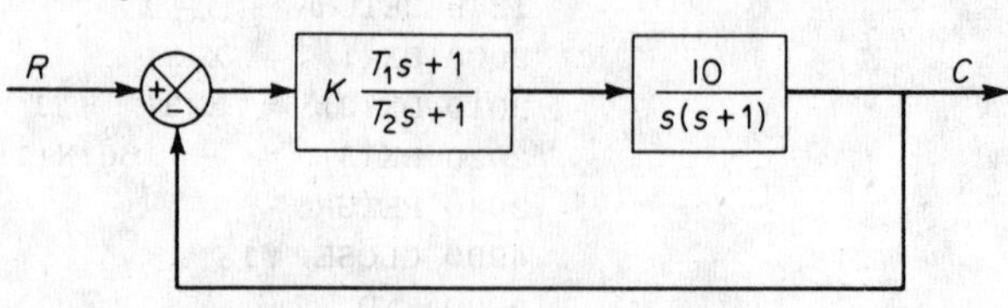


**Figura 7-95** Sistema de control.

**B-7-5.** Un sistema de control con

$$G(s) = \frac{K}{s^2(s+1)}, \quad H(s) = 1$$

es inestable para todo valor positivo de la ganancia $K$.

Trace el lugar de las raíces del sistema. Utilizando este diagrama, muestre que este sistema se puede estabilizar si se agrega un cero al eje real negativo o se modifica $G(s)$ a $G_1(s)$, donde

$$G_1(s) = \frac{K(s+a)}{s^2(s+1)} \qquad (0 \leq a < 1)$$

**B-7-6.** Con referencia al sistema de lazo cerrado que se muestra en la figura 7-96, diseñe un compensador en adelanto $G_c(s)$ tal que el margen de fase sea 45°, el margen de ganancia no sea menor a 8 db y el coeficiente de error estático de velocidad $K_v$ sea 4.0 $s^{-1}$.

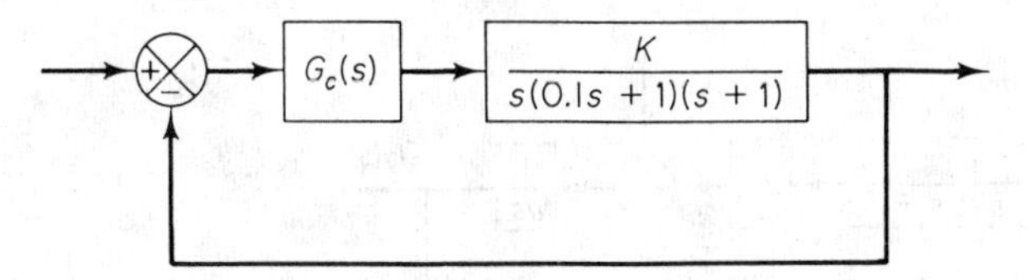


**Figura 7-96** Sistema de lazo cerrado.

**B-7-7.** La figura 7-97 presenta un diagrama de bloques del sistema de control de posición de un vehículo espacial. Determine la constante de ganancia proporcional $K_p$ y el tiempo derivativo $T_d$ tal que el ancho de banda del sistema de lazo cerrado sea de 0.4 a 0.5 rad/s. (Note que el ancho de banda de lazo cerrado está cerca de la frecuencia de cruce de ganancia). El sistema debe tener un margen de fase adecuado. Trace las curvas de respuesta en frecuencia de lazo abierto y de lazo cerrado en diagramas de Bode.

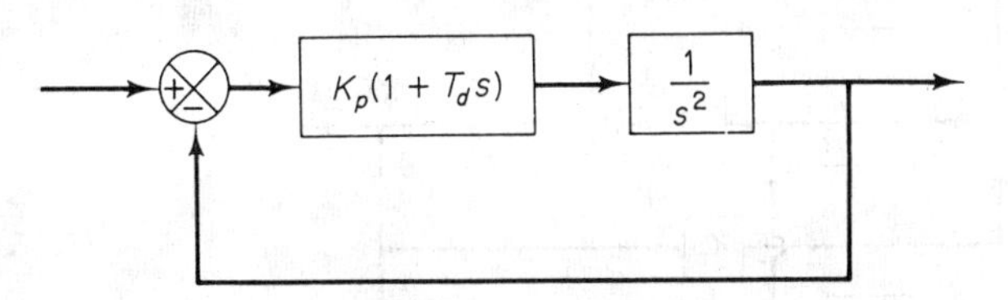


**Figura 7-97** Diagrama de bloques de un sistema de control de posición de un vehículo espacial.

**B-7-8.** Considere el sistema de control del vehículo espacial que se muestra en la figura 7-98. Diseñe un compensador en adelanto $G_c(s)$ tal que la relación de amortiguamiento $\zeta$ y la frecuencia natural no amortiguada $\omega_n$ de los polos dominantes de lazo cerrado sean 0.5 y 0.2 rad/s, respectivamente.

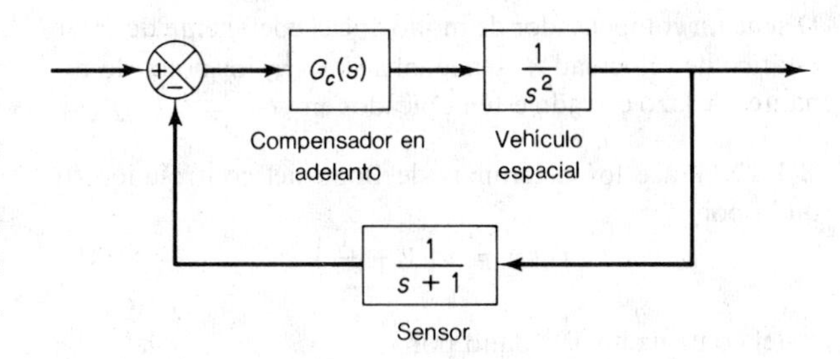


**Figura 7-98** Sistema de control de un vehículo espacial.

**B-7-9.** Considere el sistema de control que se muestra en la figura 7-99. Diseñe un compensador en atraso $G_c(s)$ tal que el coeficiente de error estático de velocidad $K_v$ sea 50 $s^{-1}$ sin modificar en forma notoria las ubicaciones originales de los polos de lazo cerrado, que están en $s = -2 \pm j\sqrt{6}$.

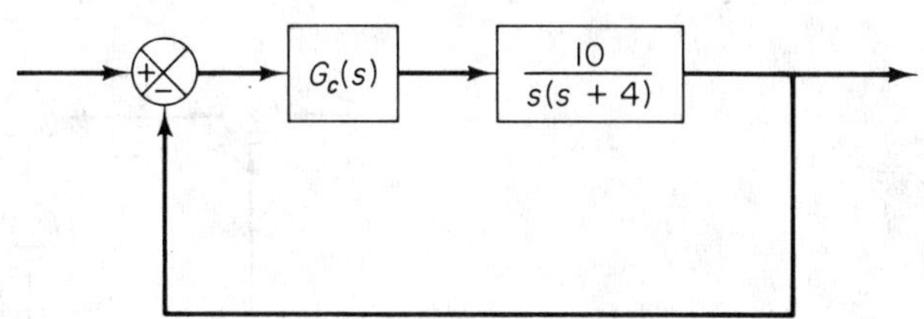


**Figura 7-99** Sistema de control.

**B-7-10.** La figura 7-100 representa un diagrama de bloques de un sistema de control de posición de una aeronave. Diseñe un compensador $G_c(s)$ de modo que los polos dominantes de lazo cerrado estén en $s = -2 \pm j2$.

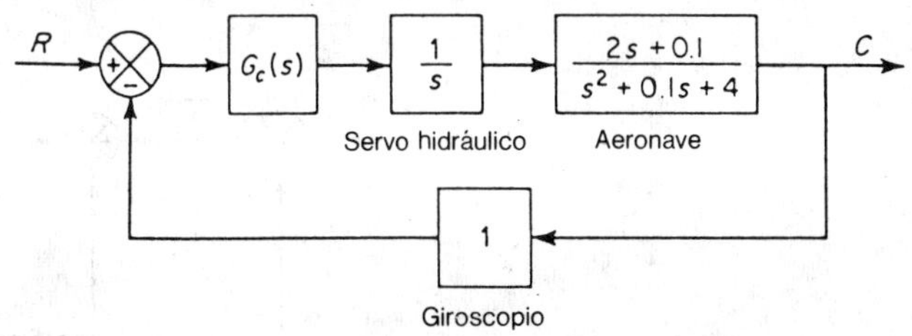


**Figura 7-100** Sistema de control de posición.

**B-7-11.** Considere un sistema de control con retroalimentación unitaria cuya función de transferencia directa está dada por

$$G(s) = \frac{10}{s(s+2)(s+8)}$$

Diseñe un compensador de modo que el coeficiente de error estático de velocidad $K_v$ sea igual a 80 $s^{-1}$ y los polos dominantes de lazo cerrado estén ubicados en $s = -2 \pm j2\sqrt{3}$.

**B-7-12.** Trace los diagramas de Bode del controlador PI dado por

$$G_c(s) = 5\left(1 + \frac{1}{2s}\right)$$

y del controlador PD dado por

$$G_c(s) = 5(1 + 0.5s)$$

**B-7-13.** Considere el controlador PID modificado de la figura 7-85. Muestre que la función de transferencia está dada por

$$G_c(s) = K_p + \frac{K_i}{s} + \frac{K_d s}{1 + as} \qquad (a > 0)$$

Note que la acción de control derivativo diferencia la señal y amplifica los efectos del ruido. El polo en $s = -1/a$ agregado al término de control derivativo suaviza los cambios rápidos de la salida del diferenciador.

**B-7-14.** En referencia al problema A-7-12, trace un diagrama de Bode de

$$G_c(s) = 30.3215\,\frac{(s + 0.65)^2}{s}$$

**B-7-15.** La figura 7-101(a) muestra un control I-PD de velocidad de un motor de cd. Suponiendo que la entrada de referencia es cero, u $\Omega_r = 0$, obtenga la función de transferencia de lazo cerrado para la perturbación $N(s)$, u $\Omega_c(s)/N(s)$. Luego, muestre que el diagrama de bloques de la figura 7-101(a) se puede modificar como el de la figura 7-101(b). Note que hay una trayectoria de control de preali-

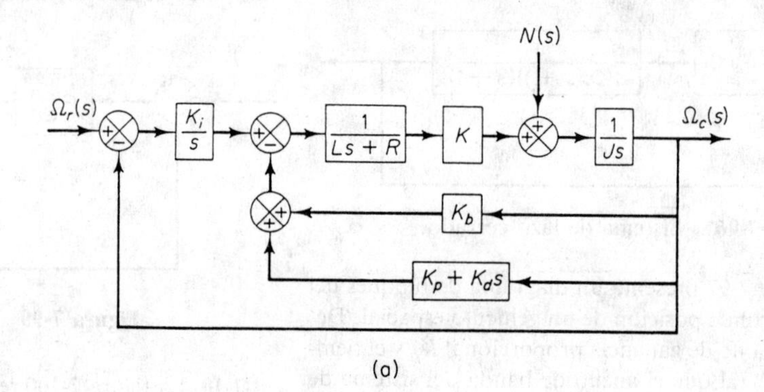


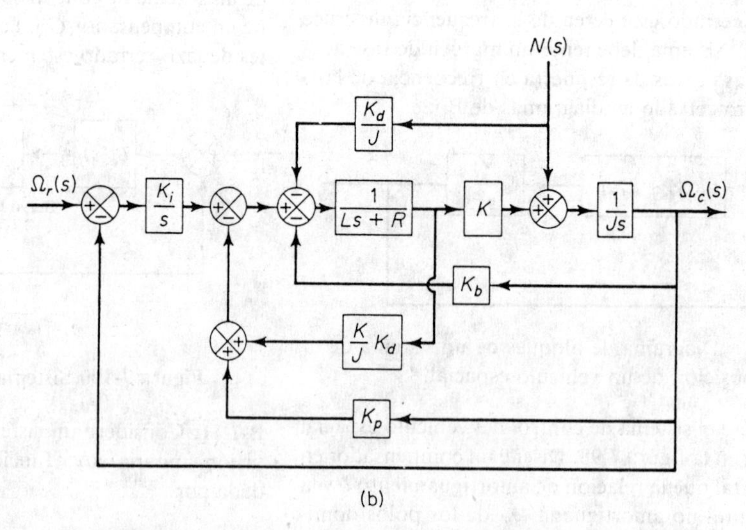


**Figura 7-101** (a) Sistema de control I-PD de velocidad de un motor de cd; (b) diagrama de bloques modificado.

mentado para la perturbación $N(s)$. (En los diagramas, $K_b$ es la constante de fuerza contraelectromotriz).

**B-7-16.** Considere el sistema que se muestra en la figura 7-102. Si la perturbación $N$ se puede detectar, entonces puede entrar a una función de transferencia $G_3$ y sumarse en la trayectoria de retroalimentación directa entre el amplificador y la planta, como se ve en la figura 7-102. Determine una función de transferencia $G_3$ apropiada para reducir el efecto de la perturbación $N$ en el error en estado estacionario. ¿Qué limita a este método en cuanto a reducir los efectos de esta perturbación?

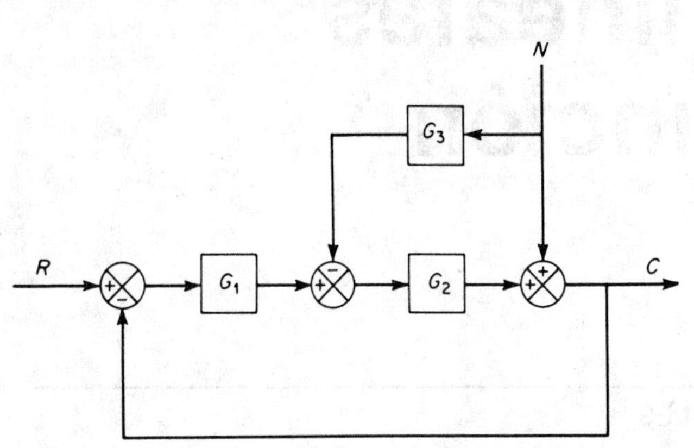


**Figura 7-102** Sistema de control.

**B-7-17.** Con base en el ejemplo 7-8, se desea obtener una solución por computadora para la respuesta al escalón unitario del siguiente sistema:

$$\frac{C(s)}{R(s)} = \frac{6.3223s^2 + 18s + 12.811}{s^4 + 6s^3 + 11.3223s^2 + 18s + 12.811}$$

Para obtener una solución por computadora, se necesita obtener una representación del sistema en el espacio de estado.

Defina $c = y$ y $r = u$. Demuestre que las ecuaciones de estado y de salida para este sistema pueden darse por

$$\dot{x}_1 = x_2 + \beta_1 u$$
$$\dot{x}_2 = x_3 + \beta_2 u$$
$$\dot{x}_3 = x_4 + \beta_3 u$$
$$\dot{x}_4 = -12.811x_1 - 18x_2 - 11.3223x_3 - 6x_4 + \beta_4 u$$

y

$$y = x_1 + \beta_0 u$$

donde

$$\beta_0 = 0, \quad \beta_1 = 0, \quad \beta_2 = 6.3223,$$
$$\beta_3 = -19.9338, \quad \beta_4 = 60.8308$$

Así, en notación matricial normalizada, las ecuaciones de estado y la ecuación de salida para el sistema están dadas por

$$\begin{bmatrix} \dot{x}_1 \\ \dot{x}_2 \\ \dot{x}_3 \\ \dot{x}_4 \end{bmatrix} = \begin{bmatrix} 0 & 1 & 0 & 0 \\ 0 & 0 & 1 & 0 \\ 0 & 0 & 0 & 1 \\ -12.811 & -18 & -11.3223 & -6 \end{bmatrix} \begin{bmatrix} x_1 \\ x_2 \\ x_3 \\ x_4 \end{bmatrix} + \begin{bmatrix} 0 \\ 6.3223 \\ -19.9338 \\ 60.8308 \end{bmatrix} u$$

$$y = [1 \quad 0 \quad 0 \quad 0] \begin{bmatrix} x_1 \\ x_2 \\ x_3 \\ x_4 \end{bmatrix}$$

Simule la ecuación de estado y obtenga una solución por computadora para la respuesta al escalón unitario del sistema. Compare la solución en computadora con la curva de respuesta al escalón unitario dada en la figura 7-56. [Note que, para una entrada escalón unitario, se hace $u = 1$. Por tanto, $x_1(t)$ en función de $t$, es la respuesta $c(t)$ en función de $t$ del sistema original].

**B-7-18.** En el problema A-7-8, se diseñó un compensador en atraso-adelanto para el sistema que se muestra en la figura 7-82. El sistema diseñado tiene la función de transferencia de lazo abierto

$$G_c(s)G(s) = \frac{250(s + 0.16025)}{s(s + 0.01)(s + 5)(s + 16.025)}$$

El sistema tiene retroalimentación unitaria. Escriba un programa para obtener la respuesta del sistema al escalón unitario.

# CAPITULO 8

# Análisis de sistemas de control no lineales mediante la función descriptiva

## 8-1 INTRODUCCION A SISTEMAS NO LINEALES

Es bien sabido que muchas relaciones entre magnitudes físicas no son lineales, aunque con frecuencia se aproximan mediante ecuaciones lineales sobre todo por simplicidad matemática. Esta simplificación puede ser satisfactoria siempre que las soluciones resultantes concuerden con los resultados experimentales. Una de las características más importantes de los sistemas no lineales es que la respuesta del sistema depende de la magnitud y tipo de entrada. Por ejemplo, un sistema no lineal puede tener un comportamiento completamente distinto ante entradas escalón de diferentes amplitudes.

Como se puntualizó en el capítulo 2, los sistemas no lineales difieren mucho de los sistemas lineales porque para los primeros no rige el principio de superposición. Los sistemas no lineales presentan muchos fenómenos que no aparecen en los sistemas lineales, y al estudiar tales sistemas es necesario estar familiarizados con esos fenómenos. En esta sección se presentará una breve introducción a varios de ellos.

**Dependencia entre frecuencia y amplitud.** Considere la oscilación libre de un sistema mecánico como el de la figura 8-1, que consiste en una masa, un amortiguador viscoso, y un resorte no lineal. La ecuación diferencial que describe la dinámica de este sistema es

$$m\ddot{x} + b\dot{x} + kx + k'x^3 = 0 \tag{8–1}$$

donde $kx + k'x_3$ = fuerza no lineal del resorte
$x$ = desplazamiento de la masa

$m$ = masa

$b$ = coeficiente de fricción viscosa del amortiguador

Los parámetros $m$, $b$, y $k$ son constantes positivas, mientras que $k'$ puede ser positiva o negativa. Si $k'$ es positiva, el resorte se denomina resorte rígido, mientras que si $k'$ es negativa, es un resorte flexible. El grado de no linealidad del sistema se caracteriza por la magnitud de $k'$. Esta ecuación diferencial no lineal, ecuación (8-1) se denomina ecuación de Duffing que se ha analizado varias veces en el campo de la mecánica no lineal. La solución de la ecuación (8-1) representa una oscilación amortiguada si el sistema está sometido a una condición inicial no nula. En una prueba experimental se observa que a medida que decrece la amplitud, la frecuencia de la oscilación libre disminuye o aumenta, dependiendo de si $k' > 0$ o $k' < 0$, respectivamente. Cuando $k' = 0$, la frecuencia se mantiene constante al disminuir la amplitud de las oscilaciones libres. (Esto corresponde a un sistema lineal). En la figura 8-2, muestra las formas de onda de oscilaciones libres donde se pueden ver estas características. La figura 8-3 representa las relaciones de amplitud-frecuencia para los tres casos en que $k'$ es mayor, igual, o menor que cero.

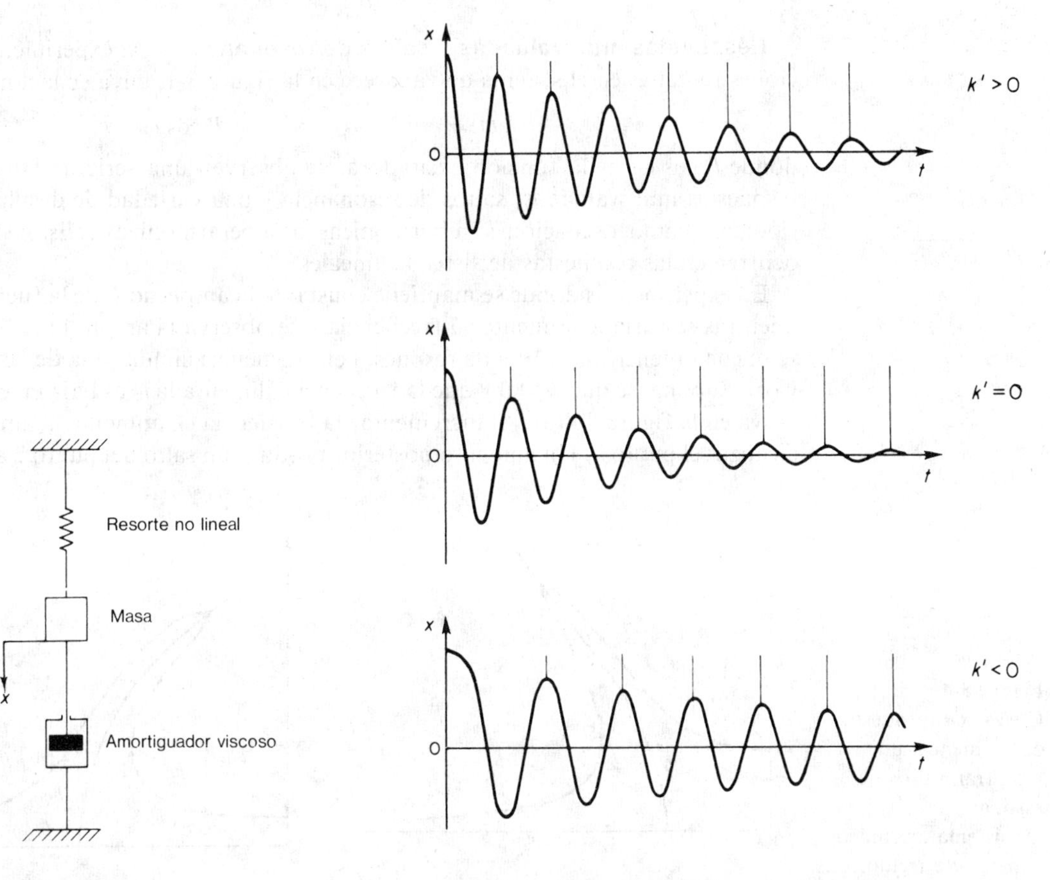


**Figura 8-1**
Sistema mecánico.

**Figura 8-2** Formas de onda de oscilaciones libres del sistema descrito por la ecuación (8-1).

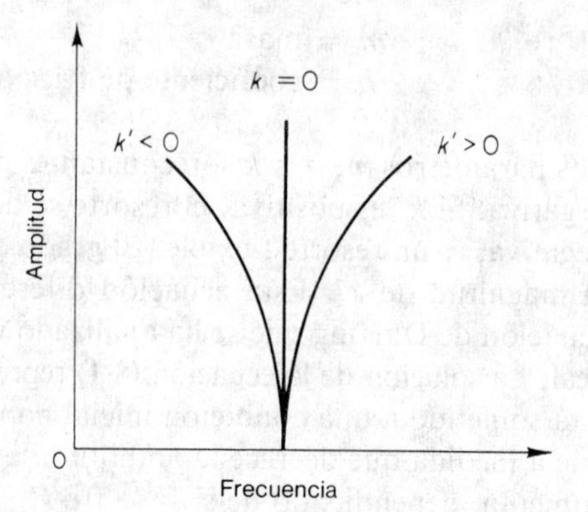


**Figura 8-3**
Curvas de amplitud en función de la frecuencia para oscilaciones libres del sistema descrito por la ecuación (8-1).

En un estudio experimental de sistemas no lineales, se puede ver fácilmente la dependencia entre frecuencia y amplitud. Esta dependencia es una de las características fundamentales de las oscilaciones de sistemas no lineales. La gráfica de la figura 8-3 revela si hay o no una linealidad presente y también indica su grado de no linealidad.

**Respuestas multivaluadas y saltos de resonancia.** Al experimentar con oscilaciones forzadas en el sistema que aparece en la figura 8-1, cuya ecuación diferencial es

$$m\ddot{x} + b\dot{x} + kx + k'x^3 = P\cos\omega t$$

donde $P \cos \omega t$ es la función excitadora, se observan una serie de fenómenos, como respuestas multivaluadas, saltos de resonancia y una variedad de desplazamientos periódicos (como oscilaciones subarmónicas o superarmónicas). Estos fenómenos no ocurren en las respuestas de sistemas lineales.

En experimentos donde se mantiene constante la amplitud $P$ de la fuerza excitadora, mientras se varía lentamente su frecuencia y se observa la amplitud $X$ de la respuesta, se puede obtener una curva de respuesta en frecuencia similar a la de las figuras 8-4(a) y (b). Supóngase que $k > 0$ y que la frecuencia alimentada $\omega$ es baja en el punto 1 de la curva en la figura 8-4(a). Al incrementar la frecuencia $\omega$, aumenta la amplitud $X$ hasta alcanzar el punto 2. Un aumento posterior produce un salto del punto 2 al punto 3, con

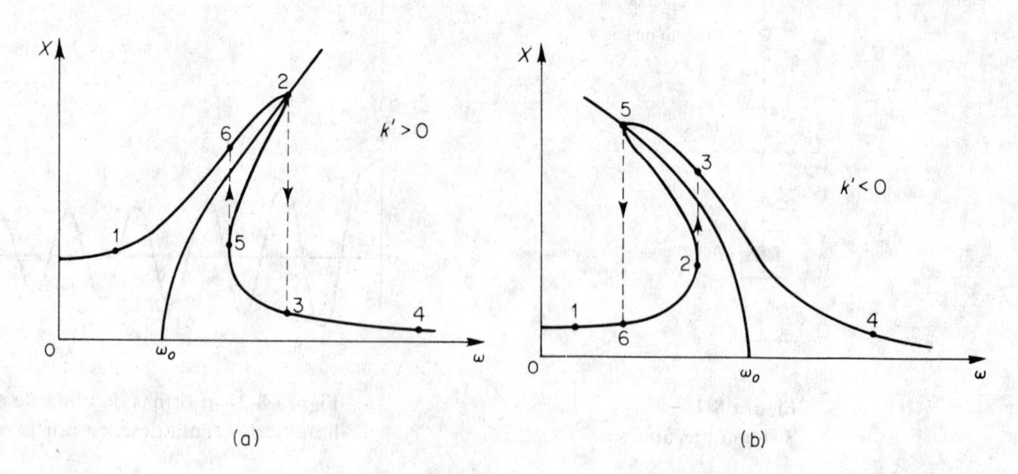


**Figura 8-4**
Curvas de respuesta en frecuencia que muestran saltos de resonancia.
(a) sistema mecánico con resorte rígido;
(b) sistema mecánico con resorte flexible.

los correspondientes cambios en magnitud y fase. Este fenómeno se denomina *salto de resonancia*. Al incrementar más aún la frecuencia $\omega$, la amplitud $X$ sigue la curva del punto 3 al punto 4. Si se experimenta en otra dirección, es decir, partiendo de una frecuencia alta, se observa que al decrecer $\omega$, la amplitud $X$ crece lentamente pasando por el punto 3, hasta alcanzar el punto 5. Una disminución posterior de $\omega$ produce otro salto del punto 5 al punto 6, acompañado de las modificaciones en magnitud y fase. Tras este salto, la amplitud $X$ decrece con $\omega$ y sigue la curva desde el punto 6 hacia el punto 1. Así, las curvas de respuesta son efectivamente discontinuas, y un punto representativo en la curva de respuesta sigue trayectorias diferentes para frecuencias crecientes y decrecientes. Las oscilaciones de respuesta correspondientes a la curva entre los puntos 2 y 5 corresponden a oscilaciones inestables, y no se pueden observar experimentalmente. También se dan saltos similares en el caso de un sistema con un resorte flexible ($k' < 0$), como se ve en la figura 8-4(b). Se ve entonces que para una amplitud $P$ de la función excitadora, hay un rango de frecuencia en las que se pueden producir una de dos oscilaciones estables. Nótese que para que se produzca un salto de resonancia, es necesario que el término amortiguador sea pequeño y que la amplitud de la función excitadora sea suficientemente grande como para llevar al sistema a una región apreciable de funcionamiento no lineal.

**Oscilaciones subarmónicas.** Por *oscilación subarmónica* se entiende una oscilación no lineal en estado estacionario, cuya frecuencia es un submúltiplo entero de la frecuencia excitadora. La figura 8-5 presenta un ejemplo de una forma de onda de salida con oscilación subarmónica, junto con la forma de onda de entrada. Las oscilaciones subarmónicas dependen de los parámetros del sistema y de las condiciones iniciales, así como de la amplitud y frecuencia de la función excitadora. La expresión *dependencia de las condiciones iniciales* significa que las oscilaciones subarmónicas no son de iniciación espontánea. Para iniciarlas hay que dar una especie de golpe, por ejemplo una variación brusca en la amplitud o frecuencia de la función excitadora. Una vez que las oscilaciones subarmónicas se han excitado, pueden ser sumamente estables dentro de ciertas frecuencias. Si la frecuencia de la función excitadora cambia a un nuevo valor, la oscilación subarmónica o bien desaparece, o modifica su frecuencia a un valor que es $\omega/n$, donde $\omega$ es la frecuencia excitadora y $n$ es el orden de la oscilación subarmónica. (Note que en un sistema lineal se puede presentar una oscilación cuya frecuencia sea la mitad de la frecuencia de excitación, siempre que un parámetro o parámetros del sistema varíen periódicamente con el tiempo. Un sistema lineal conservativo también puede presentar oscilaciones que se parecen a las oscilaciones subarmónicas de sistemas no lineales, sin embargo, las oscilaciones de los sistemas lineales son esencialmente diferentes de las oscilaciones subarmónicas).

**Oscilaciones autoexcitadas o ciclos límite.** Otro fenómeno que se observa en ciertos sistemas no lineales, es una oscilación autoexcitada o ciclo límite. Considere un sistema descrito por la siguiente ecuación:

$$m\ddot{x} - b(1 - x^2)\dot{x} + kx = 0$$

donde $m$, $b$, y $k$ son cantidades positivas. Esta ecuación se llama ecuación de Van der Pol y es no lineal en el término de amortiguación. Al examinar este término, se nota que para valores pequeños de $x$ el amortiguamiento será negativo y, de hecho, propor-

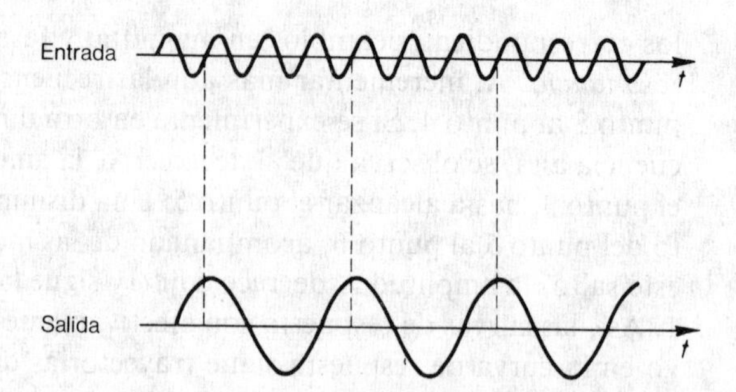


**Figura 8-5**
Formas de onda de entrada y salida bajo oscilación subarmónica.

ciona energía al sistema, mientras que para valores grandes de $x$ es positivo, y elimina energía del sistema. Entonces, se puede esperar que este sistema presente una oscilación sostenida. Como no es un sistema forzado, esta oscilación se denomina oscilación autoexcitada o ciclo límite. Nótese que si un sistema sólo tiene un ciclo límite, como en este caso, la amplitud de este ciclo límite no depende de la condición inicial.

**Arrastre de frecuencia.** Un ejemplo del fenómeno interesante que se observa en algunos sistemas no lineales, es el arrastre de frecuencia. Si se aplica una fuerza periódica con frecuencia $\omega$ a un sistema que presenta un ciclo límite de frecuencia $\omega_0$, se observa el fenómeno bien conocido del batido. Al disminuir la diferencia entre las dos frecuencias, también disminuye la frecuencia de batido. En un sistema lineal se encuentra, tanto experimental como teóricamente, que la frecuencia de batido disminuye en forma indefinida cuando $\omega$ tiende a $\omega_0$. En un sistema no lineal autoexcitado, sin embargo, se encuentra experimentalmente que la frecuencia $\omega_0$ del ciclo límite se sincroniza con, o es arrastrada por, la frecuencia excitadora $\omega$, dentro de cierta banda de frecuencias. Este fenómeno generalmente se designa como *arrastre de frecuencia*, y la banda de frecuencias en la que se produce el arrastre se llama *zona de arrastre de frecuencia*.

En la figura 8-6 se ve la relación entre $|\omega - \omega_0|$ y $\omega$. Para un sistema lineal, la relación entre $|\omega - \omega_0|$ y $\omega$ seguiría las líneas punteadas, y $|\omega - \omega_0|$ sería cero para un solo valor de $\omega$, es decir, $\omega = \omega_0$. Para un sistema no lineal autoexcitado se produce arrastre de frecuencia, y en la zona de arrastre de frecuencia, indicada como región $\Delta\omega$ en la figura 8-6, se fusionan las frecuencias $\omega$ y $\omega_0$, y sólo existe una frecuencia, $\omega$. Este arrastre de frecuencia se observa en la respuesta en frecuencia de sistemas no lineales que presentan ciclos límite.

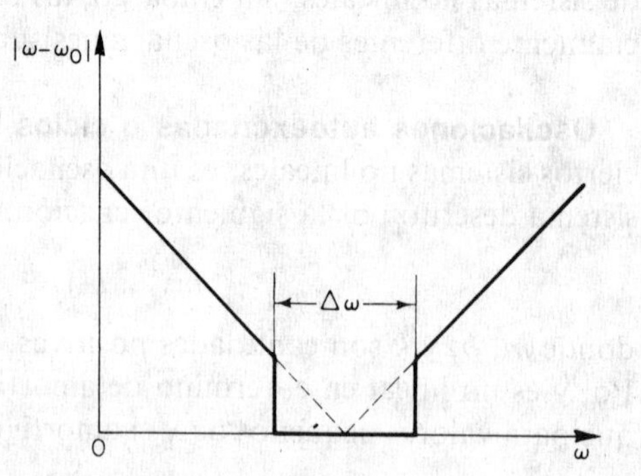


**Figura 8-6**
Curvas de $|\omega - \omega_0|$ en función de $\omega$ mostrando la zona de arrastre de frecuencia.

**Extinción asíncrona.** En un sistema no lineal que presenta un ciclo límite de frecuencia $\omega_0$, es posible extinguir la oscilación del ciclo límite, excitando al sistema a una frecuencia $\omega_1$, donde $\omega_1$ y $\omega_0$ no están relacionadas entre sí. Este fenómeno se denomina *extinción asíncrona*, o *estabilización de señal*.

**Comentario.** Ninguno de los fenómenos recién mencionados, así como otros fenómenos no lineales no mencionados aquí, se presentan en sistemas lineales. Estos fenómenos no se pueden explicar mediante la teoría de sistemas lineales; para explicarlos hay que resolver, en forma analítica o por computadora, las ecuaciones diferenciales no lineales que describen la dinámica del sistema.

**Lineamientos del capítulo.** En la sección 8-1 se presentó una introducción a sistemas no lineales y se explicaron algunos fenómenos peculiares que pueden ocurrir en muchos sistemas no lineales. La sección 8-2 ofrece una breve explicación sobre características no lineales inherentes e intencionales. La sección 8-3 define la función descriptiva y deduce las funciones descriptivas de algunas características no lineales que se suelen encontrar. La sección 8-4 trata el análisis de estabilidad de sistemas de control no lineales, a través del método de la función descriptiva. La sección 8-5 presenta un resumen del procedimiento de la función descriptiva en el análisis y diseño de sistemas de control no lineales.

## 8-2 SISTEMAS DE CONTROL NO LINEALES

Se pueden encontrar muchos tipos diferentes de fenómenos no lineales en los sistemas de control reales, y se les puede dividir en dos clases, dependiendo de si son inherentes al sistema, o si se añaden en forma deliberada.

A continuación, se explicarán, en primer lugar, los fenómenos no lineales inherentes y luego los deliberados. Al final, se tratarán procedimientos de análisis y diseño de sistemas de control no lineal.

**Fenómenos no lineales inherentes.** Los fenómenos no lineales inherentes son inevitables en los sistemas de control. Ejemplos de ello son:

1. Saturación
2. Zona muerta
3. Histéresis
4. Juego
5. Fricción estática, fricción de Coulomb, y otras fricciones no lineales
6. Elasticidad no lineal
7. Compresibilidad de fluidos

Por lo general la presencia de estos fenómenos no lineales en sistemas de control afecta en forma adversa el comportamiento del sistema. Por ejemplo, el juego puede producir inestabilidad y la zona muerta puede causar error en estado estacionario.

**Fenómenos no lineales intencionales.** Algunos elementos no lineales se introducen en forma intencional en un sistema para mejorar su comportamiento o para simplificar la construcción del sistema, o ambos. Un sistema no lineal diseñado adecuadamente para cumplir cierta función suele resultar superior desde el punto de vista económico, de peso, de espacio y de confiabilidad, a sistemas lineales diseñados para cumplir la misma tarea. El ejemplo más sencillo de tal sistema no lineal intencional, es un sistema convencional accionado por un relevador. Se pueden encontrar otros ejemplos en sistemas de control óptimo que con frecuencia emplean controladores no lineales complicados. Sin embargo, nótese que aunque los elementos no lineales intencionales pueden mejorar el comportamiento del sistema bajo ciertas condiciones de funcionamiento, en general degradan el funcionamiento del sistema bajo otras condiciones de operación.

**Efecto de los fenómenos no lineales inherentes en la exactitud estática.** Una característica de los sistemas de control es que la potencia se transmite por la trayectoria, en tanto que la exactitud estática del sistema se determina por los elementos en el trayecto de retroalimentación. Esto es, el dispositivo de medición determina el límite de exactitud estática que no puede ser mejor que la exactitud de este elemento de medición. Por lo tanto, cualquier característica no lineal inherente en los elementos en la retroalimentación, debe ser mínima.

Si los elementos en la retroalimentación presentan fricción, juego, y otros, entonces lo mejor será alimentar la señal de error a un dispositivo integrador, porque el sistema puede no detectar señales de error muy pequeñas, a menos que el error sea integrado continuamente, haciendo que su valor crezca lo suficiente para ser detectado.

**Procedimientos de análisis y diseño de sistemas de control no lineales.** No hay un método general para afrontar todos los sistemas no lineales, porque las ecuaciones diferenciales no lineales carecen de un procedimiento general de solución. (Sólo se pueden hallar soluciones exactas para algunas ecuaciones diferenciales no lineales simples. Para muchas ecuaciones diferenciales no lineales de importancia práctica, sólo es posible resolverlas mediante computadora, y tales soluciones sólo son válidas bajo las condiciones limitadas para las cuales fueron obtenidas). Como no hay un procedimiento general, se puede tomar cada ecuación no lineal, o grupo de ecuaciones similares, en forma individual, para intentar desarrollar un método de análisis que se pueda aplicar satisfactoriamente a ese grupo particular. (Nótese que aunque se pueda realizar una generalización restringida dentro del grupo de ecuaciones similares, es imposible una generalización más amplia de una solución particular).

Una forma de analizar y diseñar un grupo determinado de sistemas de control no lineal, en el que el grado de no linealidad sea pequeño, es utilizar técnicas de linealización equivalente, y entonces resolver el problema resultante linealizado. El método de la función descriptiva que se tratará en este capítulo, es uno de los métodos de linealización equivalente. En muchos casos prácticos, el objetivo fundamental es la estabilidad de los sistemas de control no lineales y entonces no son necesarias las soluciones analíticas de las ecuaciones diferenciales no lineales. (Es mucho más simple establecer los criterios de estabilidad que obtener las soluciones analíticas). El método de la función descriptiva permite estudiar la estabilidad de las situaciones de control no lineales desde el punto de vista del dominio de la frecuencia. El método de la función descriptiva permite estudiar la estabilidad de los sistemas de control no lineales desde el punto de vista del dominio de la frecuencia. El método de la función descriptiva proporciona información sobre la estabilidad de un sistema de cualquier orden, pero no da información exacta sobre las características de respuesta temporal.

Otro procedimiento para el análisis y diseño de sistemas de control no lineales que se dará en este libro, es el segundo método de Liapunov. Este método se puede aplicar al análisis de estabilidad de cualquier sistema no lineal, pero su aplicación se puede imposibilitar debido a la dificultad en encontrar las funciones de Liapunov en el caso de sistemas no lineales complicados. (Para las funciones de Liapunov, vea el capítulo 9).

**Soluciones por computadora de problemas no lineales.** Las computadoras modernas permiten usar nuevos métodos para tratar problemas no lineales. Las técnicas de simulación en computadoras digitales son muy poderosas para analizar y diseñar sistemas de control no lineales. Cuando la complejidad de un sistema impide el uso de cualquier procedimiento analítico, las simulaciones en computadora pueden ser el único camino para obtener la información necesaria para fines de diseño.

**Comentario.** Es importante tener en mente que aunque la predicción del comportamiento de sistemas no lineales en general es difícil, al diseñar sistemas de control no lineales no se debe tratar de forzar al sistema a ser lo más lineal posible, porque este requisito puede llevar al diseño de un sistema de mayor costo y menos deseable que uno no lineal diseñado adecuadamente.

## 8-3 FUNCIONES DESCRIPTIVAS

Esta sección presenta algunas representaciones de los elementos no lineales que se encuentran con más frecuencia utilizando la función descriptiva.

**Funciones descriptivas.** Suponga que hay una entrada senoidal a un elemento no lineal. La salida del elemento no lineal generalmente no es senoidal. Suponga también que la salida es periódica, con el mismo periodo que la entrada. (La salida contiene armónicas más grandes, además de la componente armónica fundamental).

En el análisis de la función descriptiva se supone que sólo la componente armónica fundamental es significativa. Tal premisa suele ser válida porque las armónicas superiores en la salida de un elemento no lineal, con frecuencia son de menor amplitud que la de la componente armónica fundamental. Además, la mayor parte de los sistemas de control son filtros paso bajas, con el resultado de que las armónicas más altas se atenúan en comparación con la componente armónica fundamental.

La función descriptiva o función descriptiva senoidal de un elemento no lineal, está definida como una relación compleja entre la componente armónica fundamental de la salida respecto a la entrada. Es decir,

$$N = \frac{Y_1}{X}\angle\phi_1$$

donde $N$ = función descriptiva
$X$ = amplitud de la senoide de entrada
$Y_1$ = amplitud de la componente armónica fundamental de la salida
$\phi_1$ = desplazamiento de fase de la componente armónica fundamental de la salida

Si no hay un elemento que almacene energía dentro del elemento no lineal, entonces $N$ sólo es función de la amplitud de la entrada al elemento. Por otro lado, si se incluye un elemento capaz de almacenar energía, entonces $N$ es función de la amplitud y de la frecuencia de entrada.

Al calcular la función descriptiva para un elemento no lineal, se necesita hallar la componente armónica fundamental de la salida. Para la entrada senoidal $x(t) = X \operatorname{sen} \omega t$ al elemento no lineal, la salida $y(t)$ se puede expresar como una serie de Fourier, como

$$y(t) = A_0 + \sum_{n=1}^{\infty} (A_n \cos n\omega t + B_n \operatorname{sen} n\omega t)$$

$$= A_0 + \sum_{n=1}^{\infty} Y_n \operatorname{sen}(n\omega t + \phi_n)$$

donde

$$A_n = \frac{1}{\pi} \int_0^{2\pi} y(t) \cos n\omega t \, d(\omega t)$$

$$B_n = \frac{1}{\pi} \int_0^{2\pi} y(t) \operatorname{sen} n\omega t \, d(\omega t)$$

$$Y_n = \sqrt{A_n^2 + B_n^2}$$

$$\phi_n = \tan^{-1}\left(\frac{A_n}{B_n}\right)$$

Si la característica no lineal es antisimétrica, entonces $A_0 = 0$. La componente armónica fundamental de la salida es

$$y_1(t) = A_1 \cos \omega t + B_1 \operatorname{sen} \omega t$$

$$= Y_1 \operatorname{sen}(\omega t + \phi_1)$$

Entonces la función descriptiva está dada por

$$N = \frac{Y_1}{X} \angle \phi_1 = \frac{\sqrt{A_1^2 + B_1^2}}{X} \angle \tan^{-1}\left(\frac{A_1}{B_1}\right)$$

Desde luego, $N$ es una magnitud compleja cuando $\phi_1$ es no nula.

En la tabla 8-1 se ven tres elementos no lineales y sus funciones descriptivas. (En la tabla 8-1, $k_1$, $k_2$, y $k$ indican las pendientes de las rectas). A continuación se proporcionan cálculos ilustrativos de funciones descriptivas de elementos no lineales halladas comúnmente. (Vea también los problemas A-8-2 a A-8-5).

**Tabla 8-1** Tres características no lineales y sus funciones descriptivas

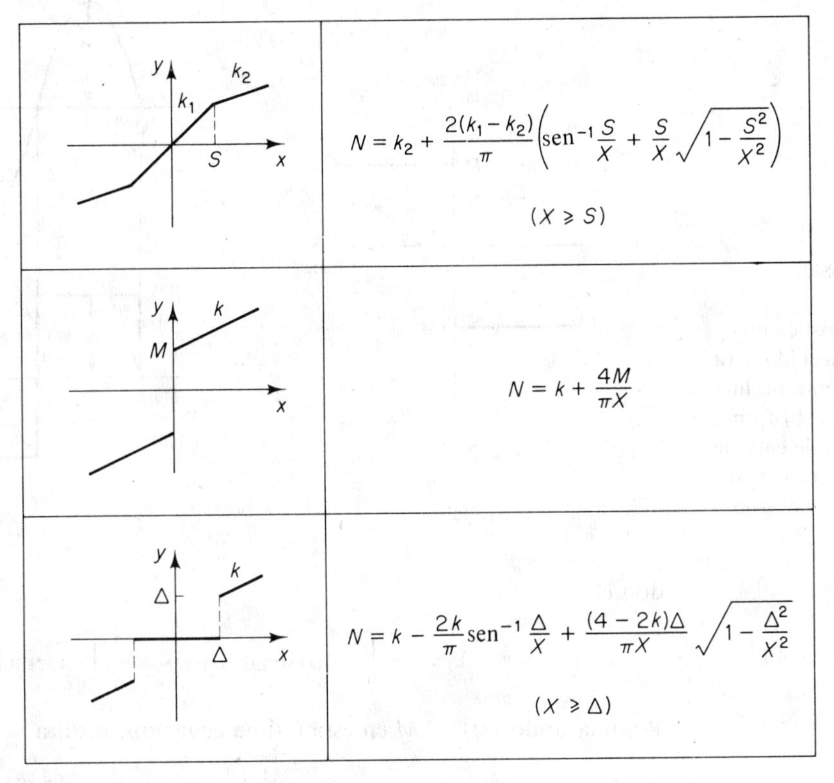

| Característica | Función descriptiva |
|---|---|
| $y$, $k_1$, $k_2$, $S$, $x$ | $N = k_2 + \frac{2(k_1 - k_2)}{\pi}\left(\text{sen}^{-1}\frac{S}{X} + \frac{S}{X}\sqrt{1 - \frac{S^2}{X^2}}\right)$ <br> $(X \geqslant S)$ |
| $y$, $k$, $M$, $x$ | $N = k + \frac{4M}{\pi X}$ |
| $y$, $k$, $\Delta$, $x$ | $N = k - \frac{2k}{\pi}\text{sen}^{-1}\frac{\Delta}{X} + \frac{(4 - 2k)\Delta}{\pi X}\sqrt{1 - \frac{\Delta^2}{X^2}}$ <br> $(X \geqslant \Delta)$ |

**Elemento no lineal de sí-no.** El elemento no lineal de sí-no, o de conexión-desconexión, con frecuencia recibe el nombre de elemento no lineal de dos posiciones. Considere un elemento de sí-no cuya curva característica de entrada-salida es la que aparece en la figura 8-7(a). La salida de este elemento es, o bien una constante positiva, o una constante negativa. Para una entrada senoidal, la señal de salida se vuelve una onda cuadrada. La figura 8-7(b) muestra las formas de onda de entrada y salida.

Se comienza por obtener la expansión en serie de Fourier de la salida $y(t)$ de este elemento

$$y(t) = A_0 + \sum_{n=1}^{\infty}(A_n \cos n\omega t + B_n \,\text{sen}\, n\omega t)$$

Como se ve en la figura 8-7(b), la salida es una función impar. Para cualquier función impar se tiene que $A_n = 0$ $(n = 0, 1, 2, \ldots)$. Por lo tanto,

$$y(t) = \sum_{n=1}^{\infty} B_n \,\text{sen}\, n\omega t$$

La componente armónica fundamental de $y(t)$ es

$$y_1(t) = B_1 \,\text{sen}\, \omega t = Y_1 \,\text{sen}\, \omega t$$

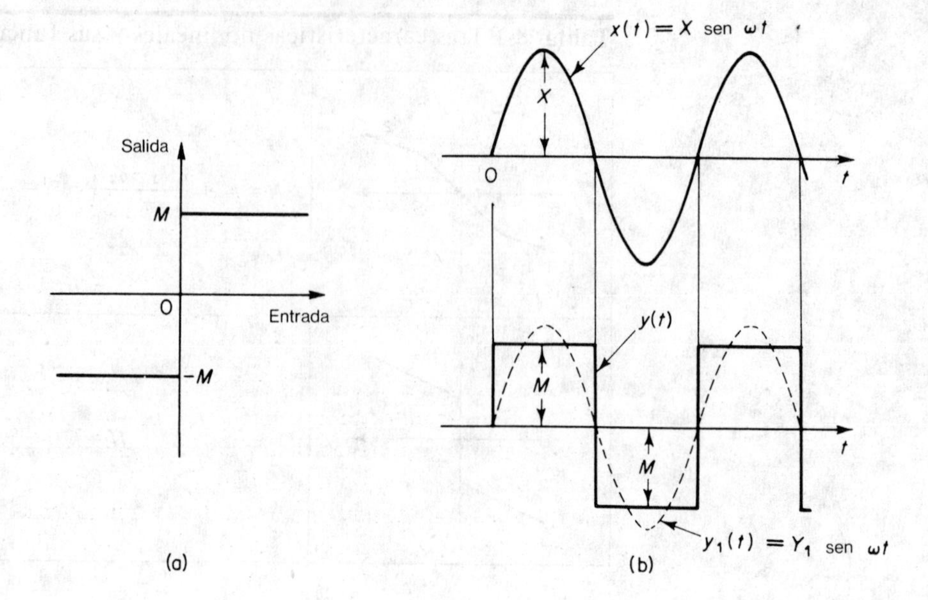


**Figura 8-7**
(a) Curva característica de entrada-salida para el elemento no lineal de sí-no; (b) formas de onda de entrada y salida del elemento no lineal de sí-no.

donde

$$Y_1 = \frac{1}{\pi}\int_0^{2\pi} y(t)\,\mathrm{sen}\,\omega t\, d(\omega t) = \frac{2}{\pi}\int_0^{\pi} y(t)\,\mathrm{sen}\,\omega t\, d(\omega t)$$

Remplazando $y(t) = M$ en esta última ecuación, resulta

$$Y_1 = \frac{2M}{\pi}\int_0^{\pi} \mathrm{sen}\,\omega t\, d(\omega t) = \frac{4M}{\pi}$$

Así,

$$y_1(t) = \frac{4M}{\pi}\,\mathrm{sen}\,\omega t$$

La función descriptiva $N$ está dada por

$$N = \frac{Y_1}{X}\angle 0^\circ = \frac{4M}{\pi X}$$

La función descriptiva para un elemento de conexión-desconexión es una cantidad real y es función solamente de la amplitud de entrada $X$. Este elemento no lineal se denomina elemento no lineal dependiente de la amplitud. En la figura 8-8 se muestra el diagrama de esta función descriptiva en función de $M/X$.

**Elemento no lineal de sí-no con histéresis.** Considere el elemento de sí-no con histéresis cuya curva característica entrada-salida es la que aparece en la figura 8-9(a). Para una entrada senoidal, la señal de salida se vuelve una onda cuadrada, con un retardo de fase de valor $\omega t_1 = \mathrm{sen}^{-1}(h/X)$, como se ve en la figura 8-9(b). Por tanto, la función descriptiva para este elemento no lineal, es

$$N = \frac{4M}{\pi X} \underline{/ -\text{sen}^{-1}\left(\frac{h}{X}\right)}$$

Es conveniente graficar

$$\frac{h}{M} N = \frac{4h}{\pi X} \underline{/ -\text{sen}^{-1}\left(\frac{h}{X}\right)}$$

en función de $h/X$ en lugar de $N$ en función de $h/X$, porque $hN/M$ es sólo función de $h/X$ se muestra una gráfica de $hN/M$ en función de $h/X$. En la figura 8-10.

**Elemento no lineal de zona muerta.** Este elemento no lineal recibe a veces el nombre de no linealidad de umbral. En la figura 8-11(a) se muestra una curva característica de entrada-salida. Para una entrada senoidal, la forma de onda de la salida es la que se presenta en la figura 8-11(b). Para el elemento de zona muerta, no hay salida para entradas dentro de la amplitud de la zona muerta.

Para el elemento con zona muerta que se muestra en la figura 8-11(a), la salida $y(t)$ para $0 \leq \omega t \leq \pi$ está dada por

$$\begin{aligned} y(t) &= 0 && \text{para } 0 < t < t_1 \\ &= k(X \,\text{sen}\, \omega t - \Delta) && \text{para } t_1 < t < \frac{\pi}{\omega} - t_1 \\ &= 0 && \text{para } \frac{\pi}{\omega} - t_1 < t < \frac{\pi}{\omega} \end{aligned}$$

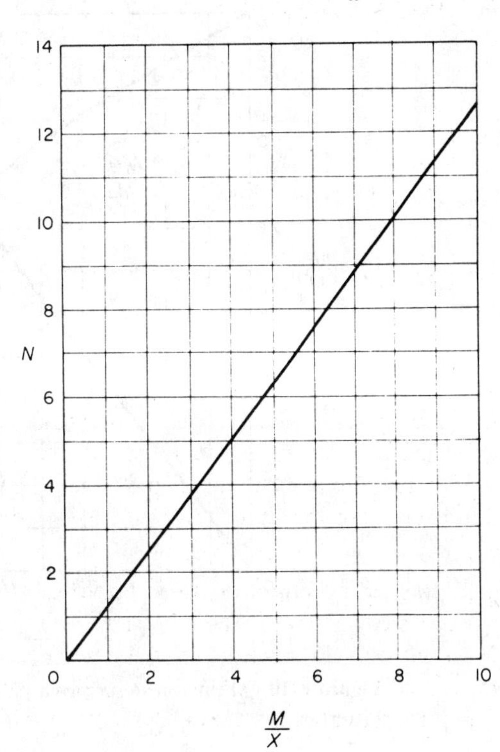


**Figura 8-8**
Función descriptiva para el elemento no lineal de sí-no.

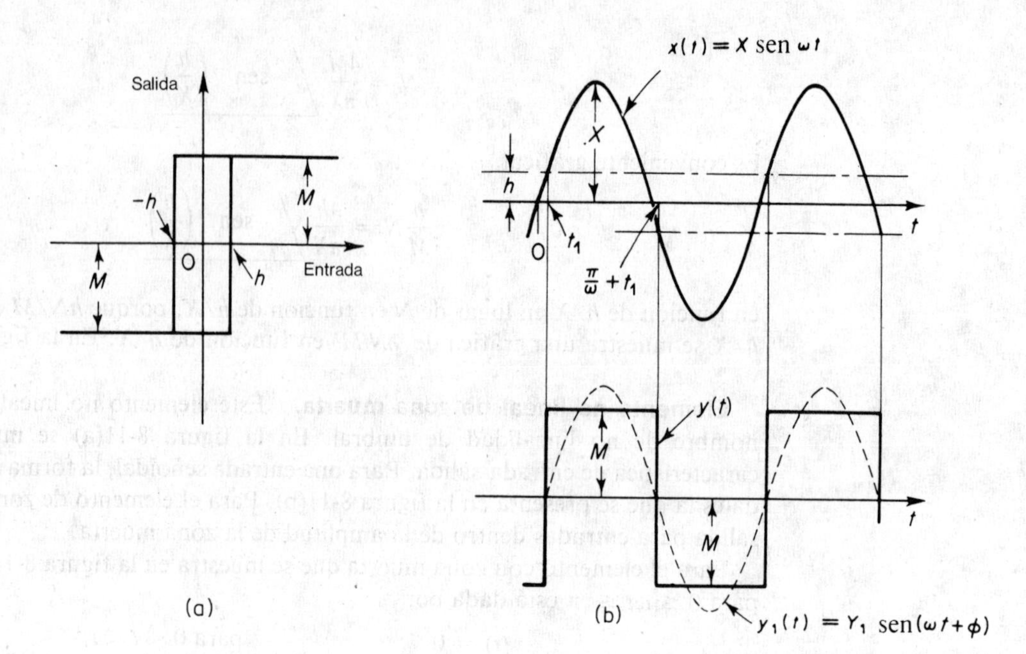


**Figura 8-9** (a) Curva característica de entrada-salida para el elemento no lineal de sí-no con histéresis; (b) formas de onda de entrada y salida del elemento no lineal de sí-no con histéresis.

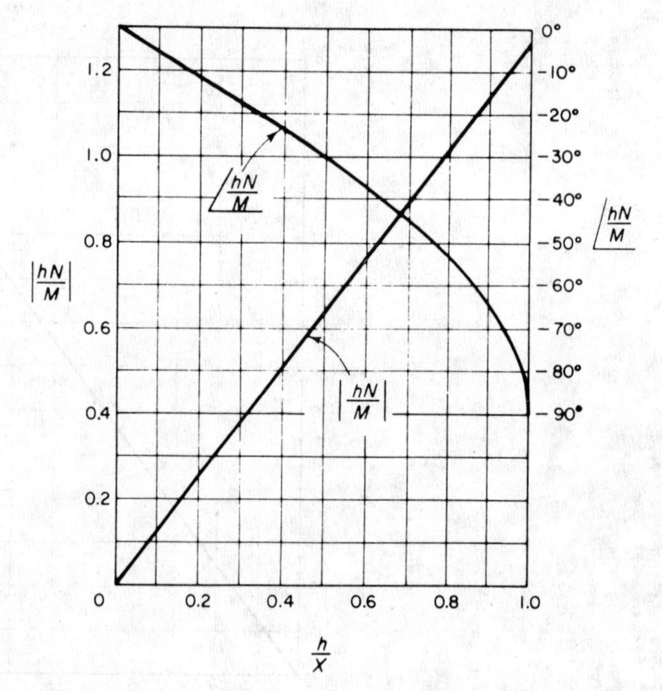


**Figura 8-10** Función descriptiva para el elemento no lineal de sí-no con histéresis.

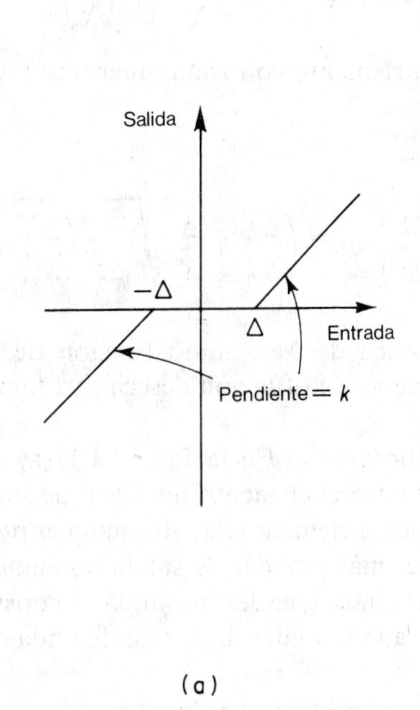


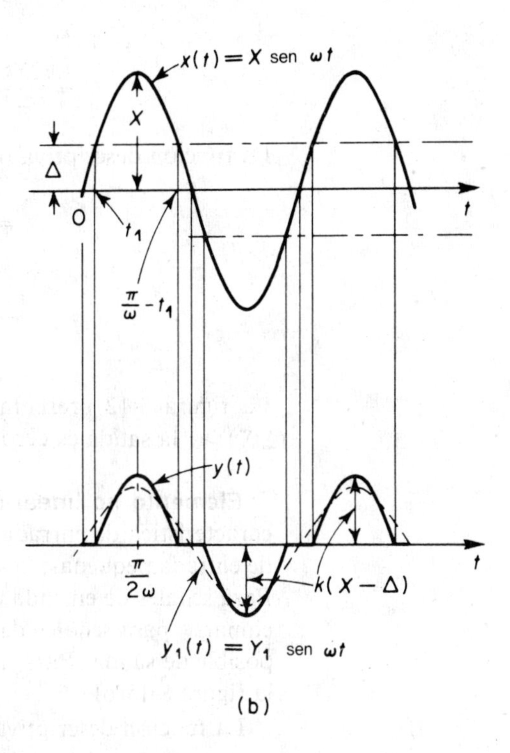


**Figura 8-11**
(a) Curva característica de entrada-salida para el elemento no lineal de zona muerta; (b) formas de onda de entrada y salida del elemento no lineal de zona muerta.

Como la salida $y(t)$ es una función impar, su expansión en serie de Fourier tiene sólo términos seno. La componente armónica fundamental está dada por

$$y_1(t) = Y_1 \operatorname{sen}\omega t$$

donde

$$\begin{aligned} Y_1 &= \frac{1}{\pi}\int_0^{2\pi} y(t) \operatorname{sen}\omega t \, d(\omega t) \\ &= \frac{4}{\pi}\int_0^{\pi/2} y(t) \operatorname{sen}\omega t \, d(\omega t) \\ &= \frac{4k}{\pi}\int_{\omega t_1}^{\pi/2} (X \operatorname{sen}\omega t - \Delta) \operatorname{sen}\omega t \, d(\omega t) \end{aligned}$$

Nótese que

$$\Delta = X \operatorname{sen}\omega t_1$$

o bien

$$\omega t_1 = \operatorname{sen}^{-1}\left(\frac{\Delta}{X}\right)$$

Por tanto

$$Y_1 = \frac{4Xk}{\pi}\left[\int_{\omega t_1}^{\pi/2} \operatorname{sen}^2 \omega t \, d(\omega t) - \sin \omega t_1 \int_{\omega t_1}^{\pi/2} \operatorname{sen} \omega t \, d(\omega t)\right]$$

$$= \frac{2Xk}{\pi}\left[\frac{\pi}{2} - \text{sen}^{-1}\left(\frac{\Delta}{X}\right) - \frac{\Delta}{X}\sqrt{1 - \left(\frac{\Delta}{X}\right)^2}\right]$$

La función descriptiva para un elemento con zona muerta se puede obtener como

$$N = \frac{Y_1}{X}\angle 0°$$

$$= k - \frac{2k}{\pi}\left[\text{sen}^{-1}\left(\frac{\Delta}{X}\right) + \frac{\Delta}{X}\sqrt{1 - \left(\frac{\Delta}{X}\right)^2}\right]$$

La figura 8-12 presenta la gráfica de $N/k$ como función de $\Delta/X$. Nótese que para $(\Delta/X) > 1$ la salida es cero y el valor de la función descriptiva también es cero.

**Elemento no lineal de saturación.** En la figura 8-13(a) se presenta una curva característica de entrada-salida para el elemento no lineal de saturación. Para señales de entrada pequeñas, la salida de un elemento de saturación es proporcional a la salida. Para señales de entrada cada vez más grandes, la salida no aumenta en forma proporcional, y para señales de entrada muy grandes, la salida es constante al valor máximo posible de salida. Para una entrada senoidal, la forma de onda de la salida aparece en la figura 8-13(b).

La función descriptiva para este elmento no lineal es

$$N = \frac{2k}{\pi}\left[\text{sen}^{-1}\left(\frac{S}{X}\right) + \frac{S}{X}\sqrt{1 - \left(\frac{S}{X}\right)^2}\right]$$

(Para la deducción de esta función descriptiva vea el problema A-8-4). En la figura 8-14 se presenta una gráfica de $N/k$ en función de $S/X$. Para $(S/X) > 1$, el valor de la función descriptiva es la unidad.

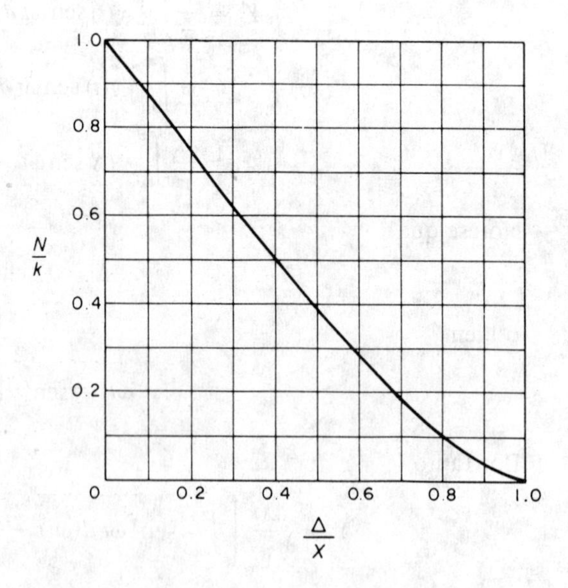


**Figura 8-12** Función descriptiva para el elemento no lineal de zona muerta.

Salida

Pendiente= $k$

$-S$

$S$ Entrada

(a)

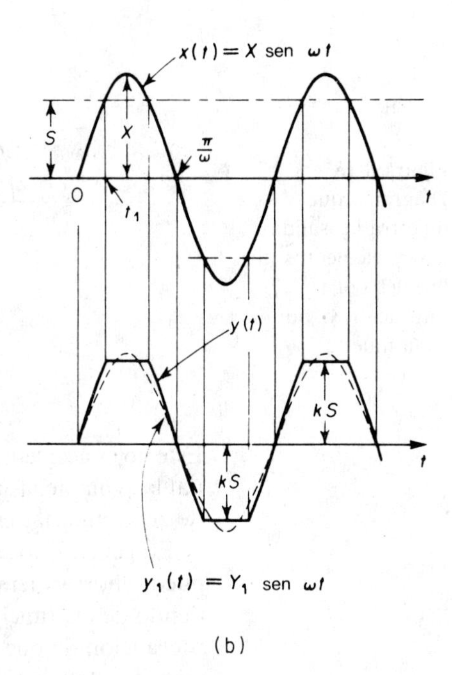


(b)

**Figura 8-13**
(a) Curva característica de entrada-salida para el elemento no lineal de saturación;
(b) formas de onda de entrada y salida del elemento no lineal de saturación.

**Comentarios.** Si la función descriptiva $N_{\text{saturación}}$ del elemento no lineal de saturación y la función descriptiva $N_{\text{zona muerta}}$ del elemento no lineal de zona muerta, se comparan, se puede encontrar la siguiente relación, siempre que la amplitud de la zona muerta $\Delta$ en la figura 8-11 y la amplitud de saturación $S$ en la figura 8-13 sea de la misma magnitud, y que la pendiente $k$ del elemento no lineal de saturación es igual a la pendiente del elemento no lineal de zona muerta.

$$N_{\text{zona muerta}} = k - N_{\text{saturación}} \qquad \text{para } \Delta = S$$

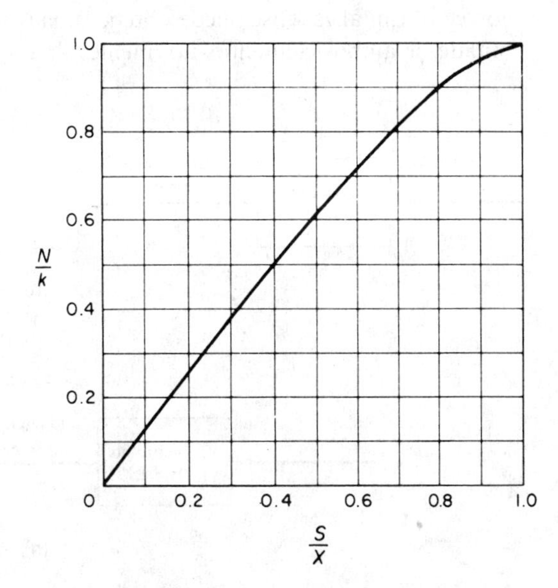


**Figura 8-14**
Función descriptiva para el elemento no lineal de saturación.

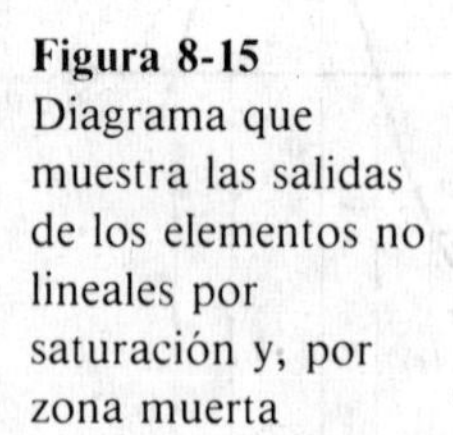

**Figura 8-15**
Diagrama que muestra las salidas de los elementos no lineales por saturación y, por zona muerta

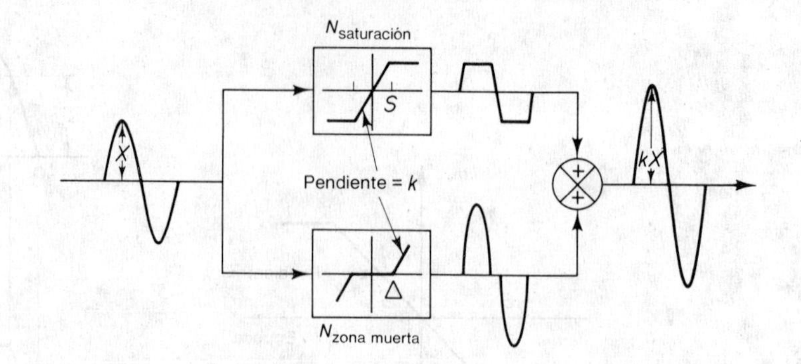


Este no es accidental, porque, como se muestra en la figura 8-15, para una entrada senoidal la suma de la salida del elemento no lineal de saturación y la del elemento no lineal de zona muerta, es una curva senoidal de amplitud igual a $kX$, siempre que $\Delta = S$.

En general, los cálculos de las funciones descriptivas son tediosos. Por lo tanto, se puede ahorrar tiempo si se obtiene la función descriptiva de un elemento no lineal, partiendo de las funciones descriptivas conocidas de otros. Sin embargo, se debe tener la precaución de que a los sistemas no lineales no se les aplica el principio de superposición. Por lo tanto, hay que tener cuidado de no aplicar dicho principio para deducir la función descriptiva de un elemento no lineal a partir de las funciones descriptivas conocidas de otros.

Nótese también que si un sistema incluye dos elementos no lineales, se pueden multiplicar dos funciones descriptivas si esos elementos están separados por un filtro paso bajas, como se ve en la figura 8-16(a), de modo que la entrada a cada elemento no lineal es senoidal. Pero si los dos elementos no lineales no están separados por este filtro paso bajas de manera que una entrada senoidal al primer elemento no lineal, no produce una entrada senoidal al segundo elemento no lineal, como se ve en la figura 8-16(b), entonces la multiplicación de las dos funciones descriptivas no produce un resultado correcto. En tal caso, se puede obtener una sola función descriptiva para el efecto combinado de ambos elementos no lineales.

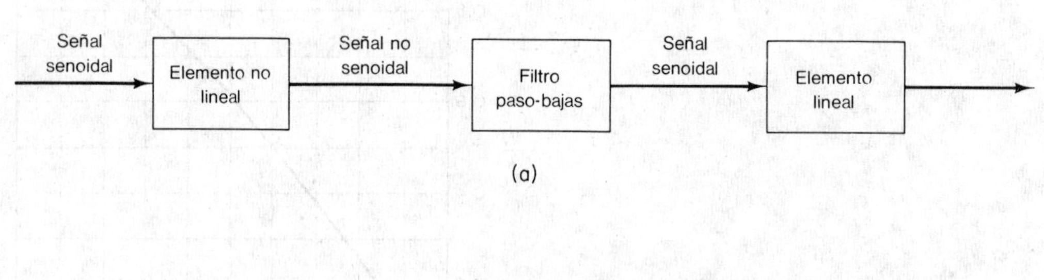


Señal senoidal → Elemento no lineal → Señal no senoidal → Elemento no lineal →

(b)

**Figura 8-16**
(a) Dos elementos no lineales separados por un filtro paso bajas; (b) dos elementos no lineales conectados sin filtro entre ellos.

## 8-4 ANALISIS DE SISTEMAS NO LINEALES DE CONTROL MEDIANTE LA FUNCION DESCRIPTIVA

Muchos sistemas de control que contienen elementos no lineales se pueden representar por un diagrama de bloques como el que se ve en la figura 8-17. Si las armónicas superiores generadas por el elemento no lineal se atenúan suficientemente por los elementos lineales, de manera que en la salida solamente es significativa la componente de armónica fundamental, se puede predecir la estabilidad del sistema mediante el análisis con la función descriptiva.

**Análisis mediante la función descriptiva.** Ante todo se discutirá cómo se puede utilizar la función descriptiva de elementos no lineales para analizar la estabilidad de sistemas de control no lineales. Se mostrará cómo, si hay una oscilación sostenida a la salida de un sistema, entonces la amplitud y la frecuencia de la oscilación se pueden determinar de un estudio gráfico en el dominio de la frecuencia.

Considere el sistema que se muestra en la figura 8-17, donde $N$ indica la función descriptiva del elemento no lineal. Si las armónicas superiores se atenúan suficientemente, se puede tratar la función descriptiva $N$ como una variable de ganancia real o compleja. Entonces la respuesta en frecuencia de lazo cerrado es

$$\frac{C(j\omega)}{R(j\omega)} = \frac{NG(j\omega)}{1 + NG(j\omega)}$$

La ecuación característica es

$$1 + NG(j\omega) = 0$$

o bien

$$G(j\omega) = -\frac{1}{N} \tag{8–2}$$

Si la ecuación (8-2) se satisface, entonces la salida del sistema presentará un ciclo límite. Esta situación corresponde al caso en que el diagrama de $G(j\omega)$ pasa por el punto crítico. (En el análisis convencional de respuesta en frecuencia de un sistema de control el punto crítico es $-1 + j0$).

En el análisis de la función descriptiva, el análisis convencional de frecuencia se modifica de modo que el diagrama de $-1/N$ sea el lugar de los puntos críticos. Entonces, la posición relativa del diagrama de $-1/N$ y del diagrama $G(j\omega)$, proporciona la información sobre la estabilidad.

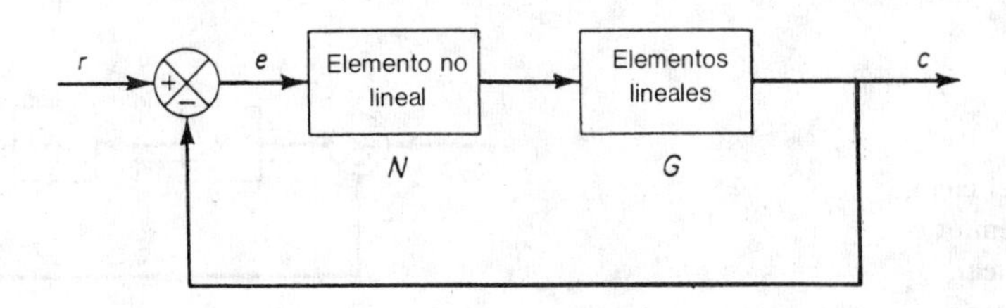


**Figura 8-17** Sistema de control no lineal.

Para determinar la estabilidad del sistema, se trazan los diagramas de $-1/N$ y de $G(j\omega)$. En este análisis, se supone que la parte lineal del sistema es de fase mínima o que todos los polos y ceros de $G(j\omega)$ quedan en el semiplano izquierdo del plano $s$, incluyendo el eje $j\omega$. El criterio de estabilidad, es que si el diagrama de $-1/N$ no está rodeado por el diagrama de $G(j\omega)$, entonces el sistema es estable, o bien no hay ciclo límite en estado estacionario.

Por otro lado, si el diagrama de $-1/N$ está rodeado por el diagrama de $G(j\omega)$, entonces el sistema es inestable, y la salida del sistema, cuando está sometido a cualquier perturbación, aumenta hasta que produce la ruptura o aumenta hasta un valor límite determinado por algún tope mecánico u otro dispositivo de seguridad.

Si el diagrama de $-1/N$ y el diagrama de $G(j\omega)$ se cortan, el sistema puede presentar una oscilación sostenida, o un *ciclo límite*. Tal oscilación sostenida no es senoidal, pero se puede aproximar por una senoidal. La oscilación sostenida se caracteriza por el valor de $X$ en el diagrama de $-1/N$ y el valor de $\omega$ en el lugar $G(j\omega)$ en la intersección.

En general, un sistema de control no debería presentar un comportamiento de ciclo límite, aunque un ciclo límite de pequeña magnitud se puede aceptar en ciertas aplicaciones.

**Estabilidad de oscilaciones sostenidas o ciclos límite.** Es posible predecir la estabilidad del ciclo límite de la manera siguiente: se analiza el sistema que aparece en la figura 8-18. Supóngase que el punto $A$ sobre el diagrama de $-1/N$ corresponde a un valor pequeño de $X$, siendo $X$ la amplitud de la señal senoidal de entrada al elemento no lineal, y que el punto $B$ en el diagrama de $-1/N$ corresponde a un valor grande de $X$. El valor de $X$ sobre el diagrama de $-1/N$ aumenta en la dirección que va del punto $A$ al punto $B$.

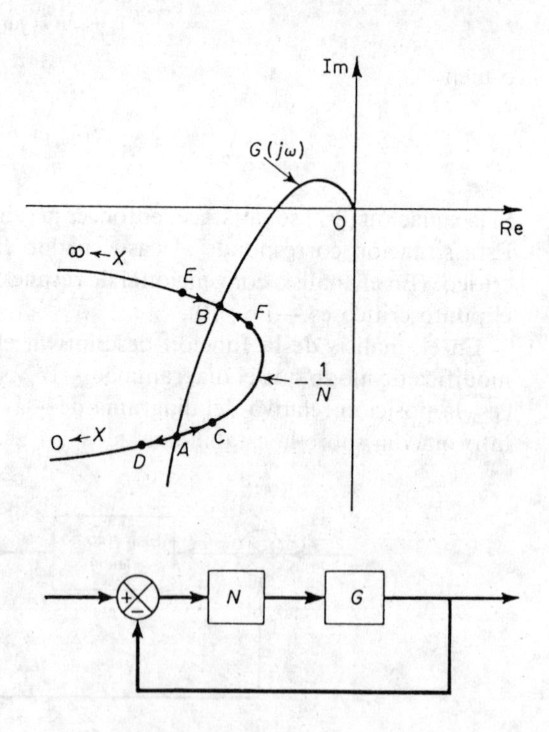


**Figura 8-18**
Análisis de estabilidad del ciclo límite de sistema de control no lineal.

Supóngase que el sistema está funcionando inicialmente en el punto $A$. La oscilación tiene la amplitud $X_A$ y la frecuencia $\omega_A$, determinadas por el diagrama de $-1/N$ y el diagrama de $G(j\omega)$, respectivamente. Supóngase ahora que se introduce una pequeña perturbación al sistema que opera en el punto $A$, de modo que la amplitud de la entrada al elemento no lineal se incremente ligeramente. (Por ejemplo, suponga que el punto de operación se traslada desde el punto $A$ al punto $C$ sobre el diagrama $-1/N$). Entonces el punto de operación $C$ corresponde al punto crítico o al punto $-1 + j0$ en el plano complejo para sistemas de control lineales. Por tanto, como se ve en la figura 8-18, el diagrama de $G(j\omega)$ rodea al punto $C$ en el sentido de Nyquist. Este es un caso similar al de un diagrama de un sistema lineal de lazo abierto que rodea al punto $-1 + j0$, la amplitud crece y el punto de operación se desplaza hacia el punto $B$.

Supóngase ahora que una leve perturbación hace que el punto de operación se traslade del punto $A$ al punto $D$ sobre el diagrama de $-1/N$. Entonces el punto $D$ corresponde al punto crítico. En este caso, el diagrama de $G(j\omega)$ no rodea al punto crítico, y por lo tanto, la amplitud de entrada al elemento no lineal decrece, y el punto de operación se traslada alejándose del punto $D$ hacia la izquierda. Así, el punto $A$ posee características divergentes y corresponde a un ciclo límite inestable.

Considere ahora el caso en que se introduce una pequeña perturbación al sistema que opera en el punto $B$. Suponga que el punto de operación se desplaza al punto $E$ sobre el diagrama de $-1/N$. Entonces en este caso el diagrama de $G(j\omega)$ no rodea al punto crítico (punto $E$). La amplitud de la entrada senoidal al elemento no lineal decrece, y el punto de operación se mueve hacia el punto $B$.

Del mismo modo, suponga que una leve perturbación hace que el punto de operación se traslade del punto $B$ al punto $F$. Entonces el diagrama de $G(j\omega)$ rodea al punto crítico (punto $F$). Por lo tanto, la amplitud de oscilación crece, y el punto de operación se traslada del punto $F$ al punto $B$. Entonces, el punto $B$ tiene características convergentes, y la operación del sistema en el punto $B$ es estable; en otras palabras, el ciclo límite en este punto es estable.

Para el sistema que aparece en la figura 8-18, el ciclo límite estable que corresponde al punto $B$ se puede observar en forma experimental, no así el ciclo límite inestable correspondiente al punto $A$.

**Exactitud del análisis por medio de la función descriptiva.** Note que la amplitud y la frecuencia del ciclo límite indicados por la intersección de los diagramas de $-1/N$ y de $G(j\omega)$ son valores aproximados.

Si los diagramas de $-1/N$ y de $G(j\omega)$ se cortan casi perpendicularmente, entonces la exactitud del análisis por medio de la función descriptiva es generalmente bueno. (Si todas las armónicas superiores se atenúan, la exactitud es excelente. En caso contrario, la exactitud va de buena a pobre).

Si el diagrama de $G(j\omega)$ es tangente, o casi tangente al diagrama de $-1/N$, la exactitud de la información obtenida por el análisis con la función descriptiva depende de que tan bien $G(j\omega)$ atenúa las armónicas superiores. En algunos casos, hay una oscilación sostenida; en otros no hay tal oscilación. Depende de la naturaleza de $G(j\omega)$. Sin embargo, se puede decir que el sistema está casi al borde de presentar un ciclo límite cuando los diagramas de $-1/N$ y de $G(j\omega)$ son tangentes entre sí.

**EJEMPLO 8-1** La figura 8-19 muestra un sistema de control no lineal de saturación. Se supone que $G(j\omega)$ es una función de transferencia de fase mínima. En la figura 8-20(a) hay un diagrama de $-1/N$ y de $G(j\omega)$. El diagrama de $-1/N$ comienza desde el punto $-1$ en el eje real negativo y se extiende hasta $-\infty$. De hecho, $N$ es sólo función de la señal de entrada $x(t) = X$ sen $\omega t$. El diagrama de $G(j\omega)$ es sólo función de $\omega$. Los dos diagramas pueden cortarse como se ve en la figura 8-20(a). La intersección corresponde a un ciclo límite estable. La amplitud del ciclo límite del diagrama de $-1/N$ se lee en $X = X_1$. La frecuencia del ciclo límite se lee del diagrama de $G(j\omega)$ en $\omega = \omega_1$.

En ausencia de la entrada de referencia, la salida de este sistema en estado estacionario presenta oscilaciones sostenidas con amplitud igual a $X_1$ y frecuencia igual a $\omega_1$.

Si la ganancia de la función de transferencia $G(s)$ disminuye de modo que los diagramas de $-1/N$ y de $G(j\omega)$ no se cortan, como se ve en la figura 8-20(b), entonces el sistema se vuelve estable, y cualquier oscilación en la salida del sistema como resultado de perturbaciones se extinguirá, y no habrán oscilaciones sostenidas en estado estacionario. Esto es porque el diagrama de $-1/N$ queda a la izquierda del diagrama de $G(j\omega)$, o porque el lugar de $G(j\omega)$ no rodea al diagrama de $-1/N$.

**EJEMPLO 8-2** La figura 8-21 muestra un diagrama de $-1/N$ y de $G(j\omega)$, para la no linealidad por zona muerta. En este sistema, el diagrama de $-1/N$ y el diagrama de $G(j\omega)$ se cortan entre sí. En este caso el ciclo límite es inestable. La oscilación, o bien se extingue, o su amplitud se incrementa en forma ilimitada. Esto indica una situación indeseable que se debe evitar.

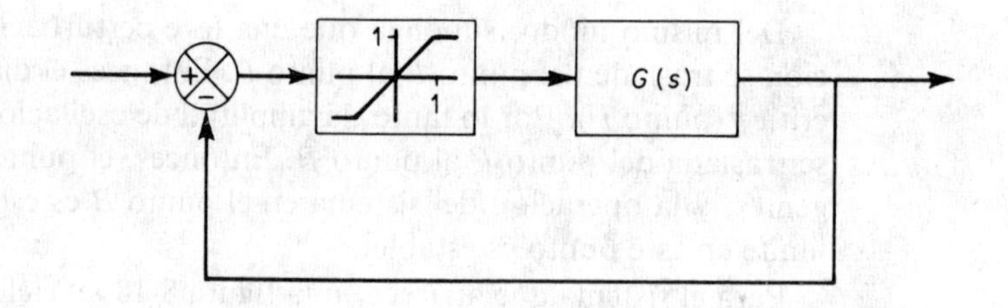


**Figura 8-19** Sistema de control con elemento no lineal de saturación.

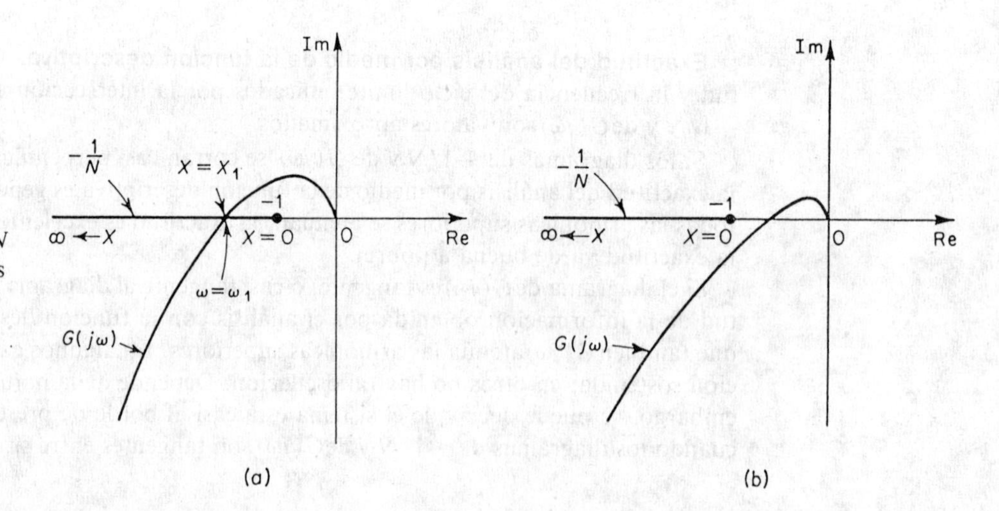


**Figura 8-20** Diagramas de $-1/N$ y $G(j\omega)$ para análisis de estabilidad. (a) Operación de ciclo límite; (b) operación de ciclo no límite (funcionamiento estable).

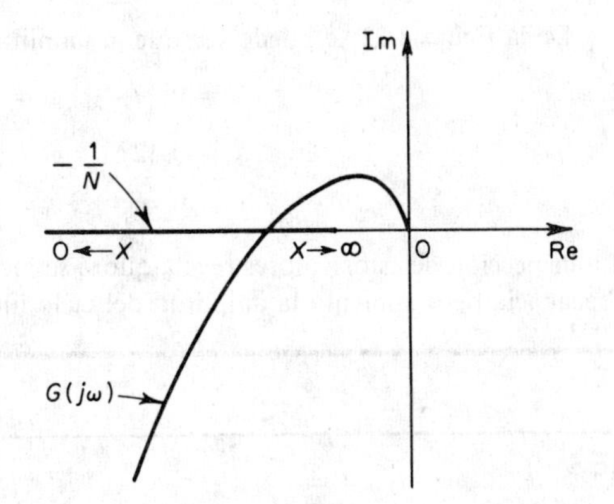


**Figura 8-21**
Diagramas de $-1/N$ y $G(j\omega)$ para análisis de estabilidad. (Alinealidad de zona muerta).

**EJEMPLO 8-3** Considere el sistema de la figura 8-22. Determine el efecto de histéresis en la amplitud y en la frecuencia de la operación de ciclo límite del sistema.

Los lugares de las raíces $-1/N$ para tres valores diferentes de $h$, esto es, $h = 0.1$, 0.2 y 0.3, se muestran en la figura 8-23, junto con el lugar $G(j\omega)$. Los lugares $-1/N$ son líneas rectas paralelas al eje real. Los valores de $N$ se obtienen de la figura 8-10.

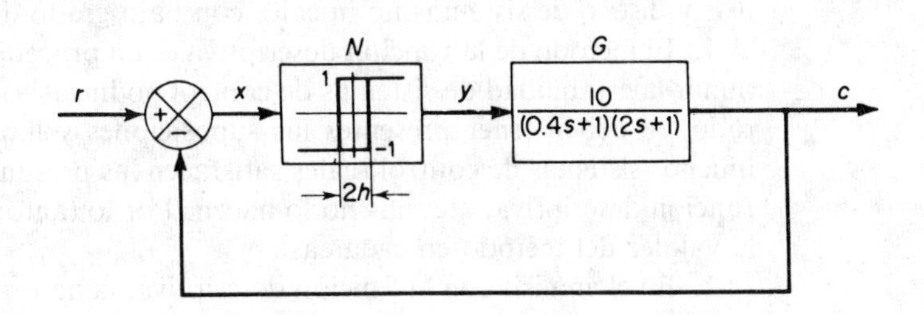


**Figura 8-22**
Sistema de control no lineal.

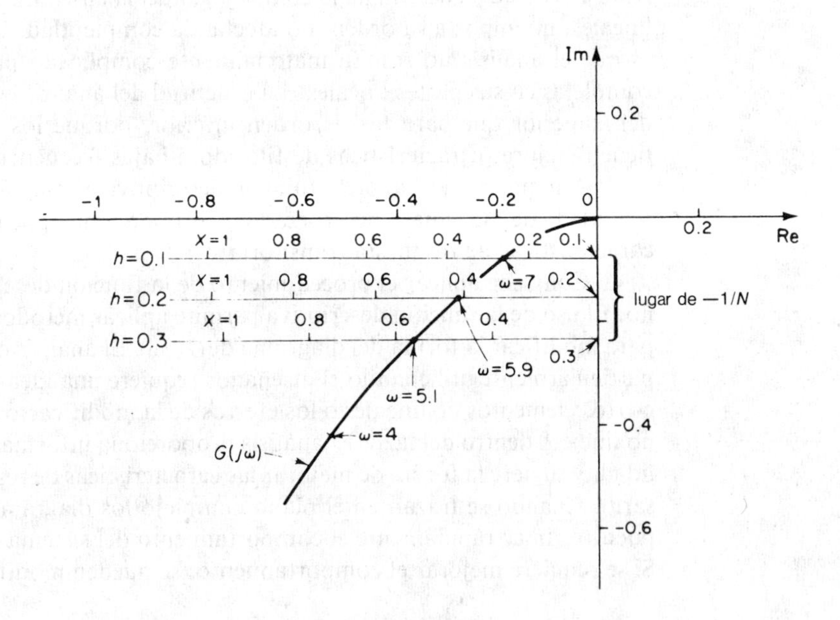


**Figura 8-23**
Diagramas de $-1/N$ y $G(j\omega)$ para el sistema mostrado en la figura 8-22.

De la figura 8-23 se puede ver que la amplitud y frecuencia de los ciclos límite son

$$X = 0.27, \quad \omega = 7 \quad \text{si } h = 0.1$$

$$X = 0.42, \quad \omega = 5.9 \quad \text{si } h = 0.2$$

$$X = 0.57, \quad \omega = 5.1 \quad \text{si } h = 0.3$$

La inspección de estos valores revela que si se incrementa la amplitud de histéresis, disminuye la frecuencia pero aumenta la amplitud del ciclo límite, como era de esperar.

## 8-5 CONCLUSIONES

El análisis con la función descriptiva es una extensión de las técnicas lineales para el estudio de los sistemas no lineales. Por tanto, sus aplicaciones típicas se encuentran en los sistemas con bajo grado de no linealidad. El uso de las funciones descriptivas para analizar sistemas no lineales con alto grado de no linealidad puede conducir a resultados erróneos; esto limita la aplicación de la función descriptiva al análisis y diseño de sistemas no lineales con bajo grado de no linealidad.

Al concluir este capítulo se resumirá el método de la función descriptiva para el análisis y diseño de sistemas no lineales con bajo grado de no linealidad.

**1.** El método de la función descriptiva es un procedimiento aproximado para determinar la estabilidad de sistemas de control no lineales no forzados. Al aplicar este método, se deben tener presentes las suposiciones y limitaciones básicas. Aun cuando muchos sistemas de control reales satisfacen las presunciones básicas del método de la función descriptiva, algunos no lo hacen. Por lo tanto, siempre es necesario examinar la validez del método en cada caso.

**2.** En el análisis con la función descriptiva, la naturaleza del elemento no lineal presente en el sistema determina la complejidad del análisis. En otras palabras, los elementos lineales, no importa su orden, no afectan la complejidad. Una ventaja de este método, es que el análisis no resulta materialmente complicado para sistemas con dinámicas complejas en sus partes lineales. La exactitud del análisis es mejor para sistemas de orden superior que para los de orden inferior, porque los sistemas de orden superior tienen mejores características de filtrado a bajas frecuencias.

**3.** Aunque el método de la función descriptiva es muy útil en la predicción de la estabilidad de sistemas no forzados, proporciona poca información respecto a características de respuesta transitoria.

**4.** Conviene aplicar el procedimiento de la función descriptiva a problemas de diseño. El uso de la función descriptiva permite aplicar métodos de respuesta en frecuencia para modificar la forma del diagrama de $G(j\omega)$. El análisis con la función descriptiva es particularmente útil cuando el diseñador requiere una idea general sobre los efectos de ciertos elementos no lineales o los efectos de la modificación de componentes lineales o no lineales dentro del lazo. El análisis proporciona información gráfica sobre la estabilidad, y sugiere la forma de mejorar las características de respuesta, en caso de ser necesario. Cuando se trazan en el plano complejo los diagramas de $-1/N$ y de $G(j\omega)$, se puede estimar rápidamente el comportamiento del sistema partiendo de ese diagrama. Si se requiere mejorar el comportamiento, se pueden modificar los diagramas. La modificación de los diagramas sugiere el tipo de red compensadora adecuada. [El diseño utilizando el análisis con la función descriptiva puede sugerir un diagrama de $-1/N$ determinado, más que aconsejar una modificación de la forma del diagrama de $G(j\omega)$. Sin embargo, la realización efectiva de un elemento no lineal con una función descriptiva especificada, puede ser difícil]. Es interesante notar que aunque el método de la función descriptiva permite predecir ciclos límite con buena exactitud en el diseño, el método se utiliza con criterio negativo en el sentido de que los parámetros del sistema se ajustan hasta que se eliminan las condiciones del ciclo límite y se asegura una estabilidad relativa adecuada.

**5.** Un sistema físico puede tener dos o más elementos no lineales significativos. Cuando en determinada condición de operación sólo un elemento no lineal es significativo, se pueden descartar los otros elementos no lineales para el análisis. Por ejemplo, si el sistema tiene tanto elementos no lineales de baja señal, como de alta, los primeros pueden no considerarse cuando la amplitud de señal es grande, y viceversa. Es importante tener presente que la función descriptiva de dos elementos no lineales en serie es, en general, desigual al producto de las funciones descriptivas individuales. Por tanto, si hay dos o más elementos no lineales, que no están separados entre sí por filtros paso bajas los cuales se pueden hacer efectivos simultáneamente bajo ciertas condiciones de funcionamiento, deben combinarse en un solo bloque, y hay que obtener la función descriptiva equivalente de este bloque. En este caso, la función descriptiva puede depender tanto de la amplitud como de la frecuencia.

**6.** En el análisis habitual con la función descriptiva, se supone que la entrada al elemento no lineal es senoidal, pero esta suposición se puede extender. La entrada al elemento no lineal puede ser una entrada senoidal más una señal adicional, aunque esta complicación adicional puede hacer el análisis muy tedioso. Las funciones descriptivas correspondientes a este caso se denominan funciones descriptivas de entrada dual.

**7.** En algunos casos el análisis de estabilidad de sistemas de control puede ser importante, pero en otros lo que se desea es la respuesta óptima (en algún sentido). El diseño óptimo de sistemas puede incluir la determinación de un controlador no lineal (o una computadora) para insertarlo en el sistema. El comportamiento del sistema no lineal depende marcadamente de las señales de entrada. Esto significa que se necesitan descripciones precisas de la entrada y salida deseadas. Debido a la débil correlación entre la respuesta en frecuencia y la respuesta temporal de los sistemas no lineales, el método de la función descriptiva deja de ser útil en el diseño de control óptimo de sistemas con entradas no periódicas.

## *Ejemplos de problemas y soluciones*

**A-8-1.** En la figura 8-24(a) se ve el diagrama de un sistema de control de nivel de líquido. El movimiento del flotador mueve el conmutador eléctrico de mercurio, que conecta o desconecta la válvula solenoide eléctrica. Cuando la válvula está abierta, entra líquido al tanque. La acción de control es de sí-no, con histéresis. En la figura 8-24(b) se representa la curva de gasto de entrada en función del error. (El ancho de histéresis $2h$ se denomina *brecha diferencial*). Grafique las curvas del nivel en función del tiempo para operación en estado estacionario bajo las dos condiciones siguientes:

1. La razón de crecimiento del nivel cuando la válvula de entrada está abierta es considerablemente menor que la razón de decaimiento del nivel cuando la válvula está cerrada.

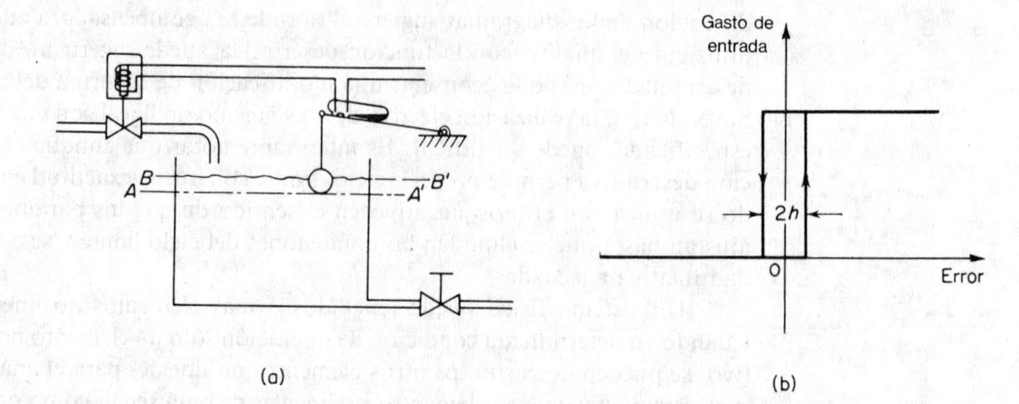


**Figura 8-24**
(a) Sistema de nivel de líquido; (b) curva de gasto de entrada en función del error del controlador.

2. La razón de crecimiento del nivel cuando la válvula de entrada está abierta es considerablemente mayor que la razón de decaimiento del nivel cuando la válvula está cerrada.

**Solución.** Suponga que el nivel de líquido está descendiendo y que se cierra la válvula de entrada. Cuando el nivel cae por debajo de la línea *AA'* en la figura 8-24(a), el valor inferior de la brecha diferencial, los contactos de mercurio se cierran y se abre la válvula de entrada, para admitir líquido hacia el tanque. El nivel comienza a subir cuando se abre la válvula de admisión. Al principio, el ritmo de ascenso es rápido. Al aumentar el nivel en el tanque, el gasto de salida aumenta debido al mayor nivel. El resultado es un menor flujo neto al tanque. Cuando el nivel alcanza la posición *BB'* de la figura 8-24(a), el contacto de mercurio se abre, y la válvula de admisión se cierra. Entonces el nivel comienza a bajar nuevamente.

En la figura 8-25(a) se ve una curva de nivel en función del tiempo bajo la condición 1, cuando el aumento del nivel con la válvula de admisión abierta, es considerablemente menor que la disminución de nivel con la válvula cerrada. En este caso el tiempo de conexión es más largo que el de desconexión. En la figura 8-25(b) se ve una curva del nivel en función del tiempo bajo la condición 2. El tiempo de conexión es considerablemente más corto que el de desconexión.

Bajo cualquiera de las condiciones, el nivel oscila alrededor del valor deseado. Entonces el sistema presenta comportamiento de ciclo límite. En cualquier caso, el gasto medio de entrada es igual al gasto medio de salida. Los gastos de entrada y salida determinan la forma de la curva de nivel en función del tiempo. Si el nivel aumenta a un ritmo igual al que disminuye cuando la válvula está cerrada, entonces los tiempos de conexión y desconexión son iguales.

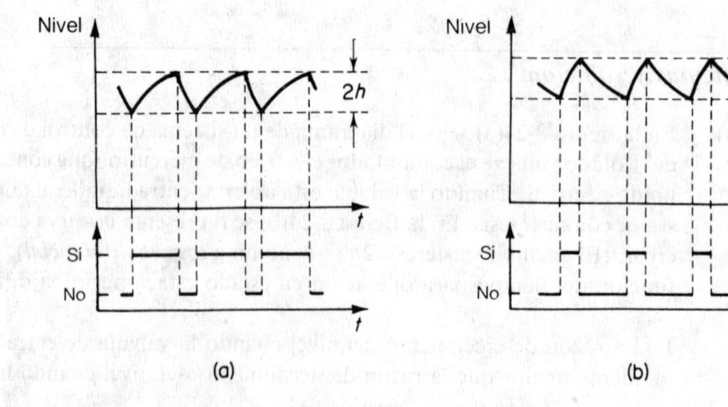


**Figura 8-25**
(a) Curva de nivel en función de tiempo bajo la condición 1; (b) curva de nivel en función del tiempo bajo la condición 2.

Nótese que al ampliar la brecha la frecuencia de operación del contacto de mercurio y de la válvula solenoide disminuye. Esto significa vida más larga para el equipo. La desventaja de operar con menos frecuencia, es que la variación de nivel del tanque se hace más grande.

Finalmente, debe notarse que el control del tipo de sí-no ofrece la mayor economía, la más alta sensibilidad, y mayor facilidad de mantenimiento. Por tanto, si en una aplicación es admisible un ciclo límite de pequeña magnitud, sería un error usar cualquier otro tipo de control.

**A-8-2.** Obtenga la función descriptiva para el elemento no lineal de sí-no con zona muerta que aparece en la figura 8-26.

**Solución.** En la figura 8-27 se muestran las formas de onda de la entrada y salida del elemento no lineal especificado. La salida del elemento no lineal para $0 \leq \omega t \leq \pi$ está dada por

$$\begin{aligned} y(t) &= 0 \quad \text{para } 0 < t < t_1 \\ &= M \quad \text{para } t_1 < t < \frac{\pi}{\omega} - t_1 \\ &= 0 \quad \text{para } \frac{\pi}{\omega} - t_1 < t < \pi \end{aligned}$$

La forma de onda de salida es una función impar. Por tanto la componente armónica fundamental de la salida está dada por

$$y_1(t) = Y_1 \operatorname{sen} \omega t$$

donde

$$\begin{aligned} Y_1 &= \frac{1}{\pi} \int_0^{2\pi} y(t) \operatorname{sen} \omega t \, d(\omega t) \\ &= \frac{4}{\pi} \int_0^{\pi/2} y(t) \operatorname{sen} \omega t \, d(\omega t) \\ &= \frac{4}{\pi} \int_{\omega t_1}^{\pi/2} M \operatorname{sen} \omega t \, d(\omega t) \\ &= \frac{4M}{\pi} \cos \omega t_1 \end{aligned}$$

Como $\operatorname{sen} \omega t_1 = \Delta/X$, se obtiene

$$\cos \omega t_1 = \sqrt{1 - \left(\frac{\Delta}{X}\right)^2}$$

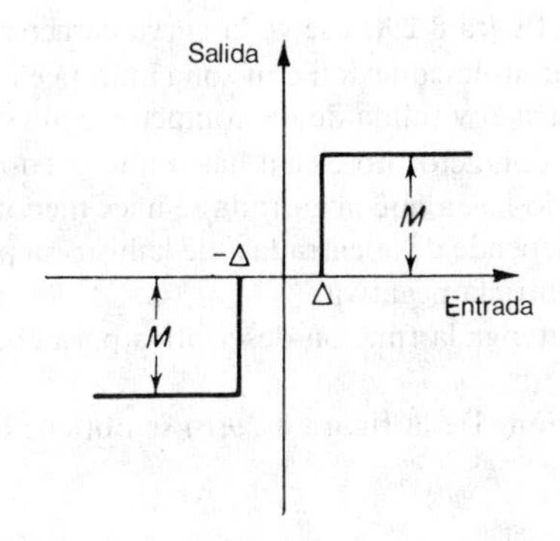


**Figura 8-26**
Curva característica de entrada salida para el elemento no lineal de sí-no con zona muerta.

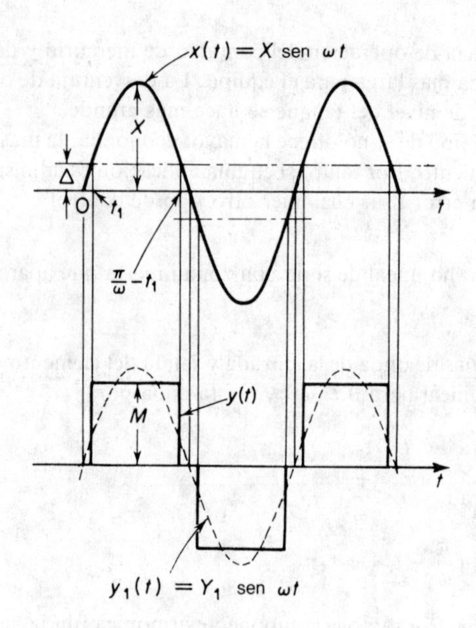


**Figura 8-27** Formas de onda de entrada y salida para el elemento no lineal de sí-no con zona muerta.

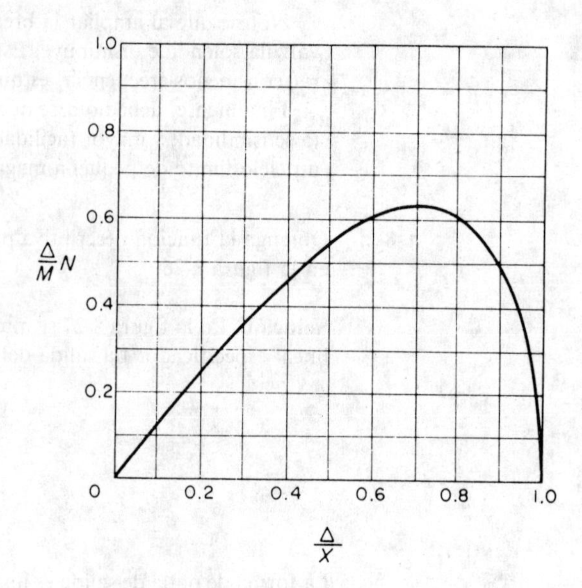


**Figura 8-28** Función descriptiva del elemento no lineal de sí-no con zona muerta.

Entonces

$$y_1(t) = \frac{4M}{\pi} \sqrt{1 - \left(\frac{\Delta}{X}\right)^2} \text{ sen } \omega t$$

La función descriptiva para el elemento no lineal de sí-no con zona muerta es

$$N = \frac{4M}{\pi X} \sqrt{1 - \left(\frac{\Delta}{X}\right)^2}$$

En este caso la función descriptiva sólo es función de la amplitud de entrada $X$. En la figura 8-28 se ve el diagrama de $\Delta N/M$ en función de $\Delta/X$.

**A-8-3.** En la figura 8-29(a) se ve la curva característica de entrada-salida para un elemento no lineal de conexión-desconexión con zona muerta e histéresis. La figura 8-29(b) muestra las formas de onda de entrada y salida de un contactor con estas características no lineales.

El contactor no cierra hasta que la entrada excede el valor $\Delta + h$. El contactor se mantiene cerrado hasta que la entrada se hace menor que $\Delta - h$. En la región entre $\Delta - h$ y $\Delta + h$, la salida depende de la entrada y de la historia previa. El contactor abre o cierra en forma similar ante una entrada negativa.

Obtenga la función descriptiva para el contactor con estas características no lineales.

**Solución.** De la figura 8-29(b) se obtiene la siguiente ecuación:

$$y(t) = M \quad \text{para } t_1 < t < \frac{\pi}{\omega} - t_2$$

$$= 0 \quad \text{para } \frac{\pi}{\omega} - t_2 < t < \frac{\pi}{\omega} + t_1$$

donde $t_1$ y $t_2$ están definidos por

$$\operatorname{sen} \omega t_1 = \frac{\Delta + h}{X}$$

$$\operatorname{sen} \omega t_2 = \frac{\Delta - h}{X}$$

Como se ve en la figura 8-29(b), la salida se retrasa respecto a la entrada. La componente armónica fundamental de la salida se puede obtener como sigue:

$$y_1(t) = A_1 \cos \omega t + B_1 \operatorname{sen} \omega t$$

donde

$$A_1 = \frac{2}{\pi} \int_0^{\pi} y(t) \cos \omega t \, d(\omega t)$$

$$= \frac{2}{\pi} \int_{\omega t_1}^{\pi - \omega t_2} M \cos \omega t \, d(\omega t)$$

$$= -\frac{4hM}{\pi X}$$

$$B_1 = \frac{2}{\pi} \int_0^{\pi} y(t) \operatorname{sen} \omega t \, d(\omega t)$$

$$= \frac{2}{\pi} \int_{\omega t_1}^{\pi - \omega t_2} M \operatorname{sen} \omega t \, d(\omega t)$$

$$= \frac{2M}{\pi} \left[ \sqrt{1 - \left( \frac{\Delta - h}{X} \right)^2} + \sqrt{1 - \left( \frac{\Delta + h}{X} \right)^2} \right]$$

Se define

$$h = \alpha \Delta, \qquad M = \beta \Delta$$

Los valores de $\alpha$ y $\beta$ son constantes para la característica no lineal de sí-no con zona muerta e histéresis. Entonces

$$\frac{A_1}{X} = -\frac{4\alpha\beta}{\pi} \left( \frac{\Delta}{X} \right)^2$$

$$\frac{B_1}{X} = \frac{2\beta}{\pi} \frac{\Delta}{X} \left[ \sqrt{1 - \left( \frac{\Delta}{X} \right)^2 (1 - \alpha)^2} + \sqrt{1 - \left( \frac{\Delta}{X} \right)^2 (1 + \alpha)^2} \right]$$

Entonces la función descriptiva para esta característica no lineal es

$$N = \sqrt{\left( \frac{A_1}{X} \right)^2 + \left( \frac{B_1}{X} \right)^2} \, \angle \tan^{-1} \left( \frac{A_1}{B_1} \right)$$

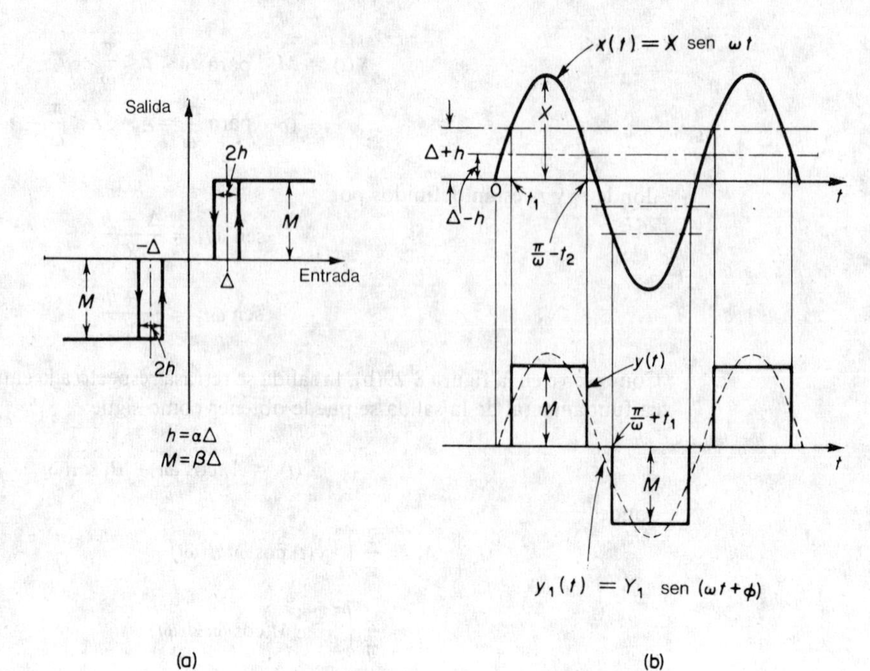


**Figura 8-29**
(a) Curva característica de entrada-salida para el elemento no lineal de sí-no con zona muerta e histéresis; (b) formas de onda de entrada y salida para el elemento no lineal de sí-no con zona muerta e histéresis.

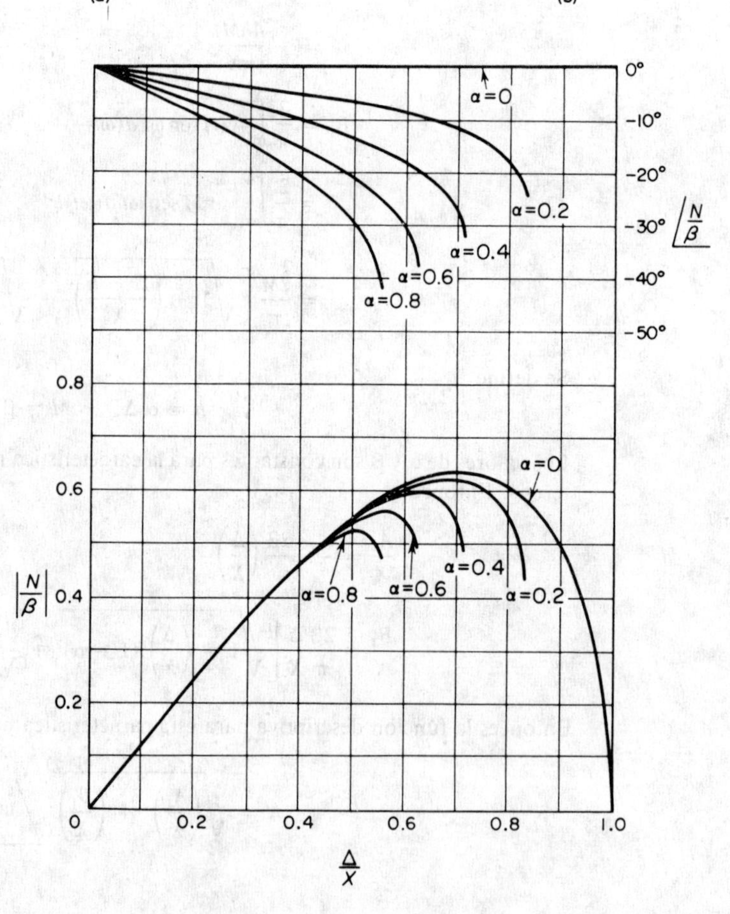


**Figura 8-30**
Función descriptiva del elemento no lineal de sí-no con zona muerta e histéresis.

Esta función descriptiva es una cantidad compleja. La figura 8-30 muestra diagramas de $|N/\beta|$ en función de $\Delta/X$ y de $\angle N/\beta$ en función de $\Delta/X$.

**A-8-4.** Con base en la curva característica de entrada-salida para el elemento no lineal de saturación que aparece en la figura 8-13(a), obtenga la función descriptiva para este caso.

**Solución.** Haciendo referencia a la curva característica, la ganancia de la región lineal del elemento no lineal de saturación es $k$. Como la curva característica es antisimétrica, la expansión en serie de Fourier de $y(t)$ incluye sólo armónicas impares. Como se ve en la figura 8-13(b), la senoide de entrada $x(t) = X \operatorname{sen} \omega t$ e $y_1(t)$, la componente armónica fundamental, están en fase. Por lo tanto, $y_1(t)$ se puede escribir como

$$y_1(t) = Y_1 \operatorname{sen} \omega t$$

donde

$$Y_1 = \frac{2}{\pi} \int_0^{\pi} y(t) \operatorname{sen} \omega t \, d(\omega t) \tag{8–3}$$

De la figura 8-13(b), se tiene

$$\begin{aligned} y(t) &= kX \operatorname{sen} \omega t \qquad \text{para } 0 \le t < t_1 \\ &= kS \qquad \text{para } t_1 \le t < \frac{\pi}{2\omega} \end{aligned}$$

y

$$X \operatorname{sen} \omega t_1 = S$$

Por tanto, la ecuación (8-3) se puede integrar para dar

$$Y_1 = \frac{2Xk}{\pi}\left[\operatorname{sen}^{-1}\left(\frac{S}{X}\right) + \frac{S}{X}\sqrt{1 - \left(\frac{S}{X}\right)^2}\right]$$

La función descriptiva $N$ del elemento no lineal de saturación se puede escribir como

$$N = \frac{Y_1}{X} = \frac{2k}{\pi}\left[\operatorname{sen}^{-1}\left(\frac{S}{X}\right) + \frac{S}{X}\sqrt{1 - \left(\frac{S}{X}\right)^2}\right]$$

Anteriormente se había graficado $N/k$ en función de $S/K$ en la figura 8-14.

**A-8-5.** En la figura 8-31(a) aparece la curva característica de entrada-salida del elemento no lineal de un resorte cargado. Aquí la entrada corresponde al desplazamiento y a la salida a la fuerza. La figura 8-31(b) presenta $x(t) = X \operatorname{sen} \omega t$, la entrada senoidal al elemento, $y(t)$, la salida de elemento, e $y_1(t)$, la componente armónica fundamental de la salida $y(t)$. Obtenga la función descriptiva de este elemento no lineal.

**Solución.** Note que la curva de salida para el elemento no lineal de resorte cargado se puede obtener sumando la salida de un elemento lineal con ganancia unitaria y la del elemento no lineal de sí-no, como se ve en la figura 8-32. (La amplitud $M$ de salida de zona muerta del resorte cargado y la amplitud $M$ de salida del elemento no lineal de sí-no, son de la misma magnitud). Entonces la función descriptiva del elemento no lineal de resorte cargado se puede obtener como

$$N_{\text{resorte-cargado}} = 1 + N_{\text{sí-no}}$$

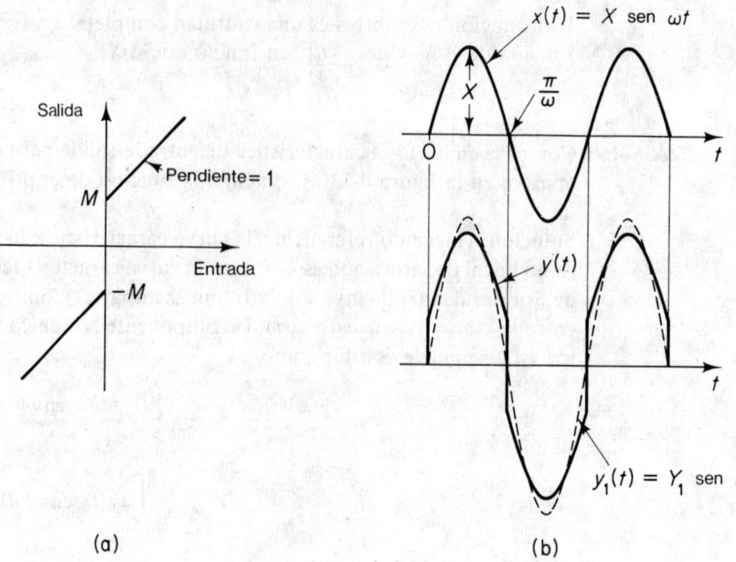

Figura 8-31
(a) Curva característica de entrada-salida para el elemento no lineal de resorte cargado; (b) formas de onda de entrada y salida para el elemento lineal de resorte cargado.

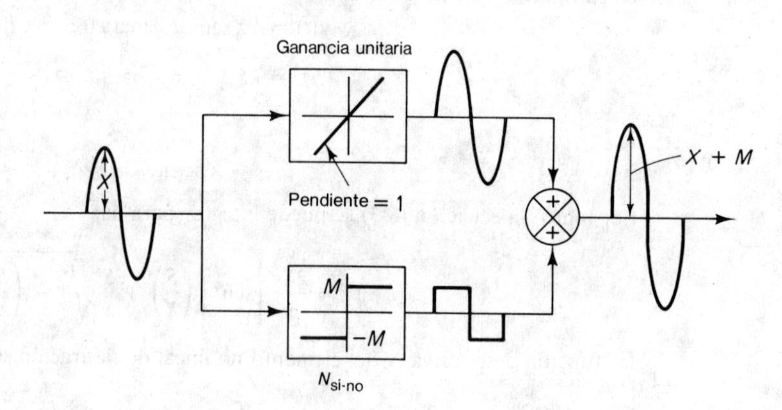


Figura 8-32
Diagrama que presenta la salida del elemento no lineal de resorte cargado igual a la suma de elemento lineal (ganancia unitaria) y elemento de sí-no.

La función descriptiva $N_{\text{si-no}}$ se obtuvo en la sección 8-3 como

$$N_{\text{si-no}} = \frac{4}{\pi}\frac{M}{X}$$

Por tanto, la función descriptiva del elemento no lineal de resorte cargado está dada por

$$N_{\text{resorte-cargado}} = 1 + \frac{4}{\pi}\frac{M}{X}$$

**A-8-6.** El sistema que aparece en la figura 8-33 presenta un ciclo límite con la frecuencia de oscilación en 5.9 rad/s, como se ve en la figura 8-34. Se desea incrementar la frecuencia del ciclo límite a 4 rad/s. Determine los cambios necesarios en la ganancia $G(s)$, suponiendo que el elemento no lineal es fijo.

**Solución.** De la figura 8-34, se halla que $\overline{OB}/\overline{OA}$ es 0.36. Por lo tanto, el valor de la ganancia de $G(s)$ disminuye al 36% de su valor original, y la frecuencia del nuevo ciclo límite será 4 rad/s. La amplitud también decrece, de 0.42 a 0.35.

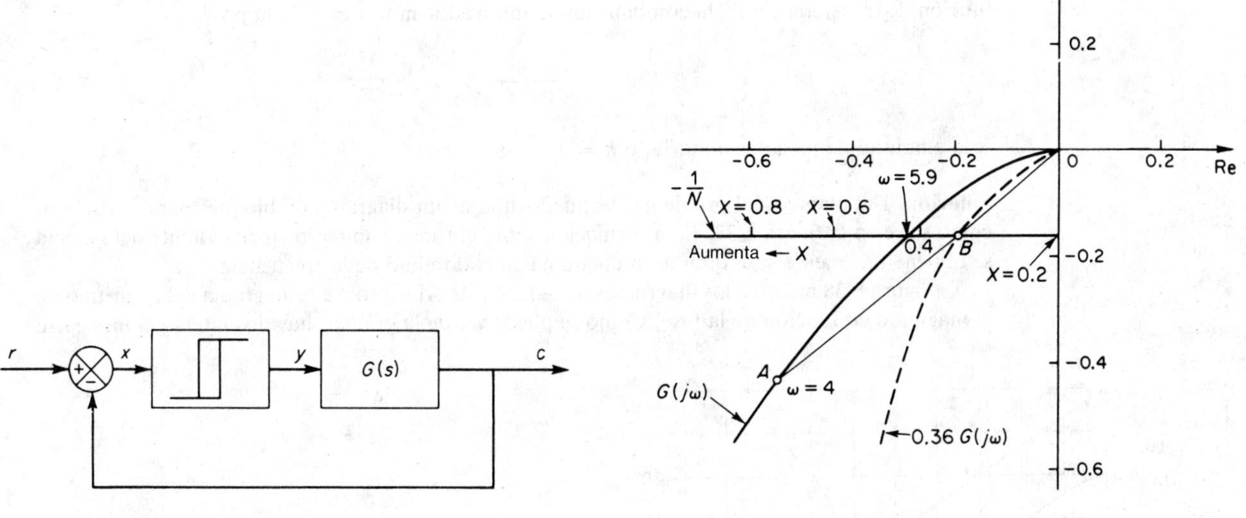


**Figura 8-33** Sistema de control no lineal.

**Figura 8-34** Diagrama de $-1/N$ y de $G(j\omega)$

**A-8-7.** En la figura 8-35(a) se muestra un diagrama de bloques de un servosistema consistente en un amplificador, un motor, un tren de engranes y una carga. (El engrane 2 que aparece en el diagrama incluye el elemento de carga). La posición de la salida se retroalimenta a la entrada para generar una señal de error. Se supone que la inercia de los engranes y elemento de carga son despreciables en comparación con la del motor. También se supone que no hay juego entre el eje del motor y el engrane 1. Existe juego entre el engrane 1 y el engrane 2. La relación de engranes entre el engrane 1 y el engrane 2 es la unidad.

Debido al juego, las señales $x(t)$ e $y(t)$ están relacionadas como se muestra en la figura 8-35(b). La figura 8-35(c) muestra la curva característica de entrada-salida para el elemento no lineal de juego aquí considerado. En la figura 8-36 aparece representada la función descriptiva para este elemento.

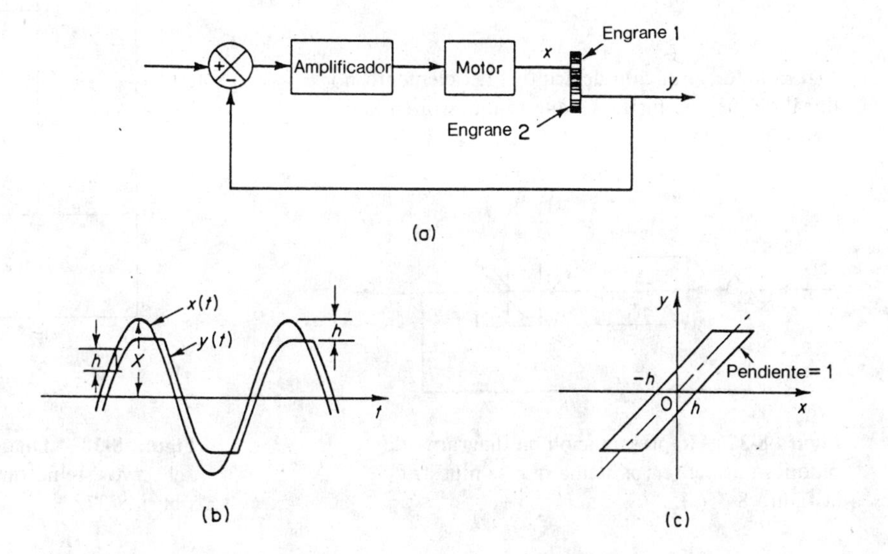


**Figura 8-35**
(a) Diagrama de bloques de un servosistema con juego; (b) curvas características del elemento no lineal de juego; (c) curva característica de entrada y salida para el elemento no lineal de juego (o histéresis).

Utilizando la función descriptiva, determine la amplitud y frecuencia del ciclo límite cuando la función de transferencia de la combinación amplificador-motor está dada por

$$\frac{5}{s(s+1)},$$

y la amplitud de juego es unitaria, o $h = 1$.

**Solución.** Del planteo del problema, se puede dibujar un diagrama de bloques para el sistema, como se ve en la figura 8-37. La información sobre el funcionamiento en ciclo límite del sistema se obtiene fácilmente si se dibuja un diagrama en el dominio de la frecuencia.

La figura 8-38 muestra los diagramas de $-1/N$ y de $G(j\omega)$ sobre el diagrama del logaritmo de la magnitud en función de la fase. Como se puede ver de la gráfica, hay dos intersecciones entre

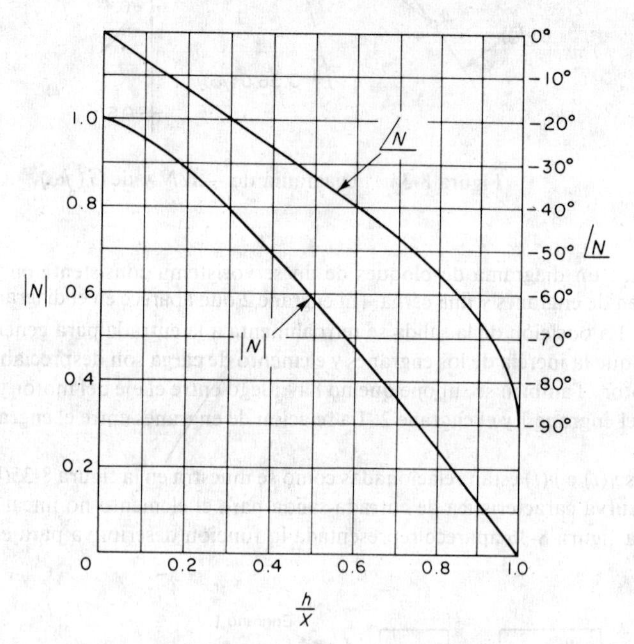


**Figura 8-36** Función descriptiva del elemento no lineal de juego o histéresis que se muestra en la figura 8-35(c).

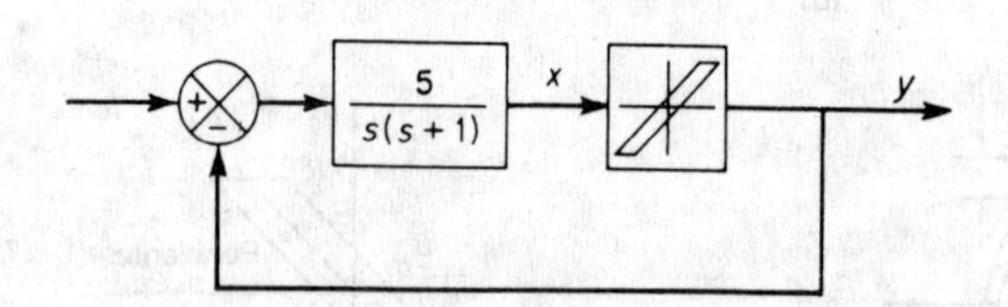


**Figura 8-37** Representación en diagrama de bloques para el servosistema que se muestra en la figura 8-35(a).

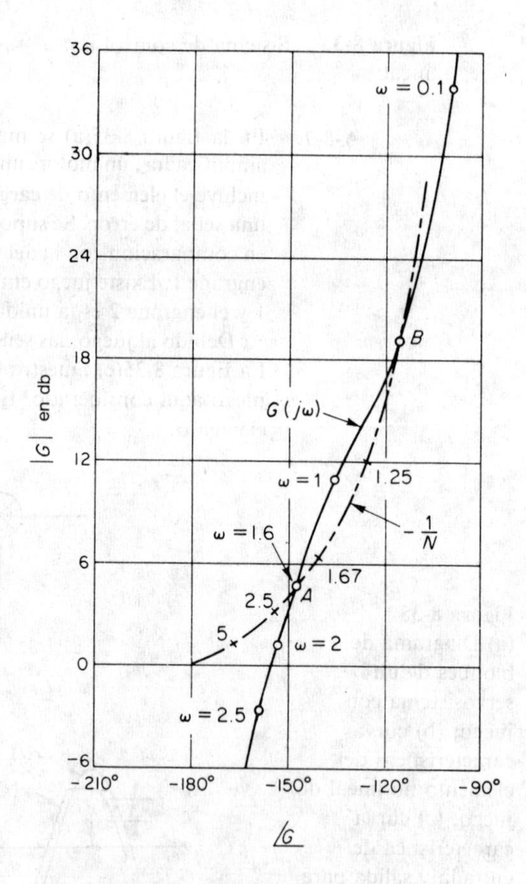


**Figura 8-38** Diagrama de $-1/N$ y $G(j\omega)$ del servosistema que se muestra en la figura 8-37.

los dos diagramas. Aplicando la prueba de estabilidad para el ciclo límite discutido en la sección 8-4, resulta que el punto $A$ corresponde a un ciclo límite estable y el punto $B$ a un ciclo límite inestable. El ciclo límite estable tiene una frecuencia de 1.6 rad/s y una amplitud de 2. (El ciclo límite inestable no puede ocurrir físicamente).

Para evitar el comportamiento de ciclo límite, se debe disminuir la ganancia del amplificador lo suficiente como para que el diagrama de $G(j\omega)$ quede por debajo del diagrama de $-1/N$ en el diagrama del logaritmo de la magnitud en función de la fase. Si los dos lugares son tangentes, o casi tangentes, la exactitud del análisis con la función descriptiva es pobre, y dará por resultado un ciclo límite o una oscilación ligeramente amortiguada.

## PROBLEMAS

**B-8-1.** Para el sistema de la figura 8-39, determine la amplitud y frecuencia del ciclo límite.

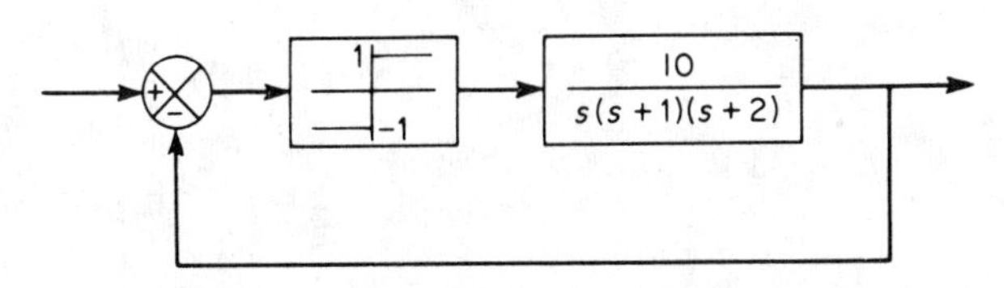


**Figura 8-39** Sistema de control no lineal.

**B-8-2.** Determine la función descriptiva para elemento no lineal dado por

$$y = x^3$$

donde $x$ = entrada al elemento no lineal (señal senoidal)
$y$ = salida del elemento no lineal

**B-8-3.** Determine la estabilidad del sistema que se muestra en la figura 8-40.

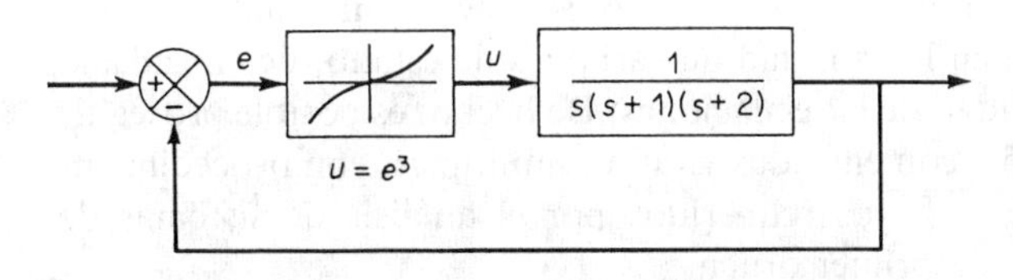


**Figura 8-40** Sistema de control no lineal.

**B-8-4.** Determine la amplitud y frecuencia del ciclo límite del sistema que aparece en la figura 8-41.

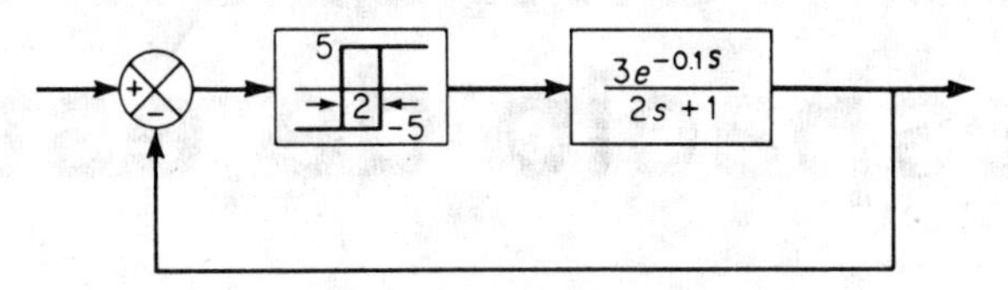


**Figura 8-41** Sistema de control no lineal.

**B-8-5.** Deduzca la ecuación de la función descriptiva $N$ para el elemento no lineal de histéresis que aparece en la figura 8-35(c).

**B-8-6.** Con base en las formas de onda de entrada y salida para el elemento no lineal de saturación que se muestra en la figura 8-13(b), obtenga la amplitud de la componente de tercera armónica de la salida, y grafique $Y_3/Y_1$ como función de $S/X$ donde $Y_1$ es la amplitud de la componente de armónica fundamental y $Y_3$ es la amplitud de la componente de tercera armónica.

**B-8-7.*** Considere un elemento no lineal cuya característica de entrada-salida está definida por

$$y = b_1 x + b_3 x^3 + b_5 x^5 + b_7 x^7 + \cdots$$

donde $x$ = entrada al elemento no lineal (señal senoidal)
$y$ = salida del elemento no lineal

Muestre que la función descriptiva para este elemento no lineal está dada por

$$N = b_1 + \tfrac{3}{4} b_3 X^2 + \tfrac{5}{8} b_5 X^4 + \tfrac{35}{64} b_7 X^6 + \cdots$$

donde $X$ es la amplitud de la senoide de entrada $x = X$ sen $\omega t$.

*Referencia W-1.

# PARTE III Análisis y diseño de sistemas de control por métodos en el espacio de estado

# CAPITULO 9

# Análisis de sistemas de control en el espacio de estado

## 9-1 INTRODUCCION*

Un sistema complejo moderno puede tener varias entradas y salidas relacionadas entre sí, en una forma muy complicada. Para analizar un sistema con estas características, se requiere reducir la complejidad de las expresiones matemáticas, así como recurrir a computadoras, para resolver los cálculos tediosos. Desde este punto de vista, el método más adecuado para el análisis de estos sistemas, es el método en el espacio de estado.

Mientras la teoría de control convencional se basa en la relación entre la entrada y la salida, o función de transferencia, la teoría de control moderna se basa en la descripción de las ecuaciones del sistema en términos de $n$ ecuaciones diferenciales de primer orden, que se pueden combinar en una ecuación diferencial matricial, de primer orden. El uso de la notación matricial, simplifica mucho la representación matemática de sistemas de ecuaciones. El aumento en la cantidad de variables de estado, de entradas o salidas, no incrementa la complejidad de las ecuaciones. De hecho, es posible proseguir el análisis de sistemas complicados, con entradas y salidas múltiples, con procedimientos ligeramente más complicados que los requeridos por el análisis de sistemas de ecuaciones diferenciales escalares de primer orden.

Este capítulo y el siguiente tratan del análisis y diseño de sistemas de control en el espacio de estado. En este capítulo se presentan los materiales básicos del análisis en el

* Note que a lo largo de este capítulo y del siguiente, se utilizará un asterisco como superíndice para matrices, como $\mathbf{A}^*$, que significa que se trata de la conjugada traspuesta de la matriz $\mathbf{A}$. La conjugada traspuesta es la conjugada de la traspuesta de una matriz. En el caso de una matriz real (donde todos los elementos son reales), la conjugada traspuesta $\mathbf{A}^*$ es igual a la traspuesta $\mathbf{A}^T$.

espacio de estado, incluyendo la representación de sistemas en el espacio de estado, controlabilidad, observabilidad, análisis de estabilidad de Liapunov, y una breve exposición de los sistemas lineales, variables en el tiempo. En el próximo capítulo se presentarán los métodos básicos de diseño en el espacio de estado.

**Lineamientos del capítulo.** La sección 9-1 presentó una introducción al análisis de sistemas de control en el espacio de estado. La sección 9-2 expone los conceptos básicos del análisis de sistemas, en el espacio de estado no tratados en otras secciones. La sección 9-3 trata sobre la matriz de transferencia, y presenta el diseño de controladores sin interacción entre las entradas y las salidas. La sección 9-4 presenta el concepto de controlabilidad, y deduce las condiciones para una controlabilidad de estado completa. La sección 9-5 se refiere a la observabilidad. En la sección 9-6 se discute la representación en el espacio de estado, de funciones de transferencia en las formas canónicas controlable, observable, diagonal y de Jordan. En la sección 9-7 se presenta el análisis de estabilidad de Liapunov de sistemas lineales y no lineales, y la sección 9-8 trata sobre el análisis de estabilidad de Liapunov, de sistemas lineales invariantes en el tiempo. Finalmente, la sección 9-9 establece la solución de ecuaciones en el espacio de estado que incluyen términos variables en el tiempo.

El material que se presenta en este capítulo, en particular los conceptos de controlabilidad y observabilidad, así como el análisis de estabilidad de Liapunov, son la base para el diseño de sistemas de control, que se usan extensamente en el capítulo 10.

## 9-2 CONCEPTOS BASICOS PARA EL ANALISIS EN EL ESPACIO DE ESTADO

En esta sección se estudiarán los conceptos básicos para el análisis en el espacio de estado, incluyendo temas como la no unicidad del conjunto de variables de estado, valores propios de matrices de $n \times n$, invariancia de valores propios, conversión de matrices de $n \times n$ en matrices diagonales, representación en el espacio de estado de sistemas de enésimo orden con $r$ funciones excitadoras, teorema de Cayley-Hamilton y el cálculo de $e^{At}$.

**No unicidad del conjunto de variables de estado.** Ha quedado establecido que un conjunto de variables de estado no es único para un determinado sistema. Suponga que $x_1, x_2, \ldots, x_n$, es un conjunto de variables de estado. Entonces se puede tomar otro conjunto de funciones como variables de estado

$$\begin{aligned} \hat{x}_1 &= X_1(x_1, x_2, \ldots, x_n) \\ \hat{x}_2 &= X_2(x_1, x_2, \ldots, x_n) \\ &\vdots \\ \hat{x}_n &= X_n(x_1, x_2, \ldots, x_n) \end{aligned}$$

siempre que, para cada conjunto de valores $\hat{x}_1, \hat{x}_2, \ldots, \hat{x}_n$, corresponda un conjunto único de valores $x_1, x_2, \ldots, x_n$, y viceversa. Entonces, si $\mathbf{x}$ es un vector de estado, entonces $\hat{\mathbf{x}}$ donde

$$\hat{\mathbf{x}} = \mathbf{P}\mathbf{x}$$

también es un vector de estado, siempre que la matriz **P** sea no singular. Distintos vectores de estado proveen la misma información sobre el comportamiento del sistema.

**EJEMPLO 9-1** Considere el sistema definido por

$$\dddot{y} + 6\ddot{y} + 11\dot{y} + 6y = 6u \tag{9–1}$$

donde $y$ es la salida y $u$ es la entrada al sistema. Obtenga una representación del sistema en el espacio de estado.

Se eligen la variables de estado como

$$x_1 = y$$

$$x_2 = \dot{y}$$

$$x_3 = \ddot{y}$$

Entonces se obtiene

$$\dot{x}_1 = x_2$$

$$\dot{x}_2 = x_3$$

$$\dot{x}_3 = -6x_1 - 11x_2 - 6x_3 + 6u$$

La última de estas tres ecuaciones se obtuvo al resolver la ecuación diferencial original para el término con la derivada más alta $\dddot{y}$, y al sustituir $y = x_1$, $\dot{y} = x_2$, $\ddot{y} = x_3$ en la ecuación resultante. Utilizando la notación matricial, se pueden combinar estas tres ecuaciones diferenciales de primer orden en una, como sigue:

$$\begin{bmatrix} \dot{x}_1 \\ \dot{x}_2 \\ \dot{x}_3 \end{bmatrix} = \begin{bmatrix} 0 & 1 & 0 \\ 0 & 0 & 1 \\ -6 & -11 & -6 \end{bmatrix} \begin{bmatrix} x_1 \\ x_2 \\ x_3 \end{bmatrix} + \begin{bmatrix} 0 \\ 0 \\ 6 \end{bmatrix} u \tag{9–2}$$

La ecuación de salida está dada por

$$y = [1 \quad 0 \quad 0] \begin{bmatrix} x_1 \\ x_2 \\ x_3 \end{bmatrix} \tag{9–3}$$

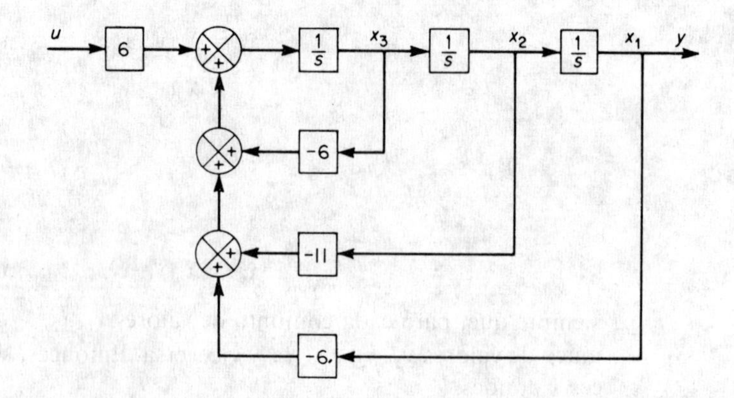


**Figura 9-1** Diagrama de bloques del sistema definido por las ecuaciones (9-2) y (9-3).

Las ecuaciones (9-2) y (9-3) se pueden colocar en la forma normalizada, como

$$\dot{\mathbf{x}} = \mathbf{A}\mathbf{x} + \mathbf{B}u \tag{9–4}$$

$$y = \mathbf{C}\mathbf{x} \tag{9–5}$$

donde

$$\mathbf{A} = \begin{bmatrix} 0 & 1 & 0 \\ 0 & 0 & 1 \\ -6 & -11 & -6 \end{bmatrix}, \quad \mathbf{B} = \begin{bmatrix} 0 \\ 0 \\ 6 \end{bmatrix}, \quad \mathbf{C} = [1 \quad 0 \quad 0]$$

La figura 9-1 muestra la representación, en diagramas de bloques, de la ecuación de estado y de salida. Nótese que las funciones de transferencia de los bloques de retroalimentación, son idénticas a los coeficientes con signo negativo de la ecuación (9-1), que es la ecuación diferencial original.

**Valores propios de una matriz A de $n \times n$.** Los valores propios de una matriz **A** de $n \times n$, son las raíces de la ecuación característica

$$|\lambda\mathbf{I} - \mathbf{A}| = 0$$

A los valores propios, se les llama raíces características.

Considere, por ejemplo, la siguiente matriz **A**:

$$\mathbf{A} = \begin{bmatrix} 0 & 1 & 0 \\ 0 & 0 & 1 \\ -6 & -11 & -6 \end{bmatrix}$$

La ecuación característica es

$$\begin{aligned} |\lambda\mathbf{I} - \mathbf{A}| &= \begin{vmatrix} \lambda & -1 & 0 \\ 0 & \lambda & -1 \\ 6 & 11 & \lambda + 6 \end{vmatrix} \\ &= \lambda^3 + 6\lambda^2 + 11\lambda + 6 \\ &= (\lambda + 1)(\lambda + 2)(\lambda + 3) = 0 \end{aligned}$$

Los valores propios de **A**, son las raíces de la ecuación característica, o sea —1, —2, y —3.

**EJEMPLO 9-2** Considere el mismo sistema tratado en el ejemplo 9-1. Ahora se demostrará que la ecuación (9-2) no es la única ecuación de estado posible para este sistema. Supóngase que se define un nuevo conjunto de variables de estado $z_1$, $z_2$, $z_3$ mediante la transformación

$$\begin{bmatrix} x_1 \\ x_2 \\ x_3 \end{bmatrix} = \begin{bmatrix} 1 & 1 & 1 \\ -1 & -2 & -3 \\ 1 & 4 & 9 \end{bmatrix} \begin{bmatrix} z_1 \\ z_2 \\ z_3 \end{bmatrix}$$

o bien

$$\mathbf{x} = \mathbf{P}\mathbf{z} \tag{9–6}$$

donde

$$\mathbf{P} = \begin{bmatrix} 1 & 1 & 1 \\ -1 & -2 & -3 \\ 1 & 4 & 9 \end{bmatrix} \tag{9–7}$$

Al remplazar la ecuación (9-6) en la ecuación (9-4), se tiene

$$\mathbf{P}\dot{\mathbf{z}} = \mathbf{APz} + \mathbf{B}u$$

Multiplicando ambos miembros de esta última ecuación por $\mathbf{P}^{-1}$, se tiene

$$\dot{\mathbf{z}} = \mathbf{P}^{-1}\mathbf{APz} + \mathbf{P}^{-1}\mathbf{B}u \tag{9–8}$$

o bien

$$\begin{bmatrix} \dot{z}_1 \\ \dot{z}_2 \\ \dot{z}_3 \end{bmatrix} = \begin{bmatrix} 3 & 2.5 & 0.5 \\ -3 & -4 & -1 \\ 1 & 1.5 & 0.5 \end{bmatrix} \begin{bmatrix} 0 & 1 & 0 \\ 0 & 0 & 1 \\ -6 & -11 & -6 \end{bmatrix} \begin{bmatrix} 1 & 1 & 1 \\ -1 & -2 & -3 \\ 1 & 4 & 9 \end{bmatrix} \begin{bmatrix} z_1 \\ z_2 \\ z_3 \end{bmatrix}$$
$$+ \begin{bmatrix} 3 & 2.5 & 0.5 \\ -3 & -4 & -1 \\ 1 & 1.5 & 0.5 \end{bmatrix} \begin{bmatrix} 0 \\ 0 \\ 6 \end{bmatrix} u$$

Simplificando, se tiene

$$\begin{bmatrix} \dot{z}_1 \\ \dot{z}_2 \\ \dot{z}_3 \end{bmatrix} = \begin{bmatrix} -1 & 0 & 0 \\ 0 & -2 & 0 \\ 0 & 0 & -3 \end{bmatrix} \begin{bmatrix} z_1 \\ z_2 \\ z_3 \end{bmatrix} + \begin{bmatrix} 3 \\ -6 \\ 3 \end{bmatrix} u \tag{9–9}$$

La expresión (9-9) es también una ecuación de estado, que describe el mismo sistema definido en la ecuación (9-2).

La ecuación de salida (9-5), se modifica a

$$y = \mathbf{CPz}$$

o bien

$$y = [1 \quad 0 \quad 0] \begin{bmatrix} 1 & 1 & 1 \\ -1 & -2 & -3 \\ 1 & 4 & 9 \end{bmatrix} \begin{bmatrix} z_1 \\ z_2 \\ z_3 \end{bmatrix}$$
$$= [1 \quad 1 \quad 1] \begin{bmatrix} z_1 \\ z_2 \\ z_3 \end{bmatrix} \tag{9–10}$$

Note que la matriz de transformación **P**, definida por la ecuación (9-7), transforma la matriz de coeficientes **z** en la matriz diagonal. Como se ve claramente de la ecuación (9-9), las tres ecuaciones de estado escalares, están desacopladas. Nótese también que los elementos diagonales de la matriz $\mathbf{P}^{-1}\mathbf{AP}$ en la ecuación (9-8), son idénticos a los tres valores propios de **A**. Es importante notar que los valores propios de **A** y los de $\mathbf{P}^{-1}\mathbf{AP}$, son idénticos. Lo anterior se probará a continuación, para un caso general.

**Invariancia de valores propios.** Para probar la invariancia de los valores propios bajo una transformación lineal, se debe mostrar que los polinomios característicos $|\lambda\mathbf{I} - \mathbf{A}|$ y $|\lambda\mathbf{I} - \mathbf{P}^{-1}\mathbf{AP}|$ son idénticos.

Como el determinante de un producto, es el producto de los determinantes, se obtiene

$$
\begin{aligned}
|\lambda \mathbf{I} - \mathbf{P}^{-1}\mathbf{A}\mathbf{P}| &= |\lambda \mathbf{P}^{-1}\mathbf{P} - \mathbf{P}^{-1}\mathbf{A}\mathbf{P}| \\
&= |\mathbf{P}^{-1}(\lambda \mathbf{I} - \mathbf{A})\mathbf{P}| \\
&= |\mathbf{P}^{-1}||\lambda \mathbf{I} - \mathbf{A}||\mathbf{P}| \\
&= |\mathbf{P}^{-1}||\mathbf{P}||\lambda \mathbf{I} - \mathbf{A}|
\end{aligned}
$$

Note que el producto de los determinantes $|\mathbf{P}^{-1}|$ y $|\mathbf{P}|$ es el determinante del producto $|\mathbf{P}^{-1}\mathbf{P}|$, se obtiene

$$
\begin{aligned}
|\lambda \mathbf{I} - \mathbf{P}^{-1}\mathbf{A}\mathbf{P}| &= |\mathbf{P}^{-1}\mathbf{P}||\lambda \mathbf{I} - \mathbf{A}| \\
&= |\lambda \mathbf{I} - \mathbf{A}|
\end{aligned}
$$

Así, se ha probado que los valores propios de **A**, son invariantes bajo una transformación lineal.

**Transformación de una matriz de $n \times n$ en matriz diagonal.** Nótese que si una matriz **A** de $n \times n$, con valores propios disstintos, está dada por

$$
\mathbf{A} = \begin{bmatrix} 0 & 1 & 0 & \cdots & 0 \\ 0 & 0 & 1 & \cdots & 0 \\ \cdot & \cdot & \cdot & & \cdot \\ \cdot & \cdot & \cdot & & \cdot \\ \cdot & \cdot & \cdot & & \cdot \\ 0 & 0 & 0 & \cdots & 1 \\ -a_n & -a_{n-1} & -a_{n-2} & \cdots & -a_1 \end{bmatrix} \tag{9–11}
$$

la transformación $\mathbf{x} = \mathbf{P}\mathbf{z}$ donde

$$
\mathbf{P} = \begin{bmatrix} 1 & 1 & \cdots & 1 \\ \lambda_1 & \lambda_2 & \cdots & \lambda_n \\ \lambda_1^2 & \lambda_2^2 & \cdots & \lambda_n^2 \\ \cdot & \cdot & & \cdot \\ \cdot & \cdot & & \cdot \\ \cdot & \cdot & & \cdot \\ \lambda_1^{n-1} & \lambda_2^{n-1} & \cdots & \lambda_n^{n-1} \end{bmatrix}
$$

$\lambda_1, \lambda_2, \ldots, \lambda_n = n$ valores propios distintos de **A**
transforman $\mathbf{P}^{-1}\mathbf{A}\mathbf{P}$ en la matriz diagonal, o

$$
\mathbf{P}^{-1}\mathbf{A}\mathbf{P} = \begin{bmatrix} \lambda_1 & & & & 0 \\ & \lambda_2 & & & \\ & & \cdot & & \\ & & & \cdot & \\ & & & & \cdot \\ 0 & & & & \lambda_n \end{bmatrix}
$$

Si la matriz **A** definida por la ecuación (9-11) incluye valores propios múltiples, la transformación a matriz diagonal es imposible. Por ejemplo, si la matriz **A** de $3 \times 3$ donde

$$\mathbf{A} = \begin{bmatrix} 0 & 1 & 0 \\ 0 & 0 & 1 \\ -a_3 & -a_2 & -a_1 \end{bmatrix}$$

tiene los valores propios $\lambda_1$, $\lambda_1$,$\lambda_3$, entonces la transformación $\mathbf{x} = \mathbf{Sz}$ donde

$$\mathbf{S} = \begin{bmatrix} 1 & 0 & 1 \\ \lambda_1 & 1 & \lambda_3 \\ \lambda_1^2 & 2\lambda_1 & \lambda_3^2 \end{bmatrix}$$

dará

$$\mathbf{S}^{-1}\mathbf{AS} = \begin{bmatrix} \lambda_1 & 1 & 0 \\ 0 & \lambda_1 & 0 \\ 0 & 0 & \lambda_3 \end{bmatrix}$$

Esta forma se denomina *forma canónica de Jordan*.

**EJEMPLO 9-3** Considere el mismo sistema visto en los ejemplos 9-1 y 9-2, que ahora se reescribe como

$$\dddot{y} + 6\ddot{y} + 11\dot{y} + 6y = 6u \tag{9–12}$$

Se demostrará que la representación en el espacio de estado, dada por las ecuaciones (9-9) y (9-10), se puede obtener también mediante la técnica de expansión en fracciones parciales.

La ecuación (9-12) se representa, en la forma de una función de transferencia:

$$\frac{Y(s)}{U(s)} = \frac{6}{s^3 + 6s^2 + 11s + 6} = \frac{6}{(s+1)(s+2)(s+3)}$$

Expandiendo esta función de transferencia en fracciones parciales, se obtiene

$$\frac{Y(s)}{U(s)} = \frac{3}{s+1} + \frac{-6}{s+2} + \frac{3}{s+3}$$

Por tanto

$$Y(s) = \frac{3}{s+1}U(s) + \frac{-6}{s+2}U(s) + \frac{3}{s+3}U(s) \tag{9–13}$$

Se define

$$X_1(s) = \frac{3}{s+1}U(s) \tag{9–14}$$

$$X_2(s) = \frac{-6}{s+2}U(s) \tag{9–15}$$

$$X_3(s) = \frac{3}{s+3}U(s) \tag{9–16}$$

Las transformadas inversas de Laplace de las ecuaciones (9-14), (9-15), y (9-16), dan como resultado

$$\dot{x}_1 = -x_1 + 3u$$

$$\dot{x}_2 = -2x_2 - 6u$$

$$\dot{x}_3 = -3x_3 + 3u$$

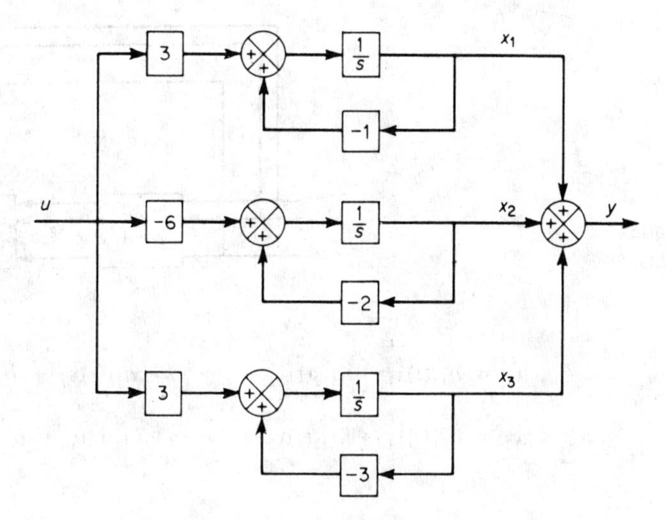


**Figura 9-2**
Diagrama en bloques del sistema definido por las ecuaciones (9-17) y (9-18).

En notación matricial, se obtiene

$$\begin{bmatrix} \dot{x}_1 \\ \dot{x}_2 \\ \dot{x}_3 \end{bmatrix} = \begin{bmatrix} -1 & 0 & 0 \\ 0 & -2 & 0 \\ 0 & 0 & -3 \end{bmatrix} \begin{bmatrix} x_1 \\ x_2 \\ x_3 \end{bmatrix} + \begin{bmatrix} 3 \\ -6 \\ 3 \end{bmatrix} u \tag{9–17}$$

Como la ecuación (9-13) se puede expresar como

$$Y(s) = X_1(s) + X_2(s) + X_3(s)$$

se obtiene

$$y = x_1 + x_2 + x_3$$

o bien

$$y = [1 \quad 1 \quad 1] \begin{bmatrix} x_1 \\ x_2 \\ x_3 \end{bmatrix} \tag{9–18}$$

Las ecuaciones (9-17) y (9-18), son de la misma forma que la (9-9) y (9-10), respectivamente.

La figura 9-2 muestra una representación en diagrama de bloques, de las ecuaciones (9-17) y (9-18). Nótese que las funciones de transferencia de los bloques de retroalimentación, son idénticas a los valores propios del sistema. Nótese también que los residuos de los polos de la función de transferencia, o los coeficientes de las expansiones, en las frecuencias parciales de $Y(s)/U(s)$, aparecen en los bloques de prealimentación.

**Representación en el espacio de estado, de sistemas de ecuaciones diferenciales lineales de enésimo orden, con *r* funciones excitadoras.** Considere el sistema con entradas y salidas múltiples, que aparece en la figura 9-3. En este sistema, $x_1$, $x_2$, .., $x_n$, representan las variables de estado; $u_1$, $u_2$, ..., $u_r$, indican las variables de entrada; y $y_1$, $y_2$, ..., $y_m$, son las variables de salida. Para el sistema de la figura 9-3, se puede tener el sistema de ecuaciones como sigue:

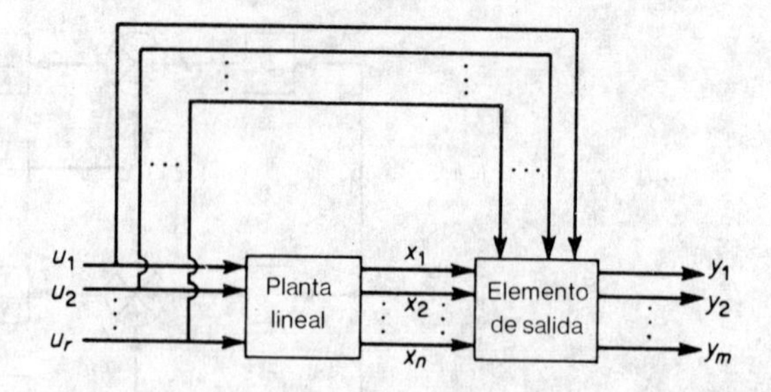


**Figura 9-3**
Sistema con múltiples entradas y múltiples salidas.

$$\dot{x}_1 = a_{11}(t)x_1 + a_{12}(t)x_2 + \cdots + a_{1n}(t)x_n + b_{11}(t)u_1 + b_{12}(t)u_2 + \cdots + b_{1r}(t)u_r$$

$$\dot{x}_2 = a_{21}(t)x_1 + a_{22}(t)x_2 + \cdots + a_{2n}(t)x_n + b_{21}(t)u_1 + b_{22}(t)u_2 + \cdots + b_{2r}(t)u_r$$

$$\vdots$$

$$\dot{x}_n = a_{n1}(t)x_1 + a_{n2}(t)x_2 + \cdots + a_{nn}(t)x_n + b_{n1}(t)u_1 + b_{n2}(t)u_2 + \cdots + b_{nr}(t)u_r$$

donde las $a(t)$ y las $b(t)$ son constantes o funciones de $t$. En notación matricial, estas $n$ ecuaciones se pueden expresar en forma compacta, como

$$\dot{\mathbf{x}} = \mathbf{A}(t)\mathbf{x} + \mathbf{B}(t)\mathbf{u} \tag{9–19}$$

donde

$$\mathbf{x} = \begin{bmatrix} x_1 \\ x_2 \\ \cdot \\ \cdot \\ \cdot \\ x_n \end{bmatrix} = \text{vector de estado}$$

$$\mathbf{u} = \begin{bmatrix} u_1 \\ u_2 \\ \cdot \\ \cdot \\ \cdot \\ u_r \end{bmatrix} = \text{vector de entrada (o control)}$$

$$\mathbf{A}(t) = \begin{bmatrix} a_{11}(t) & a_{12}(t) & \cdots & a_{1n}(t) \\ a_{21}(t) & a_{22}(t) & \cdots & a_{2n}(t) \\ \cdot & \cdot & & \cdot \\ \cdot & \cdot & & \cdot \\ \cdot & \cdot & & \cdot \\ a_{n1}(t) & a_{n2}(t) & \cdots & a_{nn}(t) \end{bmatrix}$$

$$\mathbf{B}(t) = \begin{bmatrix} b_{11}(t) & b_{12}(t) & \cdots & b_{1r}(t) \\ b_{21}(t) & b_{22}(t) & \cdots & b_{2r}(t) \\ \cdot & \cdot & & \cdot \\ \cdot & \cdot & & \cdot \\ \cdot & \cdot & & \cdot \\ b_{n1}(t) & b_{n2}(t) & \cdots & b_{nr}(t) \end{bmatrix}$$

La ecuación (9-19) es la ecuación de estado del sistema. [Nótese que una ecuación diferencial matricial como la ecuacion (9-19) (o las equivalentes ecuaciones diferenciales de enésimo orden), que describe la dinámica de un sistema, es una ecuación de estado si y sólo si, el conjunto de variables dependientes en la ecuación diferencial matricial, satisface la definición de variables de estado].

Para las señales de salida, se tiene

$$\begin{aligned} y_1 &= c_{11}(t)x_1 + c_{12}(t)x_2 + \cdots + c_{1n}(t)x_n + d_{11}(t)u_1 + d_{12}(t)u_2 + \cdots + d_{1r}(t)u_r \\ y_2 &= c_{21}(t)x_1 + c_{22}(t)x_2 + \cdots + c_{2n}(t)x_n + d_{21}(t)u_1 + d_{22}(t)u_2 + \cdots + d_{2r}(t)u_r \\ &\cdot \\ &\cdot \\ &\cdot \\ y_m &= c_{m1}(t)x_1 + c_{m2}(t)x_2 + \cdots + c_{mn}(t)x_n + d_{m1}(t)u_1 + d_{m2}(t)u_2 + \cdots + d_{mr}(t)u_r \end{aligned}$$

En notación matricial, estas $m$ ecuaciones se pueden expresar en forma compacta, como

$$\mathbf{y} = \mathbf{C}(t)\mathbf{x} + \mathbf{D}(t)\mathbf{u} \tag{9–20}$$

donde

$$\mathbf{y} = \begin{bmatrix} y_1 \\ y_2 \\ \cdot \\ \cdot \\ \cdot \\ y_m \end{bmatrix} = \text{vector de salida}$$

$$\mathbf{C}(t) = \begin{bmatrix} c_{11}(t) & c_{12}(t) & \cdots & c_{1n}(t) \\ c_{21}(t) & c_{22}(t) & \cdots & c_{2n}(t) \\ \cdot & \cdot & & \cdot \\ \cdot & \cdot & & \cdot \\ \cdot & \cdot & & \cdot \\ c_{m1}(t) & c_{m2}(t) & \cdots & c_{mn}(t) \end{bmatrix}$$

$$\mathbf{D}(t) = \begin{bmatrix} d_{11}(t) & d_{12}(t) & \cdots & d_{1r}(t) \\ d_{21}(t) & d_{22}(t) & \cdots & d_{2r}(t) \\ \cdot & \cdot & & \cdot \\ \cdot & \cdot & & \cdot \\ \cdot & \cdot & & \cdot \\ d_{m1}(t) & d_{m2}(t) & \cdots & d_{mr}(t) \end{bmatrix}$$

La ecuación (9-20), es la ecuación de salida del sistema y las matrices $\mathbf{A}(t)$, $\mathbf{B}(t)$, $\mathbf{C}(t)$, y $\mathbf{D}(t)$, caracterizan totalmente la dinámica del sistema.

En la figura 9-4(a) aparece una representación, en diagrama de bloques, del sistema definido por las ecuaciones (9-19) y (9-20). Para indicar las cantidades vectoriales, en el diagrama se han dibujado flechas dobles. La figura 9-4(b) muestra la representación, en un gráfico de flujo de señal, del sistema de la figura 9-4(a).

**Teorema de Cayley-Hamilton.** El teorema de Cayley-Hamilton es muy útil para probar teoremas referentes a ecuaciones matriciales.

Considere una matriz $\mathbf{A}$ de $n \times n$, y su ecuación característica:

$$|\lambda\mathbf{I} - \mathbf{A}| = \lambda^n + a_1\lambda^{n-1} + \cdots + a_{n-1}\lambda + a_n = 0$$

El teorema de Cayley-Hamilton establece que la matriz $\mathbf{A}$ satisface su ecuación característica, o sea

$$\mathbf{A}^n + a_1\mathbf{A}^{n-1} + \cdots + a_{n-1}\mathbf{A} + a_n\mathbf{I} = \mathbf{0}$$

Para probar este teorema, note que $\operatorname{adj}(\lambda\mathbf{I} - \mathbf{A})$ es un polinomio en $\lambda$, de grado $n - 1$. Es decir,

$$\operatorname{adj}(\lambda\mathbf{I} - \mathbf{A}) = \mathbf{B}_1\lambda^{n-1} + \mathbf{B}_2\lambda^{n-2} + \cdots + \mathbf{B}_{n-1}\lambda + \mathbf{B}_n$$

donde $\mathbf{B}_1 = \mathbf{I}$. Como

$$(\lambda\mathbf{I} - \mathbf{A}) \operatorname{adj} (\lambda\mathbf{I} - \mathbf{A}) = [\operatorname{adj} (\lambda\mathbf{I} - \mathbf{A})](\lambda\mathbf{I} - \mathbf{A}) = |\lambda\mathbf{I} - \mathbf{A}|\mathbf{I}$$

se obtiene

$$\begin{aligned} |\lambda\mathbf{I} - \mathbf{A}|\mathbf{I} &= \mathbf{I}\lambda^n + a_1\mathbf{I}\lambda^{n-1} + \cdots + a_{n-1}\mathbf{I}\lambda + a_n\mathbf{I} \\ &= (\lambda\mathbf{I} - \mathbf{A})(\mathbf{B}_1\lambda^{n-1} + \mathbf{B}_2\lambda^{n-2} + \cdots + \mathbf{B}_{n-1}\lambda + \mathbf{B}_n) \\ &= (\mathbf{B}_1\lambda^{n-1} + \mathbf{B}_2\lambda^{n-2} + \cdots + \mathbf{B}_{n-1}\lambda + \mathbf{B}_n)(\lambda\mathbf{I} - \mathbf{A}) \end{aligned}$$

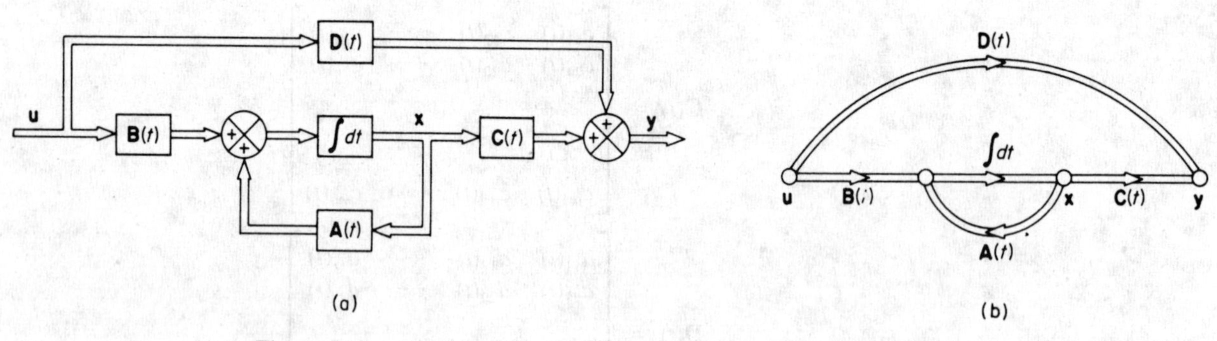


**Figure 9–4**

(a) Diagrama de bloques del sistema descrito por las ecuaciones (9-19) y (9-20); (b) gráfico de flujo de señal del sistema de (a).

De esta ecuación se ve que $\mathbf{A}$ y $\mathbf{B}_1$ ($i = 1, 2, \ldots, n$), son conmutables. Por lo tanto, el producto de $(\lambda\mathbf{I} - \mathbf{A})$ y adj $(\lambda\mathbf{I} - \mathbf{A})$, es cero si cualquiera de ellas es cero. Si se substituye $\mathbf{A}$ por $\lambda$ en esta última ecuación, entonces $\lambda\mathbf{I} - \mathbf{A}$ se hace cero. Por tanto

$$\mathbf{A}^n + a_1\mathbf{A}^{n-1} + \cdots + a_{n-1}\mathbf{A} + a_n\mathbf{I} = \mathbf{0}$$

Esto prueba el teorema de Cayley-Hamilton.

**Cálculo de $e^{\mathbf{A}t}$.** Al resolver problemas de control, con frecuencia es necesario calcular $e^{\mathbf{A}t}$. A continuación, se presentará un método mediante computadora, y algunos métodos analíticos, para calcular $e^{\mathbf{A}t}$.

**Cálculo de $e^{\mathbf{A}t}$ mediante computadora.** La solución de la ecuación de estado lineal, invariante en el tiempo, de tiempo continuo, incluye la matriz exponencial $e^{\mathbf{A}t}$. Se dispone de varios métodos para calcular $e^{\mathbf{A}t}$. Si la cantidad de renglones de la matriz cuadrada es 4 o mayor, el cálculo manual es muy tedioso, y resulta necesario el uso de la computadora. (Hay procedimientos normalizados de computadora para calcular $e^{At}$).

En forma conceptual, el método más simple de calcular $e^{\mathbf{A}t}$, es expandir $e^{\mathbf{A}t}$ en serie de potencias en $t$. (La matriz exponencial $e^{\mathbf{A}t}$ converge en forma uniforme, para valores finitos de $t$). Por ejemplo, se puede expandir $e^{\mathbf{A}t}$ en una serie de potencias como sigue:

$$e^{\mathbf{A}t} = \mathbf{I} + (\mathbf{A}t) + \frac{\mathbf{A}t}{2}\left(\frac{\mathbf{A}t}{1!}\right) + \frac{\mathbf{A}t}{3}\left(\frac{\mathbf{A}^2t^2}{2!}\right) + \cdots + \frac{\mathbf{A}t}{n+1}\left(\frac{\mathbf{A}^nt^n}{n!}\right) + \cdots$$

Nótese que cada término entre paréntesis es igual al término precedente, lo cual da un esquema recursivo conveniente. El cálculo sigue sólo hasta que los términos adicionales son insignificantes, en comparación con la suma parcial hasta ese momento. En este procedimiento se puede utilizar una norma de la matriz como verificación para detener el cálculo. Una norma es una magnitud escalar, que brinda un modo de determinar la magnitud absoluta de los $n^2$ elementos de una matriz de $n \times n$. Se suelen usar diversas formas de normas. Se puede utilizar cualquiera de ellas. Un ejemplo es

$$\text{Norma de } \mathbf{M} = \|\mathbf{M}\| = \sum_{\substack{i=1 \\ j=1}}^{n} |m_{ij}|$$

donde las $m_{ij}$, son los elementos de la matriz $\mathbf{M}$. El programa de computadora, además de calcular y sumar términos a la serie, calcula la norma, y detiene el cálculo cuando la norma alcanza un valor límite prescrito.

Las virtudes de la técnica de expansión en serie son su simplicidad y la facilidad de programación. No es necesario hallar los valores propios de $\mathbf{A}$. Sin embargo, hay algunas desventajas de la computadora en el método de expansión en serie, provenientes de los requisitos de convergencia para la serie $e^{\mathbf{A}t}$. La forma canónica de Jordan requiere considerablemente más programación que el método de expansión en serie, pero el programa corre en una fracción del tiempo requerido por la solución en serie. (Se dispone de un programa normalizado, para el cálculo de $e^{\mathbf{A}t}$, utilizando la forma canónica de Jordan). Para los detalles sobre aspectos analíticos de la forma canónica de Jordan, véase el apéndice.

Hay varios métodos analíticos para obtener $e^{\mathbf{A}t}$. A continuación, se analizarán tres de ellos.

**Cálculo de $e^{\mathbf{A}t}$: Método 1.** Se transforma la matriz **A**, a la forma diagonal o a la forma canónica de Jordan. Ante todo, se considera el caso en que la matriz **A** incluye sólo valores propios distintos, y por tanto, se puede transformar en la forma diagonal. Luego, se considerará el caso en que la matriz **A** incluye valores propios múltiples y, por tanto, no se puede convertir en matriz diagonal.

Considere la ecuación de estado

$$\dot{\mathbf{x}} = \mathbf{A}\mathbf{x}$$

Si una matriz cuadrada se puede hacer diagonal, entonces existe una matriz que la convierte en diagonal (matriz de transformación) que se puede obtener por el método estándar, presentado en el apéndice. Sea **P** la matriz que convierte en diagonal a la matriz **A**. Se define

$$\mathbf{x} = \mathbf{P}\hat{\mathbf{x}}$$

Entonces

$$\dot{\hat{\mathbf{x}}} = \mathbf{P}^{-1}\mathbf{A}\mathbf{P}\hat{\mathbf{x}} = \mathbf{D}\hat{\mathbf{x}}$$

donde **D** es una matriz diagonal. La solución de esta última ecuación es

$$\hat{\mathbf{x}}(t) = e^{\mathbf{D}t}\hat{\mathbf{x}}(0)$$

Por tanto

$$\mathbf{x}(t) = \mathbf{P}\hat{\mathbf{x}}(t) = \mathbf{P}e^{\mathbf{D}t}\mathbf{P}^{-1}\mathbf{x}(0)$$

Nótese que $\mathbf{x}(t)$ también se puede expresar por la ecuación

$$\mathbf{x}(t) = e^{\mathbf{A}t}\mathbf{x}(0)$$

se obtiene $e^{\mathbf{A}t} = \mathbf{P}e^{\mathbf{D}t}\mathbf{P}^{-1}$, o

$$e^{\mathbf{A}t} = \mathbf{P}e^{\mathbf{D}t}\mathbf{P}^{-1} = \mathbf{P}\begin{bmatrix} e^{\lambda_1 t} & & & 0 \\ & e^{\lambda_2 t} & & \\ & & \ddots & \\ 0 & & & e^{\lambda_n t} \end{bmatrix}\mathbf{P}^{-1} \qquad (9\text{–}21)$$

A continuación, se considera el caso en que la matriz **A** se puede transformar en la forma canónica de Jordan. Considere nuevamente la ecuación de estado

$$\dot{\mathbf{x}} = \mathbf{A}\mathbf{x}$$

Primero se obtiene la matriz de transformación **S** que transforma la matriz **A** a la forma canónica de Jordan (véase el apéndice), de modo que

$$\mathbf{S}^{-1}\mathbf{A}\mathbf{S} = \mathbf{J}$$

donde **J** es la matriz en la forma canónica de Jordan. Se define

$$\mathbf{x} = \mathbf{S}\hat{\mathbf{x}}$$

Entonces

$$\dot{\hat{\mathbf{x}}} = \mathbf{S}^{-1}\mathbf{A}\mathbf{S}\hat{\mathbf{x}} = \mathbf{J}\hat{\mathbf{x}}$$

La solución de esta última ecuación, es

$$\hat{\mathbf{x}}(t) = e^{\mathbf{J}t}\hat{\mathbf{x}}(0)$$

Por tanto,

$$\mathbf{x}(t) = \mathbf{S}\hat{\mathbf{x}}(t) = \mathbf{S}e^{\mathbf{J}t}\mathbf{S}^{-1}\mathbf{x}(0)$$

Como la solución $\mathbf{x}(t)$ también se puede escribir como

$$\mathbf{x}(t) = e^{\mathbf{A}t}\mathbf{x}(0)$$

se obtiene

$$e^{\mathbf{A}t} = \mathbf{S}e^{\mathbf{J}t}\mathbf{S}^{-1}$$

Nótese que $e^{\mathbf{J}t}$ es una matriz triangular [lo que significa que los elementos por debajo (o por arriba, según sea el caso) de la diagonal principal, son ceros], cuyos elementos son $e^{\lambda t}$, $te^{\lambda t}$, $\frac{1}{2}t^2e^{\lambda t}$, y así sucesivamente. Por ejemplo, si la matriz $\mathbf{J}$ tiene la siguiente forma canónica de Jordan,

$$\mathbf{J} = \begin{bmatrix} \lambda_1 & 1 & 0 \\ 0 & \lambda_1 & 1 \\ 0 & 0 & \lambda_1 \end{bmatrix}$$

entonces

$$e^{\mathbf{J}t} = \begin{bmatrix} e^{\lambda_1 t} & te^{\lambda_1 t} & \frac{1}{2}t^2e^{\lambda_1 t} \\ 0 & e^{\lambda_1 t} & te^{\lambda_1 t} \\ 0 & 0 & e^{\lambda_1 t} \end{bmatrix}$$

Del mismo modo, si

$$\mathbf{J} = \left[\begin{array}{ccc|cc|cc} \lambda_1 & 1 & 0 & & & & 0 \\ 0 & \lambda_1 & 1 & & & & \\ 0 & 0 & \lambda_1 & & & & \\ \hline & & & \lambda_4 & 1 & & \\ & & & 0 & \lambda_4 & & \\ \hline & & & & & \lambda_6 & \\ 0 & & & & & & \lambda_7 \end{array}\right]$$

entonces

$$e^{\mathbf{J}t} = \left[\begin{array}{ccc|cc|cc} e^{\lambda_1 t} & te^{\lambda_1 t} & \frac{1}{2}t^2e^{\lambda_1 t} & & & & 0 \\ 0 & e^{\lambda_1 t} & te^{\lambda_1 t} & & & & \\ 0 & 0 & e^{\lambda_1 t} & & & & \\ \hline & & & e^{\lambda_4 t} & te^{\lambda_4 t} & & \\ & & & 0 & e^{\lambda_4 t} & & \\ \hline & & & & & e^{\lambda_6 t} & 0 \\ 0 & & & & & 0 & e^{\lambda_7 t} \end{array}\right]$$

Como ejemplo, considere la siguiente matriz **A**:

$$\mathbf{A} = \begin{bmatrix} 0 & 1 & 0 \\ 0 & 0 & 1 \\ 1 & -3 & 3 \end{bmatrix}$$

La ecuación característica, es

$$|\lambda\mathbf{I} - \mathbf{A}| = \lambda^3 - 3\lambda^2 + 3\lambda - 1 = (\lambda - 1)^3$$

Por tanto, la matriz **A** tiene un valor propio múltiple de orden 3 en $\lambda = 1$. Se puede demostrar que la matriz **A** tiene un valor propio múltiple de orden 3. La matriz de transformación que transforma la matriz **A** a la forma canónica de Jordan es (véase el apéndice)

$$\mathbf{S} = \begin{bmatrix} 1 & 0 & 0 \\ 1 & 1 & 0 \\ 1 & 2 & 1 \end{bmatrix}$$

La inversa de la matriz **S** es

$$\mathbf{S}^{-1} = \begin{bmatrix} 1 & 0 & 0 \\ -1 & 1 & 0 \\ 1 & -2 & 1 \end{bmatrix}$$

Entonces, se puede ver que

$$\mathbf{S}^{-1}\mathbf{A}\mathbf{S} = \begin{bmatrix} 1 & 0 & 0 \\ -1 & 1 & 0 \\ 1 & -2 & 1 \end{bmatrix} \begin{bmatrix} 0 & 1 & 0 \\ 0 & 0 & 1 \\ 1 & -3 & 3 \end{bmatrix} \begin{bmatrix} 1 & 0 & 0 \\ 1 & 1 & 0 \\ 1 & 2 & 1 \end{bmatrix}$$

$$= \begin{bmatrix} 1 & 1 & 0 \\ 0 & 1 & 1 \\ 0 & 0 & 1 \end{bmatrix} = \mathbf{J}$$

Nótese que

$$e^{\mathbf{J}t} = \begin{bmatrix} e^t & te^t & \frac{1}{2}t^2e^t \\ 0 & e^t & te^t \\ 0 & 0 & e^t \end{bmatrix}$$

se encuentra que

$$e^{\mathbf{A}t} = \mathbf{S}e^{\mathbf{J}t}\mathbf{S}^{-1}$$

$$= \begin{bmatrix} 1 & 0 & 0 \\ 1 & 1 & 0 \\ 1 & 2 & 1 \end{bmatrix} \begin{bmatrix} e^t & te^t & \frac{1}{2}t^2e^t \\ 0 & e^t & te^t \\ 0 & 0 & e^t \end{bmatrix} \begin{bmatrix} 1 & 0 & 0 \\ -1 & 1 & 0 \\ 1 & -2 & 1 \end{bmatrix}$$

$$= \begin{bmatrix} e^t - te^t + \frac{1}{2}t^2e^t & te^t - t^2e^t & \frac{1}{2}t^2e^t \\ \frac{1}{2}t^2e^t & e^t - te^t - t^2e^t & te^t + \frac{1}{2}t^2e^t \\ te^t + \frac{1}{2}t^2e^t & -3te^t - t^2e^t & e^t + 2te^t + \frac{1}{2}t^2e^t \end{bmatrix}$$

**Cálculo de $e^{\mathbf{A}t}$: Método 2.** El segundo método para calcular $e^{\mathbf{A}t}$, utiliza el procedimiento de la tansformada de Laplace. En referencia a la ecuación (4-60), $e^{\mathbf{A}t}$ se puede escribir como

$$e^{\mathbf{A}t} = \mathcal{L}^{-1}[(s\mathbf{I} - \mathbf{A})^{-1}]$$

Por tanto, para obtener $e^{\mathbf{A}t}$, primero se debe invertir la matriz ($s\mathbf{I}$ — $\mathbf{A}$). Esto da como resultado una matriz cuyos elementos son funciones racionales de $s$. Luego se toma la transformada inversa de Laplace de cada elemento de la matriz.

**Cálculo de $e^{\mathbf{A}t}$: Método 3.** El tercer método para evaluar $e^{\mathbf{A}t}$, utiliza la fórmula de interpolación de Sylvester (véase en el problema A-9-6 la fórmula de interpolación de Sylvester). Primero se analizará el caso en que las raíces del polinomio mínimo $\phi(\lambda)$ de $\mathbf{A}$, son distintas. (En el problema A-9-3 está la definición del polinomio mínimo). Posteriormente, se tratará el caso de raíces múltiples.

*Caso 1: El polinomio mínimo de* **A** *incluye solamente raíces distintas.* Se supone que el grado del polinomio mínimo de **A** es $m$. Al usar la fórmula de interpolación de Sylvester se puede obtener $e^{\mathbf{A}t}$, resolviendo la siguiente ecuación en determinantes:

$$\begin{vmatrix} 1 & \lambda_1 & \lambda_1^2 & \cdots & \lambda_1^{m-1} & e^{\lambda_1 t} \\ 1 & \lambda_2 & \lambda_2^2 & \cdots & \lambda_2^{m-1} & e^{\lambda_2 t} \\ \cdot & \cdot & \cdot & & \cdot & \cdot \\ \cdot & \cdot & \cdot & & \cdot & \cdot \\ \cdot & \cdot & \cdot & & \cdot & \cdot \\ 1 & \lambda_m & \lambda_m^2 & \cdots & \lambda_m^{m-1} & e^{\lambda_m t} \\ \mathbf{I} & \mathbf{A} & \mathbf{A}^2 & \cdots & \mathbf{A}^{m-1} & e^{\mathbf{A}t} \end{vmatrix} = \mathbf{0} \tag{9–22}$$

Al resolver $e^{\mathbf{A}t}$ de la ecuación (9-22), $e^{\mathbf{A}t}$ se puede obtener en términos de las $\mathbf{A}^k$ ($k = 0, 1, 2, \ldots, m$ — 1) y las $e^{\lambda_i t}$ ($i = 1, 2, 3, \ldots, m$). [La ecuación (9-22) se puede expandir por ejemplo, respecto a la última columna].

Nótese que resolver la ecuación (9-22) para $e^{\mathbf{A}t}$, es lo mismo que escribir

$$e^{\mathbf{A}t} = \alpha_0(t)\mathbf{I} + \alpha_1(t)\mathbf{A} + \alpha_2(t)\mathbf{A}^2 + \cdots + \alpha_{m-1}(t)\mathbf{A}^{m-1} \tag{9–23}$$

y determinar las $\alpha_k(t)$ ($k = 0, 1, 2, \ldots, m$ — 1), resolviendo el siguiente conjunto de $m$ ecuaciones, para las $\alpha_k(t)$:

$$\begin{aligned} \alpha_0(t) + \alpha_1(t)\lambda_1 + \alpha_2(t)\lambda_1^2 + \cdots + \alpha_{m-1}(t)\lambda_1^{m-1} &= e^{\lambda_1 t} \\ \alpha_0(t) + \alpha_1(t)\lambda_2 + \alpha_2(t)\lambda_2^2 + \cdots + \alpha_{m-1}(t)\lambda_2^{m-1} &= e^{\lambda_2 t} \\ &\cdot \\ &\cdot \\ &\cdot \\ \alpha_0(t) + \alpha_1(t)\lambda_m + \alpha_2(t)\lambda_m^2 + \cdots + \alpha_{m-1}(t)\lambda_m^{m-1} &= e^{\lambda_m t} \end{aligned}$$

Si **A** es una matriz de $n \times n$, y tiene valores propios distintos, entonces el número de $\alpha_k(t)$ a determinar, es $m = n$. Sin embargo, si **A** incluye valores propios múltiples, pero su polinomio mínimo sólo tiene raíces simples, el número $m$ de $\alpha_k(t)$ a determinar, es menor que $n$.

***Caso 2: El polinomio mínimo de* A *incluye raíces múltiples.*** Como ejemplo, considere el caso en que el polinomio mínimo de **A**, incluye tres raíces iguales ($\lambda_1 = \lambda_2 = \lambda_3$) y tiene otras raíces ($\lambda_4, \lambda_5, \ldots, \lambda_m$), que son todas distintas. Aplicando la fórmula de interpolación de Sylvester se puede demostrar que $e^{\mathbf{A}t}$ se obtiene de la ecuación en determinantes siguiente:

$$\begin{vmatrix} 0 & 0 & 1 & 3\lambda_1 & \cdots & \frac{(m-1)(m-2)}{2}\lambda_1^{m-3} & \frac{t^2}{2}e^{\lambda_1 t} \\ 0 & 1 & 2\lambda_1 & 3\lambda_1^2 & \cdots & (m-1)\lambda_1^{m-2} & te^{\lambda_1 t} \\ 1 & \lambda_1 & \lambda_1^2 & \lambda_1^3 & \cdots & \lambda_1^{m-1} & e^{\lambda_1 t} \\ 1 & \lambda_4 & \lambda_4^2 & \lambda_4^3 & \cdots & \lambda_4^{m-1} & e^{\lambda_4 t} \\ \cdot & \cdot & \cdot & \cdot & & \cdot & \cdot \\ \cdot & \cdot & \cdot & \cdot & & \cdot & \cdot \\ \cdot & \cdot & \cdot & \cdot & & \cdot & \cdot \\ 1 & \lambda_m & \lambda_m^2 & \lambda_m^3 & \cdots & \lambda_m^{m-1} & e^{\lambda_m t} \\ \mathbf{I} & \mathbf{A} & \mathbf{A}^2 & \mathbf{A}^3 & \cdots & \mathbf{A}^{m-1} & e^{\mathbf{A}t} \end{vmatrix} = \mathbf{0} \qquad (9\text{–}24)$$

La ecuación (9-24) se puede resolver para $e^{\mathbf{A}t}$, expandiéndola respecto a la última columna.

Nótese que como en el caso 1, resolver $e^{\mathbf{A}t}$ de la ecuación (9-24) es lo mismo que escribir

$$e^{\mathbf{A}t} = \alpha_0(t)\mathbf{I} + \alpha_1(t)\mathbf{A} + \alpha_2(t)\mathbf{A}^2 + \cdots + \alpha_{m-1}(t)\mathbf{A}^{m-1} \qquad (9\text{–}25)$$

y determinar las $\alpha_k(t)$ ($k = 0, 1, 2, \ldots, m - 1$), de

$$\alpha_2(t) + 3\alpha_3(t)\lambda_1 + \cdots + \frac{(m-1)(m-2)}{2}\alpha_{m-1}(t)\lambda_1^{m-3} = \frac{t^2}{2}e^{\lambda_1 t}$$

$$\alpha_1(t) + 2\alpha_2(t)\lambda_1 + 3\alpha_3(t)\lambda_1^2 + \cdots + (m-1)\alpha_{m-1}(t)\lambda_1^{m-2} = te^{\lambda_1 t}$$

$$\alpha_0(t) + \alpha_1(t)\lambda_1 + \alpha_2(t)\lambda_1^2 + \cdots + \alpha_{m-1}(t)\lambda_1^{m-1} = e^{\lambda_1 t}$$

$$\alpha_0(t) + \alpha_1(t)\lambda_4 + \alpha_2(t)\lambda_4^2 + \cdots + \alpha_{m-1}(t)\lambda_4^{m-1} = e^{\lambda_4 t}$$

$$\vdots$$

$$\alpha_0(t) + \alpha_1(t)\lambda_m + \alpha_2(t)\lambda_m^2 + \cdots + \alpha_{m-1}(t)\lambda_m^{m-1} = e^{\lambda_m t}$$

La extensión a otros casos donde, por ejemplo, hay dos o más juegos de raíces múltiples, es evidente. Nótese que si no se encuentra el polinomio mínimo de **A**, es posible remplazar el polinomio característico por el polinomio mínimo. Por supuesto, la cantidad de cálculos se incrementa.

**EJEMPLO 9-4** Considere la matriz

$$\mathbf{A} = \begin{bmatrix} 0 & 1 \\ 0 & -2 \end{bmatrix}$$

Calcule $e^{\mathbf{A}t}$ como la suma de una serie infinita.

Siempre se puede expandir la matriz exponencial $e^{\mathbf{A}t}$ en una serie de matrices, que entonces se pueden sumar para obtener una forma compacta. En este caso,

$$
e^{\mathbf{A}t} = \mathbf{I} + \sum_{k=1}^{\infty} \frac{\mathbf{A}^k t^k}{k!}
$$

$$
= \begin{bmatrix} 1 & 0 \\ 0 & 1 \end{bmatrix} + \begin{bmatrix} 0 & 1 \\ 0 & -2 \end{bmatrix} t + \begin{bmatrix} 0 & 1 \\ 0 & -2 \end{bmatrix}^2 \frac{t^2}{2!} + \cdots
$$

$$
= \begin{bmatrix} 1 & \frac{1}{2} - \frac{1}{2}\left[1 - 2t + \frac{(2t)^2}{2!} - \frac{(2t)^3}{3!} + \cdots\right] \\ 0 & 1 - 2t + \frac{(2t)^2}{2!} - \frac{(2t)^3}{3!} + \frac{(2t)^4}{4!} - \cdots \end{bmatrix}
$$

$$
= \begin{bmatrix} 1 & \frac{1}{2}(1 - e^{-2t}) \\ 0 & e^{-2t} \end{bmatrix}
$$

**EJEMPLO 9-5** Considere el caso de la misma matriz **A** del ejemplo 9-4.

$$
\mathbf{A} = \begin{bmatrix} 0 & 1 \\ 0 & -2 \end{bmatrix}
$$

Calcule $e^{\mathbf{A}t}$ utilizando los tres métodos analíticos presentados en esta sección.

*Método 1.* Los valores propios de **A** son 0 y $-2$ ($\lambda_1 = 0$, $\lambda_2 = -2$). Se puede obtener una matriz de transformación **P** necesaria (véase el apéndice para los detalles), como

$$
\mathbf{P} = \begin{bmatrix} 1 & 1 \\ 0 & -2 \end{bmatrix}
$$

Entonces, de la ecuación (9-21) se puede obtener $e^{\mathbf{A}t}$ como sigue:

$$
e^{\mathbf{A}t} = \begin{bmatrix} 1 & 1 \\ 0 & -2 \end{bmatrix} \begin{bmatrix} e^0 & 0 \\ 0 & e^{-2t} \end{bmatrix} \begin{bmatrix} 1 & \frac{1}{2} \\ 0 & -\frac{1}{2} \end{bmatrix} = \begin{bmatrix} 1 & \frac{1}{2}(1 - e^{-2t}) \\ 0 & e^{-2t} \end{bmatrix}
$$

*Método 2.* Como

$$
s\mathbf{I} - \mathbf{A} = \begin{bmatrix} s & 0 \\ 0 & s \end{bmatrix} - \begin{bmatrix} 0 & 1 \\ 0 & -2 \end{bmatrix} = \begin{bmatrix} s & -1 \\ 0 & s + 2 \end{bmatrix}
$$

se obtiene

$$
(s\mathbf{I} - \mathbf{A})^{-1} = \begin{bmatrix} \frac{1}{s} & \frac{1}{s(s + 2)} \\ 0 & \frac{1}{s + 2} \end{bmatrix}
$$

Por tanto,

$$
e^{\mathbf{A}t} = \mathcal{L}^{-1}[(s\mathbf{I} - \mathbf{A})^{-1}] = \begin{bmatrix} 1 & \frac{1}{2}(1 - e^{-2t}) \\ 0 & e^{-2t} \end{bmatrix}
$$

*Método 3.* De la ecuación (9-22), se tiene

$$
\begin{vmatrix} 1 & \lambda_1 & e^{\lambda_1 t} \\ 1 & \lambda_2 & e^{\lambda_2 t} \\ \mathbf{I} & \mathbf{A} & e^{\mathbf{A}t} \end{vmatrix} = \mathbf{0}
$$

Remplazando 0 por $\lambda_1$ y $-2$ por $\lambda_2$ en esta última ecuación, se obtiene

$$\begin{vmatrix} 1 & 0 & 1 \\ 1 & -2 & e^{-2t} \\ \mathbf{I} & \mathbf{A} & e^{\mathbf{A}t} \end{vmatrix} = \mathbf{0}$$

Al expandir el determinante, se obtiene

$$-2e^{\mathbf{A}t} + \mathbf{A} + 2\mathbf{I} - \mathbf{A}e^{-2t} = \mathbf{0}$$

o bien

$$e^{\mathbf{A}t} = \tfrac{1}{2}(\mathbf{A} + 2\mathbf{I} - \mathbf{A}e^{-2t})$$

$$= \frac{1}{2}\left\{\begin{bmatrix} 0 & 1 \\ 0 & -2 \end{bmatrix} + \begin{bmatrix} 2 & 0 \\ 0 & 2 \end{bmatrix} - \begin{bmatrix} 0 & 1 \\ 0 & -2 \end{bmatrix} e^{-2t}\right\}$$

$$= \begin{bmatrix} 1 & \tfrac{1}{2}(1 - e^{-2t}) \\ 0 & e^{-2t} \end{bmatrix}$$

Como procedimiento alternativo, se puede utilizar la ecuación (9-23). Primero se determinan $\alpha_0(t)$ y $\alpha_1(t)$ de

$$\alpha_0(t) + \alpha_1(t)\lambda_1 = e^{\lambda_1 t}$$

$$\alpha_0(t) + \alpha_1(t)\lambda_2 = e^{\lambda_2 t}$$

Como $\lambda_1 = 0$ y $\lambda_2 = -2$, las dos últimas ecuaciones se escriben

$$\alpha_0(t) = 1$$

$$\alpha_0(t) - 2\alpha_1(t) = e^{-2t}$$

Despejando $\alpha_0(t)$ y $\alpha_1(t)$, se tiene

$$\alpha_0(t) = 1, \qquad \alpha_1(t) = \frac{1}{2}(1 - e^{-2t})$$

Entonces $e^{\mathbf{A}t}$ se puede reescribir como

$$e^{\mathbf{A}t} = \alpha_0(t)\mathbf{I} + \alpha_1(t)\mathbf{A} = \mathbf{I} + \frac{1}{2}(1 - e^{-2t})\mathbf{A} = \begin{bmatrix} 1 & \tfrac{1}{2}(1 - e^{-2t}) \\ 0 & e^{-2t} \end{bmatrix}$$

## 9-3 MATRIZ DE TRANSFERENCIA

En esta sección se estudiará el problema de diseñar un controlador no interactuante de tal modo que un cambio en una entrada de referencia, sólo afecte una salida. Tal propiedad no interactuante es importante en sistemas de control de procesos.

Considere el sistema descrito por

$$\mathbf{x} = \mathbf{Ax} + \mathbf{Bu} \tag{9–26}$$

$$\mathbf{y} = \mathbf{Cx} + \mathbf{Du} \tag{9–27}$$

donde $\mathbf{x}$ = vector de estado (vector $n$-dimensional)
$\mathbf{u}$ = vector de control (vector $r$-dimensional)
$\mathbf{y}$ = vector de salida (vector $m$-dimensional)

$\mathbf{A}$ = matriz de $n \times n$
$\mathbf{B}$ = matriz de $n \times r$
$\mathbf{C}$ = matriz de $m \times n$
$\mathbf{D}$ = matriz de $m \times r$

La matriz $\mathbf{G}(s)$ que relaciona la transformada de Laplace de la salida $\mathbf{y}(t)$, con la transformada de Laplace de la entrada (vector de entrada) $\mathbf{u}(t)$, se denomina *matriz de transferencia*.

$$\mathbf{Y}(s) = \mathbf{G}(s)\mathbf{U}(s) \tag{9–28}$$

La ecuación (9-28) se puede escribir, en una forma expandida, como

$$\begin{bmatrix} Y_1(s) \\ Y_2(s) \\ \cdot \\ \cdot \\ \cdot \\ Y_m(s) \end{bmatrix} = \begin{bmatrix} G_{11}(s) & G_{12}(s) & \cdots & G_{1r}(s) \\ G_{21}(s) & G_{22}(s) & \cdots & G_{2r}(s) \\ \cdot & \cdot & & \cdot \\ \cdot & \cdot & & \cdot \\ \cdot & \cdot & & \cdot \\ G_{m1}(s) & G_{m2}(s) & \cdots & G_{mr}(s) \end{bmatrix} \begin{bmatrix} U_1(s) \\ U_2(s) \\ \cdot \\ \cdot \\ \cdot \\ U_r(s) \end{bmatrix} \tag{9–29}$$

El $(i, j)$-ésimo elemento $G_{ij}(s)$ de orden de $\mathbf{G}(s)$, es la función de transferencia que relaciona la $i$-ésima salida, con la $j$-ésima entrada. La matriz de transferencia $\mathbf{G}(s)$ está relacionada con las matrices **A**, **B**, **C**, y **D** del siguiente modo.

Las transformadas de Laplace de las ecuaciones (9-26) y (9-27) son

$$s\mathbf{X}(s) - \mathbf{x}(0) = \mathbf{A}\mathbf{X}(s) + \mathbf{B}\mathbf{U}(s) \tag{9–30}$$

$$\mathbf{Y}(s) = \mathbf{C}\mathbf{X}(s) + \mathbf{D}\mathbf{U}(s) \tag{9–31}$$

Igual que en el caso de la función de transferencia, se supone que el estado inicial $\mathbf{x}(0)$ es igual a cero, $\mathbf{x}(0) = \mathbf{0}$. (Es decir, la función de transferencia se define como la relación entre la transformada de Laplace del vector de salida y la transformada de Laplace del vector de entrada, cuando las condiciones iniciales son nulas). De la ecuación (9-30), se obtiene

$$\mathbf{X}(s) = (s\mathbf{I} - \mathbf{A})^{-1}\mathbf{B}\mathbf{U}(s) \tag{9–32}$$

Al remplazar la ecuación (9-32) en la ecuación (9-31), se obtiene

$$\mathbf{Y}(s) = [\mathbf{C}(s\mathbf{I} - \mathbf{A})^{-1}\mathbf{B} + \mathbf{D}]\mathbf{U}(s) \tag{9–33}$$

Comparando las ecuaciones (9-28) y (9-23), se encuentra que

$$\mathbf{G}(s) = \mathbf{C}(s\mathbf{I} - \mathbf{A})^{-1}\mathbf{B} + \mathbf{D} \tag{9–34}$$

Es claro que la expansión de la función de transferencia dada por la ecuación (1-53), es un caso especial de esta expresión de matriz de transferencia.

**Desacoplamiento en sistemas con entradas y salidas múltiples.** Considere el sistema que se muestra en la figura 9-5. El sistema tiene múltiples entradas y múltiples salidas. La matriz de transferencia directa, es $\mathbf{G}_0(s)$ y la del trayecto de retroalimentación es $\mathbf{H}(s)$. La matriz de transferencia entre el vector de señal de retroalimentación $\mathbf{B}(s)$ y el vector de error $\mathbf{E}(s)$ se obtiene del siguiente modo. Como

$$\begin{aligned}\mathbf{B}(s) &= \mathbf{H}(s)\mathbf{Y}(s)\\ &= \mathbf{H}(s)\mathbf{G}_0(s)\mathbf{E}(s)\end{aligned}$$

la matriz de transferencia entre $\mathbf{B}(s)$ y $\mathbf{E}(s)$ se obtiene como $\mathbf{H}(s)\mathbf{G}_0(s)$. Por tanto la matriz de transferencia de los elementos en cascada es el producto de las matrices de tranferencia de los elementos individuales. (Nótese que el orden de multiplicación de las matrices es muy importante, ya que la multiplicación de matrices en general, no es conmutativa).

La matriz de transferencia del sistema de lazo cerrado se puede obtener, como sigue. Puesto que

$$\begin{aligned}\mathbf{Y}(s) &= \mathbf{G}_0(s)[\mathbf{U}(s) - \mathbf{B}(s)]\\ &= \mathbf{G}_0(s)[\mathbf{U}(s) - \mathbf{H}(s)\mathbf{Y}(s)]\end{aligned}$$

resulta

$$[\mathbf{I} + \mathbf{G}_0(s)\mathbf{H}(s)]\mathbf{Y}(s) = \mathbf{G}_0(s)\mathbf{U}(s)$$

Al premultiplicar los dos miembros de esta última ecuación, por $[\mathbf{I} + \mathbf{G}_0(s)\mathbf{H}(s)]^{-1}$, se obtiene

$$\mathbf{Y}(s) = [\mathbf{I} + \mathbf{G}_0(s)\mathbf{H}(s)]^{-1}\mathbf{G}_0(s)\mathbf{U}(s)$$

La matriz de transferencia de lazo cerrado $\mathbf{G}(s)$, se escribe como

$$\mathbf{G}(s) = [\mathbf{I} + \mathbf{G}_0(s)\mathbf{H}(s)]^{-1}\mathbf{G}_0(s) \tag{9–35}$$

Muchos sistemas de control de procesos tienen múltiples entradas y múltiples salidas, y muy frecuentemente se desea que los cambios en una de las entradas de referencia sólo afecten a una salida. (Si se puede lograr tal no interacción o desacoplamiento, es más fácil mantener cada valor de salida en el valor constante deseado, en ausencia de perturbaciones externas).

Supóngase que la matriz de transferencia $\mathbf{G}_p(s)$ (una matriz de $n \times n$) de una planta está dada. Se desea diseñar un compensador en serie $\mathbf{G}_c(s)$, (también una matriz de $n \times n$), de modo que las $n$ entradas y $n$ salidas estén desacopladas. Si se desea el desacoplamiento entre las $n$ entradas y las $n$ salidas, la matriz de transferencia de lazo cerrado debe ser diagonal, o sea

$$\mathbf{G}(s) = \begin{bmatrix} G_{11}(s) & & & & 0\\ & G_{22}(s) & & & \\ & & \cdot & & \\ & & & \cdot & \\ & & & & \cdot \\ 0 & & & & G_{nn}(s)\end{bmatrix}$$

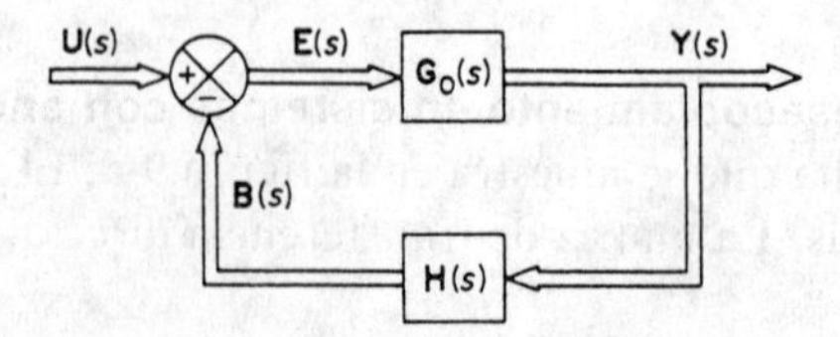


**Figura 9-5** Diagrama de bloques de un sistema con múltiples entradas y múltiples salidas.

Se considerará el caso en que la matriz de retroalimentación $\mathbf{H}(s)$, es la matriz identidad. Entonces de la ecuación (9-35), se obtiene

$$\mathbf{G}(s) = [\mathbf{I} + \mathbf{G}_0(s)]^{-1}\mathbf{G}_0(s) \tag{9–36}$$

Nótese que $\mathbf{G}_0(s)$ en este problema, es

$$\mathbf{G}_0(s) = \mathbf{G}_p(s)\mathbf{G}_c(s)$$

y

$$\mathbf{H}(s) = \mathbf{I}$$

De la ecuación (9-36) se obtiene

$$[\mathbf{I} + \mathbf{G}_0(s)]\mathbf{G}(s) = \mathbf{G}_0(s)$$

o bien

$$\mathbf{G}_0(s)[\mathbf{I} - \mathbf{G}(s)] = \mathbf{G}(s)$$

Al multiplicar los dos miembros de esta última ecuación por $[(\mathbf{I} - \mathbf{G}(s)]^{-1}$, se obtiene

$$\mathbf{G}_0(s) = \mathbf{G}(s)[\mathbf{I} - \mathbf{G}(s)]^{-1}$$

Como la matriz de transferencia de lazo cerrado deseada $\mathbf{G}(s)$, es una matriz diagonal, $\mathbf{I} - \mathbf{G}(s)$ también es una matriz diagonal. Entonces $\mathbf{G}_0(s)$, el producto de dos matrices diagonales, también es una matriz diagonal. Esto significa que, para lograr que no haya interacción, hay que hacer que $\mathbf{G}_0(s)$ sea una matriz diagonal, siempre que la matriz de retroalimentación $\mathbf{H}(s)$ sea la matriz identidad.

**EJEMPLO 9-6**

Considere el sistema de la figura 9-6. Determine la matriz de transferencia del compensador en serie de modo que la matriz de transferencia de lazo cerrado, sea

$$\mathbf{G}(s) = \begin{bmatrix} \frac{1}{s+1} & 0 \\ 0 & \frac{1}{5s+1} \end{bmatrix}$$

Como

$$\mathbf{G}_0 = \mathbf{G}(\mathbf{I} - \mathbf{G})^{-1}$$

$$= \begin{bmatrix} \frac{1}{s+1} & 0 \\ 0 & \frac{1}{5s+1} \end{bmatrix} \begin{bmatrix} \frac{s+1}{s} & 0 \\ 0 & \frac{5s+1}{5s} \end{bmatrix} = \begin{bmatrix} \frac{1}{s} & 0 \\ 0 & \frac{1}{5s} \end{bmatrix}$$

y de la figura 9-6, la matriz de transferencia de la planta es

$$\mathbf{G}_p(s) = \begin{bmatrix} \frac{1}{2s+1} & 0 \\ 1 & \frac{1}{s+1} \end{bmatrix}$$

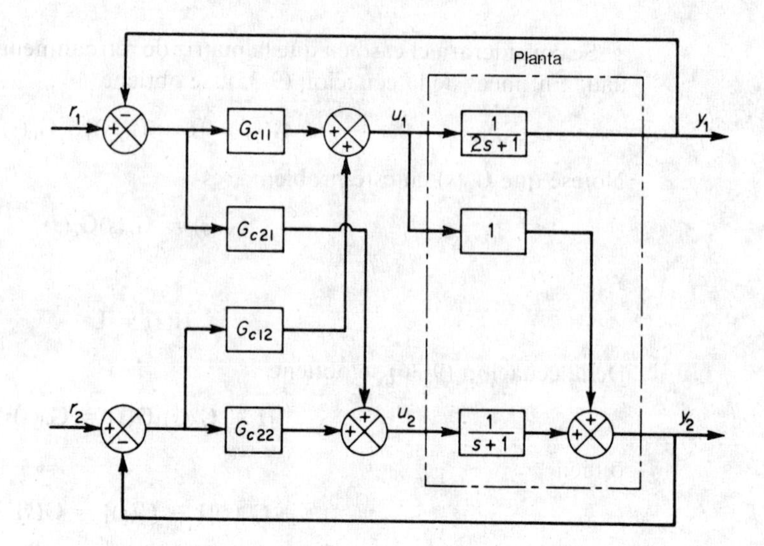


**Figura 9-6**
Sistema con múltiples entradas y múltiples salidas.

se tiene

$$\mathbf{G}_0(s) = \begin{bmatrix} \frac{1}{s} & 0 \\ 0 & \frac{1}{5s} \end{bmatrix} = \mathbf{G}_p(s)\mathbf{G}_c(s) = \begin{bmatrix} \frac{1}{2s+1} & 0 \\ 1 & \frac{1}{s+1} \end{bmatrix} \begin{bmatrix} G_{c11}(s) & G_{c12}(s) \\ G_{c21}(s) & G_{c22}(s) \end{bmatrix}$$

Por tanto

$$\mathbf{G}_c(s) = \begin{bmatrix} G_{c11}(s) & G_{c12}(s) \\ G_{c21}(s) & G_{c22}(s) \end{bmatrix}$$

$$= \begin{bmatrix} \frac{1}{2s+1} & 0 \\ 1 & \frac{1}{s+1} \end{bmatrix}^{-1} \begin{bmatrix} \frac{1}{s} & 0 \\ 0 & \frac{1}{5s} \end{bmatrix}$$

$$= \begin{bmatrix} 2s+1 & 0 \\ -(s+1)(2s+1) & s+1 \end{bmatrix} \begin{bmatrix} \frac{1}{s} & 0 \\ 0 & \frac{1}{5s} \end{bmatrix}$$

$$= \begin{bmatrix} \frac{2s+1}{s} & 0 \\ -\frac{(s+1)(2s+1)}{s} & \frac{s+1}{5s} \end{bmatrix} \tag{9–37}$$

La ecuación (9-37), da la matriz de transferencia del compensador en serie. Nótese que $G_{c11}(s)$ y $G_{c22}(s)$, son controladores proporcional e integral y $G_{c21}(s)$ es un controlador proporcional, integral y derivativo.

Si la matriz de transferencia del controlador se elige como se indica en la ecuación (9-37), entonces no hay interacción entre las dos entradas y las dos salidas. Los cambios en $r_1$ afectan solamente la entrada $y_1$ y los cambios en $r_2$, sólo afectan a la salida $y_2$.

Es muy importante notar que en el análisis presente, no se han considerado perturbaciones externas. En general, en este procedimiento se producen cancelaciones en el numerador y en el denominador. Por lo tanto, se pierden algunos de los valores propios en $\mathbf{G}_p(s)\mathbf{G}_c(s)$. Esto significa que aunque este método produzca los resultados deseados en cuanto al desacoplamiento de las salidas a las entradas de referencia en ausencia de perturbaciones externas, si el sistema está afectado por perturbaciones externas, entonces dicho sistema puede llegar a hacerse incontrolable, porque cualquier movimiento causado por el valor propio cancelado, no puede controlarse. (En la sección 9-4 se analizarán los detalles sobre controlabilidad).

## 9-4 CONTROLABILIDAD

**Controlabilidad y observabilidad.** Se dice que un sistema es controlable en el tiempo $t_0$, si por medio de un vector de control no restringido, es posible transferir el sistema desde cualquier estado inicial $\mathbf{x}(t_0)$ a cualquier otro estado, en un tiempo finito.

Se dice que un sistema es observable en el tiempo $t_0$ si, con el sistema en el estado $\mathbf{x}(t_0)$, es posible determinar este estado a través de la observación de la salida durante un intervalo finito de tiempo.

Los conceptos de controlabilidad y observabilidad, fueron introducidos por Kalman. Estos juegan un papel importante en el diseño de sistemas de control en el espacio de estado. De hecho, las condiciones de controlabilidad y observabilidad, pueden gobernar la existencia de una solución completa, en el problema de diseño de sistemas de control. La solución a este problema no puede existir si el sistema considerado no es controlable. Aunque la mayoría de los problemas físicos son controlables y observables, los modelos matemáticos correspondientes pueden no tener la propiedad de controlabilidad y observabilidad. Entonces se requiere conocer las condiciones bajo las cuales un sistema es controlable y observable. Esta sección trata sobre la controlabilidad y la siguiente sobre la observabilidad.

A continuación, primero se definirá la dependencia lineal de vectores y luego se deducirá la condición para una controlabilidad del estado completo. También se deducirán las formas alternas para la observabilidad del estado completo. Finalmente, se analizará la controlabilidad de salida completa.

**Independencia lineal de vectores.** Se dice que los vectores $\mathbf{x}_1$, y $\mathbf{x}_2, \ldots, \mathbf{x}_n$ son linealmente independientes si

$$c_1\mathbf{x}_1 + c_2\mathbf{x}_2 + \cdots + c_n\mathbf{x}_n = \mathbf{0}$$

donde $c_1, c_2, \ldots, c_n$ son constantes, implica que

$$c_1 = c_2 = \cdots = c_n = 0$$

Por el contrario, se dice que los vectores $\mathbf{x}_1, \mathbf{x}_2, \ldots, \mathbf{x}_n$, son linealmente dependientes si y sólo si, $\mathbf{x}_i$ se puede representar como una combinación lineal de $\mathbf{x}_j$ ($j = 1, 2, \ldots, n$; $j \neq i$), o

$$\mathbf{x}_i = \sum_{\substack{j=1 \\ j \neq i}}^{n} c_j\mathbf{x}_j$$

para algún conjunto de constantes $c_j$. Esto significa que si $\mathbf{x}_i$ se puede expresar como una combinación lineal de otros vectores del conjunto, es linealmente dependiente de ellos, y no es un miembro independiente del conjunto.

**EJEMPLO 9-7** Los vectores

$$\mathbf{x}_1 = \begin{bmatrix} 1 \\ 2 \\ 3 \end{bmatrix}, \quad \mathbf{x}_2 = \begin{bmatrix} 1 \\ 0 \\ 1 \end{bmatrix}, \quad \mathbf{x}_3 = \begin{bmatrix} 2 \\ 2 \\ 4 \end{bmatrix}$$

son linealmente dependientes, pues

$$\mathbf{x}_1 + \mathbf{x}_2 - \mathbf{x}_3 = \mathbf{0}$$

Los vectores

$$\mathbf{y}_1 = \begin{bmatrix} 1 \\ 2 \\ 3 \end{bmatrix}, \quad \mathbf{y}_2 = \begin{bmatrix} 1 \\ 0 \\ 1 \end{bmatrix}, \quad \mathbf{y}_3 = \begin{bmatrix} 2 \\ 2 \\ 2 \end{bmatrix}$$

son linealmente independientes, ya que

$$c_1\mathbf{y}_1 + c_2\mathbf{y}_2 + c_3\mathbf{y}_3 = \mathbf{0}$$

implica que

$$c_1 = c_2 = c_3 = 0$$

Nótese que si una matriz de $n \times n$, es no singular (es decir, la matriz es de rango $n$ o el determinante es no nulo), entonces $n$ vectores columna (o renglón), son linealmente independientes. Si la matriz de $n \times n$, es singular (es decir, el rango de la matriz es menor que $n$ o el determinante es cero), entonces $n$ vectores columnas (o renglón), son linealmente dependientes. Para demostrar esto, nótese que

$$[\mathbf{x}_1 \,\vdots\, \mathbf{x}_2 \,\vdots\, \mathbf{x}_3] = \begin{bmatrix} 1 & 1 & 2 \\ 2 & 0 & 2 \\ 3 & 1 & 4 \end{bmatrix} = \text{singular}$$

$$[\mathbf{y}_1 \,\vdots\, \mathbf{y}_2 \,\vdots\, \mathbf{y}_3] = \begin{bmatrix} 1 & 1 & 2 \\ 2 & 0 & 2 \\ 3 & 1 & 2 \end{bmatrix} = \text{no singular}$$

**Controlabilidad del estado completo de sistemas en tiempo continuo.** Considere el sistema en tiempo continuo

$$\dot{\mathbf{x}} = \mathbf{A}\mathbf{x} + \mathbf{B}u \tag{9–38}$$

donde $\mathbf{x}$ = vector de estado (vector $n$-dimensional)
$u$ = señal de control (escalar)
$\mathbf{A}$ = matriz de $n \times n$
$\mathbf{B}$ = matriz de $n \times 1$

El sistema descrito por la ecuación (9-38) se dice que es de estado controlable en $t = t_0$, si es posible construir una señal de control no restringida, que pueda transferir un estado inicial en cualquier estado final en un intervalo de tiempo finito $t_0 \leq t \leq t_1$. Si todo estado es controlable, entonces se dice que el sistema es de controlabilidad del estado completo.

Ahora se deducirán las condiciones para la controlabilidad del estado completo. Sin perder la generalidad, supóngase que el estado final es el origen del espacio de estado y que el tiempo inicial es cero, o sea $t_0 = 0$.

La solución de la ecuación (9-38) es

$$\mathbf{x}(t) = e^{\mathbf{A}t}\mathbf{x}(0) + \int_0^t e^{\mathbf{A}(t-\tau)}\mathbf{B}u(\tau)d\tau$$

Aplicando la definición de controlabilidad del estado completo recién dada, se tiene

$$\mathbf{x}(t_1) = \mathbf{0} = e^{\mathbf{A}t_1}\mathbf{x}(0) + \int_0^{t_1} e^{\mathbf{A}(t_1-\tau)}\mathbf{B}u(\tau)d\tau$$

o

$$\mathbf{x}(0) = -\int_0^{t_1} e^{-\mathbf{A}\tau}\mathbf{B}u(\tau)d\tau \tag{9–39}$$

Nótese que $e^{\mathbf{A}t}$ se puede escribir como

$$e^{-\mathbf{A}\tau} = \sum_{k=0}^{n-1} \alpha_k(\tau)\mathbf{A}^k \tag{9–40}$$

Remplazando la ecuación (9-40) en la ecuación (9-39), da

$$\mathbf{x}(0) = -\sum_{k=0}^{n-1} \mathbf{A}^k\mathbf{B}\int_0^{t_1} \alpha_k(\tau)u(\tau)d\tau \tag{9–41}$$

Si se hace

$$\int_0^{t_1} \alpha_k(\tau)u(\tau)d\tau = \beta_k$$

Entonces la ecuación (9-41), se puede escribir como

$$\mathbf{x}(0) = -\sum_{k=0}^{n-1} \mathbf{A}^k\mathbf{B}\beta_k$$

$$= -[\mathbf{B} \mid \mathbf{AB} \mid \cdots \mid \mathbf{A}^{n-1}\mathbf{B}]\begin{bmatrix} \beta_0 \\ \hline \beta_1 \\ \hline \cdot \\ \cdot \\ \cdot \\ \hline \beta_{n-1} \end{bmatrix} \tag{9–42}$$

Si el sistema es controlable de estado completo, entonces, dado un estado inicial $\mathbf{x}(0)$, se debe satisfacer la ecuación (9-42), lo cual requiere que el rango de la matriz de $n \times n$

$$[\mathbf{B} \mid \mathbf{AB} \mid \cdots \mid \mathbf{A}^{n-1}\mathbf{B}]$$

sea de rango $n$.

De este análisis, se puede establecer la condición sobre controlabilidad del estado completo como sigue: El sistema dado por la ecuación (9-38) es controlable de estado completo si y sólo si los vectores **B**, **AB**, ..., $\mathbf{A}^{n-1}\mathbf{B}$ son linealmente independientes, o la matriz de $n \times n$

$$[\mathbf{B} \mid \mathbf{AB} \mid \cdots \mid \mathbf{A}^{n-1}\mathbf{B}]$$

es de rango $n$.

El resultado recién obtenido, se puede extender al caso en que el vector de control **u**, es de dimensión $r$. Si el sistema se describe por

$$\dot{\mathbf{x}} = \mathbf{A}\mathbf{x} + \mathbf{B}\mathbf{u}$$

donde **u** es un vector de dimensión $r$, entonces se puede probar que la condición para la controlabilidad del estado completo, es que la siguiente matriz de $n \times nr$

$$[\mathbf{B} \mid \mathbf{AB} \mid \cdots \mid \mathbf{A}^{n-1}\mathbf{B}]$$

sea de rango $n$, o que contenga $n$ vectores columna, linealmente independientes. La matriz

$$[\mathbf{B} \mid \mathbf{AB} \mid \cdots \mid \mathbf{A}^{n-1}\mathbf{B}]$$

se denomina comúnmente *matriz de controlabilidad.*

**EJEMPLO 9-8** Considere el sistema dado por

$$\begin{bmatrix} \dot{x}_1 \\ \dot{x}_2 \end{bmatrix} = \begin{bmatrix} 1 & 1 \\ 0 & -1 \end{bmatrix} \begin{bmatrix} x_1 \\ x_2 \end{bmatrix} + \begin{bmatrix} 1 \\ 0 \end{bmatrix} u$$

Como

$$[\mathbf{B} \mid \mathbf{AB}] = \begin{bmatrix} 1 & 1 \\ 0 & 0 \end{bmatrix} = \text{singular}$$

el sistema no es completamente controlable.

**EJEMPLO 9-9** Considere el sistema dado por

$$\begin{bmatrix} \dot{x}_1 \\ \dot{x}_2 \end{bmatrix} = \begin{bmatrix} 1 & 1 \\ 2 & -1 \end{bmatrix} \begin{bmatrix} x_1 \\ x_2 \end{bmatrix} + \begin{bmatrix} 0 \\ 1 \end{bmatrix} [u]$$

Para este caso,

$$[\mathbf{B} \mid \mathbf{AB}] = \begin{bmatrix} 0 & 1 \\ 1 & -1 \end{bmatrix} = \text{ no singular}$$

Por lo tanto, el sistema es completamente controlable.

**Forma alternativa para la condición de controlabilidad del estado completo.** Considere el sistema definido por

$$\dot{\mathbf{x}} = \mathbf{A}\mathbf{x} + \mathbf{B}\mathbf{u} \tag{9–43}$$

donde $\mathbf{x}$ = vector de estado (vector de dimensión $n$)
$\mathbf{u}$ = vector de control (vector de dimensión $r$)
$\mathbf{A}$ = matriz de $n \times n$
$\mathbf{B}$ = matriz de $n \times r$

Si los valores propios de $\mathbf{A}$ son distintos, entonces se puede encontrar una matriz de transformación $\mathbf{P}$, tal que

$$\mathbf{P}^{-1}\mathbf{A}\mathbf{P} = \mathbf{D} = \begin{bmatrix} \lambda_1 & & & & & 0 \\ & \lambda_2 & & & & \\ & & \cdot & & & \\ & & & \cdot & & \\ & & & & \cdot & \\ 0 & & & & & \lambda_n \end{bmatrix}$$

Nótese que si los valores propios de $\mathbf{A}$ son distintos, entonces los vectores propios de $\mathbf{A}$ son distintos; sin embargo, lo contrario no es cierto. Por ejemplo, una matriz real simétrica de $n \times n$, con múltiples valores propios tiene $n$ vectores propios distintos. Nótese también que cada columna de la matriz $\mathbf{P}$, es un vector propio de $\mathbf{A}$ asociado con $\lambda_i$ ($i = 1, 2, \ldots, n$).

Se define

$$\mathbf{x} = \mathbf{P}\mathbf{z} \tag{9–44}$$

Substituyendo la ecuación (9-44), en la ecuación (9-43), se obtiene

$$\dot{\mathbf{z}} = \mathbf{P}^{-1}\mathbf{A}\mathbf{P}\mathbf{z} + \mathbf{P}^{-1}\mathbf{B}\mathbf{u} \tag{9–45}$$

Definiendo

$$\mathbf{P}^{-1}\mathbf{B} = \mathbf{F} = (f_{ij})$$

La ecuación (9-45) se puede expresar, como

$$\begin{aligned} \dot{z}_1 &= \lambda_1 z_1 + f_{11}u_1 + f_{12}u_2 + \cdots + f_{1r}u_r \\ \dot{z}_2 &= \lambda_2 z_2 + f_{21}u_1 + f_{22}u_2 + \cdots + f_{2r}u_r \\ &\cdot \\ &\cdot \\ &\cdot \\ \dot{z}_n &= \lambda_n z_n + f_{n1}u_1 + f_{n2}u_2 + \cdots + f_{nr}u_r \end{aligned}$$

Si todos los elementos de cualquier renglón de la matriz $\mathbf{F}$ de $n \times r$, son cero, entonces la variable de estado correspondiente, no se puede controlar por ninguna de las $u_i$. Por tanto, la condición de controlabilidad del estado completo es que, si los vectores propios de $\mathbf{A}$ son distintos, entonces el estado completo del sistema es controlable si y sólo si, ningún renglón de $\mathbf{P}^{-1}\mathbf{B}$ tenga todos sus elementos nulos. Es importante notar que, para aplicar esta condición de controlabilidad del estado completo, la matriz $\mathbf{P}^{-1}\mathbf{A}\mathbf{P}$ de la ecuación (9-45), se debe escribir en forma diagonal.

Si la matriz **A** en la ecuación (9-43) no posee vectores propios distintos, entonces no es posible escribirla en forma diagonal. En tal caso, se puede transformar **A** en la forma canónica de Jordan. Si, por ejemplo, **A** tiene los valores propios $\lambda_1, \lambda_1, \lambda_1, \lambda_4, \lambda_4, \lambda_6, \ldots, \lambda_n$, y tiene $n - 3$ distintos vectores propios, entonces la forma canónica de Jordan de **A**, es

$$\mathbf{J} = \left[\begin{array}{ccc|cc|cccc} \lambda_1 & 1 & 0 & & & & & & 0 \\ 0 & \lambda_1 & 1 & & & & & & \\ 0 & 0 & \lambda_1 & & & & & & \\ \hline & & & \lambda_4 & 1 & & & & \\ & & & 0 & \lambda_4 & & & & \\ \hline & & & & & \lambda_6 & & & \\ & & & & & & \cdot & & \\ & & & & & & & \cdot & \\ & & & & & & & & \cdot \\ 0 & & & & & & & & \lambda_n \end{array}\right]$$

Las submatrices cuadradas en la matriz diagonal, se denominan *bloques de Jordan*.

Supóngase que se puede hallar una matriz de transformación **S** tal que

$$\mathbf{S}^{-1}\mathbf{A}\mathbf{S} = \mathbf{J}$$

Si se define un nuevo vector de estado **z** por

$$\mathbf{x} = \mathbf{S}\mathbf{z} \tag{9–46}$$

entonces el remplazo de la ecuación (9-46), en la ecuación (9-43), da

$$\begin{aligned} \dot{\mathbf{z}} &= \mathbf{S}^{-1}\mathbf{A}\mathbf{S}\mathbf{z} + \mathbf{S}^{-1}\mathbf{B}\mathbf{u} \\ &= \mathbf{J}\mathbf{z} + \mathbf{S}^{-1}\mathbf{B}\mathbf{u} \end{aligned} \tag{9–47}$$

De modo que se puede establecer la condición de controlabilidad del estado completo del sistema de la ecuación (9-43) del siguiente modo. El sistema es controlable del estado completo si, y sólo si, (1) no haya dos bloques de Jordan en **J** de la ecuación (9-47) asociados con los mismos valores propios, (2) todos los elementos de cualquier renglón de $\mathbf{S}^{-1}\mathbf{B}$, que correspondan al último renglón de cada bloque de Jordan, no sean cero, y (3), todos los elementos de cada renglón de $\mathbf{S}^{-1}\mathbf{B}$, que correspondan a distintos valores propios, no sean cero.

**EJEMPLO 9-10** Los sistemas siguientes son de estado completo controlable:

$$\begin{bmatrix} \dot{x}_1 \\ \dot{x}_2 \end{bmatrix} = \begin{bmatrix} -1 & 0 \\ 0 & -2 \end{bmatrix} \begin{bmatrix} x_1 \\ x_2 \end{bmatrix} + \begin{bmatrix} 2 \\ 5 \end{bmatrix} u$$

$$\begin{bmatrix} \dot{x}_1 \\ \dot{x}_2 \\ \dot{x}_3 \end{bmatrix} = \begin{bmatrix} -1 & 1 & 0 \\ 0 & -1 & 0 \\ 0 & 0 & -2 \end{bmatrix} \begin{bmatrix} x_1 \\ x_2 \\ x_3 \end{bmatrix} + \begin{bmatrix} 0 \\ 4 \\ 3 \end{bmatrix} u$$

$$\begin{bmatrix} \dot{x}_1 \\ \dot{x}_2 \\ \dot{x}_3 \\ \dot{x}_4 \\ \dot{x}_5 \end{bmatrix} = \left[\begin{array}{ccc|cc} -2 & 1 & 0 & & 0 \\ 0 & -2 & 1 & & \\ 0 & 0 & -2 & & \\ \hline & & & -5 & 1 \\ & 0 & & 0 & -5 \end{array}\right] \begin{bmatrix} x_1 \\ x_2 \\ x_3 \\ x_4 \\ x_5 \end{bmatrix} + \begin{bmatrix} 0 & 1 \\ 0 & 0 \\ 3 & 0 \\ 0 & 0 \\ 2 & 1 \end{bmatrix} \begin{bmatrix} u_1 \\ u_2 \end{bmatrix}$$

Los sistemas siguientes no son de estado completo controlable:

$$\begin{bmatrix} \dot{x}_1 \\ \dot{x}_2 \end{bmatrix} = \begin{bmatrix} -1 & 0 \\ 0 & -2 \end{bmatrix} \begin{bmatrix} x_1 \\ x_2 \end{bmatrix} + \begin{bmatrix} 2 \\ 0 \end{bmatrix} u$$

$$\begin{bmatrix} \dot{x}_1 \\ \dot{x}_2 \\ \dot{x}_3 \end{bmatrix} = \begin{bmatrix} -1 & 1 & 0 \\ 0 & -1 & 0 \\ 0 & 0 & -2 \end{bmatrix} \begin{bmatrix} x_1 \\ x_2 \\ x_3 \end{bmatrix} + \begin{bmatrix} 4 & 2 \\ 0 & 0 \\ 3 & 0 \end{bmatrix} \begin{bmatrix} u_1 \\ u_2 \end{bmatrix}$$

$$\begin{bmatrix} \dot{x}_1 \\ \dot{x}_2 \\ \dot{x}_3 \\ \dot{x}_4 \\ \dot{x}_5 \end{bmatrix} = \left[\begin{array}{ccc|cc} -2 & 1 & 0 & & 0 \\ 0 & -2 & 1 & & \\ 0 & 0 & -2 & & \\ \hline & & & -5 & 1 \\ & 0 & & 0 & -5 \end{array}\right] \begin{bmatrix} x_1 \\ x_2 \\ x_3 \\ x_4 \\ x_5 \end{bmatrix} + \begin{bmatrix} 4 \\ 2 \\ 1 \\ 3 \\ 0 \end{bmatrix} u$$

**Condición para la controlabilidad del estado completo en el plano** $s$. La condición de controlabilidad del estado completo, se puede establecer en términos de funciones de transferencia, o de matrices de transferencia.

La condición necesaria y suficiente para la controlabilidad del estado completo, es que no haya cancelación en la función de transferencia, o en la matriz de transferencia. (En el problema A-9-10 se presenta la demostración). Si se produce una cancelación, el sistema no se podrá controlar en la dirección del modo cancelado.

**EJEMPLO 9-11** Considere la siguiente función de transferencia:

$$\frac{X(s)}{U(s)} = \frac{s + 2.5}{(s + 2.5)(s - 1)}$$

Está claro que en el numerador y denominador de esta función de transferencia se produce la cancelación del factor $(s + 2.5)$. (Así se ha perdido un grado de libertad). Debido a esta cancelación, este sistema no es de estado completo controlable.

La misma conclusión se puede obtener, al escribir la función de transferencia en la forma de una ecuación de estado. Una representación en el espacio de estado, es

$$\begin{bmatrix} \dot{x}_1 \\ \dot{x}_2 \end{bmatrix} = \begin{bmatrix} 0 & 1 \\ 2.5 & -1.5 \end{bmatrix} \begin{bmatrix} x_1 \\ x_2 \end{bmatrix} + \begin{bmatrix} 1 \\ 1 \end{bmatrix} u$$

Como

$$[\mathbf{B} \;\vdots\; \mathbf{AB}] = \begin{bmatrix} 1 & 1 \\ 1 & 1 \end{bmatrix}$$

el rango de la matriz $[\mathbf{B} \;\vdots\; \mathbf{AB}]$ es 1. Por lo tanto, se llega a la misma conclusión. El sistema no es de destado completo controlable.

**Controlabilidad de salida.** En el diseño práctico de un sistema de control se puede desear controlar la salida, en lugar del estado del sistema. La controlabilidad del estado completo, no es necesaria ni suficiente para controlar la salida del sistema. Por esta razón, se prefiere definir en forma separada, la controlabilidad de la salida completa.

Considere el sistema descrito por

$$\dot{\mathbf{x}} = \mathbf{Ax} + \mathbf{Bu} \tag{9–48}$$

$$\mathbf{y} = \mathbf{Cx} + \mathbf{Du} \tag{9–49}$$

donde $\mathbf{x}$ = vector de estado (vector de dimensión $n$)
$\mathbf{u}$ = vector de control (vector de dimensión $r$)
$\mathbf{y}$ = vector de salida (vector de dimensión $m$)
$\mathbf{A}$ = matriz de $n \times n$
$\mathbf{B}$ = matriz de $n \times r$
$\mathbf{C}$ = matriz de $m \times n$
$\mathbf{D}$ = matriz de $m \times r$

El sistema descrito por las ecuaciones (9-48) y (9-49), es de salida completa controlable, si se puede construir un vector de control no restringido $\mathbf{u}(t)$ que transfiera cualquier salida inicial $\mathbf{y}(t_0)$ a cualquier salida final $\mathbf{y}(t_1)$ en un intervalo de tiempo finito $t_0 \leq t \leq t_1$.

Se puede probar que la condición de controlabilidad de la salida completa, es como sigue. El sistema descrito por las ecuaciones (9-48) y (9-49), es de controlabilidad de la salida completa si, y sólo si la matriz de $m \times (n + 1)\, r$

$$[\mathbf{CB} \mid \mathbf{CAB} \mid \mathbf{CA}^2\mathbf{B} \mid \cdots \mid \mathbf{CA}^{n-1}\mathbf{B} \mid \mathbf{D}]$$

es de rango $m$. (Para la demostración, véase el problema A-9-11). Note que la presencia del término $\mathbf{Du}$, en la ecuación (9-49), siempre ayuda a establecer la controlabilidad de salida.

## 9-5 OBSERVABILIDAD

En esta sección se estudiará la observabilidad de sistemas lineales. Considere el sistema no forzado, descrito por las ecuaciones siguientes:

$$\dot{\mathbf{x}} = \mathbf{Ax} \tag{9–50}$$

$$\mathbf{y} = \mathbf{Cx} \tag{9–51}$$

donde $\mathbf{x}$ = vector de estado (vector de dimensión $n$)
$\mathbf{y}$ = vector de salida (vector de dimensión $m$)
$\mathbf{A}$ = matriz de $n \times n$
$\mathbf{C}$ = matriz de $m \times n$

Se dice que el sistema es completamente observable, si cada estado $\mathbf{x}(t_0)$ se puede determinar a partir de la observación de $\mathbf{y}(t)$ en un intervalo de tiempo finito $t_0 \leq t \leq t_1$. Por lo tanto, el sistema es completamente observable, si cada transición del estado, afecta eventualmente a cada elemento del vector de salida. El concepto de observabilidad es útil, al resolver el problema de reconstruir variables de estado no medibles, a partir de otras medibles, en el menor tiempo posible. En esta sección se tratan solamente sistemas lineales, invariantes en el tiempo. Por lo tanto, sin perder generalidad, se puede suponer que $t_0 = 0$.

El concepto de observabilidad es muy importante, porque, en la práctica, el problema que se encuentra con el control de retroalimentación de estado es que algunas variables de estado no son accesibles a la medición directa, por lo que se requiere estimar las variables de estado no medibles, a fin de construir las señales de control. Se demostrará en la sección 10-3 que tal estimación de las variables de estado es posible si y sólo si, el sistema es completamente controlable.

Al discutir las condiciones de observabilidad, se considera el sistema no forzado, descrito por las ecuaciones (9-50) y (9-51). La razón de esto es la siguiente. Si el sistema está descrito por

$$\dot{\mathbf{x}} = \mathbf{A}\mathbf{x} + \mathbf{B}\mathbf{u}$$

$$\mathbf{y} = \mathbf{C}\mathbf{x} + \mathbf{D}\mathbf{u}$$

entonces

$$\mathbf{x}(t) = e^{\mathbf{A}t}\mathbf{x}(0) + \int_0^t e^{\mathbf{A}(t-\tau)}\mathbf{B}\mathbf{u}(\tau)\, d\tau$$

y $\mathbf{y}(t)$ es

$$\mathbf{y}(t) = \mathbf{C}e^{\mathbf{A}t}\mathbf{x}(0) + \mathbf{C}\int_0^t e^{\mathbf{A}(t-\tau)}\mathbf{B}\mathbf{u}(\tau)\, d\tau + \mathbf{D}\mathbf{u}$$

Como las matrices **A**, **B**, **C**, y **D**, se conocen y también $\mathbf{u}(t)$, los dos últimos términos del miembro derecho de esta última ecuación son cantidades conocidas. Por lo tanto, se pueden restar del valor observado de $\mathbf{y}(t)$. Entonces, para analizar la condición necesaria y suficiente para la observabilidad completa, basta considerar el sistema descrito por las ecuaciones (9-50) y (9-51).

**Observabilidad completa de sistemas en tiempo continuo.** Considere el sistema descrito por las ecuaciones (9-50) y (9-51), presentado como

$$\dot{\mathbf{x}} = \mathbf{A}\mathbf{x}$$

$$\mathbf{y} = \mathbf{C}\mathbf{x}$$

El vector de salida $\mathbf{y}(t)$ es

$$\mathbf{y}(t) = \mathbf{C}e^{\mathbf{A}t}\mathbf{x}(0)$$

Haciendo notar que

$$e^{\mathbf{A}t} = \sum_{k=0}^{n-1} \alpha_k(t)\mathbf{A}^k$$

se obtiene

$$\mathbf{y}(t) = \sum_{k=0}^{n-1} \alpha_k(t)\mathbf{CA}^k\mathbf{x}(0)$$

o bien

$$\mathbf{y}(t) = \alpha_0(t)\mathbf{Cx}(0) + \alpha_1(t)\mathbf{CAx}(0) + \cdots + \alpha_{n-1}(t)\mathbf{CA}^{n-1}\mathbf{x}(0) \tag{9–52}$$

Si el sistema es completamente observable, entonces dada la salida $\mathbf{y}(t)$ a lo largo de un intervalo de tiempo $0 \leq t \leq t_1$, $\mathbf{x}(0)$ está unívocamente determinado por la ecuación (9-52). Se puede demostrar que esto requiere que el rango de la matriz de $nm \times n$

$$\begin{bmatrix} \mathbf{C} \\ \hline \mathbf{CA} \\ \hline \cdot \\ \cdot \\ \cdot \\ \hline \mathbf{CA}^{n-1} \end{bmatrix}$$

sea $n$. (Para la deducción de esta condición véase el problema A-9-14).

De este análisis se puede establecer la condición de observabilidad completa, como sigue: El sistema descrito por las ecuaciones (9-50) y (9-51) es completamente observable si y sólo si, la matriz de $n \times nm$

$$[\mathbf{C}^* \;\vdots\; \mathbf{A}^*\mathbf{C}^* \;\vdots\; \cdots \;\vdots\; (\mathbf{A}^*)^{n-1}\mathbf{C}^*]$$

es de rango $n$ o tiene $n$ vectores columna linealmente independientes. Esta matriz se denomina *matriz de observabilidad.*

**EJEMPLO 9-12** Considere el sistema descrito por

$$\begin{bmatrix} \dot{x}_1 \\ \dot{x}_2 \end{bmatrix} = \begin{bmatrix} 1 & 1 \\ -2 & -1 \end{bmatrix} \begin{bmatrix} x_1 \\ x_2 \end{bmatrix} + \begin{bmatrix} 0 \\ 1 \end{bmatrix} u$$

$$y = [1 \quad 0] \begin{bmatrix} x_1 \\ x_2 \end{bmatrix}$$

¿Este sistema es controlable y observable?

Como el rango de la matriz

$$[\mathbf{B} \;\vdots\; \mathbf{AB}] = \begin{bmatrix} 0 & 1 \\ 1 & -1 \end{bmatrix}$$

es 2, el sistema es de estado completo controlable.

Para la controlabilidad de salida, se calcula el rango de la matriz $[\mathbf{CB} \;\vdots\; \mathbf{CAB}]$. Como

$$[\mathbf{CB} \;\vdots\; \mathbf{CAB}] = [0 \quad 1]$$

el rango de la matriz es 1. Por tanto, el sistema tiene salida completa controlable.

Para verificar la condición de observabilidad, se examina el rango de $[\mathbf{C}^* \;\vdots\; \mathbf{A}^*\mathbf{C}^*]$. Como

$$[\mathbf{C}^* \;\vdots\; \mathbf{A}^*\mathbf{C}^*] = \begin{bmatrix} 1 & 1 \\ 0 & 1 \end{bmatrix}$$

el rango de $[\mathbf{C}^* \;\vdots\; \mathbf{A}^*\mathbf{C}^*]$ es 2. Por tanto, el sistema es completamente observable.

**Condiciones para la observabilidad completa en el plano s.** Las condiciones de observabilidad completa también se pueden establecer en términos de funciones de transferencia o matrices de transferencia. La condición necesaria y suficiente para la observabilidad completa es que no haya cancelación en la función de transferencia, o en la matriz de transferencia. Si se produce una cancelación, el modo cancelado no puede observarse en la salida.

**EJEMPLO 9-13** Muestre que el sistema siguiente no es completamente observable.

$$\dot{\mathbf{x}} = \mathbf{A}\mathbf{x} + \mathbf{B}u$$

$$y = \mathbf{C}\mathbf{x}$$

donde

$$\mathbf{x} = \begin{bmatrix} x_1 \\ x_2 \\ x_3 \end{bmatrix}, \quad \mathbf{A} = \begin{bmatrix} 0 & 1 & 0 \\ 0 & 0 & 1 \\ -6 & -11 & -6 \end{bmatrix}, \quad \mathbf{B} = \begin{bmatrix} 0 \\ 0 \\ 1 \end{bmatrix}, \quad \mathbf{C} = [4 \quad 5 \quad 1]$$

Note que la función de control $u$ no afecta la observabilidad completa del sistema. Para examinar la observabilidad completa, simplemente se puede hacer $u = 0$. Para este sistema, se tiene

$$[\mathbf{C}^* \ \vdots \ \mathbf{A}^*\mathbf{C}^* \ \vdots \ (\mathbf{A}^*)^2\mathbf{C}^*] = \begin{bmatrix} 4 & -6 & 6 \\ 5 & -7 & 5 \\ 1 & -1 & -1 \end{bmatrix}$$

Nótese que

$$\begin{vmatrix} 4 & -6 & 6 \\ 5 & -7 & 5 \\ 1 & -1 & -1 \end{vmatrix} = 0$$

Entonces, el rango de la matriz $[\mathbf{C}^* \ \vdots \ \mathbf{A}^*\mathbf{C}^* \ \vdots \ (\mathbf{A}^*)^2\mathbf{C}^*]$, es menor que 3. Por lo tanto, el sistema no es completamente observable.

De hecho, la cancelación en este sistema se produce en la función de transferencia. La función de transferencia entre $X_1(s)$ y $U(s)$, es

$$\frac{X_1(s)}{U(s)} = \frac{1}{(s+1)(s+2)(s+3)}$$

y la función de transferencia entre $Y(s)$ y $X_1(s)$, es

$$\frac{Y(s)}{X_1(s)} = (s+1)(s+4)$$

Por tanto, la función de transferencia entre la salida $Y(s)$ y la entrada $U(s)$, es

$$\frac{Y(s)}{U(s)} = \frac{(s+1)(s+4)}{(s+1)(s+2)(s+3)}$$

Es claro que los dos factores $(s + 1)$ se cancelan mutuamente. Esto significa que hay estados iniciales no nulos $\mathbf{x}(0)$, que no se pueden determinar a partir de la medición de $y(t)$.

**Relaciones entre controlabilidad, observabilidad y funciones de transferencia.** La función de transferencia no tiene cancelación si y sólo si, el sistema tiene estado completo controlable y observable. Esto significa que la función de transferencia cancelada no lleva consigo toda la información que caracteriza al sistema dinámico.

**Forma alternativa de la condición de observabilidad completa.** Considere el sistema descrito por las ecuaciones (9-50) y (9-51), presentadas como

$$\dot{\mathbf{x}} = \mathbf{A}\mathbf{x} \tag{9–53}$$

$$\mathbf{y} = \mathbf{C}\mathbf{x} \tag{9–54}$$

Suponga que la matriz de transformación **P**, transforma a **A** en una matriz diagonal, o

$$\mathbf{P}^{-1}\mathbf{A}\mathbf{P} = \mathbf{D}$$

donde **D** es una matriz diagonal. Se define

$$\mathbf{x} = \mathbf{P}\mathbf{z}$$

Entonces las ecuaciones (9-53) y (9-54), se pueden escribir como

$$\dot{\mathbf{z}} = \mathbf{P}^{-1}\mathbf{A}\mathbf{P}\mathbf{z} = \mathbf{D}\mathbf{z}$$

$$\mathbf{y} = \mathbf{C}\mathbf{P}\mathbf{z}$$

Por tanto,

$$\mathbf{y}(t) = \mathbf{C}\mathbf{P}e^{\mathbf{D}t}\mathbf{z}(0)$$

o bien

$$\mathbf{y}(t) = \mathbf{C}\mathbf{P}\begin{bmatrix} e^{\lambda_1 t} & & & & 0 \\ & e^{\lambda_2 t} & & & \\ & & \cdot & & \\ & & & \cdot & \\ 0 & & & & e^{\lambda_n t} \end{bmatrix}\mathbf{z}(0) = \mathbf{C}\mathbf{P}\begin{bmatrix} e^{\lambda_1 t}z_1(0) \\ e^{\lambda_2 t}z_2(0) \\ \cdot \\ \cdot \\ \cdot \\ e^{\lambda_n t}z_n(0) \end{bmatrix}$$

El sistema es completamente observable, si ninguna de las columnas de la matriz **CP** de $m \times n$, tiene todos sus elementos igual a cero. Esto debe ser así, porque si la columna de posición $i$ de **CP** tiene todos sus elementos nulos, entonces la variable de estado $z_i(0)$ no aparecerá en la ecuación de salida y, por lo tanto, no se podrá determinar de la observación de $\mathbf{y}(t)$. Entonces $\mathbf{x}(0)$, que está relacionada con $\mathbf{z}(0)$ por la matriz no singular **P**, no se puede determinar. (Recuerde que esta prueba se aplica solamente si la matriz $\mathbf{P}^{-1}\mathbf{A}\mathbf{P}$ es de forma diagonal).

Si no se puede transformar la matriz **A**, en una matriz diagonal, entonces se puede transformar a la forma canónica de Jordan utilizando una matriz de transformación **S** adecuada, o

$$\mathbf{S}^{-1}\mathbf{A}\mathbf{S} = \mathbf{J}$$

donde **J** está en la forma canónica de Jordan.

Se define

$$\mathbf{x} = \mathbf{S}\mathbf{z}$$

Entonces las ecuaciones (9-53) y (9-54) se pueden escribir

$$\dot{\mathbf{z}} = \mathbf{S}^{-1}\mathbf{A}\mathbf{S}\mathbf{z} = \mathbf{J}\mathbf{z}$$

$$\mathbf{y} = \mathbf{C}\mathbf{S}\mathbf{z}$$

Por tanto

$$\mathbf{y}(t) = \mathbf{C}\mathbf{S}e^{\mathbf{J}t}\mathbf{z}(0)$$

El sistema es completamente observable, si (1) no hay dos bloques Jordan en **J** asociados con los mismos valores propios, (2) no hay columnas de **CS** que correspondan al primer renglón de cada bloque Jordan que tenga todos sus elementos nulos, y (3) no hay columnas de **CS**, que correspondan a distintos valores propios que tengan todos sus elementos nulos.

Para aclarar la condición (2), en el ejemplo 9-14 se han encerrado con líneas de puntos las columnas de **CS** que corresponden al primer renglón de cada bloque de Jordan.

**EJEMPLO 9-14** Los sistemas siguientes, son completamente observables.

$$\begin{bmatrix} \dot{x}_1 \\ \dot{x}_2 \end{bmatrix} = \begin{bmatrix} -1 & 0 \\ 0 & -2 \end{bmatrix} \begin{bmatrix} x_1 \\ x_2 \end{bmatrix}, \qquad y = [1 \quad 3] \begin{bmatrix} x_1 \\ x_2 \end{bmatrix}$$

$$\begin{bmatrix} \dot{x}_1 \\ \dot{x}_2 \\ \dot{x}_3 \end{bmatrix} = \begin{bmatrix} 2 & 1 & 0 \\ 0 & 2 & 1 \\ 0 & 0 & 2 \end{bmatrix} \begin{bmatrix} x_1 \\ x_2 \\ x_3 \end{bmatrix}, \qquad \begin{bmatrix} y_1 \\ y_2 \end{bmatrix} = \begin{bmatrix} 3 & 0 & 0 \\ 4 & 0 & 0 \end{bmatrix} \begin{bmatrix} x_1 \\ x_2 \\ x_3 \end{bmatrix}$$

$$\begin{bmatrix} \dot{x}_1 \\ \dot{x}_2 \\ \dot{x}_3 \\ \dot{x}_4 \\ \dot{x}_5 \end{bmatrix} = \begin{bmatrix} 2 & 1 & 0 & & 0 \\ 0 & 2 & 1 & & \\ 0 & 0 & 2 & & \\ & & & -3 & 1 \\ 0 & & & 0 & -3 \end{bmatrix} \begin{bmatrix} x_1 \\ x_2 \\ x_3 \\ x_4 \\ x_5 \end{bmatrix}, \qquad \begin{bmatrix} y_1 \\ y_2 \end{bmatrix} = \begin{bmatrix} 1 & 1 & 1 & 0 & 0 \\ 0 & 1 & 1 & 1 & 0 \end{bmatrix} \begin{bmatrix} x_1 \\ x_2 \\ x_3 \\ x_4 \\ x_5 \end{bmatrix}$$

Los sistemas siguientes, no son completamente observables.

$$\begin{bmatrix} \dot{x}_1 \\ \dot{x}_2 \end{bmatrix} = \begin{bmatrix} -1 & 0 \\ 0 & -2 \end{bmatrix} \begin{bmatrix} x_1 \\ x_2 \end{bmatrix}, \qquad y = [0 \quad 1] \begin{bmatrix} x_1 \\ x_2 \end{bmatrix}$$

$$\begin{bmatrix} \dot{x}_1 \\ \dot{x}_2 \\ \dot{x}_3 \end{bmatrix} = \begin{bmatrix} 2 & 1 & 0 \\ 0 & 2 & 1 \\ 0 & 0 & 2 \end{bmatrix} \begin{bmatrix} x_1 \\ x_2 \\ x_3 \end{bmatrix}, \qquad \begin{bmatrix} y_1 \\ y_2 \end{bmatrix} = \begin{bmatrix} 0 & 1 & 3 \\ 0 & 2 & 4 \end{bmatrix} \begin{bmatrix} x_1 \\ x_2 \\ x_3 \end{bmatrix}$$

$$\begin{bmatrix} \dot{x}_1 \\ \dot{x}_2 \\ \dot{x}_3 \\ \dot{x}_4 \\ \dot{x}_5 \end{bmatrix} = \begin{bmatrix} 2 & 1 & 0 & & 0 \\ 0 & 2 & 1 & & \\ 0 & 0 & 2 & & \\ & & & -3 & 1 \\ 0 & & & 0 & -3 \end{bmatrix} \begin{bmatrix} x_1 \\ x_2 \\ x_3 \\ x_4 \\ x_5 \end{bmatrix}, \qquad \begin{bmatrix} y_1 \\ y_2 \end{bmatrix} = \begin{bmatrix} 1 & 1 & 1 & 0 & 0 \\ 0 & 1 & 1 & 0 & 0 \end{bmatrix} \begin{bmatrix} x_1 \\ x_2 \\ x_3 \\ x_4 \\ x_5 \end{bmatrix}$$

**Principio de dualidad.** Ahora se analizará la relación entre la controlabilidad y la observabilidad. Se tratará el principio de dualidad, debido a Kalman, para aclarar analogías aparentes entre controlabilidad y observabilidad.

Considere el sistema $S_1$ descrito por

$$\dot{\mathbf{x}} = \mathbf{Ax} + \mathbf{Bu}$$

$$\mathbf{y} = \mathbf{Cx}$$

donde $\mathbf{x}$ = vector de estado (vector de dimensión $n$)
$\mathbf{u}$ = vector de control (vector dimensión $r$)
$\mathbf{y}$ = vector de salida (vector de dimensión $m$)
$\mathbf{A}$ = matriz de $n \times n$
$\mathbf{B}$ = matriz de $n \times r$
$\mathbf{C}$ = matriz de $m \times n$

y el sistema dual $S_2$ definido por

$$\dot{\mathbf{z}} = \mathbf{A}^*\mathbf{z} + \mathbf{C}^*\mathbf{v}$$

$$\mathbf{n} = \mathbf{B}^*\mathbf{z}$$

donde $\mathbf{z}$ = vector de estado (vector de dimensión $n$)
$\mathbf{v}$ = vector de control (vector de dimensión $m$)
$\mathbf{n}$ = vector de salida (vector de dimensión $r$)
$\mathbf{A}^*$ = conjugada traspuesta de $\mathbf{A}$
$\mathbf{B}^*$ = conjugada traspuesta de $\mathbf{B}$
$\mathbf{C}^*$ = conjugada traspuesta de $\mathbf{C}$

El principio de dualidad establece que el sistema $S_1$, es de controlabilidad (observabilidad) del estado completa si, y sólo si, el sistema $S_2$ es de observabilidad (controlabilidad) completa.

Para verificar este principio, se escriben las condiciones necesarias y suficientes para la controlabilidad del estado completo y para la observabilidad completa para los sistemas $S_1$ y $S_2$.

Para el sistema $S_1$:

1. La condición necesaria y suficiente para la controlabilidad de estado completo es que el rango de la matriz de $n \times nr$

$$[\mathbf{B} \mid \mathbf{AB} \mid \cdots \mid \mathbf{A}^{n-1}\mathbf{B}]$$

sea $n$.

2. La condición necesaria y suficiente para la observabilidad completa es que el rango de la matriz de $n \times nm$

$$[\mathbf{C}^* \mid \mathbf{A}^*\mathbf{C}^* \mid \cdots \mid (\mathbf{A}^*)^{n-1}\mathbf{C}^*]$$

sea $n$.

Para el sistema $S_2$:

1. La condición necesaria y suficiente para la controlabilidad del estado completo, es que el rango de la matriz de $n \times nm$

$$[\mathbf{C}^* \mid \mathbf{A}^*\mathbf{C}^* \mid \cdots \mid (\mathbf{A}^*)^{n-1}\mathbf{C}^*]$$

sea $n$.

2. La condición necesaria y suficiente para la observabilidad completa es que el rango de la matriz de $n \times nr$

$$[\mathbf{B} \mid \mathbf{AB} \mid \cdots \mid \mathbf{A}^{n-1}\mathbf{B}]$$

sea $n$.

Al comparar estas condiciones, se nota claramente la verdad de este principio. Utilizando este principio se puede verificar la observabilidad de un sistema dado, probando la controlabilidad de estado de su dual.

## 9-6 FORMAS CANONICAS DE LAS ECUACIONES DE ESTADO

Se dispone de muchas técnicas para obtener representaciones en el espacio de estado de ecuaciones diferenciales. En el capítulo 4 se presentaron algunas de esas técnicas. Esta sección presenta métodos para obtener ecuaciones en el espacio de estado, en las formas canónicas controlable, observable, diagonal o de Jordan.

**Representación en el espacio de estado, en forma canónica.** Considere un sistema definido por

$$\overset{(n)}{y} + a_1\overset{(n-1)}{y} + \cdots + a_{n-1}\dot{y} + a_n y = b_0\overset{(n)}{u} + b_1\overset{(n-1)}{u} + \cdots + b_{n-1}\dot{u} + b_n u$$

donde $u$ es la entrada e $y$ es la salida. Esta ecuación se puede escribir como

$$\frac{Y(s)}{U(s)} = \frac{b_0 s^n + b_1 s^{n-1} + \cdots + b_{n-1}s + b_n}{s^n + a_1 s^{n-1} + \cdots + a_{n-1}s + a_n} \tag{9-55}$$

A continuación, se presentarán tres métodos para obtener representaciones en el espacio de estado, en formas canónicas:

1. Método de programación directa, para obtener la forma canónica controlable
2. Método de programación anidada, para obtener la forma canónica observable
3. Método de programación de expansión en fracciones parciales, para obtener la forma canónica diagonal o de Jordan

**Método de programación directa.** La ecuación (9-55) se puede escribir como

$$\frac{Y(s)}{U(s)} = b_0 + \frac{(b_1 - a_1b_0)s^{n-1} + \cdots + (b_{n-1} - a_{n-1}b_0)s + (b_n - a_nb_0)}{s^n + a_1 s^{n-1} + \cdots + a_{n-1}s + a_n}$$

que se puede modificar a

$$Y(s) = b_0U(s) + \hat{Y}(s) \tag{9-56}$$

donde

$$\hat{Y}(s) = \frac{(b_1 - a_1 b_0)s^{n-1} + \cdots + (b_{n-1} - a_{n-1}b_0)s + (b_n - a_n b_0)}{s^n + a_1 s^{n-1} + \cdots + a_{n-1}s + a_n} U(s)$$

Esta última ecuación se puede presentar, en la siguiente forma:

$$\frac{\hat{Y}(s)}{(b_1 - a_1 b_0)s^{n-1} + \cdots + (b_{n-1} - a_{n-1}b_0)s + (b_n - a_n b_0)} = \frac{U(s)}{s^n + a_1 s^{n-1} + \cdots + a_{n-1}s + a_n} = Q(s)$$

De esta última ecuación se pueden obtener las dos ecuaciones siguientes:

$$s^n Q(s) = -a_1 s^{n-1} Q(s) - \cdots - a_{n-1} s Q(s) - a_n Q(s) + U(s) \qquad (9\text{–}57)$$

$$\hat{Y}(s) = (b_1 - a_1 b_0)s^{n-1} Q(s) + \cdots + (b_{n-1} - a_{n-1}b_0)sQ(s) + (b_n - a_n b_0)Q(s) \qquad (9\text{–}58)$$

Ahora se definen variables de estado como sigue:

$$X_1(s) = Q(s)$$
$$X_2(s) = sQ(s)$$
$$\vdots$$
$$X_{n-1}(s) = s^{n-2}Q(s)$$
$$X_n(s) = s^{n-1}Q(s)$$

Entonces, claramente

$$sX_1(s) = X_2(s)$$
$$sX_2(s) = X_3(s)$$
$$\vdots$$
$$sX_{n-1}(s) = X_n(s)$$

que se puede expresar como

$$\dot{x}_1 = x_2$$
$$\dot{x}_2 = x_3$$
$$\vdots$$
$$\dot{x}_{n-1} = x_n$$

Nótese que como $s^n Q(s) = sX_n(s)$, la ecuación (9-57) se puede presentar como

$$sX_n(s) = -a_1 X_n - \cdots - a_{n-1}X_2(s) - a_n X_1(s) + U(s)$$

o como

$$\dot{x}_n = -a_n x_1 - a_{n-1}x_2 - \cdots - a_1 x_n + u$$

Igualmente, de las ecuaciones (9-56) y (9-58) se obtiene

$$\begin{aligned} Y(s) &= b_0 U(s) + (b_1 - a_1 b_0)s^{n-1}Q(s) + \cdots + (b_{n-1} - a_{n-1}b_0)sQ(s) \\ &\quad + (b_n - a_n b_0)Q(s) \\ &= b_0 U(s) + (b_1 - a_1 b_0)X_n(s) + \cdots + (b_{n-1} - a_{n-1}b_0)X_2(s) \\ &\quad + (b_n - a_n b_0)X_1(s) \end{aligned}$$

La transformada inversa de Laplace de esta ecuación de salida es

$$y = (b_n - a_n b_0)x_1 + (b_{n-1} - a_{n-1}b_0)x_2 + \cdots + (b_1 - a_1 b_0)x_n + b_0 u$$

Entonces, la ecuación de estado y la ecuación de salida, se escriben como

$$\begin{bmatrix} \dot{x}_1 \\ \dot{x}_2 \\ \cdot \\ \cdot \\ \cdot \\ \dot{x}_{n-1} \\ \dot{x}_n \end{bmatrix} = \begin{bmatrix} 0 & 1 & 0 & \cdots & 0 \\ 0 & 0 & 1 & \cdots & 0 \\ \cdot & \cdot & \cdot & & \cdot \\ \cdot & \cdot & \cdot & & \cdot \\ \cdot & \cdot & \cdot & & \cdot \\ 0 & 0 & 0 & \cdots & 1 \\ -a_n & -a_{n-1} & -a_{n-2} & \cdots & -a_1 \end{bmatrix} \begin{bmatrix} x_1 \\ x_2 \\ \cdot \\ \cdot \\ \cdot \\ x_{n-1} \\ x_n \end{bmatrix} + \begin{bmatrix} 0 \\ 0 \\ \cdot \\ \cdot \\ \cdot \\ 0 \\ 1 \end{bmatrix} u \qquad (9\text{–}59)$$

$$y = [b_n - a_n b_0 \;\vdots\; b_{n-1} - a_{n-1}b_0 \;\vdots\; \cdots \;\vdots\; b_1 - a_1 b_0] \begin{bmatrix} x_1 \\ x_2 \\ \cdot \\ \cdot \\ \cdot \\ x_n \end{bmatrix} + b_0 u \qquad (9\text{–}60)$$

La representación en el espacio de estado, dada por las ecuaciones (9-59) y (9-60), se dice que está en la forma canónica controlable. La figura 9-7 muestra una representación, en diagrama en bloques, del sistema dado por las ecuaciones (9-59) y (9-60). La forma canónica controlable es importante al estudiar el método de ubicación de polos, en el diseño de sistemas de control.

**Método de programación anidada.** Considere el sistema con función de transferencia definido por la ecuación (9-55). Esta ecuación se puede modificar a la forma siguiente:

$$\begin{aligned} &s^n[Y(s) - b_0 U(s)] + s^{n-1}[a_1 Y(s) - b_1 U(s)] + \cdots \\ &\qquad + s[a_{n-1}Y(s) - b_{n-1}U(s)] + a_n Y(s) - b_n U(s) = 0 \end{aligned}$$

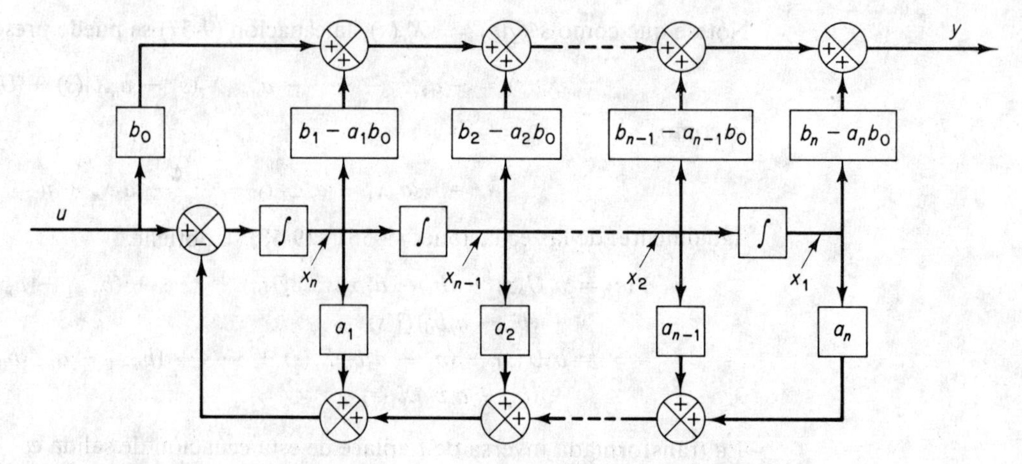


**Figura 9-7**
Diagrama en bloques del sistema definido por las ecuaciones (9-59) y (9-60). (Forma canónica controlable).

Dividiendo toda la ecuación por $s^n$ y reagrupando, se tiene

$$Y(s) = b_0U(s) + \frac{1}{s}[b_1U(s) - a_1Y(s)] + \cdots$$
$$+ \frac{1}{s^{n-1}}[b_{n-1}U(s) - a_{n-1}Y(s)] + \frac{1}{s^n}[b_nU(s) - a_nY(s)] \tag{9–61}$$

Ahora se definen las variables de estado, como sigue:

$$X_n(s) = \frac{1}{s}[b_1U(s) - a_1Y(s) + X_{n-1}(s)]$$
$$X_{n-1}(s) = \frac{1}{s}[b_2U(s) - a_2Y(s) + X_{n-2}(s)]$$
$$\vdots \tag{9–62}$$
$$X_2(s) = \frac{1}{s}[b_{n-1}U(s) - a_{n-1}Y(s) + X_1(s)]$$
$$X_1(s) = \frac{1}{s}[b_nU(s) - a_nY(s)]$$

Entonces la ecuación (9-61) se puede escribir como

$$Y(s) = b_0U(s) + X_n(s) \tag{9–63}$$

Substituyendo la ecuación (9-63) en la ecuación (9-62), y multiplicando ambos miembros de las ecuaciones por $s$, se obtiene

$$sX_n(s) = X_{n-1}(s) - a_1X_n(s) + (b_1 - a_1b_0)U(s)$$
$$sX_{n-1}(s) = X_{n-2}(s) - a_2X_n(s) + (b_2 - a_2b_0)U(s)$$
$$\vdots$$

$$sX_2(s) = X_1(s) - a_{n-1}X_n(s) + (b_{n-1} - a_{n-1}b_0)U(s)$$

$$sX_1(s) = -a_nX_n(s) + (b_n - a_nb_0)U(s)$$

Tomando las transformadas inversas de Laplace de las $n$ ecuaciones precedentes, y escribiéndolas en orden inverso, se tiene

$$\dot{x}_1 = -a_nx_n + (b_n - a_nb_0)u$$

$$\dot{x}_2 = x_1 - a_{n-1}x_n + (b_{n-1} - a_{n-1}b_0)u$$

$$\vdots$$

$$\dot{x}_{n-1} = x_{n-2} - a_2x_n + (b_2 - a_2b_0)u$$

$$\dot{x}_n = x_{n-1} - a_1x_n + (b_1 - a_1b_0)u$$

También, la transformada inversa de Laplace, de la ecuación (9-63) da

$$y = x_n + b_0u$$

Al presentar las ecuaciones de estado y salida en la forma matricial, se tiene

$$\begin{bmatrix} \dot{x}_1 \\ \dot{x}_2 \\ \cdot \\ \cdot \\ \cdot \\ \dot{x}_n \end{bmatrix} = \begin{bmatrix} 0 & 0 & \cdots & 0 & -a_n \\ 1 & 0 & \cdots & 0 & -a_{n-1} \\ \cdot & \cdot & & \cdot & \cdot \\ \cdot & \cdot & & \cdot & \cdot \\ \cdot & \cdot & & \cdot & \cdot \\ 0 & 0 & \cdots & 1 & -a_1 \end{bmatrix} \begin{bmatrix} x_1 \\ x_2 \\ \cdot \\ \cdot \\ \cdot \\ x_n \end{bmatrix} + \begin{bmatrix} b_n - a_nb_0 \\ b_{n-1} - a_{n-1}b_0 \\ \cdot \\ \cdot \\ \cdot \\ b_1 - a_1b_0 \end{bmatrix} u \qquad (9\text{–}64)$$

$$y = [0 \quad 0 \quad \cdots \quad 0 \quad 1] \begin{bmatrix} x_1 \\ x_2 \\ \cdot \\ \cdot \\ \cdot \\ x_{n-1} \\ x_n \end{bmatrix} + b_0u \qquad (9\text{–}65)$$

Se dice que la forma de representación en el espacio de estado, dada por las ecuaciones (9-64) y (9-65) está en la forma canónica observable. La figura 9-8 muestra una representación, en diagrama de bloques, del sistema dado por las ecuaciones (9-64) y (9-65). Nótese que la matriz de estado de $n \times n$, de la ecuación de estado dada por la ecuación (9-64), es la traspuesta de la matriz de la ecuación de estado, definida por la ecuación (9-59).

**Método de programación en expansión en fracciones parciales.** Considere el sistema con función de transferencia, definido por la ecuación (9-55). Primero se considerará el caso en que el polinomio denominador incluye solamente raíces distintas. Posteriormente se verá el caso en que el polinomio denominador incluye raíces múltiples. Para el caso de raíces distintas, la ecuación (9-55) se puede escribir como

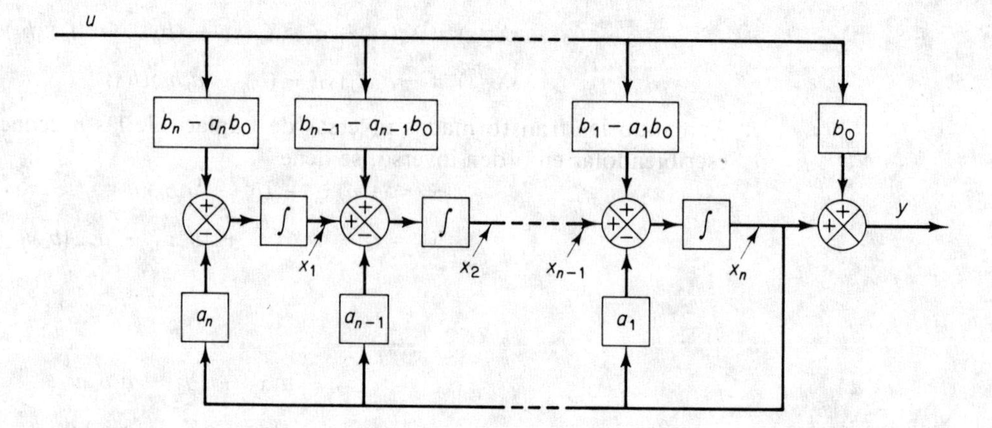


**Figura 9-8**
Diagrama en bloques del sistema definido por las ecuaciones (9-64) y (9-65). (Forma canónica observable).

$$\frac{Y(s)}{U(s)} = \frac{b_0 s^n + b_1 s^{n-1} + \cdots + b_{n-1}s + b_n}{(s - p_1)(s - p_2) \cdots (s - p_n)}$$

$$= b_0 + \frac{c_1}{s - p_1} + \frac{c_2}{s - p_2} + \cdots + \frac{c_n}{s - p_n}$$

donde $p_i \neq p_j$. Esta última ecuación se puede presentar como

$$Y(s) = b_0 U(s) + \frac{c_1}{s - p_1} U(s) + \frac{c_2}{s - p_2} U(s) + \cdots + \frac{c_n}{s - p_n} U(s) \quad (9\text{–}66)$$

Las variables de estado se definen como sigue:

$$X_1(s) = \frac{1}{s - p_1} U(s)$$

$$X_2(s) = \frac{1}{s - p_2} U(s)$$

$$\vdots$$

$$X_n(s) = \frac{1}{s - p_n} U(s)$$

que se pueden plantear como

$$sX_1(s) = p_1 X_1(s) + U(s)$$

$$sX_2(s) = p_2 X_2(s) + U(s)$$

$$\vdots$$

$$sX_n(s) = p_n X_n(s) + U(s)$$

Las transformadas inversas de Laplace de estas ecuaciones dan

$$\dot{x}_1 = p_1 x_1 + u$$
$$\dot{x}_2 = p_2 x_2 + u$$
$$\vdots$$
$$\dot{x}_n = p_n x_n + u$$

Estas $n$ ecuaciones constituyen una ecuación de estado.

En términos de las variables de estado $X_1(s)$, $X_2(s)$, ..., $X_n(s)$, la ecuación (9-66) se puede escribir como

$$Y(s) = b_0 U(s) + c_1 X_1(s) + c_2 X_2(s) + \cdots + c_n X_n(s)$$

La transformada inversa de Laplace de esta última ecuación, es

$$y = c_1 x_1 + c_2 x_2 + \cdots + c_n x_n + b_0 u$$

que es la ecuación de salida.

Ahora las ecuaciones de estado y de salida se pueden escribir en la forma estándar siguiente:

$$\begin{bmatrix} \dot{x}_1 \\ \dot{x}_2 \\ \cdot \\ \cdot \\ \cdot \\ \dot{x}_n \end{bmatrix} = \begin{bmatrix} p_1 & & & & 0 \\ & p_2 & & & \\ & & \cdot & & \\ & & & \cdot & \\ & & & & \cdot \\ 0 & & & & p_n \end{bmatrix} \begin{bmatrix} x_1 \\ x_2 \\ \cdot \\ \cdot \\ \cdot \\ x_n \end{bmatrix} + \begin{bmatrix} 1 \\ 1 \\ \cdot \\ \cdot \\ \cdot \\ 1 \end{bmatrix} u \tag{9–67}$$

$$y = [c_1 \quad c_2 \quad \cdots \quad c_n] \begin{bmatrix} x_1 \\ x_2 \\ \cdot \\ \cdot \\ \cdot \\ x_n \end{bmatrix} + b_0 u \tag{9–68}$$

Se dice que la representación en el espacio de estado dada por las ecuaciones (9-67) y (9-68), está en la forma canónica diagonal. La figura 9-9 muestra una representación, en diagrama de bloques, del sistema dado por las ecuaciones (9-67) y (9-68).

Ahora se considerará el caso en que el polinomio denominador de la ecuación (9-55), incluye raíces múltiples. Para este caso, la forma canónica diagonal precedente se debe modificar a la forma canónica de Jordan. Supóngase, por ejemplo, que las $p_i$ son diferentes entre sí, excepto las tres primeras, que son iguales; es decir $p_1 = p_2 = p_3$. Entonces la forma factorizada de $Y(s)/U(s)$, es

$$\frac{Y(s)}{U(s)} = \frac{b_0 s^n + b_1 s^{n-1} + \cdots + b_{n-1} s + b_n}{(s - p_1)^3 (s - p_4)(s - p_5) \cdots (s - p_n)}$$

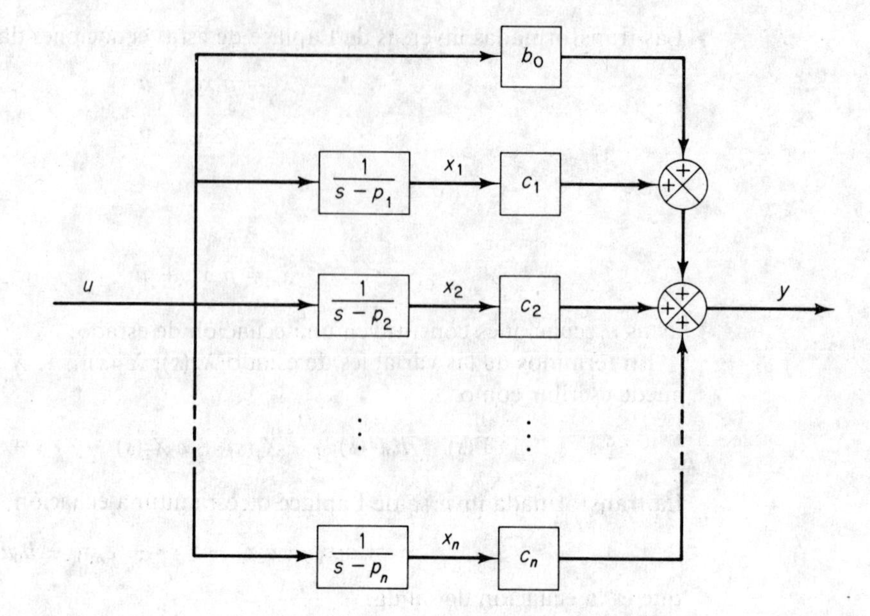


**Figura 9-9**
Diagrama en bloques del sistema definido por las ecuaciones (9-67) y (9-68). (Forma canónica diagonal).

La expansión en fracciones parciales de esta última ecuación se convierte en

$$\frac{Y(s)}{U(s)} = b_0 + \frac{c_1}{(s - p_1)^3} + \frac{c_2}{(s - p_1)^2} + \frac{c_3}{s - p_1} + \frac{c_4}{s - p_4} + \cdots + \frac{c_n}{s - p_n}$$

que se puede escribir como

$$Y(s) = b_0U(s) + \frac{c_1}{(s - p_1)^3} U(s) + \frac{c_2}{(s - p_1)^2} U(s) + \frac{c_3}{s - p_1} U(s) + \frac{c_4}{s - p_4} U(s) + \cdots + \frac{c_n}{s - p_n} U(s) \tag{9–69}$$

Se define

$$X_1(s) = \frac{1}{(s - p_1)^3} U(s)$$

$$X_2(s) = \frac{1}{(s - p_1)^2} U(s)$$

$$X_3(s) = \frac{1}{s - p_1} U(s)$$

$$X_4(s) = \frac{1}{s - p_4} U(s)$$

$$\vdots$$

$$X_n(s) = \frac{1}{s - p_n} U(s)$$

Nótese que entre $X_1(s)$, $X_2(s)$, y $X_3(s)$, se dan las siguientes relaciones

$$\frac{X_1(s)}{X_2(s)} = \frac{1}{s - p_1}$$

$$\frac{X_2(s)}{X_3(s)} = \frac{1}{s - p_1}$$

Entonces, de la definición de variables de estado y de las relaciones precedentes, se obtiene

$$\begin{aligned}
sX_1(s) &= p_1X_1(s) + X_2(s) \\
sX_2(s) &= p_1X_2(s) + X_3(s) \\
sX_3(s) &= p_1X_3(s) + U(s) \\
sX_4(s) &= p_4X_4(s) + U(s) \\
&\;\;\vdots \\
sX_n(s) &= p_nX_n(s) + U(s)
\end{aligned}$$

Las transformadas inversas de Laplace, de las $n$ ecuaciones precedentes dan

$$\begin{aligned}
\dot{x}_1 &= p_1x_1 + x_2 \\
\dot{x}_2 &= p_1x_2 + x_3 \\
\dot{x}_3 &= p_1x_3 + u \\
\dot{x}_4 &= p_4x_4 + u \\
&\;\;\vdots \\
\dot{x}_n &= p_nx_n + u
\end{aligned}$$

La ecuación de salida, ecuación (9-69), se pueden escribir como

$$Y(s) = b_0U(s) + c_1X_1(s) + c_2X_2(s) + c_3X_3(s) + c_4X_4(s) + \cdots + c_nX_n(s)$$

La transformada inversa de Laplace de esta ecuación de salida es

$$y = c_1x_1 + c_2x_2 + c_3x_3 + c_4x_4 + \cdots + c_nx_n + b_0u$$

Entonces, la representación en el espacio de estado del sistema, para el caso en que el polinomio denominador incluye una raíz triple $p_1$ se puede dar del siguiente modo:

$$
\begin{bmatrix} \dot{x}_1 \\ \dot{x}_2 \\ \dot{x}_3 \\ \dot{x}_4 \\ \cdot \\ \cdot \\ \cdot \\ \dot{x}_n \end{bmatrix} = \left[\begin{array}{ccc|cccc} p_1 & 1 & 0 & 0 & \cdots & & 0 \\ 0 & p_1 & 1 & \cdot & & & \cdot \\ 0 & 0 & p_1 & 0 & \cdots & & 0 \\ \hline 0 & \cdots & 0 & p_4 & & & 0 \\ \cdot & & \cdot & & \cdot & & \\ \cdot & & \cdot & & & \cdot & \\ \cdot & & \cdot & & & & \cdot \\ 0 & \cdots & 0 & 0 & & & p_n \end{array}\right] \begin{bmatrix} x_1 \\ x_2 \\ x_3 \\ x_4 \\ \cdot \\ \cdot \\ \cdot \\ x_n \end{bmatrix} + \begin{bmatrix} 0 \\ 0 \\ 1 \\ 1 \\ \cdot \\ \cdot \\ \cdot \\ 1 \end{bmatrix} u \tag{9–70}
$$

$$
y = [c_1 \quad c_2 \quad \cdots \quad c_n] \begin{bmatrix} x_1 \\ x_2 \\ \cdot \\ \cdot \\ \cdot \\ x_n \end{bmatrix} + b_0 u \tag{9–71}
$$

Se dice que la representación en el espacio de estado, en la forma dada por las ecuaciones (9-70) y (9-71), está en la forma canónica de Jordan. En la figura 9-10 hay una representación en diagrama de bloques, del sistema dado por las ecuaciones (9-70) y (9-71).

**EJEMPLO 9-15** Considere el sistema dado por

$$
\frac{Y(s)}{U(s)} = \frac{s + 3}{s^2 + 3s + 2}
$$

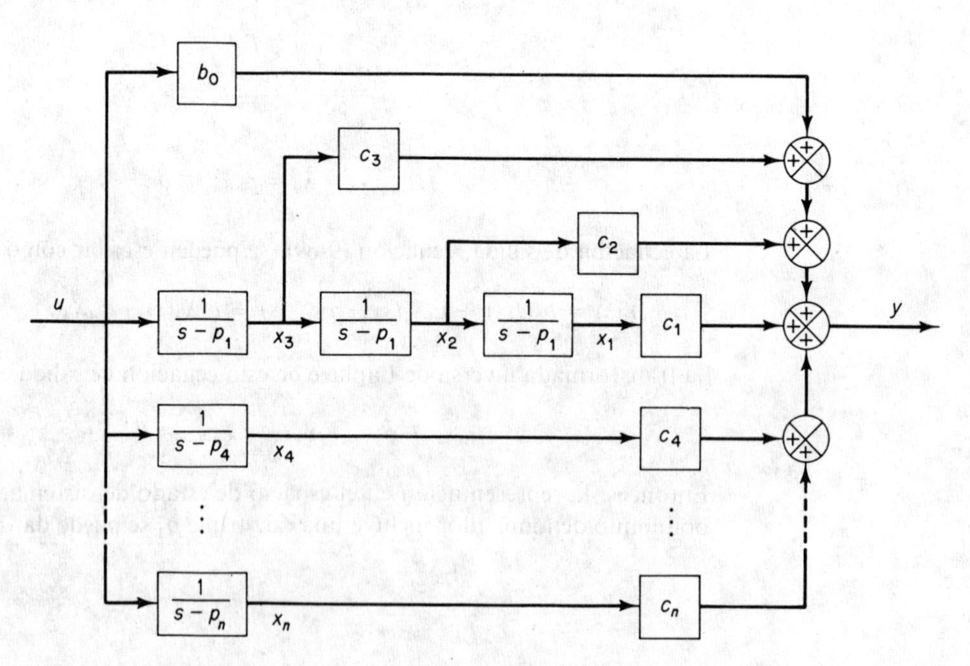


Figura 9-10
Diagrama en bloques del sistema definido por las ecuaciones (9-70) y (9-71). (Forma canónica de Jordan).

Obtenga la representación, en el espacio de estado, en la forma canónica controlable, en la forma canónica observable y en la forma canónica diagonal.

*Forma canónica controlable:*

$$\begin{bmatrix} \dot{x}_1(t) \\ \dot{x}_2(t) \end{bmatrix} = \begin{bmatrix} 0 & 1 \\ -2 & -3 \end{bmatrix} \begin{bmatrix} x_1(t) \\ x_2(t) \end{bmatrix} + \begin{bmatrix} 0 \\ 1 \end{bmatrix} u(t)$$

$$y(t) = [3 \quad 1] \begin{bmatrix} x_1(t) \\ x_2(t) \end{bmatrix}$$

*Forma canónica observable:*

$$\begin{bmatrix} \dot{x}_1(t) \\ \dot{x}_2(t) \end{bmatrix} = \begin{bmatrix} 0 & -2 \\ 1 & -3 \end{bmatrix} \begin{bmatrix} x_1(t) \\ x_2(t) \end{bmatrix} + \begin{bmatrix} 3 \\ 1 \end{bmatrix} u(t)$$

$$y(t) = [0 \quad 1] \begin{bmatrix} x_1(t) \\ x_2(t) \end{bmatrix}$$

*Forma canónica diagonal:*

$$\begin{bmatrix} \dot{x}_1(t) \\ \dot{x}_2(t) \end{bmatrix} = \begin{bmatrix} -1 & 0 \\ 0 & -2 \end{bmatrix} \begin{bmatrix} x_1(t) \\ x_2(t) \end{bmatrix} + \begin{bmatrix} 1 \\ 1 \end{bmatrix} u(t)$$

$$y(t) = [2 \quad -1] \begin{bmatrix} x_1(t) \\ x_2(t) \end{bmatrix}$$

## 9-7 ANALISIS DE ESTABILIDAD DE LIAPUNOV

Para un determinado sistema de control, lo más importante a determinar es la estabilidad. Si el sistema es lineal, invariante en el tiempo, se dispone de muchos criterios de estabilidad entre los cuales están el criterio de estabilidad de Nyquist y el de Routh. Sin embargo si el sistema es no lineal, o lineal pero variable en el tiempo, esos criterios de estabilidad no se pueden aplicar.

El segundo método de Liapunov (denominado también método directo de Liapunov) que se presentará en esta sección, es el método más general para determinar la estabilidad de sistemas no lineales y/o variables en el tiempo. El método se aplica también, por supuesto, para determinar la estabilidad en sistemas lineales, invariantes en el tiempo. Además, el segundo método es útil para resolver algunos problemas de optimización (vea las secciones 10-5 y 10-6).

A continuación se presentan conceptos preliminares, como definiciones de tipos de estabilidad de sistemas y los conceptos de definición de funciones escalares. Posteriormente se presentará el teorema principal de estabilidad del segundo método, y se definirá la función de Liapunov. En la sección 9-8 se analizará la aplicación del segundo método de Liapunov al análisis de estabilidad de sistemas lineales, invariantes en el tiempo.

**Segundo método de Liapunov.** En 1892, A.M. Liapunov presentó dos métodos (llamados primer y segundo métodos), para determinar la estabilidad de sistemas dinámicos descritos por ecuaciones diferenciales ordinarias.

El primer método consiste en todos los procedimientos en los que se utiliza la forma explícita de las soluciones de la ecuaciones diferenciales.

El segundo método, en cambio, no requiere las soluciones de las ecuaciones diferenciales. Es decir, utilizando el segundo método de Liapunov se puede determinar la estabilidad de un sistema sin necesidad de resolver las ecuaciones de estado. Esto es bastante ventajoso, porque resolver ecuaciones de estado no lineales y/o variables en el tiempo suele ser muy difícil.

Aun cuando el segundo método de Liapunov, al aplicarse al análisis de estabilidad de sistemas no lineales, requiere considerable experiencia e ingenio, permite responder al problema de la estabilidad de sistemas no lineales, cuando los otros métodos fallan.

**Sistema.** El sistema a considerar está definido por

$$\dot{\mathbf{x}} = \mathbf{f}(\mathbf{x}, t) \tag{9–72}$$

donde $\mathbf{x}$ es un vector de estado (vector $n$-dimensional), y $\mathbf{f}(\mathbf{x}, t)$ es un vector $n$-dimensional cuyos elementos son funciones de $x_1, x_2, \ldots, x_n$, y $t$. Se supone que el sistema de la ecuación (9-72), tiene una solución única que comienza en la condición inicial dada. La solución de la ecuación (9-72), se designa como $\boldsymbol{\phi}(t; \mathbf{x}_0, t_0)$, donde $\mathbf{x} = \mathbf{x}_0$, en $t = t_0$, y $t$ es el tiempo observado. Por tanto,

$$\boldsymbol{\phi}(t_0; \mathbf{x}_0, t_0) = \mathbf{x}_0$$

**Estado de equilibrio.** En el sistema de la ecuación (9-72) al estado $\mathbf{x}_e$, donde

$$\mathbf{f}(\mathbf{x}_e, t) = \mathbf{0} \quad \text{para todo } t \tag{9–73}$$

se le denomina estado de equilibrio del sistema. Si el sistema es lineal, invariante en el tiempo, es decir, si $\mathbf{f}(\mathbf{x}, t) = \mathbf{A}\mathbf{x}$, entonces existe un solo estado de equilibrio si $\mathbf{A}$ es no singular, y hay infinitos estados de equilibrio si $\mathbf{A}$ es singular. Para sistemas no lineales puede haber uno o más estados de equilibrio. Estos estados corresponden a las soluciones constantes del sistema ($\mathbf{x} = \mathbf{x}_e$ para todo $t$). La determinación de los estados de equilibrio no incluye la solución de las ecuaciones diferenciales del sistema, ecuación (9-72), sino solamente la solución de la ecuación (9-73).

Cualquier estado de equilibrio aislado (es decir, aislado de cualquier otro) se puede desplazar al origen de coordenadas o $\mathbf{f}(\mathbf{0}, t) = \mathbf{0}$, mediante una traslación de coordenadas. En esta sección, y en la que sigue, se tratará el análisis de estados de equilibrio en el origen.

**Estabilidad en el sentido de Liapunov.** A continuación, se designará una región esférica de radio $k$, alrededor de un estado de equilibrio $\mathbf{x}_e$ como

$$\|\mathbf{x} - \mathbf{x}_e\| \leq k$$

donde $\|\mathbf{x} - \mathbf{x}_e\|$, se denomina norma euclideana, que se define por

$$\|\mathbf{x} - \mathbf{x}_e\| = [(x_1 - x_{1e})^2 + (x_2 - x_{2e})^2 + \cdots + (x_n - x_{ne})^2]^{1/2}$$

Sea $S(\delta)$ la región que contiene todos los puntos tales que

$$\|\mathbf{x}_0 - \mathbf{x}_e\| \leq \delta$$

y $S(\epsilon)$ la región que contiene todos los puntos tales que

$$\|\boldsymbol{\phi}(t; \mathbf{x}_0, t_0) - \mathbf{x}_e\| \leq \epsilon \qquad \text{para todo } t \geq t_0$$

Se dice que un estado de equilibrio $\mathbf{x}_e$, del sistema de la ecuación (9-72) es estable en el sentido de Liapunov si, para cada rango de $S(\epsilon)$, existe una $S(\delta)$ tal que las trayectorias que se inician en $S(\delta)$ no salgan de $S(\epsilon)$ al crecer $t$ indefinidamente. El número real $\delta$ depende de $\epsilon$, y en general, también depende de $t_0$. Si $\delta$ no depende de $t_0$, se dice que el estado de equilibrio es uniformemente estable.

Lo que se estableció es que se comienza por elegir la región $S(\epsilon)$, y para cada $S(\epsilon)$, debe tener una región $S(\delta)$ tal que las trayectorias que comienzan en el interior de $S(\delta)$, no abandonan a $S(\epsilon)$ al incrementar $t$ en forma indefinida.

**Estabilidad asintótica.** Se dice que un estado de equilibrio $\mathbf{x}_e$ del sistema de la ecuación (9-72) es asintóticamente estable, si es estable en el sentido de Liapunov y si toda solución que sale desde el interior de $S(\delta)$ converge hacia $\mathbf{x}_e$, sin abandonar $S(\epsilon)$, al crecer $t$ indefinidamente.

En la práctica, la estabilidad asintótica es más importante que la sola estabilidad. También, como la estabilidad asintótica es un concepto local, el mero establecimiento de la estabilidad asintótica, puede no significar que el sistema opere adecuadamente. Por lo general se requiere algún conocimiento sobre el tamaño de la región más grande de estabilidad asintótica. Esta región se denomina *dominio de atracción*. Es la parte del espacio de estado en la que se originan los trayectos asintóticamente estables. En otras palabras, cada trayecto que se inicia en el dominio de atracción es asintóticamente estable.

**Estabilidad asintótica en forma total.** Si la estabilidad asintótica se mantiene en todos los estados (todos los puntos en el espacio de estado) desde los que se originan las trayectorias, se dice que el estado de equilibrio es asintóticamente estable en forma total. Esto es, el estado de equilibrio $\mathbf{x}_e$ del sistema dado por la ecuación (9-72), se dice que es asintóticamente estable en forma total si es estable y si toda solución converge hacia $\mathbf{x}_e$, al incrementar $t$ indefinidamente. Obviamente, para que haya estabilidad asintótica en forma total, es condición necesaria que haya un solo estado de equilibrio en todo el espacio de estado.

En problemas de ingeniería de control la estabilidad asintótica en forma total es una cualidad deseable. Si el estado de equilibrio no es asintótica en forma total, el problema se torna en cómo determinar la mayor región de estabilidad asintótica, lo cual suele ser muy difícil. Para fines prácticos, sin embargo, basta determinar una región de estabilidad suficientemente grande como para que la perturbación no la exceda.

**Inestabilidad.** Se dice que un estado de equilibrio $\mathbf{x}_e$ es inestable si para algún número real $\epsilon > 0$ y para cualquier número real $\delta > 0$, por pequeño que sea, siempre hay un estado $\mathbf{x}_0$ en $S(\delta)$, tal que la trayectoria que comienza en este estado sale de $S(\epsilon)$.

**Representación gráfica de estabilidad, estabilidad asintótica, e inestabilidad.** Una representación gráfica de las definiciones dadas, aclarará estos conceptos.

Se considerará el caso bidimensional. En las figuras 9-11(a), (b) y (c) se observan estados de equilibrio y trayectorias típicas correspondientes a estabilidad, estabilidad

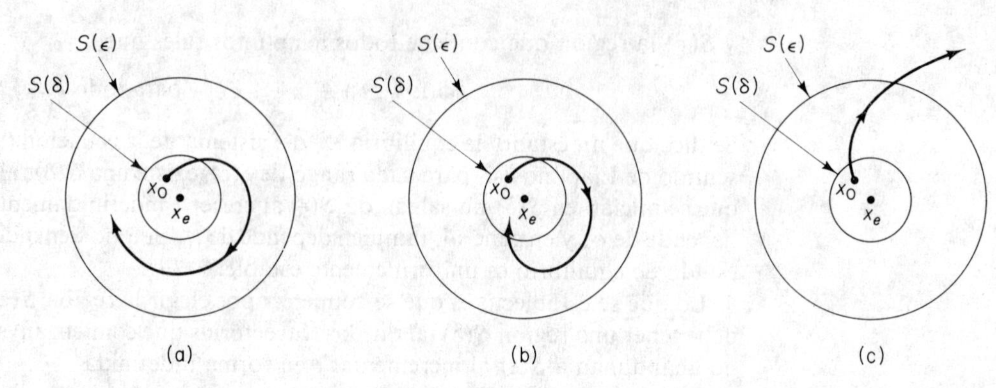


**Figura 9-11**
(a) Estado de equilibrio estable y una trayectoria representativa; (b) estado de equilibrio asintóticamente estable y una trayectoria representativa; (c) estado de equilibrio inestable y una trayectoria representativa.

asintótica, e inestabilidad, respectivamente. En la figura 9-11(a), (b), o (c), la región $S(\delta)$ limita el estado inicial $\mathbf{x}_0$, y la región $S(\epsilon)$ corresponde al límite para la trayectoria que sale de $\mathbf{x}_0$.

Nótese que las definiciones dadas no especifican la región exacta de las condiciones iniciales permisibles. Por tanto, aplicar las definiciones cerca del estado de equilibrio, menos $S(\epsilon)$ corresponde al estado completo del plano.

Nótese que en la figura 9-11(c), la trayectoria sale de $S(\epsilon)$, e implica que el estado de equilibrio es inestable. Sin embargo, no se puede decir que el trayecto vaya al infinito, ya que puede tender a un ciclo límite fuera de la región $S(\epsilon)$. (Si un sistema lineal invariante en el tiempo, es inestable, los trayectos que salen desde cerca del estado de equilibrio inestable van al infinito. Pero en el caso de sistemas no lineales, esto no es necesariamente cierto).

El conocimiento de las definiciones previas es un requisito mínimo para la comprensión del análisis de estabilidad de sistemas lineales y no lineales, que se presentan en esta sección. Nótese que estas definiciones, no son los únicos conceptos de estabilidad de un estado de equilibrio. De hecho, en la literatura se dispone de otros caminos. Por ejemplo, en la teoría clásica o convencional de control, se llaman sistemas estables solamente a aquellos que son asintóticamente estables; y aquellos sistemas que son estables en el sentido de Liapunov, pero que no son asintóticamente estables, se dice que son inestables.

**Funciones asintóticas definidas positivas.** Se dice que una función escalar $V(\mathbf{x})$ es *definida positiva* en una región $\mathbf{\Omega}$ (que incluye el origen del espacio de estado), si $V(\mathbf{x}) > 0$ para todos los estados $\mathbf{x}$ no cero en la región $\mathbf{\Omega}$, y $V(\mathbf{0}) = 0$.

Se dice que una función variable en el tiempo $V(\mathbf{x}, t)$ es definida positiva en una región $\mathbf{\Omega}$ (que incluye el origen del espacio de estado), si está acotada por abajo por una función invariante en el tiempo definida positiva, es decir, si existe una función definida positiva $V(\mathbf{x})$ tal que

$$V(\mathbf{x}, t) > V(\mathbf{x}) \qquad \text{para todo } t \geq t_0$$
$$V(\mathbf{0}, t) = 0 \qquad \text{para todo } t \geq t_0$$

**Funciones escalares definidas negativas.** Se dice que una función escalar $V(\mathbf{x})$ es definida negativa, si $-V(\mathbf{x})$ es definida positiva.

**Funciones escalares semidefinidas positivas.** Se dice que una función escalar $V(\mathbf{x})$ es *semidefinida positiva*, si es positiva en todos los estados en la región $\mathbf{\Omega}$, excepto en el origen o en algunos otros estados donde es cero.

**Funciones escalares semidefinidas negativas.** Se dice que una función escalar $V(\mathbf{x})$ es semidefinida negativa, si $-V(\mathbf{x})$ es semidefinida positiva.

**Funciones escalares no definidas.** Se dice que una función escalar $V(\mathbf{x})$ es no definida, si en la región $\mathbf{\Omega}$ toma valores tanto positivos como negativos, por pequeña que sea la región $\mathbf{\Omega}$.

**EJEMPLO 9-16** En este ejemplo, se dan varias funciones escalares y sus clasificaciones, de acuerdo con las definiciones previas. Se supone que $\mathbf{x}$ es un vector bidimensional.

| | | |
|---|---|---|
| 1. | $V(\mathbf{x}) = x_1^2 + 2x_2^2$ | definida positiva |
| 2. | $V(\mathbf{x}) = (x_1 + x_2)^2$ | semidefinida positiva |
| 3. | $V(\mathbf{x}) = -x_1^2 - (3x_1 + 2x_2)^2$ | definida negativa |
| 4. | $V(\mathbf{x}) = x_1x_2 + x_2^2$ | no definida |
| 5. | $V(\mathbf{x}) = x_1^2 + \dfrac{2x_2^2}{1 + x_2^2}$ | definida positiva |

**Forma cuadrática.** Hay una clase de funciones escalares que juega un papel importante en el análisis de estabilidad basado en el segundo método de Liapunov, que es la forma cuadrática. Un ejemplo es

$$V(\mathbf{x}) = \mathbf{x}^T\mathbf{P}\mathbf{x} = [x_1 \quad x_2 \quad \cdots \quad x_n]\begin{bmatrix} p_{11} & p_{12} & \cdots & p_{1n} \\ p_{12} & p_{22} & \cdots & p_{2n} \\ \cdot & \cdot & & \cdot \\ \cdot & \cdot & & \cdot \\ \cdot & \cdot & & \cdot \\ p_{1n} & p_{2n} & \cdots & p_{nn} \end{bmatrix}\begin{bmatrix} x_1 \\ x_2 \\ \cdot \\ \cdot \\ \cdot \\ x_n \end{bmatrix}$$

Nótese que $\mathbf{x}$ es un vector real y $\mathbf{P}$ es una matriz real simétrica.

**Forma hermítica.** Si $\mathbf{x}$ es un vector complejo de dimensión $n$ y $\mathbf{P}$ es una matriz hermítica, entonces la forma compleja cuadrática se denomina forma hermítica. Un ejemplo es

$$V(\mathbf{x}) = \mathbf{x}^*\mathbf{P}\mathbf{x} = [\bar{x}_1 \quad \bar{x}_2 \quad \cdots \quad \bar{x}_n]\begin{bmatrix} p_{11} & p_{12} & \cdots & p_{1n} \\ \bar{p}_{12} & p_{22} & \cdots & p_{2n} \\ \cdot & \cdot & & \cdot \\ \cdot & \cdot & & \cdot \\ \cdot & \cdot & & \cdot \\ \bar{p}_{1n} & \bar{p}_{2n} & \cdots & p_{nn} \end{bmatrix}\begin{bmatrix} x_1 \\ x_2 \\ \cdot \\ \cdot \\ \cdot \\ x_n \end{bmatrix}$$

En el análisis de estabilidad en el espacio de estado, se utiliza más frecuentemente la forma hermítica que la forma cuadrática, ya que la primera es más general que esta última. (Para un vector real $\mathbf{x}$ y una matriz real simétrica $\mathbf{P}$, la forma hermítica $\mathbf{x}^*\mathbf{P}\mathbf{x}$ es igual a la forma cuadrática $\mathbf{x}^T\mathbf{P}\mathbf{x}$).

Se puede determinar si la forma cuadrática o la forma hermítica $V(\mathbf{x})$ es definida positiva por medio del criterio de Sylvester, que establece que las condiciones necesaria y suficiente, para que la forma cuadrática o la hermítica $V(\mathbf{x})$, sea definida positiva, es que todos los menores sucesivos principales de $\mathbf{P}$ sean positivos; es decir,

$$p_{11} > 0, \qquad \begin{vmatrix} p_{11} & p_{12} \\ \bar{p}_{12} & p_{22} \end{vmatrix} > 0, \qquad \ldots, \qquad \begin{vmatrix} p_{11} & p_{12} & \cdots & p_{1n} \\ \bar{p}_{12} & p_{22} & \cdots & p_{2n} \\ \vdots & \vdots & & \vdots \\ \bar{p}_{1n} & \bar{p}_{2n} & \cdots & p_{nn} \end{vmatrix} > 0$$

(Nótese que $\bar{p}_{ij}$ es el complejo conjugado de $p_{ij}$. Para la forma cuadrática, $\bar{p}_{ij} = p_{ij}$.)

$V(\mathbf{x}) = \mathbf{x}^*\mathbf{P}\mathbf{x}$ es semidefinida positiva, si $\mathbf{P}$ es singular y si todos los menores principales son no negativos.

$V(\mathbf{x})$ es definida negativa, si $-V(\mathbf{x})$ es definida positiva. Del mismo modo, $V(\mathbf{x})$ es semidefinida negativa, si $-V(\mathbf{x})$ es semidefinida positiva.

**EJEMPLO 9-17** Muestre que la siguiente forma cuadrática es definida positiva:

$$V(\mathbf{x}) = 10x_1^2 + 4x_2^2 + x_3^2 + 2x_1x_2 - 2x_2x_3 - 4x_1x_3$$

La forma cuadrática $V(\mathbf{x})$ se puede escribir como

$$V(\mathbf{x}) = \mathbf{x}^T\mathbf{P}\mathbf{x} = [x_1 \quad x_2 \quad x_3] \begin{bmatrix} 10 & 1 & -2 \\ 1 & 4 & -1 \\ -2 & -1 & 1 \end{bmatrix} \begin{bmatrix} x_1 \\ x_2 \\ x_3 \end{bmatrix}$$

Aplicando el criterio de Sylvester se obtiene

$$10 > 0, \qquad \begin{vmatrix} 10 & 1 \\ 1 & 4 \end{vmatrix} > 0, \qquad \begin{vmatrix} 10 & 1 & -2 \\ 1 & 4 & -1 \\ -2 & -1 & 1 \end{vmatrix} > 0$$

Como todos los menores principales sucesivos de la matriz $\mathbf{P}$ son positivos, $V(\mathbf{x})$ es definida positiva.

**Segundo método de Liapunov.** De la teoría clásica de la mecánica se sabe que un sistema vibratorio es estable si su energía total (una función definida positiva), es continuamente decreciente (lo que significa que la derivada respecto de tiempo, de la energía total, debe ser definida negativa), hasta alcanzar el estado de equilibrio.

El segundo método de Liapunov está basado en una generalización de este hecho: si el sistema tiene un estado de equilibrio asintóticamente estable, entonces la energía almacenada del sistema desplazado dentro del dominio de atracción, disminuye al crecer el tiempo hasta que finalmente alcanza su valor mínimo en el estado de equilibrio. Sin embargo, para sistemas puramente matemáticos, no hay forma simple de definir una "función energía". Para eliminar esta dificultad, Liapunov introdujo una función ficticia de energía, la función de Liapunov. No obstante, esta idea es de mayor aplicación que la de la energía. De hecho, cualquier función escalar que satisfaga las hipótesis de los teoremas de estabilidad de Liapunov (ver teoremas 9-1 y 9-2), puede servir como función de Liapunov. (Para sistemas simples, se pueden imaginar funciones de Liapunov adecuadas, pero para un sistema complicado, hallar una función de Liapunov puede ser bastante problemático).

Las funciones de Liapunov dependen de $x_1, x_2, \ldots, x_n$ y $t$, y se indican como $V(x_1, x_2, \ldots, x_n, t)$, o simplemente como $V(\mathbf{x}, t)$. Si las funciones de Liapunov no incluyen explícitamente a $t$, entonces se indican como $V(x_1, x_2, \ldots, x_n)$, o $V(\mathbf{x})$. En el segundo método de Liapunov, el comportamiento del signo de $V(\mathbf{x}, t)$ y el de su derivada $\dot{V}(\mathbf{x}, t) = dV(\mathbf{x}, t)/dt$, dan información sobre la estabilidad, estabilidad asintótica o inestabilidad de un estado de equilibrio, sin necesidad de recurrir a resolver para encontrar la solución. (Esto es válido tanto para sistemas lineales, como no lineales).

**Teorema principal de estabilidad de Liapunov.** Se puede demostrar que si una función escalar $V(\mathbf{x})$, donde $\mathbf{x}$ es un vector de dimensión $n$, es definida positiva, entonces el estado $\mathbf{x}$ que satisface

$$V(\mathbf{x}) = C$$

donde $C$ es una constante positiva, quedan sobre una hipersuperficie cerrada en el espacio de estado de dimensión $n$, al menos en la vecindad del origen. Si $V(\mathbf{x}) \to \infty$ cuando $\|\mathbf{x}\| \to \infty$, entonces esas superficies cerradas se extienden a todo el espacio de estado. La hipersuperficie $V(\mathbf{x}) = C_1$, queda enteramente dentro de la hipersuperficie $V(\mathbf{x}) = C_2$, si $C_1 < C_2$.

Para un determinado sistema, si se puede hallar una función escalar $V(\mathbf{x})$ definida positiva, tal que su derivada en el tiempo tomada a lo largo de un trayecto es siempre negativa, entonces al crecer el tiempo, $V(\mathbf{x})$ toma valores más y más pequeños de $C$. Al crecer el tiempo $V(\mathbf{x})$ finalmente se reduce a cero y, por lo tanto, también $\mathbf{x}$ se reduce a cero. Esto implica la estabilidad asintótica del origen del espacio de estado. El teorema principal de estabilidad de Liapunov, que es una extensión del caso general, de los hechos precedentes, brinda una condición suficiente para la estabilidad asintótica. El teorema se puede presentar como sigue:

**Teorema 9-1.** Supóngase que un sistema está descrito por

$$\dot{\mathbf{x}} = \mathbf{f}(\mathbf{x}, t)$$

donde

$$\mathbf{f}(\mathbf{0}, t) = \mathbf{0} \qquad \text{para todo } t$$

Si hay una función escalar $V(\mathbf{x}, t)$ con primeras derivadas parciales continuas que satisface las siguientes condiciones,

1. $V(\mathbf{x}, t)$ es definida positiva
2. $\dot{V}(\mathbf{x}, t)$ es definida negativa

entonces el estado de equilibrio en el origen es uniforme y asintóticamente estable.

Si, además, $V(\mathbf{x}, t) \to \infty$ cuando $\|\mathbf{x}\| \to \infty$, entonces el estado de equilibrio en el origen es asintóticamente estable, en forma total.

Aquí no se darán detalles de la prueba de este teorema. (La prueba resulta directamente de la definición de estabilidad asintótica. Para más detalles, véase el problema A-9-15).

**EJEMPLO 9-18** Considere el sistema descrito por

$$\dot{x}_1 = x_2 - x_1(x_1^2 + x_2^2)$$

$$\dot{x}_2 = -x_1 - x_2(x_1^2 + x_2^2)$$

Es claro que el origen ($x_1 = 0$, $x_2 = 0$), es el único estado de equilibrio. Determinar su estabilidad.

Si se define una función escalar $V(\mathbf{x})$ como

$$V(\mathbf{x}) = x_1^2 + x_2^2$$

que es definida positiva, entonces la derivada de $V(\mathbf{x})$ respecto al tiempo a lo largo de cualquier trayectoria es

$$\begin{aligned}\dot{V}(\mathbf{x}) &= 2x_1\dot{x}_1 + 2x_2\dot{x}_2 \\ &= -2(x_1^2 + x_2^2)^2\end{aligned}$$

que es definida negativa. Esto muestra que $V(\mathbf{x})$ es continuamente decreciente a lo largo de cualquier trayectoria: por tanto $V(\mathbf{x})$ es una función de Liapunov. Como $V(\mathbf{x})$ se hace infinita con una desviación infinita del estado de equilibrio, según el teorema 9-1, el estado de equilibrio en el origen del sistema es asintóticamente estable, en forma total.

Nótese que cuando se deja que $V(\mathbf{x})$ tome los valores constantes 0, $C_1$, $C_2$, ... ($0 < C_1 < C_2 <$ ...), entonces $V(\mathbf{x}) = 0$ corresponde al origen del plano de estado, y $V(\mathbf{x}) = C_1$, $V(\mathbf{x}) = C_2$, ... describen círculos que no se cortan y que rodean al origen del plano de estado, como se ve en la figura 9-12. También hay que notar que como $V(\mathbf{x})$ es radialmente ilimitada, o sea $V(\mathbf{x}) \to \infty$ cuando $\|\mathbf{x}\| \to \infty$, los círculos se extienden por todo el plano de estado.

Como el círculo $V(\mathbf{x}) = C_k$ queda íntegramente dentro del círculo $V(\mathbf{x}) = C_{k+1}$, un trayecto representativo cruza los límites de los contornos $V$, de afuera hacia adentro. De aquí se puede presentar la interpretación geométrica de la función de Liapunov como sigue: $V(\mathbf{x})$ es una medida de la distancia al estado $\mathbf{x}$ desde el origen del espacio de estado. Si la distancia entre el origen y el estado instantáneo $\mathbf{x}(t)$, es continuamente decreciente al crecer $t$ [es decir, $\dot{V}(\mathbf{x}(t)) < 0$], entonces $\mathbf{x}(t) \to \mathbf{0}$.

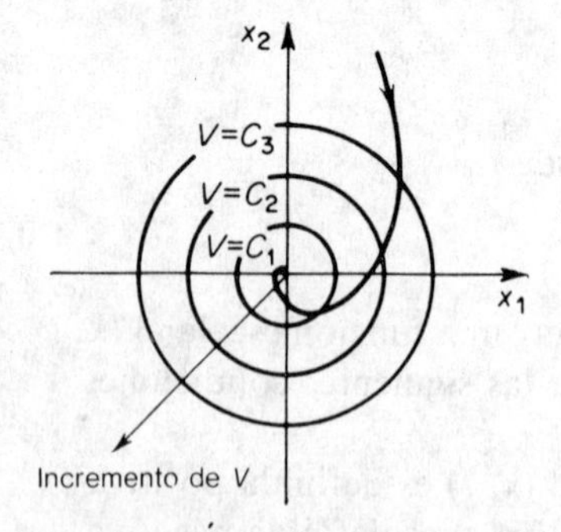


**Figura 9-12** Contornos de $V$ constante y trayectoria representativa.

**Comentario.** Aun cuando el teorema 9-1 es un teorema básico del segundo método, en algún sentido es restrictivo, pues $\dot{V}(\mathbf{x}, t)$ debe ser definida negativa. Sin embargo, si se impone una restricción adicional a $\dot{V}(\mathbf{x}, t)$ , en que no debe extinguirse sobre ninguna trayectoria, excepto en el origen, entonces se puede remplazar el requisito de que $\dot{V}(\mathbf{x}, t)$ sea definida negativa, estableciendo que $\dot{V}(\mathbf{x}, t)$ sea semidefinida negativa.

**Teorema 9-2.** Supóngase que un sistema está descrito por

$$\dot{\mathbf{x}} = \mathbf{f}(\mathbf{x}, t)$$

donde

$$\mathbf{f}(\mathbf{0}, t) = \mathbf{0} \qquad \text{para todo } t \geq t_0$$

Si hay una función escalar $V(\mathbf{x}, t)$ con primeras derivadas parciales continuas y que satisface las siguientes condiciones,

1. $V(\mathbf{x}, t$ es definida positiva
2. $\dot{V}(\mathbf{x}, t)$ es semidefinida negativa
3. $\dot{V}(\boldsymbol{\phi}(t; \mathbf{x}_0, t_0), t)$ no se extingue en $t \geq t_0$ para cualquier $t_0$ y cualquier $\mathbf{x}_0 \neq \mathbf{0}$, donde $\boldsymbol{\phi}(t; \mathbf{x}_0, t_0)$ indica la trayectoria o solución que sale de $\mathbf{x}_0$ en $t_0$,

entonces el estado de equilibrio en el origen del sistema es uniforme y asintóticamente estable en forma total.

**Comentario.** Nótese que si $\dot{V}(\mathbf{x}, t)$ no es definida negativa, sino solamente semidefinida negativa, entonces la trayectoria de un punto representativo puede hacerse tangente a alguna superficie particular $V(\mathbf{x}, t) = C$. Sin embargo, como $\dot{V}(\boldsymbol{\phi}(t; \mathbf{x}_0, t_0), t)$ no se extingue para $t \geq t_0$ para cualquier $t_0$ y cualquier $\mathbf{x}_0 \neq \mathbf{0}$, el punto representativo no puede mantenerse en el punto tangente [el punto que corresponde a $\dot{V}(\mathbf{x}, t) = 0$] y por lo tanto debe moverse hacia el origen.

Si, no obstante, hay una función escalar definida positiva $V(\mathbf{x}, t)$ tal que $\dot{V}(\mathbf{x}, t)$ es idénticamente cero, el sistema puede permanecer en un ciclo límite. En este caso, se dice que el estado de equilibrio en el origen es estable en el sentido de Liapunov.

**Inestabilidad.** Si un estado de equilibrio $\mathbf{x} = \mathbf{0}$ de un sistema es inestable, entonces existe una función escalar $W(\mathbf{x}, t)$ que determina la inestabilidad del estado de equilibrio. A continuación, se presenta un teorema sobre inestabilidad.

**Teorema 9-3.** Supóngase que un sistema está descrito por

$$\dot{\mathbf{x}} = \mathbf{f}(\mathbf{x}, t)$$

donde

$$\mathbf{f}(\mathbf{0}, t) = \mathbf{0} \qquad \text{para todo } t \quad t_0$$

Si hay una función escalar $W(\mathbf{x}, t)$, con primeras derivadas parciales continuas satisface las siguientes condiciones,

1. $W(\mathbf{x}, t)$ es definida positiva en alguna región alrededor del origen
2. $\dot{W}(\mathbf{x}, t)$ es definida positiva en la misma región,

entonces el estado de equilibrio en el origen es inestable.

**EJEMPLO 9-19** Considere el sistema siguiente:

$$\begin{bmatrix} \dot{x}_1 \\ \dot{x}_2 \end{bmatrix} = \begin{bmatrix} 0 & 1 \\ -1 & -1 \end{bmatrix} \begin{bmatrix} x_1 \\ x_2 \end{bmatrix}$$

Donde el único estado de equilibrio es el origen, $\mathbf{x} = \mathbf{0}$. Determine la estabilidad de este estado.

Se elige la siguiente función escalar, como una posible función de Liapunov:

$$V(\mathbf{x}) = 2x_1^2 + x_2^2 = \text{definida positiva}$$

Entonces $\dot{V}(\mathbf{x})$ se convierte en

$$\dot{V}(\mathbf{x}) = 4x_1\dot{x}_1 + 2x_2\dot{x}_2 = 2x_1x_2 - 2x_2^2$$

$\dot{V}(\mathbf{x})$ es no definida. Esto implica que esta $V(\mathbf{x})$ particular, no es una función de Liapunov y por lo tanto no se puede utilizar para determinar la estabilidad. [Como los valores propios de la matriz de coeficientes son $(-1 + j\sqrt{3})/2$ y $(-1 - j\sqrt{3})/2$, el origen del sistema es estable. Esto significa que no se ha elegido una función de Liapunov adecuada].

Si se elige la siguiente función escalar, como posible función de Liapunov,

$$V(\mathbf{x}) = x_1^2 + x_2^2 = \text{definida positiva}$$

entonces

$$\dot{V}(\mathbf{x}) = 2x_1\dot{x}_1 + 2x_2\dot{x}_2 = -2x_2^2$$

que es semidefinida negativa. Si $\dot{V}(\mathbf{x})$ se extingue para $t \geq t_1$, entonces $x_2$ debe ser cero para todo $t \geq t_1$. Esto requiere que $\dot{x}_2 = 0$ para $t \geq t_1$. Como

$$\dot{x}_2 = -x_1 - x_2$$

$x_1$ debe ser también igual a cero para $t \geq t_1$. Esto significa que $\dot{V}(x)$ se extingue sólo en el origen. Por lo tanto, según el teorema 9-2, el estado de equilibrio en el origen es asintóticamente estable en forma total.

Se puede mostrar que la elección de una función de Liapunov diferente brinda la misma información sobre estabilidad. Para ello se elige la función escalar siguiente, como otra posible función de Liapunov:

$$V(\mathbf{x}) = \tfrac{1}{2}[(x_1 + x_2)^2 + 2x_1^2 + x_2^2] = \text{definida positiva}$$

Entonces $\dot{V}(\mathbf{x})$ se convierte en

$$\begin{aligned} \dot{V}(\mathbf{x}) &= (x_1 + x_2)(\dot{x}_1 + \dot{x}_2) + 2x_1\dot{x}_1 + x_2\dot{x}_2 \\ &= (x_1 + x_2)(x_2 - x_1 - x_2) + 2x_1x_2 + x_2(-x_1 - x_2) \\ &= -(x_1^2 + x_2^2) \end{aligned}$$

que es definida negativa. Como $V(\mathbf{x}) \to \infty$ cuando $\|\mathbf{x}\| \to \infty$, según el teorema 9-1, el estado de equilibrio en el origen es asintóticamente estable en forma total.

Como los teoremas de estabilidad del segundo método requieren la característica que $V(\mathbf{x})$ sea definida positiva, frecuentemente (aunque no siempre) $V(\mathbf{x})$ se elige como una forma cuadrática o hermítica en $\mathbf{x}$. (Nótese que la forma más simple de función definida positiva, es la forma cuadrática o forma hermítica). Entonces se examina si $\dot{V}(\mathbf{x})$ es, cuando menos, semidefinida negativa.

## 9-8 ANALISIS DE ESTABILIDAD DE LIAPUNOV PARA SISTEMAS LINEALES INVARIANTES EN EL TIEMPO

Hay muchos caminos para la investigación de la estabilidad asintótica de sistemas lineales invariantes en el tiempo. Por ejemplo, para un sistema continuo en el tiempo

$$\dot{\mathbf{x}} = \mathbf{A}\mathbf{x}$$

la condición necesaria y suficiente para la estabilidad asintótica del origen del sistema, se puede expresar como que todos los valores propios de **A** tengan partes reales negativas, o que los ceros del polinomio característico

$$|s\mathbf{I} - \mathbf{A}| = s^n + a_1 s^{n-1} + \cdots + a_{n-1}s + a_n$$

tengan partes reales negativas.

Hallar los valores propios se hace difícil, o imposible, en el caso de sistemas de orden superior, o si algunos de los coeficientes del polinomio característico son no numéricos. En tales casos se puede aplicar el criterio de estabilidad de Routh. Se dispone también de una alternativa basada en el segundo método de Liapunov. El método de Liapunov es algebraico y no requiere la factorización del polinomio característico; además se puede utilizar este método para hallar soluciones a ciertos problemas de control óptimo. El propósito de esta sección es presentar el método de Liapunov para el análisis de estabilidad de sistemas lineales invariantes en el tiempo. (En las secciones 10-5 y 10-6 se presentan aplicaciones del método de Liapunov a sistemas de control óptimo).

**Análisis de estabilidad de Liapunov para sistemas lineales invariantes en el tiempo.** Considere el siguiente sistema lineal invariante en el tiempo.

$$\dot{\mathbf{x}} = \mathbf{A}\mathbf{x} \tag{9–74}$$

donde $\mathbf{x}$ es un vector de estado (vector de dimensión $n$) y $\mathbf{A}$ es una matriz de $n \times n$ constante. Se supone que $\mathbf{A}$ es no singular. Entonces el único estado de equilibrio es el origen $\mathbf{x} = \mathbf{0}$. Se puede analizar fácilmente la estabilidad del estado de equilibrio del sistema lineal invariante en el tiempo, utilizando el segundo método de Liapunov.

Para el sistema definido por la ecuación (9-74), se elige una función de Liapunov posible, como

$$V(\mathbf{x}) = \mathbf{x}^*\mathbf{P}\mathbf{x}$$

donde $\mathbf{P}$ es una matriz hermítica definida positiva. (Si $\mathbf{x}$ es un vector real y $\mathbf{A}$ es una matriz real, entonces se puede elegir $\mathbf{P}$ como una matriz real simétrica, definida positiva). La derivada respecto al tiempo de $V(\mathbf{x})$ a lo largo de cualquier trayectoria, es

$$\begin{aligned} \dot{V}(\mathbf{x}) &= \dot{\mathbf{x}}^*\mathbf{P}\mathbf{x} + \mathbf{x}^*\mathbf{P}\dot{\mathbf{x}} \\ &= (\mathbf{A}\mathbf{x})^*\mathbf{P}\mathbf{x} + \mathbf{x}^*\mathbf{P}\mathbf{A}\mathbf{x} \\ &= \mathbf{x}^*\mathbf{A}^*\mathbf{P}\mathbf{x} + \mathbf{x}^*\mathbf{P}\mathbf{A}\mathbf{x} \\ &= \mathbf{x}^*(\mathbf{A}^*\mathbf{P} + \mathbf{P}\mathbf{A})\mathbf{x} \end{aligned}$$

Como se eligió $V(\mathbf{x})$ definida positiva, se requiere, para tener estabilidad asintótica, que $\dot{V}(\mathbf{x})$ sea definida negativa. Por lo tanto, es necesario que

$$\dot{V}(\mathbf{x}) = -\mathbf{x}^*\mathbf{Q}\mathbf{x}$$

donde

$$\mathbf{Q} = -(\mathbf{A}^*\mathbf{P} + \mathbf{P}\mathbf{A}) = \text{definida positiva}$$

Por tanto, para que haya estabilidad asintótica en el sistema de la ecuación (9-74), es suficiente que **Q** sea definida positiva. Para verificar que una matriz de $n \times n$ sea definida positiva, se aplica el criterio de Sylvester, que establece que para que una matriz sea definida positiva, es condición necesaria y suficiente que los determinantes de todos los menores principales sucesivos de la matriz sean positivos.

En vez de especificar una matriz **P** definida positiva, y examinar para ver si **Q** es o no definida positiva, es más conveniente especificar una matriz definida positiva **Q**, y luego examinar si **P**, determinada por

$$\mathbf{A}^*\mathbf{P} + \mathbf{P}\mathbf{A} = -\mathbf{Q}$$

es definida positiva. Nótese que el hecho de que **P** sea definida positiva, es una condición necesaria y suficiente. Ahora se resumirá en forma de un teorema lo establecido hasta este punto:

**Teorema 9-4.** Considere el sistema descrito por

$$\dot{\mathbf{x}} = \mathbf{A}\mathbf{x}$$

donde **x** es un vector de estado (vector de dimensión $n$) y **A** es una matriz de $n \times n$ constante no singular. Para que el estado de equilibrio $\mathbf{x} = \mathbf{0}$ sea asintóticamente estable en forma total, es condición necesaria y suficiente, que dada cualquier matriz **Q** hermítica (o real) definida positiva, debe haber una matriz **P** hermítica (o real) definida positiva, tal que

$$\mathbf{A}^*\mathbf{P} + \mathbf{P}\mathbf{A} = -\mathbf{Q}$$

La función escalar $\mathbf{x}^*\mathbf{P}\mathbf{x}$, es una función de Liapunov para este sistema. [Nótese que en el sistema lineal considerado, si el estado de equilibrio (el origen) es asintóticamente estable, entonces es asintóticamente estable, en forma total].

**Comentarios.** Al aplicar este teorema, hay que considerar varias indicaciones.

**1.** Si el sistema incluye solamente al vector de estado real **x**, y a la matriz de estado real **A**, entonces la función de Liapunov $\mathbf{x}^*\mathbf{P}\mathbf{x}$ se convierte en $\mathbf{x}^T\mathbf{P}\mathbf{x}$ y la ecuación de Liapunov se hace

$$\mathbf{A}^T\mathbf{P} + \mathbf{P}\mathbf{A} = -\mathbf{Q}$$

**2.** Si $\dot{V}(\mathbf{x}) = -\mathbf{x}^*\mathbf{Q}\mathbf{x}$ no se extingue a lo largo de ninguna trayectoria, entonces se puede elegir que **Q** sea de semidefinición positiva.

**3.** Si se elige como **Q** una matriz arbitraria definida positiva, o una matriz semidefinida positiva, en el caso de que $\dot{V}(\mathbf{x})$ no se extinga sobre ninguna trayectoria, y se resuelve la ecuación matricial

$$\mathbf{A^*P} + \mathbf{PA} = -\mathbf{Q}$$

para determinar **P**, entonces la característica de que **P** sea definida positiva es una condición necesaria y suficiente para la estabilidad asintótica del estado de equilibrio $\mathbf{x} = \mathbf{0}$.

Nótese que $\dot{V}(\mathbf{x})$ no se extingue a lo largo de cualquier trayectoria si una matriz **Q** semidefinida positiva, satisface la siguiente condición de rango:

$$\text{rango}\begin{bmatrix} \mathbf{Q}^{1/2} \\ \mathbf{Q}^{1/2}\mathbf{A} \\ \cdot \\ \cdot \\ \cdot \\ \mathbf{Q}^{1/2}\mathbf{A}^{n-1} \end{bmatrix} = n$$

(Vea el problema A-9-17).

**4.** El resultado final no depende de una matriz particular **Q** elegida, siempre que sea definida positiva (o semidefinida positiva, según sea el caso).

**5.** Para determinar los elementos de la matriz **P** se igualan las matrices $\mathbf{A^*P} + \mathbf{PA}$ con $-\mathbf{Q}$, elemento a elemento. Esto lleva a $n(n + 1)/2$ ecuaciones lineales, para determinar los elementos $p_{ij} = \bar{p}_{ji}$ de **P**. Si se denotan los valores propios de **A** como $\lambda_1, \lambda_2, \ldots, \lambda_n$, cada uno repetido la cantidad de veces que corresponden a su multiplicidad como raíz de la ecuación característica, y si por cada suma de dos raíces

$$\lambda_j + \lambda_k \neq 0$$

entonces los elementos de **P** quedan determinados en forma única. Nótese que si la matriz **A** representa un sistema estable, entonces las sumas $\lambda_j + \lambda_k$ son siempre no nulas.

**6.** Al determinar si existe o no una matriz **P**, hermítica definida positiva o real simétrica, es conveniente elegir $\mathbf{Q} = \mathbf{I}$, donde **I** es la matriz identidad. Entonces los elementos de **P**, se determinan de

$$\mathbf{A^*P} + \mathbf{PA} = -\mathbf{I}$$

verificando que la matriz **P** sea definida positiva.

**EJEMPLO 9-20.** Considere el sistema de segundo orden descrito por

$$\begin{bmatrix} \dot{x}_1 \\ \dot{x}_2 \end{bmatrix} = \begin{bmatrix} 0 & 1 \\ -1 & -1 \end{bmatrix}\begin{bmatrix} x_1 \\ x_2 \end{bmatrix}$$

El estado de equilibrio es el origen. Determine la estabilidad de este estado.

Se elige una función de Liapunov tentativa

$$V(\mathbf{x}) = \mathbf{x}^T\mathbf{P}\mathbf{x}$$

donde **P** se determinará de

$$\mathbf{A}^T\mathbf{P} + \mathbf{PA} = -\mathbf{I}$$

Esta última ecuación se puede escribir como

$$\begin{bmatrix} 0 & -1 \\ 1 & -1 \end{bmatrix}\begin{bmatrix} p_{11} & p_{12} \\ p_{12} & p_{22} \end{bmatrix} + \begin{bmatrix} p_{11} & p_{12} \\ p_{12} & p_{22} \end{bmatrix}\begin{bmatrix} 0 & 1 \\ -1 & -1 \end{bmatrix} = \begin{bmatrix} -1 & 0 \\ 0 & -1 \end{bmatrix}$$

Al desarrollar esta ecuación matricial, se obtienen tres ecuaciones simultáneas como sigue:

$$-2p_{12} = -1$$

$$p_{11} - p_{12} - p_{22} = 0$$

$$2p_{12} - 2p_{22} = -1$$

Resolviendo para $p_{11}$, $p_{12}$, $p_{22}$, se obtiene

$$\begin{bmatrix} p_{11} & p_{12} \\ p_{12} & p_{22} \end{bmatrix} = \begin{bmatrix} \frac{3}{2} & \frac{1}{2} \\ \frac{1}{2} & 1 \end{bmatrix}$$

Para verificar que **P** sea definida positiva, se prueban los determinantes de los menores principales sucesivos:

$$\frac{3}{2} > 0, \qquad \begin{vmatrix} \frac{3}{2} & \frac{1}{2} \\ \frac{1}{2} & 1 \end{vmatrix} > 0$$

Es claro que **P** es definida positiva. Por lo tanto, el estado de equilibrio en el origen es asintóticamente estable en forma total. Una función de Liapunov es

$$V(\mathbf{x}) = \mathbf{x}^T\mathbf{P}\mathbf{x} = \tfrac{1}{2}(3x_1^2 + 2x_1x_2 + 2x_2^2)$$

y

$$\dot{V}(\mathbf{x}) = -(x_1^2 + x_2^2)$$

**EJEMPLO 9-21.** Determine el rango de estabilidad para la ganancia $K$ del sistema de la figura 9-13.

La ecuación de estado del sistema es

$$\begin{bmatrix} \dot{x}_1 \\ \dot{x}_2 \\ \dot{x}_3 \end{bmatrix} = \begin{bmatrix} 0 & 1 & 0 \\ 0 & -2 & 1 \\ -K & 0 & -1 \end{bmatrix}\begin{bmatrix} x_1 \\ x_2 \\ x_3 \end{bmatrix} + \begin{bmatrix} 0 \\ 0 \\ K \end{bmatrix} u$$

Al determinar el rango de estabilidad para $K$ se supone que la entrada $u$ es cero. Entonces la última ecuación se puede escribir como

$$\dot{x}_1 = x_2 \tag{9–75}$$

$$\dot{x}_2 = -2x_2 + x_3 \tag{9–76}$$

$$\dot{x}_3 = -Kx_1 - x_3 \tag{9–77}$$

De las ecuaciones (9-75) a (9-77), se halla que el origen es el estado de equilibrio. Se elige la matriz simétrica real semidefinida positiva **Q**,

$$\mathbf{Q} = \begin{bmatrix} 0 & 0 & 0 \\ 0 & 0 & 0 \\ 0 & 0 & 1 \end{bmatrix} \tag{9–78}$$

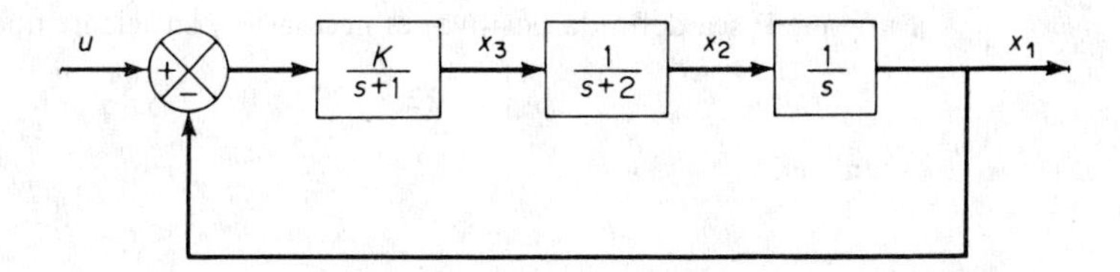


**Figura 9-13**
Sistema de control.

Esta elección de $\mathbf{Q}$ es admisible, pues $\dot{V}(\mathbf{x}) = -\mathbf{x}^T\mathbf{Q}\mathbf{x}$ no puede ser idénticamente igual a cero, excepto en el origen. Para verificar esto, nótese que

$$\dot{V}(\mathbf{x}) = -\mathbf{x}^T\mathbf{Q}\mathbf{x} = -x_3^2$$

Si $\dot{V}(\mathbf{x})$ es idénticamente cero, eso implica que $x_3$ es idénticamente cero, por lo que entonces $x_1$ debe ser idénticamente cero, ya que de la ecuación (9-77) se tiene

$$0 = -Kx_1 - 0$$

Si $x_1$ es idénticamente cero, también debe ser idénticamente cero $x_2$, ya que de la ecuación (9-75),

$$0 = x_2$$

Entonces, $\dot{V}(\mathbf{x})$ es idénticamente cero sólo en el origen. Por lo tanto, para el análisis de estabilidad se puede utilizar la matriz $\mathbf{Q}$ definida por la ecuación (9-78).

Alternativamente, se puede verificar el rango de la matriz

$$\begin{bmatrix} \mathbf{Q}^{1/2} \\ \mathbf{Q}^{1/2}\mathbf{A} \\ \mathbf{Q}^{1/2}\mathbf{A}^2 \end{bmatrix} = \begin{bmatrix} 0 & 0 & 0 \\ 0 & 0 & 0 \\ 0 & 0 & 1 \\ 0 & 0 & 0 \\ 0 & 0 & 0 \\ -K & 0 & -1 \\ 0 & 0 & 0 \\ 0 & 0 & 0 \\ K & -K & 1 \end{bmatrix}$$

Obviamente el rango de $K \neq 0$ es 3. Por lo tanto, se puede elegir esta $\mathbf{Q}$ para la ecuación de Liapunov.

Se procede a resolver la ecuación de Liapunov

$$\mathbf{A}^T\mathbf{P} + \mathbf{P}\mathbf{A} = -\mathbf{Q}$$

que se puede presentar como

$$\begin{bmatrix} 0 & 0 & -K \\ 1 & -2 & 0 \\ 0 & 1 & -1 \end{bmatrix}\begin{bmatrix} p_{11} & p_{12} & p_{13} \\ p_{12} & p_{22} & p_{23} \\ p_{13} & p_{23} & p_{33} \end{bmatrix} + \begin{bmatrix} p_{11} & p_{12} & p_{13} \\ p_{12} & p_{22} & p_{23} \\ p_{13} & p_{23} & p_{33} \end{bmatrix}\begin{bmatrix} 0 & 1 & 0 \\ 0 & -2 & 1 \\ -K & 0 & -1 \end{bmatrix} = \begin{bmatrix} 0 & 0 & 0 \\ 0 & 0 & 0 \\ 0 & 0 & -1 \end{bmatrix}$$

Resolviendo esta ecuación para los elementos de $\mathbf{P}$, se obtiene

$$\mathbf{P} = \begin{bmatrix} \dfrac{K^2 + 12K}{12 - 2K} & \dfrac{6K}{12 - 2K} & 0 \\ \dfrac{6K}{12 - 2K} & \dfrac{3K}{12 - 2K} & \dfrac{K}{12 - 2K} \\ 0 & \dfrac{K}{12 - 2K} & \dfrac{6}{12 - 2K} \end{bmatrix}$$

Para que **P** sea definida positiva, es necesario y suficiente que

$$12 - 2K > 0 \qquad \text{y} \qquad K > 0$$

o también

$$0 < K < 6$$

Así, para $0 > K > 6$, el sistema es estable en el sentido convencional, es decir, el origen es asintóticamente estable, en forma total.

## 9-9 SISTEMAS LINEALES VARIABLES EN EL TIEMPO*

Una ventaja del método de espacio de estado para el análisis de sistemas de control es que se puede ampliar fácilmente a los sistemas lineales variables en el tiempo. La mayor parte de los resultados obtenidos hasta ahora en esta obra, pueden extenderse a sistemas lineales variables en el tiempo, cambiando la matriz de transición de estado de $\mathbf{\Phi}(t)$ a $\mathbf{\Phi}(t, t_0)$. (Esto sucede porque en los sistemas que varían en el tiempo, la matriz de transición depende tanto de $t$ como de $t_0$, y no de la diferencia $t - t_0$. (Del mismo modo, no siempre se puede ajustar el tiempo inicial a cero). Sin embargo, es importante hacer énfasis aquí en que hay una diferencia sustancial entre el caso de invariante y variable en el tiempo. En general, en el sistema variable en el tiempo no se puede expresar la matriz de transición de estado como una matriz exponencial.

**Solución de ecuaciones de estado variables en el tiempo.** Para una ecuación diferencial escalar

$$\dot{x} = a(t)x$$

se puede dar la solución, como

$$x(t) = e^{\int_{t_0}^{t} a(\tau)d\tau} x(t_0)$$

y la función de transición de estado, está dada por

$$\phi(t, t_0) = \exp\left[\int_{t_0}^{t} a(\tau)\, d\tau\right]$$

Sin embargo, este mismo resultado no se puede llevar a la ecuación diferencial matricial.

Sea la ecuación de estado

$$\dot{\mathbf{x}} = \mathbf{A}(t)\mathbf{x} \tag{9–79}$$

donde $\mathbf{x}(t)$ = vector de estado (vector $n$-dimensional)
$\mathbf{A}(t)$ = matriz de $n \times n$ cuyos elementos son funciones continuas por partes en el intervalo $t_0 \le t \le t_1$

* El objetivo de esta sección es brindar una adecuada referencia al lector en la solución de la ecuación de estado que incluye términos variables en el tiempo. Se puede omitir esta sección sin perder la continuidad.

La solución a la ecuación (9-79) está dada por

$$\mathbf{x}(t) = \mathbf{\Phi}(t, t_0)\mathbf{x}(t_0) \tag{9–80}$$

donde $\mathbf{\Phi}(t, t_0)$ es la matriz de $n \times n$ no singular, que satisface la ecuación diferencial siguiente:

$$\dot{\mathbf{\Phi}}(t, t_0) = \mathbf{A}(t)\mathbf{\Phi}(t, t_0), \qquad \mathbf{\Phi}(t_0, t_0) = \mathbf{I} \tag{9–81}$$

Se puede verificar fácilmente que la ecuación (9-80) es la solución a la ecuación (9-79), pues

$$\mathbf{x}(t_0) = \mathbf{\Phi}(t_0, t_0)\mathbf{x}(t_0) = \mathbf{x}(t_0)$$

y de las ecuaciones (9-80) y (9-81), se tiene

$$\begin{aligned}\dot{\mathbf{x}}(t) &= \frac{d}{dt}[\mathbf{\Phi}(t, t_0)\mathbf{x}(t_0)] \\ &= \dot{\mathbf{\Phi}}(t, t_0)\mathbf{x}(t_0) \\ &= \mathbf{A}(t)\mathbf{\Phi}(t, t_0)\mathbf{x}(t_0) = \mathbf{A}(t)\mathbf{x}(t)\end{aligned}$$

Se ve que la solución de la ecuación (9-79), es simplemente la transformación del estado inicial. La matriz $\mathbf{\Phi}(t, t_0)$ es la matriz de transición de estado para el sistema de tiempo variable, descrito por la ecuación (9-79).

**Matriz de transición de estado para el caso variable en el tiempo.** Es importante notar que la matriz de transición de estado $\mathbf{\Phi}(t, t_0)$ está dada por la matriz exponencial si, y solamente si, $\mathbf{A}(t)$ y $\int_{t_0}^{t} \mathbf{A}(\tau)\, d\tau$ son conmutativas. Es decir,

$$\mathbf{\Phi}(t, t_0) = \exp\left[\int_{t_0}^{t} \mathbf{A}(\tau)\, d\tau\right] \qquad \left(\text{si, y solamente si, } \mathbf{A}(t) \text{ y } \int_{t_0}^{t} \mathbf{A}(\tau)\, d\tau \text{ son conmutativas}\right)$$

Nótese también que, si $\mathbf{A}(t)$ es una matriz constante o matriz diagonal, $\mathbf{A}(t)$ y $\int_{t_0}^{t} \mathbf{A}(\tau)\, d\tau$ son conmutativas. Si $\mathbf{A}(t)$ y $\int_{t_0}^{t} \mathbf{A}(\tau)\, d\tau$, no son conmutativas, no hay una forma sencilla de calcular la matriz de transición de estado.

Para calcular $\mathbf{\Phi}(t, t_0)$ numéricamente, se puede utilizar la siguiente expansión en serie de $\mathbf{\Phi}(t, t_0)$:

$$\mathbf{\Phi}(t, t_0) = \mathbf{I} + \int_{t_0}^{t} \mathbf{A}(\tau)\, d\tau + \int_{t_0}^{t} \mathbf{A}(\tau_1)\left[\int_{t_0}^{\tau_1} \mathbf{A}(\tau_2)\, d\tau_2\right] d\tau_1 + \cdots \tag{9–82}$$

Este, en general, no dará $\mathbf{\Phi}(t, t_0)$ en una forma compacta.

**EJEMPLO 9-22.** Obtener $\mathbf{\Phi}(t, 0)$ para el sistema variable en el tiempo

$$\begin{bmatrix} \dot{x}_1 \\ \dot{x}_2 \end{bmatrix} = \begin{bmatrix} 0 & 1 \\ 0 & t \end{bmatrix} \begin{bmatrix} x_1 \\ x_2 \end{bmatrix}$$

Para calcular $\mathbf{\Phi}(t, 0)$, se utiliza la ecuación (9-82). Como

$$\int_0^t \mathbf{A}(\tau)\, d\tau = \int_0^t \begin{bmatrix} 0 & 1 \\ 0 & \tau \end{bmatrix} d\tau = \begin{bmatrix} 0 & t \\ 0 & \dfrac{t^2}{2} \end{bmatrix}$$

$$\int_0^t \begin{bmatrix} 0 & 1 \\ 0 & \tau_1 \end{bmatrix} \left\{ \int_0^{\tau_1} \begin{bmatrix} 0 & 1 \\ 0 & \tau_2 \end{bmatrix} d\tau_2 \right\} d\tau_1 = \int_0^t \begin{bmatrix} 0 & 1 \\ 0 & \tau_1 \end{bmatrix} \begin{bmatrix} 0 & \tau_1 \\ 0 & \frac{\tau_1^2}{2} \end{bmatrix} d\tau_1 = \begin{bmatrix} 0 & \frac{t^3}{6} \\ 0 & \frac{t^4}{8} \end{bmatrix}$$

se obtiene

$$\Phi(t, 0) = \begin{bmatrix} 1 & 0 \\ 0 & 1 \end{bmatrix} + \begin{bmatrix} 0 & t \\ 0 & \frac{t^2}{2} \end{bmatrix} + \begin{bmatrix} 0 & \frac{t^3}{6} \\ 0 & \frac{t^4}{8} \end{bmatrix} + \cdots$$

$$= \begin{bmatrix} 1 & t + \frac{t^3}{6} + \cdots \\ 0 & 1 + \frac{t^2}{2} + \frac{t^4}{8} + \cdots \end{bmatrix}$$

**Propiedad de la matriz de transición de estado $\Phi(t, t_0)$.** A continuación, se presentará una lista de las propiedades de la matriz de transición de estado.

1. $$\Phi(t_2, t_1)\Phi(t_1, t_0) = \Phi(t_2, t_0)$$

Para probar esto, se hace notar que

$$\mathbf{x}(t_1) = \Phi(t_1, t_0)\mathbf{x}(t_0)$$

$$\mathbf{x}(t_2) = \Phi(t_2, t_0)\mathbf{x}(t_0)$$

También

$$\mathbf{x}(t_2) = \Phi(t_2, t_1)\mathbf{x}(t_1)$$

Por tanto

$$\mathbf{x}(t_2) = \Phi(t_2, t_1)\Phi(t_1, t_0)\mathbf{x}(t_0) = \Phi(t_2, t_0)\mathbf{x}(t_0)$$

Así que

$$\Phi(t_2, t_1)\Phi(t_1, t_0) = \Phi(t_2, t_0)$$

2. $$\Phi(t_1, t_0) = \Phi^{-1}(t_0, t_1)$$

Para probar esto, nótese que

$$\Phi(t_1, t_0) = \Phi^{-1}(t_2, t_1)\Phi(t_2, t_0)$$

Si se hace $t_2 = t_0$ en esta última ecuación, entonces

$$\Phi(t_1, t_0) = \Phi^{-1}(t_0, t_1)\Phi(t_0, t_0) = \Phi^{-1}(t_0, t_1)$$

**Solución de las ecuaciones de estado lineales variables en el tiempo.** Considere la siguiente ecuación de estado:

$$\dot{\mathbf{x}} = \mathbf{A}(t)\mathbf{x} + \mathbf{B}(t)\mathbf{u} \tag{9–83}$$

donde $\mathbf{x}$ = vector de estado (vector de dimensión $n$)
$\mathbf{u}$ = vector de control (vector de dimensión $r$)
$\mathbf{A}(t)$ = matriz de $n \times n$
$\mathbf{B}(t)$ = matriz de $n \times r$

Se supone que los elementos de $\mathbf{A}(t)$ y $\mathbf{B}(t)$ son funciones continuas por partes de $t$ en el intervalo $t_0 \leq t \leq t_1$.

Para hallar la solución de la ecuación (9-83), se hace

$$\mathbf{x}(t) = \mathbf{\Phi}(t, t_0)\boldsymbol{\xi}(t)$$

donde $\mathbf{\Phi}(t, t_0)$ es la única matriz que satisface la siguiente ecuación:

$$\dot{\mathbf{\Phi}}(t, t_0) = \mathbf{A}(t)\mathbf{\Phi}(t, t_0), \qquad \mathbf{\Phi}(t_0, t_0) = \mathbf{I}$$

Entonces

$$\begin{aligned}
\dot{\mathbf{x}}(t) &= \frac{d}{dt}[\mathbf{\Phi}(t, t_0)\boldsymbol{\xi}(t)] \\
&= \dot{\mathbf{\Phi}}(t, t_0)\boldsymbol{\xi}(t) + \mathbf{\Phi}(t, t_0)\dot{\boldsymbol{\xi}}(t) \\
&= \mathbf{A}(t)\mathbf{\Phi}(t, t_0)\boldsymbol{\xi}(t) + \mathbf{\Phi}(t, t_0)\dot{\boldsymbol{\xi}}(t)
\end{aligned}$$

Si se substituye $\mathbf{x}(t) = \mathbf{\Phi}(t, t_0)\boldsymbol{\xi}(t)$ en la ecuación (9-83), se tiene

$$\dot{\mathbf{x}}(t) = \mathbf{A}(t)\mathbf{\Phi}(t, t_0)\boldsymbol{\xi}(t) + \mathbf{B}(t)\mathbf{u}(t)$$

Comparando las dos expresiones anteriores de $\dot{\mathbf{x}}(t)$, se obtiene

$$\mathbf{\Phi}(t, t_0)\dot{\boldsymbol{\xi}}(t) = \mathbf{B}(t)\mathbf{u}(\mathrm{t})$$

o bien

$$\dot{\boldsymbol{\xi}}(t) = \mathbf{\Phi}^{-1}(t, t_0)\mathbf{B}(t)\mathbf{u}(t)$$

Por tanto

$$\boldsymbol{\xi}(t) = \boldsymbol{\xi}(t_0) + \int_{t_0}^{t} \mathbf{\Phi}^{-1}(\tau, t_0)\mathbf{B}(\tau)\mathbf{u}(\tau)\, d\tau$$

como

$$\boldsymbol{\xi}(t_0) = \mathbf{\Phi}^{-1}(t_0, t_0)\mathbf{x}(t_0) = \mathbf{x}(t_0)$$

la solución a la ecuación (9-83) es

$$\begin{aligned}
\mathbf{x}(t) &= \mathbf{\Phi}(t, t_0)\mathbf{x}(t_0) + \mathbf{\Phi}(t, t_0)\int_{t_0}^{t} \mathbf{\Phi}^{-1}(\tau, t_0)\mathbf{B}(\tau)\mathbf{u}(\tau)\, d\tau \\
&= \mathbf{\Phi}(t, t_0)\mathbf{x}(t_0) + \int_{t_0}^{t} \mathbf{\Phi}(t, \tau)\mathbf{B}(\tau)\mathbf{u}(\tau)\, d\tau \qquad (9\text{–}84)
\end{aligned}$$

Para calcular el miembro derecho de la ecuación (9-84), en casos prácticos, se requiere el uso de una computadora digital.

## *Ejemplos de problemas y soluciones*

**A-9-1.** Considere el sistema descrito por

$$\begin{bmatrix} \dot{x}_1 \\ \dot{x}_2 \end{bmatrix} = \begin{bmatrix} a_{11} & a_{12} \\ a_{21} & a_{22} \end{bmatrix} \begin{bmatrix} x_1 \\ x_2 \end{bmatrix}, \qquad a_{21} \neq 0$$

Suponiendo que los dos valores propios $\lambda_1$ y $\lambda_2$ de la matriz de coeficientes son distintos, hallar una matriz de transformación **P** que convierta a diagonal, en función de $a_{ij}$, $\lambda_1$ y $\lambda_2$

**Solución.** Si la matriz **P** es una matriz de transformación que convierte a diagonal, entonces

$$\mathbf{P}^{-1}\mathbf{A}\mathbf{P} = \begin{bmatrix} \lambda_1 & 0 \\ 0 & \lambda_2 \end{bmatrix}$$

donde

$$\mathbf{A} = \begin{bmatrix} a_{11} & a_{12} \\ a_{21} & a_{22} \end{bmatrix}, \qquad \mathbf{P} = \begin{bmatrix} p_{11} & p_{12} \\ p_{21} & p_{22} \end{bmatrix}$$

La matriz **P** debe satisfacer la ecuación siguiente:

$$\begin{bmatrix} a_{11} & a_{12} \\ a_{21} & a_{22} \end{bmatrix} \begin{bmatrix} p_{11} & p_{12} \\ p_{21} & p_{22} \end{bmatrix} = \begin{bmatrix} p_{11} & p_{12} \\ p_{21} & p_{22} \end{bmatrix} \begin{bmatrix} \lambda_1 & 0 \\ 0 & \lambda_2 \end{bmatrix}$$

o bien

$$\begin{bmatrix} a_{11}p_{11} + a_{12}p_{21} & a_{11}p_{12} + a_{12}p_{22} \\ a_{21}p_{11} + a_{22}p_{21} & a_{21}p_{12} + a_{22}p_{22} \end{bmatrix} = \begin{bmatrix} p_{11}\lambda_1 & p_{12}\lambda_2 \\ p_{21}\lambda_1 & p_{22}\lambda_2 \end{bmatrix}$$

de donde se obtiene

$$p_{11}(\lambda_1 - a_{11}) = a_{12}p_{21}$$

$$p_{12}(\lambda_2 - a_{11}) = a_{12}p_{22}$$

$$p_{21}(\lambda_1 - a_{22}) = a_{21}p_{11}$$

$$p_{22}(\lambda_2 - a_{22}) = a_{21}p_{12}$$

Estas cuatro ecuaciones se pueden satisfacer de varias formas. Un ejemplo es

$$p_{11} = \lambda_1 - a_{22}, \qquad p_{12} = \lambda_2 - a_{22}, \qquad p_{21} = a_{21}, \qquad p_{22} = a_{21}$$

o

$$\mathbf{P} = \begin{bmatrix} \lambda_1 - a_{22} & \lambda_2 - a_{22} \\ a_{21} & a_{21} \end{bmatrix}$$

Esta matriz **P** es una matriz de transformación que convierte a diagonal. (Hay infinita cantidad de matrices de transformación que hacen diagonal a la matriz **A**).

**A–9–2.** Considere el sistema descrito por

$$\dot{\mathbf{x}} = \mathbf{A}\mathbf{x} + \mathbf{B}\mathbf{u}$$

donde $\mathbf{x}$ = vector de estado (vector $n$-dimensional)
$\mathbf{u}$ = vector de control (vector $r$-dimensional)
$\mathbf{A}$ = matriz constante de $n \times n$
$\mathbf{B}$ = matriz constante de $n \times r$

Obtenga la respuesta ante cada una de las entradas siguientes:

(a) Los $r$ componentes de $\mathbf{u}$, son funciones impulso de diversas magnitudes
(b) Los $r$ componentes de $\mathbf{u}$, son funciones escalón de diversas magnitudes
(c) Los $r$ componentes de $\mathbf{u}$, son funciones rampa de diversas magnitudes

Se supone que cada entrada, está aplicada en $t = 0$.

**Solución.** La solución de la ecuación de estado es

$$\mathbf{x}(t) = e^{\mathbf{A}(t-t_0)}\mathbf{x}(t_0) + \int_{t_0}^{t} e^{\mathbf{A}(t-\tau)}\mathbf{B}\mathbf{u}(\tau)\, d\tau$$

[Tome como referencia la ecuación (4-67)]. Substituyendo $t_0 = 0-$ en esta solución, se obtiene

$$\mathbf{x}(t) = e^{\mathbf{A}t}\mathbf{x}(0-) + \int_{0-}^{t} e^{\mathbf{A}(t-\tau)}\mathbf{B}\mathbf{u}(\tau)\, d\tau$$

(a) *Respuesta al impulso*: La entrada de impulso $\mathbf{u}(t)$ se escribe como

$$\mathbf{u}(t) = \delta(t)\mathbf{w}$$

donde $\mathbf{w}$ es un vector cuyos componentes son las magnitudes de las $r$ funciones de impulso aplicadas en $t = 0$. La solución ante el impulso $\delta(t)\mathbf{w}$ aplicando en $t = 0$, es

$$\begin{aligned}\mathbf{x}(t) &= e^{\mathbf{A}t}\mathbf{x}(0-) + \int_{0-}^{t} e^{\mathbf{A}(t-\tau)}\mathbf{B}\delta(\tau)\mathbf{w}\, d\tau \\ &= e^{\mathbf{A}t}\mathbf{x}(0-) + e^{\mathbf{A}t}\mathbf{B}\mathbf{w}\end{aligned}$$

(b) *Respuesta al escalón:* La entrada escalón $\mathbf{u}(t)$ se escribe como

$$\mathbf{u}(t) = \mathbf{k}$$

donde $\mathbf{k}$ es un vector cuyos componentes son las magnitudes de las $r$ funciones escalón, aplicadas en $t = 0$. La solución ante la entrada escalón en $t = 0$ está dada por

$$\begin{aligned}\mathbf{x}(t) &= e^{\mathbf{A}t}\mathbf{x}(0) + \int_{0}^{t} e^{\mathbf{A}(t-\tau)}\mathbf{B}\mathbf{k}\, \mathrm{d}\tau \\ &= e^{\mathbf{A}t}\mathbf{x}(0) + e^{\mathbf{A}t}\left[\int_0^t \left(\mathbf{I} - \mathbf{A}\tau + \frac{\mathbf{A}^2\tau^2}{2!} - \cdots\right) d\tau\right]\mathbf{B}\mathbf{k} \\ &= e^{\mathbf{A}t}\mathbf{x}(0) + e^{\mathbf{A}t}\left(\mathbf{I}t - \frac{\mathbf{A}t^2}{2!} + \frac{\mathbf{A}^2t^3}{3!} - \cdots\right)\mathbf{B}\mathbf{k}\end{aligned}$$

Si $\mathbf{A}$ es no singular, esta última ecuación se puede simplificar, con lo que se tiene

$$\begin{aligned}\mathbf{x}(t) &= e^{\mathbf{A}t}\mathbf{x}(0) + e^{\mathbf{A}t}[-(\mathbf{A}^{-1})(e^{-\mathbf{A}t} - \mathbf{I})]\mathbf{B}\mathbf{k} \\ &= e^{\mathbf{A}t}\mathbf{x}(0) + \mathbf{A}^{-1}(e^{\mathbf{A}t} - \mathbf{I})\mathbf{B}\mathbf{k}\end{aligned}$$

(c) *Respuesta a la rampa:* La entrada rampa $\mathbf{u}(t)$ se escribe como

$$\mathbf{u}(t) = t\mathbf{v}$$

donde $\mathbf{v}$ es un vector cuyos componentes son las magnitudes de las funciones rampa, aplicadas en $t = 0$. La solución ante la entrada rampa $t\mathbf{v}$, dada en $t = 0$, es

$$\begin{aligned}\mathbf{x}(t) &= e^{\mathbf{A}t}\mathbf{x}(0) + \int_0^t e^{\mathbf{A}(t-\tau)}\mathbf{B}\tau\mathbf{v}\, d\tau \\ &= e^{\mathbf{A}t}\mathbf{x}(0) + e^{\mathbf{A}t}\int_0^t e^{-\mathbf{A}\tau}\tau\, d\tau\, \mathbf{B}\mathbf{v} \\ &= e^{\mathbf{A}t}\mathbf{x}(0) + e^{\mathbf{A}t}\left(\frac{\mathbf{I}}{2}t^2 - \frac{2\mathbf{A}}{3!}t^3 + \frac{3\mathbf{A}^2}{4!}t^4 - \frac{4\mathbf{A}^3}{5!}t^5 + \cdots\right)\mathbf{B}\mathbf{v}\end{aligned}$$

Si $\mathbf{A}$ es no singular, esta última ecuación puede simplificarse a

$$\begin{aligned}\mathbf{x}(t) &= e^{\mathbf{A}t}\mathbf{x}(0) + (\mathbf{A}^{-2})(e^{\mathbf{A}t} - \mathbf{I} - \mathbf{A}t)\mathbf{B}\mathbf{v} \\ &= e^{\mathbf{A}t}\mathbf{x}(0) + [\mathbf{A}^{-2}(e^{\mathbf{A}t} - \mathbf{I}) - \mathbf{A}^{-1}t]\mathbf{B}\mathbf{v}\end{aligned}$$

**A–9–3.** En referencia al teorema de Cayley-Hamilton, toda matriz $\mathbf{A}$ de $n \times n$, satisface su propia ecuación característica. Sin embargo, la ecuación característica no es necesariamente la ecuación escalar de grado mínimo que satisface a $\mathbf{A}$. El polinomio de grado mínmo que tiene a $\mathbf{A}$ como una raíz, se denomina *polinomio mínimo*. Es decir, el polinomio mínimo de una matriz $\mathbf{A}$ de $n \times n$, se define como el polinomio $\phi(\lambda)$ de grado mínimo,

$$\phi(\lambda) = \lambda^m + a_1\lambda^{m-1} + \cdots + a_{m-1}\lambda + a_m \qquad m \leq n$$

de modo que $\phi(\mathbf{A}) = \mathbf{0}$, o bien

$$\phi(\mathbf{A}) = \mathbf{A}^m + a_1\mathbf{A}^{m-1} + \cdots + a_{m-1}\mathbf{A} + a_m\mathbf{I} = \mathbf{0}$$

El polinomio mínimo juega un papel importante en el cálculo de polinonuios de una matriz de $n \times n$.

Supóngase que $d(\lambda)$, polinomio en $\lambda$, es el máximo común divisor de todos los elementos de la adjunta de $(\lambda\mathbf{I} - \mathbf{A})$. Mostrar que si se elige el coeficiente del término de mayor grado en $\lambda$ de $d(\lambda)$ como 1, entonces el polinomio $\phi(\lambda)$ está dado por

$$\phi(\lambda) = \frac{|\lambda\mathbf{I} - \mathbf{A}|}{d(\lambda)}$$

**Solución.** Por suposición, el máximo común divisor de la matriz adjunto $|\lambda\mathbf{I} - \mathbf{A}|$ es $d(\lambda)$. Por lo tanto,

$$\operatorname{adj}(\lambda\mathbf{I} - \mathbf{A}) = d(\lambda)\mathbf{B}(\lambda)$$

donde el máximo común divisor de los $n^2$ elementos (que son funciones de $\lambda$)de $\mathbf{B}(\lambda)$ es la unidad. Como

$$(\lambda\mathbf{I} - \mathbf{A})\operatorname{adj}(\lambda\mathbf{I} - \mathbf{A}) = |\lambda\mathbf{I} - \mathbf{A}|\mathbf{I}$$

se obtiene

$$d(\lambda)(\lambda\mathbf{I} - \mathbf{A})\mathbf{B}(\lambda) = |\lambda\mathbf{I} - \mathbf{A}|\mathbf{I} \tag{9–85}$$

de donde se halla que $(\lambda\mathbf{I} - \mathbf{A})$ es divisible entre $d(\lambda)$. Se hace

$$|\lambda\mathbf{I} - \mathbf{A}| = d(\lambda)\psi(\lambda) \tag{9–86}$$

Como se eligió de valor 1 para el coeficiente del término de mayor grado en $\lambda$ de $d(\lambda)$ el coeficiente del término de mayor grado en $\lambda$ de $d(\lambda)$ también es igual a 1. De las ecuaciones (9-85) y (9-86), se tiene que

$$(\lambda\mathbf{I} - \mathbf{A})\mathbf{B}(\lambda) = \psi(\lambda)\mathbf{I}$$

Por tanto

$$\psi(\mathbf{A}) = \mathbf{0}$$

Nótese que $\psi(\lambda)$ se puede presentar como

$$\psi(\lambda) = g(\lambda)\phi(\lambda) + \alpha(\lambda)$$

donde $\alpha(\lambda)$ es de grado inferior a $\phi(\lambda)$. Como $\psi(\mathbf{A}) = \mathbf{0}$ y $\phi(\mathbf{A}) = \mathbf{0}$, se debe tener $\alpha(\mathbf{A}) = \mathbf{0}$. Ya que $\phi(\lambda)$ es el polinomio mínimo, $\alpha(\lambda)$ debe ser igual a cero, o sea

$$\psi(\lambda) = g(\lambda)\phi(\lambda)$$

Nótese que como $\phi(\mathbf{A}) = \mathbf{0}$, se puede colocar

$$\phi(\lambda)\mathbf{I} = (\lambda\mathbf{I} - \mathbf{A})\mathbf{C}(\lambda)$$

Por tanto,

$$\psi(\lambda)\mathbf{I} = g(\lambda)\phi(\lambda)\mathbf{I} = g(\lambda)(\lambda\mathbf{I} - \mathbf{A})\mathbf{C}(\lambda)$$

y se obtiene

$$\mathbf{B}(\lambda) = g(\lambda)\mathbf{C}(\lambda)$$

Nótese que el máximo común divisor de los $n^2$ elementos de $\mathbf{B}(\lambda)$ es la unidad. Entonces

$$g(\lambda) = 1$$

Por tanto,

$$\psi(\lambda) = \phi(\lambda)$$

Entonces, de esta última ecuación y de la ecuación (9-86) se obtiene

$$\phi(\lambda) = \frac{|\lambda\mathbf{I} - \mathbf{A}|}{d(\lambda)}$$

Nótese que el polinomio mínimo $\phi(\lambda)$ de una matriz $\mathbf{A}$ de $n \times n$ se puede determinar con el siguiente procedimiento:

1. Forme la adj $(\lambda\mathbf{I} - \mathbf{A})$ y coloque los elementos de adj $(\lambda\mathbf{I} - \mathbf{A})$ como polinomios factorizados en $\lambda$.
2. Determine $d(\lambda)$, el máximo común divisor de todos los elementos del adj $(\lambda\mathbf{I} - \mathbf{A})$. Fije el coeficiente del término de grado más elevado en $\lambda$ de $d(\lambda)$, de valor igual a 1. Si no hay divisor común, $d(\lambda) = 1$.
3. Entonces el polinomio mínimo $\phi(\lambda)$ está dado como $|\lambda\mathbf{I} - \mathbf{A}|$ dividido entre $d(\lambda)$.

**A-9-4.** Si una matriz $\mathbf{A}$ de $n \times n$, tiene $n$ distintos valores propios, el polinomio mínimo de $\mathbf{A}$, es idéntico al polinomio característico. Igualmente, si hay múltiples valores propios de $\mathbf{A}$ unidos en una cadena de Jordan, el polinomio mínimo y el polinomio característico son idénticos. Sin embargo, si los valores propios múltiples de $\mathbf{A}$ no están unidos en una cadena de Jordan, el polinomio mínimo es de grado inferior al del polinomio característico.

Utilizando las siguientes matrices $\mathbf{A}$ y $\mathbf{B}$ como ejemplos, verifique las siguientes presentaciones sobre el polinomio mínimo, cuando se incluyen valores propios múltiples.

$$\mathbf{A} = \begin{bmatrix} 2 & 1 & 4 \\ 0 & 2 & 0 \\ 0 & 3 & 1 \end{bmatrix}, \qquad \mathbf{B} = \begin{bmatrix} 2 & 0 & 0 \\ 0 & 2 & 0 \\ 0 & 3 & 1 \end{bmatrix}$$

**Solución.** Ante todo, se analiza la matriz **A**. El polinomio característico está dado por

$$|\lambda\mathbf{I} - \mathbf{A}| = \begin{vmatrix} \lambda - 2 & -1 & -4 \\ 0 & \lambda - 2 & 0 \\ 0 & -3 & \lambda - 1 \end{vmatrix} = (\lambda - 2)^2(\lambda - 1)$$

Entonces los valores propios de **A** son 2, 2, y 1. Se puede mostrar que la forma canónica de **A**, es

$$\begin{bmatrix} 2 & 1 & 0 \\ 0 & 2 & 0 \\ 0 & 0 & 1 \end{bmatrix}$$

y los valores propios múltiples están unidos en la cadena de Jordan, como se muestra. (Para el procedimiento para deducir la forma canónica de Jordan de **A** refiérase al apéndice). Para determinar el polinomio mínimo, primero se obtiene la adj $(\lambda\mathbf{I} - \mathbf{A})$. Está dado por

$$\text{adj}\,(\lambda\mathbf{I} - \mathbf{A}) = \begin{bmatrix} (\lambda - 2)(\lambda - 1) & (\lambda + 11) & 4(\lambda - 2) \\ 0 & (\lambda - 2)(\lambda - 1) & 0 \\ 0 & 3(\lambda - 2) & (\lambda - 2)^2 \end{bmatrix}$$

Nótese que no hay divisor común de todos los elementos de adj $(\lambda\mathbf{I} - \mathbf{A})$. Por tanto, $d(\lambda) = 1$. Entonces, el polinomio mínimo $\phi(\lambda)$ es idéntico al polinomio característico, o sea

$$\begin{aligned} \phi(\lambda) &= |\lambda\mathbf{I} - \mathbf{A}| = (\lambda - 2)^2(\lambda - 1) \\ &= \lambda^3 - 5\lambda^2 + 8\lambda - 4 \end{aligned}$$

Un cálculo sencillo prueba que

$$\mathbf{A}^3 - 5\mathbf{A}^2 + 8\mathbf{A} - 4\mathbf{I} = \mathbf{0}$$

pero

$$\mathbf{A}^2 - 3\mathbf{A} + 2\mathbf{I} \neq \mathbf{0}$$

Así, se ha demostrado que el polinomio mínimo y el polinomio característico de esta matriz **A** son iguales.

Luego, se analiza la matriz **B**. El polinomio característico está dado por

$$|\lambda\mathbf{I} - \mathbf{B}| = \begin{vmatrix} \lambda - 2 & 0 & 0 \\ 0 & \lambda - 2 & 0 \\ 0 & -3 & \lambda - 1 \end{vmatrix} = (\lambda - 2)^2(\lambda - 1)$$

Un cálculo sencillo muestra que la matriz **B** tiene tres vectores propios y la forma canónica de Jordan de **B**, está dada por

$$\begin{bmatrix} 2 & 0 & 0 \\ 0 & 2 & 0 \\ 0 & 0 & 1 \end{bmatrix}$$

Entonces los valores propios múltiples no están unidos. Para obtener el polinomio mínimo, primero se calcula el adj $(\lambda\mathbf{I} - \mathbf{B})$:

$$\text{adj}\,(\lambda\mathbf{I} - \mathbf{B}) = \begin{bmatrix} (\lambda - 2)(\lambda - 1) & 0 & 0 \\ 0 & (\lambda - 2)(\lambda - 1) & 0 \\ 0 & 3(\lambda - 2) & (\lambda - 2)^2 \end{bmatrix}$$

de donde resulta evidente que

$$d(\lambda) = \lambda - 2$$

Por tanto

$$\phi(\lambda) = \frac{|\lambda \mathbf{I} - \mathbf{B}|}{d(\lambda)} = \frac{(\lambda - 2)^2(\lambda - 1)}{\lambda - 2} = \lambda^2 - 3\lambda + 2$$

Como verificación, se puede calcular $\phi(\mathbf{B})$:

$$\phi(\mathbf{B}) = \mathbf{B}^2 - 3\mathbf{B} + 2\mathbf{I} = \begin{bmatrix} 4 & 0 & 0 \\ 0 & 4 & 0 \\ 0 & 9 & 1 \end{bmatrix} - 3\begin{bmatrix} 2 & 0 & 0 \\ 0 & 2 & 0 \\ 0 & 3 & 1 \end{bmatrix} + 2\begin{bmatrix} 1 & 0 & 0 \\ 0 & 1 & 0 \\ 0 & 0 & 1 \end{bmatrix} = \begin{bmatrix} 0 & 0 & 0 \\ 0 & 0 & 0 \\ 0 & 0 & 0 \end{bmatrix}$$

Para la matriz **B** el grado del polinomio mínimo es menor en 1, que el del polinomio característico. Como se demuestra aquí, si los valores propios múltiples de una matriz de $n \times n$, no están unidos en una cadena de Jordan, el polinomio mínimo es de grado inferior al del polinomio característico.

**A-9-5.** Utilizando el polinomio mínimo, muestre que se puede expresar la inversa de una matriz **A** no singular como un polinomio en **A** con coeficientes escalares, como sigue:

$$\mathbf{A}^{-1} = -\frac{1}{a_m}(\mathbf{A}^{m-1} + a_1\mathbf{A}^{m-2} + \cdots + a_{m-2}\mathbf{A} + a_{m-1}\mathbf{I}) \tag{9–87}$$

donde $a_1, a_2, \ldots, a_m$ son los coeficientes del polinomio mínimo

$$\phi(\lambda) = \lambda^m + a_1\lambda^{m-1} + \cdots + a_{m-1}\lambda + a_m$$

Luego obtenga la inversa de la siguiente matriz **A**:

$$\mathbf{A} = \begin{bmatrix} 1 & 2 & 0 \\ 3 & -1 & -2 \\ 1 & 0 & -3 \end{bmatrix}$$

**Solución.** Para una matriz **A** no singular, su polinomio mínimo $\phi(\mathbf{A})$ se puede expresar como

$$\phi(\mathbf{A}) = \mathbf{A}^m + a_1\mathbf{A}^{m-1} + \cdots + a_{m-1}\mathbf{A} + a_m\mathbf{I} = \mathbf{0}$$

donde $a_m \neq 0$. Por tanto,

$$\mathbf{I} = -\frac{1}{a_m}(\mathbf{A}^m + a_1\mathbf{A}^{m-1} + \cdots + a_{m-2}\mathbf{A}^2 + a_{m-1}\mathbf{A})$$

Premultiplicando por $\mathbf{A}^{-1}$, se obtiene

$$\mathbf{A}^{-1} = -\frac{1}{a_m}(\mathbf{A}^{m-1} + a_1\mathbf{A}^{m-2} + \cdots + a_{m-2}\mathbf{A} + a_{m-1}\mathbf{I})$$

que es la ecuación (9-87).

Para la matriz **A** dada, la **A**, adj $(\lambda\mathbf{I} - \mathbf{A})$ se puede escribir como

$$\text{adj}\,(\lambda\mathbf{I} - \mathbf{A}) = \begin{bmatrix} \lambda^2 + 4\lambda + 3 & 2\lambda + 6 & -4 \\ 3\lambda + 7 & \lambda^2 + 2\lambda - 3 & -2\lambda + 2 \\ \lambda + 1 & 2 & \lambda^2 - 7 \end{bmatrix}$$

Es claro que no hay divisor común $d(\lambda)$ para todos los elementos de adj$(\lambda\mathbf{I} - \mathbf{A})$. Por lo tanto, $d(\lambda) = 1$. En consecuencia, el polinomio mínimo $\phi(\lambda)$, está dado por

$$\phi(\lambda) = \frac{|\lambda\mathbf{I} - \mathbf{A}|}{d(\lambda)} = |\lambda\mathbf{I} - \mathbf{A}|$$

Entonces, el polinomio mínimo $\phi(\lambda)$ es igual al polinomio característico.

Como el polinomio característico es

$$|\lambda\mathbf{I} - \mathbf{A}| = \lambda^3 + 3\lambda^2 - 7\lambda - 17$$

se tiene que

$$\phi(\lambda) = \lambda^3 + 3\lambda^2 - 7\lambda - 17$$

Identificando los coeficientes $a_i$ del polinomio mínimo (que en este caso es igual al polinomio característico), se tiene

$$a_1 = 3, \quad a_2 = -7, \quad a_3 = -17$$

Luego, se puede obtener la inversa de $\mathbf{A}$ a partir de la ecuación (9-87), del modo siguiente:

$$\mathbf{A}^{-1} = -\frac{1}{a_3}(\mathbf{A}^2 + a_1\mathbf{A} + a_2\mathbf{I}) = \frac{1}{17}(\mathbf{A}^2 + 3\mathbf{A} - 7\mathbf{I})$$

$$= \frac{1}{17}\left\{\begin{bmatrix} 7 & 0 & -4 \\ -2 & 7 & 8 \\ -2 & 2 & 9 \end{bmatrix} + 3\begin{bmatrix} 1 & 2 & 0 \\ 3 & -1 & -2 \\ 1 & 0 & -3 \end{bmatrix} - 7\begin{bmatrix} 1 & 0 & 0 \\ 0 & 1 & 0 \\ 0 & 0 & 1 \end{bmatrix}\right\}$$

$$= \frac{1}{17}\begin{bmatrix} 3 & 6 & -4 \\ 7 & -3 & 2 \\ 1 & 2 & -7 \end{bmatrix}$$

$$= \begin{bmatrix} \frac{3}{17} & \frac{6}{17} & -\frac{4}{17} \\ \frac{7}{17} & -\frac{3}{17} & \frac{2}{17} \\ \frac{1}{17} & \frac{2}{17} & -\frac{7}{17} \end{bmatrix}$$

**A–9–6** Considere el siguiente polinomio en $\lambda$ de grado $m - 1$, donde se supone que las $\lambda_1, \lambda_2, \ldots, \lambda_m$ son distintas:

$$p_k(\lambda) = \frac{(\lambda - \lambda_1)\cdots(\lambda - \lambda_{k-1})(\lambda - \lambda_{k+1})\cdots(\lambda - \lambda_m)}{(\lambda_k - \lambda_1)\cdots(\lambda_k - \lambda_{k-1})(\lambda_k - \lambda_{k+1})\cdots(\lambda_k - \lambda_m)}$$

donde $k = 1, 2, \ldots, m$. Nótese que

$$p_k(\lambda_i) = \begin{cases} 1 & \text{si } i = k \\ 0 & \text{si } i \neq k \end{cases}$$

Entonces el polinomio $f(\lambda)$ de grado $m - 1$

$$f(\lambda) = \sum_{k=1}^{m} f(\lambda_k)p_k(\lambda)$$

$$= \sum_{k=1}^{m} f(\lambda_k)\frac{(\lambda - \lambda_1)\cdots(\lambda - \lambda_{k-1})(\lambda - \lambda_{k+1})\cdots(\lambda - \lambda_m)}{(\lambda_k - \lambda_1)\cdots(\lambda_k - \lambda_{k-1})(\lambda_k - \lambda_{k+1})\cdots(\lambda_k - \lambda_m)}$$

toma los valores $f(\lambda_k)$ en los puntos $\lambda_k$. Esta última ecuación se denomina como *fórmula de interpolación de Lagrange*. El polinomio $f(\lambda)$ de grado $m - 1$, está determinado por $m$ datos independientes $f(\lambda_1), f(\lambda_2), \ldots, f(\lambda_m)$. Es decir, el polinomio $f(\lambda)$ pasa por los $m$ puntos $f(\lambda_1), f(\lambda_2), \ldots, f(\lambda_m)$. Como $f(\lambda)$ es un polinomio de grado $m - 1$, queda unívocamente determinado. Cualquier otra representación del polinomio de grado $m - 1$, se puede reducir al polinomio de Lagrange $f(\lambda)$.

Suponiendo que los valores propios de una matriz **A** de $n \times n$ son distintos, se substituye **A** por $\lambda$ en el polinomio $p_k(\lambda)$. Entonces se tiene

$$p_k(\mathbf{A}) = \frac{(\mathbf{A} - \lambda_1\mathbf{I})\cdots(\mathbf{A} - \lambda_{k-1}\mathbf{I})(\mathbf{A} - \lambda_{k+1}\mathbf{I})\cdots(\mathbf{A} - \lambda_m\mathbf{I})}{(\lambda_k - \lambda_1)\cdots(\lambda_k - \lambda_{k-1})(\lambda_k - \lambda_{k+1})\cdots(\lambda_k - \lambda_m)}$$

Nótese que $p_k(\mathbf{A})$ es un polinomio en **A** de grado $m - 1$. Nótese también que

$$p_k(\lambda_i\mathbf{I}) = \begin{cases} \mathbf{I} & \text{si } i = k \\ \mathbf{0} & \text{si } i \neq k \end{cases}$$

Ahora se define

$$\begin{aligned} f(\mathbf{A}) &= \sum_{k=1}^{m} f(\lambda_k)p_k(\mathbf{A}) \\ &= \sum_{k=1}^{m} f(\lambda_k)\frac{(\mathbf{A} - \lambda_1\mathbf{I})\cdots(\mathbf{A} - \lambda_{k-1}\mathbf{I})(\mathbf{A} - \lambda_{k+1}\mathbf{I})\cdots(\mathbf{A} - \lambda_m\mathbf{I})}{(\lambda_k - \lambda_1)\cdots(\lambda_k - \lambda_{k-1})(\lambda_k - \lambda_{k+1})\cdots(\lambda_k - \lambda_m)} \end{aligned} \qquad (9\text{–}88)$$

La ecuación (9-88) se conoce como fórmula de interpolación de Sylvester. La ecuación (9-88) equivale a la ecuación siguiente:

$$\begin{vmatrix} 1 & 1 & \cdots & 1 & \mathbf{I} \\ \lambda_1 & \lambda_2 & \cdots & \lambda_m & \mathbf{A} \\ \lambda_1^2 & \lambda_2^2 & \cdots & \lambda_m^2 & \mathbf{A}^2 \\ \cdot & \cdot & & \cdot & \cdot \\ \cdot & \cdot & & \cdot & \cdot \\ \cdot & \cdot & & \cdot & \cdot \\ \lambda_1^{m-1} & \lambda_2^{m-1} & \cdots & \lambda_m^{m-1} & \mathbf{A}^{m-1} \\ f(\lambda_1) & f(\lambda_2) & \cdots & f(\lambda_m) & f(\mathbf{A}) \end{vmatrix} = \mathbf{0} \qquad (9\text{–}89)$$

Las ecuaciones (9-88) y (9-89) se usan con frecuencia para evaluar funciones $f(\mathbf{A})$ de la matriz **A**. Por ejemplo, $(\lambda\mathbf{I} - \mathbf{A})^{-1}$, $e^{\mathbf{A}t}$, y otras. Nótese que la ecuación (9-89) se puede presentar también, como

$$\begin{vmatrix} 1 & \lambda_1 & \lambda_1^2 & \cdots & \lambda_1^{m-1} & f(\lambda_1) \\ 1 & \lambda_2 & \lambda_2^2 & \cdots & \lambda_2^{m-1} & f(\lambda_2) \\ \cdot & \cdot & \cdot & & \cdot & \cdot \\ \cdot & \cdot & \cdot & & \cdot & \cdot \\ \cdot & \cdot & \cdot & & \cdot & \cdot \\ 1 & \lambda_m & \lambda_m^2 & \cdots & \lambda_m^{m-1} & f(\lambda_m) \\ \mathbf{I} & \mathbf{A} & \mathbf{A}^2 & \cdots & \mathbf{A}^{m-1} & f(\mathbf{A}) \end{vmatrix} = \mathbf{0} \qquad (9\text{–}90)$$

Demuestre que las ecuaciones (9-88) y (9-89) son equivalentes. Para simplificar los argumentos, se supone que $m = 4$.

**Solución.** Cuando $m = 4$, la ecuación (9-89) se puede desarrollar como

$$\mathbf{\Delta} = \begin{vmatrix} 1 & 1 & 1 & 1 & \mathbf{I} \\ \lambda_1 & \lambda_2 & \lambda_3 & \lambda_4 & \mathbf{A} \\ \lambda_1^2 & \lambda_2^2 & \lambda_3^2 & \lambda_4^2 & \mathbf{A}^2 \\ \lambda_1^3 & \lambda_2^3 & \lambda_3^3 & \lambda_4^3 & \mathbf{A}^3 \\ f(\lambda_1) & f(\lambda_2) & f(\lambda_3) & f(\lambda_4) & f(\mathbf{A}) \end{vmatrix}$$

$$= f(\mathbf{A})\begin{vmatrix} 1 & 1 & 1 & 1 \\ \lambda_1 & \lambda_2 & \lambda_3 & \lambda_4 \\ \lambda_1^2 & \lambda_2^2 & \lambda_3^2 & \lambda_4^2 \\ \lambda_1^3 & \lambda_2^3 & \lambda_3^3 & \lambda_4^3 \end{vmatrix} - f(\lambda_4)\begin{vmatrix} 1 & 1 & 1 & \mathbf{I} \\ \lambda_1 & \lambda_2 & \lambda_3 & \mathbf{A} \\ \lambda_1^2 & \lambda_2^2 & \lambda_3^2 & \mathbf{A}^2 \\ \lambda_1^3 & \lambda_2^3 & \lambda_3^3 & \mathbf{A}^3 \end{vmatrix}$$

$$+ f(\lambda_3)\begin{vmatrix} 1 & 1 & 1 & \mathbf{I} \\ \lambda_1 & \lambda_2 & \lambda_4 & \mathbf{A} \\ \lambda_1^2 & \lambda_2^2 & \lambda_4^2 & \mathbf{A}^2 \\ \lambda_1^3 & \lambda_2^3 & \lambda_4^3 & \mathbf{A}^3 \end{vmatrix} - f(\lambda_2)\begin{vmatrix} 1 & 1 & 1 & \mathbf{I} \\ \lambda_1 & \lambda_3 & \lambda_4 & \mathbf{A} \\ \lambda_1^2 & \lambda_3^2 & \lambda_4^2 & \mathbf{A}^2 \\ \lambda_1^3 & \lambda_3^3 & \lambda_4^3 & \mathbf{A}^3 \end{vmatrix}$$

$$+ f(\lambda_1)\begin{vmatrix} 1 & 1 & 1 & \mathbf{I} \\ \lambda_2 & \lambda_3 & \lambda_4 & \mathbf{A} \\ \lambda_2^2 & \lambda_3^2 & \lambda_4^2 & \mathbf{A}^2 \\ \lambda_2^3 & \lambda_3^3 & \lambda_4^3 & \mathbf{A}^3 \end{vmatrix}$$

Puesto que

$$\begin{vmatrix} 1 & 1 & 1 & 1 \\ \lambda_1 & \lambda_2 & \lambda_3 & \lambda_4 \\ \lambda_1^2 & \lambda_2^2 & \lambda_3^2 & \lambda_4^2 \\ \lambda_1^3 & \lambda_2^3 & \lambda_3^3 & \lambda_4^3 \end{vmatrix} = (\lambda_4 - \lambda_3)(\lambda_4 - \lambda_2)(\lambda_4 - \lambda_1)(\lambda_3 - \lambda_2)(\lambda_3 - \lambda_1)(\lambda_2 - \lambda_1)$$

y

$$\begin{vmatrix} 1 & 1 & 1 & \mathbf{I} \\ \lambda_i & \lambda_j & \lambda_k & \mathbf{A} \\ \lambda_i^2 & \lambda_j^2 & \lambda_k^2 & \mathbf{A}^2 \\ \lambda_i^3 & \lambda_j^3 & \lambda_k^3 & \mathbf{A}^3 \end{vmatrix} = (\mathbf{A} - \lambda_k\mathbf{I})(\mathbf{A} - \lambda_j\mathbf{I})(\mathbf{A} - \lambda_i\mathbf{I})(\lambda_k - \lambda_j)(\lambda_k - \lambda_i)(\lambda_j - \lambda_i)$$

se obtiene

$$\begin{aligned} \mathbf{\Delta} = {} & f(\mathbf{A})[(\lambda_4 - \lambda_3)(\lambda_4 - \lambda_2)(\lambda_4 - \lambda_1)(\lambda_3 - \lambda_2)(\lambda_3 - \lambda_1)(\lambda_2 - \lambda_1)] \\ & - f(\lambda_4)[(\mathbf{A} - \lambda_3\mathbf{I})(\mathbf{A} - \lambda_2\mathbf{I})(\mathbf{A} - \lambda_1\mathbf{I})(\lambda_3 - \lambda_2)(\lambda_3 - \lambda_1)(\lambda_2 - \lambda_1)] \\ & + f(\lambda_3)[(\mathbf{A} - \lambda_4\mathbf{I})(\mathbf{A} - \lambda_2\mathbf{I})(\mathbf{A} - \lambda_1\mathbf{I})(\lambda_4 - \lambda_2)(\lambda_4 - \lambda_1)(\lambda_2 - \lambda_1)] \\ & - f(\lambda_2)[(\mathbf{A} - \lambda_4\mathbf{I})(\mathbf{A} - \lambda_3\mathbf{I})(\mathbf{A} - \lambda_1\mathbf{I})(\lambda_4 - \lambda_3)(\lambda_4 - \lambda_1)(\lambda_3 - \lambda_1)] \\ & + f(\lambda_1)[(\mathbf{A} - \lambda_4\mathbf{I})(\mathbf{A} - \lambda_3\mathbf{I})(\mathbf{A} - \lambda_2\mathbf{I})(\lambda_4 - \lambda_3)(\lambda_4 - \lambda_2)(\lambda_3 - \lambda_2)] \\ = {} & \mathbf{0} \end{aligned}$$

Al resolver esta última ecuación para $(\mathbf{A})$, resulta que

$$\begin{aligned} f(\mathbf{A}) = {} & f(\lambda_1)\frac{(\mathbf{A} - \lambda_2\mathbf{I})(\mathbf{A} - \lambda_3\mathbf{I})(\mathbf{A} - \lambda_4\mathbf{I})}{(\lambda_1 - \lambda_2)(\lambda_1 - \lambda_3)(\lambda_1 - \lambda_4)} + f(\lambda_2)\frac{(\mathbf{A} - \lambda_1\mathbf{I})(\mathbf{A} - \lambda_3\mathbf{I})(\mathbf{A} - \lambda_4\mathbf{I})}{(\lambda_2 - \lambda_1)(\lambda_2 - \lambda_3)(\lambda_2 - \lambda_4)} \\ & + f(\lambda_3)\frac{(\mathbf{A} - \lambda_1\mathbf{I})(\mathbf{A} - \lambda_2\mathbf{I})(\mathbf{A} - \lambda_4\mathbf{I})}{(\lambda_3 - \lambda_1)(\lambda_3 - \lambda_2)(\lambda_3 - \lambda_4)} + f(\lambda_4)\frac{(\mathbf{A} - \lambda_1\mathbf{I})(\mathbf{A} - \lambda_2\mathbf{I})(\mathbf{A} - \lambda_3\mathbf{I})}{(\lambda_4 - \lambda_1)(\lambda_4 - \lambda_2)(\lambda_4 - \lambda_3)} \\ = {} & \sum_{k=1}^{m} f(\lambda_k)\frac{(\mathbf{A} - \lambda_1\mathbf{I})\cdots(\mathbf{A} - \lambda_{k-1}\mathbf{I})(\mathbf{A} - \lambda_{k+1}\mathbf{I})\cdots(\mathbf{A} - \lambda_m\mathbf{I})}{(\lambda_k - \lambda_1)\cdots(\lambda_k - \lambda_{k-1})(\lambda_k - \lambda_{k+1})\cdots(\lambda_k - \lambda_m)} \end{aligned}$$

donde $m = 4$. Así se ha demostrado la equivalencia de las ecuaciones (9-88) y (9-89). Aunque se ha supuesto que $m = 4$ se puede extender todo el razonamiento a cualquier entero arbitrario positivo $m$. (Véase el problema A-9-7 para el caso en que la matriz $\mathbf{A}$ incluya valores propios múltiples).

**A-9-7.** Considere la fórmula de interpolación de Sylvester en la forma determinada por la ecuación (9-90):

$$\begin{vmatrix} 1 & \lambda_1 & \lambda_1^2 & \cdots & \lambda_1^{m-1} & f(\lambda_1) \\ 1 & \lambda_2 & \lambda_2^2 & \cdots & \lambda_2^{m-1} & f(\lambda_2) \\ \cdot & \cdot & \cdot & & \cdot & \cdot \\ \cdot & \cdot & \cdot & & \cdot & \cdot \\ \cdot & \cdot & \cdot & & \cdot & \cdot \\ 1 & \lambda_m & \lambda_m^2 & \cdots & \lambda_m^{m-1} & f(\lambda_m) \\ \mathbf{I} & \mathbf{A} & \mathbf{A}^2 & \cdots & \mathbf{A}^{m-1} & f(\mathbf{A}) \end{vmatrix} = \mathbf{0}$$

Esta fórmula para determinar de $f(\mathbf{A})$, se aplica en el caso de que el polinomio mínimo de **A**, tenga sólo raíces distintas.

Considere el caso en que el polinomio mínimo de **A** incluye raíces múltiples. Entonces los renglones del determinante que corresponden a las raíces múltiples se vuelven idénticos, y por lo tanto se hace necesaria la modificación del determinante en la ecuación (9-90).

Se modifica la forma de la fórmula de interpolación de Sylvester dada por la ecuación (9-90), cuando el polinomio mínimo de **A** incluye raíces múltiples. Para deducir una ecuación modificada para el determinante, se supone que hay tres raíces iguales ($\lambda_1 = \lambda_2 = \lambda_3$) en el polinomio mínimo de **A** y que hay otras raíces ($\lambda_4, \lambda_5, \ldots, \lambda_m$) que son distintas.

**Solución.** Como el polinomio mínimo de **A** incluye tres raíces iguales, se puede presentar el polinomio mínimo $\phi(\lambda)$ como

$$\begin{aligned} \phi(\lambda) &= \lambda^m + a_1\lambda^{m-1} + \cdots + a_{m-1}\lambda + a_m \\ &= (\lambda - \lambda_1)^3(\lambda - \lambda_4)(\lambda - \lambda_5) \ldots (\lambda - \lambda_m) \end{aligned}$$

Se puede escribir una función arbitraria $f(\mathbf{A})$ de una matriz **A** de $n \times n$,

$$f(\mathbf{A}) = g(\mathbf{A})\phi(\mathbf{A}) + \alpha(\mathbf{A})$$

donde el polinomio mínimo de $\phi(\mathbf{A})$ es de grado $m$, y $\alpha(\mathbf{A})$ es un polinomio en **A** de grado $m - 1$, o menor. Por lo tanto, se tiene

$$f(\lambda) = g(\lambda)\phi(\lambda) + \alpha(\lambda)$$

donde $\alpha(\lambda)$ es un polinomio en $\lambda$, de grado $m - 1$ o menor, que se puede presentar como

$$\alpha(\lambda) = \alpha_0 + \alpha_1\lambda + \alpha_2\lambda^2 + \cdots + \alpha_{m-1}\lambda^{m-1} \tag{9–91}$$

En el presente caso se tiene

$$\begin{aligned} f(\lambda) &= g(\lambda)\phi(\lambda) + \alpha(\lambda) \\ &= g(\lambda)[(\lambda - \lambda_1)^3(\lambda - \lambda_4) \cdots (\lambda - \lambda_m)] + \alpha(\lambda) \end{aligned} \tag{9–92}$$

Substituyendo $\lambda_1, \lambda_4, \ldots, \lambda_m$ por $\lambda$ en la ecuación (9-92), se obtienen las $m - 2$ ecuaciones siguientes:

$$\begin{aligned} f(\lambda_1) &= \alpha(\lambda_1) \\ f(\lambda_4) &= \alpha(\lambda_4) \\ &\vdots \\ f(\lambda_m) &= \alpha(\lambda_m) \end{aligned} \tag{9–93}$$

Diferenciando la ecuación (9-92) respecto a $\lambda$, se tiene

$$\frac{d}{d\lambda}f(\lambda) = (\lambda - \lambda_1)^2 h(\lambda) + \frac{d}{d\lambda}\alpha(\lambda)$$

donde

$$(\lambda - \lambda_1)^2 h(\lambda) = \frac{d}{d\lambda}[g(\lambda)(\lambda - \lambda_1)^3(\lambda - \lambda_4) \ . \ . \ . \ (\lambda - \lambda_m)]$$

Al substituir $\lambda_1$ por $\lambda$ en la ecuación (9-94), se tiene

$$\frac{d}{d\lambda}f(\lambda)\bigg|_{\lambda=\lambda_1} = f'(\lambda_1) = \frac{d}{d\lambda}\alpha(\lambda)\bigg|_{\lambda=\lambda_1}$$

En referencia a la ecuación (9-91), esta última ecuación se transforma en

$$f'(\lambda_1) = \alpha_1 + 2\alpha_2\lambda_1 + \cdots + (m-1)\alpha_{m-1}\lambda_1^{m-2} \tag{9–95}$$

Del mismo modo, al diferenciar dos veces la ecuación (9-92) respecto a $\lambda$, y al substituir $\lambda_1$ por $\lambda$, se obtiene

$$\frac{d^2}{d\lambda^2}f(\lambda)\bigg|_{\lambda=\lambda_1} = f''(\lambda_1) = \frac{d^2}{d\lambda^2}\alpha(\lambda)\bigg|_{\lambda=\lambda_1}$$

Esta última ecuación se puede escribir como

$$f''(\lambda_1) = 2\alpha_2 + 6\alpha_3\lambda_1 + \cdots + (m-1)(m-2)\alpha_{m-1}\lambda_1^{m-3} \tag{9–96}$$

Planteando las ecuaciones (9-96), (9-95), y (9-93), se tiene

$$\begin{aligned} \alpha_2 + 3\alpha_3\lambda_1 + \cdots + \frac{(m-1)(m-2)}{2}\alpha_{m-1}\lambda_1^{m-3} &= \frac{f''(\lambda_1)}{2} \\ \alpha_1 + 2\alpha_2\lambda_1 + \cdots + (m-1)\alpha_{m-1}\lambda_1^{m-2} &= f'(\lambda_1) \\ \alpha_0 + \alpha_1\lambda_1 + \alpha_2\lambda_1^2 + \cdots + \alpha_{m-1}\lambda_1^{m-1} &= f(\lambda_1) \\ \alpha_0 + \alpha_1\lambda_4 + \alpha_2\lambda_4^2 + \cdots + \alpha_{m-1}\lambda_4^{m-1} &= f(\lambda_4) \\ &\ \ \vdots \\ \alpha_0 + \alpha_1\lambda_m + \alpha_2\lambda_m^2 + \cdots + \alpha_{m-1}\lambda_m^{m-1} &= f(\lambda_m) \end{aligned} \tag{9–97}$$

Estas $m$ ecuaciones simultáneas determinan los valores $a_k$ ($k$ = 0, 1, 2, ..., $m$ — 1). Nótese que $\phi(\mathbf{A}) = \mathbf{0}$, porque se trata de un polinomio mínimo, se tiene que $f(\mathbf{A})$ es:

$$f(\mathbf{A}) = g(\mathbf{A})\phi(\mathbf{A}) + \alpha(\mathbf{A}) = \alpha(\mathbf{A})$$

Por tanto, en referencia a la ecuación (9-91), se tiene

$$f(\mathbf{A}) = \alpha(\mathbf{A}) = \alpha_0\mathbf{I} + \alpha_1\mathbf{A} + \alpha_2\mathbf{A}^2 + \cdots + \alpha_{m-1}\mathbf{A}^{m-1} \tag{9–98}$$

donde los valores $\alpha_k$ están dados en función de $f(\lambda_1)$, $f'(\lambda_1)$, $f''(\lambda_1)$, $f(\lambda_4)$, $f(\lambda_5)$, . . . , $f(\lambda_m)$. Expresado en términos de la ecuación del determinante, $f(\mathbf{A})$ se puede obtener resolviendo la siguiente ecuación:

$$\begin{vmatrix} 0 & 0 & 1 & 3\lambda_1 & \cdots & \frac{(m-1)(m-2)}{2}\lambda_1^{m-3} & \frac{f''(\lambda_1)}{2} \\ 0 & 1 & 2\lambda_1 & 3\lambda_1^2 & \cdots & (m-1)\lambda_1^{m-2} & f'(\lambda_1) \\ 1 & \lambda_1 & \lambda_1^2 & \lambda_1^3 & \cdots & \lambda_1^{m-1} & f(\lambda_1) \\ 1 & \lambda_4 & \lambda_4^2 & \lambda_4^3 & \cdots & \lambda_4^{m-1} & f(\lambda_4) \\ \cdot & \cdot & \cdot & \cdot & & \cdot & \cdot \\ \cdot & \cdot & \cdot & \cdot & & \cdot & \cdot \\ \cdot & \cdot & \cdot & \cdot & & \cdot & \cdot \\ 1 & \lambda_m & \lambda_m^2 & \lambda_m^3 & \cdots & \lambda_m^{m-1} & f(\lambda_m) \\ \mathbf{I} & \mathbf{A} & \mathbf{A}^2 & \mathbf{A}^3 & \cdots & \mathbf{A}^{m-1} & f(\mathbf{A}) \end{vmatrix} = \mathbf{0} \qquad (9\text{–}99)$$

En la ecuación (9-99) se tiene la modificación deseada en la forma de un determinante. Esta ecuación está en la forma de la fórmula de interpolación de Sylvester cuando el polinomio mínimo de **A** incluye tres raíces iguales. (Es evidente la modificación necesaria en la forma del determinante para otros casos).

**A–9–8.** Utilizando la fórmula de interpolación de Sylvester, calcule $e^{\mathbf{A}t}$, con

$$\mathbf{A} = \begin{bmatrix} 2 & 1 & 4 \\ 0 & 2 & 0 \\ 0 & 3 & 1 \end{bmatrix}$$

**Solución.** En referencia al problema A-9-4, para esta **A** el polinomio característico y el polinomio mínimo, son iguales. El polinomio mínimo (polinomio característico), está dado por

$$\phi(\lambda) = (\lambda - 2)^2(\lambda - 1)$$

Nótese que $\lambda_1 = \lambda_2 = 2$ y $\lambda_3 = 1$. Respecto a la ecuación (9-98), y notando que en este problema $f(\mathbf{A})$ es $e^{\mathbf{A}t}$, se tiene

$$e^{\mathbf{A}t} = \alpha_0(t)\mathbf{I} + \alpha_1(t)\mathbf{A} + \alpha_2(t)\mathbf{A}^2$$

Donde $\alpha_0(t)$, $\alpha_1(t)$, y $\alpha_2(t)$ se determinan de las ecuaciones

$$\alpha_1(t) + 2\alpha_2(t)\,\lambda_1 = te^{\lambda_1 t}$$

$$\alpha_0(t) + \alpha_1(t)\,\lambda_1 + \alpha_2(t)\,\lambda_1^2 = e^{\lambda_1 t}$$

$$\alpha_0(t) + \alpha_1(t)\,\lambda_3 + \alpha_2(t)\,\lambda_3^2 = e^{\lambda_3 t}$$

Substituyendo $\lambda_1 = 2$, y $\lambda_3 = 1$ en estas tres ecuaciones, se tiene

$$\alpha_1(t) + 4\alpha_2(t) = te^{2t}$$

$$\alpha_0(t) + 2\alpha_1(t) + 4\alpha_2(t) = e^{2t}$$

$$\alpha_0(t) + \alpha_1(t) + \alpha_2(t) = e^{t}$$

Despejando los valores de $\alpha_0(t)$, $\alpha_1(t)$, y $\alpha_2(t)$, resulta que

$$\alpha_0(t) = 4e^{t} - 3e^{2t} + 2te^{2t}$$

$$\alpha_1(t) = -4e^{t} + 4e^{2t} - 3te^{2t}$$

$$\alpha_2(t) = e^{t} - e^{2t} + te^{2t}$$

Por tanto,

$$e^{\mathbf{A}t} = (4e^t - 3e^{2t} + 2te^{2t})\begin{bmatrix} 1 & 0 & 0 \\ 0 & 1 & 0 \\ 0 & 0 & 1 \end{bmatrix} + (-4e^t + 4e^{2t} - 3te^{2t})\begin{bmatrix} 2 & 1 & 4 \\ 0 & 2 & 0 \\ 0 & 3 & 1 \end{bmatrix}$$

$$+ (e^t - e^{2t} + te^{2t})\begin{bmatrix} 4 & 16 & 12 \\ 0 & 4 & 0 \\ 0 & 9 & 1 \end{bmatrix}$$

$$= \begin{bmatrix} e^{2t} & 12e^t - 12e^{2t} + 13te^{2t} & -4e^t + 4e^{2t} \\ 0 & e^{2t} & 0 \\ 0 & -3e^t + 3e^{2t} & e^t \end{bmatrix}$$

**A–9–9.** Considere una matriz **A** de $n \times n$. Muestre que

$$(s\mathbf{I} - \mathbf{A})^{-1} = \frac{\sum_{j=0}^{m-1} s^j \sum_{i=1+j}^{m} \alpha_i \mathbf{A}^{i-j-1}}{\sum_{i=0}^{m} \alpha_i s^i}$$

donde las $\alpha_i$ son coeficientes del polinomio mínimo de **A**:

$$\alpha_0\mathbf{A}^m + \alpha_1\mathbf{A}^{m-1} + \cdots + \alpha_{m-1}\mathbf{A} + \alpha_m\mathbf{I} = \mathbf{0}$$

donde $\alpha_0 = 1$ y $m$ es el grado del polinomio mínimo ($m \leqslant n$).

**Solución**. Haciendo

$$\mathbf{P} = (s\mathbf{I} - \mathbf{A})^{-1}$$

Entonces

$$s\mathbf{P} = \mathbf{AP} + \mathbf{I}$$

Premultiplicando por $(s\mathbf{I} + \mathbf{A})$ ambos miembros de esta ecuación, se obtiene

$$s^2\mathbf{P} = \mathbf{A}^2\mathbf{P} + \mathbf{A} + s\mathbf{I}$$

En forma similar, premultiplicando por $(s\mathbf{I} + \mathbf{A})$ a ambos miembros de esta última ecuación, se tiene

$$s^3\mathbf{P} = \mathbf{A}^3\mathbf{P} + \mathbf{A}^2 + s\mathbf{A} + s^2\mathbf{I}$$

Repitiendo este proceso, se llega al siguiente conjunto de ecuaciones

$$\begin{aligned} \mathbf{P} &= \mathbf{P} \\ s\mathbf{P} &= \mathbf{AP} + \mathbf{I} \\ s^2\mathbf{P} &= \mathbf{A}^2\mathbf{P} + \mathbf{A} + s\mathbf{I} \\ s^3\mathbf{P} &= \mathbf{A}^3\mathbf{P} + \mathbf{A}^2 + s\mathbf{A} + s^2\mathbf{I} \\ &\cdot \\ &\cdot \\ &\cdot \\ s^m\mathbf{P} &= \mathbf{A}^m\mathbf{P} + \mathbf{A}^{m-1} + s\mathbf{A}^{m-2} + \cdots + s^{m-2}\mathbf{A} + s^{m-1}\mathbf{I} \end{aligned}$$

donde $m$ es el grado del polinomio mínimo de **A**. Entonces, multiplicando las $s^i\mathbf{P}$ por $\alpha_{m-1}$ (donde $i = 0, 1, 2, \ldots, m$), en las $\mathbf{m} + 1$ ecuaciones anteriores en este orden y sumando los productos, se logra

$$\alpha_m \mathbf{P} + \alpha_{m-1} s\mathbf{P} + \alpha_{m-2} s^2 \mathbf{P} + \cdots + \alpha_0 s^m \mathbf{P}$$

$$= \sum_{i=0}^{m} \alpha_{m-i} \mathbf{A}^i \mathbf{P} + \sum_{i=1}^{m} \alpha_{m-i} \mathbf{A}^{i-1} + s \sum_{i=2}^{m} \alpha_{m-i} \mathbf{A}^{i-2} + \cdots$$

$$+ s^{m-2} \sum_{i=m-1}^{m} \alpha_{m-i} \mathbf{A}^{i-m+1} + s^{m-1} \alpha_0 \mathbf{I} \qquad (9\text{–}100)$$

Notando que

$$\sum_{i=0}^{m} \alpha_{m-i} \mathbf{A}^i \mathbf{P} = (\alpha_0 \mathbf{A}^m + \alpha_1 \mathbf{A}^{m-1} + \cdots + \alpha_{m-1} \mathbf{A} + \alpha_m \mathbf{I})\mathbf{P} = \mathbf{0}$$

la ecuación (9-100) se puede simplificar como sigue:

$$\sum_{i=0}^{m} \alpha_{m-i} s^i \mathbf{P} = \sum_{j=0}^{m-1} s^j \sum_{i=1+j}^{m} \alpha_{m-i} \mathbf{A}^{i-j-1}$$

Por lo tanto,

$$(s\mathbf{I} - \mathbf{A})^{-1} = \mathbf{P} = \frac{\sum_{j=0}^{m-1} s^j \sum_{i=1+j}^{m} \alpha_{m-i} \mathbf{A}^{i-j-1}}{\sum_{i=0}^{m} \alpha_{m-i} s^i}$$

Si el polinomio mínimo y el polinomio característico de $\mathbf{A}$ son idénticos, entonces $m = n$. Si $m = n$, esta última ecuación se convierte en

$$(s\mathbf{I} - \mathbf{A})^{-1} = \frac{\sum_{j=0}^{n-1} s^j \sum_{i=1+j}^{n} \alpha_{n-i} \mathbf{A}^{i-j-1}}{|s\mathbf{I} - \mathbf{A}|} \qquad (9\text{–}101)$$

donde

$$|s\mathbf{I} - \mathbf{A}| = \sum_{i=0}^{n} \alpha_{n-i} s^i, \qquad \alpha_0 = 1$$

**A–9–10.** Para que haya controlabilidad del estado completo, es condición necesaria y suficiente que no haya cancelación en la función de transferencia, ni en la matriz de transferencia.

Considere el sistema definido por

$$\dot{\mathbf{x}} = \mathbf{A}\mathbf{x} + \mathbf{B}u, \qquad \mathbf{x}(0) = \mathbf{0} \qquad (9\text{–}102)$$

donde $\mathbf{x}$ = vector de estado (vector de dimensión $n$)
$\mathbf{u}$ = señal de control (escalar)
$\mathbf{A}$ = matriz de $n \times n$
$\mathbf{B}$ = matriz de $n \times 1$

transformando a Laplace la ecuación (9-102) y despejando $\mathbf{X}(s)$, se tiene

$$\mathbf{X}(s) = (s\mathbf{I} - \mathbf{A})^{-1}\mathbf{B}U(s) \qquad (9\text{–}103)$$

donde

$$(s\mathbf{I} - \mathbf{A})^{-1}\mathbf{B} = \frac{1}{|s\mathbf{I} - \mathbf{A}|} \begin{bmatrix} p_1(s) \\ p_2(s) \\ \cdot \\ \cdot \\ \cdot \\ p_n(s) \end{bmatrix}$$

y los $p_i(s)$ ($i = 1, 2, \ldots, n$) son polinomios en $s$. A continuación se define qué se entiende por *cancelaciones* en la matriz de transferencia $(s\mathbf{I} - \mathbf{A})^{-1}\mathbf{B}$. Se dice que la matriz $(s\mathbf{I} - \mathbf{A})^{-1}\mathbf{B}$ no tiene cancelación si y sólo si, los polinomios $p_1(s), p_2(s), \ldots, p_n(s)$, y $|s\mathbf{I} - \mathbf{A}|$ no tienen factor común. Si $(s\mathbf{I} - \mathbf{A})^{-1}\mathbf{B}$ tiene una cancelación, entonces el sistema no puede controlarse en la dirección del modo cancelado.

Demuestre que $(s\mathbf{I} - \mathbf{A})^{-1}\mathbf{B}$ tiene una cancelación si y sólo si, el rango de

$$\mathbf{P} = [\mathbf{B} \mid \mathbf{AB} \mid \cdots \mid \mathbf{A}^{n-1}\mathbf{B}]$$

es menor que $n$.

**Solución.** Se define

$$\boldsymbol{\phi} \equiv (s\mathbf{I} - \mathbf{A})^{-1}\mathbf{B}$$

Utilizando la ecuación (9-101), $\boldsymbol{\phi}$ se puede expresar como

$$\boldsymbol{\phi} = \frac{\sum_{j=0}^{n-1} s^j \sum_{i=1+j}^{n} \alpha_{n-i}\mathbf{A}^{i-j-1}\mathbf{B}}{\sum_{i=0}^{n} \alpha_{n-i}s^i} \qquad (\alpha_0 = 1)$$

Se define

$$\mathbf{v}_j = \sum_{i=1+j}^{n} \alpha_{n-i}\mathbf{A}^{i-j-1}\mathbf{B}$$

donde $\mathbf{v}_j$ es un vector de dimensión $n$ entonces

$$\boldsymbol{\phi} = \frac{\sum_{j=0}^{n-1} s^j \mathbf{v}_j}{\sum_{i=0}^{n} \alpha_{n-i}s^i} \tag{9–104}$$

Supóngase que $\boldsymbol{\phi}$ tiene una cancelación. Entonces el numerador del miembro derecho de la ecuación (9-104), debe tener la siguiente forma:

$$\sum_{j=0}^{n-1} s^j \mathbf{v}_j = (s - s_k)\sum_{j=0}^{n-2} s^j \mathbf{w}_j \tag{9–105}$$

donde $s_k$ es un valor propio de $\mathbf{A}$. Igualando los coeficientes de $s^i$($i = 0, 1, 2, \ldots, n - 1$), en ambos miembros de la ecuación (9-105), se tiene

$$\begin{aligned}
\mathbf{v}_0 &= -s_k\mathbf{w}_0 \\
\mathbf{v}_1 &= \mathbf{w}_0 - s_k\mathbf{w}_1 \\
\mathbf{v}_2 &= \mathbf{w}_1 - s_k\mathbf{w}_2 \\
&\;\;\vdots \\
\mathbf{v}_{n-1} &= \mathbf{w}_{n-2}
\end{aligned}$$

Entonces

$$\begin{aligned}
&\mathbf{v}_0 + s_k\mathbf{v}_1 + s_k^2\mathbf{v}_2 + \cdots + s_k^{n-1}\mathbf{v}_{n-1} \\
&= (-s_k\mathbf{w}_0) + (s_k\mathbf{w}_0 - s_k^2\mathbf{w}_1) + (s_k^2\mathbf{w}_1 - s_k^3\mathbf{w}_2) + \cdots \\
&\quad + (s_k^{n-2}\mathbf{w}_{n-3} - s_k^{n-1}\mathbf{w}_{n-2}) + s_k^{n-1}\mathbf{w}_{n-2} \\
&= \mathbf{0}
\end{aligned} \tag{9–106}$$

La ecuación (9-106) implica que

$$\sum_{i=1}^{n} \alpha_{n-i}\mathbf{A}^{i-1}\mathbf{B} + s_k \sum_{i=2}^{n} \alpha_{n-i}\mathbf{A}^{i-2}\mathbf{B} + \cdots + s_k^{n-1}\alpha_0\mathbf{B} = \mathbf{0}$$

que se puede presentar como

$$c_0\mathbf{B} + c_1\mathbf{AB} + c_2\mathbf{A}^2\mathbf{B} + \cdots + c_{n-1}\mathbf{A}^{n-1}\mathbf{B} = \mathbf{0} \tag{9–107}$$

donde

$$c_i = \sum_{j=0}^{n-i-1} \alpha_{n-i-j-1}s_k^j$$

Como el coeficiente de $\mathbf{A}^{n-1}\mathbf{B}$ es $c_n = \alpha_0 = 1$, la ecuación (9-107) implica que los vectores **B**, **AB**, ..., $\mathbf{A}^{n-1}\mathbf{B}$ son linealmente dependientes. Por lo tanto, el rango de **P** es menor que $n$. Así, se ha probado que, si $\boldsymbol{\phi}$ tiene una cancelación, el rango de **P** es menor que $n$.

A continuación se probará que, si el rango de **P** es menor que **n**, entonces $\boldsymbol{\phi}$ tiene una cancelación. Si el rango de **P** es menor que $n$, entonces existen constantes $\gamma_0, \gamma_1, \ldots, \gamma_{n-1}$, no todas cero, tales que

$$\gamma_0\,\mathbf{B} + \gamma_1\,\mathbf{AB} + \gamma_2\,\mathbf{A}^2\mathbf{B} + \cdots + \gamma_{n-1}\mathbf{A}^{n-1}\mathbf{B} = \mathbf{0}$$

Puesto que

$$\mathbf{B} = (s\mathbf{I} - \mathbf{A})\,\boldsymbol{\phi}$$

se tiene

$$\sum_{i=0}^{n-1} \gamma_i\mathbf{A}^i(s\mathbf{I} - \mathbf{A})\boldsymbol{\phi} = (s\mathbf{I} - \mathbf{A})\sum_{i=0}^{n-1} \gamma_i\mathbf{A}^i\boldsymbol{\phi} = \mathbf{0} \tag{9–108}$$

Para $s$ tal que $|s\mathbf{I} - \mathbf{A}| \neq 0$, la ecuación (9-108) implica que

$$\sum_{i=0}^{n-1} \gamma_i\mathbf{A}^i\boldsymbol{\phi} = \mathbf{0}$$

Usando las identidades

$$\begin{aligned}
\boldsymbol{\phi} &= \boldsymbol{\phi}\\
\mathbf{A}\boldsymbol{\phi} &= s\boldsymbol{\phi} - \mathbf{B}\\
\mathbf{A}^2\boldsymbol{\phi} &= s^2\boldsymbol{\phi} - \mathbf{AB} - s\mathbf{B}\\
&\;\;\vdots\\
\mathbf{A}^{n-1}\boldsymbol{\phi} &= s^{n-1}\boldsymbol{\phi} - \mathbf{A}^{n-2}\mathbf{B} - s\mathbf{A}^{n-3}\mathbf{B} - \cdots - s^{n-2}\mathbf{B}
\end{aligned}$$

se obtiene

$$\begin{aligned}
\sum_{i=0}^{n-1} \gamma_i\mathbf{A}^i\boldsymbol{\phi} &= \sum_{i=0}^{n-1} \gamma_i s^i\boldsymbol{\phi} - \sum_{i=1}^{n-1} \gamma_i\mathbf{A}^{i-1}\mathbf{B} - s\sum_{i=2}^{n-1} \gamma_i\mathbf{A}^{i-2}\mathbf{B}\\
&\quad - \cdots - s^{n-3}\sum_{i=n-2}^{n-1} \gamma_i\mathbf{A}^{i-n+2}\mathbf{B} - s^{n-2}\gamma_{n-1}\mathbf{B}\\
&= \mathbf{0}
\end{aligned}$$

Por tanto,

$$\sum_{i=0}^{n-1} \gamma_i s^i \boldsymbol{\phi} = \sum_{i=1}^{n-1} \gamma_i \mathbf{A}^{i-1}\mathbf{B} + s \sum_{i=2}^{n-1} \gamma_i \mathbf{A}^{i-2}\mathbf{B} + \cdots$$

$$+ s^{n-3} \sum_{i=n-2}^{n-1} \gamma_i \mathbf{A}^{i-n+2}\mathbf{B} + s^{n-2}\gamma_{n-1}\mathbf{B}$$

$$= \sum_{\substack{i=j+1 \\ j=0}}^{n-1} \gamma_i \mathbf{A}^{i-j-1}\mathbf{B} + s \sum_{\substack{i=j+1 \\ j=1}}^{n-1} \gamma_i \mathbf{A}^{i-j-1}\mathbf{B} + \cdots$$

$$+ s^{n-3} \sum_{\substack{i=j+1 \\ j=n-3}}^{n-1} \gamma_i \mathbf{A}^{i-j-1}\mathbf{B} + s^{n-2} \sum_{\substack{i=j+1 \\ j=n-2}}^{n-1} \gamma_i \mathbf{A}^{i-j-1}\mathbf{B}$$

$$= \sum_{j=0}^{n-2} s^j \sum_{i=j+1}^{n-1} \gamma_i \mathbf{A}^{i-j-1}\mathbf{B}$$

o bien

$$\boldsymbol{\phi} = \frac{\sum_{j=0}^{n-2} s^j \sum_{i=j+1}^{n-1} \gamma_i \mathbf{A}^{i-j-1}\mathbf{B}}{\sum_{i=0}^{n-1} \gamma_i s^i} \tag{9–109}$$

El denominador de la ecuación (9-109), indica que ha habido una cancelación. Esto completa la prueba.

Se ha demostrado que la condición de que el rango de la matriz

$$[\mathbf{B} \mid \mathbf{AB} \mid \cdots \mid \mathbf{A}^{n-1}\mathbf{B}]$$

es $n$, es equivalente a la condición de que no haya cancelación en la matriz de transferencia $(s\mathbf{I} - \mathbf{A})^{-1}\mathbf{B}$.

**A–9–11.** Muestre que el sistema descrito por

$$\dot{\mathbf{x}} = \mathbf{Ax} + \mathbf{Bu} \tag{9–110}$$

$$\mathbf{y} = \mathbf{Cx} \tag{9–111}$$

donde $\mathbf{x}$ = vector de estado (vector de dimensión $n$)
$\mathbf{u}$ = vector de control (vector de dimensión $r$)
$\mathbf{y}$ = vector de salida (vector de dimensión $m$) $(m \leq n)$
$\mathbf{A}$ = matriz de $n \times n$
$\mathbf{B}$ = matriz de $n \times r$
$\mathbf{C}$ = matriz de $m \times n$

es controlable de salida completa si y sólo si la matriz compuesta $\mathbf{P}$ de $m \times nr$ donde

$$\mathbf{P} = [\mathbf{CB} \mid \mathbf{CAB} \mid \mathbf{CA}^2\mathbf{B} \mid \cdots \mid \mathbf{CA}^{n-1}\mathbf{B}]$$

es de rango $m$. (Nótese que la controlabilidad del estado completo no es condición, necesaria ni suficiente, para la controlabilidad de salida completa).

**Solución.** Suponga que el sistema tiene salida completa controlable y que la salida $\mathbf{y}(t)$ que comienza en cualquier $\mathbf{y}(0)$, la salida inicial, se puede transferir al origen del espacio de estado en un intervalo de tiempo finito $0 \leq t \leq T$.
Es decir,

$$\mathbf{y}(T) = \mathbf{Cx}(T) = \mathbf{0} \tag{9–112}$$

Como la solución de la ecuación (9-110) es

$$\mathbf{x}(t) = e^{\mathbf{A}t}\left[\mathbf{x}(0) + \int_0^t e^{-\mathbf{A}\tau}\mathbf{Bu}(\tau)\,d\tau\right]$$

en $t = T$, se tiene

$$\mathbf{x}(T) = e^{\mathbf{A}T}\left[\mathbf{x}(0) + \int_0^T e^{-\mathbf{A}\tau}\mathbf{Bu}(\tau)\,d\tau\right] \tag{9–113}$$

Substituyendo la ecuación (9-113) en la ecuación (9-112), se obtiene

$$\begin{aligned}\mathbf{y}(T) &= \mathbf{Cx}(T)\\ &= \mathbf{C}e^{\mathbf{A}T}\left[\mathbf{x}(0) + \int_0^T e^{-\mathbf{A}\tau}\mathbf{Bu}(\tau)\,d\tau\right] = \mathbf{0}\end{aligned} \tag{9–114}$$

Por otro lado, $\mathbf{y}(0) = \mathbf{Cx}(0)$. Nótese que la controlabilidad de salida completa significa que el vector $\mathbf{Cx}(0)$ es la imagen del espacio de salida de dimensión $m$. Como $e^{\mathbf{A}T}$ es no singular, si $\mathbf{Cx}(0)$ es la imagen del espacio de salida de dimensión $m$, también es $\mathbf{C}e^{\mathbf{A}T}\mathbf{x}(0)$, y viceversa. De la ecuación (9-114) se obtiene

$$\begin{aligned}\mathbf{C}e^{\mathbf{A}T}\mathbf{x}(0) &= -\mathbf{C}e^{\mathbf{A}T}\int_0^T e^{-\mathbf{A}\tau}\mathbf{Bu}(\tau)\,d\tau\\ &= -\mathbf{C}\int_0^T e^{\mathbf{A}\tau}\mathbf{Bu}(T-\tau)\,d\tau\end{aligned}$$

Nótese que $\int_0^T e^{\mathbf{A}\tau}\,\mathbf{Bu}(T-\tau)\,d\tau$, se puede expresar como una suma de $\mathbf{A}^i\mathbf{B}_j$,

$$\int_0^T e^{\mathbf{A}\tau}\mathbf{Bu}(T-\tau)\,d\tau = \sum_{i=0}^{p-1}\sum_{j=1}^{r}\gamma_{ij}\mathbf{A}^i\mathbf{B}_j$$

donde

$$\gamma_{ij} = \int_0^T \alpha_i(\tau)u_j(T-\tau)\,d\tau = \text{escalar}$$

y $\alpha_i(\tau)$ satisface

$$e^{\mathbf{A}\tau} = \sum_{i=0}^{p-1}\alpha_i(\tau)\,\mathbf{A}^i \qquad (p\text{: grado del polinomio mínimo de }\mathbf{A})$$

y $\mathbf{B}_j$ es la $j$-ésima columna de $\mathbf{B}$. Por lo tanto, $\mathbf{C}e^{\mathbf{A}T}\mathbf{x}(0)$ se puede expresar como

$$\mathbf{C}e^{\mathbf{A}T}\mathbf{x}(0) = -\sum_{i=0}^{p-1}\sum_{j=1}^{r}\gamma_{ij}\mathbf{CA}^i\mathbf{B}_j$$

De esta última ecuación se ve que $\mathbf{C}e^{\mathbf{A}T}\mathbf{x}(0)$ es una combinación lineal de $\mathbf{CA}_i\mathbf{B}_j$ ($i = 0, 1, 2, \ldots, \mathbf{p} - 1$; $j = 1, 2, \ldots, r$). Nótese que si el rango de $\mathbf{Q}$, donde

$$\mathbf{Q} = [\mathbf{CB} \mid \mathbf{CAB} \mid \mathbf{CA}^2\mathbf{B} \mid \cdots \mid \mathbf{CA}^{p-1}\mathbf{B}] \qquad (p \leq n)$$

es $m$, entonces también es el rango de **P** y viceversa. [Esto es obvio si $p = n$. Si $p < n$, entonces las $\mathbf{CA}^h\mathbf{B}_j$ (donde $p \leq h \leq n - 1$) son linealmente dependientes de $\mathbf{CB}_j$, $\mathbf{CAB}_j$, ..., $\mathbf{CA}^{p-1}\mathbf{B}_j$. Por lo tanto, el rango de **P** es igual al de **Q**]. Si el rango de **P** es $m$, entonces $\mathbf{C}e^{\mathbf{A}T}\mathbf{x}(0)$ es la imagen del espacio de salida de dimensión $m$. Esto significa que si el rango de **P** es $m$, entonces $\mathbf{Cx}(0)$ también es la imagen del espacio de salida de dimensión $m$, y el sistema tiene una salida completa controlable.

Al contrario, suponga que el sistema es controlable de salida completa, pero el rango de **P** es $k$, donde $k < m$. Entonces el conjunto de todas las salidas iniciales, que pueden transferirse al origen, es de un espacio dimensión $k$. Por lo tanto, la dimensión de este conjunto es menor que $m$, lo que contradice la suposición de que el sistema es de controlabilidad completa de salida. Esto completa la prueba.

Nótese que se puede probar en forma inmediata que en el sistema de las ecuaciones (9-110) y (9-111), la controlabilidad del estado completo en $0 \leq t \leq T$ implica controlabilidad de salida completa en $0 \leq t \leq T$ si y sólo si $m$ renglones de **C** son linealmente independientes.

**A–9–12.** Analice la controlabilidad del estado del siguiente sistema:

$$\begin{bmatrix} \dot{x}_1 \\ \dot{x}_2 \end{bmatrix} = \begin{bmatrix} -3 & 1 \\ -2 & 1.5 \end{bmatrix} \begin{bmatrix} x_1 \\ x_2 \end{bmatrix} + \begin{bmatrix} 1 \\ 4 \end{bmatrix} u \tag{9–115}$$

**Solución.** Para este sistema

$$\mathbf{A} = \begin{bmatrix} -3 & 1 \\ -2 & 1.5 \end{bmatrix}, \qquad \mathbf{B} = \begin{bmatrix} 1 \\ 4 \end{bmatrix}$$

Como

$$\mathbf{AB} = \begin{bmatrix} -3 & 1 \\ -2 & 1.5 \end{bmatrix} \begin{bmatrix} 1 \\ 4 \end{bmatrix} = \begin{bmatrix} 1 \\ 4 \end{bmatrix}$$

se ve que los vectores **B** y **AB** no son linealmente independientes y el rango de la matriz $[\mathbf{B} \mid \mathbf{AB}]$ es 1. Por lo tanto, el sistema no tiene estado completo controlable. De hecho, la eliminación de $x_2$ de la ecuación (9-115), o las siguientes dos ecuaciones simultáneas,

$$\dot{x}_1 = -3x_1 + x_2 + u$$

$$\dot{x}_2 = -2x_1 + 1.5\,x_2 + 4u$$

dan

$$\ddot{x}_1 + 1.5\dot{x}_1 - 2.5x_1 = \dot{u} + 2.5u$$

o, en forma de función de transferencia

$$\frac{X_1(s)}{U(s)} = \frac{s + 2.5}{(s + 2.5)(s - 1)}$$

Nótese que la cancelación del factor $(s + 2.5)$, se produce en el numerador y denominador de la función de transferencia. Debido a esta cancelación, el estado del sistema no es controlable.

Este es un sistema inestable. Recuerde que la estabilidad y la controlabilidad son dos cosas diferentes. Hay muchos sistemas que son inestables, pero de estado completo controlable.

**A-9-13.** La representación en el espacio de estado de un sistema en la forma canónica controlable está dada por

$$\begin{bmatrix} \dot{x}_1 \\ \dot{x}_2 \end{bmatrix} = \begin{bmatrix} 0 & 1 \\ -0.4 & -1.3 \end{bmatrix} \begin{bmatrix} x_1 \\ x_2 \end{bmatrix} + \begin{bmatrix} 0 \\ 1 \end{bmatrix} u \tag{9–116}$$

$$y = [0.8 \quad 1] \begin{bmatrix} x_1 \\ x_2 \end{bmatrix} \tag{9–117}$$

El mismo sistema se puede representar por la siguiente ecuación de estado, que está en la forma de canónica observable

$$\begin{bmatrix} \dot{x}_1 \\ \dot{x}_2 \end{bmatrix} = \begin{bmatrix} 0 & -0.4 \\ 1 & -1.3 \end{bmatrix} \begin{bmatrix} x_1 \\ x_2 \end{bmatrix} + \begin{bmatrix} 0.8 \\ 1 \end{bmatrix} u \tag{9–118}$$

$$y = [0 \quad 1] \begin{bmatrix} x_1 \\ x_2 \end{bmatrix} \tag{9–119}$$

Muestre que la representación en el espacio de estado; dada por las ecuaciones (9-116) y (9-117), produce un sistema que es de estado controlable, pero no observable. Muestre, por otro lado, que la representación en el espacio de estado, definida por las ecuaciones (9-118) y (9-119), produce un sistema que no es de estado controlable, pero es observable. Explique qué produce la diferencia aparente en la controlabilidad y observabilidad del mismo sistema.

**Solución.** Considere el sistema definido por las ecuaciones (9-116) y (9-117). El rango de la matriz de controlabilidad

$$[\mathbf{B} \mid \mathbf{AB}] = \begin{bmatrix} 0 & 1 \\ 1 & -1.3 \end{bmatrix}$$

es 2. Por lo tanto, el sistema es de estado controlable. El rango de la matriz de observabilidad

$$[\mathbf{C}^* \mid \mathbf{A}^*\mathbf{C}^*] = \begin{bmatrix} 0.8 & -0.4 \\ 1 & -0.5 \end{bmatrix}$$

es 1. Por lo tanto, el sistema no es observable.

A continuación se analiza el sistema definido por las ecuaciones (9-118) y (9-119). El rango de la matriz de controlabilidad

$$[\mathbf{B} \mid \mathbf{AB}] = \begin{bmatrix} 0.8 & -0.4 \\ 1 & -0.5 \end{bmatrix}$$

es 1. Por lo tanto, el sistema no es de estado observable. El rango de la matriz de observabilidad

$$[\mathbf{C}^* \mid \mathbf{A}^*\mathbf{C}^*] = \begin{bmatrix} 0 & 1 \\ 1 & -1.3 \end{bmatrix}$$

es 2. Por lo tanto, el sistema es observable.

La diferencia aparente en la controlabilidad y la observabilidad de un mismo sistema se produce por el hecho de que el sistema original tiene una cancelación entre un polo y cero en la función de transferencia. Con referencia a la ecuación (9-34),

$$G(s) = \mathbf{C}(s\mathbf{I} - \mathbf{A})^{-1}\mathbf{B}$$

Si se utilizan las ecuaciones (9-116) y (9-117), entonces

$$G(s) = [0.8 \quad 1] \begin{bmatrix} s & -1 \\ 0.4 & s + 1.3 \end{bmatrix}^{-1} \begin{bmatrix} 0 \\ 1 \end{bmatrix}$$

$$= \frac{1}{s^2 + 1.3s + 0.4}[0.8 \quad 1]\begin{bmatrix} s + 1.3 & 1 \\ -0.4 & s \end{bmatrix}\begin{bmatrix} 0 \\ 1 \end{bmatrix}$$

$$= \frac{s + 0.8}{(s + 0.8)(s + 0.5)}$$

[Nótese que se puede obtener la misma función de transferencia, si se usan las ecuaciones (9-118) y (9-119)]. Es claro que se produce una cancelación en esta función de transferencia.

Si se produce una cancelación entre un polo y un cero de la función de transferencia, entonces la controlabilidad y la observabilidad varían, dependiendo de cómo se haya elegido la función de transferencia. Recuerde que para tener estado completo controlable y observable, la función de transferencia no debe tener ninguna cancelación entre polos y ceros.

**A-9-14.** Pruebe que el sistema definido por

$$\dot{\mathbf{x}} = \mathbf{A}\mathbf{x}$$
$$\mathbf{y} = \mathbf{C}\mathbf{x}$$

donde $\mathbf{x}$ = vector de estado (vector de dimensión $n$)
$\mathbf{y}$ = vector de salida (vector de dimensión $m$) $(m \leq n)$
$\mathbf{A}$ = matriz de $n \times n$
$\mathbf{B}$ = matriz de $m \times n$

es de estado observable si y solamente si, la matriz compuesta $\mathbf{P}$ de $mn \times n$, donde

$$\mathbf{P} = \begin{bmatrix} \mathbf{C} \\ \mathbf{CA} \\ \cdot \\ \cdot \\ \cdot \\ \mathbf{CA}^{n-1} \end{bmatrix}$$

es de rango $n$

**Solución**. Se trata de lograr primero la condición necesaria. Suponga que

$$\text{rango de } \mathbf{P} < n$$

entonces existe un $\mathbf{x}(0)$ tal que

$$\mathbf{P}\mathbf{x}(0) = \mathbf{0}$$

o bien

$$\mathbf{P}\mathbf{x}(0) = \begin{bmatrix} \mathbf{C} \\ \mathbf{CA} \\ \cdot \\ \cdot \\ \cdot \\ \mathbf{CA}^{n-1} \end{bmatrix}\mathbf{x}(0) = \begin{bmatrix} \mathbf{C}\mathbf{x}(0) \\ \mathbf{CA}\mathbf{x}(0) \\ \cdot \\ \cdot \\ \cdot \\ \mathbf{CA}^{n-1}\mathbf{x}(0) \end{bmatrix} = \mathbf{0}$$

Entonces se tiene, para una determinada $\mathbf{x}(0)$.

$$\mathbf{CA}^i\mathbf{x}(0) = \mathbf{0} \qquad (i = 0, 1, 2, \ldots, n-1)$$

Nótese que de las ecuaciones (9-23) y (9-26), resulta

$$e^{\mathbf{A}t} = \alpha_0(t)\mathbf{I} + \alpha_1(t)\mathbf{A} + \alpha_2(t)\mathbf{A}^2 + \cdots + \alpha_{m-1}(t)\mathbf{A}^{m-1}$$

donde $m$ ($m \leq n$) es el grado del polinomio mínimo de **A**. Por lo tanto, para determinada $\mathbf{x}(0)$, se tiene

$$\mathbf{C}e^{\mathbf{A}t}\mathbf{x}(0) = \mathbf{C}[\alpha_0(t)\mathbf{I} + \alpha_1(t)\mathbf{A} + \alpha_2(t)\mathbf{A}^2 + \cdots + \alpha_{m-1}(t)\mathbf{A}^{m-1}]\,\mathbf{x}(0) = \mathbf{0}$$

En consecuencia, para determinada $\mathbf{x}(0)$,

$$\mathbf{y}(t) = \mathbf{C}\mathbf{x}(t) = \mathbf{C}e^{\mathbf{A}t}\mathbf{x}(0) = \mathbf{0}$$

que implica que, para determinada $\mathbf{x}(0)$, no se puede determinar $\mathbf{x}(0)$ a partir de $\mathbf{y}(t)$. Por lo tanto, el rango de la matriz **P** debe ser igual a $n$.

A continuación se determina la condición suficiente. Considere que el rango de $\mathbf{P} = n$. Como

$$\mathbf{y}(t) = \mathbf{C}e^{\mathbf{A}t}\mathbf{x}(0)$$

premultiplicando por $e^{\mathbf{A}^*t}\mathbf{C}^*$ los dos miembros de esta última ecuación, se tiene

$$e^{\mathbf{A}^*t}\mathbf{C}^*\mathbf{y}(t) = e^{\mathbf{A}^*t}\mathbf{C}^*\mathbf{C}e^{\mathbf{A}t}\mathbf{x}(0)$$

Si se integra esta última ecuación de 0 a $t$, se obtiene

$$\int_0^t e^{\mathbf{A}^*t}\mathbf{C}^*\mathbf{y}(t)\,dt = \int_0^t e^{\mathbf{A}^*t}\mathbf{C}^*\mathbf{C}e^{\mathbf{A}t}\mathbf{x}(0)\,dt \tag{9–120}$$

Nótese que el miembro izquierdo de esta ecuación es una cantidad conocida. Se define

$$\mathbf{Q}(t) = \int_0^t e^{\mathbf{A}^*t}\mathbf{C}^*\mathbf{y}(t)\,dt = \text{cantidad conocida} \tag{9–121}$$

Entonces, de las ecuaciones (9-120) y (9-121), se tiene

$$\mathbf{Q}(t) = \mathbf{W}(t)\mathbf{x}(0) \tag{9–122}$$

donde

$$\mathbf{W}(t) = \int_0^t e^{\mathbf{A}^*\tau}\,\mathbf{C}^*\mathbf{C}e^{\mathbf{A}\tau}\,d\tau$$

Se puede establecer que $\mathbf{W}(t)$ es una matriz no singular del siguiente modo. Si $|\mathbf{W}(t)|$ fuera igual a 0, entonces

$$\mathbf{x}^*\mathbf{W}(t_1)\mathbf{x} = \int_0^{t_1} \|\mathbf{C}e^{\mathbf{A}t}\mathbf{x}\|^2\,dt = 0$$

lo que significa que

$$\mathbf{C}e^{\mathbf{A}t}\mathbf{x} = \mathbf{0} \qquad (0 \leq t \leq t_1)$$

que implica que el rango de $\mathbf{P} < n$. Por lo tanto, $|\mathbf{W}(t)| \neq 0$, o $\mathbf{W}(t)$, es no singular. Entonces, de la ecuación (9-122), se obtiene

$$\mathbf{x}(0) = [\mathbf{W}(t)]^{-1}\,\mathbf{Q}(t) \tag{9–123}$$

y $\mathbf{x}(0)$ se puede determinar, de la ecuación (9-123).

Por lo tanto, se ha probado que $\mathbf{x}(0)$ se puede determinar a partir de $\mathbf{y}(t)$ si y sólo si, el rango de $\mathbf{P} = n$. Se hace notar que $\mathbf{x}(0)$ e $\mathbf{y}(t)$, están relacionadas por

$$\mathbf{y}(t) = \mathbf{C}e^{\mathbf{A}t}\mathbf{x}(0) = \alpha_0(t)\mathbf{C}\mathbf{x}(0) + \alpha_1(t)\mathbf{C}\mathbf{A}\mathbf{x}(0) + \cdots + \alpha_{n-1}(t)\mathbf{C}\mathbf{A}^{n-1}\mathbf{x}(0)$$

**A–9–15.** Considere el sistema definido por

$$\dot{\mathbf{x}} = \mathbf{f}(\mathbf{x}, t)$$

Se supone que

$$\mathbf{f}(\mathbf{0}, t) = \mathbf{0} \qquad \text{para todo } t$$

También se supone que existe una función escalar $V(\mathbf{x}, t)$, con primeras derivadas parciales continuas. Si $V(\mathbf{x}, t)$ satisface las siguientes condiciones:

1. $V(\mathbf{x}, t)$ es definida positiva. Es decir, $V(\mathbf{0}, t) = 0$ y $V(\mathbf{x}, t) \geq \alpha(\|\mathbf{x}\|) > 0$ para todo $\mathbf{x} \neq \mathbf{0}$ y todo $t$, donde $\alpha$ es una función escalar continua, no decreciente tal que $\alpha(0) = 0$.
2. La derivada total $\dot{V}$ es negativa para todo $\mathbf{x} \neq \mathbf{0}$ y todo $t$, o sea $\dot{V}(\mathbf{x}, t) \leq -\gamma(\|\mathbf{x}\|) < 0$ para todo $\mathbf{x} \neq \mathbf{0}$ y todo $t$, donde $\gamma$ es una función escalar continua, no decreciente, tal que $\gamma(0) = 0$.
3. Existe una función escalar $\beta$ continua, no decreciente, tal que $\beta(0) = 0$ y, para todo $t$, $V(\mathbf{x}, t) \leq \beta(\|\mathbf{x}\|)$.
4. $\alpha(\|\mathbf{x}\|)$ tiende a infinito, cuando $\|\mathbf{x}\|$ crece indefinidamente, o bien

$$\alpha(\|\mathbf{x}\|) \to \infty \quad \text{cuando} \quad \|\mathbf{x}\| \to \infty$$

entonces el origen del sistema, $\mathbf{x} = \mathbf{0}$, es uniforme y asintóticamente estable en forma total. (Este es el teorema de estabilidad de Liapunov).

Pruebe este teorema.

**Solución.** Para probar el carácter de estabilidad asintótica y uniforme, en forma total, se debe probar lo siguiente. (Nótese que ''uniforme'' implica ''independiente de tiempo'')

1. El origen es uniformemente estable.
2. Toda solución es uniformemente acotada.
3. Toda solución converge hacia el origen cuando $t \to \infty$ uniformemente en $t_0$ y $\|\mathbf{x}\| \leq \delta$, donde $\delta$ es fijo, pero arbitrariamente grande. Es decir, dados dos números $\delta > 0$ y $\mu > 0$, hay un número real $T(\mu, \delta)$ tal que

$$\|\mathbf{x}_0\| \leq \delta$$

implica

$$\|\boldsymbol{\phi}(t); \mathbf{x}_0, t_0)\| \leq \mu \quad \text{para todo } t \geq t_0 + T(\mu, \delta)$$

donde $\boldsymbol{\phi}(t; \mathbf{x}_0, t_0)$ es la solución a la ecuación diferencial dada.

Como $\beta$ es continua y $\beta(0) = 0$, se puede tomar un $\delta(\epsilon) > 0$ tal que $\beta(\delta) < \alpha(\epsilon)$ para cualquier $\epsilon > 0$. En la figura 9-14 se muestran las curvas de $\alpha(\|\mathbf{x}\|)$, $\beta(\|\mathbf{x}\|)$, y $V(\mathbf{x}, t)$. Nótese que

$$V(\boldsymbol{\phi}(t; \mathbf{x}_0, t_0), t) - V(\mathbf{x}_0, t_0) = \int_{t_0}^{t} \dot{V}(\boldsymbol{\phi}(\tau; \mathbf{x}_0, t_0), \tau)\, d\tau < 0 \qquad t > t_0$$

si $\|\mathbf{x}_0\| \leq \delta$, $t_0$ al ser $t_0$ arbitrario, se tiene

$$\alpha(\epsilon) > \beta(\delta) \geq V(\mathbf{x}_0, t_0) \geq V(\boldsymbol{\phi}(t; \mathbf{x}_0, t_0), t) \geq \alpha(\|\boldsymbol{\phi}(t; \mathbf{x}_0, t_0)\|)$$

para todo $t \geq t_0$. Como $\alpha$ es positiva y no decreciente, esto implica que

$$\|\boldsymbol{\phi}(t; \mathbf{x}_0, t_0)\| < \epsilon \quad \text{para } t \geq t_0, \ \|\mathbf{x}_0\| \leq \delta$$

Por tanto, se ha demostrado que para cada número real $\epsilon > 0$, hay un número real $\delta > 0$ tal que $\|\mathbf{x}_0\| \leq \delta$ implica que $\|\boldsymbol{\phi}(t; \mathbf{x}_0, t_0)\| \leq \epsilon$ para todo $t \geq t_0$. Con esto se ha probado la estabilidad uniforme.

A continuación se probará que $\|\boldsymbol{\phi}(t; \mathbf{x}_0, t_0)\| \to 0$ cuando $t \to \infty$ uniformemente en $t_0$ y $\|\mathbf{x}_0\| \leq \delta$. Se toma cualquier $0 < \mu < \|\mathbf{x}_0\|$ y se halla un $\nu(\mu) > 0$ tal que $\beta(\nu) < \alpha(\mu)$. Se designa con $\epsilon'(\mu, \delta) > 0$, al mínimo de la función continua no decreciente $\gamma(\|\mathbf{x}\|)$ en el conjunto compacto $\nu(\mu) \leq \|\mathbf{x}\| \leq \epsilon(\delta)$. Se define

$$T(\mu, \delta) = \frac{\beta(\delta)}{\epsilon'(\mu, \delta)} > 0$$

Se supone que $\|\boldsymbol{\phi}(t; \mathbf{x}_0, t_0)\| > \nu$ dentro de un intervalo de tiempo $t_0 \leq t_1 = t_0 + T$. Entonces se tiene

$$0 < \alpha(\nu) \leq V(\boldsymbol{\phi}(t_1; \mathbf{x}_0, t_0), t_1) \leq V(\mathbf{x}_0, t_0) - (t_1 - t_0)\epsilon' \leq \beta(\delta) - T\epsilon' = 0$$

lo que es una contradicción. Por lo tanto, para algún $t$ dentro del intervalo $t_0 \leq t \leq t_1$, como un $t_2$ arbitrario, se tiene

$$\|\mathbf{x}_2\| = \|\boldsymbol{\phi}(t_2; \mathbf{x}_0, t_0)\| = \nu$$

Por lo tanto,

$$\alpha(\|\boldsymbol{\phi}(t; \mathbf{x}_2, t_2)\|) < V(\boldsymbol{\phi}(t; \mathbf{x}_2, t_2), t) \leq V(\mathbf{x}_2, t_2) \leq \beta(\nu) < \alpha(\mu)$$

para todo $t \geq t_2$. Por tanto,

$$\|\boldsymbol{\phi}(t; \mathbf{x}_0, t_0)\| < \mu$$

para todo $t \geq t_0 + T(\mu, \delta) \geq t_2$, lo que prueba la estabilidad asintótica uniforme. Como $\alpha(\|\mathbf{x}\|) \to \infty$, cuando $\|\mathbf{x}\| \to \infty$ para un $\delta$ arbitrariamente grande, existe una constante $\epsilon(\delta)$ tal que $\beta(\delta) < \alpha(\epsilon)$. Además, como $\epsilon(\delta)$ no depende de $t_0$, la solución de $\boldsymbol{\phi}(t; \mathbf{x}_0, t_0)$ es uniformemente acotada. Se ha probado así la estabilidad asintótica uniforme en forma total.

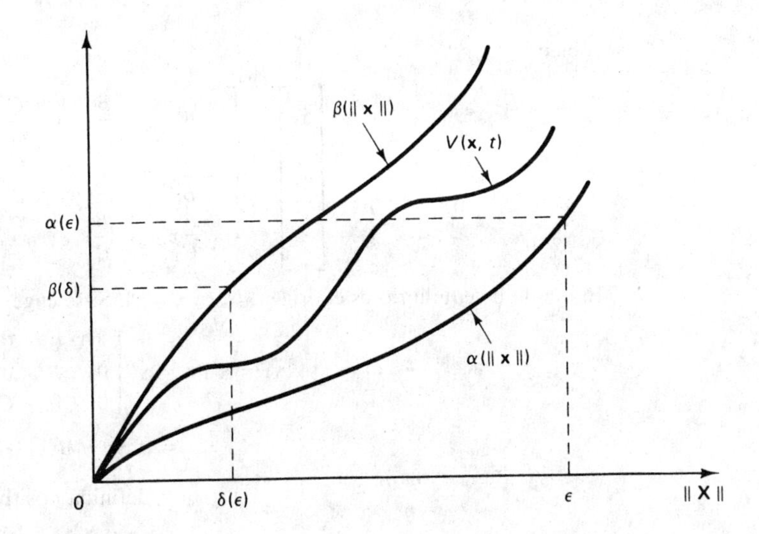


**Figura 9-14**
Curvas de $\alpha(\|\mathbf{x}\|)$, $\beta(\|\mathbf{x}\|)$, y $V(\mathbf{x}, t)$.

**A–9–16.** Considere el desplazamiento de un vehículo espacial, respecto a sus ejes de inercia principales. Las ecuaciones de Euler son

$$A\dot{\omega}_x - (B - C)\omega_y\omega_z = T_x$$

$$B\dot{\omega}_y - (C - A)\omega_z\omega_x = T_y$$

$$C\dot{\omega}_z - (A - B)\omega_x\omega_y = T_z$$

donde $A$, $B$, y $C$, son los momentos de inercia, respecto a los tres ejes principales; $\omega_x$, $\omega_y$, y $\omega_z$ indican las velocidades angulares alrededor de esos ejes principales; y $T_x$, $T_y$, y $T_z$, son las torsiones de control.

Se supone que el vehículo espacial tiene sacudidas en órbita. Se desea suprimir esas sacudidas, aplicando torsiones de control, que se supone son

$$T_x = k_1 A\omega_x$$

$$T_y = k_2 B\omega_y$$

$$T_z = k_3 C\omega_z$$

Determine las condiciones suficientes para un desempeño asintóticamente estable del sistema.

**Solución.** Se eligen las siguientes variables de estado

$$x_1 = \omega_x, \qquad x_2 = \omega_y, \qquad x_3 = \omega_z$$

Entonces el sistema se convierte en

$$\dot{x}_1 - \left(\frac{B}{A} - \frac{C}{A}\right)x_2x_3 = k_1x_1$$

$$\dot{x}_2 - \left(\frac{C}{B} - \frac{A}{B}\right)x_3x_1 = k_2x_2$$

$$\dot{x}_3 - \left(\frac{A}{C} - \frac{B}{C}\right)x_1x_2 = k_3x_3$$

o bien

$$\begin{bmatrix} \dot{x}_1 \\ \dot{x}_2 \\ \dot{x}_3 \end{bmatrix} = \begin{bmatrix} k_1 & \frac{B}{A}x_3 & -\frac{C}{A}x_2 \\ -\frac{A}{B}x_3 & k_2 & \frac{C}{B}x_1 \\ \frac{A}{C}x_2 & -\frac{B}{C}x_1 & k_3 \end{bmatrix} \begin{bmatrix} x_1 \\ x_2 \\ x_3 \end{bmatrix}$$

El estado de equilibrio es el origen, o sea $\mathbf{x} = \mathbf{0}$. Si se elige

$$\begin{aligned} V(\mathbf{x}) = \mathbf{x}^T\mathbf{P}\mathbf{x} &= \mathbf{x}^T \begin{bmatrix} A^2 & 0 & 0 \\ 0 & B^2 & 0 \\ 0 & 0 & C^2 \end{bmatrix} \mathbf{x} \\ &= A^2x_1^2 + B^2x_2^2 + C^2x_3^2 \\ &= \text{definida positiva} \end{aligned}$$

y la derivada respecto a tiempo de $V(\mathbf{x})$, es

$$\dot{V}(\mathbf{x}) = \dot{\mathbf{x}}^T\mathbf{P}\mathbf{x} + \mathbf{x}^T\mathbf{P}\dot{\mathbf{x}}$$

$$= \mathbf{x}^T \begin{bmatrix} k_1 & -\frac{A}{B}x_3 & \frac{A}{C}x_2 \\ \frac{B}{A}x_2 & k_2 & -\frac{B}{C}x_1 \\ -\frac{C}{A}x_2 & \frac{C}{B}x_1 & k_3 \end{bmatrix} \begin{bmatrix} A^2 & 0 & 0 \\ 0 & B^2 & 0 \\ 0 & 0 & C^2 \end{bmatrix} \mathbf{x}$$

$$+ \mathbf{x}^T \begin{bmatrix} A^2 & 0 & 0 \\ 0 & B^2 & 0 \\ 0 & 0 & C^2 \end{bmatrix} \begin{bmatrix} k_1 & \frac{B}{A}x_3 & -\frac{C}{A}x_2 \\ -\frac{A}{B}x_3 & k_2 & \frac{C}{B}x_1 \\ \frac{A}{C}x_2 & -\frac{B}{C}x_1 & k_3 \end{bmatrix} \mathbf{x}$$

$$= \mathbf{x}^T \begin{bmatrix} 2k_1A^2 & 0 & 0 \\ 0 & 2k_2B^2 & 0 \\ 0 & 0 & 2k_3C^2 \end{bmatrix} \mathbf{x} = -\mathbf{x}^T\mathbf{Q}\mathbf{x}$$

Para que haya estabilidad asintótica, es condición suficiente que $\mathbf{Q}$ sea definida positiva. Por tanto, se requiere que

$$k_1 < 0, \qquad k_2 < 0, \qquad k_3 < 0$$

Si las $k_i$ son negativas, teniendo en cuenta que $V(\mathbf{x}) \to \infty$ cuando $\|\mathbf{x}\| \to \infty$, se ve que el estado de equilibrio es asintóticamente estable en forma total.

**A-9-17.** Considere el sistema

$$\dot{\mathbf{x}} = \mathbf{A}\mathbf{x}$$

donde $\mathbf{x}$ es un vector de estado (de dimensión $n$) y $\mathbf{A}$ es una matriz de $n \times n$ constante. Se supone que el origen, $\mathbf{x} = \mathbf{0}$ es el único estado de equilibrio. Una función posible de Liapunov para este sistema, es

$$V(\mathbf{x}) = \mathbf{x}^*\mathbf{P}\mathbf{x}$$

La derivada de $V(\mathbf{x})$ respecto al tiempo, a lo largo de cualquier trayectoria es

$$\dot{V}(\mathbf{x}) = \mathbf{x}^*(\mathbf{A}^*\mathbf{P} + \mathbf{P}\mathbf{A})\mathbf{x} = -\mathbf{x}^*\mathbf{Q}\mathbf{x}$$

donde

$$\mathbf{Q} = -(\mathbf{A}^*\mathbf{P} + \mathbf{P}\mathbf{A})$$

Dada cualquier matriz $\mathbf{Q}$ hermítica definida positiva (o real simétrica), si esta última ecuación se resuelve para $\mathbf{P}$ y si se encuentra que es definida positiva, entonces el origen del sistema es asintóticamente estable. Si $\dot{V}(\mathbf{x}) = -\mathbf{x}^*\mathbf{Q}\mathbf{x}$ no se extingue a lo largo de alguna trayectoria $\mathbf{Q}$ se puede elegir como semidefinida positiva.

Demuestre que es condición necesaria y suficiente, para que $\dot{V}(\mathbf{x})$ no se extinga a lo largo de alguna trayectoria [lo que significa que $\dot{V}(\mathbf{x}) = 0$ únicamente en $\mathbf{x} = \mathbf{0}$], que el rango de la matriz

$$\begin{bmatrix} \mathbf{Q}^{1/2} \\ \mathbf{Q}^{1/2}\mathbf{A} \\ \cdot \\ \cdot \\ \cdot \\ \mathbf{Q}^{1/2}\mathbf{A}^{n-1} \end{bmatrix}$$

sea $n$.

**Solución.** Supóngase que para cierta matriz $\mathbf{Q}$ semidefinida positiva se encuentra que $\mathbf{P}$ es definida positiva. Dado que $\dot{V}(\mathbf{x})$ se puede escribir como

$$\dot{V}(\mathbf{x}) = -\mathbf{x}^*\mathbf{Q}\mathbf{x} = -\mathbf{x}^*\mathbf{Q}^{1/2}\mathbf{Q}^{1/2}\mathbf{x}$$

$\dot{V}(\mathbf{x}) = 0$ significa que

$$\mathbf{Q}^{1/2}\mathbf{x} = \mathbf{0} \qquad (9\text{–}124)$$

Diferenciando la ecuación (9-124) respecto a $t$ da

$$\mathbf{Q}^{1/2}\dot{\mathbf{x}} = \mathbf{Q}^{1/2}\mathbf{A}\mathbf{x} = \mathbf{0}$$

Diferenciando esta ecuación una vez más, se tiene

$$\mathbf{Q}^{1/2}\mathbf{A}\dot{\mathbf{x}} = \mathbf{Q}^{1/2}\mathbf{A}^2\mathbf{x} = \mathbf{0}$$

Repitiendo el proceso de diferenciación, se obtiene

$$\mathbf{Q}^{1/2}\mathbf{A}^3\mathbf{x} = \mathbf{0}$$
$$\cdot$$
$$\cdot$$
$$\cdot$$
$$\mathbf{Q}^{1/2}\mathbf{A}^{n-1}\mathbf{x} = \mathbf{0}$$

Combinando las ecuaciones precedentes, se llega a

$$\begin{bmatrix} \mathbf{Q}^{1/2} \\ \mathbf{Q}^{1/2}\mathbf{A} \\ \cdot \\ \cdot \\ \cdot \\ \mathbf{Q}^{1/2}\mathbf{A}^{n-1} \end{bmatrix} \mathbf{x} = \mathbf{0} \qquad (9\text{–}125)$$

Para que $\mathbf{x} = \mathbf{0}$ sea la solución de la ecuación (9-125), es condición necesaria y suficiente que

$$\text{rango} \begin{bmatrix} \mathbf{Q}^{1/2} \\ \mathbf{Q}^{1/2}\mathbf{A} \\ \cdot \\ \cdot \\ \cdot \\ \mathbf{Q}^{1/2}\mathbf{A}^{n-1} \end{bmatrix} = n \qquad (9\text{–}126)$$

Por tanto, si se satisface la ecuación (9-126), entonces $\dot{V}(\mathbf{x}) = -\mathbf{x}^*\mathbf{Q}^{1/2}\mathbf{Q}^{1/2}\mathbf{x}$ se hace cero únicamente en $\mathbf{x} = \mathbf{0}$. En otros términos, $\dot{V}(\mathbf{x})$ no se anula idénticamente a lo largo de ninguna trayectoria, excepto en $\mathbf{x} = \mathbf{0}$.

**A–9–18.** Considere el sistema descrito por

$$\dot{\mathbf{x}} = \mathbf{A}\mathbf{x}$$

donde

$$\mathbf{A} = \begin{bmatrix} 0 & 1 \\ -1 & -2 \end{bmatrix}$$

Se pide determinar la estabilidad del estado de equilibrio, $\mathbf{x} = \mathbf{0}$.

**Solución.** En lugar de elegir $\mathbf{Q} = \mathbf{I}$, se demostrará el uso de una matriz $\mathbf{Q}$ semidefinida positiva para resolver la ecuación de Liapunov

$$\mathbf{A}^T\mathbf{P} + \mathbf{P}\mathbf{A} = -\mathbf{Q} \tag{9–127}$$

Por ejemplo, se elige

$$\mathbf{Q} = \begin{bmatrix} 4 & 0 \\ 0 & 0 \end{bmatrix}$$

Entonces el rango de

$$\begin{bmatrix} \mathbf{Q}^{1/2} \\ \mathbf{Q}^{1/2}\mathbf{A} \end{bmatrix} = \begin{bmatrix} 2 & 0 \\ 0 & 0 \\ 0 & 2 \\ 0 & 0 \end{bmatrix}$$

es 2. Por tanto, se puede utilizar esta matriz $\mathbf{Q}$ y resolver la ecuación (9-127), que se puede plantear como

$$\begin{bmatrix} 0 & -1 \\ 1 & -2 \end{bmatrix}\begin{bmatrix} p_{11} & p_{12} \\ p_{12} & p_{22} \end{bmatrix} + \begin{bmatrix} p_{11} & p_{12} \\ p_{12} & p_{22} \end{bmatrix}\begin{bmatrix} 0 & 1 \\ -1 & -2 \end{bmatrix} = \begin{bmatrix} -4 & 0 \\ 0 & 0 \end{bmatrix}$$

que se simplifica a

$$\begin{bmatrix} -2p_{12} & p_{11} - 2p_{12} - p_{22} \\ p_{11} - 2p_{12} - p_{22} & 2p_{12} - 4p_{22} \end{bmatrix} = \begin{bmatrix} -4 & 0 \\ 0 & 0 \end{bmatrix}$$

de donde se halla

$$p_{11} = 5, \qquad p_{12} = 2, \qquad p_{22} = 1$$

o

$$\mathbf{P} = \begin{bmatrix} 5 & 2 \\ 2 & 1 \end{bmatrix}$$

La matriz $\mathbf{P}$ es definida positiva. Por lo tanto, el estado de equilibrio, $\mathbf{x} = \mathbf{0}$, es asintóticamente estable.

**A–9–19.** Un sistema de segundo orden está definido por

$$\dot{\mathbf{x}} = \mathbf{A}\mathbf{x}$$

donde

$$\mathbf{x} = \begin{bmatrix} x_1 \\ x_2 \end{bmatrix}, \qquad \mathbf{A} = \begin{bmatrix} a_{11} & a_{12} \\ a_{21} & a_{22} \end{bmatrix} \qquad (a_{ij} = \text{real})$$

Encuentre la matriz real simétrica $\mathbf{P}$ que satisface a

$$\mathbf{A}^T\mathbf{P} + \mathbf{PA} = -\mathbf{I}$$

Posteriormente encuentre la condición para que $\mathbf{P}$ sea definida positiva. (Nótese que si $\mathbf{P}$ es definida positiva, implica que el origen $\mathbf{x} = \mathbf{0}$ es asintóticamente estable en forma total).

**Solución.** La ecuación

$$\begin{bmatrix} a_{11} & a_{21} \\ a_{12} & a_{22} \end{bmatrix}\begin{bmatrix} p_{11} & p_{12} \\ p_{12} & p_{22} \end{bmatrix} + \begin{bmatrix} p_{11} & p_{12} \\ p_{12} & p_{22} \end{bmatrix}\begin{bmatrix} a_{11} & a_{12} \\ a_{21} & a_{22} \end{bmatrix} = \begin{bmatrix} -1 & 0 \\ 0 & -1 \end{bmatrix}$$

lleva a las siguientes tres ecuaciones simultáneas

$$2(a_{11}p_{11} + a_{21}p_{12}) = -1$$

$$a_{11}p_{12} + a_{21}p_{22} + a_{12}p_{11} + a_{22}p_{12} = 0$$

$$2(a_{12}p_{12} + a_{22}p_{22}) = -1$$

Despejando las $p_{ij}$, se obtiene

$$\mathbf{P} = \frac{1}{2(a_{11} + a_{22})|\mathbf{A}|}\begin{bmatrix} -(|\mathbf{A}| + a_{21}^2 + a_{22}^2) & a_{12}a_{22} + a_{21}a_{11} \\ a_{12}a_{22} + a_{21}a_{11} & -(|\mathbf{A}| + a_{11}^2 + a_{12}^2) \end{bmatrix}$$

$\mathbf{P}$ es definida positiva, si

$$P_{11} = -\frac{|\mathbf{A}| + a_{21}^2 + a_{22}^2}{2(a_{11} + a_{22})|\mathbf{A}|} > 0$$

$$|\mathbf{P}| = \frac{(a_{11} + a_{22})^2 + (a_{12} - a_{21})^2}{4(a_{11} + a_{22})^2\,|\mathbf{A}|}$$

de donde se obtiene

$$|\mathbf{A}| > 0, \qquad a_{11} + a_{22} < 0$$

como las condiciones para que $\mathbf{P}$ sea definida positiva.

**A–9–20.** Determine la estabilidad del estado de equilibrio del siguiente sistema:

$$\begin{bmatrix} \dot{x}_1 \\ \dot{x}_2 \end{bmatrix} = \begin{bmatrix} -2 & -1-j \\ -1+j & -3 \end{bmatrix}\begin{bmatrix} x_1 \\ x_2 \end{bmatrix}$$

**Solución.** En este problema, tanto el vector de estado como la matriz de estado son complejos. Para determinar la estabilidad del estado de equilibrio, el origen en este sistema, se resuelve $\mathbf{P}$ de la ecuación de Liapunov $\mathbf{A}^*\mathbf{P} + \mathbf{PA} = -\mathbf{Q}$ donde $\mathbf{P}$ es una matriz hermítica:

$$\mathbf{P} = \begin{bmatrix} p_{11} & p_{12} \\ \bar{p}_{12} & p_{22} \end{bmatrix}$$

Se elige $\mathbf{Q} = \mathbf{I}$. Entonces

$$\begin{bmatrix} -2 & -1-j \\ -1+j & -3 \end{bmatrix}\begin{bmatrix} p_{11} & p_{12} \\ \bar{p}_{12} & p_{22} \end{bmatrix} + \begin{bmatrix} p_{11} & p_{12} \\ \bar{p}_{12} & p_{22} \end{bmatrix}\begin{bmatrix} -2 & -1-j \\ -1+j & -3 \end{bmatrix} = \begin{bmatrix} -1 & 0 \\ 0 & -1 \end{bmatrix}$$

de donde se obtiene

$$4p_{11} + (1 - j)p_{12} + (1 + j)\bar{p}_{12} = 1$$

$$(1 - j)p_{11} + 5\bar{p}_{12} + (1 - j)p_{22} = 0$$

$$(1 + j)p_{11} + 5p_{12} + (1 + j)p_{22} = 0$$

$$(1 - j)p_{12} + (1 + j)\bar{p}_{12} + 6p_{22} = 1$$

Nótese que como $p_{11}$ y $p_{22}$ son reales, la segunda y tercera ecuación previas son equivalentes y son conjugadas entre sí. Despejando las $p_{ij}$ de las ecuaciones, se halla que

$$p_{11} = \frac{3}{8}, \qquad p_{12} = -\frac{1}{8}(1 + j), \qquad p_{22} = \frac{1}{4}$$

o bien

$$\mathbf{P} = \begin{bmatrix} \frac{3}{8} & -\frac{1}{8} - j\frac{1}{8} \\ -\frac{1}{8} + j\frac{1}{8} & \frac{1}{4} \end{bmatrix}$$

Aplicando el criterio de Sylvester para determinar si la matriz **P** es definida positiva,

$$\frac{3}{8} > 0, \qquad \begin{vmatrix} \frac{3}{8} & -\frac{1}{8} - j\frac{1}{8} \\ -\frac{1}{8} + j\frac{1}{8} & \frac{1}{4} \end{vmatrix} = \frac{1}{16} > 0$$

se halla que **P** es definida positiva. Por tanto, se concluye que el origen del sistema es asintóticamente estable.

**A–9–21.** Obtenga la respuesta del siguiente sistema variable en el tiempo:

$$\dot{x} + tx = u$$

donde $u$ es una entrada arbitraria.

**Solución.** En referencia a la ecuación (9-84), la solución del sistema está dada por

$$x(t) = \phi(t, t_0)x(t_0) + \int_{t_0}^{t} \phi(t, \tau)u(\tau)d\tau$$

En este sistema, como $t$ y $\int_{t_0}^{t} \tau \, d\tau$ son conmutables para todo $t$, $\phi(t, t_0)$ se puede expresar como

$$\phi(t, t_0) = \exp\left[-\int_{t_0}^{t} \tau d\tau\right] = e^{-(t^2 - t_0^2)/2}$$

Por tanto,

$$\phi(t, \tau) = e^{-(t^2 - \tau^2)/2}$$

Por lo tanto, la salida $x(t)$ se puede escribir como

$$x(t) = e^{-(t^2 - t_0^2)/2}x(t_0) + e^{-t^2/2}\int_{t_0}^{t} e^{\tau^2/2}u(\tau)\, d\tau$$

## PROBLEMAS

**B-9-1.** Considere la siguiente matriz **A**:

$$\mathbf{A} = \begin{bmatrix} 0 & 1 & 0 & 0 \\ 0 & 0 & 1 & 0 \\ 0 & 0 & 0 & 1 \\ 1 & 0 & 0 & 0 \end{bmatrix}$$

Obtenga los valores propios $\lambda_1$, $\lambda_2$, $\lambda_3$, y $\lambda_4$ de la matriz **A**. Posteriormente, encuentre la matriz de transformación **P**, tal que

$$\mathbf{P}^{-1}\mathbf{AP} = \text{diag}(\lambda_1, \lambda_2, \lambda_3, \lambda_4)$$

**B-9-2.** Considere la siguiente matriz **A**:

$$\mathbf{A} = \begin{bmatrix} 0 & 1 \\ -2 & -3 \end{bmatrix}$$

Calcule $e^{\mathbf{A}t}$ por tres métodos.

**B-9-3.** Dado el sistema de ecuaciones

$$\begin{bmatrix} \dot{x}_1 \\ \dot{x}_2 \\ \dot{x}_3 \end{bmatrix} = \begin{bmatrix} 2 & 1 & 0 \\ 0 & 2 & 1 \\ 0 & 0 & 2 \end{bmatrix} \begin{bmatrix} x_1 \\ x_2 \\ x_3 \end{bmatrix}$$

encuentre la solución en función de las condiciones iniciales, $x_1(0)$, $x_2(0)$, y $x_3(0)$.

**B-9-4.** Encuentre $x_1(t)$ y $x_2(t)$ del sistema descrito por

$$\begin{bmatrix} \dot{x}_1 \\ \dot{x}_2 \end{bmatrix} = \begin{bmatrix} 0 & 1 \\ -3 & -2 \end{bmatrix} \begin{bmatrix} x_1 \\ x_2 \end{bmatrix}$$

con las condiciones iniciales

$$\begin{bmatrix} x_1(0) \\ x_2(0) \end{bmatrix} = \begin{bmatrix} 1 \\ -1 \end{bmatrix}$$

**B-9-5.** Considere las siguientes ecuaciones de estado, y ecuaciones de salida:

$$\begin{bmatrix} \dot{x}_1 \\ \dot{x}_2 \\ \dot{x}_3 \end{bmatrix} = \begin{bmatrix} -6 & 1 & 0 \\ -11 & 0 & 1 \\ -6 & 0 & 0 \end{bmatrix} \begin{bmatrix} x_1 \\ x_2 \\ x_3 \end{bmatrix} + \begin{bmatrix} 2 \\ 6 \\ 2 \end{bmatrix} u$$

$$y = [1 \quad 0 \quad 0] \begin{bmatrix} x_1 \\ x_2 \\ x_3 \end{bmatrix}$$

Demuestre que se puede transformar la ecuación de estado en la forma siguiente, utilizando la matriz de transformación adecuada:

$$\begin{bmatrix} \dot{z}_1 \\ \dot{z}_2 \\ \dot{z}_3 \end{bmatrix} = \begin{bmatrix} 0 & 0 & -6 \\ 1 & 0 & -11 \\ 0 & 1 & -6 \end{bmatrix} \begin{bmatrix} z_1 \\ z_2 \\ z_3 \end{bmatrix} + \begin{bmatrix} 1 \\ 0 \\ 0 \end{bmatrix} u$$

Posteriormente, encuentre la salida $y$, expresada en función de $z_1$, $z_2$, y $z_3$.

**B-9-6.** El sistema que aparece en la figura 9-15 tiene dos entradas, la de referencia y la de perturbación, y una salida. Encuentre la matriz de transferencia entre la salida y las entradas.

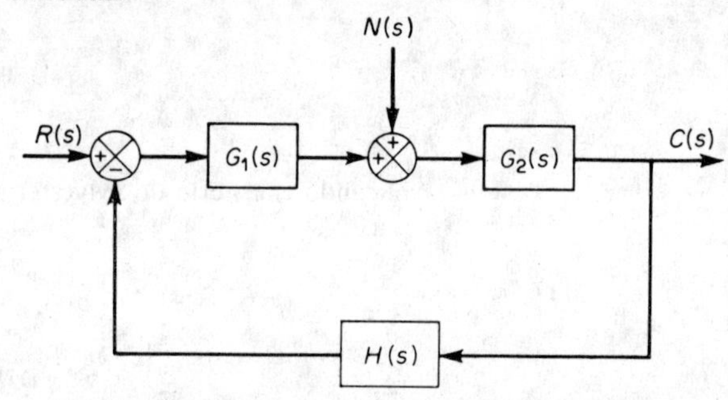


**Figura 9-15** Sistema con dos entradas y una salida.

**B-9-7.** Considere el sistema mecánico que se ve en la figura 9-16. Se supone que el sistema está inicialmente en reposo. Este sistema tiene dos entradas $u_1(t)$ y $u_2(t)$ y dos salidas $y_1(t)$ y $y_2(t)$. Determine la matriz de transferencia entre las salidas y las entradas.

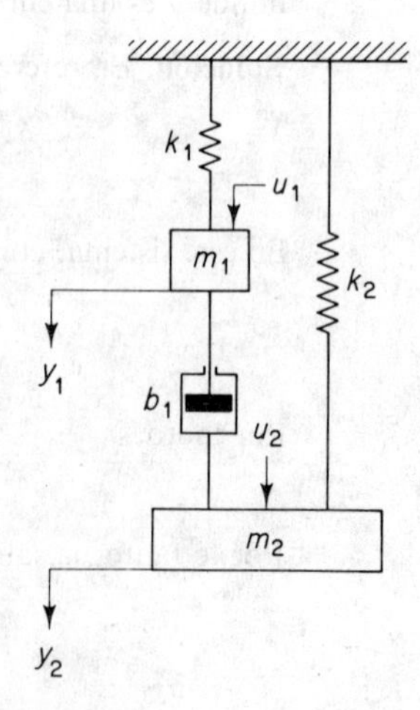


**Figura 9-16** Sistema mecánico.

**B-9-8.** Encuentre la matriz de transferencia del sistema mostrado en la figura 9-17.

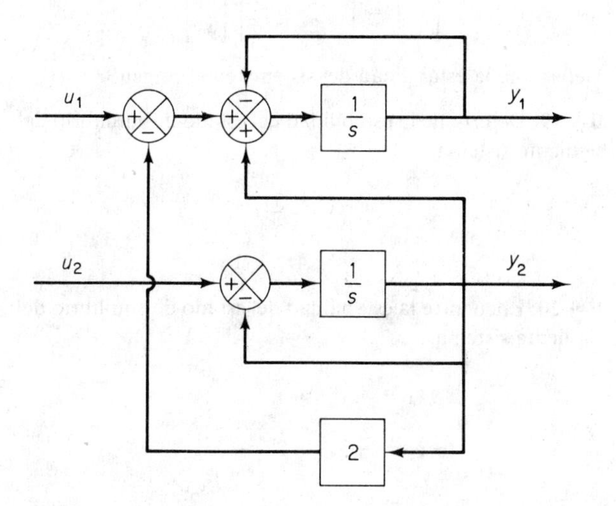


**Figura 9-17** Sistema de múltiple entrada, múltiple salida.

**B-9-9.** Considere el sistema definido por

$$\begin{bmatrix} \dot{x}_1 \\ \dot{x}_2 \\ \dot{x}_3 \end{bmatrix} = \begin{bmatrix} -1 & -2 & -2 \\ 0 & -1 & 1 \\ 1 & 0 & -1 \end{bmatrix} \begin{bmatrix} x_1 \\ x_2 \\ x_3 \end{bmatrix} \begin{bmatrix} 2 \\ 0 \\ 1 \end{bmatrix} u$$

$$y = [1 \quad 1 \quad 0] \begin{bmatrix} x_1 \\ x_2 \\ x_3 \end{bmatrix}$$

¿Es de estado completo controlable y observable?

**B-9-10.** Considere el sistema dado por

$$\begin{bmatrix} \dot{x}_1 \\ \dot{x}_2 \\ \dot{x}_3 \end{bmatrix} = \begin{bmatrix} 2 & 0 & 0 \\ 0 & 2 & 0 \\ 0 & 3 & 1 \end{bmatrix} \begin{bmatrix} x_1 \\ x_2 \\ x_3 \end{bmatrix} + \begin{bmatrix} 0 & 1 \\ 1 & 0 \\ 0 & 1 \end{bmatrix} \begin{bmatrix} u_1 \\ u_2 \end{bmatrix}$$

$$\begin{bmatrix} y_1 \\ y_2 \end{bmatrix} = \begin{bmatrix} 1 & 0 & 0 \\ 0 & 1 & 0 \end{bmatrix} \begin{bmatrix} x_1 \\ x_2 \\ x_3 \end{bmatrix}$$

¿Es de estado completo controlable y observable? ¿Es de salida completa controlable?

**B-9-11.** ¿El siguiente sistema es de estado completo controlable y observable?

$$\begin{bmatrix} \dot{x}_1 \\ \dot{x}_2 \\ \dot{x}_3 \end{bmatrix} = \begin{bmatrix} 0 & 1 & 0 \\ 0 & 0 & 1 \\ -6 & -11 & -6 \end{bmatrix} \begin{bmatrix} x_1 \\ x_2 \\ x_3 \end{bmatrix} + \begin{bmatrix} 0 \\ 0 \\ 1 \end{bmatrix} u$$

$$y = [20 \quad 9 \quad 1] \begin{bmatrix} x_1 \\ x_2 \\ x_3 \end{bmatrix}$$

**B-9-12.** Considere el sistema definido por

$$\begin{bmatrix} \dot{x}_1 \\ \dot{x}_2 \\ \dot{x}_3 \end{bmatrix} = \begin{bmatrix} 0 & 1 & 0 \\ 0 & 0 & 1 \\ -6 & -11 & -6 \end{bmatrix} \begin{bmatrix} x_1 \\ x_2 \\ x_3 \end{bmatrix} + \begin{bmatrix} 0 \\ 0 \\ 1 \end{bmatrix} u$$

$$y = [c_1 \quad c_2 \quad c_3] \begin{bmatrix} x_1 \\ x_2 \\ x_3 \end{bmatrix}$$

Excepto por la obvia elección $c_1 = c_2 = c_3 = 0$, encuentre un ejemplo de un conjunto de valores de $c_1$, $c_2$, $c_3$, que hagan al sistema no observable.

**B-9-13.** Dado el sistema

$$\begin{bmatrix} \dot{x}_1 \\ \dot{x}_2 \\ \dot{x}_3 \end{bmatrix} = \begin{bmatrix} 2 & 0 & 0 \\ 0 & 2 & 0 \\ 0 & 3 & 1 \end{bmatrix} \begin{bmatrix} x_1 \\ x_2 \\ x_3 \end{bmatrix}$$

La salida está dada por

$$y = [1 \quad 1 \quad 1] \begin{bmatrix} x_1 \\ x_2 \\ x_3 \end{bmatrix}$$

(a) Demuestre que el sistema no es completamente observable.

(b) Demuestre que el sistema es completamente observable, si la salida está dada por

$$\begin{bmatrix} y_1 \\ y_2 \end{bmatrix} = \begin{bmatrix} 1 & 1 & 1 \\ 1 & 2 & 3 \end{bmatrix} \begin{bmatrix} x_1 \\ x_2 \\ x_3 \end{bmatrix}$$

**B-9-14.** Demuestre que es condición necesaria y suficiente para que el sistema

$$\dot{\mathbf{x}} = \mathbf{A}\mathbf{x}$$

$$y = \mathbf{C}\mathbf{x}$$

donde $\mathbf{x}$ = vector de estado (vector de dimensión $n$)
$y$ = señal de salida (escalar)
$\mathbf{A}$ = matriz de $n \times n$
$\mathbf{B}$ = matriz de $1 \times n$

sea completamente observable, que $\mathbf{C}(s\mathbf{I} - \mathbf{A})^{-1}$ no tenga cancelaciones.

Nótese que para este sistema

$$\mathbf{X}(s) = (s\mathbf{I} - \mathbf{A})^{-1}\mathbf{x}(0)$$

y por lo tanto

$$Y(s) = \mathbf{C}(s\mathbf{I} - \mathbf{A})^{-1}\mathbf{x}(0)$$

También se hace notar que $\mathbf{C}(s\mathbf{I} - \mathbf{A})_{-1}$, se puede escribir como

$$\mathbf{C}(s\mathbf{I} - \mathbf{A})^{-1} = \frac{1}{|s\mathbf{I} - \mathbf{A}|}[q_1(s) \quad q_2(s) \quad . \; . \; . \quad q_n(s)]$$

donde las $q_i(s)$ son polinomios en $s$.

**B-9-15.** Determine si la forma cuadrática siguiente, es o no definida positiva.

$$Q = x_1^2 + 4x_2^2 + x_3^2 + 2x_1x_2 - 6x_2x_3 - 2x_1x_3$$

**B-9-16.** Determine si la siguiente forma cuadrática, es o no definida negativa

$$Q = -x_1^2 - 3x_2^2 - 11x_3^2 + 2x_1x_2 - 4x_2x_3 - 2x_1x_3$$

**B-9-17.** Determine la estabilidad del siguiente sistema, en el origen

$$\dot{x}_1 = -x_1 + x_2 + x_1(x_1^2 + x_2^2)$$

$$\dot{x}_2 = -x_1 - x_2 + x_2(x_1^2 + x_2^2)$$

Considere la función cuadrática siguiente, como una posible función de Liapunov

$$V = x_1^2 + x_2^2$$

**B-9-18.** Encuentre algunas funciones de Liapunov para el sistema

$$\begin{bmatrix} \dot{x}_1 \\ \dot{x}_2 \end{bmatrix} = \begin{bmatrix} -1 & 1 \\ 2 & -3 \end{bmatrix} \begin{bmatrix} x_1 \\ x_2 \end{bmatrix}$$

Determine la estabilidad del sistema en el origen.

**B-9-19.** Determine la estabilidad del estado de equilibrio del siguiente sistema:

$$\dot{x}_1 = -x_1 - 2x_2 + 2$$

$$\dot{x}_2 = x_1 - 4x_2 - 1$$

**B-9-20.** Encuentre la estabilidad del estado de equilibrio del siguiente sistema:

$$\dot{x}_1 = x_1 + 3x_2$$

$$\dot{x}_2 = -3x_1 - 2x_2 - 3x_3$$

$$\dot{x}_3 = x_1$$

**B-9-21.** Considere el siguiente sistema variable en el tiempo:

$$\dot{\mathbf{x}} = \mathbf{A}(t)\mathbf{x}$$

donde

$$\mathbf{A}(t) = \begin{bmatrix} a & e^{-t} \\ -e^{-t} & b \end{bmatrix} \qquad (a \text{ y } b \text{ son constantes})$$

Obtenga la matriz de transición de estado$\mathbf{\Phi}(t, 0)$ con$\mathbf{\Phi}(0, 0) = \mathbf{I}$.

CAPITULO 10

# Diseño de sistemas de control por métodos en el espacio de estado

## 10-1 INTRODUCCION

En los capítulos 5 al 7, se presentaron los métodos del lugar de las raíces y los de respuesta en frecuencia, que son sumamente útiles para el análisis y diseño de sistemas con una entrada y una salida. Por ejemplo, con las pruebas de respuesta en frecuencia de lazo abierto se puede predecir el desempeño dinámico del sistema de lazo cerrado. Si fuera necesario, se puede mejorar el desempeño dinámico de un sistema complejo, insertando un simple compensador en adelanto o en atraso. Las técnicas de la teoría de control convencional son sencillas y sólo requieren una cantidad de cálculos razonable.

En la teoría de control convencional, sólo se consideran importantes las señales de entrada, de salida y de error; el análisis y el diseño se efectúan utilizando funciones de transferencia, junto con una serie de técnicas gráficas como los diagramas del lugar de las raíces y los de Bode.

La desventaja principal de la teoría de control convencional, es que, en general, sólo se aplica a sistemas lineales, invariantes en el tiempo, con una entrada y una salida. Resulta inútil para sistemas variables en el tiempo, sistemas no lineales (excepto los más sencillos), y sistemas con múltiples entradas y múltiples salidas. Entonces las técnicas convencionales (los métodos del lugar de las raíces y de respuesta en frecuencia), no tienen aplicación en sistemas de control óptimos o adaptables, que en su mayoría son variables en el tiempo y/o no lineales.

El diseño de sistemas con la teoría de control convencional se basa en procedimientos de prueba y corrección, que en general no producen sistemas óptimos de control. En cambio, en la teoría de control moderna, con los métodos en el espacio de estado, el ingeniero puede diseñar sistemas con los polos de lazo cerrado deseados (o con las ecuaciones características deseadas), o sistemas de control óptimo respecto a índices determinados de desempeño. También, la teoría de control moderna permite al diseñador incluir condiciones iniciales en el diseño, en caso de que sean necesarias. No obstante, el diseño utilizando la teoría de control moderna (por medio de los métodos en el espacio de estado), requiere una descripción matemática precisa de la dinámica del sistema. Esto contrasta con los métodos convencionales donde, por ejemplo, las curva experimentales de respuesta en frecuencia que no tienen exactitud suficiente, se pueden incorporar al diseño sin sus descripciones matemáticas.

Desde el punto de vista de la computación, los métodos en el espacio de estado son particularmente adecuados para utilizar la computadora digital, debido a que están planteados en el dominio del tiempo. Esto libera al ingeniero del peso de cálculos tediosos que son necesarios y, además le permite dedicar sus esfuerzos exclusivamente a los aspectos analíticos del problema. Esta es una de las ventajas de los métodos en el espacio de estado.

Finalmente, nótese que no es necesario que las variables de estado representen magnitudes físicas del sistema. Se pueden elegir como variables de estado, aquellas que no representan cantidades físicas o que no son medibles ni observables. Esta libertad de elección de las variables de estado constituye otra ventaja de los métodos en el espacio de estado.

**Indices de desempeño.** Al diseñar sistemas de control, el objetivo puede ser fijar alguna regla para determinar la ley de control sujeta a ciertas restricciones que minimicen alguna medida de desviación, respecto a un desempeño ideal. Tal medida usualmente es provista por algún criterio de optimización o índice de desempeño. El índice de desempeño definido en el capítulo 4, es una función cuyo valor indica la efectividad con la que el desempeño real del sistema se compara con el desempeño deseado. En la mayoría de los casos prácticos el desempeño del sistema se optimiza, eligiendo el vector de control, de modo que el índice de desempeño sea mínimo (o máximo, según el caso).

El índice de desempeño es importante porque determina la naturaleza del sistema de control resultante. Es decir, el sistema de control resultante, puede ser lineal, no lineal, estacionario o variable en el tiempo, dependiendo del índice de desempeño. El ingeniero de control establece el indice de desempeño basado en las necesidades del problema. Los requerimientos del problema no sólo incluyen las necesidades de desempeño, sino también restricciones en la forma del control a fin de asegurar su realización material.

La elección del índice de desempeño más adecuado para un determinado problema, es muy difícil, especialmente en sistemas complejos. Por ejemplo, en el problema de hacer máxima la carga útil de un vehículo espacial. Hacer máxima la carga útil, implica la optimización del programa de empuje simultáneamente con el requerimiento mínimo de combustible, así como un diseño óptimo de los componentes del vehículo. En aplicaciones de vehículos espaciales, otras posibles especificaciones de desempeño, pueden ser un gasto mínimo de combustible, mínimo desvío del blanco deseado y tiempo mínimo empleado. En aplicaciones civiles, a diferencia de las militares, las consideraciones de mayor importancia suelen ser las económicas.

**Temas principales que se presentan en este capítulo** A continuación, se dará un esbozo de cada problema de control que se tratará en este capítulo.

**Diseño mediante ubicación de polos y diseño de observadores.** En este capítulo se presentan dos procedimientos para el diseño de reguladores. Los reguladores son sistemas de control retroalimentados que traen estados no nulos (producidos por perturbaciones externas) al origen, con suficiente celeridad. Un método para diseñar sistemas reguladores es construir un sistema de control de lazo cerrado, asintóticamente estable, especificando las ubicaciones deseadas de los polos de lazo cerrado. Esto se puede lograr utilizando retroalimentación del estado; es decir, se supone un vector de control $\mathbf{u} = -\mathbf{Kx}$ (con $\mathbf{u}$ no restringido) y se determina la matriz de ganancia de retroalimentación $\mathbf{K}$ tal que el sistema tenga la ecuación característica deseada. Este esquema de diseño se denomina *ubicación de polos.*

En este caso, el índice de desempeño se puede escribir como

$$\text{índice de desempeños} = \sum_{i=1}^{n} (\mu_i - s_i)^2$$

donde las $\mu_i$, son los valores propios deseados de la dinámica de error del sistema y las $s_i$, son los valores propios o reales de la dinámica de error del sistema diseñado. En este caso, se puede igualar a cero el índice de desempeño, haciendo coincidir exactamente las $s_i$ con la $\mu_i$, siempre que el sistema considerado tenga estado completo controlable.

El otro procedimiento para diseñar sistemas reguladores es el de suponer que el vector de control de estado retroalimentado es de la forma $\mathbf{u} = -\mathbf{Kx}$ (con $\mathbf{u}$ no resingido), y determinar la matriz de ganancia de retroalimentación $\mathbf{K}$ tal que se minimice un índice de desempeño cuadrático. Este procedimiento para determinar una ley de control óptimo se denomina comúnmente problema de control óptimo cuadrático.

Tanto el método de ubicación de polos, como el de control óptimo cuadrático, requieren la retroalimentación de todas las variables de estado. Por lo tanto, se requiere que todas las variables de estado estén disponibles para retroalimentación. Sin embargo, algunas variables de estado pueden no ser medibles y no estar a disposición para retroalimentación. En tal caso, hay que estimar esas variables de estado no medibles, utilizando observadores de estado. En la sección 10-2 se cubrirá el tema de diseño por medio de ubicación de los polos. Como ejemplo para ilustrar los detalles sobre la técnica de ubicación de polos, se tratará el tema de un sistema de péndulo invertido. En la sección 10-3, se presentará el diseño de observadores de estado.

Nótese que, como se demostrará más adelante, la ubicación de los polos y el control óptimo cuadrático no son posibles si el sistema no tiene estado completo controlable. El diseño de observadores de estado (necesarios en muchos esquemas con retroalimentación del estado), no es posible si el sistema no es observable. Por lo tanto, la controlabilidad y la observabilidad juegan un papel importante en el diseño de sistemas de control.

**Diseño de servosistemas.** Se estudiará el diseño de servosistemas del tipo 1, basado en el método de ubicación de polos. Se considerarán dos casos: (1) la planta tiene un integrador; (2) la planta no tiene integrador. Los procedimientos de diseño se tratarán en detalle utilizando ejemplos de sistemas.

**Sistemas de control óptimo basados en índice de desempeño cuadrático.** En muchos sistemas de control prácticos, se desea que alguna función de la señal de error sea mínima. Por ejemplo, considere el sistema

$$\dot{\mathbf{x}} = \mathbf{A}\mathbf{x} + \mathbf{B}\mathbf{u}$$

se puede desear que se minimice una función generalizada de error, como

$$J = \int_0^T [\boldsymbol{\xi}(t) - \mathbf{x}(t)]^* \mathbf{Q} [\boldsymbol{\xi}(t) - \mathbf{x}(t)]\, dt$$

donde $\boldsymbol{\xi}(t)$ representa el estado deseado, $\mathbf{x}(t)$ es el estado actual [entonces, $\boldsymbol{\xi}(t) - \mathbf{x}(t)$ es el vector de error], y $\mathbf{Q}$ es una matriz real o hermítica definida positiva (o semidefinida positiva), y el intervalo de tiempo $0 \leq t \leq T$ es, o bien finito, o infinito.

Sin embargo, además de la consideración de los errores como medida del desempeño de sistemas, con frecuencia se tiene presente la energía necesaria para la acción de control. Como la señal de control puede tener la dimensión de una fuerza o de una torsión, la energía de control es proporcional al cuadrado de esa señal de control. Si la función de error se minimiza, sin considerar la energía requerida, el diseño puede llevar a un resultado que requiera valores excesivamente elevados de la señal de control. Esto no es deseable ya que todos los sistemas físicos están sujetos a saturación. Fuera del rango determinado por la saturación, las señales de control de gran amplitud son ineficientes. Entonces por razones de orden práctico, se limita al vector de control, por ejemplo

$$\int_0^T \mathbf{u}^*(t) \mathbf{R} \mathbf{u}(t)\, dt = K$$

donde $\mathbf{R}$ es una matriz hermítica o real simétrica definida positiva y $K$ es una constante negativa. El índice de desempeño de un sistema de control, dentro del intervalo de tiempo $0 \leq t \leq T$, se puede expresar utilizando el multiplicador de Lagrange $\lambda$, como

$$J = \int_0^T [\boldsymbol{\xi}(t) - \mathbf{x}(t)]^* \mathbf{Q} [\boldsymbol{\xi}(t) - \mathbf{x}(t)]\, dt + \lambda \int_0^T \mathbf{u}^*(t) \mathbf{R} \mathbf{u}(t)\, dt \qquad (0 \leq t \leq T)$$

El multiplicador de Lagrange $\lambda$ es una constante positiva que indica el peso del costo de control, respecto a minimizar la función de error. Nótese que, en esta formulación, $\mathbf{u}(t)$ no está restringida. El diseño basado en este índice de desempeño tiene el significado práctico de que el sistema resultante, constituye un compromiso entre minimizar la integral del error elevado al cuadrado y dinamizar la energía de control.

Si $T = \infty$, y el estado deseado $\boldsymbol{\xi}$ es el origen, o sea $\boldsymbol{\xi} = \mathbf{0}$, el índice de desempeño anterior se puede expresar como

$$J = \int_0^\infty [\mathbf{x}^*(t) \mathbf{Q} \mathbf{x}(t) + \mathbf{u}^*(t) \mathbf{R} \mathbf{u}(t)]\, dt$$

donde $\lambda$ se ha incluido en la matriz $\mathbf{R}$ definida positiva. En la sección 10-5 se tratará el diseño de sistemas reguladores, basados en este índice de desempeño cuadrático. Nótese que la selección de las matrices pasantes $\mathbf{Q}$ y $\mathbf{R}$ es arbitraria. Aun cuando minimizar de un indice de desempeño cuadrático "arbitrario" pareciera no tener mucho significado, la ventaja del método de control óptimo cuadrático es que el sistema resultante es estable.

Un sistema regulador, diseñado para minimizar un índice de desempeño cuadrático, se denomina *sistema regulador óptimo cuadrático*. Este método es una alternativa del de ubicación de polos para diseñar sistemas reguladores estables.

**Sistemas de control con modelo de referencia y sistemas de control adaptable.** El uso de un modelo que produzca la salida deseada para cierta entrada, constituye un método útil para especificar el desempeño del sistema. El modelo no tiene que ser necesariamente de un modelo real. Puede ser solamente un modelo matemático para simulación en una computadora. En un sistema de control con modelo de referencia, se comparan la salida del modelo con la de la planta y la diferencia se utiliza para generar las señales de control. Utilizando un sistema como ejemplo, se presentará el diseño de un sistema de control con modelo de referencia mediante el método de Liapunov. También se hace una presentación general de sistemas de control adaptables.

**Esbozo del capítulo.** La sección 10-1 presentó una introducción al capítulo. La sección 10-2 trata sobre el diseño de sistemas reguladores, mediante la ubicación de polos. La sección 10-3 presenta el diseño de observadores de estado. La sección 10-4 expone el diseño de servosistemas y se aplica el método de ubicación de polos al diseño de servosistemas de tipo 1. La sección 10-5 trata el tema del diseño de sistemas de control óptimo basado en índices de desempeño cuadráticos. Aquí se utilizará el método de Liapunov para el diseño. En la sección 10-6, se presentan sistemas de control con modelo de referencia. Finalmente, la sección 10-7 trata sobre sistemas de control adaptables.

Tenga presente que los sistemas con los que se trata en este capítulo, excepto los de las sección 10-6 y 10-7, son sistemas lineales, invariantes en el tiempo.

## 10-2 DISEÑO DE SISTEMAS DE CONTROL POR MEDIO DE LA UBICACION DE POLOS

En esta sección se presentará un método de diseño, comúnmente denominado, de *ubicación de polos* o *técnica de asignación de polos*. Se presume que todas las variables de estado son medibles y están disponibles para retroalimentación. Se demostrará que si el sistema considerado tiene estado completo controlable, los polos del sistema de lazo cerrado, se pueden ubicar en cualquier lugar, por medio de retroalimentación de estado, a través de una matriz de ganancia de retroalimentación del estado adecuada.

La presente técnica de diseño, comienza con la determinación de los polos de lazo cerrado deseados, basada en la respuesta transitoria, y/o en los requerimientos de respuesta en frecuencia como la velocidad, relación de amortiguamiento o ancho de banda.

Se desea que los polos de lazo cerrado, estén en $s = \mu_1, s = \mu_2, \ldots, s = \mu_n$. Al elegir una matriz de ganancia adecuada para retroalimentación del estado, es posible forzar al sistema a tener los polos de lazo cerrado en los lugares deseados, siempre que el sistema original tenga estado completo controlable.

A continuación, se tratará el caso en que la señal de control es un escalar, y se probará que el hecho de que el sistema tenga estado completo controlable, es condición necesaria y suficiente, para que los polos de lazo cerrado se puedan colocar en cualquier lugar arbitrario en el plano $s$. Entonces se presentarán tres formas para determinar la matriz de ganancia de retroalimentación del estado requerida.

Nótese que cuando la señal de control es una cantidad vectorial, los aspectos matemáticos del esquema de ubicación de polos se complican por lo que este caso no se tratará en este libro. (Para el lector interesado, puede recurrir a la referencia O-3 para la deducción matemática de dicho caso). También se hace notar que cuando la señal de control es una cantidad vectorial, la matriz de ganancia de retroalimentación de estado no es única. Además se pueden elegir libremente más de $n$ parámetros, es decir, además de poder colocar los $n$ polos de lazo cerrado adecuadamente, se tiene la libertad de satisfacer alguno, o todos los demás requerimientos, si los hay, del sistema de lazo cerrado.

**Diseño por ubicación de polos.** En el método convencional de diseño de sistemas de control, con una entrada y una salida, se diseña un controlador (compensador) para, que los polos dominantes de lazo cerrado tengan una relación de amortiguamiento $\zeta$ y una frecuencia natural no amortiguada $\omega_n$, deseados. En este método se puede aumentar el orden del sistema en 1 o en 2, a menos que se cancelen polos y ceros. Nótese que en este procedimiento se supone que los efectos de los polos no dominantes de lazo cerrado en las respuestas, son despreciables.

A diferencia de la sola especificación de los polos dominantes de lazo cerrado (método convencional de diseño), el presente método de ubicación de polos especifica todos los polos de lazo cerrado. (Sin embargo, hay un costo asociado a la ubicación de todos los polos de lazo cerrado, porque la colocación de todos los polos de lazo cerrado requiere mediciones sucesivas de todas las variables de estado, o bien, la inclusión de un observador de estado en el sistema). También existe un requerimiento, por parte del sistema para que los polos de lazo cerrado queden colocados en ubicaciones arbitrariamente elegidas. El requerimiento consiste en que el sistema debe tener estado completo observable. En esta sección se probará este hecho.

Considere el sistema de control

$$\dot{\mathbf{x}} = \mathbf{A}\mathbf{x} + \mathbf{B}u \tag{10–1}$$

donde $\mathbf{x}$ = vector de estado (de dimensión $n$)
$\mathbf{u}$ = señal de control (escalar)
$\mathbf{A}$ = matriz de $n \times n$ constante
$\mathbf{B}$ = matriz de $n \times 1$ constante

Se elige como señal de control

$$u = -\mathbf{K}\mathbf{x} \tag{10–2}$$

Esto significa que la señal de control está determinada por el estado instantáneo. A este esquema se le llama *retroalimentación del estado*. La matriz $\mathbf{K}$ de $1 \times n$, se denomina matriz de ganancia de retroalimentación de estado. En el análisis que sigue se supone que $u$ no está acotado.

Al substituir la ecuación (10-2) en la ecuación (10-1), se tiene

$$\mathbf{x}(t) = (\mathbf{A} - \mathbf{B}\mathbf{K})\mathbf{x}(t)$$

La solución de esta ecuación está dada por

$$\mathbf{x}(t) = e^{(\mathbf{A}-\mathbf{B}\mathbf{K})t}\mathbf{x}(0) \tag{10–3}$$

donde $\mathbf{x}(0)$ es el estado inicial producido por las perturbaciones externas. La estabilidad y las características de respuesta transitoria se determinan a partir de los valores pro-

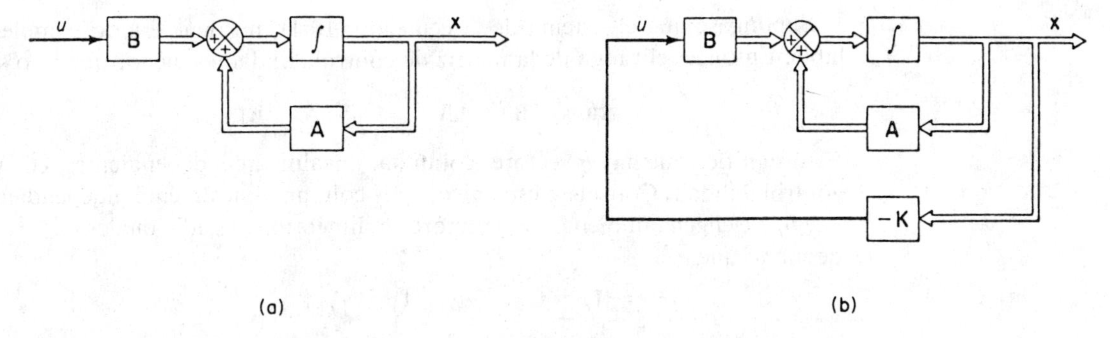


**Figura 10-1** (a) Sistema de control de lazo abierto; (b) sistema de control de lazo cerrado con $u = -\mathbf{K}\mathbf{x}$.

pios de la matriz $\mathbf{A} - \mathbf{BK}$. Si se elige adecuadamente la matriz $\mathbf{K}$, se puede hacer que la matriz $\mathbf{A} - \mathbf{BK}$ sea asintóticamente estable y para todo $\mathbf{x}(0) \neq \mathbf{0}$ es posible hacer que $\mathbf{x}(t)$ tienda a 0 cuando $t$ tiende a infinito. A los valores propios de la matriz $\mathbf{A} - \mathbf{BK}$ se les denomina *polos reguladores*. Si estos polos reguladores se ubican en el semiplano izquierdo del plano $s$, $\mathbf{x}(t)$ tiende a $\mathbf{0}$ cuando $t$ tiende a infinito. El problema de colocar los polos de lazo cerrado en los lugares deseados se denomina problema de ubicación de polos.

En la figura 10-1(a) se presenta el sistema descrito por la ecuación (10-1), el cual es un sistema de control de lazo abierto porque el estado $\mathbf{x}$ no se retroalimenta a la señal de control $u$. El sistema con retroalimentación de estado se presenta en la figura 10-1(b). Este es un sistema de control de lazo cerrado, porque el estado $\mathbf{x}$ está retroalimentado a la señal de control $u$.

A continuación, se probará que la ubicación arbitraria de los polos para un determinado sistema, es posible si y sólo si, el sistema tiene estado completo controlable.

**Condición necesaria y suficiente para la ubicación arbitraria de polos.** Considere el sistema de control descrito por la ecuación (10-1). Se supone que la magnitud de la señal de control $u$ no está limitada. Si se elige la señal de control $u$ como

$$u = -\mathbf{K}\mathbf{x}$$

donde $\mathbf{K}$ es la matriz de ganancia de retroalimentación del estado (matriz de $1 \times n$), el sistema se convierte en un sistema de control de lazo cerrado, como se muestra en la figura 10-1(b) y la solución a la ecuación (10-1) está dada por la ecuación (10-3), o sea

$$\mathbf{x}(t) = e^{(\mathbf{A} - \mathbf{BK})t}\mathbf{x}(0)$$

Nótese que los valores propios de la matriz $\mathbf{A} - \mathbf{BK}$ (que se designan $\mu_1, \mu_2, \ldots, \mu_n$), son los polos de lazo cerrado deseados.

Ahora se probará que para que se puedan colocar los polos en forma arbitraria, es condición necesaria y suficiente, que el sistema tenga el estado completo controlable. primero se deducirá la condición necesaria. Se comienza por probar que si el sistema no tiene estado completo controlable, entonces hay valores propios de la matriz $\mathbf{A} - \mathbf{BK}$, que no pueden controlarse por la retroalimentación de estado.

Supóngase que el sistema de la ecuación (10-1), no tiene estado completo controlable. Entonces el rango de la matriz de controlabilidad es menor que $n$, o sea

$$\text{rango}\,[\mathbf{B} \,\vdots\, \mathbf{AB} \,\vdots\, \cdots \,\vdots\, \mathbf{A}^{n-1}\mathbf{B}] = q < n$$

Esto significa que hay $q$ vectores columna, linealmente independientes, en la matriz de controlabilidad. Considere esos $q$ vectores columna linealmente independientes, $\mathbf{f}_1$, $\mathbf{f}_2$, ..., $\mathbf{f}_q$. Se eligen también $n - q$ vectores $n$-dimensionales adicionales $\mathbf{v}_{q+1}, \mathbf{v}_{q+2}, \ldots, \mathbf{v}_n$ de modo que

$$\mathbf{P} = [\mathbf{f}_1 \,\vdots\, \mathbf{f}_2 \,\vdots\, \cdots \,\vdots\, \mathbf{f}_q \,\vdots\, \mathbf{v}_{q+1} \,\vdots\, \mathbf{v}_{q+2} \,\vdots\, \cdots \,\vdots\, \mathbf{v}_n]$$

sea de rango $n$. Entonces se puede demostrar que

$$\hat{\mathbf{A}} = \mathbf{P}^{-1}\mathbf{AP} = \begin{bmatrix} \mathbf{A}_{11} & \mathbf{A}_{12} \\ \mathbf{0} & \mathbf{A}_{22} \end{bmatrix}, \qquad \hat{\mathbf{B}} = \mathbf{P}^{-1}\mathbf{B} = \begin{bmatrix} \mathbf{B}_{11} \\ \mathbf{0} \end{bmatrix}$$

(Véase el problema A-10-1 para la deducción de las ecuaciones previas). Ahora se define

$$\hat{\mathbf{K}} = \mathbf{KP} = [\mathbf{k}_1 \,\vdots\, \mathbf{k}_2]$$

Entonces se tiene

$$\begin{aligned}
|s\mathbf{I} - \mathbf{A} + \mathbf{BK}| &= |\mathbf{P}^{-1}(s\mathbf{I} - \mathbf{A} + \mathbf{BK})\mathbf{P}| \\
&= |s\mathbf{I} - \mathbf{P}^{-1}\mathbf{AP} + \mathbf{P}^{-1}\mathbf{BKP}| \\
&= |s\mathbf{I} - \hat{\mathbf{A}} + \hat{\mathbf{B}}\hat{\mathbf{K}}| \\
&= \left| s\mathbf{I} - \begin{bmatrix} \mathbf{A}_{11} & \mathbf{A}_{12} \\ \mathbf{0} & \mathbf{A}_{22} \end{bmatrix} + \begin{bmatrix} \mathbf{B}_{11} \\ \mathbf{0} \end{bmatrix} [\mathbf{k}_1 \,\vdots\, \mathbf{k}_2] \right| \\
&= \begin{vmatrix} s\mathbf{I}_q - \mathbf{A}_{11} + \mathbf{B}_{11}\mathbf{k}_1 & -\mathbf{A}_{12} + \mathbf{B}_{11}\mathbf{k}_2 \\ \mathbf{0} & s\mathbf{I}_{n-q} - \mathbf{A}_{22} \end{vmatrix} \\
&= |s\mathbf{I}_q - \mathbf{A}_{11} + \mathbf{B}_{11}\mathbf{k}_1| \cdot |s\mathbf{I}_{n-q} - \mathbf{A}_{22}| = 0
\end{aligned}$$

donde $\mathbf{I}_q$ es una matriz identidad de dimensión $q$, e $\mathbf{I}_{n-q}$ es una matriz identidad de dimensión $(n - q)$.

Note que los valores propios de $\mathbf{A}_{22}$ no dependen de $\mathbf{K}$. Entonces, si el sistema no tiene estado completo controlable, hay valores propios de la matriz $\mathbf{A}$ que no se puedan ubicar en forma arbitraria. Por lo tanto, para que los valores propios de la matriz $\mathbf{A} - \mathbf{BK}$ se puedan colocar en forma arbitraria, es necesario que el sistema tenga estado completo controlable (condición necesaria).

Ahora se probará que es una condición suficiente; es decir, si el sistema tiene estado completo controlable [lo que significa que la matriz $\mathbf{M}$ dada por la ecuación (10-5) que aparece más abajo tiene inversa], todos los valores propios de la matriz $\mathbf{A}$, se pueden ubicar en forma arbitraria.

Al probar la condición de suficiencia, conviene transformar la ecuación de estado dada por la ecuación (10-1) en la forma canónica controlable.

Se define la matriz de transformación $\mathbf{T}$, como

$$\mathbf{T} = \mathbf{MW} \tag{10–4}$$

donde **M** es la matriz de controlabilidad

$$\mathbf{M} = [\mathbf{B} \mid \mathbf{AB} \mid \cdots \mid \mathbf{A}^{n-1}\mathbf{B}] \tag{10–5}$$

y

$$\mathbf{W} = \begin{bmatrix} a_{n-1} & a_{n-2} & \cdots & a_1 & 1 \\ a_{n-2} & a_{n-3} & \cdots & 1 & 0 \\ \cdot & \cdot & & \cdot & \cdot \\ \cdot & \cdot & & \cdot & \cdot \\ \cdot & \cdot & & \cdot & \cdot \\ a_1 & 1 & \cdots & 0 & 0 \\ 1 & 0 & \cdots & 0 & 0 \end{bmatrix} \tag{10–6}$$

donde las $a_i$ son los coeficientes del polinomio característico

$$|s\mathbf{I} - \mathbf{A}| = s^n + a_1 s^{n-1} + \cdots + a_{n-1}s + a_n$$

Se define un nuevo vector de estado $\hat{\mathbf{x}}$ como

$$\mathbf{x} = \mathbf{T}\hat{\mathbf{x}}$$

Si el rango de la matriz de controlabilidad **M** es $n$ (lo que significa que el sistema tiene estado completo controlable), entonces la matriz **T** tiene inversa y la ecuación (10-1) se puede modificar a

$$\dot{\hat{\mathbf{x}}} = \mathbf{T}^{-1}\mathbf{AT}\hat{\mathbf{x}} + \mathbf{T}^{-1}\mathbf{B}u \tag{10–7}$$

donde

$$\mathbf{T}^{-1}\mathbf{AT} = \begin{bmatrix} 0 & 1 & 0 & \cdots & 0 \\ 0 & 0 & 1 & \cdots & 0 \\ \cdot & \cdot & \cdot & & \cdot \\ \cdot & \cdot & \cdot & & \cdot \\ \cdot & \cdot & \cdot & & \cdot \\ 0 & 0 & 0 & \cdots & 1 \\ -a_n & -a_{n-1} & -a_{n-2} & \cdots & -a_1 \end{bmatrix} \tag{10–8}$$

$$\mathbf{T}^{-1}\mathbf{B} = \begin{bmatrix} 0 \\ 0 \\ \cdot \\ \cdot \\ \cdot \\ 0 \\ 1 \end{bmatrix} \tag{10–9}$$

[Véanse los problemas A-10-2 y A-10-3 para la deducción de las ecuaciones (10-8) y (10-9)]. La ecuación (10-7) está en la forma canónica controlable. Entonces, dada una ecuación de estado, la ecuación (10-1), se puede transformar a la forma canónica controlable, si el sistema tiene estado completo controlable, y si se transforma el vector de estado $\mathbf{x}$ en un vector de estado $\hat{\mathbf{x}}$, utilizando la matriz de transformación $\mathbf{T}$, dada por la ecuación (10-4).

Se elige un conjunto de valores propios deseados $\mu_1, \mu_2, \ldots, \mu_n$. Entonces la ecuación característica deseada es

$$(s - \mu_1)(s - \mu_2) \cdots (s - \mu_n) = s^n + \alpha_1 s^{n-1} + \cdots + \alpha_{n-1} s + \alpha_n = 0 \tag{10–10}$$

se escribe

$$\hat{\mathbf{K}} = \mathbf{KT} = [\delta_n \quad \delta_{n-1} \quad \cdots \quad \delta_1] \tag{10–11}$$

Si se utiliza $u = -\hat{\mathbf{K}}\hat{\mathbf{x}} = -\mathbf{KT}\hat{\mathbf{x}}$ para controlar el sistema de la ecuación (10-7), el sistema de ecuaciones se hace

$$\dot{\hat{\mathbf{x}}} = \mathbf{T}^{-1}\mathbf{AT}\hat{\mathbf{x}} - \mathbf{T}^{-1}\mathbf{BKT}\hat{\mathbf{x}}$$

La ecuación característica es

$$|s\mathbf{I} - \mathbf{T}^{-1}\mathbf{AT} + \mathbf{T}^{-1}\mathbf{BKT}| = 0$$

Esta ecuación característica es igual a la ecuación característica del sistema definido por la ecuación (10-1) cuando $u = -\mathbf{Kx}$ se utiliza como señal de control. Esto se puede ver como sigue: puesto que

$$\dot{\mathbf{x}} = \mathbf{Ax} + \mathbf{Bu} = (\mathbf{A} - \mathbf{BK})\mathbf{x}$$

la ecuación característica de este sistema es

$$|s\mathbf{I} - \mathbf{A} + \mathbf{BK}| = |\mathbf{T}^{-1}(s\mathbf{I} - \mathbf{A} + \mathbf{BK})\mathbf{T}| = |s\mathbf{I} - \mathbf{T}^{-1}\mathbf{AT} + \mathbf{T}^{-1}\mathbf{BKT}| = 0$$

Ahora se simplifica la ecuación característica del sistema en la forma canónica controlable. En referencia a las ecuaciones (10-8), (10-9), y (10-11), se tiene

$$|s\mathbf{I} - \mathbf{T}^{-1}\mathbf{AT} + \mathbf{T}^{-1}\mathbf{BKT}|$$

$$= \left| s\mathbf{I} - \begin{bmatrix} 0 & 1 & \cdots & 0 \\ \cdot & \cdot & & \cdot \\ \cdot & \cdot & & \cdot \\ \cdot & \cdot & & \cdot \\ 0 & 0 & \cdots & 1 \\ -a_n & -a_{n-1} & \cdots & -a_1 \end{bmatrix} + \begin{bmatrix} 0 \\ \cdot \\ \cdot \\ \cdot \\ 0 \\ 1 \end{bmatrix} [\delta_n \quad \delta_{n-1} \cdots \delta_1] \right|$$

$$= \begin{vmatrix} s & -1 & \cdots & 0 \\ 0 & s & \cdots & 0 \\ \cdot & \cdot & & \cdot \\ \cdot & \cdot & & \cdot \\ \cdot & \cdot & & \cdot \\ a_n + \delta_n & a_{n-1} + \delta_{n-1} & \cdots & s + a_1 + \delta_1 \end{vmatrix}$$

$$= s^n + (a_1 + \delta_1)s^{n-1} + \cdots + (a_{n-1} + \delta_{n-1})s + (a_n + \delta_n) = 0 \tag{10–12}$$

Esta es la ecuación característica del sistema con retroalimentación de estado. Por lo tanto, la ecuación característica deseada debe ser igual a la ecuación (10-10). Igualando los coeficientes de potencias iguales de $s$ se obtiene

$$
\begin{aligned}
a_1 + \delta_1 &= \alpha_1 \\
a_2 + \delta_2 &= \alpha_2 \\
&\vdots \\
a_n + \delta_n &= \alpha_n
\end{aligned}
$$

Despejando los valores de las $\delta_i$ de las ecuaciones anteriores y sustituyéndolos en la ecuación (10-11), se obtiene

$$
\begin{aligned}
\mathbf{K} = \hat{\mathbf{K}}\mathbf{T}^{-1} &= [\delta_n \quad \delta_{n-1} \quad \cdots \quad \delta_1]\mathbf{T}^{-1} \\
&= [\alpha_n - a_n \,\vdots\, \alpha_{n-1} - a_{n-1} \,\vdots\, \cdots \,\vdots\, \alpha_2 - a_2 \,\vdots\, \alpha_1 - a_1]\mathbf{T}^{-1} \qquad (10\text{–}13)
\end{aligned}
$$

Entonces, si el sistema tiene estado completo controlable, se pueden colocar arbitrariamente todos los valores propios, al elegir la matriz $\mathbf{K}$ de acuerdo a la ecuación (10-13) (condición de suficiencia).

Así se ha probado que para que los polos se puedan ubicar en forma arbitraria, es condición necesaria y suficiente que el sistema tenga estado completo controlable.

**Pasos de diseño para la ubicación de los polos.** Considere el sistema descrito por

$$\dot{\mathbf{x}} = \mathbf{A}\mathbf{x} + \mathbf{B}u$$

con la señal de control dada por

$$u = -\mathbf{K}\mathbf{x}$$

Se puede determinar la matriz de ganancia de retroalimentación $\mathbf{K}$, que hace que los valores propios de $\mathbf{A} - \mathbf{BK}$ sean los valores deseados $\mu_1, \mu_2, \ldots, \mu_n$, por medio de los pasos siguientes. (Si $\mu_i$ fuera un valor complejo, su conjugado debe ser también un valor propio de $\mathbf{A} - \mathbf{BK}$).

*Paso 1* Verifique la condición de controlabilidad del sistema. Si el sistema tiene estado completo controlable, realice los pasos siguientes.

*Paso 2* A partir del polinomio característico de la matriz $\mathbf{A}$,

$$|s\mathbf{I} - \mathbf{A}| = s^n + a_1 s^{n-1} + \cdots + a_{n-1}s + a_n$$

determine los valores de $a_1, a_2, a_2, \ldots, a_n$.

*Paso 3* Determine la matriz de transformación $\mathbf{T}$ que transforma la ecuación de estado del sistema a la forma canónica controlable. (Si la ecuación del sistema ya estaba en dicha forma, entonces $\mathbf{T} = \mathbf{I}$). No es necesario escribir la ecuación de estado en la forma canónica controlable. Todo lo que se necesita es hallar la matriz $\mathbf{T}$. La matriz de transformación $\mathbf{T}$, está dada por la ecuación (10-4), o sea

$$\mathbf{T} = \mathbf{MW}$$

donde **M** resulta de la ecuación (10-5) y **W** de la ecuación (10-6).

*Paso 4* Utilizando los valores propios deseados (los polos de lazo cerrado buscados), halle el polinomio característico deseado:

$$(s - \mu_1)(s - \mu_2) \cdots (s - \mu_n) = s^n + \alpha_1 s^{n-1} + \cdots + \alpha_{n-1} s + \alpha_n$$

y determine los valores de $\alpha_1, \alpha_2, \ldots, \alpha_n$.

*Paso 5* Ahora se puede determinar la matriz **K** de ganancia de retroalimentación del estado, a partir de la ecuación (10-13), escrita como:

$$\mathbf{K} = [\alpha_n - a_n \;\vdots\; \alpha_{n-1} - a_{n-1} \;\vdots\; \cdots \;\vdots\; \alpha_2 - a_2 \;\vdots\; \alpha_1 - a_1]\mathbf{T}^{-1}$$

**Comentarios.** Note que si el sistema es de orden bajo ($n \leq 3$), la sustitución directa de la matriz **K** en el polinomio característico deseado, puede ser sencilla. Por ejemplo, si $n = 3$, la matriz de ganancia de retroalimentación de estado **K** se puede escribir como

$$\mathbf{K} = [k_1 \quad k_2 \quad k_3]$$

Esta matriz **K** se remplaza en el polinomio característico deseado $|s\mathbf{I} - \mathbf{A} + \mathbf{BK}|$ y se iguala a $(s - \mu_1)(s - \mu_2)(s - \mu_3)$, o

$$|s\mathbf{I} - \mathbf{A} + \mathbf{BK}| = (s - \mu_1)(s - \mu_2)(s - \mu_3)$$

Como los dos miembros de esta ecuación característica, son polinomios en $s$ igualando los coeficientes de iguales potencias de $s$ en los dos miembros, es posible hallar los valores de $k_1$, $k_2$, y $k_3$. Este procedimiento es adecuado, si $n = 2$ o 3. (Para $n = 4, 5, 6, \ldots$, este método puede ser muy tedioso).

Hay otros métodos para determinar la matriz **K** de ganancia de retroalimentación de estado. A continuación se presenta una fórmula muy conocida; la fórmula de Ackermann, para determinar la matriz **K** de ganancia de retroalimentación de estado.

**Fórmula de Ackermann.** Considere el sistema dado por la ecuación (10-1), presentada como:

$$\dot{\mathbf{x}} = \mathbf{Ax} + \mathbf{B}u$$

Se supone que el sistema tiene estado completo controlable. Se supone también que los polos de lazo cerrado deseados están en $s = \mu_1, s = \mu_2, \ldots, s = \mu_n$.

Al utilizar el control de retroalimentación de estado

$$u = -\mathbf{Kx}$$

la ecuación del sistema se modifica a

$$\dot{\mathbf{x}} = (\mathbf{A} - \mathbf{BK})\mathbf{x} \qquad (10\text{–}14)$$

Se define

$$\tilde{\mathbf{A}} = \mathbf{A} - \mathbf{BK}$$

La ecuación característica deseada es

$$|s\mathbf{I} - \mathbf{A} + \mathbf{BK}| = |s\mathbf{I} - \tilde{\mathbf{A}}| = (s - \mu_1)(s - \mu_2) \cdots (s - \mu_n)$$
$$= s^n + \alpha_1 s^{n-1} + \cdots + \alpha_{n-1}s + \alpha_n = 0$$

Como el teorema de Cayley-Hamilton establece que $\tilde{\mathbf{A}}$ satisface su propia ecuación característica, se tiene

$$\phi(\tilde{\mathbf{A}}) = \tilde{\mathbf{A}}^n + \alpha_1\tilde{\mathbf{A}}^{n-1} + \cdots + \alpha_{n-1}\tilde{\mathbf{A}} + \alpha_n\mathbf{I} = \mathbf{0} \qquad (10\text{–}15)$$

La ecuación (10-15) se utilizará para hallar la fórmula de Ackermann. Para simplificar la deducción, se considera el caso en que $n = 3$. (Se puede extender fácilmente a cualquier otro entero positivo $n$).

Considere las identidades siguientes:

$$\mathbf{I} = \mathbf{I}$$
$$\tilde{\mathbf{A}} = \mathbf{A} - \mathbf{BK}$$
$$\tilde{\mathbf{A}}^2 = (\mathbf{A} - \mathbf{BK})^2 = \mathbf{A}^2 - \mathbf{ABK} - \mathbf{BK}\tilde{\mathbf{A}}$$
$$\tilde{\mathbf{A}}^3 = (\mathbf{A} - \mathbf{BK})^3 = \mathbf{A}^3 - \mathbf{A}^2\mathbf{BK} - \mathbf{ABK}\tilde{\mathbf{A}} - \mathbf{BK}\tilde{\mathbf{A}}^2$$

Multiplicando las ecuaciones precedentes por $\alpha_3, \alpha_2, \alpha_1, \alpha_0$(donde $\alpha_0 = 1$), respectivamente y sumando los resultados, se tiene

$$\alpha_3\mathbf{I} + \alpha_2\tilde{\mathbf{A}} + \alpha_1\tilde{\mathbf{A}}^2 + \tilde{\mathbf{A}}^3$$
$$= \alpha_3\mathbf{I} + \alpha_2(\mathbf{A} - \mathbf{BK}) + \alpha_1(\mathbf{A}^2 - \mathbf{ABK} - \mathbf{BK}\tilde{\mathbf{A}}) + \mathbf{A}^3 - \mathbf{A}^2\mathbf{BK}$$
$$- \mathbf{ABK}\tilde{\mathbf{A}} - \mathbf{BK}\tilde{\mathbf{A}}^2$$
$$= \alpha_3\mathbf{I} + \alpha_2\mathbf{A} + \alpha_1\mathbf{A}^2 + \mathbf{A}^3 - \alpha_2\mathbf{BK} - \alpha_1\mathbf{ABK} - \alpha_1\mathbf{BK}\tilde{\mathbf{A}} - \mathbf{A}^2\mathbf{BK}$$
$$- \mathbf{ABK}\tilde{\mathbf{A}} - \mathbf{BK}\tilde{\mathbf{A}}^2 \qquad (10\text{–}16)$$

En referencia a la ecuación (10-15), se obtiene

$$\alpha_3\mathbf{I} + \alpha_2\tilde{\mathbf{A}} + \alpha_1\tilde{\mathbf{A}}^2 + \tilde{\mathbf{A}}^3 = \phi(\tilde{\mathbf{A}}) = \mathbf{0}$$

También, se define

$$\alpha_3\mathbf{I} + \alpha_2\mathbf{A} + \alpha_1\mathbf{A}^2 + \mathbf{A}^3 = \phi(\mathbf{A}) \neq \mathbf{0}$$

Sustituyendo las dos últimas ecuaciones en la ecuación (10-16), se obtiene

$$\phi(\tilde{\mathbf{A}}) = \phi(\mathbf{A}) - \alpha_2\mathbf{BK} - \alpha_1\mathbf{BK}\tilde{\mathbf{A}} - \mathbf{BK}\tilde{\mathbf{A}}^2 - \alpha_1\mathbf{ABK} - \mathbf{ABK}\tilde{\mathbf{A}} - \mathbf{A}^2\mathbf{BK}$$

Como $\phi(\tilde{\mathbf{A}}) = \mathbf{0}$, se obtiene

$$\phi(\mathbf{A}) = \mathbf{B}(\alpha_2\mathbf{K} + \alpha_1\mathbf{K}\tilde{\mathbf{A}} + \mathbf{K}\tilde{\mathbf{A}}^2) + \mathbf{AB}(\alpha_1\mathbf{K} + \mathbf{K}\tilde{\mathbf{A}}) + \mathbf{A}^2\mathbf{BK}$$

$$= [\mathbf{B} \mid \mathbf{AB} \mid \mathbf{A}^2\mathbf{B}] \begin{bmatrix} \alpha_2\mathbf{K} + \alpha_1\mathbf{K}\tilde{\mathbf{A}} + \mathbf{K}\tilde{\mathbf{A}}^2 \\ \alpha_1\mathbf{K} + \mathbf{K}\tilde{\mathbf{A}} \\ \mathbf{K} \end{bmatrix} \tag{10–17}$$

Como el sistema tiene estado completo controlable, la matriz de controlabilidad tiene inversa

$$[\mathbf{B} \mid \mathbf{AB} \mid \mathbf{A}^2\mathbf{B}]$$

Premultiplicando ambos miembros de la ecuación (10-17), por la inversa de la matriz de controlabilidad, se obtiene

$$[\mathbf{B} \mid \mathbf{AB} \mid \mathbf{A}^2\mathbf{B}]^{-1}\phi(\mathbf{A}) = \begin{bmatrix} \alpha_2\mathbf{K} + \alpha_1\mathbf{K}\tilde{\mathbf{A}} + \mathbf{K}\tilde{\mathbf{A}}^2 \\ \alpha_1\mathbf{K} + \mathbf{K}\tilde{\mathbf{A}} \\ \mathbf{K} \end{bmatrix}$$

Premultiplicando ambos miembros de esta última ecuación por $[0 \quad 0 \quad 1]$, se llega a

$$[0 \quad 0 \quad 1][\mathbf{B} \mid \mathbf{AB} \mid \mathbf{A}^2\mathbf{B}]^{-1}\phi(\mathbf{A}) = [0 \quad 0 \quad 1] \begin{bmatrix} \alpha_2\mathbf{K} + \alpha_1\mathbf{K}\tilde{\mathbf{A}} + \mathbf{K}\tilde{\mathbf{A}}^2 \\ \alpha_1\mathbf{K} + \mathbf{K}\tilde{\mathbf{A}} \\ \mathbf{K} \end{bmatrix} = \mathbf{K}$$

que se puede escribir como

$$\mathbf{K} = [0 \quad 0 \quad 1][\mathbf{B} \mid \mathbf{AB} \mid \mathbf{A}^2\mathbf{B}]^{-1}\phi(\mathbf{A})$$

Esta última ecuación de la matriz deseada de ganancia de retroalimentación de estado **K**.

Para un entero positivo arbitrario $n$, se tiene

$$\mathbf{K} = [0 \quad 0 \quad \cdots \quad 0 \quad 1][\mathbf{B} \mid \mathbf{AB} \mid \cdots \mid \mathbf{A}^{n-1}\mathbf{B}]^{-1}\phi(\mathbf{A}) \tag{10–18}$$

La ecuación (10-18), se conoce como la fórmula de Ackermann para determinar la matriz **K** de ganancia de retroalimentación de estado.

**EJEMPLO 10-1** Considere el sistema definido por

$$\dot{\mathbf{x}} = \mathbf{Ax} + \mathbf{B}u$$

donde

$$\mathbf{A} = \begin{bmatrix} 0 & 1 \\ 20.6 & 0 \end{bmatrix}, \qquad \mathbf{B} = \begin{bmatrix} 0 \\ 1 \end{bmatrix}$$

La ecuación característica para el sistema es

$$|s\mathbf{I} - \mathbf{A}| = \begin{vmatrix} s & -1 \\ -20.6 & s \end{vmatrix} = s^2 - 20.6 = 0$$

Como las raíces características son $s = \pm 4.539$, el sistema es inestable. Utilizando el control de retroalimentación de estado $u = -\mathbf{Kx}$ se desea colocar los polos de lazo cerrado en $s = -1.8 \pm j2.4$ (es decir, los valores propios de $\mathbf{A} - \mathbf{BK}$ deben ser $\mu_1 = -1.8 + j2.4$ y $\mu_2 = -1.8 - j2.4$). Determine la matriz de ganancia **K** de retroalimentación del estado.

En primer lugar, hay que verificar el rango de la matriz de controlabilidad

$$\mathbf{M} = [\mathbf{B} \mid \mathbf{AB}] = \begin{bmatrix} 0 & 1 \\ 1 & 0 \end{bmatrix}$$

Como el rango de la matriz **M** es 2, es posible la ubicación arbitraria de polos.

El problema planteado se resolverá por tres métodos.

*Método 1* El primer método es utilizar la ecuación (10-13). Como la ecuación de estado está en la forma canónica controlable, la matriz de transformación **T** es la matriz unidad, o sea $\mathbf{T} = \mathbf{I}$.

De la ecuación característica para el sistema original, se tiene

$$a_1 = 0, \qquad a_2 = -20.6$$

La ecuación característica deseada es

$$\begin{aligned}(s - \mu_1)(s - \mu_2) &= (s + 1.8 - j2.4)(s + 1.8 + j2.4) \\ &= s^2 + 3.6s + 9 = s^2 + \alpha_1 s + \alpha_2\end{aligned}$$

Por tanto,

$$\alpha_1 = 3.6, \qquad \alpha_2 = 9$$

En referencia a la ecuación (10-13), y notando que $\mathbf{T} = \mathbf{I}$, se tiene

$$\begin{aligned}\mathbf{K} &= [\alpha_2 - a_2 \mid \alpha_1 - a_1]\mathbf{T}^{-1} \\ &= [9 + 20.6 \mid 3.6 - 0]\mathbf{I}^{-1} \\ &= [29.6 \quad 3.6]\end{aligned}$$

*Método 2* El segundo método consiste en la sustitución directa de la matriz $\mathbf{K} = [k_1 \quad k_2]$ en el polinomio característico deseado. El polinomio característico para el sistema deseado es

$$\begin{aligned}|s\mathbf{I} - \mathbf{A} + \mathbf{BK}| &= \left| \begin{bmatrix} s & 0 \\ 0 & s \end{bmatrix} - \begin{bmatrix} 0 & 1 \\ 20.6 & 0 \end{bmatrix} + \begin{bmatrix} 0 \\ 1 \end{bmatrix} [k_1 \quad k_2] \right| \\ &= \begin{vmatrix} s & -1 \\ -20.6 + k_1 & s + k_2 \end{vmatrix} \\ &= s^2 + k_2 s - 20.6 + k_1\end{aligned}$$

El polinomio característico debe ser igual a

$$\begin{aligned}(s + \mu_1)(s + \mu_2) &= (s + 1.8 - j2.4)(s + 1.8 + j2.4) \\ &= s^2 + 3.6s + 9\end{aligned}$$

Igualando los coeficientes de los términos de la misma potencia en $s$, se obtiene

$$k_1 = 29.6, \qquad k_2 = 3.6$$

o bien

$$\mathbf{K} = [k_1 \quad k_2] = [29.6 \quad 3.6]$$

*Método 3* El tercer método consiste en el uso de la fórmula de Ackermann, dada por la ecuación (10-18). Como el polinomio característico deseado es

$$|s\mathbf{I} - (\mathbf{A} - \mathbf{BK})| = |s\mathbf{I} - \tilde{\mathbf{A}}| = s^2 + 3.6s + 9 = \phi(s)$$

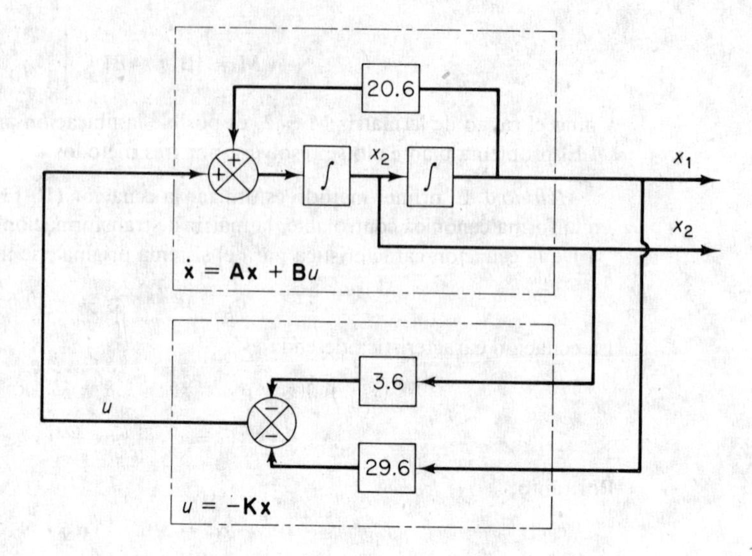


**Figura 10-2**
Diagrama de bloques del sistema con retroalimentación de estado.

se tiene

$$\phi(\mathbf{A}) = \mathbf{A}^2 + 3.6\mathbf{A} + 9\mathbf{I}$$

$$= \begin{bmatrix} 0 & 1 \\ 20.6 & 0 \end{bmatrix} \begin{bmatrix} 0 & 1 \\ 20.6 & 0 \end{bmatrix} + 3.6 \begin{bmatrix} 0 & 1 \\ 20.6 & 0 \end{bmatrix} + 9 \begin{bmatrix} 1 & 0 \\ 0 & 1 \end{bmatrix}$$

$$= \begin{bmatrix} 29.6 & 3.6 \\ 74.16 & 29.6 \end{bmatrix}$$

Entonces

$$\mathbf{K} = [0 \quad 1][\mathbf{B} \; \vdots \; \mathbf{AB}]^{-1}\phi(\mathbf{A})$$

$$= [0 \quad 1] \begin{bmatrix} 0 & 1 \\ 1 & 0 \end{bmatrix}^{-1} \begin{bmatrix} 29.6 & 3.6 \\ 74.16 & 29.6 \end{bmatrix} = [29.6 \quad 3.6]$$

Por supuesto, las matrices **K** de ganancia de retroalimentación del estado obtenidas por los tres métodos son iguales. Con esta retroalimentación de estado los polos de lazo cerrado están ubicados en $s = -1.8 \pm j2.4$, como se deseaba. El factor de amortiguamiento $\zeta$ de los polos de lazo cerrado, es 0.6 y la frecuencia natural no amortiguada $\omega_n$ vale 3 rad/s. (El sistema original inestable queda estabilizado). En la figura 10-2 se puede ver un diagrama de bloques del sistema con retroalimentación de estado.

Nótese que si el orden $n$ del sistema es 4 o mayor, se recomienda utilizar los métodos 1 y 3, ya que todos los cálculos matriciales se realizan con una computadora. Si se utiliza el segundo método, es necesario realizar los cálculos manuales, pues una computadora no maneja la ecuación característica con parámetros desconocidos $k_1, k_2, \ldots, k_n$.

**Comentarios.** Es importante tomar nota de que la matriz **K** no es única para un determinado sistema, sino que depende de las ubicaciones de los polos de lazo cerrado deseadas (que determinan la velocidad y amortiguamiento de la respuesta). Nótese que la elección de los polos de lazo cerrado deseados, o la ecuación característica deseada, es un compromiso entre la velocidad de respuesta del vector de error, y la sensibilidad a perturbaciones y a ruido medido. Es decir, si se aumenta la velocidad de respuesta ante el error, en general se incrementan los efectos adversos de las perturbaciones y del ruido medido. Si el sistema es de segundo orden, se puede relacionar con precisión la dinámica del sistema (características de respuesta) con la colocación de los polos de lazo cerrado y cero(s) deseados. En el caso de sistemas de orden superior no es fácil establecer la relación entre la ubicación de los polos de lazo cerrado y la dinámica del sistema (características de respuesta). Por lo tanto, al determinar la matriz de ganancia **K** de retroalimentación del estado, para un sistema en particular, es deseable examinar por medio de simulaciones de computadora, las respuestas características del sistema ante diversas matrices **K** (con base en diversas ecuaciones características deseadas) y elegir la que brinda el mejor desempeño global del sistema.

**EJEMPLO 10-2** Considere el sistema de péndulo invertido, que se ve en la figura 10-3, donde hay un péndulo invertido montado en un carro con propulsión a motor. Se considera solamente el problema bidimensional en que el péndulo se mueve exclusivamente en el plano del papel. El péndulo invertido es inestable en el sentido de que puede caer en cualquier instante a menos que se le aplique una fuerza de control adecuada. Se supone que la masa del péndulo está concentrada en el extremo de la varilla, como se muestra en la figura. (Se supone que la varilla no tiene masa). La fuerza de control $u$ se aplica al carro.

En el diagrama, $\theta$ es el ángulo que forma la varilla respecto a la vertical. Se supone que el ángulo $\theta$ es pequeño, de modo que se puede aproximar sen $\theta$ por $\theta$, y cos $\theta$ por 1, y también se supone que $\dot{\theta}$ es pequeño, por lo que $\theta\dot{\theta}^2 \doteq 0$. (Bajo estas condiciones, las ecuaciones no lineales del sistema se pueden remplazar por ecuaciones lineales).

Se desea mantener vertical al péndulo invertido en presencia de perturbaciones (como una ráfaga de viento sobre la masa $m$, que constituye un esfuerzo inesperado aplicado al carro). El pén-

$$M = 2 \text{ kg}, \qquad m = 0.1 \text{ kg}, \qquad l = 0.5 \text{ m}$$

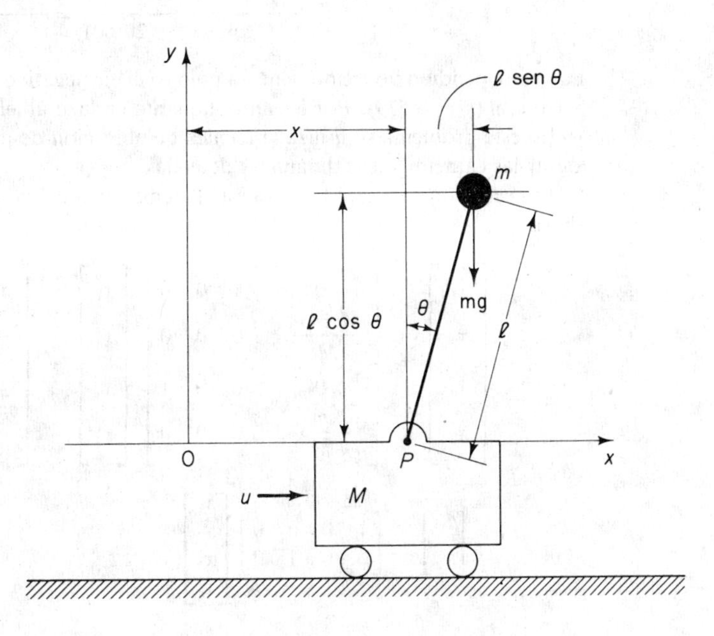


**Figura 10-3**
Sistema de péndulo invertido.

dulo inclinado puede retornar a la posición vertical si se aplica al carro una fuerza de control $u$ adecuada. Al finalizar cada proceso de control, es deseable que el carro regrese a $x = 0$, la posición de referencia.

Diseñe un sistema de control de modo que, dada cualquier condición inicial (producida por perturbaciones), el péndulo sea llevado de retorno a la posición vertical y que también el vehículo vuelva a su posición de referencia ($x = 0$) rápidamente (por ejemplo, con un tiempo de establecimiento de 2 segundos), con un amortiguamiento razonable (por ejemplo, equivalente a $\zeta = 0.5$ en sistema estándar, de segundo orden). Suponga los siguientes valores numéricos de $M$, $m$, y $l$:

$$M = 2 \text{ Kg}, \qquad m = 0.1 \text{ Kg}, \qquad l = 0.5 \text{ m}$$

En la sección 2-3 se dedujeron las ecuaciones de movimiento de este sistema. Para un ángulo $\theta$, pequeño, las ecuaciones de movimiento están dadas por las ecuaciones (2-17) y (2-18), que son:

$$(M + m)\ddot{x} + ml\ddot{\theta} = u \tag{10–19}$$

$$m\ddot{x} + ml\ddot{\theta} = mg\theta \tag{10–20}$$

Restando la ecuación (10-20) de la ecuación (10-19), se tiene

$$M\ddot{x} = u - mg\theta \tag{10–21}$$

Eliminando $\ddot{x}$ de las ecuaciones (10-19) y (10-21), se obtiene

$$Ml\ddot{\theta} - (M + m)g\theta = -u$$

de donde se obtiene la función de transferencia de la planta,

$$\frac{\Theta(s)}{-U(s)} = \frac{1}{Mls^2 - (M + m)g}$$

Sustituyendo los valores numéricos y como $g = 9.81$ m/seg$^2$, se tiene

$$\frac{\Theta(s)}{-U(s)} = \frac{1}{s^2 - 20.601} = \frac{1}{s^2 - (4.539)^2}$$

La planta péndulo invertido tiene un polo en el eje negativo real ($s = -4.539$), y otro en el eje positivo real ($s = 4.539$). Por lo tanto la planta en lazo abierto es inestable.

En este problema se utiliza la técnica de ubicación de polos para estabilizar el sistema y para lograr las características dinámicas deseadas.

Las ecuaciones de estado, para este sistema, que se dedujeron en el ejemplo 2-3, se reproducen ahora

$$\begin{bmatrix} \dot{x}_1 \\ \dot{x}_2 \\ \dot{x}_3 \\ \dot{x}_4 \end{bmatrix} = \begin{bmatrix} 0 & 1 & 0 & 0 \\ \dfrac{M+m}{Ml}g & 0 & 0 & 0 \\ 0 & 0 & 0 & 1 \\ -\dfrac{m}{M}g & 0 & 0 & 0 \end{bmatrix} \begin{bmatrix} x_1 \\ x_2 \\ x_3 \\ x_4 \end{bmatrix} + \begin{bmatrix} 0 \\ -\dfrac{1}{Ml} \\ 0 \\ \dfrac{1}{M} \end{bmatrix} u \tag{10–22}$$

$$\begin{bmatrix} y_1 \\ y_2 \end{bmatrix} = \begin{bmatrix} 1 & 0 & 0 & 0 \\ 0 & 0 & 1 & 0 \end{bmatrix} \begin{bmatrix} x_1 \\ x_2 \\ x_3 \\ x_4 \end{bmatrix} \tag{10–23}$$

donde

$$x_1 = \theta$$

$$x_2 = \dot{\theta}$$

$$x_3 = x$$

$$x_4 = \dot{x}$$

Remplazando a $M$, $m$, y $l$ por sus valores numéricos, se tiene

$$\frac{M + m}{Ml} g = 20.601, \qquad \frac{m}{M} g = 0.4905, \qquad \frac{1}{Ml} = 1, \qquad \frac{1}{M} = 0.5$$

Usando estos valores numéricos las ecuaciones (10-22) y (10-23) se pueden escribir como

$$\dot{\mathbf{x}} = \mathbf{A}\mathbf{x} + \mathbf{B}u$$

$$\mathbf{y} = \mathbf{C}\mathbf{x}$$

donde

$$\mathbf{A} = \begin{bmatrix} 0 & 1 & 0 & 0 \\ 20.601 & 0 & 0 & 0 \\ 0 & 0 & 0 & 1 \\ -0.4905 & 0 & 0 & 0 \end{bmatrix}, \qquad \mathbf{B} = \begin{bmatrix} 0 \\ -1 \\ 0 \\ 0.5 \end{bmatrix}, \qquad \mathbf{C} = \begin{bmatrix} 1 & 0 & 0 & 0 \\ 0 & 0 & 1 & 0 \end{bmatrix}$$

Se utiliza el esquema de control de retroalimentación del estado

$$u = -\mathbf{K}\mathbf{x}$$

Se procede a vertificar si el sistema tiene estado completo controlable. Como el rango de

$$\mathbf{M} = [\mathbf{B} \;\vdots\; \mathbf{AB} \;\vdots\; \mathbf{A}^2\mathbf{B} \;\vdots\; \mathbf{A}^3\mathbf{B}] = \begin{bmatrix} 0 & -1 & 0 & -20.601 \\ -1 & 0 & -20.601 & 0 \\ 0 & 0.5 & 0 & 0.4905 \\ 0.5 & 0 & 0.4905 & 0 \end{bmatrix}$$

es 4, el sistema tiene estado completo controlable.

La ecuación característica del sistema es

$$|s\mathbf{I} - \mathbf{A}| = \begin{bmatrix} s & -1 & 0 & 0 \\ -20.601 & s & 0 & 0 \\ 0 & 0 & s & -1 \\ 0.4905 & 0 & 0 & s \end{bmatrix}$$

$$= s^4 - 20.601s^2$$

$$= s^4 + a_1s^3 + a_2s^2 + a_3s + a_4 = 0$$

Por lo tanto,

$$a_1 = 0, \qquad a_2 = -20.601, \qquad a_3 = 0, \qquad a_4 = 0$$

A continuación se eligen las ubicaciones deseadas de los polos de lazo cerrado. Como se requiere que el sistema tenga un tiempo de establecimiento razonablemente pequeño (unos 2 s) y un amortiguamiento razonable (equivalente a un $\zeta = 0.5$, en el sistema estándar de segundo orden), se elige como ubicación de los polos de lazo cerrado a $s = \mu_i$ ($i = 1, 2, 3, 4$), donde

$$\mu_1 = -2 + j3.464, \qquad \mu_2 = -2 - j3.464, \qquad \mu_3 = -10, \qquad \mu_4 = -10$$

(En este caso, $\mu_1$ y $\mu_2$ son un par de polos dominantes de lazo cerrado, con $\zeta = 0.5$, y $\omega_n = 4$. Los dos polos de lazo cerrado restantes, $\mu_3$ y $\mu_4$ están ubicados lejos, hacia la izquierda, del par de polos dominantes de lazo cerrado y, por lo tanto, el efecto de $\mu_3$ y $\mu_4$ es muy pequeño. De este modo se satisfacen los requerimientos de velocidad y amortiguación). La ecuación característica deseada es

$$\begin{aligned}(s - \mu_1)(s - \mu_2)(s - \mu_3)(s - \mu_4) &= (s + 2 - j3.464)(s + 2 + j3.464)(s + 10)(s + 10) \\ &= (s^2 + 4s + 16)(s^2 + 20s + 100) \\ &= s^4 + 24s^3 + 196s^2 + 720s + 1600 \\ &= s^4 + \alpha_1 s^3 + \alpha_2 s^2 + \alpha_3 s + \alpha_4 = 0\end{aligned}$$

En consecuencia se tiene

$$\alpha_1 = 24, \qquad \alpha_2 = 196, \qquad \alpha_3 = 720, \qquad \alpha_4 = 1600$$

Para determinar la matriz **K** de ganancia de retroalimentación del estado se utiliza la ecuación (10-13), que en este caso es

$$\mathbf{K} = [\alpha_4 - a_4 \;\vdots\; \alpha_3 - a_3 \;\vdots\; \alpha_2 - a_2 \;\vdots\; \alpha_1 - a_1]\,\mathbf{T}^{-1}$$

donde la matriz **T**, está dada por la ecuación (10-4), o

$$\mathbf{T} = \mathbf{MW}$$

y **M** y **W** están dadas por las ecuaciones (10-5) y (10-6), respectivamente. Entonces,

$$\mathbf{M} = [\mathbf{B} \;\vdots\; \mathbf{AB} \;\vdots\; \mathbf{A}^2\mathbf{B} \;\vdots\; \mathbf{A}^3\mathbf{B}] = \begin{bmatrix} 0 & -1 & 0 & -20.601 \\ -1 & 0 & -20.601 & 0 \\ 0 & 0.5 & 0 & 0.4905 \\ 0.5 & 0 & 0.4905 & 0 \end{bmatrix}$$

$$\mathbf{W} = \begin{bmatrix} a_3 & a_2 & a_1 & 1 \\ a_2 & a_1 & 1 & 0 \\ a_1 & 1 & 0 & 0 \\ 1 & 0 & 0 & 0 \end{bmatrix} = \begin{bmatrix} 0 & -20.601 & 0 & 1 \\ -20.601 & 0 & 1 & 0 \\ 0 & 1 & 0 & 0 \\ 1 & 0 & 0 & 0 \end{bmatrix}$$

Entonces la matriz **T** es

$$\mathbf{T} = \mathbf{MW} = \begin{bmatrix} 0 & 0 & -1 & 0 \\ 0 & 0 & 0 & -1 \\ -9.81 & 0 & 0.5 & 0 \\ 0 & -9.81 & 0 & 0.5 \end{bmatrix}$$

Por tanto,

$$\mathbf{T}^{-1} = \begin{bmatrix} -\dfrac{0.5}{9.81} & 0 & -\dfrac{1}{9.81} & 0 \\ 0 & -\dfrac{0.5}{9.81} & 0 & -\dfrac{1}{9.81} \\ -1 & 0 & 0 & 0 \\ 0 & -1 & 0 & 0 \end{bmatrix}$$

Entonces la matriz de ganancia **K** de retroalimentación del estado es

$$\begin{aligned}\mathbf{K} &= [\alpha_4 - a_4 \;\vdots\; \alpha_3 - a_3 \;\vdots\; \alpha_2 - a_2 \;\vdots\; \alpha_1 - a_1]\,\mathbf{T}^{-1} \\ &= [1600 - 0 \;\vdots\; 720 - 0 \;\vdots\; 196 + 20.601 \;\vdots\; 24 - 0]\,\mathbf{T}^{-1}\end{aligned}$$

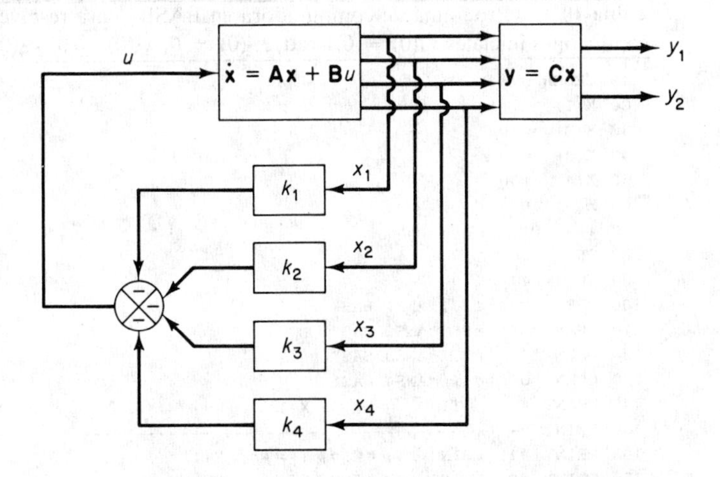


**Figura 10-4**
Sistema de péndulo invertido con control de retroalimentación del estado.

$$= [1600 \quad 720 \quad 216.601 \quad 24]\begin{bmatrix} -\dfrac{0.5}{9.81} & 0 & -\dfrac{1}{9.81} & 0 \\ 0 & -\dfrac{0.5}{9.81} & 0 & -\dfrac{1}{9.81} \\ -1 & 0 & 0 & 0 \\ 0 & -1 & 0 & 0 \end{bmatrix}$$

$$= [-298.15 \quad -60.697 \quad -163.099 \quad -73.394]$$

La señal de control $u$ está dada por

$$u = -\mathbf{K}\mathbf{x} = 298.15x_1 + 60.697x_2 + 163.099x_3 + 73.394x_4$$

Nótese que este sistema es un regulador. El ángulo deseado $\theta_d$ siempre es cero y la ubicación deseada del vehículo $x_d$, también siempre es cero. Entonces las entradas de referencia son ceros (en la sección 10-4 se considerará el caso en que el vehículo se desplaza de acuerdo con la entrada de referencia). En la figura 10-4 se muestra el esquema de control con retroalimentación del estado, para el problema del péndulo invertido. (Como las entradas de referencia en este sistema siempre son cero, no se indican en el diagrama).

Una vez determinada la matriz **K** de ganancia de retroalimentación del estado, se debe examinar el desempeño del sistema, mediante simulación en computadora. Para simular la dinámica del sistema en la computadora y para obtener la respuesta ante cualquier condición inicial, se procede del siguiente modo: las ecuaciones básicas para el sistema son las ecuaciones de estado

$$\dot{\mathbf{x}} = \mathbf{A}\mathbf{x} + \mathbf{B}u$$

y la ecuación de control

$$u = -\mathbf{K}\mathbf{x}$$

Cuando se remplaza la ecuación de control en la ecuación de estado se tiene

$$\dot{\mathbf{x}} = (\mathbf{A} - \mathbf{B}\mathbf{K})\mathbf{x}$$

que, una vez que se sustituyan los valores numéricos, se tiene

**Tabla 10.1** Programa de computadora en BASIC para resolver la ecuación (10-24), con condiciones iniciales $x_1(0) = 0.1$ rad, $x_2(0) = 0$, $x_3(0) = 0$, $x_4(0) = 0$.

```
  10 ORDER = 4
  20 X(1) = .1
  30 X(2) = 0
  40 X(3) = 0
  50 X(4) = 0
  60 H = .01
  70 T = 0
  80 TK = 0
  90 TF = 4
 100 OPEN "O", #1, "ANS1.BAS"
 110 OPEN "O", #2, "ANS2.BAS"
 120 OPEN "O", #3, "ANS3.BAS"
 130 OPEN "O", #4, "ANS4.BAS"
 140 PRINT "      TIME          X(1)          X(2)          X(3)          X(4)      "
 150 PRINT "-----------------------------------------------------------------------"
 160 PRINT #1, USING "####.######"; X(1)
 170 PRINT #2, USING "####.######"; X(2)
 180 PRINT #3, USING "####.######"; X(3)
 190 PRINT #4, USING "####.######"; X(4)
 200 PRINT USING "####.######"; T, X(1), X(2), X(3), X(4)
 210 IF T > TF THEN GOTO 5000
 220 GOSUB 1000
 230 GOTO 160
1000 TK = T
1010 GOSUB 2000
1020 FOR I = 1 TO ORDER
1030 XK(I) = X(I)
1040 K(1,I) = DX(I)
1050 T = TK + H/2
1060 X(I) = XK(I) + (H/2)*K(1,I)
1070 NEXT I
1080 GOSUB 2000
1090 FOR I = 1 TO ORDER
1100 K(2,I) = DX(I)
1110 X(I) = XK(I) + (H/2)*K(2,I)
1120 NEXT I
1130 GOSUB 2000
1140 FOR I = 1 TO ORDER
1150 K(3,I) = DX(I)
1160 T = TK + H
1170 X(I) = XK(I) + H*K(3,I)
1180 NEXT I
1190 GOSUB 2000
1200 FOR I = 1 TO ORDER
1210 K(4,I) = DX(I)
1220 X(I) = XK(I) + (H/6)*(K(1,I) + 2*K(2,I) + 2*K(3,I) + K(4,I))
1230 NEXT I
1240 RETURN
2000 DX(1) = X(2)
2010 DX(2) = - 277.549*X(1) - 60.697*X(2) - 163.099*X(3) - 73.394*X(4)
2020 DX(3) = X(4)
2030 DX(4) = 148.5845*X(1) + 30.3485*X(2) + 81.5495*X(3) + 36.697*X(4)
2040 RETURN
4900 CLOSE #1
4910 CLOSE #2
4920 CLOSE #3
4930 CLOSE #4
5000 END
```

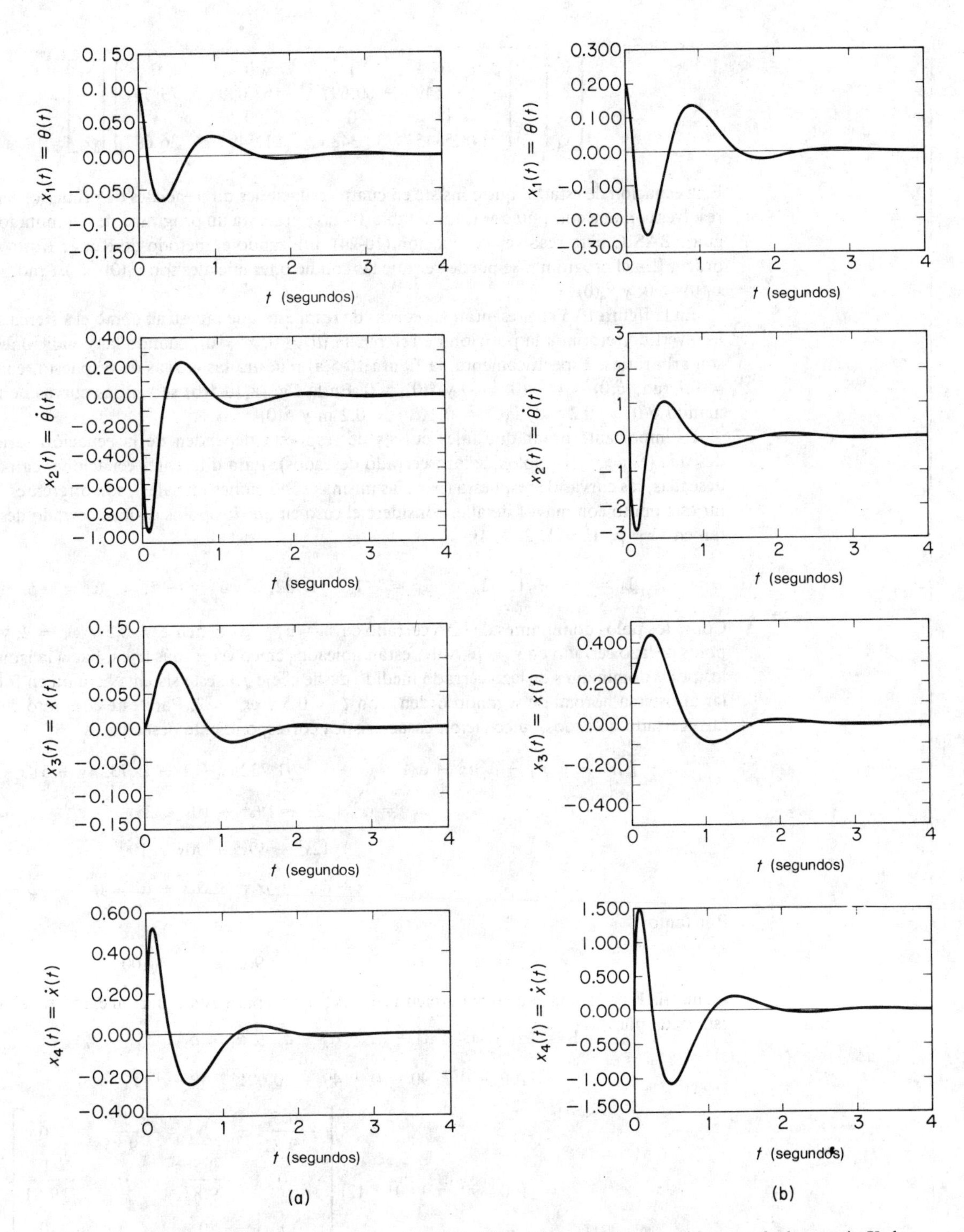


**Figura 10-5** Curvas de respuesta del sistema de péndulo invertido cuando la matriz **K** de ganancia de retroalimentación, está dada por $\mathbf{K} = [-298.15\ -60.697\ -163.099\ -73.394]$. (a) Las condiciones iniciales son $\theta(0) = 0.1$ rad, $\dot{\theta}(0) = 0$, $x(0) = 0$, $\dot{x}(0) = 0$; (b) las condiciones iniciales son $\theta(0) = 0.2$ rad, $\dot{\theta}(0) = 0$, $x(0) = 0.2$ m, $\dot{x}(0) = 0$.

$$\begin{bmatrix} \dot{x}_1 \\ \dot{x}_2 \\ \dot{x}_3 \\ \dot{x}_4 \end{bmatrix} = \begin{bmatrix} 0 & 1 & 0 & 0 \\ -277.549 & -60.697 & -163.099 & -73.394 \\ 0 & 0 & 0 & 1 \\ 148.5845 & 30.3485 & 81.5495 & 36.697 \end{bmatrix} \begin{bmatrix} x_1 \\ x_2 \\ x_3 \\ x_4 \end{bmatrix} \qquad (10\text{–}24)$$

Esta ecuación de estado, que consiste en cuatro ecuaciones diferenciales de primer orden, se debe resolver con una computadora. En la tabla 10-1, se presenta un programa de computadora en lenguaje BASIC para resolver la ecuación (10-24), utilizando el método de Runge-Kutta de cuarto orden. [En el programa, se puede ver que las condiciones iniciales son $x_1(0) = 0.1$ rad, $x_2(0) = 0$, $x_3(0) = 0$, y $x_4(0) = 0$].

En la figura 10-5 se presentan las curvas de respuesta que muestran cómo el sistema de péndulo invertido retorna a la posición de referencia ($\theta = 0$, $x = 0$), cuando las condiciones iniciales son arbitrarias. Específicamente, la figura 10-5(a) muestra las curvas de respuesta, cuando $\theta(0) = 0.1$ rad, $\dot{\theta}(0) = 0$, $x(0) = 0$ y $\dot{x}(0) = 0$. En la figura 10-5(b) se ven las curvas de respuesta cuando $\theta(0) = 0.2$ rad, $\dot{\theta}(0) = 0$, $x(0) = 0.2$ m y $\dot{x}(0) = 0$.

Es importante notar que tales curvas de respuesta dependen de la ecuación característica deseada (es decir, los polos de lazo cerrado deseados). Para diferentes ecuaciones características deseadas, las curvas de respuesta (para las mismas condiciones iniciales), son diferentes. Para tratar este punto con mayor detalle, considere el caso en que los polos de lazo cerrado deseados están en $s = \hat{\mu}_i$ ($i = 1, 2, 3, 4$):

$$\hat{\mu}_1 = -1 + j1.732, \qquad \hat{\mu}_2 = -1 - j1.732, \qquad \hat{\mu}_3 = -5, \qquad \hat{\mu}_4 = -5$$

Como los polos dominantes de lazo cerrado en $s = \hat{\mu}_1$ y $\hat{\mu}_2$ tienen $\zeta = 0.5$ y $\omega_n = 2$, y los otros polos de lazo cerrado en $s = \hat{\mu}_3$ y $\hat{\mu}_4$ están ubicados cinco veces más lejos, hacia la izquierda, de los polos dominantes de lazo cerrado medido desde el eje $j\omega$, este sistema actuará en forma similar al sistema normal de segundo orden, con $\zeta = 0.5$ y $\omega_n = 2$. Para este conjunto de polos de lazo cerrado deseados, la ecuación característica correspondiente deseada, es

$$\begin{aligned}(s - \hat{\mu}_1)(s - \hat{\mu}_2)(s - \hat{\mu}_3)(s - \hat{\mu}_4) &= (s + 1 - j1.732)(s + 1 + j1.732)(s + 5)(s + 5) \\ &= (s^2 + 2s + 4)(s^2 + 10s + 25) \\ &= s^4 + 12s^3 + 49s^2 + 90s + 100 \\ &= s^4 + \hat{\alpha}_1 s^3 + \hat{\alpha}_2 s^2 + \hat{\alpha}_3 s + \hat{\alpha}_4 = 0\end{aligned}$$

Por tanto,

$$\hat{\alpha}_1 = 12, \qquad \hat{\alpha}_2 = 49, \qquad \hat{\alpha}_3 = 90, \qquad \hat{\alpha}_4 = 100$$

La matriz **K** de ganancia de retroalimentación del estado para esta ecuación característica deseada está dada por

$$\begin{aligned}\mathbf{K} &= [\hat{\alpha}_4 - a_4 \mid \hat{\alpha}_3 - a_3 \mid \hat{\alpha}_2 - a_2 \mid \hat{\alpha}_1 - a_1]\mathbf{T}^{-1} \\ &= [100 - 0 \mid 90 - 0 \mid 49 + 20.601 \mid 12 - 0]\mathbf{T}^{-1} \\ &= [100 \quad 90 \quad 69.601 \quad 12] \begin{bmatrix} -\frac{0.5}{9.81} & 0 & -\frac{1}{9.81} & 0 \\ 0 & -\frac{0.5}{9.81} & 0 & -\frac{1}{9.81} \\ -1 & 0 & 0 & 0 \\ 0 & -1 & 0 & 0 \end{bmatrix} \\ &= [-74.698 \quad -16.587 \quad -10.194 \quad -9.1743]\end{aligned}$$

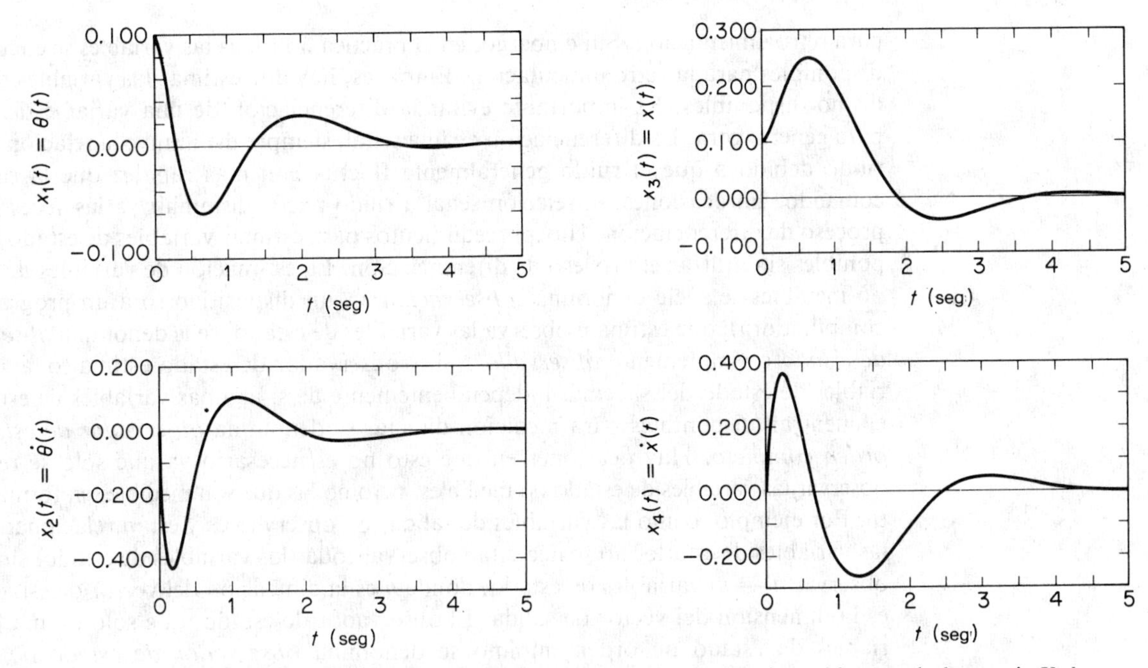


**Figura 10-6** Curvas de respuesta del sistema de péndulo invertido cuando la matriz **K** de ganancia de retroalimentación, está dada por $\mathbf{K} = [-74.698\ -16.587\ -10.194\ -9.1743]$. Las condiciones iniciales son $\theta(0) = 0.1$ rad, $\dot{\theta}(0) = 0$, $x(0) = 0.1$ m, $\dot{x}(0) = 0$.

La señal de control $u$ en este caso es

$$u = -\mathbf{K}\mathbf{x} = 74.698x_1 + 16.587x_2 + 10.194x_3 + 9.1743x_4$$

En la figura 10-6 aparecen las curvas de respuesta, cuando $\theta(0) = 0.1$ rad, $\dot{\theta}(0) = 0$, $x(0) = 0.1$ m, y $\dot{x}(0) = 0$.

Nótese que para el sistema con el primer conjunto de polos de lazo cerrado deseados ($\mu_1 = -2 + j3.464$, $\mu_2 = -2 - j3.464$, $\mu_3 = -10$, $\mu_4 = -10$), la velocidad de respuesta es aproximadamente dos veces la velocidad de respuesta del segundo conjunto de polos de lazo cerrado ($\hat{\mu}_1 = -1 + j1.732$, $\hat{\mu}_2 = -1 - j1.732$, $\hat{\mu}_3 = -5$, $\hat{\mu}_4 = -5$). El amortiguamiento es aproximadamente el mismo en ambos sistemas.

Sin embargo, el primer sistema requiere una señal de control más grande que el segundo. Al diseñar un sistema como éste, es deseable que el diseñador examine diferentes juegos de polos de lazo cerrado deseados, determinando las matrices **K** correspondientes. Tras realizar simulaciones del sistema en computadora y examinar las curvas de respuesta, puede elegir la matriz **K** que brinde el mejor "desempeño global" del sistema. El criterio de mejor desempeño global depende de cada situación en particular, así como de consideraciones económicas.

## 10-3 DISEÑO DE OBSERVADORES DE ESTADO

En la sección 10-2, donde se presentó el método de la ubicación de polos para el diseño de sistemas de control, se supuso que todas las variables de estado están disponibles para retroalimentación. Sin embargo, en la práctica no todas las variables se encuentran disponibles para la retroalimentación. Entonces, hay que estimar las variables de estado no disponibles. Es importante evitar la diferenciación de una variable de estado para generar otra. La diferenciación de una señal, siempre disminuye la relación señal a ruido debido a que el ruido generalmente fluctúa con más rapidez que la señal de comando. En ocasiones, la relación señal a ruido puede disminuir varias veces por un proceso de diferenciación. Hay procedimientos para estimar variables de estado no disponibles sin utilizar el proceso de diferenciación. La estimación de variables de estado no medibles se suele denominar *observación*. A un dispositivo (o a un programa de computadora), que estima u observa las variables de estado, se le denomina *observador de estado* o simplemente *observador*. Si el observador de estado estima todas las variables de estado del sistema, independientemente de si algunas variables de estado se encuentran disponibles para medición directa, se denomina *observador de estado de orden completo*. Hay ocasiones en que esto no es necesario ya que sólo se requiere observar las variables de estado no medibles, pero no las que son medibles en forma directa. Por ejemplo, como las variables de salida son observables y están relacionadas con las variables de estado, no se necesitan observar todas las variables de estado, sino sólo observar $n - m$ variables de estado, donde $n$ es la dimensión del vector de estado y $m$ es la dimensión del vector de salida. El observador de estado, que sólo estima las variables de estado de orden mínimo se denomina *observador de estado de orden mínimo*, o simplemente *observador de orden mínimo*. En esta sección, se tratarán tanto el observador de orden completo, como el de orden mínimo.

**Observador de estado.** Un observador de estado estima las variables de estado, con base en la medición de las variables de salida y de control. Aquí el concepto de observabilidad, tratado en la sección 9-5 juega un papel muy importante. Como se verá más adelante, se pueden diseñar observadores de estado si y sólo si, se satisface la condición de observabilidad.

En los estudios siguientes sobre observadores de estado, se utilizará la notación $\tilde{\mathbf{x}}$ para designar el vector de estado observado. En muchos casos prácticos el vector de estado observado $\tilde{\mathbf{x}}$ se utiliza en la retroalimentación del estado para generar el vector de control deseado.

Considere el sistema definido por

$$\dot{\mathbf{x}} = \mathbf{A}\mathbf{x} + \mathbf{B}\mathbf{u} \tag{10–25}$$

$$\mathbf{y} = \mathbf{C}\mathbf{x} \tag{10–26}$$

Suponga que el estado $\mathbf{x}$ se debe aproximar por el estado $\tilde{\mathbf{x}}$ del modelo dinámico

$$\dot{\tilde{\mathbf{x}}} = \mathbf{A}\tilde{\mathbf{x}} + \mathbf{B}\mathbf{u} + \mathbf{K}_e(\mathbf{y} - \mathbf{C}\tilde{\mathbf{x}}) \tag{10–27}$$

que representa al observador de estado. Nótese que el observador de estado tiene a $\mathbf{y}$ y $\mathbf{u}$ como entradas, y a $\tilde{\mathbf{x}}$ como salida. El último término del miembro derecho de la ecuación (10-27), es un término de corrección que incluye la diferencia entre la salida medida $\mathbf{y}$ y la salida estimada $\mathbf{C}\tilde{\mathbf{x}}$. La matriz $\mathbf{K}_e$ sirve como matriz pesante. El término de corrección controla el estado $\tilde{\mathbf{x}}$. En presencia de discrepancias entre las matrices $\mathbf{A}$ y $\mathbf{B}$, usadas en el modelo y en el sistema real, la adición de términos correctivos ayuda a

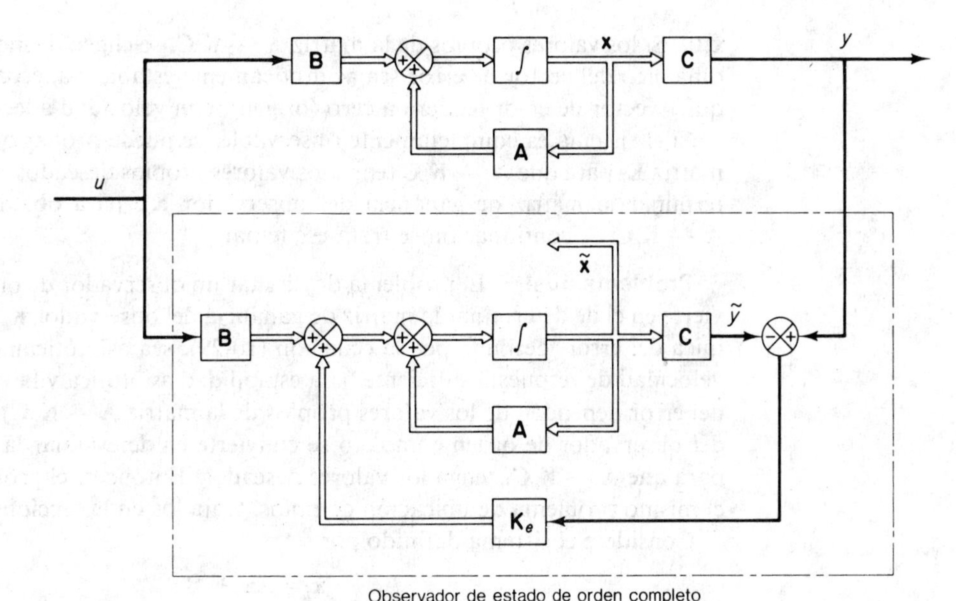


**Figura 10-7**
Diagrama de bloques de un sistema y observador de estado de orden completo.

reducir los efectos debidos a la diferencia entre el modelo dinámico y el sistema real. En la figura 10-7 aparece el diagrama de bloques del sistema y el observador de estado de orden completo.

A continuación, se analizan detalles sobre el observador de estado, cuando la dinámica se caracteriza por las matrices **A** y **B** y por el término de corrección adicional, que incluye la diferencia entre la salida medida y la salida estimada. En este análisis se supone que las matrices **A** y **B** utilizadas en el modelo y las del sistema real, son iguales.

**Observador de estado de orden completo.** El orden del observador de estado que se tratará aquí es el mismo que el del sistema. Suponga que el sistema está definido por las ecuaciones (10-25) y (10-26) y que el modelo de observador está definido por la ecuación (10-27).

Para obtener la ecuación del error del observador se resta la ecuación (10-27) de la ecuación (10-25).

$$\dot{\mathbf{x}} - \dot{\tilde{\mathbf{x}}} = \mathbf{A}\mathbf{x} - \mathbf{A}\tilde{\mathbf{x}} - \mathbf{K}_e(\mathbf{C}\mathbf{x} - \mathbf{C}\tilde{\mathbf{x}})$$

$$= (\mathbf{A} - \mathbf{K}_e\mathbf{C})(\mathbf{x} - \tilde{\mathbf{x}}) \qquad (10\text{–}28)$$

Se define la diferencia entre $\mathbf{x}$ y $\tilde{\mathbf{x}}$ como el vector de error **e**, o sea

$$\mathbf{e} = \mathbf{x} - \tilde{\mathbf{x}}$$

Entonces, la ecuación (10-28) se convierte en

$$\dot{\mathbf{e}} = (\mathbf{A} - \mathbf{K}_e\mathbf{C})\mathbf{e} \qquad (10\text{–}29)$$

De la ecuación (10-29) se puede ver que el desempeño dinámico del vector de error está determinado por los valores propios de la matriz $\mathbf{A} - \mathbf{K}_e\mathbf{C}$. Si la matriz $\mathbf{A} - \mathbf{K}_e\mathbf{C}$ es estable, el vector de error debe converger hacia cero, para cualquier vector de error inicial $\mathbf{e}(0)$. Es decir, $\mathbf{x}(t)$ debe tender a $\mathbf{x}(t)$, independientemente de los valores de $\mathbf{x}(0)$ y

$\tilde{\mathbf{x}}(0)$. Si los valores propios de la matriz $\mathbf{A} - \mathbf{K}_e\mathbf{C}$, se eligen de modo que el desempeño dinámico del vector de error sea asintóticamente estable y adecuadamente veloz, cualquier vector de error tenderá a cero (origen), con velocidad adecuada.

Si el sistema es completamente observable, se puede probar que es posible elegir la matriz $\mathbf{K}_e$ para que $\mathbf{A} - \mathbf{K}_e\mathbf{C}$ tenga los valores propios deseados. Es decir, se puede determinar la matriz de ganancia del observador $\mathbf{K}_e$, para obtener la matriz deseada $\mathbf{A} - \mathbf{K}_e\mathbf{C}$. A continuación se trata ese tema.

**Problema dual.** El problema de diseñar un observador de orden completo se convierte en el de determinar la matriz de ganancia del observador $\mathbf{K}_e$ de modo que la dinámica del error, definida por la ecuación (10-29), sea asintóticamente estable, con una velocidad de respuesta suficiente. (La estabilidad asintótica y la velocidad de respuesta del error dependen de los valores propios de la matriz $\mathbf{A} - \mathbf{K}_e\mathbf{C}$). Por tanto, el diseño del observador de orden completo se convierte en determinar la matriz $\mathbf{K}_e$ adecuada, para que $\mathbf{A} - \mathbf{K}_e\mathbf{C}$, tenga los valores deseados. Entonces, el problema se convierte en el mismo problema de ubicación de polos, tratados en la sección 10.2.

Considere el sistema definido por

$$\dot{\mathbf{x}} = \mathbf{A}\mathbf{x} + \mathbf{B}u$$

$$y = \mathbf{C}\mathbf{x}$$

Al diseñar el observador de orden completo se puede resolver el problema dual, es decir, resolver el problema de la ubicación de polos para el sistema dual

$$\dot{\mathbf{z}} = \mathbf{A}^*\mathbf{z} + \mathbf{C}^*v$$

$$n = \mathbf{B}^*\mathbf{z}$$

suponiendo que la señal de control $v$ es

$$v = -\mathbf{K}\mathbf{z}$$

Si el sistema dual tiene estado completo controlable, entonces se puede determinar la matriz de ganancia de retroalimentación de estado $\mathbf{K}$, tal que la matriz $\mathbf{A}^* - \mathbf{C}^*\mathbf{K}$, produzca los valores propios deseados.

Si los valores propios deseados de la matriz del observador de estado, son $\mu_1, \mu_2, \ldots, \mu_n$, entonces tomando las mismas $\mu_i$ como los valores propios deseados de la matriz de ganancia de retroalimentación de estado del sistema dual, se tiene

$$|s\mathbf{I} - (\mathbf{A}^* - \mathbf{C}^*\mathbf{K})| = (s - \mu_1)(s - \mu_2) \cdots (s - \mu_n)$$

Tomando en cuenta que los valores propios de $\mathbf{A}^* - \mathbf{C}^*\mathbf{K}$ y los de $\mathbf{A} - \mathbf{C}^*\mathbf{K}$ son iguales, se tiene

$$|s\mathbf{I} - (\mathbf{A}^* - \mathbf{C}^*\mathbf{K})| = |s\mathbf{I} - (\mathbf{A} - \mathbf{K}^*\mathbf{C})|$$

Comparando el polinomio característico $|s\mathbf{I} - (\mathbf{A} - \mathbf{K}^*\mathbf{C})|$ del sistema observador, se tiene que $\mathbf{K}_e$ y $\mathbf{K}^*$ están relacionados por $|s\mathbf{I} - (\mathbf{A} - \mathbf{K}_e\mathbf{C})|$

$$\mathbf{K}_e = \mathbf{K}^*$$

Entonces utilizando la matriz $\mathbf{K}$ determinada por el método de ubicación de polos en el sistema dual, se puede hallar la matriz de ganancia del observador $\mathbf{K}_e$ del sistema original mediante la relación $\mathbf{K}_e = \mathbf{K}^*$.

**Condición necesaria y suficiente para la observación del estado.** Como se indicó anteriormente, para determinar la matriz de ganancia del observador $\mathbf{K}_e$ para los valores propios deseados de $\mathbf{A} - \mathbf{K}_e\mathbf{C}$, es condición necesaria y suficiente, que el dual del sistema original

$$\dot{\mathbf{z}} = \mathbf{A}^*\mathbf{z} + \mathbf{C}^*\mathbf{v}$$

tenga estado completo controlable. La condición de controlabilidad del estado completo, para este sistema dual, es que el rango de

$$[\mathbf{C}^* \mid \mathbf{A}^*\mathbf{C}^* \mid \cdots \mid (\mathbf{A}^*)^{n-1}\mathbf{C}^*]$$

sea $n$. Esta es la condición de observabilidad completa, del sistema original, definida por las ecuaciones (10-25) y (10-26). Esto significa que una condición necesaria y suficiente para la observación de estado del sistema definido por las ecuaciones (10-15) y (10-26), es que el sistema sea completamente observable.

A continuación se presenta el método directo (en lugar del método del problema dual), para resolver el problema de diseño del observador de estado. Posteriormente se utilizará el método del problema dual para obtener la fórmula de Ackermann para determinar la matriz $\mathbf{K}_e$ de ganancia del observador.

**Diseño de observadores de estado de orden completo.** Considere el sistema definido por

$$\dot{\mathbf{x}} = \mathbf{A}\mathbf{x} + \mathbf{B}u \qquad (10\text{–}30)$$

$$y = \mathbf{C}\mathbf{x} \qquad (10\text{–}31)$$

donde $\mathbf{x}$ = vector de estado (de dimensión $n$)
$u$ = señal de control (escalar)
$y$ = señal de salida (escalar)
$\mathbf{A}$ = matriz de $n \times n$ constante
$\mathbf{B}$ = matriz de $n \times 1$ constante
$\mathbf{C}$ = matriz de $1 \times n$ constante

Se supone que el sistema es completamente observable. Se supone también que la configuración del sistema es la que se muestra en la figura 10-7.

Al diseñar un observador de estado de orden completo conviene transformar las ecuaciones del sistema dadas por las ecuaciones (10-30) y (10-31), a la forma canónica observable. Como se indicó antes, esto se puede realizar como sigue. Se define una matriz de transformación $\mathbf{Q}$, como

$$\mathbf{Q} = (\mathbf{W}\mathbf{N}^*)^{-1} \qquad (10\text{–}32)$$

donde $\mathbf{N}$ es la matriz de observabilidad

$$\mathbf{N} = [\mathbf{C}^* \mid \mathbf{A}^*\mathbf{C}^* \mid \cdots \mid (\mathbf{A}^*)^{n-1}\mathbf{C}^*] \qquad (10\text{–}33)$$

y $\mathbf{W}$ está definida por la ecuación (10-6), escrita como

$$
\mathbf{W} = \begin{bmatrix} a_{n-1} & a_{n-2} & \cdots & a_1 & 1 \\ a_{n-2} & a_{n-3} & \cdots & 1 & 0 \\ \cdot & \cdot & & \cdot & \cdot \\ \cdot & \cdot & & \cdot & \cdot \\ \cdot & \cdot & & \cdot & \cdot \\ a_1 & 1 & \cdots & 0 & 0 \\ 1 & 0 & \cdots & 0 & 0 \end{bmatrix}
$$

donde las $a_1, a_2, \ldots, a_{n-1}$, son los coeficientes de la ecuación característica de la ecuación de estado original, dada por la ecuación (10-30):

$$
|s\mathbf{I} - \mathbf{A}| = s^n + a_1 s^{n-1} + \cdots + a_{n-1}s + a_n = 0
$$

(Como se supuso que el sistema es completamente observable, existe la inversa de la matriz **WN***).

Se define un nuevo vector de estado (de dimensional $n$) $\boldsymbol{\xi}$, dado por

$$
\mathbf{x} = \mathbf{Q}\boldsymbol{\xi} \tag{10–34}
$$

Entonces las ecuaciones (10-30) y (10-31) se hacen

$$
\dot{\boldsymbol{\xi}} = \mathbf{Q}^{-1}\mathbf{A}\mathbf{Q}\boldsymbol{\xi} + \mathbf{Q}^{-1}\mathbf{B}u \tag{10–35}
$$

$$
y = \mathbf{C}\mathbf{Q}\boldsymbol{\xi} \tag{10–36}
$$

donde

$$
\mathbf{Q}^{-1}\mathbf{A}\mathbf{Q} = \begin{bmatrix} 0 & 0 & \cdots & 0 & -a_n \\ 1 & 0 & \cdots & 0 & -a_{n-1} \\ 0 & 1 & \cdots & 0 & -a_{n-2} \\ \cdot & \cdot & & \cdot & \cdot \\ \cdot & \cdot & & \cdot & \cdot \\ \cdot & \cdot & & \cdot & \cdot \\ 0 & 0 & \cdots & 1 & -a_1 \end{bmatrix} \tag{10–37}
$$

$$
\mathbf{Q}^{-1}\mathbf{B} = \begin{bmatrix} b_n - a_n b_0 \\ b_{n-1} - a_{n-1} b_0 \\ \cdot \\ \cdot \\ \cdot \\ b_1 - a_1 b_0 \end{bmatrix} \tag{10–38}
$$

$$
\mathbf{C}\mathbf{Q} = [0 \quad 0 \quad \cdots \quad 0 \quad 1] \tag{10–39}
$$

[Véanse los problemas A-10-6 y A-10-7, para la deducción de las ecuaciones (10-37) a (10-39)]. Las ecuaciones (10-35) y (10-36), están en la forma canónica observable. Así, dada una ecuación de estado y una ecuación de salida, se pueden transformar a la forma canónica observable, si el sistema es completamente observable y si el vector de estado original **x** se transforma en un nuevo vector de estado $\boldsymbol{\xi}$, utilizando la matriz de transformación dada por la ecuación (10-34). Nótese que si la matriz **A**, ya está en la forma canónica observable, entonces $\mathbf{Q} = \mathbf{I}$.

Como se estableció anteriormente, se elige la dinámica del observador del estado dada por

$$\begin{aligned}\dot{\tilde{\mathbf{x}}} &= \mathbf{A}\tilde{\mathbf{x}} + \mathbf{B}u + \mathbf{K}_e(y - \mathbf{C}\tilde{\mathbf{x}}) \\ &= (\mathbf{A} - \mathbf{K}_e\mathbf{C})\tilde{\mathbf{x}} + \mathbf{B}u + \mathbf{K}_e\mathbf{C}\mathbf{x} \qquad (10\text{–}40)\end{aligned}$$

Ahora se define

$$\tilde{\mathbf{x}} = \mathbf{Q}\tilde{\boldsymbol{\xi}} \qquad (10\text{–}41)$$

Substituyendo la ecuación (10-41) en la ecuación (10-40), se tiene

$$\dot{\tilde{\boldsymbol{\xi}}} = \mathbf{Q}^{-1}(\mathbf{A} - \mathbf{K}_e\mathbf{C})\mathbf{Q}\tilde{\boldsymbol{\xi}} + \mathbf{Q}^{-1}\mathbf{B}u + \mathbf{Q}^{-1}\mathbf{K}_e\mathbf{C}\mathbf{Q}\boldsymbol{\xi} \qquad (10\text{–}42)$$

Restando la ecuación (10-42) de la ecuación (10-35) se obtiene

$$\dot{\boldsymbol{\xi}} - \dot{\tilde{\boldsymbol{\xi}}} = \mathbf{Q}^{-1}(\mathbf{A} - \mathbf{K}_e\mathbf{C})\mathbf{Q}(\boldsymbol{\xi} - \tilde{\boldsymbol{\xi}}) \qquad (10\text{–}43)$$

Se define

$$\boldsymbol{\epsilon} = \boldsymbol{\xi} - \tilde{\boldsymbol{\xi}}$$

Entonces la ecuación (10-43) se convierte en

$$\dot{\boldsymbol{\epsilon}} = \mathbf{Q}^{-1}(\mathbf{A} - \mathbf{K}_e\mathbf{C})\mathbf{Q}\boldsymbol{\epsilon} \qquad (10\text{–}44)$$

Se requiere que la dinámica del error sea asintóticamente estable y que $\boldsymbol{\epsilon}(t)$ alcance cero con suficiente velocidad. El procedimiento para determinar la matriz $\mathbf{K}_e$, es elegir primero los polos deseados de observador (los valores propios de $\mathbf{A} - \mathbf{K}_e\mathbf{C}$), y luego determinar la matriz $\mathbf{K}_e$, de modo que produzca los polos deseados de observador. Nótese que como $\mathbf{Q}^{-1} = \mathbf{W}\mathbf{N}^*$, se tiene

$$\mathbf{Q}^{-1}\mathbf{K}_e = \begin{bmatrix} a_{n-1} & a_{n-2} & \cdots & a_1 & 1 \\ a_{n-2} & a_{n-3} & \cdots & 1 & 0 \\ \cdot & \cdot & & \cdot & \cdot \\ \cdot & \cdot & & \cdot & \cdot \\ \cdot & \cdot & & \cdot & \cdot \\ a_1 & 1 & \cdots & 0 & 0 \\ 1 & 0 & \cdots & 0 & 0 \end{bmatrix} \begin{bmatrix} \mathbf{C} \\ \mathbf{CA} \\ \cdot \\ \cdot \\ \cdot \\ \mathbf{CA}^{n-2} \\ \mathbf{CA}^{n-1} \end{bmatrix} \begin{bmatrix} k_1 \\ k_2 \\ \cdot \\ \cdot \\ \cdot \\ k_{n-1} \\ k_n \end{bmatrix}$$

donde

$$\mathbf{K}_e = \begin{bmatrix} k_1 \\ k_2 \\ \cdot \\ \cdot \\ \cdot \\ k_n \end{bmatrix}$$

Como $\mathbf{Q}^{-1}\mathbf{K}_e$ es un vector $n$-dimensional, se puede escribir

$$\mathbf{Q}^{-1}\mathbf{K}_e = \begin{bmatrix} \delta_n \\ \delta_{n-1} \\ \cdot \\ \cdot \\ \cdot \\ \delta_1 \end{bmatrix} \tag{10–45}$$

En referencia a la ecuación (10-39), se tiene

$$\mathbf{Q}^{-1}\mathbf{K}_e\mathbf{C}\mathbf{Q} = \begin{bmatrix} \delta_n \\ \delta_{n-1} \\ \cdot \\ \cdot \\ \cdot \\ \delta_1 \end{bmatrix} [0 \quad 0 \quad \cdots \quad 1] = \begin{bmatrix} 0 & 0 & \cdots & 0 & \delta_n \\ 0 & 0 & \cdots & 0 & \delta_{n-1} \\ \cdot & \cdot & & \cdot & \cdot \\ \cdot & \cdot & & \cdot & \cdot \\ \cdot & \cdot & & \cdot & \cdot \\ 0 & 0 & \cdots & 0 & \delta_1 \end{bmatrix}$$

y

$$\mathbf{Q}^{-1}(\mathbf{A} - \mathbf{K}_e\mathbf{C})\mathbf{Q} = \mathbf{Q}^{-1}\mathbf{A}\mathbf{Q} - \mathbf{Q}^{-1}\mathbf{K}_e\mathbf{C}\mathbf{Q}$$

$$= \begin{bmatrix} 0 & 0 & \cdots & 0 & -a_n - \delta_n \\ 1 & 0 & \cdots & 0 & -a_{n-1} - \delta_{n-1} \\ 0 & 1 & \cdots & 0 & -a_{n-2} - \delta_{n-2} \\ \cdot & \cdot & & \cdot & \cdot \\ \cdot & \cdot & & \cdot & \cdot \\ \cdot & \cdot & & \cdot & \cdot \\ 0 & 0 & \cdots & 1 & -a_1 - \delta_1 \end{bmatrix}$$

La ecuación característica

$$|s\mathbf{I} - \mathbf{Q}^{-1}(\mathbf{A} - \mathbf{K}_e\mathbf{C})\mathbf{Q}| = 0$$

se convierte en

$$\begin{vmatrix} s & 0 & 0 & \cdots & 0 & a_n + \delta_n \\ -1 & s & 0 & \cdots & 0 & a_{n-1} + \delta_{n-1} \\ 0 & -1 & s & \cdots & 0 & a_{n-2} + \delta_{n-2} \\ \cdot & \cdot & \cdot & & \cdot & \cdot \\ \cdot & \cdot & \cdot & & \cdot & \cdot \\ \cdot & \cdot & \cdot & & \cdot & \cdot \\ 0 & 0 & 0 & \cdots & -1 & s + a_1 + \delta_1 \end{vmatrix} = 0$$

o bien

$$s^n + (a_1 + \delta_1)s^{n-1} + (a_2 + \delta_2)s^{n-2} + \cdots + (a_n + \delta_n) = 0 \tag{10–46}$$

Se puede ver que cada una de las $\delta_n, \delta_{n-1}, \ldots, \delta_1$, está asociada con uno de los coeficientes de la ecuación característica.

Suponga que la ecuación característica deseada para la dinámica del error, es

$$\begin{aligned}(s - \mu_1)(s - \mu_2) \cdots (s - \mu_n) \\ = s^n + \alpha_1 s^{n-1} + \alpha_2 s^{n-2} + \cdots + \alpha_{n-1}s + \alpha_n = 0\end{aligned} \tag{10–47}$$

(Note que los valores propios deseados $\mu_i$ determinan a qué velocidad el estado observado converge hacia el estado actual de la planta). Comparando los coeficientes de los términos de las mismas potencias de $s$ de las ecuaciones (10-46) y (10-47), se obtiene

$$
\begin{aligned}
a_1 + \delta_1 &= \alpha_1 \\
a_2 + \delta_2 &= \alpha_2 \\
&\vdots \\
a_n + \delta_n &= \alpha_n
\end{aligned}
$$

de donde se llega a

$$
\begin{aligned}
\delta_1 &= \alpha_1 - a_1 \\
\delta_2 &= \alpha_2 - a_2 \\
&\vdots \\
\delta_n &= \alpha_n - a_n
\end{aligned}
$$

Entonces, de la ecuación (10-45), se tiene

$$
\mathbf{Q}^{-1}\mathbf{K}_e = \begin{bmatrix} \delta_n \\ \delta_{n-1} \\ \cdot \\ \cdot \\ \cdot \\ \delta_1 \end{bmatrix} = \begin{bmatrix} \alpha_n - a_n \\ \alpha_{n-1} - a_{n-1} \\ \cdot \\ \cdot \\ \cdot \\ \alpha_1 - a_1 \end{bmatrix}
$$

Por tanto,

$$
\mathbf{K}_e = \mathbf{Q} \begin{bmatrix} \alpha_n - a_n \\ \alpha_{n-1} - a_{n-1} \\ \cdot \\ \cdot \\ \cdot \\ \alpha_1 - a_1 \end{bmatrix} = (\mathbf{WN}^*)^{-1} \begin{bmatrix} \alpha_n - a_n \\ \alpha_{n-1} - a_{n-1} \\ \cdot \\ \cdot \\ \cdot \\ \alpha_1 - a_1 \end{bmatrix} \tag{10–48}
$$

La ecuación (10-48), especifica la matriz $\mathbf{K}_e$ de ganancia del observador.

Como se indicó antes, la ecuación (10-48) también se puede obtener, a partir de la ecuación (10-13), al considerar el problema dual. Es decir, considerar el problema de la ubicación de los polos para el problema dual y obtener la matriz $\mathbf{K}$ de ganancia de retroalimentación del estado para el sistema dual. Entonces la matriz $\mathbf{K}_e$ de ganancia del observador, puede estar dada por $\mathbf{K}^*$ (vea el problema A-10-9).

Una vez elegidos los valores propios deseados (o la ecuación característica deseada), se puede diseñar el observador de estado de orden completo, siempre que el sistema sea completamente observable. Los valores propios, o la ecuación característica deseadas se deben elegir de modo que el observador de estado responda, al menos dos a cinco veces más rápido, que el sistema de lazo cerrado considerado. Como se indicó antes, la ecuación para el observador de estado de orden completo es

$$\dot{\tilde{\mathbf{x}}} = (\mathbf{A} - \mathbf{K}_e\mathbf{C})\tilde{\mathbf{x}} + \mathbf{B}u + \mathbf{K}_e y \tag{10–49}$$

Note que hasta ahora se ha supuesto que las matrices **A** y **B** del observador son exactamente las mismas que las de la planta real. En la práctica esto puede no ser verdad. En tal caso, la dinámica del error no puede estar dada por la ecuación (10-44). Esto significa que el error puede no tender a cero. Por tanto, se debe tratar de construir un modelo matemático preciso para que el observador haga al error aceptablemente pequeño.

**Método de sustitución directa para obtener la matriz $\mathbf{K}_e$ de ganancia del observador.** En forma similar al caso de la ubicación de polos, si el sistema es de orden bajo, la sustitución directa de la matriz $\mathbf{K}_e$ en el polinomio característico deseado puede ser sencilla. Por ejemplo, si $\mathbf{x}$ es un vector de dimensión 3, la matriz $\mathbf{K}_e$ de ganancia del observador se puede plantear como

$$\mathbf{K}_e = \begin{bmatrix} k_{e1} \\ k_{e2} \\ k_{e3} \end{bmatrix}$$

Remplazando esta matriz $\mathbf{K}_e$ en el polinomio característico deseado,

$$|s\mathbf{I} - (\mathbf{A} - \mathbf{K}_e\mathbf{C})| = (s - \mu_1)(s - \mu_2)(s - \mu_3)$$

Al igualar los coeficientes de potencias iguales de $s$, en los dos miembros de esta última ecuación, se pueden determinar los valores de $k_{e1}$, $k_{e2}$, y $k_{e3}$. Este método es adecuado si $n = 1, 2,$ o 3, donde $n$ es la dimensión del vector de estado $\mathbf{x}$. (Aunque se puede utilizar este método cuando $n = 4, 5, 6, \ldots$, los cálculos necesarios pueden ser muy tediosos).

Otro procedimiento para determinar la matriz de ganancia $\mathbf{K}_e$ del observador es utilizar la fórmula de Ackermann, la cual se presenta a continuación.

**Fórmula de Ackermann.** Considere el sistema definido por

$$\dot{\mathbf{x}} = \mathbf{A}\mathbf{x} + \mathbf{B}u \tag{10–50}$$

$$y = \mathbf{C}\mathbf{x} \tag{10–51}$$

En la sección 10-2 se dedujo la fórmula de Ackermann para la ubicación de polos en el sistema definido por la ecuación (10-50). El resultado fue dado por la ecuación (10-18), que ahora se presenta como:

$$\mathbf{K} = [0 \quad 0 \quad \cdots \quad 0 \quad 1][\mathbf{B} \mid \mathbf{AB} \mid \cdots \mid \mathbf{A}^{n-1}\mathbf{B}]^{-1}\phi(\mathbf{A})$$

Para el dual del sistema definido por las ecuaciones (10-50) y (10-51),

$$\dot{\mathbf{z}} = \mathbf{A}^*\mathbf{z} + \mathbf{C}^*v$$

$$n = \mathbf{B}^*\mathbf{z}$$

la fórmula de Ackermann precedente para la ubicación de polos se modifica a

$$\mathbf{K} = [0 \quad 0 \quad \cdots \quad 0 \quad 1][\mathbf{C}^* \mid \mathbf{A}^*\mathbf{C}^* \mid \cdots \mid (\mathbf{A}^*)^{n-1}\mathbf{C}^*]^{-1}\phi(\mathbf{A}^*) \tag{10–52}$$

Como ya se indicó antes, la matriz $\mathbf{K}_e$ de ganancia del observador está dada por $\mathbf{K}^*$, donde $\mathbf{K}$ está dada por la ecuación (10-52). Por tanto,

$$\mathbf{K}_e = \mathbf{K}^* = \phi(\mathbf{A}^*)^* \begin{bmatrix} \mathbf{C} \\ \mathbf{CA} \\ \cdot \\ \cdot \\ \cdot \\ \mathbf{CA}^{n-2} \\ \mathbf{CA}^{n-1} \end{bmatrix}^{-1} \begin{bmatrix} 0 \\ 0 \\ \cdot \\ \cdot \\ \cdot \\ 0 \\ 1 \end{bmatrix} = \phi(\mathbf{A}) \begin{bmatrix} \mathbf{C} \\ \mathbf{CA} \\ \cdot \\ \cdot \\ \cdot \\ \mathbf{CA}^{n-2} \\ \mathbf{CA}^{n-1} \end{bmatrix}^{-1} \begin{bmatrix} 0 \\ 0 \\ \cdot \\ \cdot \\ \cdot \\ 0 \\ 1 \end{bmatrix} \tag{10–53}$$

donde $\phi(s)$ es el polinomio característico deseado para el observador de estado, o

$$\phi(s) = (s - \mu_1)(s - \mu_2) \cdots (s - \mu_n)$$

donde $\mu_1, \mu_2, \ldots, \mu_n$ son los valores propios deseados. La ecuación (10-53), se denomina fórmula de Ackermann para determinar la matriz de ganancia $\mathbf{K}_e$ del observador.

**Comentarios sobre la mejor elección de $\mathbf{K}_e$.** Con base en la figura 10-7, note que la señal de retroalimentación a través de la matriz $\mathbf{K}_e$ de ganancia del observador sirve como señal de corrección al modelo de la planta, para tener en cuenta los parámetros desconocidos de la planta real. Si se incluyen parámetros desconocidos significativos, la señal de retroalimentación a través de la matriz $\mathbf{K}_e$ de ganancia del observador, debe ser relativamente grande. Sin embargo, si la señal de salida se contamina en forma significativa con perturbaciones y ruido, entonces la salida $y$ no es confiable y la señal de retroalimentación a través de la matriz $\mathbf{K}_e$ de ganancia del observador debe ser relativamente pequeña. Al determinar la matriz $\mathbf{K}_e$, se deben examinar cuidadosamente los efectos de las perturbaciones y ruidos incluidos en la salida $y$.

Recuerde que la matriz $\mathbf{K}_e$ de ganancia del observador depende de la ecuación característica deseada

$$(s - \mu_1)(s - \mu_2) \cdots (s - \mu_n) = 0$$

La elección de un conjunto $\mu_1, \mu_2, \ldots, \mu_n$, en muchas ocasiones no es única. Por lo tanto, se pueden elegir varias ecuaciones características diferentes, como ecuaciones características deseadas. Para cada ecuación característica deseada, se tiene una matriz $\mathbf{K}_e$ de ganancia del observador diferente.

Al diseñar el observador de estado, se desea determinar diversas matrices $\mathbf{K}_e$ de ganancia del observador, basadas en diferentes ecuaciones características deseadas. Para cada una de las diversas diferentes matrices $\mathbf{K}_e$, se debe correr simulaciones de prueba para evaluar el desempeño del sistema resultante. Entonces se puede elegir la mejor $\mathbf{K}_e$, desde el punto de vista del desempeño general del sistema. En muchos casos prácticos la elección de la mejor matriz $\mathbf{K}_e$ se reduce a fijar un compromiso entre una respuesta veloz, y la sensibilidad ante perturbaciones y ruidos.

**EJEMPLO 10-3** Considere el sistema

$$\dot{\mathbf{x}} = \mathbf{A}\mathbf{x} + \mathbf{B}u$$

$$y = \mathbf{C}\mathbf{x}$$

donde

$$\mathbf{A} = \begin{bmatrix} 0 & 20.6 \\ 1 & 0 \end{bmatrix}, \quad \mathbf{B} = \begin{bmatrix} 0 \\ 1 \end{bmatrix}, \quad \mathbf{C} = [0 \quad 1]$$

Diseñe un observador de estado de orden completo, suponiendo que la configuración del sistema es idéntica a la que aparece en la figura 10-7. Se supone que los valores propios deseados de la matriz de observador de estado son

$$\mu_1 = -1.8 + j2.4, \qquad \mu_2 = -1.8 - j2.4$$

El diseño de un observador de estado se reduce a determinar una matriz $\mathbf{K}_e$ de ganancia del observador adecuada.

Se examina la matriz de observabilidad. El rango de

$$[\mathbf{C}^* \ \vdots \ \mathbf{A}^*\mathbf{C}^*] = \begin{bmatrix} 0 & 1 \\ 1 & 0 \end{bmatrix}$$

es 2. Por lo tanto, el sistema es completamente observable y la determinación de la matriz deseada de ganancia del observador es posible. Este problema se resuelve de tres formas.

*Método 1* Se determina la matriz de ganancia del observador utilizando la ecuación (10-48). La matriz de estado $\mathbf{A}$ se encuentra en la forma canónica observable. Por lo tanto, la matriz de transformación $\mathbf{Q} = (\mathbf{W}\mathbf{N}^*)^{-1}$, es $\mathbf{I}$. Como la ecuación característica del sistema es

$$|s\mathbf{I} - \mathbf{A}| = \begin{vmatrix} s & -20.6 \\ -1 & s \end{vmatrix} = s^2 - 20.6 = s^2 + a_1 s + a_2 = 0$$

se tiene

$$a_1 = 0, \qquad a_2 = -20.6$$

La ecuación característica deseada es

$$(s + 1.8 - j2.4)(s + 1.8 + j2.4) = s^2 + 3.6s + 9 = s^2 + \alpha_1 s + \alpha_2 = 0$$

Por tanto,

$$\alpha_1 = 3.6, \qquad \alpha_2 = 9$$

Entonces, la matriz $\mathbf{K}_e$ de ganancia del observador se puede obtener de la ecuación (10-48)

$$\mathbf{K}_e = (\mathbf{W}\mathbf{N}^*)^{-1} \begin{bmatrix} \alpha_2 - a_2 \\ \alpha_1 - a_1 \end{bmatrix} = \begin{bmatrix} 1 & 0 \\ 0 & 1 \end{bmatrix} \begin{bmatrix} 9 + 20.6 \\ 3.6 - 0 \end{bmatrix} = \begin{bmatrix} 29.6 \\ 3.6 \end{bmatrix}$$

*Método 2* Con base en la ecuación (10-29),

$$\dot{\mathbf{e}} = (\mathbf{A} - \mathbf{K}_e\mathbf{C})\mathbf{e}$$

la ecuación característica del observador es ,

$$|s\mathbf{I} - \mathbf{A} + \mathbf{K}_e\mathbf{C}| = 0$$

Se define

$$\mathbf{K}_e = \begin{bmatrix} k_{e1} \\ k_{e2} \end{bmatrix}$$

Entonces la ecuación característica, se convierte en

$$\left| \begin{bmatrix} s & 0 \\ 0 & s \end{bmatrix} - \begin{bmatrix} 0 & 20.6 \\ 1 & 0 \end{bmatrix} + \begin{bmatrix} k_{e1} \\ k_{e2} \end{bmatrix} [0 \quad 1] \right| = \begin{vmatrix} s & -20.6 + k_{e1} \\ -1 & s + k_{e2} \end{vmatrix}$$

$$= s^2 + k_{e2}s - 20.6 + k_{e1} = 0 \tag{10–54}$$

Como la ecuación característica deseada es

$$s^2 + 3.6s + 9 = 0$$

al comparar la ecuación (10-54) con esta última ecuación, se obtiene

$$k_{e1} = 29.6, \qquad k_{e2} = 3.6$$

o

$$\mathbf{K}_e = \begin{bmatrix} 29.6 \\ 3.6 \end{bmatrix}$$

*Método 3* Se hace uso de la fórmula de Ackermann, dada por la ecuación (10-53):

$$\mathbf{K}_e = \phi(\mathbf{A}) \begin{bmatrix} \mathbf{C} \\ \mathbf{CA} \end{bmatrix}^{-1} \begin{bmatrix} 0 \\ 1 \end{bmatrix}$$

donde

$$\phi(s) = (s - \mu_1)(s - \mu_2) = s^2 + 3.6s + 9$$

Entonces

$$\phi(\mathbf{A}) = \mathbf{A}^2 + 3.6\mathbf{A} + 9\mathbf{I}$$

y

$$\mathbf{K}_e = (\mathbf{A}^2 + 3.6\mathbf{A} + 9\mathbf{I}) \begin{bmatrix} 0 & 1 \\ 1 & 0 \end{bmatrix}^{-1} \begin{bmatrix} 0 \\ 1 \end{bmatrix}$$

$$= \begin{bmatrix} 29.6 & 74.16 \\ 3.6 & 29.6 \end{bmatrix} \begin{bmatrix} 0 & 1 \\ 1 & 0 \end{bmatrix} \begin{bmatrix} 0 \\ 1 \end{bmatrix} = \begin{bmatrix} 29.6 \\ 3.6 \end{bmatrix}$$

Por supuesto, se obtiene la misma $\mathbf{K}_e$, independientemente del método empleado.

Nótese que el sistema analizado en el ejemplo 10-1 y el considerado aquí, son duales entre sí. La matriz $\mathbf{K}$ de ganancia de retroalimentación de estado, obtenida en el ejemplo 10-1, fue $\mathbf{K} = [29.6 \quad 3.6]$. La matriz $\mathbf{K}_e$ de ganancia del observador obtenida está relacionada con la matriz $\mathbf{K}$ por la relación $\mathbf{K}_e = \mathbf{K}^*$. (Como las matrices actuales $\mathbf{K}$ y $\mathbf{K}_e$ son reales, esa relación se puede escribir como $\mathbf{K}_e = \mathbf{K}^T$).

La ecuación del observador de estado de orden completo, está dada por la ecuación (10-49).

$$\dot{\tilde{\mathbf{x}}} = (\mathbf{A} - \mathbf{K}_e\mathbf{C})\tilde{\mathbf{x}} + \mathbf{B}u + \mathbf{K}_e y$$

o bien

$$\begin{bmatrix} \dot{\tilde{x}}_1 \\ \dot{\tilde{x}}_2 \end{bmatrix} = \begin{bmatrix} 0 & -9 \\ 1 & -3.6 \end{bmatrix} \begin{bmatrix} \tilde{x}_1 \\ \tilde{x}_2 \end{bmatrix} + \begin{bmatrix} 0 \\ 1 \end{bmatrix} u + \begin{bmatrix} 29.6 \\ 3.6 \end{bmatrix} y$$

Finalmente, nótese que en forma similar al caso de la ubicación de polos, si el orden del sistema $n$ es 4 o superior, se prefieren los métodos 1 y 3, porque todos los cálculos matriciales se pueden realizar con una computadora, en tanto que el método 2 requiere siempre del cálculo manual de la ecuación característica, que incluye los parámetros desconocidos $k_{e1}, k_{e2}, \ldots, k_{en}$.

**EJEMPLO 10-4** Considere el sistema

$$\dot{\mathbf{x}} = \mathbf{A}\mathbf{x} + \mathbf{B}u$$

$$y = \mathbf{C}\mathbf{x}$$

donde

$$\mathbf{A} = \begin{bmatrix} 0 & 1 & 0 \\ 0 & 0 & 1 \\ -6 & -11 & -6 \end{bmatrix}, \quad \mathbf{B} = \begin{bmatrix} 0 \\ 0 \\ 1 \end{bmatrix}, \quad \mathbf{C} = [1 \quad 0 \quad 0]$$

Diseñe un observador de estado de orden completo, suponiendo que la configuración del sistema es idéntica a la que se muestra en la figura 10-7. Se supone que los valores propios deseados en la matriz de observación, son

$$\mu_1 = -2 + j3.464, \qquad \mu_2 = -2 - j3.464, \qquad \mu_3 = -5$$

Se examina la matriz de observabilidad. El rango de

$$\mathbf{N} = [\mathbf{C}^* \;\vdots\; \mathbf{A}^*\mathbf{C}^* \;\vdots\; (\mathbf{A}^*)^2\mathbf{C}^*] = \begin{bmatrix} 1 & 0 & 0 \\ 0 & 1 & 0 \\ 0 & 0 & 1 \end{bmatrix}$$

es 3. Por tanto, el sistema es completamente observable y se puede determinar la matriz $\mathbf{K}_e$ de ganancia del observador.

Como la ecuación característica del sistema es

$$|s\mathbf{I} - \mathbf{A}| = \begin{vmatrix} s & -1 & 0 \\ 0 & s & -1 \\ 6 & 11 & s+6 \end{vmatrix}$$

$$= s^3 + 6s^2 + 11s + 6$$

$$= s^3 + a_1 s^2 + a_2 s + a_3 = 0$$

se tiene

$$a_1 = 6, \qquad a_2 = 11, \qquad a_3 = 6$$

La ecuación característica deseada es

$$(s - \mu_1)(s - \mu_2)(s - \mu_3) = (s + 2 - j3.464)(s + 2 + j3.464)(s + 5)$$

$$= s^3 + 9s^2 + 36s + 80$$

$$= s^3 + \alpha_1 s^2 + \alpha_2 s + \alpha_3 = 0$$

Por tanto,

$$\alpha_1 = 9, \qquad \alpha_2 = 36, \qquad \alpha_3 = 80$$

Para resolver este problema, se utiliza la ecuación (10-48):

$$\mathbf{K}_e = (\mathbf{W}\mathbf{N}^*)^{-1} \begin{bmatrix} \alpha_3 - a_3 \\ \alpha_2 - a_2 \\ \alpha_1 - a_1 \end{bmatrix}$$

Teniendo en cuenta que

$$\mathbf{N}^* = \begin{bmatrix} 1 & 0 & 0 \\ 0 & 1 & 0 \\ 0 & 0 & 1 \end{bmatrix}, \qquad \mathbf{W} = \begin{bmatrix} 11 & 6 & 1 \\ 6 & 1 & 0 \\ 1 & 0 & 0 \end{bmatrix}$$

se tiene

$$(\mathbf{WN}^*)^{-1} = \left\{ \begin{bmatrix} 11 & 6 & 1 \\ 6 & 1 & 0 \\ 1 & 0 & 0 \end{bmatrix} \begin{bmatrix} 1 & 0 & 0 \\ 0 & 1 & 0 \\ 0 & 0 & 1 \end{bmatrix} \right\}^{-1} = \begin{bmatrix} 0 & 0 & 1 \\ 0 & 1 & -6 \\ 1 & -6 & 25 \end{bmatrix}$$

Por tanto

$$\mathbf{K}_e = \begin{bmatrix} 0 & 0 & 1 \\ 0 & 1 & -6 \\ 1 & -6 & 25 \end{bmatrix} \begin{bmatrix} 80 - 6 \\ 36 - 11 \\ 9 - 6 \end{bmatrix} = \begin{bmatrix} 3 \\ 7 \\ -1 \end{bmatrix}$$

De acuerdo con la ecuación (10-49), el observador de estado de orden completo, está dado por

$$\dot{\tilde{\mathbf{x}}} = (\mathbf{A} - \mathbf{K}_e\mathbf{C})\tilde{\mathbf{x}} + \mathbf{B}u + \mathbf{K}_e y$$

o bien

$$\begin{bmatrix} \dot{\tilde{x}}_1 \\ \dot{\tilde{x}}_2 \\ \dot{\tilde{x}}_3 \end{bmatrix} = \begin{bmatrix} -3 & 1 & 0 \\ -7 & 0 & 1 \\ -5 & -11 & -6 \end{bmatrix} \begin{bmatrix} \tilde{x}_1 \\ \tilde{x}_2 \\ \tilde{x}_3 \end{bmatrix} + \begin{bmatrix} 0 \\ 0 \\ 1 \end{bmatrix} u + \begin{bmatrix} 3 \\ 7 \\ -1 \end{bmatrix} y$$

(En el problema A-10-11 se resuelve este problema de ejemplo, utilizando los métodos de sustitución directa, y la fórmula de Ackermann).

**Efectos de la adición de un observador a un sistema de lazo cerrado.** En el procedimiento de ubicación de polos se supuso que el estado efectivo $\mathbf{x}(t)$ estaba disponible para retroalimentación. Sin embargo, en la práctica, el estado real de $\mathbf{x}(t)$ puede no ser medible, de modo que se deberá diseñar un observador y usar el estado observado $\tilde{\mathbf{x}}(t)$ para retroalimentación como se ve en la figura 10-8. Por lo tanto, el proceso de diseño consta de dos partes, la primera de ellas es la determinación de la matriz $\mathbf{K}$ de ganancia de retroalimentación del estado, para lograr la ecuación característica deseada; la segunda es la determinación de la matriz $\mathbf{K}_e$ de ganancia del observador que brinda la ecuación característica deseada del observador.

A continuación se analizan los efectos del uso del estado observado $\tilde{\mathbf{x}}(t)$, en la ecuación característica de un sistema de lazo cerrado.

Considere el sistema con estado completo controlable y completamente observable, definido por las ecuaciones

$$\dot{\mathbf{x}} = \mathbf{A}\mathbf{x} + \mathbf{B}u$$

$$y = \mathbf{C}\mathbf{x}$$

Para el control de retroalimentación basado en el estado observado $\tilde{\mathbf{x}}$,

$$u = -\mathbf{K}\tilde{\mathbf{x}}$$

Con este control, la ecuación de estado se convierte en

$$\dot{\mathbf{x}} = \mathbf{A}\mathbf{x} - \mathbf{B}\mathbf{K}\tilde{\mathbf{x}} = (\mathbf{A} - \mathbf{B}\mathbf{K})\mathbf{x} + \mathbf{B}\mathbf{K}(\mathbf{x} - \tilde{\mathbf{x}}) \tag{10–55}$$

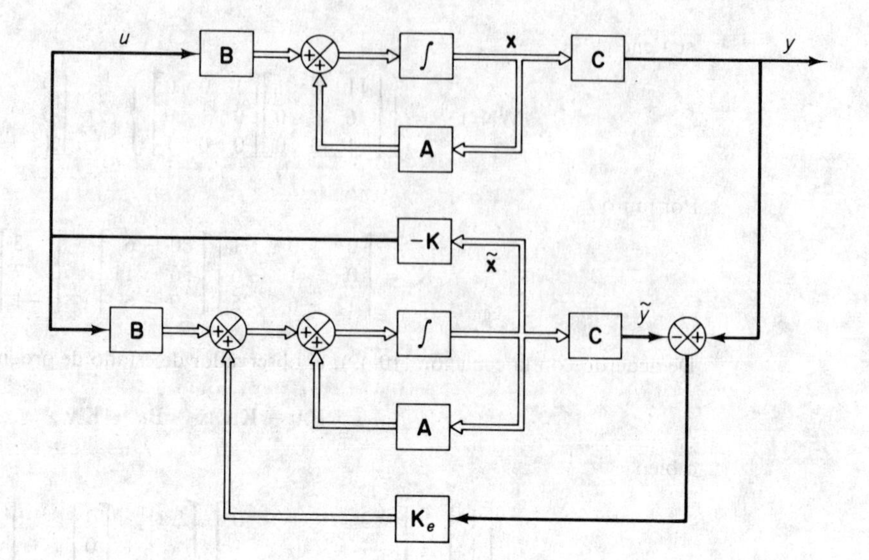


**Figura 10-8**
Sistema de control con retroalimentación del estado observado.

La diferencia entre el estado real $\mathbf{x}(t)$ y el estado observado $\tilde{\mathbf{x}}(t)$, se definió como el error $\mathbf{e}(t)$:

$$\mathbf{e}(t) = \mathbf{x}(t) - \tilde{\mathbf{x}}(t)$$

Substituyendo el vector de error $\mathbf{e}(t)$ en la ecuación (10-55), se tiene

$$\dot{\mathbf{x}} = (\mathbf{A} - \mathbf{BK})\mathbf{x} + \mathbf{BKe} \qquad (10\text{–}56)$$

Nótese que la ecuación de error de observación, está dada por la ecuación (10-29) reescrita ahora

$$\dot{\mathbf{e}} = (\mathbf{A} - \mathbf{K}_e\mathbf{C})\mathbf{e} \qquad (10\text{–}57)$$

Al combinar las ecuaciones (10-56) y (10-57), se obtiene

$$\begin{bmatrix} \dot{\mathbf{x}} \\ \dot{\mathbf{e}} \end{bmatrix} = \begin{bmatrix} \mathbf{A} - \mathbf{BK} & \mathbf{BK} \\ \mathbf{0} & \mathbf{A} - \mathbf{K}_e\mathbf{C} \end{bmatrix} \begin{bmatrix} \mathbf{x} \\ \mathbf{e} \end{bmatrix} \qquad (10\text{–}58)$$

La ecuación (10-58) describe la dinámica del sistema de control con retroalimentación del estado observado. La ecuación característica del sistema es

$$\begin{vmatrix} s\mathbf{I} - \mathbf{A} + \mathbf{BK} & -\mathbf{BK} \\ \mathbf{0} & s\mathbf{I} - \mathbf{A} + \mathbf{K}_e\mathbf{C} \end{vmatrix} = 0$$

o bien

$$|s\mathbf{I} - \mathbf{A} + \mathbf{BK}||s\mathbf{I} - \mathbf{A} + \mathbf{K}_e\mathbf{C}| = 0$$

Note que los polos de lazo cerrado del sistema de control con retroalimentación del estado observado consisten en los polos debidos a la colocación de polos por diseño solo, más los polos debidos al diseño del observador solo. Esto significa que el diseño de ubicación de polos y el diseño del observador, son independientes entre sí. Se pueden diseñar por separado y combinar para formar el sistema de control con retroalimentación del estado observado. Debe notarse que, si el orden de la planta es $n$, el observdor también es de orden $n$ (si se utiliza un observador de estado de orden completo) y la ecuación característica resultante para todo el sistema de lazo cerrado, es de orden $2n$.

Los polos de lazo cerrado deseados, producidos por la retroalimentación del estado (ubicación de polos), se eligen de modo que el sistema satisfaga el desempeño requerido. Generalmente los polos del observador se eligen, de modo que su respuesta sea mucho más rápida que la del sistema. Como el observador no es, en general, una estructura material, sino un programa de computadora, se puede aumentar la velocidad de respuesta, de modo que el estado observado tenga una rápida convergencia hacia el estado real. La máxima velocidad de respuesta está limitada sólo por el ruido y el problema de sensibilidad, incluido en el sistema de control. Nótese que, como los polos del observador están situados a la izquierda de los polos deseados de lazo cerrado del proceso de ubicación de polos, estos últimos dominarán en la respuesta.

**Función de transferencia para el controlador-observador.** Considere el sistema definido por

$$\dot{\mathbf{x}} = \mathbf{A}\mathbf{x} + \mathbf{B}u$$

$$y = \mathbf{C}\mathbf{x}$$

Suponga que el sistema es completamente observable pero el estado $\mathbf{x}$ no está disponible para medición directa. Considere que se utiliza el control por retroalimentación del estado observado.

$$u = -\mathbf{K}\tilde{\mathbf{x}} \tag{10–59}$$

En el sistema de control con retroalimentación del estado observado que se muestra en la figura 10-8, la ecuación del observador es

$$\dot{\tilde{\mathbf{x}}} = (\mathbf{A} - \mathbf{K}_e\mathbf{C})\tilde{\mathbf{x}} + \mathbf{B}u + \mathbf{K}_e y \tag{10–60}$$

Tomando la transformada de Laplace de la ecuación (10-59)

$$U(s) = -\mathbf{K}\tilde{\mathbf{X}}(s) \tag{10–61}$$

La transformada de Laplace de la ecuación del observador, dada por la ecuación (10-60), es

$$s\tilde{\mathbf{X}}(s) = (\mathbf{A} - \mathbf{K}_e\mathbf{C})\tilde{\mathbf{X}}(s) + \mathbf{B}U(s) + \mathbf{K}_e Y(s) \tag{10–62}$$

donde se supuso un estado observado inicial de cero, o $\tilde{\mathbf{x}}(0) = \mathbf{0}$. Remplazando la ecuación (10-61) en la ecuación (10-62) y despejando las $\tilde{\mathbf{X}}(s)$ en la ecuación resultante, se obtiene

$$\tilde{\mathbf{X}}(s) = (s\mathbf{I} - \mathbf{A} + \mathbf{K}_e\mathbf{C} + \mathbf{B}\mathbf{K})^{-1}\mathbf{K}_e Y(s)$$

Substituyendo esta última ecuación en la ecuación (10-61), se tiene

$$U(s) = -\mathbf{K}(s\mathbf{I} - \mathbf{A} + \mathbf{K}_e\mathbf{C} + \mathbf{B}\mathbf{K})^{-1}\mathbf{K}_e Y(s) \tag{10–63}$$

En este análisis, tanto $u$ como $y$ son escalares. La ecuación (10-63) es la función de transferencia entre $U(s)$ y $-Y(s)$.

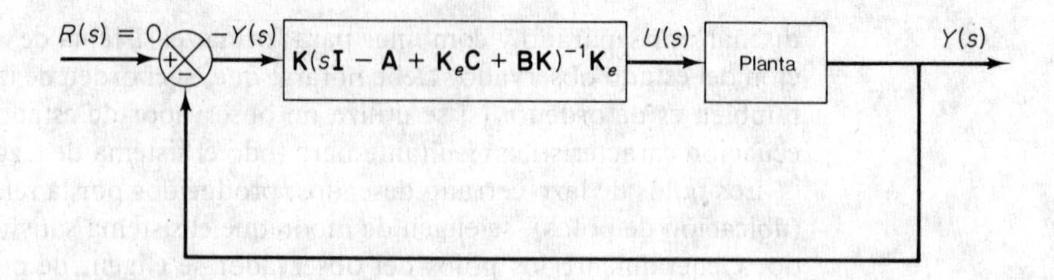


**Figura 10-9**
Diagrama de bloques de un sistema con observador-controlador.

La figura 10-9 muestra una representación en diagrama de bloques del sistema. Nótese que la función de transferencia

$$\mathbf{K}(s\mathbf{I} - \mathbf{A} + \mathbf{K}_e\mathbf{C} + \mathbf{BK})^{-1}\mathbf{K}_e$$

actúa como el controlador del sistema. Por tanto, la siguiente función de transferencia

$$\frac{U(s)}{-Y(s)} = \mathbf{K}(s\mathbf{I} - \mathbf{A} + \mathbf{K}_e\mathbf{C} + \mathbf{BK})^{-1}\mathbf{K}_e \tag{10-64}$$

se denomina función de transferencia del controlador-observador.

**EJEMPLO 10-5** Considere el caso del diseño de un sistema regulador para la siguiente planta:

$$\dot{\mathbf{x}} = \mathbf{Ax} + \mathbf{B}u \tag{10-65}$$

$$y = \mathbf{Cx} \tag{10-66}$$

donde

$$\mathbf{A} = \begin{bmatrix} 0 & 1 \\ 20.6 & 0 \end{bmatrix}, \quad \mathbf{B} = \begin{bmatrix} 0 \\ 1 \end{bmatrix}, \quad \mathbf{C} = [1 \quad 0]$$

Supóngase que para el diseño del sistema se utiliza el método de ubicación de polos y ceros y que los polos de lazo cerrado deseados están en $s = \mu_i$ $(i = 1, 2)$, donde $\mu_1 = -1.8 + j2.4$ y $\mu_2 = -1.8 - j2.4$. La matriz **K** de ganancia de retroalimentación del estado para este caso se obtuvo en el ejemplo 10-1 del siguiente modo:

$$\mathbf{K} = [29.6 \quad 3.6]$$

Utilizando la matriz **K** de ganancia de retroalimentación del estado, la señal de control $u$, está dada por

$$u = -\mathbf{Kx} = -[29.6 \quad 3.6] \begin{bmatrix} x_1 \\ x_2 \end{bmatrix}$$

Se supone que se utiliza el control de retroalimentación del estado observado, en lugar del control de retroalimentación del estado real o sea

$$u = -\mathbf{K}\tilde{\mathbf{x}} = -[29.6 \quad 3.6] \begin{bmatrix} \tilde{x}_1 \\ \tilde{x}_2 \end{bmatrix}$$

donde los valores propios de la matriz de ganancia del observador son

$$\mu_1 = \mu_2 = -8$$

Obtenga la matriz $\mathbf{K}_e$ de ganancia del observador y trace un diagrama de bloques, para el sistema de control con retroalimentación del estado observado. Posteriormente, obtenga la función de transferencia $U(s)/[-Y(s)]$ para el controlador-observador y trace un diagrama en bloques del sistema.

Para el sistema definido por la ecuación (10-65), el polinomio característico es

$$|s\mathbf{I} - \mathbf{A}| = \begin{vmatrix} s & -1 \\ -20.6 & s \end{vmatrix} = s^2 - 20.6 = s^2 + a_1 s + a_2$$

Así que

$$a_1 = 0, \qquad a_2 = -20.6$$

El polinomio característico deseado para el observador es

$$\begin{aligned}(s - \mu_1)(s - \mu_2) &= (s + 8)(s + 8) = s^2 + 16s + 64 \\ &= s^2 + \alpha_1 s + \alpha_2\end{aligned}$$

Por tanto

$$\alpha_1 = 16, \qquad \alpha_2 = 64$$

Para determinar la matriz de ganancia del observador, se usa la ecuación (10-48), o sea

$$\mathbf{K}_e = (\mathbf{W}\mathbf{N}^*)^{-1} \begin{bmatrix} \alpha_2 - a_2 \\ \alpha_1 - a_1 \end{bmatrix}$$

donde

$$\mathbf{N} = [\mathbf{C}^* \;\vdots\; \mathbf{A}^*\mathbf{C}^*] = \begin{bmatrix} 1 & 0 \\ 0 & 1 \end{bmatrix}$$

$$\mathbf{W} = \begin{bmatrix} a_1 & 1 \\ 1 & 0 \end{bmatrix} = \begin{bmatrix} 0 & 1 \\ 1 & 0 \end{bmatrix}$$

Por tanto,

$$\begin{aligned}\mathbf{K}_e &= \left\{ \begin{bmatrix} 0 & 1 \\ 1 & 0 \end{bmatrix} \begin{bmatrix} 1 & 0 \\ 0 & 1 \end{bmatrix} \right\}^{-1} \begin{bmatrix} 64 + 20.6 \\ 16 - 0 \end{bmatrix} \\ &= \begin{bmatrix} 0 & 1 \\ 1 & 0 \end{bmatrix} \begin{bmatrix} 84.6 \\ 16 \end{bmatrix} = \begin{bmatrix} 16 \\ 84.6 \end{bmatrix}\end{aligned} \tag{10-67}$$

La ecuación (10-67), da la matriz $\mathbf{K}_e$ de ganancia del observador. La ecuación del observador, está dada por la ecuación (10-49):

$$\dot{\tilde{\mathbf{x}}} = (\mathbf{A} - \mathbf{K}_e\mathbf{C})\tilde{\mathbf{x}} + \mathbf{B}u + \mathbf{K}_e y \tag{10-68}$$

Como

$$u = -\mathbf{K}\tilde{\mathbf{x}}$$

la ecuación (10-68) se convierte en

$$\dot{\tilde{\mathbf{x}}} = (\mathbf{A} - \mathbf{K}_e\mathbf{C} - \mathbf{B}\mathbf{K})\tilde{\mathbf{x}} + \mathbf{K}_e y$$

o sea

$$\begin{bmatrix} \dot{\tilde{x}}_1 \\ \dot{\tilde{x}}_2 \end{bmatrix} = \left\{ \begin{bmatrix} 0 & 1 \\ 20.6 & 0 \end{bmatrix} - \begin{bmatrix} 16 \\ 84.6 \end{bmatrix} [1 \quad 0] - \begin{bmatrix} 0 \\ 1 \end{bmatrix} [29.6 \quad 3.6] \right\} \begin{bmatrix} \tilde{x}_1 \\ \tilde{x}_2 \end{bmatrix} + \begin{bmatrix} 16 \\ 84.6 \end{bmatrix} y$$

$$= \begin{bmatrix} -16 & 1 \\ -93.6 & -3.6 \end{bmatrix} \begin{bmatrix} \tilde{x}_1 \\ \tilde{x}_2 \end{bmatrix} + \begin{bmatrix} 16 \\ 84.6 \end{bmatrix} y$$

La figura 10-10 muestra el diagrama de bloques del sistema con retroalimentación del estado observado.

En cuanto a la ecuación (10-64), la función de transferencia del controlador-observador es

$$\frac{U(s)}{-Y(s)} = \mathbf{K}(s\mathbf{I} - \mathbf{A} + \mathbf{K}_e\mathbf{C} + \mathbf{BK})^{-1}\mathbf{K}_e$$

$$= [29.6 \quad 3.6] \begin{bmatrix} s + 16 & -1 \\ 93.6 & s + 3.6 \end{bmatrix}^{-1} \begin{bmatrix} 16 \\ 84.6 \end{bmatrix}$$

$$= \frac{778.16s + 3690.72}{s^2 + 19.6s + 151.2}$$

La figura 10-11 presenta un diagrama de bloques del sistema.

La dinámica del sistema de control con retroalimentación del estado observado recién diseñado se puede describir por medio de las siguientes ecuaciones. Para la planta,

$$\begin{bmatrix} \dot{x}_1 \\ \dot{x}_2 \end{bmatrix} = \begin{bmatrix} 0 & 1 \\ 20.6 & 0 \end{bmatrix} \begin{bmatrix} x_1 \\ x_2 \end{bmatrix} + \begin{bmatrix} 0 \\ 1 \end{bmatrix} u$$

$$y = [1 \quad 0] \begin{bmatrix} x_1 \\ x_2 \end{bmatrix}$$

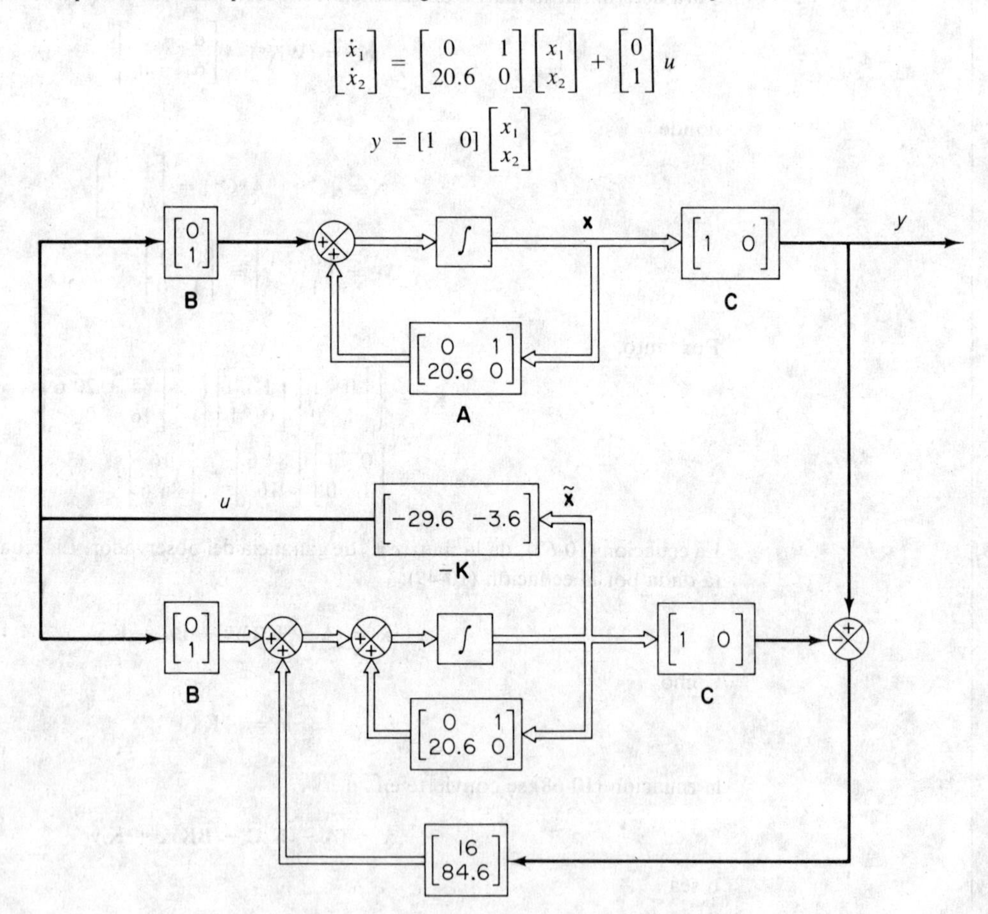


**Figura 10-10**
Diagrama de bloques de un sistema con retroalimentación del estado observado. (Ejemplo 10-5).

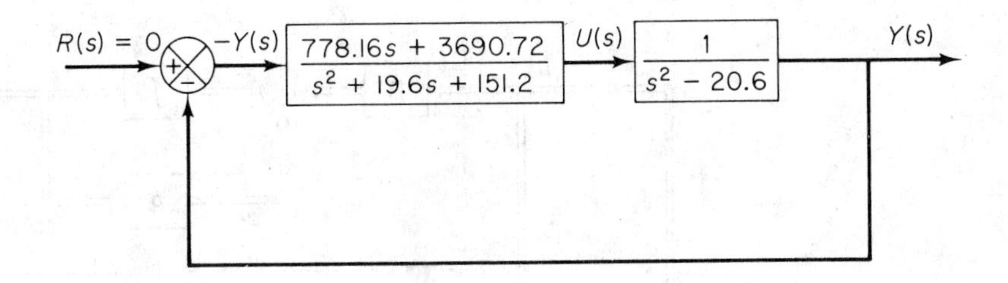


**Figura 10-11**
Diagrama de bloques de un sistema en función de transferencia. (Ejemplo 10-5).

$$u = -[29.6 \quad 3.6]\begin{bmatrix}\tilde{x}_1 \\ \tilde{x}_2\end{bmatrix}$$

Para el observador,

$$\begin{bmatrix}\dot{\tilde{x}}_1 \\ \dot{\tilde{x}}_2\end{bmatrix} = \begin{bmatrix}-16 & 1 \\ -93.6 & -3.6\end{bmatrix}\begin{bmatrix}\tilde{x}_1 \\ \tilde{x}_2\end{bmatrix} + \begin{bmatrix}16 \\ 84.6\end{bmatrix} y$$

El sistema total es de cuarto orden. La ecuación característica del sistema es

$$\begin{aligned}|s\mathbf{I} - \mathbf{A} + \mathbf{BK}||s\mathbf{I} - \mathbf{A} + \mathbf{K}_e\mathbf{C}| &= (s^2 + 3.6s + 9)(s^2 + 16s + 64) \\ &= s^4 + 19.6s^3 + 130.6s^2 + 374.4s + 576 = 0\end{aligned}$$

La ecuación característica también se puede determinar a partir del diagrama de bloques del sistema, que se ve en la figura 10-11. Como la función de transferencia de lazo cerrado es

$$\frac{Y(s)}{R(s)} = \frac{778.16s + 3690.72}{(s^2 + 19.6s + 151.2)(s^2 - 20.6) + 778.16s + 3690.72}$$

la ecuación característica es

$$\begin{aligned}&(s^2 + 19.6s + 151.2)(s^2 - 20.6) + 778.16s + 3690.72 \\ &= s^4 + 19.6s^3 + 130.6s^2 + 374.4s + 576 = 0\end{aligned}$$

Por supuesto, la ecuación característica es la misma que la de la representación del sistema en el espacio de estado y la misma que la de la representación en función de transferencia.

**Observador de orden mínimo.** Los observadores analizados hasta ahora fueron diseñados para reconstruir todas las variables de estado. En la práctica, algunas de las variables de estado se pueden medir con exactitud. Esas variables de estado perfectamente medibles no necesitan estimarse. Cuando un observador estima menos de las $n$ variables de estado, siendo $n$ la dimensión del vector de estado, se denomina *observador de estado reducido.* Si el orden del observador de estado reducido es el mínimo posible, este observador recibe el nombre de *observador de orden mínimo.*

Considere el vector de estado $\mathbf{x}$, de dimensión $n$ y el vector de salida $\mathbf{y}$, de dimensión $m$, que se pueden medir. Como $m$ variables de salida son combinaciones lineales de variables de estado, no hace falta estimar $m$ variables de estado. Sólo hay que estimar $n - m$ variables de estado. Entonces el observador de orden reducido se convierte en un observador de orden $(n - m)$. Tal observador de dimensión $(n - m)$, es el observador de orden mínimo. En la figura 10-12, se puede ver un diagrama de bloques del sistema con observador de orden mínimo.

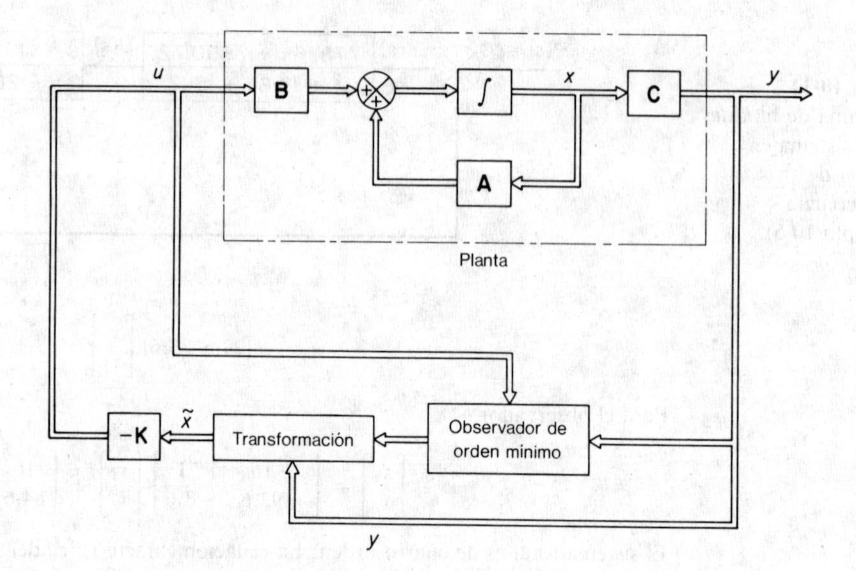


**Figura 10-12**
Sistema de control con retroalimentación del estado observado, con observador de orden mínimo.

Sin embargo, es importante notar que, si la medición de las variables de salida, incluye ruidos significativos y es relativamente imprecisa, entonces sería mejor utilizar un observador de orden completo.

Para presentar esta idea básica del observador de orden mínimo, sin tener complicaciones matemáticas excesivas, se analizará el caso cuya salida es un escalar (es decir, $m = 1$), y se deducirá la ecuación de estado del observador de orden mínimo. Considere el sistema

$$\dot{\mathbf{x}} = \mathbf{A}\mathbf{x} + \mathbf{B}u$$

$$y = \mathbf{C}\mathbf{x}$$

donde el vector de estado $\mathbf{x}$ se puede dividir en dos partes, $\mathbf{x}_a$ (un escalar) y $\mathbf{x}_b$ [un vector de dimensión $(n - 1)$]. En este caso, la variable de estado $x_a$ es la salida $y$, que por lo tanto se puede medir directamente, y $\mathbf{x}_b$ es la porción no medible del vector de estado. Entonces las ecuaciones del estado dividido y de salida son

$$\begin{bmatrix} \dot{x}_a \\ \hdashline \dot{\mathbf{x}}_b \end{bmatrix} = \begin{bmatrix} A_{aa} & \vdots & \mathbf{A}_{ab} \\ \hdashline \mathbf{A}_{ba} & \vdots & \mathbf{A}_{bb} \end{bmatrix} \begin{bmatrix} x_a \\ \hdashline \mathbf{x}_b \end{bmatrix} + \begin{bmatrix} B_a \\ \hdashline \mathbf{B}_b \end{bmatrix} u \tag{10–69}$$

$$y = [1 \ \vdots \ \mathbf{0}] \begin{bmatrix} x_a \\ \hdashline \mathbf{x}_b \end{bmatrix} \tag{10–70}$$

donde $A_{aa}$ = escalar
$\mathbf{A}_{ab}$ = matriz de $1 \times (n - 1)$
$\mathbf{A}_{ba}$ = matriz de $(n - 1) \times 1$
$\mathbf{A}_{bb}$ = matriz de $(n - 1) \times (n - 1)$
$B_a$ = escalar
$\mathbf{B}_b$ = matriz de $(n - 1) \times 1$

De la ecuación (10-69), la ecuación de la parte medible del estado es

$$\dot{x}_a = A_{aa}x_a + \mathbf{A}_{ab}\mathbf{x}_b + B_a u$$

o bien

$$\dot{x}_a - A_{aa}x_a - B_a u = \mathbf{A}_{ab}\mathbf{x}_b \tag{10–71}$$

Los términos del miembro izquierdo de la ecuación (10-71) se pueden medir. La ecuación (10-71) actúa como la ecuación de salida. Al diseñar el observador de orden mínimo las cantidades del miembro izquierdo de la ecuación (10-71) se consideran conocidas. Entonces la ecuación (10-71), relaciona las magnitudes medibles con las no medibles del estado.

De la ecuación (10-69), la ecuación de la parte no medible del estado es

$$\dot{\mathbf{x}}_b = \mathbf{A}_{ba}x_a + \mathbf{A}_{bb}\mathbf{x}_b + \mathbf{B}_b u \tag{10–72}$$

Como los términos $\mathbf{A}_{ab}x_a$ y $\mathbf{B}_b u$ son cantidades conocidas, la ecuación (10-72) describe la dinámica de la parte no medible del estado.

A continuación, se presenta un método para diseñar un observador de orden mínimo. El procedimiento de diseño se puede simplificar, si se utiliza la técnica de diseño, desarrollada para el observador de estado de orden completo.

Se compara la ecuación de estado del observador de orden completo, con la del observador de orden mínimo. La ecuación del observador de orden completo es

$$\dot{\mathbf{x}} = \mathbf{A}\mathbf{x} + \mathbf{B}u$$

y la ''ecuación de estado'' para el observador de orden mínimo es

$$\dot{\mathbf{x}}_b = \mathbf{A}_{bb}\mathbf{x}_b + \mathbf{A}_{ba}x_a + \mathbf{B}_b u$$

La ecuación de salida para el observador de orden completo es

$$y = \mathbf{C}\mathbf{x}$$

y la ''ecuación de salida'' para el observador de orden mínimo es

$$\dot{x}_a - A_{aa}x_a - B_a u = \mathbf{A}_{ab}\mathbf{x}_b$$

El diseño del observador de orden mínimo se puede realizar, del modo siguiente: primero, recuerde que la ecuación de observador, para el observador de orden completo está dada por la ecuación (10-49), que se escribe como

$$\dot{\tilde{\mathbf{x}}} = (\mathbf{A} - \mathbf{K}_e\mathbf{C})\tilde{\mathbf{x}} + \mathbf{B}u + \mathbf{K}_e y \tag{10–73}$$

Entonces, realizando la substitución de la tabla 10-2, en la ecuación (10-73), se obtiene

$$\dot{\tilde{\mathbf{x}}}_b = (\mathbf{A}_{bb} - \mathbf{K}_e\mathbf{A}_{ab})\tilde{\mathbf{x}}_b + \mathbf{A}_{ba}x_a + \mathbf{B}_b u + \mathbf{K}_e(\dot{x}_a - A_{aa}x_a - B_a u) \tag{10–74}$$

donde la matriz $\mathbf{K}_e$ de ganancia del observador es una matriz de $(n — 1) \times 1$. En la ecuación (10-74), nótese que para estimar $\tilde{\mathbf{x}}_b$, se necesita la derivada de $x_a$. Esto no es deseable, de modo que hay que modificar la ecuación (10-74).

**Tabla 10-2** Lista de sustituciones necesarias para escribir la ecuación del observador para el observador de estado de orden mínimo.

| Observador de estado de orden completo | Observador de estado de orden mínimo |
|---|---|
| $\tilde{\mathbf{x}}$ | $\tilde{\mathbf{x}}_b$ |
| $\mathbf{A}$ | $\mathbf{A}_{bb}$ |
| $\mathbf{B}u$ | $\mathbf{A}_{ba}x_a + \mathbf{B}_b u$ |
| $y$ | $\dot{x}_a - A_{aa}x_a - B_a u$ |
| $\mathbf{C}$ | $\mathbf{A}_{ab}$ |
| $\mathbf{K}_e$ ($n \times 1$ matriz | $\mathbf{K}_e$ [$(n-1) \times 1$ matriz |

La ecuación (10-74) se presenta como sigue. Note que $x_a = y$, se tiene

$$\begin{aligned}\dot{\tilde{\mathbf{x}}}_b - \mathbf{K}_e \dot{x}_a &= (\mathbf{A}_{bb} - \mathbf{K}_e\mathbf{A}_{ab})\tilde{\mathbf{x}}_b + (\mathbf{A}_{ba} - \mathbf{K}_e A_{aa})y + (\mathbf{B}_b - \mathbf{K}_e B_a)u \\ &= (\mathbf{A}_{bb} - \mathbf{K}_e\mathbf{A}_{ab})(\tilde{\mathbf{x}}_b - \mathbf{K}_e y) \\ &\quad + [(\mathbf{A}_{bb} - \mathbf{K}_e\mathbf{A}_{ab})\mathbf{K}_e + \mathbf{A}_{ba} - \mathbf{K}_e A_{aa}]y \\ &\quad + (\mathbf{B}_b - \mathbf{K}_e B_a)u \end{aligned} \tag{10-75}$$

Se define

$$\mathbf{x}_b - \mathbf{K}_e y = \mathbf{x}_b - \mathbf{K}_e x_a = \boldsymbol{\eta}$$

y

$$\tilde{\mathbf{x}}_b - \mathbf{K}_e y = \tilde{\mathbf{x}}_b - \mathbf{K}_e x_a = \tilde{\boldsymbol{\eta}} \tag{10-76}$$

Entonces, la ecuación (10-75) se convierte en

$$\begin{aligned}\dot{\tilde{\boldsymbol{\eta}}} = (\mathbf{A}_{bb} - \mathbf{K}_e\mathbf{A}_{ab})\tilde{\boldsymbol{\eta}} &+ [(\mathbf{A}_{bb} - \mathbf{K}_e\mathbf{A}_{ab})\mathbf{K}_e \\ &+ \mathbf{A}_{ba} - \mathbf{K}_e A_{aa}]y + (\mathbf{B}_b - \mathbf{K}_e B_a)u\end{aligned} \tag{10-77}$$

La ecuación (10-77), junto con la ecuación (10-76), definen el observador de orden mínimo.

A continuación se deduce la ecuación del error del observador. Utilizando la ecuación (10-71), la ecuación (10-74) se puede modificar a

$$\dot{\tilde{\mathbf{x}}}_b = (\mathbf{A}_{bb} - \mathbf{K}_e\mathbf{A}_{ab})\tilde{\mathbf{x}}_b + \mathbf{A}_{ba}x_a + \mathbf{B}_b u + \mathbf{K}_e\mathbf{A}_{ab}\mathbf{x}_b \tag{10-78}$$

Restando la ecuación (10-78) de la (10-72), se tiene

$$\dot{\mathbf{x}}_b - \dot{\tilde{\mathbf{x}}}_b = (\mathbf{A}_{bb} - \mathbf{K}_e\mathbf{A}_{ab})(\mathbf{x}_b - \tilde{\mathbf{x}}_b) \tag{10-79}$$

Se define

$$\mathbf{e} = \mathbf{x}_b - \tilde{\mathbf{x}}_b = \boldsymbol{\eta} - \tilde{\boldsymbol{\eta}}$$

Entonces la ecuación (10-79) es

$$\dot{\mathbf{e}} = (\mathbf{A}_{bb} - \mathbf{K}_e\mathbf{A}_{ab})\mathbf{e} \tag{10-80}$$

Esta es la ecuación de error para el observador de orden mínimo. Nótese que $\mathbf{e}$ es un vector de dimensión ($n$ — 1).

Se puede elegir la dinámica del error deseado siguiendo la técnica desarrollada para el observador de orden completo, siempre que el rango de la matriz

$$\begin{bmatrix} \mathbf{A}_{ab} \\ \mathbf{A}_{ab}\mathbf{A}_{bb} \\ \cdot \\ \cdot \\ \cdot \\ \mathbf{A}_{ab}\mathbf{A}_{bb}^{n-2} \end{bmatrix}$$

sea $n$ — 1. (Esta es la condición de observabilidad completa, aplicada al observador de orden mínimo).

La ecuación característica del observador de orden mínimo se puede obtener partiendo de la ecuación (10-80), como sigue:

$$\begin{aligned} |s\mathbf{I} - \mathbf{A}_{bb} + \mathbf{K}_e\mathbf{A}_{ab}| &= (s - \mu_1)(s - \mu_2) \cdots (s - \mu_{n-1}) \\ &= s^{n-1} + \hat{\alpha}_1 s^{n-2} + \cdots + \hat{\alpha}_{n-2}s + \hat{\alpha}_{n-1} = 0 \end{aligned} \quad (10\text{–}81)$$

donde $\mu_1, \mu_2, \ldots, \mu_{n-1}$ son los valores propios deseados, para el observador de orden mínimo. La matriz $\mathbf{K}_e$ de ganancia del observador se puede obtener eligiendo primero los valores propios deseados para el observador de orden mínimo [es decir, colocando las raíces de la ecuación característica, ecuación (10-81), en los lugares deseados], prosiguiendo luego con el procedimiento desarrollado para el observador de orden completo con las modificaciones pertinentes. Por ejemplo, si se utiliza la fórmula para determinar la matriz $\mathbf{K}_e$ dada por la ecuación (10-48), se debe modificar a

$$\mathbf{K}_e = \hat{\mathbf{Q}} \begin{bmatrix} \hat{\alpha}_{n-1} - \hat{a}_{n-1} \\ \hat{\alpha}_{n-2} - \hat{a}_{n-2} \\ \cdot \\ \cdot \\ \cdot \\ \hat{\alpha}_1 - \hat{a}_1 \end{bmatrix} = (\hat{\mathbf{W}}\hat{\mathbf{N}}^*)^{-1} \begin{bmatrix} \hat{\alpha}_{n-1} - \hat{a}_{n-1} \\ \hat{\alpha}_{n-2} - \hat{a}_{n-2} \\ \cdot \\ \cdot \\ \cdot \\ \hat{\alpha}_1 - \hat{a}_1 \end{bmatrix} \quad (10\text{–}82)$$

donde $\mathbf{K}_e$ es una matriz de ($n$ — 1) × 1, y

$$\hat{\mathbf{N}} = [\mathbf{A}_{ab}^* \mid \mathbf{A}_{bb}^*\mathbf{A}_{ab}^* \mid \cdots \mid (\mathbf{A}_{bb}^*)^{n-2}\mathbf{A}_{ab}^*] = (n-1) \times (n-1) \text{ matriz}$$

$$\hat{\mathbf{W}} = \begin{bmatrix} \hat{a}_{n-2} & \hat{a}_{n-3} & \cdots & \hat{a}_1 & 1 \\ \hat{a}_{n-3} & \hat{a}_{n-4} & \cdots & 1 & 0 \\ \cdot & \cdot & & \cdot & \cdot \\ \cdot & \cdot & & \cdot & \cdot \\ \cdot & \cdot & & \cdot & \cdot \\ \hat{a}_1 & 1 & \cdots & 0 & 0 \\ 1 & 0 & \cdots & 0 & 0 \end{bmatrix} = (n-1) \times (n-1) \text{ matriz}$$

Note que los $\hat{a}_1, \hat{a}_2, \ldots, \hat{a}_{n-2}$ son coeficientes de la ecuación característica para la ecuación de estado

$$|s\mathbf{I} - \mathbf{A}_{bb}| = s^{n-1} + \hat{a}_1 s^{n-2} + \cdots + \hat{a}_{n-2}s + \hat{a}_{n-1} = 0$$

También, si se utiliza la fórmula de Ackermann, dada por la ecuación (10-53), se debe modificar a

$$\mathbf{K}_e = \phi(\mathbf{A}_{bb}) \begin{bmatrix} \mathbf{A}_{ab} \\ \mathbf{A}_{ab}\mathbf{A}_{bb} \\ \cdot \\ \cdot \\ \cdot \\ \mathbf{A}_{ab}\mathbf{A}_{bb}^{n-3} \\ \mathbf{A}_{ab}\mathbf{A}_{bb}^{n-2} \end{bmatrix}^{-1} \begin{bmatrix} 0 \\ 0 \\ \cdot \\ \cdot \\ \cdot \\ 0 \\ 1 \end{bmatrix} \tag{10-83}$$

donde

$$\phi(\mathbf{A}_{bb}) = \mathbf{A}_{bb}^{n-1} + \hat{\alpha}_1 \mathbf{A}_{bb}^{n-2} + \cdots + \hat{\alpha}_{n-2}\mathbf{A}_{bb} + \hat{\alpha}_{n-1}\mathbf{I}$$

**EJEMPLO 10-6** Considere el mismo sistema del ejemplo 10-4. Se supone que $y$ se puede medir con exactitud. En tal caso, no hace falta estimar la variable de estado $x_1$ (que es igual a $y$). Se supone que los valores propios deseados para el observador de orden mínimo son

$$\mu_1 = -2 + j3.464, \qquad \mu_2 = -2 - j3.464$$

En referencia a la ecuación (10-81), la ecuación característica para el observador de orden mínimo, es

$$\begin{aligned} |s\mathbf{I} - \mathbf{A}_{bb} + \mathbf{K}_e\mathbf{A}_{ab}| &= (s - \mu_1)(s - \mu_2) \\ &= (s + 2 - j3.464)(s + 2 + j3.464) \\ &= s^2 + 4s + 16 = 0 \end{aligned}$$

Se usará la fórmula de Ackermann de la ecuación (10-83). [El problema A-10-13 presenta el cálculo de $\mathbf{K}_e$ al utilizar la ecuación (10-82)].

$$\mathbf{K}_e = \phi(\mathbf{A}_{bb}) \begin{bmatrix} \mathbf{A}_{ab} \\ \hline \mathbf{A}_{ab}\mathbf{A}_{bb} \end{bmatrix}^{-1} \begin{bmatrix} 0 \\ 1 \end{bmatrix} \tag{10-84}$$

donde

$$\phi(\mathbf{A}_{bb}) = \mathbf{A}_{bb}^2 + \hat{\alpha}_1\mathbf{A}_{bb} + \hat{\alpha}_2\mathbf{I} = \mathbf{A}_{bb}^2 + 4\mathbf{A}_{bb} + 16\mathbf{I}$$

Como

$$\mathbf{x} = \begin{bmatrix} x_a \\ \hline \mathbf{x}_b \end{bmatrix} = \begin{bmatrix} x_1 \\ \hline x_2 \\ x_3 \end{bmatrix}, \qquad \mathbf{A} = \left[\begin{array}{c|cc} 0 & 1 & 0 \\ \hline 0 & 0 & 1 \\ -6 & -11 & -6 \end{array}\right], \qquad \mathbf{B} = \begin{bmatrix} 0 \\ \hline 0 \\ 1 \end{bmatrix}$$

se tiene

$$A_{aa} = 0, \qquad \mathbf{A}_{ab} = [1 \quad 0], \qquad \mathbf{A}_{ba} = \begin{bmatrix} 0 \\ -6 \end{bmatrix}$$

$$\mathbf{A}_{bb} = \begin{bmatrix} 0 & 1 \\ -11 & -6 \end{bmatrix}, \qquad B_a = 0, \qquad \mathbf{B}_b = \begin{bmatrix} 0 \\ 1 \end{bmatrix}$$

Ahora la ecuación (10-84) es

$$\mathbf{K}_e = \left\{ \begin{bmatrix} 0 & 1 \\ -11 & -6 \end{bmatrix}^2 + 4 \begin{bmatrix} 0 & 1 \\ -11 & -6 \end{bmatrix} + 16 \begin{bmatrix} 1 & 0 \\ 0 & 1 \end{bmatrix} \right\} \begin{bmatrix} 1 & 0 \\ 0 & 1 \end{bmatrix}^{-1} \begin{bmatrix} 0 \\ 1 \end{bmatrix}$$

$$= \begin{bmatrix} 5 & -2 \\ 22 & 17 \end{bmatrix} \begin{bmatrix} 0 \\ 1 \end{bmatrix} = \begin{bmatrix} -2 \\ 17 \end{bmatrix}$$

En referencia a las ecuaciones (10-76) y (10-77), la ecuación del observador de orden mínimo se puede escribir

$$\dot{\tilde{\boldsymbol{\eta}}} = (\mathbf{A}_{bb} - \mathbf{K}_e\mathbf{A}_{ab})\tilde{\boldsymbol{\eta}} + [(\mathbf{A}_{bb} - \mathbf{K}_e\mathbf{A}_{ab})\mathbf{K}_e + \mathbf{A}_{ba} - \mathbf{K}_e A_{aa}]y + (\mathbf{B}_b - \mathbf{K}_e B_a)u \qquad (10\text{–}85)$$

donde

$$\tilde{\boldsymbol{\eta}} = \tilde{\mathbf{x}}_b - \mathbf{K}_e y = \tilde{\mathbf{x}}_b - \mathbf{K}_e x_1$$

Considerando que

$$\mathbf{A}_{bb} - \mathbf{K}_e\mathbf{A}_{ab} = \begin{bmatrix} 0 & 1 \\ -11 & -6 \end{bmatrix} - \begin{bmatrix} -2 \\ 17 \end{bmatrix} [1 \quad 0] = \begin{bmatrix} 2 & 1 \\ -28 & -6 \end{bmatrix}$$

la ecuación del observador de orden mínimo, ecuación (10-85) es

$$\begin{bmatrix} \dot{\tilde{\eta}}_2 \\ \dot{\tilde{\eta}}_3 \end{bmatrix} = \begin{bmatrix} 2 & 1 \\ -28 & -6 \end{bmatrix} \begin{bmatrix} \tilde{\eta}_2 \\ \tilde{\eta}_3 \end{bmatrix} + \left\{ \begin{bmatrix} 2 & 1 \\ -28 & -6 \end{bmatrix} \begin{bmatrix} -2 \\ 17 \end{bmatrix} + \begin{bmatrix} 0 \\ -6 \end{bmatrix} - \begin{bmatrix} -2 \\ 17 \end{bmatrix} 0 \right\} y + \left\{ \begin{bmatrix} 0 \\ 1 \end{bmatrix} - \begin{bmatrix} -2 \\ 17 \end{bmatrix} 0 \right\} u$$

o bien

$$\begin{bmatrix} \dot{\tilde{\eta}}_2 \\ \dot{\tilde{\eta}}_3 \end{bmatrix} = \begin{bmatrix} 2 & 1 \\ -28 & -6 \end{bmatrix} \begin{bmatrix} \tilde{\eta}_2 \\ \tilde{\eta}_3 \end{bmatrix} + \begin{bmatrix} 13 \\ -52 \end{bmatrix} y + \begin{bmatrix} 0 \\ 1 \end{bmatrix} u$$

donde

$$\begin{bmatrix} \tilde{\eta}_2 \\ \tilde{\eta}_3 \end{bmatrix} = \begin{bmatrix} \tilde{x}_2 \\ \tilde{x}_3 \end{bmatrix} - \mathbf{K}_e y$$

o

$$\begin{bmatrix} \tilde{x}_2 \\ \tilde{x}_3 \end{bmatrix} = \begin{bmatrix} \tilde{\eta}_2 \\ \tilde{\eta}_3 \end{bmatrix} + \mathbf{K}_e x_1$$

Si se utiliza retroalimentación del estado observado, la señal de control $u$, se convierte en

$$u = -\mathbf{K}\tilde{\mathbf{x}} = -\mathbf{K} \begin{bmatrix} x_1 \\ \tilde{x}_2 \\ \tilde{x}_3 \end{bmatrix}$$

donde **K** es la matriz de ganancia de retroalimentación de estado. (En este ejemplo, no se determina la matriz **K**). La figura 10-13 es un diagrama de bloques, que muestra la configuración del sistema con retroalimentación del estado observado, donde el observador es un observador de orden mínimo.

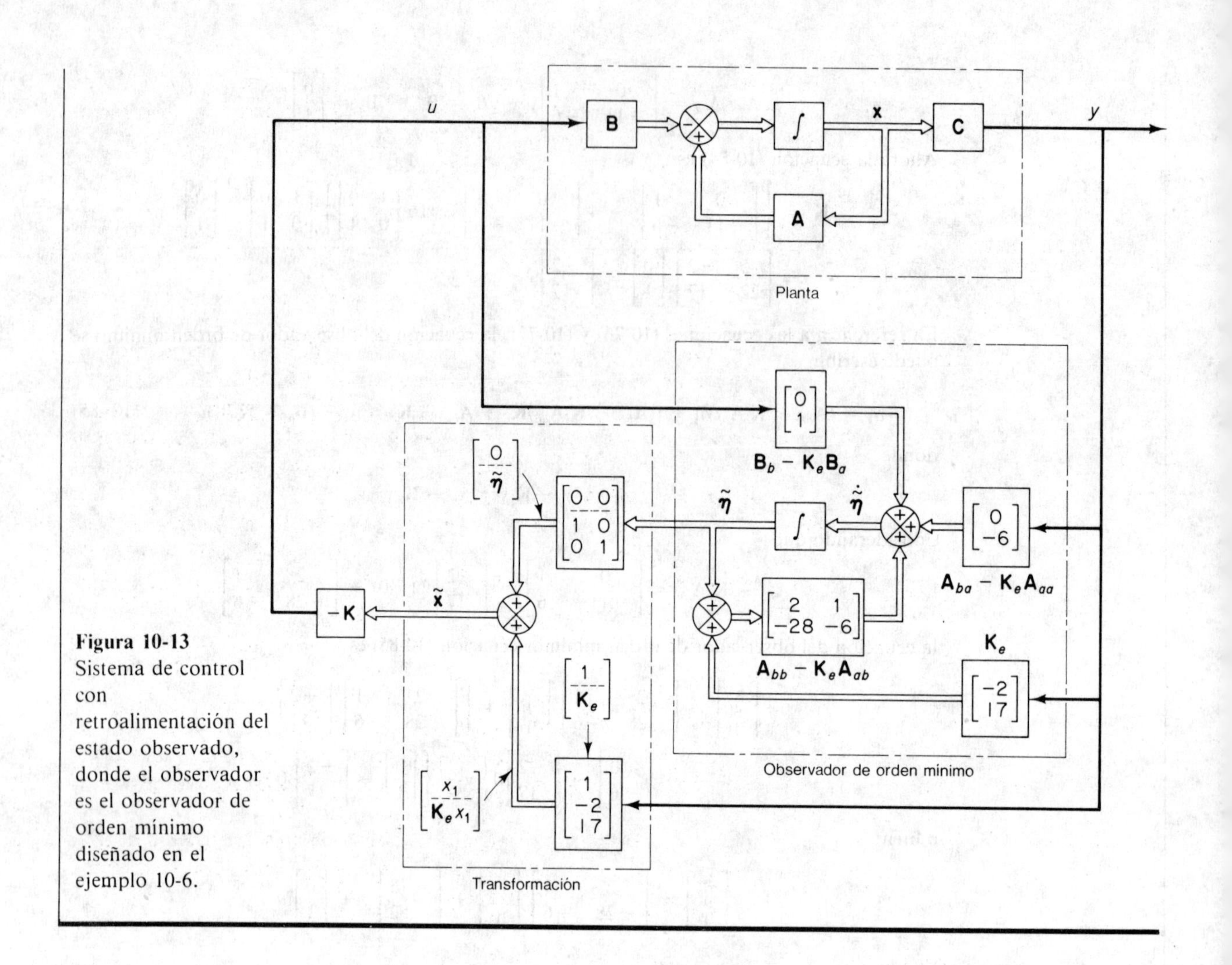


**Figura 10-13** Sistema de control con retroalimentación del estado observado, donde el observador es el observador de orden mínimo diseñado en el ejemplo 10-6.

**Sistema de control con retroalimentación del estado observado, con observador de orden mínimo.** Para el caso del sistema de control con retroalimentación del estado observado con observador de orden completo, se demostró que los polos de lazo cerrado del sistema de control con retroalimentación del estado observado consistente en los polos debidos solamente a la ubicación de polos, más los polos debidos solamente al diseño del observador. Por lo tanto, el diseño mediante la ubicación de polos y el del observador de orden completo son independientes entre sí.

Para el caso del sistema de control con retroalimentación del estado observado con observador de orden mínimo se aplica la misma conclusión. La ecuación característica del sistema, se puede deducir como

$$|s\mathbf{I} - \mathbf{A} + \mathbf{BK}\,||\,s\mathbf{I} - \mathbf{A}_{bb} + \mathbf{K}_e\mathbf{A}_{ab}| = 0$$

(Véase problema A-10-12 para más detalles). Los polos de lazo cerrado del sistema de control con retroalimentación del estado observado, con observador de orden mínimo, incluyen los polos de lazo cerrado debidos a la ubicación de polos [los valores propios de la matriz $(\mathbf{A} - \mathbf{BK})$], y los polos de lazo cerrado debidos al observador de orden mínimo [los valores propios de la matriz $(\mathbf{A}_{bb} - \mathbf{K}_e\mathbf{A}_{ab})$]. Por lo tanto, el diseño por ubicación de polos y el del observador de orden mínimo son independientes entre sí.

## 10-4 DISEÑO DE SERVOSISTEMAS

En la sección 4-7 se estudiaron los tipos de sistemas, de acuerdo con la cantidad de integradores en la función de transferencia de la trayectoria directa. El sistema de tipo 1 tiene un integrador en la trayectoria directa y el sistema no presenta error en estado estacionario, en la respuesta al escalón. En esta sección se tratará el método de ubicación de polos para el diseño de servosistemas del tipo 1. Para este caso, los sistemas se limitan a tener una entrada $u$ escalar y una salida $y$ escalar.

En el capítulo 7 se analizaron los sistemas de control I-PD. En el control I-PD se coloca un integrador en la trayectoria de retroalimentación para integrar la señal de error, y los controles proporcional y derivativo se colocan en el lazo menor. En la figura 10-14, se ve el diagrama de bloques de un control I-PD de una planta $G_p(s)$, donde se supone que la planta no tiene integrador. La figura 10-15 muestra el diagrama de bloques de un servosistema de tipo 1. Es un caso más general de control I-PD de la planta $G_p(s)$ que se encuentra comúnmente en la práctica. (En la práctica también se utilizan otras configuraciones). En el servosistema de la figura 10-15 se utiliza la acción de control integral junto con el esquema de retroalimentación del estado, para estabilizar adecuadamente al sistema. Este sistema no presenta error en estado estacionario en la respuesta al escalón unitario.

A continuación, primero se tratará el problema de diseño de un servosistema de tipo 1, cuando la planta incluye un integrador. Luego, se tratará el diseño de servosistemas de tipo 1 cuando la planta no tiene integrador.

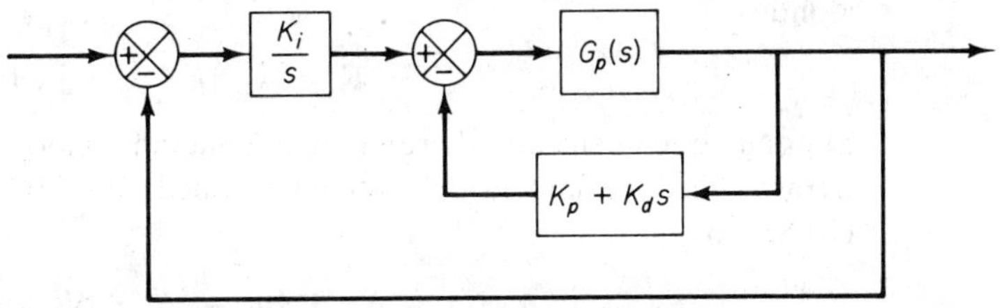

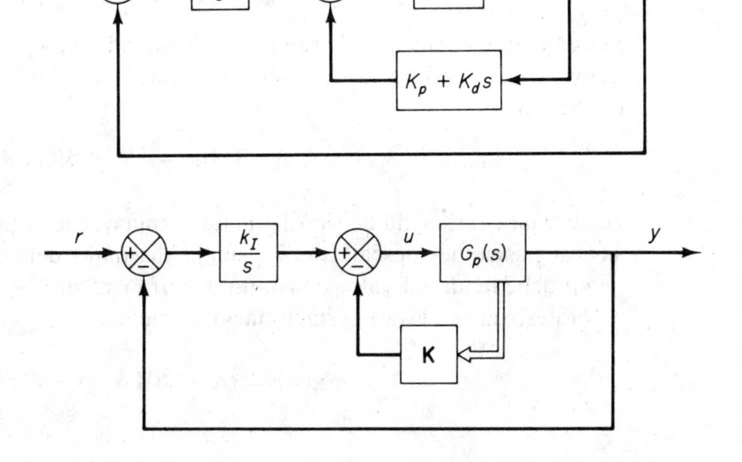


**Figura 10-14**
Control I-PD de la planta $G_p(s)$.

**Figura 10-15**
Servosistema tipo 1.

**Servosistema de tipo 1 cuando la planta tiene un integrador.** Considere una planta definida por

$$\dot{\mathbf{x}} = \mathbf{A}\mathbf{x} + \mathbf{B}u \tag{10-86}$$

$$y = \mathbf{C}\mathbf{x} \tag{10-87}$$

donde $\mathbf{x}$ = vector de estado para la planta (de dimensión $n$)
$u$ = señal de control (escalar)
$y$ = señal de salida (escalar)
$\mathbf{A}$ = matriz de $n \times n$ constante
$\mathbf{B}$ = matriz de $n \times 1$ constante
$\mathbf{C}$ = matriz de $1 \times n$ constante

Como se dijo antes, se supone que tanto la señal de control $u$ como la señal de salida $y$, son escalares. Con una elección adecuada del conjunto de variables de estado, se puede elegir la salida igual a una de las variables de estado. (Véase el método presentado en la sección 2-2 para obtener la representación en el espacio de estado de la función de transferencia del sistema, en el que la salida $y$ se hace igual a $x_i$).

La figura 10-16 muestra una configuración general de servosistema de tipo 1 cuando la planta tiene un integrador. Aquí se supuso que $y = x_1$. En este análisis se supone que la entrada de referencia $r$ es una función escalón. En este sistema se utiliza el siguiente esquema de control de retroalimentación del estado:

$$u = -[0 \quad k_2 \quad k_3 \quad \cdots \quad k_n] \begin{bmatrix} x_1 \\ x_2 \\ \cdot \\ \cdot \\ \cdot \\ x_n \end{bmatrix} + k_1(r - x_1)$$

$$= -\mathbf{K}\mathbf{x} + k_1 r \tag{10-88}$$

donde

$$\mathbf{K} = [k_1 \quad k_2 \quad \cdots \quad k_n] \tag{10-89}$$

Suponga que la entrada de referencia (función escalón), se aplica en $t = 0$. Entonces, para $t > 0$, la dinámica del sistema se puede describir, con las ecuaciones (10-86) y (10-88), o

$$\dot{\mathbf{x}} = \mathbf{A}\mathbf{x} + \mathbf{B}u = (\mathbf{A} - \mathbf{B}\mathbf{K})\mathbf{x} + \mathbf{B}k_1 r \tag{10-90}$$

Se diseñará el sistema de tipo 1, de tal forma que los polos de lazo cerrado, se ubiquen en las posiciones deseadas. El sistema diseñado debe ser asintóticamente estable, y $y(\infty)$ debe tender al valor constante $r$ y $u(\infty)$ a cero.

Nótese que en estado estacionario, se tiene

$$\dot{\mathbf{x}}(\infty) = (\mathbf{A} - \mathbf{B}\mathbf{K})\mathbf{x}(\infty) + \mathbf{B}k_1 r(\infty) \tag{10-91}$$

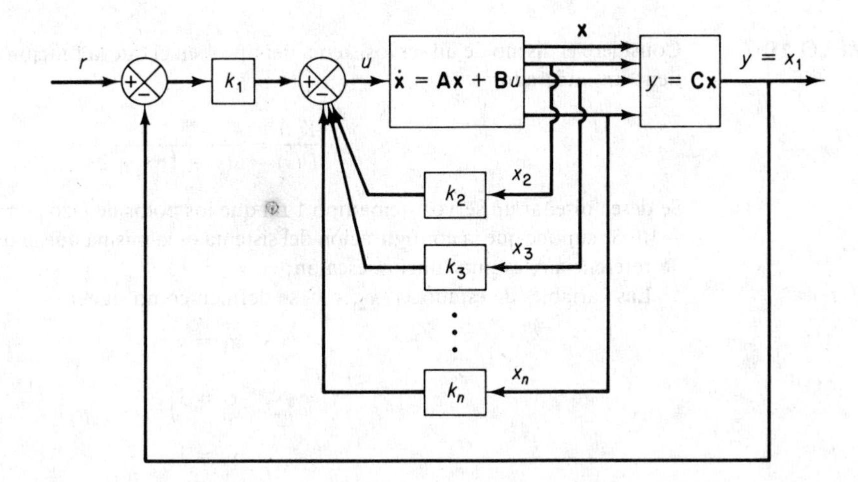


**Figura 10-16**
Servosistema tipo 1 en el que la planta tiene un integrador.

Viendo que $r(t)$ es una entrada escalón, se tiene $r(\infty) = r(t) = r$ (constante) para $t > 0$. Restando la ecuación (10-91), de la (10-90), se obtiene

$$\dot{\mathbf{x}}(t) - \dot{\mathbf{x}}(\infty) = (\mathbf{A} - \mathbf{BK})[\mathbf{x}(t) - \mathbf{x}(\infty)] \tag{10–92}$$

Se define

$$\mathbf{x}(t) - \mathbf{x}(\infty) = \mathbf{e}(t)$$

Entonces, la ecuación (10-92) se convierte en

$$\dot{\mathbf{e}} = (\mathbf{A} - \mathbf{BK})\mathbf{e} \tag{10–93}$$

La ecuación (10-93) describe la dinámica del error.

El diseño del servosistema tipo 1, se convierte aquí en el diseño de un sistema regulador asintóticamente estable tal que $\mathbf{e}(t)$ tiende a cero, para cualquier condición inicial $\mathbf{e}(0)$. Si el sistema definido por la ecuación (10-86) tiene estado completo controlable, entonces al especificar los valores propios $\mu_1, \mu_2, \ldots, \mu_n$ para la matriz $\mathbf{A} - \mathbf{BK}$ la matriz $\mathbf{K}$ se puede determinar por la técnica de ubicación de polos presentada en la sección 10-2.

Los valores $\mathbf{x}(t)$ y $u(t)$ en estado estacionario se pueden encontrar del siguiente modo: En estado estacionario ($t = (\infty)$, de la ecuación (10-90), se tiene

$$\dot{\mathbf{x}}(\infty) = \mathbf{0} = (\mathbf{A} - \mathbf{BK})\mathbf{x}(\infty) + \mathbf{B}k_1 r$$

Como todos los valores propios deseados de $\mathbf{A} - \mathbf{BK}$ están en el semiplano izquierdo del plano $s$, la matriz $\mathbf{A} - \mathbf{BK}$ tiene inversa. En consecuencia, $\mathbf{x}(\infty)$ se puede determinar como

$$\mathbf{x}(\infty) = -(\mathbf{A} - \mathbf{BK})^{-1}\mathbf{B}k_1 r$$

También se puede obtener $u(\infty)$ como

$$u(\infty) = -\mathbf{Kx}(\infty) + k_1 r = 0$$

(Vea el ejemplo 10-7 para verificar esta última ecuación).

**EJEMPLO 10-7** Considere el diseño de un servosistema del tipo 1 en el que la función de transferencia de la planta tiene un integrador

$$\frac{Y(s)}{U(s)} = \frac{1}{s(s+1)(s+2)}$$

Se desea diseñar un servosistema tipo 1 tal que los polos de lazo cerrado estén en $-2 \pm j3.464$ y $-10$. Se supone que la configuración del sistema es la misma que la de la figura 10-16 y la entrada de referencia $r$, es una función escalón.

Las variables de estado $x_1$, $x_2$, y $x_3$ se definen como sigue:

$$x_1 = y$$

$$x_2 = \dot{x}_1$$

$$x_3 = \dot{x}_2$$

Entonces la representación del sistema en el espacio de estado es

$$\dot{\mathbf{x}} = \mathbf{A}\mathbf{x} + \mathbf{B}u \tag{10–94}$$

$$y = \mathbf{C}\mathbf{x} \tag{10–95}$$

donde

$$\mathbf{A} = \begin{bmatrix} 0 & 1 & 0 \\ 0 & 0 & 1 \\ 0 & -2 & -3 \end{bmatrix}, \quad \mathbf{B} = \begin{bmatrix} 0 \\ 0 \\ 1 \end{bmatrix}, \quad \mathbf{C} = [1 \quad 0 \quad 0]$$

En referencia a la figura 10-16, y notando que $n = 3$, la señal de control $u$ está dada por

$$u = -(k_2x_2 + k_3x_3) + k_1(r - x_1) = -\mathbf{K}\mathbf{x} + k_1r \tag{10–96}$$

donde

$$\mathbf{K} = [k_1 \quad k_2 \quad k_3]$$

El problema aquí es determinar la matriz $\mathbf{K}$ de ganancia de retroalimentación del estado por el método de ubicación de polos.

Se comienza por examinar la matriz de controlabilidad del sistema. El rango de

$$\mathbf{M} = [\mathbf{B} \mid \mathbf{AB} \mid \mathbf{A}^2\mathbf{B}] = \begin{bmatrix} 0 & 0 & 1 \\ 0 & 1 & -3 \\ 1 & -3 & 7 \end{bmatrix}$$

es 3. Por lo tanto, la planta tiene estado completo controlable. La ecuación característica del sistema es

$$|s\mathbf{I} - \mathbf{A}| = \begin{vmatrix} s & -1 & 0 \\ 0 & s & -1 \\ 0 & 2 & s+3 \end{vmatrix}$$

$$= s^3 + 3s^2 + 2s$$

$$= s^3 + a_1s^2 + a_2s + a_3 = 0$$

Por tanto,

$$a_1 = 3, \qquad a_2 = 2, \qquad a_3 = 0$$

Para determinar la matriz **K** por el método de ubicación de polos se utiliza la ecuación (10-13) dada como

$$\mathbf{K} = [\alpha_3 - a_3 \;\vdots\; \alpha_2 - a_2 \;\vdots\; \alpha_1 - a_1]\mathbf{T}^{-1} \tag{10-97}$$

Como la ecuación de estado del sistema, ecuación (10-94), se encuentra ya en la forma canónica controlable, se tiene que $\mathbf{T} = \mathbf{I}$.

Remplazando la ecuación (10-96) en la ecuación (10-94), se obtiene

$$\dot{\mathbf{x}} = \mathbf{Ax} + \mathbf{B}(-\mathbf{Kx} + k_1 r) = (\mathbf{A} - \mathbf{BK})\mathbf{x} + \mathbf{B}k_1 r \tag{10-98}$$

donde la entrada $r$ es una función escalón. Entonces, cuando $t$ tiende a infinito, $\mathbf{x}(t)$ tiende a $\mathbf{x}(\infty)$, un vector constante. En estado estacionario, se tiene

$$\dot{\mathbf{x}}(\infty) = (\mathbf{A} - \mathbf{BK})\mathbf{x}(\infty) + \mathbf{B}k_1 r \tag{10-99}$$

Restando la ecuación (10-99) de la ecuación (10-98), se tiene

$$\dot{\mathbf{x}}(t) - \dot{\mathbf{x}}(\infty) = (\mathbf{A} - \mathbf{BK})[\mathbf{x}(t) - \mathbf{x}(\infty)]$$

Se define

$$\mathbf{x}(t) - \mathbf{x}(\infty) = \mathbf{e}(t)$$

Entonces

$$\dot{\mathbf{e}}(t) = (\mathbf{A} - \mathbf{BK})\mathbf{e}(t) \tag{10-100}$$

La ecuación (10-100) define la dinámica del error.

Como los valores propios deseados de $\mathbf{A} - \mathbf{BK}$ son

$$\mu_1 = -2 + j3.464, \qquad \mu_2 = -2 - j3.464, \qquad \mu_3 = -10$$

se logra la ecuación característica deseada, como sigue:

$$\begin{aligned}(s - \mu_1)(s - \mu_2)(s - \mu_3) &= (s + 2 - j3.464)(s + 2 + j3.464)(s + 10)\\ &= s^3 + 14s^2 + 56s + 160\\ &= s^3 + \alpha_1 s^2 + \alpha_2 s + \alpha_3 = 0\end{aligned}$$

Por tanto,

$$\alpha_1 = 14, \qquad \alpha_2 = 56, \qquad \alpha_3 = 160$$

La matriz **K** de ganancia de retroalimentación del estado está dada por la ecuación (10-97), o sea

$$\begin{aligned}\mathbf{K} &= [\alpha_3 - a_3 \;\vdots\; \alpha_2 - a_2 \;\vdots\; \alpha_1 - a_1]\mathbf{T}^{-1}\\ &= [160 - 0 \;\vdots\; 56 - 2 \;\vdots\; 14 - 3]\mathbf{I}\\ &= [160 \quad 54 \quad 11]\end{aligned}$$

La respuesta de este sistema al escalón se puede obtener fácilmente mediante una simulación en computadora.

$$\mathbf{A} - \mathbf{BK} = \begin{bmatrix} 0 & 1 & 0 \\ 0 & 0 & 1 \\ 0 & -2 & -3 \end{bmatrix} - \begin{bmatrix} 0 \\ 0 \\ 1 \end{bmatrix} [160 \quad 54 \quad 11] = \begin{bmatrix} 0 & 1 & 0 \\ 0 & 0 & 1 \\ -160 & -56 & -14 \end{bmatrix}$$

la ecuación de estado para el sistema diseñado es

$$\begin{bmatrix} \dot{x}_1 \\ \dot{x}_2 \\ \dot{x}_3 \end{bmatrix} = \begin{bmatrix} 0 & 1 & 0 \\ 0 & 0 & 1 \\ -160 & -56 & -14 \end{bmatrix} \begin{bmatrix} x_1 \\ x_2 \\ x_3 \end{bmatrix} + \begin{bmatrix} 0 \\ 0 \\ 160 \end{bmatrix} r$$

y la ecuación de salida es

$$y = [1 \quad 0 \quad 0] \begin{bmatrix} x_1 \\ x_2 \\ x_3 \end{bmatrix}$$

En la figura 10-17 se puede ver la curva de respuesta al escalón unitario $y(t)$, en función de $t$ obtenida en la simulación en computadora.

Nótese que $\dot{\mathbf{x}}(\infty) = \mathbf{0}$. Por lo tanto se tiene, de la ecuación (10-99),

$$(\mathbf{A} - \mathbf{BK})\mathbf{x}(\infty) = -\mathbf{B}k_1 r$$

Como

$$(\mathbf{A} - \mathbf{BK})^{-1} = \begin{bmatrix} 0 & 1 & 0 \\ 0 & 0 & 1 \\ -160 & -56 & -14 \end{bmatrix}^{-1} = \begin{bmatrix} -\frac{7}{20} & -\frac{7}{80} & -\frac{1}{160} \\ 1 & 0 & 0 \\ 0 & 1 & 0 \end{bmatrix}$$

se tiene

$$\mathbf{x}(\infty) = -(\mathbf{A} - \mathbf{BK})^{-1}\mathbf{B}k_1 r = -\begin{bmatrix} -\frac{7}{20} & -\frac{7}{80} & -\frac{1}{160} \\ 1 & 0 & 0 \\ 0 & 1 & 0 \end{bmatrix} \begin{bmatrix} 0 \\ 0 \\ 1 \end{bmatrix} (160)r$$

$$= \begin{bmatrix} \frac{1}{160} \\ 0 \\ 0 \end{bmatrix} (160)r = \begin{bmatrix} 1 \\ 0 \\ 0 \end{bmatrix} r = \begin{bmatrix} r \\ 0 \\ 0 \end{bmatrix}$$

Es claro que $x_1(\infty) = y(\infty) = r$. No hay error estacionario en la respuesta al escalón.

Nótese que como

$$u(\infty) = -\mathbf{Kx}(\infty) + k_1 r(\infty) = -\mathbf{Kx}(\infty) + k_1 r$$

se tiene

$$u(\infty) = -[160 \quad 54 \quad 11] \begin{bmatrix} x_1(\infty) \\ x_2(\infty) \\ x_3(\infty) \end{bmatrix} + 160r$$

$$= -[160 \quad 54 \quad 11] \begin{bmatrix} r \\ 0 \\ 0 \end{bmatrix} + 160r$$

$$= -160r + 160r = 0$$

En estado estacionario la señal de control $u$ se hace cero.

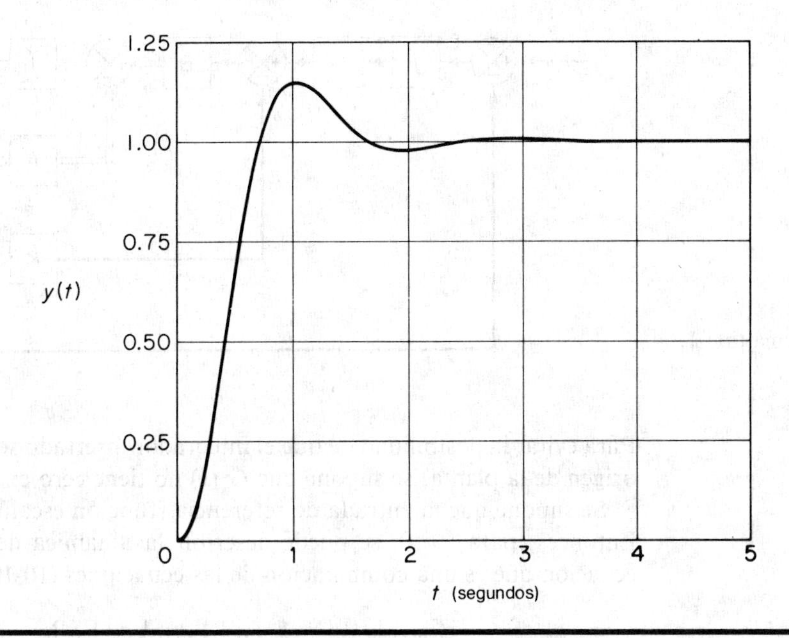


**Figura 10-17**
Curva de respuesta $y(t)$ en función de $t$ ante un escalón unitario, para el sistema diseñado en el ejemplo 10-7.

**Diseño de un servosistema de tipo 1 cuando la planta no tiene integrador.** Como la planta no tiene integrador (planta tipo 0), el principio básico en el diseño de un servosistema de tipo 1, es insertar un integrador en la trayectoria directa entre el comparador de error y la planta, como se puede ver en la figura 10-18. (El diagrama de bloques de la figura 10-18 es una forma básica de servosistema de tipo 1 cuando la planta no tiene integrador). Del diagrama se obtiene

$$\dot{\mathbf{x}} = \mathbf{A}\mathbf{x} + \mathbf{B}u \tag{10–101}$$

$$y = \mathbf{C}\mathbf{x} \tag{10–102}$$

$$u = -\mathbf{K}\mathbf{x} + k_1\xi \tag{10–103}$$

$$\dot{\xi} = r - y = r - \mathbf{C}\mathbf{x} \tag{10–104}$$

donde $\mathbf{x}$ = vector de estado de la planta (de dimensión $n$)
$u$ = señal de control (escalar)
$y$ = señal de salida (escalar)
$\xi$ = salida del integrador (variable de estado del sistema, escalar)
$r$ = señal de entrada de referencia (función escalón, escalar)
$\mathbf{A}$ = matriz de $n \times n$ constante
$\mathbf{B}$ = matriz de $n \times 1$ constante
$\mathbf{C}$ = matriz de $1 \times n$ constante

Se supone que la planta dada por la ecuación (10-101), tiene estado completo controlable. La función de transferencia de la planta se puede escribir:

$$G_p(s) = \mathbf{C}(s\mathbf{I} - \mathbf{A})^{-1}\mathbf{B}$$

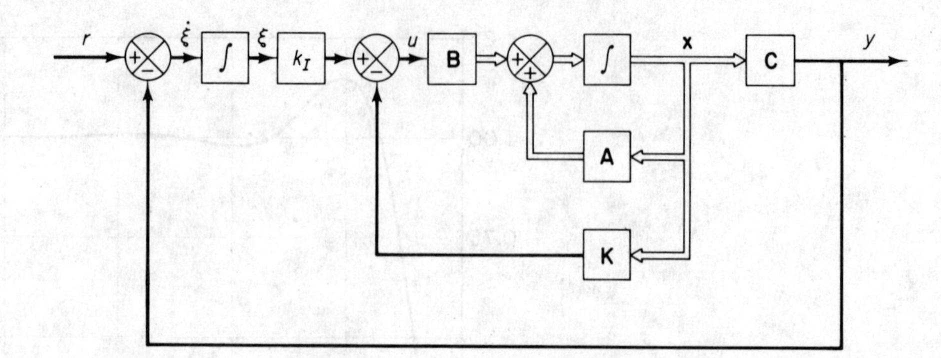


**Figura 10-18**
Servosistema tipo 1.

Para evitar la posibilidad de que el integrador insertado sea cancelado por un cero en el origen de la planta, se supone que $G_p(s)$ no tiene cero en el origen.

Se supone que la entrada de referencia (función escalón) se aplica al tiempo $t = 0$. Entonces, para $t > 0$, se puede describir la dinámica del sistema por medio de una ecuación que es una combinación de las ecuaciones (10-101) y (10-104):

$$\begin{bmatrix} \dot{\mathbf{x}}(t) \\ \dot{\xi}(t) \end{bmatrix} = \begin{bmatrix} \mathbf{A} & \mathbf{0} \\ -\mathbf{C} & 0 \end{bmatrix} \begin{bmatrix} \mathbf{x}(t) \\ \xi(t) \end{bmatrix} + \begin{bmatrix} \mathbf{B} \\ 0 \end{bmatrix} u(t) + \begin{bmatrix} \mathbf{0} \\ 1 \end{bmatrix} r(t) \qquad (10\text{–}105)$$

Se diseña un sistema asintóticamente estable tal que $\mathbf{x}(\infty)$, $\xi(\infty)$, y $u(\infty)$ tienden a valores constantes. Entonces, en estado estacionario $\dot{\xi}(t) = 0$, y se tiene que $y(\infty) = r$.

Nótese que en estado estacionario,

$$\begin{bmatrix} \dot{\mathbf{x}}(\infty) \\ \dot{\xi}(\infty) \end{bmatrix} = \begin{bmatrix} \mathbf{A} & \mathbf{0} \\ -\mathbf{C} & 0 \end{bmatrix} \begin{bmatrix} \mathbf{x}(\infty) \\ \xi(\infty) \end{bmatrix} + \begin{bmatrix} \mathbf{B} \\ 0 \end{bmatrix} u(\infty) + \begin{bmatrix} \mathbf{0} \\ 1 \end{bmatrix} r(\infty) \qquad (10\text{–}106)$$

Puesto que $r(t)$ es una entrada escalón, se tiene que $r(\infty) = r(t) = r$ (constante). Restando la ecuación (10-106) de la (10-105), se obtiene

$$\begin{bmatrix} \dot{\mathbf{x}}(t) - \dot{\mathbf{x}}(\infty) \\ \dot{\xi}(t) - \dot{\xi}(\infty) \end{bmatrix} = \begin{bmatrix} \mathbf{A} & \mathbf{0} \\ -\mathbf{C} & 0 \end{bmatrix} \begin{bmatrix} \mathbf{x}(t) - \mathbf{x}(\infty) \\ \xi(t) - \xi(\infty) \end{bmatrix} + \begin{bmatrix} \mathbf{B} \\ 0 \end{bmatrix} [u(t) - u(\infty)] \qquad (10\text{–}107)$$

Se define

$$\mathbf{x}(t) - \mathbf{x}(\infty) = \mathbf{x}_e(t)$$

$$\xi(t) - \xi(\infty) = \xi_e(t)$$

$$u(t) - u(\infty) = u_e(t)$$

Entonces la ecuación (10-107) se puede presentar como

$$\begin{bmatrix} \dot{\mathbf{x}}_e(t) \\ \dot{\xi}_e(t) \end{bmatrix} = \begin{bmatrix} \mathbf{A} & \mathbf{0} \\ -\mathbf{C} & 0 \end{bmatrix} \begin{bmatrix} \mathbf{x}_e(t) \\ \xi_e(t) \end{bmatrix} + \begin{bmatrix} \mathbf{B} \\ 0 \end{bmatrix} u_e(t) \qquad (10\text{–}108)$$

donde

$$u_e(t) = -\mathbf{K}\mathbf{x}_e(t) + k_I \xi_e(t) \qquad (10\text{–}109)$$

Se define un vector de error $\mathbf{e}(t)$, de dimensión $(n + 1)$, como

$$\mathbf{e}(t) = \begin{bmatrix} \mathbf{x}_e(t) \\ \xi_e(t) \end{bmatrix} = (n + 1)\text{-vector}$$

Entonces la ecuación (10-108) es

$$\dot{\mathbf{e}} = \hat{\mathbf{A}}\mathbf{e} + \hat{\mathbf{B}}u_e \qquad (10\text{–}110)$$

donde

$$\hat{\mathbf{A}} = \begin{bmatrix} \mathbf{A} & \mathbf{0} \\ -\mathbf{C} & 0 \end{bmatrix}, \qquad \hat{\mathbf{B}} = \begin{bmatrix} \mathbf{B} \\ 0 \end{bmatrix}$$

y la ecuación (10-109) se convierte en

$$u_e = -\hat{\mathbf{K}}\mathbf{e} \qquad (10\text{–}111)$$

donde

$$\hat{\mathbf{K}} = [\mathbf{K} \;\vdots\; -k_I]$$

La idea básica al diseñar un servosistema de tipo 1 es diseñar un sistema regulador estable de dimensión $(n + 1)$, que lleve al nuevo vector de error $\mathbf{e}(t)$ a cero, para cualquier condición inicial $\mathbf{e}(0)$.

Las ecuaciones (10-110) y (10-111) describen la dinámica del sistema regulador de orden $(n + 1)$. Si el sistema definido por la ecuación (10-110), tiene estado completo controlable, entonces al especificar la ecuación característica deseada para el sistema, la matriz $\hat{\mathbf{K}}$ se puede determinar por medio de la técnica de ubicación de polos, presentada en la sección 10-2.

Los valores estacionarios de $\mathbf{x}(t)$, $\xi(t)$ y $u(t)$ se pueden determinar del siguiente modo. En estado estacionario $(t = \infty)$, de las ecuaciones (10-101) y (10-104), se obtiene

$$\dot{\mathbf{x}}(\infty) = \mathbf{0} = \mathbf{A}\mathbf{x}(\infty) + \mathbf{B}u(\infty)$$

$$\dot{\xi}(\infty) = 0 = r - \mathbf{C}\mathbf{x}(\infty)$$

que se pueden combinar en una ecuación matricial

$$\begin{bmatrix} \mathbf{0} \\ 0 \end{bmatrix} = \begin{bmatrix} \mathbf{A} & \mathbf{B} \\ -\mathbf{C} & 0 \end{bmatrix} \begin{bmatrix} \mathbf{x}(\infty) \\ u(\infty) \end{bmatrix} + \begin{bmatrix} \mathbf{0} \\ r \end{bmatrix}$$

Si la matriz $\mathbf{P}$, definida por

$$\mathbf{P} = \begin{bmatrix} \mathbf{A} & \mathbf{B} \\ -\mathbf{C} & 0 \end{bmatrix} \qquad (10\text{–}112)$$

es de rango $n + 1$; entonces tiene matriz inversa, y

$$\begin{bmatrix} \mathbf{x}(\infty) \\ u(\infty) \end{bmatrix} = \begin{bmatrix} \mathbf{A} & \mathbf{B} \\ -\mathbf{C} & 0 \end{bmatrix}^{-1} \begin{bmatrix} \mathbf{0} \\ -r \end{bmatrix}$$

También, de la ecuación (10-103), resulta que

$$u(\infty) = -\mathbf{K}\mathbf{x}(\infty) + k_I\xi(\infty)$$

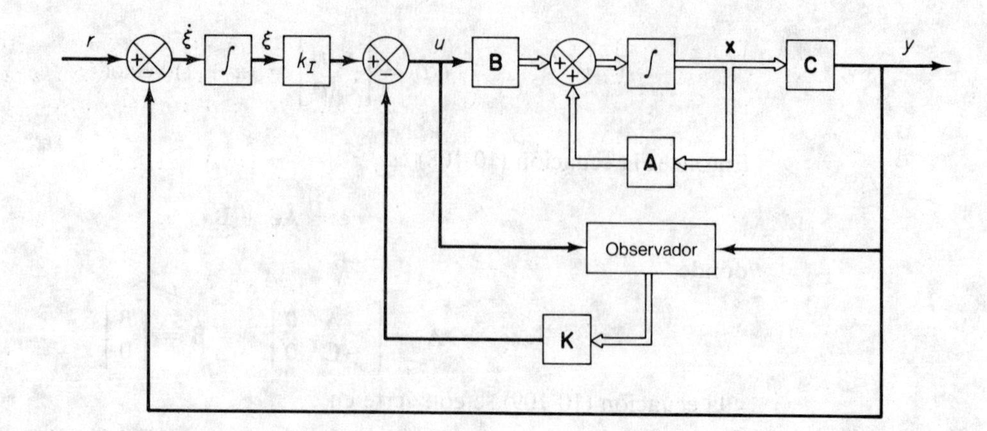


**Figura 10-19** Servosistema tipo 1 con observador de estado.

y por lo tanto, se tiene que

$$\xi(\infty) = \frac{1}{k_I}\,[u(\infty) + \mathbf{Kx}(\infty)]$$

Nótese que si la matriz **P** dada por la ecuación (10-112) tiene rango $n + 1$, el sistema definido por la ecuación (10-110) tiene estado completo controlable (véase el problema A-10-14). Por lo tanto, si el rango de la matriz **P**, dado por la ecuación (10-112), es $n + 1$, entonces la solución a este problema se puede obtener por el método de ubicación de polos.

Se llega a la ecuación del error de estado, al sustituir la ecuación (10-111) en la (10-110).

$$\dot{\mathbf{e}} = (\hat{\mathbf{A}} - \hat{\mathbf{B}}\hat{\mathbf{K}})\mathbf{e} \tag{10–113}$$

Si se especifican los valores propios deseados de la matriz $\hat{\mathbf{A}} - \hat{\mathbf{B}}\hat{\mathbf{K}}$ (es decir, los polos deseados de lazo cerrado $\mu_1, \mu_2, \ldots, \mu_{n+1}$, se pueden determinar la matriz **K** de ganancia de retroalimentación del estado y la constante de ganancia integral $K_I$. En el diseño real hay que considerar varias matrices diferentes $\hat{\mathbf{K}}$ (que corresponden a distintos conjuntos de valores propios deseados) y realizar las simulaciones en computadora, para hallar aquella que brinde el mejor desempeño general. Entonces se elige la mejor, como matriz $\hat{\mathbf{K}}$.

Como suele suceder en la práctica, no todas las variables de estado se pueden medir en forma directa. Si este es el caso, se necesita un observador de estado. En la figura 10-19 se presenta un diagrama de bloques, de un servosistema de tipo 1, con un observador del estado.

**EJEMPLO 10-8** En referencia al ejemplo 10-2, considere el sistema de péndulo invertido que aparece en la figura 10-3. En este ejemplo, sólo se trata del movimiento del péndulo y del movimiento del vehículo, sobre el plano de la página. Se supone que el ángulo $\theta$ del péndulo y la velocidad angular $\dot{\theta}$ son pequeños, de manera que sen $\theta \doteqdot \theta$, $\cos\theta \doteqdot 1$, y $\theta\dot{\theta}^2 \doteqdot 0$. También se presumen los mismos valores numéricos de $M$, $m$, y $l$, utilizados en el ejemplo 10-2.

Se desea mantener la posición vertical del péndulo invertido lo más posible y, sin embargo, controlar la posición del carro, por ejemplo, desplazándolo por pasos. Para controlar la posición del vehículo, hay que construir un servosistema de tipo 1. El sistema de péndulo invertido, montado sobre el carro, no tiene integrador. Por lo tanto, se alimenta la señal de posición $y$ (que indica la posición del carro) nuevamente a la entrada y se inserta un integrador en la trayectoria directa, como se muestra en la figura 10-20.

Como en el caso del ejemplo 10-2, se definen la variables de estado $x_1$, $x_2$, $x_3$, y $x_4$ por

$$x_1 = \theta$$

$$x_2 = \dot{\theta}$$

$$x_3 = x$$

$$x_4 = \dot{x}$$

Entonces, en referencia al ejemplo 10-2, y a la figura 10-20, las ecuaciones del sistema de péndulo invertido, son

$$\dot{\mathbf{x}} = \mathbf{A}\mathbf{x} + \mathbf{B}u \tag{10–114}$$

$$y = \mathbf{C}\mathbf{x} \tag{10–115}$$

$$u = -\mathbf{K}\mathbf{x} + k_I\xi \tag{10–116}$$

$$\dot{\xi} = r - y = r - \mathbf{C}\mathbf{x} \tag{10–117}$$

donde

$$\mathbf{A} = \begin{bmatrix} 0 & 1 & 0 & 0 \\ 20.601 & 0 & 0 & 0 \\ 0 & 0 & 0 & 1 \\ -0.4905 & 0 & 0 & 0 \end{bmatrix}, \quad \mathbf{B} = \begin{bmatrix} 0 \\ -1 \\ 0 \\ 0.5 \end{bmatrix}, \quad \mathbf{C} = [0 \quad 0 \quad 1 \quad 0]$$

Para el servosistema de tipo 1, la ecuación de estado de error, está dada por la ecuación (10-110):

$$\dot{\mathbf{e}} = \hat{\mathbf{A}}\mathbf{e} + \hat{\mathbf{B}}u_e \tag{10–118}$$

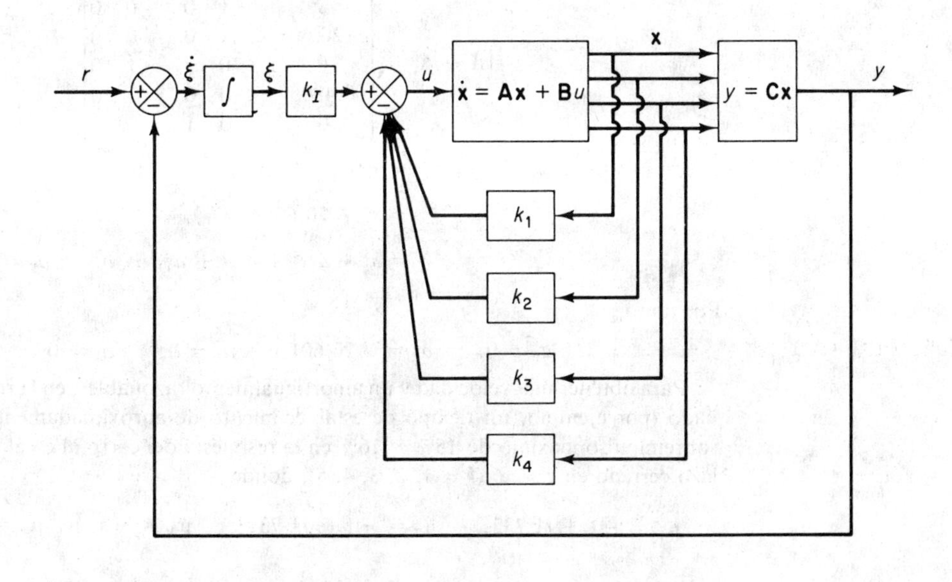


**Figura 10-20** Sistema de control del péndulo invertido. (Servosistema del tipo 1, en el que la planta no tiene integrador).

donde

$$\hat{\mathbf{A}} = \begin{bmatrix} \mathbf{A} & \mathbf{0} \\ -\mathbf{C} & 0 \end{bmatrix} = \begin{bmatrix} 0 & 1 & 0 & 0 & 0 \\ 20.601 & 0 & 0 & 0 & 0 \\ 0 & 0 & 0 & 1 & 0 \\ -0.4905 & 0 & 0 & 0 & 0 \\ 0 & 0 & -1 & 0 & 0 \end{bmatrix}, \quad \hat{\mathbf{B}} = \begin{bmatrix} \mathbf{B} \\ 0 \end{bmatrix} = \begin{bmatrix} 0 \\ -1 \\ 0 \\ 0.5 \\ 0 \end{bmatrix}$$

y la señal de control está dada por la ecuación (10-111):

$$u_e = -\hat{\mathbf{K}}\mathbf{e}$$

donde

$$\hat{\mathbf{K}} = [\mathbf{K} \mid -k_I] = [k_1 \quad k_2 \quad k_3 \quad k_4 \mid -k_I]$$

Se determinará la matriz de ganancia de retroalimentación de estado $\hat{\mathbf{K}}$, usando el método de ubicación de polos. Se utilizará la ecuación (10-13) para determinar de la matriz $\hat{\mathbf{K}}$.

Antes de proseguir, hay que examinar el rango de la matriz **P**, donde

$$\mathbf{P} = \begin{bmatrix} \mathbf{A} & \mathbf{B} \\ -\mathbf{C} & 0 \end{bmatrix}$$

La matriz **P** está dada por

$$\mathbf{P} = \begin{bmatrix} \mathbf{A} & \mathbf{B} \\ -\mathbf{C} & 0 \end{bmatrix} = \begin{bmatrix} 0 & 1 & 0 & 0 & 0 \\ 20.601 & 0 & 0 & 0 & -1 \\ 0 & 0 & 0 & 1 & 0 \\ -0.4905 & 0 & 0 & 0 & 0.5 \\ 0 & 0 & -1 & 0 & 0 \end{bmatrix} \tag{10–119}$$

El rango de esta matriz es 5. (Véase el problema A-10-16 respecto a la determinación del rango). Por lo tanto, el sistema definido por la ecuación (10-118), tiene estado completo controlable, de modo que es posible la colocación arbitraria de los polos. (Refiérase al problema A-10-14). A continuación se obtiene la ecuación característica del sistema, dada por la ecuación (10-118).

$$|s\mathbf{I} - \hat{\mathbf{A}}| = \begin{vmatrix} s & -1 & 0 & 0 & 0 \\ -20.601 & s & 0 & 0 & 0 \\ 0 & 0 & s & -1 & 0 \\ 0.4905 & 0 & 0 & s & 0 \\ 0 & 0 & 1 & 0 & s \end{vmatrix}$$

$$= s^3(s^2 - 20.601)$$

$$= s^5 - 20.601s^3$$

$$= s^5 + a_1s^4 + a_2s^3 + a_3s^2 + a_4s + a_5 = 0$$

Por tanto,

$$a_1 = 0, \quad a_2 = -20.601, \quad a_3 = 0, \quad a_4 = 0, \quad a_5 = 0$$

Para obtener una velocidad y un amortiguamiento razonables, en la respuesta del sistema diseñado (por ejemplo, un tiempo de establecimiento de aproximadamente 4 ~ 5 segundos y un sobreimpulso máximo de 15% ~ 16% en la respuesta del carro al escalón, se eligen los polos de lazo cerrado en $s = \mu_i$ ($i$ = 1, 2, 3, 4, 5), donde

$$\mu_1 = -1 + j1.732, \quad \mu_2 = -1 - j1.732, \quad \mu_3 = -5, \quad \mu_4 = -5, \quad \mu_5 = -5$$

(Este es un conjunto posible de polos de lazo cerrado deseados. Se pueden elegir otros). Entonces la ecuación característica deseada es

$$\begin{aligned}
&(s-\mu_1)(s-\mu_2)(s-\mu_3)(s-\mu_4)(s-\mu_5)\\
&=(s+1-j1.732)(s+1+j1.732)(s+5)(s+5)(s+5)\\
&=s^5+17s^4+109s^3+335s^2+550s+500\\
&=s^5+\alpha_1 s^4+\alpha_2 s^3+\alpha_3 s^2+\alpha_4 s+\alpha_5=0
\end{aligned}$$

Por tanto,

$$\alpha_1=17,\qquad \alpha_2=109,\qquad \alpha_3=335,\qquad \alpha_4=550,\qquad \alpha_5=500$$

El siguiente paso consiste en obtener la matriz de transformación **T**, dada por la ecuación (10-4)

$$\mathbf{T}=\mathbf{MW}$$

donde **M** y **W** están dados, respectivamente, por las ecuaciones (10-5) y (10-6):

$$\mathbf{M}=[\hat{\mathbf{B}}\ \vdots\ \hat{\mathbf{A}}\hat{\mathbf{B}}\ \vdots\ \hat{\mathbf{A}}^2\hat{\mathbf{B}}\ \vdots\ \hat{\mathbf{A}}^3\hat{\mathbf{B}}\ \vdots\ \hat{\mathbf{A}}^4\hat{\mathbf{B}}]
=\begin{bmatrix}
0 & -1 & 0 & -20.601 & 0\\
-1 & 0 & -20.601 & 0 & -(20.601)^2\\
0 & 0.5 & 0 & 0.4905 & 0\\
0.5 & 0 & 0.4905 & 0 & 10.1048\\
0 & 0 & -0.5 & 0 & -\ 0.4905
\end{bmatrix}$$

$$\mathbf{W}=\begin{bmatrix}
a_4 & a_3 & a_2 & a_1 & 1\\
a_3 & a_2 & a_1 & 1 & 0\\
a_2 & a_1 & 1 & 0 & 0\\
a_1 & 1 & 0 & 0 & 0\\
1 & 0 & 0 & 0 & 0
\end{bmatrix}=\begin{bmatrix}
0 & 0 & -20.601 & 0 & 1\\
0 & -20.601 & 0 & 1 & 0\\
-20.601 & 0 & 1 & 0 & 0\\
0 & 1 & 0 & 0 & 0\\
1 & 0 & 0 & 0 & 0
\end{bmatrix}$$

Entonces

$$\mathbf{T}=\mathbf{MW}=\begin{bmatrix}
0 & 0 & 0 & -1 & 0\\
0 & 0 & 0 & 0 & -1\\
0 & -9.81 & 0 & 0.5 & 0\\
0 & 0 & -9.81 & 0 & 0.5\\
9.81 & 0 & -0.5 & 0 & 0
\end{bmatrix}$$

La inversa de la matriz **T** es

$$\mathbf{T}^{-1}=\begin{bmatrix}
0 & -\dfrac{0.25}{(9.81)^2} & 0 & -\dfrac{0.5}{(9.81)^2} & \dfrac{1}{9.81}\\
-\dfrac{0.5}{9.81} & 0 & -\dfrac{1}{9.81} & 0 & 0\\
0 & -\dfrac{0.5}{9.81} & 0 & -\dfrac{1}{9.81} & 0\\
-1 & 0 & 0 & 0 & 0\\
0 & -1 & 0 & 0 & 0
\end{bmatrix}$$

De la ecuación (10-13), la matriz $\hat{\mathbf{K}}$ está dada por

$$\hat{\mathbf{K}}=[\alpha_5-a_5\ \vdots\ \alpha_4-a_4\ \vdots\ \alpha_3-a_3\ \vdots\ \alpha_2-a_2\ \vdots\ \alpha_1-a_1]\mathbf{T}^{-1}$$

$$= [500 - 0 \;\vdots\; 550 - 0 \;\vdots\; 335 - 0 \;\vdots\; 109 + 20.601 \;\vdots\; 17 - 0]\mathbf{T}^{-1}$$
$$= [500 \;\vdots\; 550 \;\vdots\; 335 \;\vdots\; 129.601 \;\vdots\; 17]\mathbf{T}^{-1}$$
$$= [-157.6336 \quad -35.3733 \quad -56.0652 \quad -36.7466 \quad 50.9684]$$
$$= [k_1 \quad k_2 \quad k_3 \quad k_4 \quad -k_I]$$

Entonces, se tiene

$$\mathbf{K} = [k_1 \quad k_2 \quad k_3 \quad k_4] = [-157.6336 \quad -35.3733 \quad -56.0652 \quad -36.7466]$$

y

$$k_I = -50.9684$$

Una vez determinadas la matriz de ganancia de retroalimentación **K**, y la constante de ganancia integral $k_I$, la respuesta al escalón y la posición del carro, se pueden obtener resolviendo la ecuación siguiente:

$$\begin{bmatrix} \dot{\mathbf{x}} \\ \dot{\xi} \end{bmatrix} = \begin{bmatrix} \mathbf{A} & 0 \\ -\mathbf{C} & 0 \end{bmatrix} \begin{bmatrix} \mathbf{x} \\ \zeta \end{bmatrix} + \begin{bmatrix} \mathbf{B} \\ 0 \end{bmatrix} \mathrm{u} + \begin{bmatrix} \mathbf{0} \\ 1 \end{bmatrix} r \qquad (10\text{–}120)$$

Como

$$u = -\mathbf{K}\mathbf{x} + k_I \xi$$

La ecuación (10-120) se puede escribir como

$$\begin{bmatrix} \dot{\mathbf{x}} \\ \dot{\xi} \end{bmatrix} = \begin{bmatrix} \mathbf{A} - \mathbf{BK} & \mathbf{B}k_I \\ -\mathbf{C} & 0 \end{bmatrix} \begin{bmatrix} \mathbf{x} \\ \xi \end{bmatrix} + \begin{bmatrix} \mathbf{0} \\ 1 \end{bmatrix} r$$

o bien

$$\begin{bmatrix} \dot{x}_1 \\ \dot{x}_2 \\ \dot{x}_3 \\ \dot{x}_4 \\ \dot{\xi} \end{bmatrix} = \begin{bmatrix} 0 & 1 & 0 & 0 & 0 \\ -137.0326 & -35.3733 & -56.0652 & -36.7466 & 50.9684 \\ 0 & 0 & 0 & 1 & 0 \\ 78.3263 & 17.6867 & 28.0326 & 18.3733 & -25.4842 \\ 0 & 0 & -1 & 0 & 0 \end{bmatrix} \begin{bmatrix} x_1 \\ x_2 \\ x_3 \\ x_4 \\ \xi \end{bmatrix} + \begin{bmatrix} 0 \\ 0 \\ 0 \\ 0 \\ 1 \end{bmatrix} r \qquad (10\text{–}121)$$

En la figura 10-21 se pueden ver curvas de respuesta de $x_1(t)$ en función de $t$, $x_2(t)$ en función de $t$, $x_3(t)$ en función de $t$, $x_4(t)$ en función de $t$, $\xi(t)$ en función de $t$, y $u(t)$ en función de $t$, mientras que la entrada $r(t)$ es una función escalón de magnitud 0.5 [es decir, $r(t) = 0.5$ m]. Nótese que $x_1 = \theta$, $x_2 = \dot{\theta}$, $x_3 = x$ y $x_4 = \dot{x}$. Todas las condiciones iniciales son cero.

La respuesta al escalón en $x_3(t)$ [$= x(t)$] presenta un tiempo de establecimiento de aproximadamente 4.5 segundos y un sobreimpulso máximo de aproximadamente 14.8%, como se quería. Un punto interesante en la curva de posición [$x_3(t)$ en función de $t$], es que el carro se desplaza hacia atrás los primeros 0.6 segundos aproximadamente, con lo que el péndulo cae hacia adelante. Luego, el vehículo acelera moviéndose en dirección positiva.

La curva de respuesta de $x_3(t)$ en función de $t$, muestra claramente que $x_3(\infty)$ tiende a $r$. También $x_1(\infty) = 0$, $x_2(\infty) = 0$, $x_4(\infty) = 0$, y $\xi(\infty) = 0.55$. Este resultado se puede verificar mediante el procedimiento analítico siguiente. En estado estacionario; de las ecuaciones (10-114) y (10-117), se tiene

$$\dot{\mathbf{x}}(\infty) = \mathbf{0} = \mathbf{A}\mathbf{x}(\infty) + \mathbf{B}u(\infty)$$

$$\dot{\xi}(\infty) = 0 = r - \mathbf{C}\mathbf{x}(\infty)$$

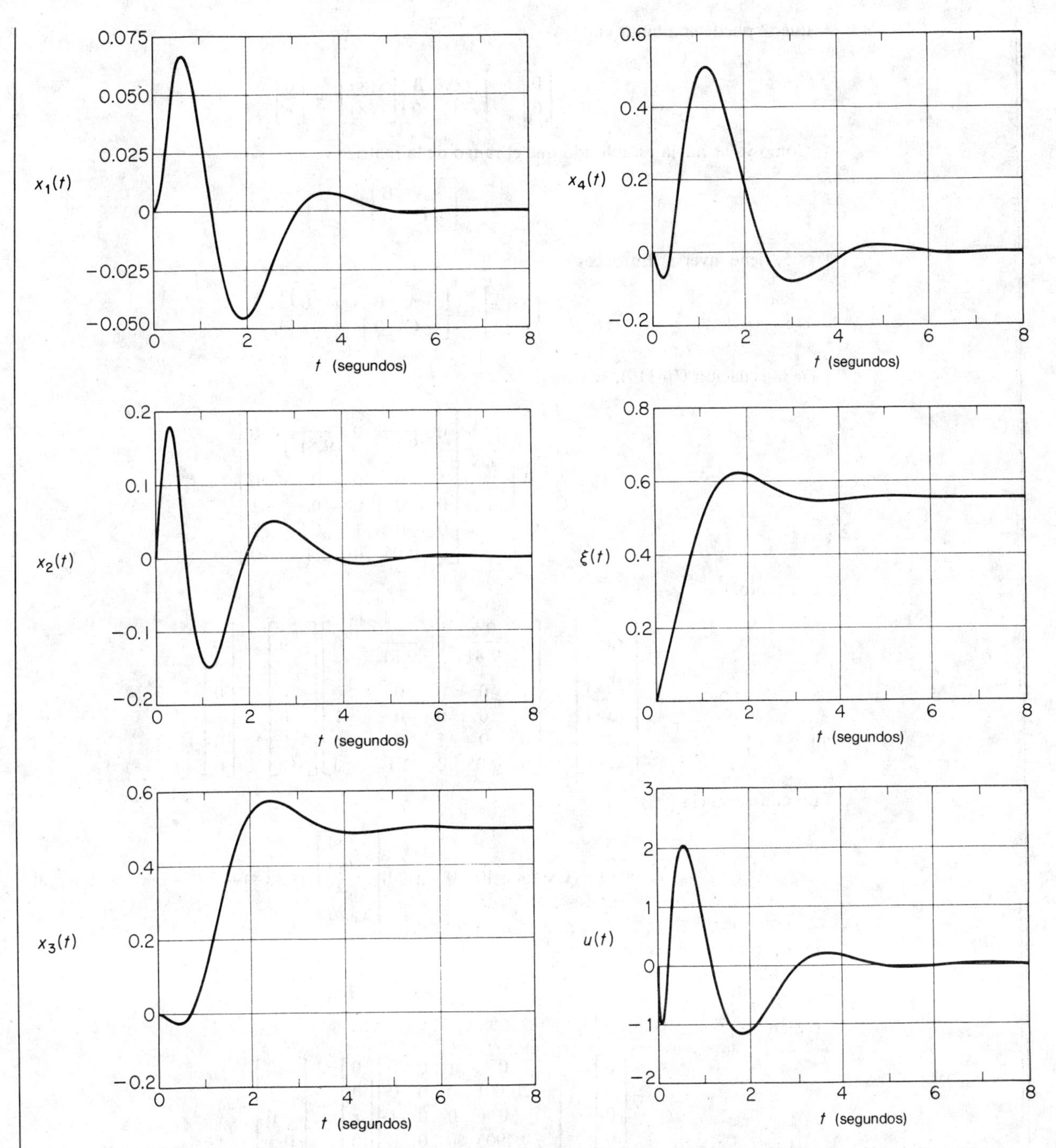


**Figura 10-21** Curvas de respuesta de $x_1(t)$ en función de $t$, $x_2(t)$ en función de $t$, $x_3(t)$ en función de $t$, $x_4(t)$ en función de $t$, $\xi(t)$ en función de $t$, y $u(t)$ en función de $t$, para el sistema definido por las ecuaciones (10-121) y (10-116). (La entrada al carro, es una entrada escalón de magnitud 0.5).

que se puede combinar en

$$\begin{bmatrix} \mathbf{0} \\ 0 \end{bmatrix} = \begin{bmatrix} \mathbf{A} & \mathbf{B} \\ -\mathbf{C} & 0 \end{bmatrix} \begin{bmatrix} \mathbf{x}(\infty) \\ u(\infty) \end{bmatrix} + \begin{bmatrix} 0 \\ r \end{bmatrix}$$

Como ya se había establecido que el rango de la matriz

$$\begin{bmatrix} \mathbf{A} & \mathbf{B} \\ -\mathbf{C} & 0 \end{bmatrix}$$

es 5, tiene inversa. Entonces

$$\begin{bmatrix} \mathbf{x}(\infty) \\ u(\infty) \end{bmatrix} = \begin{bmatrix} \mathbf{A} & \mathbf{B} \\ -\mathbf{C} & 0 \end{bmatrix}^{-1} \begin{bmatrix} 0 \\ -r \end{bmatrix}$$

De la ecuación (10-119), se tiene

$$\begin{bmatrix} \mathbf{A} & \mathbf{B} \\ -\mathbf{C} & 0 \end{bmatrix}^{-1} = \begin{bmatrix} 0 & \frac{0.5}{9.81} & 0 & \frac{1}{9.81} & 0 \\ 1 & 0 & 0 & 0 & 0 \\ 0 & 0 & 0 & 0 & -1 \\ 0 & 0 & 1 & 0 & 0 \\ 0 & 0.05 & 0 & 2.1 & 0 \end{bmatrix}$$

Por tanto,

$$\begin{bmatrix} x_1(\infty) \\ x_2(\infty) \\ x_3(\infty) \\ x_4(\infty) \\ u(\infty) \end{bmatrix} = \begin{bmatrix} 0 & \frac{0.5}{9.81} & 0 & \frac{1}{9.81} & 0 \\ 1 & 0 & 0 & 0 & 0 \\ 0 & 0 & 0 & 0 & -1 \\ 0 & 0 & 1 & 0 & 0 \\ 0 & 0.05 & 0 & 2.1 & 0 \end{bmatrix} \begin{bmatrix} 0 \\ 0 \\ 0 \\ 0 \\ -r \end{bmatrix} = \begin{bmatrix} 0 \\ 0 \\ r \\ 0 \\ 0 \end{bmatrix}$$

En consecuencia

$$y(\infty) = \mathbf{C}\mathbf{x}(\infty) = [0 \quad 0 \quad 1 \quad 0] \begin{bmatrix} x_1(\infty) \\ x_2(\infty) \\ x_3(\infty) \\ x_4(\infty) \end{bmatrix} = x_3(\infty) = r$$

Como

$$\dot{\mathbf{x}}(\infty) = \mathbf{0} = \mathbf{A}\mathbf{x}(\infty) + \mathbf{B}u(\infty)$$

o bien

$$\begin{bmatrix} 0 \\ 0 \\ 0 \\ 0 \end{bmatrix} = \begin{bmatrix} 0 & 1 & 0 & 0 \\ 20.601 & 0 & 0 & 0 \\ 0 & 0 & 0 & 1 \\ -0.4905 & 0 & 0 & 0 \end{bmatrix} \begin{bmatrix} 0 \\ 0 \\ r \\ 0 \end{bmatrix} + \begin{bmatrix} 0 \\ -1 \\ 0 \\ 0.5 \end{bmatrix} u(\infty)$$

se obtiene

$$u(\infty) = 0$$

Como $u(\infty) = 0$, se tiene, de la ecuación (10-116), se tiene

$$u(\infty) = 0 = -\mathbf{K}\mathbf{x}(\infty) + k_I\xi(\infty)$$

y entonces

$$\xi(\infty) = \frac{1}{k_I}[\mathbf{K}\mathbf{x}(\infty)] = \frac{1}{k_I}k_3x_3(\infty) = \frac{-56.0652}{-50.9684}r = 1.1r$$

Por tanto, para $r = 0.5$ es

$$\xi(\infty) = 0.55$$

como se ve en la figura 10-21.

Nótese que, como en cualquier problema de diseño, si la velocidad y el amortiguamiento no son satisfactorios, se debe modificar la ecuación característica y determinar una nueva matriz $\hat{\mathbf{K}}$. Hay que repetir las simulaciones en computadora hasta lograr un resultado satisfactorio.

## 10-5 SISTEMAS DE CONTROL OPTIMO CUADRATICO

En esta sección se considera el diseño de sistemas de control estables, basados en índices de desempeño cuadrático. El sistema de control que se considera aquí, se puede definir por

$$\dot{\mathbf{x}} = \mathbf{A}\mathbf{x} + \mathbf{B}\mathbf{u} \tag{10–122}$$

donde $\mathbf{x}$ = vector de estado (de dimensión $n$)
$\mathbf{u}$ = vector de control (de dimensión $r$)
$\mathbf{A}$ = matriz de $n \times n$ constante
$\mathbf{B}$ = matriz de $n \times r$ constante

Los sistemas de control analizados en esta sección, son en su mayoría sistemas reguladores.

Al diseñar sistemas de control, con frecuencia se tiene interés en elegir el vector de control $\mathbf{u}(t)$ de modo que se minimice un índice de desempeño. Se puede comprobar que un índice de desempeño cuadrático donde los límites de integración son 0 y $\infty$, como

$$J = \int_0^\infty L(\mathbf{x}, \mathbf{u})\,dt$$

donde $L(\mathbf{x}, \mathbf{u})$ es una función cuadrática o una función hermítica de $\mathbf{x}$ y de $\mathbf{u}$, puede producir leyes de control lineales, es decir

$$\mathbf{u}(t) = -\mathbf{K}\mathbf{x}(t)$$

donde $\mathbf{K}$ es una matriz de $r \times n$, o

$$\begin{bmatrix} u_1 \\ u_2 \\ \cdot \\ \cdot \\ \cdot \\ u_r \end{bmatrix} = -\begin{bmatrix} k_{11} & k_{12} & \cdots & k_{1n} \\ k_{21} & k_{22} & \cdots & k_{2n} \\ \cdot & \cdot & & \cdot \\ \cdot & \cdot & & \cdot \\ \cdot & \cdot & & \cdot \\ k_{r1} & k_{r2} & \cdots & k_{rn} \end{bmatrix} \begin{bmatrix} x_1 \\ x_2 \\ \cdot \\ \cdot \\ \cdot \\ x_n \end{bmatrix}$$

Por lo tanto, el diseño de sistemas de control óptimo y sistemas reguladores óptimos, basados en tales índices de desempeño cuadrático, se reduce a determinar los elementos de la matriz **K**.

A continuación, se considera el problema de determinar el vector de control óptimo $\mathbf{u}(t)$ para el sistema descrito por la ecuación (10-122), y el índice de desempeño dado por

$$J = \int_0^\infty (\mathbf{x}^*\mathbf{Q}\mathbf{x} + \mathbf{u}^*\mathbf{R}\mathbf{u})\, dt \tag{10–123}$$

donde **Q** es una matriz hermítica o real simétrica definida positiva (o semidefinida positiva), **R** es una matriz hermítica o real simétrica, definida positiva, y **u** no es acotada. La función del control óptimo es minimizar el índice de desempeño. Un sistema así es estable. Entre los diversos procedimientos para la solución de este tipo de problema, aquí se presentará uno basado en el segundo método de Liapunov.

Tenga presente que al analizar los problemas de control óptimo cuadrático que siguen, se utilizan índices de desempeño complejos cuadráticos (índices de desempeño hermítico), más que índices de desempeño reales cuadráticos, ya que los anteriores incluyen a estos últimos, como caso particular.

Para sistemas con vectores reales y matrices reales; $\int_0^\infty (\mathbf{x}^*\mathbf{Q}\mathbf{x} + \mathbf{u}^*\mathbf{R}\mathbf{u})\, dt$ es lo mismo que $\int_0^\infty (\mathbf{x}^T\mathbf{Q}\mathbf{x} + \mathbf{u}^T\mathbf{R}\mathbf{u})\, dt$.

**Optimización de sistemas de control a partir del segundo método de Liapunov.** Convencionalmente, primero se diseñan los sistemas de control, y luego se verifica su estabilidad. Un procedimiento distinto de éste es cuando primero se formulan las condiciones de estabilidad y luego se diseña el sistema dentro de esas limitaciones. (Véase la sección 10-6, para el diseño de sistemas de control no lineal, basados en el método de Liapunov). Si se utiliza el segundo método de Liapunov como base para el diseño de un controlador óptimo, se tiene la seguridad de que el sistema funcionará; es decir, la salida del sistema, se dirigirá constantemente hacia su valor deseado. Entonces el sistema diseñado tiene una configuración con características de estabilidad inherente.

Para una extensa gama de sistemas de control, se puede encontrar una relación directa entre las funciones de Liapunov y los índices de desempeño cuadrático, utilizados en la síntesis de sistemas de control óptimo. Se comenzará por el método de Liapunov para resolver problemas de optimización, considerando un caso sencillo, conocido como el problema de optimización de parámetros.

**Solución al problema de optimización de parámetros mediante el segundo método de Liapunov.** A continuación, se tratará la relación directa entre las funciones de Liapunov y los índices de desempeño cuadrático y se resolverá el problema de optimización de parámetros, utilizando esta relación. Considere el sistema

$$\dot{\mathbf{x}} = \mathbf{A}\mathbf{x}$$

donde todos los valores propios de **A** tienen partes reales negativas, o sea que el origen $\mathbf{x} = \mathbf{0}$ es asintóticamente estable. (A una matriz **A** de esta forma se le denomina matriz estable). Se supone que la matriz **A** incluye un parámetro (o parámetros) ajustable(s). Se desea minimizar el siguiente índice de desempeño:

$$J = \int_0^\infty \mathbf{x}^*\mathbf{Q}\mathbf{x}\, dt$$

donde **Q** es una matriz hermítica o real simétrica, definida positiva (o semidefinida positiva). El problema consiste entonces en determinar el(los) valor(es) del(os) paramétro(s) ajustable(s), que minimizan el índice de desempeño.

Se demostrará que una función de Liapunov se puede utilizar efectivamente para resolver este problema. Suponga que

$$\mathbf{x}^*\mathbf{Q}\mathbf{x} = -\frac{d}{dt}(\mathbf{x}^*\mathbf{P}\mathbf{x})$$

donde **P** es una matriz hermítica o real simétrica, definida positiva. Entonces se tiene

$$\mathbf{x}^*\mathbf{Q}\mathbf{x} = -\dot{\mathbf{x}}^*\mathbf{P}\mathbf{x} - \mathbf{x}^*\mathbf{P}\dot{\mathbf{x}} = -\mathbf{x}^*\mathbf{A}^*\mathbf{P}\mathbf{x} - \mathbf{x}^*\mathbf{P}\mathbf{A}\mathbf{x} = -\mathbf{x}^*(\mathbf{A}^*\mathbf{P} + \mathbf{P}\mathbf{A})\mathbf{x}$$

Por el segundo método de Liapunov, se sabe que para una **Q** dada, existe una **P**, si **A** es estable, tal que

$$\mathbf{A}^*\mathbf{P} + \mathbf{P}\mathbf{A} = -\mathbf{Q} \qquad (10\text{–}124)$$

Por tanto se pueden determinar los elementos de **P** a partir de esta ecuación.

El índice de desempeño $J$ se puede evaluar como

$$J = \int_0^\infty \mathbf{x}^*\mathbf{Q}\mathbf{x}\, dt = -\mathbf{x}^*\mathbf{P}\mathbf{x}\Big|_0^\infty = -\mathbf{x}^*(\infty)\mathbf{P}\mathbf{x}(\infty) + \mathbf{x}^*(0)\mathbf{P}\mathbf{x}(0)$$

Como todos los valores propios de **A** tienen partes reales negativas, se tiene que $\mathbf{x}(\infty) \to \mathbf{0}$. Por lo tanto, se obtiene

$$J = \mathbf{x}^*(0)\mathbf{P}\mathbf{x}(0) \qquad (10\text{–}125)$$

Entonces el índice de desempeño $J$ se puede obtener en términos de la condición **x**(0) y **P**, que está relacionado con **A** y **Q** por la ecuación (10-124). Si, por ejemplo, hay que ajustar un parámetro del sistema, de manera que sea mínimo el índice de desempeño **J**, esto se puede lograr minimizando $\mathbf{x}^*(0)\mathbf{P}\mathbf{x}(0)$ respecto al parámetro en cuestión. Como **x**(0) es la condición inicial dada y **Q** también está dada, **P** es una función de los elementos de **A**. Por tanto este proceso de búsqueda del mínimo, produce el valor óptimo del parámetro ajustable.

Es importante notar que el valor óptimo de este parámetro depende, en general, de la condición inicial **x**(0). Sin embargo, si **x**(0) incluye sólo un componente no nulo, por ejemplo, $x_1(0) \neq 0$, y las demás condiciones iniciales son cero, entonces el valor óptimo del parámetro, no depende del valor numérico de $x_1(0)$. (Vea el siguiente ejemplo).

**EJEMPLO 10-9**

Considere el sistema de la figura 10-22. Determine el valor de la relación de amortiguamiento $\zeta > 0$, de modo que cuando el sistema esté sometido a una entrada escalón unitario $r(t) = 1(t)$, se minimice el índice de desempeño siguiente:

$$J = \int_{0+}^\infty (e^2 + \mu \dot{e}^2)\, dt \qquad (\mu > 0)$$

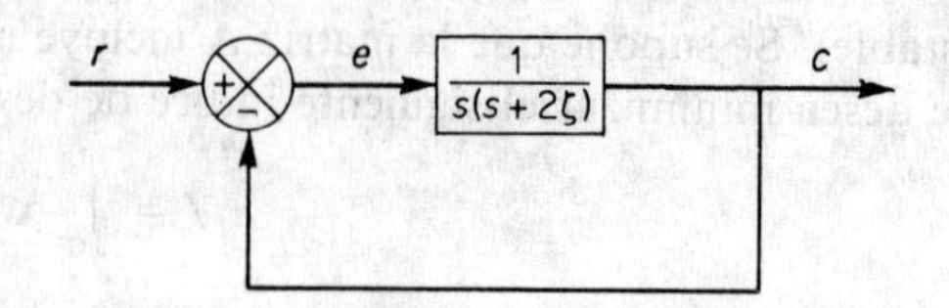


**Figura 10-22**
Sistema de control.

donde la señal de error es $e$, y está dada por $e = r - c$. Se supone que el sistema está inicialmente en reposo.

De la figura 10-22, se halla

$$\frac{C(s)}{R(s)} = \frac{1}{s^2 + 2\zeta s + 1}$$

o bien

$$\ddot{c} + 2\zeta\dot{c} + c = r$$

Expresado en función de la señal de error $e$, se obtiene

$$\ddot{e} + 2\zeta\dot{e} + e = \ddot{r} + 2\zeta\dot{r}$$

Como la entrada $r(t)$ es un escalón unitario, se tiene $\dot{r}(0+) = 0$, $\ddot{r}(0+) = 0$. Por tanto, para $t \geq 0+$, se tiene

$$\ddot{e} + 2\zeta\dot{e} + e = 0, \qquad e(0+) = 1, \qquad \dot{e}(0+) = 0$$

Ahora se definen la variables de estado:

$$x_1 = e$$

$$x_2 = \dot{e}$$

Entonces la ecuación de estado, es

$$\dot{\mathbf{x}} = \mathbf{A}\mathbf{x}$$

donde

$$\mathbf{A} = \begin{bmatrix} 0 & 1 \\ -1 & -2\zeta \end{bmatrix}$$

El índice de desempeño $J$ se puede escribir como

$$\begin{aligned} J &= \int_{0+}^{\infty} (e^2 + \mu\dot{e}^2)\,dt = \int_{0+}^{\infty} (x_1^2 + \mu x_2^2)\,dt \\ &= \int_{0+}^{\infty} [x_1 \quad x_2] \begin{bmatrix} 1 & 0 \\ 0 & \mu \end{bmatrix} \begin{bmatrix} x_1 \\ x_2 \end{bmatrix} dt \\ &= \int_{0+}^{\infty} \mathbf{x}^T\mathbf{Q}\mathbf{x}\,dt \end{aligned}$$

donde

$$\mathbf{x} = \begin{bmatrix} x_1 \\ x_2 \end{bmatrix} = \begin{bmatrix} e \\ \dot{e} \end{bmatrix}, \qquad \mathbf{Q} = \begin{bmatrix} 1 & 0 \\ 0 & \mu \end{bmatrix}$$

Como **A** es una matriz estable, de acuerdo con la ecuación (10-125), el valor de $J$ está dado por

$$J = \mathbf{x}^T(0+)\mathbf{P}\mathbf{x}(0+)$$

donde **P** se determina por

$$\mathbf{A}^T\mathbf{P} + \mathbf{PA} = -\mathbf{Q} \tag{10–126}$$

La ecuación (10-126) se puede escribir como

$$\begin{bmatrix} 0 & -1 \\ 1 & -2\zeta \end{bmatrix}\begin{bmatrix} p_{11} & p_{12} \\ p_{12} & p_{22} \end{bmatrix} + \begin{bmatrix} p_{11} & p_{12} \\ p_{12} & p_{22} \end{bmatrix}\begin{bmatrix} 0 & 1 \\ -1 & -2\zeta \end{bmatrix} = \begin{bmatrix} -1 & 0 \\ 0 & -\mu \end{bmatrix}$$

Esta ecuación lleva a las tres ecuaciones siguientes

$$-2p_{12} = -1$$

$$p_{11} - 2\zeta p_{12} - p_{22} = 0$$

$$2p_{12} - 4\zeta p_{22} = -\mu$$

Resolviendo estas tres ecuaciones para las $p_{ij}$, se tiene

$$\mathbf{P} = \begin{bmatrix} p_{11} & p_{12} \\ p_{12} & p_{22} \end{bmatrix} = \begin{bmatrix} \zeta + \dfrac{1+\mu}{4\zeta} & \dfrac{1}{2} \\ \dfrac{1}{2} & \dfrac{1+\mu}{4\zeta} \end{bmatrix}$$

El índice de desempeño $J$ se puede presentar como

$$J = \mathbf{x}^T(0+)\mathbf{Px}(0+)$$
$$= \left(\zeta + \frac{1+\mu}{4\zeta}\right)x_1^2(0+) + x_1(0+)x_2(0+) + \frac{1+\mu}{4\zeta}x_2^2(0+)$$

Substituyendo las condiciones iniciales $x_1(0+) = 1$, $x_2(0+) = 0$ en esta última ecuación, se obtiene

$$J = \zeta + \frac{1+\mu}{4\zeta}$$

Para minimizar $J$ respecto a $\zeta$, se hace $\partial J/\partial\zeta = 0$, o sea

$$\frac{\partial J}{\partial \zeta} = 1 - \frac{1+\mu}{4\zeta^2} = 0$$

Esto lleva a

$$\zeta = \frac{\sqrt{1+\mu}}{2}$$

Entonces el valor óptimo de $\zeta$ es $\sqrt{1+\mu}/2$. Por ejemplo, si $\mu = 1$, el valor óptimo de $\zeta$ es $\sqrt{2}/2$ o sea 0.707.

**Problema de control óptimo cuadrático.** Ahora se tratará el problema de control óptimo, consistente en que dada la ecuación del sistema

$$\dot{\mathbf{x}} = \mathbf{Ax} + \mathbf{Bu} \tag{10–127}$$

se debe determinar la matriz **K** del vector de control óptimo

$$\mathbf{u}(t) = -\mathbf{Kx}(t) \tag{10–128}$$

de modo que minimice el índice de desempeño

$$J = \int_0^\infty (\mathbf{x}^*\mathbf{Q}\mathbf{x} + \mathbf{u}^*\mathbf{R}\mathbf{u})\, dt \tag{10–129}$$

donde **Q** es una matriz hermítica o real simétrica, definida positiva (o semidefinida positiva), y **R** es una matriz hermítica o real simétrica, definida positiva. Nótese que el segundo término del miembro derecho de la ecuación (10-129), expresa el gasto de energía de las señales de control. Las matrices **Q** y **R** determinan la importancia relativa del error y del gasto de esta energía. En este problema se supone que el vector de control $\mathbf{u}(t)$ no está restringido.

Como luego se verá, la ley de control lineal dada por la ecuación (10-128), es la ley de control óptimo. Por lo tanto, si los elementos desconocidos de la matriz **K**, se determinan de modo que el índice de desempeño sea mínimo, entonces $\mathbf{u}(t) = -\mathbf{K}\mathbf{x}(t)$ es óptimo para cualquier estado inicial $\mathbf{x}(0)$. En la figura 10-23 aparece el diagrama de bloques de la configuración óptima.

Ahora se resolverá el problema de optimización. Substituyendo la ecuación (10-128) en la ecuación (10-127), se tiene

$$\dot{\mathbf{x}} = \mathbf{A}\mathbf{x} - \mathbf{B}\mathbf{K}\mathbf{x} = (\mathbf{A} - \mathbf{B}\mathbf{K})\mathbf{x}$$

En las deducciones siguientes se supone que la matriz $\mathbf{A} - \mathbf{B}\mathbf{K}$ es estable, o que los valores propios de $\mathbf{A} - \mathbf{B}\mathbf{K}$, tienen partes reales negativas.

Al sustituir la ecuación (10-128) en la (10-129), se tiene

$$\begin{aligned} J &= \int_0^\infty (\mathbf{x}^*\mathbf{Q}\mathbf{x} + \mathbf{x}^*\mathbf{K}^*\mathbf{R}\mathbf{K}\mathbf{x})\, dt \\ &= \int_0^\infty \mathbf{x}^*(\mathbf{Q} + \mathbf{K}^*\mathbf{R}\mathbf{K})\mathbf{x}\, dt \end{aligned}$$

Siguiendo el análisis efectuado al resolver el problema de optimización de parámetros, se establece que

$$\mathbf{x}^*(\mathbf{Q} + \mathbf{K}^*\mathbf{R}\mathbf{K})\mathbf{x} = -\frac{d}{dt}(\mathbf{x}^*\mathbf{P}\mathbf{x})$$

Entonces se obtiene

$$\mathbf{x}^*(\mathbf{Q} + \mathbf{K}^*\mathbf{R}\mathbf{K})\mathbf{x} = -\dot{\mathbf{x}}^*\mathbf{P}\mathbf{x} - \mathbf{x}^*\mathbf{P}\dot{\mathbf{x}} = -\mathbf{x}^*[(\mathbf{A} - \mathbf{B}\mathbf{K})^*\mathbf{P} + \mathbf{P}(\mathbf{A} - \mathbf{B}\mathbf{K})]\,\mathbf{x}$$

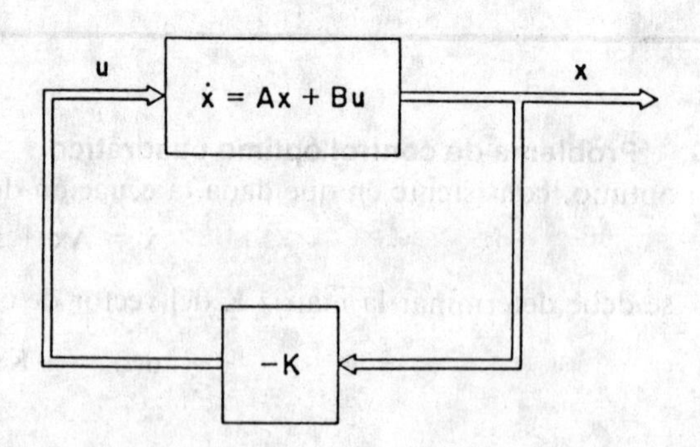


**Figura 10-23**
Sistema de control óptimo.

Comparando ambos miembros de esta última ecuación y viendo que esta ecuación debe ser válida para cualquier valor de $\mathbf{x}$, se requiere que

$$(\mathbf{A} - \mathbf{BK})^*\mathbf{P} + \mathbf{P}(\mathbf{A} - \mathbf{BK}) = -(\mathbf{Q} + \mathbf{K}^*\mathbf{RK}) \tag{10–130}$$

Por el segundo método de Liapunov, si $\mathbf{A} - \mathbf{BK}$ es una matriz estable, hay una matriz $\mathbf{P}$ definida positiva, que satisface la ecuación (10-130). Entonces, utilizando el mismo método manejado al deducir la ecuación (10-125), y notando que $\mathbf{x}(\infty) = \mathbf{0}$, el índice de desempeño se puede presentar como

$$J = \mathbf{x}^*(0)\mathbf{P}\mathbf{x}(0) \tag{10–131}$$

Para obtener la solución al problema de control óptimo cuadrático, se procede como sigue. Como se supuso que $\mathbf{R}$ es una matriz hermítica o real simétrica, definida positiva, se puede escribir

$$\mathbf{R} = \mathbf{T}^*\mathbf{T}$$

donde $\mathbf{T}$ es una matriz no singular. Entonces la ecuación (10-130), se puede presentar como

$$(\mathbf{A}^* - \mathbf{K}^*\mathbf{B}^*)\mathbf{P} + \mathbf{P}(\mathbf{A} - \mathbf{BK}) + \mathbf{Q} + \mathbf{K}^*\mathbf{T}^*\mathbf{TK} = \mathbf{0}$$

que se puede presentar como

$$\mathbf{A}^*\mathbf{P} + \mathbf{PA} + [\mathbf{TK} - (\mathbf{T}^*)^{-1}\mathbf{B}^*\mathbf{P}]^*[\mathbf{TK} - (\mathbf{T}^*)^{-1}\mathbf{B}^*\mathbf{P}] - \mathbf{PBR}^{-1}\mathbf{B}^*\mathbf{P} + \mathbf{Q} = \mathbf{0}$$

Para minimizar el valor de $J$ respecto a $\mathbf{K}$ se requiere que la minimización de

$$\mathbf{x}^*[\mathbf{TK} - (\mathbf{T}^*)^{-1}\mathbf{B}^*\mathbf{P}]^*[\mathbf{TK} - (\mathbf{T}^*)^{-1}\mathbf{B}^*\mathbf{P}]\mathbf{x}$$

respecto a $\mathbf{k}$. (Véase el problema A-10-17). Como esta última ecuación no es negativa, el mínimo se produce cuando es cero, o sea

$$\mathbf{TK} = (\mathbf{T}^*)^{-1}\mathbf{B}^*\mathbf{P}$$

Por tanto,

$$\mathbf{K} = \mathbf{T}^{-1}(\mathbf{T}^*)^{-1}\mathbf{B}^*\mathbf{P} = \mathbf{R}^{-1}\mathbf{B}^*\mathbf{P} \tag{10–132}$$

La ecuación (10-132) da la matriz $\mathbf{K}$ óptima. Entonces, la ley de control óptimo para el problema de control óptimo, cuando el índice de desempeño está dado por la ecuación (10-129), es lineal y está dada por

$$\mathbf{u}(t) = -\mathbf{K}\mathbf{x}(t) = -\mathbf{R}^{-1}\mathbf{B}^*\mathbf{P}\mathbf{x}(t)$$

La matriz $\mathbf{P}$ en la ecuación (10-132), debe satisfacer la ecuación (10-130), o la siguiente ecuación reducida:

$$\mathbf{A}^*\mathbf{P} + \mathbf{PA} - \mathbf{PBR}^{-1}\mathbf{B}^*\mathbf{P} + \mathbf{Q} = \mathbf{0} \tag{10–133}$$

La ecuación (10-133) se denomina ecuación de la matriz reducida de Riccati. Los pasos de diseño se pueden establecer como sigue:

1. Resuelva la ecuación (10-133), ecuación de matriz reducida de Riccati para determinar la matriz $\mathbf{P}$.
2. Sustituya esta matriz $\mathbf{P}$ en la ecuación (10-132). La matriz resultante $\mathbf{K}$ es la óptima.

En el ejemplo 10-10 se da un ejemplo basado en este método.

Si la matriz **A** — **BK** es estable, este método produce siempre el resultado correcto. Se puede demostrar que el requerimiento de que **A** — **BK** sea una matriz estable es equivalente a que el rango de

$$\begin{bmatrix} \mathbf{Q}^{1/2} \\ \mathbf{Q}^{1/2}\mathbf{A} \\ \cdot \\ \cdot \\ \cdot \\ \mathbf{Q}^{1/2}\mathbf{A}^{n-1} \end{bmatrix} \tag{10–134}$$

sea $n$. (Véase el problema A-10-16). Se puede aplicar esta condición de rango para verificar si la matriz **A** — **BK** es estable.

Se dispone de un método alternativo, para determinar la matriz óptima **K** de ganancia de retroalimentación. Los pasos de diseño basados en este método son:

1. Determine la matriz **P** que satisface la ecuación (10-130) como función de **K**.
2. Remplace la matriz **P** en la ecuación (10-131). Entonces el índice de desempeño es función de **K**.
3. Determine los elementos de **K** de modo que el índice de desempeño se minimice. Esta búsqueda del mínimo de $J$, respecto a los elementos $k_{ij}$ de **K**, se puede acompañar haciendo $\partial J/\partial k_{ij}$ igual a cero y despejando de aquí los valores óptimos de $k_{ij}$.

En los problemas A-10-18 y A-10-19, se pueden ver detalles de este método de diseño. Cuando la cantidad de elementos $k_{ij}$ no es pequeña, este método no resulta conveniente.

Finalmente, se hace notar que si el índice de desempeño está dado en función del vector de salida, más que en el vector de estado, es decir

$$J = \int_0^\infty (\mathbf{y}^*\mathbf{Q}\mathbf{y} + \mathbf{u}^*\mathbf{R}\mathbf{u})\, dt$$

entonces el índice se puede modificar, utilizando la ecuación de salida

$$\mathbf{y} = \mathbf{C}\mathbf{x}$$

como

$$J = \int_0^\infty (\mathbf{x}^*\mathbf{C}^*\mathbf{Q}\mathbf{C}\mathbf{x} + \mathbf{u}^*\mathbf{R}\mathbf{u})\, dt$$

y se pueden aplicar los pasos de diseño presentados en esta sección, para obtener la matriz óptima **K**.

**EJEMPLO 10-10** Considere el sistema que se muestra en la figura 10-24. Si la señal de control es

$$u(t) = -\mathbf{K}\mathbf{x}(t)$$

determine la matriz óptima **K** de ganancia de retroalimentación, tal que minimice el siguiente índice de desempeño:

$$J = \int_0^\infty (\mathbf{x}^T\mathbf{Q}\mathbf{x} + u^2)\, dt$$

donde

$$\mathbf{Q} = \begin{bmatrix} 1 & 0 \\ 0 & \mu \end{bmatrix} \qquad (\mu \geq 0)$$

De la figura 10-24, se determina que la ecuación de estado para la planta es

$$\dot{\mathbf{x}} = \mathbf{A}\mathbf{x} + \mathbf{B}u$$

donde

$$\mathbf{A} = \begin{bmatrix} 0 & 1 \\ 0 & 0 \end{bmatrix}, \qquad \mathbf{B} = \begin{bmatrix} 0 \\ 1 \end{bmatrix}$$

Note que

$$\mathbf{Q} = \begin{bmatrix} 1 & 0 \\ 0 & \sqrt{\mu} \end{bmatrix}\begin{bmatrix} 1 & 0 \\ 0 & \sqrt{\mu} \end{bmatrix}$$

se halla que el rango de la matriz dada por la (10-134), o sea

$$\begin{bmatrix} \mathbf{Q}^{1/2} \\ \mathbf{Q}^{1/2}\mathbf{A} \end{bmatrix} = \begin{bmatrix} 1 & 0 \\ 0 & \sqrt{\mu} \\ 0 & 1 \\ 0 & 0 \end{bmatrix}$$

es 2. Así, **A — BK** es una matriz estable y el método de Liapunov presentado en esta sección produce el resultado correcto.

Se demostrará el uso de la ecuación de matriz reducida de Riccati en el diseño del sistema de control óptimo. Se resuelve la ecuación (10-133), escrita como

$$\mathbf{A}^*\mathbf{P} + \mathbf{P}\mathbf{A} - \mathbf{P}\mathbf{B}\mathbf{R}^{-1}\mathbf{B}^*\mathbf{P} + \mathbf{Q} = \mathbf{0}$$

Nótese que la matriz **A** es real y la matriz **Q** es real simétrica, la matriz **P** es una matriz real simétrica. Por lo tanto, esta última ecuación se puede presentar como

$$\begin{bmatrix} 0 & 0 \\ 1 & 0 \end{bmatrix}\begin{bmatrix} p_{11} & p_{12} \\ p_{12} & p_{22} \end{bmatrix} + \begin{bmatrix} p_{11} & p_{12} \\ p_{12} & p_{22} \end{bmatrix}\begin{bmatrix} 0 & 1 \\ 0 & 0 \end{bmatrix}$$

$$- \begin{bmatrix} p_{11} & p_{12} \\ p_{12} & p_{22} \end{bmatrix}\begin{bmatrix} 0 \\ 1 \end{bmatrix}[1][0 \quad 1]\begin{bmatrix} p_{11} & p_{12} \\ p_{12} & p_{22} \end{bmatrix} + \begin{bmatrix} 1 & 0 \\ 0 & \mu \end{bmatrix} = \begin{bmatrix} 0 & 0 \\ 0 & 0 \end{bmatrix}$$

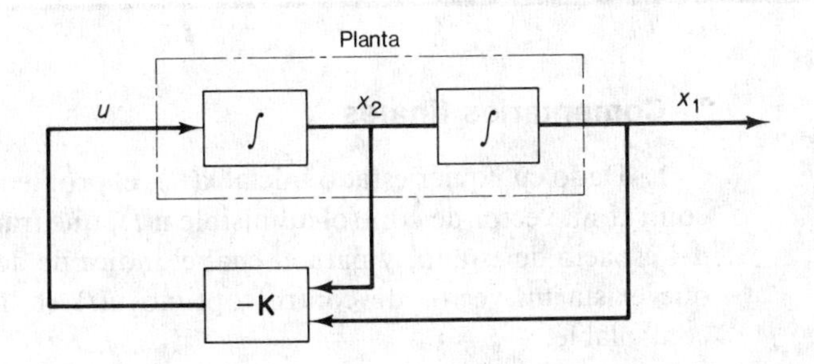


**Figura 10-24**
Sistema de control.

Esta ecuación se puede simplificar a

$$\begin{bmatrix} 0 & 0 \\ p_{11} & p_{12} \end{bmatrix} + \begin{bmatrix} 0 & p_{11} \\ 0 & p_{12} \end{bmatrix} - \begin{bmatrix} p_{12}^2 & p_{12}p_{22} \\ p_{12}p_{22} & p_{22}^2 \end{bmatrix} + \begin{bmatrix} 1 & 0 \\ 0 & \mu \end{bmatrix} = \begin{bmatrix} 0 & 0 \\ 0 & 0 \end{bmatrix}$$

de donde se obtienen las tres ecuaciones siguientes:

$$1 - p_{12}^2 = 0$$

$$p_{11} - p_{12}p_{22} = 0$$

$$\mu + 2p_{12} - p_{22}^2 = 0$$

Resolviendo de estas tres ecuaciones simultáneas para los valores de $p_{11}$, $p_{12}$, y $p_{22}$, se requiere que **P** sea definida positiva, se obtiene

$$\mathbf{P} = \begin{bmatrix} p_{11} & p_{12} \\ p_{12} & p_{22} \end{bmatrix} = \begin{bmatrix} \sqrt{\mu + 2} & 1 \\ 1 & \sqrt{\mu + 2} \end{bmatrix}$$

De la ecuación (10-132) se obtiene la matriz óptima **K** de ganancia de retroalimentación,

$$\begin{aligned} \mathbf{K} &= \mathbf{R}^{-1}\mathbf{B}^*\mathbf{P} \\ &= [1]\,[0 \quad 1]\begin{bmatrix} p_{11} & p_{12} \\ p_{12} & p_{22} \end{bmatrix} \\ &= [p_{12} \quad p_{22}] \\ &= [1 \quad \sqrt{\mu + 2}] \end{aligned}$$

Entonces la señal de control óptimo es

$$u = -\mathbf{K}\mathbf{x} = -x_1 - \sqrt{\mu + 2}x_2 \qquad (10\text{–}135)$$

Como la ley de control dada por la ecuación (10-135), ofrece un resultado óptimo para cualquier estado inicial, bajo el índice de desempeño dado, la figura 10-25 es el diagrama de bloques de este sistema.

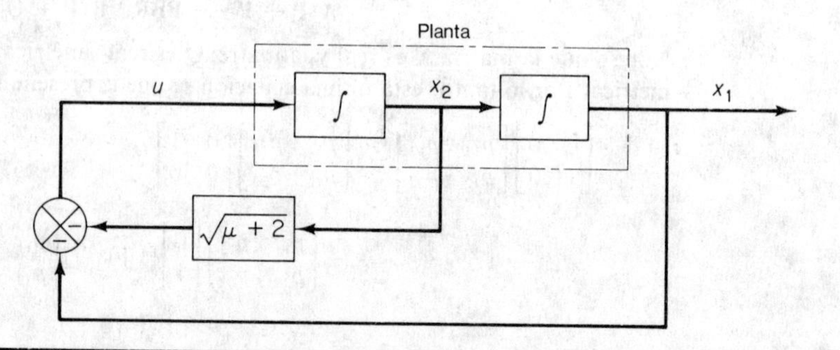


**Figura 10-25** Control óptimo de la planta mostrada en la figura 10-24.

## Comentarios finales

**1.** Dado cualquier estado inicial $\mathbf{x}(t_0)$, el problema de control óptimo consiste en encontrar un vector de control admisible $\mathbf{u}(t)$, que transfiera el estado a la región deseada del espacio de estado, y para el cual el índice de desempeño es de valor mínimo. Para que exista un vector de control óptimo $\mathbf{u}(t)$ el sistema debe tener estado completo controlable.

**2.** El sistema que hace mínimo (o máximo, según sea el caso) el índice de desempeño elegido, es óptimo por definición. Aunque el controlador no tenga nada que hacer respecto al carácter de "óptimo" en muchos casos prácticos, lo importante es que el diseño basado en el índice de desempeño cuadrático brinda un sistema de control estable.

**3.** La característica de una ley de control óptimo, basada en un índice de desempeño cuadrático, es que se trata de una función lineal de las variables de estado, lo que implica que se deben retroalimentar todas las variables de estado. Esto requiere que todas esas variables se encuentren disponibles para retroalimentación. Si no todas las variables están disponibles para la retroalimentación, entonces hay que recurrir a un observador de estado para estimar las variables de estado no medibles, y usar las variables estimadas para generar señales de control óptimas.

**4.** Cuando se diseña el sistema de control óptimo en el dominio del tiempo, es deseable analizar las características de respuesta en frecuencia para compensar los efectos del ruido. Las características de respuesta en frecuencia del sistema deben ser tales que el sistema atenúe levemente el rango de frecuencias donde se espere ruido y las componentes de resonancia. (Para compensar los efectos de ruido, en algunos casos se debe, o bien modificar la configuración óptima y aceptar un desempeño subóptimo, o modificar el índice de desempeño).

**5.** Si el límite superior de integración del índice de desempeño $J$ dado por la ecuación (10-129) es finito, entonces se puede demostrar que el vector de control óptimo, aún es una función lineal de las variables de estado, pero con coeficientes variables en el tiempo. (Por lo tanto, la determinación del vector de control óptimo incluye la de las matrices óptimas variables en el tiempo).

## 10-6 SISTEMAS DE CONTROL CON MODELO DE REFERENCIA

En este capítulo, hasta ahora se han presentado técnicas de diseño de sistemas de control lineales, invariantes en el tiempo. Como todas las plantas físicas no son lineales en algún grado, el sistema diseñado se ha de comportar satisfactoriamente tan sólo en un rango limitado de funcionamiento. Si se elimina la presunción de linealidad en la ecuación de la planta, las técnicas de diseño presentadas hasta ahora no son aplicables. Si este es el caso, puede ser conveniente utilizar el método del modelo de referencia, para el diseño del sistema, que se presenta en esta sección.

**Sistemas de control de modelo de referencia.** Un método útil para especificar el desempeño de sistemas, es usar un modelo que produzca la salida deseada, ante determinada entrada. El modelo no necesariamente será realizado en forma material. Puede ser sólo un modelo matemático simulado en una computadora. En el sistema de control con modelo de referencia, se comparan la salida del modelo y la de la planta y se utiliza la diferencia para generar señales de control.

El control con modelo de referencia se ha utilizado para obtener desempeños aceptables en algunas situaciones difíciles de control que incluyen casos de parámetros no lineales y/o variables en el tiempo.

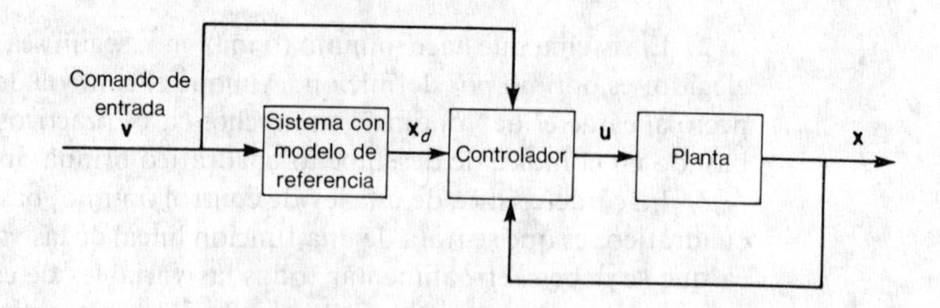


**Figura 10-26**
Sistema de control con modelo de referencia.

**Diseño de un controlador.*** Se supone que la planta está caracterizada por la siguiente ecuación de estado:

$$\dot{\mathbf{x}} = \mathbf{f}(\mathbf{x}, \mathbf{u}, t) \tag{10–136}$$

donde $\mathbf{x}$ = vector de estado (de dimensión $n$)
$\mathbf{u}$ = vector de control (de dimensión $r$)
$\mathbf{f}$ = función vectorial

Se desea que el sistema de control siga estrechamente algún modelo del sistema. Aquí el problema de diseño es sintetizar un controlador que siempre genere una señal que fuerce a la planta hacia el estado del modelo. La figura 10-26 es un diagrama de bloques de la configuración del sistema.

Se supone que el modelo de referencia es lineal, y está descrito por

$$\dot{\mathbf{x}}_d = \mathbf{A}\mathbf{x}_d + \mathbf{B}\mathbf{v} \tag{10–137}$$

donde $\mathbf{x}_d$ = vector de estado del modelo (de dimensión $n$)
$\mathbf{v}$ = vector de entrada (de dimensión $r$)
$\mathbf{A}$ = matriz de $n \times n$ constante
$\mathbf{B}$ = matriz de $n \times r$ constante

Se supone que los valores propios de $\mathbf{A}$ tienen partes reales negativas, de modo que el modelo de referencia tiene un estado de equilibrio asintóticamente estable.

El vector de error $\mathbf{e}$ se define como

$$\mathbf{e} = \mathbf{x}_d - \mathbf{x} \tag{10-138}$$

En este problema se desea reducir el vector de error a cero por medio de un vector de control $\mathbf{u}$ adecuado. De las ecuaciones (10-136), (10-137) y (10-138), se halla

$$\begin{aligned}\dot{\mathbf{e}} = \dot{\mathbf{x}}_d - \dot{\mathbf{x}} &= \mathbf{A}\mathbf{x}_d + \mathbf{B}\mathbf{v} - \mathbf{f}(\mathbf{x}, \mathbf{u}, t)\\ &= \mathbf{A}\mathbf{e} + \mathbf{A}\mathbf{x} - \mathbf{f}(\mathbf{x}, \mathbf{u}, t) + \mathbf{B}\mathbf{v}\end{aligned} \tag{10–139}$$

La ecuación (10-139) es una ecuación diferencial para el vector de error.

Ahora se diseña un controlar tal que en estado estacionario, $\mathbf{x} = \mathbf{x}_d$ y $\dot{\mathbf{x}} = \dot{\mathbf{x}}_d$, o $\mathbf{e} = \dot{\mathbf{e}} = \mathbf{0}$. Entonces, el origen $\mathbf{e} = \mathbf{0}$ es un estado de equilibrio.

*Referencias M-6 y V-2.

Un punto de partida adecuado en la síntesis del vector de control **u** es la construcción de una función de Liapunov, para el sistema dado por la ecuación (10-139).

Se supone que la forma de la ecuación de Liapunov es

$$V(\mathbf{e}) = \mathbf{e}^*\mathbf{P}\mathbf{e}$$

donde **P** es una matriz hermítica o real simétrica, definida positiva. Tomando la derivada de $V(\mathbf{e})$ respecto al tiempo, se tiene

$$\begin{aligned}\dot{V}(\mathbf{e}) &= \dot{\mathbf{e}}^*\mathbf{P}\mathbf{e} + \mathbf{e}^*\mathbf{P}\dot{\mathbf{e}} \\ &= [\mathbf{e}^*\mathbf{A}^* + \mathbf{x}^*\mathbf{A}^* - \mathbf{f}^*(\mathbf{x}, \mathbf{u}, t) + \mathbf{v}^*\mathbf{B}^*]\mathbf{P}\mathbf{e} \\ &\quad + \mathbf{e}^*\mathbf{P}[\mathbf{A}\mathbf{e} + \mathbf{A}\mathbf{x} - \mathbf{f}(\mathbf{x}, \mathbf{u}, t) + \mathbf{B}\mathbf{v}] \\ &= \mathbf{e}^*(\mathbf{A}^*\mathbf{P} + \mathbf{P}\mathbf{A})\mathbf{e} + 2M \end{aligned} \qquad (10\text{–}140)$$

donde

$$M = \mathbf{e}^*\mathbf{P}[\mathbf{A}\mathbf{x} - \mathbf{f}(\mathbf{x}, \mathbf{u}, t) + \mathbf{B}\mathbf{v}] = \text{cantidad escalar}$$

La función $V(\mathbf{e})$ supuesta, es una función de Liapunov, si

1. $\mathbf{A}^*\mathbf{P} + \mathbf{P}\mathbf{A} = -\mathbf{Q}$ es una matriz definida negativa.
2. El vector de control **u** se puede elegir de modo que $M$ sea una cantidad positiva.

Entonces, teniendo en cuenta que $V(\mathbf{e}) \rightarrow \infty$ cuando $\|\mathbf{e}\| \rightarrow \infty$, se ve que el estado de equilibrio $\mathbf{e} = \mathbf{0}$, es asintóticamente estable. Siempre se puede satisfacer la condición 1, eligiendo adecuadamente **P** pues los valores propios de **A** se supone que tienen sus partes reales negativas. El problema consiste en elegir un vector de control **u** adecuado de modo que $M$ sea cero o negativo.

Como ejemplo, se aplica el método presentado al diseño de un controlador no lineal.

**EJEMPLO 10-11** Considere una planta no lineal, variable en el tiempo, descrita por

$$\begin{bmatrix} \dot{x}_1 \\ \dot{x}_2 \end{bmatrix} = \begin{bmatrix} 0 & 1 \\ -b & -a(t)x_2 \end{bmatrix} \begin{bmatrix} x_1 \\ x_2 \end{bmatrix} + \begin{bmatrix} 0 \\ 1 \end{bmatrix} u$$

donde $a(t)$ es variable en el tiempo y $b$ es una constante positiva. Se supone que la ecuación del modelo de referencia es

$$\begin{bmatrix} \dot{x}_{d1} \\ \dot{x}_{d2} \end{bmatrix} = \begin{bmatrix} 0 & 1 \\ -\omega_n^2 & -2\zeta\omega_n \end{bmatrix} \begin{bmatrix} x_{d1} \\ x_{d2} \end{bmatrix} + \begin{bmatrix} 0 \\ \omega_n^2 \end{bmatrix} v \qquad (10\text{–}141)$$

diseñe un controlador no lineal, que produzca un funcionamiento estable del sistema.

Se define el vector de error como

$$\mathbf{e} = \mathbf{x}_d - \mathbf{x}$$

y una función de Liapunov como

$$V(\mathbf{e}) = \mathbf{e}^*\mathbf{P}\mathbf{e}$$

donde **P** es una matriz real simétrica definida positiva. Entonces, en referencia a la ecuación (10-140) se obtiene $\dot{V}(\mathbf{e})$ como

$$\dot{V}(\mathbf{e}) = \mathbf{e}^*(\mathbf{A}^*\mathbf{P} + \mathbf{P}\mathbf{A})\mathbf{e} + 2M$$

donde

$$M = \mathbf{e}^*\mathbf{P}[\mathbf{A}\mathbf{x} - \mathbf{f}(\mathbf{x}, \mathbf{u}, t) + \mathbf{B}\mathbf{v}]$$

Identificando las matrices **A** y **B** en la ecuación (10-141) y eligiendo la matriz **Q** como

$$\mathbf{Q} = \begin{bmatrix} q_{11} & 0 \\ 0 & q_{22} \end{bmatrix} = \text{definida positiva}$$

se obtiene

$$\dot{V}(\mathbf{e}) = -(q_{11}e_1^2 + q_{22}e_2^2) + 2M$$

donde

$$M = [e_1 \quad e_2]\begin{bmatrix} p_{11} & p_{12} \\ p_{12} & p_{22} \end{bmatrix}\left\{\begin{bmatrix} 0 & 1 \\ -\omega_n^2 & -2\zeta\omega_n \end{bmatrix}\begin{bmatrix} x_1 \\ x_2 \end{bmatrix} - \begin{bmatrix} 0 & 1 \\ -b & -a(t)x_2 \end{bmatrix}\begin{bmatrix} x_1 \\ x_2 \end{bmatrix} - \begin{bmatrix} 0 \\ u \end{bmatrix} + \begin{bmatrix} 0 \\ \omega_n^2 v \end{bmatrix}\right\}$$

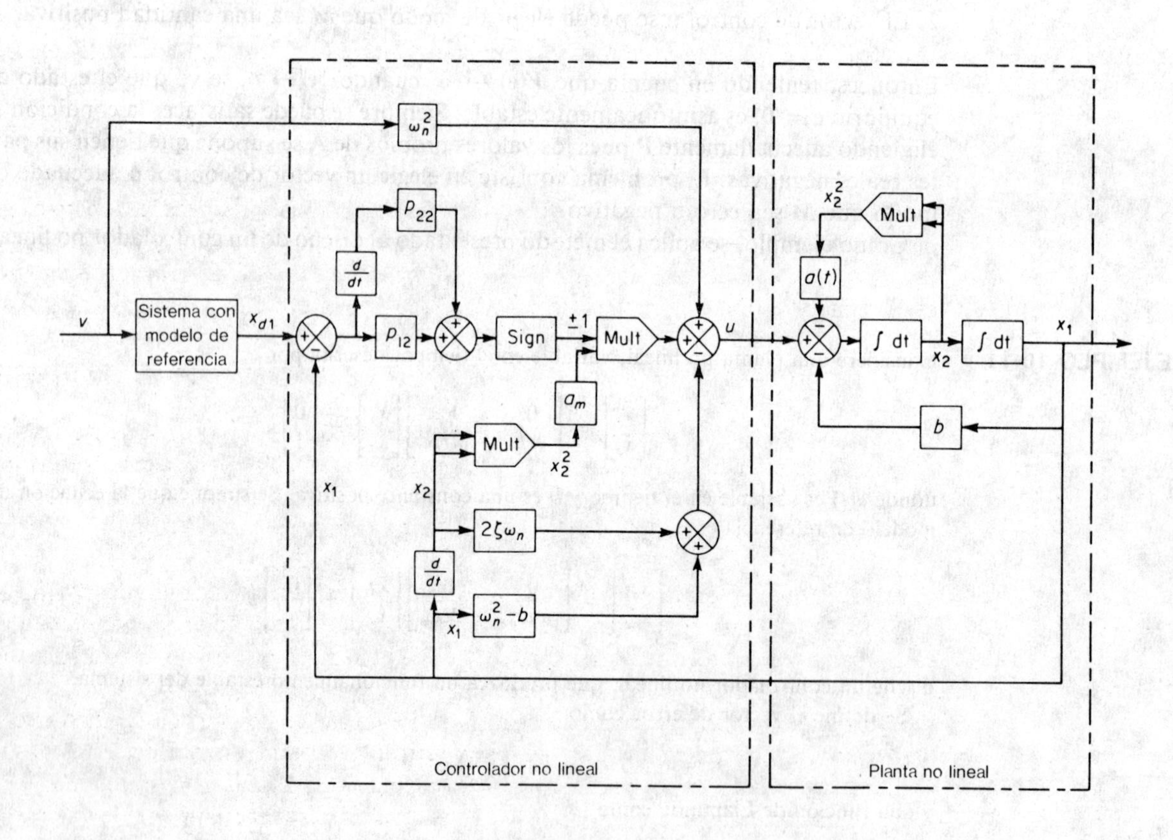


**Figura 10-27** Control con modelo de referencia de una planta no lineal.

$$= (e_1p_{12} + e_2p_{22})[-(\omega_n^2 - b)x_1 - 2\zeta\omega_n x_2 + a(t)x_2^2 + \omega_n^2 v - u]$$

Si se elige $u$ tal que

$$u = -(\omega_n^2 - b)x_1 - 2\zeta\omega_n x_2 + \omega_n^2 v + a_m x_2^2 \text{ sign } (e_1p_{12} + e_2p_{22}) \qquad (10\text{–}142)$$

donde

$$a_m = \text{máx } |a(t)|$$

entonces

$$M = (e_1p_{12} + e_2p_{22})[a(t) - a_m \text{ signo de } (e_1p_{12} + e_2p_{22})]x_2^2$$
$$= \text{no positivo}$$

Con la función de control $u$ dada por la ecuación (10-142), el estado de equilibrio $\mathbf{e} = \mathbf{0}$, es asintóticamente estable. La ecuación (10-142) define una ley de control no lineal, que dará un desempeño asintóticamente estable. En la figura 10-27 se puede ver un diagrama de bloques, para este sistema de control.

Nótese que el rango de convergencia de la respuesta transitoria depende de la matriz **P**, que en cambio depende de la matriz **Q** elegida al principio del diseño.

## 10-7 SISTEMAS DE CONTROL ADAPTABLE

En años recientes se ha incrementado el interés en los sistemas de control adaptable, junto con el interés y progreso de la robótica y otros campos del control. El término de sistema de control adaptable, tiene una variedad de significados específicos, pero en general implican que el sistema es capaz de acomodarse a modificaciones no predecibles del medio, sean esos cambios internos o externos al sistema. Este concepto tiene una gran dosis de atracción para los diseñadores de sistemas, pues un sistema altamente adaptable, además de aceptar las modificaciones ambientales, también aceptará errores de diseño de ingeniería o incertidumbre y compensará las fallas de componentes menores, incrementando así la confiabilidad de los sistemas.

Se comienza por presentar algunos conceptos básicos sobre sistemas de control adaptable, explicando en qué consisten. Luego se tratan las funciones necesarias que un controlador debe cumplir para que se pueda considerar adaptable. Finalmente se presentan algunos conceptos sobre sistemas de aprendizaje.

**Introducción.** En la mayoría de los sistemas de control de retroalimentación, pequeñas desviaciones en los valores de los parámetros de diseño no producen ningún inconveniente en el desempeño normal del sistema, siempre que esos parámetros estén dentro del lazo. Sin embargo, si los parámetros de la planta varían ampliamente con los cambios ambientales, el sistema de control puede presentar una respuesta satisfactoria para cierta condición ambiental, pero no para otras condiciones. En ciertos casos, grandes variaciones en los parámetros de la planta pueden causar inestabilidad.

En el análisis más sencillo, se pueden considerar diferentes conjuntos de valores de los parámetros de la planta. Entonces es deseable realizar el diseño de un sistema de control, que funcione bien con todos los conjuntos. Tan pronto se formula esta exigencia, el problema de control óptimo estricto pierde su importancia. Al pedir un buen desempeño sobre un rango amplio, hay que abandonar el desempeño óptimo para un conjunto de parámetros.

Si la función de transferencia o la ecuación de estado de una planta se puede identificar continuamente, las variaciones en la función de transferencia o en la ecuación de estado de la planta se pueden compensar, por la simple variación de los parámetros ajustables del controlador y, por tanto, obtener un desempeño satisfactorio continuo del sistema bajo diversas condiciones ambientales. Tal método de adaptación es bastante útil para enfrentar un problema en que la planta está normalmente expuesta a condiciones ambientales variables, de manera que los parámetros de la planta varían de tiempo en tiempo. (Como los cambios no son predecibles en la mayor parte de los casos, un controlador de parámetros fijos o de variación programada de tiempo no puede dar respuesta al problema).

**Definición de sistemas de control adaptables.** La adaptación es una característica fundamental de los organismos vivos, pues tratan de mantener un equilibrio fisiológico en medio de condiciones ambientales variables. Un método para el diseño de sistemas adaptables es el de considerar los aspectos de adaptación en humanos o animales y desarrollar sistemas que se comporten, de alguna manera, en forma análoga.

En la literatura actual hay diferentes definiciones de sistemas de control adaptables. La vaguedad que rodea a la mayoría de las definiciones y clasificaciones de sistemas adaptables se debe a la gran variedad de dispositivos por los que se puede alcanzar la adaptación y a la dificultad de diferenciar entre manifestaciones externas de comportamiento adaptable, y los mecanismos internos utilizados para lograrla. En primer lugar, aparecen distintas definiciones, debidas a las diferentes clasificaciones y a los límites que dividen los sistemas de control adaptables y no adaptables. (El leve grado de adaptación requerido por la mayoría de las especificaciones de sistema se puede lograr usando las técnicas habituales de retroalimentación con ganancias fijas, compensadores y, en algunos casos, no linealidades).

Es necesario definir las características del sistema adaptable, que son fundamentalmente diferentes de las de los sistemas convencionales de retroalimentación, de modo que se pueda restringir la atención exclusivamente a aquellos aspectos propios del diseño y desempeño del control adaptable. En este libro se definen los sistemas de control adaptable como sigue:

***Definición.*** Sistema de control adaptable, es un sistema que en forma continua y automática, mide las características dinámicas (tales como la función de transferencia o la ecuación de estado) de la planta, las compras con las características dinámicas deseadas, y usa la diferencia para variar los parámetros ajustables del sistema (que suelen ser las características del controlador), o generar una señal actuante, de modo que se mantenga el desempeño óptimo, independientemente de las modificaciones ambientales; de otra forma el sistema puede medir continuamente su propio desempeño de acuerdo con algún índice de desempeño y modificar, en caso necesario, sus propios parámetros para mantener el desempeño óptimo, independientemente de las modificaciones ambientales.

Para denominarlo sistema adaptable, deben darse características de auto-organización. Si el ajuste de los parámetros del sistema se realiza sólo por medición directa del medio, el sistema no es adaptable.

Se puede dar el ejemplo de un sistema que, sin serlo, parece ser adaptable; el autopiloto de aeronave diseñado para ajustar las ganancias de sus lazos, como función de la altura, para compensar los correspondientes cambios en los parámetros de la aeronave. El ajuste se basa en información directa sobre el medio (en este caso, la presión atmosférica) y no en un esquema de auto-organización. Esos sistemas no tienen ninguna característica de organizarse a sí mismos y, por tanto, son esencialmente sistemas convencionales de lazo cerrado.

Otro ejemplo de sistemas que pueden parecer adaptables, pero que en realidad no lo son, se da en el campo de los sistemas de control, con modelo de referencia. Algunos de estos sistemas (como el del ejemplo 10-11), sólo utilizan la diferencia entre la respuesta del modelo y la respuesta de la planta, como señal de entrada a la planta como se puede ver en la figura 10-28(a). Estos sistemas no se pueden considerar verdaderamente adaptables, pues una simple manipulación en el diagrama de bloques, reduce esta configuración a la de la figura 10-28(b), que simplemente es un lazo de retroalimentación básico con un filtro previo. (Nótese que algunos autores llaman *adaptación por modelo* a este tipo de control. El modelo puede ser un modelo físico o un sistema simulado en una computadora. El modelo no tiene parámetros variables).

**Indices de desempeño.** La base del control adaptable descansa en el fundamento de que hay alguna condición de operación o desempeño del sistema, mejor que cualquiera otra. Entonces es necesario definir qué constituye el desempeño óptimo. En sistemas de control adaptable tal desempeño está definido en función del índice de desempeño, que se debe fijar al establecer los objetivos. Esos objetivos pueden ser tan diversos como los sistemas a los cuales se van a aplicar, pero en general se puede extender el objetivo de la optimización, a minimizar el costo de operación o maximizar el beneficio económico.

Algunas características que se consideran deseables, son

1. Confiabilidad
2. Selectividad
3. Aplicabilidad

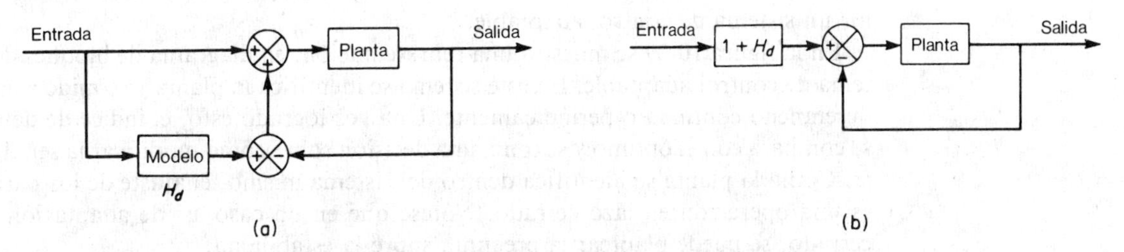


**Figura 10-28** (a) Sistema de control con modelo de referencia; (b) diagrama de bloques simplificado.

Por tanto, el índice de desempeño debe ser confiable, o debe ser una medida uniforme de "bondad" para sistemas de todo orden. Debe ser selectivo, o sea definir claramente lo óptimo como función de parámetros del sistema. No debe contener óptimos locales o parciales. El índice de desempeño debe ser fácil de aplicar y medir en sistemas reales.

Si el índice de desempeño toma un valor cero en las condiciones óptimas de funcionamiento, en lugar de un máximo o un mínimo, se puede utilizar como señal de error del lazo adaptable, y puede utilizarse directamente como retroalimentación en algunos sistemas.

Debe notarse que, en general, todos los índices de desempeño matemáticamente utilizables (como los índices de desempeño cuadrático), comparten un inconveniente grave: aunque especifican el costo de operación del sistema en función del error y de la energía, no ofrecen información sobre las características de respuesta transitoria del sistema. Así, un sistema diseñado para funcionar en forma óptima desde el punto de vista de las "utilidades", puede tener características transitorias indeseables o hasta ser inestable. Por lo tanto, para asegurar características de respuesta satisfactorias, se pueden requerir criterios secundarios respecto a las características de respuesta que influyan en la selección de los elementos de costo más elevado.

Finalmente, se debe recordar que el índice de desempeño utilizado en un sistema de control adaptable define algún desempeño óptimo de ese sistema. Esto significa que el índice de desempeño ofrece, sobre todo, el límite superior de desempeño del sistema. Por tanto, es muy importante elegir un índice de desempeño adecuado.

**Controladores adaptables.** Un controlador adaptable está formado en las tres funciones siguientes:

1. Identificación de las características de la planta.
2. Toma de decisión basada en la identificación de la planta.
3. Modificación o acción basadas en la decisión tomada.

Si la planta se conoce en forma imperfecta, quizás a causa de la variación aleatoria de los parámetros al transcurrir de tiempo, o por el efecto de variaciones ambientales en las características dinámicas de la planta, en ese caso la identificación inicial, decisión, y modificación de procedimientos, no serán suficientes para minimizar (o maximizar) el índice de desempeño. Entonces se requiere realizar estos procedimientos, continua o frecuentemente, a intervalos que dependen de la velocidad de variación de los parámetros. Este constante "autorrediseño" u organización de sí mismo, para compensar los cambios impredecibles de la planta, es el aspecto de desempeño considerado al definir un sistema de control adaptable.

En la figura 10-29 se muestra una representación, en diagrama de bloques de un sistema de control adaptable. En este sistema se identifica la planta y se mide el índice de desempeño continua o periódicamente. Una vez logrado esto, el índice de desempeño se compara con el óptimo y se toma una decisión sobre cómo modificar la señal actuante. Como la planta se identifica dentro del sistema mismo, el ajuste de los parámetros es una operación en lazo cerrado. Nótese que en un caso así de adaptación en lazo cerrado, se puede plantear la pregunta sobre la estabilidad.

A continuación se explicarán con cierto detalle, las tres funciones: identificación, decisión y modificación.

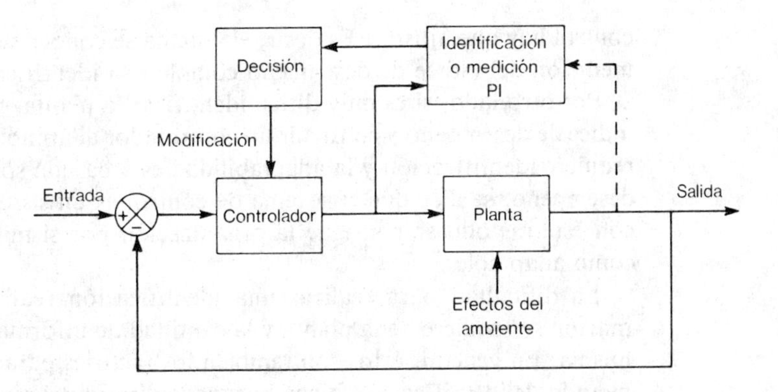


**Figura 10-29**
Diagrama en bloques de un sistema de control adaptable.

**Identificación de las características dinámicas de la planta.** Las características dinámicas de la planta se deben medir e identificar continuamente, o al menos muy frecuentemente. Esto se debe realizar sin afectar el funcionamiento normal del sistema. Para identificar las características de un sistema hay que efectuar una prueba o medición y analizar los resultados. (En el caso de un sistema de control, esto implica imponer una señal de control a la planta y analizar la respuesta del sistema). La identificación deseada se puede realizar con base en los datos de funcionamiento normal de la planta, o mediante el uso de señales de prueba, como pueden ser las señales senoidales de pequeña magnitud o diversas señales estocásticas de baja amplitud. En la práctica no se puede realizar una aplicación directa de entradas escalón o pulso. (Excepto en algunos casos especiales, la planta debe encontrarse en funcionamiento normal durante la prueba, de modo que las señales de prueba superpuestas no deben perturbar las salidas normales; además, las entradas normales y el ruido del sistema no deben afectar o confundir la prueba). Las entradas normales son señales de prueba ideales, ya que no producen dificultades en cuanto a salidas indeseadas, o entradas que produzcan confusión. Sin embargo, la identificación con entradas normales, sólo es posible cuando tienen características de señal adecuadas (ancho de banda, amplitud y otros), para su correcta identificación.

En determinadas aplicaciones las señales de prueba estocásticas son muy convenientes. Utilizando técnicas de correlación cruzada se puede analizar la salida como función de la entrada estocástica para determinar las características de respuesta. Con una entrada estocástica, se puede distribuir la energía de excitación sobre una banda de frecuencias, haciendo tolerable su efecto. Además, como el dispositivo que realiza la correlación cruzada se puede diseñar de manera que relacione estrechamente las entradas y las salidas, el nivel de la señal de prueba se puede mantener bajo.

La identificación no debe ser muy larga, de lo contrario se pueden producir otras variaciones de los parámetros de la planta. El periodo de identificación, debe ser suficientemente breve en comparación con las modificaciones ambientales. Al limitar el tiempo de identificación es imposible identificar la planta en forma completa; lo mejor que se puede esperar, es sólo una identificación parcial.

Es importante notar que no todos los sistemas adaptables requieren una identificación explícita. Algunos sistemas ya fueron identificados suficientemente como para que la medición del valor del índice de desempeño pueda indicar qué parámetros de control hay que ajustar. Es decir, el sistema se conoce suficientemente de modo que la medición del índice de desempeño complete la identificación.

Por otro lado, si es muy difícil identificar la planta, hay que medir directamente el índice de desempeño y construir un controlador adaptable basado en el mismo. Si no se requiere identificación y la adaptabilidad está basada sólo en mediciones del índice de desempeño, se dice que el sistema de control es un sistema de control óptimo. Como con este método se consigue la organización por sí mismo, tal sistema se considera como adaptable.

La dificultad para realizar una identificación realista depende de cuánta información se requiere de la planta y la cantidad de información previa, que se tiene de la misma. En general, éstos son también los factores para decidir si conviene utilizar un método de identificación o una búsqueda directa del espacio de parámetros de control como función del índice de desempeño, que se tratará más adelante, bajo sistemas de control óptimo.

**Toma de decisión basada en la identificación de la planta.** Se entiende por decisión la que se toma en base a las características de la planta que han sido identificadas y al índice de desempeño calculado.

Una vez identificada la planta, se compara con las características óptimas (o desempeño óptimo) y luego se debe tomar una decisión respecto a cómo se deben variar los parámetros ajustables (características del controlador), para mantener el desempeño óptimo. La decisión se logra con una computadora.

**Modificación basada en la decisión tomada.** La modificación se refiere al cambio de señales de control, de acuerdo con los resultados de la identificación y decisión. En la mayoría de los esquemas la decisión y modificación son, conceptualmente, una sola operación, que consiste en una forma de mecanizar la transformación de la señal de decisión de salida en la señal de control (la entrada a la planta).

Esta señal de control, o señal de entrada a la planta, se puede modificar de dos formas. La primera consiste en ajustar los parámetros de control para compensar los cambios en la dinámica de la planta; esto se denomina modificación de parámetros del controlador. El segundo método consiste en sintetizar la señal de control óptimo, con base en la función de transferencia de la planta, o la ecuación de estado de la planta, del índice de desempeño, y de la respuesta transitoria deseada. A este método se le denomina *síntesis de señal de control*.

La elección entre modificación de parámetros del controlador y la síntesis de la señal de control, depende fundamentalmente, del equipo disponible, pues ambos procedimientos son equivalentes en su concepto. Si lo importante es la confiabilidad, como en aplicaciones aeroespaciales, con frecuencia se prefiere usar la adaptación de cambio de parámetros, más que la síntesis de señal de control. (Esto se debe a que el sistema puede funcionar, aun tras una falla del lazo adaptable, si la señal de control no depende totalmente de la porción adaptable del sistema).

**Sistemas de control óptimos.** Los sistemas de control óptimos se basan fundamentalmente en las técnicas de optimización. En general, la optimización consiste en la búsqueda del espacio de los parámetros variables del controlador, como una función de algún índice de desempeño, para determinar dónde se minimiza o maximiza ese índice de desempeño. De lo anterior, queda implícito el hecho de que se puede definir un índice de desempeño escalar, como una función de las salidas del sistema, de modo que su extremo representa el mejor desempeño posible del sistema. Esto suele ser posible y necesario para cualquier sistema de control adaptable.

Los métodos para determinar el punto de funcionamiento óptimo, son básicamente los de prueba y corrección. En el método de pendiente máxima, se mide el gradiente de la superficie del índice de desempeño observando los efectos de pequeños cambios de los parámetros variables. (A esto se le puede llamar método sensor de derivada). Luego se desplaza el vector de parámetros, en dirección hacia la pendiente máxima, ya sea en un valor fijo, o en una magnitud determinada por el gradiente de la superficie. Cuando los parámetros son de variación lenta, el gradiente se puede calcular, en forma relativamente poco frecuente. Sin embargo, si se da el caso de que los parámetros varíen más rápidamente, se dispone de un método conocido como disposición alternativa, que es superior al método de sensor de derivada. Con disposición alternativa el sistema nunca funciona en la condición óptima, pero opera a una distancia fija en forma alternativa a ambos lados del óptimo calculado y se calcula un nuevo óptimo, a partir de la diferencia en los valores del índice de desempeño.

Probablemente la mayor ventaja del método de control óptimo sea que no se han impuesto restricciones a la planta. Puede ser no lineal, de múltiples entradas y/o salidas, variable en el tiempo, etc. Un inconveniente importante de este método de optimización, consiste en que no se ha encontrado ningún procedimiento satisfactorio para discriminar contra extremos locales. Por lo tanto, este método es útil en aquellos sistemas físicos cuya superficie de desempeño tiene un óptimo único y cuyas variaciones son lo suficientemente lentas como para que el sistema se adapte a ellas.

**Sistemas con aprendizaje.** Una diferencia fundamental entre un operador humano hábil y el sistema de control adaptable tratado antes, es que el operador humano reconoce entradas que le son familiares y puede utilizar las experiencias pasadas aprendidas para reaccionar de manera óptima. Los sistemas de control adaptable están diseñados de modo que la señal de control se modifique al cambiar el entorno del sistema, manteniendo el desempeño siempre óptimo.

A un sistema que puede reconocer las características familiares de alguna situación y utilizar sus experiencias adquiridas en el pasado para desempeñarse en forma óptima, se le llama *sistema con aprendizaje.*

Un sistema con aprendizaje constituye un sistema de nivel más elevado que el de un sistema adaptable. El espacio de todos los sistemas de control se puede dividir en cuatro niveles jerárquicos básicos:

1. Lazo abierto
2. Lazo cerrado
3. Lazo adaptable
4. Lazo con aprendizaje

donde cada nivel corresponde a un índice de desempeño o error de control, medido al nivel inmediato inferior y donde los niveles superiores al cuarto aparecerán en entornos más complejos.

Un sistema con aprendizaje que responde a una situación conocida no requiere identificación del sistema. El método de diseño en este sistema consiste en "enseñarle" al sistema cuál es la mejor elección, ante cada situación. Una vez que el sistema ha aprendido la ley de control óptimo para cada situación posible puede funcionar cerca de la condición óptima, independientemente de los cambios ambientales. (La capacidad de aprendizaje es muy importante en los sistemas robóticos).

Cuando un sistema con aprendizaje se encuentra sometido a una situación nueva, aprende a comportarse por un método de tipo adaptable. Si el sistema experimenta una situación ya aprendida antes, la reconoce y actúa en forma óptima sin necesidad de volver a pasar por el mismo proceso de adaptación. Los modelos del comportamiento humano que muchos investigadores están desarrollando, indudablemente darán resultados útiles por su aplicación a sistemas con aprendizaje.

**Comentarios finales.** Los desarrollos recientes en vehículos aeroespaciales de alta eficiencia, en sistemas robóticos, en plantas de fabricación de alto rendimiento, imponen exigencias más y más rigurosas a sus sistemas de control asociados. Al diseñar esos sistemas de control se trata del desarrollo de sistemas que cumplan con las especificaciones impuestas por los usuarios, bajo las condiciones de operación anticipadas. La mayoría de los sistemas de control que necesitan tener un desempeño muy riguroso, en un rango muy amplio de condiciones de operación, necesariamente han de ser adaptables. En los casos en que sea evidente la necesidad de una alta adaptabilidad, los requerimientos efectivos son atendidos por un sistema de identificación-decisión-modificación, sea con modificación secuencial o continua, según el ritmo de variación de los parámetros.

Los desarrollos más fascinantes en sistemas de control adaptable se encuentran en las áreas de reconocimiento de imágenes y en sistemas con aprendizaje. Es posible que las técnicas de reconocimiento de patrones, sean la respuesta a la necesidad de un procedimiento general de identificación. Asociados a los métodos con aprendizaje, permitirán obtener un control adaptable con aprendizaje.

En esta sección se ha presentado únicamente un perfil de los sistemas de control adaptables. El lector interesado en tales sistemas, debe recurrir a la información disponible de reciente investigación.

## *Ejemplos de problemas y soluciones*

**A–10–1.** Considere el sistema definido por

$$\dot{\mathbf{x}} = \mathbf{A}\mathbf{x} + \mathbf{B}u$$

Suponga que el sistema no es de estado controlable completo. Entonces el rango de la matriz de controlabilidad es menor que $n$, o sea

$$\text{rank}\,[\mathbf{B} \mid \mathbf{AB} \mid \cdots \mid \mathbf{A}^{n-1}\mathbf{B}] = q < n \qquad (10\text{–}143)$$

Esto significa que hay $q$ vectores columna linealmente independientes en la matriz de controlabilidad. Se definen tales $q$ vectores columna, linealmente independientes, como $\mathbf{f}_1, \mathbf{f}_2, \ldots, \mathbf{f}_q$. Se eligen también $n - q$ vectores adicionales, de dimensión $n$ $\mathbf{v}_{q+1}, \mathbf{v}_{q+2}, \ldots, \mathbf{v}_n$, tales que

$$\mathbf{P} = [\mathbf{f}_1 \mid \mathbf{f}_2 \mid \cdots \mid \mathbf{f}_q \mid \mathbf{v}_{q+1} \mid \mathbf{v}_{q+2} \mid \cdots \mid \mathbf{v}_n]$$

es de rango $n$. Usando la matriz $\mathbf{P}$ como matriz de transformación, se define

$$\mathbf{P}^{-1}\mathbf{AP} = \hat{\mathbf{A}}, \qquad \mathbf{P}^{-1}\mathbf{B} = \hat{\mathbf{B}}$$

Demuestre que $\hat{\mathbf{A}}$, se puede escribir como

$$\hat{\mathbf{A}} = \left[\begin{array}{c|c} \mathbf{A}_{11} & \mathbf{A}_{12} \\ \hline \mathbf{0} & \mathbf{A}_{22} \end{array}\right]$$

donde $\mathbf{A}_{11}$ es una matriz de $q \times q$, $\mathbf{A}_{12}$ es una matriz de $q \times (n - q)$, $\mathbf{A}_{22}$ es una matriz de $(n - q) \times (n - q)$, y $\mathbf{0}$ es una matriz de $(n - q) \times q$. Muestre también que la matriz $\hat{\mathbf{B}}$, se puede escribir como

$$\hat{\mathbf{B}} = \left[\begin{array}{c} \mathbf{B}_{11} \\ \hline \mathbf{0} \end{array}\right]$$

donde $\mathbf{B}_{11}$ es una matriz de $q \times 1$ y $\mathbf{0}$ es una matriz de $(n - q) \times 1$.

**Solución.** Nótese que

$$\mathbf{AP} = \mathbf{P}\hat{\mathbf{A}}$$

o bien

$$[\mathbf{Af}_1 \mid \mathbf{Af}_2 \mid \cdots \mid \mathbf{Af}_q \mid \mathbf{Av}_{q+1} \mid \cdots \mid \mathbf{Av}_n]$$
$$= [\mathbf{f}_1 \mid \mathbf{f}_2 \mid \cdots ] \mathbf{f}_q \mid \mathbf{v}_{q+1} \mid \cdots \mid \mathbf{v}_n]\hat{\mathbf{A}} \tag{10–144}$$

Igualmente,

$$\mathbf{B} = \mathbf{P}\hat{\mathbf{B}} \tag{10–145}$$

Como se tienen $q$ vectores columna, linealmente independientes, $\mathbf{f}_1, \mathbf{f}_2, \ldots, \mathbf{f}_q$, se puede utilizar el teorema de Cayley-Hamilton, para presentar los vectores $\mathbf{Af}_1, \mathbf{Af}_2, \ldots, \mathbf{Af}_q$, en función de esos $q$ vectores. Es decir,

$$\mathbf{Af}_1 = a_{11}\mathbf{f}_1 + a_{21}\mathbf{f}_2 + \cdots + a_{q1}\mathbf{f}_q$$
$$\mathbf{Af}_2 = a_{12}\mathbf{f}_1 + a_{22}\mathbf{f}_2 + \cdots + a_{q2}\mathbf{f}_q$$
$$\vdots$$
$$\mathbf{Af}_q = a_{1q}\mathbf{f}_1 + a_{2q}\mathbf{f}_2 + \cdots + a_{qq}\mathbf{f}_q$$

Por tanto, la ecuación (10-144) se puede escribir como sigue:

$$[\mathbf{Af}_1 \mid \mathbf{Af}_2 \mid \cdots \mid \mathbf{Af}_q \mid \mathbf{Av}_{q+1} \mid \cdots \mid \mathbf{Av}_n]$$

$$= [\mathbf{f}_1 \mid \mathbf{f}_2 \mid \cdots \mid \mathbf{f}_q \mid \mathbf{v}_{q+1} \mid \cdots \mid \mathbf{v}_n] \left[\begin{array}{ccc|ccc} a_{11} & \cdots & a_{1q} & a_{1\,q+1} & \cdots & a_{1n} \\ a_{21} & \cdots & a_{2q} & a_{2\,q+1} & \cdots & a_{2n} \\ \cdot & & \cdot & \cdot & & \cdot \\ \cdot & & \cdot & \cdot & & \cdot \\ \cdot & & \cdot & \cdot & & \cdot \\ a_{q1} & \cdots & a_{qq} & a_{q\,q+1} & \cdots & a_{qn} \\ \hline 0 & \cdots & 0 & a_{q+1\,q+1} & \cdots & a_{q+1\,n} \\ \cdot & & \cdot & \cdot & & \cdot \\ \cdot & & \cdot & \cdot & & \cdot \\ \cdot & & \cdot & \cdot & & \cdot \\ 0 & \cdots & 0 & a_{n\,q+1} & \cdots & a_{nn} \end{array}\right]$$

Se define

$$\begin{bmatrix} a_{11} & \cdots & a_{1q} \\ a_{21} & \cdots & a_{2q} \\ \cdot & & \cdot \\ \cdot & & \cdot \\ \cdot & & \cdot \\ a_{q1} & \cdots & a_{qq} \end{bmatrix} = \mathbf{A}_{11}$$

$$\begin{bmatrix} a_{1q+1} & \cdots & a_{1n} \\ a_{2q+1} & \cdots & a_{2n} \\ \cdot & & \cdot \\ \cdot & & \cdot \\ \cdot & & \cdot \\ a_{qq+1} & \cdots & a_{qn} \end{bmatrix} = \mathbf{A}_{12}$$

$$\begin{bmatrix} 0 & \cdots & 0 \\ \cdot & & \cdot \\ \cdot & & \cdot \\ \cdot & & \cdot \\ 0 & \cdots & 0 \end{bmatrix} = \mathbf{A}_{21} = (n - q) \times q \text{ zero matrix}$$

$$\begin{bmatrix} a_{q+1\,q+1} & \cdots & a_{q+1\,n} \\ \cdot & & \cdot \\ \cdot & & \cdot \\ \cdot & & \cdot \\ a_{nq+1} & \cdots & a_{nn} \end{bmatrix} = \mathbf{A}_{22}$$

Entonces la ecuación (10-144), se puede presentar como

$$[\mathbf{Af}_1 \mid \mathbf{Af}_2 \mid \cdots \mid \mathbf{Af}_q \mid \mathbf{Av}_{q+1} \mid \cdots \mid \mathbf{Av}_n]$$

$$= [\mathbf{f}_1 \mid \mathbf{f}_2 \mid \cdots \mid \mathbf{f}_q \mid \mathbf{v}_{q+1} \mid \cdots \mid \mathbf{v}_n] \left[\begin{array}{c|c} \mathbf{A}_{11} & \mathbf{A}_{12} \\ \hline \mathbf{0} & \mathbf{A}_{22} \end{array}\right]$$

Entonces

$$\mathbf{AP} = \mathbf{P} \left[\begin{array}{c|c} \mathbf{A}_{11} & \mathbf{A}_{12} \\ \hline \mathbf{0} & \mathbf{A}_{22} \end{array}\right]$$

Por tanto

$$\mathbf{P}^{-1}\mathbf{AP} = \hat{\mathbf{A}} = \left[\begin{array}{c|c} \mathbf{A}_{11} & \mathbf{A}_{12} \\ \hline \mathbf{0} & \mathbf{A}_{22} \end{array}\right]$$

Ahora, respecto a la ecuación (10-145), se tiene

$$\mathbf{B} = [\mathbf{f}_1 \mid \mathbf{f}_2 \mid \cdots \mid \mathbf{f}_q \mid \mathbf{v}_{q+1} \mid \cdots \mid \mathbf{v}_n]\, \hat{\mathbf{B}} \tag{10–146}$$

En referencia a la ecuación (10-143), nótese que se puede presentar el vector **B** en función de $q$ vectores columna, linealmente independientes, $\mathbf{f}_1, \mathbf{f}_2, \ldots, \mathbf{f}_q$. Entonces, se tiene

$$\mathbf{B} = b_{11}\mathbf{f}_1 + b_{21}\mathbf{f}_2 + \cdots + b_{q1}\mathbf{f}_q$$

En consecuencia, la ecuación (10-146) se puede presentar como

$$b_{11}\mathbf{f}_1 + b_{21}\mathbf{f}_2 + \cdots + b_{q1}\mathbf{f}_q = [\mathbf{f}_1 \mid \mathbf{f}_2 \mid \cdots \mid \mathbf{f}_q \mid \mathbf{v}_{q+1} \mid \cdots \mid \mathbf{v}_n] \begin{bmatrix} b_{11} \\ b_{21} \\ \cdot \\ \cdot \\ \cdot \\ b_{q1} \\ 0 \\ \cdot \\ \cdot \\ \cdot \\ 0 \end{bmatrix}$$

Así,

$$\hat{\mathbf{B}} = \begin{bmatrix} \mathbf{B}_{11} \\ \hdashline \mathbf{0} \end{bmatrix}$$

donde

$$\mathbf{B}_{11} = \begin{bmatrix} b_{11} \\ b_{21} \\ \cdot \\ \cdot \\ \cdot \\ b_{q1} \end{bmatrix}$$

**A–10–2.** Considere un sistema con estado completo controlable

$$\dot{\mathbf{x}} = \mathbf{A}\mathbf{x} + \mathbf{B}u$$

Se define la matriz de controlabilidad **M** como:

$$\mathbf{M} = [\mathbf{B} \mid \mathbf{AB} \mid \cdots \mid \mathbf{A}^{n-1}\mathbf{B}]$$

Demuestre que

$$\mathbf{M}^{-1}\mathbf{A}\mathbf{M} = \begin{bmatrix} 0 & 0 & \cdots & 0 & -a_n \\ 1 & 0 & \cdots & 0 & -a_{n-1} \\ 0 & 1 & \cdots & 0 & -a_{n-2} \\ \cdot & \cdot & & \cdot & \cdot \\ \cdot & \cdot & & \cdot & \cdot \\ \cdot & \cdot & & \cdot & \cdot \\ 0 & 0 & \cdots & 1 & -a_1 \end{bmatrix}$$

donde $a_1, a_2, \ldots, a_n$, son los coeficientes del polinomio característico

$$|s\mathbf{I} - \mathbf{A}| = s^n + a_1 s^{n-1} + \cdots + a_{n-1}s + a_n$$

**Solución.** Considere el caso en que $n = 3$. Se demostrará que

$$\mathbf{AM} = \mathbf{M}\begin{bmatrix} 0 & 0 & -a_3 \\ 1 & 0 & -a_2 \\ 0 & 1 & -a_1 \end{bmatrix} \tag{10–147}$$

El miembro izquierdo de la ecuación (10-147) es

$$\mathbf{AM} = \mathbf{A}[\mathbf{B} \mid \mathbf{AB} \mid \mathbf{A}^2\mathbf{B}] = [\mathbf{AB} \mid \mathbf{A}^2\mathbf{B} \mid \mathbf{A}^3\mathbf{B}]$$

El miembro derecho de la ecuación (10-147) es

$$[\mathbf{B} \mid \mathbf{AB} \mid \mathbf{A}^2\mathbf{B}]\begin{bmatrix} 0 & 0 & -a_3 \\ 1 & 0 & -a_2 \\ 0 & 1 & -a_1 \end{bmatrix} = [\mathbf{AB} \mid \mathbf{A}^2\mathbf{B} \mid -a_3\mathbf{B} - a_2\mathbf{AB} - a_1\mathbf{A}^2\mathbf{B}] \tag{10–148}$$

El teorema de Cayley-Hamilton establece que la matriz $\mathbf{A}$, satisface su propia ecuación característica, o sea en el caso de $\mathbf{n} = 3$,

$$\mathbf{A}^3 + a_1\mathbf{A}^2 + a_2\mathbf{A} + a_3\mathbf{I} = \mathbf{0} \tag{10–149}$$

Utilizando la ecuación (10-149), la tercera columna del miembro derecho de la ecuación (10-148), se convierte en

$$-a_3\mathbf{B} - a_2\mathbf{AB} - a_1\mathbf{A}^2\mathbf{B} = (-a_3\mathbf{I} - a_2\mathbf{A} - a_1\mathbf{A}^2)\mathbf{B} = \mathbf{A}^3\mathbf{B}$$

Por tanto, la ecuación (10-148), el miembro derecho de la ecuación (10-147), se convierte en

$$[\mathbf{B} \mid \mathbf{AB} \mid \mathbf{A}^2\mathbf{B}]\begin{bmatrix} 0 & 0 & -a_3 \\ 1 & 0 & -a_2 \\ 0 & 1 & -a_1 \end{bmatrix} = [\mathbf{AB} \mid \mathbf{A}^2\mathbf{B} \mid \mathbf{A}^3\mathbf{B}]$$

Por tanto, el miembro izquierdo y el derecho de la ecuación (10-147), son iguales. Se ha demostrado que la ecuación (10-147) es verdadera. En consecuencia,

$$\mathbf{M}^{-1}\mathbf{AM} = \begin{bmatrix} 0 & 0 & -a_3 \\ 1 & 0 & -a_2 \\ 0 & 1 & -a_1 \end{bmatrix}$$

Se puede extender la deducción previa, al caso general, para cualquier entero positivo $n$.

**A–10–3.** Considere el sistema con estado completo controlable

$$\dot{\mathbf{x}} = \mathbf{Ax} + \mathbf{B}u$$

Se define

$$\mathbf{M} = [\mathbf{B} \mid \mathbf{AB} \mid \cdots \mid \mathbf{A}^{n-1}\mathbf{B}]$$

y

$$\mathbf{W} = \begin{bmatrix} a_{n-1} & a_{n-2} & \cdots & a_1 & 1 \\ a_{n-2} & a_{n-3} & \cdots & 1 & 0 \\ \cdot & \cdot & & \cdot & \cdot \\ \cdot & \cdot & & \cdot & \cdot \\ \cdot & \cdot & & \cdot & \cdot \\ a_1 & 1 & \cdots & 0 & 0 \\ 1 & 0 & \cdots & 0 & 0 \end{bmatrix}$$

donde las $a_i$, son coeficientes del polinomio característico

$$|s\mathbf{I} - \mathbf{A}| = s^n + a_1 s^{n-1} + \cdots + a_{n-1}s + a_n$$

Se define también

$$\mathbf{T} = \mathbf{MW}$$

Demuestre que

$$\mathbf{T}^{-1}\mathbf{AT} = \begin{bmatrix} 0 & 1 & 0 & \cdots & 0 \\ 0 & 0 & 1 & \cdots & 0 \\ \cdot & \cdot & \cdot & & \cdot \\ \cdot & \cdot & \cdot & & \cdot \\ \cdot & \cdot & \cdot & & \cdot \\ 0 & 0 & 0 & \cdots & 1 \\ -a_n & -a_{n-1} & -a_{n-2} & \cdots & -a_1 \end{bmatrix}, \quad \mathbf{T}^{-1}\mathbf{B} = \begin{bmatrix} 0 \\ 0 \\ \cdot \\ \cdot \\ \cdot \\ 0 \\ 1 \end{bmatrix}$$

**Solución.** Se considera el caso en que $n = 3$. Se demostrará que

$$\mathbf{T}^{-1}\mathbf{AT} = (\mathbf{MW})^{-1}\mathbf{A}(\mathbf{MW}) = \mathbf{W}^{-1}(\mathbf{M}^{-1}\mathbf{AM})\mathbf{W} = \begin{bmatrix} 0 & 1 & 0 \\ 0 & 0 & 1 \\ -a_3 & -a_2 & -a_1 \end{bmatrix} \tag{10–150}$$

Respecto al problema A-10-12, se tiene

$$\mathbf{M}^{-1}\mathbf{AM} = \begin{bmatrix} 0 & 0 & -a_3 \\ 1 & 0 & -a_2 \\ 0 & 1 & -a_1 \end{bmatrix}$$

Por tanto, la ecuación (10-150) se puede escribir como

$$\mathbf{W}^{-1}\begin{bmatrix} 0 & 0 & -a_3 \\ 1 & 0 & -a_2 \\ 0 & 1 & -a_1 \end{bmatrix}\mathbf{W} = \begin{bmatrix} 0 & 1 & 0 \\ 0 & 0 & 1 \\ -a_3 & -a_2 & -a_1 \end{bmatrix}$$

Por lo tanto, hay que demostrar que

$$\begin{bmatrix} 0 & 0 & -a_3 \\ 1 & 0 & -a_2 \\ 0 & 1 & -a_1 \end{bmatrix}\mathbf{W} = \mathbf{W}\begin{bmatrix} 0 & 1 & 0 \\ 0 & 0 & 1 \\ -a_3 & -a_2 & -a_1 \end{bmatrix} \tag{10–151}$$

El miembro izquierdo de la ecuación (10-151) es

$$\begin{bmatrix} 0 & 0 & -a_3 \\ 1 & 0 & -a_2 \\ 0 & 1 & -a_1 \end{bmatrix}\begin{bmatrix} a_2 & a_1 & 1 \\ a_1 & 1 & 0 \\ 1 & 0 & 0 \end{bmatrix} = \begin{bmatrix} -a_3 & 0 & 0 \\ 0 & a_1 & 1 \\ 0 & 1 & 0 \end{bmatrix}$$

El miembro derecho de la ecuación (10-151) es

$$\begin{bmatrix} a_2 & a_1 & 1 \\ a_1 & 1 & 0 \\ 1 & 0 & 0 \end{bmatrix}\begin{bmatrix} 0 & 1 & 0 \\ 0 & 0 & 1 \\ -a_3 & -a_2 & -a_1 \end{bmatrix} = \begin{bmatrix} -a_3 & 0 & 0 \\ 0 & a_1 & 1 \\ 0 & 1 & 0 \end{bmatrix}$$

Es claro que la ecuación (10-151) es verdadera. Entonces, se ha demostrado que

$$\mathbf{T}^{-1}\mathbf{AT} = \begin{bmatrix} 0 & 1 & 0 \\ 0 & 0 & 1 \\ -a_3 & -a_2 & -a_1 \end{bmatrix}$$

Ahora se demostrará que

$$\mathbf{T}^{-1}\mathbf{B} = \begin{bmatrix} 0 \\ 0 \\ 1 \end{bmatrix} \tag{10–152}$$

Se hace notar que la ecuación (10-152) se puede presentar como

$$\mathbf{B} = \mathbf{T}\begin{bmatrix} 0 \\ 0 \\ 1 \end{bmatrix} = \mathbf{MW}\begin{bmatrix} 0 \\ 0 \\ 1 \end{bmatrix}$$

Nótese que

$$\mathbf{T}\begin{bmatrix} 0 \\ 0 \\ 1 \end{bmatrix} = [\mathbf{B} \mid \mathbf{AB} \mid \mathbf{A}^2\mathbf{B}]\begin{bmatrix} a_2 & a_1 & 1 \\ a_1 & 1 & 0 \\ 1 & 0 & 0 \end{bmatrix}\begin{bmatrix} 0 \\ 0 \\ 1 \end{bmatrix} = [\mathbf{B} \mid \mathbf{AB} \mid \mathbf{A}^2\mathbf{B}]\begin{bmatrix} 1 \\ 0 \\ 0 \end{bmatrix} = \mathbf{B}$$

se tiene

$$\mathbf{T}^{-1}\mathbf{B} = \begin{bmatrix} 0 \\ 0 \\ 1 \end{bmatrix}$$

La deducción que se presenta aquí se puede extender al caso general para cualquier entero positivo $n$.

**A–10–4.** Considere la ecuación de estado

$$\dot{\mathbf{x}} = \mathbf{Ax} + \mathbf{B}u$$

donde

$$\mathbf{A} = \begin{bmatrix} 1 & 1 \\ -4 & -3 \end{bmatrix}, \quad \mathbf{B} = \begin{bmatrix} 0 \\ 2 \end{bmatrix}$$

El rango de la matriz de controlabilidad **M**,

$$\mathbf{M} = [\mathbf{B} \mid \mathbf{AB}] = \begin{bmatrix} 0 & 2 \\ 2 & -6 \end{bmatrix}$$

es 2. Entonces, el sistema tiene estado completo controlable. Transforme la ecuación de estado dado, en la forma canónica controlable.

**Solución.** Como

$$|s\mathbf{I} - \mathbf{A}| = \begin{vmatrix} s-1 & -1 \\ 4 & s+3 \end{vmatrix} = (s-1)(s+3) + 4$$
$$= s^2 + 2s + 1 = s^2 + a_1 s + a_2$$

se tiene

$$a_1 = 2, \qquad a_2 = 1$$

Se define

$$\mathbf{T} = \mathbf{MW}$$

donde

$$\mathbf{M} = \begin{bmatrix} 0 & 2 \\ 2 & -6 \end{bmatrix}, \qquad \mathbf{W} = \begin{bmatrix} 2 & 1 \\ 1 & 0 \end{bmatrix}$$

Entonces

$$\mathbf{T} = \begin{bmatrix} 0 & 2 \\ 2 & -6 \end{bmatrix}\begin{bmatrix} 2 & 1 \\ 1 & 0 \end{bmatrix} = \begin{bmatrix} 2 & 0 \\ -2 & 2 \end{bmatrix}$$

y

$$\mathbf{T}^{-1} = \begin{bmatrix} 0.5 & 0 \\ 0.5 & 0.5 \end{bmatrix}$$

Se define

$$\mathbf{x} = \mathbf{T}\hat{\mathbf{x}}$$

Entonces la ecuación de estado, se convierte en

$$\dot{\hat{\mathbf{x}}} = \mathbf{T}^{-1}\mathbf{AT}\hat{\mathbf{x}} + \mathbf{T}^{-1}\mathbf{B}u$$

Como

$$\mathbf{T}^{-1}\mathbf{AT} = \begin{bmatrix} 0.5 & 0 \\ 0.5 & 0.5 \end{bmatrix}\begin{bmatrix} 1 & 1 \\ -4 & -3 \end{bmatrix}\begin{bmatrix} 2 & 0 \\ -2 & 2 \end{bmatrix} = \begin{bmatrix} 0 & 1 \\ -1 & -2 \end{bmatrix}$$

y

$$\mathbf{T}^{-1}\mathbf{B} = \begin{bmatrix} 0.5 & 0 \\ 0.5 & 0.5 \end{bmatrix}\begin{bmatrix} 0 \\ 2 \end{bmatrix} = \begin{bmatrix} 0 \\ 1 \end{bmatrix}$$

se tiene

$$\begin{bmatrix} \dot{\hat{x}}_1 \\ \dot{\hat{x}}_2 \end{bmatrix} = \begin{bmatrix} 0 & 1 \\ -1 & -2 \end{bmatrix}\begin{bmatrix} \hat{x}_1 \\ \hat{x}_2 \end{bmatrix} + \begin{bmatrix} 0 \\ 1 \end{bmatrix} u$$

que es la forma canónica controlable.

**A–10–5.** Considere el sistema definido por

$$\dot{\mathbf{x}} = \mathbf{Ax} + \mathbf{B}u$$

$$y = \mathbf{Cx}$$

donde

$$\mathbf{A} = \begin{bmatrix} 0 & 1 \\ -2 & -3 \end{bmatrix}, \qquad \mathbf{B} = \begin{bmatrix} 0 \\ 2 \end{bmatrix}, \qquad \mathbf{C} = [1 \quad 0]$$

La ecuación característica del sistema es

$$|s\mathbf{I} - \mathbf{A}| = \begin{vmatrix} s & -1 \\ 2 & s+3 \end{vmatrix} = s^2 + 3s + 2 = (s+1)(s+2) = 0$$

Los valores propios de la matriz **A** son —1 y —2.

Se desea que los valores propios estén en —3 y —5, utilizando un control de retroalimentación de estado $u = -\mathbf{Kx}$. Determine la matriz **K** de ganancia de retroalimentación necesaria y la señal de control $u$.

**Solución.** El sistema dado, tiene estado completo controlable ya que el rango de

$$\mathbf{M} = [\mathbf{B} \;\vdots\; \mathbf{AB}] = \begin{bmatrix} 0 & 2 \\ 2 & -6 \end{bmatrix}$$

es 2. Por tanto, es posible ubicar arbitrariamente los polos.

Como la ecuación característica del sistema original es

$$s^2 + 3s + 2 = s^2 + a_1 s + a_2 = 0$$

se tiene

$$a_1 = 3, \qquad a_2 = 2$$

La ecuación característica deseada es

$$(s+3)(s+5) = s^2 + 8s + 15 = s^2 + \alpha_1 s + \alpha_2 = 0$$

Por tanto,

$$\alpha_1 = 8, \qquad \alpha_2 = 15$$

Es importante indicar que la ecuación de estado original no está en la forma canónica controlable, porque la matriz **B** no es

$$\begin{bmatrix} 0 \\ 1 \end{bmatrix}$$

Por tanto, hay que determinar la matriz de transformación **T**,

$$\mathbf{T} = \mathbf{MW} = [\mathbf{B} \;\vdots\; \mathbf{AB}] \begin{bmatrix} a_1 & 1 \\ 1 & 0 \end{bmatrix} = \begin{bmatrix} 0 & 2 \\ 2 & -6 \end{bmatrix} \begin{bmatrix} 3 & 1 \\ 1 & 0 \end{bmatrix} = \begin{bmatrix} 2 & 0 \\ 0 & 2 \end{bmatrix}$$

De donde

$$\mathbf{T}^{-1} = \begin{bmatrix} 0.5 & 0 \\ 0 & 0.5 \end{bmatrix}$$

En referencia a la ecuación (10-13), la matriz de ganancia de retroalimentación necesaria está da por

$$\begin{aligned} \mathbf{K} &= [\alpha_2 - a_2 \;\vdots\; \alpha_1 - a_1]\mathbf{T}^{-1} \\ &= [15 - 2 \;\vdots\; 8 - 3] \begin{bmatrix} 0.5 & 0 \\ 0 & 0.5 \end{bmatrix} = [6.5 \quad 2.5] \end{aligned}$$

Y entonces la señal de control $u$ es

$$u = -\mathbf{Kx} = -[6.5 \quad 2.5] \begin{bmatrix} x_1 \\ x_2 \end{bmatrix}$$

**A–10–6.** Se considera sistema completamente observable

$$\dot{\mathbf{x}} = \mathbf{A}\mathbf{x}$$
$$y = \mathbf{C}\mathbf{x}$$

La matriz de observabilidad **N** se define como:

$$\mathbf{N} = [\mathbf{C}^* \mid \mathbf{A}^*\mathbf{C}^* \mid \cdots \mid (\mathbf{A}^*)^{n-1}\mathbf{C}^*]$$

Demuestre que

$$\mathbf{N}^*\mathbf{A}(\mathbf{N}^*)^{-1} = \begin{bmatrix} 0 & 1 & 0 & \cdots & 0 \\ 0 & 0 & 1 & \cdots & 0 \\ \cdot & \cdot & \cdot & & \cdot \\ \cdot & \cdot & \cdot & & \cdot \\ \cdot & \cdot & \cdot & & \cdot \\ 0 & 0 & 0 & \cdots & 1 \\ -a_n & -a_{n-1} & -a_{n-2} & \cdots & -a_1 \end{bmatrix} \tag{10–153}$$

donde $a_1, a_2, \ldots, a_n$, son los coeficientes del polinomio característico

$$|s\mathbf{I} - \mathbf{A}| = s^n + a_1 s^{n-1} + \cdots + a_{n-1}s + a_n$$

**Solución.** Considere el caso en que $n = 3$. Entonces la ecuación (10-153) se puede presentar como

$$\mathbf{N}^*\mathbf{A}(\mathbf{N}^*)^{-1} = \begin{bmatrix} 0 & 1 & 0 \\ 0 & 0 & 1 \\ -a_3 & -a_2 & -a_1 \end{bmatrix} \tag{10–154}$$

La ecuación (10-154), se puede escribir como

$$\mathbf{N}^*\mathbf{A} = \begin{bmatrix} 0 & 1 & 0 \\ 0 & 0 & 1 \\ -a_3 & -a_2 & -a_1 \end{bmatrix} \mathbf{N}^* \tag{10–155}$$

Se demostrará que la ecuación (10-155) es válida. El miembro izquierdo de la ecuación (10-155), es

$$\mathbf{N}^*\mathbf{A} = \begin{bmatrix} \mathbf{C} \\ \mathbf{CA} \\ \mathbf{CA}^2 \end{bmatrix} \mathbf{A} = \begin{bmatrix} \mathbf{CA} \\ \mathbf{CA}^2 \\ \mathbf{CA}^3 \end{bmatrix} \tag{10–156}$$

El miembro derecho de la ecuación (10-155), es

$$\begin{bmatrix} 0 & 1 & 0 \\ 0 & 0 & 1 \\ -a_3 & -a_2 & -a_1 \end{bmatrix} \mathbf{N}^* = \begin{bmatrix} 0 & 1 & 0 \\ 0 & 0 & 1 \\ -a_3 & -a_2 & -a_1 \end{bmatrix} \begin{bmatrix} \mathbf{C} \\ \mathbf{CA} \\ \mathbf{CA}^2 \end{bmatrix}$$
$$= \begin{bmatrix} \mathbf{CA} \\ \mathbf{CA}^2 \\ -a_3\mathbf{C} - a_2\mathbf{CA} - a_1\mathbf{CA}^2 \end{bmatrix} \tag{10–157}$$

El teorema de Cayley-Hamilton establece que la matriz **A**, satisface su propia ecuación característica, o sea

$$\mathbf{A}^3 + a_1\mathbf{A}^2 + a_2\mathbf{A} + a_3\mathbf{I} = \mathbf{0}$$

Por tanto

$$-a_1\mathbf{CA}^2 - a_2\mathbf{CA} - a_3\mathbf{C} = \mathbf{CA}^3$$

Entonces el miembro derecho de la ecuación (10-157), se hace igual al miembro izquierdo de la ecuación (10-156). En consecuencia,

$$\mathbf{N^*A} = \begin{bmatrix} 0 & 1 & 0 \\ 0 & 0 & 1 \\ -a_3 & -a_2 & -a_1 \end{bmatrix} \mathbf{N^*}$$

que es la ecuación (10-155). Esta última ecuación se puede modificar a

$$\mathbf{N^*A(N^*)}^{-1} = \begin{bmatrix} 0 & 1 & 0 \\ 0 & 0 & 1 \\ -a_3 & -a_2 & -a_1 \end{bmatrix}$$

El desarrollo aquí realizado se puede extender al caso general, para cualquier entero positivo $n$.

**A–10–7.** Considere un sistema completamente observable, definido por

$$\dot{\mathbf{x}} = \mathbf{Ax} + \mathbf{B}u \tag{10–158}$$

$$y = \mathbf{Cx} + Du \tag{10–159}$$

Se define

$$\mathbf{N} = [\mathbf{C^*} \mid \mathbf{A^*C^*} \mid \cdots \mid (\mathbf{A^*})^{n-1}\mathbf{C^*}]$$

y

$$\mathbf{W} = \begin{bmatrix} a_{n-1} & a_{n-2} & \cdots & a_1 & 1 \\ a_{n-2} & a_{n-3} & \cdots & 1 & 0 \\ \cdot & \cdot & & \cdot & \cdot \\ \cdot & \cdot & & \cdot & \cdot \\ \cdot & \cdot & & \cdot & \cdot \\ a_1 & 1 & \cdots & 0 & 0 \\ 1 & 0 & \cdots & 0 & 0 \end{bmatrix}$$

donde las $a$, son coeficientes del polinomio característico

$$|s\mathbf{I} - \mathbf{A}| = s^n + a_1 s^{n-1} + \cdots + a_{n-1}s + a_n$$

Se define también

$$\mathbf{Q} = (\mathbf{WN^*})^{-1}$$

Demuestre que

$$\mathbf{Q}^{-1}\mathbf{AQ} = \begin{bmatrix} 0 & 0 & \cdots & 0 & -a_n \\ 1 & 0 & \cdots & 0 & -a_{n-1} \\ 0 & 1 & \cdots & 0 & -a_{n-2} \\ \cdot & \cdot & & \cdot & \cdot \\ \cdot & \cdot & & \cdot & \cdot \\ \cdot & \cdot & & \cdot & \cdot \\ 0 & 0 & \cdots & 1 & -a_1 \end{bmatrix}$$

$$\mathbf{CQ} = [0 \quad 0 \quad \cdots \quad 0 \quad 1]$$

$$\mathbf{Q}^{-1}\mathbf{B} = \begin{bmatrix} b_n - a_n b_0 \\ b_{n-1} - a_{n-1} b_0 \\ \cdot \\ \cdot \\ \cdot \\ b_1 - a_1 b_0 \end{bmatrix}$$

donde las $b_k$ ($k = 0, 1, 2, \ldots, n$) son aquellos coeficientes que aparecen en el numerador de la función de transferencia cuando $\mathbf{C}(s\mathbf{I} - \mathbf{A})^{-1}\mathbf{B} + D$ se escribe del siguiente modo:

$$\mathbf{C}(s\mathbf{I} - \mathbf{A})^{-1}\mathbf{B} + D = \frac{b_0 s^n + b_1 s^{n-1} + \cdots + b_{n-1}s + b_n}{s^n + a_1 s^{n-1} + \cdots + a_{n-1}s + a_n}$$

donde $D = b_0$.

**Solución.** Se considera el caso de $n = 3$. Se demostrará que

$$\mathbf{Q}^{-1}\mathbf{AQ} = (\mathbf{WN}^*)\mathbf{A}(\mathbf{WN}^*)^{-1} = \begin{bmatrix} 0 & 0 & -a_3 \\ 1 & 0 & -a_2 \\ 0 & 1 & -a_1 \end{bmatrix} \qquad (10\text{–}160)$$

Nótese que, en referencia al problema A-10-16, se tiene

$$(\mathbf{WN}^*)\mathbf{A}(\mathbf{WN}^*)^{-1} = \mathbf{W}[\mathbf{N}^*\mathbf{A}(\mathbf{N}^*)^{-1}]\mathbf{W}^{-1} = \mathbf{W}\begin{bmatrix} 0 & 1 & 0 \\ 0 & 0 & 1 \\ -a_3 & -a_2 & -a_1 \end{bmatrix}\mathbf{W}^{-1}$$

Por lo tanto, hay que mostrar que

$$\mathbf{W}\begin{bmatrix} 0 & 1 & 0 \\ 0 & 0 & 1 \\ -a_3 & -a_2 & -a_1 \end{bmatrix}\mathbf{W}^{-1} = \begin{bmatrix} 0 & 0 & -a_3 \\ 1 & 0 & -a_2 \\ 0 & 1 & -a_1 \end{bmatrix}$$

o bien

$$\mathbf{W}\begin{bmatrix} 0 & 1 & 0 \\ 0 & 0 & 1 \\ -a_3 & -a_2 & -a_1 \end{bmatrix} = \begin{bmatrix} 0 & 0 & -a_3 \\ 1 & 0 & -a_2 \\ 0 & 1 & -a_1 \end{bmatrix}\mathbf{W} \qquad (10\text{–}161)$$

El miembro izquierdo de la ecuación (10-161), es

$$\mathbf{W}\begin{bmatrix} 0 & 1 & 0 \\ 0 & 0 & 1 \\ -a_3 & -a_2 & -a_1 \end{bmatrix} = \begin{bmatrix} a_2 & a_1 & 1 \\ a_1 & 1 & 0 \\ 1 & 0 & 0 \end{bmatrix}\begin{bmatrix} 0 & 1 & 0 \\ 0 & 0 & 1 \\ -a_3 & -a_2 & -a_1 \end{bmatrix}$$

$$= \begin{bmatrix} -a_3 & 0 & 0 \\ 0 & a_1 & 1 \\ 0 & 1 & 0 \end{bmatrix}$$

El miembro derecho de la ecuación (10-161), es

$$\begin{bmatrix} 0 & 0 & -a_3 \\ 1 & 0 & -a_2 \\ 0 & 1 & -a_1 \end{bmatrix} \mathbf{W} = \begin{bmatrix} 0 & 0 & -a_3 \\ 1 & 0 & -a_2 \\ 0 & 1 & -a_1 \end{bmatrix} \begin{bmatrix} a_2 & a_1 & 1 \\ a_1 & 1 & 0 \\ 1 & 0 & 0 \end{bmatrix}$$

$$= \begin{bmatrix} -a_3 & 0 & 0 \\ 0 & a_1 & 1 \\ 0 & 1 & 0 \end{bmatrix}$$

Por tanto, la ecuación (10-161) es verdadera. Entonces, se ha probado la ecuación (10-160).

A continuación se muestra que

$$\mathbf{CQ} = [0 \quad 0 \quad 1]$$

o bien

$$\mathbf{C}(\mathbf{WN}^*)^{-1} = [0 \quad 0 \quad 1]$$

Nótese que

$$[0 \quad 0 \quad 1]\,(\mathbf{WN}^*) = [0 \quad 0 \quad 1] \begin{bmatrix} a_2 & a_1 & 1 \\ a_1 & 1 & 0 \\ 1 & 0 & 0 \end{bmatrix} \begin{bmatrix} \mathbf{C} \\ \mathbf{CA} \\ \mathbf{CA}^2 \end{bmatrix}$$

$$= [1 \quad 0 \quad 0] \begin{bmatrix} \mathbf{C} \\ \mathbf{CA} \\ \mathbf{CA}^2 \end{bmatrix} = \mathbf{C}$$

Por lo tanto, se ha demostrado que

$$[0 \quad 0 \quad 1] = \mathbf{C}(\mathbf{WN}^*)^{-1} = \mathbf{CQ}$$

Ahora se define

$$\mathbf{x} = \mathbf{Q}\hat{\mathbf{x}}$$

Entonces la ecuación (10-158) se hace

$$\dot{\hat{\mathbf{x}}} = \mathbf{Q}^{-1}\mathbf{AQ}\hat{\mathbf{x}} + \mathbf{Q}^{-1}\mathbf{B}u \tag{10–162}$$

y la ecuación (10-159), se convierte en

$$y = \mathbf{CQ}\hat{\mathbf{x}} + Du \tag{10–163}$$

Para el caso en que $n = 3$, la ecuación (10-162) se convierte en

$$\begin{bmatrix} \dot{\hat{x}}_1 \\ \dot{\hat{x}}_2 \\ \dot{\hat{x}}_3 \end{bmatrix} = \begin{bmatrix} 0 & 0 & -a_3 \\ 1 & 0 & -a_2 \\ 0 & 1 & -a_1 \end{bmatrix} \begin{bmatrix} \hat{x}_1 \\ \hat{x}_2 \\ \hat{x}_3 \end{bmatrix} + \begin{bmatrix} \gamma_3 \\ \gamma_2 \\ \gamma_1 \end{bmatrix} u$$

donde

$$\begin{bmatrix} \gamma_3 \\ \gamma_2 \\ \gamma_1 \end{bmatrix} = \mathbf{Q}^{-1}\mathbf{B}$$

La función de transferencia $G(s)$ para el sistema definido por las ecuaciones (10-162) y (10-163), es

$$G(s) = \mathbf{CQ}(s\mathbf{I} - \mathbf{Q}^{-1}\mathbf{AQ})^{-1}\mathbf{Q}^{-1}\mathbf{B} + D$$

Nótese que

$$\mathbf{CQ} = [0 \quad 0 \quad 1]$$

se tiene

$$G(s) = [0 \quad 0 \quad 1]\begin{bmatrix} s & 0 & a_3 \\ -1 & s & a_2 \\ 0 & -1 & s + a_1 \end{bmatrix}^{-1}\begin{bmatrix} \gamma_3 \\ \gamma_2 \\ \gamma_1 \end{bmatrix} + D$$

Nótese que $D = b_0$. Como

$$\begin{bmatrix} s & 0 & a_3 \\ -1 & s & a_2 \\ 0 & -1 & s + a_1 \end{bmatrix}^{-1} = \frac{1}{s^3 + a_1 s^2 + a_2 s + a_3}\begin{bmatrix} s^2 + a_1 s + a_2 & -a_3 & -a_3 s \\ s + a_1 & s^2 + a_1 s & -a_2 s - a_3 \\ 1 & s & s^2 \end{bmatrix}$$

se tiene

$$G(s) = \frac{1}{s^3 + a_1 s^2 + a_2 s + a_3}[1 \quad s \quad s^2]\begin{bmatrix} \gamma_3 \\ \gamma_2 \\ \gamma_1 \end{bmatrix} + D$$

$$= \frac{\gamma_1 s^2 + \gamma_2 s + \gamma_3}{s^3 + a_1 s^2 + a_2 s + a_3} + b_0$$

$$= \frac{b_0 s^3 + (\gamma_1 + a_1 b_0)s^2 + (\gamma_2 + a_2 b_0)s + \gamma_3 + a_3 b_0}{s^3 + a_1 s^2 + a_2 s + a_3}$$

$$= \frac{b_0 s^3 + b_1 s^2 + b_2 s + b_3}{s^3 + a_1 s^2 + a_2 s + a_3}$$

Por tanto

$$\gamma_1 = b_1 - a_1 b_0, \qquad \gamma_2 = b_2 - a_2 b_0, \qquad \gamma_3 = b_3 - a_3 b_0$$

Así, se ha demostrado que

$$\mathbf{Q}^{-1}\mathbf{B} = \begin{bmatrix} \gamma_3 \\ \gamma_2 \\ \gamma_1 \end{bmatrix} = \begin{bmatrix} b_3 - a_3 b_0 \\ b_2 - a_2 b_0 \\ b_1 - a_1 b_0 \end{bmatrix}$$

Nótese que lo que aquí se ha deducido se puede extender fácilmente al caso en que $n$ es cualquier entero positivo.

**A-10-8.** Considere el sistema definido por

$$\dot{\mathbf{x}} = \mathbf{Ax} + \mathbf{B}u$$

$$y = \mathbf{Cx}$$

donde

$$\mathbf{A} = \begin{bmatrix} 1 & 1 \\ -4 & -3 \end{bmatrix}, \quad \mathbf{B} = \begin{bmatrix} 0 \\ 2 \end{bmatrix}, \quad \mathbf{C} = [1 \quad 1]$$

El rango de la matriz de observabilidad **N**

$$\mathbf{N} = [\mathbf{C}^* \; \vdots \; \mathbf{A}^*\mathbf{C}^*] = \begin{bmatrix} 1 & -3 \\ 1 & -2 \end{bmatrix}$$

es 2. Por lo tanto, el sistema es completamente observable. Transforme las ecuaciones del sistema a la forma canónica observable.

**Solución.** Como

$$|s\mathbf{I} - \mathbf{A}| = s^2 + 2s + 1 = s^2 + a_1 s + a_2$$

se tiene

$$a_1 = 2, \qquad a_2 = 1$$

Se define

$$\mathbf{Q} = (\mathbf{W}\mathbf{N}^*)^{-1}$$

donde

$$\mathbf{N} = \begin{bmatrix} 1 & -3 \\ 1 & -2 \end{bmatrix}, \qquad \mathbf{W} = \begin{bmatrix} a_1 & 1 \\ 1 & 0 \end{bmatrix} = \begin{bmatrix} 2 & 1 \\ 1 & 0 \end{bmatrix}$$

Entonces

$$\mathbf{Q} = \left\{ \begin{bmatrix} 2 & 1 \\ 1 & 0 \end{bmatrix} \begin{bmatrix} 1 & 1 \\ -3 & -2 \end{bmatrix} \right\}^{-1} = \begin{bmatrix} -1 & 0 \\ 1 & 1 \end{bmatrix}^{-1} = \begin{bmatrix} -1 & 0 \\ 1 & 1 \end{bmatrix}$$

y

$$\mathbf{Q}^{-1} = \begin{bmatrix} -1 & 0 \\ 1 & 1 \end{bmatrix}$$

Se define

$$\mathbf{x} = \mathbf{Q}\hat{\mathbf{x}}$$

Entonces la ecuación de estado, se convierte en

$$\dot{\hat{\mathbf{x}}} = \mathbf{Q}^{-1}\mathbf{A}\mathbf{Q}\hat{\mathbf{x}} + \mathbf{Q}^{-1}\mathbf{B}u$$

o

$$\begin{bmatrix} \dot{\hat{x}}_1 \\ \dot{\hat{x}}_2 \end{bmatrix} = \begin{bmatrix} -1 & 0 \\ 1 & 1 \end{bmatrix} \begin{bmatrix} 1 & 1 \\ -4 & -3 \end{bmatrix} \begin{bmatrix} -1 & 0 \\ 1 & 1 \end{bmatrix} \begin{bmatrix} \hat{x}_1 \\ \hat{x}_2 \end{bmatrix} + \begin{bmatrix} -1 & 0 \\ 1 & 1 \end{bmatrix} \begin{bmatrix} 0 \\ 2 \end{bmatrix} u$$

$$= \begin{bmatrix} 0 & -1 \\ 1 & -2 \end{bmatrix} \begin{bmatrix} \hat{x}_1 \\ \hat{x}_2 \end{bmatrix} + \begin{bmatrix} 0 \\ 2 \end{bmatrix} u \qquad (10\text{–}164)$$

La ecuación de salida es

$$y = \mathbf{C}\mathbf{Q}\hat{\mathbf{x}}$$

o bien

$$y = [1 \quad 1] \begin{bmatrix} -1 & 0 \\ 1 & 1 \end{bmatrix} \begin{bmatrix} \hat{x}_1 \\ \hat{x}_2 \end{bmatrix} = [0 \quad 1] \begin{bmatrix} \hat{x}_1 \\ \hat{x}_2 \end{bmatrix} \qquad (10\text{–}165)$$

Las ecuaciones (10-164) y (10-165), están en la forma canónica observable.

**A–10–9.** Para el sistema definido por

$$\dot{\mathbf{x}} = \mathbf{A}\mathbf{x} + \mathbf{B}u$$
$$y = \mathbf{C}\mathbf{x}$$

Considere el problema de diseñar un observador del estado tal que sus valores propios deseados sean $\mu_1, \mu_2, \ldots, \mu_n$.

Demuestre que la matriz de ganancia del observador, dada por la ecuación (10-48), reescrita como

$$\mathbf{K}_e = (\mathbf{W}\mathbf{N}^*)^{-1} \begin{bmatrix} \alpha_n - a_n \\ \alpha_{n-1} - a_{n-1} \\ \cdot \\ \cdot \\ \cdot \\ \alpha_1 - a_1 \end{bmatrix} \qquad (10\text{–}166)$$

se puede obtener de la ecuación (10-13), considerando el problema dual. Es decir, la matriz $\mathbf{K}_e$ se puede determinar si se considera el problema de la ubicación de los polos para el problema dual, obteniendo la matriz $\mathbf{K}$ de ganancia de retroalimentación del estado y tomando su conjugada traspuesta, o sea $\mathbf{K}_e = \mathbf{K}^*$.

**Solución.** El dual del sistema dado es

$$\dot{\mathbf{z}} = \mathbf{A}^*\mathbf{z} + \mathbf{C}^*v \qquad (10\text{–}167)$$
$$n = \mathbf{B}^*\mathbf{z}$$

Para el sistema definido por

$$v = -\mathbf{K}\mathbf{z}$$

Utilizando el control de retroalimentación del estado

$$\dot{\mathbf{z}} = (\mathbf{A}^* - \mathbf{C}^*\mathbf{K})\mathbf{z}$$

La ecuación (10-13), reescrita aquí, es

$$\mathbf{K} = [\alpha_n - a_n \,\vdots\, \alpha_{n-1} - a_{n-1} \,\vdots\, \cdots \,\vdots\, \alpha_2 - a_2 \,\vdots\, \alpha_1 - a_1]\mathbf{T}^{-1} \qquad (10\text{–}168)$$

donde

$$\mathbf{T} = \mathbf{M}\mathbf{W} = [\mathbf{C}^* \,\vdots\, \mathbf{A}^*\mathbf{C}^* \,\vdots\, \cdots \,\vdots\, (\mathbf{A}^*)^{n-1}\mathbf{C}^*]\mathbf{W}$$

En referencia a la ecuación (10-33),

$$[\mathbf{C}^* \,\vdots\, \mathbf{A}^*\mathbf{C}^* \,\vdots\, \cdots \,\vdots\, (\mathbf{A}^*)^{n-1}\mathbf{C}^*] = \mathbf{N}$$

Por tanto

$$\mathbf{T} = \mathbf{N}\mathbf{W}$$

Como $\mathbf{W} = \mathbf{W}^*$, se tiene

$$\mathbf{T}^* = \mathbf{W}^*\mathbf{N}^* = \mathbf{W}\mathbf{N}^*$$

y

$$(\mathbf{T}^*)^{-1} = (\mathbf{W}\mathbf{N}^*)^{-1}$$

Tomando la conjugada traspuesta en ambos miembros de la ecuación (10-168), se tiene

$$\mathbf{K}^* = (\mathbf{T}^{-1})^* \begin{bmatrix} \alpha_n - a_n \\ \alpha_{n-1} - a_{n-1} \\ \cdot \\ \cdot \\ \cdot \\ \alpha_1 - a_1 \end{bmatrix} = (\mathbf{T}^*)^{-1} \begin{bmatrix} \alpha_n - a_n \\ \alpha_{n-1} - a_{n-1} \\ \cdot \\ \cdot \\ \cdot \\ \alpha_1 - a_1 \end{bmatrix} = (\mathbf{WN}^*)^{-1} \begin{bmatrix} \alpha_n - a_n \\ \alpha_{n-1} - a_{n-1} \\ \cdot \\ \cdot \\ \cdot \\ \alpha_1 - a_1 \end{bmatrix}$$

El miembro derecho de esta última ecuación es igual al miembro derecho de la ecuación (10-166). Entonces, se tiene que $\mathbf{K}_e = \mathbf{K}^*$.

**A–10–10.** Considere el caso del sistema con doble integrador

$$\ddot{y} = u$$

Se define $x_1 = y$, $x_2 = \dot{y}$. Entonces las ecuaciones de estado y de salida son

$$\begin{bmatrix} \dot{x}_1 \\ \dot{x}_2 \end{bmatrix} = \begin{bmatrix} 0 & 1 \\ 0 & 0 \end{bmatrix} \begin{bmatrix} x_1 \\ x_2 \end{bmatrix} + \begin{bmatrix} 0 \\ 1 \end{bmatrix} u$$

$$y = [1 \quad 0] \begin{bmatrix} x_1 \\ x_2 \end{bmatrix}$$

Diseñe un observador del estado tal que los valores propios de la matriz de ganancia del observador, sean

$$\mu_1 = -2 + j3.464, \qquad \mu_2 = -2 - j3.464$$

**Solución.** El rango de la matriz de observabilidad para este sistema

$$\mathbf{N} = [\mathbf{C}^* \;\vdots\; \mathbf{A}^*\mathbf{C}^*] = \begin{bmatrix} 1 & 0 \\ 0 & 1 \end{bmatrix}$$

es 2. Por lo tanto, es posible diseñar un observador del estado con una matriz de ganancia de observador arbitraria. La ecuación característica para el sistema es

$$\left| s\mathbf{I} - \begin{bmatrix} 0 & 1 \\ 0 & 0 \end{bmatrix} \right| = \begin{vmatrix} s & -1 \\ 0 & s \end{vmatrix} = s^2 = s^2 + a_1 s + a_2 = 0$$

Por tanto

$$a_1 = 0, \qquad a_2 = 0$$

La ecuación característica deseada del observador es

$$\begin{aligned}(s - \mu_1)(s - \mu_2) &= (s + 2 - j3.464)(s + 2 + j3.464) \\ &= s^2 + 4s + 16 \\ &= s^2 + \alpha_1 s + \alpha_2 = 0\end{aligned}$$

Entonces,

$$\alpha_1 = 4, \qquad \alpha_2 = 16$$

Considerando la ecuación (10-48), se tiene

$$\mathbf{K}_e = (\mathbf{WN}^*)^{-1} \begin{bmatrix} \alpha_2 - a_2 \\ \alpha_1 - a_1 \end{bmatrix}$$

donde **N** se obtuvo antes, como

$$\mathbf{N} = \begin{bmatrix} 1 & 0 \\ 0 & 1 \end{bmatrix}$$

y

$$\mathbf{W} = \begin{bmatrix} a_1 & 1 \\ 1 & 0 \end{bmatrix} = \begin{bmatrix} 0 & 1 \\ 1 & 0 \end{bmatrix}$$

Entonces

$$\mathbf{K}_e = \left\{ \begin{bmatrix} 0 & 1 \\ 1 & 0 \end{bmatrix} \begin{bmatrix} 1 & 0 \\ 0 & 1 \end{bmatrix} \right\}^{-1} \begin{bmatrix} 16 - 0 \\ 4 - 0 \end{bmatrix}$$
$$= \begin{bmatrix} 0 & 1 \\ 1 & 0 \end{bmatrix} \begin{bmatrix} 16 \\ 4 \end{bmatrix} = \begin{bmatrix} 4 \\ 16 \end{bmatrix}$$

El obserwador de estado, está dado por

$$\dot{\tilde{\mathbf{x}}} = (\mathbf{A} - \mathbf{K}_e\mathbf{C})\tilde{\mathbf{x}} + \mathbf{B}u + \mathbf{K}_e y$$

o bien

$$\begin{bmatrix} \dot{\tilde{x}}_1 \\ \dot{\tilde{x}}_2 \end{bmatrix} = \begin{bmatrix} -4 & 1 \\ -16 & 0 \end{bmatrix} \begin{bmatrix} \tilde{x}_1 \\ \tilde{x}_2 \end{bmatrix} + \begin{bmatrix} 0 \\ 1 \end{bmatrix} u + \begin{bmatrix} 4 \\ 16 \end{bmatrix} y$$

**A–10–11.** Considere el sistema

$$\dot{\mathbf{x}} = \mathbf{A}\mathbf{x} + \mathbf{B}u$$
$$y = \mathbf{C}\mathbf{x}$$

donde

$$\mathbf{A} = \begin{bmatrix} 0 & 1 & 0 \\ 0 & 0 & 1 \\ -6 & -11 & -6 \end{bmatrix}, \quad \mathbf{B} = \begin{bmatrix} 0 \\ 0 \\ 1 \end{bmatrix}, \quad \mathbf{C} = [1 \quad 0 \quad 0]$$

Diseñe un observador del estado de orden completo. Determine la matriz $\mathbf{K}_e$ de ganancia del observador, utilizando: (a) el método de sustitución directa y (b) la fórmula de Ackermann. Se supone que los valores propios deseados para la matriz de ganancia de observador son

$$\mu_1 = -2 + j3.464, \qquad \mu_2 = -2 - j3.464, \qquad \mu_3 = -5$$

**Solución.** Como el rango de

$$\mathbf{N} = [\mathbf{C}^* \;\vdots\; \mathbf{A}^*\mathbf{C}^* \;\vdots\; (\mathbf{A}^*)^2\mathbf{C}^*] = \begin{bmatrix} 1 & 0 & 0 \\ 0 & 1 & 0 \\ 0 & 0 & 1 \end{bmatrix}$$

es 3, el sistema es completamente obsrevable. Por tanto, es posible diseñar un observador del estado.

(a) Se define la matriz $\mathbf{K}_e$ de ganancia del observador. Entonces $\mathbf{K}_e$ se puede escribir como

$$\mathbf{K}_e = \begin{bmatrix} k_{e1} \\ k_{e2} \\ k_{e3} \end{bmatrix}$$

El polinomio característico del sistema observador es

$$|s\mathbf{I} - \mathbf{A} + \mathbf{K}_e\mathbf{C}| = \left| \begin{bmatrix} s & 0 & 0 \\ 0 & s & 0 \\ 0 & 0 & s \end{bmatrix} - \begin{bmatrix} 0 & 1 & 0 \\ 0 & 0 & 1 \\ -6 & -11 & -6 \end{bmatrix} + \begin{bmatrix} k_{e1} \\ k_{e2} \\ k_{e3} \end{bmatrix} [1 \quad 0 \quad 0] \right|$$

$$= \begin{vmatrix} s + k_{e1} & -1 & 0 \\ k_{e2} & s & -1 \\ k_{e3} + 6 & 11 & s + 6 \end{vmatrix}$$

$$= s^3 + (k_{e1} + 6)s^2 + (6k_{e1} + k_{e2} + 11)s + 11k_{e1} + 6k_{e2} + k_{e3} + 6 \qquad (10\text{–}169)$$

El polinomio característico deseado es

$$(s + \mu_1)(s + \mu_2)(s + \mu_3) = (s + 2 - j3.464)(s + 2 + j3.464)(s + 5)$$
$$= s^3 + 9s^2 + 36s + 80 \qquad (10\text{–}170)$$

Igualando coeficientes de potencias iguales de $s$ en las ecuaciones (10-169) y (10-170), se tiene

$$k_{e1} + 6 = 9$$

$$6k_{e1} + k_{e2} + 11 = 36$$

$$11k_{e1} + 6k_{e2} + k_{e3} + 6 = 80$$

de donde se obtiene

$$k_{e1} = 3, \qquad k_{e2} = 7, \qquad k_{e3} = -1$$

Por tanto,

$$\mathbf{K}_e = \begin{bmatrix} 3 \\ 7 \\ -1 \end{bmatrix}$$

(b) A continuación se obtiene la matriz $\mathbf{K}_e$ de ganancia del observador, utilizando la fórmula de Ackermann. En referencia a la ecuación (10-53), se tiene

$$\mathbf{K}_e = \phi(\mathbf{A}) \begin{bmatrix} \mathbf{C} \\ \mathbf{CA} \\ \mathbf{CA}^2 \end{bmatrix}^{-1} \begin{bmatrix} 0 \\ 0 \\ 1 \end{bmatrix}$$

Como la ecuación característica deseada es

$$\phi(s) = s^3 + 9s^2 + 36s + 80$$

se tiene

$$\phi(\mathbf{A}) = \mathbf{A}^3 + 9\mathbf{A}^2 + 36\mathbf{A} + 80\mathbf{I}$$

$$= \begin{bmatrix} 0 & 1 & 0 \\ 0 & 0 & 1 \\ -6 & -11 & -6 \end{bmatrix}^3 + 9 \begin{bmatrix} 0 & 1 & 0 \\ 0 & 0 & 1 \\ -6 & -11 & -6 \end{bmatrix}^2$$

$$+ 36 \begin{bmatrix} 0 & 1 & 0 \\ 0 & 0 & 1 \\ -6 & -11 & -6 \end{bmatrix} + 80 \begin{bmatrix} 1 & 0 & 0 \\ 0 & 1 & 0 \\ 0 & 0 & 1 \end{bmatrix}$$

$$= \begin{bmatrix} 74 & 25 & 3 \\ -18 & 41 & 7 \\ -42 & -95 & -1 \end{bmatrix}$$

También

$$\begin{bmatrix} \mathbf{C} \\ \mathbf{CA} \\ \mathbf{CA}^2 \end{bmatrix}^{-1} = \begin{bmatrix} 1 & 0 & 0 \\ 0 & 1 & 0 \\ 0 & 0 & 1 \end{bmatrix}^{-1} = \begin{bmatrix} 1 & 0 & 0 \\ 0 & 1 & 0 \\ 0 & 0 & 1 \end{bmatrix}$$

Por tanto

$$\mathbf{K}_e = \begin{bmatrix} 74 & 25 & 3 \\ -18 & 41 & 7 \\ -42 & -95 & -1 \end{bmatrix} \begin{bmatrix} 1 & 0 & 0 \\ 0 & 1 & 0 \\ 0 & 0 & 1 \end{bmatrix} \begin{bmatrix} 0 \\ 0 \\ 1 \end{bmatrix} = \begin{bmatrix} 3 \\ 7 \\ -1 \end{bmatrix}$$

**A–10–12.** Considere el sistema con control de retroalimentación del estado observado, con un observador de orden mínimo, descrito por las ecuaciones siguientes:

$$\dot{\mathbf{x}} = \mathbf{Ax} + \mathbf{B}u \tag{10–171}$$

$$y = \mathbf{Cx}$$

$$u = -\mathbf{K}\tilde{\mathbf{x}} \tag{10–172}$$

donde

$$\mathbf{x} = \begin{bmatrix} x_a \\ \hline \mathbf{x}_b \end{bmatrix}, \qquad \tilde{\mathbf{x}} = \begin{bmatrix} x_a \\ \hline \tilde{\mathbf{x}}_b \end{bmatrix}$$

($x_a$ es la variable de estado que se puede medir directamente y $\tilde{\mathbf{x}}_b$ corresponde a las variables de estado observadas).

Demuestre que los polos de lazo cerrado del sistema incluyen los polos de lazo cerrado de la ubicación de los polos [los valores propios de la matriz ($\mathbf{A} - \mathbf{BK}$)] y los polos de lazo cerrado debidos al observador de orden mínimo [los valores propios de la matriz ($\mathbf{A}_{bb} - \mathbf{K}_e\mathbf{A}_{ab}$)].

**Solución.** La ecuación de error se puede deducir para el observador de orden mínimo, como se da en la ecuación (10-80), presentada como

$$\dot{\mathbf{e}} = (\mathbf{A}_{bb} - \mathbf{K}_e\mathbf{A}_{ab})\mathbf{e} \tag{10–173}$$

donde

$$\mathbf{e} = \mathbf{x}_b - \tilde{\mathbf{x}}_b$$

De las ecuaciones (10-171) y (10-172), se obtiene

$$\dot{\mathbf{x}} = \mathbf{Ax} - \mathbf{BK}\tilde{\mathbf{x}} = \mathbf{Ax} - \mathbf{BK}\begin{bmatrix} x_a \\ \hdashline \tilde{\mathbf{x}}_b \end{bmatrix} = \mathbf{Ax} - \mathbf{BK}\begin{bmatrix} x_a \\ \hdashline \mathbf{x}_b - \mathbf{e} \end{bmatrix}$$

$$= \mathbf{Ax} - \mathbf{BK}\left\{\mathbf{x} - \begin{bmatrix} 0 \\ \hdashline \mathbf{e} \end{bmatrix}\right\} = (\mathbf{A} - \mathbf{BK})\mathbf{x} + \mathbf{BK}\begin{bmatrix} 0 \\ \hdashline \mathbf{e} \end{bmatrix} \tag{10–174}$$

Combinando las ecuaciones (10-173) y (10-174), y escribiendo

$$\mathbf{K} = [\mathbf{K}_a \mid \mathbf{K}_b]$$

se obtiene

$$\begin{bmatrix} \dot{\mathbf{x}} \\ \dot{\mathbf{e}} \end{bmatrix} = \begin{bmatrix} \mathbf{A} - \mathbf{BK} & \mathbf{BK}_b \\ \mathbf{0} & \mathbf{A}_{bb} - \mathbf{K}_e\mathbf{A}_{ab} \end{bmatrix}\begin{bmatrix} \mathbf{x} \\ \mathbf{e} \end{bmatrix} \tag{10–175}$$

La ecuación (10-175) describe la dinámica del sistema de control con retroalimentación del estado observado con observador de orden mínimo. La ecuación característica de este sistema es

$$\begin{vmatrix} s\mathbf{I} - \mathbf{A} + \mathbf{BK} & -\mathbf{BK}_b \\ 0 & s\mathbf{I} - \mathbf{A}_{bb} + \mathbf{K}_e\mathbf{A}_{ab} \end{vmatrix} = 0$$

o bien

$$|s\mathbf{I} - \mathbf{A} + \mathbf{BK}\,\|\,s\mathbf{I} - \mathbf{A}_{bb} + \mathbf{K}_e\mathbf{A}_{ab}| = 0$$

Los polos de lazo cerrado del sistema de control con retroalimentación del estado observado, con observador de orden mínimo, consisten en los polos de lazo cerrado debidos a la ubicación de polos y los debidos al observador de orden mínimo. (Por lo tanto, el diseño de la ubicación de polos y el del observador de orden mínimo son independientes entre sí).

**A–10–13.** Considere el sistema definido por

$$\dot{\mathbf{x}} = \mathbf{Ax} + \mathbf{B}u$$

$$y = \mathbf{Cx}$$

donde

$$\mathbf{A} = \begin{bmatrix} 0 & 1 & 0 \\ \hdashline 0 & 0 & 1 \\ -6 & -11 & -6 \end{bmatrix}, \quad \mathbf{B} = \begin{bmatrix} 0 \\ \hdashline 0 \\ 1 \end{bmatrix}, \quad \mathbf{C} = [1 \mid 0 \quad 0]$$

Suponga que la variable de estado $x_1$ (que es igual a $y$), se puede medir y no necesita observarse. Determine la matriz $\mathbf{K}_e$ de ganancia de observador, para el observador de orden mínimo. Los valores propios deseados son

$$\mu_1 = -2 + j3.464, \qquad \mu_2 = -2 - j3.464$$

**Solución.** De la matriz dividida, se tiene

$$A_{aa} = 0, \qquad \mathbf{A}_{ab} = [1 \quad 0]$$

$$\mathbf{A}_{ba} = \begin{bmatrix} 0 \\ -6 \end{bmatrix}, \qquad \mathbf{A}_{bb} = \begin{bmatrix} 0 & 1 \\ -11 & -6 \end{bmatrix}$$

$$B_a = 0, \qquad \mathbf{B}_b = \begin{bmatrix} 0 \\ 1 \end{bmatrix}$$

La ecuación característica para la porción no observada del sistema es

$$|s\mathbf{I} - \mathbf{A}_{bb}| = \begin{vmatrix} s & -1 \\ 11 & s+6 \end{vmatrix} = s^2 + 6s + 11 = s^2 + \hat{a}_1 s + \hat{a}_2$$

Por lo tanto

$$\hat{a}_1 = 6, \qquad \hat{a}_2 = 11$$

Nótese que

$$\hat{\mathbf{N}} = [\mathbf{A}^*_{ab} \;\vdots\; \mathbf{A}^*_{bb}\mathbf{A}^*_{ab}] = \begin{bmatrix} 1 & 0 \\ 0 & 1 \end{bmatrix}$$

$$\hat{\mathbf{W}} = \begin{bmatrix} \hat{a}_1 & 1 \\ 1 & 0 \end{bmatrix} = \begin{bmatrix} 6 & 1 \\ 1 & 0 \end{bmatrix}$$

Por lo tanto

$$\hat{\mathbf{Q}} = (\hat{\mathbf{W}}\hat{\mathbf{N}}^*)^{-1} = \begin{bmatrix} 6 & 1 \\ 1 & 0 \end{bmatrix}^{-1} = \begin{bmatrix} 0 & 1 \\ 1 & -6 \end{bmatrix}$$

La ecuación característica deseada, del observador de orden mínimo, es

$$\begin{aligned}(s + \mu_1)(s + \mu_2) &= (s + 2 - j3.464)(s + 2 + j3.464) \\ &= s^2 + 4s + 16 = s^2 + \hat{\alpha}_1 s + \hat{\alpha}_2\end{aligned}$$

Por tanto,

$$\hat{\alpha}_1 = 4, \qquad \hat{\alpha}_2 = 16$$

Respecto a la ecuación (10-82), se tiene

$$\mathbf{K}_e = \hat{\mathbf{Q}} \begin{bmatrix} \hat{\alpha}_2 - \hat{a}_2 \\ \hat{\alpha}_1 - \hat{a}_1 \end{bmatrix} = \begin{bmatrix} 0 & 1 \\ 1 & -6 \end{bmatrix} \begin{bmatrix} 16 - 11 \\ 4 - 6 \end{bmatrix} = \begin{bmatrix} 0 & 1 \\ 1 & -6 \end{bmatrix} \begin{bmatrix} 5 \\ -2 \end{bmatrix} = \begin{bmatrix} -2 \\ 17 \end{bmatrix}$$

Lógicamente, la matriz $\mathbf{K}_e$ determinada aquí es la misma que la hallada utilizando la fórmula de Ackermann (véase el ejemplo 10-6).

**A-10-14.** Considere un sistema con estado completo controlable definido por

$$\dot{\mathbf{x}} = \mathbf{A}\mathbf{x} + \mathbf{B}u \tag{10-176}$$

$$y = \mathbf{C}\mathbf{x}$$

donde $\mathbf{x}$ = vector de estado (de dimensión $n$)
$u$ = señal de control (escalar)
$y$ = señal de salida (escalar)
$\mathbf{A}$ = matriz constante de $n \times n$
$\mathbf{B}$ = matriz constante de $n \times 1$
$\mathbf{C}$ = matriz constante de $1 \times n$

Supóngase que el rango de la siguiente matriz de $(n + 1) \times (n + 1)$

$$\begin{bmatrix} \mathbf{A} & \mathbf{B} \\ -\mathbf{C} & 0 \end{bmatrix}$$

es $n + 1$. Demuestre que el sistema definido por

$$\dot{\mathbf{e}} = \hat{\mathbf{A}}\mathbf{e} + \hat{\mathbf{B}}u_e \tag{10-177}$$

donde

$$\hat{\mathbf{A}} = \begin{bmatrix} \mathbf{A} & \mathbf{0} \\ -\mathbf{C} & 0 \end{bmatrix}, \qquad \hat{\mathbf{B}} = \begin{bmatrix} \mathbf{B} \\ 0 \end{bmatrix}, \qquad u_e = u(t) - u(\infty)$$

tiene estado completo controlable.

**Solución.** Se define

$$\mathbf{M} = [\mathbf{B} \mid \mathbf{AB} \mid \cdots \ \mathbf{A}^{n-1}\mathbf{B}]$$

Como el sistema dado por la ecuación (10-176), tiene estado completo controlable, el rango de la matriz $\mathbf{M}$ es $n$. Entonces el rango de

$$\begin{bmatrix} \mathbf{M} & \mathbf{0} \\ \mathbf{0} & 1 \end{bmatrix}$$

es $n+1$. Considere la siguiente ecuación:

$$\begin{bmatrix} \mathbf{A} & \mathbf{B} \\ -\mathbf{C} & 0 \end{bmatrix} \begin{bmatrix} \mathbf{M} & \mathbf{0} \\ \mathbf{0} & 1 \end{bmatrix} = \begin{bmatrix} \mathbf{AM} & \mathbf{B} \\ -\mathbf{CM} & 0 \end{bmatrix} \tag{10–178}$$

Como la matriz

$$\begin{bmatrix} \mathbf{A} & \mathbf{B} \\ -\mathbf{C} & 0 \end{bmatrix}$$

es de rango $n + 1$, el miembro izquierdo de la ecuación (10-178) es de rango $n + 1$. Por lo tanto, el miembro derecho de la ecuación (10-178) también es de rango $n + 1$. Como

$$\begin{aligned} \begin{bmatrix} \mathbf{AM} & \mathbf{B} \\ -\mathbf{CM} & 0 \end{bmatrix} &= \begin{bmatrix} \mathbf{A}\,[\mathbf{B} \mid \mathbf{AB} \mid \cdots \mid \mathbf{A}^{n-1}\mathbf{B}] & \mathbf{B} \\ -\mathbf{C}\,[\mathbf{B} \mid \mathbf{AB} \mid \cdots \mid \mathbf{A}^{n-1}\mathbf{B}] & 0 \end{bmatrix} \\ &= \begin{bmatrix} \mathbf{AB} & \mathbf{A}^2\mathbf{B} & \cdots & \mathbf{A}^n\mathbf{B} & \mathbf{B} \\ -\mathbf{CB} & -\mathbf{CAB} & \cdots & -\mathbf{CA}^{n-1}\mathbf{B} & 0 \end{bmatrix} \\ &= [\hat{\mathbf{A}}\hat{\mathbf{B}} \mid \hat{\mathbf{A}}^2\mathbf{B} \mid \cdots \mid \hat{\mathbf{A}}^n\hat{\mathbf{B}} \mid \hat{\mathbf{B}}] \end{aligned}$$

se halla que el rango de

$$[\hat{\mathbf{B}} \mid \hat{\mathbf{A}}\hat{\mathbf{B}} \mid \hat{\mathbf{A}}^2\hat{\mathbf{B}} \mid \cdots \mid \hat{\mathbf{A}}^n\hat{\mathbf{B}}]$$

es $n + 1$. Entonces el sistema definido por la ecuación (10-177), es estado completo controlable.

**A-10-15.** Demuestre que la cantidad máxima de renglones linealmente independientes de una matriz $\mathbf{A}$ es igual al número máximo de columnas linealmente independientes.

**Solución.** Considere $\mathbf{A}$ cualquier matriz de $n \times m$. Considere $\mathbf{P}$ una matriz de $n \times n$ no singular, y $\mathbf{Q}$ una matriz de $m \times m$ no singular tales que

$$\mathbf{PAQ} = \begin{bmatrix} \mathbf{I}_r & \mathbf{0} \\ \mathbf{0} & 0 \end{bmatrix}$$

donde $\mathbf{I}_r$ es la matriz identidad de $r \times r$ ($r \leqslant n$, $r \leqslant m$). La máxima cantidad de renglones linealmente independientes de $\mathbf{PAQ}$ es $r$, que es la dimensión de la matriz identidad de $r \times r$.

La cantidad máxima de renglones linealmente independientes de $\mathbf{PA}$ es igual que la de $\mathbf{A}$, pues $\mathbf{P}$ es una matriz no singular. Como

$$\mathbf{PA} = \begin{bmatrix} \mathbf{I}_r & \mathbf{0} \\ \mathbf{0} & \mathbf{0} \end{bmatrix} \mathbf{Q}^{-1} = \begin{bmatrix} \mathbf{I}_r & \mathbf{0} \\ \mathbf{0} & \mathbf{0} \end{bmatrix} \begin{bmatrix} \mathbf{Q}_{11} & \mathbf{Q}_{12} \\ \mathbf{Q}_{21} & \mathbf{Q}_{22} \end{bmatrix} = \begin{bmatrix} \mathbf{Q}_{11} & \mathbf{Q}_{12} \\ \mathbf{0} & \mathbf{0} \end{bmatrix}$$

donde $\mathbf{Q}_{11}$ y $\mathbf{Q}_{12}$ son matrices de $r$ renglones y como $\mathbf{Q}^{-1}$ es no singular los $m$ renglones son linealmente independientes. Por tanto la máxima cantidad de renglones linealmente independientes de **PA** es $r$. Entonces la máxima cantidad de renglones linealmente independientes de **A** también es $r$.

Luego se toma

$$\mathbf{Q}^*\mathbf{A}^*\mathbf{P}^* = \begin{bmatrix} \mathbf{I}_r & \mathbf{0} \\ \mathbf{0} & \mathbf{0} \end{bmatrix}$$

Con un análisis similar al precedente, se halla que la máxima cantidad de renglones linealmente independientes de $\mathbf{Q}^*\mathbf{A}^*$ es $r$. Por tanto, la máxima cantidad de renglones linealmente independientes de $\mathbf{A}^*$ es $r$, lo que significa que la máxima cantidad de columnas linealmente independientes de **A** es $r$. De esta forma, se acaba de probar que la máxima cantidad de renglones linealmente independientes de una matriz es igual a la máxima cantidad de columnas linealmente independientes.

**A-10-16.** El cálculo de los determinantes, para hallar el rango de una matriz, puede ser largo y tedioso. El esfuerzo con una computadora se puede reducir sustancialmente, realizando algunas operaciones elementales con renglones y columnas, pues las operaciones elementales no alteran el rango de una matriz.

Las siguientes operaciones con renglones (o columnas) de una matriz **A** se denominan operaciones elementales de renglón (o columna):

1. El intercambio de dos renglones (o columnas) entre sí.
2. La multiplicación de un renglón (o columna), por una constante $c$, donde $c \neq 0$.
3. La suma de un renglón (o columna) multiplicado por una constante, a otro renglón (o columna).

Una matriz de $n \times n$ obtenida a partir de la matriz identidad **I** de $n \times n$, a través de una operación elemental de renglón (o columna), se denomina matriz elemental. Las matrices elementales son no singulares. (La inversa de una matriz elemental es también una matriz elemental). Los siguientes son ejemplos de matrices elementales:

$$\begin{bmatrix} 0 & 0 & 1 \\ 0 & 1 & 0 \\ 1 & 0 & 0 \end{bmatrix}, \quad \begin{bmatrix} c & 0 & 0 \\ 0 & 1 & 0 \\ 0 & 0 & 1 \end{bmatrix}, \quad \begin{bmatrix} 1 & 0 & 0 \\ c & 1 & 0 \\ 0 & 0 & 1 \end{bmatrix}$$

La invariancia del rango se puede ver bajo operaciones elementales, del siguiente modo. Como el rango de una matriz es la mayor cantidad de renglones (o columnas) linealmente independientes, las operaciones elementales tipos 1 y 2, no afectan el rango de **A**. Como la máxima cantidad de renglones (o columnas) linealmente independientes, no se altera por la adición de un renglón (o columna) multiplicada por una constante, a otro renglón (o columna); las operaciones elementales de tipo 3 tampoco alteran el rango de **A**. Entonces, el rango de una matriz **A** es invariante respecto a las operaciones elementales.

Por lo tanto, para determinar el rango de una matriz **A** se puede pre y/o post-multiplicar por una serie de matrices elementales y transformar la matriz **A** en una forma más simple con muchos ceros, que sea una matriz triangular, una matriz identidad, u otras, de modo que se pueda determinar el rango en forma inmediata.

Determine el rango de la siguiente matriz **P**:

$$\mathbf{P} = \begin{bmatrix} 0 & 1 & 0 & 0 & 0 \\ 20.601 & 0 & 0 & 0 & -1 \\ 0 & 0 & 0 & 1 & 0 \\ -0.4905 & 0 & 0 & 0 & 0.5 \\ 0 & 0 & -1 & 0 & 0 \end{bmatrix}$$

**Solución.** Intercambiando las columnas 1 y 2, e intercambiando las columnas 3 y 5, se tiene

$$\begin{bmatrix} 1 & 0 & 0 & 0 & 0 \\ 0 & 20.601 & -1 & 0 & 0 \\ 0 & 0 & 0 & 1 & 0 \\ 0 & -0.4905 & 0.5 & 0 & 0 \\ 0 & 0 & 0 & 0 & -1 \end{bmatrix}$$

Intercambiando las columnas 3 y 4, se tiene

$$\begin{bmatrix} 1 & 0 & 0 & 0 & 0 \\ 0 & 20.601 & 0 & -1 & 0 \\ 0 & 0 & 1 & 0 & 0 \\ 0 & -0.4905 & 0 & 0.5 & 0 \\ 0 & 0 & 0 & 0 & -1 \end{bmatrix}$$

Sumando el renglón 2 multiplicado por (0.4905/20.601), al renglón 4, se simplifica la matriz a una forma trinagular

$$\begin{bmatrix} 1 & 0 & 0 & 0 & 0 \\ 0 & 20.601 & 0 & -1 & 0 \\ 0 & 0 & 1 & 0 & 0 \\ 0 & 0 & 0 & 0.4762 & 0 \\ 0 & 0 & 0 & 0 & -1 \end{bmatrix}$$

El determinante de esta matriz triangular no es cero. Por lo tanto, el rango de la matriz **P** es 5.

**A–10–17.** Considere el sistema escalar siguiente:

$$\dot{x} = ax + bu \tag{10–179}$$

donde $a < 0$ y el índice de desempeño está dado por

$$J = \int_0^\infty (qx^2 + ru^2)\, dt \tag{10–180}$$

donde $q > 0$ y $r > 0$. La ley de control óptimo que minimiza el índice de desempeño $J$ se puede escribir como

$$u = -Kx \tag{10–181}$$

Remplazando la ecuación (10-181) en la ecuación (10-179) se tiene

$$\dot{x} = (a - bK)x \tag{10–182}$$

También, remplazando la ecuación (10-181), en la ecuación (10-180), da

$$J = \int_0^\infty (q + rK^2)x^2\, dt \tag{10–183}$$

Usando el método de Liapunov, se establece que

$$(q + rK^2)x^2 = -\frac{d}{dt}(px^2)$$

o sea

$$(q + rK^2)x^2 = -2px\dot{x} = -2p(a - bK)x^2$$

que se puede simplificar a

$$[q + rK^2 + 2p(a - bK)]x^2 = 0$$

Esta última ecuación se debe mantener verdadera para cualquier $x(t)$. Por lo tanto, se requiere que

$$q + rK^2 + 2p(a - bK) = 0 \qquad (10\text{–}184)$$

Nótese que por el segundo método de Liapunov se sabe que para un valor de $q + rK^2$, hay, un $p$, tal que

$$(a - bK)p + p(a - bK) = -q - rK^2$$

que es igual a la ecuación (10-184). Por tanto, hay un valor de $p$ que satisface la ecuación (10-184).

Demuestre que la ley de control óptimo se puede escribir como

$$u = -Kx = -\frac{pb}{r}x$$

y $p$ se puede determinar como una raíz positiva de la siguiente ecuación:

$$q + 2ap - \frac{p^2b^2}{r} = 0 \qquad (10\text{–}185)$$

**Solución.** Para un sistema estable se tiene que $x(\infty) = 0$. Por tanto, el índice de desempeño se puede calcular como

$$J = \int_0^\infty (q + rK^2)x^2\,dt = -\int_0^\infty \frac{d}{dt}(px^2)\,dt$$

$$= -[px^2(\infty) - px^2(0)] = px^2(0)$$

Para minimizar el valor de $J$ [para un $x(0)$ dado], con respecto a $K$, se hace

$$\frac{\partial p}{\partial K} = 0 \qquad (10\text{–}186)$$

donde, en referencia a la ecuación (10-184),

$$p = -\frac{q + rK^2}{2(a - bK)} \qquad (10\text{–}187)$$

Por tanto,

$$\frac{\partial p}{\partial K} = -\frac{2rK(a - bK) - (q + rK^2)(-b)}{2(a - bK)^2} = 0$$

se tiene

$$2rK(a - bK) + b(q + rK^2) = 0$$

Por tanto, resulta que

$$\frac{q + rK^2}{2(a - bK)} = -\frac{rK}{b} \tag{10–188}$$

De las ecuaciones (10-187) y (10-188), se obtiene

$$p = \frac{rK}{b}$$

o bien

$$K = \frac{pb}{r} \tag{10–189}$$

Substituyendo la ecuación (10-189) en la ecuación (10-184), se tiene

$$q + 2pa - \frac{p^2b^2}{r} = 0 \tag{10–190}$$

que es la ecuación (10-185). El valor de $p$ se puede determinar como una raíz positiva de la ecuación cuadrática (10-190).

Los mismos resultados se pueden obtener de otra forma. Primero nótese que la ecuación (10-184) se puede modificar del siguiente modo:

$$q + 2pa + \left(\sqrt{r}K - \frac{pb}{\sqrt{r}}\right)^2 - \frac{p^2b^2}{r} = 0 \tag{10–191}$$

Luego, considerando que esta última ecuación es una función de $K$, el mínimo miembro izquierdo de esta última ecuación respecto a $K$ se produce cuando

$$\sqrt{r}K - \frac{pb}{\sqrt{r}} = 0$$

o bien

$$K = \frac{pb}{r} \tag{10–192}$$

que es la ecuación (10-189). Entonces, minimizar el valor de $J$ respecto a $K$, es lo mismo que minimizar el miembro izquierdo de la ecuación (10-184) respecto a $K$. Remplazando la ecuación (10-192), en la ecuación (10-191), se tiene

$$q + 2pa - \frac{p^2b^2}{r} = 0$$

que es la ecuación (10-185).

**A–10–18.** Se analiza el sistema de control descrito por

$$\dot{\mathbf{x}} = \mathbf{A}\mathbf{x} + \mathbf{B}u \tag{10–193}$$

donde

$$\mathbf{A} = \begin{bmatrix} 0 & 1 \\ 0 & 0 \end{bmatrix}, \quad \mathbf{B} = \begin{bmatrix} 0 \\ 1 \end{bmatrix}$$

Suponiendo que la ley de control lineal

$$u = -\mathbf{K}\mathbf{x} = -k_1x_1 - k_2x_2 \tag{10–194}$$

determine las constantes $k_1$ y $k_2$, de modo que el índice de desempeño sea mínimo

$$J = \int_0^\infty \mathbf{x}^T\mathbf{x}\, dt$$

Se considera únicamente el caso en que la condición inicial es

$$\mathbf{x}(0) = \begin{bmatrix} c \\ 0 \end{bmatrix}$$

Elija la frecuencia natural no amortiguada como de 2 rad/s.

**Solución.** Sustituyendo la ecuación (10-194) en la ecuación (10-193), se obtiene

$$\dot{\mathbf{x}} = \mathbf{Ax} - \mathbf{BKx}$$

o bien

$$\begin{bmatrix} \dot{x}_1 \\ \dot{x}_2 \end{bmatrix} = \begin{bmatrix} 0 & 1 \\ 0 & 0 \end{bmatrix}\begin{bmatrix} x_1 \\ x_2 \end{bmatrix} + \begin{bmatrix} 0 \\ 1 \end{bmatrix}[-k_1x_1 - k_2x_2]$$

$$= \begin{bmatrix} 0 & 1 \\ -k_1 & -k_2 \end{bmatrix}\begin{bmatrix} x_1 \\ x_2 \end{bmatrix} \tag{10–195}$$

Entonces

$$\mathbf{A} - \mathbf{BK} = \begin{bmatrix} 0 & 1 \\ -k_1 & -k_2 \end{bmatrix}$$

Eliminando $x_2$ de la ecuación (10-195), se obtiene

$$\ddot{x}_1 + k_2\dot{x}_1 + k_1x_1 = 0$$

Como la frecuencia natural no amortiguada está especificada en 2 rad/s, se obtiene

$$k_1 = 4$$

Por tanto,

$$\mathbf{A} - \mathbf{BK} = \begin{bmatrix} 0 & 1 \\ -4 & -k_2 \end{bmatrix}$$

**A — BK** es una matriz estable, si $k_2 > 0$. El problema consiste en determinar el valor de $k_2$ de modo que el índice de desempeño

$$J = \int_0^\infty \mathbf{x}^T\mathbf{x}\, dt = \mathbf{x}^T(0)\mathbf{P}(0)\mathbf{x}(0)$$

sea mínimo, donde la matriz **P** se determina de la ecuación (10-130), reescrita como

$$(\mathbf{A} - \mathbf{BK})^*\mathbf{P} + \mathbf{P}(\mathbf{A} - \mathbf{BK}) = -(\mathbf{Q} + \mathbf{K}^*\mathbf{RK})$$

Como en este sistema $\mathbf{Q} = \mathbf{I}$ y $\mathbf{R} = \mathbf{0}$, esta última ecuación se puede simplificar a

$$(\mathbf{A} - \mathbf{BK})^*\mathbf{P} + \mathbf{P}(\mathbf{A} - \mathbf{BK}) = -\mathbf{I} \tag{10–196}$$

Como el sistema incluye solamente vectores reales y matrices reales, **P** es una matriz real simétrica. Entonces la ecuación (10-196) se puede escribir como

$$\begin{bmatrix} 0 & -4 \\ 1 & -k_2 \end{bmatrix}\begin{bmatrix} p_{11} & p_{12} \\ p_{12} & p_{22} \end{bmatrix} + \begin{bmatrix} p_{11} & p_{12} \\ p_{12} & p_{22} \end{bmatrix}\begin{bmatrix} 0 & 1 \\ -4 & -k_2 \end{bmatrix} = \begin{bmatrix} -1 & 0 \\ 0 & -1 \end{bmatrix}$$

Resolviendo la matriz **P** se obtiene

$$\mathbf{P} = \begin{bmatrix} p_{11} & p_{12} \\ p_{12} & p_{22} \end{bmatrix} = \begin{bmatrix} \dfrac{5}{2k_2} + \dfrac{k_2}{8} & \dfrac{1}{8} \\ \dfrac{1}{8} & \dfrac{5}{8k_2} \end{bmatrix}$$

Entonces el índice de desempeño es

$$\begin{aligned} J &= \mathbf{x}^T(0)\mathbf{P}\mathbf{x}(0) \\ &= [c \quad 0] \begin{bmatrix} p_{11} & p_{12} \\ p_{12} & p_{22} \end{bmatrix} \begin{bmatrix} c \\ 0 \end{bmatrix} = p_{11}c^2 \\ &= \left( \frac{5}{2k_2} + \frac{k_2}{8} \right) c^2 \end{aligned} \tag{10–197}$$

Para minimizar $J$, se diferencia $J$ respecto de $k_2$ y se iguala $\partial J/\partial k_2$ a cero como sigue:

$$\frac{\partial J}{\partial k_2} = \left( \frac{-5}{2k_2^2} + \frac{1}{8} \right) c^2 = 0$$

De ahí que

$$k_2 = \sqrt{20}$$

Con este valor de $k_2$, se tiene $\partial^2 J/\partial k_2^2 > 0$. Entonces el valor mínimo de $J$ se obtiene al remplazar $k_2 = \sqrt{20}$ en la ecuación (10-197), o sea:

$$J_{\text{mín}} = \frac{\sqrt{5}}{2} c^2$$

El sistema diseñado tiene la ley de control

$$u = -4x_1 - \sqrt{20}x_2$$

El sistema diseñado es óptimo, en cuanto produce un valor mínimo del índice de desempeño $J$ bajo la condición inicial asumida.

**A–10–19.** Considere el sistema de control que se ve en la figura 10-24. La ecuación de la planta es

$$\dot{\mathbf{x}} = \mathbf{A}\mathbf{x} + \mathbf{B}u \tag{10–198}$$

donde

$$\mathbf{A} = \begin{bmatrix} 0 & 1 \\ 0 & 0 \end{bmatrix}, \qquad \mathbf{B} = \begin{bmatrix} 0 \\ 1 \end{bmatrix}$$

Suponiendo la ley de control lineal

$$u = -\mathbf{K}\mathbf{x} = -k_1x_1 - k_2x_2 \tag{10–199}$$

determine las constantes $k_1$ y $k_2$, de modo que el índice de desempeño sea mínimo:

$$J = \int_0^\infty (\mathbf{x}^T\mathbf{x} + u^2)\, dt$$

**Solución.** Sustituyendo la ecuación (10-199) en la ecuación (10-198) se tiene

$$\dot{\mathbf{x}} = \mathbf{A}\mathbf{x} - \mathbf{B}\mathbf{K}\mathbf{x} = (\mathbf{A} - \mathbf{B}\mathbf{K})\mathbf{x} = \begin{bmatrix} 0 & 1 \\ -k_1 & -k_2 \end{bmatrix} \mathbf{x}$$

Si se supone que $k_1$ y $k_2$ son constantes positivas entonces $\mathbf{A} - \mathbf{BK}$ es una matriz estable y $\mathbf{x}(\infty) = \mathbf{0}$. Por tanto, el índice de desempeño, se puede escribir como

$$\begin{aligned} J &= \int_0^\infty (\mathbf{x}^T\mathbf{x} + \mathbf{x}^T\mathbf{K}^T\mathbf{K}\mathbf{x})\, dt \\ &= \int_0^\infty \mathbf{x}^T(\mathbf{I} + \mathbf{K}^T\mathbf{K})\mathbf{x}\, dt \\ &= \mathbf{x}^T(0)\mathbf{P}\mathbf{x}(0) \end{aligned}$$

donde $\mathbf{P}$ se determina de la ecuación (10-130):

$$(\mathbf{A} - \mathbf{BK})^*\mathbf{P} + \mathbf{P}(\mathbf{A} - \mathbf{BK}) = -(\mathbf{Q} + \mathbf{K}^*\mathbf{RK}) = -(\mathbf{I} + \mathbf{K}^*\mathbf{K})$$

donde se remplazó $\mathbf{Q} = \mathbf{I}$ y $\mathbf{R} = \mathbf{I}_1 = 1$. Para este sistema, como la matriz $\mathbf{P}$ es real simétrica, esta última ecuación se puede presentar como

$$\begin{bmatrix} 0 & -k_1 \\ 1 & -k_2 \end{bmatrix}\begin{bmatrix} p_{11} & p_{12} \\ p_{12} & p_{22} \end{bmatrix} + \begin{bmatrix} p_{11} & p_{12} \\ p_{12} & p_{22} \end{bmatrix}\begin{bmatrix} 0 & 1 \\ -k_1 & -k_2 \end{bmatrix} = -\begin{bmatrix} 1 & 0 \\ 0 & 1 \end{bmatrix} - \begin{bmatrix} k_1^2 & k_1k_2 \\ k_1k_2 & k_2^2 \end{bmatrix}$$

Esta ecuación matricial produce las tres ecuaciones siguientes en $p_{ij}$:

$$-2k_1p_{12} = -1 - k_1^2$$

$$p_{11} - k_2p_{12} - k_1p_{22} = -k_1k_2$$

$$2p_{12} - 2k_2p_{22} = -1 - k_2^2$$

Resolviendo las $p_{ij}$, de estas tres ecuaciones se obtiene

$$\mathbf{P} = \begin{bmatrix} p_{11} & p_{12} \\ p_{12} & p_{22} \end{bmatrix} = \begin{bmatrix} \frac{1}{2}\left(\frac{k_2}{k_1} + \frac{k_1}{k_2}\right) + \frac{k_1}{2k_2}\left(\frac{1}{k_1} + k_1\right) & \frac{1}{2}\left(\frac{1}{k_1} + k_1\right) \\ \frac{1}{2}\left(\frac{1}{k_1} + k_1\right) & \frac{1}{2}\left(\frac{1}{k_2} + k_2\right) + \frac{1}{2k_2}\left(\frac{1}{k_1} + k_1\right) \end{bmatrix}$$

Ahora

$$\begin{aligned} J &= \mathbf{x}^T(0)\mathbf{P}\mathbf{x}(0) \\ &= \left[\frac{1}{2}\left(\frac{k_2}{k_1} + \frac{k_1}{k_2}\right) + \frac{k_1}{2k_2}\left(\frac{1}{k_1} + k_1\right)\right]x_1^2(0) + \left(\frac{1}{k_1} + k_1\right)x_1(0)x_2(0) \\ &\quad + \left[\frac{1}{2}\left(\frac{1}{k_2} + k_2\right) + \frac{1}{2k_2}\left(\frac{1}{k_1} + k_1\right)\right]x_2^2(0) \end{aligned}$$

Para minimizar $J$, $\partial J/\partial k_1 = 0$ y $\partial J/\partial k_2 = 0$, o

$$\frac{\partial J}{\partial k_1} = \left[\frac{1}{2}\left(\frac{-k_2}{k_1^2} + \frac{1}{k_2}\right) + \frac{k_1}{k_2}\right]x_1^2(0) + \left(\frac{-1}{k_1^2} + 1\right)x_1(0)x_2(0) + \left[\frac{1}{2k_2}\left(\frac{-1}{k_1^2} + 1\right)\right]x_2^2(0) = 0$$

$$\frac{\partial J}{\partial k_2} = \left[\frac{1}{2}\left(\frac{1}{k_1} - \frac{k_1}{k_2^2}\right) + \frac{-k_1}{2k_2^2}\left(\frac{1}{k_1} + k_1\right)\right]x_1^2(0) + \left[\frac{1}{2}\left(\frac{-1}{k_2^2} + 1\right) - \frac{1}{2k_2^2}\left(\frac{1}{k_1} + k_1\right)\right]x_2^2(0) = 0$$

Para cualquier conjunto de condiciones iniciales $x_1(0)$ y $x_2(0)$, el valor mínimo de $J$ se produce cuando

$$k_1 = 1, \qquad k_2 = \sqrt{3}$$

Nótese que $k_1$ y $k_2$ son constantes positivas, como se supuso en la solución. Por tanto, la ley de control óptimo

$$\mathbf{K} = [k_1 \quad k_2] = [1 \quad \sqrt{3}]$$

El diagrama de bloques de este sistema de control óptimo es similar al de la figura 10-25 si se sustituye $\mu = 1$.

**A–10–20.** Considere el sistema

$$\dot{\mathbf{x}} = \mathbf{f}(\mathbf{x}, \mathbf{u})$$

que puede ser lineal o no lineal. Se desea determinar la ley de control óptimo $\mathbf{u} = \mathbf{g}(\mathbf{x})$ tal que el indice de desempeño

$$J = \int_0^\infty L(\mathbf{x}, \mathbf{u})\, dt$$

sea mínimo, donde $\mathbf{u}$ es no acotado.

Si el origen del sistema descrito por

$$\dot{\mathbf{x}} = \mathbf{f}(\mathbf{x}, \mathbf{g}(\mathbf{x}))$$

es asintóticamente estable y por tanto existe una función $V(\mathbf{x})$ de Liapunov tal que $\dot{V}(\mathbf{x})$ es definida negativa, muestre que para que un vector de control $\mathbf{u}_1$ sea óptimo es condición suficiente que $H(\mathbf{x}, \mathbf{u})$, donde

$$H(\mathbf{x}, \mathbf{u}) = \frac{dV}{dt} + L(\mathbf{x}, \mathbf{u}) \tag{10–200}$$

sea mínima, cuando $\mathbf{u} = \mathbf{u}_1$ o sea

$$\min_{\mathbf{u}} H(\mathbf{x}, \mathbf{u}) = \min_{\mathbf{u}} \left[ \frac{dV}{dt} + L(\mathbf{x}, \mathbf{u}) \right] = \left. \frac{dV}{dt} \right|_{\mathbf{u}=\mathbf{u}_1} + L(\mathbf{x}, \mathbf{u}_1) \tag{10–201}$$

y

$$\left. \frac{dV}{dt} \right|_{\mathbf{u}=\mathbf{u}_1} = -L(\mathbf{x}, \mathbf{u}_1) \tag{10–202}$$

**Solución.** Se integran ambos miembros de la ecuación (10-202). Entonces

$$V(\mathbf{x}(\infty)) - V(\mathbf{x}(0)) = -\int_0^\infty L(\mathbf{x}(t), \mathbf{u}_1(t))\, dt \tag{10–203}$$

Como el origen del sistema es asintóticamente estable, $\mathbf{x}(\infty) = \mathbf{0}$ y $V(\mathbf{x}(\infty)) = 0$. Entonces la ecuación (10-203) se convierte en

$$V(\mathbf{x}(0)) = \int_0^\infty L(\mathbf{x}(t), \mathbf{u}_1(t))\, dt \tag{10–204}$$

Para probar que $\mathbf{u}_1(t)$ es óptima, suponga que $\mathbf{u}_1(t)$ no fuera óptima y que el vector de control $\mathbf{u}_2(t)$ permite hallar un valor más pequeño de $J$. Entonces

$$\int_0^\infty L(\mathbf{x}(t), \mathbf{u}_2(t))\, dt < \int_0^\infty L(\mathbf{x}(t), \mathbf{u}_1(t))\, dt$$

Nótese que, de la ecuación (10-201), el valor mínimo de $H(\mathbf{x}, \mathbf{u})$ se produce en $\mathbf{u} = \mathbf{u}_1$. También debe notarse que, de la ecuación (10-202) el valor mínimo es igual a cero. Entonces

$$H(\mathbf{x}, \mathbf{u}) \geq 0$$

para todo $\mathbf{u}$. Entonces

$$H(\mathbf{x}, \mathbf{u}_2) = \left.\frac{dV}{dt}\right|_{\mathbf{u}=\mathbf{u}_2} + L(\mathbf{x}, \mathbf{u}_2) \geq 0$$

Integrando ambos miembros de esta desigualdad desde 0 a $\infty$, se obtiene

$$V(\mathbf{x}(\infty)) - V(\mathbf{x}(0)) \geq -\int_0^\infty L(\mathbf{x}(t), \mathbf{u}_2(t))\, dt$$

Como $V(\mathbf{x}(\infty)) = 0$, se tiene

$$V(\mathbf{x}(0)) \leq \int_0^\infty L(\mathbf{x}(t), \mathbf{u}_2(t))\, dt \tag{10–205}$$

Entonces, de las ecuaciones (10-204) y (10-205)

$$\int_0^\infty L(\mathbf{x}(t), \mathbf{u}_1(t))\, dt \leq \int_0^\infty L(\mathbf{x}(t), \mathbf{u}_2(t))\, dt$$

Esto es una contradicción. Por lo tanto, $\mathbf{u}_1(t)$ debe ser el vector de control óptimo.

## PROBLEMAS

**B–10–1.** Considere el sistema definido por

$$\dot{\mathbf{x}} = \mathbf{A}\mathbf{x} + \mathbf{B}u$$
$$y = \mathbf{C}\mathbf{x}$$

donde

$$\mathbf{A} = \begin{bmatrix} 1 & 2 \\ -4 & -3 \end{bmatrix}, \quad \mathbf{B} = \begin{bmatrix} 1 \\ 2 \end{bmatrix}, \quad \mathbf{C} = [1 \quad 1]$$

Transforme las ecuaciones del sistema a la toma canónica controlable.

**B-10-2.** Considere el sistema definido por

$$\dot{\mathbf{x}} = \mathbf{A}\mathbf{x} + \mathbf{B}u$$
$$y = \mathbf{C}\mathbf{x}$$

donde

$$\mathbf{A} = \begin{bmatrix} -1 & 0 & 1 \\ 1 & -2 & 0 \\ 0 & 0 & -3 \end{bmatrix}, \quad \mathbf{B} = \begin{bmatrix} 0 \\ 0 \\ 1 \end{bmatrix}, \quad \mathbf{C} = [1 \quad 1 \quad 0]$$

Transforme las ecuaciones del sistema a la forma canónica controlable.

**B-10-3.** Considere el sistema definido por

$$\dot{\mathbf{x}} = \mathbf{A}\mathbf{x} + \mathbf{B}u$$

donde

$$\mathbf{A} = \begin{bmatrix} 0 & 1 & 0 \\ 0 & 0 & 1 \\ -1 & -5 & -6 \end{bmatrix}, \quad \mathbf{B} = \begin{bmatrix} 0 \\ 0 \\ 1 \end{bmatrix}$$

Usando el control de retroalimentación del estado $u = -\mathbf{K}\mathbf{x}$, se desea tener los polos de lazo cerrado en $s = -2 \pm j4$, $s = -10$. Determine la matriz $\mathbf{K}$ de ganancia de retroalimentación del estado.

**B-10-4.** En referencia al ejemplo 10-2, considere el sistema de péndulo invertido con los mismos valores numéricos de $M$, $m$, y $l$, utilizados en ese ejemplo. Se supone que las ubicaciones deseadas para los polos de lazo cerrado en $s = \mu_i$ $(i = 1, 2, 3, 4)$ se cambian a

$$\mu_1 = -2, \qquad \mu_2 = -2, \qquad \mu_3 = -10, \qquad \mu_4 = -10$$

Determine la matriz $\mathbf{K}$ de ganancia de retroalimentación de estado. (Use la misma definición de variables de estado del ejemplo 10-2; es decir, $x_1 = \theta$, $x_2 = \dot{\theta}$, $x_3 = x$, y $x_4 = \dot{x}$.)

Realice un programa de computadora para hallar la respuesta, para condiciones iniciales arbitrarias. En particular, para las condiciones iniciales

$$x_1(0) = 0.1 \text{ rad}, \qquad x_2(0) = 0, \qquad x_3(0) = 0, \qquad x_4(0) = 0$$

obtenga una solución en computadora y trace las curvas de $x_1(t)$ en función de $t$, $x_2(t)$ en función de $t$, $x_3(t)$ en función de $t$ y $x_4(t)$ en función de $t$. Compare estas curvas con las que se muestran en la figura 10-5(a). En el ejemplo 10-2, los polos de lazo cerrado deseados incluían un par de polos dominantes de lazo cerrado, complejos conjugados. En este problema todos los polos de lazo cerrado son reales y están ubicados en el semiplano izquierdo del plano $s$. ¿Cuál de los conjuntos de polos de lazo cerrado deseados es preferible?

**B-10-5.** Considere el sistema de péndulo invertido tratado en el ejemplo 10-2. Respecto al diagrama de la figura 10-3, se supone que

$$M = 2\text{ kg}, \qquad m = 0.5\text{ kg}, \qquad l = 1\text{ m}$$

Las variables de estado se definen como:

$$x_1 = \theta, \qquad x_2 = \theta, \qquad x_3 = x, \qquad x_4 = \dot{x}$$

y las variables de salida como:

$$y_1 = \theta = x_1, \qquad y_2 = x = x_3$$

Deduzca las ecuaciones de estado para este sistema.

Se desea que los polos de lazo cerrado estén en $s = \mu_i$ ($i = 1, 2, 3, 4$), donde

$$\mu_1 = -4 + j4, \ \mu_2 = -4 - j4, \ \mu_3 = -20, \ \mu_4 = -20$$

Determine la matriz **K** de ganancia de retroalimentación del estado.

Utilizando la matriz **K** de ganancia de retroalimentación del estado determinada, examine el desempeño del sistema por medio de simulación en computadora. Elabore un programa de computadora para obtener la respuesta del sistema ante una condición inicial arbitraria. Obtenga las curvas de respuesta de $x_1(t)$ en función de $t$, $x_2(t)$ en función de $t$, $x_3(t)$ en función de $t$ y $x_4(t)$ en función de $t$ para el siguiente conjunto de condiciones iniciales:

$$x_1(0) = 0, \qquad x_2(0) = 0, \qquad x_3(0) = 0, \qquad x_4(0) = 1\text{ m/s}$$

**B-10-6.** Un sistema regulador tiene una planta

$$\frac{Y(s)}{U(s)} = \frac{10}{(s+1)(s+2)(s+3)}$$

Las variables de estado se definen como

$$x_1 = y$$

$$x_2 = \dot{x}_1$$

$$x_3 = \dot{x}_2$$

Utilizando el control de retroalimentación del estado $u = -\mathbf{K}\mathbf{x}$, se desea colocar los polos de lazo cerrado en $s = \mu_i$ ($i = 1, 2, 3$), donde

$$\mu_1 = -2 + j3.464, \quad \mu_2 = -2 - j3.464, \quad \mu_3 = -10$$

Determinar la matriz **K** de ganancia de retroalimentación del estado necesaria.

**B-10-7.** Considere el sistema definido por

$$\begin{bmatrix} \dot{x}_1 \\ \dot{x}_2 \end{bmatrix} = \begin{bmatrix} -1 & 1 \\ 0 & 2 \end{bmatrix} \begin{bmatrix} x_1 \\ x_2 \end{bmatrix} + \begin{bmatrix} 1 \\ 0 \end{bmatrix} u$$

Muestre que el sistema no se puede estabilizar con el esquema de control de retroalimentación del estado $u = -\mathbf{K}\mathbf{x}$, sea cual fuere la matriz **K** elegida.

**B-10-8.** Considere el sistema definido por

$$\dot{\mathbf{x}} = \mathbf{A}\mathbf{x} + \mathbf{B}u$$

$$y = \mathbf{C}\mathbf{x}$$

donde

$$\mathbf{A} = \begin{bmatrix} -1 & 0 & 1 \\ 1 & -2 & 0 \\ 0 & 0 & -3 \end{bmatrix}, \quad \mathbf{B} = \begin{bmatrix} 0 \\ 1 \\ 1 \end{bmatrix}, \quad \mathbf{C} = [1 \quad 1 \quad 1]$$

Transforme las ecuaciones del sistema en la forma canónica observable.

**B-10-9.** Considere el sistema definido por

$$\dot{\mathbf{x}} = \mathbf{A}\mathbf{x}$$

$$y = \mathbf{C}\mathbf{x}$$

donde

$$\mathbf{A} = \begin{bmatrix} -1 & 1 \\ 1 & -2 \end{bmatrix}, \qquad \mathbf{C} = [1 \quad 0]$$

Diseñe un observador del estado de orden completo. Los valores propios deseados para la matriz del observador son $\mu_1 = -5$, $\mu_2 = -5$.

**B-10-10.** Considere el sistema definido en el problema B-10-9. Suponiendo que la salida $y$ se puede medir con precisión, diseñe un observador de orden mínimo. El valor propio deseado de la matriz del observador es $\mu = -5$; es decir, la ecuación característica deseada para el observador de orden mínimo, es

$$s + 5 = 0$$

**B-10-11.** Considere el sistema definido por

$$\begin{bmatrix} \dot{x}_1 \\ \dot{x}_2 \\ \dot{x}_3 \end{bmatrix} = \begin{bmatrix} 0 & 1 & 0 \\ 0 & 0 & 1 \\ 1.244 & 0.3956 & -3.145 \end{bmatrix} \begin{bmatrix} x_1 \\ x_2 \\ x_3 \end{bmatrix}$$

$$+\begin{bmatrix} 0 \\ 0 \\ 1.244 \end{bmatrix} u$$

$$y = [1 \quad 0 \quad 0] \begin{bmatrix} x_1 \\ x_2 \\ x_3 \end{bmatrix}$$

Dado el siguiente conjunto de valores propios deseados para la matriz de ganancia del observador,

$$\mu_1 = -5 + j8.66, \qquad \mu_2 = -5 - j8.66, \qquad \mu_3 = -10$$

diseñe un observador del estado de orden completo.

Diseñe también un observador de orden mínimo suponiendo que la salida $y$ es medible con exactitud. Elija los siguientes valores deseados para la matriz del observador de orden mínimo

$$\mu_1 = -5 + j8.66, \qquad \mu_2 = -5 - j8.66$$

**B-10-12.** Considere el sistema diseñado en el ejemplo 10-7. Utilizando la misma matriz **K** determinada en el ejemplo, se desea obtener la respuesta del sistema mediante simulación en computadora. Prepare un programa de computadora para obtener la respuesta ante una entrada en rampa.

**B-10-13.** Considere el servosistema tipo 1 de la figura 10-30. Las matrices **A**, **B**, y **C** de la figura 10-30 están dadas por

$$\mathbf{A} = \begin{bmatrix} 0 & 1 & 0 \\ 0 & 0 & 1 \\ 0 & -5 & -6 \end{bmatrix}, \qquad \mathbf{B} = \begin{bmatrix} 0 \\ 0 \\ 1 \end{bmatrix}, \qquad \mathbf{C} = [1 \quad 0 \quad 0]$$

Determine las constantes de ganancia de retroalimentación $k_1$, $k_2$, y $k_3$ de modo que los polos de lazo cerrado estén colocados en $s = -2 \pm j4$, $s = -10$.

Simule en computadora el sistema diseñado. Obtenga una solución en computadora para la respuesta ante un escalón unitario y trace la curva de $y(t)$ en función de $t$.

**B-10-14.** Considere el caso del sistema de péndulo invertido tratado en el ejemplo 10-8. (En la figura 10-20 se muestra el diagrama del sistema). En este problema se usan para las matrices **A**, **B**, **C**, los valores numéricos dados en el ejemplo 10-8, incluyendo las ubicaciones de los polos de lazo cerrado (polos dominantes de lazo cerrado en $s = -1 \pm j1.732$, y un polo triple en $s = -5$).

Las variables de estado se definen como sigue.

$$x_1 = \theta$$
$$x_2 = \dot{\theta}$$
$$x_3 = x$$
$$x_4 = \dot{x}$$
$$x_5 = \xi$$

Simule el sistema en computadora. La entrada $r(t)$ al carro, es una función escalón de magnitud 0.5 [es decir, $r(t) = 0.5$ m]. Obtenga las curvas de respuesta $x_1(t)$ en función de $t$, $x_2(t)$ en función de $t$, $x_3(t)$ en función de $t$, $x_4(t)$ en función de $t$, y $x_5(t)$ en función de $t$, para los dos conjuntos de condiciones iniciales siguientes:

(a)
$$x_1(0) = 0.1 \text{ rad}$$
$$x_2(0) = 0$$
$$x_3(0) = 0$$
$$x_4(0) = 0$$
$$x_5(0) = 0$$

(b)
$$x_1(0) = 0$$
$$x_2(0) = 0.1 \text{ rad/s}$$
$$x_3(0) = 0$$
$$x_4(0) = 0$$
$$x_5(0) = 0$$

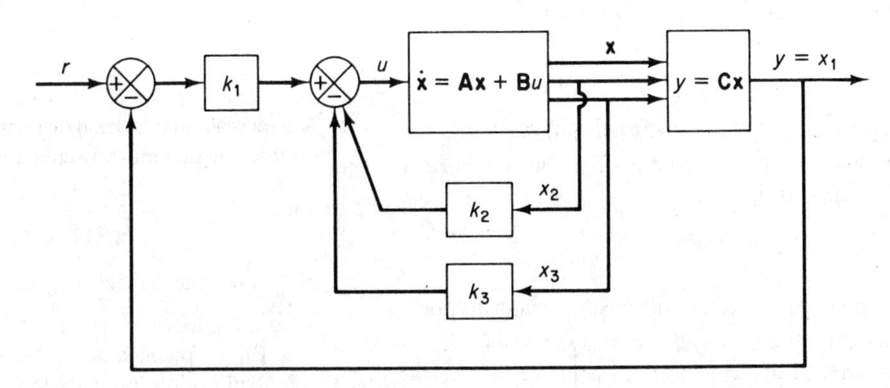


**Figura 10-30**

**B-10-15.** Para el sistema

$$\dot{\mathbf{x}} = \mathbf{Ax} + \mathbf{Bu}$$

Muestre que, si el vector de control **u** está dado por

$$\mathbf{u} = -\mathbf{B}^*\mathbf{Px}$$

donde la matriz **P** es una matriz hermítica definida positiva, que satisface la condición de que

$$\mathbf{A}^*\mathbf{P} + \mathbf{PA} = -\mathbf{I}$$

entonces el origen del sistema es asintóticamente estable.

**B-10-16.** Considere el sistema definido por

$$\dot{\mathbf{x}} = \mathbf{Ax} + \mathbf{B}u$$

y el índice de desempeño a minimizar está dado por

$$J = \int_0^\infty \mathbf{x}^*\mathbf{Qx}\, dt$$

Se supone que se usará un control de retroalimentación del estado $u = -\mathbf{Kx}$.

Muestre que el requerimiento de que $\mathbf{A} - \mathbf{BK}$ sea una matriz estable equivale a que el rango de

$$\begin{bmatrix} \mathbf{Q}^{1/2} \\ \mathbf{Q}^{1/2}\mathbf{A} \\ \cdot \\ \cdot \\ \cdot \\ \mathbf{Q}^{1/2}\mathbf{A}^{n-1} \end{bmatrix}$$

sea $n$. (Vea el problema A-9-17 como una ayuda para la solución de este problema).

**B-10-17.** Considere el sistema definido por

$$\dot{\mathbf{x}} = \mathbf{Ax}$$

donde

$$\mathbf{A} = \begin{bmatrix} 0 & 1 & 0 \\ 0 & 0 & 1 \\ -1 & -2 & -a \end{bmatrix}$$

$$a = \text{parámetro ajustable} > 0$$

Determine el valor del parámetro $a$, que minimiza el índice de desempeño siguiente:

$$J = \int_0^\infty \mathbf{x}^T\mathbf{x}\, dt$$

Se supone que el estado inicial $\mathbf{x}(0)$, está dado por

$$\mathbf{x}(0) = \begin{bmatrix} c_1 \\ 0 \\ 0 \end{bmatrix}$$

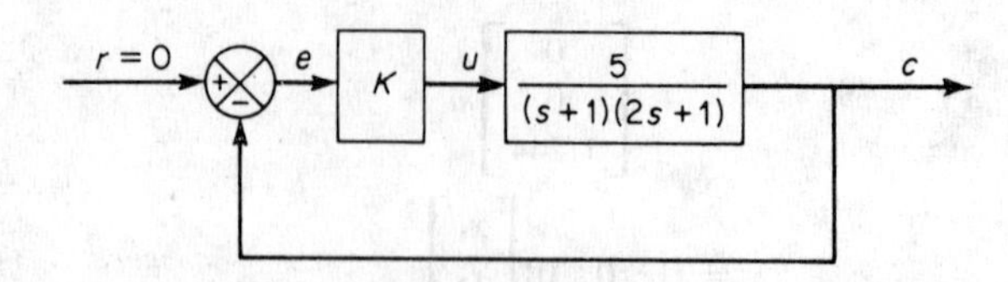


**Figura 10-31 Sistema de control.**

**B-10-18.** Considere el sistema que se muestra en la figura 10-31. Determine el valor de la ganancia $K$, de modo que el factor de amortiguamiento $\zeta$ del sistema en lazo cerrado sea igual a 0.5. Determine la frecuencia natural no amortiguada $\omega_n$ del sistema en lazo cerrado. Suponiendo que $e(0) = 1$, y que $\dot{e}(0) = 0$, calcule

$$\int_0^\infty e^2(t)\, dt$$

**B-10-19.** Determine la señal de control óptimo $u$ para el sistema definido por

$$\dot{\mathbf{x}} = \mathbf{Ax} + \mathbf{B}u$$

donde

$$\mathbf{A} = \begin{bmatrix} 0 & 1 \\ 0 & -1 \end{bmatrix}, \qquad \mathbf{B} = \begin{bmatrix} 0 \\ 1 \end{bmatrix}$$

de manera que se minimice el siguiente índice de desempeño:

$$J = \int_0^\infty (\mathbf{x}^T\mathbf{x} + u^2)\, dt$$

**B-10-20.** Considere el sistema

$$\begin{bmatrix} \dot{x}_1 \\ \dot{x}_2 \end{bmatrix} = \begin{bmatrix} 0 & 1 \\ 0 & 0 \end{bmatrix}\begin{bmatrix} x_1 \\ x_2 \end{bmatrix} + \begin{bmatrix} 0 \\ 1 \end{bmatrix} u$$

Se desea hallar la señal de control óptimo $u$, que haga que el índice de desempeño siguiente:

$$J = \int_0^\infty (\mathbf{x}^T\mathbf{Qx} + u^2)\, dt, \qquad \mathbf{Q} = \begin{bmatrix} 1 & 0 \\ 0 & \mu \end{bmatrix}$$

sea mínimo.

En referencia a la condición suficiente para el vector de control óptimo presentado en el problema A-10-20, determine la señal de control óptimo $u(t)$.

# APENDICE
# Análisis matricial

## A-1 DEFINICIONES

**Matriz conjugada.** La conjugada de una matriz **A** es aquella en la que cada elemento es el complejo conjugado del elemento correspondiente de **A**. La conjugada de **A** se denota como $\bar{\mathbf{A}} = [\bar{a}_{ij}]$, donde $\bar{a}_{ij}$ es el complejo conjugado de $a_{ij}$. Por ejemplo, si **A** está dado por

$$\mathbf{A} = \begin{bmatrix} 0 & 1 & 0 \\ -1+j & -3-j3 & -1+j4 \\ -1+j & -1 & -2+j3 \end{bmatrix} \tag{A-1}$$

entonces

$$\bar{\mathbf{A}} = \begin{bmatrix} 0 & 1 & 0 \\ -1-j & -3+j3 & -1-j4 \\ -1-j & -1 & -2-j3 \end{bmatrix}$$

**Traspuesta.** Si los renglones y las columnas de una matriz **A** de $n \times m$ se intercambian, entonces la matriz resultante de $n \times m$, se conoce como la traspuesta de **A**. La traspuesta de **A** se denota como $\mathbf{A}^T$. Esto es, si **A** está dada por

$$\mathbf{A} = \begin{bmatrix} a_{11} & a_{12} & \cdots & a_{1m} \\ a_{21} & a_{22} & \cdots & a_{2m} \\ \cdot & \cdot & & \cdot \\ \cdot & \cdot & & \cdot \\ \cdot & \cdot & & \cdot \\ a_{n1} & a_{n2} & \cdots & a_{nm} \end{bmatrix}$$

entonces $\mathbf{A}^T$ está dada por

$$\mathbf{A}^T = \begin{bmatrix} a_{11} & a_{21} & \cdots & a_{n1} \\ a_{12} & a_{22} & \cdots & a_{n2} \\ \cdot & \cdot & & \cdot \\ \cdot & \cdot & & \cdot \\ \cdot & \cdot & & \cdot \\ a_{1m} & a_{2m} & \cdots & a_{nm} \end{bmatrix}$$

Nótese que $(\mathbf{A}^T)^T = \mathbf{A}$. Se puede comprobar fácilmente que para $\mathbf{A} + \mathbf{B}$ y $\mathbf{AB}$, entonces

$$(\mathbf{A} + \mathbf{B})^T = \mathbf{A}^T + \mathbf{B}^T, \qquad (\mathbf{AB})^T = \mathbf{B}^T\mathbf{A}^T$$

**Conjugada traspuesta.** La conjugada traspuesta es la conjugada de la traspuesta de una matriz. Dada una matriz $\mathbf{A} = [a_{ij}]$, la conjugada traspuesta resulta de $\bar{\mathbf{A}}^T$, o $\mathbf{A}^*$, o sea

$$\bar{\mathbf{A}}^T = \mathbf{A}^* = [\bar{a}_{ji}]$$

Por ejemplo, si $\mathbf{A}$ está dada por la ecuación (A-1), entonces

$$\bar{\mathbf{A}}^T = \mathbf{A}^* = \begin{bmatrix} 0 & -1 - j & -1 - j \\ 1 & -3 + j3 & -1 \\ 0 & -1 - j4 & -2 - j3 \end{bmatrix}$$

Desde luego, la conjugada de $\mathbf{A}^T$, es la misma de la traspuesta de $\bar{\mathbf{A}}$. Nótese que $(\mathbf{A}^*)^* = \mathbf{A}$. Se puede demostrar que si para $\mathbf{A} = \mathbf{B}$ y $\mathbf{AB}$, entonces

$$(\mathbf{A} + \mathbf{B})^* = \mathbf{A}^* + \mathbf{B}^*, \qquad (\mathbf{AB})^* = \mathbf{B}^*\mathbf{A}^*$$

Nótese también que si $c$ es un número complejo, entonces

$$(c\,\mathbf{A})^* = \bar{c}\mathbf{A}^*$$

Si $\mathbf{A}$ es una matriz real (cuyos elementos son reales), la conjugada traspuesta $\mathbf{A}^*$, es la misma que la traspuesta $\mathbf{A}^T$.

**Matriz simétrica y matriz asimétrica.** Una matriz *simétrica*, es una matriz que es igual a su traspuesta. Es decir, para una matriz simétrica $\mathbf{A}$,

$$\mathbf{A}^T = \mathbf{A} \qquad \text{o} \qquad a_{ji} = a_{ij}$$

Si una matriz $\mathbf{A}$, es igual al negativo de su traspuesta,

$$\mathbf{A}^T = -\mathbf{A} \qquad \text{o} \qquad a_{ji} = -a_{ij}$$

entonces se le llama matriz *asimétrica*.

Si $\mathbf{A}$ es cualquier matriz cuadrada, entonces $\mathbf{A} + \mathbf{A}^T$ es una matriz simétrica, y $\mathbf{A} - \mathbf{A}^T$ es una matriz asimétrica. Por ejemplo, si $\mathbf{A}$ está dada por

$$\mathbf{A} = \begin{bmatrix} 1 & 2 & 3 \\ 4 & 5 & 6 \\ 7 & 8 & 9 \end{bmatrix}$$

entonces

$$\mathbf{A} + \mathbf{A}^T = \begin{bmatrix} 2 & 6 & 10 \\ 6 & 10 & 14 \\ 10 & 14 & 18 \end{bmatrix} = \text{matriz simétrica}$$

y

$$\mathbf{A} - \mathbf{A}^T = \begin{bmatrix} 0 & -2 & -4 \\ 2 & 0 & -2 \\ 4 & 2 & 0 \end{bmatrix} = \text{matriz antisimétrica}$$

Nótese que si $\mathbf{A}$ es una matriz rectangular, entonces $\mathbf{A}^T\mathbf{A} = \mathbf{B}$ es una matriz simétrica. Asimismo, la inversa de una matriz simétrica, en caso de existir la inversa, es simétrica. Para corroborar este hecho, considere la traspuesta de $\mathbf{BB}^{-1} = \mathbf{I}$. Se tiene $(\mathbf{B}^{-1})^T\mathbf{B}^T = \mathbf{I}^T = \mathbf{I}$. Notando que $\mathbf{B} = \mathbf{B}^T$, resulta $(\mathbf{B}^{-1})^T\mathbf{B}^T = (\mathbf{B}^{-1})^T\mathbf{B} = \mathbf{I} = \mathbf{B}^{-1}\mathbf{B}$. Por tanto, $\mathbf{B}^{-1} = (\mathbf{B}^{-1})^T$. En consecuencia, la inversa de una matriz simétrica, es simétrica.

**Matriz ortogonal.** Una matriz $\mathbf{A}$ se llama ortogonal si es real y satisface la relación $\mathbf{A}^T\mathbf{A} = \mathbf{AA}^T = \mathbf{I}$. (Esto implica que $|\mathbf{A}| = \pm 1$, por tanto $\mathbf{A}$ no es singular). Ejemplos de matrices ortogonales:

$$\mathbf{A} = \begin{bmatrix} \cos\theta & -\operatorname{sen}\theta \\ \operatorname{sen}\theta & \cos\theta \end{bmatrix}, \qquad \mathbf{B} = \begin{bmatrix} 0.6 & 0.8 & 0 \\ -0.8 & 0.6 & 0 \\ 0 & 0 & 1 \end{bmatrix}$$

En una matriz ortogonal, la inversa es exactamente igual a la traspuesta

$$\mathbf{A}^{-1} = \mathbf{A}^T$$

Para demostrarlo, obtenga $\mathbf{A}^{-1}$ y $\mathbf{B}^{-1}$ de las matrices $\mathbf{A}$ y $\mathbf{B}$ dadas anteriormente

$$\mathbf{A}^{-1} = \begin{bmatrix} \cos\theta & \operatorname{sen}\theta \\ -\operatorname{sen}\theta & \cos\theta \end{bmatrix} = \mathbf{A}^T, \qquad \mathbf{B}^{-1} = \begin{bmatrix} 0.6 & -0.8 & 0 \\ 0.8 & 0.6 & 0 \\ 0 & 0 & 1 \end{bmatrix} = \mathbf{B}^T$$

Si $\mathbf{A}$ y $\mathbf{B}$ son matrices ortogonales de $n \times n$, también lo son $\mathbf{A}^{-1}$, $\mathbf{A}^T$, y $\mathbf{AB}$. Lo cual se puede ver a continuación. Como $\mathbf{A}$ es ortogonal, $\mathbf{AA}^T = \mathbf{I}$ y $(\mathbf{A}^T)^T\mathbf{A}^T = \mathbf{I}$. Por tanto, $\mathbf{A}^T$ es ortogonal. Como $\mathbf{A}^{-1} = \mathbf{A}^T$, $\mathbf{A}^{-1}$ es también ortogonal. Como $\mathbf{B}^T = \mathbf{B}^{-1}$, $\mathbf{A}^T = \mathbf{A}^{-1}$, $(\mathbf{AB})^T = \mathbf{B}^T\mathbf{A}^T$, y $(\mathbf{AB})^{-1} = \mathbf{B}^{-1}\mathbf{A}^{-1}$, se tiene $(\mathbf{AB})^T = (\mathbf{AB})^{-1}$, por lo que $\mathbf{AB}$ es ortogonal.

**Matriz hermítica y matriz no hermítica.** Una matriz cuyos elementos son cantidades complejas, se llama matriz *compleja.* Si una matriz compleja $A$ satisface la relación

$$\mathbf{A}^* = \mathbf{A} \qquad \text{o} \qquad a_{ij} = \bar{a}_{ji}$$

donde $\bar{a}_{ji}$ es el complejo conjugado de $a_{ji}$, entonces $\mathbf{A}$ recibe el nombre de matriz *hermítica*. Nótese que una matriz hermítica debe ser cuadrada, y que los elementos de la diagonal principal deben ser reales. Por ejemplo,

$$\mathbf{A} = \begin{bmatrix} 1 & 4 + j3 & j5 \\ 4 - j3 & 2 & 2 + j \\ -j5 & 2 - j & 0 \end{bmatrix}$$

Si una matriz hermítica **A** está escrita como **A** = **B** + $j$**C**, donde **B** y **C** son matrices reales, entonces

$$\mathbf{B} = \mathbf{B}^T, \qquad \mathbf{C} = -\mathbf{C}^T$$

En el ejemplo anterior,

$$\mathbf{A} = \mathbf{B} + j\mathbf{C} = \begin{bmatrix} 1 & 4 & 0 \\ 4 & 2 & 2 \\ 0 & 2 & 0 \end{bmatrix} + j\begin{bmatrix} 0 & 3 & 5 \\ -3 & 0 & 1 \\ -5 & -1 & 0 \end{bmatrix}$$

Nótese que la inversa de una matriz **A** hermítica, es hermítica, o sea $\mathbf{A}^{-1} = (\mathbf{A}^{-1})^*$. Nótese también, que toda matriz cuadrada se puede expresar en forma única, como **A** = **G** + $j$**H**, donde **G** y **H** son hermíticas, y están dadas por

$$\mathbf{G} = \frac{1}{2}(\mathbf{A} + \mathbf{A}^*), \qquad \mathbf{H} = \frac{1}{2j}(\mathbf{A} - \mathbf{A}^*)$$

El hecho de que **G** y **H** son hermíticas se ve por lo siguiente:

$$\mathbf{G}^* = \frac{1}{2}(\mathbf{A}^* + \mathbf{A}) = \mathbf{G}, \qquad \mathbf{H}^* = -\frac{1}{2j}(\mathbf{A}^* - \mathbf{A}) = \mathbf{H}$$

Se puede verificar que para matrices hermíticas **A** y **B** de $n \times n$, las matrices **A** + **B**, **A** — **B**, y **AB** + **BA** son hermíticas también. Sin embargo, el producto **AB** es hermítico si y sólo si, **A** y **B** son conmutables, pues **AB** = **A*B*** = **(BA)***. El determinante de una matriz hermítica es siempre real, ya que

$$|\mathbf{A}| = |\mathbf{A}^*| = |\bar{\mathbf{A}}^T| = |\bar{\mathbf{A}}|$$

Si una matriz **A** satisface la relación **A*** = − **A**, entonces **A** se denomina matriz *no hermítica*. Un ejemplo es

$$\mathbf{A} = \begin{bmatrix} j5 & -2 + j3 & -4 + j6 \\ 2 + j3 & j4 & -2 + j2 \\ 4 + j6 & 2 + j2 & j \end{bmatrix}$$

Nótese que una matriz no hermítica debe ser cuadrada, y que los elementos de la diagonal principal deben ser imaginarios o cero.

Si una matriz **A** antihermítica se expresa como **A** = **B** + $j$**C**, donde **B** y **C** son matrices reales, entonces

$$\mathbf{B} = -\mathbf{B}^T, \qquad \mathbf{C} = \mathbf{C}^T$$

En el presente ejemplo

$$\mathbf{A} = \mathbf{B} + j\mathbf{C} = \begin{bmatrix} 0 & -2 & -4 \\ 2 & 0 & -2 \\ 4 & 2 & 0 \end{bmatrix} + j\begin{bmatrix} 5 & 3 & 6 \\ 3 & 4 & 2 \\ 6 & 2 & 1 \end{bmatrix}$$

**Matriz unitaria.** Una matriz unitaria es una matriz compleja, en la cual la inversa es igual a la conjugada de la traspuesta. Es decir,

$$\mathbf{A}^{-1} = \mathbf{A}^* \qquad \text{o} \qquad \mathbf{AA}^* = \mathbf{A}^*\mathbf{A} = \mathbf{I}$$

Un ejemplo de matriz unitaria es

$$\mathbf{A} = \begin{bmatrix} \frac{1}{\sqrt{15}}(2+j) & \frac{1}{\sqrt{15}}(3+j) \\ \frac{1}{\sqrt{15}}(-3+j) & \frac{1}{\sqrt{15}}(2-j) \end{bmatrix}$$

Para demostrarlo, calcúlese $\mathbf{A}^{-1}$ y $\mathbf{A}^*$. Puesto que para una matriz unitaria $\mathbf{A}$, el determinante de $\mathbf{A}$ es igual a la unidad, o sea $|\mathbf{A}| = 1$, se obtiene

$$\mathbf{A}^{-1} = \begin{bmatrix} \frac{1}{\sqrt{15}}(2-j) & -\frac{1}{\sqrt{15}}(3+j) \\ \frac{1}{\sqrt{15}}(3-j) & \frac{1}{\sqrt{15}}(2+j) \end{bmatrix}$$

La conjugada traspuesta $\mathbf{A}^*$ resulta de

$$\mathbf{A}^* = \begin{bmatrix} \frac{1}{\sqrt{15}}(2-j) & -\frac{1}{\sqrt{15}}(3+j) \\ \frac{1}{\sqrt{15}}(3-j) & \frac{1}{\sqrt{15}}(2+j) \end{bmatrix}$$

Por lo tanto, se ha verificado que $\mathbf{A}^{-1} = \mathbf{A}^*$.

Las matrices ortogonales satisfacen la relación $\mathbf{AA}^* = \mathbf{A}^*\mathbf{A} = \mathbf{I}$; por lo tanto, son unitarias.

Nótese que si $\mathbf{A}$ es unitaria, también lo es su inversa $\mathbf{A}^{-1}$. Para comprobarlo, nótese que como $\mathbf{AA}^* = \mathbf{A}^*\mathbf{A} = \mathbf{I}$, se obtiene

$$(\mathbf{A}^*)^{-1}\mathbf{A}^{-1} = (\mathbf{A}^{-1})^*(\mathbf{A}^{-1}) = \mathbf{I}$$

$$\mathbf{A}^{-1}(\mathbf{A}^*)^{-1} = (\mathbf{A}^{-1})(\mathbf{A}^{-1})^* = \mathbf{I}$$

Si las matrices $\mathbf{A}$ y $\mathbf{B}$ de $n \times n$ son unitarias, también lo es la matriz $\mathbf{AB}$. Para probarlo, nótese que como $\mathbf{AA}^* = \mathbf{A}^*\mathbf{A} = \mathbf{I}$ y $\mathbf{BB}^* = \mathbf{B}^*\mathbf{B} = \mathbf{I}$, se tiene

$$(\mathbf{AB})(\mathbf{AB})^* = \mathbf{ABB}^*\mathbf{A}^* = \mathbf{AA}^* = \mathbf{I}$$

$$(\mathbf{AB})^*(\mathbf{AB}) = \mathbf{B}^*\mathbf{A}^*\mathbf{AB} = \mathbf{B}^*\mathbf{B} = \mathbf{I}$$

Por tanto, se demuestra que $\mathbf{AB}$ es unitaria.

**Matriz normal.** Una matriz que conmuta con su conjugada traspuesta, se denomina matriz *normal*. Específicamente, para una matriz normal $\mathbf{A}$,

$$\mathbf{AA}^* = \mathbf{A}^*\mathbf{A} \qquad \text{si } \mathbf{A} \text{ es una matriz compleja}$$

$$\mathbf{AA}^T = \mathbf{A}^T\mathbf{A} \qquad \text{si } \mathbf{A} \text{ es una matriz real}$$

Nótese que si **A** es normal y **U** es unitaria, entonces $\mathbf{U}^{-1}\mathbf{AU}$ también es normal, puesto que

$$
\begin{aligned}
(\mathbf{U}^{-1}\mathbf{AU})(\mathbf{U}^{-1}\mathbf{AU})^* &= \mathbf{U}^{-1}\mathbf{AUU}^*\mathbf{A}^*(\mathbf{U}^{-1})^* = \mathbf{U}^{-1}\mathbf{AA}^*(\mathbf{U}^{-1})^* = \mathbf{U}^*\mathbf{A}^*\mathbf{AU} \\
&= \mathbf{U}^*\mathbf{A}^*(\mathbf{U}^{-1})^*\mathbf{U}^{-1}\mathbf{AU} = (\mathbf{U}^{-1}\mathbf{AU})^*(\mathbf{U}^{-1}\mathbf{AU})
\end{aligned}
$$

Una matriz es normal, si es real asimétrica, hermítica, real no hermítica, no hermítica, unitaria u ortogonal.

**Resumen.** Para resumir las definiciones de diversas matrices, el lector encontrará de gran utilidad la siguiente lista.

| | |
|---|---|
| $\mathbf{A}^T = \mathbf{A}$ | **A** es simétrica |
| $\mathbf{A}^T = -\mathbf{A}$ | **A** es asimétrica |
| $\mathbf{AA}^T = \mathbf{A}^T\mathbf{A} = \mathbf{I}$ | **A** es ortogonal |
| $\mathbf{A}^* = \mathbf{A}$ | **A** es hermítica |
| $\mathbf{A}^* = -\mathbf{A}$ | **A** es no hermítica |
| $\mathbf{AA}^* = \mathbf{A}^*\mathbf{A} = \mathbf{I}$ | **A** es unitaria |
| $\mathbf{AA}^* = \mathbf{A}^*\mathbf{A}$ o $\mathbf{AA}^T = \mathbf{A}^T\mathbf{A}$ | **A** es normal |

## A-2 DETERMINANTES

**Determinantes de una matriz de 2 × 2, una matriz de 3 × 3, y una matriz de 4 × 4.** Para una matriz **A** de 2 × 2 se tiene

$$
|\mathbf{A}| = \begin{vmatrix} a_1 & a_2 \\ b_1 & b_2 \end{vmatrix} = a_1b_2 - b_1a_2
$$

Para una matriz **A** de 3 × 3,

$$
|\mathbf{A}| = \begin{vmatrix} a_1 & a_2 & a_3 \\ b_1 & b_2 & b_3 \\ c_1 & c_2 & c_3 \end{vmatrix} = a_1b_2c_3 + b_1c_2a_3 + c_1a_2b_3 - c_1b_2a_3 - b_1a_2c_3 - a_1b_3c_2
$$

Para una matriz **A** de 4 × 4,

$$
\begin{aligned}
|\mathbf{A}| &= \begin{vmatrix} a_1 & a_2 & a_3 & a_4 \\ b_1 & b_2 & b_3 & b_4 \\ c_1 & c_2 & c_3 & c_4 \\ d_1 & d_2 & d_3 & d_4 \end{vmatrix} \\
&= \begin{vmatrix} a_1 & a_2 \\ b_1 & b_2 \end{vmatrix}\begin{vmatrix} c_3 & c_4 \\ d_3 & d_4 \end{vmatrix} - \begin{vmatrix} a_1 & a_2 \\ c_1 & c_2 \end{vmatrix}\begin{vmatrix} b_3 & b_4 \\ d_3 & d_4 \end{vmatrix} \\
&\quad + \begin{vmatrix} a_1 & a_2 \\ d_1 & d_2 \end{vmatrix}\begin{vmatrix} b_3 & b_4 \\ c_3 & c_4 \end{vmatrix} + \begin{vmatrix} b_1 & b_2 \\ c_1 & c_2 \end{vmatrix}\begin{vmatrix} a_3 & a_4 \\ d_3 & d_4 \end{vmatrix} \\
&\quad - \begin{vmatrix} b_1 & b_2 \\ d_1 & d_2 \end{vmatrix}\begin{vmatrix} a_3 & a_4 \\ c_3 & c_4 \end{vmatrix} + \begin{vmatrix} c_1 & c_2 \\ d_1 & d_2 \end{vmatrix}\begin{vmatrix} a_3 & a_4 \\ b_3 & b_4 \end{vmatrix}
\end{aligned}
$$

(Esta expansión se denomina expansión de Laplace por menores).

**Propiedades de los determinantes.** El determinante de una matriz de $n \times n$ tiene las siguientes propiedades:

1. Si dos renglones (o columnas) del determinante se intercambian, sólo cambia el signo del determinante.
2. El determinante es invariante al sumar un escalar múltiple de un renglón (o columna) a otro renglón (o columnas).
3. Si una matriz de $n \times n$ tiene dos renglones (o columnas) idénticos, el determinante es cero.
4. Para una matriz $\mathbf{A}$ de $n \times n$,

$$|\mathbf{A}^T| = |\mathbf{A}|, \qquad |\mathbf{A}^*| = |\bar{\mathbf{A}}|$$

5. El determinante del producto de dos matrices cuadradas $\mathbf{A}$ y $\mathbf{B}$ es el producto de sus determinantes:

$$|\mathbf{AB}| = |\mathbf{A}|\,|\mathbf{B}| = |\mathbf{BA}|$$

6. Si un renglón (o columna) se multiplica por un escalar $k$, entonces el determinante se multiplica por $k$.
7. Si todos los elementos de una matriz de $n \times n$ se multiplican por $k$, el determinante resulta multiplicado por $k^n$; es decir,

$$|k\mathbf{A}| = k^n|\mathbf{A}|$$

8. Si los valores propios de $\mathbf{A}$ son $\lambda_i$ $(i = 1, 2, \ldots, n)$, entonces

$$|\mathbf{A}| = \lambda_1\lambda_2 \ldots \lambda_n$$

Por lo tanto, $|\mathbf{A}| \neq 0$ implica $\lambda_i \neq 0$ para $i = 1, 2, \ldots, n$. (Para más detalles sobre valores propios, véase la sección A-6).

9. Si $\mathbf{A}$, $\mathbf{B}$, $\mathbf{C}$, y $\mathbf{D}$ son matrices de $n \times n$, $n \times m$, $m \times n$, y $m \times m$, respectivamente, entonces

$$\begin{vmatrix} \mathbf{A} & \mathbf{B} \\ \mathbf{0} & \mathbf{D} \end{vmatrix} = \begin{vmatrix} \mathbf{A} & \mathbf{0} \\ \mathbf{C} & \mathbf{D} \end{vmatrix} = |\mathbf{A}|\,|\mathbf{D}| \qquad \text{si } |\mathbf{A}| \neq 0 \text{ y } |\mathbf{D}| \neq 0 \tag{A–2}$$

$$\begin{vmatrix} \mathbf{A} & \mathbf{B} \\ \mathbf{0} & \mathbf{D} \end{vmatrix} = \begin{vmatrix} \mathbf{A} & \mathbf{0} \\ \mathbf{C} & \mathbf{D} \end{vmatrix} = 0 \qquad \text{si } |\mathbf{A}| = 0 \text{ o } |\mathbf{D}| = 0 \text{ o } |\mathbf{A}| = |\mathbf{D}| = 0$$

También,

$$\begin{vmatrix} \mathbf{A} & \mathbf{B} \\ \mathbf{C} & \mathbf{D} \end{vmatrix} = \begin{cases} |\mathbf{A}|\,|\mathbf{D} - \mathbf{C}\mathbf{A}^{-1}\mathbf{B}| & \text{si } |\mathbf{A}| \neq 0 \quad \text{(A–3)} \\ |\mathbf{D}|\,|\mathbf{A} - \mathbf{B}\mathbf{D}^{-1}\mathbf{C}| & \text{si } |\mathbf{D}| \neq 0 \quad \text{(A–4)} \end{cases}$$

[Para la deducción de la ecuación (A-2), véase el problema A-1; para la deducción de las ecuaciones (A-3) y (A-4), véase el problema A-2].

10. Para una matriz $\mathbf{A}$ de $n \times m$ y una matriz $\mathbf{B}$ de $m \times n$,

$$|\mathbf{I}_n + \mathbf{AB}| = |\mathbf{I}_m + \mathbf{BA}| \qquad \text{(A–5)}$$

(Para su comprobación véase el problema A-3). En particular, para $m = 1$, es decir, para una matriz $\mathbf{A}$ de $n \times 1$ y una matriz $\mathbf{B}$ de $1 \times n$, se tiene

$$|\mathbf{I}_n + \mathbf{AB}| = 1 + \mathbf{BA} \qquad \text{(A–6)}$$

Las ecuaciones (A-2) a (A-6), son útiles para calcular los determinantes de matrices de órdenes elevados.

## A-3 INVERSION DE MATRICES

**Matriz no singular y matriz singular.** Una matriz $\mathbf{A}$ cuadrada se denomina no singular, si hay una matriz $\mathbf{B}$ tal que $\mathbf{BA} = \mathbf{AB} = \mathbf{I}$. Si esa matriz $\mathbf{B}$ existe, se denota por $\mathbf{A}^{-1}$. A la forma $\mathbf{A}^{-1}$ se le llama *inversa de* $\mathbf{A}$. La matriz inversa $\mathbf{A}^{-1}$ existe si $|\mathbf{A}|$ no es cero. Si $\mathbf{A}^{-1}$ no existe, se dice que $\mathbf{A}$ es *singular*.

Si $\mathbf{A}$ y $\mathbf{B}$ son matrices no singulares, el producto $\mathbf{AB}$ es una matriz no singular, y

$$(\mathbf{AB})^{-1} = \mathbf{B}^{-1}\mathbf{A}^{-1}$$

También,

$$(\mathbf{A}^T)^{-1} = (\mathbf{A}^{-1})^T$$

y

$$(\mathbf{A}^*)^{-1} = (\mathbf{A}^{-1})^*$$

**Propiedades de la matriz inversa.** La inversa de una matriz tiene las siguientes propiedades.

1. Si $k$ es un escalar no cero y $\mathbf{A}$ es una matriz no singular de $n \times n$, entonces

$$(k\mathbf{A})^{-1} = \frac{1}{k}\mathbf{A}^{-1}$$

2. El determinante de $\mathbf{A}^{-1}$, es el recíproco del determinante de $\mathbf{A}$, o sea

$$|\mathbf{A}^{-1}| = \frac{1}{|\mathbf{A}|}$$

Lo cual se puede verificar fácilmente como sigue:

$$|\mathbf{AA}^{-1}| = |\mathbf{A}|\,|\mathbf{A}^{-1}| = 1$$

**Fórmulas útiles para hallar la inversa de una matriz.**

1. Para una matriz $\mathbf{A}$ de $2 \times 2$, donde

$$\mathbf{A} = \begin{bmatrix} a & b \\ c & d \end{bmatrix} \qquad ad - bc \neq 0$$

la matriz inversa está dada por

$$\mathbf{A}^{-1} = \frac{1}{ad - bc}\begin{bmatrix} d & -b \\ -c & a \end{bmatrix}$$

**2.** Para una matriz **A** de 3 × 3, donde

$$\mathbf{A} = \begin{bmatrix} a & b & c \\ d & e & f \\ g & h & i \end{bmatrix} \qquad |\mathbf{A}| \neq 0$$

la matriz inversa está dada por

$$\mathbf{A}^{-1} = \frac{1}{|\mathbf{A}|}\begin{bmatrix} \begin{vmatrix} e & f \\ h & i \end{vmatrix} & -\begin{vmatrix} b & c \\ h & i \end{vmatrix} & \begin{vmatrix} b & c \\ e & f \end{vmatrix} \\ -\begin{vmatrix} d & f \\ g & i \end{vmatrix} & \begin{vmatrix} a & c \\ g & i \end{vmatrix} & -\begin{vmatrix} a & c \\ d & f \end{vmatrix} \\ \begin{vmatrix} d & e \\ g & h \end{vmatrix} & -\begin{vmatrix} a & b \\ g & h \end{vmatrix} & \begin{vmatrix} a & b \\ d & e \end{vmatrix} \end{bmatrix}$$

**3.** Si **A**, **B**, **C**, y **D** son matrices de $n \times n$, $n \times m$, $m \times n$, y $m \times m$, respectivamente, entonces

$$(\mathbf{A} + \mathbf{BDC})^{-1} = \mathbf{A}^{-1} - \mathbf{A}^{-1}\mathbf{B}(\mathbf{D}^{-1} + \mathbf{CA}^{-1}\mathbf{B})^{-1}\mathbf{CA}^{-1} \qquad \text{(A–7)}$$

siempre que las inversas indicadas existan. La ecuación (A-7) recibe el nombre de *lema de inversión de matriz*. (Para probarlo véase el problema A-4).

Si $\mathbf{D} = \mathbf{I}_m$, la ecuación (A-7) se simplifica a

$$(\mathbf{A} + \mathbf{BC})^{-1} = \mathbf{A}^{-1} - \mathbf{A}^{-1}\mathbf{B}(\mathbf{I}_m + \mathbf{CA}^{-1}\mathbf{B})^{-1}\mathbf{CA}^{-1}$$

En esta última ecuación, si **B** y **C** son matrices de $n \times 1$ y $1 \times n$, respectivamente, entonces

$$(\mathbf{A} + \mathbf{BC})^{-1} = \mathbf{A}^{-1} - \frac{\mathbf{A}^{-1}\mathbf{BCA}^{-1}}{1 + \mathbf{CA}^{-1}\mathbf{B}} \qquad \text{(A–8)}$$

La ecuación (A-8) es útil, porque si una matriz **X** de $n \times n$ se puede expresar como **A** + **BC**, donde **A** es una matriz de $n \times n$ cuya inversa es conocida, y **BC** es el producto de un vector renglón por un vector columna, entonces se puede obtener $\mathbf{X}^{-1}$ fácilmente, puesto que ya se conocen $\mathbf{A}^{-1}$, **B**, y **C**.

**4.** Si **A**, **B**, **C**, y **D** son matrices de $n \times n$, $n \times m$, $m \times n$, y $m \times m$, respectivamente, entonces

$$\begin{bmatrix} \mathbf{A} & \mathbf{B} \\ \mathbf{C} & \mathbf{D} \end{bmatrix}^{-1} = \begin{bmatrix} \mathbf{A}^{-1} + \mathbf{A}^{-1}\mathbf{B}(\mathbf{D} - \mathbf{CA}^{-1}\mathbf{B})^{-1}\mathbf{CA}^{-1} & -\mathbf{A}^{-1}\mathbf{B}(\mathbf{D} - \mathbf{CA}^{-1}\mathbf{B})^{-1} \\ -(\mathbf{D} - \mathbf{CA}^{-1}\mathbf{B})^{-1}\mathbf{CA}^{-1} & (\mathbf{D} - \mathbf{CA}^{-1}\mathbf{B})^{-1} \end{bmatrix} \qquad \text{(A–9)}$$

siempre que $|\mathbf{A}| \neq 0$ y $|\mathbf{D} - \mathbf{CA}^{-1}\mathbf{B}| \neq 0$, o

$$\begin{bmatrix} \mathbf{A} & \mathbf{B} \\ \mathbf{C} & \mathbf{D} \end{bmatrix}^{-1} = \begin{bmatrix} (\mathbf{A} - \mathbf{BD}^{-1}\mathbf{C})^{-1} & -(\mathbf{A} - \mathbf{BD}^{-1}\mathbf{C})^{-1}\mathbf{BD}^{-1} \\ -\mathbf{D}^{-1}\mathbf{C}(\mathbf{A} - \mathbf{BD}^{-1}\mathbf{C})^{-1} & \mathbf{D}^{-1}\mathbf{C}(\mathbf{A} - \mathbf{BD}^{-1}\mathbf{C})^{-1}\mathbf{BD}^{-1} + \mathbf{D}^{-1} \end{bmatrix} \qquad \text{(A–10)}$$

siempre que $|\mathbf{D}| \neq 0$ y $|\mathbf{A} - \mathbf{B}\mathbf{D}^{-1}\mathbf{C}| \neq 0$. En particular, si $\mathbf{C} = 0$ o $\mathbf{B} = 0$, entonces las ecuaciones (A-9) y (A-10) se pueden simplificar como sigue:

$$\begin{bmatrix} \mathbf{A} & \mathbf{B} \\ \mathbf{0} & \mathbf{D} \end{bmatrix}^{-1} = \begin{bmatrix} \mathbf{A}^{-1} & -\mathbf{A}^{-1}\mathbf{B}\mathbf{D}^{-1} \\ \mathbf{0} & \mathbf{D}^{-1} \end{bmatrix} \tag{A–11}$$

o bien

$$\begin{bmatrix} \mathbf{A} & \mathbf{0} \\ \mathbf{C} & \mathbf{D} \end{bmatrix}^{-1} = \begin{bmatrix} \mathbf{A}^{-1} & \mathbf{0} \\ -\mathbf{D}^{-1}\mathbf{C}\mathbf{A}^{-1} & \mathbf{D}^{-1} \end{bmatrix} \tag{A–12}$$

[Para la deducción de las ecuaciones (A-8) a (A-12), véanse los problemas A-5 y A-6].

## A-4 REGLAS DE OPERACIONES CON MATRICES

En esta sección se repasarán algunas reglas de operaciones algebraicas con matrices y se darán definiciones de las derivadas y de las integrales de matrices. Luego, se presentarán las reglas de diferenciación de matrices.

Nótese que el álgebra de matrices difiere del álgebra numérica ordinaria en que la multiplicación de matrices no es conmutativa, y en que la cancelación de matrices no es válida.

**Multiplicación de una matriz por un escalar.** El producto de una matriz y un escalar es una matriz en la que cada elemento está multiplicado por el escalar. Es decir,

$$k\mathbf{A} = \begin{bmatrix} ka_{11} & ka_{12} & \cdots & ka_{1m} \\ ka_{21} & ka_{22} & \cdots & ka_{2m} \\ \cdot & \cdot & & \cdot \\ \cdot & \cdot & & \cdot \\ \cdot & \cdot & & \cdot \\ ka_{n1} & ka_{n2} & \cdots & ka_{nm} \end{bmatrix}$$

**Multiplicación de una matriz por una matriz.** La multiplicación de una matriz por una matriz es posible entre matrices en las que la cantidad de columnas de la primera matriz, es igual a la cantidad de renglones de la segunda. De otro modo, la multiplicación no está definida.

Considere el producto de una matriz $\mathbf{A}$ de $n \times m$ y una matriz $\mathbf{B}$ de $m \times r$.

$$\mathbf{AB} = \begin{bmatrix} a_{11} & a_{12} & \cdots & a_{1m} \\ a_{21} & a_{22} & \cdots & a_{2m} \\ \cdot & \cdot & & \cdot \\ \cdot & \cdot & & \cdot \\ \cdot & \cdot & & \cdot \\ a_{n1} & a_{n2} & \cdots & a_{nm} \end{bmatrix} \begin{bmatrix} b_{11} & b_{12} & \cdots & b_{1r} \\ b_{21} & b_{22} & \cdots & b_{2r} \\ \cdot & \cdot & & \cdot \\ \cdot & \cdot & & \cdot \\ \cdot & \cdot & & \cdot \\ b_{m1} & b_{m2} & \cdots & b_{mr} \end{bmatrix}$$

$$= \begin{bmatrix} c_{11} & c_{12} & \cdots & c_{1r} \\ c_{21} & c_{22} & \cdots & c_{2r} \\ \cdot & \cdot & & \cdot \\ \cdot & \cdot & & \cdot \\ \cdot & \cdot & & \cdot \\ c_{n1} & c_{n2} & \cdots & c_{nr} \end{bmatrix}$$

donde

$$c_{ik} = \sum_{j=1}^{m} a_{ij} b_{jk}$$

Entonces la multiplicación de una matriz de $n \times m$ por una matriz de $m \times r$, es una matriz de $n \times r$. Debe notarse que, en general, la multiplicación de matrices no es conmutativa; es decir,

$$\mathbf{AB} \neq \mathbf{BA} \qquad \text{en general}$$

Por ejemplo,

$$\mathbf{AB} = \begin{bmatrix} a_{11} & a_{12} \\ a_{21} & a_{22} \end{bmatrix} \begin{bmatrix} b_{11} & b_{12} \\ b_{21} & b_{22} \end{bmatrix} = \begin{bmatrix} a_{11}b_{11} + a_{12}b_{21} & a_{11}b_{12} + a_{12}b_{22} \\ a_{21}b_{11} + a_{22}b_{21} & a_{21}b_{12} + a_{22}b_{22} \end{bmatrix}$$

y

$$\mathbf{BA} = \begin{bmatrix} b_{11} & b_{12} \\ b_{21} & b_{22} \end{bmatrix} \begin{bmatrix} a_{11} & a_{12} \\ a_{21} & a_{22} \end{bmatrix} = \begin{bmatrix} b_{11}a_{11} + b_{12}a_{21} & b_{11}a_{12} + b_{12}a_{22} \\ b_{21}a_{11} + b_{22}a_{21} & b_{21}a_{12} + b_{22}a_{22} \end{bmatrix}$$

Entonces, en general, $\mathbf{AB} \neq \mathbf{BA}$. Por lo tanto, el orden de multiplicación es importante, y se debe mantener. Si $\mathbf{AB} = \mathbf{BA}$, se dice que las matrices **A** y **B** son conmutativas. En las matrices anteriores **A** y **B**, si, por ejemplo, $a_{12} = a_{21} = b_{12} = b_{21} = 0$, entonces **A** y **B** con conmutativas.

Para matrices diagonales **A** y **B** de $n \times n$,

$$\mathbf{AB} = [a_{ij}\delta_{ij}][b_{ij}\delta_{ij}] = \begin{bmatrix} a_{11}b_{11} & & & & 0 \\ & a_{22}b_{22} & & & \\ & & \cdot & & \\ & & & \cdot & \\ & & & & \cdot \\ 0 & & & & a_{nn}b_{nn} \end{bmatrix}$$

Si **A**, **B**, y **C** son matrices de $n \times m$, $m \times r$, y $r \times p$, respectivamente, es válida la siguiente ley asociativa:

$$(\mathbf{AB})\mathbf{C} = \mathbf{A}(\mathbf{BC})$$

Lo cual se puede probar como sigue:

$$\text{el } (i, k)\text{-ésimo elemento de } \mathbf{AB} = \sum_{j=1}^{m} a_{ij} b_{jk}$$

$$\text{el } (j, h)\text{-ésimo elemento de } \mathbf{BC} = \sum_{k=1} b_{jk}c_{kh}$$

$$\text{el } (i, h)\text{-ésimo elemento de } \mathbf{(AB)C} = \sum_{k=1}^{r}\left(\sum_{j=1}^{m} a_{ij}b_{jk}\right)c_{kh} = \sum_{j=1}^{m}\sum_{k=1}^{r}(a_{ij}b_{jk})c_{kh}$$

$$= \sum_{j=1}^{m}\sum_{k=1}^{r} a_{ij}(b_{jk}c_{kh}) = \sum_{j=1}^{m} a_{ij}\left[\sum_{k=1}^{r} b_{jk}c_{kh}\right]$$

$$= (i, h)\text{-ésimo elemento de } \mathbf{A(BC)}$$

Como la asociatividad de la multiplicación de matrices, conserva su validez, se tiene

$$\mathbf{ABCD} = \mathbf{(AB)(CD)} = \mathbf{A(BCD)} = \mathbf{(ABC)D}$$

$$\mathbf{A}^{m+n} = \mathbf{A}^m\mathbf{A}^n \qquad m, n = 1, 2, 3, \ldots$$

Si **A** y **B** son matrices de $n \times m$, y **C** y **D** son matrices de $m \times r$, la siguiente ley distributiva es válida:

$$\mathbf{(A + B)(C + D)} = \mathbf{AC} + \mathbf{AD} + \mathbf{BC} + \mathbf{BD}$$

Que se puede probar comparando el $(i, j)$-ésimo elemento de $\mathbf{(A + B)(C + D)}$ con el $(i, j)$-ésimo elemento de $\mathbf{(AC + AD + BC + BD)}$.

**Observaciones sobre la cancelación de matrices.** La cancelación de matrices no es válida en el álgebra de matrices. Considere el producto de dos matrices singulares **A** y **B**. Sean, por ejemplo

$$\mathbf{A} = \begin{bmatrix} 2 & 1 \\ 6 & 3 \end{bmatrix} \neq \mathbf{0}, \qquad \mathbf{B} = \begin{bmatrix} 1 & -2 \\ -2 & 4 \end{bmatrix} \neq \mathbf{0}$$

Entonces,

$$\mathbf{AB} = \begin{bmatrix} 2 & 1 \\ 6 & 3 \end{bmatrix}\begin{bmatrix} 1 & -2 \\ -2 & 4 \end{bmatrix} = \begin{bmatrix} 0 & 0 \\ 0 & 0 \end{bmatrix} = \mathbf{0}$$

Está claro que $\mathbf{AB} = \mathbf{0}$ no implica ni que $\mathbf{A} = \mathbf{0}$, ni $\mathbf{B} = \mathbf{0}$. De hecho, $\mathbf{AB} = \mathbf{0}$, implica una de las tres siguientes:

1. $\mathbf{A} = \mathbf{0}$.
2. $\mathbf{B} = \mathbf{0}$.
3. Tanto **A** como **B** son singulares.

Se puede probar fácilmente que, si tanto **A** como **B** son matrices no nulas y $\mathbf{AB} = \mathbf{0}$, entonces tanto **A** como **B**, deben ser singulares. Supóngase que **B** es no nula y que **A** no es singular. Entonces, $|\mathbf{A}| \neq 0$, y existe $\mathbf{A}^{-1}$. Entonces, se obtiene

$$\mathbf{A}^{-1}\mathbf{AB} = \mathbf{B} = \mathbf{0}$$

con lo que se contradice la suposición de que **B** es no nula. De este modo se puede probar que tanto **A** como **B** deben ser singulares, si $\mathbf{A} \neq \mathbf{0}$ y $\mathbf{B} \neq \mathbf{0}$.

Del mismo modo, debe notarse que si **A** es singular, entonces ni **AB** = **AC** ni **BA** = **CA** implican que **B** = **C**. No obstante, si **A** es una matriz no singular, entonces **AB** = **AC** implica que **B** = **C** y **BA** = **CA** también implica que **B** = **C**.

**Derivada e integral de una matriz.** La derivada de una matriz **A**($t$) de $n \times m$ se define como la matriz cuyo $(i, j)$-ésimo elemento es la derivada del $(i, j)$-ésimo elemento de la matriz original, siempre que todos los elementos $a_{ij}(t)$ tengan derivadas respecto a $t$:

$$\frac{d}{dt}\mathbf{A}(t) = \begin{bmatrix} \frac{d}{dt}a_{11}(t) & \cdots & \frac{d}{dt}a_{1m}(t) \\ \cdot & & \cdot \\ \cdot & & \cdot \\ \cdot & & \cdot \\ \frac{d}{dt}a_{n1}(t) & \cdots & \frac{d}{dt}a_{nm}(t) \end{bmatrix}$$

En el caso de un vector **x**($t$) de dimensión $n$,

$$\frac{d}{dt}\mathbf{x}(t) = \begin{bmatrix} \frac{d}{dt}x_1(t) \\ \cdot \\ \cdot \\ \cdot \\ \frac{d}{dt}x_n(t) \end{bmatrix}$$

De igual forma, la integral de una matriz **A**($t$) de $n \times m$, con respecto a $t$, está definida por la matriz cuyo $(i, j)$-ésimo elemento es la integral del $(i, j)$-ésimo elemento de la matriz orginal, o sea

$$\int \mathbf{A}(t)\, dt = \begin{bmatrix} \int a_{11}(t)\, dt & \cdots & \int a_{1m}(t)\, dt \\ \cdot & & \cdot \\ \cdot & & \cdot \\ \cdot & & \cdot \\ \int a_{n1}(t)\, dt & \cdots & \int a_{nm}(t)\, dt \end{bmatrix}$$

siempre que las $a_{ij}(t)$ sean integrables como funciones de $t$.

**Diferenciación de una matriz.** Si los elementos de las matrices **A** y **B** son funciones de $t$, entonces

$$\frac{d}{dt}(\mathbf{A} + \mathbf{B}) = \frac{d}{dt}\mathbf{A} + \frac{d}{dt}\mathbf{B} \qquad \text{(A–13)}$$

$$\frac{d}{dt}(\mathbf{AB}) = \frac{d\mathbf{A}}{dt}\mathbf{B} + \mathbf{A}\frac{d\mathbf{B}}{dt} \qquad \text{(A–14)}$$

Si $k(t)$ es un escalar y es función de $t$,

$$\frac{d}{dt}[\mathbf{A}k(t)] = \frac{d\mathbf{A}}{dt}k(t) + \mathbf{A}\frac{dk(t)}{dt} \tag{A–15}$$

También,

$$\int_a^b \frac{d\mathbf{A}}{dt}\mathbf{B}\,dt = \mathbf{AB}\Big|_a^b - \int_a^b \mathbf{A}\frac{d\mathbf{B}}{dt}dt \tag{A–16}$$

Es importante notar que la derivada de $\mathbf{A}^{-1}$ está dada por

$$\frac{d}{dt}\mathbf{A}^{-1} = -\mathbf{A}^{-1}\frac{d\mathbf{A}}{dt}\mathbf{A}^{-1} \tag{A–17}$$

La ecuación (A-17) se puede hallar fácilmente, diferenciando $\mathbf{AA}^{-1}$ respecto a $t$. Puesto que

$$\frac{d}{dt}\mathbf{AA}^{-1} = \frac{d\mathbf{A}}{dt}\mathbf{A}^{-1} + \mathbf{A}\frac{d\mathbf{A}^{-1}}{dt}$$

y también

$$\frac{d}{dt}\mathbf{AA}^{-1} = \frac{d}{dt}\mathbf{I} = \mathbf{0}$$

se obtiene

$$\mathbf{A}\frac{d\mathbf{A}^{-1}}{dt} = -\frac{d\mathbf{A}}{dt}\mathbf{A}^{-1}$$

o bien

$$\mathbf{A}^{-1}\mathbf{A}\frac{d\mathbf{A}^{-1}}{dt} = \frac{d\mathbf{A}^{-1}}{dt} = -\mathbf{A}^{-1}\frac{d\mathbf{A}}{dt}\mathbf{A}^{-1}$$

que es el resultado deseado.

**Derivadas de una función escalar respecto a un vector.** Si $J(\mathbf{x})$ es una función escalar de un vector $\mathbf{x}$, entonces

$$\frac{\partial J}{\partial \mathbf{x}} = \begin{bmatrix} \dfrac{\partial J}{\partial x_1} \\ \cdot \\ \cdot \\ \cdot \\ \dfrac{\partial J}{\partial x_n} \end{bmatrix}, \quad \frac{\partial^2 J}{\partial \mathbf{x}^2} = \begin{bmatrix} \dfrac{\partial^2 J}{\partial^2 x_1} & \dfrac{\partial^2 J}{\partial x_1\,\partial x_2} & \cdots & \dfrac{\partial^2 J}{\partial x_1\,\partial x_n} \\ \cdot & \cdot & & \cdot \\ \cdot & \cdot & & \cdot \\ \cdot & \cdot & & \cdot \\ \dfrac{\partial^2 J}{\partial x_n\,\partial x_1} & \dfrac{\partial^2 J}{\partial x_n\,\partial x_2} & \cdots & \dfrac{\partial^2 J}{\partial x_n^2} \end{bmatrix}$$

Igualmente, para una función escalar $V(\mathbf{x}(t))$, se tiene

$$\frac{d}{dt}V(\mathbf{x}(t)) = \left(\frac{\partial V}{\partial \mathbf{x}}\right)^T \frac{d\mathbf{x}}{dt}$$

**Jacobiano.** Si una matriz **f(x)**, de $m \times 1$ es una función vectorial, de un vector **x** de dimensión $n$, entonces

$$\frac{\partial \mathbf{f}}{\partial \mathbf{x}} = \begin{bmatrix} \frac{\partial f_1}{\partial x_1} & \frac{\partial f_2}{\partial x_1} & \cdots & \frac{\partial f_m}{\partial x_1} \\ \frac{\partial f_1}{\partial x_2} & \frac{\partial f_2}{\partial x_2} & \cdots & \frac{\partial f_m}{\partial x_2} \\ \vdots & \vdots & & \vdots \\ \frac{\partial f_1}{\partial f_n} & \frac{\partial f_2}{\partial x_n} & \cdots & \frac{\partial f_m}{\partial x_n} \end{bmatrix} \tag{A–18}$$

Tal matriz de $n \times m$ se denomina *Jacobiano*.

Nótese que por esta definición del Jacobiano, se tiene

$$\frac{\partial}{\partial \mathbf{x}} \mathbf{A}\mathbf{x} = \mathbf{A}^T \tag{A–19}$$

En el siguiente ejemplo se puede ver fácilmente que la ecuación (A-19) es válida. Si **A** y **x** están dadas por

$$\mathbf{A} = \begin{bmatrix} a_{11} & a_{12} & a_{13} \\ a_{21} & a_{22} & a_{23} \end{bmatrix}, \qquad \mathbf{x} = \begin{bmatrix} x_1 \\ x_2 \\ x_3 \end{bmatrix}$$

entonces

$$\mathbf{A}\mathbf{x} = \begin{bmatrix} a_{11} & a_{12} & a_{13} \\ a_{21} & a_{22} & a_{23} \end{bmatrix} \begin{bmatrix} x_1 \\ x_2 \\ x_3 \end{bmatrix} = \begin{bmatrix} a_{11}x_1 + a_{12}x_2 + a_{13}x_3 \\ a_{21}x_1 + a_{22}x_2 + a_{23}x_3 \end{bmatrix} = \begin{bmatrix} f_1 \\ f_2 \end{bmatrix}$$

y

$$\frac{\partial}{\partial \mathbf{x}} \mathbf{A}\mathbf{x} = \begin{bmatrix} \frac{\partial f_1}{\partial x_1} & \frac{\partial f_2}{\partial x_1} \\ \frac{\partial f_1}{\partial x_2} & \frac{\partial f_2}{\partial x_2} \\ \frac{\partial f_1}{\partial x_3} & \frac{\partial f_2}{\partial x_3} \end{bmatrix} = \begin{bmatrix} a_{11} & a_{21} \\ a_{12} & a_{22} \\ a_{13} & a_{23} \end{bmatrix} = \mathbf{A}^T$$

De igual forma, se tiene la siguiente fórmula. Para una matriz **A** real, de $n \times n$ y un vector **x** real de dimensión $n$

$$\frac{\partial}{\partial \mathbf{x}} \mathbf{x}^T \mathbf{A}\mathbf{x} = \mathbf{A}\mathbf{x} + \mathbf{A}^T\mathbf{x} \tag{A–20}$$

Además, si la matriz **A** es una matriz real simétrica, entonces

$$\frac{\partial}{\partial \mathbf{x}} \mathbf{x}^T \mathbf{A} \mathbf{x} = 2\mathbf{A}\mathbf{x}$$

Nótese que si **A** es una matriz hermítica de $n \times n$, y **x** es un vector complejo de dimensión $n$, entonces

$$\frac{\partial}{\partial \bar{\mathbf{x}}} \mathbf{x}^* \mathbf{A} \mathbf{x} = \mathbf{A}\mathbf{x} \qquad \text{(A–21)}$$

[Para la deducción de las ecuaciones (A-20) y (A-21), véase el problema A-7].

Para una matriz **A** real, de $n \times m$, un vector **x** real, de dimensión $n$, y un vector **y** real de dimensión $m$ se tiene

$$\frac{\partial}{\partial \mathbf{x}} \mathbf{x}^T \mathbf{A} \mathbf{y} = \mathbf{A}\mathbf{y} \qquad \text{(A–22)}$$

$$\frac{\partial}{\partial \mathbf{y}} \mathbf{x}^T \mathbf{A} \mathbf{y} = \mathbf{A}^T\mathbf{x} \qquad \text{(A–23)}$$

Del mismo modo, para una matriz **A** compleja, de $n \times m$, un vector **x** complejo de dimensión $n$, y un vector **y** complejo, de dimensión $m$, se tiene

$$\frac{\partial}{\partial \bar{\mathbf{x}}} \mathbf{x}^* \mathbf{A} \mathbf{y} = \mathbf{A}\mathbf{y} \qquad \text{(A–24)}$$

$$\frac{\partial}{\partial \mathbf{y}} \mathbf{x}^* \mathbf{A} \mathbf{y} = \mathbf{A}^T\bar{\mathbf{x}} \qquad \text{(A–25)}$$

[Para la deducción de las ecuaciones (A-22) a (A-25), véase el problema A-8]. Nótese que la ecuación (A-25) equivale a la siguiente ecuación:

$$\overline{\frac{\partial}{\partial \mathbf{y}} \mathbf{x}^* \mathbf{A} \mathbf{y}} = \mathbf{A}^*\mathbf{x}$$

## A-5 VECTORES Y ANALISIS VECTORIAL

**Dependencia lineal e independencia de vectores.** Se dice que los vectores $\mathbf{x}_1$, $\mathbf{x}_2$, ..., $\mathbf{x}_n$ son *linealmente independientes*, si la ecuación

$$c_1\mathbf{x}_1 + c_2\mathbf{x}_2 + \cdots + c_n\mathbf{x}_n = \mathbf{0}$$

donde $c_1, c_2, \ldots, c_n$ son constantes, implica que $c_1 = c_2 = \ldots = c_n = 0$. Al contrario, se dice que los vectores $\mathbf{x}_1, \mathbf{x}_2, \ldots, \mathbf{x}_n$ son *linealmente independientes* si y sólo si $\mathbf{x}_i$ se puede expresar como una combinación lineal de $\mathbf{x}_j$ ($j = 1, 2, \ldots, n; j \neq i$).

Nótese que si los vectores $\mathbf{x}_1, \mathbf{x}_2, \ldots, \mathbf{x}_n$, son linealmente independientes, y los vectores $\mathbf{x}_1, \mathbf{x}_2, \ldots, \mathbf{x}_n, \mathbf{x}_{n+1}$, son linealmente dependientes, entonces $\mathbf{x}_{n+1}$ se puede expresar como una única combinación lineal de $\mathbf{x}_1, \mathbf{x}_2, \ldots, \mathbf{x}_n$.

**Condiciones necesarias y suficientes para la independencia lineal de vectores.** Se puede probar que las condiciones necesarias y suficientes para que los vectores $\mathbf{x}_i$, de dimensión $n_i$ $(i = 1, 2, \ldots, m)$, sean linealmente independientes, son que

1. $m \leq n$.
2. Que haya al menos un determinante no nulo, de $m$ columnas de la matriz de $n \times m$, cuyas columnas consisten en $\mathbf{x}_1, \mathbf{x}_2, \ldots, \mathbf{x}_m$.

Por tanto, para $n$ vectores $\mathbf{x}_1, \mathbf{x}_2, \ldots, \mathbf{x}_n$, la condición necesaria y suficiente para su independencia lineal, es

$$|\mathbf{A}| \neq 0$$

donde $\mathbf{A}$ es una matriz de $n \times n$ cuya $i$-ésima columna consiste en los componentes de $\mathbf{x}_i$ $(i = 1, 2, \ldots, n)$.

**Producto interno.** Cualquier regla que asigne a cada par de vectores $\mathbf{x}$ y $\mathbf{y}$ en un espacio vectorial, una cantidad escalar, se denomina *producto interno* o *producto escalar*, y se le da el símbolo $(\mathbf{x}, \mathbf{y})$, siempre que se satisfagan los cuatro axiomas siguientes:

1. $$\langle \mathbf{y}, \mathbf{x} \rangle = \overline{\langle \mathbf{x}, \mathbf{y} \rangle}$$

   donde la barra superior indica la conjugada de un número complejo

2. $$\langle c\mathbf{x}, \mathbf{y} \rangle = \bar{c}\langle \mathbf{x}, \mathbf{y} \rangle = \langle \mathbf{x}, \bar{c}\mathbf{y} \rangle$$

   donde $c$ es un número complejo

3. $$\langle \mathbf{x} + \mathbf{y}, \mathbf{z} + \mathbf{w} \rangle = \langle \mathbf{x}, \mathbf{z} \rangle + \langle \mathbf{y}, \mathbf{z} \rangle + \langle \mathbf{x}, \mathbf{w} \rangle + \langle \mathbf{y}, \mathbf{w} \rangle$$

4. $$\langle \mathbf{x}, \mathbf{x} \rangle > 0 \quad \text{para } \mathbf{x} \neq \mathbf{0}$$

En cualquier espacio vectorial de dimensiones finitas, hay muchas definiciones diferentes del producto interno, todas ellas con las propiedades requeridas por la definición.

En este libro, a menos que se indique lo contrario, se adoptará la siguiente definición de producto interno: el producto interno de un par de vectores $\mathbf{x}$ y $\mathbf{y}$, de dimensión $n$ en un espacio vectorial $V$, dado por

$$\langle \mathbf{x}, \mathbf{y} \rangle = \bar{x}_1 y_1 + \bar{x}_2 y_2 + \cdots + \bar{x}_n y_n = \sum_{i=1}^{n} \bar{x}_i y_i \tag{A–26}$$

donde la sumatoria es un número complejo y donde las $\bar{x}_i$ son las complejas conjugadas de las $x_i$. Esta definición satisface claramente los cuatro axiomas. El producto interno, entonces, se puede expresar como sigue:

$$\langle \mathbf{x}, \mathbf{y} \rangle = \mathbf{x}^* \mathbf{y}$$

donde $\mathbf{x}^*$ indica la conjugada traspuesta de $\mathbf{x}$. También,

$$\langle \mathbf{x}, \mathbf{y} \rangle = \overline{\langle \mathbf{y}, \mathbf{x} \rangle} = \overline{\mathbf{y}^* \mathbf{x}} = \mathbf{y}^T \bar{\mathbf{x}} = \mathbf{x}^* \mathbf{y} \tag{A–27}$$

El producto interno de dos vectores $\mathbf{x}$ y $\mathbf{y}$, de dimensión $n$, con componentes reales, está dado por

$$\langle \mathbf{x}, \mathbf{y} \rangle = x_1 y_1 + x_2 y_2 + \cdots + x_n y_n = \sum_{i=1}^{n} x_i y_i \tag{A–28}$$

En este caso, claramente se tiene

$$\langle \mathbf{x}, \mathbf{y} \rangle = \mathbf{x}^T\mathbf{y} = \mathbf{y}^T\mathbf{x} \qquad \text{para vectores reales } \mathbf{x} \text{ y } \mathbf{y}$$

Nótese que se dice que el vector **x**, real o complejo, es *normalizado*, si $\langle \mathbf{x}, \mathbf{x} \rangle = 1$.

También nótese que para un vector **x**, de dimensión $n$, $\mathbf{x}^*\mathbf{x}$ es un escalar no negativo, pero $\mathbf{x}\mathbf{x}^*$ es una matriz, de $n \times n$. Es decir,

$$\begin{aligned} \mathbf{x}^*\mathbf{x} = \langle \mathbf{x}, \mathbf{x} \rangle &= \bar{x}_1x_1 + \bar{x}_2x_2 + \cdots + \bar{x}_nx_n \\ &= |x_1|^2 + |x_2|^2 + \cdots + |x_n|^2 \end{aligned}$$

y

$$\mathbf{x}\mathbf{x}^* = \begin{bmatrix} x_1\bar{x}_1 & x_1\bar{x}_2 & \cdots & x_1\bar{x}_n \\ x_2\bar{x}_1 & x_2\bar{x}_2 & \cdots & x_2\bar{x}_n \\ \cdot & \cdot & & \cdot \\ \cdot & \cdot & & \cdot \\ \cdot & \cdot & & \cdot \\ x_n\bar{x}_1 & x_n\bar{x}_2 & \cdots & x_n\bar{x}_n \end{bmatrix}$$

Nótese que para una matriz **A** compleja, de $n \times n$, y vectores **x** e **y** complejos de dimensión $n$, el producto interno de **x** y **Ay**, y el de $\mathbf{A}^*\mathbf{x}$ e **y**, son iguales, o sea

$$\langle \mathbf{x}, \mathbf{A}\mathbf{y} \rangle = \mathbf{x}^*\mathbf{A}\mathbf{y}, \qquad \langle \mathbf{A}^*\mathbf{x}, \mathbf{y} \rangle = \mathbf{x}^*\mathbf{A}\mathbf{y}$$

De igual forma, para una matriz **A** real, de $n \times n$, y vectores **x** y **y** complejos, de dimensión $n$, el producto interno de **x** y **Ay**, y el de $\mathbf{A}^T\mathbf{x}$ y **y**, son iguales, o sea

$$\langle \mathbf{x}, \mathbf{A}\mathbf{y} \rangle = \mathbf{x}^T\mathbf{A}\mathbf{y}, \qquad \langle \mathbf{A}^T\mathbf{x}, \mathbf{y} \rangle = \mathbf{x}^T\mathbf{A}\mathbf{y}$$

**Transformación unitaria.** Si **A** es una matriz unitaria (es decir, si $\mathbf{A}^{-1} = \mathbf{A}^*$), entonces el producto interno $\langle \mathbf{x}, \mathbf{x} \rangle$, es invariante bajo la transformación lineal $\mathbf{x} = \mathbf{A}\mathbf{y}$, porque

$$\langle \mathbf{x}, \mathbf{x} \rangle = \langle \mathbf{A}\mathbf{y}, \mathbf{A}\mathbf{y} \rangle = \langle \mathbf{y}, \mathbf{A}^*\mathbf{A}\mathbf{y} \rangle = \langle \mathbf{y}, \mathbf{A}^{-1}\mathbf{A}\mathbf{y} \rangle = \langle \mathbf{y}, \mathbf{y} \rangle$$

Tal transformación $\mathbf{x} = \mathbf{A}\mathbf{y}$, donde **A** es una matriz unitaria, que transforma $\Sigma_{i=1}^n \bar{x}_i x_i$ en $\Sigma_{i=1}^n \bar{y}_i y_i$, se denomina *transformación unitaria.*

**Transformación ortogonal.** Si **A** es una matriz ortogonal (es decir, si $\mathbf{A}^{-1} = \mathbf{A}^T$), el producto interno $\langle \mathbf{x}, \mathbf{x} \rangle$ es invariante bajo la transformación lineal $\mathbf{x} = \mathbf{A}\mathbf{y}$, porque

$$\langle \mathbf{x}, \mathbf{x} \rangle = \langle \mathbf{A}\mathbf{y}, \mathbf{A}\mathbf{y} \rangle = \langle \mathbf{y}, \mathbf{A}^T\mathbf{A}\mathbf{y} \rangle = \langle \mathbf{y}, \mathbf{A}^{-1}\mathbf{A}\mathbf{y} \rangle = \langle \mathbf{y}, \mathbf{y} \rangle$$

Dicha transformación, $\mathbf{x} = \mathbf{A}\mathbf{y}$, que transforma $\Sigma_{i=1}^n x_i^2$ en $\Sigma_{i=1}^n y_i^2$, se denomina *transformación ortogonal.*

**Normas de un vector.** Una vez definido el producto interno, se puede utilizar éste para definir las normas de un vector **x**. El concepto de una norma, es similar al del valor absoluto. Una norma es una función que asigna a cada vector **x**, en un espacio vectorial, un número real designado como $\|\mathbf{x}\|$, de modo que

**1.** $$\|\mathbf{x}\| > 0 \quad \text{para } \mathbf{x} \neq \mathbf{0}$$

2. $\|\mathbf{x}\| = 0 \qquad$ si y sólo si $\mathbf{x} = \mathbf{0}$

3. $$\|k\mathbf{x}\| = |k|\,\|\mathbf{x}\|$$

donde $k$ es un escalar, y $|k|$ es el valor absoluto de $k$

4. $\|\mathbf{x} + \mathbf{y}\| \leq \|\mathbf{x}\| + \|\mathbf{y}\| \qquad$ para todo $\mathbf{x}$ y $\mathbf{y}$

5. $|\langle \mathbf{x}, \mathbf{y}\rangle| \leq \|\mathbf{x}\|\,\|\mathbf{y}\| \qquad$ (desigualdad de Schwarz)

En la literatura, se encuentran comúnmente diversas definiciones de normas. Sin embargo, la siguiente definición se utiliza ampliamente. Se define como norma de un vector a la raíz cuadrada no negativa de $\langle \mathbf{x}, \mathbf{x}\rangle$:

$$\|\mathbf{x}\| = \langle \mathbf{x}, \mathbf{x}\rangle^{1/2} = (\mathbf{x}^*\mathbf{x})^{1/2} = \sqrt{|x_1|^2 + |x_2|^2 + \cdots + |x_n|^2} \qquad \text{(A–29)}$$

Si $\mathbf{x}$ es un vector real, se puede interpretar geométricamente la cantidad $\|\mathbf{x}\|^2$ como el cuadrado de la distancia desde el origen al punto representado por el vector $\mathbf{x}$. Nótese que

$$\|\mathbf{x} - \mathbf{y}\| = \langle \mathbf{x} - \mathbf{y}, \mathbf{x} - \mathbf{y}\rangle^{1/2} = \sqrt{(x_1 - y_1)^2 + (x_2 - y_2)^2 + \cdots + (x_n - y_n)^2}$$

Las cinco propiedades de las normas que aparecen en la lista previa pueden ser obvias, excepto quizás las dos últimas desigualdades, que se pueden probar como sigue. De las definiciones del producto interno y de la norma, se tiene

$$\begin{aligned}
\|\lambda\mathbf{x} + \mathbf{y}\|^2 &= \langle \lambda\mathbf{x} + \mathbf{y}, \lambda\mathbf{x} + \mathbf{y}\rangle = \langle \lambda\mathbf{x}, \lambda\mathbf{x}\rangle + \langle \mathbf{y}, \lambda\mathbf{x}\rangle + \langle \lambda\mathbf{x}, \mathbf{y}\rangle + \langle \mathbf{y}, \mathbf{y}\rangle \\
&= \bar{\lambda}\lambda\|\mathbf{x}\|^2 + \lambda\langle \mathbf{y}, \mathbf{x}\rangle + \bar{\lambda}\langle \mathbf{x}, \mathbf{y}\rangle + \|\mathbf{y}\|^2 \\
&= \bar{\lambda}(\lambda\|\mathbf{x}\|^2 + \langle \mathbf{x}, \mathbf{y}\rangle) + \lambda\overline{\langle \mathbf{x}, \mathbf{y}\rangle} + \|\mathbf{y}\|^2 \geq 0
\end{aligned}$$

Si se elige

$$\lambda = -\frac{\langle \mathbf{x}, \mathbf{y}\rangle}{\|\mathbf{x}\|^2} \qquad \text{para } \mathbf{x} \neq \mathbf{0}$$

entonces

$$\lambda\overline{\langle \mathbf{x}, \mathbf{y}\rangle} + \|\mathbf{y}\|^2 = -\frac{\langle \mathbf{x}, \mathbf{y}\rangle\overline{\langle \mathbf{x}, \mathbf{y}\rangle}}{\|\mathbf{x}\|^2} + \|\mathbf{y}\|^2 \geq 0$$

y

$$\|\mathbf{x}\|^2\|\mathbf{y}\|^2 \geq \langle \mathbf{x}, \mathbf{y}\rangle\,\overline{\langle \mathbf{x}, \mathbf{y}\rangle} = |\langle \mathbf{x}, \mathbf{y}\rangle|^2 \qquad \text{para } \mathbf{x} \neq \mathbf{0}$$

Para $\mathbf{x} = \mathbf{0}$, claramente

$$\|\mathbf{x}\|^2\|\mathbf{y}\|^2 = |\langle \mathbf{x}, \mathbf{y}\rangle|^2$$

Por lo tanto, se obtiene la desigualdad de Schwarz,

$$|\langle \mathbf{x}, \mathbf{y}\rangle| \leq \|\mathbf{x}\|\,\|\mathbf{y}\| \qquad \text{(A–30)}$$

Utilizando la desigualdad de Schwarz, se obtiene la siguiente desigualdad:

$$\|\mathbf{x} + \mathbf{y}\| \leq \|\mathbf{x}\| + \|\mathbf{y}\| \qquad \text{(A–31)}$$

Lo que se puede probar fácilmente, pues

$$\|\mathbf{x} + \mathbf{y}\|^2 = \langle \mathbf{x} + \mathbf{y}, \mathbf{x} + \mathbf{y}\rangle$$

$$
\begin{aligned}
&= \langle \mathbf{x}, \mathbf{x} \rangle + \langle \mathbf{x}, \mathbf{y} \rangle + \langle \mathbf{y}, \mathbf{x} \rangle + \langle \mathbf{y}, \mathbf{y} \rangle \\
&= \|\mathbf{x}\|^2 + \langle \mathbf{x}, \mathbf{y} \rangle + \overline{\langle \mathbf{x}, \mathbf{y} \rangle} + \|\mathbf{y}\|^2 \\
&= \|\mathbf{x}\|^2 + \|\mathbf{y}\|^2 + 2\,\mathrm{Re}\,\langle \mathbf{x}, \mathbf{y} \rangle \\
&\leq \|\mathbf{x}\|^2 + \|\mathbf{y}\|^2 + 2\,|\langle \mathbf{x}, \mathbf{y} \rangle| \\
&\leq \|\mathbf{x}\|^2 + \|\mathbf{y}\|^2 + 2\|\mathbf{x}\|\,\|\mathbf{y}\| \\
&= (\|\mathbf{x}\| + \|\mathbf{y}\|)^2
\end{aligned}
$$

Las ecuaciones (A-26) a (A-31) son muy útiles en la teoría de control moderna.

Como se estableció antes, hay diferentes definiciones de normas, utilizadas en la literatura. A continuación se dan tres de esas definiciones.

**1.** Una norma $\|\mathbf{x}\|$ se puede definir como

$$
\|\mathbf{x}\| = [(\mathbf{Tx})^*(\mathbf{Tx})]^{1/2} = (\mathbf{x}^*\mathbf{T}^*\mathbf{Tx})^{1/2} = (\mathbf{x}^*\mathbf{Qx})^{1/2}
$$

$$
= \left[ \sum_{i=1}^{n} \sum_{j=1}^{n} q_{ij} \bar{x}_i x_j \right]^{1/2} \geq 0
$$

La matriz $\mathbf{Q} = \mathbf{T}^*\mathbf{T}$ es hermítica, pues $\mathbf{Q}^* = \mathbf{T}^*\mathbf{T} = \mathbf{Q}$. La norma $\|\mathbf{x}\| = (\mathbf{x}^*\mathbf{Qx})^{1/2}$ es una forma generalizada de $(\mathbf{x}^*\mathbf{x})^{1/2}$, que se puede expresar como $(\mathbf{x}^*\mathbf{Ix})^{1/2}$

**2.** Una norma se puede definir como la suma de las magnitudes de todas las componentes $x_i$.

$$
\|\mathbf{x}\| = \sum_{i=1}^{n} |x_i|
$$

**3.** Una norma se puede definir como la máxima de las magnitudes de todas las componentes $x_i$.

$$
\|\mathbf{x}\| = \max_i \{|x_i|\}
$$

Se puede demostrar que las diversas normas recién definidas, son equivalentes. Entre esas definiciones de normas, la norma $(\mathbf{x}^*\mathbf{x})^{1/2}$, es la de mayor uso en cálculos explícitos.

**Normas de una matriz.** El concepto de normas de un vector se puede extender a matrices. Hay varias definiciones de normas de una matriz. A continuación se dan algunas de ellas.

**1.** La norma $\|\mathbf{A}\|$ de una matriz $\mathbf{A}$ de $n \times n$ se puede definir por

$$
\|\mathbf{A}\| = \min k
$$

tal que

$$
\|\mathbf{Ax}\| \leq k\|\mathbf{x}\|
$$

Para la norma $(\mathbf{x}^*\mathbf{x})^{1/2}$, esta definición equivale a

$$
\|\mathbf{A}\|^2 = \max_{\mathbf{x}} \{\mathbf{x}^*\mathbf{A}^*\mathbf{Ax};\ \mathbf{x}^*\mathbf{x} = 1\}
$$

lo que significa que $\|\mathbf{A}\|^2$ es el máximo del "valor absoluto" del vector $\mathbf{Ax}$, cuando $\mathbf{x}^*\mathbf{x} = 1$.

**2.** La norma de una matriz $\mathbf{A}$ de $n \times n$ se puede definir como

$$\|\mathbf{A}\| = \sum_{i=1}^{n} \sum_{j=1}^{n} |a_{ij}|$$

donde $|a_{ij}|$ es el valor absoluto de $a_{ij}$.

**3.** Una norma puede estar definida por

$$\|\mathbf{A}\| = \left( \sum_{i=1}^{n} \sum_{j=1}^{n} |a_{ij}|^2 \right)^{1/2}$$

**4.** Otra definición de norma está dada por

$$\|\mathbf{A}\| = \max_{i} \left( \sum_{j=1}^{n} |a_{ij}| \right)$$

Nótese que todas las definiciones de normas, de una matriz $\mathbf{A}$ de $n \times n$, tienen las propiedades siguientes:

**1.** $$\|\mathbf{A}\| = \|\mathbf{A}^*\| \qquad \text{o} \qquad \|\mathbf{A}\| = \|\mathbf{A}^T\|$$

**2.** $$\|\mathbf{A} + \mathbf{B}\| \leq \|\mathbf{A}\| + \|\mathbf{B}\|$$

**3.** $$\|\mathbf{AB}\| \leq \|\mathbf{A}\| \, \|\mathbf{B}\|$$

**4.** $$\|\mathbf{Ax}\| \leq \|\mathbf{A}\| \, \|\mathbf{x}\|$$

**Ortogonalidad de vectores.** Si el producto interno de dos vectores $\mathbf{x}$ y $\mathbf{y}$ es cero, o $\langle \mathbf{x}, \mathbf{y} \rangle = 0$, se dice que los vectores $\mathbf{x}$ y $\mathbf{y}$ son *ortogonales entre sí*. Por ejemplo, los vectores

$$\mathbf{x}_1 = \begin{bmatrix} 1 \\ 1 \\ 0 \end{bmatrix}, \qquad \mathbf{x}_2 = \begin{bmatrix} 0 \\ 0 \\ 1 \end{bmatrix}, \qquad \mathbf{x}_3 = \begin{bmatrix} 1 \\ -1 \\ 0 \end{bmatrix}$$

son ortogonales por pares, y entonces constituyen un conjunto ortogonal.

En un espacio vectorial, de dimensión $n$, los vectores $\mathbf{x}_1, \mathbf{x}_2, \ldots, \mathbf{x}_n$, definidos por

$$\mathbf{x}_1 = \begin{bmatrix} 1 \\ 0 \\ \cdot \\ \cdot \\ \cdot \\ 0 \end{bmatrix}, \qquad \mathbf{x}_2 = \begin{bmatrix} 0 \\ 1 \\ \cdot \\ \cdot \\ \cdot \\ 0 \end{bmatrix}, \qquad \ldots, \qquad \mathbf{x}_n = \begin{bmatrix} 0 \\ 0 \\ \cdot \\ \cdot \\ \cdot \\ 1 \end{bmatrix}$$

satisfacen las condiciones $\langle \mathbf{x}_i, \mathbf{x}_j \rangle = \delta_{ij}$, o

$$\langle \mathbf{x}_i, \mathbf{x}_i \rangle = 1$$

$$\langle \mathbf{x}_i, \mathbf{x}_j \rangle = 0 \qquad i \neq j$$

donde $i, j = 1, 2, \ldots, n$. Se dice que un conjunto tal de vectores es *ortonormal*, pues los vectores son ortogonales entre sí y cada vector está normalizado.

Un vector $\mathbf{x}$ no nulo se puede normalizar dividiendo $\mathbf{x}$ por $\|\mathbf{x}\|$. El vector normalizado $\mathbf{x}/\|\mathbf{x}\|$ es un vector unidad. Los vectores unidad $\mathbf{x}_1, \mathbf{x}_2, \ldots, \mathbf{x}_n$ forman un conjunto ortonormal, si son ortogonales por pares.

Considere una matriz unitaria $\mathbf{A}$. Dividiendo a $\mathbf{A}$ en vectores columna $\mathbf{A}_1, \mathbf{A}_2, \ldots, \mathbf{A}_n$, se tiene

$$\mathbf{A}^*\mathbf{A} = \begin{bmatrix} \mathbf{A}_1^* \\ \hline \mathbf{A}_2^* \\ \hline \cdot \\ \cdot \\ \cdot \\ \hline \mathbf{A}_n^* \end{bmatrix} [\mathbf{A}_1 \mid \mathbf{A}_2 \mid \cdots \mid \mathbf{A}_n]$$

$$= \begin{bmatrix} \mathbf{A}_1^*\mathbf{A}_1 & \mathbf{A}_1^*\mathbf{A}_2 & \cdots & \mathbf{A}_1^*\mathbf{A}_n \\ \mathbf{A}_2^*\mathbf{A}_1 & \mathbf{A}_2^*\mathbf{A}_2 & \cdots & \mathbf{A}_2^*\mathbf{A}_n \\ \cdot & \cdot & & \cdot \\ \cdot & \cdot & & \cdot \\ \cdot & \cdot & & \cdot \\ \mathbf{A}_n^*\mathbf{A}_1 & \mathbf{A}_n^*\mathbf{A}_2 & \cdots & \mathbf{A}_n^*\mathbf{A}_n \end{bmatrix}$$

$$= \begin{bmatrix} 1 & 0 & \cdots & 0 \\ 0 & 1 & \cdots & 0 \\ \cdot & \cdot & & \cdot \\ \cdot & \cdot & & \cdot \\ \cdot & \cdot & & \cdot \\ 0 & 0 & \cdots & 1 \end{bmatrix}$$

de ahí se sigue que

$$\mathbf{A}_i^*\mathbf{A}_i = \langle \mathbf{A}_i, \mathbf{A}_i \rangle = 1$$

$$\mathbf{A}_i^*\mathbf{A}_j = \langle \mathbf{A}_i, \mathbf{A}_j \rangle = 0 \qquad i \neq j$$

Así se ve que los vectores columna (o vectores renglón) de una matriz $\mathbf{A}$ unitaria son ortonormales. Lo mismo es válido para matrices ortonormales, puesto que son unitarias.

## A-6 VALORES PROPIOS, VECTORES PROPIOS Y TRANSFORMACION DE SIMILITUD

En esta sección, primero se repasarán las propiedades importantes del rango de una matriz y luego se darán las definiciones de valores propios y vectores propios. Finalmente, se tratará sobre las formas canónicas de Jordan, transformación de similitud, y la traza de una matriz de $n \times n$.

**Rango de una matriz.** Se dice que una matriz **A** es de rango $m$, si la máxima cantidad de renglones (o columnas) linealmente independientes es $m$. Por lo tanto, si hay una submatriz **M** de **A**, de $m \times m$, de modo que $|\mathbf{M}| \neq 0$ , y que el determinante de toda submatriz de **A**, de $r \times r$ (donde $r \geq m + 1$) sea cero, entonces el rango de **A** es $m$. [Nótese que si el determinante de toda submatriz de **A** de $(m + 1) \times (m + 1)$ es cero, entonces cualquier determinante de orden $s$ (donde $s > m + 1$) es cero, ya que cualquier determinante de orden $s > m + 1$, se puede expresar como una suma lineal de determinantes de orden $m + 1$].

**Propiedades del rango de una matriz.** A continuación se enumeran las propiedades importantes del rango de una matriz.

1. El rango de una matriz es invariante respecto al intercambio de dos renglones (o columnas), o a la suma del producto de un escalar por un renglón (o columna) a otro renglón (o columna), o a la multiplicación de cualquier renglón (o columna) por un escalar no cero.
2. Para una matriz **A** de $n \times m$,

$$\text{rango de } \mathbf{A} \leq \text{mín}\ (n, m)$$

3. Para una matriz **A**, de $n \times n$, es condición necesaria y suficiente para el rango de **A** $= n$, que $|\mathbf{A}| \neq 0$.
4. Para una matriz **A** de $n \times m$,

$$\text{rango de } \mathbf{A}^* = \text{rango de } \mathbf{A} \qquad \text{o} \qquad \text{rango de } \mathbf{A}^T = \text{rango de } \mathbf{A}$$

5. El rango de un producto de dos matrices **AB** no puede exceder el rango de **A** o el rango de **B**; es decir,

$$\text{rango de } \mathbf{AB} \leq \text{mín (rango de } \mathbf{A}, \text{ rango de } \mathbf{B})$$

   Por lo tanto, si **A** es una matriz de $n \times 1$, y **B** es una matriz de $1 \times m$, entonces el rango de $\mathbf{AB} = 1$, excepto si $\mathbf{AB} = 0$. Si una matriz tiene rango 1, entonces se puede expresar como el producto de un vector columna y un vector renglón.
6. Para una matriz **A** de $n \times n$ (donde $|\mathbf{A}| \neq 0$), y una matriz **B** de $n \times m$,

$$\text{rango de } \mathbf{AB} = \text{rango de } \mathbf{B}$$

   En forma similar, para una matriz **A** de $m \times m$ (donde $|\mathbf{A}| \neq 0$), y una matriz **B** de $n \times m$,

$$\text{rango de } \mathbf{BA} = \text{rango de } \mathbf{B}$$

**Valores propios de una matriz cuadrada.** Para una matriz **A** de $n \times n$, el determinante

$$|\lambda \mathbf{I} - \mathbf{A}|$$

se denomina *polinomio característico* de **A**. Es un polinomio de $n$-ésimo grado en $\lambda$. La ecuación característica, está dada por

$$|\lambda \mathbf{I} - \mathbf{A}| = 0$$

Si el determinante $|\lambda\mathbf{I} - \mathbf{A}|$ se expande, la ecuación característica es

$$|\lambda\mathbf{I} - \mathbf{A}| = \begin{vmatrix} \lambda - a_{11} & -a_{12} & \cdots & -a_{1n} \\ -a_{21} & \lambda - a_{22} & \cdots & -a_{2n} \\ \vdots & \vdots & & \vdots \\ -a_{n1} & -a_{n2} & \cdots & \lambda - a_{nn} \end{vmatrix}$$

$$= \lambda^n + a_1\lambda^{n-1} + \cdots + a_{n-1}\lambda + a_n = 0$$

Las $n$ raíces de la ecuación característica se denomina *valores propios* de $\mathbf{A}$. También se les llama *raíces características.*

Debe notarse que una matriz $\mathbf{A}$ real, de $n \times n$, no necesariamente tiene valores propios reales. Sin embargo, para una matriz $\mathbf{A}$ real de $n \times n$, la ecuación característica $|\lambda\mathbf{I} - \mathbf{A}| = 0$ es un polinomio con coeficientes reales y por lo tanto todos los valores propios complejos, se deben dar en pares conjugados; es decir, si $\alpha + j\beta$ es un valor propio de $\mathbf{A}$, entonces también lo es $\alpha - j\beta$.

Hay una relación importante entre los valores propios de una matriz $\mathbf{A}$ de $n \times n$ y los de $\mathbf{A}^{-1}$. Si se supone que los valores propios de $\mathbf{A}$ son $\lambda_i$ y los de $\mathbf{A}^{-1}$ son $\mu_i$,

$$\mu_i = \lambda_i^{-1} \qquad i = 1, 2, \ldots, n$$

Es decir, si $\lambda_i$ es un valor propio de $\mathbf{A}$, entonces $\lambda_i^{-1}$ es un valor propio de $\mathbf{A}^{-1}$. Para probarlo, nótese que la ecuación característica de la matriz $\mathbf{A}$, se puede expresar como

$$|\lambda\mathbf{I} - \mathbf{A}| = |\lambda\mathbf{A}^{-1} - \mathbf{I}|\,|\mathbf{A}| = |\lambda|\,|\mathbf{A}^{-1} - \lambda^{-1}\mathbf{I}|\,|\mathbf{A}| = 0$$

o bien

$$|\lambda^{-1}\mathbf{I} - \mathbf{A}^{-1}| = 0$$

Se supone que la ecuación característica de la matriz inversa $\mathbf{A}^{-1}$ es

$$|\mu\mathbf{I} - \mathbf{A}^{-1}| = 0$$

Al comparar estas dos últimas ecuaciones se ve que

$$\mu = \lambda^{-1}$$

Por tanto, si $\lambda$ es un valor propio de $\mathbf{A}$ entonces $\mu = \lambda^{-1}$ es un valor propio de $\mathbf{A}^{-1}$.

Finalmente, nótese que se puede probar que para dos matrices cuadradas $\mathbf{A}$ y $\mathbf{B}$,

$$|\lambda\mathbf{I} - \mathbf{AB}| = |\lambda\mathbf{I} - \mathbf{BA}|$$

(Para la prueba, véase el problema A-9).

**Vectores propios de una matriz de $n \times n$.** Cualquier vector $\mathbf{x}_i$ no nulo, tal que

$$\mathbf{A}\mathbf{x}_i = \lambda_i\mathbf{x}_i$$

se dice que es un *vector propio* asociado con un valor propio $\lambda_i$ de $\mathbf{A}$, donde $\mathbf{A}$ es una matriz de $n \times n$. Como los componentes de $\mathbf{x}_i$, se determinan a partir de $n$ ecuaciones algebraicas lineales homogéneas con un factor constante, si $\mathbf{x}_i$ es un vector propio, entonces para cualquier escalar $\alpha \neq 0$, $\alpha\mathbf{x}_i$ también es un vector propio. Se dice que un vector propio es un vector propio *normalizado* si su longitud o valor absoluto es la unidad.

**Matrices similares.** Se dice que las matrices **A** y **B** de $n \times n$ son *similares*, si hay una matriz **P**, tal que

$$\mathbf{P}^{-1}\mathbf{A}\mathbf{P} = \mathbf{B}$$

La matriz **B** se obtiene a partir de **A**, por una *transformación de similitud*, en la cual **P** es la matriz de transformación. Nótese que **A** se puede obtener de **B**, por una transformación de similitud con una matriz de transformación $\mathbf{P}^{-1}$, puesto que

$$\mathbf{A} = \mathbf{P}\mathbf{B}\mathbf{P}^{-1} = (\mathbf{P}^{-1})^{-1}\mathbf{B}(\mathbf{P}^{-1})$$

**Diagonalización de matrices.** Si una matriz **A** de $n \times n$ tiene $n$ valores propios distintos, entonces hay $n$ vectores propios linealmente independientes. Si la matriz **A** tiene un valor propio de multiplicidad $k$, entonces hay al menos uno, y no más que $k$ vectores propios, linealmente inedpendientes asociados con este valor propio.

Si una matriz de $n \times n$ tiene $n$ vectores propios linealmente independientes, se puede convertir a diagonal por una transformación de similitud. Sin embargo, si una matriz no tiene un conjunto completo de $n$ vectores propios linealmente independientes, no se puede convertir a diagonal. Tal matriz se puede transformar a una forma canónica de Jordan.

**Forma canónica de Jordan.** Se dice que una matriz **J** de $k \times k$, se encuentra en la forma canónica de Jordan si

$$\mathbf{J} = \begin{bmatrix} \mathbf{J}_{p_1} & & & & \mathbf{0} \\ & \mathbf{J}_{p_2} & & & \\ & & \cdot & & \\ & & & \cdot & \\ & & & & \cdot \\ \mathbf{0} & & & & \mathbf{J}_{p_s} \end{bmatrix}$$

donde las $\mathbf{J}_{pi}$ son matrices de $p_i \times p_i$, de la forma

$$\mathbf{J}_{p_i} = \begin{bmatrix} \lambda & 1 & 0 & \cdots & 0 & 0 \\ 0 & \lambda & 1 & \cdots & 0 & 0 \\ \cdot & \cdot & \cdot & & \cdot & \cdot \\ \cdot & \cdot & \cdot & & \cdot & \cdot \\ \cdot & \cdot & \cdot & & \cdot & \cdot \\ 0 & 0 & 0 & \cdots & \lambda & 1 \\ 0 & 0 & 0 & \cdots & 0 & \lambda \end{bmatrix}$$

Las matrices $\mathbf{J}_{pi}$, se denominan bloques de Jordan de orden $p_i$-ésimo. Nótese que $\lambda$ en $\mathbf{J}_{pi}$ y en $\mathbf{J}_{pj}$, pueden no ser iguales y que

$$p_1 + p_2 + \cdots + p_s = k$$

Por ejemplo, en una matriz **J** de 7 × 7, si $p_1 = 3$, $p_2 = 2$, $p_3 = 1$, $p_4 = 1$, y los valores propios de **J** son $\lambda_1, \lambda_1, \lambda_1, \lambda_1, \lambda_1, \lambda_6, \lambda_7$, la forma canónica de Jordan se puede dar como

$$\mathbf{J} = \begin{bmatrix} \mathbf{J}_3(\lambda_1) & & & \mathbf{0} \\ & \mathbf{J}_2(\lambda_1) & & \\ & & \mathbf{J}_1(\lambda_6) & \\ \mathbf{0} & & & \mathbf{J}_1(\lambda_7) \end{bmatrix} = \left[\begin{array}{ccc|cc|c|c} \lambda_1 & 1 & 0 & & & & 0 \\ 0 & \lambda_1 & 1 & & & & \\ 0 & 0 & \lambda_1 & & & & \\ \hline & & & \lambda_1 & 1 & & \\ & & & 0 & \lambda_1 & & \\ \hline & & & & & \lambda_6 & \\ \hline 0 & & & & & & \lambda_7 \end{array}\right]$$

Tenga presente que una matriz diagonal es un caso especial de la forma canónica de Jordan.

Las formas canónicas de Jordan tienen la propiedad de que los elementos de la diagonal principal de la matriz son valores propios de **A** y que los elementos inmediatamente por encima (o debajo) de la diagonal principal son, 1, o bien 0, y todos los demás elementos son ceros.

La determinación de la forma exacta del bloque de Jordan, puede no ser simple. Para mostrar algunas estructuras posibles, considere una matriz de 3 × 3, con un valor propio triple de $\lambda_1$. Entonces, cualquiera de las siguientes formas canónicas de Jordan es posible:

$$\begin{bmatrix} \lambda_1 & 1 & 0 \\ 0 & \lambda_1 & 1 \\ 0 & 0 & \lambda_1 \end{bmatrix}, \quad \left[\begin{array}{cc|c} \lambda_1 & 1 & 0 \\ 0 & \lambda_1 & 0 \\ \hline 0 & 0 & \lambda_1 \end{array}\right], \quad \left[\begin{array}{c|c|c} \lambda_1 & 0 & 0 \\ \hline 0 & \lambda_1 & 0 \\ \hline 0 & 0 & \lambda_1 \end{array}\right]$$

Cada una de las tres matrices precedentes tiene la misma ecuación característica $(\lambda - \lambda_1)^3 = 0$. La primera corresponde al caso de un solo vector propio linealmente independiente, ya que designando la primera matriz como **A** y resolviendo para **x** de la ecuación siguiente,

$$(\mathbf{A} - \lambda_1 \mathbf{I})\mathbf{x} = \mathbf{0}$$

se obtiene un solo vector propio:

$$\mathbf{x} = \begin{bmatrix} a \\ 0 \\ 0 \end{bmatrix} \qquad a = \text{constante no nula}$$

La segunda y tercera de estas matrices tienen, respectivamente, dos y tres vectores propios linealmente independientes. (Nótese que sólo la matriz diagonal tiene tres vectores propios linealmente independientes).

Como se ha visto, si una matriz **A** de $k \times k$ tiene un valor propio de multiplicidad $k$, se puede demostrar lo siguiente:

1. Si el rango de $\lambda\mathbf{I} - \mathbf{A}$ es $k - s$ (donde $1 \leq s \leq k$), entonces hay $s$ vectores propios linealmente independientes, asociados con $\lambda$.
2. Hay $s$ bloques de Jordan que corresponden a los $s$ vectores propios.
3. La suma de los órdenes $p_i$ de los bloques de Jordan es igual a multiplicidad $k$.

Por lo tanto, como se demostró en las tres matrices de $3 \times 3$ precedentes, aunque la multiplicidad de valores propios sea la misma, la cantidad de bloques de Jordan y sus órdenes pueden ser distintos, difiriendo según la estructura de la matriz $\mathbf{A}$.

**Transformación de similitud cuando una matriz de $n \times n$ tiene valores propios distintos.** Si hay $n$ valores propios de $\mathbf{A}$ distintos, hay un vector propio asociado con cada valor propio $\lambda_i$. Se puede probar que tales $n$ vectores propios $\mathbf{x}_1, \mathbf{x}_2, \ldots, \mathbf{x}_n$, son linealmente independientes.

Se define una matriz $\mathbf{P}$ de $n \times n$, de modo que

$$\mathbf{P} = [\mathbf{P}_1 \mid \mathbf{P}_2 \mid \cdots \mid \mathbf{P}_n] = [\mathbf{x}_1 \mid \mathbf{x}_2 \mid \cdots \mid \mathbf{x}_n]$$

donde el vector columna $\mathbf{P}_i$ es igual al vector columna $\mathbf{x}_i$, o sea

$$\mathbf{P}_i = \mathbf{x}_i \qquad i = 1, 2, \ldots, n$$

La matriz $\mathbf{P}$ así definida es no singular y $\mathbf{P}^{-1}$ existe. Note que los vectores propios $\mathbf{x}_1, \mathbf{x}_2, \ldots, \mathbf{x}_n$, satisfacen las ecuaciones

$$\begin{aligned}\mathbf{A}\mathbf{x}_1 &= \lambda_1\mathbf{x}_1 \\ \mathbf{A}\mathbf{x}_2 &= \lambda_2\mathbf{x}_2 \\ &\vdots \\ \mathbf{A}\mathbf{x}_n &= \lambda_n\mathbf{x}_n\end{aligned}$$

esas $n$ ecuaciones se pueden combinar en una, como sigue:

$$\mathbf{A}[\mathbf{x}_1 \mid \mathbf{x}_2 \mid \cdots \mid \mathbf{x}_n] = [\mathbf{x}_1 \mid \mathbf{x}_2 \mid \cdots \mid \mathbf{x}_n]\begin{bmatrix} \lambda_1 & & & & 0 \\ & \lambda_2 & & & \\ & & \cdot & & \\ & & & \cdot & \\ & & & & \cdot \\ 0 & & & & \lambda_n \end{bmatrix}$$

o, en términos de la matriz $\mathbf{P}$,

$$\mathbf{AP} = \mathbf{P}\begin{bmatrix} \lambda_1 & & & & 0 \\ & \lambda_2 & & & \\ & & \cdot & & \\ & & & \cdot & \\ & & & & \cdot \\ 0 & & & & \lambda_n \end{bmatrix}$$

Premultiplicando esta última ecuación por $\mathbf{P}^{-1}$, se obtiene

$$\mathbf{P}^{-1}\mathbf{AP} = \begin{bmatrix} \lambda_1 & & & & 0 \\ & \lambda_2 & & & \\ & & \cdot & & \\ & & & \cdot & \\ & & & & \cdot \\ 0 & & & & \lambda_n \end{bmatrix} = \text{diag}\,(\lambda_1, \lambda_2, \ldots, \lambda_n)$$

Así se puede transformar la matriz **A** en una matriz diagonal, por una transformación de similitud.

El proceso que transforma la matriz **A** en una matriz diagonal, se denomina *diagonalización de la matriz* **A**.

Como se indicó antes, un múltiplo escalar de un vector propio es también un vector propio, pues $\alpha\mathbf{x}_i$ satisface la siguiente ecuación

$$\mathbf{A}(\alpha\mathbf{x}_i) = \lambda_i(\alpha\mathbf{x}_i)$$

En consecuencia, se puede elegir un $\alpha$ de modo que la matriz de transformación **P**, sea lo más simple posible.

Para resumir, si los valores propios de una matriz **A** de $n \times n$ son distintos, entonces hay exactamente $n$ vectores propios y son linealmente independientes. Con estos $n$ vectores propios linealmente independientes, se puede construir una matriz de transformación **P** que transforma **A** en una matriz diagonal.

**Transformación de similitud, cuando una matriz de $n \times n$ tiene vectores propios múltiples.** Supóngase que una matriz **A**, de $n \times n$, incluye un valor propio $\lambda_1$ de multiplicidad $k$, y otros valores propios $\lambda_{k+1}, \lambda_{k+2}, \ldots, \lambda_n$, distintos y diferentes a $\lambda_1$. Es decir, los valores propios de **A** son

$$\lambda_1, \lambda_1, \ldots, \lambda_1, \lambda_{k+1}, \lambda_{k+2}, \ldots, \lambda_n$$

Considere primero el caso en que el rango de $\lambda_1\mathbf{I} - \mathbf{A}$, es $n - 1$. En tal caso, hay un solo bloque de Jordan para el valor propio múltiple $\lambda_1$, y un solo vector propio asociado con este valor propio múltiple. El orden del bloque de Jordan es $k$, que es el mismo que el orden de multiplicidad del valor propio $\lambda_1$.

Nótese que cuando una matriz **A** de $n \times n$ no posee $n$ vectores propios linealmente independientes, no se puede convertir a diagonal, pero se puede reducir a una forma canónica de Jordan.

En el caso presente, sólo hay un vector propio linealmente independiente para $\lambda_1$. Ahora se averigua si es posible hallar $k - 1$ vectores, que de algún modo estén asociados con este valor propio y que sean linealmente independientes de los vectores propios. Sin combinación, se puede mostrar que esto es posible. Primero, se nota que el vector propio $\mathbf{x}_1$, es un vector que satisface la ecuación

$$(\mathbf{A} - \lambda_1\mathbf{I})\mathbf{x}_1 = \mathbf{0}$$

de manera que $\mathbf{x}_1$ se anula por $\mathbf{A} - \lambda_1\mathbf{I}$. Como no se tienen suficientes vectores anulados por $\mathbf{A} - \lambda_1\mathbf{I}$, se buscan vectores que sean anulado por $(\mathbf{A} - \lambda_1\mathbf{I})^2$, $(\mathbf{A} - \lambda_1\mathbf{I})^3$, y así hasta que se obtienen $k - 1$ vectores. Los $k - 1$ vectores determinados de este modo, se denominan *vectores propios generalizados.*

Se definen los $k - 1$ vectores propios generalizados que se desean, como $\mathbf{x}_2, \mathbf{x}_3, \ldots, \mathbf{x}_k$. Entonces se pueden determinar estos $k - 1$ vectores propios generalizados a partir de las ecuaciones

$$\begin{aligned}(\mathbf{A} - \lambda_1\mathbf{I})\mathbf{x}_1 &= \mathbf{0}\\ (\mathbf{A} - \lambda_1\mathbf{I})^2\mathbf{x}_2 &= \mathbf{0}\\ &\vdots\\ (\mathbf{A} - \lambda_1\mathbf{I})^k\mathbf{x}_k &= \mathbf{0}\end{aligned} \tag{A–32}$$

que se puede reescribir como

$$\begin{aligned}(\mathbf{A} - \lambda_1\mathbf{I})\mathbf{x}_1 &= \mathbf{0}\\ (\mathbf{A} - \lambda_1\mathbf{I})\mathbf{x}_2 &= \mathbf{x}_1\\ &\vdots\\ (\mathbf{A} - \lambda_1\mathbf{I})\mathbf{x}_k &= \mathbf{x}_{k-1}\end{aligned}$$

Téngase presente que

$$(\mathbf{A} - \lambda_1\mathbf{I})^{k-1}\mathbf{x}_k = (\mathbf{A} - \lambda_1\mathbf{I})^{k-2}\mathbf{x}_{k-1} = \cdots = (\mathbf{A} - \lambda_1\mathbf{I})\mathbf{x}_2 = \mathbf{x}_1$$

o bien

$$(\mathbf{A} - \lambda_1\mathbf{I})^{k-1}\mathbf{x}_k = \mathbf{x}_1 \tag{A–33}$$

El vector propio $\mathbf{x}_i$, y los $k - 1$ vectores propios generalizados $\mathbf{x}_2, \mathbf{x}_3, \ldots, \mathbf{x}_k$, determinan de este modo un conjunto de $k$ vectores, linealmente independientes.

Una forma adecuada para determinar los vectores propios generalizados es comenzar con $\mathbf{x}_k$. Es decir, primero se determina el $\mathbf{x}_k$ que satisfaga la ecuación (A-32) y al mismo tiempo proporcione un vector no nulo $(\mathbf{A} - \lambda_1\mathbf{I})^{k-1}\mathbf{x}_k$. Cualquier vector propio se puede considerar como un posible vector propio $\mathbf{x}_1$. Por lo tanto, para hallar el vector propio $\mathbf{x}_1$, se aplica un proceso de reducción de renglones, a $(\mathbf{A} - \lambda_1\mathbf{I})^k$, y se hallan $k$ vectores linealmente independientes que satisfacen la ecuación (A-32). Entonces se prueban estos vectores para hallar uno que produzca un vector no nulo en el miembro derecho de la ecuación (A-33). (Nótese que si se comienza con $\mathbf{x}_1$, entonces hay que hacer elecciones arbitrarias en cada paso del camino, para determinar $\mathbf{x}_2, \mathbf{x}_3, \ldots, \mathbf{x}_k$. Esto consume tiempo y es inconveniente. Por tal razón no se recomienda este método).

Para resumir lo tratado hasta ahora, el vector propio $\mathbf{x}_1$ y los vectores propios generalizados $\mathbf{x}_2, \mathbf{x}_3, \ldots, \mathbf{x}_k$, satisfacen las siguientes ecuaciones:

$$\mathbf{A}\mathbf{x}_1 = \lambda_1\mathbf{x}_1$$

$$\mathbf{Ax}_2 = \mathbf{x}_1 + \lambda_1 \mathbf{x}_2$$
$$\vdots$$
$$\mathbf{Ax}_k = \mathbf{x}_{k-1} + \lambda_1 \mathbf{x}_k$$

Los vectores propios $\mathbf{x}_{k+1}$, $\mathbf{x}_{k+2}$, $\mathbf{x}_n$, asociados respectivamente con los diferentes valores propios $\lambda_{k+1}, \lambda_{k+2}, \ldots, \lambda_n$, se pueden determinar por

$$\mathbf{Ax}_{k+1} = \lambda_{k+1}\mathbf{x}_{k+1}$$
$$\mathbf{Ax}_{k+2} = \lambda_{k+2}\mathbf{x}_{k+2}$$
$$\vdots$$
$$\mathbf{Ax}_n = \lambda_n \mathbf{x}_n$$

Ahora se define

$$\mathbf{S} = [\mathbf{S}_1 \mid \mathbf{S}_2 \mid \cdots \mid \mathbf{S}_n] = [\mathbf{x}_1 \mid \mathbf{x}_2 \mid \cdots \mid \mathbf{x}_n]$$

donde los $n$ vectores columna de **S** son linealmente independientes. Por lo que la matriz **S** es no singular. Entonces, combinando las ecuaciones precedentes de los vectores propios con las ecuaciones de vectores propios generalizadas en una, se obtiene

$$\mathbf{A}[\mathbf{x}_1 \mid \mathbf{x}_2 \mid \cdots \mid \mathbf{x}_k \mid \mathbf{x}_{k+1} \mid \cdots \mid \mathbf{x}_n]$$

$$= [\mathbf{x}_1 \mid \mathbf{x}_2 \mid \cdots \mid \mathbf{x}_k \mid \mathbf{x}_{k+1} \mid \cdots \mid \mathbf{x}_n] \left[\begin{array}{ccccc|cccc} \lambda_1 & 1 & & & 0 & & & & 0 \\ & \lambda_1 & 1 & & & & & & \\ & & \ddots & \ddots & & & & & \\ & & & \ddots & 1 & & & & \\ 0 & & & & \lambda_1 & 0 & & & \\ \hline & & & & 0 & \lambda_{k+1} & & & 0 \\ & & & & & & \ddots & & \\ & & & & & & & \ddots & \\ 0 & & & & & 0 & & & \lambda_n \end{array}\right]$$

Por tanto,

$$\mathbf{AS} = \mathbf{S} \left[\begin{array}{c|ccc} \mathbf{J}_k(\lambda_1) & & & 0 \\ \hline & \lambda_{k+1} & & \\ & & \ddots & \\ 0 & & & \lambda_n \end{array}\right]$$

Premultiplicando esta última ecuación por $\mathbf{S}^{-1}$, se obtiene

$$\mathbf{S}^{-1}\mathbf{AS} = \left[\begin{array}{c:cccc} \mathbf{J}_k(\lambda_1) & & & & 0 \\ \hdashline & \lambda_{k+1} & & & \\ & & \cdot & & \\ & & & \cdot & \\ & & & & \cdot \\ 0 & & & & \lambda_n \end{array}\right]$$

En el análisis previo, se consideró el caso en que el rango de $\lambda_1\mathbf{I} - \mathbf{A}$ era $n - 1$. Ahora se analizará un caso en el que el rango de $\lambda_1\mathbf{I} - \mathbf{A}$ es $n - s$ (donde $2 \leq s \leq n$). Como se supuso que la matriz $\mathbf{A}$ incluye los valores propios $\lambda_1$ de multiplicidad $k$, y otros valores propios $\lambda_{k+1}, \lambda_{k+2}, \ldots, \lambda_n$ todos diferentes y distintos de $\lambda_1$, se tienen $s$ vectores propios linealmente independientes con los valores propios $\lambda_1$. Por lo tanto, hay $s$ bloques de Jordan correspondientes a los valores propios $\lambda_1$.

Por conveniencia de notación se definen $s$ vectores propios, linealmente independientes asociados con los valores propios $\lambda_1$ como $\mathbf{v}_{11}, \mathbf{v}_{21}, \ldots, \mathbf{v}_{s1}$. Se definen los vectores propios generalizados, asociados con $\mathbf{v}_{i1}$, como $\mathbf{v}_{i2}, \mathbf{v}_{i3}, \ldots, \mathbf{v}_{ipi}$, donde $i = 1, 2, \ldots, s$. Entonces hay en total $k$ vectores (vectores propios y vectores propios generalizados), que son

$$\mathbf{v}_{11}, \mathbf{v}_{12}, \ldots, \mathbf{v}_{1p1}, \mathbf{v}_{21}, \mathbf{v}_{22}, \ldots, \mathbf{v}_{2p2}, \ldots, \mathbf{v}_{s1}, \mathbf{v}_{s2}, \ldots, \mathbf{v}_{sps}$$

Los vectores propios generalizados, se determinan a partir de

$$\begin{array}{lcl} (\mathbf{A} - \lambda_1\mathbf{I})\mathbf{v}_{11} = \mathbf{0}, & \cdots & (\mathbf{A} - \lambda_1\mathbf{I})\mathbf{v}_{s1} = \mathbf{0} \\ (\mathbf{A} - \lambda_1\mathbf{I})\mathbf{v}_{12} = \mathbf{v}_{11}, & \cdots & (\mathbf{A} - \lambda_1\mathbf{I})\mathbf{v}_{s2} = \mathbf{v}_{s1} \\ \quad\cdot & & \quad\cdot \\ \quad\cdot & & \quad\cdot \\ \quad\cdot & & \quad\cdot \\ (\mathbf{A} - \lambda_1\mathbf{I})\mathbf{v}_{1p_1} = \mathbf{v}_{1p_1-1}, & \cdots & (\mathbf{A} - \lambda_1\mathbf{I})\mathbf{v}_{sp_s} = \mathbf{v}_{sp_s-1} \end{array}$$

donde los $s$ vectores propios $\mathbf{v}_{11}, \mathbf{v}_{21}, \ldots, \mathbf{v}_{s1}$, son linealmente independientes y

$$p_1 + p_2 + \cdots + p_s = k$$

Nótese que $p_1, p_2, \ldots, p_s$, representa el orden de cada uno de los $s$ bloques de Jordan. (Para determinar los vectores propios generalizados, se sigue el método analizado antes. Como ejemplo para conocer los detalles de tal determinación, véase el problema A-11).

Se define una matriz de $n \times k$, consistente en $\mathbf{v}_{11}, \mathbf{v}_{12}, \ldots, \mathbf{v}_{sps}$, como

$$\begin{aligned} \mathbf{S}(\lambda_1) &= [\mathbf{v}_{11} \,\vdots\, \mathbf{v}_{12} \,\vdots\, \cdots \,\vdots\, \mathbf{v}_{1p_1} \,\vdots\, \cdots \,\vdots\, \mathbf{v}_{s1} \,\vdots\, \mathbf{v}_{s2} \,\vdots\, \cdots \,\vdots\, \mathbf{v}_{sp_s}] \\ &= [\mathbf{x}_1 \,\vdots\, \mathbf{x}_2 \,\vdots\, \cdots \,\vdots\, \mathbf{x}_{p_1} \,\vdots\, \cdots \,\vdots\, \mathbf{x}_k] \\ &= [\mathbf{S}_1 \,\vdots\, \mathbf{S}_2 \,\vdots\, \cdots \,\vdots\, \mathbf{S}_k] \end{aligned}$$

y se define

$$\begin{aligned} \mathbf{S} &= [\mathbf{S}(\lambda_1) \,\vdots\, \mathbf{S}_{k+1} \,\vdots\, \mathbf{S}_{k+2} \,\vdots\, \cdots \,\vdots\, \mathbf{S}_n] \\ &= [\mathbf{S}_1 \,\vdots\, \mathbf{S}_2 \,\vdots\, \cdots \,\vdots\, \mathbf{S}_n] \end{aligned}$$

donde

$$\mathbf{S}_{k+1} = \mathbf{x}_{k+1}, \qquad \mathbf{S}_{k+2} = \mathbf{x}_{k+2}, \ldots, \mathbf{S}_n = \mathbf{x}_n$$

Téngase en cuenta que $\mathbf{x}_{k+1}, \mathbf{x}_{k+2}, \ldots, \mathbf{x}_n$, son vectores propios, asociados con valores propios $\lambda_{k+1}, \lambda_{k+2}, \ldots, \lambda_n$, respectivamente. La matriz **S** definida de este modo es no singular. Ahora se obtiene

$$\mathbf{AS} = \mathbf{S}\left[\begin{array}{cccc|ccc} \mathbf{J}_{p_1}(\lambda_1) & & & 0 & & & 0 \\ & \mathbf{J}_{p_2}(\lambda_1) & & & & & \\ & & \ddots & & & & \\ 0 & & & \mathbf{J}_{p_s}(\lambda_1) & 0 & & \\ \hline & & & 0 & \lambda_{k+1} & & 0 \\ & & & & & \ddots & \\ 0 & & & 0 & & & \lambda_n \end{array}\right]$$

donde $\mathbf{J}_{p_i}(\lambda_1)$ está en la forma

$$\mathbf{J}_{p_i}(\lambda_1) = \begin{bmatrix} \lambda_1 & 1 & & & 0 \\ & \lambda_1 & 1 & & \\ & & \ddots & \ddots & \\ & & & \ddots & 1 \\ 0 & & & & \lambda_1 \end{bmatrix}$$

que es una matriz de $p_i \times p_i$. Por lo tanto

$$\mathbf{S}^{-1}\mathbf{AS} = \left[\begin{array}{cccc|ccc} \mathbf{J}_{p_1}(\lambda_1) & & & 0 & & & 0 \\ & \mathbf{J}_{p_2}(\lambda_1) & & & & & \\ & & \ddots & & & & \\ 0 & & & \mathbf{J}_{p_s}(\lambda_1) & 0 & & \\ \hline & & & 0 & \lambda_{k+1} & & 0 \\ & & & & & \ddots & \\ 0 & & & 0 & & & \lambda_n \end{array}\right]$$

Así, se ha mostrado que, utilizando un conjunto de $n$ vectores linealmente independientes (vectores propios y vectores propios generalizados), cualquier matriz de $n \times n$, se puede reducir a una forma canónica de Jordan, mediante una transformación de similitud.

**Transformación de similitud cuando una matriz de $n \times n$ es normal.** Ante todo, hay que recordar que una matriz es normal si es real simétrica o hermítica; real asimétrica, o no hermítica; ortogonal, o unitaria.

Suponga que una matriz normal de $n \times n$ tiene un valor propio $\lambda_1$ de multiplicidad $k$ y que los demás $n - k$ valores propios son diferentes y distintos a $\lambda_1$. Entonces, el rango de $\mathbf{A} - \lambda_1\mathbf{I}$ se hace $n - k$. (Para la prueba, véase el problema A-12). Si el rango de $\mathbf{A} - \lambda_1\mathbf{I}$ es $n - k$, hay $k$ vectores propios linealmente independientes $\mathbf{x}_1, \mathbf{x}_2, \ldots, \mathbf{x}_k$, que satisfacen la ecuación

$$(\mathbf{A} - \lambda_1\mathbf{I})\mathbf{x}_i = \mathbf{0} \qquad i = 1, 2, \ldots, k$$

Por lo tanto, hay $k$ bloques de Jordan para el valor propio $\lambda_1$. Como la cantidad de bloques de Jordan es la misma que la multiplicidad del valor propio $\lambda_1$, todos los $n$ bloques de Jordan se tornan de primer orden. Como los $n - k$ valores propios restantes son diferentes los vectores propios asociados a estos valores propios son linealmente independientes. Por lo tanto, la matriz normal $n \times n$ posee en suma $n$ vectores propios linealmente independientes y la forma canónica de Jordan de la matriz normal se convierte en una matriz diagonal.

Se puede probar que si $\mathbf{A}$ es una matriz normal de $n \times n$, independientemente de si los valores propios incluyen o no valores propios múltiples, hay una matriz unitaria $\mathbf{U}$ de $n \times n$ tal que

$$\mathbf{U}^{-1}\mathbf{A}\mathbf{U} = \mathbf{U}^*\mathbf{A}\mathbf{U} = \mathbf{D} = \text{diag}\,(\lambda_1, \lambda_2, \ldots, \lambda_n)$$

donde $\mathbf{D}$ es una matriz diagonal, con $n$ valores propios como elementos diagonales.

**Trazo de una matriz de $n \times n$.** El trazo de una matriz $\mathbf{A}$, de $n \times n$ se define del siguiente modo:

$$\text{trazo de } \mathbf{A} = \text{tr}\,\mathbf{A} = \sum_{i=1}^{n} a_{ii}$$

El trazo de una matriz $\mathbf{A}$ de $n \times n$ tiene las siguientes propiedades:

1. $$\text{tr}\,\mathbf{A}^T = \text{tr}\,\mathbf{A}$$
2. Para las matrices $\mathbf{A}$ y $\mathbf{B}$ de $n \times n$,
$$\text{tr}\,(\mathbf{A} + \mathbf{B}) = \text{tr}\,\mathbf{A} + \text{tr}\,\mathbf{B}$$
3. Si los valores propios de $\mathbf{A}$ se designan como $\lambda_1, \lambda_2, \ldots, \lambda_n$, se tiene
$$\text{tr}\,\mathbf{A} = \lambda_1 + \lambda_2 + \cdots + \lambda_n \qquad \text{(A–34)}$$
4. Para una matriz $\mathbf{A}$ de $n \times m$ y una matriz $\mathbf{B}$ de $m \times n$, independientemente de si $\mathbf{AB} = \mathbf{BA}$ o $\mathbf{AB} \neq \mathbf{BA}$, se tiene
$$\text{tr}\,\mathbf{AB} = \text{tr}\,\mathbf{BA} = \sum_{i=1}^{n}\sum_{j=1}^{m} a_{ij}b_{ji}$$

Si $m = 1$, colocando $\mathbf{A}$ y $\mathbf{B}$ como $\mathbf{a}$ y $\mathbf{b}$, respectivamente, se tiene

$$\text{tr}\,\mathbf{ab} = \mathbf{ba}$$

Por tanto, para una matriz **C** de $n \times m$ se tiene

$$\mathbf{a}^T\mathbf{C}\mathbf{a} = \text{tr } \mathbf{a}\mathbf{a}^T\mathbf{C}$$

Nótese que la ecuación (A-34) se puede probar como sigue. Utilizando la transformación de similitud, se tiene

$$\mathbf{P}^{-1}\mathbf{A}\mathbf{P} = \mathbf{D} = \text{ matriz diagonal}$$

o bien

$$\mathbf{S}^{-1}\mathbf{A}\mathbf{S} = \mathbf{J} = \text{ forma canónica de Jordan}$$

Es decir,

$$\mathbf{A} = \mathbf{P}\mathbf{D}\mathbf{P}^{-1} \qquad \text{o} \qquad \mathbf{A} = \mathbf{S}\mathbf{J}\mathbf{S}^{-1}$$

Por tanto, al utilizar la propiedad 4 de la lista, se tiene

$$\text{tr } \mathbf{A} = \text{tr } \mathbf{P}\mathbf{D}\mathbf{P}^{-1} = \text{tr } \mathbf{P}^{-1}\mathbf{P}\mathbf{D} = \text{tr } \mathbf{D} = \lambda_1 + \lambda_2 + \cdots + \lambda_n$$

Del mismo modo,

$$\text{tr } \mathbf{A} = \text{tr } \mathbf{S}\mathbf{J}\mathbf{S}^{-1} = \text{tr } \mathbf{S}^{-1}\mathbf{S}\mathbf{J} = \text{tr } \mathbf{J} = \lambda_1 + \lambda_2 + \cdots + \lambda_n$$

**Propiedades invariantes bajo la transformación de similitud.** Si se puede reducir una matriz **A** de $n \times n$, a una matriz similar que tiene una forma simple, se pueden observar fácilmente algunas propiedades importantes de **A**. Se dice que una propiedad de una matriz es invariante si todas las matrices similares la poseen. Por ejemplo, el determinante y el polinomio característico son invariantes bajo una transformación de similitud, como se muestra a continuación. Suponga que $\mathbf{P}^{-1}\mathbf{A}\mathbf{P} = \mathbf{B}$. Entonces

$$\begin{aligned} |\mathbf{B}| &= |\mathbf{P}^{-1}\mathbf{A}\mathbf{P}| = |\mathbf{P}^{-1}|\,|\mathbf{A}|\,|\mathbf{P}| = |\mathbf{A}|\,|\mathbf{P}^{-1}|\,|\mathbf{P}| = |\mathbf{A}|\,|\mathbf{P}^{-1}\mathbf{P}| \\ &= |\mathbf{A}|\,|\mathbf{I}| = |\mathbf{A}| \end{aligned}$$

y

$$\begin{aligned} |\lambda\mathbf{I} - \mathbf{B}| &= |\lambda\mathbf{I} - \mathbf{P}^{-1}\mathbf{A}\mathbf{P}| = |\mathbf{P}^{-1}(\lambda\mathbf{I})\mathbf{P} - \mathbf{P}^{-1}\mathbf{A}\mathbf{P}| \\ &= |\mathbf{P}^{-1}(\lambda\mathbf{I} - \mathbf{A})\mathbf{P}| = |\mathbf{P}^{-1}|\,|\lambda\mathbf{I} - \mathbf{A}|\,|\mathbf{P}| \\ &= |\lambda\mathbf{I} - \mathbf{A}|\,|\mathbf{P}^{-1}|\,|\mathbf{P}| = |\lambda\mathbf{I} - \mathbf{A}| \end{aligned}$$

Nótese que el trazo de una matriz también es invariante bajo transformación de similitud, como ya demostró:

$$\text{tr } \mathbf{A} = \text{tr } \mathbf{P}^{-1}\mathbf{A}\mathbf{P}$$

Sin embargo, la propiedad de simetría de una matriz es no invariante.

Nótese que solamente las propiedades invariantes de las matrices presentan características intrínsecas de la clase de matrices similares. Para determinar las propiedades invariantes de una matriz **A** se examina la forma canónica de Jordan de **A**, pues la similitud de dos matrices se puede definir en términos de la forma canónica de Jordan. La condición necesaria y suficiente para que las matrices **A** y **B** de $n \times n$ sean similares, es que las formas canónicas de Jordan de **A** y de **B** sean idénticas.

## A-7 FORMAS CUADRATICAS

**Formas cuadráticas.** Para una matriz **A** real simétrica de $n \times n$ y un vector **x** real de dimensión $n$, la forma

$$\mathbf{x}^T\mathbf{A}\mathbf{x} = \sum_{i=1}^{n} \sum_{j=1}^{n} a_{ij}x_i x_j \qquad a_{ji} = a_{ij}$$

recibe el nombre de *forma real cuadrática* en $x_i$. Con frecuencia una forma real cuadrática recibe simplemente el nombre de *forma cuadrática*. Nótese que $\mathbf{x}^T\mathbf{A}\mathbf{x}$ es una cantidad escalar real.

Cualquier forma real cuadrática se puede colocar siempre como $\mathbf{x}^T\mathbf{A}\mathbf{x}$. Por ejemplo,

$$x_1^2 - 2x_1x_2 + 4x_1x_3 + x_2^2 + 8x_3^2 = [x_1 \quad x_2 \quad x_3] \begin{bmatrix} 1 & -1 & 2 \\ -1 & 1 & 0 \\ 2 & 0 & 8 \end{bmatrix} \begin{bmatrix} x_1 \\ x_2 \\ x_3 \end{bmatrix}$$

Se justifica mencionar que para una matriz **A** real de $n \times n$, si se define

$$\mathbf{B} = \tfrac{1}{2}(\mathbf{A} + \mathbf{A}^T) \qquad \text{y} \qquad \mathbf{C} = \tfrac{1}{2}(\mathbf{A} - \mathbf{A}^T)$$

entonces

$$\mathbf{A} = \mathbf{B} + \mathbf{C}$$

Nótese que

$$\mathbf{B}^T = \mathbf{B} \qquad \text{y} \qquad \mathbf{C}^T = -\mathbf{C}$$

Por lo tanto, la matriz **A** de $n \times n$ se puede expresar como la suma de una matriz real simétrica y de una matriz real asimétrica. Note que, como $\mathbf{x}^T\mathbf{C}\mathbf{x}$ es una cantidad escalar, se tiene

$$\mathbf{x}^T\mathbf{C}\mathbf{x} = (\mathbf{x}^T\mathbf{C}\mathbf{x})^T = \mathbf{x}^T\mathbf{C}^T\mathbf{x} = -\mathbf{x}^T\mathbf{C}\mathbf{x}$$

En consecuencia

$$\mathbf{x}^T\mathbf{C}\mathbf{x} = 0$$

Esto significa que una forma cuadrática, para una matriz real asimétrica, es cero. De aquí que

$$\mathbf{x}^T\mathbf{A}\mathbf{x} = \mathbf{x}^T(\mathbf{B} + \mathbf{C})\mathbf{x} = \mathbf{x}^T\mathbf{B}\mathbf{x}$$

y se ve que la forma real cuadrática $\mathbf{x}^T\mathbf{A}\mathbf{x}$, sólo incluye la componente simétrica $\mathbf{x}^T\mathbf{B}\mathbf{x}$. Por esta razón la forma real cuadrática está definida solamente para una matriz real simétrica.

Para una matriz hermítica **A** y un vector complejo **x** de dimensión $n$, la forma

$$\mathbf{x}^*\mathbf{A}\mathbf{x} = \sum_{i=1}^{n} \sum_{j=1}^{n} a_{ij}\bar{x}_i x_j \qquad a_{ji} = \bar{a}_{ij}$$

se denomina *forma compleja cuadrática*, o forma hermítica. Nótese que la cantidad escalar $\mathbf{x^*Ax}$ es real, porque

$$\overline{\mathbf{x^*Ax}} = \mathbf{x}^T\bar{\mathbf{A}}\bar{\mathbf{x}} = (\mathbf{x}^T\bar{\mathbf{A}}\bar{\mathbf{x}})^T = \bar{\mathbf{x}}^T\bar{\mathbf{A}}^T\mathbf{x} = \mathbf{x^*Ax}$$

**Formas bilineales.** Para una matriz $\mathbf{A}$ real de $n \times m$, un vector $\mathbf{x}$ real de dimensión $n$ y un vector $\mathbf{y}$ real de dimensión $m$, la forma

$$\mathbf{x}^T\mathbf{Ay} = \sum_{i=1}^{n}\sum_{j=1}^{m} a_{ij}x_iy_j$$

se llama *forma real bilineal* en $x_i$ y $y_j$. $\mathbf{x}^T\mathbf{Ay}$ es una cantidad escalar real.

Para una matriz $\mathbf{A}$ compleja de $n \times m$, un vector $\mathbf{x}$ complejo de dimensión $n$ y un vector $\mathbf{y}$ complejo de dimensión $m$, la forma

$$\mathbf{x^*Ay} = \sum_{i=1}^{n}\sum_{j=1}^{m} a_{ij}\bar{x}_iy_j$$

se llama *forma compleja lineal*. $\mathbf{x^*Ay}$ es una cantidad escalar compleja.

**Definición y semidefinición.** Una forma cuadrática $\mathbf{x}^T\mathbf{Ax}$, donde $\mathbf{A}$ es una matriz real simétrica (o una forma hermítica $\mathbf{x^*Ax}$ donde $\mathbf{A}$ es una matriz hermítica), se dice que es definida positiva, si

$$\mathbf{x}^T\mathbf{Ax} > 0 \quad (\text{o } \mathbf{x^*Ax} > 0) \quad \text{para } \mathbf{x} \neq \mathbf{0}$$
$$\mathbf{x}^T\mathbf{Ax} = 0 \quad (\text{o } \mathbf{x^*Ax} = 0) \quad \text{para } \mathbf{x} = \mathbf{0}$$

$\mathbf{x}^T\mathbf{Ax}$ (o $\mathbf{x^*Ax}$) se dice que es semidefinida positiva, si

$$\mathbf{x}^T\mathbf{Ax} \geq 0 \quad (\text{o } \mathbf{x^*Ax} \geq 0) \quad \text{para } \mathbf{x} \neq \mathbf{0}$$
$$\mathbf{x}^T\mathbf{Ax} = 0 \quad (\text{o } \mathbf{x^*Ax} = 0) \quad \text{para } \mathbf{x} = \mathbf{0}$$

$\mathbf{x}^T\mathbf{Ax}$ (o $\mathbf{x^*Ax}$) se dice que es definida negativa, si

$$\mathbf{x}^T\mathbf{Ax} < 0 \quad (\text{o } \mathbf{x^*Ax} < 0) \quad \text{para } \mathbf{x} \neq \mathbf{0}$$
$$\mathbf{x}^T\mathbf{Ax} = 0 \quad (\text{o } \mathbf{x^*Ax} = 0) \quad \text{para } \mathbf{x} = \mathbf{0}$$

$\mathbf{x}^T\mathbf{Ax}$ (o $\mathbf{x^*Ax}$) se dice que es semidefinida negativa, si

$$\mathbf{x}^T\mathbf{Ax} \leq 0 \quad (\text{o } \mathbf{x^*Ax} \leq 0) \quad \text{para } \mathbf{x} \neq \mathbf{0}$$
$$\mathbf{x}^T\mathbf{Ax} = 0 \quad (\text{o } \mathbf{x^*Ax} = 0) \quad \text{para } \mathbf{x} = \mathbf{0}$$

Si $\mathbf{x}^T\mathbf{Ax}$ (o $\mathbf{x^*Ax}$) pueden ser de cualquier signo, entonces se dice que $\mathbf{x}^T\mathbf{Ax}$ (o $\mathbf{x^*Ax}$) es indefinido.

Téngase presente que si $\mathbf{x}^T\mathbf{Ax}$ o $\mathbf{x^*Ax}$ es definida positiva (o negativa), entonces se dice que $\mathbf{A}$ es una matriz definida positiva (o negativa). En forma similar, se dice que la matriz $\mathbf{A}$ es semidefinida positiva (o negativa), si $\mathbf{x}^T\mathbf{Ax}$ o $\mathbf{x^*Ax}$ es semidefinida positiva (o negativa); si $\mathbf{x}^T\mathbf{Ax}$ o $\mathbf{x^*Ax}$ son indefinidos, se dice que la matriz $\mathbf{A}$ es indefinida.

Nótese también que los valores propios de una matriz de $n \times n$ real simétrica o hermítica, son reales. (Véase el problema A-13, para la comprobación). Se puede mostrar que una matriz **A** de $n \times n$, real simétrica o hermítica, es una matriz definida positiva, si todos los valores propios $\lambda_i$ $(i = 1, 2, \ldots, n)$ son positivos. La matriz **A** es semidefinida positiva, si todos los valores propios son no negativos, o $\lambda_i \geq 0$ $(i = 1, 2, \ldots, n)$, y al menos uno de ellos es cero.

Nótese que si **A** es una matriz definida positiva, entonces $|\mathbf{A}| \neq 0$, porque todos los valores son positivos. Por tanto, para una matriz definida positiva, siempre existe inversa.

En el proceso para determinar la estabilidad de un estado de equilibrio, con frecuencia se encuentra una función escalar $V(\mathbf{x})$. Se dice que una función escalar $V(\mathbf{x})$, que es una función de $x_1, x_2, \ldots, x_n$, es definida positiva, si

$$V(\mathbf{x}) > 0 \quad \text{para } \mathbf{x} \neq \mathbf{0}$$

$$V(\mathbf{0}) = 0$$

Se dice que $V(\mathbf{x})$ es semidefinida positiva, si

$$V(\mathbf{x}) \geq 0 \quad \text{para } \mathbf{x} \neq \mathbf{0}$$

$$V(\mathbf{0}) = 0$$

Si $-V(\mathbf{x})$ es definida positiva (semidefinida positiva), se dice que $V(\mathbf{x})$ es definida negativa (semidefinida negativa).

J.J. Sylvester ha dado las condiciones necesarias y suficientes para que la forma cuadrática, es decir, $\mathbf{x}^T\mathbf{A}\mathbf{x}$ (o la forma hermítica $\mathbf{x}^*\mathbf{A}\mathbf{x}$), sea definida positiva, definida negativa, semidefinida positiva, o semidefinida negativa. A continuación se da el criterio de Sylvester.

**Criterio de Sylvester para definición positiva de una forma cuadrática o de una forma hermítica.** Una condición necesaria y suficiente para que una forma cuadrática $\mathbf{x}^T\mathbf{A}\mathbf{x}$ (o una forma hermítica $\mathbf{x}^*\mathbf{A}\mathbf{x}$), donde **A** es una matriz de $n \times n$ real simétrica (o hermítica), sea definida positiva, es que el determinante de **A** sea positivo, y que también sean positivos los menores principales sucesivos del determinante de **A** (los determinantes de las matrices de $k \times k$ del vértice superior izquierdo de la matriz **A**, siendo $k = 1, 2, \ldots, n - 1$), es decir, se debe tener

$$a_{11} > 0, \qquad \begin{vmatrix} a_{11} & a_{12} \\ a_{21} & a_{22} \end{vmatrix} > 0, \qquad \begin{vmatrix} a_{11} & a_{12} & a_{13} \\ a_{21} & a_{22} & a_{23} \\ a_{31} & a_{32} & a_{33} \end{vmatrix} > 0, \quad \ldots, \quad |\mathbf{A}| > 0$$

donde

$$a_{ij} = a_{ji} \quad \text{para la matriz real simétrica } \mathbf{A}$$

$$a_{ij} = \bar{a}_{ji} \quad \text{para la matriz hermítica } \mathbf{A}$$

**Criterio de Sylvester para definición negativa de una forma cuadrática o de una forma hermítica.** Una condición necesaria y suficiente para que una forma cuadrática $\mathbf{x}^T\mathbf{A}\mathbf{x}$ (o una forma hermítica $\mathbf{x}^*\mathbf{A}\mathbf{x}$), donde **A** es una matriz de $n \times n$ real simétrica (o hermítica), sea definida negativa, es que el determinante de **A** sea positivo si $n$ es par y negativo si $n$ es impar, y que los menores principales sucesivos de orden par, sean positivos y que los menores principales sucesivos de orden impar sean negativos; es decir, se debe tener

$$a_{11} < 0, \qquad \begin{vmatrix} a_{11} & a_{12} \\ a_{21} & a_{22} \end{vmatrix} > 0, \qquad \begin{vmatrix} a_{11} & a_{12} & a_{13} \\ a_{21} & a_{22} & a_{23} \\ a_{31} & a_{32} & a_{33} \end{vmatrix} < 0, \ . \ . \ .$$

$$|\mathbf{A}| > 0 \qquad (n \text{ par})$$

$$|\mathbf{A}| < 0 \qquad (n \text{ impar})$$

donde

$$a_{ij} = a_{ji} \qquad \text{para la matriz real simétrica } \mathbf{A}$$

$$a_{ij} = \bar{a}_{ji} \qquad \text{para la matriz hermítica } \mathbf{A}$$

[Esta condición se puede deducir si se requiere que $\mathbf{x}^T(-\mathbf{A})\mathbf{x}$ sea definida positiva].

**Criterio de Sylvester para semidefinición positiva de una forma cuadrática o de una forma hermítica.** Una condición necesaria y suficiente para que una forma cuadrática $\mathbf{x}^T\mathbf{A}\mathbf{x}$ (o una forma hermítica $\mathbf{x}^*\mathbf{A}\mathbf{x}$), donde **A** es una matriz real simétrica (o hermítica), sea definida positiva, es que **A** sea singular ($|\mathbf{A}| = 0$) y que todos los menores principales sean no negativos:

$$a_{ii} \geq 0, \qquad \begin{vmatrix} a_{ii} & a_{ij} \\ a_{ji} & a_{jj} \end{vmatrix} \geq 0, \qquad \begin{vmatrix} a_{ii} & a_{ij} & a_{ik} \\ a_{ji} & a_{jj} & a_{jk} \\ a_{ki} & a_{kj} & a_{kk} \end{vmatrix} \geq 0, \ . \ . \ . \ , \quad |\mathbf{A}| = 0$$

donde $i < j < k$, y

$$a_{ij} = a_{ji} \qquad \text{para la matriz real simétrica } \mathbf{A}$$

$$a_{ij} = \bar{a}_{ji} \qquad \text{para la matriz hermítica } \mathbf{A}$$

(Es importante indicar que en la prueba de semidefinición positiva, o en la prueba de semidefinición negativa, se deben verificar los signos de todos los menores principales, no solamente los menores principales sucesivos. Véase el problema A-15).

**Criterio de Sylvester para semidefinición negativa, de una forma cuadrática o de una forma hermítica.** Una condición necesaria y suficiente para que una forma cuadrática $\mathbf{x}^T\mathbf{A}\mathbf{x}$ (o una forma hermítica $\mathbf{x}^*\mathbf{A}\mathbf{x}$), donde **A** es una matriz de $n \times n$ real simétrica (o hermítica), sea definida negativa es que **A** sea singular ($|\mathbf{A}| = 0$) y que todos los menores principales de orden par sean no negativos y que los de orden impar sean no positivos:

$$a_{ii} \leq 0, \qquad \begin{vmatrix} a_{ii} & a_{ij} \\ a_{ji} & a_{jj} \end{vmatrix} \geq 0, \qquad \begin{vmatrix} a_{ii} & a_{ij} & a_{ik} \\ a_{ji} & a_{jj} & a_{jk} \\ a_{ki} & a_{kj} & a_{kk} \end{vmatrix} \leq 0, \ . \ . \ . \ , \quad |\mathbf{A}| = 0$$

donde $i<j<k$, y

$$a_{ij} = a_{ji} \qquad \text{para la matriz real simétrica } \mathbf{A}$$

$$a_{ij} = \bar{a}_{ji} \qquad \text{para la matriz hermítica } \mathbf{A}$$

## A-8 SEUDOINVERSAS

El concepto de seudoinversas de una matriz es una generalización de la noción de inversa. Es útil para hallar una "solución" a un conjunto algebraico de ecuaciones, en las que no son iguales la cantidad de incógnitas y la de ecuaciones lineales independientes.

A continuación se analizarán las seudoinversas que pemiten determinar soluciones de norma mínima.

**Solución de norma mínima que minimiza a $\|\mathbf{x}\|$.** Considere la ecuación algebraica lineal

$$x_1 + 5x_2 = 1$$

Como se tienen dos variables y una sola ecuación, no hay solución única y si una infinita cantidad de soluciones. Gráficamente, cualquier punto sobre la línea $x_1 + 5x_2 = 1$, como se muestra en la figura A-1, es una solución posible. Sin embargo, si se decide tomar el punto más cercano al origen la solución se hace única.

Considere una ecuación matricial

$$\mathbf{Ax} = \mathbf{b} \tag{A–35}$$

donde $\mathbf{A}$ es una matriz de $n \times m$, $\mathbf{x}$ es un vector de dimensión $m$ y $\mathbf{b}$ es un vector de dimensión $n$. Se supone que $m > n$ (es decir, que la cantidad de variables incógnitas es mayor que la cantidad de ecuaciones), y que la ecuación tiene una cantidad infinita de soluciones. Se trata ahora de hallar la solución $\mathbf{x}$ única, que está ubicada en el punto más cercano al origen, o que tiene norma mínima $\|\mathbf{x}\|$.

Con la designación de $\mathbf{x}^o$, se define la norma solución. Es decir, $\mathbf{x}^o$ satisface la condición de que $\mathbf{Ax}^o = \mathbf{b}$ y $\|\mathbf{x}^o\| \leq \|\mathbf{x}\|$ para toda $\mathbf{x}$ que satisface $\mathbf{Ax} = \mathbf{b}$. Esto significa que el punto de solución $\mathbf{x}^o$ es el más cercano al origen en el espacio de dimensión $m$, entre todas las soluciones posibles de la ecuación (A-35). A continuación se obtendrá dicha solución de norma mínima.

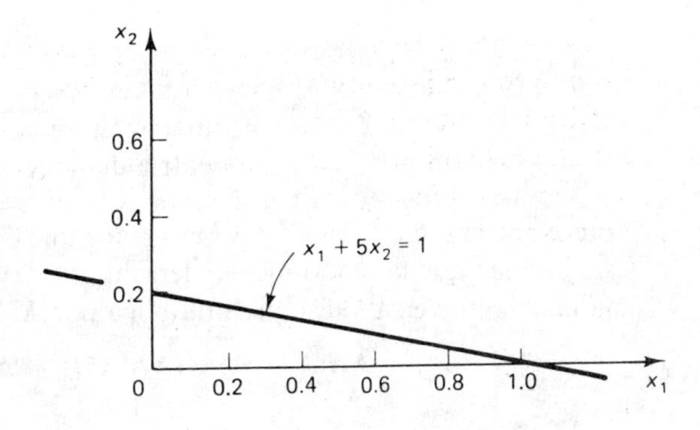


**Figura A-1**
Recta $x_1 + 5x_2 = 1$ en el plano $x_1\, x_2$.

**Matriz seudoinversa derecha.** Para una ecuación matricial

$$\mathbf{Ax} = \mathbf{b}$$

donde $\mathbf{A}$ es una matriz de $n \times m$ con rango $n$, $\mathbf{x}$ es un vector de dimensión $m$ y $\mathbf{b}$ es un vector de dimensión $n$, la solución que minimiza la norma $\|\mathbf{x}\|$ está dada por

$$\mathbf{x}^{\circ} = \mathbf{A}^{RM}\mathbf{b}$$

donde $\mathbf{A}^{RM} = \mathbf{A}^{T}(\mathbf{AA}^{T})^{-1}$.

Lo cual se puede probar del modo siguiente. Primero, nótese que la norma $\|\mathbf{x}\|$ se puede presentar como sigue:

$$\|\mathbf{x}\| = \|\mathbf{x} - \mathbf{x}^{\circ} + \mathbf{x}^{\circ}\| = \|\mathbf{x}^{\circ}\| + \|\mathbf{x} - \mathbf{x}^{\circ}\| + 2(\mathbf{x}^{\circ})^{T}(\mathbf{x} - \mathbf{x}^{\circ})$$

Se puede mostrar que el último término $2(\mathbf{x}^{\circ})^{T}(\mathbf{x} - \mathbf{x}^{\circ})$ es cero, pues

$$\begin{aligned}(\mathbf{x}^{\circ})^{T}(\mathbf{x} - \mathbf{x}^{\circ}) &= [\mathbf{A}^{T}(\mathbf{AA}^{T})^{-1}\mathbf{b}]^{T}\,[\mathbf{x} - \mathbf{A}^{T}(\mathbf{AA}^{T})^{-1}\mathbf{b}] \\ &= \mathbf{b}^{T}(\mathbf{AA}^{T})^{-1}\mathbf{A}[\mathbf{x} - \mathbf{A}^{T}(\mathbf{AA}^{T})^{-1}\mathbf{b}] \\ &= \mathbf{b}^{T}(\mathbf{AA}^{T})^{-1}\,[\mathbf{Ax} - (\mathbf{AA}^{T})(\mathbf{AA}^{T})^{-1}\mathbf{b}] \\ &= \mathbf{b}^{T}(\mathbf{AA}^{T})^{-1}(\mathbf{b} - \mathbf{b}) \\ &= 0\end{aligned}$$

Por tanto,

$$\|\mathbf{x}\| = \|\mathbf{x}^{\circ}\| + \|\mathbf{x} - \mathbf{x}^{\circ}\|$$

que se puede escribir como

$$\|\mathbf{x}\| - \|\mathbf{x}^{\circ}\| = \|\mathbf{x} - \mathbf{x}^{\circ}\|$$

Puesto que $\|\mathbf{x} - \mathbf{x}^{\circ}\| \geq 0$, se tiene

$$\|\mathbf{x}\| \geq \|\mathbf{x}^{\circ}\|$$

Así, se ha mostrado que $\mathbf{x}^{\circ}$ es la solución que da la norma $\|\mathbf{x}\|$ mínima.

La matriz $\mathbf{A}^{RM} = \mathbf{A}^{T}(\mathbf{AA}^{T})^{-1}$ que da la solución de norma mínima ($\|\mathbf{x}^{\circ}\| =$ mínimo), se llama *seudoinversa derecha* o *inversa mínima derecha* de $\mathbf{A}$.

**Resumen sobre la matriz seudoinversa derecha.** La seudoinversa derecha $\mathbf{A}^{RM}$ da la solución $\mathbf{x}^{\circ} = \mathbf{A}^{RM}\mathbf{b}$, que minimiza la norma, o sea, da $\|\mathbf{x}^{\circ}\| =$ mínimo. Téngase presente que la seudoinversa derecha $\mathbf{A}^{RM}$ es una matriz de $m \times n$, ya que $\mathbf{A}$ es una matriz de $n \times m$, y

$$\begin{aligned}\mathbf{A}^{RM} &= \mathbf{A}^{T}(\mathbf{AA}^{T})^{-1} \\ &= (\text{matriz de } m \times n)\ (\text{matriz de } n \times n)^{-1} \\ &= \text{matriz de } m \times n \qquad m > n\end{aligned}$$

Nótese que la dimensión de $\mathbf{AA}^{T}$ es menor que la dimensión del vector $\mathbf{x}$ que es $m$. Nótese también que la seudoinversa derecha $\mathbf{A}^{RM}$ posee la propiedad de que es realmente una matriz "inversa" si se premultiplica por $\mathbf{A}$:

$$\mathbf{AA}^{RM} = \mathbf{A}[\mathbf{A}^{T}(\mathbf{AA}^{T})^{-1}] = \mathbf{AA}^{T}(\mathbf{AA}^{T})^{-1} = \mathbf{I}_{n}$$

**Solución que minimiza a $\|\mathbf{Ax} - \mathbf{b}\|$.** Considere una ecuación matricial

$$\mathbf{Ax} = \mathbf{b} \tag{A–36}$$

donde $\mathbf{A}$ es una matriz de $n \times m$, $\mathbf{x}$ es un vector de dimensión $m$, y $\mathbf{b}$ es un vector de dimensión $n$. Por tanto, se supone que $n > m$. Esto es, la cantidad de variables incógnitas es menor que la cantidad de ecuaciones. En sentido clásico, puede o no haber una solución.

Si no hay solución, puede ser que se desee hallar una única "solución" que minimice la norma $\|\mathbf{Ax} - \mathbf{b}\|$. Se define como "solución" de la ecuación (A-36) a aquella que minimice $\|\mathbf{Ax} - \mathbf{b}\|$ como $\mathbf{x}^\circ$. En otras palabras, $\mathbf{x}^\circ$ satisface la condición

$$\|\mathbf{Ax} - \mathbf{b}\| \geq \|\mathbf{Ax}^\circ - \mathbf{b}\| \text{ para todo } \mathbf{x}$$

Téngase presente que $\mathbf{x}^\circ$ no es una solución en el sentido clásico, pues no satisface la ecuación matricial original $\mathbf{Ax} = \mathbf{b}$. Por lo tanto, se puede llamar a $\mathbf{x}^\circ$ "solución aproximada", porque minimiza la norma $\|\mathbf{Ax} - \mathbf{b}\|$. A continuación se hallará una solución aproximada.

**Matriz seudoinversa izquierda.** En una ecuación matricial

$$\mathbf{Ax} = \mathbf{b}$$

donde $\mathbf{A}$ es una matriz de $n \times m$ de rango $m$, $\mathbf{x}$ es un vector de dimensión $m$ y $\mathbf{b}$ es un vector de dimensión $n$, el vector $\mathbf{x}^\circ$, que minimiza la norma $\|\mathbf{Ax} - \mathbf{b}\|$, es el resultado de

$$\mathbf{x}^\circ = \mathbf{A}^{LM}\mathbf{b} = (\mathbf{A}^T\mathbf{A})^{-1}\mathbf{A}^T\mathbf{b}$$

donde $\mathbf{A}^{LM} = (\mathbf{A}^T\mathbf{A})^{-1}\mathbf{A}^T$.

Para verificar esto, primero téngase presente que

$$\begin{aligned}\|\mathbf{Ax} - \mathbf{b}\| &= \|\mathbf{A}(\mathbf{x} - \mathbf{x}^\circ) + \mathbf{Ax}^\circ - \mathbf{b}\| \\ &= \|\mathbf{A}(\mathbf{x} - \mathbf{x}^\circ)\| + \|\mathbf{Ax}^\circ - \mathbf{b}\| + 2[\mathbf{A}(\mathbf{x} - \mathbf{x}^\circ)]^T(\mathbf{Ax}^\circ - \mathbf{b})\end{aligned}$$

Se puede mostrar que el último término es cero, como sigue:

$$\begin{aligned}[\mathbf{A}(\mathbf{x} - \mathbf{x}^\circ)]^T(\mathbf{Ax}^\circ - \mathbf{b}) &= (\mathbf{x} - \mathbf{x}^\circ)^T\mathbf{A}^T[\mathbf{A}(\mathbf{A}^T\mathbf{A})^{-1}\mathbf{A}^T - \mathbf{I}_n]\mathbf{b} \\ &= (\mathbf{x} - \mathbf{x}^\circ)^T[(\mathbf{A}^T\mathbf{A})(\mathbf{A}^T\mathbf{A})^{-1}\mathbf{A}^T - \mathbf{A}^T]\mathbf{b} \\ &= (\mathbf{x} - \mathbf{x}^\circ)^T(\mathbf{A}^T - \mathbf{A}^T)\mathbf{b} \\ &= 0\end{aligned}$$

Por tanto,

$$\|\mathbf{Ax} - \mathbf{b}\| = \|\mathbf{A}(\mathbf{x} - \mathbf{x}^\circ)\| + \|\mathbf{Ax}^\circ - \mathbf{b}\|$$

Notando que $\|\mathbf{A}(\mathbf{x} - \mathbf{x}^\circ)\| \geq 0$, se obtiene

$$\|\mathbf{Ax} - \mathbf{b}\| - \|\mathbf{Ax}^\circ - \mathbf{b}\| = \|\mathbf{A}(\mathbf{x} - \mathbf{x}^\circ)\| \geq 0$$

o bien

$$\|\mathbf{Ax} - \mathbf{b}\| \geq \|\mathbf{Ax}^\circ - \mathbf{b}\|$$

Así,

$$\mathbf{x}^\circ = \mathbf{A}^{LM}\mathbf{b} = (\mathbf{A}^T\mathbf{A})^{-1}\mathbf{A}^T\mathbf{b}$$

minimiza a $\|\mathbf{Ax} - \mathbf{b}\|$

La matriz $\mathbf{A}^{LM} = (\mathbf{A}^T\mathbf{A})^{-1}\mathbf{A}^T$ se denomina *seudoinversa izquierda* o *inversa mínima izquierda* de la matriz **A**. Nótese que $\mathbf{A}^{LM}$ es realmente la matriz inversa de **A**, ya que si se la postmultiplica por **A**, da la matriz identidad $\mathbf{I}_m$:

$$\mathbf{A}^{LM}\mathbf{A} = (\mathbf{A}^T\mathbf{A})^{-1}\mathbf{A}^T\mathbf{A} = (\mathbf{A}^T\mathbf{A})^{-1}(\mathbf{A}^T\mathbf{A}) = \mathbf{I}_m$$

Como ilustración del uso de las seudoinversas derecha e izquierda, para obtener soluciones de norma mínima de ecuaciones matriciales, vea los problemas A-16 y A-17.

## *Ejemplos de problemas y soluciones*

**A–1.** Muestre que si **A**, **B**, **C**, y **D** son matrices de $n \times n$, $n \times m$, $m \times n$, y $m \times m$, respectivamente, y $|\mathbf{A}| \neq 0$ y $|\mathbf{D}| \neq 0$, entonces

$$\begin{vmatrix} \mathbf{A} & \mathbf{B} \\ \mathbf{0} & \mathbf{D} \end{vmatrix} = \begin{vmatrix} \mathbf{A} & \mathbf{0} \\ \mathbf{C} & \mathbf{D} \end{vmatrix} = |\mathbf{A}|\,|\mathbf{D}| \neq 0 \qquad \text{si } |\mathbf{A}| \neq 0 \text{ y } |\mathbf{D}| \neq 0$$

**Solución.** Como la matriz **A** es no singular, se tiene

$$\begin{bmatrix} \mathbf{A} & \mathbf{B} \\ \mathbf{0} & \mathbf{D} \end{bmatrix} = \begin{bmatrix} \mathbf{A} & \mathbf{0} \\ \mathbf{0} & \mathbf{I} \end{bmatrix}\begin{bmatrix} \mathbf{I} & \mathbf{0} \\ \mathbf{0} & \mathbf{D} \end{bmatrix}\begin{bmatrix} \mathbf{I} & \mathbf{A}^{-1}\mathbf{B} \\ \mathbf{0} & \mathbf{I} \end{bmatrix}$$

Por tanto,

$$\begin{vmatrix} \mathbf{A} & \mathbf{B} \\ \mathbf{0} & \mathbf{D} \end{vmatrix} = \begin{vmatrix} \mathbf{A} & \mathbf{0} \\ \mathbf{0} & \mathbf{I} \end{vmatrix}\begin{vmatrix} \mathbf{I} & \mathbf{0} \\ \mathbf{0} & \mathbf{D} \end{vmatrix}\begin{vmatrix} \mathbf{I} & \mathbf{A}^{-1}\mathbf{B} \\ \mathbf{0} & \mathbf{I} \end{vmatrix} = |\mathbf{A}|\,|\mathbf{D}|$$

Del mismo modo, como **D** es no singular, se tiene

$$\begin{vmatrix} \mathbf{A} & \mathbf{0} \\ \mathbf{C} & \mathbf{D} \end{vmatrix} = \begin{vmatrix} \mathbf{A} & \mathbf{0} \\ \mathbf{0} & \mathbf{I} \end{vmatrix}\begin{vmatrix} \mathbf{I} & \mathbf{0} \\ \mathbf{0} & \mathbf{D} \end{vmatrix}\begin{vmatrix} \mathbf{I} & \mathbf{0} \\ \mathbf{D}^{-1}\mathbf{C} & \mathbf{I} \end{vmatrix} = |\mathbf{A}|\,|\mathbf{D}|$$

**A–2.** Muestre que, si **A**, **B**, **C**, y **D** son matrices de $n \times n$, $n \times m$, $m \times n$, y $m \times m$, respectivamente, entonces

$$\begin{vmatrix} \mathbf{A} & \mathbf{B} \\ \mathbf{C} & \mathbf{D} \end{vmatrix} = \begin{cases} |\mathbf{A}|\,|\mathbf{D} - \mathbf{C}\mathbf{A}^{-1}\mathbf{B}| & \text{si } |\mathbf{A}| \neq 0 \\ |\mathbf{D}|\,|\mathbf{A} - \mathbf{B}\mathbf{D}^{-1}\mathbf{C}| & \text{si } |\mathbf{D}| \neq 0 \end{cases}$$

**Solución.** Si $|\mathbf{A}| \neq 0$, la matriz

$$\begin{bmatrix} \mathbf{A} & \mathbf{B} \\ \mathbf{C} & \mathbf{D} \end{bmatrix}$$

se puede escribir como el producto de dos matrices:

$$\begin{bmatrix} \mathbf{A} & \mathbf{0} \\ \mathbf{C} & \mathbf{I}_m \end{bmatrix} \quad \text{y} \quad \begin{bmatrix} \mathbf{I}_n & \mathbf{A}^{-1}\mathbf{B} \\ \mathbf{0} & \mathbf{D} - \mathbf{C}\mathbf{A}^{-1}\mathbf{B} \end{bmatrix}$$

o bien

$$\begin{bmatrix} \mathbf{A} & \mathbf{B} \\ \mathbf{C} & \mathbf{D} \end{bmatrix} = \begin{bmatrix} \mathbf{A} & \mathbf{0} \\ \mathbf{C} & \mathbf{I}_m \end{bmatrix}\begin{bmatrix} \mathbf{I}_n & \mathbf{A}^{-1}\mathbf{B} \\ \mathbf{0} & \mathbf{D} - \mathbf{C}\mathbf{A}^{-1}\mathbf{B} \end{bmatrix}$$

Por tanto,

$$\begin{vmatrix} \mathbf{A} & \mathbf{B} \\ \mathbf{C} & \mathbf{D} \end{vmatrix} = \begin{vmatrix} \mathbf{A} & \mathbf{0} \\ \mathbf{C} & \mathbf{I}_m \end{vmatrix} \begin{vmatrix} \mathbf{I}_n & \mathbf{A}^{-1}\mathbf{B} \\ \mathbf{0} & \mathbf{D} - \mathbf{C}\mathbf{A}^{-1}\mathbf{B} \end{vmatrix}$$

$$= |\mathbf{A}|\,|\mathbf{I}_m|\,|\mathbf{I}_n|\,|\mathbf{D} - \mathbf{C}\mathbf{A}^{-1}\mathbf{B}|$$

$$= |\mathbf{A}|\,|\mathbf{D} - \mathbf{C}\mathbf{A}^{-1}\mathbf{B}|$$

Del mismo modo, si $|\mathbf{D}| \neq 0$,

$$\begin{bmatrix} \mathbf{A} & \mathbf{B} \\ \mathbf{C} & \mathbf{D} \end{bmatrix} = \begin{bmatrix} \mathbf{I}_n & \mathbf{B} \\ \mathbf{0} & \mathbf{D} \end{bmatrix} \begin{bmatrix} \mathbf{A} - \mathbf{B}\mathbf{D}^{-1}\mathbf{C} & \mathbf{0} \\ \mathbf{D}^{-1}\mathbf{C} & \mathbf{I}_m \end{bmatrix}$$

y por lo tanto,

$$\begin{vmatrix} \mathbf{A} & \mathbf{B} \\ \mathbf{C} & \mathbf{D} \end{vmatrix} = \begin{vmatrix} \mathbf{I}_n & \mathbf{B} \\ \mathbf{0} & \mathbf{D} \end{vmatrix} \begin{vmatrix} \mathbf{A} - \mathbf{B}\mathbf{D}^{-1}\mathbf{C} & \mathbf{0} \\ \mathbf{D}^{-1}\mathbf{C} & \mathbf{I}_m \end{vmatrix}$$

$$= |\mathbf{I}_n|\,|\mathbf{D}|\,|\mathbf{A} - \mathbf{B}\mathbf{D}^{-1}\mathbf{C}|\,|\mathbf{I}_m|$$

$$= |\mathbf{D}|\,|\mathbf{A} - \mathbf{B}\mathbf{D}^{-1}\mathbf{C}|$$

**A–3.** Para una matriz **A** de $n \times m$ y una matriz **B** de $m \times n$, muestre que

$$|\mathbf{I}_n + \mathbf{AB}| = |\mathbf{I}_m + \mathbf{BA}|$$

**Solución.** Considere la matriz siguiente:

$$\begin{bmatrix} \mathbf{I}_n & -\mathbf{A} \\ \mathbf{B} & \mathbf{I}_m \end{bmatrix}$$

Con los datos del problema A-2,

$$\begin{vmatrix} \mathbf{A} & \mathbf{B} \\ \mathbf{C} & \mathbf{D} \end{vmatrix} = \begin{cases} |\mathbf{A}|\,|\mathbf{D} - \mathbf{C}\mathbf{A}^{-1}\mathbf{B}| & \text{si } |\mathbf{A}| \neq 0 \\ |\mathbf{D}|\,|\mathbf{A} - \mathbf{B}\mathbf{D}^{-1}\mathbf{C}| & \text{si } |\mathbf{D}| \neq 0 \end{cases}$$

Por tanto,

$$\begin{vmatrix} \mathbf{I}_n & -\mathbf{A} \\ \mathbf{B} & \mathbf{I}_m \end{vmatrix} = \begin{cases} |\mathbf{I}_n|\,|\mathbf{I}_m + \mathbf{BA}| = |\mathbf{I}_m + \mathbf{BA}| \\ |\mathbf{I}_m|\,|\mathbf{I}_n + \mathbf{AB}| = |\mathbf{I}_n + \mathbf{AB}| \end{cases}$$

y se tiene

$$|\mathbf{I}_n + \mathbf{AB}| = |\mathbf{I}_m + \mathbf{BA}|$$

**A–4.** Muestre que, si **A**, **B**, **C**, y **D** son matrices de $n \times n$, $n \times m$, $m \times n$, y $m \times m$, respectivamente, tiene validez el siguiente lema de inversión matricial

$$(\mathbf{A} + \mathbf{BDC})^{-1} = \mathbf{A}^{-1} - \mathbf{A}^{-1}\mathbf{B}(\mathbf{D}^{-1} + \mathbf{C}\mathbf{A}^{-1}\mathbf{B})^{-1}\mathbf{C}\mathbf{A}^{-1}$$

donde se supone que existen las inversas indicadas. Pruebe este lema de inversión matricial.

**Solución.** Se premultiplican ambos miembros de la ecuación por $(\mathbf{A} + \mathbf{BDC})$:

$$(\mathbf{A} + \mathbf{BDC})(\mathbf{A} + \mathbf{BDC})^{-1} = (\mathbf{A} + \mathbf{BDC})[\mathbf{A}^{-1} - \mathbf{A}^{-1}\mathbf{B}(\mathbf{D}^{-1} + \mathbf{C}\mathbf{A}^{-1}\mathbf{B})^{-1}\mathbf{C}\mathbf{A}^{-1}]$$

o bien

$$\mathbf{I} = \mathbf{I} + \mathbf{BDC}\mathbf{A}^{-1} - \mathbf{B}(\mathbf{D}^{-1} + \mathbf{C}\mathbf{A}^{-1}\mathbf{B})^{-1}\mathbf{C}\mathbf{A}^{-1} - \mathbf{BDC}\mathbf{A}^{-1}\mathbf{B}(\mathbf{D}^{-1} + \mathbf{C}\mathbf{A}^{-1}\mathbf{B})^{-1}\mathbf{C}\mathbf{A}^{-1}$$
$$= \mathbf{I} + \mathbf{BDC}\mathbf{A}^{-1} - (\mathbf{B} + \mathbf{BDC}\mathbf{A}^{-1}\mathbf{B})(\mathbf{D}^{-1} + \mathbf{C}\mathbf{A}^{-1}\mathbf{B})^{-1}\mathbf{C}\mathbf{A}^{-1}$$

$$
\begin{aligned}
&= \mathbf{I} + \mathbf{BDCA}^{-1} - \mathbf{BD}(\mathbf{D}^{-1} + \mathbf{CA}^{-1}\mathbf{B})(\mathbf{D}^{-1} + \mathbf{CA}^{-1}\mathbf{B})^{-1}\mathbf{CA}^{-1} \\
&= \mathbf{I} + \mathbf{BDCA}^{-1} - \mathbf{BDCA}^{-1} \\
&= \mathbf{I}
\end{aligned}
$$

Por lo tanto, así se comprueba el lema de inversión de matriz.

**A–5.** Pruebe que si **A**, **B**, **C**, y **D** son matrices de $n \times n$, $n \times m$, $m \times n$, y $m \times m$, respectivamente, entonces

$$
\begin{bmatrix} \mathbf{A} & \mathbf{B} \\ \mathbf{0} & \mathbf{D} \end{bmatrix}^{-1} = \begin{bmatrix} \mathbf{A}^{-1} & -\mathbf{A}^{-1}\mathbf{BD}^{-1} \\ \mathbf{0} & \mathbf{D}^{-1} \end{bmatrix} \tag{A–37}
$$

siempre que $|\mathbf{A}| \neq 0$ y $|\mathbf{D}| \neq 0$.

Pruebe también que

$$
\begin{bmatrix} \mathbf{A} & \mathbf{0} \\ \mathbf{C} & \mathbf{D} \end{bmatrix}^{-1} = \begin{bmatrix} \mathbf{A}^{-1} & \mathbf{0} \\ -\mathbf{D}^{-1}\mathbf{CA}^{-1} & \mathbf{D}^{-1} \end{bmatrix} \tag{A–38}
$$

siempre que $|\mathbf{A}| \neq 0$ y $|\mathbf{D}| \neq 0$.

**Solución.** Nótese que

$$
\begin{bmatrix} \mathbf{A}^{-1} & -\mathbf{A}^{-1}\mathbf{BD}^{-1} \\ \mathbf{0} & \mathbf{D}^{-1} \end{bmatrix} \begin{bmatrix} \mathbf{A} & \mathbf{B} \\ \mathbf{0} & \mathbf{D} \end{bmatrix} = \begin{bmatrix} \mathbf{I}_n & \mathbf{A}^{-1}\mathbf{B} - \mathbf{A}^{-1}\mathbf{B} \\ \mathbf{0} & \mathbf{I}_m \end{bmatrix} = \begin{bmatrix} \mathbf{I}_n & \mathbf{0} \\ \mathbf{0} & \mathbf{I}_m \end{bmatrix}
$$

Por tanto, queda probada la ecuación (A-37). De igual manera,

$$
\begin{bmatrix} \mathbf{A}^{-1} & \mathbf{0} \\ -\mathbf{D}^{-1}\mathbf{CA}^{-1} & \mathbf{D}^{-1} \end{bmatrix} \begin{bmatrix} \mathbf{A} & \mathbf{0} \\ \mathbf{C} & \mathbf{D} \end{bmatrix} = \begin{bmatrix} \mathbf{I}_n & \mathbf{0} \\ -\mathbf{D}^{-1}\mathbf{C} + \mathbf{D}^{-1}\mathbf{C} & \mathbf{I}_m \end{bmatrix} = \begin{bmatrix} \mathbf{I}_n & \mathbf{0} \\ \mathbf{0} & \mathbf{I}_m \end{bmatrix}
$$

De modo que así queda probada la ecuación (A-38).

**A–6.** Pruebe que, si **A**, **B**, **C**, y **D** son matrices de $n \times n$, $n \times m$, $m \times n$, y $m \times m$, respectivamente, entonces

$$
\begin{bmatrix} \mathbf{A} & \mathbf{B} \\ \mathbf{C} & \mathbf{D} \end{bmatrix}^{-1} = \begin{bmatrix} \mathbf{A}^{-1} + \mathbf{A}^{-1}\mathbf{B}(\mathbf{D} - \mathbf{CA}^{-1}\mathbf{B})^{-1}\mathbf{CA}^{-1} & -\mathbf{A}^{-1}\mathbf{B}(\mathbf{D} - \mathbf{CA}^{-1}\mathbf{B})^{-1} \\ -(\mathbf{D} - \mathbf{CA}^{-1}\mathbf{B})^{-1}\mathbf{CA}^{-1} & (\mathbf{D} - \mathbf{CA}^{-1}\mathbf{B})^{-1} \end{bmatrix}
$$

siempre que $|\mathbf{A}| \neq 0$ y $|\mathbf{D} - \mathbf{CA}^{-1}\mathbf{B}| \neq 0$.

Pruebe también que

$$
\begin{bmatrix} \mathbf{A} & \mathbf{B} \\ \mathbf{C} & \mathbf{D} \end{bmatrix}^{-1} = \begin{bmatrix} (\mathbf{A} - \mathbf{BD}^{-1}\mathbf{C})^{-1} & -(\mathbf{A} - \mathbf{BD}^{-1}\mathbf{C})^{-1}\mathbf{BD}^{-1} \\ -\mathbf{D}^{-1}\mathbf{C}(\mathbf{A} - \mathbf{BD}^{-1}\mathbf{C})^{-1} & \mathbf{D}^{-1}\mathbf{C}(\mathbf{A} - \mathbf{BD}^{-1}\mathbf{C})^{-1}\mathbf{BD}^{-1} + \mathbf{D}^{-1} \end{bmatrix}
$$

siempre que $|\mathbf{D}| \neq 0$ y $|\mathbf{A} - \mathbf{BD}^{-1}\mathbf{C}| \neq 0$.

**Solución.** Nótese primero que

$$
\begin{bmatrix} \mathbf{A} & \mathbf{B} \\ \mathbf{C} & \mathbf{D} \end{bmatrix} = \begin{bmatrix} \mathbf{A} & \mathbf{0} \\ \mathbf{C} & \mathbf{I}_m \end{bmatrix} \begin{bmatrix} \mathbf{I}_n & \mathbf{A}^{-1}\mathbf{B} \\ \mathbf{0} & \mathbf{D} - \mathbf{CA}^{-1}\mathbf{B} \end{bmatrix} \tag{A–39}
$$

Al tomar la inversa en ambos miembros de la ecuación (A-39), se tiene

$$
\begin{bmatrix} \mathbf{A} & \mathbf{B} \\ \mathbf{C} & \mathbf{D} \end{bmatrix}^{-1} = \begin{bmatrix} \mathbf{I}_n & \mathbf{A}^{-1}\mathbf{B} \\ \mathbf{0} & \mathbf{D} - \mathbf{CA}^{-1}\mathbf{B} \end{bmatrix}^{-1} \begin{bmatrix} \mathbf{A} & \mathbf{0} \\ \mathbf{C} & \mathbf{I}_m \end{bmatrix}^{-1}
$$

Con base en el problema A-5, se halla

$$\begin{bmatrix} \mathbf{I}_n & \mathbf{A}^{-1}\mathbf{B} \\ \mathbf{0} & \mathbf{D} - \mathbf{C}\mathbf{A}^{-1}\mathbf{B} \end{bmatrix}^{-1} = \begin{bmatrix} \mathbf{I}_n & -\mathbf{A}^{-1}\mathbf{B}(\mathbf{D} - \mathbf{C}\mathbf{A}^{-1}\mathbf{B})^{-1} \\ \mathbf{0} & (\mathbf{D} - \mathbf{C}\mathbf{A}^{-1}\mathbf{B})^{-1} \end{bmatrix}$$

y

$$\begin{bmatrix} \mathbf{A} & \mathbf{0} \\ \mathbf{C} & \mathbf{I}_m \end{bmatrix}^{-1} = \begin{bmatrix} \mathbf{A}^{-1} & \mathbf{0} \\ -\mathbf{C}\mathbf{A}^{-1} & \mathbf{I}_m \end{bmatrix}$$

Por tanto,

$$\begin{aligned}
\begin{bmatrix} \mathbf{A} & \mathbf{B} \\ \mathbf{C} & \mathbf{D} \end{bmatrix}^{-1} &= \begin{bmatrix} \mathbf{I}_n & \mathbf{A}^{-1}\mathbf{B} \\ \mathbf{0} & \mathbf{D} - \mathbf{C}\mathbf{A}^{-1}\mathbf{B} \end{bmatrix}^{-1} \begin{bmatrix} \mathbf{A} & \mathbf{0} \\ \mathbf{C} & \mathbf{I}_m \end{bmatrix}^{-1} \\
&= \begin{bmatrix} \mathbf{I}_n & -\mathbf{A}^{-1}\mathbf{B}(\mathbf{D} - \mathbf{C}\mathbf{A}^{-1}\mathbf{B})^{-1} \\ \mathbf{0} & (\mathbf{D} - \mathbf{C}\mathbf{A}^{-1}\mathbf{B})^{-1} \end{bmatrix} \begin{bmatrix} \mathbf{A}^{-1} & \mathbf{0} \\ -\mathbf{C}\mathbf{A}^{-1} & \mathbf{I}_m \end{bmatrix} \\
&= \begin{bmatrix} \mathbf{A}^{-1} + \mathbf{A}^{-1}\mathbf{B}(\mathbf{D} - \mathbf{C}\mathbf{A}^{-1}\mathbf{B})^{-1}\mathbf{C}\mathbf{A}^{-1} & -\mathbf{A}^{-1}\mathbf{B}(\mathbf{D} - \mathbf{C}\mathbf{A}^{-1}\mathbf{B})^{-1} \\ -(\mathbf{D} - \mathbf{C}\mathbf{A}^{-1}\mathbf{B})^{-1}\mathbf{C}\mathbf{A}^{-1} & (\mathbf{D} - \mathbf{C}\mathbf{A}^{-1}\mathbf{B})^{-1} \end{bmatrix}
\end{aligned}$$

siempre que $|\mathbf{A}| \neq 0$ y $|\mathbf{D} - \mathbf{C}\mathbf{A}^{-1}\mathbf{B}| \neq 0$.

Del mismo modo, nótese que

$$\begin{bmatrix} \mathbf{A} & \mathbf{B} \\ \mathbf{C} & \mathbf{D} \end{bmatrix} = \begin{bmatrix} \mathbf{I}_n & \mathbf{B} \\ \mathbf{0} & \mathbf{D} \end{bmatrix} \begin{bmatrix} \mathbf{A} - \mathbf{B}\mathbf{D}^{-1}\mathbf{C} & \mathbf{0} \\ \mathbf{D}^{-1}\mathbf{C} & \mathbf{I}_m \end{bmatrix} \tag{A–40}$$

Tomando la inversa en ambos miembros de la ecuación (A-40) y la referencia del problema A-5, se tiene

$$\begin{aligned}
\begin{bmatrix} \mathbf{A} & \mathbf{B} \\ \mathbf{C} & \mathbf{D} \end{bmatrix}^{-1} &= \begin{bmatrix} \mathbf{A} - \mathbf{B}\mathbf{D}^{-1}\mathbf{C} & \mathbf{0} \\ \mathbf{D}^{-1}\mathbf{C} & \mathbf{I}_m \end{bmatrix}^{-1} \begin{bmatrix} \mathbf{I}_n & \mathbf{B} \\ \mathbf{0} & \mathbf{D} \end{bmatrix}^{-1} \\
&= \begin{bmatrix} (\mathbf{A} - \mathbf{B}\mathbf{D}^{-1}\mathbf{C})^{-1} & \mathbf{0} \\ -\mathbf{D}^{-1}\mathbf{C}(\mathbf{A} - \mathbf{B}\mathbf{D}^{-1}\mathbf{C})^{-1} & \mathbf{I}_m \end{bmatrix} \begin{bmatrix} \mathbf{I}_n & -\mathbf{B}\mathbf{D}^{-1} \\ \mathbf{0} & \mathbf{D}^{-1} \end{bmatrix} \\
&= \begin{bmatrix} (\mathbf{A} - \mathbf{B}\mathbf{D}^{-1}\mathbf{C})^{-1} & -(\mathbf{A} - \mathbf{B}\mathbf{D}^{-1}\mathbf{C})^{-1}\mathbf{B}\mathbf{D}^{-1} \\ -\mathbf{D}^{-1}\mathbf{C}(\mathbf{A} - \mathbf{B}\mathbf{D}^{-1}\mathbf{C})^{-1} & \mathbf{D}^{-1}\mathbf{C}(\mathbf{A} - \mathbf{B}\mathbf{D}^{-1}\mathbf{C})^{-1}\mathbf{B}\mathbf{D}^{-1} + \mathbf{D}^{-1} \end{bmatrix}
\end{aligned}$$

siempre que $|\mathbf{D}| \neq 0$ y $|\mathbf{A} - \mathbf{B}\mathbf{D}^{-1}\mathbf{C}| \neq 0$.

**A–7.** Para una matriz **A** real de $n \times n$, y vectores **x** e **y** reales, de dimensión $n$, muestre que

(a) $$\frac{\partial}{\partial \mathbf{x}} \mathbf{y}^T\mathbf{x} = \mathbf{y}$$

(b) $$\frac{\partial}{\partial \mathbf{x}} \mathbf{x}^T\mathbf{A}\mathbf{x} = \mathbf{A}\mathbf{x} + \mathbf{A}^T\mathbf{x}$$

Para una matriz **A** hermítica de $n \times n$, y un vector **x** complejo, de dimensión $n$, muestre que

(c) $$\frac{\partial}{\partial \bar{\mathbf{x}}} \mathbf{x}^*\mathbf{A}\mathbf{x} = \mathbf{A}\mathbf{x}$$

**Solución.**

(a) Nótese que

$$\mathbf{y}^T\mathbf{x} = y_1x_1 + y_2x_2 + \cdots + y_nx_n$$

que es una cantidad escalar. Por tanto,

$$\frac{\partial}{\partial \mathbf{x}} \mathbf{y}^T\mathbf{x} = \begin{bmatrix} \frac{\partial}{\partial x_1} \mathbf{y}^T\mathbf{x} \\ \cdot \\ \cdot \\ \cdot \\ \frac{\partial}{\partial x_n} \mathbf{y}^T\mathbf{x} \end{bmatrix} = \begin{bmatrix} y_1 \\ \cdot \\ \cdot \\ \cdot \\ y_n \end{bmatrix} = \mathbf{y}$$

(b) Nótese que

$$\mathbf{x}^T\mathbf{A}\mathbf{x} = \sum_{i=1}^{n} \sum_{j=1}^{n} a_{ij}x_i x_j$$

que es una cantidad escalar. Por tanto,

$$\frac{\partial}{\partial \mathbf{x}} \mathbf{x}^T\mathbf{A}\mathbf{x} = \begin{bmatrix} \frac{\partial}{\partial x_1}\left(\sum_{i=1}^{n} \sum_{j=1}^{n} a_{ij}x_i x_j\right) \\ \cdot \\ \cdot \\ \cdot \\ \frac{\partial}{\partial x_n}\left(\sum_{i=1}^{n} \sum_{j=1}^{n} a_{ij}x_i x_j\right) \end{bmatrix} = \begin{bmatrix} \sum_{j=1}^{n} a_{1j}x_j + \sum_{i=1}^{n} a_{i1}x_i \\ \cdot \\ \cdot \\ \cdot \\ \sum_{j=1}^{n} a_{nj}x_j + \sum_{i=1}^{n} a_{in}x_i \end{bmatrix}$$

$$= \mathbf{A}\mathbf{x} + \mathbf{A}^T\mathbf{x}$$

que es la ecuación (A-20).

Si una matriz **A** es real simétrica, entonces

$$\frac{\partial}{\partial \mathbf{x}} \mathbf{x}^T\mathbf{A}\mathbf{x} = 2\mathbf{A}\mathbf{x} \qquad \text{si } \mathbf{A} = \mathbf{A}^T$$

(c) Para una matriz hermítica **A**, se tiene

$$\mathbf{x}^*\mathbf{A}\mathbf{x} = \sum_{i=1}^{n} \sum_{j=1}^{n} a_{ij}\bar{x}_i x_j$$

y

$$\frac{\partial}{\partial \bar{\mathbf{x}}} \mathbf{x}^*\mathbf{A}\mathbf{x} = \begin{bmatrix} \frac{\partial}{\partial \bar{x}_1}\left(\sum_{i=1}^{n} \sum_{j=1}^{n} a_{ij}\bar{x}_i x_j\right) \\ \cdot \\ \cdot \\ \cdot \\ \frac{\partial}{\partial \bar{x}_n}\left(\sum_{i=1}^{n} \sum_{j=1}^{n} a_{ij}\bar{x}_i x_j\right) \end{bmatrix} = \begin{bmatrix} \sum_{j=1}^{n} a_{1j}x_j \\ \cdot \\ \cdot \\ \cdot \\ \sum_{j=1}^{n} a_{nj}x_j \end{bmatrix} = \mathbf{A}\mathbf{x}$$

que es la ecuación (A-21).

Nótese que

$$\frac{\partial}{\partial \mathbf{x}} \mathbf{x}^*\mathbf{A}\mathbf{x} = \begin{bmatrix} \dfrac{\partial}{\partial x_1}\left(\sum_{i=1}^{n}\sum_{j=1}^{n} a_{ij}\bar{x}_i x_j\right) \\ \cdot \\ \cdot \\ \cdot \\ \dfrac{\partial}{\partial x_n}\left(\sum_{i=1}^{n}\sum_{j=1}^{n} a_{ij}\bar{x}_i x_j\right) \end{bmatrix} = \begin{bmatrix} \sum_{i=1}^{n} a_{i1}\bar{x}_i \\ \cdot \\ \cdot \\ \cdot \\ \sum_{i=1}^{n} a_{in}\bar{x}_i \end{bmatrix} = \mathbf{A}^T\bar{\mathbf{x}}$$

Por tanto,

$$\overline{\frac{\partial}{\partial \mathbf{x}} \mathbf{x}^*\mathbf{A}\mathbf{x}} = \mathbf{A}^*\mathbf{x} = \mathbf{A}\mathbf{x}$$

**A–8.** Para una matriz compleja **A** de $n \times m$, un vector complejo **x** de dimensión $n$ y un vector complejo y de dimensión $m$, muestre que

$$|\lambda\mathbf{I} - \mathbf{BA}| = |\lambda\mathbf{I} - \mathbf{Q}^{-1}\mathbf{BAQ}| = |\lambda\mathbf{I} - \mathbf{Q}^{-1}\mathbf{BP}^{-1}\mathbf{PAQ}|$$
$$= \left|\lambda\mathbf{I} - \begin{bmatrix} \mathbf{G}_{11} & \mathbf{G}_{12} \\ \mathbf{G}_{21} & \mathbf{G}_{22} \end{bmatrix}\begin{bmatrix} \mathbf{I}_r & \mathbf{0} \\ \mathbf{0} & \mathbf{0} \end{bmatrix}\right|$$

**Solución.**

(a) Se hace notar que

$$\mathbf{x}^*\mathbf{A}\mathbf{y} = \sum_{i=1}^{n}\sum_{j=1}^{m} a_{ij}\bar{x}_i y_j$$

Por tanto,

$$\frac{\partial}{\partial \bar{\mathbf{x}}} \mathbf{x}^*\mathbf{A}\mathbf{y} = \begin{bmatrix} \dfrac{\partial}{\partial \bar{x}_1}\left(\sum_{i=1}^{n}\sum_{j=1}^{m} a_{ij}\bar{x}_i y_j\right) \\ \cdot \\ \cdot \\ \cdot \\ \dfrac{\partial}{\partial \bar{x}_n}\left(\sum_{i=1}^{n}\sum_{j=1}^{m} a_{ij}\bar{x}_i y_j\right) \end{bmatrix} = \begin{bmatrix} \sum_{j=1}^{m} a_{1j}y_j \\ \cdot \\ \cdot \\ \cdot \\ \sum_{j=1}^{m} a_{nj}y_j \end{bmatrix} = \mathbf{A}\mathbf{y}$$

que es la ecuación (A-24).

(b) Se puede ver que

$$\frac{\partial}{\partial \mathbf{y}} \mathbf{x}^*\mathbf{A}\mathbf{y} = \begin{bmatrix} \dfrac{\partial}{\partial y_1}\left(\sum_{i=1}^{n}\sum_{j=1}^{m} a_{ij}\bar{x}_i y_j\right) \\ \cdot \\ \cdot \\ \cdot \\ \dfrac{\partial}{\partial y_m}\left(\sum_{i=1}^{n}\sum_{j=1}^{m} a_{ij}\bar{x}_i y_j\right) \end{bmatrix} = \begin{bmatrix} \sum_{i=1}^{n} a_{i1}\bar{x}_i \\ \cdot \\ \cdot \\ \cdot \\ \sum_{i=1}^{n} a_{im}\bar{x}_i \end{bmatrix} = \mathbf{A}^T\bar{\mathbf{x}}$$

que es la ecuación (A-25).

Del mismo modo, para una matriz **A** real de $n \times m$, un vector **x** real de dimensión $n$ y un vector y real de dimensión $m$, se tiene

$$\frac{\partial}{\partial \mathbf{x}} \mathbf{x}^T\mathbf{A}\mathbf{y} = \mathbf{A}\mathbf{y}, \qquad \frac{\partial}{\partial \mathbf{y}} \mathbf{x}^T\mathbf{A}\mathbf{y} = \mathbf{A}^T\mathbf{x}$$

que son las ecuaciones (A-22) y (A-23), respectivamente.

**A-9.** Dadas dos matrices $\mathbf{A}$ y $\mathbf{B}$ de $n \times n$, pruebe que los valores propios de $\mathbf{AB}$ y de $\mathbf{BA}$ son iguales, aun cuando $\mathbf{AB} \neq \mathbf{BA}$.

**Solución**. Primero se considera el caso en que $\mathbf{A}$ (o $\mathbf{B}$) es no singular. Entonces,

$$|\lambda\mathbf{I} - \mathbf{BA}| = |\lambda\mathbf{I} - \mathbf{A}^{-1}(\mathbf{AB})\mathbf{A}| = |\mathbf{A}^{-1}(\lambda\mathbf{I} - \mathbf{AB})\mathbf{A}| = |\mathbf{A}^{-1}||\lambda\mathbf{I} - \mathbf{AB}||\mathbf{A}| = |\lambda\mathbf{I} - \mathbf{AB}|$$

A continuación se considera el caso en que $\mathbf{A}$ y $\mathbf{B}$ son ambas singulares. Hay matrices $\mathbf{P}$ y $\mathbf{Q}$ de $n \times n$ no singulares, de modo que

$$\mathbf{PAQ} = \begin{bmatrix} \mathbf{I}_r & \mathbf{0} \\ \mathbf{0} & \mathbf{0} \end{bmatrix}$$

donde $\mathbf{I}$ es la matriz identidad de $r \times r$ y $r$ es el rango de $\mathbf{A}$ con $r < n$. Se tiene

$$\begin{aligned} |\lambda\mathbf{I} - \mathbf{BA}| &= |\lambda\mathbf{I} - \mathbf{Q}^{-1}\mathbf{BAQ}| = |\lambda\mathbf{I} - \mathbf{Q}^{-1}\mathbf{BP}^{-1}\mathbf{PAQ}| \\ &= \left| \lambda\mathbf{I} - \begin{bmatrix} \mathbf{G}_{11} & \mathbf{G}_{12} \\ \mathbf{G}_{21} & \mathbf{G}_{22} \end{bmatrix} \begin{bmatrix} \mathbf{I}_r & \mathbf{0} \\ \mathbf{0} & \mathbf{0} \end{bmatrix} \right| \end{aligned}$$

donde

$$\mathbf{Q}^{-1}\mathbf{BP}^{-1} = \begin{bmatrix} \mathbf{G}_{11} & \mathbf{G}_{12} \\ \mathbf{G}_{21} & \mathbf{G}_{22} \end{bmatrix}$$

Entonces

$$\begin{aligned} |\lambda\mathbf{I} - \mathbf{BA}| &= \left| \lambda\mathbf{I} - \begin{bmatrix} \mathbf{G}_{11} & \mathbf{0} \\ \mathbf{G}_{21} & \mathbf{0} \end{bmatrix} \right| = \begin{vmatrix} \lambda\mathbf{I}_r - \mathbf{G}_{11} & \mathbf{0} \\ -\mathbf{G}_{21} & \lambda\mathbf{I}_{n-r} \end{vmatrix} \\ &= |\lambda\mathbf{I}_r - \mathbf{G}_{11}|\,|\lambda\mathbf{I}_{n-r}| \end{aligned}$$

También

$$\begin{aligned} |\lambda\mathbf{I} - \mathbf{AB}| &= |\lambda\mathbf{I} - \mathbf{PABP}^{-1}| = |\lambda\mathbf{I} - \mathbf{PAQQ}^{-1}\mathbf{BP}^{-1}| \\ &= \left| \lambda\mathbf{I} - \begin{bmatrix} \mathbf{I}_r & \mathbf{0} \\ \mathbf{0} & \mathbf{0} \end{bmatrix} \begin{bmatrix} \mathbf{G}_{11} & \mathbf{G}_{12} \\ \mathbf{G}_{21} & \mathbf{G}_{22} \end{bmatrix} \right| \\ &= \left| \lambda\mathbf{I} - \begin{bmatrix} \mathbf{G}_{11} & \mathbf{G}_{12} \\ \mathbf{0} & \mathbf{0} \end{bmatrix} \right| \\ &= \begin{vmatrix} \lambda\mathbf{I}_r - \mathbf{G}_{11} & -\mathbf{G}_{12} \\ \mathbf{0} & \lambda\mathbf{I}_{n-r} \end{vmatrix} \\ &= |\lambda\mathbf{I}_r - \mathbf{G}_{11}|\,|\lambda\mathbf{I}_{n-r}| \end{aligned}$$

Por tanto, se ha probado que

$$|\lambda\mathbf{I} - \mathbf{BA}| = |\lambda\mathbf{I} - \mathbf{AB}|$$

o que los valores propios de $\mathbf{AB}$ y $\mathbf{BA}$ son iguales, independientemente de si $\mathbf{AB} = \mathbf{BA}$, o $\mathbf{AB} \neq \mathbf{BA}$.

**A–10.** Muestre que la matriz **A** siguiente de $2 \times 2$, tiene dos valores propios distintos, y que los vectores propios, son linealmente independientes entre sí

$$\mathbf{A} = \begin{bmatrix} 1 & 1 \\ 0 & 2 \end{bmatrix}$$

Luego, normalice los vectores propios.

**Solución.** Los valores propios se obtienen de

$$|\lambda\mathbf{I} - \mathbf{A}| = \begin{vmatrix} \lambda - 1 & -1 \\ 0 & \lambda - 2 \end{vmatrix} = (\lambda - 1)(\lambda - 2) = 0$$

como

$$\lambda_1 = 1 \qquad \text{y} \qquad \lambda_2 = 2$$

Entonces la matriz **A** tiene dos valores propios distintos.

Hay dos vectores propios $\mathbf{x}_1$ y $\mathbf{x}_2$, asociados con $\lambda_1$ y $\lambda_2$, respectivamente. Si se define

$$\mathbf{x}_1 = \begin{bmatrix} x_{11} \\ x_{21} \end{bmatrix}, \qquad \mathbf{x}_2 = \begin{bmatrix} x_{12} \\ x_{22} \end{bmatrix}$$

entonces se puede hallar el vector propio $\mathbf{x}_1$, de

$$\mathbf{A}\mathbf{x}_1 = \lambda_1\mathbf{x}_1$$

o bien

$$(\lambda_1\mathbf{I} - \mathbf{A})\mathbf{x}_1 = \mathbf{0}$$

Teniendo en cuenta que $\lambda_1 = 1$, se tiene

$$\begin{bmatrix} 1 - 1 & -1 \\ 0 & 1 - 2 \end{bmatrix}\begin{bmatrix} x_{11} \\ x_{21} \end{bmatrix} = \begin{bmatrix} 0 \\ 0 \end{bmatrix}$$

que da

$$x_{11} = \text{constante arbitraria y } x_{21} = 0$$

Por lo tanto, el vector propio $\mathbf{x}_1$ se puede expresar como

$$\mathbf{x}_1 = \begin{bmatrix} x_{11} \\ x_{21} \end{bmatrix} = \begin{bmatrix} c_1 \\ 0 \end{bmatrix}$$

donde $c_1 \neq 0$ es una constante arbitraria.

En forma similar, para el vector propio $\mathbf{x}_2$, se tiene

$$\mathbf{A}\mathbf{x}_2 = \lambda_2\mathbf{x}_2$$

o bien

$$(\lambda_2\mathbf{I} - \mathbf{A})\mathbf{x}_2 = \mathbf{0}$$

Teniendo en cuenta que $\lambda_2 = 2$, se obtiene

$$\begin{bmatrix} 2 - 1 & -1 \\ 0 & 2 - 2 \end{bmatrix}\begin{bmatrix} x_{12} \\ x_{22} \end{bmatrix} = \begin{bmatrix} 0 \\ 0 \end{bmatrix}$$

de donde se llega a

$$x_{12} - x_{22} = 0$$

Por lo tanto, el valor propio asociado con $\lambda_2 = 2$ se puede elegir como

$$\mathbf{x}_2 = \begin{bmatrix} x_{12} \\ x_{22} \end{bmatrix} = \begin{bmatrix} c_2 \\ c_2 \end{bmatrix}$$

donde $c_2 \neq 0$ es una constante arbitraria.

Por lo tanto, los dos vectores propios están dados por

$$\mathbf{x}_1 = \begin{bmatrix} c_1 \\ 0 \end{bmatrix} \quad \text{y} \quad \mathbf{x}_2 = \begin{bmatrix} c_2 \\ c_2 \end{bmatrix}$$

Se puede ver que los vectores propios $\mathbf{x}_1$ y $\mathbf{x}_2$ son linealmente independientes, porque el determinante de la matriz $[\mathbf{x}_1\mathbf{x}_2]$, no es cero:

$$\begin{vmatrix} c_1 & c_2 \\ 0 & c_2 \end{vmatrix} \neq 0$$

Para normalizar los vectores propios se elige $c_1 = 1$ y $c_2 = 1/\sqrt{2}$, o sea

$$\mathbf{x}_1 = \begin{bmatrix} 1 \\ 0 \end{bmatrix}, \quad \mathbf{x}_2 = \begin{bmatrix} \frac{1}{\sqrt{2}} \\ \frac{1}{\sqrt{2}} \end{bmatrix}$$

Obviamente el valor absoluto de cada vector propio se hace unitario, y por lo tanto los vectores propios están normalizados.

Obtenga una matriz de transformación **T**, que transforme la matriz

$$\mathbf{A} = \begin{bmatrix} 0 & 1 & 0 & 3 \\ 0 & -1 & 1 & 1 \\ 0 & 0 & 0 & 1 \\ 0 & 0 & -1 & -2 \end{bmatrix}$$

en una forma canónica de Jordan.

**Solución.** La ecuación característica es

$$|\lambda\mathbf{I} - \mathbf{A}| = \left|\begin{array}{cc|cc} \lambda & -1 & 0 & -3 \\ 0 & \lambda + 1 & -1 & -1 \\ \hline 0 & 0 & \lambda & -1 \\ 0 & 0 & 1 & \lambda + 2 \end{array}\right| = \begin{vmatrix} \lambda & -1 \\ 0 & \lambda + 1 \end{vmatrix} \begin{vmatrix} \lambda & -1 \\ 1 & \lambda + 2 \end{vmatrix}$$

$$= (\lambda + 1)^3\lambda = 0$$

Por tanto, la matriz **A** incluye los valores propios

$$\lambda_1 = -1, \qquad \lambda_2 = -1, \qquad \lambda_3 = -1, \qquad \lambda_4 = 0$$

Para el valor propio múltiple —1, se tiene

$$\lambda_1\mathbf{I} - \mathbf{A} = \begin{bmatrix} -1 & -1 & 0 & -3 \\ 0 & 0 & -1 & -1 \\ 0 & 0 & -1 & -1 \\ 0 & 0 & 1 & 1 \end{bmatrix}$$

que es de rango 2, o rango (4 – 2). De la condición de rango se ve que debe haber dos bloques de Jordan para el valor propio —1, es decir, un bloque de Jordan de $p_1 \times p_1$, y un bloque de Jordan de $p_2 \times p_2$, donde $p_1 + p_2 = 3$. Nótese que para $p_1 + p_2 = 3$ hay una sola combinación (2 y 1), para los órdenes de $p_1$ y $p_2$. Se elige

$$p_1 = 2 \quad \text{y} \quad p_2 = 1$$

Entonces hay un vector propio y un vector propio generalizado, para el bloque de Jordan $\mathbf{J}_{p1}$ y un vector propio para el bloque de Jordan $\mathbf{J}_{p2}$.

Se definen un vector propio y un vector generalizado para el bloque de Jordan $\mathbf{J}_{p1}$, como $\mathbf{v}_{11}$ y $\mathbf{v}_{12}$, respectivamente, y un vector propio para el bloque de Jordan $\mathbf{J}_{p2}$, como $\mathbf{v}_{21}$. Entonces debe haber vectores $\mathbf{v}_{11}$, $\mathbf{v}_{12}$, y $\mathbf{v}_{21}$, que satisfacen las siguientes ecuaciones:

$$(\mathbf{A} - \lambda_1\mathbf{I})\mathbf{v}_{11} = \mathbf{0}, \qquad (\mathbf{A} - \lambda_1\mathbf{I})\mathbf{v}_{21} = \mathbf{0}$$

$$(\mathbf{A} - \lambda_1\mathbf{I})\mathbf{v}_{12} = \mathbf{v}_{11}$$

Para $\lambda_1 = -1$, $\mathbf{A} - \lambda_1\mathbf{I}$ se puede dar como sigue:

$$\mathbf{A} - \lambda_1\mathbf{I} = \begin{bmatrix} 1 & 1 & 0 & 3 \\ 0 & 0 & 1 & 1 \\ 0 & 0 & 1 & 1 \\ 0 & 0 & -1 & -1 \end{bmatrix}$$

Teniendo en cuenta que

$$(\mathbf{A} - \lambda_1\mathbf{I})^2 = \begin{bmatrix} 1 & 1 & -2 & 1 \\ 0 & 0 & 0 & 0 \\ 0 & 0 & 0 & 0 \\ 0 & 0 & 0 & 0 \end{bmatrix}$$

Se determina $\mathbf{v}_{12}$ tal, de modo que satisfaga la ecuación

$$(\mathbf{A} - \lambda_1\mathbf{I})^2\mathbf{v}_{12} = \mathbf{0}$$

y al mismo tiempo haga a $(\mathbf{A} - \lambda_1\mathbf{I})\mathbf{v}_{12}$ no cero. Puede darse como ejemplo de vector propio generalizado $\mathbf{v}_{12}$.

$$\mathbf{v}_{12} = \begin{bmatrix} -a \\ 0 \\ 0 \\ a \end{bmatrix} \qquad a = \text{constante arbitraria no nula}$$

Entonces el vector propio $\mathbf{v}_{11}$ resulta un vector no nulo $(\mathbf{A} - \lambda_1\mathbf{I})\mathbf{v}_{12}$:

$$\mathbf{v}_{11} = (\mathbf{A} - \lambda_1\mathbf{I})\mathbf{v}_{12} = \begin{bmatrix} 2a \\ a \\ a \\ -a \end{bmatrix}$$

Como $a$ es una constante no nula arbitraria, se elige $a = 1$. Entonces se tiene

$$\mathbf{v}_{11} = \begin{bmatrix} 2 \\ 1 \\ 1 \\ -1 \end{bmatrix} \quad \text{y} \quad \mathbf{v}_{12} = \begin{bmatrix} -1 \\ 0 \\ 0 \\ 1 \end{bmatrix}$$

Luego se determina $\mathbf{v}_{21}$ de modo que $\mathbf{v}_{21}$ y $\mathbf{v}_{11}$ sean linealmente independientes. Para $\mathbf{v}_{21}$ se pu elegir

$$\mathbf{v}_{21} = \begin{bmatrix} b + 3c \\ -b \\ c \\ -c \end{bmatrix}$$

donde $b$ y $c$ son constantes arbitrarias. Se elige, por ejemplo, $b = 1$ y $c = 0$. Entonces

$$\mathbf{v}_{21} = \begin{bmatrix} 1 \\ -1 \\ 0 \\ 0 \end{bmatrix}$$

Claramente se ve que $\mathbf{v}_{11}$, $\mathbf{v}_{12}$, y $\mathbf{v}_{21}$ son linealmente independientes. Se definen

$$\mathbf{v}_{11} = \mathbf{x}_1, \qquad \mathbf{v}_{12} = \mathbf{x}_2, \qquad \mathbf{v}_{21} = \mathbf{x}_3$$

y

$$\mathbf{T}(\lambda_1) = [\mathbf{v}_{11} \mid \mathbf{v}_{12} \mid \mathbf{v}_{21}] = [\mathbf{x}_1 \mid \mathbf{x}_2 \mid \mathbf{x}_3] = \begin{bmatrix} 2 & -1 & 1 \\ 1 & 0 & -1 \\ 1 & 0 & 0 \\ -1 & 1 & 0 \end{bmatrix}$$

Para el valor propio distinto $\lambda_4 = 0$, se puede determinar el vector propio $\mathbf{x}_4$ de

$$(\mathbf{A} - \lambda_4\mathbf{I})\mathbf{x}_4 = \mathbf{0}$$

Teniendo en cuenta que

$$\mathbf{A} - \lambda_4\mathbf{I} = \mathbf{A} = \begin{bmatrix} 0 & 1 & 0 & 3 \\ 0 & -1 & 1 & 1 \\ 0 & 0 & 0 & 1 \\ 0 & 0 & -1 & -2 \end{bmatrix}$$

se halla

$$\mathbf{x}_4 = \begin{bmatrix} d \\ 0 \\ 0 \\ 0 \end{bmatrix}$$

donde $d \neq 0$ es una constante arbitraria. Eligiendo $d = 1$, se tiene

$$\mathbf{T}(\lambda_4) = \mathbf{x}_4 = \begin{bmatrix} 1 \\ 0 \\ 0 \\ 0 \end{bmatrix}$$

Entonces la matriz de transformación $\mathbf{T}$ se puede expresar como

$$\mathbf{T} = [\mathbf{T}(\lambda_1) \mid \mathbf{T}(\lambda_4)] = \begin{bmatrix} 2 & -1 & 1 & 1 \\ 1 & 0 & -1 & 0 \\ 1 & 0 & 0 & 0 \\ -1 & 1 & 0 & 0 \end{bmatrix}$$

Así,

$$\mathbf{T}^{-1}\mathbf{AT} = \begin{bmatrix} 0 & 0 & 1 & 0 \\ 0 & 0 & 1 & 1 \\ 0 & -1 & 1 & 0 \\ 1 & 1 & -2 & 1 \end{bmatrix} \begin{bmatrix} 0 & 1 & 0 & 3 \\ 0 & -1 & 1 & 1 \\ 0 & 0 & 0 & 1 \\ 0 & 0 & -1 & -2 \end{bmatrix} \begin{bmatrix} 2 & -1 & 1 & 1 \\ 1 & 0 & -1 & 0 \\ 1 & 0 & 0 & 0 \\ -1 & 1 & 0 & 0 \end{bmatrix}$$

$$= \left[\begin{array}{cc|c|c} -1 & 1 & 0 & 0 \\ 0 & -1 & 0 & 0 \\ \hline 0 & 0 & -1 & 0 \\ \hline 0 & 0 & 0 & 0 \end{array}\right] = \text{diag}\,[\mathbf{J}_2(-1), \mathbf{J}_1(-1), \mathbf{J}_1(0)]$$

**A–12.** Suponga que una matriz normal **A** de $n \times n$, tiene un valor propio $\lambda_1$ de multiplicidad $k$. Pruebe que el rango de $\mathbf{A} - \lambda_1\mathbf{I}$ es $n - k$.

**Solución.** Considere que el rango de $\mathbf{A} - \lambda_1\mathbf{I}$ es $n - m$. Entonces la ecuación

$$(\mathbf{A} - \lambda_1\mathbf{I})\mathbf{x} = \mathbf{0} \tag{A–41}$$

tendrá $m$ vectores solución linealmente independientes. Se eligen dichos $m$ vectores de modo que sean ortogonales entre sí y normalizados. Es decir, los vectores $\mathbf{x}_1, \mathbf{x}_2, \ldots, \mathbf{x}_m$, deben satisfacer la ecuación (A-41) y serán ortonormales.

Se consideran $n - m$ vectores $\mathbf{x}_{m+1}, \mathbf{x}_{m+2}, \ldots, \mathbf{x}_n$ de modo que los $n$ vectores

$$\mathbf{x}_1, \mathbf{x}_2, \ldots, \mathbf{x}_n$$

serán ortonormales entre sí. Entonces la matriz **U**, definida por

$$\mathbf{U} = [\mathbf{x}_1 \mid \mathbf{x}_2 \mid \cdots \mid \mathbf{x}_n]$$

es una matriz unitaria.

Como para $1 \le i \le m$, se tiene

$$\mathbf{Ax}_i = \lambda_1\mathbf{x}_i$$

y por lo tanto, se puede expresar

$$\mathbf{AU} = \mathbf{U}\begin{bmatrix} \lambda_1\mathbf{I}_m & \mathbf{B} \\ \mathbf{0} & \mathbf{C} \end{bmatrix}$$

o bien

$$\mathbf{U}^*\mathbf{AU} = \begin{bmatrix} \lambda_1\mathbf{I}_m & \mathbf{B} \\ \mathbf{0} & \mathbf{C} \end{bmatrix}$$

Teniendo en cuenta que

$$\begin{aligned} \|\mathbf{Ax}_i - \lambda\mathbf{x}_i\|^2 &= \langle(\mathbf{A} - \lambda\mathbf{I})\mathbf{x}_i, (\mathbf{A} - \lambda\mathbf{I})\mathbf{x}_i\rangle \\ &= \langle(\mathbf{A}^* - \bar{\lambda}\mathbf{I})(\mathbf{A} - \lambda\mathbf{I})\mathbf{x}_i, \mathbf{x}_i\rangle \\ &= \langle(\mathbf{A} - \lambda\mathbf{I})(\mathbf{A}^* - \bar{\lambda}\mathbf{I})\mathbf{x}_i, \mathbf{x}_i\rangle \\ &= \langle(\mathbf{A}^* - \bar{\lambda}\mathbf{I})\mathbf{x}_i, (\mathbf{A}^* - \bar{\lambda}\mathbf{I})\mathbf{x}_i\rangle \end{aligned}$$

$$= \|\mathbf{A}^*\mathbf{x}_i - \bar{\lambda}\mathbf{x}_i\|^2$$

$$= 0$$

se tiene

$$\mathbf{A}^*\mathbf{x}_i = \bar{\lambda}\mathbf{x}_i$$

Por tanto, se puede colocar

$$\mathbf{A}^*\mathbf{U} = \mathbf{U}\begin{bmatrix} \bar{\lambda}_1\mathbf{I}_m & \mathbf{B}_1 \\ \mathbf{0} & \mathbf{C}_1 \end{bmatrix}$$

o bien

$$\mathbf{U}^*\mathbf{A}^*\mathbf{U} = \begin{bmatrix} \bar{\lambda}_1\mathbf{I}_m & \mathbf{B}_1 \\ \mathbf{0} & \mathbf{C}_1 \end{bmatrix}$$

De aquí que

$$\begin{bmatrix} \lambda_1\mathbf{I}_m & \mathbf{B} \\ \mathbf{0} & \mathbf{C} \end{bmatrix} = \mathbf{U}^*\mathbf{A}\mathbf{U} = (\mathbf{U}^*\mathbf{A}^*\mathbf{U})^* = \begin{bmatrix} \bar{\lambda}_1\mathbf{I}_m & \mathbf{B}_1 \\ \mathbf{0} & \mathbf{C}_1 \end{bmatrix}^* = \begin{bmatrix} \lambda_1\mathbf{I}_m & \mathbf{0} \\ \mathbf{B}_1^* & \mathbf{C}_1^* \end{bmatrix}$$

Al comparar los miembros izquierdo y derecho de esta última ecuación, se obtiene

$$\mathbf{B} = \mathbf{0}$$

Por lo tanto, se tiene

$$\mathbf{A} = \mathbf{U}\begin{bmatrix} \lambda_1\mathbf{I}_m & \mathbf{0} \\ \mathbf{0} & \mathbf{C} \end{bmatrix}\mathbf{U}^*$$

Entonces

$$\mathbf{A} - \lambda\mathbf{I} = \mathbf{U}\begin{bmatrix} (\lambda_1 - \lambda)\mathbf{I}_m & \mathbf{0} \\ \mathbf{0} & \mathbf{C} - \lambda\mathbf{I}_{n-m} \end{bmatrix}\mathbf{U}^*$$

El determinante de esta última ecuación es

$$|\mathbf{A} - \lambda\mathbf{I}| = (\lambda_1 - \lambda)^m|\mathbf{C} - \lambda\mathbf{I}_{n-m}| \qquad \text{(A–42)}$$

Por otro lado, se tiene

$$\text{rango}\,(\mathbf{A} - \lambda_1\mathbf{I}) = n - m = \text{rango}\left\{\mathbf{U}\begin{bmatrix} \mathbf{0} & \mathbf{0} \\ \mathbf{0} & \mathbf{C} - \lambda_1\mathbf{I}_{n-m} \end{bmatrix}\mathbf{U}^*\right\}$$

$$= \text{rango}\begin{bmatrix} \mathbf{0} & \mathbf{0} \\ \mathbf{0} & \mathbf{C} - \lambda_1\mathbf{I}_{n-m} \end{bmatrix} = \text{rango}\,(\mathbf{C} - \lambda_1\mathbf{I}_{n-m})$$

Entonces, se concluye que el rango de $\mathbf{C} - \lambda_1\mathbf{I}_{n-m}$ , es $n - m$. En consecuencia,

$$|\mathbf{C} - \lambda_1\mathbf{I}_{n-m}| \neq 0$$

y de la ecuación (A-42), se muestra que $\lambda_1$ es el valor propio de multiplicidad $m$, de $|\mathbf{A} - \lambda\mathbf{I}| = 0$. Como $\lambda_1$ es el valor propio de $\mathbf{A}$ de multiplicidad $k$, se debe tener $m = k$. Por lo tanto, el rango de $\mathbf{A} - \lambda_1\mathbf{I}$ es $n - k$.

Nótese que como el rango de $\mathbf{A} - \lambda_1\mathbf{I}$ es $n - k$, la ecuación

$$(\mathbf{A} - \lambda_1\mathbf{I})\mathbf{x}_i = \mathbf{0}$$

tendrá $k$ vectores propios linealmente independientes $\mathbf{x}_1, \mathbf{x}_2, \ldots, \mathbf{x}_k$.

**A-13.** Pruebe que los valores propios de una matriz hermítica de $n \times n$, y de una matriz real simétrica de $n \times n$, son reales. Pruebe también que los valores propios de una matriz antihermítica y de una matriz real asimétrica, son o bien cero, o imaginarios puros.

**Solución.** Se define cualquier valor propio de una matriz hermítica $\mathbf{A}$ de $n \times n$, por $\lambda = \alpha + j\beta$. Hay un vector $\mathbf{x} \neq \mathbf{0}$, así que

$$\mathbf{Ax} = (\alpha + j\beta)\mathbf{x}$$

La conjugada traspuesta de esta última ecuación es

$$\mathbf{x}^*\mathbf{A}^* = (\alpha - j\beta)\mathbf{x}^*$$

Como $\mathbf{A}$ es hermítica, $\mathbf{A}^* = \mathbf{A}$. Por lo tanto, se obtiene

$$\mathbf{x}^*\mathbf{Ax} = (\alpha - j\beta)\mathbf{x}^*\mathbf{x}$$

Por otro lado, como $\mathbf{Ax} = (\alpha + j\beta)\mathbf{x}$, se tiene

$$\mathbf{x}^*\mathbf{Ax} = (\alpha + j\beta)\mathbf{x}^*\mathbf{x}$$

Entonces, se obtiene

$$[(\alpha - j\beta) - (\alpha + j\beta)]\mathbf{x}^*\mathbf{x} = 0$$

o bien

$$-2j\beta\mathbf{x}^*\mathbf{x} = 0$$

Como $\mathbf{x}^*\mathbf{x} \neq 0$ ( para $\mathbf{x} \neq \mathbf{0}$), se concluye que

$$\beta = 0$$

Esto prueba que cualquier valor propio de una matriz $\mathbf{A}$ hermítica de $n \times n$, es real. De allí se sigue que los valores propios de una matriz real simétrica son reales también, pues es hermítica.

Para probar la segunda mitad del problema, nótese que si $\mathbf{B}$ es no hermítica, entonces $j\mathbf{B}$ es hermítica. De aquí que los valores propios de $j\mathbf{B}$ son reales, lo que implica que los valores propios de $\mathbf{B}$ son, o bien cero, o imaginarios puros.

Los valores propios de una matriz real asimétrica también son cero o imaginarios puros, pues una matriz real asimétrica, es no hermítica.

Nótese que en la matriz real asimétrica los valores propios puramente imaginarios siempre se producen en pares conjugados, ya que los coeficientes de la ecuación característica son reales. También nótese que una matriz real asimétrica de $n \times n$ es singular si $n$ es impar, pues tal matriz debe incluir al menos un valor propio nulo.

**A-14.** Determine si la siguiente matriz $\mathbf{A}$ de $3 \times 3$ es, o no, definida positiva:

$$\mathbf{A} = \begin{bmatrix} 2 & 2 & -1 \\ 2 & 6 & 0 \\ -1 & 0 & 1 \end{bmatrix}$$

**Solución.** Se mostrarán tres caminos diferentes para verificar la característica definida positiva de la matriz $\mathbf{A}$.

1. Se puede aplicar primero el criterio de Sylvester, de definición positiva de una forma cuadrática $\mathbf{x}^T\mathbf{A}\mathbf{x}$. Para la matriz **A** dada, se tiene

$$2 > 0, \quad \begin{vmatrix} 2 & 2 \\ 2 & 6 \end{vmatrix} > 0, \quad \begin{vmatrix} 2 & 2 & -1 \\ 2 & 6 & 0 \\ -1 & 0 & 1 \end{vmatrix} > 0$$

Entonces, todos los menores principales sucesivos son positivos. Por tanto, la matriz **A** es definida positiva.

2. Se puede examinar la definición positiva de $\mathbf{x}^T\mathbf{A}\mathbf{x}$. Como

$$\begin{aligned} \mathbf{x}^T\mathbf{A}\mathbf{x} &= [x_1\, x_2\, x_3] \begin{bmatrix} 2 & 2 & -1 \\ 2 & 6 & 0 \\ -1 & 0 & 1 \end{bmatrix} \begin{bmatrix} x_1 \\ x_2 \\ x_2 \end{bmatrix} \\ &= 2x_1^2 + 4x_1x_2 - 2x_1x_3 + 6x_2^2 + x_3^2 \\ &= (x_1 - x_3)^2 + (x_1 + 2x_2)^2 + 2x_2^2 \end{aligned}$$

se halla que $\mathbf{x}^T\mathbf{A}\mathbf{x}$ es positiva, excepto en el origen ($\mathbf{x} = \mathbf{0}$). Por lo tanto, se concluye que la matriz **A** es definida positiva.

3. Se pueden examinar los valores propios de la matriz **A**. Debe notarse que

$$\begin{aligned} |\lambda\mathbf{I} - \mathbf{A}| &= \lambda^3 - 9\lambda^2 + 15\lambda - 2 \\ &= (\lambda - 2)(\lambda - 0.1459)(\lambda - 6.8541) \end{aligned}$$

Por tanto,

$$\lambda_1 = 2, \qquad \lambda_2 = 0.1459, \qquad \lambda_3 = 6.8541$$

Como todos los valores propios son negativos, se concluye que **A** es una matriz definida positiva.

**A–15.** Examine la siguiente matriz **A**, para ver si es semidefinida positiva:

$$\mathbf{A} = \begin{bmatrix} 1 & 2 & 1 \\ 2 & 4 & 2 \\ 1 & 2 & 0 \end{bmatrix}$$

**Solución.** En la prueba de semidefinición positiva hay que examinar los signos de todos los menores principales, además del signo del determinante de la matriz dada, pues todos deben ser cero; es decir, $|\mathbf{A}|$ debe ser igual a cero.

Para la matriz de $3 \times 3$

$$\begin{bmatrix} a_{11} & a_{12} & a_{13} \\ a_{21} & a_{22} & a_{23} \\ a_{31} & a_{32} & a_{33} \end{bmatrix}$$

hay seis menores principales

$$a_{11}, \quad a_{22}, \quad a_{33}, \quad \begin{vmatrix} a_{11} & a_{12} \\ a_{21} & a_{22} \end{vmatrix}, \quad \begin{vmatrix} a_{22} & a_{23} \\ a_{32} & a_{33} \end{vmatrix}, \quad \begin{vmatrix} a_{11} & a_{13} \\ a_{31} & a_{33} \end{vmatrix}$$

Hay que examinar los signos de todos los seis menores principales y el signo de $|\mathbf{A}|$.

Para la matriz **A** resultante,

$$a_{11} = 1 > 0$$

$$a_{22} = 4 > 0$$

$$a_{33} = 0$$

$$\begin{vmatrix} a_{11} & a_{12} \\ a_{21} & a_{22} \end{vmatrix} = \begin{vmatrix} 1 & 2 \\ 2 & 4 \end{vmatrix} = 0$$

$$\begin{vmatrix} a_{22} & a_{23} \\ a_{32} & a_{33} \end{vmatrix} = \begin{vmatrix} 4 & 2 \\ 2 & 0 \end{vmatrix} = -4 < 0$$

$$\begin{vmatrix} a_{11} & a_{13} \\ a_{31} & a_{33} \end{vmatrix} = \begin{vmatrix} 1 & 1 \\ 1 & 0 \end{vmatrix} = -1 < 0$$

$$\begin{vmatrix} a_{11} & a_{12} & a_{13} \\ a_{21} & a_{22} & a_{23} \\ a_{31} & a_{32} & a_{33} \end{vmatrix} = \begin{vmatrix} 1 & 2 & 1 \\ 2 & 4 & 2 \\ 1 & 2 & 0 \end{vmatrix} = 0$$

Está claro que dos de los menores principales son negativos. De aquí se concluye que la matriz **A** no es semidefinida positiva. Es importante notar que si se hubiesen verificado solamente los signos de los menores principales sucesivos, y el determinante de **A**,

$$1 > 0, \qquad \begin{vmatrix} 1 & 2 \\ 2 & 4 \end{vmatrix} = 0, \qquad |\mathbf{A}| = \begin{vmatrix} 1 & 2 & 1 \\ 2 & 4 & 2 \\ 1 & 2 & 0 \end{vmatrix} = 0$$

se habría llegado a la errónea conclusión de que la matriz **A**, es semidefinida positiva.

De hecho, para la matriz **A** dada,

$$|\lambda\mathbf{I} - \mathbf{A}| = \begin{vmatrix} \lambda - 1 & -2 & -1 \\ -2 & \lambda - 4 & -2 \\ -1 & -2 & \lambda \end{vmatrix} = (\lambda^2 - 5\lambda - 5)\lambda$$
$$= (\lambda - 5.8541)\lambda(\lambda + 0.8541)$$

y entonces los valores propios son

$$\lambda_1 = 5.8541, \qquad \lambda_2 = 0, \qquad \lambda_3 = -0.8541$$

Para que la matriz **A** sea semidefinida positiva, todos los valores propios deben ser no negativos, y al menos uno de ellos debe ser cero. Desde luego, la matriz **A** es una matriz no definida.

**A–16.** Considere la ecuación

$$x_1 + 5x_2 = 1 \tag{A–43}$$

o, en forma matricial,

$$\mathbf{Ax} = b$$

donde

$$\mathbf{A} = [1 \quad 5], \qquad \mathbf{x} = \begin{bmatrix} x_1 \\ x_2 \end{bmatrix}, \qquad b = 1$$

Halle la solución que brinde la norma $\|\mathbf{x}\|$ mínima, es decir, la solución más cercana al origen.

**Solución.** La solución de norma mínima, resulta de

$$\mathbf{x}^\circ = \mathbf{A}^{RM}b$$

donde la seudoinversa derecha $\mathbf{A}^{RM}$, es el resultado de

$$\mathbf{A}^{RM} = \mathbf{A}^T(\mathbf{A}\mathbf{A}^T)^{-1}$$

En este ejemplo, la matriz seudoinversa derecha, se hace

$$\mathbf{A}^{RM} = \begin{bmatrix} 1 \\ 5 \end{bmatrix} \left\{ [1 \quad 5] \begin{bmatrix} 1 \\ 5 \end{bmatrix} \right\}^{-1} = \begin{bmatrix} 1 \\ 5 \end{bmatrix} (26)^{-1} = \begin{bmatrix} \frac{1}{26} \\ \frac{5}{26} \end{bmatrix}$$

Por tanto la solución de norma mínima resulta

$$\mathbf{x}^\circ = \begin{bmatrix} x_1^\circ \\ x_2^\circ \end{bmatrix} = \begin{bmatrix} \frac{1}{26} \\ \frac{5}{26} \end{bmatrix}$$

Es conveniente analizar gráficamente la solución de norma mínima. En la figura A-2 la solución de norma mínima está ubicada en el punto ***P***, que es la intersección de la recta $x_1 + 5x_2 = 1$, con la perpendicular a ella, que pasa por el origen. Esta perpendicular se puede expresar como

$$x_1 - \tfrac{1}{5}x_2 = 0 \qquad \text{(A–44)}$$

La solución de las ecuaciones simultáneas (A-43) y (A-44), da el punto $P$:

$$x_1 = \tfrac{1}{26}, \qquad x_2 = \tfrac{5}{26}$$

que es el mismo resultado obtenido al utilizar la matriz seudoinversa derecha.

**A–17.** Considere una ecuación matricial

$$\mathbf{Ax} = \mathbf{b}$$

donde

$$\mathbf{A} = \begin{bmatrix} 1 & 1 \\ 1 & 2 \\ 1 & 4 \end{bmatrix}, \quad \mathbf{x} = \begin{bmatrix} x_1 \\ x_2 \end{bmatrix}, \quad \mathbf{b} = \begin{bmatrix} 1 \\ 2 \\ 2 \end{bmatrix}$$

Obviamente no hay solución en el sentido clásico.

Halle la solución de norma mínima tal que la norma $\|\mathbf{Ax} - \mathbf{b}\|$ sea mínima.

**Solución.** La solución de norma mínima deseada, está dada por

$$\mathbf{x}^\circ = \mathbf{A}^{LM}\mathbf{b} = (\mathbf{A}^T\mathbf{A})^{-1}\mathbf{A}^T\mathbf{b}$$

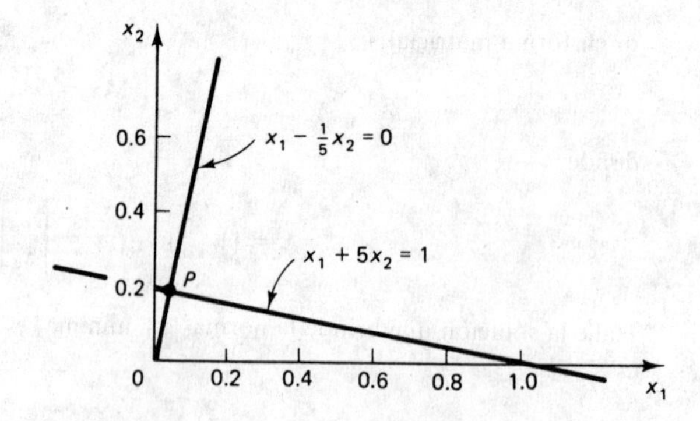


**Figura A-2** Representación gráfica de la solución de norma mínima de la ecuación (A-43), en el problema A-16.

Por tanto,

$$\mathbf{x}^\circ = \left\{\begin{bmatrix} 1 & 1 & 1 \\ 1 & 2 & 4 \end{bmatrix}\begin{bmatrix} 1 & 1 \\ 1 & 2 \\ 1 & 4 \end{bmatrix}\right\}^{-1}\begin{bmatrix} 1 & 1 & 1 \\ 1 & 2 & 4 \end{bmatrix}\begin{bmatrix} 1 \\ 2 \\ 2 \end{bmatrix} = \begin{bmatrix} 1 \\ \frac{2}{7} \end{bmatrix}$$

Por supuesto, el problema se puede resolver de diferentes modos. Uno de ellos es el uso de la matriz seudoinversa izquierda $\mathbf{A}^{LM}$ como se acaba de demostrar. A continuación se indica un método adicional, basado en un método ordinario de reducción al mínimo.

Si se ve que hallar el mínimo de $\|\mathbf{Ax} - \mathbf{b}\|$ es lo mismo que hallar el de $\|\mathbf{Ax} - \mathbf{b}\|^2$, se procede a hacer el mínimo de $\|\mathbf{Ax} - \mathbf{b}\|^2$. Se comienza la solución expresando $\|\mathbf{Ax} - \mathbf{b}\|^2$ como sigue:

$$\|\mathbf{Ax} - \mathbf{b}\|^2 = (x_1 + x_2 - 1)^2 + (x_1 + 2x_2 - 2)^2 + (x_1 + 4x_2 - 2)^2$$

Se denomina

$$L = (x_1 + x_2 - 1)^2 + (x_1 + 2x_2 - 2)^2 + (x_1 + 4x_2 - 2)^2$$

Entonces, diferenciando $L$ respecto a $x_1$ y $x_2$, respectivamente, e igualando las ecuaciones resultantes a cero, se obtiene

$$\frac{\partial L}{\partial x_1} = 2(x_1 + x_2 - 1) + 2(x_1 + 2x_2 - 2) + 2(x_1 + 4x_2 - 2) = 0$$

$$\frac{\partial L}{\partial x_2} = 2(x_1 + x_2 - 1) + 4(x_1 + 2x_2 - 2) + 8(x_1 + 4x_2 - 2) = 0$$

que se puede expresar en forma simplificada,

$$3x_1 + 7x_2 - 5 = 0$$

$$7x_1 + 21x_2 - 13 = 0$$

La solución de estas dos ecuaciones simultáneas, da

$$x_1 = 1, \qquad x_2 = \tfrac{2}{7}$$

o bien

$$\mathbf{x}^\circ = \begin{bmatrix} 1 \\ \frac{2}{7} \end{bmatrix}$$

que es la misma solución obtenida, al utilizar la seudoinversa izquierda de **A**.

# REFERENCIAS


A–1 Ackermann, J.E., "Der Entwulf Linearer Regelungs Systeme im Zustandstraum," *Regelungstechnik und Prozessdatenverarbeitung*, **7**(1972), pp. 297–300.

A–2 Athans, M., and P. L. Falb, *Optimal Control: An Introduction to the Theory and Its Applications*. New York: McGraw-Hill Book Company, 1965.

B–1 Barnet, S., "Matrices, Polynomials, and Linear Time-Invariant Systems," *IEEE Trans. Automatic Control*, **AC-18** (1973), pp. 1–10.

B–2 Bayliss, L. E., *Living Control Systems*. London: English Universities Press Limited, 1966.

B–3 Bellman, R., *Introduction to Matrix Analysis*. New York: McGraw-Hill Book Company, 1960.

B–4 Bode, H. W., *Network Analysis and Feedback Design*. New York: Van Nostrand Reinhold, 1945.

B–5 Brogan, W. L., *Modern Control Theory*. Englewood Cliffs, N.J.: Prentice-Hall, 1985.

B–6 Butman, S., and R. Sivan (Sussman), "On Cancellations, Controllability and Observability," *IEEE Trans. Automatic Control*, **AC-9** (1964), pp. 317–8.

C–1 Campbell, D. P., *Process Dynamics*. New York: John Wiley & Sons, Inc., 1958.

C–2 Cannon, R., *Dynamics of Physical Systems*. New York: McGraw-Hill Book Company, 1967.

C–3 Cheng, D. K., *Analysis of Linear Systems*. Reading, Mass.: Addison-Wesley Publishing Company, Inc., 1959.

C–4 Churchill, R. V., *Operational Mathematics*, 3rd ed. New York: McGraw-Hill Book Company, 1972.

C–5 Coddington, E. A., and N. Levinson, *Theory of Ordinary Differential Equations*. New York: McGraw-Hill Book Company, 1955.

C–6 Craig, J. J., *Introduction to Robotics, Mechanics and Control*. Reading, Mass.: Addison-Wesley Publishing Company, Inc., 1986.

C–7 Cunningham, W. J., *Introduction to Nonlinear Analysis*. New York: McGraw-Hill Book Company, 1958.

E–1 Enns, M., J. R. Greenwood, III, J. E. Matheson, and F. T. Thompson, "Practical Aspects of State-Space Methods Part I: System Formulation and Reduction," *IEEE Trans. Military Electronics*, **MIL-8** (1964), pp. 81–93.

E–2 Evans, W. R., "Graphical Analysis of Control Systems," *AIEE Trans. Part II*, **67** (1948), pp. 547–51.

E–3 Evans, W. R., "Control System Synthesis by Root Locus Method," *AIEE Trans. Part II*, **69** (1950), pp. 66–9.

E–4 Evans, W. R., "The Use of Zeros and Poles for Frequency Response or Transient Response," *ASME Trans.*, **76** (1954), pp. 1335–44.

F–1 Franklin, G. F., J. D. Powell, and A. Emami-Naeini, *Feedback Control of Dynamic Systems*. Reading, Mass.: Addison-Wesley Publishing Company, Inc., 1986.

F–2 Friedland, B., *Control System Design*. New York: McGraw-Hill Book Company, 1986.

F–3 Fu, K. S., R. C. Gonzalez, and C. S. G. Lee, *Robotics: Control, Sensing, Vision, and Intelligence*. New York: McGraw-Hill Book Company, 1987.

G–1 Gantmacher, F. R., *Theory of Matrices*, Vols. I and II. New York: Chelsea Publishing Co., Inc., 1959.

G–2 Gibson, J. E., *Nonlinear Automatic Control*. New York: McGraw-Hill Book Company, 1963.

G–3 Gilbert, E. G., "Controllability and Observability in Multivariable Control Systems," *J.SIAM Control*, ser. A, **1** (1963), pp. 128–51.

G–4 Graham, D., and R. C. Lathrop, "The Synthesis of Optimum Response: Criteria and Standard Forms," *AIEE Trans. Part II*, **72** (1953), pp. 273–88.

H–1 Hahn, W., *Theory and Application of Liapunov's Direct Method*. Englewood Cliffs, N.J.: Prentice-Hall, Inc., 1963.

H–2 Halmos, P. R., *Finite Dimensional Vector Spaces*. New York: Van Nostrand Reinhold, 1958.

H–3 Higdon, D. T., and R. H. Cannon, Jr., "On the Control of Unstable Multiple-Output Mechanical Systems," *ASME Paper no.* **63**-*WA-148*, 1963.

I–1 Irwin, J. D., *Basic Engineering Circuit Analysis*. New York: Macmillan Inc., 1984.

K–1 Kailath, T., *Linear Systems*. Englewood Cliffs, N.J.: Prentice-Hall, Inc., 1980.

K–2 Kalman, R. E., "Contributions to the Theory of Optimal Control," *Bol. Soc. Mat. Mex.*, **5** (1960), pp. 102–19.

K–3 Kalman, R. E., "On the General Theory of Control Systems," *Proc. First Intern. Cong. IFAC*, Moscow, 1960; *Automatic and Remote Control*. London: Butterworths & Company, Ltd., 1961, pp. 481–92.

K–4 Kalman, R. E., "Canonical Structure of Linear Dynamical Systems," *Proc. Natl. Acad. Sci., USA*, **48** (1962), pp. 596–600.

K–5 Kalman, R. E., "When Is a Linear Control System Optimal?" *ASME J. Basic Engineering*, ser. D, **86** (1964), pp. 51–60.

K–6 Kalman, R. E., and J. E. Bertram, "Control System Analysis and Design via the Second Method of Lyapunov: I Continuous-Time Systems," *ASME J. Basic Engineering*, ser. D, **82** (1960), pp. 371–93.

K–7 Kalman, R. E., Y. C. Ho, and K. S. Narendra, "Controllability of Linear Dynamic Systems," in *Contributions to Differential Equations*, Vol. 1. New York: Wiley-Interscience Publishers, Inc., 1962.

K–8 Kochenburger, R. J., "A Frequency Response Method for Analyzing and Synthesizing Contactor Servomechanisms," *AIEE Trans.*, **69** (1950), pp. 270–83.

K–9 Kreindler, E., and P. E. Sarachick, "On the Concepts of Controllability and Observability of Linear Systems," *IEEE Trans. Automatic Control*, **AC-9** (1964), pp. 129–36.

K–10 Kuo, B. C., *Automatic Control Systems*, 5th ed. Englewood Cliffs, N.J.: Prentice-Hall, Inc., 1987.

L–1 LaSalle, J. P., and S. Lefschetz, *Stability by Liapunov's Direct Method with Applications*. New York: Academic Press, Inc., 1961.

L–2 Luenberger, D. G., "Observing the State of a Linear System," *IEEE Trans. Military Electr.*, **MIL-8** (1964), pp. 74–80.

M–1 Mason, S. J., "Feedback Theory: Some Properties of Signal Flow Graphs," *Proc. IRE*, **41** (1953), pp. 1144–56.

M–2 Mason, S. J., "Feedback Theory: Further Properties of Signal Flow Graphs," *Proc. IRE*, **44** (1956), pp. 920–6.

M–3 Melbourne, W. G., "Three Dimensional Optimum Thrust Trajectories for Power-Limited Propulsion Systems," *ARS J.*, **31** (1961), pp. 1723–8.

M–4 Melbourne, W. G., and C. G. Sauer, Jr., "Optimum Interplanetary Rendezvous with Power-Limited Vehicles, *AIAA J.*, **1** (1963), pp. 54–60.

M–5 Minorsky, N., *Nonlinear Oscillations*. New York: Van Nostrand Reinhold, 1962.

M–6 Monopoli, R. V., "Controller Design for Nonlinear and Time-Varying Plants," *NASA* **CR-152,** Jan., 1965.

N–1 Noble, B., and J. Daniel, *Applied Linear Algebra*, 2nd ed. Englewood Cliffs, N.J.: Prentice-Hall, Inc., 1977.

N–2 Nyquist, H., "Regeneration Theory," *Bell System Tech. J.*, **11** (1932), pp. 126–47.

O–1 Ogata, K., *State Space Analysis of Control Systems*. Englewood Cliffs, N.J.: Prentice-Hall, Inc., 1967.

O–2 Ogata, K., *System Dynamics*. Englewood Cliffs, N.J.: Prentice-Hall, Inc., 1978.

O–3 Ogata, K., *Discrete-Time Control Systems*. Englewood Cliffs, N.J.: Prentice Hall, Inc., 1987.

P–1 Phillips, C. L., and R. D. Harbor, *Feedback Control Systems*. Englewood Cliffs, N.J.: Prentice-Hall, Inc., 1988.

R–1 Rekasius, Z. V., "A General Performance Index for Analytical Design of Control Systems," *IRE Trans. Automatic Control*, **AC-6** (1961), pp. 217–22.

S–1 Schultz, W. C., and V. C. Rideout, "Control System Performance Measures: Past, Present, and Future," *IRE Trans. Automatic Control*, **AC-6** (1961), pp. 22–35.

S–2 Smith, R. J., *Electronics: Circuits and Devices*, 2d ed. New York: John Wiley & Sons, Inc., 1980.

S–3 Staats, P. F., "A Survey of Adaptive Control Topics"' *Plan B paper*, Dept. of Mech. Eng., University of Minnesota, Mar., 1966.

S–4 Strang, G., *Linear Algebra and Its Applications*. New York: Academic Press, Inc., 1976.

T–1 Truxal, J. G., *Automatic Feedback Systems Synthesis*. New York: McGraw-Hill Book Company, 1955.

V–1 Valkenburg, M. E., *Network Analysis*. Englewood Cliffs, N.J.: Prentice-Hall, Inc., 1974.

V–2 Van Landingham, H. F., and W. A. Blackwell, "Controller Design for Nonlinear and Time-Varying Plants," *Educational Monograph*, College of Engineering, Oklahoma State University, 1967.

W–1 Wadel, L. B., "Describing Function as Power Series," *IRE Trans. Automatic Control*, **AC-7** (1962), p. 50.

W–2 Waltz, M. D., and K. S. Fu, "A Learning Control System," *Proc. Joint Automatic Control Conference*, 1964, pp. 1–5.

W–3 Wilcox, R. B., ''Analysis and Synthesis of Dynamic Performance of Industrial Organizations—The Application of Feedback Control Techniques to Organizational Systems,'' *IRE Trans. Automatic Control*, **AC-7** (1962), pp. 55–67.

W–4 Willems, J. C., and S. K. Mitter, ''Controllability, Observability, Pole Allocation, and State Reconstruction,'' *IEEE Trans. Automatic Control*, **AC-16** (1971), pp. 582–95.

W–5 Wojcik, C. K., ''Analytical Representation of the Root Locus,'' *ASME J. Basic Engineering*, ser. D, **86** (1964), pp. 37–43.

W–6 Wonham, W. M., ''On Pole Assignment in Multi-Input Controllable Linear Systems,'' *IEEE Trans. Automatic Control*, **AC-12** (1967), pp. 660–65.

Z–1 Ziegler, J. G., and N. B. Nichols, ''Optimum Settings for Automatic Controllers,'' *ASME Trans.* **64** (1942), pp. 759–68.

Z–2 Ziegler, J. G., and N. B. Nichols, ''Process Lags in Automatic Control Circuits,'' *ASME Trans.* **65** (1943), pp. 433–44.

# Indice

## A

## B



## C

## D



## E

## F



## G



## H

*I*



*J*



*K*



*L*



*M*

## N



## O